D1546311

Wolfram Pyta

Hindenburg

Wolfram Pyta

HINDENBURG

Herrschaft zwischen
Hohenzollern und Hitler

Siedler

FSC
Mix
Produktgruppe aus vorbildlich
bewirtschafteten Wäldern und
anderen kontrollierten Herkünften
Zert.-Nr. SGS-COC-1940
www.fsc.org
© 1996 Forest Stewardship Council

Verlagsgruppe Random House FSC-DEU-0100
Das für dieses Buch verwendete FSC-zertifizierte
Papier *EOS* liefert Salzer, St. Pölten.

Erste Auflage

Umschlaggestaltung: Rothfos + Gabler, Hamburg
Lektorat und Satz: Ditta Ahmadi, Berlin
Reproduktionen: Mega-Satz-Service, Berlin
Druck und Bindung: GGP Media GmbH, Pößneck
Printed in Germany 2007
ISBN 978-3-88680-865-6

www.siedler-verlag.de

Inhalt

Vorwort

Neue Erkenntnisse verdankt die Geschichtswissenschaft im Regelfall zwei Umständen: Der Zugriff auf bislang unerschlossene Dokumente bereichert den Wissensstand, und neue Fragestellungen lassen bereits bekannte Quellenbestände in neuem Licht erscheinen. Mit dem vorliegenden Werk ist die Hoffnung verbunden, daß durch die Kombination bislang der Forschung nicht zur Verfügung stehender Zeugnisse mit einer kreativen Erschließung des Gegenstandes dem Leser neue, zum Teil sogar überraschende Einsichten vermittelt werden.

Dies gilt vor allem für die Person Hindenburg. Der Leser wird neue Facetten des Privatmanns Hindenburg kennenlernen; er wird aber nicht zuletzt Hindenburg in seiner herrschaftlichen Eigenschaft begegnen. Die Konzentration auf die herrschaftliche Seite der Gestalt Hindenburg ist eine Folge von dessen maßgeblicher Beteiligung an zentralen politischen Weichenstellungen. Der 9. November 1918 – der Sturz der Monarchie und die anschließende Flucht Kaiser Wilhelms II. in die Niederlande – und der 30. Januar 1933 – ein im hohen Maße schicksalsträchtiges Datum nicht nur der deutschen Geschichte – bilden die beiden wichtigsten dieser historischen Zäsuren, an denen Hindenburg ein erheblicher Anteil zufiel. Es ist das Grundanliegen des vorliegenden Werkes, den Ursachen für das Verhalten Hindenburgs auf die Spur zu kommen. Dazu ist es erforderlich, dessen Herrschaft zu typologisieren und sein Auftreten als politischer Akteur in die kulturellen und gesellschaftlichen Rahmenbedingungen einzubetten, die Hindenburg herrschaftliche Entfaltungsmöglichkeiten boten. In methodischer Hinsicht möchte die Studie somit Politik- und Kulturgeschichte fruchtbar verschränken und auf diese Weise einem vermeintlich »ausgeforschten« Sujet neue Facetten abgewinnen.

Erzählt wird die Geschichte einer geradezu atemberaubenden politischen Karriere, die sich über drei politische Systeme erstreckte: Kaiserreich, Weimarer Republik und »Drittes Reich«. Hindenburgs wahrlich ungewöhnlicher politischer Lebensweg vom verabschiedeten General zum Symbol nationaler Integration und schließlich zum Reichspräsidenten führt durch den turbulentesten Abschnitt der jüngeren deutschen Geschichte, nämlich durch die Zeit vom Ausbruch des Ersten Weltkriegs 1914 bis zur Etablierung der Herrschaft Hitlers 1933/34. Dabei handelt es sich um eine Phase voller offener Entscheidungssituationen, in denen die Geschichte, wenn andere Entscheidungen getroffen worden wären, einen ganz anderen Verlauf hätte nehmen können. Gerade dieser Umstand rückt Hindenburg in seiner herrscherlichen Eigenschaft in das Zentrum des Erkenntnisinteresses.

Die zentrale These des vorliegenden Werkes lautet: Hindenburg gelang es, unter außergewöhnlichen Umständen eine auf seine Person zugeschnittene Herrschaftsform zu etablieren; seine herrschaftlichen Ressourcen ergaben sich daraus, daß er in der Politischen Kultur tief verwurzelte Grundannahmen in seiner Person symbolisch faßbar machte. Als symbolpolitischer Akteur verdankte Hindenburg seine Herrschaft dabei im Kern einem Zuschreibungsakt durch weite Kreise der deutschen Gesellschaft. Bereits während des Ersten Weltkrieges konnte er dank seiner symbolischen Leistungsfähigkeit eine auf seine Person bezogene Herrschaft errichten, ohne hierfür durch ein politisches Amt legitimiert zu sein. Mit der Wahl zum Reichspräsidenten der Weimarer Republik im Jahr 1925 erlangte er zum ersten Mal in seinem Leben ein offizielles politisches Amt, in dem er sieben Jahre später bestätigt wurde. Damit verfügte er zusätzlich zu der seiner Person geschuldeten, als charismatisch zu bezeichnenden Autorität über ein zweites Herrschaftsfundament. Doch diese legale, sich aus den Befugnissen des Präsidentenamtes speisende Autorität griff die charismatischen Wurzeln seiner Herrschaft an. Das Agieren Hindenburgs in der Staatskrise von 1932/33, das in die Ernennung Hitlers zum Reichskanzler mündete, läßt sich aus diesem Spannungsverhältnis zwischen charismatischer und legaler Herrschaft erklären.

Von diesem systematischen Zugang aus werden die zentralen Entscheidungen Hindenburgs ausgeleuchtet und bis in ihre Verästelungen verfolgt. Der Autor hofft, durch diese Anlage auch neue Antworten auf die bohrende Frage geben zu können, warum der auf dem Höhepunkt seiner Amtsautorität stehende Reichspräsident Hindenburg am 30. Januar 1933 eine Art freiwillige Abdankung vollzog und die Regierungsmacht dem »Führer« der NSDAP anvertraute. Jeder neue Erklärungsansatz muß sich an den auffindbaren Dokumenten bewähren. Der Autor hat deshalb mehr als ein halbes Dutzend größerer Quellenbestände ausgewertet, die bislang nicht von der Forschung herangezogen wurden. Die Ausführungen zu methodischem Ansatz und leitenden Begriffen dieser Studie sind weitgehend in zwei Exkursen zusammengefaßt, damit der Erzählfluß nicht unterbrochen wird.

Wolfram Pyta
Stuttgart, im Juli 2007

Die Familie von Hindenburg im Jahre 1866, stehend Paul von Hindenburg

KAPITEL 1

Eine mehr als respektable Offizierskarriere

Paul von Hindenburg war schon fast 67 Jahre alt, als er ins Rampenlicht der Geschichte trat und aus dem preußisch-deutschen Offizier eine historische Figur wurde. Als man ihn nach Ausbruch des Ersten Weltkriegs aus dem Ruhestand zurückholte, beförderte ihn nicht zuletzt der Zufall binnen kurzem an die Spitze der deutschen Truppen im Osten, wo er zum populärsten Deutschen aufstieg. Dieser wahrlich atemberaubende zunächst militärische und dann mehr und mehr politische Aufstieg Hindenburgs war nicht mehr zu erwarten gewesen. In seiner Berufslaufbahn deutete bis zum August 1914 nichts darauf hin, daß sein Name einstmals die Schlagzeilen beherrschen sollte. Infolgedessen sind die dokumentarischen Zeugnisse der 67 Jahre von 1847 bis zum August 1914 mehr als dürftig. Hindenburg führte bis dahin das unspektakuläre Leben eines preußisch-deutschen Militärs, der das Licht der Öffentlichkeit nicht suchte. Vor seiner militärischen Reaktivierung war er nur einem kleinen Kreis militärischer Insider bekannt; nach dem kometenhaften Aufstieg war jedoch ganz Deutschland begierig, mehr über den neuen Nationalhelden zu erfahren.

Die erste zuverlässige Biographie Hindenburgs erschien bereits 1915. Sie war das Werk seines literarisch ambitionierten elf Jahre jüngeren Bruders Bernhard und enthielt zahlreiche Dokumente und fotografische Zeugnisse.[1] Aufgrund ihres Materialreichtums ist diese Schrift auch heute noch unentbehrlich, wenn man die beruflichen und privaten Schritte Paul von Hindenburgs von 1847 bis 1914 verfolgen will. Auch das hier vorliegende Werk stützt sich auf diese Publikation, reichert sie aber um zum Teil bislang unbekannte Dokumente an. Allerdings geht es hier nicht darum, das Leben Paul von Hindenburgs bis zum August 1914 in erschöpfender Ausführlichkeit nachzuzeichnen, denn dafür reicht die magere Quellenlage nicht aus. Vielmehr sollen die vorliegenden Zeugnisse daraufhin befragt werden, ob sich aus ihnen eine militärische und politische Grundauffassung herauslesen läßt, die dem Generalfeldmarschall des Jahres 1914 und dem späteren Reichspräsidenten als verläßlicher Kompaß diente. Die Frage lautet also: Gab es grundlegende

Prägungen in Hindenburgs ersten 67 Jahren, die sein Leben als Feldmarschall und später als Reichspräsident bestimmt haben?

Betrachten wir zunächst die militärische Laufbahn Hindenburgs bis zur Übernahme eines Regiments im Jahre 1893. Bereits in diesen 36 Jahren hat der aufstrebende Offizier Grundauffassungen verinnerlicht, die sein militärisches Credo bestimmten und sich im Ersten Weltkrieg nachdrücklich bemerkbar machen sollten. Man wird Hindenburg nicht gerecht, wenn man ihn als reine Soldatennatur begreift, deren geistiger Horizont nicht über das preußische Exerzierreglement hinausreicht. Er selbst verstand sich als kriegswissenschaftlich ausgebildeter Militär, der die Schlachten gewissermaßen lesen konnte; und er fühlte sich den Nur-Soldaten, denen es an einer solchen fundierten Ausbildung fehlte, turmhoch überlegen. Schon in jungen Jahren zählte er zur militärischen Führungsreserve und konnte sich berechtigte Hoffnungen auf eine beachtliche militärische Karriere ausrechnen.

Die Grundlagen für Hindenburgs Laufbahn wurden früh gelegt. Schon als Kind lernte er das militärische Leben kennen, und er hat sich wohl niemals etwas anderes gewünscht, als Offizier zu werden. Das Soldatische lernte er aus nächster Nähe durch seinen Vater Robert kennen, der sich ebenfalls dem Dienst im Waffenrock verschrieben hatte. Als Paul von Hindenburg am 2. Oktober 1847 in Posen das Licht der Welt erblickte, war sein Vater dort als Leutnant stationiert. Angesichts der Neigungen des Knaben war es nur konsequent, daß der junge Paul 1859 in eine Kadettenschule – im schlesischen Wahlstatt – eintrat. In diesen Einrichtungen verband man die schulische Ausbildung auf dem Niveau eines Realgymnasiums mit der Einübung militärischer Grundfertigkeiten. Paul von Hindenburg hat während der Kadettenzeit Pflichtbewußtsein und Ausdauer erkennen lassen, ohne im schulischen oder militärischen Unterricht durch herausragende Leistungen zu glänzen. Im April 1863 setzte er seine Ausbildung auf der Hauptkadettenanstalt in Berlin fort, wurde zwei Jahre später in die höchste Klasse, die Selekta, versetzt und erwarb damit das Anrecht, unmittelbar nach bestandenem Fähnrichsexamen in das Offizierskorps einzutreten. Das war der schnellste Weg zum Leutnant. Als Hindenburg im April 1866 in das gerade gebildete 3. Garderegiment zu Fuß als Leutnant aufgenommen wurde, hatte er sein erstes Ziel erreicht: Mit 18 1/2 Jahren war er in das prestigeträchtige preußische Offizierskorps aufgerückt. Nun standen ihm alle militärischen Aufstiegsmöglichkeiten offen.[2]

Für Hindenburgs persönlichen Reifeprozeß spielten der Preußisch-Österreichische Krieg von 1866 und der Deutsch-Französische Krieg von 1870/71 eine entscheidende Rolle. Hier sammelte er praktische Kriegserfahrungen, was auch bedeutete, sein Leben aufs Spiel zu setzen – aus seiner Sicht eine Selbstverständlichkeit für einen Berufssoldaten, der den Eid auf den preußischen König geschworen hatte. Vor Beginn der Kampfhandlungen auf dem böhmischen Kriegsschauplatz vertraute er seinen Eltern an: »So freue ich mich doch über diese bunt belebte Zukunft, für einen Soldaten ist ja der Krieg der Normalzustand und außerdem stehe ich in Gottes Hand. Falle ich, so ist es der ehrenvolle und schönste Tod, eine Verwundung muß ja auch nur zum Besten dienen, und kehre ich unverletzt zurück, um so schöner.«[3] Fast hätte er bei diesem Feldzug sein Leben hingegeben, als am 3. Juli 1866 in der entscheidenden Schlacht bei Königgrätz eine feindliche Kugel seinen Helm durchschlug, seinen Kopf aber nur streifte. Daß er um Haaresbreite dem Tod entronnen war, nahm er kaltblütig zur Kenntnis und erledigte seine Aufgabe ungerührt weiter.[4]

Als das preußische Gardekorps vier Jahre später im Deutsch-Französischen Krieg eingesetzt wurde, stand die nächste Bewährungsprobe für den jungen Leutnant bevor. Hindenburg hat in zwei ausschlaggebenden Gefechten an vorderster Front mitgefochten: am 18. August 1870 bei der Einnahme von St. Privat und zwei Wochen später bei der Schlacht von Sedan, die den französischen Kaiser Napoleon III. Freiheit und Thron kostete. Hindenburg verschloß dabei die Augen keineswegs vor den Schrecken des Krieges, denn er beklagte die »entsetzlichen Verluste« des Gardekorps in der Schlacht von St. Privat. Doch die ihm eigene Nüchternheit, die zu einem hervorstechenden Charakterzug werden sollte, ließ ihn auch im lautesten Schlachtengetümmel Gleichmut bewahren: »Ich begreife selbst nicht, wie ich bei der ganzen Aktion so kaltblütig bleiben konnte.«[5]

In dieser Zeit schälten sich die Konturen seiner politischen Grundanschauung heraus. Daß Hindenburg infolge seiner Sozialisation und seines Werdegangs königstreu sowie gut preußisch fühlte und dachte, bedarf keiner besonderen Begründung. Bedeutsam war hingegen der Umstand, daß er seit 1866 über den preußischen Tellerrand hinausblickte und sich sentimentale Regungen in bezug auf das alte Preußen versagte. Er zählte nicht zu den altpreußischen Konservativen, welche die unter preußischer Führung zustande gebrachte deutsche Einigung als Verlust der preußischen Eigenart empfanden. Das war wohl auch darauf zurückzuführen, daß er mit dem 3. Garderegiment nach dem siegreichen Feldzug gegen Österreich und dessen Verbündete für fast vier Jahre im ehemaligen Königreich Hannover stationiert war, das im Krieg von 1866 auf der Seite des geschlagenen Österreich gestanden, danach seine Unabhängigkeit verloren hatte und seitdem zu Preußen gehörte. Hindenburg fühlte sich in dem gerade erst annektierten Territorium sichtlich wohl. Daß der vermeintliche Altpreuße Hindenburg seinen Altersruhesitz ausgerechnet in Hannover nahm, spricht Bände. Er zeigte sich an Land und Leuten

interessiert und knüpfte zarte Bande zu einer jungen Dame aus einem streng welfi-
schen Elternhaus. Das Werben des jungen Leutnants wurde erhört, und so verlobte
er sich im Jahre 1870 mit Irmengard von Rappard. Doch das junge Glück wurde
durch eine unheilbare Krankheit der Braut zerstört, die schon im April 1871 verstarb.[6] Dieser Tod ging Hindenburg sehr nahe. Zum Zeichen der Erinnerung an
die jung Verstorbene gab er seinem ersten Kind aus der 1879 eingegangen Ehe mit
Gertrud von Sperling den Namen Irmengard.

Als Hindenburg 1870 zum zweiten Mal zu den Waffen gerufen wurde, kämpfte
er nicht mehr allein für Preußen, sondern für das im Entstehen begriffene Deutsche Reich. Die Kontingente aus den anderen deutschen Staaten hieß er als »deutsche Brüder« willkommen.[7] Als am 18. Januar 1871 der preußische König im Spie-
gelsaal von Versailles inmitten der deutschen Fürsten und Militärs zum deutschen
Kaiser ausgerufen wurde, war Paul von Hindenburg als Vertreter seines Regiments
zugegen.[8] Er erlebte die Geburt des Reiches, das von da an den Fixpunkt seines politischen Denkens bildete, also aus nächster Nähe. Im Juni 1871 kehrte Hindenburg
mit den siegreichen Truppen ins Reich zurück und nahm am 18. Juni 1871 an der
Siegesparade in Berlin teil. Danach war er weitere zwei Jahre bei seinem Regiment
in Hannover stationiert, ehe er einen für sein militärisches wie politisches Selbstverständnis entscheidenden Schritt tat: Er bewarb sich bei der Kriegsakademie in
Berlin, bestand die Aufnahmeprüfung und drückte dort von Herbst 1873 an für
drei Jahre noch einmal die Schulbank.

Die mit Bravour absolvierte Akademiezeit war seiner militärischen Karriere
überaus zuträglich, weil er damit die Voraussetzung erwarb, in den militärischen
Olymp – den mythenumwobenen preußischen Großen Generalstab – aufgenommen zu werden. Sein Abgangszeugnis wies die Gesamtnote »sehr gut« aus. Weiterhin wurde dort bemerkt: »Ein selbständiger schneidiger Charakter von großer
Befähigung und sicherem militairischem Blick. Wird überall Vortreffliches leisten
und eignet sich vorzugsweise für eine Kommandierung zum Generalstab.«[9]

Mit der Qualifikation für den Generalstab schlossen nur etwa dreißig Prozent
der Absolventen die Kriegsakademie ab.[10] Den Kern der Ausbildung bildete die
wissenschaftliche Veredelung des Kriegshandwerks zur Kriegskunst, wobei der
Anspruch bestand, den Krieg mit wissenschaftlichen Methoden zu durchdringen,
seine Geheimnisse zu entschlüsseln und militärische Erfolge kalkulierbar zu machen. Ein verwegener militärischer Draufgänger wie Blücher galt als Auslaufmo-
dell. Zum Vorbild nahm man sich nun den legendären Generalstabschef Helmuth
von Moltke, der den Krieg gegen Frankreich analytisch seziert und denkerisch in
erfolgreiche Bahnen gelenkt hatte. Das organisatorische Herzstück stellte bei dieser

neuen Art der Kriegführung der Große Generalstab dar, der seinen Führungsnach-
wuchs an einer militärischen Hochschule ausbildete, eben der Kriegsakademie in
Berlin. Hindenburg eiferte mit der für ihn typischen Sorgfalt so sehr seinem Vorbild Moltke nach – dem er auch in punkto Schweigsamkeit durchaus ähnelte –,
daß seine Kameraden auf der Kriegsakademie ihn den »konzentrierten Moltke«
nannten.[11]

Auf der Kriegsakademie spielte die Kriegstechnik eine wichtige Rolle bei der
Ausbildung (Militärgeographie, Festungskrieg, Waffenlehre), aber auch den Naturwissenschaften und modernen Fremdsprachen (Französisch und Russisch) wurde
breiter Raum im Lehrplan gewidmet, mithin das Militärfachliche mit allgemeiner
Bildung verbunden.[12] Diese Verwissenschaftlichung des Militärischen barg erhebliche politische Konsequenzen in sich. Denn nun gewann das Militärische als ursprünglich vorbürgerliche Lebenswelt Anschluß an die bürgerlich ausgerichtete
Lebensform, in welcher der Rekurs auf Wissenschaft zum Selbstverständnis zählte
und die dem jungen Kaiserreich in kultureller Hinsicht den Stempel aufdrückte. In
gewisser Weise marschierte das Militär mit an der Spitze einer kulturellen Entwicklung, die auf die Entzauberung der Welträtsel durch Wissenschaft setzte. Im
Marschgepäck der militärischen Führungselite Preußens befand sich zudem das
selbstverständliche Bekenntnis zur deutschen Nation, welches die emotionale Zuneigung zum alten Preußen zwar nicht verdrängte, aber doch überlagerte. Unter
den Auspizien der Verwissenschaftlichung des Krieges kam es also zu einer eigen-
tümlichen Verschmelzung von Militär und Nation,[13] die auch den jungen Offizier
Hindenburg zutiefst prägte.

Hindenburgs Bekenntnis zur deutschen Nation war in hohem Maße durch historische Selbstvergewisserung untermauert – und auch in dieser Hinsicht bewegte
er sich im Rahmen der bürgerlichen Vorstellung von der Nation. Die Nation als Be-
kenntnisgemeinschaft speist sich nicht zuletzt aus dem Rückgriff auf gemeinsame
historische Wurzeln, die das Ergebnis einer gezielten Geschichtsdeutung sind. Eine
solche Konstruktion von Kontinuität verleiht der Nation eine historische Dignität,
die unerläßlich ist für die Legitimationsstiftung jedes Nationalstaates. Der Aufstieg
der Geschichte als Wissenschaft in der Mitte des 19. Jahrhunderts in Deutschland
war also aufs engste verflochten mit dem Wunsch des nationalprotestantischen
Bürgertums, in der durch Bismarck vollzogenen Gründung des Deutschen Reiches
die Erfüllung eines Auftrags der Geschichte zu sehen und dabei eine historische
Mission Preußens – nämlich die deutsche Einheit zu vollenden – zu postulieren.[14]

Für Hindenburg war die Berufung auf Geschichte von entscheidendem Einfluß auf seine politische Selbstfindung. Er begnügte sich nicht mit der mageren

Kost, die ihm in Schule und Kadettenanstalt vorgesetzt wurde, wo der Geschichtsunterricht bei den Freiheitskriegen gegen Napoleon endete und die Zeit nach 1815
ausgespart wurde.[15] Zwar wahrte die Kriegsgeschichte den zeithistorischen Bezug,
so daß Hindenburg bereits als Kadett eine eingehende militärhistorische Durchleuchtung des Krimkrieges (1853–1856) erhielt sowie des Österreichisch-Französi-
schen Krieges in Oberitalien von 1859.[16] Seine Hinwendung zur Geschichte erfolgte
indes nicht über die Kriegsgeschichte, obwohl er auf diesem Feld brillierte und
über ein überaus profundes Wissen verfügte.[17] Hindenburg war kein bornierter
Militär, der die geschichtliche Entwicklung auf die Abfolge von Schlachten reduzierte; vielmehr verstand er die Geschichte als einen Schauplatz, auf dem als
primäre Akteure Staaten und Völker auftraten, die sich höheren Idealen verschrieben hatten.

Symptomatisch für Hindenburgs Annäherung an den geschichtlichen Stoff ist
eine im Februar 1873 entstandene ausführliche Abhandlung,[18] die er für die Aufnahme in die Kriegsakademie verfaßte und die eine klassische historische Fragestellung aufgriff: Warum vermochte die Republik der Vereinigten Niederlande
über 150 Jahre hinweg – vom 1559 beginnenden Abfall von Spanien bis zum Spani-
schen Erbfolgekrieg – trotz ihrer geringen territorialen Größe und der aus dem
Rahmen fallenden republikanischen Verfassung die Stellung einer Großmacht zu
erlangen und über einen längeren Zeitraum zu behaupten? Hindenburg eignete
sich dafür im Selbststudium ein mehr als solides historisches Wissen an und zog
die relevante historische Fachliteratur hinzu, unter anderem Abhandlungen der renommierten Historiker Heinrich Leo, August Heeren und Heinrich von Treitschke.
Der noch nicht 27jährige Premier-Leutnant (das heißt Oberleutnant) Hindenburg
zeigte sich dabei durchaus auf der Höhe der historischen Forschung, denn als Fazit
seiner Abhandlung verwies er auf genuin politische Faktoren, die den exzeptionel-
len Aufstieg der Niederlande ermöglicht hatten: die innere Schwäche des Heiligen
Römischen Reiches Deutscher Nation und Englands; das Abseitsstehen von Rußland sowie insbesondere die genuine »politische Mission Hollands: die Vertretung
des Protestantismus in einer Zeit, als andere es nicht konnten«.[19]

Hindenburg besaß den Ehrgeiz, in geschichtlichen Fragen den Dingen auf den
Grund zu gehen, weshalb allgemeinhistorische und militärgeschichtliche Werke
einen großen Teil seiner Lektüre ausmachten.[20] Abgesehen von Klio hatte ihn allerdings keine der Musen geküßt. Dem humanistischen Bildungsideal konnte er
nichts abgewinnen, weil er an Latein und Griechisch allein die Elle des praktischen
Nutzens anlegte. In der Privilegierung der alten Sprachen – dem Schlüssel zur klassischen Bildung – sah er die Förderung einer weltfremden Gelehrsamkeit, gegen

die sich sein praktischer Sinn noch im fortgeschrittenen Alter sperrte. Bei diesem Thema konnte er sogar – was selten vorkam – aus der Haut fahren und in heiligem Zorn gegen die vermeintliche Verschwendung kostbarer Schulzeit wettern, die mit dem fruchtlosen Memorieren griechischer Vokabeln und lateinischer Deklinationen vertan werde. Diese Aversion speiste sich auch aus leidvollen Erfahrungen, die er während seiner zweijährigen Gymnasialzeit 1857/58 im Evangelischen Gymnasium im schlesischen Glogau sowie in der Kadettenanstalt gemacht hatte.[21]

Zu schöngeistiger Literatur fühlte Hindenburg sich ebenfalls nicht hingezogen. Sein Musikgeschmack war nicht verfeinert; nur Militärmusik sagte ihm zu.[22] Die Oper scheint er kaum besucht zu haben, und auch das Theater blieb ihm fremd. Das einzige Drama, das er sich häufiger auf der Bühne anschaute, stieß auf sein fachliches Interesse, denn es schildert das Soldatenleben während des Dreißigjährigen Krieges: Schillers »Wallenstein«. »Schiller, mit seinem Wallenstein, das ist etwas für mein altes Soldatenherz«,[23] pflegte er zu sagen. Der andere Dichterfürst Goethe fand dagegen wenig Wohlgefallen – nicht nur, weil er das Militärische nicht in Verse gegossen, sondern auch, weil er es in den Befreiungskriegen an nationaler Gesinnung habe fehlen lassen.[24] Auf Reisen, die Hindenburg insbesondere nach Eintritt in den Ruhestand häufiger unternahm, interessierte er sich weniger für die Kultur der Landschaft als für den militärischen Wert des Geländes.[25] Seine Bildung reichte nicht in die Tiefe und konzentrierte sich auf seine historischen und militärischen Steckenpferde, was er auch freimütig einräumte.[26]

Über den geistigen Horizont eines altpreußischen Landjunkers schaute Hindenburg dennoch weit hinaus.[27] Er war nicht bildungshungrig im bildungsbürgerlichen Sinne, aber ihn dürstete nach wissenschaftlicher Durchdringung der ihn interessierenden Materie – und darin war er ein typisches Kind seiner wissenschaftsgläubigen Zeit. Dies schlug sich nicht nur im Besuch der Kriegsakademie nieder, sondern auch darin, daß er auf eigene Initiative in seiner Berliner Zeit Vorlesungen des prononciertesten Verfechters einer dezidiert nationalen Geschichtsschreibung hörte,[28] nämlich Heinrich von Treitschke. Es war kein Zufall, daß Hindenburg seine geschichtlichen Kenntnisse ausgerechnet bei dem Historiker vertiefen wollte, der Preußens historische Berufung in Deutschland aufgehen ließ und eine breite öffentliche Resonanz entfaltete.[29] Unter den Tausenden von Zuhörern, die in Treitschkes Vorlesungen kamen, saß auch der hoffnungsvolle Offizier Paul von Hindenburg.

Fleiß und Zähigkeit verhalfen Hindenburg zu einer beachtlichen militärischen Karriere. Der für den Dienst im Großen Generalstab für würdig Befundene brachte nach der bravourösen Beendigung der Kriegsakademie nur noch ein Jahr in sei-

nem alten Regiment zu und wurde schon im Mai 1877 zum Großen Generalstab
kommandiert. Die nächsten acht Jahre diente er auf den üblichen Ausbildungs-
posten, was unvermeidlich war, wollte man in die begehrten Generalsränge aufsteigen. Die Jahre 1878 bis 1881 verbrachte er als Hauptmann in Stettin auf seiner ersten
Station, dem Generalkommando des II. Armeekorps. Er war der jüngste der dort
eingesetzten Generalstabsoffiziere. Die nächste Stufe auf der Karriereleiter stellte
der Dienst als Generalstabsoffizier bei einer Division dar, den er von 1881 bis 1884
bei der 1. Division in Königsberg absolvierte. Eine Division verfügte in Friedenszeiten nur über einen einzigen Generalstabsoffizier, so daß Hindenburg als wichtig-
ster Berater des Divisionskommandeurs vor allen Dingen in taktisch-operativen
Fragen auftrat. Auf diese Weise erwarb er die Fähigkeit, selbständig eine Kompanie
zu führen. Es gehörte zu den Prinzipien der Verwendung militärischer Führer, daß
diese nach der Tätigkeit im Generalstab zur Truppe zurückkehrten. Bei Hindenburg dauerte dieser Truppendienst allerdings nur das eine Jahr, in dem er – zum
letzten Mal im Rang eines Hauptmanns – die Füsilierkompanie des 3. Posenschen
Infanterieregiments in Fraustadt befehligte. Nach diesem Intermezzo kehrte er
zum Großen Generalstab zurück und übernahm von 1885 an für wiederum acht
Jahre verschiedene Posten im Zentrum der preußisch-deutschen Militärführung.[30]
Daß er in Berlin an die Kriegsakademie zurückkehrte – diesmal allerdings nicht als
Schüler, sondern als Lehrer für Taktik –, unterstreicht seine Neigung zur gründ-
lichen kriegswissenschaftlichen Durchdringung der Materie. Hindenburg war kein
Militär, der im Waffendienst bei der Truppe aufging; vielmehr fühlte er sich zu
Tätigkeitsfeldern hingezogen, auf denen er seine militärische Bildung vertiefen
konnte.[31]

In sein erstes Lehrjahr beim Stettiner Generalkommando fielen Ereignisse, die
für ihn persönlich von großer Tragweite waren. Er fand dort seine Lebensgefährtin,
Gertrud von Sperling, die 1860 geborene Tochter eines früh verstorbenen Generals.
Hindenburg war in seiner Beziehung zum anderen Geschlecht genau so verläßlich
und geordnet wie in seinem Beruf. Nach dem Tod seiner ersten Verlobten dauerte
es fast acht Jahre, bis er sein Herz wieder verschenkte. Er erblickte die Auserwählte
bei einem Kavalleriemanöver im Herbst 1878 vor den Toren Stettins, wo sie großen
Eindruck auf ihn machte. Nachdem er sich über seine Gefühle klargeworden war,
bereitete er seine Brautwerbung in der für ihn typischen Weise generalstabsmäßig
vor, so daß nichts dem Zufall überlassen blieb. Zur ersten Erkundung des Terrains
schickte er den befreundeten Adjutanten der 3. Kavalleriebrigade, Hans von Dittmar, vor, der den Kontakt zu der Angebeteten unauffällig anbahnen konnte, indem
er über seine Frau Bekanntschaft mit der Familie von Sperling schloß.[32] Als dies im

Dezember 1878 geschehen war, arrangierte Dittmar eine Schlittenpartie, bei der Paul von Hindenburg und seine Herzensdame erstmals ungezwungen miteinander ins Gespräch kamen. Es folgte ein vom Generalkommando ausgerichteter Ball, auf dem Hindenburg ganz gegen seine Gewohnheit ausgiebig das Tanzbein schwang und sich danach seiner Sache so sicher war, daß er wenige Tage später bei der Mutter seiner Auserwählten offiziell um die Hand der Tochter anhielt. Sein Antrag ist ein überaus zutreffendes Selbstporträt:»Das Beste, was ich zu bieten vermag, ist meine unsäglich innige, treue Neigung und der redliche Wille, das mir vielleicht anvertraute, kostbare Kleinod auf Händen durch's Leben zu tragen und ihm in Freud und Leid eine feste Stütze zu sein. Glauben Sie nicht, hochverehrte, gnädigste Frau, daß diese Gefühle bei mir oberflächlicher Art sind; dies widerstrebt vollständig meinen sehr ernsten Lebensanschauungen.«[33] Hindenburg wurde nicht abgewiesen; noch am selben Tag gab er seine Verlobung mit Gertrud von Sperling bekannt. Am 24. September 1879 schlossen die beiden den Bund fürs Leben.

Es wurde eine glückliche und harmonische Ehe, aus der drei Kinder hervorgingen: Im November 1880 erblickte Irmengard das Licht der Welt, 1883 der einzige Sohn Oskar und 1891 die Tochter Annemarie. Gertrud von Hindenburg führte nach dem damals üblichen Rollenverständnis das Leben einer Frau an der Seite eines aufstrebenden Generalstabsoffiziers, die dem Mann den Rücken freihielt. Sie zeigte sich den schönen Künsten gegenüber wesentlich aufgeschlossener als ihr Mann und war auch von lebhafterem Temperament als der in sich gekehrte Hindenburg.[34] Die Familie gab Hindenburg zeit seines Lebens Halt und verlieh ihm die Kraft, seine beruflichen Pflichten mit penibler Gewissenhaftigkeit zu erledigen. Seine Kinder liebte er heiß und innig; ein besonders enges Vertrauensverhältnis bildete sich im Laufe der Zeit zu seiner »Ältesten«, Irmengard, heraus.[35] Mit fortschreitendem Lebensalter nahm die Bedeutung der Familie für ihn sogar noch zu, da sich die ohnehin geringe Zahl der Freundschaften reduzierte. Es wirft ein bezeichnendes Licht auf Hindenburgs Reserviertheit im Umgang mit Familienfremden, daß wir kaum jemandem begegnen, mit dem er eine lebenslange Freundschaft gepflegt oder dem er sein Innerstes vorbehaltlos geöffnet hätte. Er hat solche Freundschaften nicht gesucht, da ihm die Familie genügte und er Geselligkeit eher verschmähte. Auch sein introvertierter Charakter förderte die Anbahnung tieferer persönlicher Bekanntschaften nicht unbedingt. Hinzu kam, daß der häufige Ortswechsel eines Generalstabsoffiziers der Pflege von Bekanntschaften abträglich war, so daß aus ihnen selten Freundschaften erwuchsen. Letztlich blieb als einzige wirkliche Freundschaft seit frühesten Offizierstagen diejenige mit dem gleichaltrigen

späteren Generalleutnant Arthur von Loebell aus der gemeinsam in Hannover ver-
brachten Leutnantszeit.[36]

Außer bei der Familie fand Hindenburg Rückhalt und Trost im Glauben. Er
war gottesfürchtig in dem Sinne, daß er sich Gott anvertraute und sein Schicksal
zumal während des Krieges in dessen Hände legte.[37] Aber die Religion bedeutete
ihm weit mehr als Trost in Notlagen; auch sein Alltagsleben war von einer tiefen
Religiosität durchdrungen. Daß Gott in sein Leben eingriff und es lenkte, bildete
seine feste Grundüberzeugung. Es war keine Floskel, die in seiner Brautwerbung
stand: »Ich habe die feste Überzeugung gewonnen, daß Gott uns zusammenge-
führt hat, und daß sein Segen mit uns sein wird.«[38] Hindenburg war mit dem Lenker seines Schicksals im reinen; ihn quälte kein zermarterndes Suchen nach dem
gnädigen Gott. Sein Vertrauen in den Allmächtigen bildete die feste Burg, auf der
sein Leben aufgebaut war.[39] In der täglichen Bibellektüre fand er Inspiration und
Bestätigung, wobei er wichtige Bibelstellen anstrich. Seit er im Ersten Weltkrieg ein
hohes Maß an Verantwortung übernommen hatte, war sein Bedürfnis noch gewachsen, sich im Gebet dem Allmächtigen anzuvertrauen, »um sich von Ihm Kraft
und Weisheit … zu erbitten«.[40] Sein religiöses Bekenntnis tat er durch regelmäßige
Gottesdienstbesuche kund. Auf das Gesangbuch verzichtete er, da er alle Kirchen-
lieder auswendig singen konnte.[41] Hindenburg betrachtete sich als festes Glied der
protestantischen Glaubensgemeinschaft, ohne dabei in religiösen Eifer zu verfallen. Als Militär kam er auch mit Katholiken in dienstlichen Kontakt; aber um einen
tieferen Einblick in die katholische Lebenswelt zu erlangen, die einem Durch-
schnittsprotestanten fremd anmuten mußte, fehlte es an engeren Bekanntschaften
zu Mitgliedern der anderen großen christlichen Kirche.

Die Jahre 1885 bis 1893 verbrachte Hindenburg auf drei verschiedenen Posten
in Berlin; in dieser Zeit sollte der Grundstein für seinen überaus raschen Aufstieg
in höchste Kommandostellen gelegt werden. Er reifte in jenen acht Jahren zu
einem kompletten Militär heran, der sich auf drei unterschiedlichen, aber ergän-
zenden Feldern bewährte und damit über einen Erfahrungsschatz verfügte, wie ihn
nur wenige hochrangige Militärs besaßen, nämlich in der Generalstabsarbeit, im
höheren Truppendienst und in der Militärverwaltung. Der Große Generalstab bot
besonders fähigen Offizieren Gelegenheit, das an der Kriegsakademie Gelernte in
die Praxis umzusetzen und sich auf diese Weise für eine schnellere Beförderung
und das Aufrücken in höhere Stellungen zu empfehlen. Der seit November 1885
zum Major beförderte Hindenburg hat diese Chance genutzt. Zugute kam ihm dabei, daß er vielseitig einsetzbar war und in gleich zwei Abteilungen des Generalstabs seinen Dienst verrichtete: Zum einen war er in der vom damaligen Oberst

Graf Schlieffen geleiteten Operationsabteilung (2. Abteilung), in der Aufmarsch- und Operationspläne ausgearbeitet wurden und die als das strategische Herzstück des Generalstabs angesehen werden konnte, mit Aufgaben betraut, zum anderen entzog er sich nicht der wenig aufregenden Bearbeitung von Verwaltungsangelegenheiten und beschäftigte sich mehr als ein Jahr in einer anderen Abteilung mit der preußischen Felddienstordnung, dem neuen Vorschriftenbuch der Armee.[42] Sein Abteilungschef Schlieffen, der noch eine steile Karriere vor sich hatte und 1891 an die Spitze des Großen Generalstabs trat, stellte dem Major Hindenburg nach mehr als einjähriger Tätigkeit einen glänzenden Qualifikationsbericht aus: Er sei ein »vortrefflicher Generalstabsoffizier …, von ernstem und energischem Charakter, scharfem Verstande und schneller Auffassung«. Diesem Urteil pflichtete auch der Stellvertreter des Generalstabschefs Moltke, Graf von Waldersee, bei, der Hindenburg sogar für geeignet befand, »schon jetzt zum Chef des Generalstabes« aufzusteigen.[43] Aber es sollten noch neun Jahre vergehen, bis Hindenburg in die Schlüsselposition des Generalstabschefs eines kommandierenden Generals aufrückte, was Voraussetzung war, um später einmal selbst an die Spitze eines Armeekorps treten zu können.

Zunächst atmete Hindenburg für ein knappes Jahr die Luft des Truppendienstes. Er kehrte wieder zum Truppengeneralstab zurück und übernahm die Position des ersten Generalstabsoffiziers (1a) beim Generalkommando des für die Provinz Brandenburg zuständigen III. Armeekorps, das seinen Sitz in Berlin hatte. Doch schon 1889 wurde er einem ganz anderen Verwendungsbereich zugeteilt: dem preußischen Kriegsministerium, wo er fast vier Jahre lang die Abteilung für Fußtruppen im Allgemeinen Kriegsdepartement leitete. Damit wurde die Heeresverwaltung seine Domäne – und dies bedeutete vor allem, daß der generalstabs- und truppendiensterprobte Major Hindenburg seine gesammelten Erfahrungen einbrachte, wenn bestimmte Bereiche der Kriegführung einer neuen Dienstvorschrift bedurften. An einer Reihe solcher Vorschriften hat er kräftig mitgewirkt – etwa an der Ausarbeitung einer Feldpioniervorschrift und einer Feldbefestigungsvorschrift – und damit unter Beweis gestellt, daß er mit den Erfordernissen des modernen Kriegshandwerks vertraut war. Hindenburg, der im Deutsch-Französischen Krieg noch den Einsatz der Ulanen miterlebt hatte, vollzog den Wandel zum technisierten Krieg nicht einfach nur mit, er gestaltete ihn auch, indem er mithalf, der neuen Kriegstechnik in der Kriegführung Entfaltungsmöglichkeiten zu bieten. Dies galt insbesondere für die Einführung der schweren Artillerie, die es der Infanterie gestattete, in offener Feldschlacht auf die Unterstützung von Feldhaubitzen zurückzugreifen.[44]

Man fragt sich, warum ein ambitionierter Generalstäbler wie der Major Hindenburg überhaupt Verwendung in einer Behörde fand, deren Kerngeschäft die Heeresverwaltung war und die ihren Mitarbeitern ein nach bürokratischen Rhythmen verlaufendes Arbeitsleben abverlangte. Hindenburg war kein passionierter Schreibtischoffizier, wenngleich er begabt war im Umgang mit der Feder und zeit seines Lebens in überaus akkurater und stilvoller Weise seine persönliche Korrespondenz eigenhändig erledigte. Vieles spricht dafür, daß er sich mit seiner Kommandierung an das Kriegsministerium ein rasches Avancement versprach. Diese Hoffnung trog nicht: 1891 wurde er zum Oberstleutnant befördert und ließ damit die berüchtigte Majorsecke hinter sich. Weiterhin dürfte eine Rolle gespielt haben, daß er vom preußischen Kriegsminister Julius von Verdy du Vernois angefordert worden war[45] – als Divisionskommandeur Hindenburgs direkter Vorgesetzter in den Königsberger Jahren 1881 bis 1884 –, der nun mit dem Nachfolger des älteren Moltke als Generalstabschef, dem Grafen Waldersee (der im Qualifikationsbericht von 1887 Hindenburg in den allerhöchsten Tönen gelobt hatte), ein eingespieltes Duo bildete. Als Hindenburg 1889 in das Kriegsministerium eintrat, besaß er also mit dem Kriegsminister und dem Generalstabschef zwei mächtige Fürsprecher. Doch schon zwei Jahre später schien der Zugang nach ganz oben verschlossen, da seine beiden Förderer bei dem jungen Kaiser Wilhelm II. in Ungnade fielen und ihrer Posten enthoben wurden.[46]

Hindenburg hat seine Berliner Zeit auch für eine Nebentätigkeit genutzt, die er mit großer Passion betrieb: Er unterrichtete an der Kriegsakademie das Fach »Taktik«, das zu den Kernfächern dieser Militärhochschule zählte. Diese Nebentätigkeit verschlang viel Zeit, und die eigentlichen Dienstpflichten durften darüber nicht vernachlässigt werden.[47] Hindenburg nahm solche Unannehmlichkeiten auf sich, weil er sich als Militärwissenschaftler verstand und seine im Studium und in der Praxis erworbenen Kenntnisse an die militärischen Führungskader weitergeben wollte. Er schöpfte dabei aus dem reichhaltigen Fundus seiner kriegsgeschichtlichen Kenntnisse und war bemüht, speziell der neueren Kriegsgeschichte praktische Anleihen zu entnehmen. Besonders lehrreich schien ihm der amerikanische Bürgerkrieg, vor allem die Feldherrnkunst des überragenden Generals der Südstaaten, Robert E. Lee.[48] All sein Kenntnisreichtum konnte indes nicht darüber hinwegtäuschen, daß Hindenburg sich eher durch solide Rezeption als durch phantasievolle Kreation auszeichnete. Einer seiner bedeutendsten Schüler, der während des Weltkriegs in der 2. Obersten Heeresleitung als Generalquartiermeister eingesetzte General der Infanterie von Freytag-Loringhoven, hat über den Taktiklehrer Hindenburg geurteilt: »Niemand hätte ihn für einen Strategen gehalten.«[49]

Hindenburgs Berliner Zeit endete im Juni 1893, als er das Kommando des Infanterieregiments 91 in Oldenburg übernahm. Nach acht Jahren überwiegender Büroarbeit war eine Versetzung zur Truppe erforderlich, sollte die nächste Sprosse auf der militärischen Karriereleiter erklommen werden. Als Regimentskommandeur in der beschaulichen Residenzstadt Oldenburg war Hindenburg weitgehend sein eigener Herr und konnte dem Regiment seine Handschrift verpassen. In der Tat hatte er von Graf Schlieffen, seinem Lehrmeister im Großen Generalstab, eine Ausrichtung übernommen, die er in seiner Oldenburger Zeit eifrig propagierte: dem Angriff den Vorzug zu geben vor der Verteidigung und dabei möglichst im Schlieffenschen Sinne die Vernichtung des Gegners mittels einer Umfassungsschlacht ins Auge zu fassen. »Verteidigung ist weiblich, der Angriff männlich«, so lautete sein Motto,[50] und es offenbarte zugleich, wie begrenzt die militärischen Fähigkeiten des am 17. März 1894 zum Oberst Beförderten waren: Hindenburg kopierte seine Lehrmeister, allen voran Schlieffen, entwickelte aber deren Ideen nicht kreativ weiter. In der Verfolgung des einmal eingeschlagenen militärischen Konzepts war Hindenburg von einer bemerkenswerten Geradlinigkeit, die aber mit jenem Schuß Genialität unverträglich war, über die ein wirklicher Feldherr verfügen muß.[51]

Dieses Defizit an schöpferischem Geist mußte Hindenburgs weiterer Karriere allerdings nicht abträglich sein; nur eine winzige Minderheit der Generale war schließlich in der Lage, einem Clausewitz oder Moltke nachzueifern. Wenn nichts Unvorhergesehenes eintrat, konnte Hindenburg davon ausgehen, daß Oldenburg für ihn nur eine Zwischenstation sein und er danach wieder in den Generalstabsdienst zurückkehren würde. Er eignete sich schon in dieser ersten eigenverantwortlichen Stellung einen Arbeitsrhythmus an, der ihm auch in Zukunft von Nutzen sein und den er bis zum Ersten Weltkrieg beibehalten sollte: Er perfektionierte die Kunst des Delegierens und übertrug seinen Mitarbeitern so viele Aufgaben wie möglich. In Oldenburg hielt er sich die Nachmittage prinzipiell frei und war nach der Mittagspause in seinem Büro praktisch nicht mehr anzutreffen.[52] Die gewonnene Zeit füllte er zu Hause mit seiner Lieblingsbeschäftigung, dem Studium kriegsgeschichtlicher Literatur. Lediglich im Außendienst, wenn sich das Regimentsleben auf Truppenübungsplätze und Manövergelände verlagerte, verzichtete er auf diesen persönlichen Freiraum.

Im Regelfall folgte auf die Führung eines Regiments die Übernahme einer Brigade. Hindenburg war erpicht, diese Stufe möglichst zu überspringen, da ein Brigadekommandeur überwiegend mit der Aushebung von Rekruten beschäftigt war – eine wenig ersprießliche Tätigkeit für jemanden, der mit Leib und Seele Generalstäbler war. Auch Generalstabschef Schlieffen riet davon ab, Hindenburg als Brigadekommandeur zu verwenden.[53] Damit war der Weg frei für die Rückkehr in den geliebten Generalstabsdienst – und dort gab es für Oberst Hindenburg nur eine angemessene Verwendung: Chef des Generalstabs eines Armeekorps, also die rechte Hand eines Kommandierenden Generals. Hindenburg konnte sich natürlich von den 24 Armeekorps, deren jeweiliger Befehlsbereich etwa der Größe einer preußischen Provinz entsprach, keines aussuchen. Aber er verhehlte nicht seine Vorliebe für ein Armeekorps westlich der Elbe, also außerhalb der altpreußischen Lande[54] – wieder ein Beleg dafür, daß Hindenburg es nicht darauf anlegte, außerhalb des preußischen Kernlandes so wenig wie möglich zum Einsatz zu kommen.

Hindenburgs Wunsch fand Berücksichtigung: Im August 1896 übernahm er den Posten des verantwortlichen Generalstabsoffiziers beim in Koblenz stationierten VIII. Armeekorps. Es dürfte auch eine Rolle gespielt haben, daß es sich bei dem dort Kommandierenden General um einen alten Bekannten handelte, nämlich den inzwischen zum General der Infanterie aufgerückten Vogel von Falckenstein, der in den Jahren 1885/86 einige Zeit als Abteilungschef direkter Vorgesetzter Hindenburgs im Großen Generalstab gewesen war. In seiner neuen Funktion als Chef des Stabes wurde Hindenburg am 22. März 1897 zum Generalmajor befördert. Mit noch nicht einmal fünfzig Jahren hatte er den Generalsrang erreicht und eine mehr als beachtliche militärische Laufbahn vorzuweisen, die aber noch lange nicht an ihr Ende gelangt war. Daß Hindenburg nicht Generalmajor blieb, hing nicht zuletzt mit der überaus günstigen Konstellation zusammen, die sich 1897 durch den Wechsel seines direkten Vorgesetzten ergab: Anstelle des altgedienten Vogel von Falckenstein übernahm der badische Erbgroßherzog Friedrich, mithin der künftige regierende Fürst des Großherzogtums Baden, das Kommando des VIII. Armeekorps. Hindenburg trat damit in enge Beziehung zum badischen Fürstenhaus, was sich als karrierefördernd erweisen sollte.

In persönlicher Hinsicht kam Hindenburg mit dem Erbgroßherzog gut aus – nicht zuletzt, weil dieser geistig wenig anspruchsvoll war und ganz in militärischen Angelegenheiten aufging.[55] Und dennoch schien sich die Koblenzer Position als Sackgasse zu erweisen. Als Durchlaufstation war sie für ihn interessant, weil er dort die Rangabzeichen eines Generals erhielt und eine Art Anrecht auf die Übernahme einer Division erwarb. Doch nun zeigte sich, daß die einzige in nächster Zeit vakant werdende Division dem Kommandierenden General des in Metz stationierten XVI. Armeekorps, General Gottlieb Graf von Haeseler, unterstand, dessen Abneigung sich Hindenburg anläßlich eines Manövers zugezogen hatte. Haeseler war eine unantastbare Respektsperson in der preußischen Armee und brachte es auf die Rekordzeit von dreizehn Jahren an der Spitze des lothringischen Armeekorps, dem er seinen Stempel aufgedrückt hatte.[56] Hindenburg unternahm daher erhebliche Anstrengungen, wieder in den Großen Generalstab versetzt zu werden, wo sein alter Mentor Schlieffen für ihn die herausragende Position als Oberquartiermeister vorgesehen hatte, was unter anderem die Leitung der Aufmarsch- und Eisenbahnabteilung umfaßte. Ein entsprechendes Gesuch Schlieffens vom 25. Februar 1899 wurde vom Chef des Militärkabinetts jedoch abschlägig beschieden;[57] über die Besetzung der höchsten militärischen Führungsposten entschied nämlich nicht der Chef des Generalstabs, sondern der Oberste Kriegsherr zusammen mit seinem berufenen Ratgeber, dem Chef des Militärkabinetts.

Daß Hindenburg letztlich dennoch ohne große Verzögerung den Sprung zum Generalleutnant schaffte und eine Division führen durfte, war auf eine günstige Verkettung von Umständen zurückzuführen: Der Kommandeur der in Karlsruhe stationierten 28. Division, Generalleutnant Emil von Lessel, wurde an die Spitze des deutschen Expeditionskorps berufen, das nach China entsandt wurde, um dort den Boxeraufstand niederzuschlagen. Den vakanten Posten besetzte man mit dem gleichaltrigen Hindenburg[58] – wohl nicht zuletzt aufgrund der Fürsprache des badischen Thronfolgers.[59] Erbgroßherzog Friedrich könnte sich für Hindenburg verwendet haben, weil er selbst auf die Führung des bald freiwerdenden XIV. Armeekorps spekulierte,[60] das in territorialer Hinsicht fast ganz Baden und das südliche Elsaß umfaßte. Aus diesem Grund wird er einen ihm vertrauten Divisionskommandeur für die Residenzstadt Karlsruhe favorisiert haben.

Am 9. Juli 1900 übernahm Hindenburg die begehrte Divisionärstelle und wurde zugleich zum Generalleutnant befördert. Hindenburgs Karlsruher Zeit liegt – wie so manche Spanne seines Lebens, als Hindenburg noch keine öffentliche Person war – überwiegend im dunkeln. Er verbrachte dort ohnehin nur knapp zweieinhalb Jahre, denn am 27. Januar 1903 berief der Kaiser ihn an die Spitze des in Magdeburg stationierten IV. Armeekorps, welches sich über die preußische Provinz Sachsen und die Herzogtümer Braunschweig, Anhalt und Sachsen-Altenburg erstreckte. Mit 55 Jahren war Hindenburg damit der Sprung auf einen der insgesamt nur 24 Korpskommandeursposten gelungen. Eine militärische Bilderbuchkarriere hatte ihren vorläufigen Höhepunkt erreicht.

In den mehr als acht Jahren an der Spitze des IV. Armeekorps traten bei Hindenburg bereits manche Eigenschaften hervor, die während des Weltkriegs zum Durchbruch gelangen sollten. Hier ist an erster Stelle sein ausgeprägter Hang zum Politischen zu nennen. Der Kommandeur dieses Armeekorps konnte ohnehin kein

Nur-Militär sein, weil er eine Fülle gesellschaftlicher Verpflichtungen zu bewältigen hatte. Schließlich verkörperte er in der preußischen Provinz Sachsen neben dem Oberpäsidenten die höchste staatliche Autorität, und auch die Beziehungen zu den Höfen in Braunschweig, Dessau und Altenburg bedurften der steten Pflege. Hindenburg hat diese Repräsentationsaufgaben nicht pflichtschuldig absolviert, sondern Gefallen an ihnen gefunden. Da er über vollendete gesellschaftliche Umgangsformen verfügte, verstand er es glänzend, sich souverän auf dem gesellschaftlichen Parkett zu bewegen.[61] In Magdeburg versäumte er kaum eine Gelegenheit, Kontakte zur Stadt und zur lebendigen bürgerlichen Vereinskultur zu knüpfen.[62] Zu manchen Honoratioren der Kaufmannstadt Magdeburg erwuchsen daraus gesellschaftliche Beziehungen, die Hindenburgs Magdeburger Zeit überdauerten und bis in seine Reichspräsidentschaft reichten. Dies gilt insbesondere für den langjährigen Präsidenten der Magdeburger Handelskammer, den Bankier Wilhelm Zuckschwerdt, den ein besonderes Vertrauensverhältnis mit Hindenburg verband.[63]

Hindenburgs enger Kontakt zur Politik entstand in Magdeburg gleichsam auf natürliche Weise, da sich die meisten Honoratioren im Geiste klassischer Bürgerlichkeit für das Gemeinwesen einsetzten und politisch aktiv waren. Zuckschwerdt etwa vertrat acht Jahre lang die Stadt Magdeburg im preußischen Abgeordnetenhaus, ebenso Landgerichtsrat Eugen Schiffer, der seinerseits gute Kontakte zum Korpskommandeur Hindenburg unterhielt.[64] Zuckschwerdt wie Schiffer waren für die Nationalliberale Partei in den preußischen Landtag entsandt worden und repräsentierten damit die Mehrheit des Magdeburger Bürgertums. Hindenburg pflegte also gesellschaftlichen Umgang nicht nur mit konservativen Agrariern, sondern auch mit nationalliberalen Unternehmern und Beamten. Beide Strömungen einte schließlich das dezidierte Bekenntnis zum nationalen Machtstaat – und dies war und blieb Hindenburgs politische Grundanschauung, ohne daß er mit einer bestimmten politischen Partei sympathisiert hätte.

Hindenburg gehörte zu einer ganz besonderen Spezies politischer Generale. Im Unterschied zu manchen seiner ungestümen Berufskollegen verlangte er keine ausschließliche Ausrichtung der Politik auf militärische Belange. Er mischte sich vielmehr in die Politik wegen originär politischer Anliegen ein. Hier schimmert bereits ein Verhalten durch, das im Ersten Weltkrieg zum Markenzeichen Hindenburgs werden sollte: Hindenburg intervenierte mit den einem Militär zu Gebote stehenden Mitteln in politische Angelegenheiten und erzielte dabei insofern Erfolge, als er nach seiner Ansicht mißliebige Politiker aus ihrem Amt verdrängte. Der erste prominente Repräsentant der Politik, der auf Geheiß Hindenburgs sein

Amt einbüßte, war kein Geringerer als der Oberpräsident der preußischen Provinz Sachsen, Adolf Wilhem Kurt Freiherr von Wilmowski.

Hindenburgs Intervention war in erster Linie politisch motiviert.[65] Stein des Anstoßes war Wilmowskis Frau, die durch hochfahrendes Verhalten die gleichgestellten Damen der Magdeburger Gesellschaft zu brüskieren pflegte. Hindenburg, dessen Frau zu den Leidtragenden gehörte, hätte diese Angelegenheit auf sich beruhen lassen, wenn sie nicht zum Stadtgespräch geworden und vor allen Dingen politische Wellen geschlagen hätte. Frau Wilmowski aber hatte den leitenden Beamten, die den Bau des Magdeburger Oberpräsidiums beaufsichtigten, mehrfach Szenen gemacht, indem sie sich vor den beteiligten Bauhandwerkern und Bauarbeitern über die ihrer Ansicht nach wenig herrschaftliche Ausstattung des Gebäudes sowie über die zu rigide Kostenbeschränkung ausließ. Damit war das private Fehlverhalten der Gattin des Oberpräsidenten aus Hindenburgs Sicht zu einer politisch sensiblen Affäre geworden, da es speziell in der Magdeburger Arbeiterschaft das Ansehen der höchsten Zivilbehörde zu beschädigen drohte. Daher drängte Hindenburg unter robustem Einsatz aller seiner Möglichkeiten auf die Entfernung Wilmowskis aus dem Amt. Er ließ seine guten Beziehungen zum preußischen Kriegsminister von Einem spielen, der wiederum dem Dienstweg entsprechend den Chef des Militärkabinetts über diesen Vorfall informierte. Auch Hindenburgs Freund General Friedrich von Bernhardi wurde in diesem Sinne beim preußischen Kriegsminister vorstellig.[66] Der politische Durchbruch war erreicht, als Hindenburg über das Militärkabinett sogar den Monarchen ins Spiel brachte und damit den zuständigen preußischen Innenminister von Moltke nötigte, Wilmowski aus Magdeburg zu versetzen, da die von Hindenburg drohend erwähnte Konsequenz einer Meldung dieses Vorfalls an Wilhelm II. dem preußischen Innenminister letztlich keine andere Wahl ließ, als Wilmowski ein Versetzungsgesuch nahezulegen.[67]

Gewiß spielten bei Hindenburgs Einsatz auch gesellschaftliche Gründe eine Rolle: Wenn das persönliche Verhältnis zwischen den beiden obersten Repräsentanten Preußens in der Provinz Sachsen – des Kommandierenden Generals und des Oberpräsidenten – irreparabel gestört war, aber beide Parteien gehalten waren, gesellschaftlichen Umgang zu pflegen, half nur noch die Auswechselung des Oberpräsidenten weiter. Doch den Ausschlag für diese in jeder Hinsicht bemerkenswerte Intervention eines Kommandierenden Generals gegen den Oberpräsidenten hatte bei Hindenburg die politisch motivierte Besorgnis über den Imageschaden der preußischen Verwaltung gegeben. Die »berechtigte Mißstimmung in den unteren Volksschichten«[68] bewirkte sein Engagement und warf zugleich ein Schlaglicht

auf Hindenburgs Politikverständnis. Hier schälte sich bereits eine Auffassung heraus, die im Ersten Weltkrieg zur vollen Entfaltung gelangen sollte: Hindenburg
fühlte sich legitimiert, im Namen höherer Güter in das Staatsleben einzugreifen –
nicht aufgrund seiner militärischen Befugnisse, sondern unter Berufung auf das
Allgemeinwohl.

Obwohl Hindenburg durchaus Verständnis für die Anliegen der unteren Volksschichten aufbrachte, lehnte er die deutsche Sozialdemokratie ab, die sich als politischer Anwalt der Arbeiterschaft verstand. Die SPD war für ihn im Kern eine Partei
des gewaltsamen Umsturzes, die die monarchische Ordnung aus den Angeln heben und die Grundlagen deutscher Machtstaatlichkeit zerstören wollte. Der Kommandierende General sah sich in Magdeburg einer immer selbstbewußter auftretenden Sozialdemokratie gegenüber, die sich verstärkt im öffentlichen Raum
bemerkbar machte. Zu Beginn des Jahres 1906 organisierte sie Protestaktionen gegen das preußische Dreiklassenwahlrecht und erinnerte am 18. März 1906 in sechs
Versammlungen an die Märzereignisse der Revolution von 1848.[69] Für Hindenburg
rückte die Sozialdemokratie mit solchen Aktionen in die Nähe der russischen Revolutionäre von 1905: »Warum wird die Gesellschaft immer noch als ›Rechtspartei‹
honoriert, anstatt sie – nachdem sie sich offen mit den russischen Mordbrennern
und Meuchelmördern identifiziert hat – für vogelfrei zu erklären?« Auch in diesem
Zusammenhang bemühte Hindenburg die Geschichte als Lehrmeisterin: »Mit Gefühlsduselei erreicht man im praktischen Leben keine positiven Resultate, das lehrt
die Weltgeschichte doch auf jeder Seite.«[70] Aus voller Überzeugung traf er daher
Vorkehrungen gegen innere Unruhen, was gemäß dem preußischen Gesetz über
den Belagerungszustand aus dem Jahre 1851 in die Obliegenheit des Militärs fiel.
Dazu gehörte die Aufstellung von Listen politisch Verdächtiger, die nach Proklamierung des Belagerungszustandes verhaftet werden sollten.[71]

Da Hindenburg mit den Spitzen des Staatsapparats einer preußischen Provinz
und drei Herzogtümern in intensivem dienstlichen Kontakt stand, konnte er innerhalb weniger Jahre ein erstaunlich dichtes Netz von Beziehungen knüpfen, das
schließlich bis in die preußische Regierung reichte. Er scheute sich nicht, solche
Kontakte auch für private Zwecke einzusetzen, was dafür spricht, daß sie entsprechend belastbar waren. So verwandte er sich persönlich dafür, daß der Ehemann
seiner ältesten Tochter, Hans-Joachim von Brockhusen, im preußischen Verwaltungsdienst bessere Aufstiegsmöglichkeiten erhalten sollte. Das Sprungbrett dazu
war die Übernahme eines der begehrten Landratsämter, wofür eine gewisse Protektion überaus nützlich war. Hindenburg ließ seine Verbindungen spielen, damit
sein Schwiegersohn, der 1902 Irmengard geheiratet und bereits diverse Stationen

im preußischen Verwaltungsdienst durchlaufen hatte, im Jahre 1903 zum Landrat im schlesischen Grünberg ernannt wurde.[72] Auch danach unternahm Hindenburg alles in seiner Macht Stehende, um den Aufstieg seines Schwiegersohns nach Kräften zu befördern. Er aktivierte seine Beziehungen zu einem hohen Beamten im preußischen Staatsministerium, um Brockhusens Versetzung in das prestigeträchtige preußische Finanzministerium zu erreichen.[73] Als dies nicht fruchtete, klopfte er höchstpersönlich als Fürsprecher seines Schwiegersohns bei zwei Ministern an. Einer davon war Hans von Dallwitz, seit 1910 preußischer Innenminister.[74] Hindenburg hatte bereits Kontakt zu Dallwitz aufgenommen, als dieser noch als Staatsminister in Anhalt amtierte. Im Juli 1910 wurde er brieflich beim neuen preußischen Innenminister vorstellig mit dem Anliegen, seinem Schwiegersohn den Wechsel vom Landratsposten auf eine höhere Stelle im preußischen Staatsdienst zu ermöglichen. Darüber hinaus fühlte er bei dem mit Dallwitz zu Ministerehren gelangten neuen preußischen Landwirtschaftsminister Clemens von Schorlemer-Lieser wegen einer Leitungsstelle in dessen Ministerium vor. In beiden Fällen war seine Fürsprache jedoch nicht von Erfolg gekrönt. Brockhusen erschien mit seinen 41 Jahren für die angestrebten Positionen noch zu jung, und die Minister wollten die Grundregel der Ancennität nicht außer Kraft setzen, nur um Hindenburg eine Gefälligkeit zu erweisen.[75] Brockhusen – ein Heißsporn, der sich unter Wert gehandelt fühlte – begrub daraufhin die Hoffnungen auf eine ihm angemessen dünkende Karriere im preußischen Staatsdienst. Sein Schwiegervater bemühte sich daraufhin um eine persönliche Unterredung mit Innenminister Dallwitz, um auf diese Weise die Versetzung des Landrats ins hinterpommersche Kolberg zu forcieren. Zu diesem Schritt hatte man sich aus familiären Gründen entschlossen, denn Brockhusen war in der Nähe Kolbergs begütert.[76]

Preußische Minister hatten also ein offenes Ohr für die sehr privaten Anliegen des Kommandierenden Generals Hindenburgs – ein Indiz dafür, daß dieser in der preußischen Politik eine nicht geringe Wertschätzung genoß. Aber auch in gesellschaftlicher Hinsicht wurde dem General Achtung gezollt, was sich nicht zuletzt in den immer öfter ausgesprochenen Einladungen zur Jagd niederschlug. Hindenburg hatte bereits als junger Offizier Gefallen an diesem Zeitvertreib gefunden, aber bis zur Übernahme des IV. Armeekorps fehlten ihm die finanziellen Mittel für den Unterhalt einer eigenen Jagd. Sein Haus und seine Familie waren nicht mit Reichtümern gesegnet; bei seinem Einkommen als Berufssoldat war er nicht einmal in der Lage, seine Frau mit dem in höheren Kreisen standesgemäßen Schmuck auszustatten.[77] Nun konnte er als oberster militärischer Repräsentant der ihm unterstehenden Gebiete die ganze Fülle des Jagdvergnügens auskosten, ohne dafür in die eigene Tasche greifen zu müssen. Vom Niederwild (Hase, Fasan) bis zum Hochwild (Reh, Rothirsch, Wildschwein, Auerhahn) wurde dem eifrigen Jäger so viel angeboten, daß sein Tisch stets überreich gedeckt war. Die Großgrundbesitzer speziell der Provinz Sachsen rechneten es sich als Ehre an, dem Kommandierenden General mannigfache Jagderlebnisse zu ermöglichen. Darüber hinaus war Hindenburg regelmäßig Gast bei den Hofjagden, welche die Preußen in der Letzlinger Heide und die Höfe in Braunschweig, Anhalt und Altenburg in den jeweiligen herzoglichen Jagdrevieren abhielten.[78]

Als Hindenburg am 22. Juni 1905 zum General der Infanterie befördert wurde, worauf er gemäß der Dienstaltersliste der Generalleutnants fast schon einen natürlichen Anspruch besessen hatte, stand er nur noch einen Rang unter dem Generaloberst, der höchsten militärischen Position unterhalb der nur in Ausnahmefällen verliehenen Würde eines Generalfeldmarschalls. Ob der Sprung ganz nach oben glückte, darüber entschied allein der Oberste Kriegsherr auf Anraten des Chefs des Militärkabinetts. Die passende Gelegenheit, sich in militärfachlicher Hinsicht zu profilieren, boten die alljährlich abgehaltenen Kaisermanöver. Allerdings hatte Wilhelm II. diese militärischen Übungen dadurch entwertet, daß er partout selbst die Führung der dort eingesetzten Verbände übernahm und die Militärs, welche die gegnerische Partei simulierten, sich künstlich zurücknehmen mußten, um dem Obersten Kriegsherrn keine peinliche Niederlage beizubringen. Die vom Kaiser kommandierte Partei trug also mit tatkräftiger Nachhilfe in der Regel den Sieg davon, weshalb die Kaisermanöver viel von ihrer Funktion als militärische Eignungsprüfungen einbüßten.[79]

Der Zufall fügte es, daß Hindenburg bereits wenige Monate nach Übernahme des IV. Armeekorps die Bewährungsprobe eines Kaisermanövers zu bestehen hatte, da im September 1903 als Schauplatz für ein solches der Raum Merseburg-Weißenfels vorgesehen war, der in seinem neuen Befehlsbereich lag. Hindenburg machte dabei Bekanntschaft mit der Sprunghaftigkeit des Kaisers: Den Auftakt des Manövers bildete am 4. September eine Parade des IV. Armeekorps auf dem historischen Schlachtfeld von Roßbach, wo Friedrich der Große einen seiner glänzendsten Siege errungen hatte. Als der Kaiser spontan die Richtung des Vorbeimarsches änderte, ließ Hindenburg sich jedoch nicht irritieren und brachte die Parade ohne Fehl und Tadel zu Ende. Auch die eigentliche militärische Aufgabe, die darin bestand, den Übergang über die Saale gegen die als Feind ausgewiesene Partei zu verteidigen, bewältigte er zur Zufriedenheit von Monarch und Militärkabinett. Als Anerkennung für die bei dem Manöver gezeigte Leistung erhielt er den Roten Adlerorden Erster Klasse, eine durchaus hohe Auszeichnung.[80]

Hindenburg hatte bei dem Manöver seine eigene militärische Handschrift erkennen lassen und seine Vorliebe für die Offensive dadurch zum Ausdruck gebracht, daß er die zahlenmäßig weitaus stärkere Gegenpartei attackierte, nachdem sie die Saale überschritten hatte.[81] Als getreuer Schüler Schlieffens verschrieb er sich der Maxime, im Kriegsfall die Entscheidung außerhalb der eigenen Landesgrenzen zu suchen. In gewisser Weise betätigte er sich auch als Zuarbeiter für den Schlieffenplan von 1905. Danach suchte die deutsche Heeresleitung in einem angenommenen Zweifrontenkrieg gegen Rußland und gegen Frankreich das militärische Heil in einer großangelegten Offensive gegen Frankreich, wobei eine schnelle Entscheidung herbeigeführt werden mußte. Als Chef des VIII. Armeekorps in Koblenz hatte Hindenburg Ende 1898 auf eine Anfrage Schlieffens einen russischen Vorstoß gegen Ostpreußen durchgespielt und für diesen Fall eine offensiv ausgerichtete Verteidigung der Reichsgrenze empfohlen.[82] Kurz nach der Beförderung auf den Magdeburger Posten versicherte er einem alten militärischen Weggefährten, Oberst von Mudra: »Sollten Sie einmal unter meinen Befehl treten, so geht's vorwärts, dessen können Sie überzeugt sein.«[83]

Daß Hindenburg sich ganz der Offensive verschrieb, war angesichts der in der Generalität dominierenden Auffassung Schlieffens nicht gerade originell. Hindenburg ist in den acht Jahren als Befehlshaber des IV. Armeekorps nicht mit Ideen hervorgetreten, die ihm den Ruf eines eigenständigen militärischen Denkers hätten einbringen können.[84] Er hat sich im Unterschied zu gleichrangigen Kommandeuren wie dem Befehlshaber des I. Armeekorps, Colmar Freiherr von der Goltz, auch nicht schriftstellerisch auf dem Gebiet der Kriegsgeschichte und den daraus abzuleitenden Lehren für die Gegenwart hervorgetan.[85] So war er im Unterschied zu den auch publizistisch tätigen Generalen für die breite Öffentlichkeit ein Unbekannter; auch im Gesichtsfeld des Kaisers tauchte er praktisch nicht auf. Nach dem Kaisermanöver vom September 1903 traf Hindenburg nur noch bei den alljährlichen Neujahrsdiners für die Kommandierenden Generale im Berliner Schloß mit Wilhelm II. zusammen, hinterließ aber beim Monarchen allem Anschein nach keinen nachhaltigen Eindruck.[86]

Hindenburg war daher auch nicht der allererste Anwärter auf die Nachfolge des hochbetagten Generalstabschefs Schlieffen. Kaiser Wilhelm II. hatte im Einvernehmen mit Schlieffen bereits frühzeitig die Weichen für dessen Nachfolge gestellt und ihm Helmuth von Moltke, den Neffen des gleichnamigen ehemaligen Generalstabschefs, als Adlatus zur Seite gestellt. Moltke sollte sich auf diese Weise in seine neue Rolle einarbeiten.[87] Gegen diese frühzeitige Festlegung kamen jedoch innerhalb der Generalität und beim preußischen Kriegsminister von Einem Bedenken auf, die sich auch Reichskanzler Bülow zu eigen machte.[88] Bülow und der wichtigste militärische Ratgeber des Kaisers, der Chef des Militärkabinetts General Dietrich von Hülsen-Haeseler, waren entschlossen, Wilhelm II. eine personelle Alternative zu Moltke zu unterbreiten, und nahmen aus diesem Grund im Herbst 1905 alle potentiellen Kandidaten unter die Lupe. Insgesamt sieben Namen wurden schließlich erwogen, darunter auch der Name Hindenburg. Aber alle wurden verworfen, weil der Kaiser gegen jeden der Genannten – auch gegen Hindenburg – Vorbehalte hegte;[89] keiner stand sich mit dem Kaiser persönlich so gut wie Helmuth von Moltke, der sich durch seine langjährige Tätigkeit als Flügeladjutant des Kaisers der besonderen Wertschätzung des Monarchen erfreute.

Immerhin bedeutete es eine Wertschätzung Hindenburgs, daß er in einem Atemzug mit herausragenden strategischen Köpfen wie den Generalen von der Goltz und Woyrsch genannt wurde. Manches spricht dafür, daß sich Hülsen-Haeseler auf eigene Faust frühzeitig Gedanken zur Nachfolge Schlieffens gemacht, zu diesem Zweck eine Reihe von Kandidaten ausgewählt und bei diesen vertraulich angefragt hatte – darunter auch Hindenburg, bei dem er während des Kaisermanöves im September 1903 unverbindlich vorgefühlt haben dürfte.[90] Hindenburg zählte also zu einem handverlesenen Kreis von Generalen, die im Gespräch waren, wenn die Neubesetzung des Postens des Generalstabschefs erörtert wurde.[91] Eine offizielle Anfrage gab es aber nicht und konnte es auch nicht geben, so daß der Eindruck irreführend ist, Hindenburg habe eine ihm offerierte Nachfolge Schlieffens ausgeschlagen.[92] Allein die Tatsache, daß er vom wichtigsten militärischen Ratgeber des Monarchen in die engere Wahl gezogen worden war, ist aber ein untrügliches Indiz dafür, daß sein Magdeburger Kommando nicht die letzte Station seiner militärischen Karriere sein mußte. In dieses Bild fügt sich die allerdings nicht hieb- und stichfest abgesicherte Information, daß Hindenburgs Name auch die Runde machte, als ein weiterer hochrangiger Posten zu besetzen war, nämlich der des preußischen Kriegsministers[93] in der Nachfolge des 1909 demissionierten Generals von Einem. Das Anforderungsprofil für diese Position traf auf Hindenburg ohne Abstriche zu: ein erfahrener Militär im Generalsrang, der aber soviel politisches Gespür und Geschick besaß, daß er die Interessen des Heeres auch gegenüber nichtmilitärischen Einrichtungen, insbesondere gegenüber dem Reichstag, zur Geltung bringen konnte. Hindenburg gelangte aus ungeklärten Gründen zwar nicht ins preußische Staatsministerium, aber ihm blieben die engen Kontakte zu den beiden preußischen Ministern Dallwitz und Schorlemer.

Letztlich hatten sich damit alle Aussichten zerschlagen, die Position eines Kommandierenden Generals gegen eine noch höhere Verwendung einzutauschen.

Hindenburg konnte nach 1909 davon ausgehen, die letzte Etappe seines beruflichen Werdegangs erreicht zu haben und die Jahre bis zur Pensionierung als Kommandierender General zu verbringen. Das aber übte auf ihn immer weniger Reiz
aus und wurde zunehmend beschwerlich, da sich eine alte Knieverletzung bemerkbar machte, die er sich als Hauptmann in Ostpreußen bei einem Sturz vom Pferd
zugezogen hatte. Das Reiten fiel ihm so schwer, daß er kaum noch zu Pferde auftreten konnte – was der Wahrnehmung der Dienstobliegenheiten eines Korpskom-
mandeurs alles andere als zuträglich war.[94] Hindenburg hatte sich ohnehin nie als
verwegener Reiter auszeichnen können, weil er infolge dieser Verletzung das Knie
nicht ganz durchbiegen konnte und hoch zu Roß daher eine Beinstellung einnahm, die es ihm nicht gestattete, fest im Sattel zu sitzen.[95]

In seinem vierundsechzigsten Lebensjahr faßte Hindenburg daher den Entschluß, um den vorzeitigen Abschied zu bitten. Der Bitte wurde im März 1911 stattgegeben – nicht ohne einen Beweis der Wertschätzung seitens des Monarchen, der
ihm zu diesem Anlaß den höchsten preußischen Orden, nämlich den Schwarzen
Adlerorden, verlieh.[96] Hindenburg könnte mit seinem Demissionsgesuch den
Hintergedanken verfolgt haben, nach der Verabschiedung als Kommandierender
General auf eine militärische Position gehoben zu werden, die einen weiteren
rangmäßigen Aufstieg versprach und ihm von seinem Selbstverständnis her durchaus auf den Leib geschneidert war: die Position des Armeeinspekteurs. Bei den
Armeeinspekteuren handelte es sich um Armeeführer – zumeist ehemalige Kommandierende Generale –, die sich nach dem Ausscheiden an der Spitze eines Armeekorps für den Ernstfall – also den Kriegsfall – bereithalten sollten. Diesen
wurde die Möglichkeit eingeräumt, die dafür zu kommandierenden Armeekorps –
in der Regel drei an der Zahl – bereits in Friedenszeiten zu inspizieren. Die Kompetenzen der Armeeinspekteure waren allerdings dadurch eingeschränkt, daß sie
nicht in die Befehlsgewalt der Kommandierenden Generale eingreifen konnten
und sich auf gute Ratschläge beschränken mußten, weshalb diese Posten lange Zeit
als Sinekure für Prinzen aus fürstlichem Hause galten. Diese konnten nach ihrer
Zeit als Kommandierende Generale auf diese Weise auf eine eher repräsentative
Position wechseln, die es ihnen erlaubte, rangmäßig bis zum Generaloberst aufzusteigen und sogar noch die höchste aller Sprossen, die des Generalfeldmarschalls,
zu erklimmen, wie es beispielsweise Prinz Leopold von Bayern vergönnt war.

Von 1907 an wurde die Stellung der insgesamt acht Armeeinspekteure dadurch
aufgewertet, daß zunehmend bewährte Kommandierende Generale für diese Aufgabe ausgewählt wurden. Den Anfang machte im September 1907 Colmar Freiherr
von der Goltz, der – vier Jahre älter als Hindenburg – nach einer langen Zeit an der

Spitze eines Armeekorps wie Hindenburg um seinen Abschied nachgesucht hatte, der ihm auch bewilligt wurde – allerdings mit der gleichzeitigen Ernennung zum Generalinspekteur von drei Armeekorps.[97] In den nächsten Jahren folgten weitere Generale, die Goltz an militärfachlicher Fähigkeit in nichts nachstanden, nämlich Karl von Bülow, Alexander von Kluck und Hermann von Eichhorn. Für die Genannten zahlte sich dies in Hinblick auf ihre militärische Qualifikation aus: Alle stiegen zum Generaloberst auf, von der Goltz krönte seine Zeit als Armeeinspekteur sogar mit der Ernennung zum Generalfeldmarschall.

Hindenburg war anwesend, als der Kaiser 1911 beim Neujahrsempfang für die Kommandierenden Generale von der Goltz höchstpersönlich in die höchste Ehrenstellung der Armee beförderte.[98] Ob ihn dieses Erlebnis dazu bewogen hat, wenige Wochen später um seinen Abschied zu bitten in der leisen Hoffnung, sich auf diese Weise für die Position eines Armeeinspekteurs zu empfehlen, bleibt angesichts des Schweigens der Quellen im dunkeln. Wenn er insgeheim auf diesen Posten geschielt haben sollte, wurden seine Hoffnungen enttäuscht. Vieles deutet darauf hin, daß Hindenburg eine solche Krönung seiner militärischen Laufbahn verwehrt wurde, weil er in den Augen des seit November 1908 amtierenden Chefs des Militärkabinetts, Generaloberst Moritz von Lyncker, nicht über die erforderliche Qualifikation verfügte. Lyncker erwartete von den Armeeinspekteuren nämlich, sich stärker als zuvor in die operativen Planungen für den Kriegsfall einzuschalten. Aus diesem Grund sollten die Armeeinspekteure mit ihren Einheiten den Ernstfall durchspielen, wobei realistische Szenarien zugrunde gelegt wurden. Außerdem stand es der Initiative der Armeeinspekteure offen, auch außerhalb der Kaisermanöver mehrere Armeekorps in einem großen Manöver den Kriegsfall trainieren zu lassen.[99] Allem Anschein nach fehlte Hindenburg nach Einschätzung Lynckers jene Tatkraft und Energie,[100] über die ein Armeeinspekteur unter den neuen Bedingungen verfügen mußte, wollte er seine Position optimal ausfüllen. Auch für den Kaiser zählte Hindenburg nicht zum erlauchten Kreis jener acht Generale, denen er Feldherrnqualitäten zubilligte[101] und die er mit dem Posten eines Armeeführers betrauen wollte. Bei Hindenburgs Verabschiedung fehlte der Hinweis, daß er auch weiterhin in der Dienstalterliste der Generale zu führen sei.[102] Dies bedeutete, daß er bei einem ausbrechenden Krieg kein Anrecht auf eine ihm rangmäßig zustehende Verwendung besaß. Mit dem 18. März 1911 schien Hindenburgs militärische Karriere damit definitiv an ihr Ende gelangt zu sein – eine mehr als respektable Laufbahn, die ihn bis weit an die Spitze der militärischen Hierarchie geführt hatte, aber zum Schluß die bittere Erkenntnis bereithielt, daß es bis ganz nach oben doch nicht gereicht hatte. Es war nur ein schwacher Trost, daß der Monarch ihn zugleich mit der Entbindung von den militärischen Pflichten à la suite stellte, daß Hindenburg also weiterhin in der Rangliste des Verbandes geführt wurde, bei dem er seine Dienstlaufbahn begonnen hatte, nämlich dem 3. Garderegiment zu Fuß.

Im März 1911 trat Hindenburg, so mußte man annehmen, in die letzte Phase seines Lebens, den Ruhestand, ein. Wo sollte sich ein General niederlassen, der im Laufe seiner beruflichen Wanderjahre fast ganz Deutschland durchstreift und nirgendwo richtig Wurzeln geschlagen hatte? Bei der Wahl seines Altersruhesitzes bestätigte Hindenburg, daß er kein eingefleischter Altpreuße war, der umgehend auf die geliebte altpreußische Heimaterde zurückkehrte. Er machte sich weder auf nach Neudeck in Westpreußen, wo seine Eltern begraben lagen, noch ließ er sich in Pommern nieder, wo seine ältere Tochter, zu der er ein besonderes Vertrauensverhältnis unterhielt, lebte. Hindenburg entschied sich vielmehr für die Stadt, in der er fast sieben unbeschwerte Leutnantsjahre verbracht hatte und die mit ihren weitläufigen Parkanlagen dem Spaziergänger Hindenburg reichlich Auslauf bot: Hannover. Er bezog eine Etagenwohnung in fußläufiger Entfernung zur Eilenriede, dem Stadtwald der niedersächsischen Metropole.

Im Ruhestand holte er zunächst nach, was im Laufe der Dienstzeit zu kurz gekommen war: das Reisen. 1911 brach er mit seiner Frau nach Italien auf, wo er mehrere Monate in Rom, Florenz und Neapel weilte.[103] Tiefere Spuren hinterließ dieser Besuch allerdings nicht, da Hindenburg zu nüchtern war und zu wenig aufgeschlossen für die klassische Bildung, als daß er sich von den Stätten der Antike und Renaissance wirklich hätte inspirieren lassen. Es blieb der einzige Auslandsaufenthalt in seinem Leben, da man die kriegsbedingte Berührung mit den Weiten Litauens 1915/16 schwerlich als Auslandserfahrung anführen kann. Auch als Reichspräsident blieb Hindenburg den deutschen Landen treu: Kein einziger Staatsbesuch im Ausland ist in seiner neunjährigen Amtszeit als Staatsoberhaupt des Deutschen Reiches zu verzeichnen.

Hindenburg führte in Hannover ein zurückgezogenes Leben im Kreise seiner Familie. Im November 1912 verließ das jüngste Kind, Annemarie, das Haus, nachdem sie den Rittmeister Christian von Pentz geheiratet hatte, der in Lüneburg stationiert war. Der einzige Sohn Oskar trat beruflich in die Fußstapfen des Vaters und war als Leutnant beim väterlichen Garderegiment in Berlin zu finden. Hindenburg war nun in der Lage, häufiger als zuvor die beiden Töchter in Lüneburg und Groß-Justin bei Kolberg zu besuchen und bei dieser Gelegenheit das Heranwachsen der mittlerweile drei Enkel zu verfolgen, die ihm seine beiden Töchter geschenkt hatten. Ansonsten verließ er Hannover selten. Viel Zeit widmete er dem intensiven Studium historischer Werke, und er verfolgte als eifriger Zeitungsleser mit wachen Augen das Weltgeschehen. Die Balkankriege 1912/13 stießen auf sein reges Interesse und verleiteten ihn zu militärwissenschaftlicher Fachsimpelei über das Für und Wider bestimmter Aktionen der türkischen Truppen.[104] Auch im zumeist brieflichen Verkehr mit alten militärischen Weggefährten sprach Hindenburg häufig das aktuelle militärische und politische Geschehen an; mit seinem durchaus dezidierten Urteil ging er aber nicht an die Öffentlichkeit. Aus der Ferne kommentierte er auch den Zustand der Armee – wohl wissend, daß sein Rat nicht mehr gefragt war: »Ich spreche da von Dingen, die mich nichts mehr angehen.«[105]

Zunehmend legte sich ein Hauch von Bitterkeit über seinen Lebensabend. Er erfreute sich zwar am Wohlergehen seiner Kinder und Enkel, doch er empfand immer stärker den Stachel, daß ausgerechnet er zum Müßiggang verurteilt war,[106] während gleichaltrige Generale weiterhin ihre Dienste entbieten durften. Jeden Samstag wurde er in seinem Herrenklub, der die Spitzen aus Verwaltung und Militär Hannovers zu geselligem Austausch versammelte, aufs neue mit diesem Umstand konfrontiert. Dennoch suchte Hindenburg diese Form der Geselligkeit, da er im Klub auf die in Hannover lebenden hochrangigen Generalskollegen traf.[107] Zwei von ihnen hatten ebenfalls viele Jahre an der Spitze eines Armeekorps gestanden, doch im Unterschied zu Hindenburg danach noch weitere Verwendung als Armeeinspekteur gefunden. Der fünf Jahre ältere Max von Bock und Polach hatte auf diese Weise die 3. Armeeinspektion in Hannover erhalten und es wie von der Goltz in dieser Zeit zu Feldmarschallwürden gebracht. Sein Nachfolger als Armeeinspekteur wurde im Oktober 1912 Generaloberst Karl von Bülow, der nur ein Jahr älter war als Hindenburg. Unter diesen Umständen konnte die Wunde, die der Abschied ohne Weiterverwendung aufgerissen hatte, nicht heilen. Der nicht gerade vor Vitalität strotzende Bülow aktivierte dann seine Funktion als Armeeführer in spe mit dem Ausbruch des Weltkriegs und übernahm den Oberbefehl über die nach Frankreich einrückende 2. deutsche Armee.[108] Geradezu einen Stich ins Herz mußte es Hindenburg versetzen, daß auch ein Untergebener aus Magdeburger Zeiten rangmäßig an ihm vorbeigezogen war: General Maximilian von Prittwitz und Gaffron hatte als Divisionskommandeur noch unter dem Kommandierenden General Hindenburg gedient, dann aber selbst ein Armeekorps übernommen. Im Sommer 1913 war er sogar zum Generalinspekteur der 1. Armeeinspektion in Danzig aufgestiegen, was kurze Zeit später die Beförderung zum Generaloberst nach sich zog. Als im August 1914 der Weltkrieg ausbrach, mußte Hindenburg hinnehmen, daß ausgerechnet der nur ein Jahr jüngere Prittwitz in seiner Eigenschaft als

Armeeführer die deutschen Operationen gegen Rußland im Osten leitete, während er selbst geradezu flehend um eine angemessene Verwendung nachsuchte.

Es liegt eine gewisse Ironie darin, daß letztlich das Zurückweichen des Generals von Prittwitz vor zwei nach Westen vordringenden russischen Armeen dafür sorgte, daß Hindenburg aus dem Pensionärsdasein im beschaulichen Hannover ins Rampenlicht der Geschichte trat. Hindenburg war 66 Jahre alt, als sein eigentlicher Aufstieg begann.

Hindenburg (links), Generalmajor Erich Ludendorff (dritter von links) und Oberstleutnant Max Hoffmann (rechts) während der Schlacht von Tannenberg, 1914

KAPITEL 2

Märchenhafter Aufstieg eines Pensionärs

Wäre nicht im August 1914 der Erste Weltkrieg ausgebrochen, hätte die Geschichte wohl keinerlei Notiz von Hindenburg genommen. Aber auch der Kriegsfall allein bürgte nicht dafür, daß ein verabschiedeter Kommandierender General, der nicht auf der Liste der im Mobilisierungsfall zu reaktivierenden Generale stand, eine militärische Verwendung fand, die ihm den Weg zum Ruhm eröffnete. Für den Wiedereinstieg bedurfte es außergewöhnlicher Umstände, die herbeizuführen nicht in Hindenburgs Hand lag. Noch ungewöhnlichere Umstände mußten eintreten, wenn dieses unverhoffte Glück ihm zur militärischen Unsterblichkeit verhelfen sollte.

Hindenburg war bis weit in den August 1914 hinein in Hannover zur Untätigkeit verdammt. Seinen Mißmut darüber verhehlte er auch in der Öffentlichkeit nicht. So erklärte er einem Hannoveraner Geschäftsinhaber, daß er sich unausgelastet fühle und die Einkäufe entgegen der Gepflogenheit daher selbst nach Hause tragen wolle. »Habe sonst gar nichts zu tun. Sie brauchen mich ja nicht.«[1] Es wurde nicht einmal erwogen, Hindenburg zunächst als Führer eines Reservekorps oder eines Stellvertretenden Generalkommandos in der Heimat zu »parken«, um ihn dann bei Freiwerden einer Armeeführerstelle an die Front zu schicken.[2] Dieses Schicksal schmerzte Hindenburg um so mehr, als er selbst keineswegs die Hände in den Schoß gelegt hatte, sondern mit allen ihm zur Verfügung stehenden Mitteln auf eine ihm rangmäßig zustehende Verwendung gedrängt hatte. Die Julikrise 1914 hatte ihn in seinem sommerlichen Domizil im hinterpommerschen Groß-Justin bei Kammin überrascht, wo seine jüngere Tochter mit ihrer Familie lebte. Hindenburg haderte mit der Tatsache, daß er ausgerechnet in dieser Situation ohne Anspruch auf eine Kommandostellung dastand.[3] Daher fand er sich am 1. August 1914 auf der Rückreise nach Hannover bei einem Zwischenstopp in Berlin[4] im Kriegsministerium ein, wo er um seine Verwendung nachsuchen wollte. Als ehemaliger Kommandierender General drang er zwar bis zum obersten Soldaten, dem Chef des Generalstabs des Feldheeres Generaloberst Helmuth von Moltke, vor, dem er sein Anliegen persönlich vortrug, wobei er keineswegs auf einem ihm eigentlich rangmäßig zustehenden Divisionskommando bestand. Doch er erhielt eine schmerzhafte Abfuhr: »Ich habe gebeten, mir doch wenigstens eine Division zu geben, eine Brigade, irgend etwas, ein Regiment – aber nein ich sei zu alt, heißt es.«[5]

Hindenburg versuchte sein Glück nun beim Chef der Zentralabteilung im Großen Generalstab, wo die Personalplanung erfolgte. Seit dem 18. Februar 1913 bekleidete diesen Posten nämlich der im Juni 1913 zum Oberstleutnant beförderte Karl von Fabeck, der mütterlicherseits mit Hindenburg verwandt war und diesen als »Onkel Paul« zu bezeichnen pflegte. Hindenburg konnte nach der Zusammenkunft mit Fabeck in Berlin immerhin die Zuversicht mit nach Hannover nehmen, daß man an der personalpolitischen Schaltstelle Bescheid wußte und er bei nächster Gelegenheit unter Umständen Berücksichtigung fände.[6] Um seinem Anliegen noch mehr Nachdruck zu verleihen, griff Hindenburg nach einer Zeit quälenden Wartens zur Feder und wandte sich am 12. August von Hannover aus schriftlich »im Vertrauen auf unsere alte Bekanntschaft« an den Generalquartiermeister Hermann von Stein, den er in seiner Zeit an der Berliner Kriegsakademie unterrichtet hatte. Über diesen persönlichen Draht zum Stellvertreter Moltkes hoffte Hindenburg aus seiner von ihm selbst als peinlich empfundenen Untätigkeit gerissen zu werden. »Mit welchen Gefühlen ich jetzt meine Altersgenossen ins Feld ziehen sehe, während ich unverschuldet zu Hause sitzen muß, können Sie sich denken. Ich schäme mich, über die Straße zu gehen.«[7] Hatte er sich zunächst noch damit getröstet, daß bei der Besetzung von Kommandeursstellen Prinzen aus fürstlichem Geblüt zu berücksichtigen waren, bevor man auf pensionierte Generale zurückgreifen konnte,[8] nahm bald mit jedem Tag quälenden Wartens auf das erlösende Telegramm das unerträgliche Gefühl zu, zum alten Eisen geworfen zu sein: »Ich sitze immer noch wie ein altes Weib hinter dem Ofen.«[9]

Die Intervention beim Generalquartiermeister Stein glich einem Hilfeschrei: Der zur Untätigkeit Verurteilte gab sogar zu verstehen, daß er sich auch mit einem Kommando zufriedengeben würde, das unterhalb seiner ihm rangmäßig zustehenden Verwendung angesiedelt war.[10] Es zählte allein, daß er überhaupt als »höherer Führer« wieder eingesetzt werde. Hindenburg versuchte das naheliegende Gegenargument auf sein fortgeschrittenes Alter – er vollendete am 2. Oktober 1914 sein 67. Lebensjahr – zu entkräften (»Ich bin körperlich und geistig durchaus frisch«[11]) und verwies darauf, daß er bis zum Jahr 1913 noch zur Personalreserve im Mobilisierungsfall gezählt habe, womit er aber zugleich einräumte, daß er zur Zeit nicht mehr planmäßig für eine Wiederverwendung vorgesehen war. Auch diesem Schreiben blieb eine direkte Wirkung versagt, allerdings führte Stein es fortan in seiner Aktentasche mit sich. Daß diese Bewerbung dann am 22. August 1914 nicht nur Berücksichtigung fand, sondern Hindenburg darüber hinaus sogar mit dem begehrten Oberkommando einer von lediglich acht deutschen Armeen betraut wurde, hing mit einer Verquickung ungewöhnlicher Umstände zusammen.

Ausschlaggebend für Hindenburgs Reaktivierung und die damit einhergehende Rangerhöhung zum Generaloberst war die sich gefährlich zuspitzende Lage im Osten. Mit dem Schlieffenplan hatte man die militärische Entblößung der Front mit Rußland riskiert in der Hoffnung, innerhalb weniger Wochen eine Entscheidung zugunsten Deutschlands im Westen herbeiführen zu können. Eine einzige deutsche Armee – die 8. Armee – sollte einen möglichen russischen Vorstoß so lange abblocken, wobei man davon ausging, daß das riesige Zarenreich einen schnellen Aufmarsch seiner Truppen an der deutschen Grenze logistisch nicht würde bewältigen können. Doch die Ereignisse der ersten Augustwochen machten diese Erwartungen zunichte: Zwei russische Armeen stießen auf Ostpreußen vor, wobei die 1. russische Armee (Njemenarmee) unter General Rennenkampf von Litauen Richtung Königsberg vorrückte, während die 2. russische Armee (Narewarmee) sich von Süden her Ostpreußen näherte und der deutschen 8. Armee in den Rücken zu fallen drohte. Die prekäre militärstrategische Lage verschlechterte sich noch dadurch, daß die 8. Armee einem militärischen Kräftemessen mit der Njemenarmee nicht aus dem Wege gegangen und dabei weiter geschwächt worden war. Nach Einschätzung des Oberbefehlshabers der 8. Armee, Generaloberst von Prittwitz und Gaffron, drohte daher die Gefahr einer Einkesselung. Er wußte sich keinen anderen Rat, als am 21. August den Rückzug der 8. Armee bis hinter die Weichsel anzuordnen, was eine Preisgabe ganz Ostpreußens und des östlich der Weichsel gelegenen Teils von Westpreußen bedeutete.

Das Große Hauptquartier in Koblenz pfiff den General daraufhin zurück und enthob ihn seines Kommandos. Der unausweichliche Personalwechsel in der Führung der 8. Armee vollzog sich dann in zwei Schritten, was von erheblicher Bedeutung ist, da die Chronologie der Personalfindung noch einmal unterstreicht, daß der Große Generalstab Hindenburg nicht unbedingt Feldherrnqualitäten attestierte. Am besagten 21. August war nämlich zunächst nur die Ablösung des Chefs des Generalstabes der 8. Armee, des Generals Graf von Waldersee, beschlossene Sache, wohingegen noch keine Entscheidung über den Oberbefehl dieser Armee gefallen war.[12] Daß die Oberste Heeresleitung (OHL) zunächst beim Chef des Generalstabes und nicht beim Armeekommandanten selbst ansetzte, lag durchaus in der militärischen Logik, denn die Hauptlast der im eigentlichen Sinne militärstra-

tegischen Operationen lag bei den Generalstabschefs, während der Oberkommandierende weniger mit dem Ausarbeiten der Operationen als mit der Verantwortung
für die Durchführung der an ihn herangetragenen Vorschläge ausgelastet war.

Von einem Austausch des strategischen Kopfes erwartete der Generalstab also
einen Ausweg aus der verfahrenen Lage im Osten – und damit stand Hindenburg
zunächst gar nicht zur Debatte. Die Hoffnungen kreisten vielmehr um jenen General, der durch die handstreichartige Eroberung der belgischen Festung Lüttich am
7. August 1914 auf sich aufmerksam gemacht hatte und seitdem als militärischer
Genius gehandelt wurde: Generalmajor Erich Ludendorff. Ludendorff – eigentlich
zum Leiter der Nachschubangelegenheiten beim Armeeoberkomando 2 in Hannover bestimmt – hatte sich gewissermaßen als Schlachtenbummler ohne dienstlichen Auftrag an die vorrückende Westfront begeben, vor Lüttich eine durch den
Tod des Kommandanten führerlos gewordene Brigade an sich gerissen und in toll-
kühner Manier Besitz von der strategischen Schlüsselposition Lüttich ergriffen.[13]
Als Belohnung für diese Tat wurde er nicht nur als erster deutscher Soldat im Weltkriege persönlich vom Kaiser mit dem »Pour le mérite« dekoriert, er empfahl sich
damit auch nachdrücklich für höhere Führungsaufgaben, insbesondere beim Chef
des Generalstabs des Feldheeres.

Ludendorff, ehemals Adjutant Moltkes, erfreute sich beim Generalstabschef
hoher Wertschätzung. Allerdings stand er sich oft selbst im Wege mit seiner überaus selbstsicheren und auf Außenstehende herrisch wirkenden Art. Er hatte sich
dadurch bereits so viele Feinde geschaffen, daß er bei Kriegsausbruch nahezu kaltgestellt war. Der Triumph von Lüttich kam Moltke daher gerade recht, denn nun
konnte er die brachliegenden Fähigkeiten Ludendorffs dort zum Einsatz bringen,
wo sie anscheinend am dringendsten gebraucht wurden: im Osten. Seine unbedingte Wertschätzung für Ludendorff brachte Moltke in einem Schreiben vom
21. August 1914 zum Ausdruck, in dem der Chef der Obersten Heeresleitung Ludendorff mit kaiserlichem Segen für seine neue Aufgabe in die Pflicht nahm: »Ich
weiß keinen anderen Mann, zu dem ich so unbedingtes Vertrauen hätte, als zu
Ihnen, vielleicht retten Sie im Osten noch die Lage … Sie können natürlich nicht
für das verantwortlich gemacht werden, was geschehen ist, aber Sie können mit
Ihrer Energie noch das Schlimmste abwenden.«[14]

Die Berufung Ludendorffs zum neuen Chef des Generalstabs der 8. Armee am
21. August 1914 war der alles entscheidende Vorgang, von dem auch die Besetzung
des Oberkommandos der 8. Armee abhängig gemacht wurde. Für den Posten des
Oberkommandierenden kam der 1865 geborene Ludendorff aus Anciennitätsgründen nicht in Frage, so daß ein zu ihm passender Oberbefehlshaber gefunden wer-

den mußte. Das oblag nicht allein Moltke und seinem Stellvertreter Stein, vielmehr mußte als Beauftragter des Kaisers der Chef des Militärkabinetts, Generaloberst Moritz Freiherr von Lyncker, diese wichtige personalpolitische Entscheidung billigen. Dieses Trio entschied sich wohl am Abend des 21. August[15] gegen die Kombination Ludendorff/Prittwitz, weil man befürchtete, daß der bisherige Oberkommandierende mit dem als schwierig geltenden Ludendorff nicht auskommen werde. Damit wurde der Posten des Oberbefehlshabers der 8. Armee frei. Die Neubesetzung war an die ausdrückliche Auflage geknüpft, einen vom Alter und militärischen Rang geeigneten General zu finden, der aufgrund seiner Persönlichkeitsstruktur Ludendorffs Kreise nicht störte und sich in operative Dinge nicht einmischte.

Nicht selten hat sich bei der Besetzung des Postens des Oberkommandierenden in der Armee das als sakrosankt geltende Anciennitätsprinzip dahingehend ausgewirkt, daß verbrauchte Generale nur deswegen ein Kommando erhielten, weil sie das entsprechende Alter vorweisen konnten. Die eigentlichen militärischen Entscheidungen aber wurden von ihren tatkräftigen jüngeren Stabschefs ausgearbeitet. Daß für das Oberkommando der 8. Armee eine eher »dekorative Figur«[16] gesucht wurde, war mithin nicht so außergewöhnlich für die preußische Armee. Auch in diesem Fall suchte man keinen militärischen Kopf, sondern einen polierten Helm mit Pickelhaube, der zum Strategen Ludendorff paßte.

Diesem Anforderungsprofil genügte keiner besser als der verabschiedete General der Infanterie Paul von Hindenburg. Hindenburgs hervorstechende Eigenschaft, die für seine Streichung aus der Mobilisierungsreserve verantwortlich gewesen war, wirkte sich nun als sein großer Vorzug aus: Seine mangelnde Tatkraft bot die Gewähr dafür, daß er die neue Aufgabe in eher repräsentativer Weise auffassen und seinem »Chef« nicht ins Handwerk pfuschen würde. Die Zeugnisse aller Beteiligten stimmen einhellig darin überein, daß der einzige Grund für Hindenburgs Ernennung zum neuen Oberbefehlshaber der 8. Armee »der Umstand war, daß man von seinem Phlegma absolute Untätigkeit erwartete, um Ludendorff völlig freie Hand zu lassen«.[17]

Aber wieso rückte ausgerechnet Hindenburg in das Gesichtsfeld, wo doch auch andere pensionierte Generale die gebotene Gefügigkeit gegenüber dem Feuerkopf Ludendorff aufgebracht hätten? An diesem Punkt zahlte sich aus, daß Hindenburg mit dem Generalquartiermeister Stein und dem Leiter der Zentralabteilung des Großen Generalstabes Fabeck zwei Fürsprecher besaß, die seinen Namen ins Spiel brachten, als nach einem geeigneten Ersatz für Prittwitz Ausschau gehalten wurde.[18] Die endgültige Nominierung Hindenburgs zum Oberbefehlshaber der

8. Armee blieb dann dem kaiserlichen Placet vorbehalten, das beim täglichen Lage-
vortrag des Chefs des Generalstabs am Vormittag des 22. August 1914 erteilt
wurde.[19] Moltke trug Wilhelm II. die vorher mit Lyncker und Stein abgestimmte
Lösung vor, und dieser billigte die von seinen Ratgebern ausgearbeitete Vorgehens-
weise.

Am Nachmittag des 22. August 1914 erfuhr Hindenburg telegraphisch von seinem unverhofften Glück.[20] Auch das weitere Procedere wurde auf telegraphischem
Wege geregelt: Hindenburg hatte sich am 23. August um 3 Uhr morgens auf dem
Bahnhof in Hannover einzufinden, um dort in den Sonderzug einzusteigen, der
von Koblenz aus nach Ostpreußen unterwegs war und in dem sich bereits derjenige intensiv in die militärische Lage eingearbeitet hatte, dem die eigentliche
Führung der Operationen oblag: Ludendorff. Der nach außen als Oberbefehlshaber auftretende Hindenburg erhielt also aus dem Großen Hauptquartier weder
einen eigenen militärischen Auftrag noch eine nur für ihn bestimmte militärische
Lageanalyse. Die ihm zugedachte repräsentative Rolle ist schon daran ablesbar, daß
ihm der militärische Sachverhalt allein durch Ludendorff übermittelt wurde, der
auch bereits einen ersten Feldzugsplan ausgetüftelt hatte. Hindenburgs Reaktion
verdeutlicht, wie sehr er die Arbeitsteilung akzeptierte und sich davor hütete, sich
in die militärischen Planungen mit eigenen Vorstellungen einzuschalten: »Ich weiß
auch nichts Besseres. In Gottes Namen, machen wir es so.«[21]

Die Berufung an die Spitze der 8. Armee erschien Hindenburg wie ein Geschenk des Himmels. Wie wenig ernsthaft er mit seiner militärischen Verwendung
gerechnet hatte, wird schon aus dem Umstand ersichtlich, daß der General a. D.
für diesen Fall uniformmäßig überhaupt nicht vorgesorgt[22] und sich noch keine
feldgraue Uniform beschafft hatte. Da er in Fragen der militärischen Kleiderordnung immer eine ausgesprochene Pedanterie an den Tag legte, ist dies ein untrügliches Indiz dafür, daß Hindenburg im Grunde seines Herzens mit der militärischen
Laufbahn abgeschlossen und sich spätestens seit seiner Streichung aus der Mo-
bilmachungsliste mit einem Dasein als Pensionär abgefunden hatte. Als ihn dann
wider alle Erwartung der Ruf der Obersten Heeresleitung ereilte, mußte er improvisieren: Er warf sich in die blaue Friedenslitewka des 3. Garderegimentes zu Fuß,
zog schwarze Generalshosen an und fand sich in dieser ungewöhnlichen Ausstattung im Sonderzug nach Ostpreußen ein.[23] Der Verstoß gegen die Kleiderordnung
beschäftigte ihn indes so sehr, daß er diesen Umstand sogar in seinen Erinnerungen durchblicken ließ.[24]

Am Nachmittag des 23. August traf das Gespann Ludendorff/Hindenburg im
Hauptquartier der 8. Armee im westpreußischen Marienburg ein. Hindenburg

grub sich dieser erste Tag an neuer Wirkungsstätte so unauslöschlich ins Gedächtnis ein,[25] daß er fünf Monate später seinen Lieblingsmaler Hugo Vogel diesen Moment auf die Leinwand bannen ließ.[26] Der neue Armeeführer hatte sich an diesem
23. August auf das linke Nogatufer begeben und sah vor der prächtigen Kulisse der
alten Festung des Deutschen Ordens die Sonne untergehen. Mit der Marienburg
verbanden sich für Hindenburg nicht nur familiengeschichtliche Erinnerungen,[27]
er erkannte vor allen Dingen, daß dieser geschichtsträchtige Ort seiner neuen Aufgabe eine historische Dimension verlieh. Bei Hindenburgs ausgeprägtem Denken
in historischen Zusammenhängen drängte sich geradezu die Vorstellung auf, die
eigene Tätigkeit in den Zusammenhang der deutschen Ostkolonisation zu stellen
und sich als Bewahrer des ordensritterlichen Erbes zu stilisieren. Mit wachem Auge
registrierte er die Scharen von Flüchtlingen, die vor der russischen Armee nach
Westen auswichen. Daraus leitete er für sich die Verpflichtung ab, als Retter des
Deutschtums im Osten eine wahrhaft historische Mission zu erfüllen.[28] Es ist
überaus bezeichnend, wie sehr Hindenburg seine Aufgabe mit historischem Öl
salbte und seine Tätigkeit damit politisch verwertbar machte. Schon seine erste Begegnung mit dem Osten ließ erahnen, daß er seine neue Rolle genuin politisch interpretierte: Militärisch ohne genuinen Feldherrnehrgeiz und durch die Aufgabenverteilung mit Ludendorff ohnehin eingeengt, konzentrierte er sich von Anfang an
auf das Feld der geschichtspolitischen Verwertung der militärischen Aktionen, das
Ludendorff und alle seine übrigen militärischen Weggefährten freiließen.

Ein erfolgreiches Agieren auf dem Felde der Geschichtspolitik setzte allerdings
die Erfüllung der diffizilen militärischen Aufgabe voraus, die beiden russischen
Armeen aus dem bedrohten Ostpreußen zu vertreiben. Von Hindenburg konnte
nicht erwartet werden, daß er mittels eines »Masterplans« die bedrohliche Lage zugunsten des Reiches wendete, denn er besaß weder das Mandat der Obersten Heeresleitung noch die entsprechenden genuin militärischen Fähigkeiten. Dem Stab
der um ihre bisherige Führung erleichterten 8. Armee erschien Hindenburg als ein
militärisch weitgehend unbeschriebenes Blatt. Angesichts des Ludendorff voraus-
eilenden Rufs richteten sich keine besonderen Erwartungen auf ihn. Auch für die
Offiziere dieser Armee dürften sich kaum Hoffnungen mit dem Namen und der
Person des neuen Oberkommandierenden verbunden haben. Der die 5. Artillerie-
batterie von Regiment 71 des 17. Armeekorps führende Hauptmann kleidete seine
sehr geringen Erwartungen nach Erhalt der Nachricht von der Ernennung des
neuen Oberkommandierenden in die Worte: »Ja, es ist so ein lebender Leichnam,
ein ausgegrabener Pensionär, der früher einmal das IV. Korps geführt hat. Was er
sonst für Verdienste hat, ahne ich nicht.«[29]

In Marienburg begegnete Hindenburg einem alten Bekannten aus gemeinsamen Magdeburger Tagen: General Hermann von François, der ihm 1903/04
als Generalstabschef des IV. Armeekorps zur Seite gestanden hatte. François fiel
sofort auf, wie sehr Hindenburg gealtert war, wobei er diesen Eindruck allerdings
für sich behielt und auch – wie fast alle militärischen Weggefährten Hindenburgs –
in seinen späteren Publikationen taktvoll verschwieg.»Als ich Hindenburg am
23. August in Marienburg wiedersah nach 10 Jahren, bekam ich allerdings einen
Schreck und notierte in mein Tagebuch: Es ist ein Unrecht, daß man einem sichtlich
stark gealterten Mann eine so schwere Aufgabe übertragen hat.«[30] Am 23. August
1914 hatte also ein Oberbefehlshaber seinen Fuß auf westpreußischen Boden gesetzt, der in militärischer Hinsicht verbraucht und initiativlos war.

Hindenburg kam jedoch zugute, daß der Stab der 8. Armee bereits die Grundzüge einer Operation entwickelt hatte, die zwar erhebliche Risiken barg, bei deren
Gelingen aber die völlige Vernichtung der russischen Narewarmee winkte. Die
Kernidee bestand darin, die russische Njemenarmee im Norden Ostpreußens hin-
zuhalten und alle Energien auf eine großangelegte strategische Umklammerung
der russischen Südarmee zu verwenden. Ging dieser Plan auf, dann konnte diese
Armee westlich der masurischen Seen eingekesselt und vollkommen ausgeschaltet
werden. Sollte aber die russische Nordarmee zügig Richtung Masuren marschieren
und im Rücken der deutschen Verbände auftauchen, drohte eine Umkehrung des
der Narewarmee zugedachten Schicksals und damit eine militärische Katastrophe
ungeahnten Ausmaßes. Der militärstrategische Reiz dieses Konzeptes lag nicht zuletzt darin, daß mit der Vorstellung einer wirklichen Vernichtungsschlacht das militärische Credo Schlieffens eingelöst werden konnte, der mit Recht als Kronzeuge
des »Cannae«-Gedankens galt. Mit Ludendorff und dem überaus fähigen ersten
Generalstabsoffizier beim Armeeoberkommando der 8. Armee, Oberstleutnant
Max Hoffmann, hielten zwei gelehrige Schüler des Altmeisters Schlieffen die strategischen Fäden in der Hand, und sie wichen von dem Konzept trotz der darin enthaltenen Risiken keinen Deut ab. Da dies zum Sieg führte, beanspruchten später
Unzählige die Vaterschaft an diesem Erfolg.[31] Eine nüchterne Betrachtung wird
Hoffmann und Ludendorff, und zwar in dieser Reihenfolge, die Haupturheber-
schaft attestieren.[32]

Hindenburgs Anteil an den Planungen tendiert gegen null, wenngleich er später erhebliche Anstrengungen unternahm, sich den Sieg von Tannenberg gutschreiben zu lassen. In den Augusttagen des Jahres 1914 beschränkte sich Hindenburgs im engeren Sinne militärische Aktivität auf die Zustimmung zu den von
Hoffmann und Ludendorff ausgearbeiteten Operationsplänen. Darin bestand die

ihm von der Obersten Heeresleitung zugedachte Aufgabe, die er ohne innere Überwindung akzeptierte, da er im Gegensatz zu Ludendorff ohnehin nicht von unbändigem Feldherrnehrgeiz beseelt war. Als das Oberkommando der 8. Armee am 24. August vom westpreußischen Marienburg in das näher am Kampfschauplatz gelegene Städtchen Rosenberg und damit ins Zentrum der militärischen Operationen gegen die Narewarmee verlegt wurde, rückte man ganz nah an die Heimat der Familie Hindenburg, nämlich das im Kreis Rosenberg gelegene Gut Neudeck, heran. Während der militärische Apparat der 8. Armee auf Hochtouren lief und der Armeestab unter äußerster zeitlicher und nervlicher Anspannung die risikoreiche Umfassungsschlacht gegen Samsonows Armee plante, hatten für den Oberbefehlshaber der 8. Armee Familienangelegenheiten Vorrang. Hindenburg unternahm einen Abstecher nach Neudeck, das von seiner Schwägerin bewirtschaftet wurde,[33] um die sterblichen Überreste seines im Jahre 1909 verstorbenen jüngsten Bruders und dessen Sohnes ausgraben zu lassen, die in der Neudecker Familiengruft ruhten. Hindenburg wollte damit einer eventuellen Entweihung durch die russischen Truppen vorbeugen – ein Handeln, das nicht gerade von unbändiger Siegeszuversicht zeugte und auch den unbedingten Glauben vermissen ließ, daß man die in Preußen eingedrungenen Russen vom heimatlichen Boden vertreiben werde.[34]

Hindenburg selbst hatte bis dahin nie in Neudeck gelebt, sondern war in der Provinz Posen aufgewachsen, wo die Familie seiner Mutter ansässig war.[35] Er pflegte allerdings immer den Kontakt zu der in Neudeck begüterten väterlichen Familie, zumal seine Eltern sich dort seit 1864 niedergelassen hatten. Den Sommerurlaub verbrachte er regelmäßig in Neudeck.[36] Daß Hindenburg seine Verbundenheit mit dem Familiengut aber just zu einem Zeitpunkt demonstrierte, als sein Stab mit der großangelegten Operation gegen die russische Narewarmee ausgelastet war, offenbart sowohl die Prioritätensetzung des Oberkommandierenden der 8. Armee als auch dessen Einsicht in die ihm zugedachte militärische Statistenrolle.

Ohne das aktive Zutun des Oberbefehlshabers nahm die Operation gegen die Narewarmee vom 25. August 1914 an den gewünschten Verlauf. Je länger die Schlacht tobte und je mehr sich der Kessel um die russische Armee schloß, desto mehr erübrigten sich die bangen Blicke nach Nordosten mit der inständigen Bitte, daß die Njemenarmee ihre Position halten möge und in Unkenntnis der tatsächlichen Lage die Vernichtung der Narewarmee gar nicht registrierte. Als am 31. August der Schlachtenlärm im Dreieck Allenstein – Ortelsburg – Soldau verstummte, war das Kalkül der deutschen Seite voll und ganz aufgegangen. Die russische Narewarmee wurde bis auf winzige Reste völlig zerrieben; 92 000 russische Soldaten gerieten in deutsche Gefangenschaft, etwa 30 000 verloren ihr Leben.[37] Am vollständigen Sieg der deutschen Seite gab es nichts zu deuteln.

Daß er am militärischen Ablauf dieses modernen Cannae im engeren Sinne keinen nennenswerten Anteil besaß, räumte Hindenburg im vertrauten Kreis auch durchaus ein. Hier ist insbesondere sein vielsagendes Schweigen anläßlich eines vom Kaiser selbst anberaumten Vortrags anläßlich der dritten Wiederkehr des Jahrestages der Schlacht von Tannenberg am 28. August 1917 anzuführen. Der Oberste Kriegsherr wollte sich anläßlich dieses Jubiläums aus erster Hand über den tatsächlichen und nicht über den in der Öffentlichkeit verbreiteten Verlauf der Schlacht informieren. Bezeichnenderweise betraute er damit nicht den Oberbefehlshaber der 8. Armee, der mittlerweile zum Chef des Generalstabs des Feldheeres und damit zum bedeutendsten Militär überhaupt aufgestiegen war. Wilhelm II. ließ sich den Schlachtverlauf vielmehr durch Ludendorff erläutern, der nicht nur nach der Ansicht des Kaisers der eigentliche Architekt der Schlacht war. Hindenburg pflichtete dieser Auffassung dadurch bei, daß er sich ohne das leiseste Murren in eine untergeordnete Rolle als Zuhörer des Vortrags von Ludendorff fügte und selbst auf Nachfrage des Kaisers nach Kommentaren von seiner Seite nur bestätigte, daß Ludendorff lückenlos und wahrheitsgetreu berichtet habe.[38] Die engsten Angehörigen der Obersten Heeresleitung, die dem Vortrag Ludendorffs beigewohnt hatten, konnten sich darauf nur den Reim machen, daß Hindenburg die reale Rollenverteilung zwischen sich und Ludendorff anerkannte.[39]

Der sich verselbständigende Hindenburg-Mythos hat auch in der Historie die unvoreingenommene Sicht auf Tannenberg teilweise verstellt. Zwar ließ sich beim besten Willen Hindenburg keine herausragende Rolle bei der Ausarbeitung des Schlachtenplans zuschreiben, aber man konnte sie massiv aufwerten, indem man ihm das unbeirrte Festhalten am Schlachtplan gutschrieb und diese Entschlossenheit des Oberbefehlshabers als Schlüssel zum triumphalen Sieg hinstellte. Dazu mußte man lediglich eine krisenhafte Entwicklung konstruieren, in deren Verlauf Ludendorff die Nerven versagt hätten und er schon zum Abbruch der Einkesselung entschlossen gewesen sei, als die gravitätische Unbeirrtheit des Oberbefehlshabers die Dinge ins rechte Verhältnis gerückt und auf diese Weise die Lage gerettet habe.

Es sei an dieser Stelle ein kleiner Exkurs in Sachen Quellenkritik gestattet, weil hier die bis in die heutige Historiographie hineinreichende Wirkung der von Hindenburg selbst in die Welt gesetzten eigenwilligen Interpretationen ablesbar ist. Der Kampf um die Deutungshoheit über Tannenberg entbrannte erst nach dem verlorenen Weltkrieg, worauf noch ausführlich einzugehen sein wird.[40] Der Kern der später unkritisch übernommenen Version vom nervenstarken Oberbefehlshaber, der die Schlacht gerettet habe, geht auf Hindenburgs 1920 erschienene Erinnerungen zurück, in denen sich an allerdings eher versteckter Stelle der vieldeutige Satz findet: »Wir überwinden die Krisis in uns, bleiben dem gefaßten Entschlusse treu und suchen weiter die Lösung mit allen Kräften im Angriff.«[41] Hindenburg bezieht sich hierbei auf beunruhigende Nachrichten vom 26. August, die den perhorreszierten Vormarsch der Njemenarmee und überdies das Auftauchen neuer russischer Kavallerieverbände von Süden her gemeldet und eine tiefe Verunsicherung im Hauptquartier der 8. Armee ausgelöst hatten. Er vermeidet jedoch eine eindeutige personelle Zuordnung und flüchtet sich in das unverfängliche »wir«, was gemäß der tatsächlichen Arbeitsteilung aber notwendigerweise Ludendorff einschloß, dem zudem schon während des Weltkriegs ein schwaches Nervenkostüm nachgesagt wurde. Daran war wohl richtig, daß Ludendorff anscheinend weitaus deutlicher als Hindenburg bewußt war, welches militärische Risiko die 8. Armee mit der Konzentration auf die Einkesselung der Narewarmee eingegangen war.[42]

Mit dieser Bemerkung – auf die dahinter stehende Intention wie auch auf die Entstehungsgeschichte seiner Rechtfertigungsschrift wird noch ausführlich einzugehen sein – lieferte Hindenburg denjenigen Apologeten ein argumentatives Einfallstor, die – auf die scheinbar unantastbare Autorität des seit 1925 amtierenden Feldmarschall-Reichspräsidenten gestützt – das Verdienst, die angebliche Krise überwunden zu haben, ganz allein Hindenburg zuschrieben, was im Umkehrschluß eine einseitige Delegierung der Verantwortung für das beinahe erfolgte Verlassen der Erfolgsspur an die Adresse Ludendorffs bedeutete. Nach dem endgültigen Zerwürfnis mit Ludendorff im Jahre 1927 glaubte Hindenburg keine geschichtspolitische Rücksicht mehr auf seinen alten Kriegskameraden nehmen zu müssen und ermunterte den Berliner Militärhistoriker Walter Elze 1928 geradezu, den Siegeslorbeer von Tannenberg allein ihm zukommen zu lassen, wobei der angeblichen Krise vom 26. August zentrale Bedeutung zufiel. Elze hat den Köder geschluckt, den Hindenburg mit der besagten Stelle aus seinen Memoiren für künftige Historiker ausgelegt hatte. Der Militärhistoriker berief sich mit ausdrücklicher Billigung Hindenburgs[43] auf die zitierte Stelle und gab sie als eine Ludendorff geschuldete Rücksichtnahme aus, die aber Fingerzeig genug dafür sei, wer nun tatsächlich geschwankt und wer wie eine Eiche fest geblieben sei. »Uns scheint es, daß Hindenburg hier in seinem Buche mit der ihm eigenen Zurückhaltung seinen Anteil an der Schlacht bei Tannenberg im entscheidenden Augenblick betonen wollte, ohne sich in einen Gegensatz zu Ludendorff zu setzen und sich ein seinem Wesen fernliegendes Selbstlob zu erteilen … Uns kam es darauf an, auch dieses in Hindenburg ruhende Element des Sieges bei Tannenberg hinreichend hervorzuheben.«[44]

Damit setzte Elze eine Version in die Welt, die sich bis heute hartnäckig behauptet hat, weil sie ungeprüft übernommen wurde. Selbst der von blinder Hindenburg-Bewunderung freie[45] britische Historiker Wheeler-Bennett, dessen Studie, die bereits 1939 entstand, in weiten Teilen immer noch als zuverlässig gelten kann, machte sich diese Sicht zu eigen[46] und stimmte in den Chor derer ein, die Hindenburgs Standfestigkeit in der vermeintlichen Krise des 26. August 1914 als militärische Heldentat priesen. Sogar in der jüngsten wissenschaftlichen Annäherung an Hindenburg – Walter Rauscher im Jahr 1997 – wird Hindenburg das eigentliche strategische Geschick bescheinigt, während Ludendorff durch seine Aufgeregtheit fast den Sieg verspielt habe.[47] Per Saldo belegt dieser kleine Exkurs in Sachen Hindenburg-Historiographie die Tendenz zur Kanonisierung von historischen Urteilen, die letztlich auf Hindenburgs geschichtspolitisches Geschick zurückzuführen sind.

Eine weitere Lesart der Ereignisse von Tannenberg postuliert zwar nicht die eigentliche strategische Vaterschaft Hindenburgs am grandiosen Sieg, vereinnahmt Tannenberg aber insofern für den Oberbefehlshaber der 8. Armee, als sie diesem die ausschließliche Last der Verantwortung für ein eventuelles Scheitern des Cannae-Konzeptes aufbürdet, womit indirekt auch der Erfolg auf dem Konto Hindenburgs verbucht wird. Denn wer im Mißerfolg die Verantwortung zu tragen habe, dem dürfe es nicht verwehrt werden, sich auch den Erfolg anrechnen zu lassen. Ursprung dieser Variante ist ein häufig kolportierter Ausspruch Hindenburgs, der zwar quellenmäßig nicht eindeutig zuzuordnen ist, aber doch in dieser Weise geäußert worden zu sein scheint: »Gut, daß Tannenberg gewonnen wurde, nun haben es viele gewonnen. Wäre die Schlacht verlorengegangen, ich hätte sie allein verloren.«[48] Diese auf den ersten Blick entwaffnende Klarstellung vor dem Hintergrund des unvermeidlichen Konkurrenzkampfes der vielen vermeintlichen und tatsächlichen Väter des Erfolges vermag aber nur dann ihre argumentative Kraft zu entfalten, wenn Hindenburg tatsächlich der eigentlich Verantwortliche für die militärischen Operationen in Masuren gewesen wäre. Die vorangegangenen Ausführungen haben jedoch gezeigt, daß die Oberste Heeresleitung Hindenburg nur eine repräsentative Rolle zugedacht hatte, während Ludendorff die operativen Fäden in der Hand hielt. Ein Mißerfolg bei Tannenberg hätte daher nur für Ludendorff einen Karriereknick bedeutet – der über den Dingen schwebende Hindenburg wäre dagegen nicht beschädigt worden. Ein verabschiedeter General, der innerlich schon längst mit seiner militärischen Laufbahn abgeschlossen hatte und der nur durch die Gunst der Umstände vom Pensionistendasein in die erste Reihe der Armeeführer befördert worden war, hatte nichts zu verlieren – im schlimmsten

Fall büßte er sein Kommando ein und wäre damit in das historische Nichts zurückgekehrt, aus dem er gerade erst gekommen war. Hindenburgs Name hätte damit nicht mehr als eine Fußnote in der Geschichte des Ersten Weltkrieges abgegeben – und aus der Sicht vom August 1914 wäre damit der Normalzustand eingetreten. Erst der Sieg von Tannenberg ließ Hindenburg in atemberaubendem Tempo nicht nur zu einer riesenhaften Feldherrngestalt anwachsen, sondern erlaubte ihm auch den noch viel entscheidenderen Aufstieg zum deutschen Nationalheros. Erst der *heroisierte* Hindenburg hatte bei Schlachten tatsächlich etwas zu verlieren – der frisch reaktivierte Ruheständler Hindenburg hingegen nicht.

Die wenigen Stimmen, die es wagten, am Feldherrnmythos Hindenburgs zu kratzen, haben nicht nur Hindenburgs völlige Passivität in operativen Dingen vor und während der Schlacht von Tannenberg herausgestrichen. Manche konnten sich auch den maliziösen Hinweis nicht verkneifen, Hindenburg habe die Schlacht von Tannenberg verschlafen. Von Oberst Max Hoffmann wird überliefert, er habe späteren Besuchern das Quartier Hindenburgs mit dem Hinweis gezeigt, dies sei der Ort, an dem Hindenburg vor der Schlacht von Tannenberg, danach und auch *während* dieser Schlacht geschlafen habe.[49] Diese Aussage muß deswegen keine üble Nachrede eines um seinen Anteil am Tannenberg-Sieg Geprellten sein, weil Hindenburg in geradezu frappierender Weise an den Lebensgewohnheiten eines Pensionärs festhielt.[50] Pünktlich um 13 Uhr aß er zu Mittag, frönte dann dem Mittagsschlaf und verließ anschließend das Haus, um spazierenzugehen oder eine Ausfahrt mit dem Automobil zu unternehmen. Natürlich wird ein besessen arbeitender und durch das Übermaß an Arbeit seine Gesundheit ruinierender Mann wie Oberst Hoffmann, der im August 1914 nie mehr als zwei Stunden am Stück schlief,[51] voller Ingrimm auf diese friedensmäßige Lebensführung Hindenburgs geblickt haben; der Wahrheitsgehalt seiner Aussage wird dadurch aber nicht geschmälert.

Hindenburg war nach dem Zeugnis ihm Nahestehender mit einer zu seinem Naturell passenden Fähigkeit gesegnet, sich selbst inmitten hektischer Betriebsamkeit in Morpheus' Arme zu begeben. General von François, der alte Weggefährte aus dem IV. Armeekorps, hob in einer zu Hindenburgs 75. Geburtstag erschienenen Ehrengabe hervor, daß Hindenburg auch in angespannter Lage völlig abschalten konnte. Bei einem Kaisermanöver, dessen Verlauf für die weitere militärische Karriere jedes Kommandierenden Generals von allergrößter Wichtigkeit war, ließ sich Hindenburg im Herbst 1903 durch den wenig befriedigenden Manöververlauf nicht aus der Ruhe bringen. Er überbrückte die Wartezeit bis zum Mittagessen, das in einer Gastwirtschaft gereicht werden sollte, indem er im Tanzsaal auf einem

Stuhl Platz nahm, die Hände faltete und inmitten des regen Kommens und Gehens »schlief, bis er zum Essen geweckt wurde. Hindenburg nutzte jede Gelegenheit zum nervenstärkenden Schlaf und er konnte auch zu jeder Tageszeit und auf jeder Sitzgelegenheit schlafen.«[52] Hindenburg selbst strich auch gegenüber Generalen heraus, wie sehr er mit einem gesegneten Schlaf ausgestattet sei. Dem ihm nahestehenden Generaloberst von Einem, dem Kommandierenden der 3. Armee, vertraute er an, daß er sich auch durch die Übernahme des Kommandos der 8. Armee nicht habe aus der Ruhe bringen lassen und im Sonderzug, der ihn an der Seite Ludendorffs von Hannover nach Marienburg brachte, »glänzend durchgeschlafen« habe.[53] Journalisten, die er kurz nach der Schlacht von Tannenberg empfing, teilte er ungefragt mit: »Mir selbst geht es gut; ich schlafe wie eine Kanone.«[54]

Hellwach war Hindenburg jedoch in allen Angelegenheiten von geschichtspolitischer Dimension. Mochte sein militärischer Anteil an der Niederwerfung der russischen Narewarmee auch noch so unerheblich sein, ihn hinderte das nicht, diesen Erfolg symbolträchtig auszuschlachten. Hindenburg bewies ein enormes Talent, das ihm zugerechnete Handeln symbolisch so aufzuladen, daß man seine Person zum Bedeutungsträger stilisierte und tendenziell symbolisch überhöhte. Der erste Schritt auf dem Feld der Symbolpolitik bestand darin, vom Vorrecht des siegreichen Oberbefehlshabers Gebrauch zu machen und der Schlacht einen symbolträchtigen Namen zu verpassen. In den ersten Berichten über den sich anbahnenden Erfolg über die Narewarmee war noch von der geographisch korrekten Bezeichnung »Schlacht bei Gilgenburg und Ortelsburg« die Rede,[55] die allerdings in ihrer spröden Nüchternheit jeglichen Symbolgehalt vermissen ließ. Hindenburg persönlich erfaßte die einzigartige Gelegenheit, den militärischen Erfolg symbolisch zu veredeln durch einen Rekurs auf die Schlacht von Tannenberg, in der 1410 das Heer des Deutschen Ordens eine vernichtende Niederlage durch polnische und litauische Verbände hatte hinnehmen müssen. Das Örtchen Tannenberg lag zwar nicht im Zentrum des Kampfgeschehens vom August 1914, aber doch immerhin geographisch so nahe, daß eine erneute Verwendung dieses Namens in Frage kam. Hindenburg taufte ganz bewußt den Erfolg seiner 8. Armee als »Schlacht von Tannenberg«, weil er um die historischen Anklänge dieser Bezeichnung wußte. Mit dieser Namensgebung konstruierte er eine Traditionslinie von 1410 bis 1914, wobei ihm als Oberbefehlshaber der siegreichen deutschen Truppen die historische Mission zufiel, die Schmach von 1410 zu sühnen und den deutschen Osten den Fängen unkultivierter Ostvölker zu entreißen.

In der deutschen Vorkriegspublizistik war »Tannenberg« längst über die Auseinandersetzung des deutschen Ritterordens mit einem polnisch-litauischen Heer

hinausgewachsen und hatte die Gestalt eines Abwehrkampfes gegen eine vermeintliche slawische Gefahr aus dem Osten angenommen.[56] Hindenburg selbst legte
von Anfang an diese Interpretation in die Namensgebung hinein. Am 30. August
1914 vertraute er seiner Frau brieflich an: »Ich habe Seine Majestät gebeten, die ...
Kämpfe ... die Schlacht bei Tannenberg zu nennen. Bei Tannenberg ... wurde 1410
das Ordensheer von den Polen und Litauern vernichtet. Jetzt, nach 504 Jahren, kam
die Revanche.«[57] Und immer wieder reihte er sein Tun in diese Linie ein und
bemühte den Vergleich mit 1410. Mit Blick auf die Karte der historischen Tannenberg-Schlacht führte er gegenüber seinem Vertrauten und Lieblingsmaler Hugo
Vogel aus: »Ja, sehen Sie, dieses Feld ist so groß wie mein Daumennagel. Aber das
Feld, wo ich jetzt die Slaven schlug, ist so groß wie meine Hand ... Daß ich jetzt
den Schimpf gerächt habe, ist mir eine unsagbare Freude.«[58]

Doch auch ohne symbolisch wirksame Namensgebung wäre Hindenburg
nach dem Sieg über die Narewarmee jene spontane Verehrung durch die deutsche
Gesellschaft zuteil geworden, die lawinenartig über ihn hereinbrach. Warum ein
bis dahin in der Öffentlichkeit völlig unbekannter Militär sich mit einem einzigen
Sieg in die Herzen der Deutschen unauslöschlich einzubrennen vermochte, wird
im nächsten Kapitel zu fragen sein. Festzuhalten bleibt an dieser Stelle, daß Hindenburg an die ihm unerwartet zugefallene Aufgabe als Oberbefehlshaber der
8. Armee die Hoffnung knüpfte, seinen Namen in die Geschichtsbücher einzutra-
gen und damit für die Nachwelt zu verewigen. Schon in seinem ersten Brief an
seine Frau nach dem Eintreffen in Marienburg schimmerte diese Hoffnung durch:
»Ich glaube, Dein Alter wird womöglich noch mal ein berühmter Mann.«[59]

Münchner Zeitungsverkäufer, zeitgenössisches Aquarell von Peter Kraemer

Bedingungen symbolischer Politik

Die Hoffnung Hindenburgs auf Ruhm sollte im September 1914 über alle Maßen erfüllt werden. Eine Woge spontaner Verehrung spülte den Oberbefehlshaber der 8. Armee nach oben – das öffentliche Ansehen des am 26. August zum Generaloberst beförderten »Siegers von Tannenberg« erreichte schwindelerregende Höhen. Warum aber kam eine solche Blitzkarriere aus dem Nichts in Deutschland zustande? Um dies zu ergründen, muß man einen Perspektivenwechsel vornehmen und den Blick von Hindenburgs Tun auf die kulturelle Verfaßtheit der Gesellschaft lenken, die sich überaus empfänglich zeigte für eine durch den Krieg geschaffene militärische Heldengestalt. Die Wurzeln des Hindenburg-Mythos sind mithin in der kulturellen Disposition zu suchen, weshalb sich eine kulturgeschichtliche Annäherung an die Konstruktionsbedingungen dieses Mythos empfiehlt. Dazu sollen zunächst die dafür geeigneten Leitbegriffe herauspräpariert werden.

In Einklang mit der kultursoziologischen Forschung der letzten Zeit[1] erblicken wir in der Stiftung *kollektiver Identität* eine der zentralen Herausforderungen, die jede geglückte Form der Vergemeinschaftung zu bewältigen hat. Ohne in Abrede stellen zu wollen, daß derartige Formationen durchzogen sind von nicht zuletzt entlang den sozioökonomischen Grenzen verlaufenden Konfliktlinien, bleibt doch der Sachverhalt erklärungsbedürftig, daß Klassengegensätze durch die Berufung auf klassenübergreifende Deutungsmuster unter bestimmten Umständen entschärft werden. Das erfolgreichste und folgenschwerste Projekt gemeinschaftsbildender Sinnstiftung ist zweifellos der Nationalismus gewesen, der Mitte des 19. Jahrhunderts seinen Siegeszug in den entwickelten europäischen Staaten antrat. Im Schmelzofen des Nationalismus wurden regionale Identitäten, konfessionelle Loyalitäten und klassenspezifische Zugehörigkeitsmuster zwar nicht bis zur Unkenntlichkeit verformt, sondern blieben durchaus als Sinnkonkurrenten bestehen. Aber der Nationalismus erfreute sich auf dem Markt kollektiv geteilter Deutungsmuster überaus reger Nachfrage, weil er in den stürmischen Zeiten des beschleunigten gesellschaftlichen Strukturwandels jenes Maß an Integration verhieß, das durch die Auflösung traditionaler Bindungen verlorenzugehen schien.

Die neuere Nationalismusforschung[2] hat den Blick dafür geschärft, daß Nationen keine natürlichen Einheiten sind, die sich bei einer gewissen ökonomischen Reife und sozialen Differenzierung gewissermaßen aus sich selbst heraus erschaffen. Nationen sind vielmehr in erster Linie Produkte kultureller Sinnschöpfung und zeugen damit von der Autonomie kultureller Selbstzuschreibungen. Aber gegen alle kulturalistischen Überschwänge[3] muß darauf verwiesen werden, daß Nationen nicht in beliebiger Weise erschaffen werden können. Hans-Ulrich Wehler hat mit Recht betont, daß solche Konstruktionsprozesse ein »Rohmaterial«[4] erfordern, nämlich Herrschaftsverbände, die über einen längeren Zeitraum hinweg ein Territorium staatlich durchdringen, dadurch Traditionen generieren und oft auch sprachlich vereinheitlichend wirken.

In dem hier interessierenden Zeitraum, in dem Hindenburgs atemberaubende Karriere einsetzt, ist der Nationalismus ohne jeden Zweifel als die wichtigste gemeinschaftskonstituierende Triebkraft einzuschätzen. Seine integrierende Wirkung entfaltete er zum einen durch den gezielten Ausschluß bestimmter Personengruppen. Integration vermittels einer Exklusionspraktik, in deren Gefolge ethnische Minderheiten aus der Schicksalsgemeinschaft der Nationsgenossen verbannt werden und sich Gemeinschaftsgefühl aus einer zugespitzten Abgrenzung gegenüber anderen Nationen speist, ist dem Nationalismus in die Wiege gelegt.[5] Aber er darf nicht auf diese aggressive Ausgrenzungspolitik reduziert werden. Als weitaus ergiebiger erweist sich in unserem Fall die Tatsache, daß er auf kollektiv geteilte Weltbilder angewiesen ist, die ein hohes Maß an Zustimmung mobilisieren. Eine nationale Gemeinschaft benötigt mithin einen nicht unerheblichen Vorrat an positiv besetzten Bildern von sich selbst, sie ist also auf einen Fundus an nationalen *Symbolen* angewiesen.[6]

Der Terminus »Symbol« ist durch die Renaissance der Kulturgeschichte zu einer Leitkategorie aufgestiegen. Die spezifische Leistungsfähigkeit des Symbolbegriffs besteht darin, daß er die in einer Gemeinschaft vorhandenen kulturellen Sinnkonfigurationen faßbar macht und damit überhaupt einen operationalisierbaren Zugriff auf Deutungsmuster ermöglicht. Damit das Sinnhafte als wahrnehmbarer Gegenstand hervortritt, bedarf es der konkreten Veranschaulichung. Bereits Kant hatte der symbolischen Vorstellungsart die Aufgabe der Veranschaulichung auferlegt, wobei er die einen festen Platz in seinem philosophischen System einnehmenden Vernunftbegriffe vor Augen hatte.[7] In Anknüpfung daran läßt sich zum ästhetischen Stellenwert von Symbolen formulieren, daß die Intelligibilität kollektiv geteilter Sinnstrukturen an ihre symbolische Entäußerung gebunden ist.[8] Dies hat insbesondere Ernst Cassirer in seiner Philosophie der Symbolischen Formen in Weiterentwicklung des Kantschen Ansatzes hervorgehoben: Symbole sind manifest gewordene Entäußerungen sonst nicht greifbarer Sinnordnungen.[9] Erst Symbole machen – wie sich Goethe ausdrückte – die »millionenfache Hydra der Empirie«[10] überschaubar, indem sie als »Statthalter der unterschiedlichen Sinnwelten«[11] auftreten und mittels dieser Repräsentationsleistung das unendliche Reich der Erfahrung erst dem menschlichen Handeln zugänglich machen.

Damit ist nicht gesagt, daß Symbolsysteme eine gleichsam autonome Sphäre bilden, die einer eigenen semiotischen Logik gehorcht und in die unveränderliche Bedeutungsinhalte eingelassen sind. Die Welt der Symbole verkörpert keine entrückte »Welt an sich«; insofern Symbole zu den Sinnkonfigurationen in einem Expressionsverhältnis stehen, sind sie integraler Gegenstand der kulturellen Praxis.[12] Die Erzeugung und die Rezeption von Symbolen ist somit elementar für das Verständnis von Kultur als »handlungsorientierende Sinnkonfiguration«.[13] Nur ein Kulturbegriff, der im praktischen Handeln den Umschlagspunkt für die Transformation überindividueller Sinnmuster in subjektive Sinnzuschreibungen erblickt, eignet sich für den eingeforderten Brückenschlag zwischen Kulturgeschichte und Politikgeschichte.[14] Ein dem phänomenologischen Subjektivismus verpflichtetes Kulturverständnis proklamiert die autonome Sinnerschließung durch das Subjekt und sperrt damit die Kulturgeschichte in den Käfig antiquierter Geistesgeschichte. Die strukturalistische Kulturtheorie neigt hingegen dazu, den zentralen Aspekt auszublenden, daß übersubjektive Sinnordnungen stets der individuellen Aneignung durch das verstehende Subjekt bedürfen. Als Ausweg aus dieser doppelten Engführung bietet sich ein Begriff von Praxis an, der insofern den Boden der Kultur nicht verläßt, als darunter stets strukturierte Handlungsmuster mit kollektivem Charakter verstanden werden. Eingespielte, zur Routine geronnene Verhaltensweisen zeigen auf dahinterliegende kollektive Sinnmuster hin, ohne daß damit der Übergang vom Wissen zum Handeln als selbstverständlicher Automatismus erscheint. Ein solcher praxeologischer Kulturbegriff[15] weist zugleich den Weg, die historische Bedingtheit kultureller Ordnungen theoretisch zu begründen.

Für den Zugriff auf Hindenburg ist aber wesentlicher, daß die symbolische Umsetzung kollektiver Sinnmuster in soziale Praxis nur akteursbezogen erfolgen kann. Die symbolische Expression kollektiv geteilter Annahmen über die Welt wird von den Akteuren erzeugt – sie ist gezielt auf öffentliche Wahrnehmbarkeit ausgerichtet. Damit erfüllt der Prozeß der Symbolisierung zum einen eine genuin gemeinschaftsbildende Funktion: Mit Hilfe von Symbolen wird jenes Maß an Verständigung über gemeinsame Weltbilder hergestellt, das für das Funktionieren von Gemeinschaften unentbehrlich ist.[16] Zum anderen haftet diesem Prozeß ein genuin politischer Charakter an. Wenn die symbolische Verdichtung kollektiver Deutungsmuster ein Resultat gezielten Handelns ist, dann fällt die damit möglich gewordene Produktion und Aneignung von Symbolen in das Hoheitsgebiet der Politik, sofern man den Politikbegriff kulturgeschichtlich erweitert.

Befreit man sich aus einem verengten Verständnis von Politik, welches das Politische auf institutionell geformte Herrschaft reduziert, und erklärt man statt dessen die Hoheit über Deutungen zu einem integralen Bestandteil des politischen Prozesses, dann erhält die gezielte Erzeugung von Sinn einen zutiefst politischen Charakter.[17] Als tragfähige terminologische Brücke zwischen den lange hermetisch abgeriegelten Sphären »Politik« und »Kultur« bietet sich vor allem die theoretisch elaborierte »Politische Kulturforschung« an, die der Politikwissenschaftler und Historiker Karl Rohe schon vor mehr als zwanzig Jahren in die deutsche Politikwissenschaft eingeführt hat.[18] Bei der zuweilen hektischen Suche nach ausgefeilten Konzepten zur theoretischen Fundierung der Kulturgeschichte sind die Anregungen Karl Rohes von kulturgeschichtlicher Seite aus allerdings kaum rezipiert worden, was gewiß auch ein Zeichen für die mit Recht beklagte[19] Indifferenz mancher Kulturhistoriker gegenüber genuin politischen Phänomenen ist. Der von der Kulturanthropologie ausgehende Impuls bei der Wiederentdeckung des Faktors Kultur durch die Historie hat mit der Politik auch die von seiten der Politikwissenschaft offerierten begrifflichen Zugänge auf kollektive Sinnmuster in den Hintergrund treten lassen. Für unsere Fragestellung entpuppen sich jedoch die Offerten der »Politischen Kulturforschung« als eine terminologische Goldmine, die nach gezielter Ausbeutung durch ein an der Nahtstelle von Politik und Kultur angesiedeltes Thema geradezu verlangt.

Politische Kultur in einem weiten Sinne ist die Anordnung von Deutungen, welche die Grundannahmen über die politische Welt beinhalten. Dieses Paket geformter politischer Vorstellungen bildet den Rahmen für das Agieren der politischen Akteure. Politische Kultur erbringt damit die Leistung, die verwirrende Vielfalt individueller Meinungen und Einstellungen zum politischen Geschehen zu strukturieren und so zu konturieren, daß sie kulturell zurechenbare Phänomene werden. Diese Ordnungsfunktion Politischer Kultur erlaubt es, die subjektive Seite des Politischen, wie sie in Gestalt der »attitudes« die Anfänge der Politischen Kulturforschung bestimmte,[20] aus einer individualpsychologisch angelegten Verengung herauszulösen und auf ihre kollektiven Tiefenschichten hin abzuklopfen.[21]

Für die Politische Kultur gilt, was für die Kultur insgesamt bereits festgestellt wurde: Vorstellungen über die Sphäre des Politischen bedürfen der symbolischen Expression. Karl Rohe hat in diesem Zusammenhang mit der Unterscheidung zwischen der »Inhaltsseite« und der »Ausdrucksseite« Politischer Kultur darauf verwiesen, daß solche politischen Weltbilder nicht allein von ihrer inhaltlichen Komposition her zu untersuchen sind. Mit ihrer kognitiven Dimension korrespondiert eine affektive und ästhetische Dimension, und es ist nicht zuletzt die Ausdrucksstärke, die über ihren Erfolg befindet. »Politische Kultur ist politischer Sinn, der auch sinnenfällig werden muß.«[22] Für die symbolische Außendarstellung Politischer Kultur bietet sich der ebenfalls von Karl Rohe geprägte Begriff der »politischen Deutungskultur« an: Politische Deutungskultur meint *nicht* die lebensweltlich geronnene, in den Alltag eingewobene politische Vorstellungswelt, die nicht zuletzt an bestimmte sozialräumliche Bedingungen gekoppelt ist; diese soziokulturelle Verankerung politischer Weltbilder soll hier in Anlehnung an Karl Rohe als »politische Soziokultur« bezeichnet werden. Die Einführung des Begriffs der »politischen Deutungskultur« schärft vielmehr den Sinn dafür, daß die symbolische Verdichtung der in einer politischen Soziokultur vorhandenen politischen Grundannahmen ein eigenständiger Prozeß ist, an dem nicht zuletzt professionelle Interpreten politischer Wirklichkeit beteiligt sind. Die Erzeugung der Bilder von und über Politik stellt eine von der soziokulturellen Einbettung politischer Ideen zu separierende Ebene dar, die deswegen eine eigene terminologische Etikettierung als »politische Deutungskultur« verdient.[23]

Mit dem Begriff der »politischen Deutungskultur« verfügen wir über einen Schlüsselbegriff, um Hindenburg als Kulturphänomen einzufangen. Der sensationelle Aufstieg Hindenburgs zur nationalen Vaterfigur belegt das Eigengewicht politischer Deutungskulturen, die selbst bei einer soziokulturell fragmentierten Gesellschaft eine wesentliche Integrationsfunktion übernehmen können, wenn sie ein attraktives Symbolangebot zu kreieren vermögen.[24] Der verabschiedete General Hindenburg hatte Erfolg, weil er aus noch näher zu erläuternden Gründen in die symbolische Funktion eines Repräsentanten der Deutungskultur zu schlüpfen vermochte. Das Einrücken Hindenburgs in diese Rolle ist damit ein deutungskultureller Prozeß, in dem Hindenburg einerseits tiefsitzende kulturelle Erwartungshaltungen in der deutschen Gesellschaft aufsaugt, andererseits eine aktive Rolle bei der Produktion symbolischer Wahrnehmungsmuster spielt. Hindenburg beteiligt sich intensiv an der gezielten Pflege medial vermittelter Deutungskultur – seine Tätigkeit läßt sich damit als die eines politischen Kulturmanagers erfassen.

Dem Umgang mit Symbolen haftet als Teil dieses deutungskulturellen Prozesses somit ein zutiefst politischer Charakter an, was durch die Einführung des Begriffs *symbolische Politik* zum Ausdruck gebracht wird. Symbolproduktion wie der gezielte Einsatz von Symbolen zu politischen Zwecken fallen in den Bereich der Symbolpolitik, die damit essentieller Bestandteil des eminent politischen Kampfes um die Deutungshoheit ist. Solche deutungskulturellen Diskurse werden zwar vornehmlich von professionellen Deutungseliten getragen – doch über ihren Erfolg entscheidet der soziokulturelle Resonanzboden. Jede noch so raffiniert eingefädelte Symbolpolitik wird kläglich scheitern, wenn die bodenständige Soziokultur und damit die in die alltägliche Lebenspraxis eingesickerten und unhinterfragbar gewordenen politischen Vorstellungen mit solchen symbolpolitischen Produkten unvereinbar sind. Dann werden symbolpolitische Innovationen wie ein Fremdkörper im lebendigen Organismus abgestoßen. Nur wenn symbolpolitische Schöpfungen mit den in den Sedimenten der Soziokultur abgelagerten Weltbildern korrespondieren, finden sie dauerhaften Eingang in die Deutungskultur.[25]

Symbolische Zuweisungen gedeihen also nur auf dem Nährboden einer entsprechend gedüngten politischen Soziokultur. Das Aufrücken Hindenburgs zu einer Symbolfigur, die spezifische Repräsentationsleistungen zu erbringen vermochte, setzte damit voraus, daß sich in der Person Hindenburgs politisch-kulturelle Grundvorstellungen des Politischen bündelten. Damit eröffnet sich ein genuin der politischen Kulturgeschichte verpflichteter Zugriff auf Hindenburg, der die diesem zugewiesenen Attribute systematisch befragt, inwieweit sich politisch-kulturelle Grundbefindlichkeiten der deutschen Gesellschaft darin widerspiegeln. Doch der Doppelcharakter symbolischer Verweisung läßt Hindenburg nicht in der Eigenschaft eines repräsentativen Speichers der politischen Soziokultur aufgehen, sondern erhebt ihn zugleich in den Rang eines Sinnproduzenten mit beträchtlichem symbolpolitischen Gestaltungsspielraum: Aufgrund seiner symbolischen Kompetenz konnte Hindenburg fest damit rechnen, daß seine eigenen symbolpolitischen Beiträge nicht nur auf breite Zustimmung im deutungskulturellen Diskurs stoßen, sondern möglicherweise auch in die Populärkultur einsickern würden. Insofern eröffneten sich Hindenburg auf dem Feld der Symbolpolitik enorme Möglichkeiten, durch seine Doppeleigenschaft als Symbol und politischer Akteur eine ausschlaggebende Deutungsmacht zu akkumulieren. Wie Hindenburg sich symbolpolitisch inszenierte, wird Gegenstand der Ausführungen in Kapitel 5 sein.

Daß bereits die Übertragung einer symbolischen Funktion auf Hindenburg ein zutiefst politischer Akt war, der Hindenburg Zugang zu genuin politischen Ressourcen verschaffte, dürfte deutlich geworden sein. Durch die Tür der Symbolpolitik betrat Hindenburg die bislang für ihn fremde Welt der Politik – und dies kann für eine Hintertür nur halten, wer den eminent politischen Charakter symbolischer Darstellung des Politischen unterschätzt. Die pragmatische und die ästhetische Dimension des Politischen sind in modernen Gesellschaften unauflöslich miteinander verflochten: Politisches Entscheidungshandeln erfordert eine symbolisch angemessene Politikdarstellung. Diese Einheit läßt sich in Anlehnung an den Kultursoziologen Hans-Georg Soeffner als »figurative Politik« kennzeichnen.[26] Wer vermeint, daß das Spielfeld symbolischer Politik nur denen offensteht, die über ein gerüttelt Maß an schauspielerischer Fähigkeit verfügen und die Hohe Schule berufsmäßiger Politik absolviert haben, verkennt die begrenzte Reichweite rein medialer Kompetenz. Mediale Inszenierungen[27] gelingen nur, wenn die Akteure an tieferliegende Deutungsmuster der politischen Soziokultur anknüpfen können.[28] Insofern ist die Attribuierung symbolischer Kompetenz die notwendige Bedingung für eine erfolgreiche Symbolpolitik – und diese Repräsentationsleistung erbrachte Hindenburg in überreichem Maße. Er verstand sich auf beides: auf symbolisierende Politikrepräsentation und auf symbolische Politikinszenierung.[29]

Man kann bereits an dieser Stelle konstatieren, daß sich für Hindenburg daraus genuin herrscherliche Möglichkeiten eröffneten. Denn aus einer symbolischen Repräsentationsleistung lassen sich ohne weiteres Herrschaftsansprüche ableiten, wenn die politischen Rahmenbedingungen so beschaffen sind, daß eine symbolische Beauftragung durch die Gesellschaft als Legitimationsgrundlage für politische Richtlinienkompetenz ausreicht. Diese Voraussetzungen treffen am ehesten in entwickelten Gesellschaften zu, in denen traditionale Legitimation unter Berufung auf das monarchische Prinzip allein nicht mehr ausreicht, aber das Prinzip der Volkssouveränität noch nicht zum Durchbruch gelangt ist.

Das sich genau in diesem Zwischenstadium befindliche deutsche Kaiserreich bot ein hervorragendes Experimentierfeld für einen solchen Transfer symbolischer Kompetenz in herrschaftliche Befugnis. Eine solche Herrschaft ist stets auf den jeweiligen Symbolträger zugeschnitten und nicht ohne weiteres von dessen Person ablösbar. Da zudem die Legitimationsbasis aus einem Zuschreibungsakt durch eine kulturell entsprechend disponierte Gesellschaft besteht, drängt sich förmlich die Überlegung auf, ob sich mit Max Webers Charismakonzept Hindenburgs Herrschaft begrifflich einordnen läßt. Dazu bedarf es lediglich einer kultursoziologischen Erweiterung des Weberschen Ansatzes, welche die von Max Weber nicht thematisierte Frage nach den kulturellen Voraussetzungen für die Übertragung charismatischer Qualitäten auf eine bestimmte Person ins Zentrum rückt.[30] Charismatische Herrschaft speist sich demnach aus einer genuin symbolischen Leistung des Charismatikers.[31] Als der geeignete Ort für die dazu erforderliche terminologische Feinarbeit erscheint das Kapitel 8, in dem der endgültige Umschlag Hindenburgs vom Repräsentanten in einen Machtpolitiker behandelt wird: Hindenburgs Übernahme der Leitung der Obersten Heeresleitung Ende August 1916. An dieser Stelle bleibt festzuhalten, daß die Zuweisung symbolischer Kompetenz zugleich ein »charismatische(s) Potential«[32] freilegt, dessen Nutzung allerdings von den nur historisch zu erklärenden Randbedingungen abhängt.

Hindenburg speicherte aber nicht nur die politische Soziokultur und schlug aus dieser symbolischen Zuweisung politisches Kapital – er war bereits zu Lebzeiten zum *Mythos* entrückt. Worin liegt die spezifische Leistungskraft des Mythos-Begriffs? Symbole repräsentieren auf expressive Weise in sozialen Zusammenhängen eingelagerte Sinngefüge und ermöglichen damit überhaupt erst soziales Handeln. Erst eine geglückte symbolische Integration bringt jene sozialen Ordnungszusammenhänge hervor, die in Gestalt sozialer Gruppen und sozialmoralischer Milieus auf der Mikro- und Mesoebene vorfindbar sind. Der Mythos unterscheidet sich vom Symbol in funktionaler Hinsicht durch seine größere Reichweite:[33] Mythen sind Sinnkonfigurationen, die nicht nur für einzelne soziale Gruppen handlungsrelevant sind, sondern einer ganzen Gesellschaft Sinnangebote unterbreiten. Vergemeinschaftungsprozesse auf der Makroebene können daher schwerlich auf die integrative Kraft von Mythen verzichten.[34] Mythen ermöglichen die großflächige Strukturierung von Sinnzusammenhängen, indem sie in Großkollektiven ganzheitliche Bedeutungszuweisungen vornehmen.[35]

Ihre besondere Wirkung beziehen Mythen aus ihrer spezifischen narrativen Struktur. Mythen sind Erzählungen, in die soviel Phantasie und Ausschmückungsgabe eingeflossen sind, daß sich eine solche immerwährende Geschichte von ihrem ursprünglichen Ausgangspunkt entfernen kann, bis Urbild und Mythos kaum noch Ähnlichkeit miteinander haben. Aber gerade diese dynamische Erzählstruktur verleiht dem Mythos einen erheblichen Teil seiner gemeinschaftskonstituierenden Kraft – ihre fließende Form macht Mythen enorm anpassungsfähig an veränderte Zeitumstände und verschafft ihnen damit unter Umständen ein zähes Leben. Als eine solche mythische Projektionsfläche eignen sich nicht zuletzt Personen,[36] denn mythisch verklärte Personen saugen in besonderem Maße den emotionalen Grundbedarf jeder Gesellschaft an. Wie ein Magnet lenken sie Akte der Verehrung, ja sogar der Anbetung auf sich. Während Symbole die Funktion haben, verständigungsorientiertes Handeln zu ermöglichen, indem sie Sinnordnungen auf eine eher nüchterne Weise veranschaulichen, spricht der personenzentrierte Mythos über diese kognitive Funktion hinaus auch die emotionale Befindlichkeit des Menschen an und dringt damit bis in die Tiefenschichten der menschlichen Psyche ein.[37]

Die Kraft der Mythen beruht nicht zuletzt auf der Visualisierung : Von Mythen muß man sich ein Bild machen können.[38] Nur durch eine bildliche Ausdrucksform werden die Sinne der Angehörigen von Großgemeinschaften so angesprochen, daß sich unter diesem gewissermaßen heiligen Zeichen Gemeinschaft zu konstituieren vermag. Hierfür steht das ganze Spektrum künstlerischer Expression zur Verfügung: Denkmäler, Fotografien und – was für Hindenburg eine zentrale Bedeutung gewinnt – Porträtgemälde. Personale Mythen lassen sich nicht zuletzt durch die Bildersprache erfassen; sie setzen eine mediale Omnipräsenz strukturell voraus. Die mythische Verklärung Hindenburgs muß damit eine entsprechend breite mediale Spur hinterlassen haben.

Personifizierte Mythen zeichnen sich weiterhin durch eine besondere Politikhaltigkeit aus. Sie sind wie geschaffen dafür, Gemeinschaften eine spezifische politische Identität zu verleihen. Der politische Mythos insbesondere in seiner personalen Ausprägung vermag Großgruppen in einen politisch handlungsfähigen Verbund zu transformieren,[39] ja er kann sogar dazu dienen, das Partizipationsverlangen eines politisch allmählich erwachten Demos umzuwandeln in das brennende Verlangen nach der Herstellung eines homogenen politischen Körpers. Der Mythos-Begriff Carl Schmitts zeugt von dieser Funktion personaler Mythen, nämlich unter Rekurs auf die politischen Mitwirkungsansprüche des Volkes die Einheitlichkeit des politischen Willens durch Ausgrenzung angeblicher Volksfeinde garantieren zu wollen.[40] Carl Schmitt setzte deswegen bis Ende Januar 1933 nicht nur große Hoffnungen darauf, daß der zum Mythos verklärte Hindenburg dieses Projekt der politischen Einheitsstiftung verwirklichen würde[41] – auch Hindenburg selbst hatte, wie noch zu zeigen sein wird, die Mission nationaler Integration auf seine Fahnen geschrieben.

Durch ihre Mythisierung sind solche herausgehobenen Personen mit enormen Herrschaftsressourcen ausgestattet. Wenn schon symbolische Repräsentationsleistungen die charismatische Aufwertung ihrer Träger hervorrufen konnten, dann ließ sich aus einer mythischen Überhöhung allemal charismatischer Funken schlagen. Der innere Nexus zwischen Charisma und Mythos wird uns im Laufe dieser Untersuchung noch häufiger beschäftigen. Gerade der außergewöhnliche Umstand, daß der Zeitgenosse Hindenburg mit mythischem Öl gesalbt wurde und zudem von 1925 an die Amtsautorität des Reichspräsidenten mit seiner mythischen Stärke kombinierte, machte die Aufrechterhaltung und Pflege des Hindenburg-Mythos zu einem Politikum ersten Ranges: Der oberste Wächter über den Hindenburg-Mythos war die in mythische Sphären entrückte Person selbst – dieser Umstand räumte Hindenburg zu Lebzeiten eine privilegierte Position im Kampf um die Deutungshoheit ein. Dies konnte dazu führen – und dies wird eine Kernthese sein –, daß Hindenburgs Interesse am Fortbestehen seines Mythos sein Handeln als Reichspräsident so überlagerte, daß er die Möglichkeiten des Reichspräsidentenamtes nicht ausschöpfte, weil sie dem Mythos abträglich waren. Hindenburg scheute eine mythenverbrauchende Politik, weil er die Tradierung seines Mythos über seinen Tod hinaus als vordringlich ansah.

Ein Mythos lebt von seiner ständigen Erneuerung, nur so kann er auch von kommenden Geschlechtern geistigen Besitz ergreifen. Er muß fest verwurzelt bleiben im deutungskulturellen Haushalt einer Gemeinschaft, die ihr Urbedürfnis nach kollektiver Identität auf den betreffenden Gegenstand projiziert. Mythen können ebensowenig wie Symbole von oben verordnet werden, weil sie zum Standardrepertoire kultureller Vergemeinschaftungsprozesse zählen. Aber an einen naturwüchsig entstandenen Mythos heften sich immer auch politische Akteure, die sich aus Eigeninteresse der Pflege des Mythos verschreiben und ihn in seiner politischen Funktion als kulturelle Legitimationsgrundlage im politischen Meinungskampf einsetzen. Eine solche politische Instrumentalisierung des Mythos ist integraler Bestandteil aller deutungskulturellen Diskurse.

Im Fall des Hindenburg-Mythos war diese ganz ursprüngliche »Arbeit am Mythos« aber mehr als das verständliche Bemühen, den narrativen Kern des Mythos gegen alle öffentlichen Einwände zu erhalten.[42] Denn Hindenburg selbst setzte sich an die Spitze jener Kräfte, die ihn mit einem mythischen Schutzpanzer ausstatten wollten, an dem alle öffentliche Kritik abprallte. Von Hindenburgs Abgang als Inhaber der obersten militärischen Position im Sommer 1919 bis zu seiner Wahl zum Reichspräsidenten im April 1925 gehörte eine Hindenburg genehme Form der Darstellung seiner Rolle im Ersten Weltkrieg zu den Verbeugungen einer gewissermaßen offiziösen Geschichtsschreibung vor dem lebenden Mythos. Endgültig unter Denkmalschutz geriet Hindenburg dann nach der Übernahme des höchsten Staatsamtes im Deutschen Reich – gelegentliche Enthüllungen alter militärischer Weggefährten über den wahren Hindenburg wurden öffentlich kaum beachtet und entkräfteten sich durch die Randständigkeit dieser Kritiker selbst, wobei hier zuerst Ludendorff zu nennen ist.

Ohne den späteren Ausführungen zu weit vorgreifen zu wollen, läßt sich an dieser Stelle bereits festhalten, daß die Aufrechterhaltung des Hindenburg-Mythos ein Musterbeispiel für politisch gesteuerte Geschichtsproduktion ist. Terminologisch ist hierfür der Begriff »Geschichtspolitik« eingeführt worden, der ganz im ursprünglichen Sinne reserviert werden sollte dafür, daß sich die Politik der Vergangenheitsdeutung bemächtigt.[43] Unter *Geschichtspolitik* wollen wir also nicht das

normale Ringen um sinnhafte Deutungen vergangenen Geschehens verstehen, das
von den dazu berufenen professionellen Deutungseliten aus Wissenschaft, Journalismus und Kunst betrieben wird. Geschichte geht generell hervor aus der sinner-
zeugenden Aneignung der Vergangenheit durch die Gegenwart – doch diese symbolische Form der Geschichte[44] erhält dann eine geschichtspolitische Schlagseite,
wenn die Exekutive aus politischen Gegenwartsinteressen auf direkte oder subtile
Weise die Deutungshoheit über die Vergangenheit an sich reißt. Die Immunisie-
rung des Hindenburg-Mythos gegen eine investigative Rekonstruktion des realen
Geschehens geriet im Falle Hindenburgs zur Staatsaufgabe.

Generalfeldmarschall Helmuth von Moltke,
Gemälde von Franz von Lenbach, 1890

KAPITEL 3

Die deutsche Nation auf der Suche nach symbolischer Repräsentation

Wer die politische Karriere Hindenburgs verstehen will, muß die kulturelle Befindlichkeit Deutschlands am Vorabend des Großen Krieges inspizieren. Der kometenhafte Aufstieg eines der Öffentlichkeit bis Ende August 1914 völlig unbekannten Generals zur nationalen Symbolfigur deutet auf eine tiefsitzende Sehnsucht nach einer personalen Repräsentation auf nationaler Ebene hin. Ohne Zweifel schuf der Krieg eine Lage, welche die Empfänglichkeit für eine durch einen hochrangigen Militär vollzogene symbolische Repräsentationsleistung außerordentlich begünstigte. Doch in einer Gesellschaft mit einem etablierten nationalen Symbolangebot hätte Hindenburg nicht jene herausragende Stellung eines symbolischen Monopolisten des Projekts Nation einnehmen können, für die ihm günstige Voraussetzungen zufielen, an deren Ausbau er aber selbst eifrig mitwirkte. Weder die alten Nationalstaaten Frankreich und Großbritannien noch die in bezug auf die Stellung des Monarchen als Oberstem Kriegsherrn mit dem Deutschen Reich vergleichbaren Kaiserreiche Rußland und Österreich-Ungarn haben im Verlaufe des Weltkriegs ein derartiges Aufrücken eines Militärs in die symbolische Ruhmeshalle der Nation erlebt.

Vieles spricht dafür, daß die kulturellen Empfänglichkeiten, die eine solche symbolpolitische Ausnahmesituation möglich machten, vom Krieg nicht erzeugt wurden. Daher stellt sich die Frage, wie es im späten Kaiserreich um die symbolische Imagination der Nation stand. Sollte der 1871 gegründete deutsche Nationalstaat nach mehr als vierzig Jahren noch keine adäquate symbolische Expression in personaler Gestalt gefunden haben? Verwunderlich wäre das nicht angesichts der ausgeprägten föderalen Struktur dieses Kaiserreiches, das sich in der Reichsverfassung von 1871 noch ausdrücklich als »Bund« definiert hatte. Die weiterhin existierenden selbstbewußten Einzelstaaten, die aufgrund ihrer staatlichen Tradition und ihrer monarchischen Verfaßtheit über ein bewährtes eigenes Symbolangebot verfügten, stellten für den neuen Nationalstaat eine ernstzunehmende Schar symbolpolitischer Konkurrenten dar. An der Spitze stand mit Bayern ein gewachsenes

Staatsgebilde, das im ausgehenden 19. Jahrhundert noch auf ein symbolisch ver-
dichtetes bayerisches Nationalbewußtsein seiner Bevölkerung vertrauen konnte.[1]
Die Landesfürsten der größeren Einzelstaaten verstanden es, sich in ihrer Eigenschaft als nominelle Oberbefehlshaber der aus ihren Landeskindern gebildeten militärischen Kontingente mit Hilfe der Festkultur symbolisch wirkungsvoll in Szene
zu setzen.[2] Auch Denkmäler trugen zur regionalen Identitätsstiftung bei, etwa das
auf den ersten Blick ausschließlich der nationalen Imaginierung zuzurechnende
Hermannsdenkmal im Fürstentum Lippe, das sich bei näherem Hinsehen als probates Mittel zur Stiftung einer nicht zuletzt durch den Fürsten und das lokale Bürgertum verbürgten lippischen Identität erwies.[3] Da die Kulturpolitik eine Domäne
der Bundesstaaten blieb, konnten diese eine gezielte, von unten ansetzende Pflege
des Landesbewußtseins betreiben. Gewiß verstand sich die Betonung des spezifisch
Sächsischen oder die Herauskehrung württembergischer Eigenart nicht als kulturelle Kampfansage an die innere Festigkeit des neuen deutschen Nationalstaates.
Aber es verdient Beachtung, daß die Bundesstaaten eigenständige kulturelle Refe-
renzgrößen blieben, die mit beträchtlichem, wenngleich tendenziell abnehmendem
Erfolg ein passendes Gehäuse für Vergemeinschaftungsprozesse unterhalb der nationalen Ebene anboten.[4]

Das Bild wird noch uneinheitlicher, wenn wir einen Blick auf die deutsche Gesellschaft des späten Kaiserreichs werfen und danach fragen, ob hier innerhalb bestimmter gesellschaftlicher Segmente eigenständige kulturelle Integrationsleistun-
gen erbracht wurden. In diesem Zusammenhang tauchen sofort mindestens zwei
soziokulturelle Entitäten auf, nämlich die katholische und die sozialistische, die es
verstanden, distinkte Lebenswelten auszuformen und sich dabei durch eine eigenständige Deutungskultur abzugrenzen. Die Verhärtung dieser kulturellen Gegensätze wurde noch dadurch verstärkt, daß sich diese in die alltägliche Lebensführung eingelassenen Unterschiede in das Feld der Politik fortpflanzten und dazu
führten, daß die politischen Parteien im deutschen Kaiserreich aufs Ganze betrachtet genährt wurden von der politischen Transformation lebensweltlich verfe-
stigter Lebens- und Deutungszusammenhänge, welche die Forschung als »Milieus« zu bezeichnen pflegt. Gerade die jüngere Forschung hat nachdrücklich auf
die Fragmentierung der wilhelminischen Gesellschaft in disparate Milieus verwiesen, die Mikrokosmen herausbildeten, in denen das Alltagsleben in eigenen Bahnen verlief und in denen distinkte Sinnmuster kreisten, die in den politischen Prozeß mit Hilfe von Milieuparteien eingespeist wurden.[5]

Als Gegenstand der Forschung sind Milieus anspruchsvolle Untersuchungs-
objekte, weil sie sich sowohl jeder einfachen Zuordnung zu sozialhistorischen Stra-

tifikationsmodellen als auch einer ideengeschichtlichen Verengung entziehen. Wer Milieus untersuchen will, muß tief in die sozialen Lebensumstände eintauchen und die sozialen Verkehrskreise der Milieuangehörigen untersuchen. Er muß ebenso intensiv nach denjenigen kollektiven Deutungsmustern Ausschau halten, die sich über die sozioökonomischen Trennlinien einer Gesellschaft hinwegsetzten, wofür das katholische Milieu in eindrucksvoller Weise Zeugnis ablegt. Da Milieus zudem eingebaute politische Handlungsanweisungen aussenden, fällt auch die qualitative historische Wahlforschung in das Interessenfeld der Milieuforscher.[6]

Milieus, die ihre Angehörigen durch ein dichtes Vereinsnetz mit milieukonformen Sinnangeboten versorgten und sich dadurch eine ziemlich undurchlässige kulturelle Außenwand zulegten, waren im späten Kaiserreich die geschlossene Lebenswelt der großbetrieblich ausgerichteten sozialistischen Industriearbeiterschaft und der sich selbst genügende Lebenskreis der kirchenfrommen katholischen Bevölkerung. Die sozialistische Industriearbeiterschaft vergrub sich in einer Gegenwelt, in der von der Wiege bis zur Bahre die kulturellen Grundbedürfnisse im geschützten und vertrauten Binnenraum gestillt werden konnten. Das sozialistische Milieu speiste sich aus der sozialräumlichen Homogenität des gemeinschaftskonstituierenden Erfahrungsraums Fabrik und Wohnviertel und bezog hieraus seine soziokulturelle Verankerung. Es brachte aber auch eine eigene Deutungskultur hervor, welche die Milieueliten vor allem über die parteieigene Presse und die milieueigenen Bildungsorganisationen verbreiteten und die sich fest in die Köpfe und Herzen von Millionen Milieuangehörigen eingrub. Insofern läßt sich dieses Milieu auch als eine Form enger Vergemeinschaftung auffassen,[7] das kollektive Identität nicht zuletzt mittels einer symbolischen Verdichtung der Deutungskultur zu stiften vermochte. Symbolische Bedeutung erhielten die Festtage der sozialistischen Arbeiterbewegung,[8] an der Spitze die Feier des 1. Mai. Symbolische Aufladung wurde aber auch den Gründervätern des wissenschaftlichen Sozialismus zuteil: Ferdinand Lassalle[9] und insbesondere Karl Marx erfuhren eine derartige Verehrung, daß sie in den Rang sozialdemokratischer Ikonen aufstiegen.

Das katholische Milieu griff in noch stärkerem Maße auf die Integrationskraft symbolischer Manifestationen zurück, da es auf die vergemeinschaftende Kraft großbetrieblicher Industriearbeit verzichten mußte. Es war kein Sozialmilieu, in dem gemeinsames Arbeiten und Wohnen ältere Identitäten einschmolz; vielmehr vergemeinschafteten allein die kollektiv geteilten Deutungen die in sehr unterschiedlichen sozialen Kontexten lebenden kirchennahen Katholiken. Ein von den kirchlichen Geboten beherrschter und strukturierter Alltag ließ die bestehenden sozialen Unterschiede zwischen katholischen Arbeitern, Bauern, Handwerkern,

Unternehmern und Großgrundbesitzern so schrumpfen, daß unter der bewährten Leitung kirchlicher Milieumanager bei Selbstmobilisierung der kirchlichen Basis ein kulturell weitgehend autarker katholischer Kosmos entstand.[10] Wo sich diese gelebte Katholizität überdies noch mit anderen identitätsstiftenden Faktoren[11] wie einem historisch gewachsenen Regionalbewußtsein verband, erfuhr das katholische Milieu im Kaiserreich eine Verfestigung, auf deren Reste man bis heute stoßen kann. Die Erfahrung politischer Ausgrenzung und staatlicher Repression während des Kulturkampfes förderte diesen Prozeß der kulturellen Abschottung. Die Kulturkampferfahrung hatte sich gegen Ende des 19. Jahrhunderts allerdings verbraucht; es wuchs eine neue Generation bekenntnistreuer Katholiken heran, die davon weitgehend unbelastet war und sich im deutschen Nationalstaat auch kulturell einzurichten suchte.

Das katholische Milieu blieb indes ein kultureller Raum der Vergemeinschaftung, der auf ein reichhaltiges Repertoire an Symbolen zurückgreifen konnte. Der enorm symbol- und bilderreiche katholische Kultus sorgte dafür, daß das Katholischsein unzählige Möglichkeiten symbolischer Artikulation fand; genannt sei nur die Heiligenverehrung in all ihren Facetten und die als katholisches Fest gerade in gemischtkonfessionellen Gebieten herausgekehrte Fronleichnamsprozession. Der von einem nationalliberal getönten Kulturprotestantismus ausgehende Kulturkampf stieß im katholischen Milieu auf trotzige Abwehr, wobei die eingesetzte genuin religiöse Symbolik bewußt in Kontrast zur protestantischen Religiosität stand. Hier ist vor allem der Herz-Jesu-Kult als Symbol katholischer Selbstbehauptung anzuführen, der seit den 1870er Jahren einen gewaltigen Aufschwung erlebte.[12] Der drastische Naturalismus der Bilder, die das blutende, von einem Strahlenkranz umgebene Herz Jesu zeigten, war dazu angetan, den symbolischen Graben zu einer sich als dezidiert aufgeklärt begreifenden Religiosität protestantischer Provenienz zu vertiefen. Die bewußte Herauskehrung der Marienverehrung, die durch die angebliche Marienerscheinung von Marpingen im Sommer 1876 weiteren Auftrieb erhielt, trug ebenfalls zur konfessionellen Abgrenzung bei.

Die symbolische Konkurrenzsituation zum Nationalprotestantismus läßt sich auch am Bonifatiuskult ablesen, der ebenfalls in dieser Zeit zur Blüte gelangte. Die bewußte Stilisierung dieses irischen Missionars zum »Apostel der Deutschen« offenbarte jedoch zugleich, daß auch der Katholizismus sich der Sogwirkung des nationalen Gedankens nicht verschließen konnte. Insofern war die gezielte Pflege des Andenkens an den ersten Bischof von Fulda auch ein Versuch, die Anschlußfähigkeit des Katholizismus an die Idee der Überwindung deutscher Stammesgegensätze zu betonen. Als katholischer Gegenspieler der nationalprotestantischen

Symbolfigur Hermann der Cherusker versinnbildlichte Bonifatius für den Katholizismus, daß auch die alte Kirche gewichtige Beiträge zur Überwindung der deutschen Zersplitterung geleistet habe.[13] Das Projekt Nation erreichte im Ideenhaushalt des katholischen Milieus allerdings keine derartige Position wie im nationalprotestantischen Bürgertum.

Nach einer Phase schroffen Aufeinanderprallens von Nationalliberalismus und Katholizismus im Kulturkampf, der in den 1870er Jahren die Züge eines mit Erbitterung ausgetragenen Symbolkampfes angenommen hatte,[14] entspannte sich die Lage jedoch zusehends. Diese Annäherung von Katholizismus und Nation läßt sich biographisch ablesen an der Person des späteren Reichskanzlers Heinrich Brüning, der 1885 in der katholischen Hochburg Münster als Sohn eines fest im katholischen Milieu verankerten Weinhändlers das Licht der Welt erblickte und auf dem traditionsreichen Paulinum-Gymnasium seiner Geburtsstadt in einer bewußt nationalen Haltung erzogen wurde.[15] In den erst 1815 ganz an Preußen gefallenen, überwiegend von Katholiken bewohnten Provinzen Rheinland und Westfalen kann das prononcierte Bekenntnis zur deutschen Nation auch als Ausdruck der Distanz zum wenig geliebten preußischen Staat gewertet werden. Vieles weist darauf hin, daß etwa von der Jahrhundertwende an die Mehrheit der im katholischen Milieu Verwurzelten längst ihren kulturellen Frieden mit der Nation gemacht hatten, die ihnen nicht mehr als protestantischer Eindringling, sondern als ein auch »gut katholisch« anzueignender Integrationsfaktor erschien.[16]

Diese tendenzielle Versöhnung zwischen einem Großteil des katholischen Milieus und der Nation belegt, daß die nationale Idee an ideologisch disparate Vorstellungswelten anschließbar war. Hans-Ulrich Wehler hat aus der Fähigkeit des Nationalismus, mit älteren Loyalitätsbindungen spezifische politische Legierungen einzugehen, dessen besondere politische Dynamik und Ausstrahlungskraft abgeleitet[17] – ein Befund, der durch die Annäherung von Katholizismus und Nation unterstrichen wird. Auch im geschlossenen Kosmos der sozialistischen Arbeiterbewegung, die sich als dezidiertes Gegenmodell zur bürgerlichen Kultur verstand, hat die Idee der Nation eine stärkere Resonanz erfahren, als vielfach angenommen wird. Die Nation war prinzipiell vom herrschenden politischen System zu trennen, und folglich war mit dem Bekenntnis zu ihr nicht zwangsläufig eines zur monarchischen Ordnung verbunden. Die betonte Distanz der sozialistischen Alternativkultur zum monarchischen Kult des Reiches und der monarchisch verfaßten Bundesstaaten[18] ließ sich daher partiell vereinbaren mit einem vorsichtigen Ausschöpfen der von der Nationsidee verheißenen Partizipation. Daß sich die deutsche Sozialdemokratie trotz ihres internationalistischen Programms im August

1914 in die nationale Phalanx einreihte und damit als fester Bestandteil einer erstmals geschlossen erscheinenden nationalen Gemeinschaft definierte, war nicht zuletzt auf den Umstand zurückzuführen, daß unter Berufung auf die egalisierende
Kraft der Nation die politisch ausgegrenzte Sozialdemokratie Forderungen nach
stärker demokratisch legitimierter Mitbestimmung im politischen Leben einklagen konnte.[19]

Wenn die Nation als Integrationsangebot für Großgemeinschaften deutungs-
offen und nicht auf eine bestimmte politische Ordnung festgelegt war, stellt sich
aber immer noch die Frage, ob die Vorstellung von der deutschen Nation nicht bestimmte inhaltliche Mindestanforderungen enthielt. Die Stiftung kollektiver Identität auf der Makroebene muß zurückgreifen können auf einen Satz existierender
kultureller Weltbilder, die das kulturelle Fundament für eine auf der Handlungs-
ebene vollzogene gemeinschaftsorientierte Verständigung abgeben.[20] Gerade wenn
man der Idee der Nation eine hohe Anschlußfähigkeit an unterschiedliche politische Ordnungsvorstellungen zubilligt, muß die kulturgeschichtliche Anschlußfrage lauten, auf welchem kulturellen Nährboden die Nation ihre Penetrations-
kraft auszuspielen vermochte. Gesucht sind damit sinnhafte Aneignungen der
Welt, die über die Milieugrenzen hinweg im Sinnhaushalt verankert waren und damit die kulturelle Grundlage für eine geglückte nationale Integration bildeten.
Eine Identifizierung solcher kollektiver Selbstüberzeugungen ermöglicht auch die
Erstellung eines kulturellen Anforderungsprofils, das der symbolische Repräsentant der deutschen Nation erfüllen muß. Die Symbolisierung der Nation kann also
nur von einer Person geleistet werden, die sich als ideale Projektionsfläche für die
im Umlauf befindlichen kulturellen Selbstzuschreibungen eignet. Die symbolische
Inbesitznahme einer bestimmten Person für das Projekt Nation setzt somit voraus,
daß diese solche kulturellen Standards in expressiver Weise zu artikulieren vermag.
Hindenburgs Aufstieg zu einer Symbolfigur wäre ohne diese Fähigkeit zur symbolischen Repräsentation nicht möglich gewesen.

Welches waren die national affizierbaren kulturellen Muster, die in der deutschen Gesellschaft am Vorabend des Ersten Weltkrieges kursierten? Im Rahmen
einer auf die Person Hindenburgs fokussierten Studie kann natürlich keine er-
schöpfende Antwort auf diese Frage erfolgen. Einen ersten Fingerzeig enthält die
Art und Weise, wie die ursprünglich im liberalen Bürgertum beheimatete Idee der
Nation einsickerte in den lange der Nation eher skeptisch bis zurückhaltend gegenüberstehenden Konservatismus. Die Durchsetzung des Nationalstaates in
Deutschland erfolgte auf kriegerischem Wege – an der Wiege des zweiten Kaiserreichs standen militärische Auseinandersetzungen unter preußischer Führung ge-

gen Dänemark, Österreich und schließlich Frankreich. Ein mit »Blut und Eisen«
geschmiedetes Kaiserreich war durchaus mit den Vorstellungen des nationalliberalen Bürgertums vereinbar, das die Erfüllung seiner nationalen Sehnsucht mit Waffengewalt von Anfang an in sein politisches Kalkül einschloß. Mit der Bejahung des
Krieges als Mittel nationaler Politik befand sich das deutsche Bürgertum im Einklang mit den nationalen Trägerschichten aller übrigen europäischen Gesellschaften.[21] Das nationalgesinnte Bürgertum der 1860er Jahre hatte keine Scheu vor der
militärischen Auseinandersetzung; vielmehr schätzte es die Armee und gerade die
Preußens als das scharfe Schwert, das die Widersacher eines deutschen Nationalstaates energisch aus dem Weg räumen konnte.[22]

Diese Wertschätzung des Militärs im Ideenhaushalt des nationalgesinnten
deutschen Bürgertums erleichterte dem preußischen Konservatismus die Adaptierung des ihm anfangs wesensfremden Nationalismus. Ein Nationalstaat, der mit
den Instrumenten fürstlicher Herrschaft erkämpft wurde und nicht mit demokratischem Öl gesalbt war, ein Kaiserreich, in dem die Verfassung dem Militärischen
extrakonstitutionelle Freiräume einräumte, ein Monarch an der Spitze dieses Reiches, der als Inhaber der Kommandogewalt wesentliche Fragen der Militärpolitik
abgeschirmt von parlamentarischen Einflüssen entscheiden konnte – ein solcher
das Erbe der preußischen Militärmonarchie pflegender deutscher Nationalstaat
vermochte sehr wohl die Herzen altpreußischer Konservativer zu erwärmen, die
ihr altes Preußen schon bis zur Unkenntlichkeit im nationalen Schmelztiegel des
neuen Deutschen Reiches aufgehen wähnten.

Vor allem in verfassungspolitischer Hinsicht war das Militär das wesentliche
Bindeglied zwischen Nationalstaat und altpreußischem Grundadel; in kultureller
Hinsicht dagegen wurde über das Bild vom Krieg und vom Militärischen sehr viel
mehr an genuin bürgerlichen Werten in die Idee der Nation in Waffen[23] eingeschleust, als es auf den ersten Blick den Anschein hat.[24] Die Imaginierung der militärischen Begebenheiten aus dem in dieser Hinsicht wahrlich ergiebigen Reichsgründungsjahrzehnt zeichnete das Bild eines dem bürgerlichen Ideal der Professionalität huldigenden militärischen Führungskorps, das kraft Ausbildung und
Leistungsfähigkeit Erfolge auf dem Schlachtfeld errungen hatte. Nicht verwegenen
Haudegen vom Schlage des »Marschall Vorwärts«, sondern rational-nüchtern kalkulierenden Militärs, die mit wissenschaftlicher Exaktheit am Kartentisch Schlachtenverläufe berechneten, gebührte nach dem Urteil der deutschen Öffentlichkeit
im späten Kaiserreich der Siegeslorbeer.[25] Damit dürfte eines der wesentlichen kulturellen Vorstellungsmuster identifiziert sein, das die Idee der Nation kulturell untermauerte.

Die Nation kam in dieser Vorstellungswelt zwar in Uniform daher, aber die höchsten militärischen Funktionsträger zeichneten sich allesamt durch Qualifikationen aus, die auch im Zivilleben gefragt waren. Daß den herausragenden militärischen Führern der Einigungskriege Leistungskraft und Professionalität bescheinigt wurden, machte die uniformierte Nation anschlußfähig an den in der Gesellschaft vorherrschenden Wertehaushalt. Der Krieg und die mit dem Krieg verknüpfte Nation wurden auf diese Weise nicht nur entaristokratisiert, sondern auch entheroisiert. Denn für das aristokratische Ideal des einsamen Kriegers von edler Geburt, der durch Tapferkeit und Kühnheit den Schlachtensieg erringt, war in dieser Vorstellungswelt kein Platz mehr. Mit der Veränderung der Kriegstechnik hatte der klassische Kriegsheld ausgedient.[26] Den Sieg garantierte von nun an eine perfekt geölte Militärmaschinerie, deren Führer sich den Anforderungen eines modernen technischen Krieges voll und ganz gewachsen zeigten. Kriegshelden waren nicht mehr das Rohmaterial, aus dem eine symbolische Repräsentation der Nation geformt werden konnte.[27] Eine Nation in Waffen verlangte zwar nach Helden in Uniform, aber diese glichen nicht mehr dem ungestümen Ritter Roland, sondern waren große Strategen. Attribute jugendlichen Kämpfertums paßten nicht zu einer militärisch imaginierten nationalen Symbolfigur; überschäumender Tatendurst trat nun hinter die souveräne Beherrschung des Kriegshandwerks zurück.[28] Insofern waren ein fortgeschrittenes Alter und eine entsprechende persönliche Reife unerläßliche Voraussetzungen für die symbolische Erhöhung einer militärischen Führungsgestalt zu nationaler Größe.

Letztlich wurde die gesamtgesellschaftliche Akzeptanz des Militärischen als Kern der Nation aber vor allem dadurch möglich, daß das wissenschaftsbegeisterte Deutschland des frühen 20. Jahrhunderts die führenden Militärs nicht nur zu Repräsentanten des bürgerlichen Leistungsethos, sondern auch zu Aushängeschildern für den Siegeszug der Wissenschaft erhob. Der alle überragende Feldherr des Deutsch-Französischen Krieges, Helmuth von Moltke, wurde medial als »Wissenschaftler des Krieges«[29] stilisiert und manifestierte damit die enorme Wertschätzung der Wissenschaft in allen gesellschaftlichen Lagern. Das allseits geteilte Bekenntnis zur Wissenschaft bildete die vielleicht stabilste kulturelle Basis, von der aus das Projekt Nation in seiner uniformierten Variante Besitz ergriff von den Köpfen und Herzen der meisten Deutschen. Die deutsche Sozialdemokratie vertrat eine spezifische Variante der Wissenschaftsgläubigkeit, indem sie auf die Veredelung des Menschengeschlechts durch die Früchte des wissenschaftlichen Fortschritts vertraute.[30] Die Popularisierung wissenschaftlicher Erkenntnisse beschränkte sich keineswegs auf sozialdemokratische Volksbildungsvereine, sondern erreichte durch stete mediale Verbreitung praktisch die gesamte wilhelminische Gesellschaft, in deren kulturellen Tiefenschichten sie sich festsetzte.

Indem dem Kriegs»handwerk« wissenschaftliche Dignität zuerkannt wurde und es zur Kriegswissenschaft aufstieg, wurde das Militär zur ersten Adresse für die symbolische Expression der Nation. Mit dem Startvorteil der Geburtshelferrolle bei der Etablierung eines deutschen Nationalstaates ausgestattet, grub sich die deutsche militärische Elite durch die Zuerkennung wissenschaftlicher Attribute tief in die nationshaltigen Sedimente der wilhelminischen Kultur ein. Diesen Vorsprung suchte das Militär zu nutzen, indem es selbst die Deutung der national zurechenbaren Kriegsereignisse und Feldherrngestalten übernahm. Seit 1872 gab es eine »Kriegsgeschichtliche Abteilung« im Generalstab, die nicht ohne Erfolg mit amtlich gehaltenen Darstellungen der preußisch-deutschen Feldzüge vom Siebenjährigen Krieg bis zu den Einigungskriegen die öffentliche Erinnerung formte. Da die akademische Geschichtswissenschaft sich von diesem Feld fernhielt und am ehesten universitär nicht eingebundene Historiker wie der Publizist Hans Delbrück Kriegsgeschichte unter Anlegung der strengen Maßstäbe der Historie betrieben, umgab die Erzeugnisse der »Kriegsgeschichtlichen Abteilung« eine wissenschaftliche Aura, die ihrer Verbreitung im deutschen Bildungsbürgertum mehr als zuträglich war.[31]

Mit der Verwissenschaftlichung des Krieges war eine weitere kulturelle Aufwertung des Militärs verbunden, denn im Gefolge der wissenschaftlichen Durchdringung des Krieges hatte die Kriegstechnik revolutionäre Fortschritte gemacht. Die Kavallerie, versinnbildlicht durch die Elitetruppe der Ulanen, existierte im modernen Krieg nur noch als wehmütige Reminiszenz; denn die Kriegsausstattung des frühen 20. Jahrhunderts bestand aus den stählernen Botschaftern des Maschinenzeitalters: weittragende Geschütze mit nie dagewesener Zerstörungskraft, Maschinengewehre, Kraftwagen.[32] Angesichts der über viele Pferdestärken verfügenden Fahrzeuge und unendliches Verderben speiender Kriegstechnik stellte sich die Frage nach den normativen Voraussetzungen für eine Beherrschung dieser Technik.[33] Nervenstärke rückte dabei zur Schlüsselqualifikation auf, die eine destruktive Verselbständigung der Technik unterbinden sollte. Der moderne Mensch mußte also wie ein Dompteur in der Lage sein, die Technik in die gewünschten Bahnen zu lenken: Kaltblütigkeit mußte ein Straßenbahnfahrer mitbringen, um die Elektrische im Zaum zu halten; Unaufgeregtheit sollte den Fahrer eines Automobils auszeichnen.[34]

Daß das Wilhelminische Zeitalter vielfach als »Zeitalter der Nervosität«[35] gilt, ist keine Entkräftung dieses Arguments. Denn die unbestreitbare Zunahme der

Neurasthenie ist dem Umstand zuzuschreiben, daß immer mehr Menschen der rasanten Entwicklung der Technik nicht mehr gewachsen waren und ihr psychischen Tribut zollen mußten. Um so eher ist zu verstehen, daß in der Skala der erwünschten Eigenschaften Nervenstärke ganz oben rangierte.[36] Das wilhelminische Deutschland war ein technikbegeistertes Land,[37] folgerichtig wurde die Eigenschaft der Kaltblütigkeit und unerschütterlichen Ruhe in den Rang einer kulturellen Grundausstattung nationaler Vergemeinschaftung erhoben. Man hielt gezielt Ausschau nach Urbildern an Vertrauen einflößender Nervenstärke, die das Staatsschiff Deutschland steuern konnten. Als Idealbesetzung galt lange Zeit der von 1900 bis 1909 amtierende Reichskanzler Bernhard von Bülow, der das kollektive Ruhebedürfnis zu verkörpern schien.[38] Der wohl populärste Repräsentant der Vorstellung eines technischen Fortschritts, der mit der Ausstrahlung majestätischer Ruhe einherging, war jedoch Graf Zeppelin: Die Eroberung der Lüfte schien durch ein langsam und ruhig dahingleitendes Fluggerät möglich zu sein, das bezeichnenderweise »Luftschiff« getauft wurde.[39] Vor diesem Hintergrund wird verständlich, warum bei Ausbruch des Weltkrieges eine Führungsgestalt in diese repräsentative Funktion einrückte, deren Altersweisheit sich im Vergleich zu der vom Kaiser verbreiteten hektischen Betriebsamkeit als großer Vorzug erwies: Es war der die Unaufgeregtheit des Alters verkörpernde, aber zugleich dank seiner herausgehobenen militärischen Funktion die Symbiose von Wissenschaft und Technik darstellende General Paul von Hindenburg.

Man fragt sich jedoch, warum das deutsche Kaiserreich bis 1914 keinen eigenen Vorrat an genuin zivilen, vom Militärischen abgenabelten nationalen Symbolfiguren angelegt hatte, auf die nach dem Kriegsausbruch leicht zurückgegriffen werden konnte. Warum hatte das Reich in mehr als vierzig Jahren nicht genügend Sinnbilder hervorgebracht, die dem Bedürfnis nach nationaler Einheit expressiven Ausdruck verliehen? Warum gelangte die innere Nationsbildung in diesem Zeitraum nicht zu einem symbolischen Abschluß, wo doch der enorme Bedarf an einer integrativen Symbolik für die staatlich erstmals geeinte deutsche Nation unübersehbar war?[40]

Die deutsche Nation pflegte im Kaiserreich in Ermangelung lebensechter Symbolfiguren das symbolische Gewand mythologischer Kriegergestalten anzulegen.[41] Hier ist in erster Linie die »Germania« des hoch über dem Rhein aufragenden Niederwalddenkmals zu nennen. Mit dieser Figur ging man auf eine erst seit Ende des 18. Jahrhunderts faßbare ältere literarische Tradition zurück, nach der die Einheit Deutschlands als »Germania« bezeichnet wurde.[42] Gewiß hat die »Germania« eine bemerkenswerte Rolle im Symbolhaushalt der deutschen Nation gespielt, aber als integraler Ausdruck einer wirklich gelebten nationalen Vergemeinschaftung ist sie nicht zu werten. Ihr haftete von Anfang an das Image eines Kunstproduktes an, das in die Funktion eines nationalen Symbols nicht zuletzt deswegen schlüpfen konnte, weil sich natürliche Anwärter auf diese Rolle infolge der komplizierten föderativen Struktur des Kaiserreiches zurücknehmen mußten. Daß die »Germania« auch die 1900 ausgegebene erste Dauerbriefmarkenserie des Kaiserreiches schmückte und nicht der Kaiser, der sich postalisch gerne verewigt gesehen hätte, ist in erster Linie der Rücksichtnahme auf die Empfindlichkeiten der nichtpreußischen Fürsten zuzuschreiben.[43] Die politische Führungsschicht des Kaiserreiches konnte dem Germaniakult kaum etwas abgewinnen. Bismarck machte aus seinem Mißfallen kein Hehl und blieb 1883 der Einweihung des Niederwalddenkmals demonstrativ fern.[44] Die geringe Resonanz der Germania dürfte unter anderem darauf zurückzuführen sein, daß sie Nation und Heroismus unlösbar verknüpfte, indem sie als Verkörperung des militärischen Sieges auftrat. Die mit Brustpanzer bewehrte und das Schwert in der Rechten haltende Germania der Briefmarkenserie verkörperte einen Kult traditioneller männlicher Wehrhaftigkeit,[45] der sich mit den seit der Jahrhundertwende vorherrschenden nationalen Selbstbildern nicht recht vereinbaren ließ.

Die symbolische Imaginierung der Nation verlangte letztlich nach einer Person aus Fleisch und Blut,[46] welche die politische Soziokultur des späten Kaiserreichs verkörperte. Der geborene Anwärter auf diese Position war zweifellos Kaiser Wilhelm II. Denn in einer konstitutionellen Monarchie, in der das nationale Parlament eine eher periphere Rolle im politischen System spielte, nahm der Monarch eine derart herausgehobene institutionelle Rolle ein, daß er bei der symbolischen Fundierung des jungen deutschen Nationalstaates das allererste Zugriffsrecht besaß. Zudem begünstigte der enorme Stellenwert des Militärischen innerhalb der Nationsvorstellung den Reichsmonarchen, der als Kaiser und preußischer König in Personalunion lange Zeit diesen für die Expression nationaler Gemeinschaft zentralen Bereich monopolisieren konnte.

Verfassungsrechtlich profitierte der Kaiser dabei von den Spezifika der preußisch-deutschen Militärmonarchie: Das Militär bildete ein von der zivilen Gewalt weitgehend abgeschottetes Terrain, wenn man einmal vom Budgetrecht des Reichstags absieht. Daher entzündeten sich an Fragen des Militäretats die politischen Konflikte zwischen den ansonsten nur durch die Person des Monarchen zusammengefügten militärischen und zivilen Sektoren des Kaiserreiches. Selbst dem Reichskanzler war es verwehrt, in die ausschließlich dem Monarchen reservierte Sphäre der monarchischen Kommandogewalt einzudringen. Die Besetzung der militärischen Führungspositionen und die Militärverwaltung blieben allein diesem als Oberstem Kriegsherrn vorbehalten, und er verbat sich strikt jede Einmischung in seinen extrakonstitutionellen Bereich.[47] Der Kaiser besaß also faktisch bei allen militärpolitischen Entscheidungen das letzte Wort, wenngleich er nicht im Alleingang kostspielige und damit das parlamentarische Budgetrecht tangierende Projekte wie die Vergrößerung des Heeres oder den Aufbau einer Flotte einfach von oben dekretieren konnte.

Diese Kompetenzverteilung legte es geradezu nahe, daß der Kaiser die Repräsentation von Heer und Marine übernahm und damit in eine genuin symbolpolitische Rolle schlüpfte. Zudem verfügte Wilhelm II. mit den Militärfeiern, die den nationalen Festtagskalender dominierten, über ein Forum, auf dem er sich in seiner Funktion als Oberster Kriegsherr mit militärischem Pomp in Szene setzen konnte.[48] Mit Leib und Seele liebte er diese Herauskehrung seiner militärischen Funktion, denn er fühlte sich von Kindesbeinen an in Uniform am wohlsten; die Armee vermittelte ihm überdies jenes Gefühl der Geborgenheit, das er im Schoße der Familie entbehrte.[49] Insofern war Wilhelm II. geradezu die Idealbesetzung eines sich symbolisch unter Rückgriff auf militärische Zeremonien inszenierenden Monarchen.

Der dritte Kaiser des Deutschen Reiches entwickelte ein sehr feines Gespür für die symbolische Dimension seiner Herrschaft. Er sah es als eine seiner vornehmsten Aufgaben an, der kulturell allmählich zusammenwachsenden Nation symbolische Expression zu verleihen.[50] Diese ausgesprochen moderne Herrschaftsauffassung ließ den Kaiser bei jeder nur denkbaren Gelegenheit den öffentlichkeitswirksamen Auftritt suchen. Wilhelm II. war Reisekaiser und Medienkaiser in einer Person: Er eilte von Termin zu Termin, ließ keine Denkmalseinweihung und keine Rathauseröffnung aus und schien über die Gabe der Omnipräsenz zu verfügen.[51] Keine öffentliche Feier war vor dem Bedürfnis des Kaiser sicher, plötzlich an das Rednerpult zu eilen und in markigen Worten dem Volk seine Botschaften zu verkünden.[52] Es drängte ihn förmlich dazu, sich ablichten zu lassen, und er zelebrierte mit Inbrunst die für seine Persönlichkeitsstruktur maßgeschneiderte Rolle des Medienkaisers. Damit befriedigte er die medialen Erwartungen eines Massenpublikums, das an den Monarchen nicht zuletzt den Unterhaltungswert schätzte.[53]

Der Kaiser schien den soziokulturellen Nerv der deutschen Gesellschaft auch deswegen zu treffen, weil er sich als großer Förderer von Wissenschaft und Technik hervortat. Wilhelm II. widmete der Neuordnung des Wissenschaftsbetriebs einen erheblichen Teil seiner politischen Energien und drückte der Wissenschaftspolitik des Reiches[54] seinen ganz persönlichen Stempel auf. Denn er setzte hier unverkennbar eigene Akzente, verschrieb sich insbesondere der Förderung der technischen Wissenschaften und rief außeruniversitäre Großforschungseinrichtungen ins Leben. Auch dem auf die Initiative des Kaisers zurückgehenden Bau der zweitgrößten Schlachtflotte der Welt, die binnen einem Jahrzehnt auf Kiel gelegt wurde, haftet eine nationalsymbolische Dimension an:[55] Die stählernen Kolosse, die aus ihren großkalibrigen Geschützen todbringendes Feuer Dutzende Kilometer weit spieen, waren ein Meisterwerk deutscher Ingenieurskunst. Wollte man diese Kraft beherrschen, mußte man neuartige technische Fertigkeiten erwerben. Im Unterschied zu den in den höchsten Funktionen weiterhin adlig dominierten Heeresoffizieren war das deutsche Seeoffizierskorps daher eine Domäne bürgerlich-technischer Intelligenz. Zudem war die Reichsmarine im Unterschied zum immer noch bundesstaatlich organisierten Heer ausschließlich eine Angelegenheit des Deutschen Reiches. Insofern eignete sich die Flotte wie kein zweites Objekt als Symbol einer nationaler Vergemeinschaftung, in die das kulturelle Bekenntnis einer technikgläubigen Nation eingeschweißt war.

Wilhelm II. hatte damit engsten Anschluß an Großprojekte gefunden, die sich bestens zur kulturellen Nationsbildung eigneten. Als Reise- und Medienkaiser war er unermüdlich unterwegs in Sachen nationaler Vergemeinschaftung, als Flotten- und Wissenschaftskaiser die treibende Kraft hinter populären Vorhaben: Vermochte irgend jemand besser die Funktion eines Nationalsymbols auszufüllen als dieser dynamische Kaiser, der auf der Höhe der Zeit zu sein schien? Doch trotz solch optimaler Voraussetzungen vermochte Wilhelm II. letztlich nicht in die Rolle eines allseits akzeptierten, dem politischen Tagesstreit enthobenen nationalen Symbols aufzurücken. Die staatlich geeinte deutsche Nation blieb symbolisch unbehaust, weil der Reichsmonarch trotz aller Bemühungen mit der Nation nicht symbolisch verwachsen war.

Die Gründe dafür können an dieser Stelle nur gestreift werden. Ganz bestimmt ist in Rechnung zu stellen, daß dem Kaiser auf der einzelstaatlichen Ebene ernstzunehmende symbolpolitische Konkurrenten in Gestalt der Bundesfürsten gegenüberstanden, die sich wie er mit Vorliebe über militärische Zeremonien öffentlich in Szene setzten. Zwar konnte der Kaiser unbehelligt von Mitgliedern der zivilen Reichsleitung bei militärischen Feierlichkeiten auftreten, doch außerhalb Preußens und der Stadtstaaten stieß er dabei stets auf die Präsenz seiner fürstlichen Vettern, die auf ihren protokollarisch fixierten Rang bei diesen Anlässen pochten und nicht symbolisch an ihrer landesherrlichen Souveränität rütteln lassen wollten.[56] Und auch anläßlich der alljährlichen Feiern zum Sedanstag (2. September), der an den entscheidenden Sieg im Deutsch-Französischen Krieg erinnerte, konnte und wollte der Kaiser den bedeutenden militärischen Anteil deutscher Bundesfürsten an diesem Erfolg öffentlich nicht schmälern. Schließlich hatte der König von Sachsen an der Spitze der verantwortlichen Maasarmee gestanden, und auch der König von Württemberg hatte sich an dieser Schlacht führend beteiligt.[57]

Ohnedies kehrte Wilhelm II. mit der Inszenierung als Oberster Kriegsherr den preußischen Ursprung seiner Herrschaft heraus. Indem der Kaiser seine militärische Kommandogewalt betonte, verlieh er seiner Funktion eine spezifisch borussische Note, was im Westen und Süden des Reiches wenig goutiert wurde, da man darin eine Bevorzugung der herrschaftserprobten und in Treue zum preußischen Königtum aufgewachsenen ostelbischen Großgrundbesitzer witterte.[58] Zugleich hatte Wilhelm II. in seiner ureigensten Domäne – der Ausübung der Kommandogewalt – einen schleichenden Kompetenzverlust zu verzeichnen: Indem die militärische Führung immer stärker im Großen Generalstab zusammenlief und dieser sich speziell in der Amtszeit Schlieffens als operative Zentrale herausbildete, entstand ein Kommandozentrum, dessen Funktion weit über die bloße Beratung des Monarchen hinausreichte. Diese Verlagerung der genuin militärischen Entscheidungsbefugnis vom Monarchen auf eine professionelle Militärelite kam dann beim Kriegsausbruch 1914 voll zur Geltung, als der Kaiser in die militärischen Operationen nur noch kosmetisch eingriff und diese ansonsten vom Chef des Generalstabs des Feldheeres durchgeführt wurden. Am Kaiser, der in der Vorkriegszeit keine Gelegenheit ausgelassen hatte, bei den großen Herbstmanövern den Truppenführern Zensuren zu erteilen, lief die operative Planung für den Kriegsfall vorbei.

Letztlich erwuchs die defizitäre Repräsentationsleistung des Kaisers sowohl aus der schwierigen Doppelfunktion seines Amtes als auch aus persönlichen Schwächen. Die symbolhafte Verdichtung nationaler Vergemeinschaftung in der Person des Reichsmonarchen litt darunter, daß Wilhelm II. gerade nicht auf eine symbolische Funktion reduziert werden wollte und aktiv in die Gestaltung der Politik eingriff. Sein lauthals proklamiertes »persönliches Regiment«, das mit irritierenden spätabsolutistischen Bekenntnissen einherging,[59] war zwar nicht immer als bare Münze zu nehmen. Der Kaiser machte aber deutlich, daß er konkrete politische Projekte mit seiner Person verknüpfte und offensiv für sie eintrat. Genau damit lieferte er sich einer öffentlichen Erwartung aus, die in Enttäuschung umschlagen mußte, wenn den Ankündigungen keine Taten zu folgen schienen.[60]

Wilhelm II. hatte zudem im Laufe seiner Regierung fast spielerisch neue Projekte angefaßt und damit immer neue Hoffnungen geweckt. An den meisten Projekten verlor er aber schnell das Interesse und ließ sie wieder fallen. Kurz nach der Thronbesteigung hatte er sein Herz als »sozialer Kaiser« entdeckt, doch bald war die auch als Profilierung gegenüber dem Übervater Bismarck gedachte Begeisterung für die soziale Frage verflogen. Statt dessen kehrte Wilhelm II. gegenüber der Arbeiterschaft seine herrscherliche Attitüde heraus, indem er das immer stärkere Bekenntnis weiter Kreise der Industriearbeiterschaft zur Sozialdemokratie als Majestätsbeleidigung auffaßte und vor schroffen öffentlichen Ausfällen nicht zurückschreckte.[61] Den Nerv des national überschäumenden Bürgertums traf der Kaiser mit seiner Verheißung, das Deutsche Reich müsse endlich Weltpolitik betreiben – doch damit schürte er hochgesteckte Erwartungen und rief nationalistische Heißsporne auf den Plan, denen die eher zurückhaltende Außenpolitik der Wilhelminischen Zeit als schwächlich erschien. Als dann die »Daily Telegraph«-Affäre 1908 vom »persönlichen Regiment« nur noch einen Scherbenhaufen übrigließ, weil der Kaiser – vom Reichskanzler öffentlich im Stich gelassen und selbst von den treuesten Anwälten der Monarchie im Reichstag kritisiert – zunehmend als außenpolitische Belastung erschien, war die Autorität des Monarchen schwer angeschlagen.[62]

Selbst wohlmeinende Publizisten aus dem nationalen Lager hielten öffentlich mit ihrer Meinung nicht hinter dem Berg und mokierten sich über den Ankündigungskaiser, der in der Öffentlichkeit große Worte machte, denen keine Taten folgten. Dem 25. Thronjubiläum 1913 widmete die dem Kaiser an sich wohlgesinnte Redaktion der Monatsschrift »Die Tat« einen Band, in dem sie die Stimmen der Kritiker versammelte. »Wir haben es in diesen 25 Jahren nur allzu häufig erleben müssen, daß auf große Worte recht kleine Taten folgten, daß erhabene Verheißungen, erschütternde Drohungen ausgesprochen wurden, von deren Erfüllung jedoch hinterher nichts verlautete.«[63] Daß der Kaiser seine Zunge nicht zu zügeln vermochte, daß er selbstverliebt auch bei unpassenden Gelegenheiten das Wort ergriff[64] und sich damit öffentlich verschliß, führte zu einer medialen Übersättigung. Dieser Abnutzungseffekt ging so weit, daß der Monarch selbst für kaisertreue Kreise als symbolischer Repräsentant nicht mehr in Frage kam. Daß er überdies bei den politische Veränderung anmahnenden Linksliberalen und Sozialdemokraten einen schweren Stand hatte,[65] komplettiert nur das Bild einer politisch umstrittenen Figur, die sich nicht unbedingt als Symbolgestalt nationaler Einheit aufdrängte.

Letztlich war es aber Wilhelms in der Selbstinszenierung aufgehender Politikstil, der ihn um seine Symbolfähigkeit brachte. Der Kaiser war ein begnadeter Selbstdarsteller, der die öffentliche Bühne suchte.[66] Unter rein performativen Aspekten konnte man seinen öffentlichen Auftritten einen hohen Unterhaltungswert nicht absprechen, aber genau dieser Hang zur Theatralität offenbarte seine symbolischen Defizite. Je mehr Wilhelm II. sich zu einem mediengerechten Monarchen zu stilisieren suchte, desto mehr nahm seine Fähigkeit ab, eine Projektionsfläche kollektiver Sinnzuschreibungen zu bilden und sich damit symbolisch zu positionieren. In Wilhelm II. wird zugleich die Unfähigkeit der deutschen Monarchen offenbar, genuin symbolische Leistungen zu erbringen. Pointiert könnte man sagen, daß die Monarchie in Deutschland sich in performativer Selbstdarstellung erschöpfte, die ihren Sinn in der Aufführung selbst fand, weil sie – im Unterschied zu anderen Monarchien – keine politisch-kulturellen Kernvorstellungen symbolpolitisch besetzte.[67]

Die Sprunghaftigkeit des Monarchen, der wie eine Biene im Frühling von Blüte zu Blüte flog, ohne länger bei einem politischen Thema zu verweilen, beschädigte die Mythisierbarkeit seiner Person auf irreparable Weise: Wenn die besondere Leistung eines Mythos darin besteht, dauerhaft Sinn zu speichern, dann fiel Wilhelm II. wegen seiner impulsiven, stets zu Überraschungen neigenden Wesensart als ernsthafter Anwärter aus. Sein unsteter Charakter verlieh dem Kaiser den Anschein von immerwährender Neugier und Aufgeschlossenheit für die Zukunft. In den 25 Jahren seiner Herrschaft schien er innerlich jung geblieben zu sein, obgleich er 1913 das 54. Lebensjahr vollendet hatte. Der Anschein ewiger Jugend gereichte ihm in symbolischer Hinsicht jedoch zum Nachteil, denn ein Unreifer konnte keine symbolischen Vergemeinschaftungsleistungen erbringen, geschweige denn die politische Soziokultur dauerhaft repräsentieren. Dafür kam nur in Frage, wer aufgrund seines fortgeschrittenen Alters und einer unaufgeregten Lebensführung jenes Maß an Berechenbarkeit und Ehrwürdigkeit ausstrahlte, das auch symbolische Kontinuität zu verbürgen schien. In symbolischer Hinsicht fiel dem Kaiser im Kaiserreich keineswegs die Rolle eines Monopolisten zu,[68] vielmehr muß angesichts der unübersehbaren Defizite Wilhelms II. der Kreis der Bewerber weiter gezogen werden. Auch ein bereits pensionierter General konnte die vom Kaiser nicht besetzte symbolische Leerstelle ausfüllen.

Als erster nichtmonarchischer Anwärter drängt sich dabei der Reichsgründer Otto von Bismarck auf. Gerade nach seiner Entlassung als Reichskanzler 1890 hatte sich der grollende Bismarck als symbolischer Gegenspieler des jungen Kaisers zu profilieren verstanden. War Bismarck zu seinen Regierungszeiten ein umstrittener Politiker gewesen, der neben einer treuen Gefolgschaft auch eine beträchtliche Zahl von Gegnern und Kritikern mobilisierte, so konnte sich der dem politischen Alltagsgeschäft enthobene Bismarck von seinem Altersruhesitz aus symbolisch in Szene setzen als Verkörperung des nationalen Machtstaates. Je weiter Bismarcks Regierungszeit zurücklag, desto mehr verklärte sie sich in der Wahrnehmung der nachfolgenden Generation, so daß Bismarck immer mehr auf seine national zurechenbaren Leistungen zurechtgeschnitten wurde und damit als Nationalrepräsentant zunehmend Bedeutung erlangte. Gegenüber Wilhelm II. besaß Bismarck den unzweifelhaften Vorzug, mit der Gründung des Kaiserreiches die deutsche Nation in eine staatliche Form gegossen und damit überhaupt erst die Voraussetzung für das deutsche Kaisertum geschaffen zu haben. Bismarck konnte aber nicht nur mit dem symbolischen Pfund des Reichsgründers wuchern[69] – er füllte darüber hinaus auch das auf seine Person zugeschnittene Amt des Reichskanzlers fast zwanzig Jahre so aus, daß das Deutsche Reich im exekutiven Bereich vornehmlich über den Reichskanzler Gestalt gewann. Das allmähliche Zurückweichen der einzelstaatlichen Bezüge hinter die Interessen des jungen Nationalstaates – in der Person Bismarcks dahingehend faßbar, daß das bis auf ein Intermezzo von ihm seit 1862 bekleidete Amt des preußischen Ministerpräsidenten immer mehr hinter das neue Amt des Reichskanzlers zurücktrat – war nicht ablösbar von der Person und der Politik des ersten Reichskanzlers, der damit dem Nationalstaat einen unauslöschlichen Stempel aufdrückte und sich auch nach dem Ausscheiden aus seinen Ämtern tief in das nationale Gedächtnis eingrub.

Bismarck sorgte dafür, daß er auch nach seinem Tod (30. Juli 1898) als symbolischer Konkurrent des ungeliebten Wilhelm II. fortlebte. Seine posthum veröffentlichten Memoiren »Gedanken und Erinnerungen«, deren Lektüre rasch in den Kanon des deutschen Bildungsbürgertums aufrückte, stellen ein Stück meisterhafter Geschichtspolitik dar.[70] Der tote Bismarck sperrte sich erfolgreich gegen den Versuch einer symbolischen Vereinnahmung durch die Krone als getreuer Vasall des Hauses Hohenzollern. So erhielt Wilhelm II., dem ein pompöses Staatsbegräbnis für den Reichsgründer vorschwebte und vor allem eine Bestattung in der Hohenzollerngruft im Berliner Dom, von der Familie Bismarcks eine Absage. Diese entzog sich seinem Ansinnen unter Berufung auf die testamentarische Verfügung des Verstorbenen und bestattete diesen in Friedrichsruh,[71] das bald zu einem Wallfahrtsort der Bismarck-Verehrer aufsteigen sollte. Denn in Friedrichsruh konnte man die Verdienste des Reichskanzlers um die Nation würdigen, ohne tiefe Verbeugungen vor dem herrschenden Monarchen zu machen.

Die symbolische Emanzipation des Reichsgründers von der Hohenzollerndynastie fand sinnfälligen Ausdruck nicht zuletzt in einer Flut steingewordener Manifestationen der Bismarck-Verehrung. Die studentische Jugend setzte hierbei mit den Bismarcktürmen[72] ganz besonders markante Zeichen: Von den Türmen, die auf Anhöhen errichtet wurden und weithin sichtbar waren, sollten an den Bismarck-Gedenktagen Flammenzeichen der Bismarck-Bewunderung ausgehen. Vor allem seit 1898 bildeten sich überall im Reich lokale Komitees, die das ganze Reich mit solchen Bismarcktürmen überzogen und damit unübersehbar die Wertschätzung dokumentierten, welche gerade die bereits im neuen Deutschen Reich geborene Generation dem Gründungsvater des Nationalstaates entgegenbrachte. In symbolischer Hinsicht noch bedeutsamer sind die Bismarck-Denkmäler, deren Bildprogramm die kulturelle Aneignung Bismarcks sehr genau widerspiegelt. Hierbei läßt sich etwa seit der Jahrhundertwende eine martialische Heroisierung Bismarcks registrieren, deren massivste Expression das berühmte, 1906 eingeweihte Hamburger Bismarck-Denkmal von Hugo Lederer ist: Bismarck ist hier der Züge eines zivilen Politikers völlig entkleidet und ins Reckenhafte gewendet – eine riesenhafte Gestalt, die mit grimmiger Wehrhaftigkeit das Reichsschwert in Händen hält.[73]

Die immer stärkere Reduzierung Bismarcks auf eine Roland-Gestalt ist gewiß nicht zuletzt dem Umstand zuzuschreiben, daß in der Bismarckgemeinde das Verständnis für die politisch-diplomatische Friedenssicherung des ehemaligen Reichskanzlers zunehmend überlagert wurde von der Vereinnahmung Bismarcks für eine wehrhafte, auch vor dem Gebrauch der Waffe nicht zurückschreckende, auftrumpfende Machtpolitik.[74] Mit dieser Verformung wurde das Bismarckbild aber abgeschnitten von wichtigen kulturellen Strömungen des ausgehenden Kaiserreiches. Die Stilisierung Bismarcks zum Ritter mochte gewiß den Bedürfnissen bestimmter Kreise des Bildungsbürgertums nach historischer Selbstvergewisserung gerecht werden; doch der ins Ritterhafte verzerrte Bismarck war kaum noch anschlußfähig an die kulturellen Kontexte eines wissenschaftsgläubigen und dem technischen Fortschritt huldigenden Zeitalters. Der Schwertträger Bismarck blieb daher eine Figur der Vergangenheit, deren symbolische Aussagekraft nicht ausreichte, um nationale Vergemeinschaftung unter den Auspizien der Moderne zu stiften. Das Bismarck als Attribut heroischer Wehrhaftigkeit zugedachte Schwert war ein Requisit aus verflossenen Zeiten, das nicht zur technischen Ausstattung des frühen 20. Jahrhunderts paßte. Die Militarisierung Bismarcks in Gestalt einer kriegerischen Sagengestalt stand einem kulturellen Transfer Bismarcks in das militärisch-technische Zeitalter im Wege.

Überdies scheint die Bismarck-Begeisterung in einigen Teilen Deutschlands gedämpft gewesen zu sein. Im katholischen Bevölkerungsteil hing Bismarck der Makel des Kulturkampfs auch lange nach seinem Tod noch an; die Sozialdemokratie erblickte in ihm weithin den Urheber des verhaßten Sozialistengesetzes, wenngleich sie seinen staatsmännischen Leistungen als Reichskanzler gerade in der Außenpolitik durchaus Respekt zollte.[75] In Süddeutschland, insbesondere in Bayern, haftete ihm das Image des Urpreußen an, der dem Kaiserreich eine gehörige Dosis preußischen Geistes eingeimpft hatte. Folglich finden sich gerade in Bayern nur wenige steingewordene Zeugnisse einer überschäumenden Bismarck-Vereh-

rung.[76] Dennoch hat Bismarck gewiß eine bessere nationale Projektionsfläche geboten als Wilhelm II. Insbesondere für das pronconciert national gesinnte Bürgertum stellte er eine politische Lichtgestalt dar, eine Inkarnation der Idee nationaler
Einheit. Die unbestreitbare symbolische Aufladung des Reichsgründers darf aber
nicht darüber hinwegtäuschen, daß die integrative Kraft eines mythisch überhöhten Bismarcks begrenzt war. Nicht unerhebliche Teile der deutschen Gesellschaft
ließen sich mittels der Gestalt des Alten aus dem Sachsenwald nicht ohne weiteres
in das Projekt nationaler Vergemeinschaftung eingliedern.

Daher drängt sich förmlich die Überlegung auf, daß in erster Linie ein mit
Siegeslorbeer bekränzter Feldherr das Projekt Nation zu imaginieren vermochte,
weil der deutsche Nationalstaat nicht zuletzt mit Blut und Eisen erzwungen
wurde. Allerdings durfte ein solcher Anwärter kein im Soldatischen aufgehender
Nur-Militär sein, dessen Kommunikationsfähigkeit sich in Casinogesprächen erschöpfte. Er mußte Eigenschaften vorweisen, die einen kulturellen Brückenschlag
zu den im Kern bürgerlichen Wertvorstellungen des beginnenden 20. Jahrhunderts
erlaubten. Dieser kulturelle Anschluß des Militärischen an den Wertehaushalt
einer bürgerlichen Nationsvorstellung mußte sich primär über die Zuweisung der
Attribute Gelehrsamkeit und Bildung vollziehen.[77] Die Einigungskriege hatten
eine hochrangige militärische Persönlichkeit hervorgebracht, der ohne Abstriche
der gewichtigste militärische Anteil an der Reichseinigung gebührte und die darüber hinaus den Weg des neuen Reiches in den ersten zwei Jahrzehnten noch im
biblischen Alter aktiv begleitete: Generalfeldmarschall Helmuth von Moltke. Moltkes bewegtes Leben füllte fast das gesamte 19. Jahrhundert aus: Pünktlich zum
Glockenschlag des neuen Säkulums geboren, gestaltete Moltke die Reichseinigung
an militärisch verantwortlicher Stelle mit, kommandierte danach noch viele Jahre
den Großen Generalstab und erlebte selbst das Ausscheiden Bismarcks aus allen
Staatsämtern noch mit, ehe er am 24. April 1891 für immer die Augen schloß.[78]

Moltke deckte mit seinem Lebensweg nicht nur nahezu das gesamte 19. Jahrhundert ab – ihm wurden darüber hinaus diejenigen gemeinschaftskonstituierenden Eigenschaften zugeschrieben, die im beginnenden 20. Jahrhundert besonders
hoch im Kurs standen: Er galt als die reinste Verkörperung der Synthese von Wissenschaft und Militär, ein »Wissenschaftler des Krieges«,[79] der den Krieg rational
durchdrang und ihn in den Augen des kulturell tonangebenden Bürgertums gewissermaßen veredelte, indem er der Sphäre des Militärischen ein wissenschaftliches Deutungsmuster unterlegte. Moltke war für das Bürgertum der Mann, der
den Krieg wissenschaftlich plante und durch den Einsatz modernster technischer
Mittel berechenbar machte. Nicht draufgängerischer Einsatz oder nibelungenhafte

Aufopferung hatten die Geburt des Deutschen Reiches ermöglicht, sondern der überlegene Umgang mit den technischen Errungenschaften Eisenbahn und Telegraph.[80] Es ist nur folgerichtig, daß die Leser der populären »Berliner Illustrirten Zeitung« bei einer Umfrage nach den bedeutendsten Persönlichkeiten des zu Ende gehenden 19. Jahrhunderts den Ehrenplatz des »größten Denkers« ausgerechnet mit einer militärischen Gestalt besetzten: Moltke verwies dabei Geistesgrößen wie Kant, Darwin und Schopenhauer auf die Plätze.[81] In der bildenden Kunst fand diese Verbürgerlichung des Generalfeldmarschalls ihren sinnfälligsten Ausdruck: Die ihm zuerkannten Attribute Gelehrsamkeit und Leistungsbereitschaft verwandelten den Schlachtenlenker in einen »Professor in Uniform«,[82] der zum Gegenstand geradezu »kulthafter Verehrung«[83] avancierte.

Moltke galt indes nicht nur als kultureller Brückenbauer zwischen dem Jahrhundert der Reichsgründung und dem Jahrhundert der nationalen Vertiefung des Reiches. Dem Generalfeldmarschall wurden darüber hinaus spezifisch *politische* Qualitäten zuerkannt, so daß er in dieser Hinsicht auch das Erbe Bismarcks antreten konnte. Moltke kam dabei zugute, daß er als einziger Militär noch zu seiner aktiven Zeit ein Reichstagsmandat innehatte: Von 1867 an vertrat er bis zu seinem Todestag 1891 zunächst noch für den Reichstag des Norddeutschen Bundes, dann für den des Zweiten Reiches den Wahlkreis Memel-Heydekrug.[84] Über alle Parteigrenzen hinweg erfreute sich Moltke breiter öffentlicher Anerkennung. Als er seinen neunzigsten Geburtstag beging, konnte die linksdemokratische »Volkszeitung« aus innerster Überzeugung darin einstimmen, »daß der heutige Tag, das neunzigste Geburtsfest Moltkes, einen echten und tiefen Widerhall in weiten Kreisen des deutschen Volkes findet. Auch in solchen Kreisen, welche dem Militarismus und seinen Trägern abgeneigt gegenüberstehen.«[85]

Moltke war mit der Zeit über den Feldherrnstatus hinausgewachsen und hatte immer mehr staatsmännische Statur gewonnen: Er verkörperte eine einzigartige Kombination von »Staats- und Kriegsmann«,[86] der sich nach dem politischen Abgang Bismarcks besonderer öffentlicher Sympathie erfreute. Moltke profitierte dabei nicht zuletzt von dem symbolischen Vakuum, das Bismarck hinterlassen hatte. Bismarck war ohne politischen Erben im Streit mit dem jungen Kaiser aus dem Amt geschieden. Die Bismarck-Gemeinde hatte Moltke daraufhin zum Bismarckersatz umgedeutet und ihm staatsmännische Züge verliehen. Hierbei tat sich besonders Felix Dahn hervor, der damals zu den erfolgreichsten Populärhistorikern zählte. Sein Historienepos »Ein Kampf um Rom« brachte es vom Erscheinen im Jahre 1876 bis zu Dahns Ableben 1912 auf nicht weniger als knapp sechzig Auflagen.[87] Dahn verfaßte zum runden Geburtstag Moltkes ein Festspiel, in dem Moltke

Bismarck ebenbürtig an die Seite gestellt und damit auch zum politischen Baumeister des Kaiserreiches stilisiert wurde.[88]

Die öffentliche Hinwendung zu Moltke war gewiß auch eine indirekte symbolpolitische Mißtrauensbekundung gegenüber Wilhelm II., bei dem man das staatsmännische Erbe Bismarcks nicht in rechten Händen wähnte. Aber Moltke besaß eine eigene symbolische Leistungsfähigkeit, weil er als Auffangbecken kollektiver Eigenschaften diente, die in der Wilhelminischen Zeit bei lebenden Personen nicht in angemessener Weise aufgehoben zu sein schienen. In Anlehnung an den Klassiker des deutschen Kollektivpsychogramms »Rembrandt als Erzieher«[89] hatte Felix Dahn 1892 seinen »Moltke als Erzieher« konzipiert, in dem Moltke als Inkarnation deutscher Nationaleigenschaften dargestellt wurde, wobei Dahn vor allem dessen genuin bürgerliche »Geistesbildung« herauskehrte.[90] Moltke wurden nationale Repräsentationsleistungen zuerkannt, zu denen der Reichsmonarch in den Augen der Öffentlichkeit nicht fähig war.

Was bedeutet diese Feststellung für den symbolischen Haushalt der deutschen Nation am Vorabend des großen Krieges? Die kollektive Identität des deutschen Nationalstaates war 1914 noch nicht in feste symbolische Formen gegossen; die Nation noch auf der Suche nach Repräsentanten, die als personaler Speicher der politischen Soziokultur taugten. Die Sichtung erstrangiger Kandidaten für diesen Posten ergab zugleich eine Art Anforderungsprofil: Bei der Imaginierung der Nation kam den Militärs Vorrang zu, wenn die Armee als Träger der zentralen kollektiven Deutungsmuster – Wissenschaftlichkeit und technische Beherrschbarkeit – wahrgenommen wurde. Das Vakuum einer genuin politischen Repräsentanz der Nation nach dem Abgang Bismarcks erleichterte überdies die Zuschreibung spezifisch politischer Attribute an die Adresse herausragender Militärs, welche von sich aus offensiv die Begegnung mit dem Politischen suchten und sich nicht auf die Ausübung des Kriegshandwerks beschränkten. Es konnte auch ein bis dato der breiten Öffentlichkeit unbekannter Soldat sein, der mit dem Aufkommen des Schlachtenlärms im August 1914 zur symbolischen Projektionsfläche nationaler Vergemeinschaftung aufstieg. Er mußte sich dazu nur auf dem Schlachtfeld an herausragender Stelle bewährt haben und darüber hinaus eben symbolisch adaptierbar sein, so daß er über den Nur-Soldaten hinauswachsen konnte. Das alles traf auf den bis zur Schlacht von Tannenberg nur militärischen Zirkeln bekannten Paul von Hindenburg zu.

Nur über meine Leiche
geht Dein Weg „Koloß"

Propagandapostkarte, um 1915

KAPITEL 4

Nur eine Durchgangsstation: der Kriegsheld

Bevor Hindenburg als Inkarnation nationaler Einheit den symbolischen Thron besteigen konnte und ihm damit eine genuin politische Funktion zufiel, mußte er zunächst zum Kriegshelden avancieren. Sein im September 1914 rasch wachsendes und trotz militärischer Rückschläge bis zum Kriegsende überdauerndes Ansehen als militärisches Genie bildete das kulturelle Fundament, auf dem dann die ins Politische ausgreifende Ausweitung seiner Symbolkraft erfolgen konnte. Daher ist es erforderlich, die Voraussetzungen zu skizzieren, unter denen Hindenburg zum Schlachtengott und Feldherrn aufrückte, der Basis seiner mythischen Überhöhung.

Kriege befördern die Geburt von Mythen.[1] Denn die Existenz eines äußeren Feindes sorgt für klare Frontstellungen, wirkt nach innen integrierend und begünstigt als sinnfällige Expression dieses kollektiven Zusammenrückens die Entstehung mythisch aufgeladener Kriegshelden. Auf den besonderen Nährboden von Krieg und Kampfsituationen hat bereits der französische Syndikalist Georges Sorel zu Beginn des 20. Jahrhunderts hingewiesen, Carl Schmitt wandelte zwanzig Jahre später mit seiner Freund-Feind-Theorie auf den Spuren Sorels.[2] Auch Max Weber blieb nicht verborgen, wie sehr der Krieg den gesellschaftlichen Integrationsbedarf auf eine militärisch herausragende Person konzentriert. Aus dieser Zuweisung vermag ein »Kriegsfürst« sogar spezifisch herrscherliche Befugnisse abzuleiten und sich zum charismatischen Herrscher aufzuschwingen.[3] Und in der Tat liegt in der Hindenburg zugeschriebenen Qualität eines herausragenden Feldherrn eine notwendige Voraussetzung für seine spätere charismatische Herrschaft.

Das durch den Kriegsausbruch im August 1914 kollektiv aufgewühlte deutsche Volk hat förmlich auf einen siegreichen Feldherrn gewartet, dem es den Lorbeer des militärischen Genius ums Haupt winden konnte. In den ersten Kriegstagen behalf man sich noch notdürftig mit herausragenden Geistesheroen, die aber angesichts der militärischen Herausforderung des modernen Krieges verstaubt wirkten: »Rings über Deutschland stehn sie auf hoher Wacht, Generalstab der Geister, mitwaltend über der Schlacht.«⁴ Die Berufung auf Luther, Bach, Kant und Schiller als geistigem Generalstab war indes eine Verlegenheitslösung angesichts des urwüchsigen Bedürfnisses nach einer Heldengestalt aus Fleisch und Blut, die ihre Siege nicht mit der Feder, sondern auf dem Schlachtfeld errang.

Der Erste Weltkrieg bot bis dahin völlig unbekannten Militärs enorme Chancen für die Aufnahme in den militärischen Olymp. Denn Veteranen, die ihren militärischen Ruhm durch ein erneutes Eintauchen in den Jungbrunnen des Krieges aufpolieren konnten, gab es nach vier Jahrzehnten des Friedens nicht. Auch in den ersten Kriegswochen war der Krieg auf deutscher Seite praktisch noch namenlos. Infolge der militärischen Geheimniskrämerei wurden der begierig nach Namen Ausschau haltenden deutschen Öffentlichkeit erst drei Wochen nach Kriegsausbruch, am 27. August 1914, die Namen der acht Militärs präsentiert, die an der Spitze der im Felde stehenden deutschen Armeen standen. Da diese Armeen erst im Kriegsfall aus mehreren Armeekorps zusammengefügt wurden, konnte die Öffentlichkeit bis Ende August nur spekulieren, welcher General denn mit dem Posten des Armeeführers betraut werden würde.⁵

Diese Geheimnistuerei steigerte die Sehnsucht nach einem heldisch zu vereinnahmenden Militär, der einen unzweifelhaften und durchschlagenden militärischen Erfolg vorzuweisen hatte. Der Zufall wollte es, daß Hindenburg derjenige Armeeführer war, der der deutschen Öffentlichkeit mit Tannenberg den ersten heißbegehrten Sieg schenkte. Hindenburg profitierte davon, daß er auf dem östlichen Kriegsschauplatz den militärischen Ruhm mit niemandem teilen mußte. Da er als Führer der einzigen zu diesem Zeitpunkt dort eingesetzten Armee vollkommen selbständig operierte, konnte nur ihm als Oberbefehlshaber dieser Armee der Sieg gutgeschrieben werden. Entscheidend war aber, daß Hindenburg auf dem westlichen Kriegsschauplatz keine Konkurrenz erwuchs. Wäre es in Frankreich einem Armeeführer – zumal einem aus königlichem Hause – gelungen, einen durchschlagenden militärischen Erfolg zu erringen, hätte Hindenburg seine einzigartige Monopolstellung als Feldherr wohl nicht aufbauen können. Mit dem preußischen und deutschen Kronprinzen Wilhelm und dem bayerischen Kronprinzen Rupprecht standen zwei Armeekommandeure an der Westfront, die als Vertreter von Herrscherfamilien eine natürliche Anwartschaft auf heldische Verklärung besaßen, sofern ihnen ein mit Tannenberg zu vergleichender Erfolg vergönnt war. Aber beide gingen 1914 leer aus. Als Kronprinz Wilhelm 1916 einen zweiten Anlauf unternahm und mit dem Angriff der ihm unterstehenden 5. Armee auf die Festung Verdun einen als kriegsentscheidend ausgegebenen Sieg davontragen wollte, endete das Unternehmen in einem mörderischen Blutvergießen ohne zählbaren militärischen Wert.[6] Spätestens nach der fehlgeschlagenen Operation vor Verdun war dieser Aspirant auf den Posten des Kriegshelden politisch verbrannt.[7]

Hindenburgs Sieg von Tannenberg fiel schließlich mit der ernüchternden Niederlage der im Westen vorrückenden deutschen Truppen an der Marne zusammen. Schlagartig zeigte sich daraufhin, daß der bis dahin die öffentliche Wahrnehmung dominierende westliche Kriegsschauplatz nicht als Bühne militärischer Helden taugte.[8] Als die deutsche Öffentlichkeit allmählich erkannte, welches militärische Debakel die Marneschlacht war, flogen demjenigen die Herzen und Sympathien zu, der als einziger der acht Armeeführer einen eindeutigen Schlachtensieg errungen hatte: dem Oberbefehlshaber der 8. Armee.[9] Mitte September 1914 zerrann der Traum von einem raschen Kriegserfolg im Westen, womit der Schlieffenplan gescheitert war, und der östliche Kriegsschauplatz rückte ins Zentrum des öffentlichen Interesses. Am 12. September 1914 verkündete das Große Hauptquartier offiziell die Vertreibung der letzten russischen Truppen aus Ostpreußen;[10] und damit ging Hindenburgs Stern auf. Zwei Tage später widmete die Presse sich erstmals intensiv dem General, dessen Erfolg im Osten nach dem Rückschlag im Westen die Siegeszuversicht wachhielt.[11]

Hindenburg kam zugute, daß er nicht nur einen durchgreifenden militärischen Erfolg errungen, sondern dabei einen Feind geschlagen hatte, der als kulturelle Bedrohung für die deutsche Zivilisation galt. Das Gefühl der Überlegenheit gegenüber einem als rückständig eingestuften Rußland war tief in der deutschen Gesellschaft verwurzelt und hatte nicht zuletzt der deutschen Sozialdemokratie die Eingliederung in die vaterländische Einheitsfront erleichtert. Das Verhalten der in Ostpreußen eindringenden russischen Truppen gegenüber der einheimischen Zivilbevölkerung und ihrem Eigentum hatte der Russophobie weiteren Auftrieb gegeben. In die Erleichterung, die kulturell als fremd empfundenen russischen Soldaten von deutschem Boden vertrieben zu haben, mischte sich auch eine kulturkämpferische Note. Hindenburgs Erfolg grub sich deshalb so tief in das kollektive Gedächtnis der Deutschen ein, weil dem siegreichen General zugleich die kulturelle Mission der Verteidigung Europas gegen »die rohe, plumpe und ungefüge slawische Kultur«[12] angetragen wurde. Ohne irgendeine Steuerung von oben sickerte diese Wahrnehmung in Windeseile in die Popularkultur ein. Schon im September 1914 fand »Das Lied von Hindenburg« weite Verbreitung, das mit der bezeichnenden Zeile endete: »Der Hindenburg, der alte Reck', der Russentod, der Russenschreck, der Hindenburg soll leben, Ostdeutschlands Hort und Held!«[13] In einem der wenigen zeitgenössischen Versuche, den Ursachen für die sich wie eine Naturgewalt ausbreitende Popularität Hindenburgs auf die Spur zu kommen, wird darauf verwiesen, daß Hindenburg als einziger siegreicher Feldherr das deutsche Volk vor einer wirklich existenziellen Gefahr bewahrt habe.[14] »Seit Hermann der Cherusker die Legionen des Varus im Teutoburger Wald geschlagen, ist keinem Feind des deutschen Volkes ein solches Ende bereitet worden.«[15]

Schnell verselbständigte sich das öffentliche Reden über diesen General, der Deutschland vor der asiatischen Flut gerettet habe. Hindenburgs Feldherrnkunst erfuhr ohne sein Zutun schon im September eine legendenhafte Ausschmückung: Hindenburg habe zeit seines Lebens auf einen Sieg über die Russen bei den masurischen Seen hingearbeitet und deswegen zu seiner aktiven Zeit dort Manöver abgehalten.[16] Nach seiner Verabschiedung habe er weiter an seinen Plänen gefeilt und sich sogar zu Feldversuchen eine Kanone ausgeliehen, um die Belastungsfähigkeit der masurischen Sümpfe für schwere Waffen zu testen.[17] Erzählungen dieser Art gehörten zum festen Kern des Hindenburgbildes vom September/Oktober 1914.[18] In erster Linie verdeutlichten sie, daß Hindenburg »nur« als militärisches Genie wahrgenommen wurde, dem man allerlei genuin militärische Aktivitäten andichtete, um den Sieg von Tannenberg plausibel zu machen. Dahinter verbarg sich die tiefsitzende Überzeugung, daß primär die Feldherrnkunst für einen großen militärischen Erfolg bürge. Ein Sieg vom Kaliber Tannenbergs hatte daher auf einer generalstabsmäßigen Vorbereitung zu beruhen und bis ins kleinste durchdacht zu sein – ein eindeutiges Indiz dafür, wie sehr in der öffentlichen Wahrnehmung das Kriegshandwerk mit der wissenschaftlichen Durchdringung seines Gegenstandes assoziiert wurde.

Im Verlaufe des Monats September 1914 stieg Hindenburg kometenhaft zum mit Abstand populärsten deutschen General auf. Lawinenartig wuchs die Zahl der Gegenstände, die mit dem – nicht zuletzt verkaufsfördernden – Namen des Kriegshelden versehen wurden: Zigarren, Schuhe, Heringe, Kuchen wurden durch die Vorsilbe »Hindenburg« veredelt; praktisch keine Haushaltsware, die nicht als Hindenburg-Markenware angepriesen wurde.[19] Infolge legendenhafter Ausschmückung erwarb der bis Ende August 1914 praktisch unbekannte Hindenburg mythische Qualität: Er avancierte zu einem »Helden im Sinne der Dichtung«.[20] Ungeachtet der konfessionellen, sozialen und regionalen Unterschiede, die bezeichnend waren für die zerklüftete deutsche Gesellschaft, stieg der mythenumkränzte General zum Gesamtbesitz aller Deutschen auf.[21]

Die Vereinnahmung Hindenburgs durch eine der Helden bedürftigen Gesellschaft beschränkte sich zunächst auf das militärische Gebiet: Hindenburg entsprach dem Idealbild eines Feldherrn, da er sich in die Tradition der großen Feldherrngestalten der Weltgeschichte einreihen ließ, die durch Kriegskunst und Kriegslist den Gegner in einer großen Schlacht vernichtet hatten. Schlachtensiege sind der Stoff, aus dem kriegerische Mythen gewebt werden, und der Sieg von Tannenberg entsprach ganz der Idealvorstellung von der schicksalhaften Wendung eines Krieges durch die befreiende Tat eines Schlachtengottes. Im September 1914 ahnten wohl nur Eingeweihte, daß der Weltkrieg eine Materialschlacht werden und dieser neuartige Charaker des Krieges eine Wiederholung Tannenbergs, eine zweite Vernichtungsschlacht nach dem Muster Cannaes, nicht zulassen würde. Der Stellungskrieg verlieh dem Krieg im Westen ein Gepräge, das keine Vorlage für Mythen lieferte – und auch der eher dem klassischen Bewegungskrieg gleichende Krieg auf dem östlichen Schauplatz erlaubte keine Kopie Tannenbergs, weil die russischen Armeen aus der Erfahrung in Ostpreußen gelernt hatten.

Für Hindenburg entpuppte sich dieser Umstand allerdings als ein ausgesprochener Glücksfall: Daß eine Vernichtungsschlacht wie Tannenberg nicht wiederholbar war, sicherte ihm das Feldherrnmonopol. Auch wenn hier und da – allerdings nur auf den Schauplätzen in Polen, Serbien und Rumänien – herausragende Siege anderer deutscher Generale (allen voran August von Mackensen) zu verzeichnen waren, konnte keiner in der öffentlichen Wahrnehmung neben Tannenberg bestehen. Hindenburg gelang es sogar, sich militärische Erfolge, an denen er nur marginal beteiligt war, gutschreiben zu lassen, weil durch Tannenberg sein Name zu einem Synonym für deutsche Siege überhaupt geworden war.[22] Der Feldherrnmythos Hindenburgs trotzte den realen militärischen Gegebenheiten und überdauerte selbst die Kriegsniederlage von 1918, die eigentlich Hindenburg als letzter Chef der Heeresleitung militärisch zu verantworten hatte.

Das Bild der deutschen Öffentlichkeit von Hindenburg glich damit in vielem dem Blüchers, des legendären »Marschall Vorwärts« aus der Zeit der Napoleonischen Kriege.[23] Ein bereits betagter Haudegen, der durch den richtigen Schlachtplan einen Krieg zu seinen Gunsten entschied – dieses Image färbte auch auf Hindenburg ab, der deswegen zunächst auf eine Stufe mit Blücher gehoben wurde.[24] Hindenburg erteilte den anmaßenden Russen eine Lektion und versohlte ihnen wie ungezogenen Kindern den Allerwertesten. Hindenburg selbst lieferte der Öffentlichkeit auch das Material, das es gestattete, ihn ganz nach dem Vorbild des Siegers von Waterloo zu formen. Im September/Oktober 1914 erfreute sich die Vorstellung von Hindenburg als einem wiedergekehrten »Marschall Vorwärts« einer derartigen Popularität, daß sogar Hindenburgs älteste Tochter den Vater im vertraulichen Briefwechsel nur halb scherzhaft als »geliebter Blücher« anredete.[25] Als Antwort auf eine der ihn nach dem Sieg von Tannenberg geradezu überschwemmenden Glückwunschadressen formulierte er im September 1914 den begierig von der Öffentlichkeit aufgegriffenen Satz, der einige Zeit lang als Motto für den blücherartigen Stil Hindenburgs galt: »Es wird weitergedroschen!«[26] Dazu paßte auch, daß Hindenburg sein Vorgehen gegen die russischen Truppen gerne in Metaphern aus der ihm mehr als vertrauten Sprache des Jägers kleidete.[27]

Doch von November 1914 an streifte das Hindenburgbild nach und nach das Draufgängerische ab und gewann eine symbolhafte Qualität, die sich auf das außermilitärische Gebiet erstreckte. Hindenburg wurde zunehmend zum personalen Auffangbecken von Sinnzuschreibungen, die tief in die politische Soziokultur der deutschen Gesellschaft eingelassen waren. Erst der Transfer solcher kollektiver Deutungsmuster machte Hindenburg zu einer Symbolgestalt, der auch genuin politische Repräsentationsleistungen zuerkannt wurden. Damit unterminierte der Hindenburg-Mythos die Position des Kaisers, weil dessen symbolischer Wirkungsbereich sich immer stärker auf das extramilitärische Terrain verlagerte. Im Krieg war dem Kaiser die Möglichkeit entzogen, sich wie in Friedenszeiten mit militärischem Pomp hoch zu Roß auf Paraden und Manövern in seiner Eigenschaft als Oberster Kriegsherr zu inszenieren. Mit Ausbruch des Krieges büßte Wilhelm II. das Militärische als Resonanzboden seiner symbolisch vermittelten Herrschaft ein. Denn das Volk hing nicht der weltfremden Vorstellung an, daß der Kaiser höchstpersönlich über die Armeen gebiete und die militärischen Operationen steuere. Die Zeiten eines *roi-connétable* waren zumindest in Deutschland 1914 endgültig vorbei: Im technischen Zeitalter wünschte die Öffentlichkeit professionelle Experten an der Spitze der Massenheere.[28] Alle Versuche, die Siege der Generale und insbesondere die Hindenburg zuerkannten Erfolge dem Kaiser gutzuschreiben und ihn als den eigentlichen militärischen Befehlshaber darzustellen, wirkten aufgesetzt und künstlich.

Da der Kaiser sich aus der militärischen Sphäre hinausgedrängt sah, rückte das Politische zunehmend ins Zentrum seiner Versuche, seiner Herrschaft einen symbolischen Grundgehalt zu geben. Im August 1914 schien es einige Zeit, als könne Wilhelm II. in die bislang verwaiste Position eines Symbols nationaler Einheit schlüpfen. Mit wachem Gespür für die nationale Symbolfunktion des Deutschen Reichstags[29] hatte der Kaiser am 4. August 1914 den Plenarsaal des Parlaments als Bühne für seine Ansprache an die hier versammelte politische Nation gewählt. Mit seinem berühmten Diktum, er kenne keine Parteien mehr, nur noch Deutsche, traf er an diesem Tag die Stimmungslage der meisten Deutschen.[30]

Wenn der Kaiser seine Position als Symbolfigur nationaler Einheit hätte festigen können und Hindenburg ganz in der Funktion des mythisch verklärten

Kriegshelden aufgegangen wäre, hätte die herrscherliche Stellung des Kaisers im Verlaufe des Krieges wohl keinen gravierenden Schaden genommen. Eine friedliche Koexistenz der beiden war jedoch ausgeschlossen, nachdem noch im Verlaufe des Jahres 1914 eine das Militärische sprengende öffentliche Aneignung Hindenburgs stattfand, wobei sich das Hindenburgbild langsam veränderte und hinter dem Blücher-Verschnitt der Septembertage zunehmend die Züge des älteren Moltke hervortraten. Damit entzog sich Hindenburg einer Verengung auf das rein Militärische.

Dies entsprach nicht zuletzt dem Selbstverständnis Hindenburgs, der sich dagegen verwahrte, mit dem ungehobelten Haudegen Blücher auf eine Stufe gestellt zu werden.[31] Im Gegensatz zu dem Draufgänger der Befreiungskriege hatte er die Kriegsakademie erfolgreich durchlaufen und dort sogar einige Jahre gelehrt. Er hatte den Krieg mit den Methoden der Wissenschaft durchdrungen und sich jenen kriegswissenschaftlichen Röntgenblick angeeignet, der den Krieg wie einen einigermaßen ausrechenbaren Gegenstand durchleuchtete und daraus die richtigen strategischen Schlüsse zog. Infolgedessen orientierte er sich in erster Linie am älteren Moltke,[32] was schon seine Kameraden auf der Kriegsakademie veranlaßt hatte, ihn den »konzentrierten Moltke« zu taufen.[33]

Hindenburg besaß zudem ein feines Gespür dafür, daß die Technisierung des modernen Krieges den Militär vor ganz neuartige Herausforderungen stellte, und leitete daraus eine Suprematie des modernen, auf dem neuesten Stand der Kriegswissenschaft stehenden Feldherrn gegenüber dem autodidaktischen Instinktfeldherrn des 19. Jahrhunderts ab. Diese selbstbewußte Einstellung ließ ihn sogar am Feldherrngenie Napoleons zweifeln, den Hindenburg für ungeeignet hielt, im Zeitalter der Massenheere an führender Stelle ein Kommando zu übernehmen. Napoleon schrumpfte in den Augen des sich auf der Höhe der Zeit wähnenden Hindenburg zu einem Feldherrn im Kleinformat, der es nicht geschafft hatte, die eigentliche Herausforderung, nämlich ein Massenheer zu führen, zu bestehen.[34] Ohne Eingebung und Intuition konnte jedoch auch ein Jahrhundert nach Napoleon kein Schlachtensieg errungen werden, und insofern gebührte dem Feldherrn weiterhin die Ehrenbezeichnung »Künstler des Krieges«.[35] Thomas Mann sah das so in seinen im August/September 1914 entstandenen »Gedanken im Kriege«, in denen er Kunst und Krieg zu Zwillingen stilisierte und damit den Soldaten in unmittelbare Nähe zum Künstler rückte.[36]

Im Vergleich zu den Zeiten Blüchers und Napoleons waren die Anforderungen an den Feldherrn im frühen 20. Jahrhundert ohne Zweifel enorm gestiegen. Durch die Fortschritte im Bereich von Transportwesen (Eisenbahn) und Kommunikation

(Telegraph, Telefon) war ein technischer Quantensprung erfolgt. Diese Selbstein-
schätzung Hindenburgs deckte sich mit dem Bild der Öffentlichkeit von seiner
Feldherrnkunst. Er wurde zum militärischen Genie verklärt und auf eine Stufe ge-
stellt mit Friedrich dem Großen und dem älteren Moltke.[37] Allerdings wurden
Hindenburg immer zugleich auch die Attribute der Gelehrsamkeit zugewiesen –
kein bloßes Genie, dem durch plötzlichen Geistesblitz der schlachtentscheidende
Gedanke geschenkt wurde, sondern zugleich immer auch der systematische Denker, dessen beharrliche und zähe Durchdringung der kriegswissenschaftlichen
Stofffülle sich in Gestalt des Schlachtenerfolges auszahlte. Hindenburg galt als »ein
Kriegsgelehrter und Kriegskünstler ersten Ranges«,[38] der den Beweis dafür antrat,
daß hinter dem glänzenden Schlachtensieg die kühle Beherrschung der kriegswissenschaftlichen Materie steckte. Damit entging er der Reduktion auf das rein Militärische und fand über die in der ganzen deutschen Gesellschaft hoch im Kurs
stehenden Eigenschaften Wissenschaftlichkeit und Gelehrsamkeit Anschluß an
den Wertekanon der deutschen Nation. Mit diesem kulturellen Marschgepäck war
Hindenburg gerüstet für höhere, genuin politische Repräsentationsleistungen und
reichte auf symbolischer Ebene schon bald an Luther und Bismarck heran.[39] Es gelang ihm, die sozialen, regionalen und konfessionellen Gräben der so zerklüfteten
deutschen Gesellschaft zu überbrücken. Seine adlige Abkunft engte seine kulturelle
Strahlkraft ebensowenig ein wie seine preußische Herkunft[40] und sein from-
mes Luthertum. Hindenburg gereichte es zum unschätzbaren Vorteil, daß er bis
zum Kriegsausbruch nicht im Licht der Öffentlichkeit gestanden hatte. Denn so
konnte er als bis dahin unbekannter Soldat im September 1914 in den Gesichtskreis
einer Öffentlichkeit treten, die erheblichen Nachholbedarf an symbolischer Integration besaß und diesen General nach ihren Vorstellungen zu einem Gelehrten
und Künstler des Krieges formte.

Hindenburg wirkte von Anfang an stilbildend.[41] Sein Name wurde umgehend
zum Synonym für militärische Filigranarbeit, für verfeinerte Kriegskunst. Dieses
Image warf einen enormen Vorteil für die Einschätzung der im engeren Sinne militärischen Leistungsbilanz Hindenburgs ab: Es bewahrte ihn davor, daß militärische Rückschläge auf ihn zurückfielen. Wie Graf Zeppelin zum Namensgeber für
das Luftschiff überhaupt wurde, war der Erfolg auf dem Schlachtfeld auf deutscher
Seite bald untrennbar mit dem Namen Hindenburg verknüpft: Man sprach von
»Hindenburg-Siegen, von Hindenburg-Taktik«.[42] Wenn Hindenburg die analytische Gabe attestiert wurde, mindestens um zwei Ecken herum zu denken, dann
war auch eine Rückwärtsbewegung als wohlkalkulierte Maßnahme eines genialen
strategischen Plans zu betrachten. Diese Denkfigur sollte sich speziell im Herbst

1914 als vital für das Fortleben des Hindenburg-Mythos erweisen. Denn in der Zeit vom Oktober bis zum Dezember 1914 konnte Hindenburg keine glanzvollen Erfolge feiern, sondern führte die ihm unterstehenden Truppen zumindest einmal bis hart an den Rand eines militärischen Debakels. Dessen ungeachtet dehnte er seine Verfügungsgewalt über die auf dem östlichen Kriegsschauplatz eingesetzten deutschen Verbände weiter aus: Am 17. September 1914 übernahm Hindenburg zusätzlich den Oberbefehl über die in Oberschlesien neu gebildete 9. Armee. Am 1. November 1914 wurde mit dem »Oberbefehlshaber Ost« (OberOst) eine neue Kommandostruktur mit Hindenburg an der Spitze errichtet, die im Osten relativ autonom von der Obersten Heeresleitung operierte, und am 27. November 1914 wurde Hindenburg als erster General während des Krieges in den höchsten zu vergebenden militärischen Rang eines Generalfeldmarschalls befördert.[43] Hindenburg zeichnete damit nach außen für die gesamte Kriegführung im Osten verantwortlich. Die ihm attestierte Kriegskunst hellte die magere militärische Leistungsbilanz vom Herbst 1914 auf.

Die Bilanz auf dem östlichen Kriegsschauplatz fiel sogar noch ernüchternder aus, wenn man sie an den Ansprüchen Hindenburgs maß, der auf die große Vernichtungsschlacht von Tannenberg weitere, nach ähnlichem Muster ablaufende Siege folgen lassen wollte. Damit erwies er sich als gelehriger Schüler des ehemaligen Generalstabschefs Alfred von Schlieffen, dessen Idee, den Gegner einzukesseln, er gezielt nacheiferte. In Anlehnung an Schlachtensiege des großen Friedrich hatte Schlieffen ein strategisches Credo formuliert, welches das Erfolgsrezept Hannibals bei Cannae und Friedrichs des Großen bei Leuthen als Schlüssel zum Sieg auch im frühen 20. Jahrhundert anpries.[44]

Hindenburg stand ganz im Banne dieser Vorstellung, weil sie seiner Idee einer kriegswissenschaftlichen Durchdringung des Krieges entsprach. Schlieffens Konzept setzte sich bewußt ab von der Vorstellung, den Gegner einfach über den Haufen zu rennen. Eine wirkliche kriegswissenschaftliche Herausforderung stellte hingegen die gezielte Umklammerung des gegnerischen Heeres dar: Durch vorsichtiges Abtasten sollte die schwächste gegnerische Stelle ausgekundschaftet und dort mittels Massierung der eigenen Verbände der entscheidende Vorstoß erfolgen. Mit besonderem Eifer widmete sich Hindenburg den Konsequenzen aus Schlieffens Vorgabe, nämlich der Konzentration der eigenen Kräfte an einem im Vorfeld der Schlacht zu ermittelnden gegnerischen Schwachpunkt. Schon in seiner Zeit als Ruheständler in Hannover hatte er immer wieder auf die Notwendigkeit einer solchen Schwerpunktbildung verwiesen: »Ein Gefecht ohne Schwerpunkt kommt mir immer vor wie ein Mensch ohne Charakter.«[45] Dieser Leitlinie blieb Hindenburg auch während der ersten Monate des Krieges treu, und er dozierte im vertrauten Kreise wie einst als Taktiklehrer an der Berliner Kriegsakademie über dieses Geheimnis des militärischen Erfolges in fast wortgleicher Weise:»Eine Schlacht ohne Schwerpunkt ist wie ein Mensch ohne Charakter: bei beiden wird alles dem Zufall überlassen.«[46]

Als Hindenburg im August 1914 urplötzlich vom heimischen Hannover an die Front abkommandiert wurde, bildete mithin die Lehre Schlieffens seine strategische Wegzehrung. Der Zufall wollte es, daß Hindenburg sich kurz zuvor noch einmal in die Schriften seines Lehrmeisters vertieft und Schlieffens Hauptwerk »Cannae« gründlich studiert hatte.[47] So konnte er mit den Ratschlägen Schlieffens bewaffnet an seine bis dato größte militärische Herausforderung herangehen mit der Losung:»Nicht die Feinde zu schlagen, sondern sie zu vernichten.«[48] Den Sieg bei Tannenberg interpretierte er ganz in diesem Sinne:»Das war wirklich ein Cannae à la Schlieffen.«[49] Hindenburgs strategische Leitlinie befand sich damit vollkommen auf der Höhe der zeitgenössischen Vorstellungen von einem großen Krieg. Die Idee eines Vernichtungskrieges wurde der deutschen Öffentlichkeit zu Kriegsbeginn als Königsweg angepriesen, der dem Reich einen langen und wirtschaftlich kaum durchzuhaltenden Abnutzungskrieg erspare.[50] Nicht zuletzt der Kaiser hatte die Lehren Schlieffens verinnerlicht,[51] so daß eine Berufung auf Schlieffen in den Augen des Obersten Kriegsherrn ein unerläßlicher Befähigungsnachweis für die deutsche Generalität war.

Für Hindenburg bedeutete dies, daß er nach dem Erfolg von Tannenberg in eine von Hannibal über Friedrich den Großen bis zum älteren Moltke reichende Ahnengalerie Aufnahme fand. Noch wichtiger war indes der Umstand, daß eine kulturelle Veredelung Hindenburgs stattfand: Der stilbildende Sieg bei Tannenberg entsprach der Vorstellung von einem kunstvollen Schlachtenerfolg, die nicht nur in kriegswissenschaftlichen Fachzirkeln, sondern in der deutschen Gesellschaft kursierte. Das verwissenschaftlichte Bild vom Krieg konnte dem primitiven Erdrücken des Gegners durch den Einsatz schierer personeller Überlegenheit keinen ästhetischen Reiz abgewinnen; das elegante Umfassen des Gegners sogar bei numerischer Unterlegenheit verkörperte dagegen die höchste und reinste Form der Kriegskunst und den Triumph rationaler Beherrschung des Kriegshandwerks.[52] Daher tat es der Popularität Hindenburgs keinen Abbruch, daß er im Herbst 1914 und im Winter 1914/15 vergeblich eine Wiederholung des Erfolges von Tannenberg erstrebte. Hindenburgs Markenzeichen blieb der nach den Maßstäben höchster Kriegskunst errungene Sieg von Tannenberg. Die daraus erwachsene mythische Überhöhung verdeckte die Einsicht, daß Hindenburg einer Chimäre nachjagte, weil die russischen Armeen aus dem Debakel von Tannenberg ihre Lehren gezogen hatten und sich der strategischen Umklammerung entzogen.[53]

Zunächst einmal mußte Hindenburg allerdings der schwer angeschlagenen österreichisch-ungarischen Armee Überlebenshilfe leisten. Die k.u.k. Truppen hatten im August 1914 in Ostgalizien ein wahres Debakel erlebt, Lemberg räumen müssen und im Verlaufe ihres Rückzugs ein Drittel ihrer Kampfstärke eingebüßt, so daß selbst Ungarn in die Reichweite des russischen Vorstoßes zu geraten drohte. Zur Entlastung des wichtigsten Verbündeten, dessen geringer militärischer Wert sich im August/September 1914 schonungslos offenbarte, plante die deutsche Seite einen Vorstoß auf das Herz der russischen Position in Polen, also auf Warschau. Zu diesem Zweck wurde eine neue Armee geschaffen – die 9. Armee –, die zu einem Großteil aus der aus Ostpreußen abgezogenen 8. Armee sowie aus Reserven gebildet wurde und am 28. September 1914 von Oberschlesien und dem südlichen Teil der Provinz Posen aus eine Offensive startete mit dem Ziel, bis über die Weichsel nach Warschau vorzustoßen.[54] An der Spitze dieser neu formierten Armee stand der Sieger von Tannenberg, der allerdings dieser Operation gegen Warschau nicht viel abzugewinnen vermochte, weil sie nicht nach dem Muster einer Umfassungsschlacht konzipiert war. Hindenburg war nicht wirklich mit dem Herzen bei der Sache, weil das bloße Zurückdrängen des Gegners nicht seiner Idealvorstellung entsprach, wonach die Vernichtung der gegnerischen Truppen das oberste Gebot der Kriegskunst war. Er nutzte daher die sich bietende Gelegenheit zur Zerstreuung und ging von Beuthen aus, wo er sein Hauptquartier einige Tage lang aufgeschlagen hatte, seiner Jagdleidenschaft auf dem nahe gelegenen Gebiet des Fürsten Donnersmarck nach.[55] Allein die Tatsache, daß Hindenburg unmittelbar vor der Vorbereitung einer großen Offensive Ablenkung bei der Jagd suchte, spricht Bände und verdeutlicht, daß der nominelle Oberkommandierende der 8. und 9. Armee sich nicht in militärischer Arbeit aufrieb – ein Zug, der im Verlaufe der nächsten Monate noch viel deutlicher zutage treten sollte.

Hindenburg konnte sich auch deswegen nicht mit dem Polenfeldzug vom Herbst 1914 anfreunden, weil selbst das begrenzte militärische Ziel nur teilweise erreicht wurde. Zwar erfüllte die Operation der 9. Armee ihren Zweck, da die russische Führung einen Teil ihrer Verbände aus Galizien abziehen und zur Sicherung Warschaus und der strategischen Schlüsselposition – der achtzig Kilometer südöstlich von Warschau an der Weichsel gelegenen Festung Iwangorod – einsetzen mußte. Aber die k.u.k. Armee vermochte aus dieser Entlastung keinen wirklichen Nutzen zu ziehen und ihre strategische Position zu verbessern. Die Massierung russischer Truppen vor Warschau hatte wiederum den für die deutsche Seite bedrohlichen Aspekt, daß nun eine dreifache Überlegenheit der russischen Seite den deutschen Griff nach dem Siegespreis Warschau abzuwehren drohte. Am 18./19. Oktober 1914 zog die Führung der 9. Armee die sich aufdrängende Konsequenz aus dieser Kräfterelation und ordnete den geordneten Rückzug auf die deutsch-russische Grenze an. Bei nüchterner Betrachtung hatte der Vorstoß gegen Warschau mit einer militärischen Schlappe geendet.[56] Hindenburg war sichtlich erleichtert, daß der 9. Armee das Schicksal der Einkesselung erspart geblieben war: »Gott sei Dank habe ich jetzt den Kopf wieder aus der Schlinge.«[57]

Damit war Oberschlesien mit seinen Kohlegruben aber wieder in die Reichweite russischer Truppen gerückt. Daher wurden Vorkehrungen für den Fall eines russischen Zugriffs auf die reichen oberschlesischen Kohlevorräte getroffen. Da in Russisch-Polen erheblicher Kohlemangel herrschte, was sich zum handfesten militärischen Nachteil auswuchs, wollte Hindenburg unbedingt verhindern, daß den russischen Truppen intakte Bergwerke in die Hände fielen. Er ordnete daher an, für diesen Fall die Kohlegruben »lahmzulegen«, was zwar keine völlige Zerstörung der Betriebsanlagen bedeutet, aber doch »schwere wirtschaftliche Schäden« nach sich gezogen hätte.[58]

Hindenburg hat seine Reserviertheit gegenüber der ihm gewissermaßen aufgezwungenen Operation gegen Warschau nie abgelegt. Mit einer gewissen Verständnislosigkeit fügte er sich in die Tatsache, daß dabei kein Siegeslorbeer zu ernten war. »Das Schlimmste hier ist, daß Hindenburg absolut nicht begreift, warum wir nicht wieder so siegen wie in Ostpreußen.«[59] Mittlerweile hatte sich das Image Hindenburgs als eines mit allen kriegswissenschaftlichen Wassern gewaschenen Strategen schon derartig verselbständigt, daß die deutsche Öffentlichkeit Hindenburgs Rückzug von der Weichsel als integralen Bestandteil eines genialen Plans deutete, nämlich die russische Armee zu einem leichtsinnigen Vorstoß gegen die deutsche Grenze zu ermutigen, um sie dann wie bei Tannenberg vernichtend zu schlagen: »Der Rückzug von Warschau war jedenfalls die Lockspeise für den russischen Bären. Hindenburg hätte nicht zurück gebraucht. Daß die Russen aber so etwas glaubten, daß sie über deutsche Niederlagen jubelten, das war gerade, was Hindenburg gewollt hatte.«[60] Hindenburg selbst verinnerlichte schließlich die auf ihn angestimmten Lobeshymnen. Der Verlauf des Polenfeldzugs bestätigte aus seiner Sicht, daß der Erfolg bei Tannenberg kein »Glückstreffer« gewesen sei. Die mit seinem Namen verbundenen Erfolge waren mithin keine dem Feldherrnglück geschuldeten Zufallsprodukte, sondern das Ergebnis überlegener Feldherrnkunst.

Hindenburg war durchaus bewußt, daß er nur durch eine günstige Fügung dem Schicksal eines passiven Beobachters, der von seinem Altersruhesitz gallige Kommentare zum Kriegsverlauf abgab, entronnen war. Der tiefreligiöse Hindenburg führte die wundersame Wandlung vom abgeschobenen Ruheständler in Hannover zum Schlachtenlenker und Hoffnungsträger der Nation auf göttliches Einwirken zurück: »Wirklich habe ich doch Gott dem Herrn zu danken, daß Er mich so wunderbar geleitet und mich in meinem Alter so Großes ausführen läßt.«[61] Seinem Fürsprecher und »Entdecker« Hermann von Stein, der schließlich als Generalquartiermeister Hindenburgs Bewerbung um einen Kommandoposten im entscheidenden Augenblick zur Sprache gebracht hatte, schrieb er am 9. November 1914 in erfrischender Offenheit: »Ich bin Ihnen aufrichtig dankbar dafür, daß Sie mich ausgegraben haben.«[62]

Aufmerksam registrierte Hindenburg, wie ihm die spontane Sympathie des Volkes zuflog. Zunächst nahm er dies fast ungläubig zur Kenntnis und ohne sich allzusehr davon beeindrucken zu lassen. Im September 1914 stand er noch zu sehr unter dem Eindruck des Risikos der Tannenberg-Operation, um sich allein den Erfolg dieser Schlacht anrechnen zu lassen. Am 12. September teilte er seiner älteren Tochter mit: »Ich werde von allen Seiten sehr verehrt und gefeiert … Aber das soll mich nicht übermüthig machen. Ohne Gott den Herrn hätte ich es nicht schaffen können, der großen Übermacht gegenüber. Das war bei Tannenberg die von Süden kommende Narew-Armee.«[63] Doch drei Wochen später klang ein gesteigertes Selbstbewußtsein aus seinen Worten: Hindenburg faßte die Anfangserfolge bei dem – schließlich gescheiterten – Vorstoß gegen Warschau als Bestätigung für seine Feldherrnkunst auf, die lange Zeit nicht richtig gewürdigt worden sei und sich nun unter Kriegsbedingungen entfalten könne. Konnte man den Sieg von Tannenberg noch auf Schlachtenglück zurückführen, so galt dies in der Wahrnehmung Hindenburgs nicht mehr für die sich daran anschließenden militärischen Operationen. Es waren die erfolglosen Feldzüge in Russisch-Polen im Herbst 1914, die in ihm die Überzeugung reifen ließen, daß er aufgrund seiner militärischen Fähigkeiten zum Retter des Ostens berufen sei: »Es klingt vielleicht anmaßend, aber es ist so: Seit meinem Erscheinen ist auch auf diesem Theile des Kriegsschauplatzes ein großer Umschwung eingetreten.«[64]

Nachdem am 1. November 1914 mit dem »Oberkommando Ost« eine neue Führungsstruktur geschaffen worden war, konnte Hindenburg darangehen, seine Lieblingsidee von einer Wiederholung Tannenbergs in die Tat umzusetzen. Dem nunmehrigen Oberbefehlshaber Ost unterstanden alle an der Ostfront eingesetzten deutschen Truppen, zu diesem Zeitpunkt allerdings nicht viel mehr als die von General von François (ab 7. November General Otto von Below) kommandierte

8. Armee und die nun General Mackensen unterstellte 9. Armee. Die lediglich um zwei Kavalleriedivisionen aus dem Westen verstärkte 9. Armee sollte aber dennoch die Hauptlast bei der Verwirklichung von Hindenburgs kühnem Plan tragen, die an die deutsch-russische Grenze nachgerückten Armeen des Großfürsten Nikolai Nikolajewitsch durch eine Zangenoperation von Norden her einzukesseln.[65] Zu diesem Zweck mußte die 9. Armee in einer logistischen Meisterleistung binnen wenigen Tagen nach Norden in den Raum Gnesen/Thorn verlegt werden, um von dort die rechte Flanke der russischen Verbände zu durchstoßen. Am 11. November 1914 brach die deutsche Offensive von der Linie Warthe–Weichsel unerwartet über die russischen Truppen herein, die sich aber dem ihnen zugedachten Los entzogen. Zwar mußten sie im Verlaufe der bis Mitte Dezember 1914 währenden Schlacht den westlichen Teil Russisch-Polens räumen und dabei auch die wichtige Industriestadt Lodz preisgeben. Aber das angestrebte Ziel, nämlich die Vernichtung der russischen Verbände in Polen in einer großen Entscheidungsschlacht, wurde eindeutig verfehlt.[66] Zudem hatte die Führung von OberOst mehr als einmal im Verlaufe dieser Operation kritische Phasen zu überstehen, und die 9. Armee drohte gar selbst eingekesselt zu werden: »Es stand auf Messerschneide.«[67]

Die öffentliche Wertschätzung Hindenburgs erklomm durch den Polenfeldzug neue Höhen. Immerhin war es erstmals gelungen, sich dauerhaft auf russischem Boden festzusetzen. Die berüchtigte russische »Dampfwalze« schien endgültig gestoppt und damit die Bedrohung Schlesiens, Posens und Westpreußens ein für alle Male abgewehrt.[68] Speziell an der festgefahrenen Westfront, die auch nicht annähernd mit vergleichbaren Erfolgen aufwarten konnte, wurden die allein Hindenburg angerechneten Erfolge in Polen enthusiastisch begrüßt. Der als Kriegsfreiwilliger zunächst im Westen eingesetzte Schriftsteller Walter Flex hielt diese Situation in einem Brief vom 17. Dezember 1914 an seine Eltern fest: »Während ich diese Zeilen schreibe, fliegt die gewaltige Nachricht vom Hindenburg-Siege durch die Quartiere, in denen wir bei Kerzenlicht sitzen. Das Hurra dröhnt von Haus zu Haus und braust auch schon von den Schützengräben auf den Waldhöhen hernieder, wohin das Telephon die Kunde getragen hat.«[69]

Hindenburg erntete für seine militärischen Verdienste in Polen die Beförderung auf den höchsten militärischen Rang: Der Kaiser und preußische König ernannte ihn am 27. November 1914 zum ersten neuen Feldmarschall des Weltkriegs. Die Insignien seiner neuen Würde, den Feldmarschallstab, überreichte ihm der königliche Schloßhauptmann von Posen, Graf von Hutten-Czapski, am 23. Dezember auf dem Posener Schloß.[70] Wenn man Hindenburg im Sommer prophezeit hätte, daß er binnen vier Monaten in den militärischen Olymp erhoben werden würde, wäre man mit Recht als Phantast abgetan worden. Nun konnte sich ausgerechnet ein bereits ausrangierter General mit dem Rang eines Generalfeldmarschalls schmücken und stolz darauf verweisen, daß er der erste deutsche General war, der sich diesen Aufstieg durch eigene Erfolge im Weltkrieg verdient hatte.

Hindenburgs militärische Stellung war zu Beginn des Jahres 1915 derart gefestigt, daß er mit frischen Verstärkungen einen erneuten Anlauf unternahm, um ein zweites Tannenberg zu erzwingen. In einer Kraftprobe mit Falkenhayn, dem Chef der 2. Obersten Heeresleitung, setzte er durch, daß die letzten Reserven zusammengekratzt und ihm im Osten zur Verfügung gestellt wurden. Aus diesen immerhin vier Korps bildete er eine neue Armee, die 10. Armee unter Generaloberst von Eichhorn, so daß er nun über drei Armeen gebot. Damit gedachte er zum großen, wie er meinte kriegsentscheidenden Schlag gegen Rußland auszuholen.[71] Zunächst sollte eine Zangenoperation der im Norden Ostpreußens stationierten 10. Armee und der im Westen der Provinz zusammengezogenen 8. Armee unter General von Below die noch in Ostpreußen verbliebene 10. russische Armee nach dem Muster der Schlacht von Tannenberg einkreisen und vernichten. Dies sollte aber lediglich der Auftakt sein für die vollkommene Umfassung sämtlicher in Polen eingesetzten russischen Truppen: Von Norden her sollten die beiden deutschen Armeen über Bialystok in den Rücken der russischen Armeen vorstoßen, während im Westen die links der Weichsel aufgestellte 9. Armee die russischen Truppen in Zentralpolen binden sollte.

Der große Coup glückte nicht. Zwar wurde die 10. russische Armee in der »Winterschlacht in Masuren« (7.–21. Februar 1915) aufgerieben, wobei 92000 Gefangene in deutsche Hand fielen. Aber das strategische Herzstück der ganzen Operation, der Durchstoß von der ostpreußisch-russischen Grenze nach Süden in den Rücken der russischen Verbände, mußte wegen heftiger Gegenwehr schon Ende Februar 1915 aufgegeben werden.[72] Selbst glühenden Hindenburg-Bewunderern unter den Generalen im Osten konnte nicht verborgen bleiben, daß der Generalfeldmarschall mit seinem militärischen Latein am Ende war: »Liebster Vater Hindenburg, denke Dir etwas Neues aus, und zwar recht bald!«[73] Im vertrauten Kreis räumte Hindenburg selbst ein, daß sich seine hochgesteckten Erwartungen zerschlagen hatten. Gegenüber dem Reichskanzler, der ihm am 4. März 1915 einen Besuch abstattete, gab er eher kleinlaut zu, daß Rußland nicht durch ein Super-Tannenberg zu besiegen sei. »Sie würden Ostpreußen halten, den Russen noch Teilschlappen beibringen, aber keine große Entscheidung mehr herbeiführen.«[74]

Auch dieser militärische Rückschlag schadete Hindenburgs Renommee nicht, im Gegenteil: Bereits an der Jahreswende 1914/15 hatte er in der öffentlichen Wahrnehmung die Eierschalen eines Nur-Feldherrn abgestreift und sich zu einer Gestalt entwickelt, der immer mehr einheitsstiftende Kollektiveigenschaften zuerkannt wurden. Binnen wenigen Monaten zog Hindenburg wie ein Magnet die in den Tiefenschichten der politischen Soziokultur angesiedelten, aber bislang personal verwaisten Deutungsmuster mit hohem Stellenwert für die nationale Selbstfindung an. Diejenige Eigenschaft, die im nationalen Sinnhaushalt zentrale Bedeutung besaß und ihm von allen anderen zuerkannt wurde, war *Ruhe.*

Kaltblütigkeit und Unerschütterlichkeit gehörten in Deutschland bereits vor dem Krieg zu den identitätsstiftenden Zuschreibungen. Der Krieg bewirkte nun, daß dieser nationalen Qualität noch mehr Bedeutung zukam: Ruhe und Nervenstärke waren unerläßlich, wenn man, umringt von Feinden, einen als aufgezwungen wahrgenommenen Krieg siegreich beenden wollte. Die »deutsche Ruhe«[75] wurde urplötzlich zur Kardinaltugend für einen erfolgreichen Kriegsausgang aufgewertet: »Der Krieg ist eine Massenprobe auf die nationale Nervenkraft.«[76] Angesichts der materiellen Überlegenheit der Gegner Deutschlands schien nur noch ein qualitativer Vorsprung hinsichtlich der Güte der Soldaten einen glücklichen Kriegsausgang zu verbürgen. Der von innerer Unrast getriebene Kaiser war denkbar ungeeignet, diese Nervenstärke zu repräsentieren, anders der durch die Weisheit des Alters nicht aus der Ruhe zu bringende Hindenburg, der väterliche Gelassenheit und unaufgeregte Lebensklugheit zugleich zu verkörpern schien.[77] Hindenburgs Phlegma, seine Initiativlosigkeit und seine begrenzte Phantasie wirkten sich unter diesen Umständen äußerst vorteilhaft aus; die ihm von einem nicht im Bann des Hindenburg-Mythos Stehenden attestierte »passive Repräsentation der Unerschütterlichkeit«[78] verlieh ihm symbolische Qualität. Die deutsche Gesellschaft wünschte die Anlehnung an eine vertraueneinflößende Vaterfigur; stets unter innerer Anspannung stehende Energiebündel waren in dieser Situation nicht gefragt.

Es ist verblüffend, wie sehr Menschen, die Hindenburg zum ersten Mal zu Gesicht bekamen, ihn für die ideale Manifestation dieser kriegsentscheidenden Tugend hielten. Der zu den engsten Vertrauten des Kaisers zählende Chef des Marinekabinetts, Admiral Georg Alexander von Müller, schilderte den Eindruck von seinem ersten Zusammentreffen mit Hindenburg anläßlich des kaiserlichen Besuchs in Posen Ende November 1914 in seinem Tagebuch mit den Worten: »Hindenburg das Urbild der Ruhe.«[79] Wie stark das Bedürfnis der deutschen Gesellschaft nach einem ruhenden Pol verbreitet war, verdeutlicht die Rezeption eines Interviews, das Hindenburg dem Berliner Korrespondenten der Wiener »Neuen Freien Presse«, Paul Goldmann, gab. Es wurde am 19. November 1914 publiziert und war am folgenden Tag in allen deutschen Blättern nachzulesen. Zwar hatte die deutsche Presse Hindenburg auch schon zuvor mit Prädikaten geschmückt, die ihn zum Exponenten ruhiger Überlegenheit machten.[80] Doch zu seinem Markenzeichen wurde die vermeintliche Nervenstärke erst nach dem Gespräch mit Goldmann.

Hindenburg war während des Gesprächs[81] nur an einer Stelle überhaupt auf die Bedeutung der psychologischen Konstitution eingegangen, nämlich als er gemäß Goldmann ausführte:»Der Krieg mit Rußland ist gegenwärtig vor allem eine Nervenfrage. Wenn Deutschland und Österreich-Ungarn die stärkeren Nerven haben und durchhalten werden – und sie werden sie haben und werden durchhalten – so werden sie siegen.«[82] Genau diesen Passus übernahm die deutsche Presse in der Regel wortgetreu,[83] während andere Passagen weggelassen wurden. Die meinungsbildende»Vossische Zeitung« begnügte sich nicht mit einer bloßen Wiedergabe des Gesprächs, sondern verarbeitete es zu einem eigenen Bericht, in dem im Schlußabschnitt genau dieser Aspekt gebührend herausgestrichen wurde.[84]

Mit dem eher beiläufigen Hinweis auf die Nervenstärke hatte Hindenburg den kulturellen Nerv der deutschen Gesellschaft getroffen. Hindenburg lieferte einer Nation im Selbstfindungsprozeß das erlösende Stichwort, das dieser nach dem Scheitern des Westfeldzugs verunsicherten Gesellschaft neue Zuversicht einflößte. Flugs wurde die ursprüngliche Aussage Hindenburgs zur griffigen Parole umformuliert:»Wir werden siegen, weil wir die stärkeren Nerven haben.« Hindenburg selbst galt als Inkarnation dieser kriegsentscheidenden Stärke:»Er ist der Mann mit den stärkeren Nerven.«[85] Hindenburgs derartig umformuliertes Diktum erreichte bald den Status eines geflügelten Wortes.[86] Solche Weisheiten Hindenburgs ließen selbst seine Kameraden nicht unbeeindruckt und prägten deren Wahrnehmung des Krieges.[87]

Es gereichte Hindenburg überdies zum Vorteil, daß er alle körperlichen Voraussetzungen mitbrachte, um als unerschütterlicher Fels in der Brandung zu erscheinen. Wäre er von kleiner Statur gewesen und von unscheinbarem Äußeren, so hätten sich schier unüberwindliche Hindernisse für die symbolische Entäußerung des kollektiven Wunsches nach souveräner Geborgenheit aufgetan. Doch seine Erscheinung wurde als semiotischer Körper[88] wahrgenommen, dem die Gesellschaft ganz bestimmte Bedeutungen unterlegte. Hindenburg war von stattlicher Statur: Mit verbürgten 1,83 Meter Körpergröße[89] besaß er für damalige Verhältnisse Gardemaß; sein fast quadratischer Schädel hinterließ Eindruck, was noch durch den buschigen, aber im Unterschied zum Kaiser nicht gestelzt wirkenden Schnurrbart unterstrichen wurde, und er strahlte Seriosität und Verläßlichkeit aus. Hindenburg besaß kein Dutzendgesicht, das man nach der ersten flüchtigen Begegnung vergaß, sondern markante Gesichtszüge sowie eine angenehme, tiefe Baßstimme. Aus der vorgefundenen physischen Materialität knetete die Gesellschaft einen Hindenburg-Körper nach ihren Vorstellungen. Diese kompakte Gestalt aus einem Guß machte im persönlichen Umgang wie in der öffentlichen Darstellung stets Eindruck, ohne einschüchternd zu wirken. Hindenburg war körperlich geradezu prädestiniert, die ungeheure kulturelle Nachfrage nach einer »ruhigen Kraft« zu stillen und künstlerisch in diesem Sinne dargestellt zu werden. Er war ein mehr als dankbarer Gegenstand für die Scharen von Malern, die ihn seit Ende 1914 auf die Leinwand bannten, und den Bildhauern erleichterte er den Übergang in den anorganischen Aggregatzustand, da seine Physiognomie geradezu danach drängte, in Stein gemeißelt zu werden. Die deutsche Gesellschaft hatte eine physiognomisch zur Symbolbildung taugliche Gestalt gefunden: »Zugleich trat aus dem Laufe der Geschichte wieder ein deutsches Gesicht neben die deutschen Köpfe Luthers und Bismarcks – ein Gesicht, das wieder Symbol zu sein vermochte: das Gesicht und die Gestalt Hindenburgs ... In Gesicht, Gestalt, Wort und Blick drückt sich ein Inneres aus, das hier sichtbar wird. Die Menschen verlangen nach solchen sichtbaren Dingen.«[90]

Die Symbolfähigkeit Hindenburgs hing schließlich auch mit dem technischen Charakter des Weltkriegs zusammen. Der industrialisierte Vernichtungskrieg gebar keine militärischen Helden mehr. Die Materialschlachten entindividualisierten den Krieg, und das neuartige Kriegsgerät, das Vernichtung und Tod ausspie, war kein gleichwertiger Heldenersatz: Es »schwindet das Symbolische aus dem Kriegswesen«.[91] Allein zu Wasser und in der Luft erlaubte der Krieg noch einen gewissen Spielraum für die Entfaltung heroisierter Männlichkeit: der U-Bootkommandant, der in den Meeren seine Opfer suchte und diese penibel auf sein Abschußkonto verbuchen konnte; der Kampfflieger, dem seine Erfolge in ähnlicher Weise angerechnet wurden und der insofern noch Attribute der Ritterlichkeit zeigte, indem er sich in einer heldischen Zweikampfsituation Mann gegen Mann zu bewähren hatte. Folglich stiegen mit Otto Weddigen ein U-Bootführer und mit Manfred von Richthofen ein Kampfflieger zu den populärsten Opferhelden des Ersten Weltkriegs auf, deren symbolische Kraft sich aber allein auf das militärische Feld beschränkte.[92]

Wenn aggressive Männlichkeit und glänzendes Heroentum kein vergemeinschaftungsfähiges Potential aufwiesen, dann konnte die symbolische Einhegung des Weltkrieges nur fern der Front erfolgen, wobei sich die Manager und Organisatoren in den militärischen Führungsstäben als erste Anwärter anzubieten scheinen. Auf deutscher Seite bediente man sich hochprofessioneller Methoden der Steuerung und Organisation des immer komplexer werdenden Kriegsgeschehens, wobei die Zusammenführung und rasche Verarbeitung militärisch relevanter Informationen eine eigene technische Infrastruktur erforderten. Der Siegeszug des Telefons ist charakteristisch für diese veränderte Art der Kriegführung. Doch warum stieg nicht der eigentliche strategische Kopf der deutschen Führung, der technikverliebte Erich Ludendorff, zur symbolischen Verkörperung des modernen Krieges auf? Ludendorff bediente sich mit Vorliebe des Telefons, und daher hätte man ihn in der Pose des Dauertelefonierers präsentieren können.[93] Warum machte ihm ausgerechnet Hindenburg diese symbolische Funktion mit Erfolg streitig, der doch seine altmodischen Vorbehalte gegen diese Art der Kommunikation nie überwand, praktisch nie zum Telefonhörer griff und selbst als Reichspräsident seinem wenige Zimmer entfernten Staatssekretär Meißner lieber kleine handschriftliche Anweisungen schrieb, als ihn telefonisch zu sich zu bitten?[94]

Dieser hochtechnisierte Krieg mußte symbolisch verarbeitet werden; die unheimlichen Kräfte, die der Krieg entfesselt hatte, verlangten nach symbolischer Bewältigung, damit diese dunkle Kraft wenigstens in kultureller Hinsicht unter Kontrolle blieb. Hier war ein Wissenschaftler und Künstler des Krieges, ein Nachkomme des älteren Moltke[95] – also Hindenburg – die ideale Besetzung. Er verströmte das beruhigende Gefühl, den rasanten, unkalkulierbaren Entwicklungen nicht gänzlich ausgeliefert zu sein. Hindenburg »hat dem heutigen, ganz unromantischen Krieg, diesem verwickelten Mechanismus aller möglichen modernen Techniken eine individuelle menschliche Seele gegeben.«[96]

Schon Ende des Jahres 1914 zeichnete sich daher die Metamorphose Hindenburgs vom Kriegshelden zum symbolischen Träger der Integrationshoffnungen ab, die sich durch die nationale Aufbruchstimmung vom August 1914 noch verstärkt hatten. Gewiß war die nationale Euphorie nach dem 4. August 1914 nicht im ganzen Reich gleich stark, und bestimmte Segmente der deutschen Gesellschaft wie die organisierte Industriearbeiterschaft und die Landbevölkerung verhielten sich zunächst durchaus reserviert gegenüber patriotischen Gefühlsaufwallungen. Doch es besteht kein Zweifel, daß der Großteil der deutschen Bevölkerung sich im Sommer 1914 dieser nationalen Welle nicht zu entziehen vermochte. Das sogenannte Augusterlebnis wirkte nicht nur auf nationalliberale Intellektuelle wie eine Befreiung, weil sich hier erstmals die Nation als innere Einheit formiert zu haben schien und als politisch einheitlicher Akteur in Erscheinung trat. Die ungewohnte Erfahrung innerer Harmonie machte nicht mehr halt vor den Milieugrenzen, so daß auch die sozialistische Arbeiterbewegung und der politische Katholizismus sich in einem bislang unbekannten Maß auf die Nation beriefen und nicht selten

daran die Hoffnung knüpften, als vollwertiger und wertvoller Teil der Nation anerkannt zu werden. Die Zustimmung der sozialdemokratischen Reichstagsfraktion
zu den Kriegskrediten war der markanteste Ausdruck dieser Erwartungen. Der
»Geist von 1914« einte damit völkische Nationalisten, Altkonservative, Nationalliberale, bürgerliche Demokraten, Milieukatholiken und auch viele Sozialdemokraten, als diese im August 1914 zu den Fahnen gerufen wurden.[97]

Die ungewohnte Konjunktur der Nation in den unterschiedlichsten politischen Lagern brachte es mit sich, daß sich sehr disparate politische Erwartungen
an die konkrete inhaltliche Ausformung der Nation knüpften. Linksliberale und
Sozialdemokraten klagten unter Berufung auf die Nation die institutionelle Aufwertung der Parlamente und die Beseitigung undemokratischer Wahlmodi wie das
preußische Dreiklassenwahlrecht ein; Nationalliberale und Konservative plädierten
statt dessen für den Einbau korporativer Strukturen in das Staatsgefüge. Ob nun
die Nation als argumentatives Gerüst für einen »Volksstaat« in Gestalt einer parlamentarischen Monarchie oder für eine »Volksgemeinschaft« mit antiparlamenta-
rischer Stoßrichtung herhalten mußte, in jedem Fall meldeten die Verfechter einer
Politik in der Tradition des »Geistes von 1914« politischen Veränderungsbedarf an.
Das »Augusterlebnis« legte das dynamische Potential eines Verständnisses von Nation frei, das – ungeachtet der politischen Deutungsoffenheit – das Ziel der Schaffung innerer Einheit in den Mittelpunkt rückte und dafür stärkere politische Parti-
zipationsrechte für ein national »erwachtes« Volk einforderte, egal ob diese in par-
lamentarisch-demokratische oder in korporativ-plebiszitäre Strukturen gegossen
werden sollten.[98] Diese Forderung implizierte eine Spitze gegen die bestehende
monarchische Ordnung, falls der Kaiser und die Reichsleitung das neu entfachte
Partizipationsverlangen ignorierten und sich gegenüber politischen Reformen abwehrend verhielten. Indem die Nation im Weltkrieg zur obersten Legitimationsinstanz aufstieg, wurde die monarchische Legitimation in ihrem Kern ausgehöhlt,[99]
wenn es dem Kaiser nicht gelang, sich symbolisch an die Spitze des nationalen Einheitsverlangens zu stellen.

Es ist entscheidend, daß just zu dem Zeitpunkt, als die innere Reichseinigung
zumindest einige Wochen lang vollendet zu sein schien, nicht der Reichsmonarch,
sondern ein bis dahin unbekannter Militär den »Geist von 1914« symbolisch verkörperte. Das in den Augusttagen des Jahres 1914 geradezu eruptiv zum Ausbruch
kommende Bedürfnis nach Vergemeinschaftung unter dem schützenden Dach der
Nation ließ ein starkes Bedürfnis nach ästhetischer Expression dieses Einheitsverlangens aufkommen. Der »Geist von 1914« zählt zu den von der politischen
Kulturforschung der politischen Soziokultur zugerechneten grundlegenden Ord-

nungsvorstellungen, die nach deutungskultureller und damit nach symbolischer Repräsentanz geradezu drängen. Wer diese Ordnungskonzeption symbolisch besetzte, der erwarb zugleich eine Anwartschaft auf politische Herrschaft, wenn er die in dieser symbolischen Leistung enthaltenen politischen Energien anzapfte und als Legitimationsressourcen einsetzte.

Die herkömmliche Nationsvorstellung in Deutschland war symbolisch noch unbehaust, weil der Kaiser trotz günstiger Ausgangsbedingungen diese symbolisch verdichtete Repräsentationsleistung bis zum Kriegsausbruch nicht zu erbringen vermochte. Dennoch durfte man die Bewältigung dieser neuen symbolischen Herausforderung zuallererst von ihm erwarten. Wilhelm II. hatte mit seiner Thronrede vom 4. August 1914 das Verlangen nach nationaler Einheit in eindrucksvolle Worte gekleidet.[100] Aber warum konnte er nicht darauf aufbauen und den »Geist von 1914« in seine Bahnen lenken?

Eine politische Kulturgeschichte der Herrschaft Wilhelms II. steckt erst in den Anfängen, aber man wird die Vermutung wagen dürfen, daß der Kaiser primär von der Eigendynamik des Kriegsgeschehens symbolisch in den Hintergrund gedrängt wurde. Es ist nicht auszuschließen, daß Wilhelm II., hätte er die Reichshauptstadt nicht verlassen und dort seine Kernaussage vom 4. August unablässig verkündet, diese symbolische Position hätte besetzen können. Doch der Kaiser meinte, als »Oberster Kriegsherr« bei der militärischen Führung weilen zu müssen. Auch nach dem Steckenbleiben der Westoffensive hielt er sich bei der Obersten Heeresleitung auf, empfing den Chef des Generalstabes des Feldheeres regelmäßig zu Vorträgen und versuchte sich die Langeweile durch sporadische Besuche an der Front zu vertreiben. Damit verschenkte er sich: Da er in die operative und strategische Planung der obersten militärischen Führung weder eingreifen wollte noch konnte, ähnelte seine Existenz der eines »Schlachtenbummlers«, während seine Präsenz im politischen Berlin allein schon für die Koordinierung der Aufgabenverteilung zwischen den Militärs und der Reichsleitung erforderlich gewesen wäre. Das Verschwinden des Kaisers wirkte sich überdies symbolpolitisch verheerend aus: Der Kaiser tauchte ab in das militärische Geschehen, ohne mit ihm zurechenbaren militärischen Erfolgen aufwarten zu können. Damit räumte er freiwillig das symbolpolitische Feld zugunsten der Wissenschaftler und Künstler des Krieges, die für die symbolpolitischen Herausforderungen strukturell wesentlich besser gerüstet waren als Wilhelm II.

Warum aber verkörperte gerade Hindenburg die scheinbar wiedergewonnene innere Einheit? Zweifellos profitierte er von der Vorstellung einer wissenschaftlich veredelten Kriegskunst, die bereits den älteren Moltke symbolisch befördert hatte.

Doch anders als Hindenburg hatte sein Vorgänger es nie geschafft, die Vorstellung nationaler Einheit auf seine Person zu projizieren. Hindenburg konnte dieser symbolische Quantensprung nur gelingen, weil der Markt für personale Symbole im Spätsommer 1914 wie leergefegt war. Nach den aufwühlenden Tagen des August 1914 war der schichtenübergreifende Wunsch nach einer symbolischen Expression des Einheitsverlangens besonders stark. Dieser enorm gestiegenen Nachfrage stand jedoch ein mehr als karges Angebot gegenüber: Der Kaiser verschwand mit seiner Entourage im Dunstkreis der 2. Obersten Hereleitung, außer Hindenburg konnte kein anderer Heerführer sich mit den Lorbeeren eines Kriegshelden bekränzen lassen, und auch die zivile Reichsleitung hatte keinen Kandidaten von staatsmännischem Format zu bieten.[101] Der »Sieger von Tannenberg« besaß überdies den nicht geringzuschätzenden Vorteil, sich vor seinem Eingreifen in das Kriegsgeschehen öffentlich in gar keiner Weise politisch festgelegt zu haben. Hindenburg war ein so unbeschriebenes Blatt, daß er gerade deswegen von einer symbolbegierigen Nation nach ihrem Wunschbild geformt werden konnte. Der »unbekannte Soldat« konnte seine Herkunftswelt, sein Altpreußentum und seine adlige Geburt abstreifen und auf einen Schlag in den Gesamtbesitz der Deutschen übergehen. Die Verheißung nationaler Gemeinschaft konnte symbolisch nicht zuletzt deswegen leicht auf einen Militär übertragen werden, weil die darin steckende Solidaritätsverpflichtung einem General ohne weiteres attestiert wurde. Das Militär genoß in weiten Kreisen der deutschen Gesellschaft den Ruf, ohne Rücksicht auf partikulare Interessen den Untergebenen jene Fürsorge zukommen zu lassen, die auch für die Solidargemeinschaft des Kollektivsubjekts Volk erwartet wurde.[102]

Hindenburg ist die symbolische Überhöhung zur Inkarnation nationaler Einheit[103] allerdings trotz aller Aneignungen von außen nicht in den Schoß gefallen. Der Oberkommandierende im Osten war nicht nur das personelle Rohmaterial, aus dem Symbole geschnitzt werden; er selbst hat auch ganz gezielt die Einheitssehnsucht der deutschen Gesellschaft durch entsprechende Aussagen bedient. Bewußt verwendete er dabei den zeitgenössischen Begriff »Geist von 1914« und empfahl sich in Widmungen an Organisationen, die ihn seit dem Sieg von Tannenberg bestürmten, als mahnender Sachwalter des Augusterlebnisses. »Möge der Geist von 1914 uns nie verloren gehen!«, so lautete seine Botschaft an die Evangelische Frauenhilfe, deren Vorsitzender, Generalleutnant von Ammon, Hindenburg mit einem Zug voller »Liebesgaben« für die kämpfenden Soldaten am 1. März 1915 in Lyck aufgesucht hatte und von dieser Reise mit dieser handschriftlichen Aufforderung Hindenburgs zurückkam, welche bald darauf in diversen Publikationen die Runde machte.[104] Hindenburg nutzte fortan die Tatsache, daß unzählige Schulen sich nach ihm benannten und viele Städte ihm die Ehrenbürgerschaft antrugen, um seine politische Grundmelodie – den Erhalt des »Geistes von 1914« – wieder und wieder anzustimmen.[105] »Möge unserm theuern Vaterlande der Geist von 1914 in hoffentlich langen Friedensjahren erhalten bleiben«, diese Beschwörung aus dem Munde Hindenburgs prägte sich derartig ein, daß der Stadtrat im sächsischen Nossen darauf verfiel, sie in ehernen Lettern im neu errichteten Rathaus der Stadt eingravieren zu lassen.[106]

Bereits unmittelbar nach seiner Beförderung zum Generalfeldmarschall ließ Hindenburg die rein militärische Sphäre hinter sich und profilierte sich als Treuhänder des »Geistes von 1914« in der Öffentlichkeit. Am 29. November 1914 erließ er einen Aufruf, der die Kompetenzen eines Oberbefehlshabers Ost eigentlich überstieg und Aufgabe des Kaisers gewesen wäre: »Möge der Geist der Einigkeit ... als wertvollstes Vermächtnis aus großer Zeit dauernd erhalten bleiben.«[107] So konnte nur jemand sprechen, der sich auch zu genuin politischem Handeln berufen fühlte. Von Posen aus, wo er am 3. November 1914 sein Hauptquartier aufgeschlagen hatte, mahnte der frisch gekürte Generalfeldmarschall Hindenburg in den kommenden Wochen immer wieder das Fortleben als »Geist von 1914« an, für ihn die wichtigste Errungenschaft der ersten Kriegswochen.[108]

Bereits Ende des Jahres 1914 hatte Hindenburg eine überragende symbolische Position erklommen, nämlich die des Symbols der nationalen Einheit, das den »Geist von 1914« wachhalten sollte. Aber Hindenburg ging nicht auf in der Rolle des symbolischen Resonanzbodens für die Einheitssehnsucht weiter Teile des deutschen Volkes. Bereits am Ende des ersten Kriegsjahres verdichteten sich die Anzeichen, daß der Berufsmilitär über diese Repräsentationsleistung hinaus die neue Aufgabe für sich entdeckt hatte, aktive politische Sinndeutung zu betreiben. Hier wuchs also eine originär politische Potenz heran, die ihre unangefochtene Stellung im Bereich der symbolisierenden Politikrepräsentation dazu nutzte, sich deutungskulturell in den Vordergrund zu schieben und symbolische Politikinszenierung zu betreiben.[109] Wie sehr Hindenburg die öffentliche Wahrnehmung seiner Person erfolgreich steuerte und wie gezielt er sich medial in Szene setzte, wird Gegenstand des nächsten Kapitels sein. Diese Symbolpolitik eröffnete Hindenburg ungeahnte Möglichkeiten, auch auf die im engeren Sinne politischen Entscheidungen Einfluß zu nehmen. Wer den »Geist von 1914« symbolisch zu speichern vermochte und deutungskulturelle Hegemonie über den nationalen Diskurs gewann, der erschloß sich eine neue Legitimationsgrundlage für die Ausübung einer personal ausgerichteten politischen Herrschaft, die als charismatisch einzustufen ist.[110]

Hindenburg und Ludendorff am Kartentisch, Gemälde von Hugo Vogel, 1915

KAPITEL 5

Die mediale Selbstinszenierung Hindenburgs

Symbolische Politik entsteht durch Kommunikationsakte;[1] daher ist es angebracht, an dieser Stelle einen Blick auf die kommunikativen Strukturen in Deutschland nach dem Ausbruch des Weltkriegs zu werfen. Hindenburg konnte sich als eigenständiger Sinnproduzent nur dann bemerkbar machen und symbolische Konstruktionsleistungen vollbringen, wenn die medialen Strukturen dies zuließen. Als deutungskultureller Akteur war er auf verläßliche Bedingungen in der öffentlichen Kommunikation angewiesen, unter denen er im Beziehungsgeflecht von medialer Produktion und Rezeption seine Botschaften an das Publikum übermitteln konnte.[2] Nur bei enormer Ausweitung des öffentlichen Kommunikationsraums durch eine entsprechende mediale Infrastruktur und nur mit Hilfe einer Massenpresse konnte Hindenburg seine Aktionen auf dem Feld der Deutungskultur verbreiten,[3] zumal ihm zumindest anfänglich jede propagandistisch nutzbare Apparatur fehlte.

Bereits im Vorkriegsdeutschland bestand eine nationübergreifende Kommunikationsebene, welche die nebeneinander bestehenden Teilöffentlichkeiten zumindest schwach vernetzte.[4] Zwar herrschten in dem sich ausweitenden Kommunikationsraum keine völlig freien Marktbedingungen, weil die Regierung rechtliche Schutzzäune etwa um den Monarchen gezogen hatte, die diesen durch den Straftatbestand der Majestätsbeleidigung vor zu beißender öffentlicher Kritik bewahren sollten. Solche staatlichen Eingriffe in die Pressefreiheit hemmten die Entwicklung einer überaus meinungsfreudigen Berichterstattung jedoch kaum. Letztlich gelang es der Regierung nicht, die öffentliche Meinung durch Presselenkung in ihrem Sinne zu steuern.[5]

Der Weltkrieg schuf zwar völlig neue rechtliche Rahmenbedingungen für die Presse, veränderte aber nicht grundlegend die strukturelle Verfaßtheit der öffentlichen Kommunikation. Eine gezielte propagandistische Steuerung der öffentlichen Meinung fand ebensowenig statt wie ein rücksichtsloser Gebrauch der Zensur. Weil deutungskulturelle Diskurse auch im Weltkrieg von oben nicht erzwungen werden konnten, traf Hindenburg auf kommunikative Entfaltungsmöglichkeiten, die es ihm gestatteten, sich selbst innerhalb der kriegsbedingten Restriktionen medial so zu vermarkten, daß der Hindenburg-Mythos trotz der Gegensteuerung durch die 2. Oberste Heeresleitung immer weiter wuchs. Hindenburgs Symbolhaftigkeit wurde durch die partielle Marktförmigkeit massenmedialer Öffentlichkeit[6] im Ersten Weltkrieg ermöglicht, die ein deutungskultureller Produzent wie Hindenburg sich aneignen und die er dann entsprechend formen konnte.

Warum waren die deutschen Behörden zu einer straffen Lenkung der öffentlichen Kommunikation nicht imstande? Eine Hauptursache liegt in der institutionellen Zersplitterung der Pressearbeit, was ein einheitliches Vorgehen verhinderte. Mit der Verhängung des Kriegszustandes am 31. Juli 1914 ging die institutionelle Zuständigkeit für die Pressepolitik zwar zum erheblichen Teil auf die Militärbefehlshaber über. Doch damit wurde eine Entwicklung eingeleitet, die geradezu auf Ämterchaos und organisatorischen Wildwuchs hinauslief. Schon die einheitliche Handhabung der Zensur fiel dem institutionellen Partikularismus zum Opfer; und dabei wäre dieser Eingriff in die Pressefreiheit am leichtesten zu bewerkstelligen gewesen, weil er mit kriegsbedingten Notwendigkeiten zu begründen war. Aber die militärischen Stellen machten sich in diesem Bereich erbitterte Konkurrenz. Allein außerhalb Bayerns gab es nicht weniger als 57 mit der Ausübung der vollziehenden Gewalt beauftragte Militärbefehlshaber, nämlich die stellvertretenden Generalkommandos, die jeweils eine eigene Zensurstelle unterhielten. Allen Bemühungen um Zentralisierung der Zensur war kein Erfolg beschieden, weder die im Oktober 1914 ins Leben gerufene »Oberzensurstelle« noch die im Oktober 1915 begründete Nachfolgeorganisation, das »Kriegspresseamt«, besaßen die Kompetenz, über Empfehlungen hinaus in die Zensurpraxis der einzelnen Militärbefehlshaber einzugreifen.

Dazu gesellten sich Reibungsverluste und institutionelle Eifersüchteleien innerhalb der obersten militärischen Stellen: Das preußische Kriegsministerium, das in Ermangelung eines vergleichbaren Ressorts auf Reichsebene die Richtlinienkompetenz in Fragen der Militärpolitik für sich reklamierte, setzte sich erfolgreich gegen die Kompetenzerweiterung der Konkurrenzorganisationen »Oberzensurstelle« beziehungsweise »Kriegspresseamt« zur Wehr, die der Obersten Heeresleitung unterstanden. Die Situation wurde schließlich vollends undurchschaubar dadurch, daß auch noch diverse zivile Einrichtungen in die Zensurpaxis eingriffen. Dazu zählte nicht zuletzt die Presseabteilung des Auswärtigen Amtes, die mit mäßigem Erfolg das Bild Deutschlands im Ausland zu beeinflussen suchte. Vor allen Dingen aber mahnten die Innenministerien der Einzelstaaten ihre Mitwirkung bei den Zensurmaßnahmen an und wollten die Ausübung der Zensur durch die Militärbehörden auf im engeren Sinne militärisch bedeutsame Fragen beschränken. Alles in allem war das Deutsche Reich von einer straffen Steuerung der von der Presse verbreiteten Informationen weit entfernt – von einer auch nur annäherungsweise vollzogenen Gleichschaltung der Presseorgane kann überhaupt keine Rede sein.[7]

Dieser Kompetenzwirrwarr lähmte auch den zweiten, für unsere Fragestellung wichtigeren Bereich der Pressearbeit: die Propaganda. Diese zielte im Unterschied zur Zensur nicht auf die Unterdrückung mißliebiger Nachrichten, sondern auf die gezielte Lancierung politischer Botschaften. Eine solche Propaganda stand im Dienst genuin politischer Ziele, von denen das Einimpfen von Siegeszuversicht das wichtigste war. Einer professionell betriebenen Pressesteuerung wäre es darüber hinaus leicht möglich gewesen, mit der Wahl der richtigen Mittel und eines angemessenen Stils gouvernemental gewünschte Sprachregelungen in der Presse zu verbreiten. Doch diesbezüglichen Bestrebungen, die von der 2. Obersten Heeresleitung ausgingen, blieb jeder Erfolg verwehrt. Eine Ursache dafür war das unkoordinierte Nebeneinander von Einrichtungen mit propagandistischem Auftrag. Vergeblich versuchte die Abteilung IIIb im Generalstab des Feldheeres die Kompetenzen auf diesem Gebiet zu bündeln. Aber viel mehr als die Auswahl der an der Front tätigen Kriegsberichterstatter, die Zulassung von Malern und Fotografen und die Regulierung der Frontbesuche von Politikern und Personen des öffentlichen Lebens sprang dabei nicht heraus.[8] Eine zumindest indirekte Einwirkung auf die Inhalte der in Deutschland erscheinenden Zeitungen ließ sich dadurch praktisch nicht erzielen.

Wie dürftig bei Lichte besehen die Möglichkeiten der oft überschätzten Abteilung IIIb waren, mag ein Blick auf diejenige ihrer Einrichtungen verdeutlichen, die noch am ehesten in der Lage war, inhaltlich Einfluß auf die Presseerzeugnisse zu nehmen. Am 8. März 1916 wurde die »Feldpressestelle« ins Leben gerufen mit der Aufgabe, die in der Heimat und an der Front erscheinenden Zeitungen sowie die Nachrichtenagenturen mit druckfertigem Material zu beliefern und so die Stimmung im Sinne der militärischen Führung zu beeinflussen.[9] Mit Hauptmann Walter Bloem stand immerhin einer der erfolgreichsten deutschen Vorkriegsautoren[10] an der Spitze dieser Abteilung. Bloem hatte sich bei Kriegsbeginn freiwillig gemeldet, hatte die Schlacht von Verdun mitgemacht und war dann in die neue Position abkommandiert worden. Doch Bloem konnte bei seiner Arbeit lediglich auf die Mitarbeit seines Schriftstellerkollegen Rudolf Herzog sowie auf eine Handvoll nicht mehr frontdiensttauglicher Offiziere zurückgreifen.[11] Die in der »Feldpressestelle« fertiggestellte Korrespondenz wurde den Zeitungen angeboten, doch diese machten nur zögerlich von der Möglichkeit Gebrauch, fertige Artikel und Gedichte von dort zu beziehen. Bloem selbst verhehlte seine Bedenken ob der Strukturmängel der Pressesteuerung nicht:»Es zeigt sich ... immer deutlicher, wie unglücklich die Organisation unserer Propaganda ist. Überall sitzen Leute verteilt, die untereinander keine Fühlung haben.«[12]

Daß diese und jede andere Form gouvernemental gesteuerten Einflusses auf die Stimmungslage der Nation gründlich mißlang, lag letztlich weniger an organisatorischen Defiziten als am Kardinalfehler der militärischen Führung, den Pressevertretern in militärischem Befehlston Anweisungen erteilen zu wollen. Dem Leiter der Abteilung IIIb, Oberstleutnant Nicolai, fehlte wie den übrigen Militärs jegliches psychologische Gespür für die Arbeit der Journalisten. Nicolai setzte eine unbedingte Gehorsamspflicht der Pressevertreter voraus und betrachtete sie als journalistische Erfüllungsgehilfen der militärischen Führung:»Ich verlange von der Presse, daß sie sich als Dienerin, nicht als Herrin des Staats gebärdet und fühlt.«[13] Dieser schulmeisterliche Umgang mit der Presse führte nicht zum gewünschten Ergebnis, im Gegenteil: Das journalistische Berufsethos rebellierte gegen die Zumutung, Anordnungen entgegenzunehmen, die mit der Attitüde »obrigkeitlichen, gottgewollten Besserwissens«[14] ergingen von Personen, denen jede vertiefte Kenntnis des Pressewesens fehlte. Unabhängig von ihrer politischen Überzeugung sträubten sich Verleger und Journalisten gegen die intendierte Degradierung der Zeitungen zu offiziösen Sprachrohren der militärischen und politischen Führung.[15]

Da Nicolai und seinen Mitstreitern die rechtliche Handhabe fehlte, die Presse zur genehmen Berichterstattung zu zwingen, blieben seine Drohgebärden letztlich relativ wirkungslos.[16] Die deutsche Presse ließ sich von der Obersten Heeresleitung nicht an die Kandare nehmen, sondern blieb ihrem Informationsauftrag treu und betrachtete mit Kopfschütteln die kläglichen Versuche der Militärs, ihre politischen Botschaften mittels selbstgefertigter Artikel zu verbreiten. Die Resonanz auf diese unprofessionellen Bemühungen war gering, da solche Berichte »für ein imaginäres, gleich gebildetes und gleich empfindendes Publikum geschrieben waren, dessen Mentalität etwa vorgestellt wurde entsprechend der Mentalität der Beamten-, Offiziers- und Hofkreise zu Beginn des Weltkrieges«.[17] Den Kontakt zur gesellschaftlichen Wirklichkeit hatten die mit der Öffentlichkeitsarbeit betrauten Offiziere längst verloren.

Die miserable gouvernementale Pressearbeit führte dazu, daß der Oberbefehlshaber Ost auf eigene Rechnung Öffentlichkeitsarbeit betrieb, die sich als wesentlich professioneller und geschickter erwies. Trotz vereinzelter Versuche von sei-

ten der auf Hindenburgs Nimbus eifersüchtigen 2. OHL, pressepolitisch gegenzu-
steuern, konnte sich Hindenburg auf diesem Terrain frei entfalten. Gleiches galt
für den Kaiser, der überdies jede erdenkliche regierungsamtliche Unterstützung erhalten hätte, wenn er denn ernsthafte und systematische Anstrengungen zur Einflußnahme auf die öffentliche Meinung unternommen hätte.

Doch Wilhelm II. tauchte in medialer Hinsicht völlig ab und entwickelte keine
eigenen Initiativen. Seine mangelnde Sensibilität für Pressefragen und sein ausgeprägter Anspruch, daß das deutsche Volk ihm kraft seiner monarchischen Legitimität Gehorsam schulde, ließ aktive Pressepolitik in seinen Augen wie ein Buhlen
um die Gunst der Volksmassen erscheinen. Das war eines Kaisers nicht würdig. Experten wie Walter Bloem, der hin und wieder vom Kaiser zu Spazierfahrten eingeladen wurde, brachte diese Haltung zum Verzweifeln; aber alle Vorschläge, durch
die Einrichtung von Pressebüros die kaiserliche Öffentlichkeitsarbeit zu professio-
nalisieren, stießen auf taube Ohren.[18] Die Entourage des Kaisers, allen voran der
sich wie ein Empfangsdrache aufführende Hofmarschall von Plessen, schirmte
Wilhelm II. derart ab, daß Pressevertreter nur durch Zufall oder wenn sie zum
Kreis der Günstlinge zählten in die engste Umgebung des Monarchen gelangten.
Einer dieser Günstlinge war Karl Rosner vom Berliner »Lokalanzeiger«, der eine
annähernd monopolartige Stellung innehatte und praktisch alle Kaiserreisen mitmachte. Die im Unterschied zum »Lokalanzeiger« reichsweit ausgerichtete Presse
wurde dagegen mit schnöder Mißachtung gestraft, was einem dem Kaiser Wohlgesinnten wie Bloem die Zornesröte ins Gesicht trieb: »Diese jammervolle Sipp-
schaft, die den Kaiser umgibt, lernt es nie.«[19]

Der Öffentlichkeit blieb die mediale Passivität des Kaisers nicht verborgen.
Verwundert registrierte sie,[20] daß erst im Frühjahr 1915 das erste Buch erschien, das
den Kaiser als nationale Symbolfigur darzustellen suchte, nachdem Hindenburg
bereits zuhauf als Inkarnation deutschen Wesens gerühmt worden war. Der Kaiser
machte sich gegenüber der wißbegierigen Öffentlichkeit im Kriegsverlauf jedoch
weiterhin derartig rar, daß sich Gerüchte um die Ursachen dieser Passivität rank-
ten, die »im Wesentlichen darauf hinaus kommen, der Kaiser sei nicht ganz normal
und müsse fast zwangsweise im Dunkeln gehalten werden«.[21] In punkto Öffentlichkeitsarbeit war kaum ein größerer Kontrast denkbar als der zwischen dem Kaiser und Hindenburg: Hier ein von seiner Umgebung versteckter, der informations-
hungrigen Volksseele unterschlagener Monarch, dessen Verhalten einen idealen
Nährboden für imageschädigende Gerüchte abgab, und dort der unvoreingenommene und in medialen Fragen instinktsichere General, der ein natürliches Gespür
für die Befriedigung des rapide angewachsenen Informationsbedürfnisses besaß.

Die ästhetische Dimension symbolisch vermittelter Politik ließ sich besonders nachhaltig über das Bild imaginieren, dem damit eine Schlüsselrolle zufiel. Deutungsmuster und Sinnzuschreibungen zeichnen sich durch ihre hervorragende Visualisierbarkeit aus; symbolische Repräsentation ist ohne korrespondierende Bildhaftigkeit unvorstellbar.[22] Symbolische Politik bedarf daher in erster Linie der gezielten Bilderproduktion und deren erfolgreicher Verbreitung. Unter den Bedingungen des Weltkrieges fielen für Hindenburg enorme symbolpolitische Vorteile ab, wenn er sich durch visuelle Kommunikation ins rechte Licht zu setzen vermochte. Der öffentliche Raum ließ sich durch die Aufdringlichkeit der Bildersprache leichter okkupieren als durch das geschriebene Wort. Während in der zerklüfteten deutschen Presselandschaft plazierte politische Botschaften ungehört zu versickern drohten, war es vergleichsweise leicht, auf die Produktion und Distribution von Bildern Einfluß zu nehmen. Im Jahre 1914/15 waren Bilder noch von Hand gezeichnete Porträts, deren Produktion die aktive Mitwirkung des zu Porträtierenden voraussetzte und diesem einen erheblichen Gestaltungsspielraum eröffnete. Hindenburg machte davon ausgiebig Gebrauch. Diese visuelle Kommunikation rückte Hindenburg ins Zentrum der Interaktion zwischen den deutungskulturellen Produzenten und einem mehr als aufnahmebereiten Publikum: »Wenn wir ... einen großen Menschen wittern, möchten wir ein *Bild* von ihm haben, ihn nicht allein mit dem Verstande, sondern mit der Anschauung und Empfindung erfassen. Das macht der Marschall uns leicht.«[23]

Die Fotografie lag Hindenburg weniger, was auch an seinem fortgeschrittenen Lebensalter gelegen haben mag. Daß er Fotografen nur selten und dann eher widerwillig zuließ, ist aber wohl vor allen Dingen auf die wesentlich expressivere Wirkung der Malerei zurückzuführen. In der Fotografie sahen die Zeitgenossen eine naturgetreue Dokumentation, während in die Malerei immer die künstlerische Imagination hineinspielte.[24] Nur die Malerei konnte durch Ausschöpfung der ästhetischen Stilmittel das hinter den Erscheinungen Verborgene zur Anschauung bringen, nur sie konnte dem Dargestellten das in ihm steckende symbolische Potential entlocken.[25]

Hindenburg wurde seit November 1914 zunehmend von Malern aufgesucht, die nicht selten aus eigensüchtigen ökonomischen Motiven den Kontakt zum Feldmarschall suchten. Denn der Krieg hatte viele Künstler in eine wirtschaftliche Notlage gestürzt, da die öffentliche und private Nachfrage nach Gemälden, Plastiken und Graphik in den ersten Kriegsmonaten einen Tiefstand erreichte.[26] Die künstlerische Darstellung des deutschen Kriegshelden bürgte dagegen für ein vergleichsweise sicheres Geschäft. Radierungen und Lithographien fanden bei den Kunsthändlern dann am ehesten Absatz, wenn sie Hindenburgs Antlitz trugen.[27] Gemälde und Radierungen ließen sich natürlich in der heimischen Werkstatt anfertigen,[28] dazu mußte man nicht dem Oberkommandierenden im Osten hinterherreisen. Der Aufwand an Zeit und Kosten dafür war enorm, und man mußte über eine offizielle Akkreditierung als »Kriegsmaler« verfügen, für deren Ausstellung die Abteilung IIIb des stellvertretenden Generalstabs in Berlin zuständig war. Ungeachtet dieser Hürden nahm der Andrang namhafter Künstler auf Zulassung zum »Kriegsmaler« zu, so daß schließlich beinahe sechzig Maler diese begehrte Konzession besaßen, darunter so prominente Vertreter wie Slevogt, wenngleich die künstlerische Avantgarde unterrepräsentiert war und eine naturalistische Kunstauffassung dominierte.[29]

Der Hindenburgboom bei den Malern setzte nach der Beförderung Hindenburgs zum Generalfeldmarschall am 27. November 1914 ein und wuchs im Laufe der nächsten Jahre lawinenartig an: Bis Ende der 1920er Jahre dürfte Hindenburg von etwa fünfhundert Künstlern porträtiert worden sein.[30] Die rege öffentliche Nachfrage nach einem lebensechten Porträt des frischgebackenen Feldmarschalls führte am 30. November Otto Heichert, Professor an der Königsberger Akademie, zu Hindenburg, der ihm aber gerade einmal so viel Zeit widmete, daß Heichert eine flüchtige Zeichnung anfertigen konnte.[31] Immerhin verriet die Verbreitung dieses ersten nach dem Leben gezeichneten Bildnisses Hindenburgs, mit welcher öffentlichen Resonanz ein Original-Hindenburg rechnen konnte. Das führende illustrierte Presseorgan, die im Ullstein-Verlag erscheinende »Berliner Illustrirte Zeitung«, druckte in ihrer Ausgabe vom 20. Dezember 1914 Heicherts Werk als Titelbild ab.

Hindenburg hat seine ersten Begegnungen mit Malern und Bildhauern noch als eher lästige Pflichtübung empfunden. Die ihn Ende 1914 in Posen und Breslau aufsuchenden Künstler mußten mit einigen Sitzungsstunden vorlieb nehmen. Hindenburg gab sich dazu überhaupt nur her, weil ein Teil der wirtschaftlichen Erlöse aus den Kunstwerken karitativen Zwecken zufloß, etwa dem nationalen Frauendienst für die Hinterbliebenen schlesischer Krieger.[32] Da Hindenburg auf die Maler und ihre Stilrichtungen noch keinen Einfluß nahm, sondern sie eher gleichmütig erduldete, mußte er auch Resultate hinnehmen, die ihn nicht zufriedenstellten. Das allererste Ölgemälde, das Hindenburg zeigte, stammte von dem Posener Professor Karl Ziegler, der den in seiner Geburtsstadt Posen weilenden Feldmarschall auf die Leinwand bannen konnte. Der künstlerische Wert des Bildes und das Renommee Zieglers waren jedoch derartig bescheiden, daß der mit dem Verkauf beauftragte Kunsthändler sich reihenweise Absagen einhandelte bei dem Versuch, einer deutschen Stadt dieses Bild schmackhaft zu machen.[33]

Hindenburg gewann aber bald ein Gespür für die symbolische Werthaltigkeit der Malerei. Anfang Januar 1915 gewährte er dem Berliner Maler Eugen Hersch, der dem Künstlerkreis um Professor Arthur Kampf an der Berliner Akademie der Künste angehörte, zwei Sitzungen, aus denen eine Kohlezeichnung hervorging, die Hindenburg als Wissenschaftler des Krieges zeigte, der so gar nichts Haudegenhaftes an sich hatte, sondern eher als Wiedergeburt des älteren Moltke erschien: »Hersch zeichnete in jenen mehrstündigen Sitzungen einen Mann von ruhiger Nachdenklichkeit …, einen mathematischen Kopf, in dessen Stirn die Gedankenarbeit ihre tiefen Querfalten gezogen hat.«[34]

Hindenburg war kein ausgewiesener Kunstkenner, aber er hatte einen dezidierten Kunstgeschmack. Beruflich war er mit Kunstfragen vor allem in seiner Magdeburger Zeit als Kommandierender General in Berührung gekommen, weil er die künstlerische Dekoration der für Festlichkeiten herzurichtenden Säle beaufsichtigte und dabei den Gemäldefundus der Berliner Nationalgalerie in Anspruch nahm.[35] Damals hatte er sich ein eindeutiges Urteil in Kunstfragen gebildet. Dem Impressionismus, der alle Formen aufzulösen schien, brachte er strikte Ablehnung entgegen.[36] Der kunstsinnige Stadtdirektor von Hannover, Heinrich Tramm, der maßgeblich am Aufstieg der Leinestadt zu einer Kunstmetropole beteiligt war und sich 1906 von Liebermann hatte malen lassen,[37] handelte sich eine unmißverständliche Absage ein, als er Hindenburg das Ansinnen der Stadtväter vortrug, den Generalfeldmarschall ausgerechnet von dem führenden Impressionisten Max Liebermann porträtieren zu lassen: »Der Grund hierfür liegt darin, daß es gegen meine Überzeugung ist, als Objekt einer Kunstrichtung zu dienen, die meinem Empfinden völlig fremd bleibt, und unter diesen Vertretern ich daher nicht den Mann suchen möchte, der mich für diese Kunst retten soll.«[38]

Zaghaft waren daher die ersten Gehversuche Hindenburgs auf dem für ihn ungewohnten Terrain symbolischer Inszenierung. Dabei lag die Hemmschwelle für Hindenburg, der ein natürliches Gespür für Symbolfragen besaß, eher niedrig. Was ihn zunächst noch davon abhielt, in die visuelle Offensive zu gehen, war seine Unzufriedenheit mit der aus seiner Sicht verbesserungswürdigen künstlerischen Qualität seiner Porträts. Im Januar 1915 suchte ihn dann aber ein Maler auf, der den künstlerischen Geschmack Hindenburgs ohne Einschränkung traf: der an der Berliner Kunstakademie lehrende Professor Hugo Vogel. Der nur acht Jahre jüngere Maler hatte sich in den 1890er Jahren überwiegend als Historienmaler hervorgetan mit monumentalen Tafel- und Wandgemälden,[39] deren patriotische Botschaft Hindenburg aus dem Herzen sprach. Der Feldmarschall kannte bereits eine der wichtigsten Arbeiten Vogels aus eigener Anschauung, und zwar die imposanten

Fresken zur sächsischen Kaisergeschichte im Ständehaus von Merseburg, die er als Kommandierender General des IV. Armeekorps dort gesehen hatte.[40] Auch Vogels Arbeiten für den Festsaal des Hamburger Rathauses waren ihm bekannt.

Aufgrund der ersten wenig befriedigenden Erfahrungen war Hindenburg entschlossen, die Auswahl der Maler selbst zu treffen. Die in der Malerei steckenden symbolischen Möglichkeiten waren so verlockend, daß der Generalfeldmarschall die rege Nachfrage nach lebensechten Hindenburgbildern keineswegs distanziert und kühl betrachtete. Ein Maler konnte »ein Bote der Unsterblichkeit«[41] sein; diese Chance wollte Hindenburg nutzen, der ja schon vor der Schlacht von Tannenberg seiner Frau seine heimliche Hoffnung gestanden hatte: »Ich glaube, Dein Alter wird womöglich noch mal ein berühmter Mann!«[42] Dazu bedurfte es allerdings eines auserlesenen Künstlers, der Hindenburg so malte, wie dieser es wünschte, und der für eine professionelle Verbreitung und Vermarktung der Kunstwerke sorgte.

Mit Hugo Vogel traf Hindenburg eine in dieser Hinsicht wahrlich glänzende Wahl. Vogel übertraf die in ihn gesetzten Hoffnungen und fand sich optimal zurecht in der Rolle des medialen Alter ego des Feldmarschalls, der den Maler schon am 30. Januar 1915, dem Tag nach der ersten Sitzung, in höchsten Tönen lobte: »Mir gefällt Ihre Art sehr. So will ich aufgefaßt werden.«[43] Kurze Zeit später verdiente sich Vogel aus dem Munde Hindenburgs sogar den Ehrentitel »Hof- und Leibmaler«.[44] Zwischen den beiden entwickelte sich im Laufe der Zeit ein persönliches Vertrauensverhältnis, was nicht zuletzt daran ablesbar ist, daß Hindenburg während der unzähligen Porträtsitzungen seinem »lieben Professor« viel von sich persönlich preisgab.[45] Manche der vertraulichen Äußerungen hat Vogel in den fast täglich an seine Frau abgehenden Briefen wörtlich festgehalten und damit der Nachwelt überliefert. Mit Hugo Vogel hatte Hindenburg den Maler gefunden, der seine Anweisungen künstlerisch so umsetzte, daß der erstrebte symbolische Effekt eintrat. Hugo Vogel wurde für Hindenburg das, »was Adolf Menzel für Friedrich den Großen und die sieben Jahre bedeutet«.[46]

Für den Berliner Professor war es die künstlerische Chance seines Lebens. Dies verdankte er Gertrud von Hindenburg, auf deren bewährtes Urteil Hindenburg sich in allen Literatur, Kunst und Musik betreffenden Fragen verließ. Seine Frau fungierte als seine Medienberaterin und glich als solche seine Defizite im künstlerischen Bereich aus.[47] Sie war ermächtigt, über alle Anfragen von Künstlern wegen einer Zusammenkunft mit dem Kriegshelden zu entscheiden. Mit Anfragen dieser Art wurde sie seit Tannenberg förmlich bombardiert; und sie wählte mit Geschick jene aus, die sie in Hinsicht auf die Imagepflege ihres Gemahls für geeignet hielt.

Auch in Pressefragen schaltete sie sich energisch ein, wenn es ihr geboten erschien. Sie hielt ihren Mann über die neuesten Hindenburg-Publikationen auf dem laufenden,[48] so daß der Feldmarschall stets bestens darüber informiert war, welches Ansehen er in der Heimat genoß. Als die 2. Oberste Heeresleitung im Herbst 1915 unter anderem durch gezielte Streuung von Gerüchten mit Hilfe der Presse ein personelles Gegengewicht zu Hindenburg zu schaffen suchte, wandte Gertrud von Hindenburg sich an den Verleger der »Magdeburgischen Zeitung«, der ihr aus gemeinsamen Magdeburger Tagen bekannt war.[49] Dr. Robert Faber, ein unbestechlicher Vertreter seiner Zunft, hat dann auch in seiner Eigenschaft als Verbandsvorsitzender der deutschen Zeitungsverleger alle Insinuationen des Chefs der 2. Obersten Heeresleitung strikt abgewiesen. Darüber hinaus stellte sie für die Feier zu Hindenburgs siebzigstem Geburtstag am 2. Oktober 1917 Material in Form von Anekdoten und ähnlichem zur Verfügung und autorisierte offiziöse Darstellungen über Hindenburg als Privatmann.[50] Als Verwalterin der ihrem Manne während des Krieges zu karitativen Zwecken zugedachten Spenden hatte sie überdies eine weitere verantwortungsvolle Aufgabe zu bewältigen.[51] Die Bestellung Hugo Vogels war ihr Werk. Sie war es, die den Kunstprofessor nach Hannover einlud und ihn schon nach einer kurzen Phase des Beschnupperns davon unterrichtete, daß er in Kürze eine Einladung aus dem Oberkommando Ost erhalten werde.[52]

Nachdem Vogel sich in den Augen Hindenburgs bewährt hatte, erhielt Gertrud von ihrem Mann Order, daß sich weitere Anfragen erübrigten und Vogel vorerst das malerische Monopol auf Hindenburg besitzen solle.[53] Die Hindenburg-Porträts, die in Vogels Berliner Atelier den letzten Feinschliff erhielten, hat sie stellvertretend für ihren Mann inspiziert.[54] Auch die auf der Grundlage dieser Porträts angefertigten fotomechanischen Reproduktionen – das wichtigste Vertriebsmedium überhaupt – wurden zunächst ihr vorgelegt.[55] Nach einem Bildhauer hielt Gertrud von Hindenburg ebenfalls Ausschau. So fand Ludwig Manzel, immerhin Präsident der Berliner Akademie der Künste, den Weg zu Hindenburg, weil Gertrud von Hindenburg anläßlich einer Ausstellung der Akademie auf Manzels Bismarck-Büste aufmerksam geworden war und ihn daraufhin für die Modellierung einer Büste ihres Mannes gewinnen konnte.[56] Die mediale Inszenierung Hindenburgs war von Anfang an ein Gemeinschaftswerk der Familie, an dem sich neben Gertrud von Hindenburg vor allem die ältere Tochter Irmengard beteiligte, die wie die Mutter bei gelegentlichen Aufenthalten in Berlin die im Entstehungsprozeß befindlichen Porträts begutachtete und dabei auch nicht mit Kritik sparte.[57]

Das Verhältnis zwischen Hindenburg und Hugo Vogel, dem »kleinen Professor«, gewann über die reine Arbeitsbeziehung hinaus rasch eine persönliche Note.

Es war von Anfang an stillschweigend als symbiotische Beziehung angelegt, die für beide Seiten von Nutzen war. Hindenburg hatte monatelang einen im Umgang leichten und ehrfurchtsvollen Künstler um sich, der seine Inszenierungsabsichten in getreuer Weise visuell umsetzte. Vogel verrichtete damit nicht nur eine gute patriotische Tat und mehrte sein Renommee, sondern schnitt auch in pekuniärer Hinsicht gut ab. Nur auf den ersten Blick ging er bei seiner Tournee an der Seite Hindenburgs ein erhebliches ökonomisches Risiko ein: Er setzte die Vorgaben Hindenburgs malerisch um, ohne für die von Hindenburg gewünschten Bilder einen festen Abnehmer zu besitzen. In der Hoffnung auf eine ansehnliche Rendite investierte er ganz erheblich in Arbeitszeit, Material und Geld. Ein allzugroßes Wagnis war das freilich nicht, denn ein lebensechtes Hindenburgbild besaß quasi eine eingebaute Absatzgarantie.

Es gab bereits die Anfrage eines Verlegers wegen der Rechte am ersten Hindenburg-Porträt Vogels, als dieses noch gar nicht fertig war.[58] Die beiden ersten Hindenburg-Gemälde fanden wie selbstverständlich ihren Weg in die erste Ausstellung von Kriegsbildern, welche die Königliche Akademie der Künste in Berlin von März bis Mai 1915 veranstaltete. Den Bekanntheitsgrad der Werke steigerte das enorm.[59] Ein besonders gutes Geschäft war das wohl bekannteste Gemälde Vogels: ein Doppelporträt Hindenburgs und Ludendorffs am Kartentisch. Hindenburg selbst warb bei Heinrich Tramm erfolgreich für den Ankauf des Gemäldes, als der Hannoveraner Stadtdirektor mit einem Spendenzug für die Frontsoldaten nach Ostpreußen kam, wo ihm das besagte Bild vorgeführt wurde. Scherzhaft bemerkte Hindenburg nach der Einfädelung dieser Transaktion gegenüber seinem »Hofmaler«: »Erst quälen Sie mich mit Sitzungen, und dann soll ich Ihnen noch Ihre Bilder verkaufen.«[60]

Das Doppelporträt brachte seinem Schöpfer mit 30 000 Mark eine stattliche Summe ein.[61] Mindestens ebenso hoch waren die Erlöse, die sich mit der Vermarktung der Vervielfältigungsrechte erzielen ließen. Die visuelle Verbreitung eines Gemäldes beschränkte sich schon im Ersten Weltkrieg nicht mehr auf das Museum, in dem es ausgestellt war – in diesem Fall das Kestner-Museum in Hannover. Im Jahr 1915 war »das Kunstwerk im Zeitalter seiner technischen Reproduzierbarkeit«[62] längst angekommen, um ein bekanntes Diktum Walter Benjamins aufzugreifen. Durch die Entwicklung und fortschreitende Verfeinerung des fotomechanischen Druckverfahrens seit den 1880er Jahren wurde es zum visuellen Massenmedium. Der Wirkungsgrad von Gemälden erreichte damit nie gekannte Dimensionen, denn als fotomechanische Wandbilddrucke konnten sie ohne weiteres auch die »guten Stuben« erobern.[63] Den Buchverlagen eröffnete sich damit ein neuer lukrativer Markt, auf dem sich Kunstverlage (1912 zählte man im Deutschen Reich 212 Kunstverlage) und Publikumsverlage wie der Ullstein-Verlag tummelten. Andere Verlage, etwa die in Berlin beheimatete Photographische Gesellschaft, hatten sich darauf spezialisiert, gezielt solchen Künstlern die Vervielfältigungsrechte abzukaufen, deren Gemälde zuvor bei den Ausstellungen der Königlichen Akademie der Künste Aufsehen erregt hatten.[64]

Die reproduktionstechnische Vermarktung der Hindenburg-Porträts versprach ein lukratives Geschäft zu werden, was der geschäftstüchtige Hugo Vogel[65] zu nutzen wußte. Er überließ zwar der Stadt Hannover gegen eine erkleckliche Summe das Doppelporträt der beiden Dioskuren, behielt aber nicht nur sämtliche Vervielfältigungsrechte, sondern erbat sich vom neuen Besitzer zudem das Recht, das Porträt auf eine werbewirksame Ausstellungstournee zu schicken. Die Präsentation auf diversen Ausstellungen sollte ihm Publizität bescheren, was sich wiederum bei den Reproduktionen absatzfördernd auswirkte. Gegenüber Tramm äußerte sich Vogel in aller Freimütigkeit: »Der Hauptzweck beim Malen des Bildes war ein großer Turnus durch Deutschland u. eine starke Verbreitung der Abbildungen.«[66]

Das ökonomische Interesse Vogels an einer ertragreichen Einnahmequelle kreuzte sich mit dem symbolpolitischen Interesse Hindenburgs an einer massenhaften Verbreitung seiner Bilder mittels fotomechanischer Drucke. Hindenburg selbst tat gegenüber seinem Maler und medialen Vermarkter mehrfach unmißverständlich kund, wieviel Wert er darauf lege, daß das reproduzierte Gemälde in möglichst viele Haushalte gelange. Am 8. August 1915 schrieb er Vogel eigenhändig: »Daß die Reproduktionen gut geworden sind, freut mich sehr. Die billigeren Auflagen werden naturgemäß gesuchter sein als die wertvollen Drucke.«[67] Wie ein roter Faden zieht sich sein ausgeprägtes Verlangen nach einem hohen Verbreitungsgrad seiner Bilder durch die Korrespondenz mit Hugo Vogel. Es bedurfte kaum mehr als eines zarten Winks, und Vogel ergriff in der Angelegenheit die Initiative.[68] Zugleich war Hindenburg bestrebt, die Kontrolle über diesen wichtigsten medialen Vertriebskanal zu behalten und nur solche Bilder für die Reproduktion freizugeben, die er und sein familiärer Beraterstab dafür ausersehen hatten.[69]

In die mediale Vermarktung Hindenburgs spielten aber auch die Interessen der beteiligten Verlage hinein. Druckvorlagen der Vogelschen Hindenburg-Porträts sind von verschiedenen Verlagen vertrieben worden,[70] wobei sich der Ullstein-Verlag die Vertriebsrechte am populärsten dieser Werke gesichert hatte. Die Vermarktung des Werkes »Hindenburg und Ludendorff am Kartentisch« verdient nähere Betrachtung. Der eigentliche Eigentümer des Porträts, die Stadt Hannover, mußte das Gemälde viele Wochen lang Hugo Vogel abtreten, der im Dezember 1915 und im Januar 1916 die technisch aufwendigen Reproduktionen für den Ullstein-Verlag herstellen ließ.[71] Vom 2. bis zum 10. Mai 1916 war das Bild noch einmal beim Verlag, wo den Reproduktionsvorlagen der letzte Schliff verliehen wurde, »damit die Drucke in einer Vollendung herauskommen, wie sie besser nicht gedacht werden kann«.[72]

Danach konnte der Ullstein-Verlag kräftig die Werbetrommel rühren und schaltete entsprechende Annoncen auch in überregionalen Tageszeitungen, die Kupferdrucke und farbige Faksimiledrucke des Porträts in allen Preisklassen (von 18 bis 75 Mark) feilboten.[73] Schon zuvor hatte der Verlag die Öffentlichkeit auf das Bild eingestimmt, indem er in der »Berliner Illustrirten Zeitung« zum Geburtstag Hindenburgs ein Foto des noch nicht ganz vollendeten Doppelporträts abdruckte.[74] Dies geschah zu einem Zeitpunkt, da der künftige Besitzer, die Stadt Hannover, das Original offiziell noch gar nicht zu Gesicht bekommen hatte.[75] Hindenburg unterstützte diese professionelle Vermarktung durch Ullstein nach Kräften und legte Vogel bei einem Anfang 1917 entstandenen Porträt, das Hindenburg in der Uniform seines ungarischen Regiments zeigte, nahe, die Reproduktion auch diesmal dem Ullstein-Verlag anzuvertrauen.[76] Ullstein wußte, was es Hindenburg schuldig war, und ließ dem Feldmarschall ein Motorboot zukommen, damit dieser an schönen Frühlingstagen Spazierfahrten auf dem bei Lötzen gelegenen Löwentinsee unternehmen konnte.[77]

Zur Werbestrategie gehörte auch, daß dieses Hindenburg-Gemälde zuvor in der publizitätsträchtigen Ausstellung der Berliner Akademie der Künste zu sehen war, für welche die Stadt Hannover ihren Schatz wieder einmal mehr als zwei Monate (Februar bis April 1916) entbehren mußte. Vogel vertrat danach die Überzeugung, daß die Ausstellung »das Bild in allen Kreisen hierselbst sehr bekannt gemacht«[78] hat. Dem stimmten viele Verlage zu: Sie witterten nach dem gelungenen Berliner Auftritt in der Anfertigung von Reproduktionen »als Bildschmuck fürs Haus«[79] ein gutes Geschäft und baten die Stadt Hannover um Erteilung der entsprechenden Rechte, wurden aber abschlägig beschieden, da Ullstein sich diese bereits gesichert hatte. Natürlich unterließ es der Ullstein-Verlag nicht, mit einem Inserat im »Börsenblatt für den Deutschen Buchhandel« auf die enorme Resonanz aufmerksam zu machen, die das Doppelporträt auf dieser Schaubühne der deutschen Gemäldekunst gefunden habe.[80] Mit dem Auftritt in der Berliner Ausstellung fing die Deutschlandtournee des Bildes aber erst an. Bis zum Sommer 1918 war das Gemälde auf Wanderschaft in den Hochburgen der deutschen Gemäldegalerien: In Düsseldorf, Köln, Dresden und Leipzig[81] konnten es Zehntausende bewundern und es sich bei Gefallen in Gestalt einer Reproduktion ins Haus holen.

Die Fachpresse geizte nicht mit vernichtenden Urteilen über die künstlerische Qualität der Hindenburg-Gemälde Hugo Vogels. Bei den Anhängern eines avantgardistischen Kunstverständnisses fanden diese Porträts keine Gnade, wie auch sonst der künstlerischen Darstellung Hindenburgs ein denkbar schlechtes Zeugnis ausgestellt wurde: eine billige Verbeugung vor dem schlechten Geschmack, die Hindenburg nicht verdiene.[82] Doch je mehr sich die Fachleute über die Minderwertigkeit der Hindenburg-Porträts ausließen, um so größer wurde deren Zuspruch. Die derart gegeißelte Kunst verkaufte sich bestens, denn sie fand die uneingeschränkte Zustimmung des breiten Publikums und beherrschte bald den öffentlichen und privaten Raum. Hindenburgbilder fanden Einlaß in beinahe jedes Haus – in die Mietskasernen der Industriearbeiter, in die Bauernstuben und natürlich in die bürgerlichen Salons. »Jedes Haus fast ist heute mit dem Bilde Hindenburgs geschmückt, das in Millionen von Exemplaren bereits jetzt im deutschen Volke verbreitet ist.«[83] Hindenburg erhielt den Ehrenplatz neben dem Bildnis der Großmutter in kleinbürgerlichen Wohnstuben; er hing auf gleicher Augenhöhe mit den Heiligen in süddeutsch-katholischen Bauernhäusern:[84] »Hoch oben in verschneiten bayerischen Bergdörfern haben wir alte Bauern um Ihr Bild sitzen sehen, in schweigsamer Genugtuung.«[85] Hindenburg spendete dem gebildeten Bürgertum Labsal, das sich durch diese Vaterfigur in Feldmarschalluniform geistige Wegzehrung verschaffte: »Ich habe große Freude an dem farbigen Hindenburgbilde, das ich so aufgehängt habe in meiner Ankleidestube, daß ich früh und abends mich daran erquicke.«[86]

Zur schichten- und konfessionsübergreifenden visuellen Verehrung Hindenburgs trug der Umstand nicht unmaßgeblich bei, daß der Wandschmuck praktisch für jederman erschwinglich war. Wenn man nicht gerade auf einem farbigen Faksimiledruck eines echten »Vogel« bestand und sich mit weniger berühmten Malern zufriedengab, konnte man schon für fünf Mark ein Porträt erwerben, kleinere Formate wurden sogar schon für 1,75 Mark angeboten.[87] Tiefer mußte man für Kunstdrucke der Vogelschen Hindenburgbilder in die Tasche greifen. Ein Kunstblatt in Plakatgröße, das den Generalfeldmarschall im Schnee vor dem Posener Schloß zeigte, kostete zwischen sechzig und hundert Mark.[88] Vogels »Meisterwerk«, Hindenburg und Ludendorff am Kartentisch, wurde auch als preisgünstiger einfarbiger Kupferdruck vertrieben zum moderaten Preis von 18 Mark, während die farbigen Faksimiledrucke dieses Gemäldes sechzig beziehungsweise 75 Mark kosteten.[89]

Der Ullstein-Verlag witterte sogar Absatzchancen auf dem amerikanischen Markt und vertraute einige tausend für den Export vorgesehene Kunstdrucke davon dem deutschen U-Boot »Bremen« an, das aber auf dem Weg über den großen

Teich versenkt wurde.[90] Immerhin konnte Ullstein sich nach diesem Verlust damit trösten, daß der Kaiser über die Ullstein-Drucke Kenntnis von dem Doppelporträt erhalten hatte.[91]

Wilhelm II. war der Hauptleidtragende der visuellen Omnipräsenz seines Heerführers. Denn nicht nur in den Wohnstuben hatte Hindenburg in dieser Hinsicht mit dem Monarchen gleichgezogen, auch der öffentliche Raum wurde zunehmend mit Hindenburg-Bildnissen ausgefüllt. In Gasthäusern und Hotels traf man ziemlich sicher auf eines.[92] Hindenburg drohte in seiner Eigenschaft als Medienereignis den Kaiser förmlich zu erdrücken: Während die Porträts Wilhelms II. auf Anordnungen von oben in den Amtsstuben und staatlichen Einrichtungen hingen, stand hinter der Zurschaustellung Hindenburgs das Bekenntnis zu einer Symbolfigur.

Hugo Vogel hat zu dieser visuellen Allgegenwart Hindenburgs gewiß am meisten beigetragen. Doch Dutzende von Kollegen attestierten ihm dabei, unter ihnen der bekannte Porträtmaler Walter Petersen, der an der Düsseldorfer Kunstakademie lehrte. Es lohnt sich, auf diesen einen genaueren Blick zu werfen, weil hier die symbiotische Beziehung zwischen Hindenburg, seinen Porträtisten und den Kunstverlagen besonders deutlich zum Vorschein kommt.

Petersen war Hindenburg im Unterschied zu Hugo Vogel nicht bekannt und benötigte einen Vermittler, der ihm Zugang zum Hauptquartier Ost verschaffte. Petersen kam zwar im Auftrag des Vereins Deutscher Eisenhütteleute, der ein Porträt des Generalfeldmarschalls bei ihm bestellt hatte; doch es bedurfte der Fürsprache des Oberbürgermeisters der Stadt Posen, damit der Maler in Hindenburgs Hauptquartier in Lötzen willkommen geheißen wurde. Der Feldmarschall konnte dem Stadtoberhaupt seiner Geburtsstadt diesen Wunsch nicht abschlagen, weil der Stifter das Petersen-Porträt der Stadt Posen zum Geschenk machen wollte.[93] Petersen wurde allerdings erst dann in Lötzen empfangen, nachdem Hugo Vogel seinen Aufenthalt wegen einer ärztlich angeratenen Erholungspause abgebrochen und sich für drei Monate zur Wiederherstellung seiner angeschlagenen Konstitution nach Berlin begeben hatte.[94] Die privilegierte Stellung Vogels als »Leib- und Hofmaler« Hindenburgs sollte also nicht angetastet werden.

Petersen traf am 5. Juli 1915 in Lötzen ein. Er war so klug, Hindenburgs höflich verpackte Anweisungen, wie er am liebsten dargestellt zu werden wünschte, zu beherzigen.[95] Hindenburg verfiel daraufhin auf die Idee, Petersen ohne dessen Wissen einen weiteren Malauftrag zu verschaffen: Die Stadt Hannover war einige Monate zuvor bei Hindenburg vorstellig geworden mit der Absicht, den größten Sohn der Leinestadt porträtieren zu lassen. Mit 16 000 Mark aus dem Stadtsäckel sollten zwei Hindenburg-Porträts angefertigt werden, eines als Geschenk für die in Hannover verbliebene Ehefrau des Feldmarschalls zu Weihnachten 1915, das zweite sollte die städtische Gemäldesammlung im Kestner-Museum schmücken.[96]

Gegen diese Absicht hatte Hindenburg überhaupt nichts einzuwenden. Denn einmal erhielt er auf städtische Kosten ein Gemälde geschenkt, das später sein Hannoveraner Heim schmücken[97] und nach dem Erwerb des Familiengutes Neudeck dort seinen Ehrenplatz erhalten sollte.[98] Zum anderen war Hindenburg sehr daran gelegen, möglichst viele seiner Bildnisse zu verbreiten, wozu ein Museumsbild allerbeste Voraussetzungen schuf. Der Feldmarschall stand keineswegs auf dem Standpunkt, daß man von ihm kein Bildnis machen dürfe, allerdings gestattete er dies nur unter der strikten Auflage, daß sein Anspruch auf die visuelle Richtlinienkompetenz gewahrt blieb. Das implizierte an erster Stelle, daß eine Darstellung mit impressionistischen Stilmitteln nicht in Frage kam. Allein aus diesem Grund hatte er dem mit ihm gut bekannten Hannoveraner Stadtdirektor Heinrich Tramm zunächst einen Korb gegeben, da dieser kunstsinnige Mann ausgerechnet den als Exponenten dieser Richtung geltenden Max Liebermann für diese Aufgabe auserwählt hatte.[99] Die großzügige Offerte seiner Heimatstadt wollte Hindenburg indes keineswegs in den Wind schlagen, und so hielt er nach personellen Alternativen zu Liebermann Ausschau. Unter diesen Aspekt hatte er auch – ohne Petersen davon zu unterrichten – die Bemühungen des Düsseldorfer Professors betrachtet und war von ihnen mehr als angetan. So ergriff er am 18. Juli 1915 seinerseits die Initiative und brachte gegenüber Stadtdirektor Tramm Petersen in Vorschlag – wohl wissend, daß ihm die Stadt Hannover diesen Wunsch nicht würde abschlagen können. Petersen – so seine Referenz – »hat eben ein lebensgroßes Kniestück von mir für Posen angefertigt, das allgemein als vorzüglich bezeichnet wird«.[100] Hindenburg drängte der Stadt Hannover damit einen Maler seiner Wahl auf, der das erforderliche fachliche Renommee besaß und vor allen Dingen in der Nachfolge des gerade nicht verfügbaren Hugo Vogel die Gewähr dafür bot, die zarten, aber eindeutigen Anweisungen Hindenburgs künstlerisch zu dessen Zufriedenheit umzusetzen.

Hindenburgs Kalkül ging auf, wenngleich Tramm aus taktischen Gründen etappenweise vorgehen mußte. Der Stadtdirektor konnte den Beschluß der Finanzkommission nur peu à peu aufweichen und Petersen nicht auf einen Schlag beide Aufträge[101] verschaffen. Den ersten Schritt bildete im August 1915 die Aufhebung des ursprünglichen Beschlusses, Liebermann für beide Porträts zu gewinnen; statt dessen wandte man sich an Petersen, allerdings zunächst nur für das Familienporträt.[102] Im November 1915 handelte Tramm an den zuständigen Gremien vorbei dann den zweiten Malauftrag mit Petersen aus, und die vor vollendete Tatsachen gestellte Hannoveraner Finanzkommission billigte das Vorgehen Tramms, da sich dieser auf den allerhöchsten Willen Hindenburgs berufen konnte.[103]

Damit waren die Aufträge auf Rechnung der Stadt Hannover nach dem Wunsch des Feldmarschalls vergeben. Ende Oktober 1915 begann Petersen mit der Arbeit in Hindenburgs neuem Hauptquartier im litauischen Kowno, die er Anfang Dezember abschloß. In seinem Düsseldorfer Atelier erfolgte anschließend die Feinarbeit; Ende des Jahres konnten beide Proträts der Stadt Hannover übergeben werden.[104] Nun galt es noch, die möglichst öffentlichkeitswirksame Präsentation beider Gemälde auf den Kriegsbilderausstellungen zu organisieren, was den Absatz der Reproduktionen ankurbeln sollte. Auch hierbei führte Hindenburg in seiner bestimmten Art Regie. Mit bemerkenswerter Offenheit legte er bei der Betrachtung der fertiggestellten Porträts sein Kalkül dar: »So wünschte ich auf die Nachwelt zu kommen, und so auch, in ähnlicher Auffassung, hoffe ich mal ein Denkmal zu erhalten; ich wünschte, daß diese beiden Bilder viel gesehen und durch Vervielfältigung große Verbreitung finden mögen, denn es existieren so viele schlechte Bilder von mir, daß ich umso mehr Interesse daran habe, daß die Bilder gut sind, die man von mir sieht.«[105] Hindenburg kam es also auf zweierlei an: Zum einen wollte er sich durch massenhafte Verbreitung seiner Bilder der öffentlichen Wahrnehmung so einprägen, daß sein Name aus den Geschichtsbüchern nicht mehr zu tilgen war; zum anderen wollte er diese Bilderflut steuern, indem er die Maler auf eine von seinen Bildern vermittelte Botschaft in groben Zügen festlegte. Beide Ziele erreichte er in einem bemerkenswerten Maße, nicht zuletzt weil Maler und Verlage aus ökonomischem Eigeninteresse mitspielten.

Wie Hugo Vogel legte auch Walter Petersen großen Wert darauf, daß seine Hindenburg-Porträts Aufsehen erregten, bevor sie als Kunstblätter vermarktet wurden. Das ideale Forum dafür boten die Ausstellungen der Königlichen Akademie der Künste am Pariser Platz. Die Akademie hatte bereits Anfang 1915 der regen öffentlichen Nachfrage nach Kriegsbildern Rechnung getragen und zwei ihrer elf Ausstellungssäle für dieses neue Sujet reserviert. Im Jahr darauf ließ sie im Einvernehmen mit dem Stellvertretenden Generalstab der Armee sogar nur noch Exponate von offiziell zugelassenen Kriegsmalern und von im Felde kämpfenden Künstlern zu. Spätestens mit dieser »Leistungsschau« der deutschen Kriegsmalerei hatte sich die Berliner Akademie der Künste an die Spitze der deutschen Kriegsausstellungen gesetzt. Vom 18. Februar bis Ende April 1916 wurden dem interessierten Publikum 659 Werke gezeigt.[106]

Die stilbildende Kriegsbilderausstellung der Akademie fand viele Nachahmer in allen Teilen des Reiches. Das Konkurrenzunternehmen in der Reichshauptstadt, die vom »Verein Berliner Künstler« veranstaltete »Große Berliner Kunstausstellung«, konnte sich diesem Trend nicht verschließen und bat Maler von Hindenburg-Porträts, ihr die beim Publikum besonders beliebten Werke von Mai bis September 1916 zu überlassen. Die etwa 300 000 Besucher der Ausstellung mußten jedoch auf einige prominente Hindenburg-Porträts verzichten. So verweigerte Hugo Vogel die Überlassung des berühmten Doppelporträts Hindenburg/Ludendorff, weil dieses Werk keine weitere Publizität mehr nötig hatte und er als Mitglied der Akademie der Künste keiner konkurrierenden Einrichtung zu einem Prunkstück verhelfen wollte.[107] Hindenburgbilder waren auch eine besondere Zierde der außerhalb Berlins veranstalteten Kunstausstellungen, die die künstlerische Verarbeitung des Krieges ins Zentrum rückten. Ob die Kunsthochburgen Düsseldorf (wo Walter Petersen in der dortigen Kunsthalle seine Hindenburgwerke beisteuerte), München oder das beschauliche niederschlesische Görlitz, wo das Ausstellungs- und Verlagsunternehmen »Künstlergilde Berlin« im Prunksaal der Stadthalle Kriegsbilder plazierte – solche Kriegsbilderausstellungen waren seit 1915 in allen Provinzen des Reiches zu sehen.[108]

Das kunstinteressierte Publikum machte von dem Angebot unterschiedlich regen Gebrauch. Die Akademieausstellung des Jahres 1915 zählte durchschnittlich 249 Tagesbesucher, eine Zahl, die auch 1916 erreicht worden sein dürfte.[109] An nackten Besucherzahlen allein läßt sich die Resonanz solcher Ausstellungen jedoch nicht messen. Denn kaum ein politischer oder gesellschaftlicher Multiplikator ließ sich den Ausstellungsbesuch entgehen. Selbst bei Stippvisiten oder kurzen Heimataufenthalten gehörte die Akademieausstellung in Berlin zum kulturellen Pflichtprogramm. Oberst Karl Fabeck, 1914 als Abteilungschef im Generalstab daran beteiligt, daß Hindenburg reaktiviert wurde, besuchte während eines Heimaturlaubs mit seiner Familie die Kriegsbilderausstellung, wo ihm besonders das Vogelsche Doppelporträt zusagte.[110] Ernst zu Hohenlohe-Langenburg, Territorialdelegierter des Deutschen Roten Kreuzes an der Ostfront, fand sich gleich dreimal in den Berliner Kriegsbilderausstellungen ein.[111] In Düsseldorf gaben sich die Königliche Hoheit Prinz Adalbert von Preußen sowie der Herzog von Arenberg die Ehre und wurden von Walter Petersen persönlich durch die Ausstellung geführt, in der auch eines von Petersens Hindenburgbildern zu sehen war.[112]

Den Künstlern boten die Ausstellungen zum einen Gelegenheit, Käufer für ihre noch nicht vergebenen Werke zu finden; zum anderen war es der Zugewinn an Publizität, der die Akademieausstellungen für Hindenburg-Porträtisten so attraktiv machte. Ausdrücklich ermuntert, ihre Werke dort zu zeigen, wurden sie vom Feldmarschall selbst, der das gerade eben als Weihnachtsgeschenk der Stadt Hannover seiner Frau überreichte Porträt für Ausstellungszwecke zur Verfügung stellte.[113] Obgleich Petersen seine beiden Hindenburg-Porträts dem Auftraggeber erst Weihnachten 1915 zugesandt hatte, reklamierte er das Bild des Kestner-Museums für die Ende Februar 1916 beginnende Akademieausstellung sowie weitere Ausstellungen in Düsseldorf, München und Wien, womit er dem Eigentümer zumutete, es für mehrere Monate zu entbehren.[114] Die Stadt Hannover setzte er unter Zugzwang, indem er darauf verwies, daß das mittlerweile in Hindenburgs Besitz übergegangene Porträt »auf Wunsch des Herrn Feldmarschalls«[115] als Leihgabe für diese Ausstellungen vorgesehen war. Petersen erreichte immerhin, daß er die Kollektion seiner drei Hindenburg-Porträts auf der Berliner Kriegsbildausstellung vorführen und anschließend in seiner Heimatstadt Düsseldorf präsentieren konnte. Die Stadt Hannover weigerte sich jedoch, das in ihrem Besitz befindliche Hindenburg-Gemälde darüber hinaus noch auf Tournee zu schicken. Das Kestner-Museum wollte auf sein prominentes Ausstellungsstück nicht noch länger verzichten.[116]

Petersen konnte sich jedenfalls neben Hugo Vogel als zweiter Hindenburg-Maler profilieren und den Bildnissen des Feldmarschalls die von diesem gewünschte öffentliche Beachtung verschaffen. Es versteht sich fast von selbst, daß auch die Frage der fotomechanischen Reproduktionen zur beiderseitigen Zufriedenheit gelöst wurde. Die Kunstverlage hatten, als sie von Petersens Aufenthalt in OberOst Wind bekamen, ihre Agenten nach Kowno entsandt, um dem Maler die Vervielfältigungsrechte unmittelbar nach Fertigstellung der beiden Porträts abzukaufen. Petersen schlug daher Hindenburgs Rat, wegen einer geeigneten Verlagsanstalt Kontakt zu seinem Adjutanten und »Mädchen für alles«, Major Caemmerer, aufzunehmen, aus und erteilte auf Empfehlung von Ludwig Manzel, dem ebenfalls in Kowno weilenden Präsidenten der Akademie der Künste, der Verlagsanstalt »Künstlergilde« den Zuschlag, die damit erstmals einen lebensechten Hindenburg als Bestseller in ihr Programm aufnehmen konnte. Das als Geschenk für Hindenburgs Frau gedachte Porträt fand in der Verlagsanstalt Troschwitz (Frankfurt/Oder) einen Abnehmer, und Petersens allererstes, im Sommer 1915 im masurischen Lötzen angefertigtes Hindenburg-Kniestück ging an die Photographische Gesellschaft zu Berlin.[117]

Die Malerei war das Medium, mit dessen Hilfe Hindenburg sich am wirkungsvollsten in Szene setzen konnte. Sie erlaubte dem Feldmarschall eine Steuerung der visuell vermittelten Bildinhalte und garantierte vor allem dank der Reproduktionstechniken einen hohen Verbreitungsgrad der Hindenburg-Bilder. Hinter solchen Möglichkeiten konnte die bildende Kunst nur zurückstehen: Hindenburg-Büsten eigneten sich nicht zur massenhaften Reproduktion, sie blieben Solitäre.

Allerdings wohnten der Bildhauerei genuine ästhetische Ausdrucksmöglichkeiten inne, welche sie in symbolischer Hinsicht zu einer unentbehrlichen Ergänzung der malerischen Aneignung Hindenburgs machten. Erst mit Hilfe einer Büste konnte eine künstlerische Verarbeitung der Körperlichkeit Hindenburgs respektive seines Kopfes erfolgen und den in dessen Körperlichkeit steckenden symbolischen Kern durch Herausarbeiten der Gesichtszüge freilegen.

Vermutlich hat Hindenburg mit dem Engagement der prominentesten Bildhauer Deutschlands insgeheim den Sprung auf den medialen Olymp vorbereiten wollen. Er wurde im Laufe des ersten Kriegsjahres unzählige Male abgebildet, sein Konterfei zierte sämtliche Gebrauchsgegenstände des Alltags; doch das alles konnte im retrospektiven Lichte der Geschichte zur flüchtigen Episode werden. Bilder konnten in den Lagerräumen der Museen verschwinden, an Gebrauchsartikeln nagte unerbittlich der Zahn der Zeit, und verblichene Reproduktionen würden irgendwann durch andere ersetzt werden. Wollte Hindenburg historische Unsterblichkeit erlangen, mußte er sich in Stein meißeln lassen, überlebensgroß und unübersehbar auf einem zentralen Platz in Berlin thronen und so alle Zeitläufte unbeschadet überstehen.

Als Sieger von Tannenberg konnte Hindenburg sich mit Fug und Recht bereits 1915 als denkmalwürdig einschätzen. Doch die Gewißheit, einstmals nach seinem Tod vom deutschen Volk mit einem Denkmal geehrt zu werden, genügte ihm nicht. Er selbst wollte die Art und Weise der Darstellung in die ihm angemessen erscheinenden Bahnen lenken. Dazu mußten bereits in der Hochphase der Hindenburg-Konjunktur Vor-Bilder geschaffen werden, an die sich die Kunstwelt dereinst würde anlehnen können. Hindenburgs mediale Inszenierung muß also auch und nicht zuletzt unter diesem Blickwinkel bewertet werden, was er selbst zum Ausdruck brachte, als er sein für das Kestner-Museum angefertigtes Porträt daraufhin musterte: »So wünschte ich auf die Nachwelt zu kommen, und so auch, in ähnlicher Auffassung, hoffe ich mal ein Denkmal zu erhalten.«[118] In dieser Hinsicht versprach eine von Hindenburg geprüfte und für gut befundene Büste, besser noch eine Statuette, den größten Ertrag. Daß die Berliner Nagelsäule, der sogenannte Eiserne Hindenburg, als Vorbild nicht in Frage kam, lag nicht nur an den Urteilen der Fachleute.[119] Die Modellierung einer lebensechten Büste mußte einem renommierten Künstler anvertraut werden, am besten einem von den drei oder vier kunstsinnigen Bildhauern, die 1915 in Deutschland Rang und Namen hatten. Da Hindenburg sich in der bildenden Kunst kein eigenes Urteil zutraute, überließ er die Auswahl seiner Frau.

Es war vielleicht mehr als reiner Zufall, daß zwei der Auserwählten sich schon durch eine künstlerische Verewigung Bismarcks hervorgetan hatten. Bei dem einen handelte es sich um keinen Geringeren als den Präsidenten der Königlichen Akademie der Künste, Professor Ludwig Manzel. Gertrud von Hindenburg traf mit diesem anläßlich der ersten Kriegsausstellung der Berliner Akademie, die noch nicht völlig von der Kriegskunst beherrscht war, im Frühjahr 1915 zusammen. Der Präsident der Akademie hatte es sich nicht nehmen lassen, die Gattin des hochverehrten Siegers von Tannenberg höchstpersönlich durch die Ausstellung zu führen. Manzel hatte der Ausstellung im Bismarckjahr – am 1. April 1915 jährte sich zum hundertsten Mal der Geburtstag des Reichsgründers – seine viel gerühmte Bismarck-Büste zur Verfügung gestellt, und genau an dieser blieben die Blicke Frau von Hindenburgs hängen: »Erstaunlich! Wer modelliert denn heute noch so? So möchte ich gerne meinen Mann modelliert haben!«[120] Bevor er Manzel engagierte, wollte Hindenburg aber sicherheitshalber das fachkundige Urteil eines Künstlers einholen. Daher lenkte er am 5. April 1915 das Gespräch mit seinem Leibmaler Hugo Vogel wie zufällig auf das Thema Bildhauerei, woraufhin ihm Vogel aus voller Überzeugung Ludwig Manzel, mit dem er befreundet war, als geeigneten Bildhauer empfahl,[121] der sich nicht allein durch die Bismarck-Büste, sondern auch durch Denkmäler der deutscher Kaiser Wilhelm I. und Friedrich III. einen Namen gemacht hatte.

Der vielbeschäftigte Akademiepräsident, der im November 1915 zu Hindenburg in das litauische Kowno aufbrach, war nicht der einzige Bildhauer, den Hindenburg nach OberOst einlud. Zwei weitere Koryphäen der Bildhauerkunst hielten sich kurz zuvor in derselben Mission in Kowno auf, nämlich Professor Hugo Lederer und Professor Franz Metzner. Lederer hatte mit dem Bismarck-Denkmal für die Freie und Hansestadt Hamburg, das Bismarck als Roland mit Schwert darstellte, großes Aufsehen erregt, und mit Franz Metzner machte sich der Künstler ans Werk, der den Figurenschmuck am Leipziger Völkerschlachtdenkmal geschaffen hatte. Da zudem auch noch der Maler Walter Petersen in Kowno weilte, fand eine regelrechte künstlerische Belagerung Hindenburgs statt, die Petersen wie folgt beschrieb: »Während die beiden Bildhauer ihn im Ton modellierten, stand ich neben ihnen an der Staffelei und zeichnete ihn. Außerdem nahm ihn noch ein Photograph gleichzeitig aufs Korn, den Lederer[122] bestellt hatte, so daß wir ihn zu vieren von allen Seiten verarbeiteten«,[123] was Hindenburg ungerührt und mit trockenem Humor über sich ergehen ließ. Manzel ließ sich von allen drei Bildhauern die meiste Zeit: Er nutzte seinen ersten Aufenthalt in Kowno ausschließlich dazu, durch Zeichnen, Messen und Fotografieren den Grundstock für eine Büste zu legen, die dann erst bei einem zweiten Besuch figürliche Gestalt annahm.[124]

Von den drei auserkorenen Bildhauern kam Metzner mit den Vorarbeiten für ein Denkmal am weitesten voran, denn er brachte aus Kowno eine überlebensgroße Büste Hindenburgs mit. An Hand dieser Vorlage wollte er ein ebenfalls überlebensgroßes Standbild des Feldmarschalls in seinem Atelier anfertigen,[125] das anscheinend für ein monumentales Hindenburg-Denkmal vorgesehen war.[126] Da er den Kunstgeschmack Hindenburgs mit seiner Büste aber nicht traf,[127] schied er als Kandidat aus. Ludwig Manzel dagegen verschaffte sich eine Position, die ihn zum Hugo Vogel der Bildhauerkunst werden ließ. Im Februar 1916 suchte er Hindenburg wiederum in Kowno auf und schuf in dieser Zeit eine Büste, die Hindenburgs Wohlgefallen fand,[128] sowie eine Statuette des Feldherrn, welche der Stab von OberOst dem Chef zum fünfzigsten Militärjubiläum schenken wollte. Hindenburg erblickte in dieser Statuette sofort die Miniaturausgabe seines zukünftigen Denkmals[129] und hatte sich seitdem Manzel als denjenigen vorgemerkt, der dereinst mit der Krönung seiner medialen Inszenierung beauftragt werden sollte.[130]

Hindenburg avancierte aber schon im Verlaufe des Jahres 1915 zum medialen Dauerthema und eroberte den öffentlichen Raum visuell. Ihm standen die entsprechenden medialen Distributionskanäle offen, so daß er sich ganz nach seinen Wünschen in Szene setzen konnte. Als symbolpolitischer Akteur hat er ohne Zweifel bewußt gewirkt. Doch der Erfolg seiner Bemühungen läßt sich vor allem an der Rezeption seiner visuell vermittelten Botschaften ablesen. Damit sind wir bei der zentralen Frage nach der symbolischen Übersetzung der in der politischen Soziokultur kursierenden Grundannahmen angelangt: *Welches Bild* wollte Hindenburg von sich verbreitet sehen? Und welchen Eindruck hinterließ seine Bilderflut bei den Rezipienten? Bei der symbolischen Aneignung Hindenburgs handelt es sich um einen kommunikativen Prozeß, bei dem mediale Produktion und Rezeption miteinander verflochten sind. Dieser dynamischen Verschränkung soll die argumentative Struktur der folgenden Ausführungen Rechnung tragen.

Hindenburg war symbolisch durch die von ihm angeregte und gesteuerte Bildproduktion nicht auf die Rolle des Nur-Soldaten festgelegt, sein symbolisches Repertoire nicht auf den Kriegshelden eingeschränkt. Schon an der Jahreswende 1914/15 wuchs er symbolisch über den Heroen des Krieges hinaus. Das sollte sich durch die 1915 einsetzende massenhafte visuelle Begegnung mit Hindenburg noch verstärken, weil sich in der kommunikativen Beziehung zwischen der deutschen Gesellschaft und Hindenburg eine Vertrautheit einstellte, die ihn der Aura eines unnahbaren und entrückten Kriegsgottes beraubte. »Auch das beste Hindenburgbildnis familiarisiert den Mann, aber heroisiert ihn nicht, schafft die Distanz hinweg, die uns von ihm trennt und zu ihm mit Scheu aufblicken läßt.«[131]

Hindenburg betrachtete die nach dem Leben gefertigten Porträts zunächst einmal mit den Augen eines Stabsfeldwebels, der die Einhaltung der Kleiderordnung überprüft: Wie die Uniform des Soldaten der strengen Dienstvorschrift entsprechen mußte, so hatten auch die Maler die Uniformteile Hindenburgs mit äußerster Akkuratesse abzubilden.[132] Der Generalfeldmarschall kannte kein Pardon, wenn ein Uniformknopf in der bildlichen Darstellung fehlte oder die Farbe nicht richtig getroffen war. Insbesondere Hugo Vogel, dem der Militärdienst erspart geblieben war, verstieß unzählige Male gegen die Kleiderordnung, so daß ein verärgerter Hindenburg seinem »Leibmaler« mehr als einmal eine Lektion erteilte, wie viele Knöpfe eine Feldmarschalluniform hatte und wie groß die dazugehörigen Orden waren. Fast ist man versucht, von einer fixen Idee zu sprechen, da Hindenburg Vogel sogar brieflich mit genauen diesbezüglichen Anweisungen versorgte.[133] Selbst annähernd fertige Porträts wurden penibel inspiziert: »Er zählte alle Knöpfe nach, vermißte ein Eisernes Kreuz, und so ging es weiter.«[134]

Hindenburg hat sich jedoch bei der Beurteilung der Porträts keineswegs allein von der Beachtung der Kleidungsvorschriften leiten lassen. Der Feldmarschall wußte sehr wohl auch um die in ihnen steckende Symbolkraft: »Im Bilde, meine ich, soll doch auch die Seele liegen.«[135] Er prüfte jedes Bild daraufhin, ob es seiner Überlieferungsabsicht gerecht wurde: Hindenburg besaß ein Gespür für die Macht der Bilder gerade in bezug auf sein Fortleben in der Geschichte, das ihm so am Herzen lag. Es suchte die Imaginierungen späterer Generationen durch aktive Gestaltung seiner Bilder frühzeitig in die von ihm gewünschten Bahnen zu lenken: »So will ich der Nachwelt überliefert werden«, dieser Ausspruch gehörte zu den stehenden Redewendungen beim Umgang mit seinen Porträtisten.[136]

Ganz zu Beginn seiner Medienkarriere verharrte Hindenburg dabei noch in einem rein soldatischen Selbstverständnis. In den ersten Sitzungen konnte es für Hindenburg verständlicherweise nur darum gehen, als Feldherr zu posieren, wobei er die Attitüde des »Marschall Vorwärts« wählte. Auch die ersten Porträtisten sahen nur den Kriegshelden und legten nicht die in Hindenburg steckenden symbolisierbaren Tiefenschichten frei. Das erste Ölgemälde nach dem Leben, das Professor Karl Ziegler in Posen Ende November 1914 anfertigte, machte aus Hindenburg durch den fast schon entstellend hervorgehobenen Schnurrbart einen grimmig dreinblickenden Militär mit in Manteltaschen vergrabenen Händen.[137] Hindenburg stieß sich zwar an solchen Verfremdungen, fühlte sich aber zu Beginn des Jahres 1915 noch sichtlich wohl in der Pose des Russenbezwingers, der dem frechen Eindringling aus dem Osten ordentlich Dresche gab. So kommentierte er am 3. Februar 1915 wohlgefällig das erste Vogel-Gemälde, das ihn lebensgroß mit markantem Schnurrbart und entschlossener Miene auf der Treppe des Posener Schlosses zeigte: »Da auf Ihrem Bilde da stehe ich, als wollte ich sagen: ›Ich raste nicht, bevor ich alle Russen habe. Keiner darf mir entkommen.‹«[138] Dieser Eindruck drängte sich auch späteren Betrachtern des Gemäldes auf,[139] von denen einige das billige Pathos der beiden ersten Vogel-Porträts kritisierten und Hindenburg nicht auf diese Pose reduziert sehen wollten: »Das ist nicht bloß eine Frage des guten oder schlechten Geschmacks, sondern der Geist dieses Krieges ... und zugleich der Geist seines größten Führers werden hier verfehlt.«[140] Aus solchen Äußerungen sprach die weitverbreitete kulturelle Empfänglichkeit für ein Hindenburgbild, das sich von der Anlehnung an Blücher emanzipierte und mit ästhetischen Mitteln zum Ausdruck brachte, daß Hindenburg über das rein Soldatische hinausragte und kognitive Ordnungen aus der politisch-kulturellen Sphäre verkörperte. Es war die Bildhauerkunst, die als erste den martialischen Zug aus Hindenburgs Antlitz entfernte und Wesenselemente hineinmodellierte, in denen sich die kulturelle Befindlichkeit weiter Kreise spiegelte.

Der erste Bildhauer, dem diese Imagekorrektur glückte, war der an der Königsberger Akademie lehrende Professor Stanislaus Cauer, der im Mai 1915 eine einwöchige Abwesenheit Vogels nutzte und den Feldmarschall im masurischen Lötzen modellierte.[141] Cauers stilbildende Büste entlockte dem Gesicht Hindenburgs Charakterzüge, die sich vom Soldatischen entfernten. Cauer verzichtete bewußt auf das aufdringliche Herauskehren des Martialisch-Bärbeißigen. Der von seinen Vorgängern hervorgehobene Schnauzbart geriet bei ihm zu einer dünnen Schnurrbartlinie. Hindenburg erschien nun als Inkarnation eines gütigen, weisen Vaters, der Wärme ausstrahlt und dem man Vertrauen entgegenbringt. »Meine Bemühungen gingen von Anfang an dahin, der Nachwelt ein Bildnis von dem großen Heerführer zu hinterlassen, das alle menschlich guten Züge, alle zarten, ebenmäßigen Eigenschaften widerspiegelt. Das den Volkshelden so wiedergibt, wie er im Mai 1915 vor mir stand, ohne jede Pose und ohne jedes falsche Pathos, aber in seiner menschenfreundlichen, Ehrfurcht gebietenden, doch überragenden Art.«[142] Diese Büste wurde in einer großen Feier öffentlich enthüllt und in der Ehrenhalle des Rathauses von Königsberg aufgestellt.[143]

Cauer fertigte bei seinem Aufenthalt in Lötzen auch eine Büste Ludendorffs an, die das soldatische Kontrastprogramm zu Hindenburg darstellte: »Enthüllt Hindenburgs Büste den Menschen, so zeigt Ludendorffs in erster Linie den Soldaten.«[144] Hier deuteten sich schon die tieferliegenden Ursachen für die strukturelle Überlegenheit des Generalfeldmarschalls an: Hindenburg überschritt bei der symbolischen Aneignung bereits 1915 die Schwelle des Nur-Soldatischen, während Ludendorff auf diese Rolle festgelegt blieb. Hindenburg erschloß sich ein außerhalb des Militärischen liegendes symbolisches Potential, während Ludendorff sich als reiner Militär verstand und nach dem Zerwürfnis mit Hindenburg erst recht seine militärischen Verdienste gegenüber Hindenburg herausstrich. Es war ein Kampf mit ungleichen Waffen und voraussehbarem Ergebnis: Am Ende triumphierte der Symbolpolitiker auf ganzer Linie über den Feldherrn.

Cauers Familiarisierung Hindenburgs mit den Mitteln der Bildhauerkunst wirkte stilbildend auf die späteren Hindenburg-Büsten. So erhielt der renommierte Bildhauer Fritz Klimsch vom Direktor des Elberfelder Kaiser-Wilhelm-Museums den Auftrag für eine Hindenburg-Büste mit der Maßgabe, daß »auf diese Weise ... das stark nach Innen gekehrte Wesen eines bedeutenden Deutschen am besten zum Wort kommen und die Gefahr des deutschen Kraftmeiertums vermieden« werde.[145] Klimsch verstand sich darauf, dem Dargestellten symbolisierende Bedeutung zu entlocken,[146] und es gelang ihm auch bei Hindenburg, den er im Frühjahr 1916 in Kowno modellierte.[147] Klimschs Werk für das Elberfelder Museum fand den »vollen Beifall«[148] des Feldmarschalls.

Letztlich stellte das Doppelporträt »Hindenburg und Ludendorff am Kartentisch« für die symbolische Politikinszenierung Hindenburgs aber die wichtigste mediale Weichenstellung dar. Mit diesem massenhaft verbreiteten Bild rückte Hindenburg endgültig in die Tradition Moltkes ein und besetzte symbolisch den bis dahin verwaisten Platz des Schlachtendenkers. Das Abstreifen der letzten Reste Blücherschen Draufgängertums besorgte er damit selbst. Bereits in seiner aktiven Zeit vor dem Weltkrieg hatte er sich als ein mit den Methoden der Kriegswissenschaft vertrauter Offizier verstanden, und diese Vorstellung von der Modernität der Kriegführung hatte er auch seinem »Hofmaler« Hugo Vogel eingeschärft.[149] Die exakte wissenschaftliche Vermessung des Krieges fand am Kartentisch statt, wo die aus verschiedenen Informationskanälen (Telefon, Luftaufklärung) gewonnenen Informationen ihren optischen Niederschlag in Gestalt von Linien und Fähnchen fanden. Die Kunst bestand darin, durch die genaue Einschätzung der Lage am Kartentisch anhand verdichteter Informationen die der militärischen Situation adäquate Entscheidung zu treffen. In der Waffenkammer des modernen Feldherrn kamen somit Gelehrsamkeit und Lebenserfahrung ausschlaggebende Bedeutung zu.

Hindenburg vermochte sich als Gelehrter des Krieges medial so glänzend in Szene zu setzen, weil er Ludendorff mit ins Bild nahm. Ein über den Kartentisch gebeugter emsiger Ludendorff, der durch das Monokel einen bestimmten Ausschnitt der ausgebreiteten Karten inspiziert, bildete den Kontrast zu einem gedankenversunkenen Feldmarschall, der auf dem Stuhl zurückgelehnt in majestätischer Ruhe sinniert und im Kopf bereits den nächsten Feldzugsplan ausarbeitet. Die Einbeziehung Ludendorffs als Staffage schärfte Hindenburgs Erscheinung als Analytiker des Krieges und stufte überdies Ludendorff zum Zuarbeiter und Gehilfen des Schlachtendenkers Hindenburg herab.

Hindenburg trug von Anfang an Sorge, daß sein chronisch unter Zeitmangel leidender Stabschef für dieses Doppelporträt gewissermaßen dienstverpflichtet wurde. Ludendorff fügte sich zunächst, begehrte aber am 5. April 1915 gegenüber Hugo Vogel auf, als er aufgrund der Komposition des Doppelporträts seine subalterne Rolle gewahr wurde. Mit wachem Gespür für die Geschichtsmächtigkeit von Bildern bezeichnete er des Gemälde »als Dokument für spätere Zeiten betrachtet, als eine geschichtliche Unrichtigkeit«.[150] Ludendorffs Zorn ist angesichts der tatsächlichen militärischen Aufgabenverteilung zwischen dem Oberbefehlshaber Ost und seinem Stabschef verständlich; doch Hindenburg und Vogel gelang es, ihn durch kleine Konzessionen in der Anordnung zu beschwichtigen. Indem Vogel dem Kopf und der Schulter Hindenburgs eine weniger aufrechte Haltung verlieh,[151] wurde das Übergeordnete des Schlachtendenkers visuell abgemildert, die symbolische Aussage des Doppelporträts jedoch nicht angetastet. Da Ludendorff alle Kraft in seine militärischen Aufgaben investierte und nicht wie Hindenburg Zeit und Energie in die mediale Selbstvermarktung steckte, gab er das Doppelporträt am 16. September 1915 in der leicht veränderten Fassung frei.[152]

Die logische Fortsetzung dieses Bildprogramms war die von Vogel unmittelbar nach der Freigabe des Doppelporträts begonnene Darstellung der Operationsabteilung OberOst. Hier erschien Hindenburg als Anführer, der stehend an Hand einer Karte seinen treuen Gehilfen den Weg wies. Der Feldmarschall schmückte sich mit seinen engsten Beratern – neben Ludendorff Oberstleutnant Max Hoffmann und der Leiter der Operationsabteilung Bockelberg –, wobei Ludendorff durch die visuelle Gleichsetzung mit Hoffmann und Bockelberg vollends als ausführendes Organ der Hindenburgschen Denkarbeit vereinnahmt wurde.[153] Auch diesmal gelang es Hindenburg, den Widerwillen Ludendorffs durch sanften Druck zu brechen.[154] Den letzten Schliff erhielt das Bild der Operationsabteilung im Oktober 1916 im oberschlesischen Pleß, wo Hindenburg in seiner neuen Eigenschaft als Chef des Generalstabs des Feldheeres sein Hauptquartier aufgeschlagen hatte. Dort inspizierte es auch der Kaiser, der die symbolische Botschaft sofort erfaßte[155] und damit repräsentativ für die öffentliche Wahrnehmung war.

Das Doppelporträt und das Bild der Operationsabteilung trafen den kulturellen Nerv einer Gesellschaft, die nach symbolhafter Expression ihrer normativen Fundamente verlangte. Hindenburg brachte dazu die besten Voraussetzungen mit; nur mußte er über das rein Militärische hinauswachsen und sein kriegerisches Tun entheroisiert werden, damit er Anschluß an genuin bürgerliche Werte finden konnte. Das vollbrachten Vogels Bilder: Wo man Hindenburg »bei der Arbeit sieht, da sieht man ihn am Schreibtisch über Karten gebückt, das Bild eines Gelehrten … oder in der Beratung mit seinem Stabe, wie jeder Leiter eines großen Unternehmens ähnlich dargestellt werden könnte«.[156] Speziell Hindenburgs Stilisierung im Doppelporträt brachte das kollektive Bedürfnis nach Veranschaulichung von überlegener Ruhe und gelehrter Beherrschung der Bellona auf den Punkt: »Wer das Gemälde mit Ruhe auf sich wirken läßt, trägt stärkste Eindrücke davon. Unser größter Schlachtendenker mit seinem ersten Helfer und unersetzlichen Berater, mitten in ihrer sieghaften Arbeit! … Gegenüber [Ludendorff], mit der erhabenen Ruhe eines Jupiters, sitzt der Marschall. Er hat soeben Entschlüsse geäußert, und daß es weite, tragende Gedanken gewesen, das verraten Miene und Haltung. Dieser Mann ist sich ungeheurer Verantwortung bewußt. Aber ist bereits mit sich im reinen. Das verleiht Festigkeit. Eine geniale künstlerische Ausnützung seines eigenen Wortes, daß siegen werde, wer die stärksten Nerven besitzt!«[157] Vogels Porträtierung Hindenburgs leistete die symbolische Vorarbeit dafür, daß Hindenburg Ende August 1916 mit der Ernennung zum Chef der Obersten Heeresleitung wie einst Moltke in die höchste militärische Position einrücken konnte.[158]

Ungeachtet der symbolischen Aufladung Hindenburgs zum Urbild nationaler Eigenschaften blieb der Feldherrnruhm das Fundament für Hindenburgs Politikrepräsentation. Auch Hindenburg selbst sah in der Inszenierung als Feldherr das symbolische Kerngeschäft: Da er sich 1915 beim besten Willen noch keine Karriere als Staatsoberhaupt ausmalen konnte, blieb als Nukleus seiner Geschichtsmächtigkeit nur die militärische Leistungsbilanz übrig. Geschichtspolitik war ihm seit dem Geschenk des Tannenberg-Sieges zur zweiten Haut geworden. Er hatte den Sieg bei Ortelsburg symbolträchtig »Sieg von Tannenberg« getauft; denn ihm war früh bewußt, daß sein Nachleben in der Geschichte nicht unwesentlich davon abhing, wie weit er sich die historischen Urheberrechte an diesem Erfolg sichern konnte, die ja keineswegs eindeutig vergeben waren. Nachdem Hugo Vogel ihm die erste Anregung für eine bildliche Erfassung der Schlacht geliefert hatte, ging Hindenburg mit Eifer an die Realisierung dieser Idee. Er opferte unzählige Stunden und trieb Vogel immer wieder zur Arbeit an dem Tannenberg-Bild an, das dennoch erst im Sommer 1918 fertiggestellt wurde, was nicht zuletzt an der Perfektion des Initiators und am monumentalen Umfang des Werkes lag. Für eine mediale Verbreitung im Stile der übrigen Vogel-Gemälde war es damit zu spät; aber Hindenburg hatte bei dem Auftrag ohnehin weniger die Wirkung auf die Zeitgenossen als den Eindruck auf die Nachgeborenen im Sinn: »Er will, daß ein Dokument entsteht für die Nachwelt.«[159]

Wie sehr Hindenburg bei der Sache war und wie er Hugo Vogel mit Anweisungen bis ins kleinste Detail traktierte, läßt sich an der langwierigen Entstehungsgeschichte des monumentalen Gemäldes bestens ablesen. Bei der ersten konzeptionellen Besprechung am 30. Januar 1915 griff Hindenburg zur Verblüffung Vogels selbst zur Kohle und fertigte mit kräftigen Strichen einen ersten Entwurf an.[160] Vogel hielt sich an diese Regieanweisungen. Die von Hindenburg gewünschte dokumentarische Ausrichtung erforderte es, daß man die Situation nachstellte, wie und von wo aus Hindenburg und sein engerer Stab die Schlacht von Tannenberg am 29. August 1914 geleitet hatten. Dazu wurden am 3. Februar 1915 im Posener Hauptquartier die acht dafür in Frage kommenden Personen einschließlich Ludendorff aus der Arbeit gerissen und abkommandiert, um Vogel für Skizzen Modell zu stehen, wobei dieser die Szene auch fotografisch festhalten ließ. Wie Hindenburg sich die Dokumentation des Geschehens vorstellte, offenbart schon das Arrangement der Utensilien. Da er sich als ein kriegswissenschaftlich gereifter Militär in der Tradition des älteren Moltke verstand, durften die drei wichtigsten Instrumente nicht fehlen, die der deutschen Seite in Tannenberg den Sieg beschert hatten: der Kartentisch, das Scherenfernrohr zur Nahaufklärung und der Telefonapparat zur Übermittlung von Informationen.[161]

Hugo Vogel hatte nicht gedient, was man nicht nur den Unkorrektheiten an den Uniformen entnehmen konnte, die er zum Ingrimm Hindenburgs dem Feldmarschall und seiner Begleitung verpaßte. Doch beim Tannenbergbild kam es nicht nur darauf an, daß die richtige Anzahl von Uniformknöpfen sich in korrekter Farbe am vorgesehenen Platz befand. Hindenburg wünschte, das in der künstlerischen Umsetzung der Geist der Schlacht zum Ausdruck kam und sein Feldherrntum ins rechte Licht gesetzt wurde. Daher verordnete er Vogel einen militärischen Schnellkurs: Am 14. Februar 1915 schickte er ihn auf eine dreitägige Frontreise, bei der Hugo Vogel von Insterburg aus die noch nicht aufgeräumten Schlachtfelder der Masurenschlacht inspizierte und dabei reichlich Gelegenheit fand, brennende Ortschaften und Gefallene aus nächster Nähe zu studieren.[162] Nach seiner Rückkehr erhielt er Order, in Insterburg am lebenden Objekt die für das Tannenberg-Gemälde als erforderlich erachteten russischen Gefangenen zu skizzieren. Zu diesem Zwecke wurde er in das als Gefangenenlager dienende Insterburger Zuchthaus geschickt, wo er etwa dreihundert russische Soldaten, »prachtvolle Exemplare, meist aus Sibirien«, in ihren malerischen Mänteln zu Papier brachte und sich danach mit einigen hundert Zigaretten bei diesen Statisten bedankte.[163]

Hindenburg verlangte Vogel, einem kleinen Mann mit schwächlicher Konstitution, der gerade sein sechzigstes Lebensjahr vollendet hatte, in physischer Hinsicht enorm viel ab und trieb ihn bis an die Grenze der körperlichen Leistungsfähigkeit, worüber sich der Maler gelegentlich beklagte.[164] So sollten die Vorbereitungen zum Tannenbergbild mit einem Ortstermin auf dem Schlachtfeld abgeschlossen werden. Um vom Hindenburgschen Hauptquartier im ostpreußischen Lötzen nach Tannenberg zu gelangen, saß der Maler neun Stunden in der ungeheizten Eisenbahn. In Tannenberg selbst herrschte Ende Februar 1915 eine so grimmige Kälte, daß Vogel selbst mit zwei Pelzen übereinander nur halbwegs warm war.[165] Doch Hindenburg kommandierte Vogel ungerührt zu diesem Lokaltermin ab: »Sie müssen die Situation an Ort und Stelle kennenlernen und die notwendigen Studien machen.«[166] Als Begleitung gab er Vogel den Major von Baehr mit, der die Schlacht als Mitglied des engsten Stabes Hindenburgs mitgemacht hatte.[167] Darüber hinaus versah er Vogel mit detaillierten Anweisungen über die Komposition des Bildes, wobei die Modernität seiner Kriegführung deutlich werden mußte. Da Hindenburg die entscheidende Nachricht, daß die Umfassung der Narewarmee geglückt war, aus der Luft von einem deutschen Flieger überbracht worden war, mußte in der rechten oberen Ecke des Tannenbergbildes für ein Flugzeug Platz vorgesehen werden.

Nach Abschluß aller Vorbereitungen besaß Hugo Vogel eine Mappe voller Skizzen von Personen und Landschaften. Doch die Umsetzung der Skizzen in ein lebensgroßes Bild verschlang mehr Zeit, als Hindenburg recht war. Zunächst versuchte er Vogel zu mehr Tempo anzuspornen.[168] Doch als im Oktober 1915 nicht mehr als der Entwurf fertiggestellt war,[169] beschlichen Hindenburg immer größere Zweifel, ob es richtig war, allein auf Vogel zu setzen bei der Inszenierung als moderner Feldherr. Vogel schien mit dem ihm aufgebürdeten Mammutprogramm – schließlich hatte der Maler mehrere Hindenburg-Aufträge zugleich auszuführen – überfordert und benötigte immer längere Erholungspausen.

Die Situation entspannte sich mit dem Erscheinen Walter Petersens, der im November 1915 für das Hannoveraner Kestner-Museum ein Hindenburgbild abzuliefern hatte. Auch ihm diktierte Hindenburg, wie er dargestellt zu werden wünschte: als moderner Feldherr, der mit der Karte in der Hand die Schlacht gewissermaßen liest und entsprechende Anweisungen erteilt.[170] Diese Feldherrnpose stellte keine Konkurrenz zum Projekt des Tannenberg-Gemäldes dar, weil sie auf eine andere Schlacht übertragen werden konnte, wozu sich in erster Linie die Winterschlacht in Masuren bei Lyck anbot.[171] Hindenburg nahm in Kauf, den Auftraggeber bitter zu enttäuschen, weil im kalten Winter Ostpreußens sein Charakterkopf unter einer dicken Feldherrnmütze zu verschwinden drohte.[172] Doch nur wenn sein Kopf zurücktrat, kam er als Schlachtenlenker erst richtig zur Wirkung. Hindenburg befand sich in einer derartig unantastbaren Position, daß der Maler ihm seine Wünsche nicht abschlagen konnte. Auch der Auftraggeber verbarg seine Enttäuschung und bezahlte das fertige Gemälde, obgleich er eigentlich ein ganz anderes Bild bestellt hatte. Hindenburg aber hatte seinen Willen durchgesetzt und war von Petersen für die Nachwelt in Feldherrnmanier verewigt worden.

Die Vollendung des Tannenberg-Gemäldes schritt unterdessen nur langsam voran. Als Vogel für die Arbeit an der Darstellung der Operationsabteilung OberOst im Oktober 1916 ins Große Hauptquartier nach Pleß kam, verfügte er noch immer nur über diverse Skizzen, die erst noch durchkomponiert werden mußten. Obgleich der in Pleß weilende Kaiser mit guten Ratschlägen nicht sparte, ließ Hindenburg keinen Zweifel aufkommen, daß er allein über die Komposition des Gemäldes zu befinden habe.[173] »Im übrigen wird es so gemacht, wie ich es will«, ordnete der Chef der 3. Obersten Heeresleitung lapidar an.[174] Erst am 11. Januar 1917 gab er der Vorlage Hugo Vogels seinen Segen[175] und ließ sich auch durch Wilhelm II. nicht beirren, der sich wiederum einmischte. Der Kaiser suchte Einfluß zu nehmen, indem er Hugo Vogel den noch fehlenden Käufer für das Gemälde vermittelte. Am 15. Januar 1917 teilte der Chef des Geheimen Zivilkabinetts, Rudolf von Valentini, dem Maler diese kaiserliche Absicht mit.[176] Die zwischen Valentini und Vogel vereinbarte Lösung, daß ein privater Stifter gesucht werden sollte, damit man das Tannenberg-Gemälde in eine öffentliche Sammlung überführen konnte ohne staatliche Mittel dafür aufzuwenden, schien sich im September 1917 zu realisieren. Mit dem Rittergutsbesitzer Otto Wrede aus Hornhausen bei Oschersleben (Provinz Sachsen) fand sich ein solch edler Spender, der Hindenburg das Tannenbergbild antrug, aber daran die verschlüsselte Auflage knüpfte, daß Hindenburg diese Schenkung der »Ruhmeshalle« – einem für die Selbstdarstellung der Militärs vorgesehenen Raum in einem geplanten »Reichskriegsmuseum« – zur Verfügung stellte.[177]

Hindenburg reagierte äußerst ungehalten, weil er in den beiden zentralen Punkten der medialen Deutungskontrolle nicht mit sich handeln lassen wollte: Ihm oblag die Autorisierung des Bildinhalts, und er bestimmte die Käufer der von Vogel verfaßten Gemälde. In scharfer Weise ließ er Hugo Vogel über seinen Adjutanten zurechtweisen und erinnerte ihn unmißverständlich an die Abmachung, nach der »kein auf den Feldmarschall bezügliches Bild verkauft werden sollte, bevor dieser nicht sein Einverständnis mit der Ausführung des Bildes und mit der Wahl der Person des Käufers erklärt habe«.[178] Der Gerügte konnte allerdings auf die kaiserliche Favorisierung dieses Verfahrens verweisen, so daß Hindenburg sich genötigt sah, um des lieben Friedens willen auf die Bestimmung des Käufers und damit die Verwendung des Gemälde zu verzichten. Er nahm sich allerdings heraus, die ihm zugedachte Schenkung des Gutsbesitzers Wrede abzuweisen, was einer Brüskierung des Stifters wie der Schenkung gleichkam, und leitete das Tannenberg-Gemälde an den Kaiser weiter, der damit nach eigenem Gutdünken verfuhr und es provisorisch unterbrachte.[179]

Das alles hinderte Hindenburg nicht daran, höchstpersönlich das allmählich der Fertigstellung zustrebende Tannenberg-Gemälde zu begutachten. Der Chef des Generalstabs des Feldheeres nutzte einen Aufenthalt in Berlin, um am 24. und 25. Januar 1918 in Vogels Atelier am Wannsee eine Generalinspektion vorzunehmen.[180] Wieder einmal musterte er penibel, ob die Uniformen auch mit den korrekten Rangabzeichen versehen waren, worüber er Vogel sogar detaillierte handschriftliche Instruktionen erteilte.[181] Nachdem Vogel das meiste gemäß den Anweisungen Hindenburgs nachgebessert hatte, blieb nur noch die Beanstandung, daß Vogel Hindenburg in grauer Uniformhose statt in der schwarzen Litewka gemalt hatte. Hindenburg drückte schließlich beide Augen zu, nachdem auch der Generaldirektor der Königlichen Museen zu Berlin, Wilhelm von Bode, in der Hosenfrage zugunsten des Malers interveniert hatte.[182] Vogels Riesenbild wurde der Öffentlichkeit auf der Großen Kunstausstellung in der Akademie der Künste vom 14. September bis zum 17. November 1918 präsentiert.[183] Nach dem Krieg landete es nach einer Irrfahrt schließlich im Stadtverordnetensaal der Stadt Potsdam, der im Potsdamer Stadtschloß untergebracht war.[184]

Es gab noch ein weiteres Hindenburg-Gemälde Hugo Vogels, in das Hindenburg sehr viel Herzblut steckte, das aber ebenfalls von den Kriegsereignissen gewissermaßen überrollt wurde: Hindenburg am Ufer der Nogat in Marienburg am Abend des 23. August 1914, dem Tag seines Eintreffens auf dem östlichen Kriegsschauplatz. Eine gewisse Sentimentalität Hindenburgs, der sein Empfinden beim Betreten des gefährdeten Heimatbodens verewigt sehen wollte, hatte hierbei Pate gestanden. Von den Empfindungen dieses Tages hatte er noch am Abend brieflich seiner Frau Mitteilung gemacht, die diesen Moment ebenfalls festhalten wollte.[185] Als Hindenburg das Gemälde Ende Januar 1918 zum letzten Mal persönlich inspizierte, war es noch weit von der Vollendung entfernt.[186] Nach Kriegsende blieb das noch unverkaufte Werk im Besitz des Malers, bis es 1926 von der Verwaltung der Marienburg erworben wurde.[187] Die Öffentlichkeit war während des Krieges nur über die Vorstudien zum Marienburgbild informiert worden.[188] Dabei war dieses Gemälde die vielleicht eindrucksvollste Darstellung Hindenburgs als väterlicher Beschützer: Hindenburg als Wächter an der Nogat, die flüchtenden Frauen und Kinder im Visier und mit dem Ausdruck fester Entschlossenheit, die Heimaterde zu verteidigen.

Hindenburg eroberte den öffentlichen Raum aber nicht nur durch die Macht und Flut seiner Bilder. Auch das geschriebene Wort leistete hierzu einen erheblichen Beitrag, wenngleich hier seine Möglichkeiten der Selbstinszenierung eingeschränkt waren. Der Feldmarschall konnte Malern und Bildhauern sein Bildprogramm mehr oder weniger diktieren, Journalisten und Schriftstellern aber nicht so einfach die Feder führen. Auf die Ende 1914 explosionsartig anwachsende Hindenburg-Berichterstattung in Zeitungen und Büchern vermochte er nur wenig Einfluß zu nehmen.

Diese Flut von Veröffentlichungen legt eindrucksvolles Zeugnis davon ab, wie sich eine symbolisch ausgehungerte Gesellschaft seiner Person bemächtigte. Da die informationshungrige Öffentlichkeit über den Sieger von Tannenberg praktisch nichts wußte, wurde Hindenburg in den ersten Wochen nach Tannenberg anfänglich manche Legende angedichtet. Danach schlug die Stunde von Bekannten und ehemaligen militärischen Weggefährten, deren Schilderungen seines Lebensweges die Öffentlichkeit begierig aufsog, ohne daß Hindenburg den Informationsfluß lenken konnte. Doch bald schaltete er sich zumindest indirekt ein und versorgte die geradezu sehnsüchtig wartende Öffentlichkeit mit Berichten aus erster Hand. Im Februar 1915 erschien die erste autorisierte Schrift über Hindenburg als Soldat und Mensch, verfaßt von seinem Bruder Bernhard, der als Schriftsteller dafür prädestiniert war.[189]

Mit seiner dichterischen Neigung war Bernhard von Hindenburg in der soldatisch geprägten Familie ein wenig aus der Art geschlagen. Doch dieser Umstand entpuppte sich im Winter 1914/15 als handfester Vorteil, weil er die Kunst des Schreibens beherrschte und als enges Familienmitglied zugleich die Gewähr dafür bot, daß die Öffentlichkeit mit Informationen gefüttert wurde, die dem Feldmarschall genehm waren. Das Lebensbild des berühmten Bruders zum Preis von einer Mark wurde erwartungsgemäß zum Bestseller, der hundert Auflagen erlebte und mindestens hundertzwanzigtausendmal gedruckt wurde.[190] Die Zeitungen stürzten sich geradezu auf diese autorisierte Hindenburg-Biographie, um mehr über den Menschen Paul von Hindenburg zu erfahren. »Zum ersten Male tritt uns hier die Gestalt des großen Siegers ... in einer Fülle von persönlichen Zügen menschlich näher ... Dieses Buch wird das Band der Liebe noch enger knüpfen, das das deutsche Volk mit seinem Helden verbindet, denn der eherne Klang seiner Taten empfängt so die weichere Resonanz des bedeutenden Menschen, der hinter diesen Schlachten und Siegen steht.«[191] Auch im Ausland nahm man das Werk zur Hand, um der Persönlichkeit Hindenburgs auf den Grund zu gehen.[192]

Die Biographie begleitete Paul von Hindenburg auf allen Stationen seines Lebensweges und unterbreitete eine Fülle prägnanter Selbstzeugnisse und Aussagen über ihn von der Geburt in Posen 1847 bis zum Pensionärsdasein in Hannover. Aus diesem Lebensbild schöpften mehr oder weniger intensiv alle künftigen Hindenburg-Biographen, wenn sie sich über die Ursprünge der Familie, die Kindheit, die Kadettenzeit oder die militärische Karriere ausließen. Es war ein Hindenburg zum Anfassen, der von dem elf Jahre jüngeren Bruder präsentiert wurde; kein unheimlicher Kriegsgott oder blitzeschleudernder Zeus, sondern ein Familienmensch, frommer Christ und heimatverbundener Ostpreuße. Eine so reich bebilderte und mit persönlichen Zeugnissen angereicherte Studie konnte nicht ohne die tatkräftige Unterstützung des Porträtierten zustande kommen. Allem Anschein nach war es Hindenburgs Frau Gertrud,[193] die ihrem Schwager die notwendigen Unterlagen zur Verfügung stellte, darunter Hindenburgs Schulzeugnis aus dem Jahre 1859, die Briefe des jungen Kadetten an seine Mutter und die Schreiben des im Deutsch-Französischen Krieg eingesetzten Leutnants an seine Familie.

Hindenburg war in Pressefragen von Anfang an rührig und intensivierte mit wachsendem Erfolg seine Kontakte zu jenen Vertretern der schreibenden Zunft, die sich berufsmäßig in seiner Nähe aufhielten: den Kriegsberichterstattern. Auf deren Auswahl, die der Abteilung IIIb des stellvertretenden Generalstabs oblag,[194] hatte er zwar keinen Einfluß, aber er konnte mit einer hohen Präsenz in der Presse rechnen, wenn es ihm gelang, ein Vertrauensverhältnis zu den Kriegsberichterstattern der ersten Stunde herzustellen. Zumindest zu Paul Lindenberg unterhielt er einen solch fruchtbaren Kontakt. Lindenberg war es gewesen, der den allerersten Bericht über den Sieg bei Tannenberg verfaßt und an die Reaktion des »Berliner Tageblatts« weitergeleitet hatte. Dieses hatte die Exklusivnachricht noch am Abend des 30. August 1914 in einem Extrablatt veröffentlicht.[195] Denn der findige Journalist Lindenberg hatte sich sofort an die Fersen Hindenburgs geheftet, über dessen Person und militärischen Werdegang er sich im Unterschied zu seinen Berufskollegen kundig gemacht hatte. Aus allernächster Nähe durfte er miterleben, wie Hindenburg in seinem Privatquartier, dem Hotel »Kühl« im ostpreußischen Osterode, am 1. September 1914 auf die Ernennung zum Generaloberst anstieß.[196] Es war nur folgerichtig, daß Lindenberg der im Dezember 1914 erschienenen Sammlung seiner Kriegsberichte den Titel »Gegen die Russen mit der Armee Hindenburgs« gab.[197]

Wie eng die aus den gemeinsam verlebten historischen Tagen auf ostpreußischem Boden herrührende Beziehung zwischen Hindenburg und Lindenberg war, geht daraus hervor, daß Lindenberg auserkoren wurde, Hindenburgs Frau persönlich von jenen Erlebnissen zu berichten. Lindenberg nutzte eine krankheitsbedingte Abwesenheit von der Front, um Anfang Januar 1915 Gertrud von Hindenburg über die Taten ihres auf einen Schlag so berühmt gewordenen Mannes zu berichten.[198] Fortan durfte er sich zu den Freunden des Hauses Hindenburg rechnen, wofür er sich publizistisch revanchierte. Es war dieser alte journalistische Weggefährte Hindenburgs, der zum 75. Geburtstag des Feldmarschalls im Jahre 1922 eine reich illustrierte Hindenburg-Festgabe herausbrachte.[199]

Aber auch gegenüber anderen Journalisten verhielt Hindenburg sich keinesfalls pressescheu. Er behandelte sie stets mit ausgesuchter Höflichkeit, räumte ihnen einen Platz an seiner Abendtafel ein und erzielte allein dadurch im Regelfall nachhaltige Wirkung. Paul Goldmann, der Berliner Korrespondent der in Wien erscheinenden »Neuen Freien Presse«, war auf diese Weise im November 1914 zu dem aufsehenerregenden Interview mit dem Feldmarschall gekommen, das sogar als Sonderabdruck in broschierter Form publiziert wurde.[200]

Letztlich hielten sich Hindenburgs Gestaltungsmöglichkeiten in Sachen Pressepolitik jedoch in Grenzen. Er konnte keine Berichterstatter anfordern und sie in sein Hauptquartier dirigieren. Ob sich aus Zufallsbekanntschaften wie der mit Paul Goldmann und anderen seiner Berufskollegen, die aus eigener Initiative den Weg nach OberOst gefunden hatten, ähnlich enge Beziehungen wie zu Paul Lindenberg entwickelten, war gänzlich unwägbar. Auch der eine oder andere Schriftsteller machte sich als Schlachtenbummler auf die beschwerliche Tour gen Osten. Der prominenteste von ihnen war zweifellos der als Heimatdichter bekannt gewordene Ludwig Ganghofer, der sich auch auf dem westlichen Kriegsschauplatz tummelte und dort die Nähe zum Kaiser suchte. Während Ganghofer aber im Großen Hauptquartier von den Höflingen des Kaisers, die sein Naturburschentum nicht schätzten, kaltgestellt wurde,[201] genoß er im Hauptquartier des Ostens im September 1915 die Gastfreundschaft Hindenburgs.[202]

Der wohl wichtigste literarische Botschafter Hindenburgs war zu diesem Zeitpunkt aber der schwedische Forschungsreisende Sven Hedin. Der weltbekannte Entdecker vereinigte eine Vielzahl von Vorzügen: Er verstand sich auf die literarische Darstellung seiner Abenteuer und machte aus seiner emphatischen Bewunderung für Deutschland kein Hehl. Ihm wurde die uneingeschränkte Unterstützung aller deutschen Dienststellen zuteil, als er sich im September 1914 auf die Suche nach Kanonendonner und pfeifenden Schrapnells machte. Zuerst stattete er der Westfront einen ausgedehnten Besuch ab, ehe er Ende Februar 1915 gen Osten aufbrach, wo er am 1. März 1915 von Hindenburg im ostpreußischen Lötzen empfangen wurde.[203] Hier trafen zwei Geistesverwandte aufeinander: der Weltenbummler, der sich mit großem literarischen Geschick als kühner Abenteurer in Szene zu setzen verstand, und der Militär, der instinktsicher Öffentlichkeitsarbeit betrieb und den Stiefeln des Nur-Militärs längst entwachsen war. Hedin und Ganghofer waren zwar nur zwei von unzähligen Stimmen, die Hindenburg als eindrucksvolle Persönlichkeit schilderten, deren kraftspendender Quell unerschütterliche Ruhe sei.[204] Aber ihr Wort besaß besonderes Gewicht.

Das Bild von Hindenburg als einem sich im Laufe des Jahres 1915 allmählich selbst entdeckenden Symbolpolitiker findet seine Abrundung durch seine ersten Pläne zu einer Autobiogaphie. Obgleich viele Hintergründe dieser Absicht noch im dunkeln liegen, reichen die vorhandenen Zeugnisse aus, um Hindenburgs Sinn für Geschichtspolitik aufscheinen zu lassen. Der Feldmarschall konnte dann den stärksten Einfluß auf das über ihn vermittelte Geschichtsbild nehmen, wenn er selbst sich in autoritativer Weise einschaltete. Angesichts der ihm fast ausnahmslos zuteil werdenden kritiklosen Verehrung konnten seine Erinnerungen mit ungeteilter öffentlicher Aufmerksamkeit rechnen. Die Realisierung seines Plans setzte allerdings voraus, daß sich ein Ghostwriter fand, der seine Sicht in entsprechende literarische Formen zu kleiden vermochte. Denn daß der Feldmarschall selbst Zeit und Kraft für eine solch arbeitsaufwendige Aufgabe erübrigte, war während des Krieges ausgeschlossen.

Mit Otto Hoetzsch, dem Extraordinarius für osteuropäische Geschichte und Landeskunde an der Berliner Universität, fand sich der passende Mann für diese viel Fingerspitzengefühl voraussetzende Herausforderung. Was Hoetzsch qualifizierte, waren zum einen seine berufsmäßigen Kontakte zum preußischen Generalstab: Er hatte vor der Erlangung seiner Professur von 1911 bis 1913 das Hindenburg besonders am Herzen liegende Fach Geschichte an der Preußischen Kriegsakademie unterrichtet. Zum anderen konnte er in politischer Hinsicht als zuverlässig eingestuft werden, da er seit November 1914 zum außenpolitischen Kommentator der preußisch-konservativen »Kreuzzeitung« aufgestiegen war, Hindenburgs bevorzugtem Journal.[205] Schließlich dürfte eine nicht zu unterschätzende Rolle gespielt haben, daß Hoetzsch ein ausgesprochener Rußland-Experte war. Die Nominierung von Hoetzsch verdeutlicht damit auch, wie sehr Hindenburg im Jahre 1915 noch mit dem östlichen Kriegsschauplatz in Verbindung gebracht wurde. Er war der Feldherr des Ostens, noch nicht des gesamten Frontverlaufs.

Im Februar und im April 1915 sowie im Februar 1916 suchte Hoetzsch den Feldmarschall in dessen Hauptquartier auf, um Material zu sammeln.[206] Warum das Buchprojekt dann über erste Vorstudien nicht hinauskam, muß mangels aussagekräftiger Quellen im Dunstkreis der Vermutung bleiben. Viel spricht dafür, daß nach dem erneuten militärischen Karriereschub Hindenburgs – seiner Beförderung zum Chef der 3. Obersten Heeresleitung Ende August 1916 – die Zeit für eine Bilanz seines Wirkens einfach noch nicht reif war. Außerdem war in Kriegszeiten aus Geheimhaltungsgründen der Zugriff zu den amtlichen Dokumenten erschwert, was das Projekt ebenfalls nicht befördert haben dürfte.[207]

Mustert man Hindenburgs vielfältige Aktivitäten auf dem Feld medialer Inszenierung, drängt sich unwillkürlich die Frage auf, wie diese zeitraubenden Tätigkeiten mit den Aufgaben des Oberbefehlshabers Ost zu vereinbaren waren. Unbestritten gehört die Fähigkeit zum Delegieren zu den maßgeblichen Voraussetzungen militärischer Führung. Ein Militär wie Hindenburg mußte also nicht Tag und Nacht über den Kartentisch gebeugt alle Operationen persönlich anordnen und dirigieren. »Ein Feldherr darf nur die großen Linien angeben. Die Einzelheiten muß er seinen Untergebenen überlassen.«[208] Auch andere Armeeführer hielten es ähnlich. Feldmarschall August von Mackensen etwa verzehrte sich auch nicht zwölf bis vierzehn Stunden am Tag in militärischen Angelegenheiten. Für die operative Arbeit im engeren Sinne besaßen beide Feldmarschälle ihre mit überragenden militärischen Fähigkeiten ausgestatteten Stabschefs: Was Ludendorff für Hindenburg war, war für Mackensen der Oberst und im Verlaufe des Krieges zum Generalmajor aufsteigende Hans von Seeckt.[209]

Trotz dieser Rollenverteilung zwischen dem Oberkommandierenden und seinem Stabschef sprengte Hindenburgs Auffassung von seiner Funktion den Rahmen des Üblichen. Gewiß hielt er sich in operativen Fragen auch deswegen mehr als alle anderen vergleichbaren Armeeführer zurück, weil er drei Jahre lang inaktiv gewesen war und auch seinem fortgeschrittenen Alter Tribut zollen mußte.[210] Die bei ihm ohnehin nie besonders stark ausgeprägte geistige Spannkraft ließ nach, was seine Entschlußkraft in militärischen Dingen nicht gerade beförderte. Alte militärische Weggefährten konnte dies nicht verblüffen, doch angesichts der Wucht des Hindenburg-Mythos wurde darüber nur hinter vorgehaltener Hand berichtet: »Hindenburg ist immer ein kluger Mann gewesen mit einer raschen Auffassungsgabe, aber Initiative hat er nie für 10 Pfennige gehabt.«[211]

Hindenburg hielt sich daher in einem selbst für einen Armeeführer ganz außergewöhnlichen Maße von der operativen Arbeit fern und konzentrierte sich auf symbolpolitisch verwertbare Aktivitäten. Woher ein vielbeschäftigter Feldherr die Zeit für derartig viele vermeintliche Nebenbeschäftigungen nahm, überschritt schon die Vorstellungskraft der Zeitgenossen, die sich keinen rechten Reim darauf machen konnten. »Und noch etwas ist seltsam an ihm: Er findet zu allem Zeit.«[212] Die Antwort ist simpel: Die Nebensachen gerieten Hindenburg zur Hauptsache. Man kann es nicht deutlich genug hervorheben: Hindenburg behielt während der ersten beiden Kriegsjahre den Lebensrhythmus eines pensionierten Generals in verblüffender Weise bei.[213] »Er arbeitet, geht spazieren, ißt und schläft zur selben Zeit und ebenso lange wie im Frieden.«[214]

Sein Tagesablauf im Krieg war strukturiert wie in seinem Hannoveraner Heim: Um 7 Uhr – beziehungsweise um 6 Uhr im Sommer – stand er auf und verbrachte dann nach dem ersten Frühstück die Zeit bis gegen 11 Uhr mit diversen Tätigkeiten, die beileibe nicht alle die militärische Arbeit in seinem Stab betrafen. Mustert man seine quellenmäßig besonders gut überlieferten Aufenthalte in OberOst, dann springt ins Auge, wieviel Zeit Hindenburg allein für die Porträtsitzungen mit diversen Malern und Bildhauern aufwandte. Allein Hugo Vogel saß er insgesamt sieben Wochen lang jeden Vormittag Modell,[215] das provisorische Atelier von Walter Petersen suchte er im Sommer 1915 über fast vier Wochen und im Herbst 1915 für nahezu sechs Wochen täglich auf.[216] Büroarbeit bestand bei Hindenburg zu nicht unwesentlichen Teilen aus der Erledigung seiner persönlichen Korrespondenz. Hindenburgs Erster Adjutant, Major Caemmerer, sortierte den Berg von Post, der Hindenburg täglich erreichte, zunächst vor und trug ihn bis auf einen kleinen Rest ab, der auf dem Schreibtisch seines Vorgesetzten landete. Diese wichtige Post beantwortete Hindenburg eigenhändig. Nach den Briefen zu urteilen, die sich in den Archiven erhalten haben, investierte Hindenburg erhebliche Energie in diese Korrespondenz. Denn er gab sich stilistisch, orthographisch und grammatikalisch nicht die geringste Blöße, sein Deutsch war makellos. Da Hindenburg mit seinem ausgeprägten Sinn für Pünktlichkeit die an ihn gerichtete Korrespondenz ohne Umschweife zu beantworten pflegte, beanspruchte diese Tätigkeit täglich mehrere Stunden. In erster Linie handelte es sich um Korrespondenzpartner, die Hindenburg nahestanden oder von Bedeutung waren. Aber sein ausgeprägtes Pflichtgefühl hielt ihn auch nicht davon ab, »Dankesbriefe an beliebige Personen«[217] eigenhändig zu schreiben.

Hindenburgs Schreibtischarbeit endete gegen 11 Uhr, weil dann der tägliche Spaziergang auf der Tagesordnung stand. An dieser Gewohnheit hielt Hindenburg eisern fest, zum einen weil sein Arzt ihm regelmäßige Bewegung verordnet hatte,[218] zum andern weil sich diese Sitte in seiner Hannoveraner Zeit eingebürgert hatte, als Hindenburg in der Eilenriede spazierenzugehen pflegte.[219] Auf dem etwa zweistündigen Spaziergang war er meist in Begleitung seines Ersten Adjutanten Caemmerer, gelegentlich sprangen auch Vertraute wie Hugo Vogel ein.[220] Die Ordonnanz folgte in Sichtweite. Auch in der kalten Jahreszeit verzichtete Hindenburg nicht darauf, frische Luft zu schnappen, wenngleich aus dem Spaziergang aufgrund der Witterung dann gelegentlich eine Spazierfahrt mit dem Auto wurde.[221]

Pünktlich um 13 Uhr erschien Hindenburg am Mittagstisch und verlangte

auch von seinen engsten Mitarbeitern, sich ungeachtet der Hektik des Alltagsbe-
triebes strikt an diese feste Essenszeit zu halten.[222] Gegen 14 Uhr wurde die Tafel
aufgehoben, und Hindenburg zog sich bis gegen 16 Uhr zu einem Mittagsschlaf zurück.[223] Der Feldmarschall, der bekanntlich über einen gesegneten Schlaf verfügte,
begab sich zur Mittagsruhe in sein Schlafzimmer.[224] Hindenburg verheimlichte
sein ausgeprägtes Schlafbedürfnis keineswegs, eliminierte aber das emphatische
Bekenntnis zur heilsamen Wirkung des Mittagsschlafes, das noch im ersten Entwurf der Memoiren gestanden hatte. Denn die Bemerkung, daß er »immer das Gefühl (hatte), daß unser himmlischer Vater mit denjenigen seiner Kinder besonders
gerne arbeitet, die rechtzeitig und ausreichend zu schlafen verstehen«,[225] mochte
nicht nur auf die sich in rastloser Arbeit aufreibenden Mitarbeiter seines Stabes geradezu aufreizend wirken.

Gegen 16 Uhr begann dann der zweite Tagesabschnitt, an dem Hindenburg
zumindest häufiger mit militärischen Dingen befaßt war, aber auch einen Nach-
mittagsspaziergang nicht verschmähte.[226] Nicht nur gelegentlich nahm er sich
überdies die Freiheit zu längeren Ausflügen, vor allem als sein Hauptquartier sich
im masurischen Lötzen befand und seine Frau sich anläßlich der Silberhochzeit
am 16. April 1915 und dann wiederum zum Geburtstag ihres Mannes am 2. Oktober
für einige Wochen auf dem in der Nähe gelegenen Gut des Grafen Lehndorff in
Steinort aufhielt.[227] Von Lötzen aus gelangte Hindenburg gewöhnlich mit dem
vom Ullstein-Verlag überlassenen Motorboot über den Mauersee dorthin. Hin
und wieder wurden auch Bootsfahrten auf dem direkt an Lötzen angrenzenden
Löwentinsee unternommen.[228]

Der nächste unverrückbare Termin in Hindenburgs Tagesablauf war das
Abendessen, das stets um 20 Uhr eingenommen wurde. Auch Ludendorff mußte
sich dem eisernen Diktat beugen und brav zur abendlichen Tafel erscheinen. Während für diesen das Abendessen nur eine unumgängliche Nahrungsaufnahme
darstellte, war es für Hindenburg eine gesellige Veranstaltung, zu der wie selbstverständlich eine ausgedehnte Unterhaltung gehörte, die mindestens bis 23 Uhr
dauerte. Während Ludendorff nur darauf wartete, sich endlich davonstehlen zu
können und das Tischgespräch nur mit halbem Ohr verfolgte, weil er mit den Gedanken am Kartentisch war, blühte Hindenburg in der geselligen Runde richtig
auf. Meistens verabschiedeten sich Ludendorff und die anderen Generalstäbler bereits gegen 21.15 Uhr,[229] um bis Mitternacht noch dienstliche Angelegenheiten zu
erledigen; Hindenburg dagegen entfaltete sich nun als Gastgeber der Abendgesellschaft, deren Tischgespräch er souverän steuerte und das er aufgrund seines
trockenen Humors mit mancher Heiterkeit würzte. Zu den ständigen Mitgliedern

der Tischgesellschaft gehörten der Territorialdelegierte des Roten Kreuzes, Ernst zu Hohenlohe-Langenburg, der Bevollmächtigte Österreich-Ungarns, ein Hauptmann von Fleischmann, Hugo Vogel, Hindenburgs Adjutant Caemmerer, sein Leibarzt von Kern sowie die gerade im Hauptquartier anwesenden Gäste.[230] Dieser Kreis machte es sich nach dem Essen im kleinen Salon bequem, wobei Hindenburg von einem großen Lederstuhl aus präsidierte. Bier sowie im Winter Punsch und im Sommer Bowle durften bei der abendlichen Runde nicht fehlen, die erst dann endete, wenn der Feldmarschall das Signal zum Aufbruch gab.[231] Den Tag ließ Hindenburg mit leichter Bettlektüre ausklingen – mit Vorliebe griff er vor dem Einschlafen zu illustrierten Zeitungen, Witzblättern wie dem »Kladderadatsch« oder zu Kriminalgeschichten.[232] Ludendorff war in den insgesamt mehr als vier Jahren gemeinsamer Tätigkeit so taktvoll, Hindenburgs Nachtruhe kein einziges Mal zu stören. Er selbst hatte ein Telefon neben dem Bett stehen, um jederzeit erreichbar zu sein.[233]

Es läßt sich also konstatieren, daß der Krieg Hindenburgs Lebensgewohnheiten nicht grundlegend verändert hatte. Mancher Besucher dürfte höchst erstaunt gewesen sein, daß der als militärischer Genius gefeierte Feldmarschall einen großen Teil des Tages mit Spaziergängen, Mittagsschlaf und Abendunterhaltungen verbrachte. Dieser ganz private Hindenburg entsprach so gar nicht dem Bild, das sich die Öffentlichkeit von ihrem Kriegshelden machte. Aber man sollte die politische Seite von Hindenburgs Alltagsgestaltung nicht geringschätzen. Dem Rückzug Hindenburgs aus der operativen Arbeit seines Stabes stand ein enormer Gewinn an kommunikativer Kompetenz gegenüber, was sich letztlich in politischer Münze auszahlte. Daß Hindenburg die Leitung der militärischen Operationen Ludendorff und dessen Mitarbeitern weitgehend überließ, schadete seinem Feldherrnnimbus nicht, da jeder vom Ostheer errungene Erfolg automatisch dem Oberbefehlshaber gutgeschrieben wurde. Das war ein Ergebnis der Kommunikationsprozesse, an denen Hindenburg als ein äußerst reger Akteur mitwirkte – auch in seiner Eigenschaft als Gastgeber in OberOst. Gezielt ergänzte Hindenburg die abendliche Tafelrunde durch Gäste, »die er bevorzugt und länger sprechen will«:[234] Oberpräsidenten, Fürsten, hohe Beamte und auch Großherzöge schätzten die Ehre, dazugeladen zu werden, wenn sie sich in Hindenburgs Hauptquartier aufhielten.[235] Den Volkshelden von seiner persönlichen Seite kennenzulernen, sich von seinem rauhen Charme bezaubern zu lassen und seine erfahrungsdurchtränkten Ansichten zu Kriegführung und Politik zu hören, hinterließ gewöhnlich einen nachhaltigen Eindruck. Hindenburg konnte gerade in diesem Zirkel als großer Kommunikator glänzen und Meinungsführer dauerhaft für sich gewinnen.

Kaiser Wilhelm II. und Generalfeldmarschall
Paul von Hindenburg in Posen, Postkarte nach einer
Fotografie der Kaiserin vom Juli 1915

KAPITEL 6

Erste politische Gehversuche

Das von Hindenburg seit Ende 1914 allmählich angehäufte symbolische Kapital ermöglichte es dem Feldmarschall, sich in politische Entscheidungsabläufe einzuschalten. Sein Weg in die Politik verlief allerdings nicht geradlinig, was angesichts
der Ausgangssituation auch verwunderlich gewesen wäre. Ein bis 1914 nicht öffentlich hervorgetretener General im Ruhestand konnte sich nicht auf einen Schlag
als jemand entdecken, der politische Gestaltungsansprüche anmelden und damit
Herrschaft beanspruchen konnte. Schon die wundersame Entwicklung nach der
Reaktivierung, seine steile Karriere zum Generalfeldmarschall, war Anlaß genug,
sich mehr als einmal verwundert die Augen zu reiben und sich der Realität des Ge-
schehenen zu vergewissern. Nur peu à peu konnte er sich an die ungewohnte politische Rolle herantasten. Er tat dies allerdings mit Beharrlichkeit und offenbarte
damit, daß er Gefallen an der Erweiterung seines Aktionsfeldes gewann und keineswegs gegen seinen Willen auf bislang unbekanntes Terrain geriet.

Bereits im Januar 1915 überschritt Hindenburg den Rubikon und startete einen
energischen Versuch, sein Renommee als Kriegsheld sowie seine symbolische Leistung in politischen Einfluß umzumünzen. Er gab sich dabei erst gar nicht mit politischen Nebensächlichkeiten ab, sondern zielte mit seinem Vorstoß direkt in das
Herrschaftszentrum: Er wollte nicht weniger als dem Kaiser die diesem allein zustehende militärische Kommandogewalt beschneiden, indem er in ultimativer
Form die Ablösung des Chefs des Generalstabes des Feldheeres von Wilhelm II.
verlangte. Um dem Kaiser eine solche Personalentscheidung abzutrotzen, fuhr
Hindenburg das schwere Geschütz der Rücktrittsdrohung auf. Indem er nicht einmal vor einer politischen Kraftprobe mit seinem Obersten Kriegsherrn zurückschreckte, lieferte er einen eindeutigen Beleg dafür, daß er sich ganz und gar nicht
von jener altpreußischen Vasallentreue leiten ließ, die ihm manche Historiker attestieren.[1]

Diese erste politische Aktion Hindenburgs verdient es daher, daß man ihr ge-
bührende Aufmerksamkeit schenkt. Denn sie stellte den Durchbruch dar, nach

dem nichts mehr so war wie vorher. Hindenburg büßte seine politische Unschuld ein und fiel beim Kaiser in Ungnade, aber politisch befand er sich von nun an in einer aussichtsreichen Warteposition.

Es war nicht Hindenburg, der die seit Dezember 1914 immer vehementer vorgetragenen Versuche koordinierte, den Kaiser zur Ablösung Erich von Falkenhayns, des Chefs der 2. Obersten Heeresleitung, zu bewegen. Die Initiative dafür ging zunächst vom Reichskanzler aus, der allerdings aufgrund seines mehr als begrenzten Einflusses auf dem Gebiete der Militärpolitik nach Bundesgenossen Ausschau hielt, womit Hindenburg automatisch in sein Blickfeld rückte. Was aber störte Theobald von Bethmann Hollweg so an Falkenhayn, daß er mit allen Mitteln einen Personalwechsel an der Spitze der Obersten Heersleitung herbeizuführen trachtete?

Bethmann warf dem General vor, daß er alle militärischen Siegeshoffnungen aufgegeben habe und von der Politik Auswege einfordere, die nicht zu realisieren beziehungsweise politisch unerwünscht seien. Der Chef der 2. OHL war davon überzeugt, daß nach dem Scheitern des Bewegungskrieges im Westen eine militärische Konfrontation sowohl mit England als auch mit Rußland und Frankreich in die Niederlage führen mußte. In der verfahrenen Lage könne nur die Politik weiterhelfen, indem sie die Weichen für einen Separatfrieden mit Rußland stellte, was entscheidende Auswirkungen auf die französische Kriegsmoral nach sich ziehen müsse. Mit einem politisch isolierten England glaubte der Englandfeind Falkenhayn dann militärisch alleine fertig werden zu können. Diese Lageeinschätzung teilte der Reichskanzler nicht, der einen Siegfrieden auch für möglich hielt, wenn Deutschland gegen alle Ententemächte zugleich kämpfen mußte. Überdies wollte Bethmann Hollweg sich nicht auf die Fortführung eines Krieges gegen England festlegen lassen, den er im Unterschied zu Falkenhayn nie gesucht hatte.[2]

Der Reichskanzler hegte die Hoffnung, eine entscheidende Wende herbeiführen zu können, wenn man den strategischen Schwerpunkt des Krieges vom Westen nach Osten verlagerte. Rußland erschien aus seiner Sicht militärisch so verwundbar, daß eine Konzentration der verfügbaren Kräfte auf die Ostfront den erhofften Ausweg aus der strategischen Sackgasse versprach. Diese Einschätzung deckte sich mit der Lagebeurteilung durch das Oberkommando Ost. Hier hatte sich erheblicher Unmut zusammengebraut, weil man Falkenhayn bezichtigte, auch aus Eifersucht auf die siegreichen Feldherren im Osten die Ostfront mit Truppen und Material sträflich zu vernachlässigen und damit die einmalige Chance auf die Niederringung Rußlands zu verspielen. Besonders Ludendorff war von Ingrimm erfüllt und machte in einem Schreiben an Falkenhayns Vorgänger Moltke aus seinem

Herzen keine Mördergrube: »Exzellenz kennen mein Empfinden, ich kann hassen und diesen Mann hasse ich.«[3] Falkenhayn wiederum zahlte mit gleicher Münze heim und bezeichnete Ludendorff im vertrauten Kreis als »dem Irrenhaus verfallen«.[4]

Ermuntert durch die Signale aus OberOst, wagte der Reichskanzler am 2. Januar 1915 einen Vorstoß beim Kaiser. Einen verfassungsmäßig verbrieften Einfluß auf derartige militärische Angelegenheiten besaß der Kanzler nicht, denn die Militärpolitik war – von Budgetfragen abgesehen – extrakonstitutionelles Terrain, das von der zivilen Regierung abgeschirmt war und allein dem Kaiser in seiner Eigenschaft als Inhaber der Kommandogewalt unterstand. Bethmann Hollweg mußte darauf bauen, daß er durch die Kraft seiner Argumente Wilhelm II. zu einem Wechsel an der Spitze der Obersten Heeresleitung würde bewegen können. Doch als er im Großen Hauptquartier im französischen Charleville die Ersetzung Falkenhayns durch Ludendorff anregte, stieß er beim Kaiser auf Granit.

Wilhelm II. besaß ein waches Gespür dafür, welche Gefahr seiner Position durch die beiden Feldherren im Osten drohte. Während Falkenhayn dem Kaiser stets den Eindruck vermittelte, daß er die Grundentscheidung über die militärstrategische Planung weiterhin in Händen halte, wog OberOst Wilhelm II. nicht in dieser Illusion. Der Kaiser hielt aber an der Fiktion einer von ihm ausgeübten Kommandogewalt fest und wies den mit OberOst übereinstimmenden Vorstoß Bethmanns scharf ab: »Ludendorff würde er niemals zum Chef nehmen. Der sei ein zweifelhafter, von persönlichem Ehrgeiz zerfressener Charakter. Was habe er auch Großes geleistet? Er habe ihm, dem Kaiser, gewisse strategische Operationen vorgeschlagen. Die seien dann von S.M. ›genehmigt und befohlen‹ worden.«[5] Die Zurechtweisung des Kaisers offenbart, daß den Eingeweihten die Arbeitsteilung zwischen Hindenburg und Ludendorff klar war. Keiner erwartete, daß Hindenburg als Oberkommandierender des Ostens operative Pläne entwickelte; jeder ging davon aus, daß dies ausschließlich Ludendorffs Aufgabe war.

Trotz dieser Abfuhr steckte der Reichskanzler nicht auf. Er hatte zwar die mißliche, aber im Grunde nicht überraschende Erfahrung machen müssen, daß ihm verfassungsmäßig die Hände gebunden waren und sich der Kaiser in rein militärischen Fragen nicht vom ranghöchsten Zivilisten beraten ließ. Aber Bethmann konnte bei führenden Militärs anklopfen und diese ermuntern, genuin militärische Einwände gegen Falkenhayn ins Feld zu führen.[6] Den Generaladjutanten des Kaisers und Kommandeur des kaiserlichen Hauptquartiers, Generaloberst Hans von Plessen, wußte er dabei seit längerem auf seiner Seite,[7] auch Moltke wurde in das Komplott einbezogen,[8] und selbst der Kronprinz[9] sekundierte dem Reichskanzler in dieser Angelegenheit. Anfang Januar 1915 war also bereits ein politisches Netzwerk aus hochrangigen Amtsträgern gesponnen, die mit Vehemenz auf die Ablösung Falkenhayns als Chef der Obersten Heeresleitung drängten. Hindenburg gehörte zunächst noch nicht dazu, sondern wurde erst durch einen Gegenschlag Falkenhayns bewogen, an dieser Intrige mitzuwirken. Dann aber stieg er zur entscheidenden Figur auf und schreckte auch vor dem Einsatz unerhörter, im Verhaltenskodex eines preußischen Generals unüblicher Mittel nicht zurück.

Den Aktionen des Feldmarschalls ging ein Frontalangriff Falkenhayns auf Hindenburgs militärische Position voraus. Falkenhayn wußte wie alle anderen Eingeweihten um die Abhängigkeit des Oberkommandierenden OberOst von seinem vermeintlichen Gehilfen Ludendorff, der in Wahrheit der eigentliche militärische Kopf der Operationsabteilung im Osten war. Wenn es ihm gelang, Ludendorff aus dienstlichen Gründen zu versetzen, nahm er OberOst das militärische Hirn. Eine solche Amputation würde nicht nur Hindenburgs militärische Stellung erschüttern, sondern auch sein Feldherrnrenommee unterhöhlen, das an der Jahreswende 1914/15 für den Hindenburg-Mythos noch unentbehrlich war.

Für den Abzug Ludendorffs konnte Falkenhayn einleuchtende militärische Gründe ins Feld führen, die zudem noch den Vorzug besaßen, daß sie auf die Initiative des Oberbefehlshabers Ost selbst zurückgingen.[10] Denn es waren Hindenburg und Ludendorff gewesen, die sich Anfang 1915 den dringenden Wunsch des österreichisch-ungarischen Generalstabschefs Franz Graf Conrad von Hötzendorff zu eigen gemacht hatten, die bedrängte k.u.k. Armee in den Karpaten durch die Überstellung deutscher Verbände zu entlasten. Während Falkenhayn sich gegenüber diesem Wunsch reserviert gezeigt hatte, weil er die deutschen Kräfte an der Westfront konzentrieren wollte, gingen Hindenburg und Ludendorff ausdrücklich auf das österreichisch-ungarische Verlangen ein, weil sie ein Interesse daran hatten, den östlichen Kriegsschauplatz aufzuwerten. Falkenhayn gab am 8. Januar 1915 schließlich dem Drängen Conrads und OberOst nach, verlieh dem Ganzen aber eine überraschende, gegen die Position Hindenburgs gerichtete Spitze: Er ordnete die Bildung einer neuen deutschen Armee an, der »Südarmee«, die in den Karpaten gemeinsam mit österreichisch-ungarischen Verbänden eine Offensive gegen die russische Stellung durchführen sollte. Dazu sollten etwa dreieinhalb Divisionen aus dem Befehlsbereich des Oberkommandierenden Ost ausscheiden, der neuen Südarmee unterstellt werden und mit der österreichischen 3. Armee gemeinsam unter dem Befehl des österreichischen Erzherzogs Friedrich operieren. Damit wäre die Kriegführung der beiden Verbündeten erstmals so koordiniert worden, wie es einem gemeinsam durchzustehenden Krieg entsprach. Als

Kommandant der neuen deutschen Südarmee war der General der Infanterie von Linsingen vorgesehen, an seiner Seite Ludendorff als Erster Chef des Generalstabs. Ausgerechnet der Spiritus rector von OberOst wurde also als militärischer Nothelfer zu einer von Hindenburg selbst dringend angemahnten Operation entsandt. Damit hatten sich die beiden Führer von OberOst im Netz ihrer eigenen Argumentation verfangen: Falkenhayn hatte sein Widerstreben gegen eine neue Offensive im Osten überwunden und dem Drängen von OberOst nachgegeben, aber er hatte sich dabei mit der Versetzung Ludendorffs an Hindenburg schadlos gehalten.[11]

Hindenburg war jedoch nicht bereit, seine militärische Enthauptung zuzulassen und griff zu dem unkonventionellen, für einen preußischen Militär untypischen Mittel des Immediatschreibens an den Kaiser selbst. Es zeugt von enormem Selbstbewußtsein, daß Hindenburg sich berechtigt fühlte, über den Kopf des Generalstabschefs hinweg an den Obersten Kriegsherrn zu appellieren. Sein eigenhändiges Schreiben vom 9. Januar 1915 zielte darauf ab, Falkenhayn ins Leere laufen zu lassen und aus der Situation sogar noch politisches Kapital für OberOst zu schlagen. Er konnte nicht gegen den Abzug eigener Kräfte zugunsten des Verbündeten protestieren, weil er selbst diese Maßnahme vorgeschlagen hatte. Aber er konnte die Bildung der Südarmee als argumentativen Hebel nutzen, um eine Schwerpunktverlagerung der Kriegführung nach Osten zu reklamieren und damit Falkenhayns Konzept zu konterkarieren. Wenn es Hindenburg gelang, die vorhandenen millitärischen Reserven allesamt für den östlichen Kriegsschauplatz anzufordern und in der geplanten Vernichtungsschlacht gegen die russischen Armeen unter seiner Führung einzusetzen, dann tat sich eine neue faszinierende Perspektive auf: »Ich sehe diese Operation unter Einsatz aller neuaufgestellten Kräfte im Osten als entscheidend an für den Ausgang des ganzen Krieges.«[12] Es winkte also die Aussicht auf den Siegeslorbeer des kriegsentscheidenden Feldherrn. Dafür mußte Ludendorff, der militärische Kopf einer solchen Vernichtungsschlacht, aber nach Beendigung der Mission in den Karpaten als Lebensspender wieder an die Seite Hindenburgs zurückkehren. Hindenburg bat den Kaiser in seinem Immediatschreiben daher alleruntertänigst, ihm Ludendorff wiederzuschenken, wobei er deutlich durchblicken ließ, wie sehr er auf dessen Hilfe angewiesen war.[13] Wenn auch aus Eigeninteresse, so kämpfte Hindenburg doch um seinen Stabschef, während dieser selbst in Resignation verfallen war, sich geistig bereits mit seiner Degradierung zum Untergebenen Conrads von Hötzendorff abgefunden und daraus die Konsequenz gezogen hatte, nach Beendigung dieser als erniedrigend empfundenen Tätigkeit in die Funktion eines Divisionskommandeurs an die Front zu entfliehen.[14]

Hindenburg beließ es indes nicht bei dem Appell an den Kaiser, sondern nutzte den Vorfall zugleich zur direkten Attacke auf Falkenhayn: Schon am Tag darauf richtete er einen Brief an Generaloberst von Lyncker, den Chef des Militärkabinetts, in dem er mehr oder weniger unverhohlen die Enthebung Falkenhayns als Chef des Generalstabs verlangte.[15] Als »rangältester Führer in der Armee« habe er die Pflicht, im Namen der gesamten Armee (und eben nicht nur als Oberbefehlshaber der gesamten Streitkräfte im Osten) auf diesen militärisch erforderlichen Schritt zu drängen. Damit hatte er Falkenhayn den Fehdehandschuh hingeworfen und war dem Komplott gegen den Generalstabschef beigetreten. Erstmals hatte ein ranghoher Armeekommandeur es gewagt, offen gegen seinen militärischen Vorgesetzten zu rebellieren. Auf diese Weise erhielt die zunächst vom Reichskanzler angeführte Fronde gegen Falkenhayn eine neue Dimension. Hindenburg versäumte auch nicht, Bethmann Hollweg eine Kopie des Immediatschreibens zukommen zu lassen,[16] womit erstmals die Angriffe gegen den Chef der Obersten Heeresleitung verzahnt wurden.

Mit dem Schreiben an den Chef des Militärkabinetts hatte Hindenburg noch den üblichen Dienstweg eingehalten, denn Lyncker war als oberste Anlaufstelle aller die Armee betreffenden Angelegenheiten für die von Hindenburg vorgetragene Beschwerde zuständig. Doch schon einen Tag später tat Hindenburg einen für einen preußischen General geradezu unerhörten Schritt, für den es in der preußischen Militärgeschichte kein Vorbild gab:[17] Er verlangte in einem weiteren Brief an den Kaiser ultimativ die Abberufung Falkenhayns als Chef des Generalstabes des Feldheeres. Damit bekannte Hindenburg sich zu einer genuin politischen Auffassung seiner Position. Am 11. Januar 1915 schlüpfte er erstmals in die Rolle des Politikers, die ihm im Verlaufe der nächsten Zeit immer mehr zur zweiten Haut werden sollte.

Der qualitative Sprung zum Politiker wird offenbar, wenn wir einen Blick auf die Umstände der Entstehung und vor allem auf den Inhalt des Ultimatums an den Kaiser werfen. Dieser Brief an Wilhelm II. war das Herzstück eines sich zuspitzenden Komplotts gegen Falkenhayn, das dem Kaiser die Entlassung Falkenhayns abpressen sollte. Hindenburgs Vorstoß war koordiniert mit einem Ersuchen Moltkes und dem Einwirken des Kronprinzen in diesem Sinne. Beschlossen worden war das Ganze am 11. Januar 1915 im Hauptquartier des Oberkommandierenden Ost zu Posen.[18] Den letzten Anstoß dazu hatte Moltkes Adjutant Major Hans von Haeften[19] gegeben, der auf seinen ausgedehnten Reisen einen ausgezeichneten Überblick darüber gewonnen hatte, welcher Unmut über Falkenhayn sich beim Reichskanzler, führenden Militärs und nicht zuletzt bei Moltke aufgestaut hatte.

Doch selbst Haeften, der politische Bote zwischen Moltke und Hindenburg, zeigte sich überrascht, daß Hindenburg ein weiteres Schreiben an den Kaiser richtete, noch bevor er eine Antwort auf sein erstes erhalten hatte.[20] Daß der Schritt Hindenburgs flagrant gegen den militärischen Komment verstieß, war allen Beteiligten von Anfang an bewußt.[21]

Was war an dem Schreiben Hindenburgs an seinen Obersten Kriegsherrn so anstößig? Der genaue Wortlaut des Briefes liegt nicht vor; ein Konzept wurde zwar im Herbst 1935 aufgefunden, aber vermutlich durch Kriegseinwirkungen vernichtet.[22] Hindenburg selbst hat auf Bitten des Reichsarchivs im Jahre 1930 eine Kiste mit Unterlagen über seine militärische Tätigkeit im Weltkrieg gründlich durchsucht, wurde aber nicht fündig.[23] Dennoch läßt sich der Inhalt des Schreibens ziemlich exakt rekonstruieren, weil Hindenburg ihn mehreren Entscheidungsträgern mitteilte, die sich am 12. Januar 1915 in seinem Hauptquartier in Posen aufhielten. Besonders nachhaltig hatten sich die Formulierungen in das Gedächtnis von Major Haeften eingegraben, der in seiner Eigenschaft als Bote die Kernaussage von Hindenburgs Schreiben an die beiden anderen Hauptbeteiligten der Verschwörung weiterleitete und sich daher jedes Wort genau einprägte. Hindenburg hat ihm das Schreiben nicht weniger als dreimal vorgelesen.[24] Eingeweiht waren auch Hindenburgs engste Mitarbeiter in OberOst, Ludendorff und Oberstleutnant Max Hoffmann, sowie der westpreußische Kammerherr Elard von Oldenburg-Januschau, der von Hindenburg angefordert worden war, um den Kronprinzen in die Intrige gegen Falkenhayn einzuspannen.[25] Dem Verbindungsmann zum Kronprinzen gab er sogar eine Abschrift seiner Eingabe an den Kaiser mit, um den Kronprinzen für seine Intervention entsprechend zu rüsten.[26]

Hindenburg hat sich zu seiner Aktion in der Nacht vom 11. auf den 12. Januar 1915 durchgerungen und eigenhändig das Schreiben an den Kaiser aufgesetzt. Mit der ihm eigenen Stilsicherheit und seinem ausgeprägten Sprachgefühl hat er jedes Wort sorgsam abgewogen. In zwei wesentlichen Punkten ging das Schreiben über die beiden Bitten hinaus, die er zuvor an Lyncker und an den Kaiser gerichtet hatte. Hindenburg legitimierte den ungewöhnlichen Schritt, dem Kaiser die Abberufung Falkenhayns nahezulegen, nun nicht mehr allein mit seiner Stellung als ältester General der Armee, sondern wucherte erstmals mit dem Pfund seiner Popularität. »Hinter seiner Bitte stehe das ganze deutsche Volk und das Heer.«[27] Damit brachte er ein Argument ins Spiel, das einem preußischen General herkömmlicherweise nicht anstand.

Für den Kaiser lag das eigentlich Skandalöse des Schreibens in dem Umstand, daß Hindenburg das Verlangen nach Entlassung Falkenhayns mit seiner Rücktrittsdrohung verknüpfte, falls Wilhelm II. seiner »Bitte« nicht entspreche. Hindenburg fuhr also das schwerste der ihm zu Gebote stehenden Geschütze auf. Führt man sich vor Augen, daß ein wenige Monate zuvor noch um seinen Einsatz geradezu flehentlich nachsuchender General die Stirn besaß, seinem Obersten Kriegsherrn eine zentrale personalpolitische Entscheidung abzunötigen, dann wird deutlich, daß Hindenburgs Selbstbewußtsein proportional zu seinem einzigartigen öffentlichen und militärischen Aufstieg gewachsen war. Nur ein sich im Schutze politischer Immunität Wähnender konnte ein solches Verlangen aussprechen, das zwar in der endgültig abgesandten Fassung sprachlich abgemildert war, aber an Eindeutigkeit nichts zu wünschen übrigließ.[28]

Hindenburg hat heftig mit sich gerungen, ehe er diesen Schritt tat. Es kostete ihn eine gehörige Portion Selbstüberwindung, sich auf bislang unerprobtes Terrain zu begeben und eine politische Kraftprobe mit dem Monarchen zu wagen. Die Spuren dieser inneren Auseinandersetzung waren ihm am nächsten Morgen deutlich anzusehen: »Sein bleiches Aussehen und seine große Erregung ließen merken, daß er eine schlaflose Nacht verbracht hatte und in schwerem inneren Kampfe stand.«[29] Moltke vermochte Hindenburgs Seelenzustand besonders gut nachzufühlen und brachte dies in einem einfühlsamen Schreiben vom 14. Januar 1915 zum Ausdruck: »Ich weiß, wie schwer Ihrem königstreuen Herzen es geworden ist, den Gedanken, den Sie über General v. Falkenhayn haben und Ihr Urteil über ihn in die Tat Ihres Schreibens an Se. Majestät den Kaiser umzusetzen.«[30]

Hindenburg ließ aber keinen Zweifel aufkommen, daß die einmal getroffene Entscheidung für ihn bindend sein sollte. Denn er fühlte sich berufen, sich über die Gehorsamspflicht gegenüber dem Monarchen hinwegzusetzen, wenn Höheres, nämlich das Wohl der Nation, auf dem Spiel stand. Bereits in seinem ersten Schreiben an den Kaiser und in seiner Intervention bei Lyncker hat er das berühmte Lutherwort auf dem Reichstag zu Worms zitiert: »Hier stehe ich, ich kann nicht anders, Gott helfe mir. Amen!«[31] und damit sein politisches Sendungsbewußtsein zum Ausdruck gebracht. Wenn es sein Gewissen gebot, scheute er selbst den Konflikt mit der legitimen Obrigkeit nicht. Moltke sprach Hindenburg aus der Seele, als er diesen in seinem Tun bestärkte mit den Worten: »Was kann es Höheres geben, als sein ganzes Selbst für das Vaterland einzusetzen.«[32]

Hindenburg konnte seine Rücktrittsdrohung deswegen gezielt als politisches Druckmittel einsetzen, weil er wußte, daß er nicht wie irgendein unbotmäßiger General vom Monarchen entlassen werden konnte. Es war der politische Schutzschild seiner ungeheuren Popularität, der ihn vor kaiserlicher Ungnade abschirmte, was schon der Reichskanzler richtig erkannt hatte: »Eine Entlassung des

Generalfeldmarschalls, falls sie überhaupt in Erwägung gezogen werden sollte, erscheint mir vor dem In- und Auslande unmöglich.«[33] Aufgrund dieser Immunität konnte Hindenburg es sich auch leisten, den nächsten Schritt zu tun und seine eigenen Personalvorstellungen bei der Regelung der Nachfolge Falkenhayns zum Ausdruck zu bringen.

Hindenburg beließ es nämlich nicht bei einem einmaligen Eingriff in die Kommandogewalt des Kaisers, indem er die Abberufung Falkenhayns als Chef des Generalstabes des Feldheeres verlangte. Er nahm sich auch noch heraus, dem Kaiser einen Nachfolger für diese Position anzuraten.[34] Dabei brachte er sich indirekt selbst ins Spiel: Er favorisierte die Wiederbeauftragung Moltkes mit der Position des Generalstabschefs – nicht zuletzt, weil er selbst als erster Militär beim Kaiser wegen der Ablösung Falkenhayns offiziell vorstellig geworden war.[35] Wer den ersten Stein gegen Falkenhayn geworfen hatte, der konnte ihn nicht beerben. Hindenburg bekundete allerdings seine Bereitschaft, dieses Nein zu überdenken, falls Moltke nicht zu vermitteln war und Ludendorff aus Anciennitätsgründen nicht in Frage kam. Dann »müßte ich selbst, wenn auch äußerst ungern, Last auf mich nehmen, aber nur Ludendorff als Gehilfen«.[36] Hindenburg verharrte also in einer Reserveposition. Daß »seine Bereitwilligkeit zur Übernahme der Stellung des Generalstabschefs«[37] letztlich nicht in die als vakant angenommene Position führte, hing – wenn auch nicht nur – damit zusammen, daß der allein im Besitz dieser Willensbekundung befindliche Reichskanzler diesen Personalvorschlag nicht an den Kaiser weiterleitete.[38]

Doch in erster Linie zerschlugen sich diese heimlichen Hoffnungen daran, daß der Kaiser den Aufforderungen Hindenburgs und seiner Mitinitiatoren ein unmißverständliches Nein entgegensetzte und sich strikt Einmischungen jedweder Art in seine Kommandogewalt verbat. Den Unmut Wilhelms II. bekamen auch diejenigen aus seinem engsten familiären Umfeld zu spüren, die sich aus unterschiedlichen Motiven gegen Falkenhayn und für Hindenburg eingesetzt hatten. Als der Kronprinz am 14. Januar 1915 seinen Vater aufsuchte und – instruiert durch den Emissär Oldenburg-Januschau – den Kaiser in einer einstündigen Unterredung im Sinne Hindenburgs bedrängte, erzielte er nicht den erhofften Effekt, sondern trieb Wilhelm II. vielmehr dazu, trotzig an dem so unter Beschuß geratenen Falkenhayn festzuhalten.[39]

Als geradezu unerträgliche Einmischung empfand Wilhelm II., daß seine Gemahlin Auguste Viktoria sich als besonders eifrige Fürsprecherin Hindenburgs engagierte und dabei auch schriftlich zu dessen Gunsten intervenierte. Die Kaiserin war durch ihren jüngsten Sohn Joachim, der im Hauptquartier Hindenburgs

Dienst tat, sowie den Fürsten Ernst zu Hohenlohe-Langenburg, einem ihrer Vettern, für die Sache Hindenburgs eingenommen worden und hatte den Entschluß gefaßt, sich sämtliche Forderungen Hindenburgs zu eigen zu machen und entsprechend an ihren Gemahl zu schreiben.[40] Hindenburg hatte die Kaiserin zu diesem ungewöhnlichen Schritt ermutigt, indem er dem mit dem Fürsten Hohenlohe-Langenburg zur Kaiserin befohlenen Major Haeften die unmißverständliche Aufforderung mitgab: »Sagen Sie Ihrer Majestät, daß ich an diesem Konflikt noch zu Grunde gehe.«[41]

Gewiß sprach daraus die Gewissensqual, in der sich Hindenburg befand: Er war hin und her gerissen zwischen der Loyalität zum Obersten Kriegsherrn und der als vaterländische Pflicht empfundenen Intervention gegen den obersten militärischen Ratgeber des Kaisers. Mit dem ausdrücklichen Auftrag an seinen Emissär, der Kaiserin den Loyalitätskonflikt des Feldmarschalls zu schildern, machte Hindenburg seinen Seelenzustand aber zum politischen Argument. Die warmherzige Auguste Viktoria, die gewöhnlich ganz im Schatten ihres egozentrischen Mannes stand und sich eigentlich nie in politische Dinge einmischte, fühlte sich durch Haeftens herzzerreißende Schilderung des aus dem inneren Gleichgewicht geratenen Hindenburg bemüßigt, ihr Gewicht zugunsten der Forderungen des Feldmarschalls in die Waagschale zu werfen, »selbst auf die Gefahr hin, den Kaiser hierdurch zu beunruhigen«.[42] Die gutgemeinte Einmischung der Kaiserin löste beim Adressaten allerdings eine äußerst heftige Gegenreaktion aus. »Was, jetzt mischen sich auch noch die Frauenzimmer in diese Sache«, bemerkte der Kaiser ärgerlich, als Haeften ihm am Abend des 20. Januar den Brief der Monarchin überreichte.[43] Wilhelms Zorn richtete sich allerdings nicht in erster Linie gegen seine Gemahlin, deren ungewöhnlichen Schritt er sich nur damit erklären konnte, daß sie unwissentlich in ein fein gesponnenes Komplott gegen Falkenhayn geraten war, womit er guten Spürsinn bewies. Wilhelm verschaffte seinem empörten Herzen Luft »darüber, daß die Intriganten nicht vor meinem Hause halt gemacht, sondern unter Nichtachtung seines Friedens sich erfrecht haben, auch noch dich gegen mich ins Feld zu schicken! Die Strafe wird sie aber ereilen, sie sollen meine Faust fühlen lernen!«[44]

Selbst der »König der Herzen« blieb von der kaiserlichen Empörung nicht verschont. Bei Wilhelm II. hatte sich so viel Groll gegen das als anmaßend empfundene Gebaren von OberOst angestaut, daß er sich nach Entgegennahme von Hindenburgs Schreiben äußerst abfällig über die Unbotmäßigkeit des Generalfeldmarschalls ausließ. Zugleich mußte Wilhelm II. seine offizielle Reaktion auf den Vorstoß Hindenburgs aber politisch genau abwägen: Militärisch war der Feldmar-

schall zwar ersetzbar, aber als Verkörperung der Siegeszuversicht politisch unentbehrlich. Daher wählte der Kaiser eine fein abgestimmte Reaktion in Gestalt einer
Allerhöchsten Kabinettsordre, die Hindenburg vom Obersten von Marschall, dem
engsten Mitarbeiter des Chefs des Militärkabinetts, am 18. Januar 1915 persönlich
überbracht wurde. Indem er darin Hindenburg der kaiserlichen Gunst versicherte
und dessen große Verdienste um das Vaterland mit warmen Worten würdigte,
suchte der Kaiser dem Feldmarschall die Waffe der Rücktrittsdrohung aus der
Hand zu schlagen. Denn in der Sache gab der Kaiser keinen Millimeter nach und
sagte Hindenburg weder den Einsatz der neuen Reserven für den Osten zu, noch
nahm er die Abkommandierung Ludendorffs zur Südarmee zurück. Schon gar
nicht wich der Kaiser im entscheidenden Punkt zurück, dem Verlangen nach der
Abberufung Falkenhayns. Vielmehr erging an Hindenburg der eindeutige Appell,
auch im Falle des Verbleibens von Falkenhayn auf seinem Posten auszuharren.[45]

Das kaiserliche Handschreiben an Hindenburg verfehlte seine Wirkung nicht.
Der Feldmarschall war am Nerv seiner monarchischen Loyalität getroffen und
machte einen halben Rückzieher, indem er von seiner Rücktrittsdrohung Abstand
nahm. Auf der Abberufung Falkenhayns bestand er jedoch weiterhin.[46] Damit
hatte sich Hindenburg – wie vom Kaiser gewünscht – politisch entwaffnen lassen.[47]Allerdings zeigte sich der Kaiser für das Einlenken des Feldmarschalls erkenntlich, indem er sich drei weitere Forderungen Hindenburgs am 20. und 21. Januar 1915 doch zu eigen machte: Die vier neuen Armeekorps wurden allesamt dem
Osten zugewiesen und kamen bald darauf während der Winterschlacht in Masuren zum Einsatz; Hindenburg erhielt seine militärische Handlungsfähigkeit zurück, indem Ludendorff ihm wieder als Stabschef zur Seite gestellt wurde, und
Falkenhayn mußte den in Personalunion mit dem Amt des Generalstabschefs
wahrgenommenen Posten des preußischen Kriegsministers räumen, der allerdings
mit seinem Parteigänger Wild von Hohenborn neu besetzt wurde.[48]

Das teilweise Eingehen des Kaisers auf die Wünsche von OberOst konnte
nicht darüber hinwegtäuschen, wie angespannt das Verhältnis zwischen dem Monarchen und seinem Vorzeigemilitär Hindenburg war. Noch war der Kaiser willens
und in der Lage, Hindenburg Grenzen aufzuzeigen, wenngleich er dabei notgedrungen auf die Popularität des Feldmarschalls Rücksicht nehmen mußte und ihn
nicht behandeln konnte wie jeden anderen preußischen General, der es wagte, dem
Obersten Kriegsherrn die Stirn zu bieten. Welche Gedanken allerdings im Kaiser
schlummerten, verriet seine Reaktion am Abend des 20. Januar 1915, als Haeften
ihm das besagte Schreiben der Kaiserin überreichte. Wilhelm II. explodierte förmlich, weil er hinter diesem Schritt seiner sonst so fügsamen Gemahlin ein abgekar-

tetes Spiel witterte, als dessen eigentlichen Drahtzieher er sofort den Feldmarschall identifizierte. Nun brach sein aufgestauter Unmut über das unbotmäßige Verhalten dieses Mannes aus ihm heraus, den nur Zufall, Glück und kaiserliche Gunst innerhalb kürzester Zeit nach oben gespült hätten: »Das Verhalten des Feldmarschalls v. Hindenburg ist ganz unerhört. Er gehört vor ein Kriegsgericht. Ich war fest entschlossen, ihn vor ein Kriegsgericht zu stellen und hätte es getan, wenn man es mir nicht ausgeredet hätte. Ich habe ihm Gnadenbeweise über Gnadenbeweise erteilt; er ist vom General der Infanterie zum Generaloberst und Generalfeldmarschall befördert worden, hat das Eiserne Kreuz II. und I. Klasse und den Orden Pour le mérite erhalten und das alles in wenigen Wochen.«[49]

Hindenburg mußte bei seinem ersten Ausflug in die Politik die schmerzliche Erfahrung machen, daß sich seine Forderungen nicht reibungslos und ohne Abstriche durchsetzen ließen. Er stand zwar nicht mit leeren Händen da, denn er hatte dem ungeliebten Chef der Obersten Heeresleitung sachliche Konzessionen abtrotzen können, die seine militärische Position auf dem östlichen Kriegsschauplatz stärkten. Dafür hatte er aber eine Kraftprobe mit dem Obersten Kriegsherrn riskiert, was er vor sich selbst mit der Lauterkeit seiner Motive rechtfertigte: »Mein Gewissen ist rein; nicht persönliche Interessen, sondern nur die Treue und Liebe zu meinem König und Herrn ließen mich ... die Stimme erheben.«[50] Über die Einstellung des Kaisers ihm gegenüber konnte er sich zu diesem Zeitpunkt noch in Illusionen wiegen und das kaiserliche Handschreiben als Beleg für ein ungetrübtes Verhältnis werten. Allerdings ließen ihn dunkle Vorahnungen nicht mehr los, daß sein Vorstoß gegen Falkenhayn noch unangenehme Konsequenzen nach sich ziehen werde.[51]

Denn Falkenhayns Ansehen beim Kaiser war durch die koordinierten Attacken gegen seine Person eher gestärkt worden.[52] Noch war die Position des Kaisers als Oberster Kriegsherr so unangetastet, daß Wilhelm II. sich derartig zentrale Personalentscheidungen nicht von außen aufzwingen ließ. Gerade deswegen hielt er demonstrativ an seinem obersten militärischen Ratgeber fest. Hindenburg hatte mit seinem Frontalangriff gegen den Chef der Obersten Heeresleitung den Bogen überspannt[53] und das Mißtrauen des Kaisers geweckt, der ohnehin seit seiner Emanzipation vom Übervater Bismarck hypersensibel reagierte, wenn sich neben ihm eine politische Gestalt mit eigener Legitimation zu entwickeln drohte. Der Kaiser trachtete daher danach, diesen potentiellen Rivalen militärisch so weit wie möglich kaltzustellen. Doch letztlich war solchen Bemühungen kein durchschlagender Erfolg beschieden, weil Hindenburg seine militärische Abseitsstellung kompensierte, indem er auswich auf das Feld der symbolischen Politik.

Militärisch verlief das Jahr 1915 für den Sieger von Tannenberg alles andere als nach Plan. Vergeblich versuchte er mit der Winterschlacht an den masurischen Seen das Erfolgsrezept von Tannenberg zu kopieren. Im weiteren Verlauf des Jahres schien es, als würde Hindenburg, der Sachwalter von Schlieffens Idee des Vernichtungskrieges, eines Besseren belehrt werden. Denn die unerwartet großen militärischen Erfolge im Osten wurden nicht nach dem Lehrbuch Schlieffens erzielt. Noch schwerer fiel ins Gewicht, daß der Feldherr Hindenburg dabei anfänglich zum bloßen Zuschauen verurteilt war. Der Oberbefehlshaber Ost mußte tatenlos mit ansehen, wie die deutschen und österreichisch-ungarischen Verbände im Mai und Juni 1915 die russischen Truppen Hunderte von Kilometern nach Osten abdrängten, ohne daß der Name Hindenburg auch nur ein einziges Mal in den Siegesberichten auftauchte.

Hindenburg war aus dem Spiel, weil Falkenhayn im April 1915 eine neue deutsche Armee, mittlerweile die 11. Armee, gebildet hatte zur Entlastung der bedrängten Donaumonarchie in Westgalizien. Die 11. Armee stand unter dem Kommando des erfolgreichen Generals Mackensen und sollte in enger Kooperation mit den in Westgalizien stationierten österreichisch-ungarischen Verbänden operieren. Sie erhielt ihre Weisungen vom österreichisch-ungarischen Armeeoberkommando, das sich wiederum mit der deutschen Obersten Heeresleitung abstimmte. Damit befand sich die 11. deutsche Armee außerhalb von Hindenburgs Befehlsbereich. Ausgerechnet dieser Armee glückte ein großer Schlag gegen die russische Präsenz in Galizien. Das militärische Drehbuch für den bislang größten Erfolg der beiden Mittelmächte gegen die zarischen Armeen hatte nicht Schlieffen mit seinem Credo der Vernichtungsschlacht geschrieben, vielmehr war die Vertreibung der russischen Armeen aus Galizien durch ein sukzessives Zurückdrängen nach Osten erreicht worden.[54] Der geglückte Durchbruch in der Schlacht von Tarnow/Gorlice am Fuße der Beskiden vom 2. bis zum 9. Mai 1915 hatte eine kaum zu bremsende Eigendynamik gewonnen und sich zu einer großen strategischen Operation ausgeweitet, in deren Verlauf es bis Ende Juni 1915 gelang, Lemberg zurückzuerobern und damit den russischen Truppen fast ganz Galizien wieder zu entreißen.

In den maßgeblichen militärischen Zirkeln sank der Stern des Gespanns Hindenburg/Ludendorff ebenso rasch, wie der des Duos Mackensen/Seeckt am Feldherrnhimmel aufging. Mackensen zog rangmäßig mit Hindenburg gleich, als der Kaiser ihm am 23. Juni 1915 die Feldmarschallswürde verlieh, was unter den Kollegen allgemein auf Anerkennung stieß.[55] Maßgeblichen Anteil daran besaß ohne Zweifel Mackensens Stabschef Oberst Hans von Seeckt, dessen Urteil in militärischen Fragen sich durch bemerkenswerte Weitsicht und Unparteilichkeit auszeich-

nete. Seine fairen Ansichten über die militärischen Leistungen des Duos Hinden-
burg/Ludendorff dürften im innersten militärischen Kreis allgemein geteilt worden
sein: »Dem Feldmarschall Hindenburg und seinem Chef fällt das hohe Verdienst
zu, zweimal den russischen Vorstoß abgewehrt zu haben; das ist ebenso unbestreit-
bar wie der völlige Fehlschlag seiner Offensive im Winter.« Allerdings habe es sich
dabei eben nur um ein Stoppen des russischen Vordringens auf Ostpreußen beziehungsweise Schlesien gehandelt, während die maßgeblich von Falkenhayn ausgehende Operation in Galizien den russischen Verbänden eine Kette empfindlicher
Niederlagen beigebracht habe. »An den Ereignissen in Galizien ist der Oberbefehlshaber Ost mittelbar und unmittelbar vollkommen unbeteiligt. Ich glaube auch
nicht, daß der Feldmarschall selbst irgendwelchen Anspruch hierauf erhebt.«[56]

In der Tat hat Hindenburg Mackensens Erfolge in seinem Hauptquartier in
Lötzen ungerührt zur Kenntnis genommen.[57] Es war nicht Hindenburgs Sache,
sich für genuin militärische Fragen aufzureiben und auf den Oberbefehl über die
seinem Befehlsbereich entzogene Armee Mackensens zu pochen. Während Macksensen in Galizien von Sieg zu Sieg eilte, widmete er sich seiner Imagepflege und
saß seinem Leibmaler Hugo Vogel Modell. Im übrigen genoß er das ostpreußische
Frühlingswetter in vollen Zügen und unternahm mit dem von Ullstein bereitge-
stellten Motorboot ausgedehnte Fahrten auf dem Löwentinsee. Da Frau und Tochter sich in der Nähe von Lötzen aufhielten, glich der Aufenthalt in Masuren schon
fast einem geruhsamen Familienurlaub.[58] Ludendorff hingegen führte sich auf wie
ein Löwe im Käfig und konnte es gar nicht erwarten, seinen militärischen Tatendurst zu stillen. Seinen Neid auf die erfolgreiche deutsche Südarmee verbarg er
kaum, und er versuchte ihre Erfolge dadurch zu schmälern, daß er Mackensen als
militärischen »Abstauber« hinstellte, der davon profitiere, daß OberOst zuvor die
Substanz der russischen Armeen erschüttert habe. »Es ist ja nicht leicht für uns,
nachdem wir den Russen mürbe gemacht haben, die Ernte und den Ruhm anderen
zu überlassen.«[59]

Der unerwartete Erfolg in Galizien veranlaßte die oberste militärische Füh-
rung, sich ehrgeizigere Ziele zu stecken, die Gunst der Stunde zu nutzen und dem
Zarenreich beträchtliche Teile des eigenen Territoriums zu entreißen. Es war unstrittig, daß sich sämtliche deutschen Verbände im Osten an dieser großangelegten
Offensive beteiligten und damit auch Hindenburg wieder gefordert sein würde.
Der schwelende Konflikt zwischen OberOst und der Obersten Heeresleitung
entzündete sich aber bald erneut an der Taktik, die schon fast zum militärischen
Glaubensbekenntnis wurde: Während OberOst weiter dem Traum von einem Su-
per-Tannenberg nachhing und den Großteil der russischen Armeen durch eine ge-

waltige Zangenoperation zu umfassen und zu vernichten trachtete, verfolgte Falkenhayn mit der Vertreibung der russischen Verbände aus Russisch-Polen bescheidenere Ziele. Bei nüchterner Abwägung der Sachverhalte wird man Falkenhayns Feldzugplan zweifellos die größere militärische Ratio zubilligen müssen. Schließlich ging es nicht nur um den militärischen Schulstreit, ob in den Weiten Rußlands das Schlieffensche Konzept einer Vernichtungsschlacht überhaupt angebracht sei, sondern auch um die Verantwortung für die Kriegslage an allen Fronten. Daß es angesichts des im Mai 1915 vollzogenen Kriegseintritts Italiens gegen die Donaumonarchie, der schwankenden Haltung Rumäniens und der Vorbereitungen der Franzosen und Briten auf eine Großoffensive an der Westfront ein Gebot militärischer Klugheit war, die Ziele im Osten nicht zu überdehnen, hat die Forschung mittlerweile hinreichend deutlich herausgearbeitet.[60]

Ludendorff ließ jedoch nicht locker und unternahm alles in seiner Macht Stehende, um für seinen Plan einer kriegsentscheidenden Operation zu werben. Dabei war dem Oberkommandierenden Ost eine entscheidende Rolle zugedacht, die ihn – bei Gelingen des Plans – endgültig in den militärischen Olymp befördert hätte. Vom nördlichen Ostpreußen aus sollte er ostwärts über Kowno nach Wilna vorstoßen und dann in einer kühnen Südbewegung mit den deutschen Truppen in den Rücken der in Kongreßpolen massierten zarischen Verbände gelangen. Gleichzeitig sollte die Heeresgruppe Mackensen von dem mittlerweile befreiten Galizien aus nach Norden vorstoßen, so daß sich die beiden Flügelzangen östlich von Brest-Litowsk in Weißrußland vereinigen konnten.[61] Für diese auf den ersten Blick faszinierende, aber praktisch undurchführbare Idee einer riesenhaften Zangenoperation sollte Hindenburg den Kaiser gewinnen.

Am 2. Juli 1915 lud der Kaiser Hindenburg und Falkenhayn ins Posener Schloß, wo man über den weiteren Fortgang der Operationen auf dem östlichen Kriegsschauplatz befinden wollte. Hindenburg war auf diese alles entscheidende Unterredung mit dem Obersten Kriegsherrn intensiv von Ludendorff vorbereitet worden, der einen Tag zuvor sogar noch eine Denkschrift hatte anfertigen lassen, die den Feldmarschall auf die »große Lösung« einer Umfassungsaktion östlich von Kowno/Wilna einschwor und die von Falkenhayn favorisierte »kleine Lösung« verwarf, wonach die Hindenburg unterstehende neugebildete 12. Armee unter dem Kommando des Generals von Gallwitz südlich der masurisch-polnischen Grenze bei Przasnysz Richtung Bialystok und dem Fluß Narew eingesetzt werden sollte. Damit hätte sich das Schwergewicht des deutschen Vorstoßes aber viel zu weit nach Südwesten verlagert, um die Masse der russischen Armeen in einem riesigen Kessel östlich von Brest-Litowsk umfassen und vernichten zu können.[62] Der Kaiser hörte sich zunächst den Vorschlag Falkenhayns an und gab danach Hindenburg Gelegenheit, die von Ludendorff formulierten militärischen Argumente für die »große Lösung« vorzutragen.

Vieles deutet darauf hin, daß der Kaiser mit den Plänen Falkenhayns sympathisierte, aber nichts spricht für die Annahme, daß er den Oberbefehlshaber Ost nur zum Schein nach Posen bestellt hatte und die Entscheidung schon gefallen war. Hindenburg hatte also durchaus eine realistische Chance, Wilhelm II. für die vermeintlich kriegsentscheidende Zangenoperation einzunehmen. Doch er konnte sie nicht nutzen, weil er in militärisch-strategischen Fragen Falkenhayn und sogar seinem Obersten Kriegsherrn hoffnungslos unterlegen war. Hindenburg leistete einen militärischen Offenbarungseid, indem er schon beim ersten kritischen Nachfragen des Kaisers die Ansicht äußerte, daß es »mehr Gefühlssache wäre«, ob der Vorstoß seiner Verbände östlich von Kowno oder nördlich von Warschau erfolge. Auf einen solchen Rückzug hatte der Kaiser nur gewartet, der sich nun für die Falkenhayn-Variante entscheiden konnte, nachdem ihm Hindenburg eine so bequeme Brücke gebaut hatte.[63] Ludendorff kam überhaupt nicht zu Wort und schäumte vor Erbitterung, daß der Feldherr des Ostens das gemeinsame Projekt eines Riesen-Cannae im Osten so halbherzig vertreten und beim ersten Widerspruch fallengelassen hatte.[64]

In Posen zeigte sich auf besonders nachdrückliche Weise, daß Hindenburg in militärisch-fachlicher Hinsicht schnell an Grenzen stieß und daher strukturell unterlegen war, wenn eine Frage nach rein militärischen Aspekten entschieden wurde. Seine Stärke lag von Anfang an auf dem Gebiet der symbolisch vermittelten Politik, wo er seine Position gerade wegen seiner militärischen Passivität immer weiter ausbauen konnte. Zu Hindenburgs fachlicher Unsicherheit gesellte sich noch der Umstand, daß er sich vor einem erneuten Konflikt mit dem Kaiser scheute. Die Kraftprobe mit Wilhelm II. hatte bei ihm innere Verwundungen hinterlassen. Noch immer rangen zwei Seelen in seiner Brust, nämlich die des loyalen Dieners seines Kaisers und Königs und die des Sachwalters nationaler Interessen notfalls auch gegen den kaiserlichen Willen. Im Jahr 1915 war dieser innere Kampf noch nicht entschieden, wenngleich Hindenburg im Angesicht des Kaisers eher zur Harmonie neigte. Vermutlich gab er deswegen beim ersten Anzeichen kaiserlichen Widerspruchs seine Lieblingsidee eines Super-Tannenberg preis und fand sich mit der ihm von Falkenhayn zugedachten Rolle eines Zuarbeiters bei der großen Offensive im Osten ab. Seinem Schwiegersohn offenbarte er wenige Tage nach der Posener Zusammenkunft: »Ich hätte die Sache ja lieber anders angepackt! Aber der Kaiser hat befohlen! Also wird's gemacht!«[65]

Dem öffentlichen Ansehen Hindenburgs tat die Herabstufung zum militärischen Gehilfen Falkenhayns jedoch keinen Abbruch. Wilhelm II. konnte Hindenburg militärisch abstrafen und ihn mit nachgeordneten Aufgaben eindecken. Doch
politisch wurde Hindenburg immer unersetzlicher, und der Kaiser mußte zunehmend Rücksicht auf dessen öffentliches Ansehen nehmen. Mit der Popularität
Hindenburgs wuchs auch sein Groll auf den Generalfeldmarschall.[66] Es war die
Kaiserin, die ihren Gemahl bewog, gute Miene zum bösen Spiel zu machen und
den im In- und Ausland verbreiteten Gerüchten über eine Erkaltung der Beziehungen zwischen dem Obersten Kriegsherrn und seinem Kriegshelden durch eine demonstrative Geste entgegenzutreten.[67] Sie nutzte die Begegnung der beiden im Posener Schloß und wollte den Beweis dafür antreten, daß zwischen dem Kaiser und
dem Generalfeldmarschall vollkommene Harmonie herrschte, indem sie ein Foto
von den beiden anfertigen ließ, das Wilhelm II. und Hindenburg im Schloßhof
zeigt, wobei der Monarch in der üblichen Weise so ins Bild gesetzt ist, daß man seinen verkrüppelten linken Arm nicht sieht. Dies hatte für Hindenburg den Vorteil,
daß er im Unterschied zum Kaiser dem Betrachter nicht die Seite zukehrt, sondern
ihn frontal anblickt, wobei sich der Zauber seines gütigen, vertrauenerweckenden
Blickes entfaltete.[68] Das Foto hielt über die üblichen Reproduktionskanäle Einzug
in alle Gazetten und fand überdies als Bild und Postkarte massenhaft Verbreitung.
Medial geriet der Kaiser wieder einmal ins Hintertreffen, denn die fotografische
Vereinnahmung Hindenburgs gelang nicht. Dessen politische Stellung war gefe-
stigter denn je.[69]

Militärisch hingegen mußte Hindenburg mit Beginn der großen Sommeroffensive im Osten eine wahre Demontage über sich ergehen lassen. Es war nicht
damit getan, daß sein Plan eines kriegsentscheidenden Vernichtungssieges im
Osten verworfen worden war und er zähneknirschend mit seinen Verbänden Falkenhayns Kriegsplan zu assistieren hatte. Falkenhayns Strategie trug auch noch reiche Früchte und bescherte den deutschen Truppen beträchtliche Geländegewinne.
Bis Ende September 1915 hatten sie ganz Russisch-Polen besetzt, waren bis ins westliche Weißrußland und die Westukraine vorgedrungen und hatten dem Zarenreich
die bis dahin schwersten militärischen Schläge versetzt.[70] Hindenburg mußte nicht
nur weitgehend tatenlos zusehen, wie Falkenhayns Konzept aufging; ihm wurde
auch noch ein Verband nach dem anderen entrissen, so daß der einstmals stolze
Oberbefehlshaber aller deutschen Truppen im Osten nach dem erfolgreichen Ende
des Ostfeldzuges die Verfügungsgewalt über die meisten seiner Armeen verloren
hatte und in militärischer Hinsicht ziemlich entblößt dastand.

Am 13. Juli 1915 hatte die formal Hindenburg unterstehende Armeegruppe

Gallwitz zum Vorstoß Richtung Narew angesetzt und am 28. August das nordöstlich von Warschau gelegene Bialystok erobert;[71] parallel dazu hatte die Heeresgruppe Mackensen von Süden vorstoßend Brest-Litowsk erreicht, womit nunmehr das ganze ehemalige Kongreßpolen von deutschen Verbänden eingenommen worden war. Im äußersten westlichen Frontabschnitt hatte die 9. Armee schon am 5. August Warschau erobert. Hindenburg durfte sich jedoch nicht mit dem Siegespreis der polnischen Hauptstadt schmücken, weil noch am selben Tag die siegreiche 9. Armee dem Kommando von OberOst entzogen und als selbständige Heeresgruppe unter der Führung des bayerischen Prinzen Leopold zusammen mit der südlich von Warschau operierenden Armeeabteilung Woyrsch unmittelbar der Obersten Heeresleitung unterstellt wurde.[72] Damit war Hindenburgs militärischer Kommandobereich auf eine von drei Heeresgruppen (Mackensen, Leopold, Hindenburg) geschrumpft; und während die prestigeträchtigen Eroberungen anderer Einheiten vorbehalten blieben, war ihm der militärische Flankenschutz zugeteilt.

Wie sehr der Kaiser und Falkenhayn erpicht waren, Hindenburg so wenig militärischen Ruhm wie möglich zukommen zu lassen, wurde zwei Wochen nach dem Fall Warschaus erneut deutlich. Am 19. August 1915 kapitulierte die nordwestlich von Warschau am Zusammenfluß von Bug und Weichsel gelegene Festung Nowo-Georgiewsk, was eine zwangsläufige Folge der militärischen Entwicklung war. Da diese bei weitem mächtigste unter allen russischen Festungsanlagen einen enormen Symbolwert besaß,[73] wollte der Kaiser die Einnahme durch seine Anwesenheit aufwerten und begab sich am 20. August 1915 in die eroberte Festung. Hindenburg wiederum wollte sich seinen Feldherrnruhm nicht schmälern lassen, da die immer noch offiziell seinem Kommando unterstehende 12. Armee unter General Gallwitz diese Festung zu Fall gebracht hatte, und begab sich gleichfalls dorthin in der stillen Hoffnung, vom Kaiser erneut einen militärischen Gunstbeweis in Gestalt einer Ehrung zu erhalten.[74]

Die Eroberung von Nowo-Georgiewsk war unter dem General der Infanterie von Beseler erfolgt, der sich bereits 1914 als Eroberer der belgischen Festung Antwerpen einen Namen als Festungsspezialist erworben hatte. Beseler war von OberOst eine Armeegruppe zugeteilt worden, die ihm die zügige Inbesitznahme der prestigeträchtigen Festungsstadt ermöglichen sollte.[75] Nach Erfüllung der in ihn gesetzten Erwartungen fand der General sich mit seinem obersten Kommandanten Hindenburg am 20. August 1915 am nächstgelegenen Bahnhof ein, um den Kaiser zu begrüßen. Wilhelm II. nutzte die Gelegenheit, Beseler mit Gunstbeweisen zu überhäufen, indem er ihm das Eichenlaub zum Pour le mérite verlieh. Hindenburg hingegen ging leer aus. Auf der Fahrt vom Bahnhof in die Festung durfte nur Beseler im Auto des Kaisers Platz nehmen, während Hindenburg von dieser Gunst ausgenommen wurde.[76] Der Kaiser schnitt den Feldmarschall förmlich.

Mit Beseler hatte der Monarch noch viel vor, während Hindenburgs Einfluß im Osten stufenweise beschnitten wurde. Am 24. August 1915 büßte OberOst die Verwaltung der bisher eroberten Gebiete Russisch-Polens ein, da der Kaiser die Region ziviler Kontrolle unterstellte: Aus dem russischen Teil Polens wurde das Generalgouvernement Warschau gebildet, an dessen Spitze kein anderer als der Eroberer von Nowo-Georgiewsk, also General von Beseler, berufen wurde.[77] Ohnmächtig hatte Hindenburg eine Entwicklung hinzunehmen, die seine hochtrabende Rangbezeichnung »Oberbefehlshaber der gesamten deutschen Streitkräfte im Osten« zur bloßen Farce machte. Denn faktisch kommandierte er nur noch die 8., 10. und 12. deutsche Armee, die auf dem nordöstlichsten Kriegsschauplatz im südlichen Baltikum eine Randexistenz fristete.[78] Der abgeschobene Hindenburg beantragte um seiner Selbstachtung willen bei der Obersten Heeresleitung offiziell die Niederlegung seines die Sachlage verfälschenden Titels, weil diese Bezeichnung »zur schneidenden Ironie geworden« sei.[79] Sein Anliegen wies die Oberste Heeresleitung allerdings zurück.

Letztlich sollte sich die militärische Kaltstellung für Hindenburg politisch jedoch als Segen erweisen, da er sich in den nächsten zehn Monaten militärischer Untätigkeit auf seinem nordöstlichen Vorposten in Litauen weiter als genuin politischer Faktor profilieren konnte. Hindenburg fügte sich mehr oder minder grollend in sein Schicksal, wobei er sich zum mannhaften Streiter gegen Falkenhayns unglückselige Strategie stilisierte. Als sein Schicksalsgenosse zur See, der Großadmiral und Staatssekretär des Reichsmarineamts Alfred von Tirpitz, ihn am 13. August 1915 in seinem Hauptquartier aufsuchte, erweckte Hindenburg den Eindruck, als habe er mit letztem Einsatz beim Obersten Kriegsherrn für seine Position gekämpft, sei aber an der undurchdringlichen Mauer rund um den Kaiser gescheitert.[80] Hindenburgs Auftreten gegenüber Gleichgesinnten[81] konnte leicht darüber hinwegtäuschen, daß der Feldmarschall im Sommer 1915 einer erneuten Kraftprobe mit dem Monarchen ausgewichen war und sich auf ein letztlich politisch folgenloses Lamentieren beschränkt hatte.

Ein kleiner Trost in Gestalt einer selbständigen Operation in das südliche Baltikum wurde Hindenburg aber doch noch zuteil. Sein Vorstoß gegen Kowno und dann gegen Wilna war allerdings nicht wie zunächst geplant der Auftakt einer großangelegten Zangenoperation zur Vernichtung des russischen Heeres, sondern lediglich eine regional begrenzte Aktion ohne strategischen Wert, mit der man OberOst zu besänftigen trachtete. Zwar mühte sich Ludendorff mit der gewohnten

Verbissenheit, aus dieser Aktion das Maximum an territorialem und strategischem Gewinn herauszuholen und Richtung Minsk vorzustoßen. Doch nach der raschen Eroberung von Kowno am 18. August 1915 stieß die die Hauptlast der Kämpfe tragende 10. deutsche Armee auf so hartnäckigen Widerstand, daß sie sich damit begnügen mußte, am 18. September Wilna einzunehmen und bis Ende September 1915 bis in das litauisch-weißrussische Grenzgebiet vorzustoßen.[82] Damit war die Kraft des deutschen Vorstoßes erlahmt. OberOst nahm sein Hauptquartier in Kowno ein. Hindenburg und Ludendorff verschwanden für zehn Monate von der militärischen Bildfläche und widmeten sich anderen Aufgaben – für den rastlosen Ludendorff eine Qual, für Hindenburg Entspannung und politische Chance zugleich.

Enthüllung des »Eisernen Hindenburg« auf dem Königsplatz in Berlin.
Reichskanzler Theobald von Bethmann Hollweg nimmt die Zeremonie am
4. September 1915 in Anwesenheit der Kaiserin und der Frau des
Generalfeldmarschalls vor.

KAPITEL 7
Abschiebung nach Kowno

Zehn Monate lang – vom Herbst 1915 bis zum Hochsommer 1916 – befand sich Hindenburgs Hauptquartier in der nordöstlichen Ecke des deutschen Einflußbereichs, im litauischen Kowno. Länger als je zuvor schlug der Oberbefehlshaber Ost an einem Ort Wurzeln – ein untrügliches Indiz für den militärischen Stillstand. Die Front im Osten verschob sich nicht mehr. Auch hier hatte die Erschöpfung der Kräfte auf beiden Seiten bewirkt, daß der Bewegungskrieg in einen ermüdenden Stellungskrieg überging. Die fast ein Jahr währende militärische Passivität schadete Hindenburgs symbolischer Leistung jedoch nicht, im Gegenteil: Hindenburg reifte zu einem originär politischen Faktor heran, weil die öffentliche und politische Erwartungshaltung ihm gerade in der Zeit seines militärischen Abtauchens immer mehr politische Aufgaben zuwies.

Die militärische Kaltstellung konnte Hindenburgs immer stärker ins Politische hineinwachsende Position nicht wirklich erschüttern. Gefahr drohte ihm nur dann, wenn sein Gegenspieler Falkenhayn ihn an seiner wirklich empfindlichen Stelle zu treffen vermochte: seinem Mythos als größter Feldherr des Weltkriegs. Dieser Feldherrnmythos war zwar mittlerweile so gefestigt, daß selbst das Exil in Kowno Hindenburgs Image nicht wirklich beschädigen konnte. Aber würde das auch gelten, wenn die deutschen Waffen wider Erwarten auf dem kriegsentscheidenden westlichen Kriegsschauplatz triumphierten, während Hindenburg im Osten zum Zuschauen verurteilt war? Wenn an der Westfront durchschlagende militärische Erfolge erzielt worden wären durch einen »Hindenburg des Westens«, hätte Hindenburg seine Monopolstellung als überragender Feldherr wohl eingebüßt. Diese Konkurrenz hätte auch seine genuin politische Kompetenzzuweisung aushöhlen können, weil die sich immer stärker politisch verfärbende Imagination Hindenburgs auf der Zuweisung einer militärischen Kernkompetenz beruhte. Ein allmähliches Zerbröckeln seines Feldherrnimages hätte das Fundament seiner politischen Ansprüche unterminiert.

Falkenhayn hat in der Tat den Versuch unternommen, sich auch in dieser Hinsicht zum Gegenspieler Hindenburgs aufzuschwingen. Er machte von den der Obersten Heeresleitung zu Gebote stehenden Mitteln der Pressebeeinflussung energischen Gebrauch mit dem Ziel, Hindenburg pressepolitisch auf seinem Vorposten im Osten zu isolieren und zugleich einen medialen Feldherrnkonkurrenten aufzubauen. Dazu mußte er zunächst die medialen Schlagadern verstopfen, die für den kommunikativen Blutkreislauf zwischen dem entlegenen Kowno und der deutschen Heimat sorgten. Das war nicht allzu schwer, denn schon die Lage von Hindenburgs Hauptquartier trug dazu bei, den Feldmarschall vor einer allzu großen Besucherschar abzuschirmen. Nach Kowno am Njemen, wie der Fluß Memel nach Überschreiten der deutsch-russischen Grenze heißt, dauerte die Reise von Berlin mehrere Tage. Wenn noch die Unbillen des strengen Winters hinzukamen, bedeutete die Tour nach Litauen große körperliche Strapazen. Selbst der an strenge ostpreußische Winter gewöhnte Verleger der einflußreichen »Königsberger Allgemeinen Zeitung«, Alexander Wyneken, bezeichnete seinen Abstecher nach Kowno und Wilna im Dezember 1915 als »eine fürchterliche Reise im Schneegestöber«, bei der der Zug zwischen Kowno und Wilna sechs Stunden lang zur Nachtzeit in einem Waldstück stillgestanden hatte.[1]

Falkenhayn setzte zudem alles daran, das ohnehin dünne Rinnsal der Reisenden nach Kowno zum Versiegen zu bringen. Der Zugang von Pressevertretern zu Hindenburg ließ sich leicht überwachen, da für den Besuch des östlichen Okkupationsgebietes ein Paß erforderlich war, den man bei der Presseabteilung IIIb des stellvertretenden Generalstabs beantragen mußte. Allem Anschein nach hat diese Behörde die erforderlichen Dokumente nur selten ausgestellt, wenn der Zweck des Besuchs ein Pressegespräch mit Hindenburg war.[2] Die Pressevertreter fanden dennoch Mittel und Wege, nach Kowno oder Wilna zu gelangen. Der Transport von Spenden an die Front oder die Absicht, eine solche »Liebesgabenlieferung« zu organisieren, öffnete im Regelfall ohne Schwierigkeiten die Tür für die weite Reise an den Njemen.[3] In eingeweihten Kreisen war es ein offenes Geheimnis, daß die Deklarierung einer Reise nach Kowno als karitative Mission den besten Vorwand bot, um ins Hauptquartier des Oberbefehlshabers Ost zu gelangen.[4] Auch die Tarnung als Vertreter des Deutschen Roten Kreuzes half manchmal weiter,[5] da der Territorialdelegierte des Roten Kreuzes, der Fürst zu Hohenlohe-Langenburg, ein Mitglied von Hindenburgs abendlicher Tafelrunde war.

Falkenhayn besaß auch keine Scheu, die Zensurbestimmungen zu nutzen, um Hindenburg medial zu isolieren. Als der Kriegsberichterstatter der Wiener »Neuen Freien Presse«, Paul Goldmann, dessen Berichterstattung im November 1914 viel zur Stilisierung Hindenburgs als Hort der Nervenstärke beigetragen hatte, den

Feldmarschall im Spätherbst 1915 in Kowno aufsuchte und in seinem Blatt darüber berichtete, wurde den deutschen Zeitungen eine Übernahme dieses Berichtes vom Kriegspresseamt untersagt.[6] Überdies ließ die Presseabteilung IIIb Desinformationen verbreiten, die Hindenburg beschädigen sollten. So erhielt der militärische Mitarbeiter der angesehenen »Magdeburgischen Zeitung« von angeblichen Gewährsmännern die als streng vertraulich deklarierte, aber gerade deswegen zur Weitergabe vorgesehene Information, daß Hindenburg im Sommer 1915 an einem lebensbedrohlichen Gelenkrheumatismus gelitten habe, der für seine Passivität bei der Sommeroffensive in Polen verantwortlich gewesen sei.[7]

Derartige Sticheleien vermochten am Feldherrnnimbus Hindenburgs allerdings nicht einmal zu rütteln. Die Presseabteilung der Obersten Heeresleitung konzentrierte sich daher darauf, Falkenhayn pressepolitisch besser zu vermarkten. Dem standen strukturelle Schwierigkeiten entgegen, denn Falkenhayn war ganz und gar von seiner Tätigkeit als Chef der OHL in Anspruch genommen und nur selten imstande, Journalisten zu Pressegesprächen zu empfangen.[8] So behalf sich das Kriegspresseamt damit, wenigstens wohlwollende Artikel über Falkenhayn zu lancieren. Am 3. Januar 1916 erschien ein solcher Artikel in der altkonservativen »Kreuzzeitung« und tags darauf einer in der liberalen »Frankfurter Zeitung«, die beide Falkenhayns Vorzüge herauskehrten und ihn gegen Hindenburg abgrenzten.[9] Da Falkenhayn in militärischer Hinsicht nicht mit dem Sieger von Tannenberg konkurrieren konnte, rühmte man seine das rein Militärische übersteigenden Fähigkeiten, über die der Chef der Heeresleitung verfügen mußte. Und in der Tat waren in dieser Funktion genuin politische Fähigkeiten gefragt, nämlich einen Koalitionskrieg zu koordinieren und die vier verschiedenen Kriegsschauplätze (Westfront, Alpenfront gegen Italien, Serbien, Ostfront) zu einer Gesamtschau zu verbinden, was ein hohes Maß an politischem Fingerspitzengefühl verlangte. Das Falkenhayn zuerkannte Anforderungsprofil für den Posten des Chefs des Generalstabes des Feldheeres reklamierte ein eindeutiges politisches Mitspracherecht für den obersten Militär[10] und enthielt damit auch eine Spitze gegen den Reichskanzler als verantwortlichen Leiter der zivilen Dienstgeschäfte. Aber in der Sache traf diese Diagnose den Kern des strukturellen Problems: Da der Kaiser als Koordinator zwischen Kriegführung und ziviler Politik zunehmend ausfiel, entstand ein Defizit, das durch eine politische Aufwertung der militärischen Führung gedeckt werden mußte. Zu dieser Erkenntnis war nicht nur Falkenhayn gelangt, auch der Reichskanzler dachte in diese Richtung und strebte genau aus diesem Grund die Ersetzung Falkenhayns durch Hindenburg an.[11] Hindenburg wurde also gerade während seiner militärischen Kaltstellung eine politische Funktion von seiten der zivilen Politik immer dringlicher angetragen. Daher lief der Vorstoß Falkenhayns, über seine eigene Politisierung Hindenburg auf eine rein militärische Funktion zu reduzieren, ins Leere.

Falkenhayns pressepolitische Versuche endeten nicht zuletzt deshalb mit einem kläglichen Ergebnis, weil sich die meisten Verleger ein solches Soufflieren ihrer Berichterstattung strikt verbaten. Symptomatisch für die Abwehr solch durchsichtiger Bemühungen ist die Haltung des Verlegers der »Magdeburgischen Zeitung« und Vorsitzenden des »Vereins Deutscher Zeitungsverleger«, Dr. Robert Faber. Als seiner nationalliberal ausgerichteten Zeitung sowie der politisch auf einer ähnlichen Linie liegenden »Königsberger Allgemeinen Zeitung« Anfang Januar 1916 Artikel zugespielt wurden, die Falkenhayn als Idealbesetzung der Rolle des »politischen Generals« priesen,[12] witterte Faber ein abgekartetes Spiel und informierte umgehend einen Kreis vertrauenswürdiger Verlegerkollegen.[13] Einer der inkriminierten Artikel stammte von dem Berliner Korrespondenten der »Königsberger Allgemeinen Zeitung«, Arnold Nagel, der nach Kriegsbeginn in die amtliche Pressearbeit übergewechselt war und seit Herbst 1915 im Kriegspresseamt als Leiter einer Sektion im Rang eines Hauptmanns die Aufgabe hatte, »gewisse Veröffentlichungen für die Presse vorzubereiten«.[14] Auch wenn Nagel später behauptete, daß sein Artikel eine Privatarbeit gewesen und nicht auf Anweisung des Chefs des Kriegspresseamtes, seines ehemaligen Studienkollegen Deutelmoser, entstanden sei,[15] blieb doch der Eindruck haften, daß das Kriegspresseamt versucht hatte, die Presse zu instrumentalisieren. Wenn die Bemühungen des Kriegspresseamtes der Auftakt einer gezielten Pressekampagne zugunsten Falkenhayns gewesen sein sollten, blieb diese bereits in den Anfängen stecken, weil die Mehrheit der deutschen Verleger dieses Ansinnen strikt von sich wies.

Die Episode zeigt, daß die deutsche Presse im Weltkrieg keinen medialen Konkurrenten Hindenburgs künstlich erzeugen wollte und konnte. Das Berufsethos der Verleger und Journalisten sperrte sich gegen alles, was nur den Hauch eines solchen Anscheins besaß, und reagierte überaus empfindlich auf noch so zarte Vorstöße in diese Richtung. Robert Faber wurde beispielsweise im Sommer 1915 signalisiert, daß sein Besuch im Großen Hauptquartier höchst willkommen sei. Er solle sich auf dem westlichen Kriegsschauplatz umsehen und dafür einsetzen, daß dem Helden im Osten ein Held der Westfront an die Seite gestellt werde. Doch Faber ließ wissen, daß er »es namens der deutschen Presse auf das allerentschiedenste ablehnen müsse, einem Papierhelden auf die Beine zu helfen«.[16] Letztlich stand es gar nicht in der Macht der Presse, eine nicht sonderlich populäre Gestalt zum Feldherrn der Herzen zu stilisieren. Solche Versuche liefen an der Volksstimmung vorbei und mußten nach Ansicht Fabers kläglich scheitern: »Die Liebe eines Volkes ließe sich nicht kommandieren und schieben.«[17]

Dieser Erkenntnis beugte sich Anfang 1916 auch die Oberste Heeresleitung, nachdem selbst die Reduzierung Hindenburgs zum Zuarbeiter Mackensens bei der Sommeroffensive 1915 dessen Feldherrnnimbus keinen Kratzer zugefügt hatte. In der Öffentlichkeit wurden alle im Osten errungenen Siege dem Konto Hindenburgs gutgeschrieben. Wie hilflos man sich in militärischen Kreisen angesichts der Wirkung Hindenburgs fühlte, zeigt der Ausspruch, »es sei ganz einfach Hindenburg, der jetzt unter dem Namen Mackensen weitersiege«.[18] Wenn Hindenburg tatsächlich einmal ein lokaler militärischer Erfolg gelang, nahm die Öffentlichkeit das begierig wie durch ein Vergrößerungsglas wahr, so daß Falkenhayn resignierend kommentierte: »Wie werden den Führern im Osten jetzt wegen dieses Erfolges vom Volke wieder neue Lorbeeren dargebracht werden!«[19]

In dieser Lage halfen nur eigenständige und symbolträchtige Erfolge an der Westfront weiter, die beim besten Willen nicht dem Feldherrn des Ostens zugerechnet werden konnten. Nur durch einen großen militärischen Erfolg gegen Frankreich konnte Hindenburg ausgestochen werden. Ein solcher Sieg war aber nur dann wirklich etwas wert, wenn er einem militärischen Führer zugeschrieben werden konnte, der das Format besaß, zum Hindenburg des Westens aufzusteigen. Viele Anzeichen deuten darauf hin, daß die in der Militärgeschichte bestens bekannte Operation Falkenhayns gegen die französische Festung Verdun an der Maas auch unter symbolpolitischen Gesichtspunkten geplant war. Natürlich entsprach der Vorstoß Falkenhayns gegen Verdun strategischem Credo, daß ein kriegsentscheidender Erfolg nur im Westen und dort nur durch das Ausscheiden Frankreichs erzielt werden könne, weshalb man Frankreich militärisch und moralisch zermürben müsse. Die Inbesitznahme des Ostufers der Maas bei Verdun sollte den deutschen Truppen den konzentrierten Einsatz von Artilleriefeuer ermöglichen und damit die französische Armee vor die Wahl stellen, entweder die Festung Verdun direkt zu räumen oder die Blüte der französischen Jugend in verlustreichen Angriffen gegen die deutsche Artillerie verbluten zu lassen und am Schluß dennoch Verdun aufzugeben. Falkenhayn wollte Verdun auf diese Weise zum Symbol französischer Auszehrung mit unübersehbaren politischen Folgen erheben.[20]

Welcher Heerführer aber sollte mit dieser Aufgabe betraut werden, die weit mehr als den Ruhm eines gewöhnlichen Schlachtenerfolges verhieß? Falls mit der Eroberung Verduns zumindest die ehrenvolle Beendigung des Weltkriegs möglich werden sollte, stellte dieser Sieg alle vorangegangenen Siege in den Schatten; selbst die Schlacht von Tannenberg würde vor diesem Hintergrund verblassen. Wem die

Eroberung von Verdun übertragen wurde, der erwarb das Anrecht auf die Glorifizierung zum alles überragenden Kriegshelden. Und so war es kein Zufall, daß der größte aller zu erringenden Siegespreise im militärischen Zuständigkeitsbereich der 5. deutschen Armee lag, an deren Spitze kein Geringerer als der deutsche Kronprinz stand.

Kronprinz Wihelm war durch Zufall direkt nach Kriegsbeginn mit dem Kommando über diese Armee betraut worden. Zwar verfügte er als Berufsoffizier über die Voraussetzungen dafür, doch im Unterschied zu seinen königlichen Vettern, dem bayerischen Kronprinzen Rupprecht und dem württembergischen Herzog Albrecht, besaß er rangmäßig nicht das erste Zugriffsrecht auf eine Armee im Krieg. Kronprinz Rupprecht war Generaloberst, Inspektor der bayerischen Armeeinspektion und insofern für die Führung einer Armee ausgewiesen; sein ranggleicher württembergischer Vetter war ebenfalls Generalinspekteur, so daß diese beiden ganz selbstverständlich bei Kriegsausbruch das Kommando der 6. beziehungsweise der 4. deutschen Armee erhielten.[21] Der deutsche und preußische Kronprinz hingegen zählte bei Kriegsausbruch gerade einmal 32 Jahre und hatte es aufgrund seiner Dienstjahre bis dahin nur zum Regimentskommandeur gebracht. Seine Stunde schlug, als General von Eichhorn bei Kriegsausbruch aus Krankheitsgründen nicht wie vorgesehen ein Armeekommando übernehmen konnte und dem Kronprinzen unverhofft die Leitung der 5. Armee zufiel. Bei den Kämpfen im Westen hatte sich diese Armee – wie alle übrigen dort eingesetzten Verbände – bisher nicht sonderlich ausgezeichnet. Nun allerdings winkte der Siegespreis Verdun und damit die einzigartige Gelegenheit, daß ein Sproß des Hauses Hohenzollern die Pforte zum Ruhm durchschritt und den Feldherrn des Ostens ausstach.[22] Falkenhayn wollte durch die Einnahme Verduns also drei Dinge zugleich erreichen: einen kriegsentscheidenden Durchbruch erzielen, den präsumtiven Thronfolger militärisch aufwerten und das Feldherrnmonopol Hindenburgs brechen.

Die Presseabteilung der Obersten Heeresleitung ging im Einklang damit daran, den Kronprinzen populär zu machen.[23] Auch der Kronprinz selbst trug zu seiner medialen Vermarktung bei, indem er nach dem Beispiel Hindenburgs versuchte, seine militärischen Heldentaten durch einen anerkannten Maler auf Leinwand bannen zu lassen, auf daß sie mittels der modernen Reproduktionstechniken in öffentliche und private Räume gelangten. Sein Auge fiel dabei auf den Münchner Landschaftsmaler Ernst Vollbehr. Dieser war seit September 1914 als Kriegsmaler zugelassen, verbrachte fast vier Jahre an der Westfront und fertigte dabei Hunderte von Skizzen an, die den Grundstock für eine Kollektion von 1250 Kriegsbildern darstellten.[24] Vollbehr, der den Stellungskrieg im Westen realistisch abbilden wollte, scheute das persönliche Risiko nicht und stürzte sich ins Kampfgeschehen, um es aus nächster Nähe zu beobachten. Unter Inkaufnahme der einen oder anderen leichten Verwundung entstanden seine »schaurig-schönen Kriegssujets«,[25] die die Aufmerksamkeit des Kronprinzen erregten. Dieser suchte nach einem malerisches Kontrastprogramm zum Bewegungskrieg im Osten und erhoffte sich von dem wagemutigen Vollbehr und seinen realistischen Darstellungen, daß er dem Betrachter ein Gefühl für die besonderen Herausforderungen des westlichen Kriegsschauplatzes vermittelte. Er engagierte Vollbehr im Spätherbst 1915 als Kriegsmaler für seine 5. Armee,[26] so daß dieser dabei war, als am 21. Februar 1916 der Sturmangriff auf die östlich der Maas gelegenen Teile der Festung Verdun einsetzte. Vollbehr erhielt alles, was er brauchte, um ein dokumentarisches Zeugnis dieser Operation herzustellen, der man eine so große kriegsgeschichtliche Bedeutung zumaß. Man stellte ihm zu Beginn der Offensive sogar ein viersitziges Kampfflugzeug zur Verfügung, damit er aus der Vogelperspektive den deutschen Vormarsch skizzieren und dann später auf Leinwand verewigen konnte.[27] Ferner malte Vollbehr unter Lebensgefahr von verlassenen Unterständen aus und umgeben von unbestatteten Opfern das Panorama des Schlachtfeldes, über das sich die zunächst siegreich vorstoßenden deutschen Truppen ihren Weg zum Fort Douaumont bahnten.[28] Da die Operation gegen Verdun nach ersten Anfangserfolgen Ende März 1916 steckenblieb, sollte Vollbehr noch reichlich Gelegenheit erhalten, Kopf und Kragen zu riskieren und von Granattrichtern und zerschossenen Unterständen aus die hartnäckigen, aber letztlich erfolglosen deutschen Angriffswellen zu dokumentieren.[29] Sein Wagemut wurde vom Kronprinzen persönlich mit der Verleihung des Eisernen Kreuzes honoriert.[30]

Alle Malkunst konnte jedoch nicht darüber hinwegtäuschen, daß Verdun ein militärischer Fehlschlag war. Bereits Ende März 1916 zeichnete sich ab, daß das Kalkül Falkenhayns nicht aufging. Mittlerweile war Verdun aber zu einem solchen Prestigeobjekt aufgerückt, daß sich die militärische Führung nicht entschließen konnte, die unter ungeheuren Menschenopfern errungenen, aber letztlich wertlosen Geländegewinne preiszugeben. Bis Ende August 1916 rannten immer neue deutsche Divisionen vergeblich gegen den Festungsgürtel und die Höhen am Maasufer an, bis schließlich 47 Divisionen verschlissen waren und der deutsche Blutzoll kaum geringer ausfiel als die Verluste der französischen Verteidiger.[31] Vergeblich versuchten der Kronprinz und Vollbehr, diesem Fiasko einen Sinn zu verleihen, indem sie es zum Ausdruck deutschen Selbstbehauptungswillens und heldenhafter Selbstaufopferung stilisierten.[32]

Der Mißerfolg vor Verdun beschädigte das öffentliche Ansehen des Kronprinzen irreparabel – zum einen weil er für die ungeheuren Verluste mit haftbar gemacht wurde, zum anderen weil er seine sexuelle Manneskraft in seinen Hauptquartieren in Stenay und Charleville derart unter Beweis stellte, daß diese »Nebentätigkeit« als Don Juan ein offenes Geheimnis nicht nur in Armeekreisen war.[33] Die Gerüchteküche brodelte, »der Kronprinz sei an den Verlusten von Verdun Schuld und auch sein Privatleben sei jetzt nicht einwandfrei«.[34] Am Ende sollte Hindenburg mit seiner Autorität diesem Rumoren Einhalt gebieten. Allein daran wird ersichtlich, daß Hindenburgs Nimbus unerschüttert war und alle Versuche von seiten der Obersten Heeresleitung und des Hauses Hohenzollern, auf dem westlichen Kriegsschauplatz einen medialen Gegenspieler aufzubauen, ihm nichts anhaben konnten.

Gegen den Feldherrn des Ostens war auch deswegen nicht anzukommen, weil Hindenburg die militärische Zwangspause in Kowno nutzte, um einen professionellen Apparat für seine Öffentlichkeitsarbeit aufzubauen. Erstmals verfügte Hindenburg über entsprechende institutionelle Strukturen, weil er als Oberbefehlshaber Ost über eine ausgedehnte deutsche Militärverwaltung gebot, zu der auch eine Presseabteilung gehörte. Hindenburgs Reich im Osten umfaßte die eroberten russischen Gebiete, die überwiegend außerhalb des ehemaligen Kongreßpolen lagen. Dieses Land OberOst war in Anlehnung an die russischen Gouvernements in vier Verwaltungsbezirke (Kurland, Litauen, Wilna-Suwalki und Bialystok-Grodno) unterteilt, die sich von der Ostsee bis ins polnisch-weißrussische Grenzgebiet erstreckten. Mit knapp 109 000 Quadratkilometern entsprach es im Umfang den preußischen Provinzen Ost- und Westpreußen, Pommern und Posen.[35] Mit der Ausübung der Verwaltungstätigkeit in diesem großen Gebiet schlüpfte Hindenburg in eine Doppelfunktion als Feldherr und Organisator, was der Diversifizierung seines öffentlichen Ansehens zugute kam. Das Hindenburgbild wurde im Verlaufe des Aufenthalts in Kowno noch facettenreicher und politikhaltiger.

An dieser Entwicklung hatte die Professionalisierung der von OberOst betriebenen Pressearbeit einen nicht unerheblichen Anteil. Denn die dort hauptamtlich damit befaßten acht Offiziere vermieden die strukturellen Fehler der Abteilung IIIb bei der Obersten Heeresleitung. Statt in der Wolle gefärbte Militärs mit der fremden Welt der Presse zu konfrontieren, in der sie durch ungeschicktes Auftreten im Kommandoton nur Trotz und Selbstbehauptungswillen bei den Pressevertretern mobilisierten, setzte man in Kowno auf Experten mit journalistischer oder verlegerischer Erfahrung, die ihre im Zivilleben erworbenen Fähigkeiten im Kriege nutzbringend anwenden konnten.

Der Leiter der Presseabteilung, Friedrich Bertkau, kann als Idealbesetzung für diesen Posten gelten, da er die Brücke zwischen Militär und Journalismus bildete: Nach vierzehnjähriger Dienstzeit beim Militär hatte er als Oberleutnant seinen Abschied genommen, danach studiert und seit 1912 beim Ullstein-Verlag journalistische Erfahrung gesammelt. Nach Kriegsausbruch war er erneut zu den Fahnen gerufen und als Kompaniechef schwer verwundet worden. Danach war der Felddienstunfähige auf den Traumposten als Pressechef von OberOst berufen worden, wo er mit großer Energie und ebensoviel Geschick einen leistungsfähigen Presseapparat aufbaute. Bertkau konnte unbehindert von militärischen Hierarchien in Pressefragen schalten und walten, weil er direkt dem Chef des Generalstabs von OberOst unterstand.[36] Walter Bloem, der als Leiter der Feldpressestelle ein besonders sachkundiges Urteil abgeben konnte, war nach einem Besuch der Bertkauschen Presseabteilung voll des Lobes über die dort geleistete Arbeit: »Nicht ohne Neid erfuhren wir aus den Berichten, wie dort ... gleich von Anfang an eine straffe, zentralisierende, in ihren einfachen, verständigen Verhältnissen streng geregelte Presseorganisation geschaffen worden war, während wir uns durch das Gestrüpp der Zufallsentstehung mühsam hindurch winden müssen.«[37]

Bertkau assistierte Oberleutnant Hans Frentz, ein Berufsmilitär mit ausgeprägten literarischen Interessen. Frentz war der Prototyp des gebildeten Offiziers und stand mit vielen Schriftstellern und Künstlern auf vertrautem Fuß.[38] Wegen einer schweren Kriegsverletzung war er zur Presseabteilung versetzt worden, und dort verstand er es, dank seiner guten persönlichen Kontakte eine Fülle hochkarätiger Literaten und Künstler für die Presseabteilung von OberOst zu reklamieren und auf diese Weise vom stumpfsinnigen Kasernendienst oder lebensgefährlichen Frontdienst zu erlösen. Bald konnte sich die Kownoer Presseabteilung mit einer ansehnlichen Schar damals bedeutender deutscher Literaten schmücken, die ihr zu Recht den Namen Künstlerecke[39] eintrugen:[40] Richard Dehmel, Arnold Zweig,[41] Herbert Eulenberg. Die Malerei war vertreten durch Karl Schmidt-Rottluff und zwei Vertreter der Berliner Sezession, nämlich Magnus Zeller und Hermann Struck. Das Judentum nicht weniger dieser Intellektueller – Zweig, Struck, der zionistisch eingestellte Sammy Gronemann sowie der Pressechef des späteren preußischen Ministerpräsidenten Otto Braun, Hans Goslar, verschwiegen ihren jüdischen Glauben nicht – war überhaupt kein Hindernis. Selbst der spätere Judenhasser Ludendorff genoß in Kowno das inspirierende Zusammensein mit diesen herausragenden Vertretern der deutsch-jüdischen Kultursymbiose. »Er hat sich jüdische Künstler herangezogen, sich mit ihnen stundenlang angeregt unterhalten und sich von ihnen Werke widmen lassen.«[42]

Für den Unterschlupf in Kowno revanchierten sich die Schriftsteller und

Künstler durch mehr oder minder eifrige Bearbeitung der ihnen gestellten Aufgaben. Die Pressearbeit in OberOst war zudem eng mit den Wirtschaftsinteressen bestimmter Verleger verflochten, was den in OberOst erzeugten Produkten den Absatz auf dem deutschen publizistischen Markt garantierte. Die Schlüsselfigur dabei war der Berliner Verleger Hermann Stilke, der die Außenstelle in Wilna im Range eines Rittmeisters der Ulanen leitete.[43] Seine Aufgabe war es, deutschsprachige Zeitungen zu gründen, was zweifellos zum Kerngeschäft der Pressearbeit zählte. Aber Stilke betätigte sich nicht nur als Gründer der »Wilnaer Zeitung«, sondern verfolgte in OberOst auch ureigene Geschäftsinteressen, die sich mit den ökonomischen Interessen der Presseabteilung und den pressepolitischen Intentionen Hindenburgs deckten.

Stilkes Vater Georg hatte in den 1880er Jahren als einer der ersten die Bedeutung von Bahnhofsbuchhandlungen erkannt und auf diesem Gebiet in Preußen eine führende Stellung erworben. Hermann Stilke baute dieses Geschäft aus und fand weitere Orte, an denen er sein Sortiment erfolgreich vertreiben konnte: die Untergrundbahnen in Berlin und Hamburg, Hotelbuchhandlungen sowie Buchhandlungen auf den größeren Überseeschiffen. Im Weltkrieg entdeckte er mit dem ihm eigenen Geschäftssinn ein neues lukratives Geschäftsfeld, nämlich die Versorgung der Frontsoldaten mit Lesestoff aller Art. OberOst räumte ihm dazu das Recht ein, die dafür erforderliche Infrastruktur in Gestalt der Feldbuchhandlungen zu errichten, die bei Wiederaufnahme des Bewegungskrieges im Osten mit der vorrückenden Truppe mitziehen sollten. Stilke zeigte sich für seine monopolartige Stellung erkenntlich, indem er die Hälfte der auf diese Weise erzielten Einnahmen[44] der Presseabteilung von OberOst zuführte, der er dienstlich angeschlossen war.[45] Diese Mittel flossen in den Bau und die Unterhaltung von Erholungsheimen für Fronturlauber der Hindenburg unterstehenden Armeen, was selbst den Börsenverein Deutscher Buchhändler beschwichtigte, der Stilkes Monopol ansonsten als Interessenvertreter der Kleinbuchhändler mißtrauisch beäugte.[46] Stilke unterhielt im Verwaltungsgebiet OberOst nicht weniger als 71 Feldbuchhandlungen und 29 Bahnhofsbuchhandlungen.[47] Auch der Ullstein-Verlag, der schon bei der publizistischen Vermarktung Hindenburgs keine geringe Rolle gespielt hatte, war in diese Geschäfte einbezogen. Denn die Feldbuchhandlungen Stilkes pflegten den lesehungrigen Soldaten vorrangig Produkte aus dem Hause Ullstein anzubieten,[48] wobei gewiß eine Rolle gespielt haben dürfte, daß Bertkau bei Ullstein seine journalistischen Sporen verdient hatte.

Personell war die Presseabteilung OberOst mit knapp fünfzig Mitarbeitern[49] so komfortabel ausgestattet, daß sie ihren vielfältigen Aufgaben gerecht werden

konnte, wobei zwei Ziele im Vordergrund standen: Indem sie die Vor- und Nach-
zensur der in OberOst erscheinenden fremdsprachigen Zeitungen ausübte beziehungsweise sich um die Gründung und Unterstützung deutschsprachiger Journale
bemühte, wirkte sie nach innen, das heißt auf das Land OberOst selbst. Mindestens
ebenso stark war sie auf eine entsprechende Außenwirkung bedacht: Schließlich
sollten der deutschen Öffentlichkeit die Segnungen der deutschen und speziell der
Hindenburgschen Verwaltungstätigkeit im eroberten Nordosten anschaulich und
lebendig vor Augen geführt werden.[50] Genau deshalb waren Literaten wie Herbert
Eulenberg mehr als willkommen, dem Ludendorff höchstpersönlich einen dichterischen Freibrief erteilte, wenn er nur mit seinen Artikeln dazu beitrage, die unge-
wohnt unmilitärische Aktivität der beiden Dioskuren zu popularisieren.[51] Der mit
pazifistischen Ideen liebäugelnde Eulenberg war durch diese Vorzugsbehandlung
so sehr für Ludendorff eingenommen, daß er sich sogar mit der – allerdings niemals realisierten – Idee trug, dem Leben Ludendorffs literarischen Ausdruck zu
verleihen.[52]

Der Aktionsradius der Pressestelle OberOst darf allerdings nicht überschätzt
werden. Zwar gab sie sich alle Mühe, mit adäquaten journalistischen und literarischen Mitteln die deutsche Heimat über die kulturschöpferische Leistung des Gespanns Hindenburg/Ludendorff zu informieren. Doch letztlich konnte sie auch
nicht mehr tun, als an die journalistische Ehrenpflicht zu appellieren, die deutsche
Kulturarbeit im Osten angemessen zu würdigen. Ob und wie häufig die deutsche
Presse von diesem Angebot Gebrauch machte, entzog sich ihrem Einfluß.[53] Auf
jeden Fall zeigte sich OberOst in punkto medialer Selbstvermarktung allen anderen Heeresverbänden turmhoch überlegen: Seit 1916 lud die Presseabteilung verstärkt journalistische Multiplikatoren gezielt zu sogenannten Pressefahrten nach
OberOst ein, wovon reger Gebrauch gemacht wurde.[54] Dazu dürfte beigetragen
haben, daß Journalisten wie Verleger in OberOst mit größter Liebenswürdigkeit
empfangen wurden.[55] Die im Gefolge dieser Reisen entstandenen Schriften dürften die wohlwollende Wahrnehmung deutscher Verwaltungstätigkeit im Osten befördert haben. Während das Oberkommando Mackensen im Herbst 1915 mit der
Eroberung Serbiens einen durchschlagenden militärischen Erfolg zu verzeichnen
hatte, der allerdings in der deutschen Öffentlichkeit nicht gebührend gewürdigt
wurde, ließ »Ob.Ost reklamehaft seinen Ruhm in die Welt posaunen …, der doch
nicht so überragend ist, wie sie selbst glauben und das deutsche Volk infolge der
Reklame annimmt«, wie der Chef des Feldeisenbahnwesens, Oberstleutnant Wilhelm Groener, in einer Mischung aus Bewunderung und Neid seinem Tagebuch
anvertraute.[56]

Für die Außenwirkung Hindenburgs war der Kontakt zu einer Vielzahl von Multiplikatoren ebenso wichtig. Vom Oktober 1915 an ergoß sich eine Schar mehr oder weniger hochrangiger Besucher über Kowno, die alle Hindenburg ihre Aufwartung machten. Man konnte hier und da den Eindruck gewinnen, als habe eine nicht zuletzt politisch motivierte Pilgerreise zum Oberbefehlshaber Ost eingesetzt, der zwar militärisch kaltgestellt war, dessen politisches Gewicht aber gerade in dieser Zeit noch weiter anwuchs. Hindenburg schlüpfte für sie alle in die Rolle, die er am besten beherrschte: die des väterlichen Gastgebers. Im persönlichen Gespräch, beim Mittagstisch und erst recht bei der abendlichen Tafelrunde konnte er seine kommunikativen Stärken ausspielen und hinterließ bei den Gästen ungeachtet ihrer Stellung tiefen Eindruck.[57] »Er ist ein prächtiger Hausherr«, so Paul Goldmann, »und von dem Hausherrn vor allem geht die Atmosphäre des Behagens aus, die der Gast in diesem Kreise empfindet.«[58]

Die Kowno-Reisenden lassen sich in zwei Gruppen unterteilen. Zum einen zählten dazu die vielen Überbringer der sogenannten Liebesgaben, die von Hindenburg fast allesamt mit einer Einladung an seine Tafel geehrt wurden.[59] Stärker ins Gewicht fielen allerdings diverse Bittsteller aus Wirtschaft und Politik, die sich förmlich aufdrängten und nur eines im Sinn hatten: »Unterstützung ihrer Politik durch den Feldmarschall.«[60] Hindenburg ist in Kowno zu einer erstrangigen politischen Anlaufstelle geworden, weil seine militärische Zwangspause ihn überhaupt erst in die Lage versetzte, größere Besucherscharen zu empfangen und sich ihnen zu widmen. Er konnte auch unter den erschwerten geographischen Bedingungen die in Lötzen begonnene Tradition fortsetzen, Militärs, Politikern und Interessenvertretern sein Ohr zu leihen.[61]

Die Politisierung Hindenburgs läßt sich an der Zusammensetzung dieser Besucher ablesen. Daß Hindenburg auch für die Wirtschaft ein politischer Faktor geworden war, bezeugt der Umstand, daß die wohl bedeutendsten deutschen Industriellen die beschwerliche Reise in sein Hauptquartier nicht scheuten. Unter ihnen war der politisch ambitionierte Ruhrindustrielle Hugo Stinnes, der im Mai 1916 bei OberOst um Unterstützung seiner Pläne nachsuchte. Diese sahen eine Verständigung mit Rußland und eine auch wirtschaftlich mit äußerster Rücksichtslosigkeit durchzuführende Verdrängung Englands vor.[62] Auch die graue Eminenz der Ruhrmagnaten, der Gründer des Rheinisch-Westfälischen Kohlensyndikats, Emil Kirdorf, begab sich in Begleitung des Generaldirektors des größten deutschen Pulverkonzerns in das Hauptquartier von OberOst, was sogar den Reichskanzler alarmierte, da Kirdorf zu den alldeutschen Scharfmachern und mithin erbittertsten innenpolitischen Gegnern des moderaten Kanzlers gehörte. Trotz Bethmann Hollwegs telefonischer Intervention wurden die beiden Abgesandten der westdeutschen Industrie von Hindenburg und Ludendorff empfangen und natürlich an die Abendtafel gebeten.[63] Unter die Besucherschar mischte sich auch der politisch ambitionierte Generaldirektor der AEG, Walther Rathenau, der sich im November 1915 zu politischen Gesprächen in Kowno aufhielt.[64]

Vertreter der Politik machten dem Feldmarschall ebenfalls ihre Aufwartung. Bereits im Oktober 1915 erschien der ehemalige Staatssekretär des Reichskolonialamtes, Bernhard Dernburg, ein einflußreiches Mitglied des preußischen Herrenhauses, in Kowno. Von der Begegnung mit Hindenburg war er so angetan, daß er darüber einen Zeitungsartikel für das »Berliner Tageblatt« verfaßte.[65] Im Juli 1916 setzte der amtierende Kolonialstaatssekretär den Reigen fort und versuchte mit mäßigem Erfolg OberOst für die Grundzüge seiner zukünftigen Kolonialpolitik einzunehmen,[66] was nun wirklich ganz und gar nicht in der amtlichen Befugnis des Oberbefehlshabers Ost lag. Fast gleichzeitig weilte auch der einflußreiche Staatssekretär des Innern, Karl Helfferich, zwecks politischer Sondierung in Kowno.[67]

Für Hindenburgs Image war die Verbannung nach Kowno ein Gewinn. Denn just in dieser Zeit nahm die öffentliche Wahrnehmung des Feldmarschalls immer stärkere politische Züge an. Dabei übte gar nicht Hindenburg die Oberaufsicht über das Verwaltungsgebiet OberOst aus. Das tat vielmehr der rastlose und unausgelastete Ludendorff, der sich mit Feuereifer auf die neue Herausforderung stürzte, ein Gebiet von nahezu der Größe der süddeutschen Staaten zu verwalten.[68] Doch alles, was Ludendorff energisch anpackte, kam automatisch Hindenburg zugute, weil der Feldmarschall längst zum Synonym für den deutsch beherrschten Osten geworden war. Hindenburg erntete damit den symbolischen Ertrag, den nicht zuletzt Ludendorff erwirtschaftete.

Welche in den soziokulturellen Tiefenschichten lagernden Selbstdeutungen der deutschen Nation hat der militärisch kaltgestellte Hindenburg von Kowno aus bedient? Es war in erster Linie »die deutsche Kunst der Organisation«,[69] die sich dort unter Hindenburgs Führung entfaltete. Mit der Übernahme der Verwaltung von OberOst erbte Hindenburg die Stilisierung zu einem Kulturschöpfer, der im Osten eine große, dem deutschen Volk als Kulturvolk zur Ehre gereichende zivilisatorische Aufbauleistung vollbrachte.[70] Das Hohelied von der Organisationskunst des Oberbefehlshabers nahm zum Teil hymnischen Charakter an. Karl Strecker bemühte in der vielgelesenen »Berliner Illustrierten Zeitung«[71] sogar den Dichterfürsten Goethe, dessen Diktum zu Eckermann »Ich lobe mir ein Genie, das den gehörigen Körper hat« geradewegs auf Hindenburg gemünzt zu sein schien. Die wuchtige und imponierende Gestalt des Feldmarschalls galt als bester Beweis dafür, daß ein genialer Geist sehr wohl in einem respekteinflößenden Körper wohnen konnte. Hindenburgs massenhaft in bildlicher Form verbreitete stattliche Gestalt konnte also auf diese Weise kulturell veredelt werden.

Hindenburgs Aktivitäten erschöpften sich nicht in der Rolle des perfekten Gastgebers an der Kownoer Tafel. Sein Hauptquartier erlebte in dieser Zeit eine wahre Invasion von Künstlern, die Hindenburg auf die Leinwand bannen oder ihn modellieren wollten. Mit Lederer, Metzner und Petersen hielten sich im November 1915 gleich drei Vertreter dieser Zunft in Kowno auf. Zudem sollte der anerkannte Maler und Graphiker Hermann Struck, Referent für jüdische Angelegenheiten im Kommando OberOst, Radierungen von Hindenburg anfertigen, was sich aber zerschlug, da Hindenburg an die Spitze der Obersten Heeresleitung wechselte.[72] Für den Leibmaler Hugo Vogel, der den Feldmarschall aus gesundheitlichen Gründen nicht ins unwirtliche Kowno begleiten konnte, fand sich ein nahezu gleichwertiger Ersatz in Gestalt des Breslauer Akademieprofessors Arnold Busch.

Busch war der produktivste Kriegsmaler überhaupt, der im Laufe des Krieges sämtliche führenden Militärs bildlich verewigen sollte. Er malte in atemberaubendem Tempo, weil er sich im Unterschied zu Vogel und Petersen auf Bleistiftskizzen beschränkte, für die keine aufwendigen Porträtsitzungen notwendig waren. Ohne den gewohnten Tagesablauf der Abzubildenden zu stören, konnte Busch, mit einem Skizzenblock bewaffnet, seiner Profession nachgehen. Seine Ausbeute war nicht nur beträchtlich, sie erfreute sich auch einer enormen öffentlichen Resonanz. Bereits bei der Kriegsbilderausstellung der Berliner Akademie der Künste im Frühjahr 1916 war Busch mit 32 Werken vertreten. Ein Jahr später konnte er auf der ebenfalls von der Akademie der Künste veranstalteten Ausstellung von Kriegsbildern aus den drei verbündeten Staaten Deutschland, Österreich-Ungarn und Bulgarien wiederum eine große Kollektion seiner Werke der neugierigen Öffentlichkeit präsentieren. Die unerläßliche Reproduktion übernahm im Regelfall die Photographische Gesellschaft in Berlin, die sich ja auch Rechte an den Hindenburg-Porträts von Vogel und Petersen gesichert hatte. Im Gegensatz zu seinen Kollegen war Busch nicht als Kriegsmaler registriert und zugelassen, sondern als regulärer Kriegsteilnehmer. Als Mitglied des preußischen Landsturms gelangte er an alle Fronten und konnte sowohl im Großen Hauptquartier im Westen[73] als auch im östlichen Hauptquartier seinen Zeichenstift zur Hand nehmen.[74]

Busch hielt sich zumindest im Februar und März 1916 in Kowno auf, um nicht nur Hindenburg, sondern den ganzen Stab von OberOst in Skizzen einzufangen. Als Hindenburg-Porträtist konnte er Hugo Vogel keine wirkliche Konkurrenz machen; dazu waren die aufwendigen Ölgemälde des Berliner Professors den Zeich-

nungen seines Breslauer Kollegen zu überlegen. Aber Busch gelang es, die Atmosphäre von OberOst so festzuhalten, wie die Besucher sie erlebten: Hindenburg als
der gütige Hausherr und Mittelpunkt einer geselligen Tafelrunde, der, die Hände
übereinandergelegt, vom Lehnstuhl[75] aus über Gott und die Welt philosophiert,
während sein Stab wie gebannt seinen Erzählungen lauscht.[76] Die Photographische Gesellschaft sicherte sich die Vervielfältigungsrechte aller im Hauptquartier
Ost entstandenen Zeichnungen Buschs und bewarb speziell die Zeichnung »Ein
Abend bei Hindenburg«.[77] Wie sehr sich der Eindruck solcher und vergleichbarer
Abbildungen von Hindenburg in den Köpfen der Deutschen festsetzte, verrät die
erste persönliche Begegnung zwischen Rathenau und Hindenburg am 20. November 1915: Wie selbstverständlich verglich Rathenau den ihm von Angesicht zu Angesicht gegenübertretenden Feldmarschall mit den diversen Hindenburg-Porträts,
die vor seinem geistigen Auge erschienen, wobei er eine künstlerische Verfremdung
zu Hindenburgs Gunsten konstatierte.[78]

Neben den Bildern fand im Jahr 1915 der sogenannte Eiserne Hindenburg, eine
zwölf Meter hohe Kolossalstatue, die am 4. September 1915 auf dem Berliner
Königsplatz in der Nähe der Siegessäule aufgestellt wurde, besondere mediale Aufmerksamkeit.[79] Dieses Monumentalstandbild nahm einen aus Wien stammenden
Brauch auf, sich die Opferbereitschaft der Zivilbevölkerung für den Krieg zunutze
zu machen. Gegen Entgelt konnte man Nägel in ein hölzernes Standbild einschlagen, welches auf diese Weise eine eiserne Rüstung erhielt und so in einen ehernen
Ausdruck ungebrochener Wehrbereitschaft verwandelt wurde.[80] Eine offiziöse
karitative Einrichtung, der »Luftfahrerdank«, griff diese Idee für die deutsche
Hauptstadt auf und beging am Jahrestag des Sieges von Tannenberg die feierliche
Einweihung des »Eisernen Hindenburg«,[81] der sich binnen kurzem zum medialen
Dauerbrenner entwickelte. Der Erlös der Benagelung – die eisernen, silbernen und
goldenen Nägel kosteten zwischen einer und hundert Mark – floß größtenteils
Kriegshinterbliebenen zu.

Das ehrgeizige Ziel, die Riesenstatue vollständig mit einem Panzer aus eisernen und goldenen Nägeln zu überziehen, sollte nicht ganz erreicht werden.[82] Doch
der Eiserne Hindenburg begab sich auf eine visuelle Reise durch ganz Deutschland, weil vor allem Postkarten[83] das Bild des entschlossen-wehrhaft dreinblickenden Feldmarschalls massenhaft verbreiteten. In Werbeannoncen nahm der zu be-
nagelnde Hindenburg ebenfalls einen prominenten Platz ein. So sah man zwei
Mädchen, die für Kindermäntel warben und in diese gekleidet je einen Nagel in
den hölzernen Koloß trieben.[84] In gewisser Weise war der Eiserne Hindenburg ein
nahezu vollwertiger Ersatz für ein Hindenburg-Denkmal, an welchem dem auf

seine Nachwirkung so bedachten Hindenburg viel gelegen war: Er ragte heraus aus der Masse der Nagelfiguren, die seit Mitte 1915 in nahezu allen größeren deutschen Orten wie Pilze aus dem Boden schossen, bis die Nagelungswelle 1916 abebbte.[85] Als Hugo Vogel sich am 7. September 1915 nach mehrmonatiger Pause wieder zum Maldienst in Hindenburgs Hauptquartier zurückmeldete, galt eine von Hindenburgs ersten Fragen der Nagelfigur auf dem Königsplatz.[86] Der Feldmarschall sträubte sich auch nicht gegen eine Vermarktung seines eisernen Ebenbildes: In der Kownoer Tafelrunde wurden als Dessert sogenannte Hindenburg-Nägel gereicht, Nägel aus Schokolade mit Marzipanfüllung, die als Geschenk eines Schokoladenfabrikanten den Weg nach OberOst gefunden hatten.[87]

Die symbolische Aneignung des Eisernen Hindenburg war ein Politikum ersten Ranges. Denn Hindenburg stieg mit der optischen Herausstellung neben der Siegessäule nicht nur zur Verkörperung eines unbändigen deutschen Siegeswillens auf,[88] er war nun auch berufen, in konzentrierter Form die Verbundenheit zwischen Heimat und Heer darzustellen.[89] Die vielen eingeschlagenen Nägel waren ein untrüglicher Gradmesser dafür, welche Siegeszuversicht die Bevölkerung der Reichshauptstadt hegte und welche finanziellen Opfer sie dafür zu bringen bereit war. Der Reichskanzler, der die symbolische Ausstrahlung Hindenburgs nutzen und mit dessen Namen seine Politik plebiszitär absichern wollte, gab der Enthüllung der Nagelsäule am 4. September 1915 durch seine Präsenz den Anstrich eines offiziellen Staatsaktes und hob die Funktion des Eisernen Hindenburg als Brücke zwischen Heer und Heimat gebührend hervor.[90] Die Enthüllung der Monumentalfigur wurde aber nicht zuletzt dadurch geadelt, daß die Kaiserin, die Hindenburgs Ansehen für die Krone zu nutzen trachtete, höchstpersönlich das Monument der Öffentlichkeit übergab. Ihr Gemahl hingegen besaß ein waches Gespür dafür, wie Hindenburg ihm durch die symbolische Überhöhung buchstäblich über den Kopf wuchs und allmählich ins Riesenhafte entrückte.[91] Symbolisch verkehrten der Kaiser und Hindenburg bereits im Herbst 1915 nicht mehr auf Augenhöhe.

Am 2. Oktober 1915 beging Hindenburg seinen ersten Geburtstag in der neuen Eigenschaft als omnipräsentes Medienereignis. Die Bilanz nach einem Jahr Bilderflut konnte sich wahrlich sehen lassen: Vom Befreier Ostpreußens und Russenschreck, einer Reinkarnation des alten Blücher, war er in der öffentlichen Wahrnehmung dank seines tatkräftigen Einsatzes zunehmend entmilitarisiert und zu einer Gestalt von repräsentativer Leistungsfähigkeit geworden. Der Feldherr trat auf diese Weise allmählich in den Hintergrund. Die Imagination Hindenburgs als »edler Mensch«, der wie kein zweiter die im Krieg besonders gefragten Reflexionsmuster nationaler Selbstbefindlichkeit[92] verkörperte, überdeckte das Bild vom

Kriegsgott immer mehr.[93] Hindenburgs symbolische Wirkung reichte bis weit in die Sozialdemokratie hinein, wo sich die prononciert national eingestellte Mehrheit bei ihrem Verlangen nach innerer Umgestaltung Deutschlands zu einem Volksstaat sogar auf Hindenburg berief.[94]

Unbefangenen Beobachtern stach bei dienstlichen Begegnungen mit dem Feldmarschall ins Auge, wie sehr sich Hindenburgs Wesen von dem Bild des preußischen Offizierstypus abhob. Der Schriftsteller Walter Flex, der als Frontsoldat einen Truppenbesuch Hindenburgs am 2. April 1916 miterlebte, hielt den Eindruck mit den Worten fest: »Seine Stimme ist ebensowenig typisch soldatisch wie seine Erscheinung.«[95] Dieser entmilitarisierte Hindenburg war den meisten Deutschen durch die Flut der Bilder und die Ströme literarischer Erzeugnisse nach mehr als einem Jahr bereits so vertraut, daß sie in ihm einen guten Bekannten sahen, dessen berufliche Tätigkeit zweitrangig war. Erich Everth, ein journalistischer Begleiter Hindenburgs seit dessen Magdeburger Tagen und der vielleicht scharfsinnigste Beobachter dieser Zunft, kleidete die intime Beziehung zwischen der großen Mehrheit des Volkes und Hindenburg in die Worte: »Das ist für uns das gefühlsmäßig Wohltätigste an dieser Erscheinung: daß wir einmal einen ganz überragenden Menschen, dessen Arbeitsgebiet den weitaus meisten unter uns völlig fremd ist, innerlich glauben erfassen zu können.«[96] Hindenburg hatte bereits im Oktober 1915 den symbolischen Thron des Nationalhelden bestiegen,[97] der zu Kriegsbeginn noch leer war, weil der Kaiser die in seinem Amt angelegten symbolischen Möglichkeiten nicht ausschöpfen konnte.

Doch wie sah es im Hauptquartier des Oberbefehlshabers Ost wirklich aus? Wie verhielten sich die öffentliche Wahrnehmung Hindenburgs und dessen tatsächliches Auftreten als Oberkommandierender der deutschen Streitkräfte im Osten zueinander? Beim Blick hinter die Kulissen sieht man einen Oberbefehlshaber, der seine militärische Kaltstellung zwar beklagt, aber den Gewinn an Freizeit nutzt, um die Schönheiten der Landschaft und die sonstigen Reize der Umgebung zu entdecken. Wenn Hindenburg äußerte, daß ihm der Krieg wie eine Badekur bekomme,[98] dann wird man daran anknüpfend sagen können, daß er die Zeit seiner größten militärischen Passivität zum Erlebnisurlaub machte und jede sich nur bietende Möglichkeit ergriff, seiner eigentlichen Passion zu frönen: dem Jagen.

Eine einzige wirkliche Leidenschaft hat Hindenburg besessen, nämlich das edle Waidwerk. Wenn seine Nerven einmal in Wallung gerieten, dann hatte ihn das Jagdfieber ergriffen. Das Ansitzen auf einen kapitalen Hirsch ließ selbst ihn nicht kalt. Diesem kostspieligen Zeitvertreib konnte er erst sehr spät, nämlich als Kom-

mandierender General in Magdeburg, nachgehen, da er nun zu den Jagdgesell-
schaften seines Bezirkes eingeladen wurde. Seinen ersten Hirsch hatte er im Revier
der Oberförsterei Annaburg geschossen – immerhin einen Sechzehnender.[99] Doch
seit dem Beginn seines Pensionärsdaseins in Hannover fehlten ihm die Möglichkeiten, dieser Passion nachzugehen. Daher nutzte er die unverhoffte Reaktivierung
und Rangerhöhung auch dazu, seine alte Liebe wieder aufzufrischen und bei jeder
sich bietenden Gelegenheit auf die Jagd zu gehen. Dem Oberkommandierenden
der deutschen Streitkräfte im Osten mangelte es an entsprechenden Einladungen,
die Hindenburg als eine wohlverdiente Belohnung für seine Verdienste um das Vaterland auffaßte, wahrlich nicht.

Jagdaktivitäten während des Krieges sind erstmals belegt für die Zeit seines
Kurzaufenthalts in Oberschlesien im September 1914, als Hindenburg unter anderem im Jagdrevier des Fürsten Donnersmarck einige kapitale Hirsche zur Strecke
brachte.[100] Jägerisch richtig entfalten konnte er sich dann während seines mehr-
monatigen Aufenthalts im ostpreußischen Lötzen seit dem ausgehenden Frühjahr
1915. Die masurischen Großgrundbesitzer rissen sich förmlich darum, dem Feldmarschall ihre reichen Jagdreviere zur Verfügung zu stellen: das dem Grafen Eulenburg gehörende Prassen, das dem Grafen Dönhoff zugehörige Skandau und nicht
zuletzt Steinort im Besitz des Grafen Lehndorff. In kurzer Zeit brachte Hindenburg es auf dreizehn Rehböcke,[101] wobei ihm für die Jagdsaison noch einige Rot-
hirsche in Aussicht gestellt wurden.[102] Er aber wünschte Edelwild zu erlegen, das
ausschließlich in seinem jetzigen militärischen Operationsgebiet beheimatet war
und das er unter normalen Umständen nicht vor die Flinte bekam. Daher rückte
die Zierde der ostpreußischen Tierwelt in sein Visier, der Elch, für dessen Erlegung
es allerdings einer besonderen Genehmigung bedurfte. Da zahlten sich die aus der
Vorkriegszeit stammenden guten Kontakte zum preußischen Landwirtschaftsminister von Schorlemer aus, an den er eine entsprechende Anfrage richtete und mit
seiner »Jagdpassion« begründete.[103] Schorlemer erwirkte, daß dem Generalfeldmarschall sogar die Aufforderung Wilhelms II. zuteil wurde, in dessen Jagdrevier
Nemonien am Kurischen Haff der größten aller Hirscharten nachzustellen.

Hindenburg ließ sich seinen Zeitplan nicht von militärischen Notwendigkeiten diktieren, sondern ging ungerührt auf Elchjagd, als die von ihm offiziell befehligten Verbände kurz vor Wilna standen. Als die Aussicht winkte, über Wilna
hinaus Richtung Minsk vorzustoßen und damit den langgehegten Traum der can-
naeartigen Zangenoperation doch noch zu realisieren, befand sich der nominelle
Oberkommandierende etwa 250 Kilometer Luftlinie vom Kriegsschauplatz entfernt und frönte seiner Jagdleidenschaft – abgeschnitten von jeder Kommunika-

tion mit seinem masurischen Hauptquartier.[104] Der Feldmarschall dachte gar nicht daran, sich seinen Wunschtraum durch so nebensächliche Dinge zerstören zu lassen. Die einmalige Gelegenheit, den König der ostpreußischen Sumpfwälder zur Strecke zu bringen, mußte beim Schopfe gepackt werden.[105] Am 12. September 1915 war es endlich soweit: Gemeinsam mit seinem Adjutanten Caemmerer fuhr er in das Gebiet der Oberförsterei Nemonien im Kreis Labiau am Kurischen Haff und erlegte dort einen mächtigen Elchbullen. Noch bei der Erzählung seines Jagdabenteuers tags darauf am Mittagstisch in Lötzen war Hindenburg die innere Erregung anzumerken. »So aufgeregt habe ich ihn bei seiner sonstigen klassischen Ruhe kaum gesehen«,[106] stellte Hugo Vogel fest.

Der Stolz des erfolgreichen Nimrods war Hindenburg in den nächsten Tagen noch anzumerken. Er war glücklich, die Lötzener Tafelrunde mit Elchfleisch versorgen zu können, und die Anwesenden taten ihm den Gefallen, soviel von dieser ungewohnten Kost zu vertilgen, »daß uns ganz übel wurde und ein großer Schnaps dringend not tat«.[107] Zuvor war die Jagdausbeute für die Nachwelt im Bild festgehalten worden: Man hatte den noch unangetasteten Elch in den Wald geschafft, wo Hindenburg sich in Jagdausrüstung hinter dem Ungetüm aufbaute und Hugo Vogel davon eine Skizze anfertigte,[108] um Hindenburgs alleiniges Anrecht auf den Elch zu verbürgen. Auf der unmittelbar nach der Erlegung entstandenen Fotografie war Hindenburg nämlich nicht allein mit seiner Beute zu sehen, sondern umgeben von der kompletten Mannschaft der königlichen Oberförsterei Nemonien, der natürlich ein nicht unerheblicher Anteil am Jagdglück des Feldmarschalls zufiel.[109]

Die Krönung für den Waidmann Hindenburg war aber die erfolgreiche Jagd auf den Wisent, der in freier Wildbahn in Europa nur an einer einzigen Stelle überlebt hatte: im zarischen Jagdrevier von Bialowieza, in dessen Urwald er ein Refugium gefunden hatte. Nach der Eroberung durch deutsche Truppen im Sommer 1915 übernahm die deutsche Seite die Verwaltung dieses Urwalds, der unter forstwirtschaftlichen Gesichtspunkten ein lohnendes Objekt darstellte. Der zuständige Forstmeister Georg Escherich beutete nicht nur die Nutzhölzer auf schonende wie effiziente Weise aus, sondern wachte auch über die durch Wilderer und Deserteure in ihrem Bestand gefährdeten Wisente. Nur hochgestellten Persönlichkeiten wurde eine Abschußerlaubnis durch den Prinzen Leopold von Bayern gewährt, und es verursachte bei nicht wenigen hochdekorierten Generalen böses Blut, wenn ihnen diese Erlaubnis verwehrt wurde. Der königlich bayerische Offizier Escherich ging selbst mit gutem Beispiel voran, indem er auf den ihm zugestandenen Wisentbullen freiwillig verzichtete.[110]

Aber Hindenburg konnte ein entsprechender Wunsch nicht abgeschlagen werden, zumal der Kaiser von seinem Zugriffsrecht Gebrauch gemacht und im November 1915 einen Wisent zur Strecke gebracht hatte. Hindenburgs Stunde schlug am 18. Januar 1916, als er unter der fachkundigen Führung von Escherich mit seiner bewährten Jagdbüchse einen starken Wisentbullen erlegte. Das Gewehr, das bei seiner Tochter in Pommern fachgerecht gepflegt wurde, hatte er eigens dafür abholen lassen.[111] Escherich erlebte einen Jäger, der überwältigt war von seinem Jagdglück: »Niemals in meinem Leben habe ich einem Schützen den Bruch überreicht, der glücklicher und dankbarer gewesen wäre.«[112] Aus dieser Jagdkameradschaft entwickelte sich eine lebenslange Beziehung, die so weit reichte, daß der Urbayer Escherich sofort einen Termin beim Reichspräsidenten Hindenburg bekam, wenn er – vor allem anläßlich der Grünen Woche – in der Hauptstadt weilte.

Hindenburgs Leidenschaft für das Jagen ging so weit, daß er das ganze Repertoire jagdbarer Tiere in seiner Eigenschaft als Oberbefehlshaber Ost auskosten wollte. An Einladungen dazu mangelte es nicht. Ein Großgrundbesitzer aus der Nähe von Kowno hatte Fasane aufgezogen, »und wir brauchten nur hinzufahren und sie abzuschießen. Ach, es geht doch nichts über solch ein Jagdvergnügen.«[113] Auch der Wolf stand auf Hindenburgs Abschußliste, doch hier verließ ihn das Jagdglück, und er mußte den westlich von Grodno gelegenen Augustower Forst ohne eine entsprechende Jagdtrophäe verlassen.[114]

Daß die Jagdleidenschaft immer weniger Zeit für die im engeren Sinne militärisch-verwaltungsmäßige Tätigkeit ließ, liegt auf der Hand. Hindenburg behielt ja seinen gewohnten Tagesablauf bei, der ohnehin wenig Zeit für Büroarbeit vorsah, während Ludendorff, auch wenn er in Kowno nicht ausgelastet war, mehr als einmal in Laufschritt verfallen mußte, um pünktlich um 13 Uhr zur Mittagstafel im Kasino zu erscheinen.[115] Hindenburg fand dagegen Zeit, sich mit Kleinigkeiten zu beschäftigen, die für einen Vollzeitmilitär in dieser verantwortungsvollen Position eigentlich fehl am Platze waren. So prüfte er sehr genau die Abrechnungen des Kasinos und kam zu dem Schluß, daß er eine Mark pro Flasche Sekt sparen könne, wenn er den Sekt von dort bezog, wo er nicht mehr der deutschen Sektsteuer unterlag. Er wies daraufhin den zuständigen Kasinooffizier an, in diesem Sinne seine Sekteinkäufe zu tätigen.[116] Heimaturlaub hat er dagegen kein einziges Mal genommen, allerdings ließ er seine Frau zu sich kommen, die dann bei ostpreußischen Gutsbesitzern logierte.[117]

Der wirkliche Hindenburg ähnelte also nur vage jener militärischen Lichtgestalt, zu welcher ihn die Öffentlichkeit auch dank eigenem Zutun geformt hatte. Sein militärisches Interesse war auf seinem Abschiebeposten in Kowno noch mehr erlahmt. Max Hoffmann, die rechte Hand Ludendorffs, drückte in einem Brief an seine Frau vom 16. Oktober 1915 recht unverblümt aus, was der engsten Umgebung im Hauptquartier nicht verborgen blieb: »Hindenburg bekümmert sich um das Militärische überhaupt nicht mehr. Er ist viel auf Jagd und kommt im übrigen morgens und abends je fünf Minuten, um sich zu erkundigen, was los ist.«[118]

Die vielfältigen Freizeitbeschäftigungen vermochten Hindenburg zwar über seine militärische Kaltstellung hinwegzutrösten, aber Balsam für seine verwundete Seele waren sie nicht wirklich. Im kleinen Kreis verhehlte er seine Bitterkeit über das ihm widerfahrene Schicksal nicht, doch im Gegensatz zu Ludendorff hatte er sich zu diesem Zeitpunkt noch kein festes Feindbild zurechtgelegt.[119] Hindenburg lamentierte mehr, als daß er sich mit aller Kraft gegen die Suprematie Falkenhayns und seiner Gefolgsleute in der Umgebung des Kaisers auflehnte. Er war kein Frondeur, und die schmerzhafte Erfahrung seiner Zurechtweisung durch den Kaiser bei der Intrige gegen Falkenhayn im Januar 1915 hatte Blessuren hinterlassen, die ihn zur Zurückhaltung mahnten. Der nominelle Oberbefehlshaber im Osten war daher durchaus empfänglich für versöhnliche Gesten des Kaisers, der allerdings keinen Zweifel daran ließ, daß Hindenburgs Rat in militärischen Dingen nicht sonderlich gefragt war.

Der Kaiser geizte mit seiner Anwesenheit auf dem östlichen Kriegsschauplatz und gab Hindenburg schon dadurch zu verstehen, daß er die operative Führung des Gesamtkrieges in die Hände Falkenhayns gelegt hatte. Am 17. September 1915 unternahm er einen kurzen Abstecher in das einen Monat zuvor eroberte Kowno, ohne daß er Hindenburg die Gelegenheit zu einem Vortrag gewährte.[120] Fünf Monate später schickte er seinen Schwager vor, der Hindenburg über die geplante Verdun-Offensive aufklären sollte, die aus Sicht von OberOst der augenfälligste Beweis dafür war, daß das strategische Schwergewicht der deutschen Kriegführung ausschließlich im Westen lag. Zwar war die Wahl des Abgesandten – Herzog Ernst Günther zu Schleswig-Holstein war ein Bruder der Hindenburg mehr als wohlwollend gegenüberstehenden Kaiserin – eine Geste guten Willens, aber in der Sache agierte dieser nur als Überbringer des kaiserlichen Auftrags, daß sich die Tätigkeit des Oberbefehlshabers Ost darauf zu beschränken habe, während der Verdun-Offensive die Ostfront zu verteidigen. »Danke, Hoheit«,[121] lautete Hindenburgs an Knappheit nicht zu überbietende Entgegnung auf diese Anordnung des Kaisers, welche der Herzog in Form einer Tischrede dem Stab von OberOst kundtat. Sie läßt durchblicken, daß der Feldmarschall von der erneuten Degradierung getroffen war, sich aber jede Widerrede versagte. Seiner Frau offenbarte er vier Tage später, daß er sich nach dem relativen Fehlschlag seiner diesbezüglichen Anstrengungen jeder weiteren Attacke gegen Falkenhayn enthalten und sich in sein Schicksal fügen

werde. »Da heißt es für mich nur noch als preußischer Offizier und Edelmann aus-
zuhalten, gehorchen und dulden.«[122]

Drei Monate später, am 29. Mai 1916, beehrte der Kaiser selbst den Oberbefehlshaber Ost mit seinem Besuch. Sollte im Stab von OberOst die Hoffnung bestanden haben, der Monarch könne bei dieser Gelegenheit zu einem Strategie-
wechsel oder gar zu einem Personalwechsel bewogen werden, wurde sie beim
Anblick Falkenhayns zerstört, auf dessen Begleitung Wilhelm II. nicht hatte verzichten wollen, was der Stippvisite in Kowno den Charakter einer Inspektionsreise
verlieh.[123] Hindenburg warb in seinem von Oberst Max Hoffmann ausgearbeiteten Vortrag wieder pflichtschuldig für die bekannte Vorstellung einer kriegsentscheidenden Offensive im Osten, was aber lediglich zur Kenntnis genommen und
auf unbestimmte Zeit vertagt wurde.[124] Da er militärisch nichts zu erreichen vermochte, ergriff Hindenburg die Gelegenheit, durch das von ihm bei der abendlichen Tafel dargebrachte Kaiserhoch Wilhelm II. zu einer Replik zu nötigen, von der
er sich eine öffentlich vorgetragene Wertschätzung seiner Person erhoffen konnte.
Wilhelm II. blieb in seiner Antwort jedoch bei seiner Linie, Hindenburg als einen
Militär darzustellen, der sich enorme Verdienste erworben habe bei der Befreiung
Ostpreußens und der Stabilisierung des östlichen Kriegsschauplatzes, was zugleich
implizierte, daß der Feldmarschall des Ostens eben keinen kriegsentscheidenden
Sieg errungen hatte und auch nicht erringen werde. Gewissermaßen als Kompen-
sation dafür, daß er Hindenburg die Grenzen seiner militärischen Bedeutung auf-
zeigte, verwies Wilhelm II. auf dessen Popularität: Überall flögen Hindenburg die
Herzen zu: »Sie sind zu einem Nationalheros des deutschen Volkes geworden. Der
Name Hindenburg hat schon heute einen sagenhaften Klang.«[125] Damit gestand
der Kaiser indirekt ein, daß es der Krone nicht gelang, eine vergleichbare nationale
Integrationsleistung zu vollbringen. Wilhelm wollte Hindenburg mit dem Ehrentitel »Nationalheros« wohl nur über die militärische Kaltstellung hinwegtrösten,
doch genau diese Eigenschaft ließ sich zum politischen Sprungbrett umfunktio-
nieren, wenn Hindenburg seine Hemmungen gegenüber dem Monarchen ablegte
und die herrscherliche Potenz dieser Position entdeckte.

Noch war Hindenburg vornehmlich darauf bedacht, Ludendorff auf behutsame, dafür aber um so eindringlichere Weise klarzumachen, daß der Oberbefehlshaber Ost in seinem Stabschef letztlich nur einen – allerdings herausgehobenen – Zuarbeiter erblickte, welcher die alltägliche Kärrnerarbeit zu leisten habe,
während die dienstliche und öffentliche Vertretung und mediale Vermarktung
ausschließlich ihm selbst obliege. Vor allem bei Feierlichkeiten ließ Hindenburg
durchblicken, daß er auf die Beachtung des Rangunterschiedes zwischen einem

Generalfeldmarschall und einem General der Infanterie Wert legte. In den Ohren von Beobachtern, die mit der militärischen Hierarchie nicht vertraut waren, mochte der Toast, den Hindenburg vor der versammelten Tafelrunde anläßlich des fünfzigsten Geburtstags von Ludendorff am 9. April 1915 ausbrachte, wie ein Exempel inniger Vertrautheit zwischen den beiden vermeintlichen Dioskuren klingen. Aber betrachtet man den Wortlaut dieser knappen Ansprache genauer, wird deutlich, daß in den ehrlich gemeinten Dank Hindenburgs, der aus Eigeninteresse nicht auf die militärischen Dienste des ihm operativ turmhoch überlegenen Ludendorff verzichten konnte, zugleich ein nicht gerade dezenter Hinweis auf die Subordination Ludendorffs verpackt war. Der Trinkspruch begann mit den Worten: »Mein treuer Helfer!«, womit von vornherein klar war, daß der Oberbefehlshaber und sein Generalstabschef nicht auf derselben Stufe standen. Und dann offenbarte Hindenburg in einem Satz, wie sehr er Ludendorff unter instrumentalen Gesichtspunkten taxierte: »Ich habe nur einen Ausdruck, kann meine Gefühle für Eure Exzellenz nur in das eine Wort zusammenfassen: Unersetzlich!«[126]

Daß Hindenburg von jeglicher kameradschaftlicher Anwandlung weit entfernt war und Ludendorff bei feierlichen Anlässen auf die Gehilfenrolle stutzte, zeigt auch der Verlauf von Hindenburgs Geburtstagsfeier am 2. Oktober 1915 in seinem Hauptquartier. Ludendorff fiel der Part zu, den Feldmarschall aus gegebenem Anlaß verbal zu feiern, und Hindenburg revanchierte sich, indem er seinerseits seinen treuen Mitarbeitern und vor allem »seinem Gehilfen Ludendorff«[127] für die geleistete Arbeit dankte. Anläßlich von Hindenburgs goldenem Militärjubiläum am 7. April 1916 war es wiederum an Ludendorff, Hindenburgs militärischen Lebensweg zu würdigen und dabei gebührend hervorzuheben, daß Hindenburg seit seinen beiden ersten Waffengängen 1866 und 1870 bis zu diesem Festtag unbesiegt geblieben sei. Als Geschenk überreichte er im Namen des engeren Stabes eine vom Bildhauer Ludwig Manzel modellierte Statuette aus Bronze, die den Jubilar als Feldmarschall zeigte.[128] Hindenburg revanchierte sich, indem er Ludendorff ein Bild von sich verehrte mit der Unterschrift »Seinem treuen Berater«. Der Feldmarschall konnte sich also wieder nicht dazu durchringen, seinem unentbehrlichen Mitstreiter kameradschaftliche Wünsche zu entbieten.[129]

Die Forschung hat das durchaus spannungsreiche Verhältnis zwischen einem vor militärischem Ehrgeiz und Tatkraft sprühenden Generalstabschef und seinem sich immer stärker auf seine politische Rolle zurückziehenden, aber gleichwohl militärische Botmäßigkeit einfordernden Oberbefehlshaber in aller Regel in Harmonie aufgelöst: Ludendorff und Hindenburg seien zwar unterschiedliche Charaktere gewesen, hätten sich aber deswegen optimal ergänzt und seien sich bis zum bedauerlichen Zerwürfnis in den 1920er Jahren in persönlicher Zuneigung verbunden gewesen.[130]

Wie so oft folgt die Hindenburg-Historiographie damit der offiziösen Lesart, die Hindenburg in seinen 1920 erschienenen Memoiren vorgelegt hat, als er die Beziehung zu Ludendorff als »glückliche Ehe« pries, die Unzertrennlichkeit von Vorgesetztem und Generalstabschef betonte und sich zu der Behauptung verstieg: »Auf die Harmonie unserer kriegerischen und politischen Überzeugungen gründete sich die Einheitlichkeit unserer Anschauungen in dem Gebrauch unserer Streitmittel.«[131] Als Kronzeuge für diese Ansicht konnte Ludendorff selbst herangezogen werden, weil dieser in seinen ein Jahr zuvor veröffentlichten Erinnerungen von der ungetrübten Beziehung zwischen den beiden geschwärmt hatte: »Vier Jahre haben wir in tiefster Harmonie wie ein Mann zusammengearbeitet.«[132] Ludendorff, der seine Memoiren Anfang 1919 innerhalb weniger Wochen in seinem schwedischen Exil zu Papier brachte, war aber erst durch intensives Zureden des beide Protagonisten verehrenden Sven Hedin dazu gebracht worden, seinen ursprünglichen Manuskriptentwurf ins Gegenteil zu verkehren. Hedin überzeugte den verbitterten General schließlich mit dem praktischen Hinweis, daß ihm eine Entzauberung des weiterhin intakten Hindenburg-Mythos keinen Nutzen verschaffe, sondern er sich die gewaltige Schar der Hindenburg-Verehrer auf Dauer zum Gegner mache. »Wenn Ex. dagegen nichts sagen, sondern ihn vielmehr hoch halten, da gehören die Sympathien von Gott und Menschen jetzt und für ewige Zeiten Ex.«[133]

Es war also der Glaube an den symbiotischen Nutzen der beiderseitigen Beziehung, der Ludendorff während des Weltkriegs und auch noch einige Zeit danach dazu veranlaßte, sich im Hintergrund zu halten, während Hindenburg mit öffentlichen Ehrungen überhäuft wurde. Ludendorff konnte seine exorbitanten militärischen Ziele nur dann anpeilen, wenn Hindenburg weiterhin symbolisches Kapital anhäufte. In militärischen Dingen hatte Ludendorff nur dann freie Hand, wenn Hindenburg ihn abschirmte und dazu seinen Mythos politisch instrumentalisierte. Damit wurde das Verhältnis zwischen beiden aber immer ungleichgewichtiger; und im Oktober 1918 mußte Ludendorff erfahren, daß er für den verlorenen Krieg militärisch zur Rechenschaft gezogen und entlassen wurde, während Hindenburg dank seiner unangetasteten symbolpolitischen Funktion die Kriegsniederlage völlig unbeschadet überstand.

Aber auch als die Zweckgemeinschaft noch funktionierte, hat es in Ludendorff mehr als einmal rumort, wie er in einer später gestrichenen Passage seiner Memoiren gestand: »Aber das Zurückstehen ist mir nicht leicht gefallen. Ich habe auch meinen Ehrgeiz. Der Feldmarschall wurde gefeiert und ließ sich feiern, und ich war still.«[134] Hin und wieder öffnete er sein Innerstes einen Spalt breit, etwa wenn er dem Verleger der »Königsberger Allgemeinen Zeitung« gegenüber einräumte: »Ehrlich will ich bekennen, es ist ja nicht immer ganz leicht, mehr abseits zu stehen.«[135] Irgendwann mußte sich der angestaute Unmut auch in einer Szene Luft verschaffen. Anfang Juni 1916, kurz nach der Stippvisite des Kaisers in Kowno, war es mit der Selbstbeherrschung Ludendorffs vorbei. Er konnte nicht verwinden, daß der Kaiser Hindenburgs – wenngleich begrenzte – militärische Leistungen herausgestrichen, aber den eigentlichen Organisator keines Wortes für würdig befunden hatte. Ludendorff verlangte nun von Hindenburg, daß dieser beim Kaiser vorstellig werde, um die Angelegenheit zurechtzurücken. Dabei kam es zu einem heftigen Zusammenstoß zwischen den beiden, bei dem auch laute Worte gefallen sein dürften.[136]

Hindenburg war im vertrauten Kreis keineswegs so sanftmütig und irenisch, wie es nach außen den Anschein hatte. Speziell wenn er seine Autorität angetastet wähnte, konnte er den Chef herauskehren. Diese Attitüde war nicht verwunderlich, da er ohne einen energischen Gebrauch seiner Befehlsgewalt nie zum Kommandierenden General hätte aufsteigen können. Hier und da griff er beherzt zu dem in der Kommandostruktur der Armee liegenden Mittel des Rückzugs auf die ranghöhere Position und verwies Ludendorff unmißverständlich auf die Pflicht zur Subordination.[137] Selbst dem militärischen Laien Hugo Vogel entging nicht, welche Wandlung sich in Hindenburgs Zügen vollzog, wenn er seine Kommandogewalt ausübte. »Dann wird sein Ausdruck streng und in sich zusammengerafft«,[138] und die gütige Vaterfigur trat hinter einer gebieterischen Herrschernatur zurück.

Hindenburgs Kownoer Bilanz fiel zwiespältig aus: Symbolisch hatte ihm die militärische Verbannung in den nordöstlichen Winkel des Kriegsschauplatzes ganz und gar nicht geschadet. Durch die Verwaltungstätigkeit von OberOst und die exzellente Pressearbeit der dortigen Presseabteilung hatte er sogar an nichtmilitärischer Statur gewonnen und seine symbolisierende Politikrepräsentation ausgebaut. Für ihn persönlich hatte sich die militärische Untätigkeit günstig ausgewirkt, weil er ohne Abstriche seiner Jagdleidenschaft nachgehen und die zwei begehrtesten Jagdtrophäen der Region, Elch und Wisent, erringen konnte. Doch er war noch weit davon entfernt, sein symbolisches Kapital in die eigentliche politische Währung, nämlich Einfluß auf die Grundentscheidungen von Politik und Kriegführung zu nehmen, umzumünzen. Das lag zum Teil an der anscheinend unerschütterlichen Stellung Falkenhayns und den Bedenken des Kaisers, aber auch an seiner Scheu, noch einmal wie im Januar 1915 die offene Konfrontation mit der Obersten Heeresleitung und dem Monarchen zu suchen. Solange Falkenhayn fest im Sattel saß, blieb es Hindenburg verwehrt, seine symbolische Kraft in politische Macht umzusetzen. Wenn der das allerhöchste Vertrauen genießende Chef des Generalstabes des Feldheeres sich auf seinem Posten gehalten hätte, wäre Hindenburg trotz aller Popularität bis zum Schluß von den eigentlichen politischen Entscheidungen abgeschnitten geblieben; seine symbolische Strahlkraft wäre mit der Zeit verblaßt. Insofern bedeutet die Ablösung Falkenhayns durch den Oberbefehlshaber Ost die eigentliche politische Zäsur: Erst mit der Übernahme der Obersten Heeresleitung durch Hindenburg und Ludendorff konnte das in Hindenburgs symbolischer Leistung enthaltene politische Potential ausgeschöpft werden und Hindenburg sich als genuin politischer Herrscher entfalten.

Paul von Hindenburg um 1916

KAPITEL 8

Der Durchbruch: Ernennung zum Chef der OHL

Im Sommer 1916 war Hindenburg noch weit davon entfernt, die Amtsenthebung Falkenhayns aus eigener Machtvollkommenheit fordern, geschweige denn durchsetzen zu können. Hindenburg mußte in der Krise um Falkenhayn gewissermaßen zum Jagen getragen werden. Die treibende Kraft hinter der Ablösung Falkenhayns war der Reichskanzler, der diesmal nicht nur einen Wechsel an der Spitze der Obersten Heeresleitung herbeiführen, sondern ganz gezielt Hindenburg an die Stelle Falkenhayns setzen wollte, wozu er im Januar 1915 noch nicht bereit gewesen war. Aber im Unterschied zu damals war Hindenburg im Sommer 1916 politisch so gereift, daß es Bethmann Hollweg aus genuin politischen Gründen ratsam erschien, Hindenburg mit der Leitung aller militärischen Operationen zu Lande zu beauftragen.

Der Reichskanzler benötigte eine unangreifbare militärische Autorität, die seinen friedenspolitischen Kurs abschirmen konnte. Wie sein Gegenspieler Falkenhayn war auch Bethmann Hollweg zu der Einsicht gelangt, daß das Deutsche Reich gegen die Phalanx der Ententemächte militärisch auf Dauer nicht bestehen konnte. Damit war ein Siegfrieden unrealistisch geworden, was erhebliche politische Legitimationsprobleme aufwarf. Denn ein Ausgleichsfrieden, der unter Umständen nur den Status quo ante festschrieb, mußte die bohrende Frage nach dem Sinn und Nutzen der ungeheuren Opfer provozieren, die der Krieg bereits gefordert hatte. Die Öffentlichkeit würde sich darüber empören, daß Millionen deutscher Soldaten ihr Leben umsonst für das Vaterland auf den Schlachtfeldern hingegeben hatten. Die Gefahr bestand, daß nicht nur die politische Führung zur Zielscheibe der Kritik wurde, sondern daß sich diese Unzufriedenheit verselbständigte und auch die Monarchie in Mitleidenschaft zog.

In dieser prekären Lage verfielen der Kanzler und andere verantwortliche Politiker auf die Idee, Hindenburg dafür zu gewinnen, das deutsche Volk auf einen auf Ausgleich bedachten Friedenskurs einzustimmen. Wenn ein Militär seines Kalibers, der als Russenbezwinger galt und den deutschen Einflußbereich weit auf rus-

sisches Territorium ausgedehnt hatte, der siegestrunkenen und vom Blick auf die
Landkarte geblendeten deutschen Öffentlichkeit einen Diktatfrieden ausreden und
statt dessen zur Mäßigung raten würde, dann war das außenpolitisch ohnehin
mehr als schwierige Geschäft der Friedensanbahnung wenigstens innenpolitisch
abgesichert. Dazu mußte Hindenburg aber rangmäßig aufgewertet und in die Position des verantwortlichen Leiters der gesamten Kriegführung gehoben werden.[1]

Zunächst mußte der Reichskanzler sich natürlich vergewissern, ob Hindenburg in den Grundzügen künftiger Friedenspolitik überhaupt mit dem Standpunkt des verantwortlichen Leiters der Staatsgeschäfte übereinstimmte. Bethmann
Hollweg war bestrebt, die bisherigen territorialen Eroberungen als Faustpfand bei
den Friedensverhandlungen so einzubringen, daß das Deutsche Reich möglichst
territorial gestärkt aus dem Krieg hervorging. Von dieser Position aus ließ sich
möglicherweise eine Brücke zu den Vorstellungen von OberOst bauen. Um die
dort verfolgten Kriegsziele kennenzulernen, traf sich der Reichskanzler am 7. Dezember 1915 mit Ludendorff in Berlin. Der rastlose und mit den Verwaltungs-
geschäften in Kowno nicht ausgelastete Stabschef hatte sich mit dem Unterstaatssekretär im Auswärtigen Amt, Arthur Zimmermann, zuvor schon über solche
Fragen ausgetauscht[2] und brannte darauf, Kowno wieder einmal zu verlassen, um
in Berlin an der »großen Politik« zumindest zu schnuppern. Hindenburg hingegen
zog es – wohl auch aus einer gewissen Bequemlichkeit – vor, Ludendorff als Boten
von OberOst in die Reichshauptstadt zu entsenden. Daß diese Haltung nicht mit
seiner Gleichgültigkeit in der Kriegszielfrage verwechselt werden darf, wird schon
daraus ersichtlich, daß Hindenburg just in jenen Tagen seine grundsätzliche Position in dieser Angelegenheit öffentlich absteckte.

Für die sich anbahnende Allianz zwischen dem Reichskanzler und den östlichen Kriegsherren war entscheidend, daß die Aussprache mit Ludendorff eine
tragfähige atmosphärische und sachliche Grundlage für eine beiderseitige Kooperation schuf. Gewiß schweißte beide Seiten die gemeinsame Ablehnung Falkenhayns zusammen, was insbesondere Bethmann Hollweg den Blick dafür trübte,
wie sehr letzten Endes die beiderseitigen Vorstellungen auseinanderliefen. Die
spätere erbitterte Feindschaft Hindenburgs und Ludendorffs gegen den Kanzler
läßt leicht darüber hinwegsehen, daß seit dem Sommer 1915 speziell Bethmann
Hollweg den Kontakt zu OberOst suchte, und zwar aus einem ganz praktischen
Grund: Da er als Chef der Reichsleitung vom obersten Militär Falkenhayn im
Regelfall nicht oder nicht ausreichend über die militärischen Operationen ins Vertrauen gezogen wurde, blieb ihm kaum etwas anderes übrig, als sich Informationen bei anderen hochrangigen Militärs zu verschaffen, insbesondere bei Luden-

dorff. So fragte er diesen bereits im Juli 1915 telefonisch um Rat, was der militärisch günstigste Moment für den lange geplanten Feldzug gegen Serbien sei,[3] den Bethmann Hollweg außenpolitisch durch die Anbahnung eines Bündnisses mit dem noch schwankenden, aber den Mittelmächten zuneigenden Bulgarien flankieren wollte.

Bei der ersten persönlichen Zusammenkunft mit dem Kanzler zeigte sich Ludendorff von seiner verbindlichen Seite und versuchte sogar, sich in die Position seines Gegenübers hineinzuversetzen. Vor allen Dingen übermittelte er diesem das gewünschte Signal, daß der Reichskanzler auf Hindenburgs und seine Unterstützung bauen könne, falls bei der Formulierung der offiziellen deutschen Kriegsziele keinem »faulen Frieden« das Wort geredet werde.[4] Diese alle Details ausklammernde Basis war so vage, daß der Reichskanzler in der Tat die Hoffnung hegen konnte, sich mit Hindenburg in der Friedensfrage auf eine gemeinsame Linie einigen zu können. Als Bethmann Hollweg zwei Tage nach diesem Sondierungsgespräch vor dem Reichstag zu den deutschen Kriegszielen Stellung nahm, war diese Rede nicht nur an die deutsche Öffentlichkeit, sondern auch an die Adresse von OberOst gerichtet.[5]

Praktisch zur selben Zeit schaltete sich Hindenburg erstmals in die Kriegszieldiskussion ein. Um den inneren Burgfrieden nicht zu gefährden, unterlag die öffentliche Erörterung der Kriegsziele und Friedensbedingungen seit Kriegsbeginn zwar der Zensur. Das hinderte diverse Interessenvertretungen allerdings nicht daran, mit Hilfe von Denkschriften den Meinungsbildungsprozeß in ihrem Sinne zu beeinflussen, so daß Ende 1915 zwar die öffentliche Diskussion über detaillierte Kriegsziele durch staatliche Eingriffe eingedämmt wurde, nicht aber die unter der Oberfläche brodelnde Erörterung der Stoßrichtung eines künftigen Friedens.[6] Und genau in diesem Sinne bezog Hindenburg im November 1915 erstmals öffentlich in dieser Frage Position. Wie schon im Jahr zuvor war es ein Interview mit dem Wiener Journalisten Paul Goldmann, durch das Hindenburg ein genuin politisches Thema für sich besetzte. Wurde Hindenburg nach dem ersten Gespräch mit Goldmann von der deutschen Öffentlichkeit zur Inkarnation sieghafter Nervenstärke erhoben, so machte nun ein weiterer Ausspruch Hindenburgs eine rasante Karriere und stieg zum geflügelten Wort auf: »Nicht durchhalten allein, sondern siegen.«[7]

Die deutschen Zeitungen beschäftigten sich am 6. und 7. Dezember 1915 ausführlich mit dem Interview, durch das der Standpunkt Hindenburgs den Weg in die deutsche Öffentlichkeit fand. Zudem gab Hindenburg seine Botschaft wenige Wochen später dem Kriegsberichterstatter Rolf Brandt als Losung mit auf den

Weg. Die Zensur legte der Veröffentlichung von Hindenburgs goldenen Worten in den deutschen Gazetten wohl einige Steine in den Weg,[8] konnte aber nicht verhindern, daß die deutsche Presse den Wortlaut des Goldmann-Interviews wie auch des Gesprächs mit dem Kriegsberichterstatter Brandt bekanntmachte. Auch die wachsende Schar der Hindenburg-Verehrer in der Politik sorgte für die Verbreitung der Botschaft. Innerhalb der nationalliberalen Partei, die sich dabei besonders hervortat, war es vor allem der profilierte Parlamentarier Gustav Stresemann, der in einer Reichstagsrede vom 18. Januar 1916 die kleinliche Handhabung der Zensur geißelte und dabei ausdrücklich auf das »prächtige Wort« Hindenburgs verwies.[9] Das Goldmann-Interview fand schließlich so viel Interesse, daß Goldmann seine Gespräche mit Hindenburg in Buchform kleiden und im Frühjahr 1916 auf den Markt bringen konnte.[10]

Wer in dieser Zeit Argumentationshilfe in der Kriegszieldiskussion suchte, griff gerne auf den mittlerweile autoritativen Ausspruch des Feldmarschalls zurück, wonach die mühevollen Entbehrungen des Krieges nicht Selbstzweck seien und ein wie auch immer gearteter Siegespreis winke.[11] Diesen Ausspruch Hindenburgs sog die deutsche Öffentlichkeit geradezu begierig auf.[12] Wieder einmal lieferte der verehrte Volksheld geistige Wegzehrung in schweren Zeiten und verlieh dem in eine Sinnkrise geratenen Krieg eine Deutung, die über die verfahrene militärische Lage hinwegtrösten konnte. Hindenburgs herausgehobene Stellung im deutungskulturellen Diskurs führte dazu, daß ihm die Funktion eines Kompasses zufiel, der durch wenige klare Worte die kognitive Bewältigung des Krieges neu ausrichtete. Je weniger er durch herausragende militärische Erfolge zu glänzen vermochte, desto stärker betätigte er sich bei der sinnhaften Verarbeitung eines undurchsichtigen Kriegsgeschehens. Hindenburg wurde zum Wegweiser und Tröster, der über die ihm offenstehenden kommunikativen Kanäle mit der gesamten deutschen Nation das Gespräch suchte und den Krieg in sinnhafte Bahnen lenkte, als die Siegeseuphorie längst verflogen war und sich allmählich banges Unbehagen breitmachte, ob Deutschland ein weiteres Kriegsjahr überstehen würde. Mit seiner gerade in diesem Zusammenhang wiederholten Botschaft, daß der Krieg eine Nervensache sei und wie ein Schachspiel betrieben werden müsse,[13] vermittelte er den Eindruck, daß das Kriegsgeschehen den Verantwortlichen keineswegs entglitten war wie ein entfesselter Moloch. Auf den ersten Blick unverständliche und rätselhafte Aktionen erhielten einen tieferen Sinn, wenn sie als Teil eines raffinierten Gesamtplans ausgegeben wurden. Auf dem Titelblatt von Goldmanns »Gesprächen mit Hindenburg« prangten folgerichtig jene beiden erfolgreichen sinnstiftenden Aussprüche des großen Kriegsdenkers, die in leicht variierter Form die Runde

machten und verdeutlichten, wie sehr Hindenburg bereits 1916 die Deutungshoheit über den Krieg erlangt hatte:»Der Krieg mit Rußland ist vor allem eine Nervenfrage« (1914) und »Durchhalten nicht allein – sondern siegen« (1915).[14]

War Hindenburg aber nicht ein Sinnproduzent, der wider besseres Wissen den
Optimismus verbreitete, der Krieg werde siegreich enden? Fast zum selben Zeitpunkt, als der Feldherr des Ostens den gründlichen Sieg als einzig erstrebenswertes
Kriegsziel ausgab, vertraute Hoffmann, Ludendorffs engster Mitarbeiter, seiner
Frau an:»Daß wir niemals in der Lage sein werden, den anderen Leuten einfach
unsere Friedensbedingungen zu diktieren, habe ich wohl schon 25mal gesagt. Es
muß eben durchgehalten werden.«[15] Selbst in extrem annexionistischen Kreisen
galt Hindenburg bis zu dem Gespräch mit Goldmann eher als Gewährsmann für
den ungebrochenen Durchhaltewillen. Anläßlich einer vom expansionslüsternen
Alldeutschen Verband ausgerichteten Geburtstagsfeier für Hindenburg am 2. Oktober 1915 äußerte sich der Festredner in eben diesem Sinne:»Jeder einzelne soll
Hindenburg jetzt vor allem nacheifern und tun wie er gesagt hat: *Wir halten
durch!*«[16]

Mit dem überschäumenden Annexionismus der Alldeutschen, deren imperia-
listische Phantasie der Krieg so richtig angeheizt hatte, verband Hindenburg in der
Tat nicht viel. In den Briefen an seine Frau hat er es an deutlichen Urteilen über
»die alldeutschen Schwärmer und Phantasten«[17] nicht fehlen lassen. Als exzellenter
Kenner der preußisch-deutschen Kriegsgeschichte bemühte er die Schlesischen
Kriege Friedrichs des Großen, um die Lage des Deutschen Reiches zu beschreiben:
Die Einigungskriege von 1864 bis 1870/71 entsprachen demnach den beiden ersten
Schlesischen Kriegen von 1740 bis 1745, die dem Preußenkönig den Besitz seiner
neuen Provinz beschert hatten. Der Weltkrieg wurde dementsprechend mit dem
Dritten Schlesischen Krieg oder Siebenjährigen Krieg gleichgesetzt, bei dem die
Behauptung des zuvor Errungenen im Mittelpunkt stand.[18] Das hieß aber noch
lange nicht, daß Hindenburg mit weitreichenden Eroberungsabsichten nichts zu
schaffen haben wollte und sich mit einem leicht zu deutschen Gunsten korrigier-
ten territorialen Status quo beschieden hätte.[19] Die großen Erfolge der deutschen
Waffen im Osten im Sommer 1915 ließen auch in ihm weitreichende Hoffnungen
auf eine Inbesitznahme möglichst viel fremden Territoriums reifen. Diese Haltung
verschärfte sich bis zu seiner öffentlichen Festlegung im Dezember 1915 deutlich.
Im August 1915 vertraute er dem Hannoveraner Stadtdirektor Tramm an:»Wir
müssen soviel Gebiet beanspruchen, als nöthig ist, um der Welt zu zeigen, daß wir
die Sieger sind und als wir zur militärischen Verbesserung unserer Grenzen und
zur Erringung einiger wirthschaftlicher Vortheile brauchen.«[20] Der deutsche Cha-

rakter des Reiches dürfe jedoch nicht angetastet werden, weswegen sein Interesse am Zugewinn nichtdeutscher Bevölkerung gering war; auch dürfe ein solcher Friede durch eine zu starke Demütigung der Kriegsgegner nicht bereits den Keim für spätere Kriege in sich tragen.[21]

Nach der Eroberung Serbiens im Herbst 1915 standen die Mittelmächte besser da denn je, was sich auch in Hindenburgs Phantasie niederschlug. Anfang Dezember 1915 gab er die Parole vom gründlichen Sieg aus, und gegenüber seinem Vertrauten Tramm definierte er diese Vorstellung in territorialer Hinsicht so, daß sie sich schon beträchtlich der annexionistischer Zirkel annäherte: Den einen Teil der von deutschen Truppen eroberten Gebiete wollte der Feldmarschall direkt zu Deutschland geschlagen sehen, worunter er Teile von Belgien und nicht zuletzt einen breiten Grenzstreifen an der deutschen Ostgrenze rechnete.[22] Einen politischen Affront gegen England stellte seine Aussage dar, daß das Deutsche Reich die belgische Küste kontrollieren müsse. Der übrige Teil der Eroberungen müsse von Deutschland wirtschaftlich und politisch beherrscht werden.[23] Hindenburg bekannte sich intern auch zur Notwendigkeit harter Maßnahmen gegen die Einwohnerschaft eroberter Gebiete bis zu deren Ausweisung, wenn dies zwingend geboten sei, zeigte sich allerdings skeptisch, ob eine solche Politik der harten Hand »im Zeitalter der Gefühlsduselei und des Weltbürgertums«[24] politisch durchsetzbar sei.

Alles in allem befand sich Hindenburg damit in Einklang mit der vorherrschenden Meinung der Verfechter eines deutschen Siegfriedens, die allerdings nur ahnen konnten, wie nahe der Feldmarschall ihnen in der Kriegszielfrage stand. Von der Haltung Ludendorffs trennten ihn zum Zeitpunkt seines öffentlichen Hervortretens in der Kriegszielfage nur Nuancen. Als der militärische Kopf von OberOst dem für einen Verständigungsfrieden werbenden Publizisten und Historiker Hans Delbrück am 29. Dezember 1915 seine Ansichten darlegte,[25] zeigte sich eine weitgehende Konvergenz zwischen den beiden Dioskuren in dieser sensiblen Frage, wobei Ludendorff noch stärker auf der rücksichtslosen Durchsetzung des deutschen Willens beharrte.

Hindenburg betrat mit seinen öffentlichen Äußerungen zur Kriegszielfrage politisches Terrain, was er sich auch selbst eingestand. Hatte er im August 1915 noch damit kokettiert, kein »politischer General« sein zu wollen,[26] so ertappte er sich im Dezember 1915 beim Politisieren.[27] Schon im Juni 1915 hatte sein im Stab von OberOst wirkender Schwiegersohn Brockhusen-Justin die Vermutung geäußert, daß Hindenburg sich der vielfach an ihn herangetragenen politischen Avancen nicht ganz würde entziehen können.[28] Hindenburg hoffte wohl, daß durch den Einsatz seines Prestiges bei der sich anbahnenden öffentlichen Debatte um den richtigen Weg zum Frieden das kostbare Gut der 1914 errungenen inneren Einheit keinen Schaden nehmen würde. Als Sachwalter des »Geistes von 1914« wollte er die nationale Vergemeinschaftung über die Kriegszieldiskussion hinwegretten, ja die morsch gewordene innere Einheit durch die Aussicht auf einen Siegfrieden geradezu stabilisieren, was insgesamt für die Verfechter des Volksgemeinschaftsgedankens nicht untypisch war.[29] Daher wandelte er den Begriff »Geist von 1914« in »Geist von 1914/15« ab. Dieser sollte die gemeinsamen Siegeshoffnungen einschließen, als deren Garant er sich stilisierte.[30] Damit trat er wiederum an die Stelle des Kaisers, der sich jeder öffentlichen Äußerung zu den Kriegszielen enthielt, weil er den brüchig gewordenen Burgfrieden nicht gefährden wollte und weil er diese Frage in klarer Abgrenzung der Kompetenzen seinem Reichskanzler zur Erledigung überließ.[31] Am Ende des zweiten Kriegsjahres war es nicht der Kaiser und Oberste Kriegsherr, der in der Öffentlichkeit für das Thema Friedensschluß stand, sondern ein populärer Feldmarschall, dem das Volk folgte, »weil ein Frieden, wie ihn Hindenburg und seine Mitarbeiter sich denken, sicherlich auch ein Frieden wäre nach dem Herzen des deutschen Volkes«.[32]

Genau in dieser Eigenschaft schien Hindenburg für den Reichskanzler unentbehrlich zu sein. Bethmann Hollweg besaß keine genauen Vorstellungen darüber, welche konkreten Kriegsziele Hindenburg anstrebte, dessen vage Aussagen so ausgelegt werden konnten, daß sie auf der Linie des Reichskanzlers lagen. Damit schien eine gemeinsame politische Basis gefunden, von der aus der Reichskanzler den Wechsel an der Spitze der Obersten Heeresleitung betreiben konnte, um mit Hindenburg einen Mitbürgen für in nächster Zeit anstehende Friedensverhandlungen zu gewinnen.[33] Da ihm keine verfassungsmäßigen Mittel zu Gebote standen, Falkenhayns Position zu schwächen, war er darauf angewiesen, daß genuin militärische Ereignisse den Kaiser zum Umdenken bewogen.

Eine solche Entwicklung bahnte sich zu aller Überraschung am 4. Juni 1916 an, als russische Truppen binnen weniger Tage in Wolhynien die 4. k.u.k. Armee in die Flucht schlugen. Dabei war der Vorstoß des dortigen russischen Oberkommandierenden, General Brussilow, eigentlich nur als Entlastungsangriff für in Südtirol in Bedrängnis geratene italienische Verbände gedacht. Der Oberkommandierende der k.u.k. Truppen, Generalstabschef Conrad von Hötzendorff, hatte nämlich die kampfstärksten Divisionen von der Ostfront abgezogen und für eine lokal begrenzte Operation in Südtirol eingesetzt, was die Italiener in Bedrängnis gebracht hatte. Doch damit hatte er die Kampfkraft der im Osten verbliebenen und von inkompetenten Kommandeuren geführten Truppen derartig geschwächt, daß diese sich fast panikartig den nunmehr auf breiter Front attackierenden russischen Verbänden ergaben, so daß bis Ende Juni 1916 nicht nur 200 000 k.u.k. Soldaten fast kampflos in Gefangenschaft geraten waren, sondern auch Brussilows Armeen im Süden der Front tiefer als jemals zuvor in das Territorium der Habsburgermonarchie eingedrungen waren und fast die gesamte Bukowina erobert hatten.[34] Es war also eingetreten, was kaum jemand für möglich gehalten hatte: Die k.u.k. Armeen mußten nach ihrem Debakel in Galizien im Sommer 1914 zwei Jahre später erneut eine vergleichbare Schlappe hinnehmen von einem Gegner, der nach dem Verlust Polens und Litauens in die Defensive zurückgedrängt schien.

Dieser militärische Offenbarungseid Österreich-Ungarns ließ in der deutschen militärischen Führung die Überlegung wieder aufleben, die gesamte Ostfront einem einheitlichen Oberbefehl zu unterstellen. Da die Habsburgermonarchie nur dank deutscher militärischer Überlebenshilfe die existenzbedrohende Lage im Sommer 1916 noch einmal meistern und zumindest ein Eindringen russischer Verbände nach Ungarn und deren Durchbruch nach Lemberg verhindern konnte, pochte Falkenhayn gegenüber seinem Kollegen Conrad von Hötzendorff auf das Vorrecht der deutschen Seite, einen Deutschen mit diesem Oberkommando zu betrauen. Conrad stemmte sich aus Stolz lange gegen diese als Demütigung empfundene Einschränkung der eigenen militärischen Souveränität, mußte aber aufgrund der katastrophalen militärischen Leistungsbilanz seiner Generale der deutschen Seite zumindest partiell entgegenkommen.

Damit kam Hindenburg wieder ins Gespräch. Der auf seinem Vorposten in Kowno unter Wert beschäftigte Generalfeldmarschall mit dem Image des siegreichen Feldherrn sollte nach dem Wunsch interessierter Kreise auf dem gesamten östlichen Kriegsschauplatz – von Riga bis zu den Karpaten – die Abwehrfront stabilisieren. Nicht zuletzt der Reichskanzler wollte die günstige Gelegenheit zu einer solchen militärischen Aufwertung Hindenburgs nutzen und ließ in diesem Sinne bei dem zuständigen Leiter des Militärkabinetts vorsprechen.[35] Für Bethmann Hollweg war die Rangerhöhung Hindenburgs zum alleinigen Feldherrn des Ostens eine wichtige Zwischenstation auf dem Weg zur Entbindung Falkenhayns von seinen Aufgaben: Hindenburg sollte sich im Osten bei der schwierigen Aufgabe der Koordination der Armeen verschiedener Mächte bewähren und sich damit empfehlen für die anspruchsvolle Aufgabe des Leiters der gesamten deutschen Landkriegführung.[36] Der Reichskanzler blieb weiterhin auf die Rolle eines politischen Bittstellers beschränkt, da ihm verfassungsmäßig die Hände gebunden waren und eine Einmischung in die Kommandogewalt leicht das Gegenteil des Gewünschten bewirken konnte.[37]

Im Juli 1916 machte sich die engste militärische Umgebung des Kaisers die Argumente des Reichskanzlers erstmals zu eigen, wobei insbesondere dem Chef des Militärkabinetts, Generaloberst Lyncker, eine Schlüsselrolle zufiel. Zum allererstem Mal verwandte er sich für Hindenburg beim Kaiser, der sich allerdings ganz und gar nicht erbaut zeigte von der Vorstellung, Hindenburg mit dem Oberbefehl über die gesamte Ostfront zu betrauen. Wilhelm II. stieß sich weniger an der mit diesem Schritt verbundenen militärischen Kompetenzerweiterung des Generalfeldmarschalls als vielmehr an der genuin politischen Legitimation, den er nur als tiefen Eingriff in seine Kommandogewalt auffassen konnte. Der Kaiser besaß ein feines Gespür dafür, welche herrschaftlichen Ansprüche Hindenburg aus seiner symbolischen Funktion ableiten konnte. Wenn Hindenburg der Oberbefehl in erster Linie nicht aus militärischen Gründen angetragen wurde, sondern weil man sich davon günstige politische Auswirkungen auf die Kriegsmoral und auf die Einleitung von Friedensverhandlungen versprach, wenn Hindenburg also weniger als Feldherr denn als Symbol gefragt war, erwuchs dem Kaiser ein höchst gefährlicher Konkurrent. Als Militär haftete Hindenburg für militärische Mißerfolge und konnte durch kaiserlichen Befehl seines Postens enthoben werden, als plebiszitär legitimierter Kriegsfürst entzog er sich jedoch der monarchischen Kommandogewalt durch seine autonome Machtstellung. Als Wilhelm II. am 3. Juli 1916 widerwillig dem Vorschlag Lynckers zustimmte, wegen einer möglichen Vereinheitlichung des Oberbefehls und dessen Ausübung durch Hindenburg eine diesbezügliche Anfrage an die österreichisch-ungarische Seite zu richten, brachte er genau diese Gewichtsverlagerung auf den Punkt: »Das bedeute eine Abdankung für ihn, und Hindenburg sei damit als Volkstribun an seine Stelle getreten.«[38]

Doch der Kelch schien noch einmal am Kaiser vorüberzugehen, weil sich die Donaumonarchie kategorisch weigerte, den Oberbefehl in deutsche Hände zu legen. Auch als Generalstabschef Conrad am 18. Juli nach Berlin zitiert wurde, um dort mit Falkenhayn über die Vereinheitlichung der Kommandostruktur im Osten zu verhandeln, erntete die deutsche Seite ein kategorisches Nein. Falkenhayn konnte sich hinter dieser österreichischen Ablehnung verschanzen und auf diese Weise kaschieren, daß ihm natürlich keineswegs an einer militärischen Aufwertung Hindenburgs gelegen war.[39] Nur die im Verlaufe des Juli 1916 immer krasser hervortretende militärische Schwäche des Hauptverbündeten brachte schließlich die österreichische Ablehnungsfront zum Bröckeln und Hindenburg erneut ins Spiel.

Vom 20. Juli an brachten russische Truppen in der Westukraine die 1. und 2. k.u.k. Armee in schwere Bedrängnis; die zurückweichenden Armeen des Verbündeten mußten dabei sogar wieder galizisches Territorium preisgeben, darunter die Grenzstadt Brody, die durch Joseph Roth literarisch verewigt wurde.[40] Diese nicht mehr zu verheimlichende militärische Ohnmacht der Donaumonarchie drohte erhebliche außenpolitische Folgen nach sich zu ziehen, vor denen der Kaiser die Augen nicht verschließen konnte: Das schwankende Rumänien konnte sich im schlimmsten Fall auf die Seite der Ententemächte schlagen (was dann endgültig Ende August 1916 geschah) und damit die politische Lage der Mittelmächte dramatisch verschlechtern. Die Bedrängnis des Hauptverbündeten war also ein hochkarätiges außenpolitisches Thema, und der Reichskanzler sowie der ressortmäßig zuständige Staatssekretär des Auswärtigen, Gottlieb von Jagow, überschritten ihre Kompetenzen durchaus nicht, wenn sie in dieser Angelegenheit beim Kaiser vorstellig wurden.

Bethmann Hollweg konnte eine ganze Reihe von nicht unmaßgeblichen Kronzeugen anführen, welche von der Betrauung Hindenburgs mit dem Oberbefehl für den gesamten Osten eine günstige außenpolitische Wirkung erwarteten. Entsprechend argumentierten der bulgarische Verbündete und prominente ungarische Politiker.[41] Der Kaiser vermochte sich diesen Einlassungen nicht zu verschließen, war aber keineswegs gewillt, die vorgeschlagene Hindenburg-Lösung einfach nur passieren zu lassen. Wilhelm II. machte von seiner monarchischen Prärogative Gebrauch und suchte durch energische Initiative eine Entscheidung herbeizuführen. Er befahl daher alle Beteiligten zu einer Chefbesprechung ins oberschlesische Pleß: den Reichskanzler, Falkenhayn, Hindenburg, Conrad von Hötzendorff, Erzherzog Friedrich, den bulgarischen Kronprinzen und dessen Armeechef. Der Kaiser war also entschlossen, eine Lösung herbeizuführen und den gordischen Knoten widerstreitender Interessen »durch mündliche Aussprache zu beseitigen«.[42] Als sich der kaiserliche Hofzug am 24. Juli Richtung Pleß in Bewegung setzte, war Wilhelm II. noch nicht auf eine bestimmte Lösung festgelegt.[43]

Falkenhayn ging in diese Konferenz mit einem Vorschlag zur Verwendung Hindenburgs, der auf eine militärische Entzauberung des Feldmarschalls hinauslief: Der vielgerühmte Feldherr sollte Gelegenheit erhalten, den bedrängten österreichisch-ungarischen Bundesgenossen dadurch zu Hilfe zu kommen, daß er den Befehl über die gesamte österreichische Ostfront übernahm und im Gegenzug sein bisheriges Kommando über die deutschen Verbände abgab. Hindenburg sollte zudem für die Koordination der militärischen Operationen der Verbündeten dadurch bürgen, daß er *beiden* Heerleitungen unterstand: Als Nothelfer im Mittel- und Südabschnitt der gemeinsamen Ostfront erhielt er – wie bereits der deutsche Heeresgruppenbefehlshaber Linsingen – Weisungen vom k.u.k. Oberkommando; überdies sollte er seine Operationen mit der deutschen Obersten Heeresleitung abstimmen. Damit wäre Hindenburg eine Aufgabe aufgebürdet worden, die angesichts des Zustandes der k.u.k. Truppen keinen militärischen Ruhm verhieß. Die sich auf den ersten Blick wie eine Honorierung seiner Leistungen ausnehmende Abkommandierung zum Hauptverbündeten war mithin ein vergifteter Vorschlag. Hindenburg sollte auf seine militärische Funktion reduziert und auf diese Weise einem Abnutzungseffekt ausgesetzt werden.[44]

Da sich die österreichische Seite schnell für diesen Vorschlag erwärmte, der sie das Gesicht als Großmacht wahren ließ, hing der weitere Gang der Dinge entscheidend vom Kaiser ab. Wilhelm II. war an einem Punkt angelangt, an dem er noch der Souverän über möglicherweise wegweisende Entscheidungen war, die aber eine ihm zu entgleiten drohende Eigendynamik gewinnen konnten, falls Hindenburg als politischer Faktor noch mehr aufgewertet wurde. Seine Anfang Juli unmißverständlich geäußerten Bedenken gegen eine militärische Position Hindenburgs, von der aus sich der Feldmarschall dank seines symbolischen Kapitals immer stärker in die Regierungsgeschäfte einmischen konnte, bestanden fort. Aber gleichzeitig schälte sich immer deutlicher die politische Unentbehrlichkeit Hindenburgs heraus. Dieser hatte sich im Sommer 1916 in der immer wichtigeren Friedensfrage bereits so positioniert, daß man bei dem zentralen Thema der Beendigung des Krieges nicht mehr an ihm vorbeikam. Der Kaiser konnte sich der eindringlich vom Reichskanzler in Pleß dargelegten Einsicht nicht länger verschließen, daß nur Hindenburg in der Lage war, dem Kaiser politisch den Rücken für künftige Friedensverhandlungen freizuhalten. »Mit Hindenburg könne er einen enttäuschenden Frieden machen, ohne ihn nicht«,[45] legte Bethmann Hollweg dar. Für den Reichskanzler war die Beförderung Hindenburgs zum Oberbefehlshaber der gesamten Ostfront in erster Linie ein politischer Schachzug, der Hindenburg aus der Abseitsstellung in OberOst befreien und ihn als den für die Gesamtkriegslage autoritativen Feldherrn anstelle Falkenhayns aufbauen sollte. Von diesem Fundament aus ließen sich auf diplomatischem Wege Friedensverhandlungen anbahnen.[46]

Der Kaiser setzte sich schließlich in diesem Sinne für den Oberbefehl Hindenburgs über die gesamte Ostfront ein, was der österreichischen Seite aber nicht ganz abzuringen war. Am Ende brachte Wilhelm II. nach zähem Ringen einen Kompromiß zustande, welcher dem Lösungsvorschlag des Kanzler sehr nahekam: Hindenburg erhielt die Verantwortung für sämtliche Truppen der Verbündeten an der Ostfront von Riga bis zum Befehlsbereich der in Ostgalizien stationierten 2. österreichischen Armee und war dabei allein der deutschen Obersten Heeresleitung unterstellt. Lediglich der Südabschnitt der Front – Karpatenfront und die Gegend um den Pruth – wurde einer vom österreichisch-ungarischen Thronfolger

Karl kommandierten Heeresgruppe anvertraut, dem aber mit Hans von Seeckt einer der fähigsten deutschen Generale als Generalstabschef an die Seite gestellt wurde.[47] Der Kaiser hatte sich damit eindeutig zum Herrn des Verfahrens aufgeschwungen,[48] sich über die Bedenken Falkenhayns und der österreichischen Seite hinweggesetzt und Hindenburg von seinem Abschiebeposten in Kowno zurückgeholt.

Hindenburg selbst verhielt sich eher abwartend; zu tief saß ihm noch die bittere Erfahrung vom Januar 1915 in den Knochen, als er beim Kaiser in Ungnade gefallen war. Als sein Name als neuer Oberbefehlshaber der gesamten Ostfront ins Gespräch gebracht wurde, ließ er erst »nach langem Zureden«[49] seine Bereitschaft erkennen, ohne ihr jedoch besonderen Nachdruck zu verleihen. Da ihn kein brennender militärischer Ehrgeiz trieb und er sich in seiner symbolischen Funktion behaglich eingerichtet hatte, arbeitete er nicht mit aller Macht auf das Ende seiner Kownoer Verbannung hin. Er trat die Reise zur entscheidenden Zusammenkunft in Pleß jedenfalls nicht in der festen Absicht an, mit aller Kraft um den Oberbefehl zu kämpfen, sondern wollte sich ohne Widerspruch dem Schiedsspruch des Obersten Kriegsherrn beugen: »Ja, wenn mir mein König eben befiehlt, so muß ich es tun.«[50] Ihm und erst recht Ludendorff war allerdings sehr daran gelegen, daß sich in Pleß das Schauspiel von Posen nicht wiederholte, als Hindenburg militärisch den Argumenten Falkenhayns nicht gewachsen gewesen war. Eine Wiederholung dieses peinlichen Auftritts durfte es in Pleß nicht geben, weshalb Ludendorff gemäß der tatsächlichen Aufgabenverteilung der Part zufiel, den Kaiser für einen Oberbefehl Hindenburgs über den gesamten Osten mit militärischen Argumenten einzunehmen.

Am Mittag des 27. Juli 1916 kam es in Pleß zu der von Ludendorff herbeigesehnten Besprechung, bei der er mit seinem alten Widersacher Falkenhayn die Klingen kreuzte, während Hindenburg sich bescheiden im Hintergrund hielt. Zwar fiel bei dieser Unterredung noch keine endgültige Entscheidung zugunsten von OberOst, aber es zeichnete sich ab, daß Hindenburg und Ludendorff nicht zuletzt dank der besseren internen Aufgabenverteilung einen günstigen Eindruck beim Obersten Kriegsherrn hinterlassen hatten. Die beiden Hauptkontrahenten hatten sich nichts geschenkt und mit gegenseitiger scharfer Kritik nicht gespart. Erst ganz zum Schluß, als militärisch nichts mehr zu verderben war, hatte man Hindenburg das Wort erteilt, der mit seiner ausgleichenden Art für einen gelungenen Ausklang sorgte.[51] Als Falkenhayn bei der Abendgesellschaft fehlte und dafür gesundheitliche Gründe anführte, zeichnete sich ab, daß er in der Frage des Oberbefehls eine Niederlage hatte einstecken müssen. Hindenburg genoß den Abend in der Gesellschaft des Kaisers, »ließ sich's gut schmecken und tat, als ob nichts los wäre«.[52] Der Feldmarschall konnte dem weiteren Verlauf der Dinge beruhigt entgegensehen.

Als Hindenburg am 30. Juli noch einmal in sein altes Hauptquartier nach Kowno zurückkehrte, um sich dann auf den Weg nach Brest-Litowsk zu machen, wo der neue Oberbefehlshaber Ost residieren sollte, war ihm die Zufriedenheit über das in Pleß Erreichte deutlich anzumerken.[53] Ernst zu Hohenlohe-Langenburg erlebte ihn »in der heitersten Stimmung, fast übermütig, geradezu verjüngt«.[54] Nach der unbefriedigenden Zeit der Abschiebung fühlte Hindenburg sich endlich wieder ernst genommen und brannte darauf, es seinen Gegnern in der Obersten Heeresleitung zu zeigen. Ganz besonders erleichterte es ihn, daß er ohne Konflikt mit dem Kaiser in seine neue Position gelangt war. Die Übertragung des Oberbefehls hatte der Kaiser souverän vollzogen, obgleich er ein gewisses Unbehagen ob dieser Entscheidung nicht unterdrücken konnte.

Die deutsche Öffentlichkeit nahm die Nachricht von dem neuen Oberbefehlshaber im Osten geradezu enthusiastisch auf; dieser Akt flößte ihr neue Siegeszuversicht ein. An der Rezeption dieses Schrittes wird zugleich offenkundig, wie sehr Hindenburg der Sphäre des Nur-Militärischen entwachsen war und den kollektiven Hunger nach Veranschaulichung der im normativen Haushalt der Deutschen fest verankerten Nervenstärke stillte: » Es kommt etwas wie Ruhe über uns … Hindenburg, der auf Riesenschultern gewaltigste Verantwortung mit unerschütterlicher Ruhe und festem Willen trägt, klaren Blickes die Pläne fassend, unbeirrt sie durchführend. Kein Zwischenfall lenkt ihn ab, … und seine Nerven erregen sich nicht, auch nicht in der kritischsten Stunde; er ist durch nichts zu verwirren, durch nichts zu erschüttern.«[55]

Hindenburg sollte schon bald zu spüren bekommen, auf was er sich mit seinem neuen Posten eingelassen hatte. Die bedrängte militärische Lage des Hauptverbündeten stellte ihn, der bislang noch keine Erfahrung mit einem Koalitionskrieg gesammelt hatte, vor enorme Herausforderungen; zudem machte Falkenhayn ihm das Leben so schwer wie möglich und von der Befehlsgewalt des Vorgesetzten ausgiebig Gebrauch. Schon bald gelangte Hindenburg zu der Einschätzung, daß er unter den obwaltenden Umständen wenig ausrichten konnte: »Mein Amt ist … nicht leicht und wird auch keine ins Auge springenden Erfolge zeigen.«[56]

Im Sommer 1916 nahmen die Alliierten an drei Fronten gleichzeitig die Offensive auf: Der Brussilow-Offensive folgte an der Alpenfront Anfang August 1916 ein erneuter Versuch der italienischen Verbände, im slowenischen Isonzo-Tal durchzubrechen, was immerhin mit der Eroberung der strategisch wichtigen Stadt Görz

endete; an der Westfront griffen erstmals britische Verbände in nie dagewesener
Stärke in die Kämpfe ein. Die Einführung der allgemeinen Wehrpflicht hatte Groß-
britannien in die Lage versetzt, vom 1. Juli 1916 an insgesamt 22 Divisionen in eine
Materialschlacht zu schicken, welche alle bisherigen Dimensionen sprengte und zu
Menschenverlusten in bis dahin nicht gekanntem Ausmaß führte. Allein am ersten
Tag des durch ein siebentägiges Trommelfeuer vorbereiteten Infanteriesturms verloren etwa 60 000 britische Soldaten ihr Leben. Gleichzeitig mit den Briten griffen
elf französische Divisionen an der Somme in der Nähe der Stadt Péronne in die
Kämpfe ein, was die deutsche Front so sehr erschütterte, daß nur durch den Einsatz der letzten vorhandenen Reserven der Durchbruch der Verbündeten verhindert werden konnte. Die bis Ende August 1916 andauernden Materialschlachten an
der Somme bildeten wohl das schrecklichste Inferno des Ersten Weltkriegs, hinterließen eine von Granattrichtern übersäte Mondlandschaft und kosteten mehr
Menschen das Leben als irgendeine andere Schlacht des Weltkriegs. Der strukturell
begünstigte Verteidiger konnte zwar seinen Geländeverlust auf einen verwüsteten
Streifen von 25 Kilometern Breite und maximal acht Kilometern Tiefe begrenzen,
aber nur unter Anspannung aller verfügbaren Kräfte und unter gewaltigen Verlusten, welche diejenigen der Angreifer nur wenig unterschritten.[57]

Falkenhayn konnte daher dem Drängen des Oberbefehlshabers Ost, der aus
seiner Perspektive den Gesamtkriegsschauplatz nicht überschaute und unduldsam
die Zufuhr frischer Truppen zur Stabilisierung der Ostfront verlangte, gar nicht
nachgeben[58] und triftige militärische Gründe anführen, weshalb eine Vorzugsbehandlung Hindenburgs mit neuen Truppen nicht ratsam sei. Dahinter verbarg sich
aber auch eine gehörige Portion Eifersucht auf den neuen Oberkommandierenden
Ost, denn Falkenhayn war nachtragend und vergaß den Zusammenstoß von Pleß
nicht.[59] Trotz gelegentlicher Nadelstiche hat Falkenhayn die Ostfront jedoch nicht
ausgehungert und ihr die im Rahmen seiner Möglichkeiten liegende Unterstützung nicht verwehrt, was Oberst Max Hoffmann intern einräumte.[60] Hindenburg
und Ludendorff hatte der Erfolg von Pleß allerdings so beflügelt, daß sie Falkenhayns Kompetenzen zu unterhöhlen trachteten. So wandte sich Hindenburg unter
Umgehung des Dienstweges am 10. August 1916 direkt an den Kaiser und beschwor
diesen, vier bis fünf Divisionen aus dem Westen in den Süden der Ostfront zu werfen. Zwei Tage später folgte ein weiterer flammender Appell an den Monarchen,
der die Lage im Osten rabenschwarz malte: »Die Entscheidung über den Ausgang
des Krieges liegt jetzt im Südosten. Ich wage Euerer Majestät gegenüber als treuer
Diener diese Ansicht auszusprechen, wenn sie auch Angelegenheiten betrifft, die
über meinen Befehlsbereich hinausgehen.«[61]

Der Kaiser begriff diese offensichtliche Mißachtung der Befehlsverhältnisse jedoch als Provokation und wies Hindenburgs Anliegen bestimmt zurück. Er bedeutete dem Oberkommandierenden Ost unmißverständlich, daß er sich gefälligst nur um seine eigenen Angelegenheiten kümmern solle. Eine schleichende Demontage Falkenhayns durch solche Immediatgesuche prallte also noch Mitte August 1916 am Monarchen ab, was Oberst Hoffmann zu der Feststellung veranlaßte, daß es Falkenhayn erneut gelungen sei, den Kaiser »einzuwickeln«.[62] Hindenburg hätte sich auch klaglos mit dieser Demonstration der tatsächlichen militärischen Machtverhältnisse abgefunden, wenn er nicht von Ludendorff und Hoffmann beinahe ultimativ zu einer Machtprobe genötigt worden wäre. Die beiden militärischen Köpfe von OberOst wollten Hindenburgs symbolische Position so weit wie möglich ausreizen und ihn – wie schon im Januar 1915 – gegen Falkenhayn in Stellung bringen. Beide schätzten die aus der symbolischen Funktion erwachsene politische Stellung derartig hoch ein, daß sie es zumindest auf den Versuch einer politischen Intervention Hindenburgs ankommen lassen wollten. In vertraulichen Schreiben machten sie ihrem Ärger Luft, daß der nominelle Oberkommandierende Ost aus seiner politischen Rolle so wenig Kapital schlage und militärisch völlig untätig sei. »Ludendorff ist wütend, bekommt den Feldmarschall nicht dazu, irgend etwas Entscheidendes zu tun. Der Kerl ist ein zu trauriger Genosse, dieser große Feldherr und Abgott des Volkes.«[63]

Ludendorff und Hoffmann griffen schließlich zu der schärfsten ihnen zu Gebote stehenden Waffe, um den nicht gerade vor Unternehmungslust strotzenden und eher auf Konfliktvermeidung bedachten Oberkommandierenden zu politischer Aktivität anzutreiben: Sie drohten mit Rücktritt. Sie konnten darauf vertrauen, daß Hindenburg ohne seine beiden engsten »Mitarbeiter« in rein militärischer Hinsicht gelähmt war. Nirgends würde er gleichwertigen Ersatz finden und wäre gezwungen, einen militärischen Offenbarungseid abzulegen. Ludendorff hatte es nicht bei verbalen Ankündigungen bewenden lassen, sondern sein Rücktrittsgesuch an den Chef des Militärkabinetts bereits per Feldjäger auf den Weg gebracht, nachdem Hindenburg dieses Schreiben hatte einkassieren wollen. Vor dieser massiven Erpressung, die mit Hoffmanns Abschiedsdrohung gekoppelt war, kapitulierte Hindenburg und machte sich das Anliegen der beiden zu eigen, nämlich dem Kaiser einen Immediatvortrag abzuringen, um diesen in einer persönlichen Unterredung für die Position von OberOst zu gewinnen. Hätte der Kaiser sich darauf eingelassen, wäre dies einer eklatanten Desavouierung des Chefs des Generalstabes des Feldheeres gleichgekommen. Wenn ein der Obersten Heeresleitung unterstellter Armeeführer, und sei es Hindenburg, direkt mit dem Obersten

Kriegsherrn verkehrte und eine gegen die Vorstellung der Heeresleitung gerichtete Entscheidung des Monarchen herbeiführte, mußte dies als Vertrauensentzug des Kaisers gegenüber seinem engsten militärischen Berater aufgefaßt werden. Die Erfüllung des Hindenburgschen Wunsches hätte also den Rücktritt Falkenhayns nach sich gezogen.

Hindenburg hütete sich allerdings, so energisch wie im Januar 1915 aufzutreten. Der durch die Konsequenzen seiner damaligen Insubordination belehrte Hindenburg scheute vor einer harschen Kraftprobe zurück und wählte den Dienstweg, indem er an den zuständigen Chef des Militärkabinetts am 19. August 1916 ein telegraphisches Schreiben richtete, das ihm in inhaltlicher Hinsicht alle Rückzugsmöglichkeiten offen ließ. Hindenburg bat Lyncker nämlich nur darum, den Monarchen vom Verlangen Hindenburgs nach einem »persönlichen Vortrag« zu unterrichten, zu dem nur noch Ludendorff hinzugezogen werden sollte. Dieses Verlangen war nicht wie das Aufbegehren im Januar 1915 mit einer offenen Rücktrittsankündigung verknüpft; aber Hindenburg ließ durchblicken, daß er, wenn seinem Wunsch nicht stattgegeben werde, den Eindruck gewinnen müsse, nicht mehr im Besitz des kaiserlichen Vertrauens zu sein, und entsprechende Konsequenzen ziehen werde. Er verband dies jedoch mit der ausdrücklichen Auflage, daß diese verklausulierte Rücktrittsankündigung »zu Euer Exzellenz eigener Orientierung, lediglich nur hierfür, nicht etwa zum Vortrag bei Seiner Majestät« gedacht sei.[64] Damit hatte Hindenburg sich alle Optionen offengehalten, falls Wilhelm II. sich seinem Anliegen widersetzen sollte.

Genau das tat der Monarch. Auf den Vortrag Lynckers ließ der Kaiser eine gewiß mit Falkenhayn abgestimmte telegraphische Antwort aufsetzen, welche die Verantwortung des Obersten Kriegsherrn für den gesamten Kriegsschauplatz betonte: »Ich muß als Oberster Kriegsherr, wenn auch oft schweren Herzens, Wünsche meiner Heerführer zurückstellen, wenn die von mir übersehene allgemeine Kriegslage es meiner Ansicht nach erfordert. Darin darf der Heerführer niemals eine persönliche Maßnahme oder gar einen Vertrauensmangel erblicken.«[65] Der Kaiser versicherte Hindenburg also seines Vertrauens und wischte dessen Wunsch nach einem persönlichen Vortrag vom Tisch.

Hindenburg insitierte nach dieser höflichen, aber an Deutlichkeit nichts zu wünschen übriglassenden Absage nicht auf seinem Anliegen, sondern legte am 20. August seine Sicht der Dinge schriftlich dar, wobei er den Hinweis einfließen ließ, daß ihn »die Ablehnung meiner alleruntertänigsten Bitte ... mit Schmerz und Sorge erfüllt« habe.[66] Ansonsten beschränkte er sich darauf, seinen Kleinkrieg mit Falkenhayn fortzusetzen, indem er darauf beharrte, entgegen den Zusagen der

Obersten Heeresleitung lediglich eine einzige zusätzliche Division zur Erfüllung seiner neuen Aufgaben erhalten zu haben.[67] Selbst dieser Schritt kostete ihn einige Überwindung, weil er auf keinen Fall in den Augen des Monarchen unbotmäßig erscheinen wollte, wie Max Hoffmann seiner Frau schrieb: »Der Feldmarschall ist in gräßlicher Aufregung, was ihm S. M. wohl antworten wird. Er ist von tiefster Reue befallen, daß er es überhaupt gewagt hat, sich falsche Behauptungen nicht gefallen zu lassen.«[68]

Das Nachsetzen Hindenburgs beeindruckte den Kaiser nicht, wie der an der Ausarbeitung dieses Briefes beteiligte Hoffmann schon vermutet hatte.[69] Falkenhayn erhielt das Schreiben Hindenburgs zur Stellungnahme und rechnete vor, daß Hindenburg nicht eine, sondern drei zusätzliche Divisionen als Verstärkung erhalten habe.[70] In sachlicher Hinsicht war der Intervention Hindenburgs damit kein Erfolg beschieden, aber was die Atmosphäre anging, konnte der Feldmarschall aufatmen. Denn am 23. August traf ein handschriftlicher Brief des Obersten Kriegsherrn ein, in dem der Kaiser zwar auf die Beschwerde Hindenburgs gar nicht einging, aber diesen der ungebrochenen kaiserlichen Gnade versicherte.[71]

Nach dieser halbherzigen und unschlüssigen Aktion Hindenburgs saß Falkenhayn fester denn je im Sattel.[72] Zwar war der Reichskanzler weiterhin unermüdlich bestrebt, eine Allianz gegen den Chef des Generalstabes des Feldheeres zu schmieden, aber er war machtlos, solange Falkenhayn sich in militärischer Hinsicht nichts zuschulden kommen ließ.[73] Hindenburg hingegen, dessen Haltung stilbildend auf die übrigen Armeeführer wirkte, hütete sich, den ersten Stein gegen Falkenhayn zu schleudern, sondern beließ es bei einer ohne den nötigen Nachdruck vorgetragenen und vor allem nicht mit einer Rücktrittsdrohung bewehrten sanften Intervention.

Nur ein von außen hereinbrechendes Ereignis, das Falkenhayn anzulasten war, konnte dessen Stellung von Grund auf erschüttern und Hindenburg den Weg an die Spitze der Heeresleitung ebnen. Wie ein Blitz aus heiterem Himmel traf die am 27. August 1916 eintreffende Hiobsbotschaft von der Kriegserklärung Rumäniens an Österreich-Ungarn alle Beteiligten. Insbesondere der Kaiser wurde dadurch aus dem inneren Gleichgewicht gerissen. Noch vier Tage zuvor hatte er in den schönsten Zukunftshoffnungen geschwelgt, die Entente in Auflösung begriffen gesehen sowie »schon Rußland abfallen und Griechenland«.[74] Doch nun tat sich zu den bisherigen fünf Fronten eine sechste auf, welche die Position der Mittelmächte in zweifacher Hinsicht erschütterte: Mit dem Kriegseintritt Rumäniens fand der neue Gegner eine militärisch völlig entblößte Grenze zu Siebenbürgen vor und konnte bei energischem Vorstoßen nicht nur dort einfallen, sondern zugleich russischen

Truppen den Weg nach Ungarn öffnen sowie die Verbindung zum osmanischen Verbündeten blockieren. Überdies war der Seitenwechsel Rumäniens ernährungswirtschaftlich eine Katastrophe, weil damit ein wichtiges Agrarland als Lieferant der dringend benötigten Nahrungsmittel ausfiel.[75]

Diese erhebliche Verschlechterung der Kriegslage konnte Falkenhayns Position nicht unberührt lassen, weil ihm die neue Situation zumindest teilweise anzulasten war. Der Chef des Generalstabes des Feldheeres hatte zwar einen Übertritt Rumäniens in sein Kalkül einbezogen, den Schritt zu diesem Zeitpunkt jedoch für ausgeschlossen gehalten.[76] Diese militärische Fehleinschätzung mußte auf ihn zurückfallen. Doch richtig bedrohlich wurde seine Lage dadurch, daß der Kaiser sich nun für ein politisches Argument empfänglich zeigte, das geradewegs auf die Ersetzung Falkenhayns durch Hindenburg hinauslief. Immer wieder hatte der Reichskanzler die politischen Qualitäten des Feldmarschalls hervorgehoben und diesen als Bürgen für einen moderaten Friedensschluß angepriesen. Beim Kaiser, der die Hoffnungen auf einen militärischen Sieg noch nicht aufgeben wollte und gerade die politische Aufwertung des deutschen Volkshelden aus Gründen der eigenen Machterhaltung verabscheute, war er damit stets auf taube Ohren gestoßen. Doch nun rückte die Dringlichkeit einer deutschen Friedensinitiative ins Zentrum der kaiserlichen Überlegungen, denn mit der rapiden Verschlechterung der Kriegslage durch den Wechsel Rumäniens, war sein Traum vom Sieg im Osten ausgeträumt. Auf die Nachricht vom Kriegseintritt Rumäniens, die ihn bei der abendlichen Skatrunde im Kreis der drei Kabinettschefs erreichte, äußerte er: »Österreich wird Frieden schließen müssen, und dann müssen wir überhaupt den Friedensschluß in die Hand nehmen.«[77] Rückte die Frage der Friedensstiftung auf der politischen Prioritätenskala des Kaisers ganz nach oben, hatte er den Argumenten des Kanzlers, Hindenburg zur politischen Absicherung einer deutschen Friedensinitiative an die Spitze der Heeresleitung zu stellen, nichts mehr entgegenzusetzen.[78]

Den letztlich entscheidenden Ausschlag für den Gesinnungswandel des Kaisers gab aber der Frontwechsel des Chefs des Militärkabinetts. Generaloberst Lyncker war bisher der wichtigste Fürsprecher Falkenhayns beim Kaiser gewesen, weil er nicht im Bann des Hindenburg-Mythos stand und sich sowohl ein nüchternes Urteil über die militärischen Fähigkeiten von OberOst gebildet hatte als auch faire Maßstäbe an das militärische Wirken Falkenhayns anlegte. Für den angeschlagenen Falkenhayn kam es mehr denn je darauf an, daß ihm sein Fürsprecher Lyncker den Rücken stärkte; doch dieser entzog dem Chef der Obersten Heeresleitung jetzt schweren Herzens die Unterstützung: »Lange lange habe ich Widerstand geleistet gegen die vielen Treibereien [gegen Falkenhayn]; schließlich habe ich

selbst eingesehen, daß es nicht weiter ging und habe dem Kaiser, der auch energisch widerstand, den Entschluß abgerungen. Falkenhayn thut mir leid; ein ver-
nichtetes Leben.«[79]

Die von vielen militärischen Seiten geäußerte sachliche Kritik an Falkenhayn
war so massiv geworden, daß auch Lyncker nicht mehr an ihm festhalten konnte,
als durch den Kriegseintritt Rumäniens die bedrohlichste Lage des bisherigen
Kriegsverlaufs eingetreten zu sein schien. Eine Zeitlang schien der Zusammenbruch Österreichs und der Abfall Bulgariens möglich, so daß man sich nicht
zuletzt aus psychologischen Gründen vom mythischen Klang des Namens Hindenburg eine stabilisierende Wirkung auf die Verbündeten erhoffte. »Ein ganz bestimmter einzelner Grund liegt nicht vor; es ist vielmehr das Ergebnis einer längeren Entwicklung«,[80] resümierte Lyncker.

Schon unmittelbar nach dem Eintreffen der Nachricht vom Kriegseintritt
Rumäniens scheint bei Lyncker der Entschluß gereift zu sein, nunmehr auf einen
Wechsel an der Spitze der Obersten Heeresleitung hinzuarbeiten. Schon einen Tag
später, am 28. August, unternahm er entsprechende Schritte. Falkenhayn sollte in
die Situation gebracht werden, selbst um seinen Rücktritt zu ersuchen, so daß der
Kaiser das Gesicht wahren konnte. Dazu wurde Hindenburg in das kaiserliche
Hauptquartier eingeladen, was Wilhelm II. noch eine Woche zuvor strikt abgelehnt
hatte. Lyncker konnte damit rechnen, daß Falkenhayn eine Befragung des Oberbefehlshabers Ost durch den Obersten Kriegsherrn ohne Beteiligung der Obersten
Heeresleitung als Affront auffassen und um die Enthebung von seinem Posten bitten würde. Die Rechnung ging auf: Nachdem Falkenhayn am Mittag beim Kaiser
vorgetragen hatte, wobei er den dramatischen Ernst der Lage nicht leugnete, nutzten Lyncker und Plessen die Gelegenheit, Wilhelm II. die Erlaubnis zur Einladung
Hindenburgs abzuringen. Danach nahmen die Dinge den erwarteten Verlauf: Als
Falkenhayn wenig später von Lyncker darüber in Kenntnis gesetzt wurde, reichte
dieser seinen Rücktritt ein, den der Kaiser noch am selben Tag annahm. Als Hindenburg und Ludendorff einen Tag später im kaiserlichen Hauptquartier in Pleß
eintrafen, hatte Falkenhayn schon ohne ihr Zutun seinen Posten verlassen.[81]

Im Rückblick erscheint die Ersetzung Falkenhayns durch Hindenburg als letzter Schritt von großer politischer Tragweite, für den der Kaiser die alleinige Verantwortung trug. Erst nachdem Hindenburg zum Leiter der Gesamtkriegführung aufgewertet worden war und er dadurch seine symbolische Leistung ungeschmälert
in politischen Einfluß ummünzen konnte, sank der Kaiser allmählich zum Voll-
zugsorgan der 3. Obersten Heeresleitung herab. Vor diesem Hintergrund hält der
Historiker natürlich besonders intensiv nach Zeugnissen Ausschau, die Auskunft

darüber erteilen können, ob sich der Kaiser der Tragweite seiner Entscheidung vom August 1916 bewußt war. Vieles deutet darauf hin, daß Wilhelm II. zumindest ahnte, worauf er sich mit der Ernennung Hindenburgs zum Chef der Heeresleitung eingelassen hatte. Wenn er schon dessen Rangerhöhung zum Leiter der Kriegführung im Osten als genuin politische Bedrohung seiner Stellung empfand, dann hatte sich diese Gefahr durch Hindenburgs Berufung an die Spitze der Obersten Heeresleitung potenziert. Womöglich klang ihm noch die warnende Stimme Falkenhayns in den Ohren, der wenige Tage zuvor prophezeit hatte: »Wenn Euere Majestät Hindenburg und Ludendorff nehmen, dann hören Euere Majestät auf, Kaiser zu sein.«[82]

Wilhelm II. wußte, daß er die Leitung der Kriegführung in die Hände eines Mannes legte, der aus einer ureigenen Legitimationsquelle schöpfen konnte und der trotz aller subjektiv ehrlich gemeinten Treuebekundungen schon einmal im Januar 1915 den Aufstand gegen die Kommandogewalt des Kaisers geprobt hatte. Nicht zuletzt deswegen schlug ihm der Abgang Falkenhayns aufs Gemüt. »Der Kaiser hat Kater wegen Weggang von Falkenhayn«, notierte sein Kabinettschef Admiral von Müller am 30. August.[83] Als der Kanzler den Monarchen mit dem Hinweis zu trösten versuchte, daß doch die öffentliche Meinung die Ernennung Hindenburgs mit einhelligem Jubel begrüßt habe, traf er den Kaiser genau an der wunden Stelle. In trotziger Beklommenheit fuhr der Kaiser ihn an: »Die Stimmung des Volkes ist mir ganz egal!«[84]

Worin bestand eigentlich der Anteil Hindenburgs an diesem grundlegenden personellen Revirement an der Spitze der Obersten Heeresleitung? Beim Entscheidungsprozeß nach dem Kriegseintritt Rumäniens hat er praktisch keine Rolle gespielt. Zwar hatte er seit längerem die Position Falkenhayns zu unterminieren gesucht und sich als dessen Nachfolger in Stellung gebracht. Doch alle derartigen Bemühungen waren an der festen Haltung des Kaisers abgeprallt, so daß Hindenburg sich fügte und in seiner neuen Position als Oberbefehlshaber Ost einzurichten begann. Da er als solcher in ständige Querelen mit den österreichischen Bundesgenossen und der OHL verwickelt war, haderte er schon mit seinem Schicksal. Am 27. August 1916, auf den Tag genau zwei Jahre nach Beginn der Schlacht von Tannenberg, vertraute er seinem Schwiegersohn an: »Wieviel schöner war es doch vor 2 Jahren, wo ich volle Bewegungsfreiheit und keinen kleinlichen Ärger hatte!«[85]

Wie aus heiterem Himmel erreichte ihn daher am 28. August die telefonische Aufforderung Lynckers, zu einem Immediatvortrag in das kaiserliche Hauptquartier zu kommen.[86] Die Fahrt nach Pleß trat er nicht in der sicheren Gewißheit an, Falkenhayn zu beerben. Hindenburg hatte sich vielmehr darauf eingerichtet, dem

Kaiser noch einmal die Position von OberOst darzulegen und dann an seinen Bestimmungsort zurückzureisen. Es spricht in dieser Hinsicht Bände, daß er den unerwarteten Diensttermin in Pleß mit seinem Privatvergnügen, der Jagd, zu verbinden suchte. Geradezu bedauernd schrieb er später an seine Frau, daß er durch die Rangerhöhung daran gehindert sei, einen kapitalen Hirsch im Jagdrevier des Fürsten von Pleß zu erlegen.[87] Insofern kam für ihn die Eröffnung des Kaisers direkt nach der Ankunft in Pleß überraschend, daß er zum neuen Chef des Generalstabes des Feldheeres ernannt werde mit dem unentbehrlichen Ludendorff als Erstem Generalquartiermeister an seiner Seite: »Noch ist es mir immer wie ein Traum, und ich kann nur sagen: › Welch' eine Wendung durch Gottes Fügung!‹«[88]

Im Großen Hauptquartier in Pleß, 9. Dezember 1916 (v.l.n.r.):
Hindenburg, Wilhelm II., Theodor von Bethmann Hollweg, Ludwig III. von Bayern,
Erich Ludendorff und Henning von Holtzendorff

KAPITEL 9

Labiles Zweckbündnis: Hindenburg und Bethmann Hollweg

Am 29. August 1916 hatte Reichskanzler Bethmann Hollweg mit der Ernennung Hindenburgs zum Chef der 3. Obersten Heeresleitung das Ziel erreicht, für das er mehr als anderthalb Jahre gekämpft hatte. Dahinter stand der sachlich völlig berechtigte Wunsch, Politik und Kriegführung besser zu koordinieren. Die Eigentümlichkeiten der deutschen Verfassungsstruktur, wonach die Politik durch die monarchische Prärogative in Fragen der militärischen Kommandogewalt überwuchert wurde, verursachten im Verlaufe des Krieges immer deutlicher zutage tretende Strukturdefizite: Da der Leiter der Reichsgeschäfte gegenüber dem ersten »Ratgeber« des Obersten Kriegsherrn, dem Chef der Obersten Heeresleitung, als Bittsteller aufzutreten hatte, stellten sich unter Falkenhayn enorme politische Reibungsverluste ein. Solange der Kaiser, dessen Aufgabe es gewesen wäre, Militär und Politik zu koordinieren, sich mit gelegentlichen Eingriffen in die Personalpolitik begnügte, ohne dabei inhaltliche Richtlinien vorzugeben, konnte die OHL alle politischen Bemühungen Bethmann Hollwegs, aus der verfahrenen Kriegssituation mit einem Minimum an außenpolitischen Einbußen und Schaden für die Monarchie herauszukommen, konterkarieren.

Mit dem neuen Gespann an der Spitze der Obersten Heeresleitung sollte für den Reichskanzler alles anders und besser werden. Von Hindenburg versprach sich Bethmann Hollweg gleich in doppelter Weise Gewinn: Er hoffte zum einen, daß die militärische Führung nicht wie bisher in autistischer Weise an der Politik vorbei den Krieg operativ planen und führen werde. Zum anderen sollte Hindenburg als Legitimationsinstanz dienen, mit deren Hilfe die Monarchie aus der politischen Schußlinie genommen und innenpolitisch strittige Vorhaben durchgebracht werden sollten. Letztlich sollte Hindenburg in seiner einzigartigen Doppelstellung die Politik also nicht nur entlasten, sondern mit der erforderlichen Legitimationsgrundlage versorgen. Damit gestand der Reichskanzler ein, daß er selbst im Verein mit dem Kaiser nicht in der Lage war, die notwendige öffentliche Unterstützung im Reichstag, bei den politischen Parteien und bei den zahllosen Interessenverbänden für eine vorausschauende Friedenspolitik zu gewinnen. Bethmann Hollweg reagierte auf diesen tiefgreifenden Wandel in der Herrschaftsstruktur des Kaiserreichs aber nicht defensiv, sondern suchte die sich daraus ergebenden neuen politischen Gestaltungsmöglichkeiten zu nutzen und mit Hilfe des symbolischen Kapitals Hindenburgs den labilen inneren Frieden auch nach der zu erwartenden stürmischen Phase politischer Entwicklungen zu bewahren, die so manche illusionäre Siegeshoffnung und die sich daran knüpfenden exorbitanten Erwartungen enttäuschen würden.[1]

Die ohnehin verschwommene Grenzlinie zwischen Politik und Kriegführung wurde allmählich durch die neuartige Qualität des Krieges ganz verwischt. In allen kriegführenden Nationen bildeten sich Entscheidungszentren heraus, die die immer gewaltigeren Kriegsanstrengungen bündeln sollten. Wenn etwa die militärische Führung die verstärkte Mobilisierung aller kriegswirtschaftlich nutzbaren Ressourcen anmahnte, damit man in diesem sich unerwartet in die Länge ziehenden Ringen auch noch ein drittes Jahr überstehen konnte, gab das Militär die politische Agenda für die zivile Politik vor. Das war im Deutschen Reich nicht grundsätzlich anders als in Großbritannien oder Frankreich, allerdings bestand eine strukturelle Differenz dahingehend, daß in den beiden westlichen Staaten Politiker mit einer parlamentarischen Legitimation (Lloyd George in Großbritannien, Clemenceau in Frankreich) Militär und Politik aufeinander abstimmten, während im parlamentarisch unterentwickelten Deutschland die Politik Zuflucht zu einer plebiszitären Führerfigur nahm.[2] Staatskunst und Kriegshandwerk ließen sich unter den Bedingungen der preußisch-deutschen Militärmonarchie und einer symbolisch unterernährten deutschen Nation nicht säuberlich voneinander trennen.

Wie stand Hindenburg der Offerte des Reichskanzlers zu politischer Partnerschaft gegenüber? Seine vor allem im Verlauf des Jahres 1917 offen zutage tretende Ablehnung der Politik des Reichskanzlers, zu der sich auch eine tiefe persönliche Animosität gesellte, darf nicht zu der Annahme verleiten, daß Hindenburg bereits im August 1916 ein eingeschworener Widersacher des Reichskanzlers gewesen sei – gleiches gilt für Ludendorff. Hindenburg stand dem Reichskanzler anfänglich relativ unvoreingenommen gegenüber, da sich beider Tätigkeitsfelder bislang kaum überschnitten hatten. Hinzu kam, daß Bethmann Hollweg in der für Hindenburg zentralen Frage eines Friedensschlusses inhaltlich noch nicht festgelegt war, so daß dieser zumindest hoffen konnte, den Reichskanzler für die eigene Position zu gewinnen. Überdies hatten die beiden in einem wichtigen Punkt seit Januar 1915 an einem Strang gezogen: in den Bemühungen zum Sturz Falkenhayns.

Hindenburg mußte sich zunächst in seine neue Doppelrolle finden. In militärischer Hinsicht war abzusehen, daß er Ludendorff weiterhin freie Hand ließ, sich wie bisher in operative Dinge praktisch nicht einmischte, aber dafür nach außen die Verantwortung trug. Während auf diesem Feld die bewährte Arbeitsteilung mit Ludendorff weiterhin bestand, befand sich Hindenburg auf dem Gebiet des Aushandelns politischer Entscheidungen noch in einem Lernprozeß. Dank der Einladung des Reichskanzlers und infolge der sich immer stärker überlappenden Interessen von Kriegführung und Politik standen ihm praktisch alle Türen offen, sein symbolisches Kapital auf direktem Wege in politische Entscheidungen zu transferieren. Letztlich entschied die politische Bewertung der anstehenden Sachfragen darüber, wie lang die Wegstrecke war, die Hindenburg und Bethmann gemeinsam zurücklegen konnten. Auch das persönliche Klima zwischen dem Feldmarschall und dem Reichskanzler ließ anfänglich die Hoffnung auf eine gedeihliche Zusammenarbeit keimen.[3]

In der Tat schälte sich schon in den ersten Wochen in einer wichtigen politischen Frage eine Interessenkonvergenz von oberster militärischer Führung und Reichsleitung heraus. Hindenburg und Bethmann Hollweg zogen nämlich in der polnischen Frage an einem Strang und stellten gemeinsam die Weichen für die politisch höchst umstrittene Proklamation eines unabhängigen polnischen Königreiches am 5. November 1916. Damit war die erste strategische Festlegung der deutschen Kriegszielpolitik ein Gemeinschaftswerk von Reichskanzler und Generalfeldmarschall. Mit Verkündung der Absicht, nach Ende eines siegreichen Krieges aus dem ehemaligen Russisch-Polen einen unabhängigen polnischen Staat zu formen, wurden zwei andere politische Optionen verworfen, nämlich die von alldeutschen Heißspornen befürwortete Annexion dieses militärisch eroberten Gebietes sowie die von seiten der Donaumonarchie favorisierte Lösung einer Integration ganz Russisch-Polens in den Habsburgerstaat, und zwar in Form einer Eingliederung in den österreichischen Reichsteil.[4] Vor allen Dingen aber versperrte die Festlegung auf einen selbständigen polnischen Staat die bis dahin ernsthaft erwogene Möglichkeit eines deutsch-russischen Separatfriedens. Indem das Deutsche Reich und Österreich-Ungarn aus eigener Machtvollkommenheit über bislang russisches Territorium verfügten, gaben sie Russisch-Polen als politisches Faustpfand bei möglichen Sonderfriedensverhandlungen mit dem Zarenreich aus der Hand. Die Proklamation eines unabhängigen polnischen Staates nach mehr als 120 Jahren politischer Teilung war damit ein unzweideutiges Signal, daß die Führung des Deutschen Reiches die Möglichkeit eines diplomatischen Herausbrechens Rußlands aus der Phalanx der Ententemächte nicht länger auszuloten gedachte.

Der Reichskanzler hatte der Option eines Separatfriedens mit Rußland ohnehin immer skeptisch gegenübergestanden und sich damit gegen entsprechende Vorstellungen Falkenhayns gewandt, der ein solches Vorgehen für politisch geboten und machbar hielt.[5] Spätestens Anfang August 1916 hatte Bethmann Hollweg alle derartigen vagen Hoffnungen für illusorisch erachtet und daraus seine Konsequenzen für die Regelung der polnischen Angelegenheiten gezogen: die Errichtung eines polnischen Staatswesens, das außenpolitisch fest an Deutschland und Österreich-Ungarn anzuschließen sei.[6] Hierin deckten sich seine Ansichten mit denen der neuen Obersten Heeresleitung, die den Reichskanzler geradezu bestürmte, entsprechende Schritte einzuleiten.

Hindenburgs Eintreten für eine derart schroff gegen Rußland gerichtete Aktion beruhte auf folgender Überlegung: Daß Rußland militärisch zu besiegen sei, wenn der Schwerpunkt der Kriegführung auf die Ostfront verlagert würde, entsprach Hindenburgs Grundüberzeugung. Als Oberbefehlshaber im Osten hatte er diese Ansicht beständig vertreten, war aber bei Falkenhayn stets auf taube Ohren gestoßen. Dieses Ceterum censeo floß konsequenterweise in seine außenpolitischen Vorstellungen ein: Konnte man Rußland bei Bündelung aller Kräfte militärisch bezwingen, wurde die Überlegung obsolet, Rußland auf diplomatischem Wege entgegenzukommen und sich jeder Präjudizierung in der polnischen Frage zu enthalten.

Hindenburg reklamierte in dieser Frage ein außenpolitisches Mitspracherecht, weil er sich als Rußlandexperte verstand und auch von der deutschen Öffentlichkeit und Politik als solcher wahrgenommen wurde.[7] Militärisch hatte sich Hindenburg als »Russenbezwinger« so sehr profiliert, daß ihm schon seit Ende 1914 ein Mitspracherecht in allen Rußland betreffenden Angelegenheiten zufiel. So hatte sich Anfang Dezember 1914 Reichskanzler Bethmann Hollweg bei Hindenburg Rat erbeten, als die Frage aufkam, ob im Falle eines militärischen Erfolges das Deutsche Reich seine Ostgrenze nach militärstrategischen Vorstellungen arrondieren und dazu einen Streifen russisch-polnischen Gebietes annektieren solle.[8] Dieses Thema wurde aktuell nach dem Erfolg der deutschen Offensive im Sommer 1915, in deren Verlauf die Mittelmächte ja ganz Kongreßpolen besetzt hatten. Nun nahmen sich auch die zuständigen preußischen Stellen dieser Angelegenheit an, weil dieser nicht unerhebliche Gebietszuwachs – euphemistisch als Grenzstreifen bezeichnet – in den preußischen Staat inkorporiert werden sollte. Auch hier ist es bezeichnend, daß der federführende preußische Innenminister von Loebell sich bei Hindenburg rückzuversichern trachtete, als dieses Thema im November 1915 zum ersten Mal auf die Tagesordnung einer preußischen Kabinettssitzung kam.[9] Wie sehr der Reichskanzler in allen Ostangelegenheiten die Zusammenarbeit mit dem Feldherrn des Ostens suchte, trat besonders im August 1916 zutage. Nicht die damalige Oberste Heeresleitung, sondern Hindenburg wurde von Bethmann Hollweg über die Verhandlungen in Wien am 11. und 12. August 1916 informiert, in denen der Kanzler grundsätzliches politisches Einvernehmen mit Österreich-Ungarn in der Polenfrage hergestellt und sich auf die Proklamation eines selbständigen Königreiches Polen verständigt hatte.[10]

Auf Hindenburgs Ruf als Ostexperte war es allerdings nicht allein zurückzuführen, daß sich der Feldmarschall aktiv in die deutsche Polenpolitik einschaltete. Auch genuin militärische Überlegungen ließen die polnische Frage schon frühzeitig in das Gesichtsfeld Hindenburgs und Ludendorffs treten. Letzterer war trotz seiner ausgeprägt antipolnischen Grundhaltung an die Frage nach der Zukunft des eroberten Polen zunächst sehr pragmatisch herangegangen: Er erblickte in Russisch-Polen ein nicht zu unterschätzendes Potential an wehrfähigem »Menschenmaterial«, das die personell der Entente unterlegenen Mittelmächte unbedingt ausschöpfen sollten. Um künftig polnische Soldaten als Verstärkung heranziehen zu können, mußte die polnische Seite mit der Aussicht auf ein selbständiges Polen nach einem siegreichen Ausgang des Krieges geködert werden.[11] Ähnliche Gründe machte auch Hindenburg geltend, wobei es ihm genauso wie Ludendorff nicht leichtfiel, sich für die Verkündung eines selbständigen polnischen Staates einzusetzen und sich damit gegen die traditionelle Linie preußischer Polenpolitik zu stellen. Doch nicht zuletzt das militärische Versagen Österreichs bewog Hindenburg dazu, der Aussicht auf polnische Divisionen den Vorzug vor einem starren Festhalten an traditionellen altpreußischen Positionen zu geben.[12] Damit gab Hindenburg ein weiteres Beispiel für seine politische Lernfähigkeit, die insbesondere die Verfechter des traditionellen Preußens noch häufiger irritieren sollte.

Es ist bezeichnend für die geschichtspolitische Sensibilität Hindenburgs, daß er seine nicht unmaßgebliche Beteiligung an der Proklamation eines unabhängigen polnischen Staates rundweg abgestritten hat, als sich der militärische Mißerfolg dieser halbherzigen Maßnahme herausstellte und statt der erhofften Divisionen nur wenige tausend Polen in den militärischen Dienst der Mittelmächte traten. Hindenburg war sichtlich bemüht, sich gerade in altpreußischen Kreisen nicht mit der Verantwortung für einen politischen Fehlschlag zu belasten.[13] In seinen 1920 veröffentlichten Memoiren wand er sich erfolgreich mit der Behauptung heraus, er habe bei der Übernahme der Obersten Heeresleitung »einer vollendeten Tatsache«[14] gegenübergestanden, für die einzig und allein die Politik die Verantwortung zu tragen habe. Dabei steht außer Frage, daß Hindenburg bereits am 23. August 1916, also vor der Ernennung zum Chef der Obersten Heeresleitung, dem Reichskanzler seine Unterstützung für dessen Polenpolitik signalisiert und eine möglichst rasche Aufstellung der erhofften polnischen Truppen angemahnt hat.[15] Als er unmittelbar nach Übernahme der Dienstgeschäfte am 2. September 1916 in Pleß mit dem Leiter des Generalgouvernements Warschau, Beseler, über diese Frage konferierte, brauchte Hindenburg nicht mehr von der Nützlichkeit der Polenproklamation überzeugt zu werden, sondern drang vielmehr auf deren beschleunigte Veröffentlichung.[16]

Das Gespann Hindenburg/Ludendorff half auch entscheidend mit, den nicht geringen innerpreußischen Widerstand gegen einen unabhängigen polnischen Staat zu brechen. Die neue Polenpolitik verstieß nämlich gegen Axiome altpreußischer Politik, die auf freundschaftlichen Beziehungen zum russischen Zarenreich fußten und sich im preußisch-russischen Interesse an der Vernichtung polnischer Staatlichkeit besonders nachhaltig niederschlugen. Mit der Polenproklamation verließ die Reichsleitung die vertrauten Pfade preußischer Politik, und nicht wenige eingeschworene Altpreußen erblickten darin einen Anschlag auf die Integrität Preußens. Sie argwöhnten, daß von diesem neuen polnischen Staatswesen eine magnetische Anziehungskraft auf die in Posen und Westpreußen lebenden preußischen Untertanen polnischer Nationalität mit unübersehbaren Folgen für den Verbleib dieser Provinzen bei Preußen ausgehen werde. Zu diesen Verfechtern der traditionellen preußischen Polenpolitik zählte auch Hindenburgs Schwiegersohn von Brockhusen, der am 5. November 1916, dem Tag der Polenproklamation, seinem ältesten Sohn schrieb: »Dieser Tag ist der Schwärzeste dieses an Fehlern wahrlich nicht armen Krieges.«[17] Wie wäre wohl sein Urteil ausgefallen, wenn er geahnt hätte, daß sein Schwiegervater keinen geringen Anteil an diesem Schritt hatte?

Hindenburg wie Ludendorff warfen ihr Prestige mit Erfolg in die Waagschale. Denn es gelang, das Polenprojekt gegen die altpreußischen Bedenken durchzusetzen, die sich im preußischen Abgeordneten- und Herrenhaus sowie im preußischen Kabinett erhoben hatten. Zwar konnte man die ablehnende Haltung der konservativen Fraktion im Abgeordnetenhaus und im Reichstag nicht aufweichen,[18] aber Ludendorffs schriftliche Interventionen hinterließen immerhin bei einigen nationalliberalen und freikonservativen Abgeordneten Eindruck.[19] Und auch die Widerstände im preußischen Kabinett konnten dank der Fürsprache der Obersten Heeresleitung für die Politik Bethmann Hollwegs überwunden werden. Bethmann Hollweg war in seiner Eigenschaft als preußischer Ministerpräsident auf eine verläßliche Mehrheit für seine Polenpolitik angewiesen, da er in dem Kollegialorgan preußisches Staatsministerium die Zustimmung der Majorität seiner Minister benötigte. Hier war es eine vom preußischen Ministerpräsidenten erwirkte schriftliche Intervention Ludendorffs beim schärfsten Kritiker der neuen Polenpolitik innerhalb der preußischen Regierung, Innenminister von Loebell, die diesen Exponenten der altpreußischen Position zum Verstummen brachte.[20] Am Ende konnte der Reichskanzler unter ausdrücklicher Berufung auf die Autorität Hindenburgs die Presse auf die nicht sonderlich populäre Proklamation eines polnischen Staates vorbereiten und um öffentliche Unterstützung werben.[21]

Bethmann Hollweg nutzte also die ungebrochene Autorität der Obersten Heeresleitung, um seine innenpolitisch höchst umstrittene Polenpolitik zu rechtfertigen. Hindenburg rückte damit sukzessive in die Funktion einer Legitimationsinstanz, die offiziell von seiten der Reichsleitung zu allen wichtigen politischen Fragen nicht nur gehört wurde, sondern deren Einverständnis überhaupt den Weg für die innenpolitische Durchsetzung der im Regelfall höchst strittigen Themen ebnen sollte. Dieses Vorgehen war nicht zuletzt dem Umstand geschuldet, daß sich der Kaiser aus der Alltagspolitik völlig zurückhielt, in seiner passiv-schwankenden Art kaum einmal politisch Farbe bekannte oder seinem Kanzler den Rücken stärkte. In Ermangelung kaiserlichen Beistands blieb Bethmann Hollweg kaum etwas anderes übrig, als das Bündnis mit dem zu suchen, dem in der öffentlichen Wahrnehmung schon längst eine politische Allzuständigkeit attestiert wurde. Solange der Reichskanzler und Hindenburg in politischer Eintracht die anstehenden politischen Fragen angingen, gewann der Reichskanzler die dringend benötigte politische Durchsetzungskraft. Wandte sich Hindenburg aber gegen die von Bethmann Hollweg betriebene Politik, drohte dem Reichskanzler das politische Aus, sofern der Verlust dieser Unterstützung nicht durch das verstärkte Engagement des Kaisers kompensiert wurde.

In der zweiten Hälfte des Jahres 1916 schien der Reichskanzler in Hindenburg noch einen mächtigen Verbündeten gefunden zu haben. Dies zeigte sich auch in der zweiten außenpolitischen Frage, in der Hindenburgs Schutzschild dem Kanzler politischen Freiraum verschaffte: in der politisch brisanten Forderung nach einem uneingeschränkten U-Bootkrieg gegen Großbritannien. Diese im Verlaufe des Jahres 1916 immer lauter vorgebrachte Forderung entsprang der Einsicht, daß mit herkömmlichen Mitteln das britische Inselreich nicht zum Einlenken zu deutschen Bedingungen gezwungen werden konnte. Immer mehr erwies sich der Kriegseintritt Großbritanniens als das eigentliche strategische Dilemma der deutschen Kriegführung: Großbritannien war im Unterschied zu Rußland und Frankreich auf dem Kontinent nicht verwundbar, auch die vielgerühmte deutsche Hochseeflotte vermochte die strategische Dominanz der britischen Marine in der Nordsee nicht wirklich zu erschüttern. Die britische Flotte schnürte vielmehr das Deutsche

Reich in kriegs- und ernährungswirtschaftlicher Hinsicht immer mehr ein, weil die von ihr verhängte völkerrechtswidrige Seeblockade die Zufuhr lebensnotwendiger Waren aus Übersee nach Deutschland weitgehend unmöglich machte. Das einzig wirksame Gegenmittel bestand in einer ansehnlichen Zahl von damals in ihrer Art einzigartigen Tauchbooten, über die die deutsche Marine verfügte und die mit nicht unerheblichem Erfolg rund um die Britischen Inseln operierten. Daraus erwuchs die Hoffnung, Großbritannien von seinem maritimen Lebensnerv abschneiden zu können, wenn die deutschen Unterseeboote in einer Zone rund um Großbritannien und Irland den Handelsverkehr mit dem britischen Mutterland unterbanden und ohne vorherige Warnung alle dort verkehrenden Schiffstransporte versenkten.[22]

Der Reichskanzler und das Auswärtige Amt lehnten einen solchen uneingeschränkten U-Bootkrieg entschieden ab, weil dieser bislang neutrale Staaten, insbesondere die USA, in den Krieg mit Deutschland treiben mußte. Die Versenkung britischer Passagierschiffe mit amerikanischen Staatsbürgern an Bord hatte die Beziehungen zum schlafenden Riesen USA bereits 1915 erheblich belastet. Man war zudem besorgt, daß die bislang neutralen Nachbarstaaten Dänemark und die Niederlande ins Lager der deutschen Kriegsgegner überwechseln könnten, wenn sie an Exportbeziehungen zu ihrem Haupthandelspartner England auf diese Weise gehindert würden. Die Marine hingegen verfocht nicht zuletzt aus Ressortinteresse die Gegenposition und witterte die Gelegenheit, aus ihrer bislang weitgehend passiven Rolle herauszutreten und sich als Garantin der Kriegswende zu profilieren. Die seit 1915 andauernde Diskussion hatte noch zu keiner klaren Entscheidung geführt, wenngleich sich der Reichskanzler mit seiner Position vorläufig durchsetzte. Daß er auch in dieser überaus heiklen außenpolitischen Frage die Unterstützung Hindenburgs zu erlangen suchte, um Amerika weiterhin aus dem aktiven Kriegsgeschehen herauszuhalten, lag nahe.

Als Oberkommandierender Ost hatte sich Hindenburg zu dieser Frage bislang keine eindeutige Meinung gebildet, und in seiner neuen Funktion als Chef des Generalstabes des Feldheeres war er ressortmäßig für die Seekriegführung gar nicht zuständig. Da aber der uneingeschränkte U-Bootkrieg unabsehbare politische Folgen nach sich ziehen konnte, welche die Gesamtkriegslage von Grund auf veränderten, besaß die OHL ein gewichtiges Mitspracherecht in dieser Angelegenheit. Gleich nach der Übernahme der Dienstgeschäfte wurde Hindenburg zum ersten Mal mit dieser Frage konfrontiert: Am 31. August 1916 traf sich die politische und militärische Führung des Reiches zu einer Lagebesprechung im Großen Hauptquartier, um die Weichen für die künftige Kriegführung zu stellen. Eine solche Abstimmung der Interessen war ein Novum, weil Falkenhayn jegliche gegenseitige Abklärung strikt verworfen und statt dessen die militärischen Planungen der Landoperationen bei sich monopolisiert hatte. In institutioneller Hinsicht bedeutete diese Besprechung zweifellos eine Aufwertung der Reichsleitung gegenüber der militärischen Führung. Daß die neue Oberste Heeresleitung nicht den Stil Falkenhayns pflegte, sondern sich in wichtigen militärischen Fragen mit der Reichsleitung abzustimmen suchte, mußten der Reichskanzler und seine Staatssekretäre als ausgesprochen wohltuend empfinden.

Die Besprechung vom 31. August brachte das von Bethmann Hollweg erhoffte Ergebnis: Nachdem die Vertreter der Marine und der Kriegsminister vehement für den uneingeschränkten U-Bootkrieg plädiert[23] und die Vertreter der Reichsleitung ebenso deutlich dagegengehalten hatten, gab das Votum der neuen Obersten Heeresleitung den Ausschlag für eine Verschiebung der Entscheidung. Hindenburg mußte sich erst ein Bild von der Gesamtkriegslage machen und vor allen Dingen die Entwicklung auf dem neuen Kriegsschauplatz Rumänien abwarten, um sich ein fundiertes Urteil in dieser Frage bilden zu können.[24] Allerdings war er durchaus gewillt, hierbei nicht nur rein militärische Maßstäbe anzulegen. Vom rein militärischen Gesichtspunkt aus sympathisierte er mit dem Anliegen des Admiralstabes; doch er konnte sich zu diesem Zeitpunkt genuin politischen Einwänden nicht verschließen, daß dieser militärisch vielleicht gebotene Schritt dem Deutschen Reich weitere Kriegsgegner eintragen würde. Noch billigte Hindenburg dem Reichskanzler die alleinige Kompetenz zu, die Vorschläge der Militärs auf ihre politischen Implikationen hin zu prüfen und sie gegebenenfalls wegen schädlicher politischer Folgen zu verwerfen. Seine Haltung in der U-Bootfrage faßte er im Herbst 1916 in die Worte: »Was den U-Boot-Krieg betrifft, so kann ich hier nur so viel sagen, daß ich dem Herzen nach voll und ganz für ihn bin, obgleich die Marine seine Wirkung wohl etwas überschätzt, daß der Verstand aber vorläufig noch gegen seine Anwendung spricht.«[25] Die Arbeitsteilung zwischen der OHL und dem Reichskanzler funktionierte im Oktober 1916 also noch.[26] Hindenburg ließ sich von den eingeschworenen Feinden des Reichskanzlers auf der politischen Rechten nicht instrumentalisieren,[27] und er diente Bethmann Hollweg als argumentatives Schutzschild gegenüber den Reichstagsparteien.[28]

Ein nicht unerheblicher Teil der Herkulesarbeit des deutschen Kriegskanzlers bestand darin, den labilen innenpolitischen Burgfrieden aufrechtzuerhalten und dabei den Konsens zumindest mit der Reichstagsmehrheit einschließlich der bis zum Kriegsausbruch im Abseits stehenden Sozialdemokratie zu suchen. Mit dieser vorsichtigen Öffnung nach links machte sich der Kanzler jedoch die preußischen

Konservativen und die alldeutschen Annexionisten zu politischen Todfeinden, die gerade im Herbst 1916 mit allen Mitteln gegen den Kanzler zu Felde zogen. Es war ein Gebot der politischen Klugheit, daß Bethmann Hollweg seinen Gegnern in der U-Bootfrage keine politische Munition überließ, sondern sich hinter der Ansicht der Obersten Heeresleitung verschanzte. Damit waren seine Widersacher argumentativ entwaffnet, denn gegen die Expertise des gerade von ihnen verehrten Generalfeldmarschalls wollten sie sich öffentlich nicht stellen. Solange Hindenburg sich in dieser Frage zurückhielt, bedeutete sein Schweigen eine Rückendeckung für den Reichskanzler. In den Beratungen des Hauptausschusses des Deutschen Reichstages, in dem die eigentlichen politischen Debatten geführt wurden, gelang es Bethmann Hollweg mit viel Geschick, eine Plenardebatte über den uneingeschränkten U-Bootkrieg zu verhindern, indem er darauf verwies, daß Hindenburg sein Votum in dieser Angelegenheit noch nicht abgegeben habe.[29]

Dem Reichskanzler sekundierte dabei der Fraktionsvorsitzende der Zentrumspartei Matthias Erzberger, der aus ganz ähnlichen Gründen die Oberste Heeresleitung in den Vordergrund schob, um die in seiner Partei an Gewicht zunehmenden Befürworter eines uneingeschränkten U-Bootkrieges zu bremsen.[30] Diese Taktik funktionierte aber nur so lange, wie Hindenburg dem Reichskanzler die politische Richtlinienkompetenz überließ und sich in wichtigen Fragen zu diesem nicht in Widerspruch setzte. Wenn Hindenburg sich aber zunehmend als Politiker entdeckte und Konflikten mit dem Kanzler nicht mehr aus dem Weg ging, dann war Bethmann Hollweg in seiner eigenen Argumentation gefangen. Doch noch hielt das Zweckbündnis von Kanzler und Oberster Heeresleitung, weil Hindenburg dem Reichskanzler noch ein zufriedenstellendes politisches Management des Krieges attestierte. Die Kriegslage stellte sich für Hindenburg im Oktober/November 1916 so uneinheitlich dar, daß er noch nicht zum Mittel des uneingeschränkten U-Bootkrieges, das angeblich die siegreiche Beendigung des Krieges verhieß, greifen wollte, sondern der Diplomatie zutraute, andere Wege zu finden, die aus dem Krieg herausführten. Deswegen hieß er auch prinzipiell die Vorstellung des Reichskanzlers gut, daß die deutsche Seite in der Friedensfrage die diplomatische Initiative ergreifen und mit einem Friedensangebot an die Weltöffentlichkeit treten sollte.

Bethmann Hollweg hatte sich im Herbst 1916 von allen illusionären Siegeshoffnungen längst verabschiedet und mit klarem Blick für das Realisierbare erkannt, daß das Deutsche Reich mit einem Ausgang des Krieges mehr als gut bedient sei, der den Status quo ante (eventuell mit leichten Verbesserungen zu Gunsten der deutschen Seite) wiederherstellte und Deutschland darüber hinaus wirtschaftliche Entfaltungsmöglichkeiten sicherte. Da nach seiner Überzeugung keine noch so große militärische Anstrengung einen siegreichen Ausgang des Krieges herbeiführen konnte, schien nach mehr als zwei Kriegsjahren, in denen sich beide Lager der Erschöpfung näherten, die Stunde der Diplomatie zu schlagen. Der Reichskanzler wollte diese Gelegenheit nicht ungenutzt verstreichen lassen und die Friedensfrage auf die internationale Agenda setzen. Dabei beflügelte ihn die Aussicht, daß der US-amerikanische Präsident Woodrow Wilson sich ebenfalls mit einer Friedensinitiative trug, so daß der deutsche Vorstoß alle Aussichten besaß, von den Vereinigten Staaten von Amerika, dem Wortführer der neutralen Mächte, mitgetragen zu werden.[31]

Das Friedensangebot mußte allerdings innenpolitisch abgesichert sein; denn sonst setzte sich Bethmann Hollweg der Gefahr aus, von der politischen Rechten zerfleischt zu werden, die darin die defätistische Preisgabe eines zum Greifen nahen deutschen Sieges erblickte. Für Bethmann Hollweg war es daher eine politische Lebensversicherung, sich in dieser Angelegenheit mit der Obersten Heeresleitung ins Benehmen zu setzen. Ende Oktober 1916 unterrichtete er Hindenburg über die geplante Friedensinitiative und bat ihn um eine Art Wunschliste, welche Ziele bei möglichen Friedensverhandlungen von deutscher Seite angestrebt werden sollten. Auch wenn Hindenburg seine Vorstellungen nach oben schraubte und beachtliche territoriale Gewinne für Deutschland im Osten sowie eine Art Protektorat über Belgien anvisierte,[32] konnte der Reichskanzler mit dessen Forderungen leben, da sie in seinen Augen ohnehin nur politische Verhandlungsmasse darstellten. Entscheidend war, daß die Oberste Heeresleitung bis Ende November 1916 den diplomatischen Vorstoß des Reichskanzlers prinzipiell guthieß.[33] Zugleich war die brisante U-Bootfrage zumindest für einige Wochen entschärft, denn wenn der Kanzler mit seiner Friedensaktion eine diplomatische Offerte an den Präsidenten der USA aussprach, die dort wohlwollend aufgenommen wurde, mußten die Anhänger des uneingeschränkten U-Bootkrieges die Reaktion Washingtons abwarten.[34] Verpuffte die Friedensinitiative allerdings wirkungslos, mußte ihn das in große Schwierigkeiten bringen, da dann die politische Rücksichtnahme auf die USA als Friedensvermittler wegfiel.

Am 12. Dezember 1916 erging das deutsche Friedensangebot an alle Mächte und hinterließ in den Vereinigten Staaten durchaus Eindruck. Wilson griff den Ball auf, den Bethmann Hollweg ihm zugespielt hatte, und reagierte am 18. Dezember seinerseits mit einer Note, in der die kriegführenden Staaten dazu aufgefordert wurden, ihre Bedingungen für einen Friedensschluß zu konkretisieren und dem amerikanischen Präsidenten treuhänderisch zu übergeben. Wilson hatte sich damit auf die deutsche Initiative eingelassen; und nun mußte die Reichsleitung in der heiklen Frage der Kriegsziele Farbe bekennen. In dem deutschen Friedensangebot hatte sie ihre Karten naturgemäß noch nicht offen auf den Tisch gelegt, sondern sich auf die interpretationsfähige Formel zurückgezogen, daß der künftige Friede »Dasein, Ehre und Entwicklungsfähigkeit« Deutschlands und seiner Verbündeten sichern müsse. Jetzt aber versagte die Oberste Heeresleitung dem Reichskanzler in der Friedensfrage die Gefolgschaft und würgte ein konstruktives Eingehen auf die Wilsonnote ab, indem Hindenburg kategorisch erklärte: »Wir können meines Erachtens aus nationalen Gründen in Rücksicht auf unsere starke militärische Position darauf jetzt nicht mehr eingehen.«[35]

Hindenburg, das offenbarte sich nun, hatte die Friedensinitiative des Kanzlers primär unter taktischen Aspekten gutgeheißen und zeigte im Grunde kein wirkliches Interesse an der Anbahnung von Friedensverhandlungen unter US-amerikanischer Vermittlung. Der Vorstoß Bethmann Hollwegs diente ihm hauptsächlich dazu, die gegenerische Seite vor der Welt als Kriegsverlängerer zu entlarven und gegenüber dem eigenen Volk einen ehrlichen Friedenswillen zu demonstrieren.[36] Erst wenn die politische Führung des Reiches die Friedenshand ausstreckte, sich aber eine Absage von den Feindmächten einhandelte, würde die politische Öffentlichkeit in Deutschland mehr und mehr empfänglich werden für die von Hindenburg verkörperte Hoffnung auf einen letztlich siegreichen Ausgang des Krieges.

Hindenburg hat sich denn auch nach der Übernahme der Obersten Heeresleitung als Inkarnation des deutschen Siegeswillens aufgebaut. Unmittelbar nach dem für viele schockartigen Kriegseintritt Rumäniens gab er die Parole aus: »Je mehr Feinde, desto mehr Ehre!«[37] Und dem Reichskanzler hat er als unmißverständliches Signal in einem Glückwunsch für dessen Friedensangebot mit auf den Weg gegeben, daß es für die Soldaten »keine höhere und heiligere Pflicht gibt, als den Sieg mit äußerster Tatkraft weiterzuverfolgen«.[38]

Auf dem zentralen Politikfeld der Friedensfrage entfremdeten sich Hindenburg und Bethmann Hollweg daher immer mehr. Hindenburg trat nun in immer schärferen sachlichen Gegensatz zum Reichskanzler und untergrub dessen Position, wobei er dank seiner plebiszitären Legitimation dazu Gefolgsleute über den Kreis der eingefleischten Bethmann-Hasser auf der politischen Rechten hinaus bis weit in die Mitte des politischen Spektrums mobilisieren konnte. In der Frage des uneingeschränkten U-Bootkrieges hatten sich die Interessen Hindenburgs und des Reichskanzlers eine Zeitlang nur deswegen gedeckt, weil dessen Proklamierung aus Hindenburgs Sicht zu viele unwägbare militärische Risiken in sich barg, während der Reichskanzler um die politischen Folgeschäden besorgt war. Hindenburgs militärisches Kalkül erstreckte sich im übrigen auf das unberechenbare Verhalten Dänemarks und der Niederlande[39] im Falle der Unterbindung von deren Handel mit Großbritannien, während Bethmann Hollweg sich auf den Faktor USA konzentrierte. Wenn aber die militärischen Bedenken gegen einen uneingeschränkten U-Bootkrieg auf ein Minimum schrumpften, hielt Hindenburg nichts mehr davon ab, sich mit der ganzen Autorität seines Amtes und seiner Person für diesen aus seiner Sicht militärisch gebotenen Schritt einzusetzen.

Im Dezember 1916 trat nun die Lage ein, daß sich der Handlungsspielraum der Obersten Heeresleitung vergrößerte. Denn der Feldzug gegen Rumänien brachte einen unerwartet schnellen Erfolg, der die Befürchtungen der Militärs zerstreute, durch die Entstehung einer weiteren Front im Südosten könnten die Siegesaussichten so geschmälert werden, daß nur noch der Ausweg einer diplomatischen Friedensinitiative blieb. Binnen drei Monaten wurde die zahlenmäßig weit überlegene rumänische Armee durch eine Zangenoperation zweier Heeresgruppen zerstreut: Eine aus Verbänden aller vier Mittelmächte zusammengesetzte Armee unter Mackensen marschierte von Süden her über die Donau in die Dobrudscha ein und schnitt die rumänischen Truppen vom Schwarzen Meer ab, während von Siebenbürgen aus eine neugebildete Armee unter dem ehemaligen Chef der OHL, also Falkenhayn, die dort eingedrungenen rumänischen Verbände vertrieb, die Südkarpaten überquerte und in das rumänische Tiefland vorstieß. Am 6. Dezember 1916 nahm die Armee Falkenhayns Bukarest ein. Die Reste der rumänischen Armee zogen sich nach Nordosten zurück und bauten dort mit russischer Hilfe entlang dem Fluß Sereth eine neue Stellung auf. Dies änderte nichts an der Tatsache, daß im Dezember 1916 fast ganz Rumänien erobert war, was aus kriegswirtschaftlicher Sicht eine enorme Verbesserung der Lage der Mittelmächte darstellte, denn Rumänien war nicht nur ein dringend benötigter Lieferant von immer knapper werdenden Lebensmitteln, sondern auch des kriegswichtigen Erdöls.[40]

Der Sieg gegen Rumänien war der erste militärische Erfolg, den sich die neue Oberste Heeresleitung an die Fahnen heften konnte. Und natürlich wurde der im Rang am höchsten Stehende dafür entsprechend dekoriert: Hindenburg erhielt am 9. Dezember 1916 als erster General im Krieg überhaupt das Großkreuz des Eisernen Kreuzes vom Kaiser verliehen, der in seinem begleitenden Handschreiben nur summarisch auf die »bewährten Helfer« Hindenburgs einging, womit Ludendorff eingeschlossen war.[41] Dabei hatte die neue Oberste Heeresleitung nur einen geringen Einfluß auf die Anlage der siegreichen Operation genommen, die im wesentlichen noch von Falkenhayn ausgearbeitet worden war. Dieser ging zwar in punkto Auszeichnungen leer aus, aber Feldmarschall Mackensen zog auch diesmal mit Hindenburg gleich und wurde ebenfalls mit der höchsten Stufe des Eisernen Kreuzes geehrt. Mackensen kommentierte diese paritätische Dekorierung mit dem Großkreuz nüchtern, aber ohne Neid:»Was wird ihm [Hindenburg, d. Verf.] nicht alles zugeschrieben! Was hat er nicht alles getan! Er und sein Name sind nun mal volkstümlich. Das bedeutet für uns auch einen Kräftezuwachs.«[42]

Der Erfolg über Rumänien flößte Hindenburg neue Zuversicht ein, den Krieg mit militärischen Mitteln zugunsten der Mittelmächte entscheiden zu können. Nun war er in der Lage, bislang auf dem Balkan gebundene Verbände zur Grenzsicherung gegen Dänemark und die Niederlande einzusetzen. Dabei rechnete er sich Chancen aus, daß diese Drohgebärde die beiden neutralen Staaten im Falle der Verhängung des uneingeschränkten U-Bootkrieges bewegen würde, sich zu weiterer Neutralität zu verpflichten. Auf die Vereinigten Staaten von Amerika brauche man, so glaubte er von Anfang an, keine Rücksicht zu nehmen, da kein amerikanischer Soldat europäischen Boden betreten würde und eine Kriegserklärung an Deutschland dementsprechend belanglos sei. Am 5. Dezember 1916 gab Hindenburg dem amerikanischen Journalisten Karl von Wiegand ein Interview, in dem er zwar das militärisch nutzbare Potential der USA anerkannte, die Vereinigten Staaten in militärischer Hinsicht aber als gefesselten Riesen einstufte. Sie besäßen keine zur Intervention fähige Armee, und selbst wenn sie eine aus dem Boden stampften, würde diese in Europa nicht eingreifen können, da die deutschen Unterseeboote den Transport unterbinden würden.[43] Der weitere Kriegsverlauf sollte Hindenburg und alle anderen Militärs, die sich von kurzsichtigen und dazu noch rechnerisch falschen militärischen Erwägungen leiten ließen, eines Besseren belehren.

Hindenburg war nun in das Lager der Anhänger eines uneingeschränkten U-Bootkrieges gewechselt; und dieser Faktor erwies sich als ausschlaggebend für die Entscheidungsfindung in dieser für den Kriegsausgang so herausragenden Frage. Schon am 8. Dezember 1916 machte Hindenburg dem Reichskanzler in Pleß unmißverständlich klar, daß er für den uneingeschränkten U-Bootkrieg plädieren werde, sobald entsprechende Truppenkontingente zur Sicherung gegen Dänemark und die Niederlande bereitstünden.[44] Noch einmal gelang es dem Reichskanzler unter Aufbietung aller Kräfte, den Kaiser von der Übernahme dieser Position abzubringen und eine Lösung durchzusetzen, die einen schmalen diplomatischen Spalt offenließ. Demnach sollten die U-Boote nur auf bewaffnete Handelsschiffe ohne Vorwarnung schießen, während man die unbewaffneten Handelsschiffe der Neutralen erst einmal verschonen wollte.[45]

Damit hatte Bethmann Hollweg aber nur einen Aufschub von einem Monat erwirkt. Das einstmals durchaus zufriedenstellende persönliche Verhältnis zwischen Bethmann Hollweg und Hindenburg verschlechterte sich im Verlauf des Dezember 1916 zusehends, weil Hindenburg den Reichskanzler haftbar machte für eine nach seiner Ansicht von Schlappheit und Bedenken geprägte Politik. Bethmann Hollweg hingegen, nie ausfallend im Ton und immer mit formvollendeten Manieren, schluckte die ihm von Hindenburg zugefügten persönlichen Kränkungen ohne erkennbare äußere Regung. Was Hindenburg vom Reichskanzler hielt, kam in aller Deutlichkeit erstmals am 29. Dezember 1916 zum Ausdruck, als der Reichskanzler mit demonstrativer Unhöflichkeit in Pleß empfangen wurde.

Bethmann Hollweg hatte sich in Pleß angesagt, um die immer deutlicher hervortretenden Meinungsverschiedenheiten nicht zuletzt in der U-Bootfrage in einem persönlichen Gespräch zu klären, an dem von seiten der Reichsleitung neben dem Kanzler noch die Staatssekretäre Zimmermann und Helfferich teilnehmen sollten. Als der Reichskanzler mit seinem Gefolge am Vormittag des 29. Dezember am Bahnhof eintraf, empfing ihn zu seiner Verblüffung nicht etwa Hindenburg oder ein hochrangiges Mitglied von dessen Stab, sondern der vom Auswärtigen Amt in das Große Hauptquartier abgeordnete Legationssekretär von Lersner. Lersner richtete dem Reichskanzler im Auftrag des Feldmarschalls eine Botschaft aus, die der Reichskanzler als persönliche Kränkung empfinden mußte: Der Generalstabschef ließ durch Rittmeister Lersner erklären, daß der Staatssekretär des Innern, Helfferich, nicht an der vorgesehenen Besprechung teilnehmen dürfe, da er keine Zuständigkeit für die zu verhandelnden Themen besitze. Dahinter verbarg sich nicht nur eine tiefsitzende Animosität der Obersten Heeresleitung gegen Helfferich, die schließlich im November 1917 zu dessen Rücktritt führen sollte, sondern auch der Versuch, dem Reichskanzler Vorschriften bezüglich der Zusammensetzung seiner Delegation zu machen. Diesen Affront konnte dieser sich schon aus Selbstachtung nicht bieten lassen. Da Helfferich neben seinem Fachressort auch noch die Stellvertretung des Reichskanzlers innehatte, fiel die Behauptung fehlender Ressortzuständigkeit in sich zusammen, so daß Hindenburg nicht umhin konnte, den ungeliebten Helfferich als Gesprächspartner hinzunehmen. Doch welche Mißachtung er dem Reichskanzler entgegenbrachte, hatte er durch die Tatsache, daß als Überbringer dieser verletzenden Mitteilung ein junger Rittmeister auserkoren worden war, der zudem im zivilen Leben ein Untergebener des Kanzlers war, deutlich zu verstehen gegeben. Dazu paßte auch, daß Hindenburg seine Berliner Gäste nicht zum Mittagessen bei sich behielt.[46] Der Vorfall in Pleß zeugt nicht nur davon, wie der Chef des Generalstabes des Feldheeres mit dem obersten Leiter der Amtsgeschäfte des Reiches und Preußens umsprang; er vermittelte auch einen Vorgeschmack darauf, wie erbittert Hindenburg den liberal-konservativen Bethmann Hollweg im Verlaufe des nächsten halben Jahres bekämpfen und dabei

in einer Art politischer Sippenhaft auch vermeintliche Parteigänger des Reichskanzlers nicht verschonen sollte.

Noch waren Hindenburg und die Oberste Heeresleitung allerdings nicht
mächtig genug, um die Verkündung des uneingeschränkten U-Bootkrieges im
Alleingang zu erzwingen. Bis weit in den Sommer 1917 hinein reichte die plebiszitäre Verankerung Hindenburgs nicht aus, dem Kaiser derartig weitreichende
Entscheidungen abzupressen. Die Transformation seines symbolischen Kapitals in
politische Macht konnte nicht reibungslos verlaufen, weil der Kaiser trotz seiner
rapide schwindenden politischen Bedeutung aus dem politischen System nicht
einfach wegzudenken war. In zentralen Fragen der Politik – und dabei insbesondere in Personalfragen – blieb Wilhelm II. infolge des überaus komplexen Prozesses politischer Entscheidungsfindung im Kaiserreich noch lange als oberste Ent-
scheidungsinstanz unentbehrlich.[47] Der Machtzuwachs der 3. OHL vereinfachte
zwar den politischen Prozeß, indem sich um Hindenburg herum ein neues politisches Gravitationszentrum mit beträchtlicher Anziehungskraft herausbildete.
Aber damit war der Einfluß konkurrierender Faktoren wie des Reichstags oder der
süddeutschen Bundesstaaten nicht eliminiert. Mit dem häufig unreflektiert ver-
wendeten Begriff der »Militärdiktatur« läßt sich jedenfalls die Verschiebung der
politischen Herrschaftsordnung in Deutschland von 1917 an nicht angemessen bezeichnen.[48]

Für den uneingeschränkten U-Bootkrieg gab letztlich der Umstand den Ausschlag, daß sich erstmals während des Weltkriegs sämtliche militärischen Stellen zu
einer konzertierten Aktion zusammenschlossen und diese einheitliche Phalanx
dem Kanzler keine andere Wahl ließ, als sich dem Votum der Militärs zu beugen
oder um seine Entlassung nachzusuchen. Hindenburg und Ludendorff zeigten sich
in dieser Frage einig mit dem Chef des Admiralstabs, Admiral Henning von Holtzendorff, der bislang einen Weg jenseits der Verhängung des uneingeschränkten
U-Bootkriegs gesucht und sich auf die Versenkung bewaffneter Handelsschiffe
konzentriert hatte. Holtzendorff trat nun als Sprachrohr der Marine in Sachen
U-Bootkrieg auf und reiste am 8. Januar 1917 ins Große Hauptquartier nach Pleß,
um eine geschlossene Front der Militärs herzustellen und den Kanzler vor vollendete Tatsachen zu stellen. Das Spiel war praktisch gewonnen, als der Chef des Marinekabinetts, Admiral von Müller, Holtzendorff versicherte, daß er nunmehr auch
auf dessen Linie eingeschwenkt sei und seine ursprüngliche Skepsis gegen diesen
Schritt fallengelassen habe. Damit war der engste Ratgeber des Kaisers in Marine-
fragen zum Fürsprecher des uneingeschränkten U-Bootkriegs geworden, und es
kostete kaum noch Mühe, bis am 8. Januar 1917 der Kaiser für diese Position ge-

wonnen war. Als Bethmann Hollweg am folgenden Tag in Pleß eintraf, waren die Würfel bereits gefallen.[49] Der Kanzler lenkte mit den Worten ein: »Wenn aber die militärischen Stellen den U-Bootkrieg für notwendig halten, so bin ich nicht in der Lage, zu widersprechen.«[50] Hindenburg hatte seinen Nimbus nicht über Gebühr in die Waagschale werfen und schon gar nicht mit einer Rücktrittsdrohung dem Kaiser eine politische Entscheidung abpressen müssen.

Die Durchsetzung seiner Position fiel Hindenburg auch deswegen leicht, weil Bethmann Hollweg sein Verbleiben im Amt nicht von der Übernahme seiner divergierenden Position in der U-Bootfrage abhängig machte. Indem der Kanzler sich dem Druck der Militärs beugte, ersparte er dem Kaiser die Entscheidung zwischen seiner Person und einer von allen Militärs nachdrücklich befürworteten Aktion. Deswegen brauchte Hindenburg erst gar nicht seinen höchsten Trumpf auszuspielen und seine Rücktrittsdrohung als politische Waffe einzusetzen. Der Reichskanzler blieb also im Amt und trug die von den Militärs erzwungene Entscheidung nach außen hin mit. Dennoch hatte Hindenburg nur einen halben Sieg errungen. Denn solange Bethmann Hollweg im Amt blieb, hatte Hindenburg zu gewärtigen, daß die Reichsleitung in grundsätzlichen Fragen vor allem der Innenpolitik einen Kurs einschlug, der mit den politischen Ansichten des Feldmarschalls kollidierte. Wenn sich Hindenburg weiter politisch betätigte und noch mehr in die zivile Politik einschaltete, konnte es aus seiner Sicht keine friedliche Koexistenz mit diesem Reichskanzler geben. Damit lief die Entwicklung auf eine offene Kraftprobe zwischen Hindenburg und Bethmann Hollweg hinaus, bei der letztlich zwei unterschiedliche Formen der Legitimation von politischer Herrschaft aufeinanderprallten: Bethmann Hollweg repräsentierte die bürokratisch-rationale Herrschaftsform, weil er sein Amt in erster Linie dem Vertrauen des zur Ausübung von Herrschaft Berufenen (des deutschen Kaisers) verdankte, Hindenburg hingegen stand für einen neuen Typ von Herrschaft, der seine Legitimität aus einer plebiszitären Quelle schöpfte.[51] Er leitete seinen Herrschaftsanspruch ab aus einer kommunikativ hergestellten Beziehung zum deutschen Volk, dessen Zustimmung zu seiner Person er ohne formal geregeltes Verfahren – und das meint in diesem Zusammenhang plebiszitär – abrufen konnte. In Anknüpfung an Max Weber, aber über ihn hinausgehend, sollte man diesen Herrschaftstypus terminologisch als »charismatische Herrschaft« qualifizieren.

*Hindenburg (fünfter von links) erörtert mit Ludendorff (ganz rechts),
dem frisch ernannten Reichskanzler Michaelis (links neben Hindenburg) und Vertretern der
Reichstagsparteien im Garten des Reichsamts des Innern die Kriegszielfrage, 14. Juli 1917.*

KAPITEL 10

Hindenburg als politischer Herrscher

Spätestens mit der Durchsetzung des uneingeschränkten U-Bootkrieges gegen den Willen des Reichskanzlers erbrachte Hindenburg einen untrüglichen Beweis seiner Herrschaftsfähigkeit. Legt man Max Webers klassische Definition von Herrschaft zugrunde, wonach Herrschaft die Chance bedeutet, »für spezifische (oder: für alle) Befehle bei einer angebbaren Gruppe von Menschen Gehorsam zu finden«,[1] dann erstreckte sich Hindenburgs Herrschaftsbereich nicht nur auf seinen militärischen Befehlsbereich in seiner Eigenschaft als Chef des Generalstabes des Feldheeres. Hindenburg stieß auch im zivilen Sektor des Politischen auf eine wachsende Schar von Gefolgsleuten, die ein Wort aus dem Munde des Volkshelden als Handlungs-anweisung betrachteten, auch wenn Hindenburg im strengen Sinne die entspre-chende amtsmäßige Befugnis gar nicht besaß. Es hilft indes nicht weiter, wenn man diese zunehmende Anhäufung seiner herrschaftlichen Ansprüche, die seit dem Winter 1916/17 mit Händen zu greifen ist, als unzulässige Grenzüberschreitung eines Militärs qualifiziert. Nur bei einem verengten Politikverständnis, welches das Politische ausschließlich für den Staat reserviert, kann man Hindenburg unzuläs-sige Einmischung in eine ihm eigentlich nicht zustehende Sphäre vorhalten. Doch gerade weil Hindenburg die herkömmliche Zuordnung sprengt und ohne formales politisches Amt immer stärker in alle Belange von Wirtschaft, Gesellschaft und Po-litik hineinregiert, wird in ihm eine neue Form politischer Herrschaft manifest, die mit der klassischen Gegenüberstellung von »Staatskunst« und »Kriegshandwerk«[2] nicht erfaßt werden kann. Hindenburgs Herrschaft übertraf qualitativ bei weitem die gleichsam natürliche Bedeutungssteigerung, die infolge des Krieges dem Mi-litär in allen kriegführenden Staaten zuerkannt wude. Doch in keinem dieser Län-der – weder in den beiden anderen Kaiserreichen Österreich-Ungarn und Rußland noch in Frankreich oder Großbritannien – konnte sich ein Militär als politischer Entscheidungsträger von der Statur Hindenburgs herausbilden. Man muß daher angemessene Sorgfalt auf die Beantwortung der sich daraus ergebenden Frage ver-wenden, welcher Terminus zur Etikettierung der Herrschaft Hindenburgs paßt.

Die Antwort auf diese zentrale Frage fällt leichter, wenn wir zunächst einmal die Befunde aus dem Zeitraum analysieren, in dem Hindenburg seine politische Verpuppung abschloß, immer stärkere politische Gestaltungsansprüche anmeldete und dabei zwangsläufig in einen immer schärferen Gegensatz zum Inhaber des Reichskanzleramtes geriet. Dieses Vorgehen ist auch deswegen angebracht, weil der Feldmarschall kein politisches Erweckungserlebnis hatte, das ihn gewissermaßen über Nacht dazu bewog, Politiker zu werden. Hindenburg hat sich vielmehr allmählich an das Politische herangetastet, wobei sein Verständnis von Politik nicht in den herkömmlichen Auffassungen befangen war, wonach Politik allein als institutionell geordnetes staatliches Handeln begriffen wird. Daher war in seiner seit Ende 1914 sichtbar werdenden symbolischen Ausstrahlung bereits eine politische Entwicklungsdynamik angelegt, die aber nicht zwangsläufig in politische Herrschaft münden mußte. Erst mit der keineswegs vorherbestimmten Übernahme der Obersten Heeresleitung Ende August 1916 erwarb sich Hindenburg eine gesicherte Position im komplizierten Institutionengefüge des deutschen Kaiserreichs, von der aus er sein politisches Potential abrufen konnte.

Es ist kennzeichnend für Hindenburg, daß die Durchsetzung seiner politischen Gestaltungsansprüche mit seiner weiteren symbolischen Aufwertung einherging. Hindenburg dehnte seine symbolische Reichweite allmählich auf diejenigen Bereiche der politischen Soziokultur aus, die noch der personalen Repräsentation harrten. Er begann im August 1916 als der Moltke des Ersten Weltkriegs, der über das rein Militärische hinaus Nervenstärke, Organisationskraft und Siegeszuversicht verkörperte; und er wuchs in Ausübung seiner neuen Funktion immer mehr zu einem zweiten Bismarck heran, der nicht nur sämtliche Staatsgeschäfte dirigierte, sondern vor allem die Gesamtheit der Staatsaufgaben verkörperte.

Die Staatsaufgaben nahmen im Verlauf des Ersten Weltkriegs vor allem im Bereich der Kriegswirtschaft enorm zu. Alle kriegführenden Staaten mußten infolge der Knappheit von materiellen und personellen Ressourcen so haushalten, daß der optimale Ertrag erreicht wurde. Allerdings litt die deutsche Kriegswirtschaft bis in den Herbst 1916 hinein unter einem eklatanten Mangel an zentraler Steuerung, der bezeichnend ist für die widerstreitenden Interessen von Reich und Einzelstaaten, von ziviler Politik, Militär und Industrie.[3] Dieser Kompetenzwirrwarr konnte die Oberste Heeresleitung nicht unberührt lassen, wenn ihre Truppen an einer Unterversorgung mit Munition und Waffen litten. Die Materialschlachten an der Somme hatten auf drastische Weise vor Augen geführt, daß die Briten, die bis dahin als Gegenspieler in einem Landkrieg nicht sonderlich ernst genommen worden

waren, nicht nur bestens ausgebildete Soldaten der neu formierten Wehrpflicht-
armee in die Schlacht werfen konnten, sondern vor allem in materieller Hinsicht
der deutschen Seite turmhoch überlegen waren. Die erdrückende Übermacht an
Flugzeugen, Geschützen und Munition ging auf das Konto einer effizient organisierten britischen Kriegsindustrie, von der die deutsche Seite lernen konnte und
lernen wollte.[4]

Es oblag daher der neuen Obersten Heeresleitung, die Kriegswirtschaft zu
noch größeren Anstrengungen anzutreiben und auf effiziente organisatorische
Strukturen zur Bewältigung dieser Herausforderung zu drängen. Hindenburg
wurde diesbezüglich bereits am 31. August beim preußischen Kriegsminister und
am 13. September 1916 beim Reichskanzler vorstellig. Er verlangte nicht nur eine
Verdoppelung der Munitionsfertigung und eine Verdreifachung der Produktion
von Geschützen, sondern war auch sofort mit Vorschlägen bei der Hand, wie dies
zu bewerkstelligen sei. Da solche Vorgaben nur erfüllt werden konnten, wenn
einige hunderttausend Facharbeiter der Armee entzogen und in der Kriegsindustrie eingesetzt wurden, mußte man alle Arbeitskräftereserven mobilisieren. Hier
wartete Hindenburg mit Vorstellungen auf, die den staatlichen Zugriff auf den Ar-
beitssektor in einem nie dagewesenen Maße ausdehnen wollten. Er forderte nicht
weniger als das Ende der Freizügigkeit in den Arbeitsbeziehungen und die Einführung des Arbeitszwangs für alle männlichen Deutschen zwischen sechzehn und
sechzig Jahren sowie die Ausschöpfung des weiblichen Reservoirs an Arbeitskräf-
ten durch eine allgemeine Dienstpflicht für Frauen.[5]

Gleichzeitig richtete Hindenburg begehrliche Blicke auf das Arbeitskräfte-
potential im besetzten Belgien, das über eine gut ausgebildete Industriearbeiterschaft verfügte. Politische oder rechtliche Hemmungen, belgische Arbeiter auch
gegen ihren Willen zur Arbeit nach Deutschland zu verbringen, hatte er nicht. Wer
den Arbeitszwang für deutsche Arbeitskräfte vorschlug, der war im Umgang mit
ausländischen Arbeitern wenig zimperlich. Mit allen Mitteln wischte die Oberste
Heeresleitung die Bedenken des deutschen Generalgouverneurs in Belgien, Bissing,
vom Tisch, wobei sie von einem Teil der deutschen Industrie massive Rückendeckung bekam, der vehement dafür plädierte, »das große Menschenbassin Belgien«[6] zu öffnen. So setzte am 26. Oktober 1916 eine regelrechte Deportation belgi-
scher Arbeiter ein, die wirtschaftlich und politisch in einem Fiasko endete. Kriegswirtschaftlich erfüllte diese improvisierte Aktion, bei der auf belgische Arbeiter
Jagd gemacht wurde, die dann in aller Hast und nach flüchtiger Musterung zur
Zwangsarbeit ins Deutsche Reich verfrachtet wurden, ihren Zweck nicht, da statt
der erhofften zweihunderttausend Arbeiter bis zum Februar 1917 nur sechzigtau-

send überführt wurden, von denen ein Drittel vor allem wegen Arbeitsunfähigkeit nach wenigen Wochen zurückgeschickt werden mußte. Politisch war der angerichtete Schaden immens, da diese brutale Aktion das Bild Deutschlands gerade in den neutralen Staaten noch mehr verdunkelte.[7] Als der Fehlschlag offenkundig wurde und man am 10. Februar 1917 die Verschleppungen einstellte, reagierte Hindenburg so, wie er es getan hatte, nachdem die nicht zuletzt auf sein Geheiß zustande gekommene Proklamation eines polnischen Staates nicht das erwünschte Resultat erbracht hatte: Er stahl sich aus der politischen Verantwortung, indem er rundweg jede Einflußnahme der Obersten Heeresleitung auf diese Entscheidung abstritt und das preußische Kriegsministerium haftbar zu machen versuchte,[8] eine Ausflucht, die nach Ansicht des bayerischen Ministerpräsidenten »fast lächerlich« wirkte.[9]

Im Grunde forderte Hindenburg nichts anderes als die Einführung einer Kommandowirtschaft nach militärischem Vorbild, die bei den Verfechtern einer privatwirtschaftlichen und privatrechtlichen Organisation der Wirtschafts- und Arbeitsbeziehungen naturgemäß auf wenig Gegenliebe stieß. Bis zum Dezember 1916 rangen beide Seiten um den rechten Weg, wobei sich insbesondere der Reichskanzler und sein Staatssekretär des Innern, Helfferich, dafür einsetzten, mit möglichst wenig staatlich verordnetem Zwang die Produktion kriegswichtiger Güter zu steigern. Die Oberste Heeresleitung konnte sich am Ende nicht auf der ganzen Linie durchsetzen. Zwar wurde im November 1916 mit dem Kriegsamt erstmals eine Zentralbehörde für Wirtschaftsfragen geschaffen, aber ein staatlicher Arbeitszwang wurde nicht eingeführt, und die verstärkte Ausschöpfung des männlichen Arbeitskräftepotentials im »Hilfsdienstgesetz« vom 5. Dezember 1916 ließen sich die Gewerkschaften honorieren: Sie wurden durch die Einrichtung paritätischer Schlichtungsausschüsse zur Regelung von Streitfragen in Arbeits- und Lohnangelegenheiten institutionell aufgewertet.[10]

In politischer Hinsicht hatte Hindenburg zurückstecken müssen bei seinem Versuch, die Richtlinien in einer zentralen Frage der Wirtschafts- und Arbeitsbeziehungen festzulegen. Zurück blieb eine tiefe Verstimmung über den Reichskanzler, die erheblich zu den seit Dezember 1916 immer heftiger werdenden Attacken gegen Bethmann Hollweg seitens der Obersten Heeresleitung beitrug. Hindenburg lastete dem Reichskanzler die Verwässerung seiner Vorgaben auch deswegen an, weil er keinen Sinn für dessen aufopferungsvolle Arbeit hatte, die vor allem darin bestand, divergierende Interessen in Bundesrat und Reichstag so auszugleichen, daß am Ende ein fast einmütig verabschiedetes Gesetz herauskam. Hindenburg stieß sich an der Komplexität parlamentarischer Prozeduren. So etwas paßte nicht in sein militärisches Weltbild, wonach eine einmal als richtig angesehene Position ohne zeitliche Verzögerung und ohne Abstriche durchzusetzen sei. Sein Tadel an den Reichskanzler in einem Schreiben vom 15. November 1916[11] ließ zum ersten Mal durchscheinen, daß sich hier ein Grundsatzkonflikt zwischen der Obersten Heeresleitung und der Reichsleitung über das richtige Politikverständnis anbahnte. Dieser Konflikt zog auch in der Öffentlichkeit weite Kreise und führte bei einigen traditionsbewußten Streitern für das monarchische Prinzip dazu, den Feldmarschall der Überschreitung seiner Kompetenzen zu bezichtigen: »Es muß das Vorrecht des Kaisers und allenfalls der Bundesfürsten bleiben, in dieser Weise mit dem höchsten Beamten des Reiches zu verkehren.«[12]

Gewiß spielte bei der immer mehr an Dynamik gewinnenden Einschaltung der Obersten Heeresleitung in nicht ihrer Befehlsgewalt unterliegende Bereiche auch die Vorstellung eine nicht zu unterschätzende Rolle, die Politik gemäß den im militärischen Sektor geltenden Organisationsprinzipien kurieren zu können und ganz Deutschland wie einen großen Kasernenhof zu betrachten, eine Auffassung, die in politischen Zirkeln auf mehr oder minder heftige Kritik stieß. So machte der bayerische Ministerpräsident Graf Hertling am 1. Februar 1917 im Finanzausschuß der bayerischen Abgeordnetenkammer unmißverständlich klar: »Alle Achtung vor Hindenburg und Ludendorff, aber so wie auf dem Exercierplatz und in der Schlacht geht es nicht.«[13] Man würde es sich allerdings zu leicht machen, darin eine Anmaßung borniert Militärs zu erblicken, welche eine innerlich kranke Politik mit ihren Eisenbart-Methoden zu heilen suchten. Der Anspruch Hindenburgs auf Mitwirkung an politischen Entscheidungen speiste sich ja aus einer Legitimationsquelle, die ganz und gar nicht zum Selbstverständnis sich selbst genügender und im kulturellen Mikrokosmos der Kaserne verharrender Militärs paßte, welche die Welt mit dem Exerzierreglement zu regieren trachteten. Der Rekurs auf die Nation als oberster Legitimationsinstanz versetzte ihn in die Lage, Teilhabe an Einzelfragen der Politik einzuklagen und letztlich Herrschaft zu akkumulieren: Wenn er seine plebiszitäre Verankerung nutzte und sich als Sprachrohr einer als politisch homogen zu definierenden Nation begriff, setzte er ein Legitimationsprinzip frei, das die monarchische Herrschaft und alle an ihr hängenden Institutionen wie das Reichskanzleramt im Kern antastete. In diese Richtung veränderte sich Hindenburgs Politikverständnis vom Herbst 1916 bis zum Sommer 1917 ganz allmählich. Natürlich konnte ein fast siebzigjähriger, in emotionaler Bindung an die Monarchie groß gewordener General das politische System des preußisch-deutschen Kaiserreichs nicht wirklich sprengen – was die in dieser Hinsicht unsentimentalen Ludendorff und Tirpitz erwogen. Aber innerhalb des institutionellen Gefüges des

Kaiserreichs konnte eine Verlagerung politischer Herrschaft auf Hindenburg in dem Maße stattfinden, wie sich dieser politisch selbst entdeckte.

Flankiert wurde dieser Prozeß von einem symbolischen Ausgreifen Hindenburgs. Der Feldmarschall ergriff nun durch die gezielte Ausdehnung seiner Aktivitäten auch von jenen Bereichen symbolisch Besitz, in die er bislang noch nicht eingedrungen war. Da ist zunächst der Bereich der Ökonomie zu nennen, den Hindenburg weniger politisch denn symbolisch okkupiert hatte. Gewiß darf dabei nicht übersehen werden, daß Ludendorff und dessen rechte Hand in Wirtschaftsfragen, Oberst Bauer, Hindenburg auf diesem Feld zur Aktivität drängten und ihm entsprechende Entwürfe vorlegten.[14] Den Feldmarschall deshalb für das vorgeschobene Organ Ludendorffs und des heimlichen Drahtziehers Bauer zu halten, hieße allerdings, die tatsächliche Hierarchie in grotesker Weise auf den Kopf zu stellen.[15] Denn Hindenburg pflegte die Detailarbeit generell von seinen »Gehilfen« erledigen zu lassen, während er selbst sich wie ein Politiker auf die großen Linien konzentrierte und sich vor allen Dingen mit der symbolischen Vermittlung der neuen Projekte befaßte.

Unter diesem Aspekt war es höchst bezeichnend, daß die kriegswirtschaftliche Initiative der neuen Obersten Heeresleitung mit seinem Namen verknüpft und »Hindenburg-Programm« getauft wurde.[16] Nicht der Kaiser trat als Namensgeber auf, sondern ein drei Jahre zuvor noch völlig Unbekannter, dessen symbolischer Imperialismus ein Feld nach dem anderen in Besitz nahm. Es ist typisch für Hindenburg und seinen Politikstil, daß er diesen Vorstoß mit einem jener Aussprüche begleitete, mit denen er sich politisch positionierte und die von der Öffentlichkeit begierig aufgegriffen wurden. In einem Schreiben vom 31. August 1916, in dem er den preußischen Kriegsminister zu kriegswirtschaftlicher Aktivität aufforderte, nahm er ausdrücklich Bezug auf ein vielfach von ihm gebrauchtes Bild, das den Krieg in wirtschaftlicher Hinsicht mit einer Schraube verglich, »bei der es nur darauf ankommt, wer die Schraube rechtzeitig am weitesten andrehen kann«.[17] Damit lieferte er dem preußischen Kriegsminister, der zwei Wochen später führende Industrielle in seinem Ministerium empfing, um diese auf die neue Situation einzustellen, eine griffige Formulierung: »Und um einzuleiten, daß der Schraube ein neuer und entscheidender Ruck gegeben werden kann, deshalb habe ich mir erlaubt, Sie hierher zu bitten.«[18]

Die vermehrten kriegswirtschaftlichen Anstrengungen konnten dem Feldmarschall vor allem deswegen angerechnet werden, weil sie sich nahtlos in die Wahrnehmung Hindenburgs als Inkarnation des Siegeswillens einfügten. Hindenburg hatte dem Kriegsgeschehen schon durch seinen unzählige Male kolportierten

Ausspruch »Nicht durchhalten, sondern siegen« in einer Phase zunehmender Orientierungslosigkeit neuen Sinn verleihen können. Folgte man seiner Deutung des Krieges, dann erschien es als zwingende Notwendigkeit, alle nur erdenklichen wirtschaftlichen Maßnahmen zu ergreifen, um dieses von ihm gesteckte Ziel erreichen zu können. Auf diese Weise wurde Hindenburg originäre wirtschaftliche Kompetenz übertragen,[19] die dazu beitrug, daß sein Bild in der Öffentlichkeit immer stärker staatsmännische Züge annahm.

Hindenburg beförderte seine staatsmännische Reifung nicht zuletzt dadurch, daß er sich öffentlich einem Thema zuwandte, das wie kein zweites in die Befindlichkeit jedes Deutschen eingriff: die Ernährungsfrage. Seit 1916 litten die meisten Deutschen unter Hunger, und dieser machte nicht an Standesgrenzen halt. Aufgrund der alliierten Seeblockade konnte die Versorgung mit Lebensmitteln nur noch mühsam aufrechterhalten werden, und viele der gewohnten Nahrungsmittel verschwanden vom Speisezettel. Die kriegsbedingte Knappheit vergrößerte die Kluft zwischen Erzeugern und Verbrauchern, die sich schon in der Vorkriegszeit massiv politisch bemerkbar gemacht hatte. Denn die vom städtischen Bürgertum lange Zeit belächelten »dummen Bauern« nutzten die vorteilhafte Situation, daß nun die reichen Städter auf Hamsterfahrten als Bittsteller auftraten, in vielerlei Hinsicht aus. Gleichzeitig verschärfte sich der Konflikt zwischen den Erzeugern der begehrten Nahrungsmittel und den staatlichen Behörden, weil Bauern und Großgrundbesitzer den ernährungswirtschaftlich gebotenen Zugriff des Staates auf ihre Erzeugnisse als Sozialisierung ihrer Produktion empfanden und die Zwangsablieferungen so weit wie möglich unterliefen, um gehortete Überschußprodukte auf dem schwarzen Markt zu veräußern.[20] Wenn die Köchin keine erlesenen Speisen mehr zubereiten konnte, weil die Zutaten zu erschwinglichen Preisen nicht erhältlich waren, verlor das städtische Bürgertum die Möglichkeit, seine genuin bürgerliche Lebensführung durch gehobene Eßkultur zu unterstreichen.[21]

Kaum ein Thema hat mehr zur allmählichen Erosion der Monarchie und zum Zerfall staatlicher Autorität beigetragen als die sich seit 1916 zusehends verschlechternde Ernährungslage. Hindenburg bewies daher wieder einmal treffsicheres politisches Gespür, als er am 27. September 1916 in einem Schreiben an den eigentlich zuständigen Bethmann Hollweg diese brennende Frage aufgriff.[22] Dies hing zusammen mit seinen Bemühungen um eine gesteigerte Rüstungsproduktion, denn nur Industriearbeiter mit vollem Magen konnten die von ihnen erwarteten Leistungen erbringen. Hindenburg forderte energisch, die Unterversorgung mit Fett – also Butter und Fleisch – in den Industrierevieren vor allem des deutschen Westens zu beheben. Sein Appell an die agrarischen Erzeuger und an die zuständigen Behörden entsprang seiner moralischen Autorität als Verkörperung nationaler Gemeinschaft. In dieser Eigenschaft wollte Hindenburg die Erzeuger in ihre vaterländische Pflicht nehmen.[23]

Zunächst verhallte dieser Verstoß ungehört, weil die deutsche Öffentlichkeit erst am 15. November 1916 von ihm Kenntnis erhielt.[24] Es ist bezeichnend für die Interessenpolitik der Agrarier, daß diese Hindenburg als Kronzeugen gegen die staatliche Bewirtschaftung der Nahrungsmittel in Stellung brachten.[25] Hindenburg wies diese Absichten in einem zweiten Schreiben an den Reichskanzler vom 19. November 1916 unmißverständlich zurück: »Das entspricht nicht meiner Anschauung, ohne einen Zwang geht es nicht ab«, wobei er allerdings zugleich an »den bewährten patriotischen Sinn der deutschen Landwirtschaft« appellierte und darauf vertraute, daß die Landwirte sich aus eigenem Antrieb ihren Pflichten auf dem Gebiet der Volksernährung nicht entzogen.[26] Immerhin sah sich die deutsche Landwirtschaft aufgrund der mahnenden Worte Hindenburgs veranlaßt, zu einer freiwilligen Spende für die Schwerarbeiter in der Rüstungsindustrie auszurufen, die »Hindenburgspende« genannt wurde und bei der binnen sechs Wochen 1500 Tonnen Schmalz, Speck und Fleischwaren für die Rüstungsarbeiter zusammenkamen.[27]

Hindenburg kannte kein Pardon, wenn sich eine Interessengruppe aus eigensüchtigen Motiven dem entzog, was aus seiner Sicht als patriotische Pflichterfüllung galt. Dabei verschloß er seine Augen auch vor Mißständen in der Landwirtschaft nicht, wenngleich speziell die ostelbischen Großgrundbesitzer bei ihm einen dicken Bonus besaßen, weil er sie als Stütze der preußischen Monarchie für unentbehrlich hielt und ihnen daher von vornherein patriotische Gesinnung attestierte. Geradezu heftig konnte Hindenburg allerdings gegen vermeintliche und tatsächliche Spekulanten und Kriegsgewinnler werden, die extrem günstige Marktbedingungen nutzten, um Maximalprofite zu erzielen. Gegenüber dem Vorsitzenden vom Bund Deutscher Bodenreformer, Adolf Damaschke, äußerte er: »Man sollte nur einmal einige von ihnen aufhängen ... Drei würden genügen – nur recht hoch; dann würden die anderen schon ihre Finger davon lassen.«[28]

Derart markige Worte drangen freilich nicht an die Öffentlichkeit. Seine Appelle an die Landwirte zur vaterländischen Pflichterfüllung trafen hingegen den Nerv weiter Kreise der Industriearbeiterschaft. Gerade dort hatte sich enorme Erbitterung darüber aufgestaut, daß etwa ein Drittel der Lebensmittel dem staatlichen Verteilungssystem entzogen wurde, was speziell die Industriearbeiterschaft zu spüren bekam.[29] Hindenburg selbst hat dafür gesorgt, daß sein Schreiben vom 19. November 1916 an den Reichskanzler die Öffentlichkeit erreichte[30] und er sich damit als Anwalt der Verteilungsgerechtigkeit profilieren konnte. Für einen erheb-

lichen Teil der sozialistischen Arbeiterschaft war der Feldmarschall nicht ein Militär, der Hunderttausende von Soldaten in einen sinnlosen Tod schickte, sondern
eine gütige Vaterfigur, die den Mantel der Fürsorge gerade über die ärmeren
Schichten des deutschen Volkes ausbreitete. Anton Fendrich, ein der Sozialdemokratie nahestehender Schriftsteller, der am zweiten Weihnachtsfeiertag 1916 als
Gast im Großen Hauptquartier weilte, hob insbesondere den Einsatz Hindenburgs
für eine sozial gerechte Lebensmittelversorgung hervor. Hindenburg »legte die
Hand mit einer gebieterischen Bewegung auf den Tisch mit der knappen Erklärung, jetzt brauche er für seine Rüstungsarbeiter Fleisch und Fett und Brot und
Kartoffeln«.[31]

Daher konnte Hindenburg auch bei der Kampagne zur Zeichnung der fünften
Kriegsanleihe im Herbst 1916 eine herausragende Funktion übernehmen. Nach
zwei Jahren Krieg war die ursprüngliche Begeisterung längst verflogen, was auch
die zum Teil über Anleihen laufende Finanzierung des Krieges erheblich beein-
trächtigte. Gerade unter den Frontsoldaten mehrten sich die Stimmen derer, die
von einer erneuten Zeichnung von Kriegsanleihen mit dem Argument abrieten,
daß auf diese Weise nur ein perspektivloser Krieg verlängert werde. Aber Geld war
mehr denn je nötig, da das »Hindenburg-Programm« die Kriegskosten geradezu
explodieren ließ. Hatten diese im August 1916 noch knapp zwei Milliarden Mark
betragen, so waren sie zwei Monate später auf drei Milliarden für den Monat Oktober 1916 geklettert.[32] Damit die Kriegsanleihen zumindest halbwegs Schritt halten
konnten mit den davongaloppierenden Kriegskosten, sollte ein Hindenburgwort
die finanzielle Opferbereitschaft ankurbeln. Der zuständige Staatssekretär des
Reichsschatzamtes, Siegfried von Roedern, begab sich daher am 12. September 1916
ins Große Hauptquartier und erzielte das gewünschte Ergebnis. Die Werbung für
die fünfte Kriegsanleihe stand unter dem Hindenburg-Motto: »Das deutsche Volk
wird seine Feinde nicht nur mit dem Schwerte, sondern auch mit dem Gelde schlagen. Das wird die Kriegsanleihe beweisen.«[33]

Hindenburg betätigte sich als omnipräsenter Sinngeber des Krieges. Konkurrenten auf diesem Gebiet gab es seit Übernahme der Obersten Heeresleitung nicht
mehr: Der Kaiser fiel als Sinnproduzent aus, und der Reichskanzler war mit den
komplizierten Regierungsgeschäften völlig ausgelastet. Bei aller Diversifizierung
seiner Deutungsangebote blieb Hindenburg die Kernkompetenz erhalten, die ihm
schon Ende 1914 zugefallen war, nämlich Repräsentant des kollektiven Wunsches
nach Nervenstärke und Kaltblütigkeit zu sein. Sein stilbildendes Wort, wonach der
Sieg von der Nervenstärke abhinge, tat noch immer Wirkung.[34] Auch im persönlichen Umgang verströmte Hindenburg jene Unerschütterlichkeit, die wie Balsam

auf die zum Zerreißen gespannten Nerven der Entscheidungsträger wirkte. So teilte der Chef des Militärkabinetts Lyncker, eigentlich ein Kritiker Hindenburgs und lange ein Parteigänger Falkenhayns, seiner Frau kurz nach der Übernahme der Obersten Heeresleitung durch Hindenburg mit: »Es ist hier seit gestern eine große Beruhigung eingekehrt. Merkwürdig wie ein Mann wie Hindenburg Ruhe ausströmt und mittheilt.«[35]

Seine eigentliche politische Reifeprüfung absolvierte Hindenburg in den ersten sieben Monaten des Jahres 1917, als er zielstrebig die Absetzung Bethmann Hollwegs betrieb. Der Sturz des Reichskanzlers war von anderem Kaliber als die Ersetzung Falkenhayns und stellt mithin die eigentliche Nagelprobe für die Herrschaftsausübung Hindenburgs dar. Die Attacken gegen seinen Vorgänger als Chef der Obersten Heeresleitung konnte man noch als das zwar gegen die militärische Hierarchie verstoßende, aber durch genuin militärische Gründe zu rechtfertigende Aufbegehren gegen den Verantwortlichen für eine verfehlte Kriegführung ansehen. Mit dem Reichskanzler und preußischen Ministerpräsidenten geriet jedoch zwei Jahre später eine Amtsperson ins Visier, die in doppelter Weise der Verfassungstheorie nach allein Wilhelm II. in dessen Eigenschaft als Kaiser und König von Preußen verantwortlich war. Eine Entlassung Bethmann Hollwegs in dessen zweifacher Funktion auf Drängen Hindenburgs bedeutete eine eklatante Verletzung der monarchischen Prärogative dort, wo diese sich am nachhaltigsten artikulierte: in der Personalpolitik. Ein solcher Schritt kam aber nicht – und dies ist nachdrücklich zu betonen – der Übernahme der Regierungsgeschäfte durch die Oberste Heeresleitung gleich. Trotz aller Interventionen bestimmte der Kaiser noch immer den Nachfolger Bethmann Hollwegs[36] und bewahrte sich damit einen harten Kern seiner politischen Gewalt, die – wie der Herbst 1918 zeigen sollte – immer noch ausreichte für den Versuch, sich von Hindenburgs Herrschaft zu emanzipieren. Ungeachtet dessen kristallisierte sich mit der Beseitigung Bethmann Hollwegs im Laufe des Jahres 1917 ein neues, auf Hindenburg ausgerichtetes politisches Gravitationszentrum heraus, das gebieterisch politische Gefolgschaft reklamierte und den Gleichklang von Kriegführung und Politik einforderte. Mit der durch politische Pressionen dem Kaiser abgenötigten Entlassung seines obersten Ratgebers und des höchsten Beamten des Reiches hatte die Entwicklung Hindenburgs zu einem veritablen Politiker endgültig ihren Abschluß gefunden.

Bevor wir die Stationen dieser entscheidenden Phase abschreiten, wollen wir uns dem Politikverständnis Hindenburgs zuwenden, das an diesem Punkte klarer als sonst durchscheint und uns Aufschluß über den politischen Selbstfindungsprozeß des Generalfeldmarschalls geben kann. Lange Zeit mochte es scheinen, als habe sich der Urmilitär Hindenburg gegen seinen Willen in die Politik verirrt und sei nur durch äußere Umstände in dieses ihm wesensfremde Metier hineingezogen worden. Die Hindenburg-Forschung aller Schattierungen wurde nicht müde, den angeblich zutiefst unpolitischen Charakter ihres Helden hervorzuheben[37] und ihn damit zumindest indirekt zu exkulpieren. In der Tat war Hindenburg nicht für die Politik geboren und mußte sich allmählich an dieses zunächst fremde Terrain herantasten. Doch dann hat er die sich aus seiner Symbolkraft ergebenden enormen politischen Gestaltungsmöglichkeiten in einer überaus bemerkenswerten Weise genutzt. Schon seine symbolische Inszenierung von 1915 an war eine eminent politikhaltige Tätigkeit. Seit der Übernahme der Obersten Heeresleitung hat er dann immer mehr auf den Kern des Politischen, das Fällen von Entscheidungen, gezielt.

Wie legitimierte Hindenburg sein Eingreifen in Entscheidungsprozesse, die traditionsgemäß nicht in die Zuständigkeit des Militärs fielen? Der Feldmarschall griff auf zwei Hauptargumente zurück, von denen eines zum klassischen Rüstzeug des Militärs gehörte, während das andere die Modernität des Hindenburgschen Herrschaftsanspruchs unterstreicht. Seit den Befreiungskriegen pflegten führende Militärs über das angebliche Versagen der Politik zu lamentieren. Hindenburg griff auf die immer wieder geäußerte Klage zurück, wonach der Politiker das verspiele, was der Militär mit seinen Waffen mühsam errungen hat, weil die Politik strukturell zu Unentschlossenheit und zum Hinauszögern notwendiger Entscheidungen neige. Dieses nicht nur in militärischen Kreisen populäre Verdikt über die Politik kam nicht zuletzt deswegen zustande, weil man die Politik nach Effizienzmaßstäben maß, die sich an eindeutigen Befehls- und Gehorsamsstrukturen orientierten. Der befehlsgewohnte Militär nahm das mühsame Austarieren von Interessen und die schwierige Suche nach Kompromissen als Degenerierung der Fähigkeit zu kraftvoller Entscheidung wahr.

Hindenburg teilte dieses Weltbild und ließ dies immer wieder im Schriftverkehr mit dem Reichskanzler durchscheinen. Das Schreiben an den Reichskanzler vom 27. September 1916, in dem er für eine bessere Ernährung der Rüstungsarbeiter eintrat, endete mit einigen grundsätzlichen Ausführungen über das Wesen der Politik. Er beklagte nämlich »das Bestreben, in langwierigen Beratungen den Bedenken aller Art möglichst gerecht zu werden. Unentschlossenheit ist die Folge.«[38] Dem Nachfolger Bethmann Hollwegs ließ er im August 1917 eine Denkschrift zukommen, welche in komprimierter Form eine Rechtfertigung seiner politischen Interventionen darstellte. Er begründete seine Eingriffe mit der überaus mageren Leistungsbilanz der Politiker, »denn es geschah sonst eben nichts oder nichts Ausreichendes«.[39] Aus diesem Blickwinkel erwuchs das politische Engagement der Militärs aus einem angeblichen Versagen der Politik zu kraftvoller Führung, wobei die staatsmännische Figur des Reichsgründers den Beurteilungsmaßstab abgab. Da aber kein Reichskanzler an den verklärten und zum politischen Übervater stilisierten Bismarck heranreichen konnte, ergab sich gleichsam von selbst das natürliche Recht der Militärs, das entstandene politische Vakuum durch ihre Initiativen zu füllen.

Hindenburg war subjektiv fest davon überzeugt, daß er eigentlich nur notgedrungen einsprang, um eine aufgetretene Lücke an politischer Tatkraft zu schließen.[40] Folgerichtig bemängelte er in struktureller Hinsicht an Bethmann Hollweg vor allen Dingen dessen angebliches Defizit an politischer Führungskraft. Bereits im Herbst 1916 hielt er ihm »Mangel an Entschlußkraft«[41] vor, und nur einen Tag, nachdem der Reichskanzler sich am 9. Januar 1917 in der Frage des uneingeschränkten U-Bootkrieges dem Druck der Obersten Heeresleitung gebeugt hatte, drängte Hindenburg beim Kaiser auf die Entlassung Bethmann Hollwegs, weil dieser »solchen Mangel an Entschlußfähigkeit gezeigt habe, daß er nicht mehr mit ihm arbeiten könne«.[42] Den Vorwurf mangelnder Tatkraft an die Adresse Bethmann Hollwegs haben sich im übrigen auch andere Zeitgenossen und ihnen folgend nicht wenige Historiker zu eigen gemacht,[43] weil sie sich von der hünenhaften Gestalt Bismarcks blenden ließen und die Komplexheit des deutschen Regierungssystems nicht ausreichend in Rechnung stellten.

Hindenburg war aber nicht nur Verfechter eines Politikverständnisses, das dem mühsamen Bohren dicker Bretter verständnislos gegenüberstand und deswegen ein harsches Verdikt über den Kriegskanzler fällte. Viel schwerer fiel ins Gewicht, daß er sich bei seinen politischen Forderungen immer stärker auf eine Legitimationsquelle berief, die ganz und gar nicht mit einem altpreußisch-konservativen Verständnis von Politik in Einklang zu bringen war: dem politisch erwachten Volk. An diesem Punkt zeigt sich überdeutlich, daß Hindenburg keinem traditionellen Politikkonzept anhing, das staatsfixiert war und in der Monarchie den alleinigen Träger des Staatsgedankens erblickte. Subjektiv hing er gewiß an der Monarchie und an seinem König und Kaiser, doch er verschloß sich den Herausforderungen einer im Aufbruch befindlichen und durch den Weltkrieg noch mehr politisierten Gesellschaft nicht und gelangte auf diese Weise zu einer Verbreiterung seines Politikbegriffs, in dem das Volk zu einer die Monarchie tendenziell übersteigenden Legitimationsgröße erhoben wurde.

In der bereits erwähnten Denkschrift für Reichskanzler Michaelis vom August 1917 stellte Hindenburg klipp und klar fest: »Die Ansicht, daß Politik und Heeresführung sich trennen lassen, war schon immer falsch; es ist grundverkehrt in einem Kriege, an dem das ganze Volk mitarbeitet.«[44] Das kämpfende, alles Leid ertragende und infolge des angeblichen Versagens der Regierung hungernde Volk, das war eine politische Bezugsgröße, die Hindenburg immer wieder ins Spiel brachte, um die Regierung zum Handeln anzutreiben und beispielsweise die ausreichende Versorgung der Rüstungsarbeiter mit Lebensmitteln zu gewährleisten: »Das Volk will starke, entschlußkräftige Beamte sehen, dann wird es auch selbst stark sein und mancher unbequemen Maßnahme sich beugen.«[45] Der Rekurs auf das Volk als Legitimationsbasis für politisches Handeln war politischer Sprengsatz für ein hochkonservatives Politikverständnis, das dem Demos zutiefst mißtraute und darin nur ein Einfallstor für die politische Betätigung ungebildeter Massen erblickte. Die Absage an die Gedankenwelt vieler seiner Berufskollegen machte Hindenburg jedoch beileibe nicht zu einem Verfechter der Konzeption einer parlamentarischen Demokratie nach westlichem Vorbild, im Gegenteil: Hindenburg empfand es als Zumutung, ausgerechnet im Deutschen Reichstag das berufene Organ zur Vertretung der Volksinteressen zu erblicken,[46] und teilte damit voll und ganz die antiparlamentarische Kritik seiner Zeit.

Die Kardinalfrage jeder Konzeption von Volksherrschaft lautet, welche Institution die Repräsentation des Volkswillens übernehmen soll, sofern das Volk nicht selbst zur Regierung berufen ist. Daß Hindenburg durch politische Welten von der liberal-demokratischen Antwort auf diese Frage getrennt war, wonach das Parlament die politische Willensbildung in einem pluralistisch gedachten Volke adäquat widerspiegelt, ist offenkundig. Hindenburg entschied sich für eine andere Lösung, weil er nicht die Auffassung von der legitimen Vielfalt der Interessen teilte, die innerhalb des deutschen Volkes existierten und auch politisch zum Ausdruck gebracht werden sollten. Er konnte das Volk nur als einen *politisch einheitlichen Körper* denken, dessen Willen zur Einheit sich ja gerade erst im Augusterlebnis von 1914 so manifest niedergeschlagen habe. Für den politischen Treuhänder des »Geistes von 1914« war die Bewahrung des kostbaren Gutes der vermeintlich wiedergewonnenen nationalen Einheit das oberste politische Gebot. Wer sollte ein solches homogenes Volk repräsentieren, ihm Stimme verleihen und sich als sein Fürsprecher empfinden, wenn nicht er, der als »Erwählter des Volkes«[47] über eine ungeheure Popularität verfügte, ohne in das Korsett eines politischen Amtes eingezwängt zu sein?

Hindenburgs Position war so komfortabel, daß er ohne Schaden für seine militärische Stellung politische Herrschaftsansprüche unter Rückgriff auf seine plebiszitäre Verankerung anmelden konnte. Denn mit der Übertragung der Obersten Heeresleitung hatte der Kaiser sein Schicksal als Oberster Kriegsherr unauflöslich mit dem Hindenburgs verknüpft, wie Generaloberst von Einem, der Befehlshaber der 3. Armee, wohlgefällig bemerkte: »Für mich ist es ein schönes Gefühl, daß Hindenburg und Ludendorff unabsetzbar sind.«[48] Bei Ludendorff irrte sich Einem allerdings gründlich, weil die desaströse militärische Bilanz auf den Nur-Feldherrn Ludendorff im Herbst 1918 mit voller Wucht zurückfallen sollte. Hindenburg hingegen schöpfte längst aus anderen Legitimationsquellen als dem militärischen Erfolg, was General Friedrich von Bernhardi in einem Brief an seinen alten Weggefährten vom 26. Dezember 1916 prägnant auf den Punkt brachte: »Dir hat nun aber Gott das Schicksal Deutschlands in die Hand gegeben, und zwar nicht nur militärisch, sondern auch politisch. Du kannst durchsetzen, was Du willst, und entlassen kannst Du nicht werden, wenn nicht alles zusammenstürzt. Auf Dich und auf *Dich allein* vertraut das ganze deutsche Volk, und das legt Dir die schwere Pflicht auf, das Volk nicht zu enttäuschen.«[49]

Hindenburg pflegte ein besonders enges Verhältnis zu Bernhardi, was schon dadurch zum Ausdruck kam, daß die beiden per »du« verkehrten. Mit dem »Du« ging der Feldmarschall alles andere als freigiebig um. Sein natürlicher Sinn für Distanz und Autorität hat nur wenigen Menschen außerhalb des engen Familienkreises soviel Nähe gestattet, daß er mit ihnen auf vertrautem Fuße verkehrte. Überdies hat Hindenburg die wenigen seiner Altersgenossen, mit denen er in jungen Jahren ungezwungenen Umgang gepflegt hatte, fast alle überlebt, so daß Bernhardi praktisch der einzige seiner alten Weggefährten war,[50] der diesen persönlichen Ton anschlagen konnte. Zu Feldmarschall Mackensen und General Cramon, den beiden Militärs, mit denen er sich nach 1918 auch über grundsätzliche Fragen austauschte und denen der mißtrauische alte Herr Vertrauen entgegenbrachte, blieb dagegen die Distanz des förmlichen »Sie« erhalten, was unterstreicht, wie wenig sich Hindenburg in sein Innerstes schauen lassen wollte.

Bernhardi hatte mit seinem Schreiben vom Dezember 1916 den richtigen Ton getroffen, was Hindenburgs Antwortschreiben zum Ausdruck brachte.[51] Der Feldmarschall überwand zusehends die noch in ihm steckenden altpreußischen Hemmungen, ein politisches Gewicht in die Waagschale zu werfen, das sich nicht monarchischer Gunst verdankte, sondern plebiszitärer Zustimmung. Diese politische Häutung, die den endgültigen Abschied vom Militär Hindenburg bedeutete, ist ihm nicht leichtgefallen, weil er einkalkulieren mußte, daß er dem Kaiser politische Blessuren zufügen und dessen Willen mehr als einmal brechen würde, falls der Monarch auf seiner Prärogative in Personalfagen beharrte und an seinen bisherigen Ratgebern festhielt.[52] Nachdem er sich aber Ende 1916/Anfang 1917 dazu durchgerungen hatte, um der nationalen Interessen willen – wie er sie definierte – den Entscheidungskampf mit dem vom Kaiser ausgesuchten Personal an der

Spitze des Reiches nicht zu scheuen, brachte er seine Macht mit voller Wucht zur Geltung. Sein Politikverständnis kannte keine Halbheiten, verabscheute den Kompromiß und bedeutete gnadenlosen Krieg: »Politik ist, mit allen, auch den schärfsten Mitteln, seinen Gegnern zu schaden.«[53]

Hindenburg konnte erbarmungslos sein und hatte dann ganz und gar nichts von dem gütigen Vater, als der er bis heute wahrgenommen wird. Wo er vermeintliche Verderber Deutschlands und Preußens ausgemacht hatte, da konnte er ein Donnerwetter loslassen. Für politische Brunnenvergifter, die das kostbare Gut der nationalen Einheit zu verseuchen drohten, gab es kein Pardon, selbst wenn sich diese Feinde in der unmittelbaren Umgebung des Kaisers aufhielten. Auf einen Schlag verschwand dann die Gutmütigkeit aus seinem Gesicht und machte unerbittlicher Strenge Platz, wie Hugo Vogel zu berichten wußte: »Wenn er sich liebenswürdig mit seinen Gästen unterhält, ist er der vollkommene Grandseigneur; ganz anders, wenn er arbeitet und Entschlüsse faßt. Dann wird sein Ausdruck streng und in sich zusammengerafft.«[54]

Hindenburgs Politikverständnis läßt sich auf verblüffende Weise mit dem analytischen Raster erfassen, das Carl Schmitt in seiner vielbeachteten Abhandlung über den »Begriff des Politischen« vorgelegt hat, dessen furioser Auftaktsatz »Der Begriff des Staates setzt den Begriff des Politischen voraus« eine prinzipielle Abkehr von konservativer Staatsfixiertheit und eine Hinwendung zum Demos als stärkste Quelle politischer Legitimation markiert. Das Volk als Urgrund des Politischen wird bei Carl Schmitt stets als politische Einheit begriffen, denn nur seiner zu homogenem politischen Willen zusammengeschweißten Verfassung verdankt es seine Politikfähigkeit.[55] Diese zwingend antipluralistische und antiparlamentarische Grundsatzposition hat Hindenburg mit Carl Schmitt geteilt und daher folgerichtig die Herstellung innerer Einheit als zentrale Voraussetzung für politische Aktionsfähigkeit nach außen postuliert. Diesem Axiom folgte er im Ersten Weltkrieg, als er sich verpflichtet fühlte, die angeblichen Zerstörer dieser Einheit im Umfeld des Kaisers, angefangen mit Bethmann Hollweg, auszuschalten. Diesem Prinzip blieb er während der Zeit seiner Reichspräsidentschaft treu, als er die von angeblichen Volksschädlingen »gereinigte« Volksgemeinschaft propagierte und am 30. Januar 1933 Adolf Hitler mit der Vollendung dieser Aufgabe betraute.

Die Herstellung innerer Homogenität führte bei Hindenburg wie bei Carl Schmitt zu der Konsequenz, Politik als Aufgabe zu betrachten, den inneren Feind zu identifizieren und schonungslos zu bekämpfen. Sentimentalitäten durften dabei keine Rolle spielen, weil ja schließlich das höchste Ziel – die politische Einheit des Volkes – auf dem Spiel stand. Carl Schmitts berühmte Unterscheidung von

Freund und Feind als Kriterium des Politischen war Hindenburg wie auf den Leib geschneidert:[56] Sie entsprach dem an klare Zuordnung gewöhnten Denken des Militärs, der schon im Manöver die Parteien säuberlich trennte, und sie erwuchs vor allen Dingen nahtlos aus dem Handlungsauftrag, die im August 1914 manifest gewordene politische Einheit zu bewahren. Es verwundert daher nicht, daß Carl Schmitt seit den späten 1920er Jahren in der Präsidialgewalt Hindenburgs das verfassungspolitische Mittel erblickte, mit dem sich der politische Wille des Volkes institutionell vereinheitlichen ließ.[57]

Bethmann Hollweg war der erste Politiker, der Hindenburgs militantes Politikverständnis zu spüren bekam. Doch was brachte Hindenburg gegen den Reichskanzler so sehr auf, daß er ihn politisch zu Tode hetzen wollte? Was kreidete er Bethmann Hollweg an, gegen den er einen regelrechten politischen Feldzug eröffnete? Daß er ihn für einen schwächlichen und entscheidungsschwachen Reichskanzler hielt, nicht würdig, das Amt zu bekleiden, das einst der große Bismarck geschaffen hatte, reicht nicht aus, um die destruktive Energie zu erklären, mit der Hindenburg vom Januar 1917 an Bethmann Hollweg verfolgte.

In der ersten Hälfte des Jahres 1917 spitzten sich die inhaltlichen Gegensätze auf zwei für Hindenburg zentralen Politikfeldern so zu, daß Hindenburg dem Reichskanzler den offenen Kampf ansagte. Zum einen veränderte die Februarrevolution in Rußland, die nach westlichem Kalender Mitte März 1917 stattfand, die außenpolitische Lage grundlegend. Bei Hindenburg und in annexionistischen Kreisen nährte sie die Hoffnung, das innenpolitisch schwer angeschlagene Rußland militärisch besiegen und ihm einen Diktatfrieden aufzwingen zu können. Bethmann Hollweg und die Reichsleitung hingegen erblickten in dem Sturz des Zarenregimes und der Beteiligung der russischen Sozialisten an der Macht die einmalige Gelegenheit, mit Rußland auf diplomatischem Weg zu einem Sonderfrieden zu gelangen, der auf die anderen Kriegsgegner ausstrahlen sollte. Ein solcher Friede konnte nur unter Verzicht auf militärisch vielleicht erreichbare Annexionen geschlossen werden, weswegen sich der Reichskanzler durchaus offen zeigte, auf die am 25. März 1917 von russischen Sozialisten formulierte Formel eines Friedens »ohne Annexionen und Kontributionen« einzugehen. Selbst die Möglichkeit der Anbahnung eines solchen Friedens durch die im Krieg zerbrochene Sozialistische Internationale hat Bethmann Hollweg ernsthaft erwogen, womit er heftigen politischen Widerspruch nicht nur bei Hindenburg, sondern bei den politischen Kräften erntete, die darin eine gefährliche politische Aufwertung der deutschen Sozialdemokratie erblickten.[58] Der eigentliche Skandal bestand für Hindenburg indes darin, daß der Reichskanzler einen zum Greifen nahen militärischen Sieg verschenkte. Wenn der Krieg auf Kosten vermeintlicher deutscher Gewinne, die nach der inneren Schwächung Rußlands zu winken schienen, beendet wurde, hatte der Friede für Hindenburg keinen Wert. Er unterstellte den Verfechtern eines raschen Friedensschlusses unlautere Motive, indem er sie tendenziell als Profiteure denunzierte, die am Krieg prächtig verdient und sich die Taschen gefüllt hätten und nun ihre Beute im Frieden in Sicherheit bringen wollten: »Diese Blutegel, die sich am Kriege vollsaugen und uns sofort mit irrsinnigem Friedensgeheul in den Rücken fallen, wenn ihr Raub unter die Räder geraten will.«[59]

Von der Revolution in Rußland ging überdies beträchtlicher Reformdruck auf die innenpolitischen Verhältnisse in Deutschland aus, der Hindenburg alles andere als angenehm war. Nachdem selbst das als rückschrittlich geltende Rußland den Sprung zu einem parlamentarischen System geschafft hatte, schien vielen reformbereiten Kräften in Deutschland die Zeit überreif für die Schleifung der letzten Bastionen des Obrigkeitsstaates. Überzeugte Demokraten hielten diesen Schritt ohnehin für überfällig, aber auch moderate Konservative wie Bethmann Hollweg verschlossen die Augen nicht vor dem Reformbedarf. Die Mehrheit der Sozialdemokratie forderte einen mutigen Schritt zur Erneuerung, nicht zuletzt um die Attraktivität des ihr zutiefst suspekten russischen Modells der Räteherrschaft zu mindern. Diese heterogene Reformkoalition[60] richtete ihren Blick in erster Linie auf Preußen, wo das Relikt des undemokratischen Dreiklassenwahlrechts die Vorherrschaft der preußischen Konservativen, den Interessenvertretern des grundbesitzenden Landadels, zementierte und sowohl Sozialdemokraten als auch Linksliberale marginalisierte. Bethmann Hollweg brachte daher im April 1917 die Frage der preußischen Wahlreform auf die politische Tagesordnung. Das provozierte eine heftige Reaktion Hindenburgs, der darin den politischen Ausverkauf des alten Preußen erblickte, das damit seine Funktion als Bollwerk gegen die dräuende Gefahr parlamentarischer Demokratie einbüßte. Hindenburg galt zwar als Gesamtbesitz der Deutschen ungeachtet ihrer regionalen Herkunft und konfessionellen Zugehörigkeit und empfand sich als Sprachrohr der deutschen Nation. Aber diese nationale Mission hinderte ihn nicht daran, eine besondere emotionale Verbundenheit mit dem alten Preußen zu pflegen, dessen soziale Fundamente gegen alle parlamentarischen Anmaßungen geschützt werden müßten. Die preußischen Konservativen als Sachwalter der agrarischen Interessen und als Rekrutierungsbasis für das preußische Offizierskorps verdienten aus seiner Sicht besondere politische Vorzugsbehandlung. In dem Gegensatz Hindenburg–Bethmann Hollweg flackerte also die seit Mitte des 19. Jahrhunderts schwelende Grundsatzkontroverse über das Selbstverständnis Preußens wieder auf: Hindenburg vertrat hierbei die

Sache der preußischen Konservativen, die in Landadel und Armee die Alleinstel-
lungsmerkmale Preußens erblickten, während Bethmann Hollweg die liberale Position verfocht, wonach Preußen sich nicht von der allgemeinen Entwicklung ab-
koppeln dürfe und sich verbürgerlichen müsse.[61]

Bethmann Hollweg erschien im Verlauf des Jahres 1917 also immer mehr wie
der Todfeind der politischen Grundwerte, denen sich Hindenburg als Militär und
Politiker gleichermaßen verpflichtet fühlte. Der Feldmarschall stand für ein militärisch auftrumpfendes und sieghaftes Deutschland, das sich im Innern gegen
den verderblichen Einfluß westlicher Irrlehren wappnete und unter Bewahrung
des preußischen Erbes seinen eigenen politischen Weg beschritt. Wie aber konnte
Hindenburg einen Reichskanzler und preußischen Ministerpräsidenten beseitigen, in dessen zentralem Aufgabenbereich die Oberste Heeresleitung ressortmäßig
nichts verloren hatte? Wie konnte er den Inhaber eines Amtes stürzen, bei dessen
Besetzung eine Vielzahl unterschiedlicher Interessen zu berücksichtigen war, die
auch ein Hindenburg nicht einfach ignorieren konnte? Die Auswahl des »höchsten
Beamten« des Reiches war zwar in der Verfassungstheorie allein Aufgabe des Kaisers, in der Verfassungswirklichkeit hatte sich aber spätestens mit der Reichskanzlerschaft Bülows der Modus eingespielt, daß der Reichskanzler mit dem Reichstag
politisch zurechtkommen und konstruktiv zusammenarbeiten mußte. Zudem war
zu beachten, daß die Interessen der Einzelstaaten ausreichend Berücksichtigung
fanden, und im Krieg spielte auch die Ansicht der Verbündeten eine nicht zu unterschätzende Rolle.

Alles in allem war ein Kanzlersturz kein Kinderspiel und erforderte ein hohes
Maß an politischem Gespür. Mit der vor allem auf Hindenburgs Drängen zustande
gekommenen Entlassung Bethmann Hollwegs legte Hindenburg daher seine politische Reifeprüfung ab. Er trieb Bethmann Hollweg von Anfang an von mehreren Seiten in die Enge und mobilisierte in der ersten Hälfte des Jahres 1917 dessen
Gegner aller Schattierungen, weil er erkannte, daß der Kanzlersturz nur ein Gemeinschaftswerk sein konnte. Hindenburg schmiedete also eifrig an einer Anti-
Bethmann-Koalition; alle Fäden liefen bei ihm zusammen.

Offene Türen rannte Hindenburg mit seinem Anliegen bei den annexionistischen Kreisen der deutschen Industrie ein, die in maßlosen Kriegszielforderun-
gen schwelgten und den Krieg nutzen wollten, um ihre Wirtschaftsinteressen zu
befriedigen. Die begehrlichen Blicke der westdeutschen Schwerindustrie richteten
sich vor allem auf das Erzbecken von Longwy-Briey im französischen Teil von
Lothringen, weil bei dessen Inbesitznahme die Erzeugung von Eisen und Stahl aus
einer Hand winkte, wenn Ruhrkohle und lothringisches Eisenerz besitzmäßig ver-

schmolzen wurden.[62] Daß diese Zirkel den Kanzler beseitigen wollten, weil er ihnen bei der Verwirklichung dieser hochfliegenden Pläne im Weg stand, machte sie zu einem natürlichen Verbündeten Hindenburgs. Auf sich allein gestellt fehlte es ihnen dagegen an genuiner Macht, da sie von den politischen Entscheidungen weitgehend abgeschnitten waren und sich auch nicht besonderer Nähe zum Monarchen erfreuten. Doch wenn Hindenburg ihnen seine Autorität lieh und sie öffentlich als sein Sprachrohr auftraten, konnten sie unter Umständen die gewünschte Wirkung erzielen.

In diese Richtung hat vor allem Carl Duisberg gearbeitet, der Generaldirektor der Elberfelder Farbenfabriken. Er unternahm erhebliche Anstrengungen, um im Februar 1917 maßgebliche Kreise gegen den Reichskanzler aufzubringen. Seinen ersten Auftritt hatte er am 6. Februar 1917 in München, wo er vor etwa zwanzig hochrangigen Vertretern aus Politik und Wirtschaft Bethmann Hollweg scharf kritisierte und sich dabei auf die Oberste Heeresleitung berief, mit der er zwei Wochen zuvor in Pleß zusammengekommen war. Am Abend dieses Tages versuchte er bei einem Empfang in der Münchner Residenz auch den bayerischen König für sein Anliegen zu gewinnen. Man wird nicht fehlgehen in der Annahme, daß Duisberg mit stillschweigender Autorisierung durch Hindenburg agierte und gerade in Süddeutschland, wo der Reichskanzler erhebliche Sympathien genoß, die »Aufklärungsarbeit« in bezug auf den Reichskanzler vorantreiben sollte. Als Bethmann Hollweg über diesen Vorfall unterrichtet wurde und von Hindenburg Klarstellung verlangte, zog sich der Generalfeldmarschall wieder einmal in der für ihn typischen Weise aus der Affäre: Er bat Duisberg, seine Person fortan aus dem Spiel zu lassen, aber in der Sache nahm er diesen ausdrücklich in Schutz.[63]

Die rechte Opposition berief sich in der Folgezeit in vermeintlich geschlossenen Zirkeln allerdings weiterhin auf Hindenburg. Am 25. Februar 1917 versammelte man sich im Berliner Adlon-Hotel, um das Vorgehen zu koordinieren. Anwesend waren Industriekapitäne wie der Generaldirektor der Gelsenkirchener Bergwerks-AG Emil Kirdorf und Carl Duisberg sowie Vertreter aus dem militärischen Bereich. Sie formulierten eine Eingabe, die den Kaiser dazu aufforderte, Bethmann Hollweg zu entlassen und durch Hindenburg oder Großadmiral Tirpitz zu ersetzen.[64] Die Reaktion des Kaisers auf die Adlon-Versammlung offenbart indes den geringen Einfluß schwerindustrieller Interessen: Wilhelm II. reagierte erbost, wobei sich sein Zorn nicht nur gegen die teilnehmenden Industriellen richtete, denen er »Hochverrat« vorwarf. Seine Wut über deren Einmischung in seine allerhöchsten Befugnisse gipfelte in dem Satz: »Das ganze Gebahren würde Mich berechtigen, die Teilnehmer an der Versammlung ohne Weiteres verhaften und nach Spandau bringen zu lassen.«[65] Auch die Oberste Heeresleitung verschonte der Kaiser nicht, der mit einem gewissen Recht davon ausgehen konnte, daß diese Versuche, ihn zur Entlassung seines höchsten Beamten zu nötigen, zumindest mit dem stillschweigenden Einverständnis Hindenburgs erfolgten. Wilhelm II. erstaunte das nach den seit Januar 1915 mit Hindenburg gesammelten Erfahrungen ganz und gar nicht. Wer schon bei der Intrige gegen Falkenhayn mit altpreußischen Traditionen gebrochen und seinen König politisch zu nötigen versucht hatte, der schreckte auch vor einer »revolutionären Untergrabung von Kronrechten und Oberstem Kriegsherrentum«[66] nicht zurück, indem er dem Kaiser bei der Besetzung des Reichskanzlerpostens Vorschriften machte.

Wilhelm II. verlangte ultimativ Aufklärung und ließ dies Hindenburg auf dem Dienstweg durch den Chef des Militärkabinetts ausrichten. Die Antwort Hindenburgs ist zwar nicht überliefert, doch es deutet vieles darauf hin, daß dieser eher kleinlaut reagierte und sich durch das Vorpreschen der Anti-Bethmann-Fronde kompromittiert fühlte.[67] Er zog daraus Lehren und distanzierte sich von den ihm weltanschaulich durchaus nahestehenden rechten Kreisen derart, daß diese mit seinem Namen und seiner heimlichen Unterstützung nicht politisch hausieren gehen konnten. Der im September 1917 gegründeten »Vaterlandspartei«, einem Sammelbecken von Anhängern eines kompromißlosen Siegfriedens und eingefleischten Gegnern innenpolitischer Reformen, verweigerte er daher die Erlaubnis, sich offiziell mit seinem Namen zu schmücken.[68] Dem Eifer, mit dem er gegen Bethmann Hollweg kämpfte, tat dies keinen Abbruch. Allerdings mußte er nun aus der Deckung kommen und dem Kaiser seine Ansichten persönlich von Angesicht zu Angesicht vortragen.

Hindenburg stand allerdings vor dem kaum lösbaren Dilemma, dem Kaiser keinen geeigneten Nachfolger für Bethmann Hollweg vorschlagen zu können. Eine von ihm präsentierte personelle Alternative hätte seine Chancen zweifellos erhöht,[69] damit der Kaiser nicht schon allein deshalb am derzeitigen Kanzler festhielt, weil er sich mit keinem anderen anzufreunden vermochte. In den Kreisen der rechten Opposition kursierte in diesem Zusammenhang schon seit längerem der Name des Großadmirals Tirpitz, der nach heftigen Differenzen mit dem Kaiser im März 1916 sein Amt als Staatssekretär des Reichsmarineamtes hatte aufgeben müssen. Tirpitz war insofern eine Idealbesetzung, als er in seiner alten Position ständigen Kontakt mit dem Reichstag gepflegt hatte, um dem Parlament die enorm kostspielige Flottenrüstung abzutrotzen, was ihm letztlich gelungen war. Tirpitz verstand sich also auf den Umgang mit dem Parlament und den Parteien und war auch in der Steuerung der öffentlichen Meinung erfahren; weltanschaulich vertrat der glühende Englandhasser die Position eines kompromißlosen Siegfriedens nach außen und die Aufrechterhaltung des Status quo im Innern.

Tirpitz war auch Hindenburgs erste Wahl als neuer Reichskanzler. Beide kannten sich zwar nur flüchtig, doch lagen sie politisch auf derselben Wellenlänge. Zudem hatte sich Hindenburgs ehemalige rechte Hand, Max Hoffmann, bei seinem Besuch in Pleß am 30. Januar 1917 für Tirpitz eingesetzt.[70] Doch Hindenburg kam gar nicht dazu, dem Kaiser Tirpitz als Nachfolger Bethmann Hollwegs schmackhaft zu machen. Der von Valentini vorgewarnte Monarch nutzte nämlich am 1. Februar einen Vortrag Hindenburgs dazu, wie aus heiterem Himmel gegen Tirpitz zu wettern. Wilhelm II. legte sich dabei wie so oft verbal keine Zügel an und verschaffte seinem Ingrimm gegen die Person und die Politik von Tirpitz gehörig Luft, »den man nur unter Beleidigung des Kaisers als Kanzlerkandidaten nennen könne«.[71] Damit war das Thema Tirpitz für Hindenburg erledigt, denn er kannte die Grenzen seines Einflusses genau: Bei enormer Kraftanstrengung vermochte er dem Kaiser die Entlassung Bethmann Hollwegs abzutrotzen, aber Wilhelm II. dazu zu bewegen, einen ihm Verhaßten zum Nachfolger zu ernennen, überstieg die Möglichkeiten des Generalfeldmarschalls.

Die leidige Frage, wer Bethmann Hollweg nachfolgen solle, stellte sich damit in aller Schärfe neu, und beinahe zwangsläufig richteten sich die erwartungsvollen Blicke der Bethmann-Feinde jetzt auf Hindenburg selbst, der im Unterschied zu Ludendorff militärisch nicht ausgelastet war. Daß die rechte Opposition im Februar 1917 Hindenburg als neuen Reichskanzler handelte, ist ein untrügliches Zeichen dafür, daß man Hindenburg in diesen Kreisen bereits primär als Politiker einschätzte und ihn als Militär für abkömmlich hielt. Die Adlon-Konferenz vom 25. Februar 1917 favorisierte Hindenburgs Berufung zum Reichskanzler dann bereits ganz offen,[72] so daß sich auch Hindenburg selbst diesem Thema nicht mehr zu entziehen vermochte. Sollte er sich dazu hergeben, nicht nur den Kanzler zu Fall zu bringen, sondern auch noch dessen Nachfolger zu werden?

Hindenburg erteilte solchen Gedankenspielen eine entschiedene Absage. Das Amt eines Reichskanzlers paßte aus zwei Gründen ganz und gar nicht zu ihm und zu der spezifischen Form von Herrschaft, die er auch ohne politisches Amt ausübte. Zum einen fehlte ihm die Fähigkeit, die Hauptaufgabe eines Reichskanzlers angemessen zu erfüllen, nämlich ständigen Kontakt zum Reichstag zu halten, dort für die Regierungspolitik zu werben und parlamentarische Mehrheiten für die anstehenden Gesetzesvorlagen zustande zu bringen. Dieses schwierige Geschäft hätte ihn überfordert, wie er unumwunden einräumte. Vor allem aber gelüstete ihn nicht nach permanentem dienstlichen Verkehr mit einer Institution, die er im

Grunde seines Herzens für überflüssig oder zumindest für überschätzt hielt: »Dazu eigne ich mich absolut nicht, habe auch nicht die geringste Neigung für Verkehr mit dem Reichstage.«[73]

Hindenburg erkannte sehr deutlich, wo die Grenzen und wo die Stärken seiner Position lagen. Den Aufgaben des Reichskanzlers war er nicht gewachsen, was er seiner Frau auch eingestand.[74] Aber vor allen Dingen wollte er keine objektive Einbuße seiner Macht hinnehmen. Denn als Reichskanzler wäre er den Zwängen monarchischer Legitimation mehr als bisher ausgeliefert gewesen: Ihm wären in bezug auf den Kaiser viel stärker die Hände gebunden gewesen als in der Position, die er bereits innehatte und in der er über eine quasi-plebiszitäre Legitimation verfügte, die ihn politisch sakrosankt erscheinen ließ. Der Reichskanzler verfügte nicht über eine eigenständige Legitimationsbasis, weil er sowohl das kaiserliche Vertrauen genießen als auch zum Reichstag ein gedeihliches Verhältnis unterhalten mußte. Selbst wenn Hindenburg eine bismarckgleiche Rolle hätte spielen wollen, wozu manche Voraussetzungen gegeben waren, war das Legitimationsdefizit nicht wettzumachen, da er im Unterschied zum ersten Reichskanzler nicht in Reichstagswahlen eine ihm ergebene Parlamentsmehrheit hinter sich scharen konnte, die seine Stellung gegenüber dem Monarchen festigte. Hindenburg hätte es mit dem 1912 gewählten Reichstag zu tun gehabt, in dem Sozialdemokraten, Linksliberale und Zentrumspolitiker, mithin alles Hindenburg weltanschaulich völlig fernstehende politische Kräfte, über eine komfortable numerische Mehrheit verfügten, die im Verlaufe des Weltkriegs zu einer politisch arbeitsfähigen Majorität werden sollte.

Nüchtern kalkulierend kam Hindenburg also zu dem Ergebnis, daß er ohne das formal höchste politische Amt im Reich wesentlich mächtiger war. Seine Herrschaft im Weltkrieg vertrug kein politisches Amt, das seinen sich aus der ungebrochenen plebiszitären Zustimmung erwachsenden enormen politischen Aktionsradius einengte. Mit Hilfe der in politischen Einfluß umgesetzten symbolischen Kraft konnte Hindenburg politisch schalten und walten, wo er wollte, ohne institutionellen Zwängen unterworfen zu sein. Regierungsgewalt im engeren Sinne übte er nur indirekt aus, weil die Ausdehnung seiner politischen Herrschaft die herkömmlichen Grenzen von Regierungshandeln sprengte und sehr viel stärker symbolisch abgesichert war. Hierin ähnelte er in gewisser Weise den französischen Monarchen im 19. Jahhundert, so daß man mit dem berühmten, auf die französische Verfassungsgeschichte gemünzten Diktum Adolphe Thiers[75] versucht ist zu formulieren: »Hindenburg règne, mais il ne gouverne pas« (Hindenburg herrscht, aber er regiert nicht).

Die Absage Hindenburgs an eine Reichskanzlerschaft spitzte das Problem der Gegner Bethmann Hollwegs allerdings noch mehr zu. Insofern mußte Hindenburg den Kampf gegen den verhaßten Reichskanzler von einer strukturell ungünstigen Position aus aufnehmen, was nicht zuletzt erklärt, warum es mehr als ein halbes Jahr dauerte, bis er sein Opfer zur Strecke gebracht hatte. Welche Möglichkeiten standen Hindenburg zu Gebote, der nun mit offenem Visier gegen den Kanzler antreten mußte und seine Hilfstruppen nicht länger vorschieben konnte? Er mußte den Weg der direkten persönlichen Einwirkung auf den Monarchen wählen, wofür er die regelmäßigen Vorträge in seiner Eigenschaft als Chef der Obersten Heeresleitung nutzen konnte. Hindenburg hat bis zum Juli 1917 mindestens viermal beim Kaiser persönlich gegen Bethmann Hollweg interveniert, wobei das Begehren immer mehr den Charakter des Insistierens annahm. Zunächst machte es Hindenburg in gewisser Weise noch befangen, vom Kaiser die Entlassung des höchsten Beamten zu verlangen. Doch diese innere Reserve schwand rasch, und Hindenburg trat immer stärker als Fordernder auf, der auch die verbale Auseinandersetzung nicht scheute. Im Sommer 1917 schlug er zunehmend gebieterische Töne an und wagte es sogar, dem Kaiser mit lauter Stimme seine Meinung zu sagen. Daß Hindenburg im persönlichen Umgang mit dem Kaiser alle Hemmungen fallenließ, steht in einem engen Zusammenhang mit seiner Bewertung der Politik Bethmann Hollwegs. Je stärker dieser in der Frage der Kriegszielpolitik auf einen Verständigungsfrieden zusteuerte und je energischer er in der Innenpolitik das heiße Eisen der preußischen Wahlrechtsreform anpackte, desto mehr reizte er seinen großen Gegenspieler. Hindenburg gab schließlich sämtliche Reserven im Verkehr mit dem Kaiser auf, weil er in dem liberalen Konservativen Bethmann Hollweg den Totengräber Preußens und den Verderber Deutschlands erblickte.

Hindenburgs erster Vorstoß auf dem Weg zur Entlassung Bethmann Hollwegs endete im März 1917 noch mit einer schroffen Zurückweisung durch Wilhelm II. Der Kaiser wies Hindenburg unmißverständlich in die Schranken und machte ihm zudem deutlich, daß er vom Innenleben der Politik viel zu wenig verstehe, um sich ein derartiges Urteil über den Reichskanzler zu erlauben. »Er, der Kaiser, kenne das politische Geschäft nun seit bald 30 Jahren ... Wenn nicht immer alles gerade so oder so schnell gehe, wie sich das die O.H.L. denke, so läge das daran, daß Euere Exzellenz [Bethmann Hollweg, d. Verf.] in dem Ihnen eigenen großen Verantwortlichkeitsgefühl die Dinge pflichtgemäß gründlich prüfen müßten, oder an sachlichen Meinungsverschiedenheiten.«[76] Dem eindeutigen Plädoyer des Kaisers für die Eigengesetzlichkeit der Politik und die Wertschätzung der komplizierten Arbeit seines obersten Beamten folgte noch am selben Tag eine Zurechtweisung Hindenburgs durch den in seiner Position gestärkten Kanzler. Zum letzten Mal nahm sich Bethmann Hollweg die Freiheit heraus, Hindenburgs Anspruch auf umfassende politische Mitsprache höflich, aber bestimmt zurückzuweisen.[77] Hindenburg aber ließ nicht locker und eröffnete immer neue Kriegsschauplätze. Er konnte sich das leisten, weil er in politischen Dingen von niemandem zur Rechenschaft gezogen wurde. Der Reichskanzler mußte es bei wirkungslosen Mahnungen bewenden lassen, weil er über keine eigene Legitimationsgrundlage verfügte, von der aus er dem Volkshelden Paroli zu bieten vermochte. Und dem Kaiser, dem einzigen, der Hindenburg mit Sanktionen drohen konnte, waren die Hände gebunden, weil der Chef der Obersten Heeresleitung längst politisch so weit entrückt war, daß er auch in seiner militärischen Funktion unabsetzbar war.

Hindenburg kannte kein Pardon in der Auseinandersetzung mit dem Reichskanzler. Dementsprechend legte er es zunächst darauf an, Bethmann Hollweg beim Kaiser politisch zu kompromittieren. Zu dieser Taktik gehörte es, daß er dem Kaiser beim regelmäßigen Generalvortrag Briefe vorlegte, in denen treue Diener des Königs von Preußen und deutschen Kaisers Hindenburg ihre Besorgnis über die verhängnisvolle Politik Bethmann Hollwegs kundtaten.[78] Das aus Hindenburgs Sicht zugkräftigste Argument bestand aber darin, seinen Widersacher als Vollstrecker des politischen Willens der Sozialdemokratie hinzustellen. Am 21. April 1917 schlachtete Hindenburg einen Artikel des SPD-Organs »Vorwärts« aus, der die zwei Tage zuvor von den Spitzengremien der SPD beschlossene Position zur Friedensfrage wiedergab, in der sich die Partei auf das Vorbild des russischen Arbeiter- und Soldatenrates berief, sich in diesem Sinne für einen Frieden ohne Annexionen und Kontributionen aussprach und für durchgreifende innere Reformen plädierte.[79] Hindenburg wollte diese Kundgebung dem Reichskanzler anlasten und ihn als verkappten Sympathisanten der Sozialdemokratie hinstellen, welcher der durch die russische Revolution drohenden Gefahr für den monarchischen Gedanken in Deutschland nicht energisch genug entgegentrete. Er legte dem Kaiser deswegen die sofortige Entlassung Bethmann Hollwegs ans Herz, drang aber damit nicht durch, was nicht allein daran lag, daß Valentini dem nicht anwesenden Kanzler argumentativ zur Seite sprang.[80] Der Kaiser war in der Kriegszielfrage nämlich gar nicht so weit vom Reichskanzler entfernt und durchaus geneigt, der Sozialdemokratie in der Friedensfrage eine positive Rolle zuzugestehen.[81] Wilhelm II. wollte sich im Frühjahr 1917 jedenfalls nicht vor den Karren annexionistischer Scharfmacher spannen lassen.

Genau dies hatte Hindenburg vor. Um den Reichskanzler dem Kaiser zu ent-

fremden, wollte Hindenburg den Monarchen für ein exorbitantes Kriegszielprogramm gewinnen, so daß auf diesem Wege entweder Bethmann Hollweg wie im
Falle des uneingeschränkten U-Bootkriegs einknicken oder – das war die sauberste
Lösung – um seinen Rücktritt nachsuchen würde. Dieses Ziel schien er beinahe erreicht zu haben, als am 23. April 1917 sämtliche Spitzenkräfte von Reichsleitung,
Oberster Heeresleitung und Marineleitung im Beisein des Kaisers einen »Kriegsrat« abhielten, der eine Liste nur maßlos zu nennender deutscher Kriegsziele zusammenstellte:[82] im Osten Erwerb Litauens und Kurlands für das Deutsche Reich
sowie eines polnischen Grenzstreifens; im Westen war Belgien als deutscher Satelli-
tenstaat vorgesehen, wobei Deutschland direkt Lüttich und die flandrische Küste
in Besitz nehmen wollte. Abgerundet wurde diese Auflistung durch den Anspruch
auf das französische Erzbecken von Longwy-Briey, auf das Teile der deutschen
Schwerindustrie ein begehrliches Auge geworfen hatten. Bethmann Hollweg selbst
hat diese Maximalforderungen allerdings nur als unverbindliche Wunschliste angesehen und sich dadurch in seiner Friedenspolitik nicht präjudizieren lassen.[83]
Wilhelm II. dachte ähnlich: Zwar hätte er gegen die Realisierung dieser Ziele nichts
einzuwenden gehabt; er war aber auch nicht gewillt, sich dafür zu verkämpfen und
der Illusion eines Diktatfriedens im Sinne der Obersten Heeresleitung um jeden
Preis nachzuhängen. In sachlicher Hinsicht gelang es Hindenburg nicht, den Kaiser und Bethmann Hollweg auseinanderzubringen, was der Kaiser Hindenburg
Anfang Mai 1917 auch unmißverständlich klarmachte, als er alle Anwürfe des Feldmarschalls strikt zurückwies.[84]

Hindenburg war nach diesem neuerlichen Fehlschlag noch Wochen später in
gedrückter Stimmung,[85] gab aber seine Absichten nicht auf und griff nun zum
letzten Mittel, um durch persönliche Einwirkung auf den Kaiser diesem die Augen
zu öffnen: zur Intrige. Im Verein mit dem Kommandanten des kaiserlichen Hauptquartiers, Plessen, wollte er dem Kaiser einen persönlichen Freund zuführen, dessen Wort beim Monarchen so viel Gewicht besaß, daß man ihm auch zutrauen
konnte, das Herz des Kaisers zu erweichen. Es handelte sich dabei um den Oberpräsidenten von Ostpreußen, Friedrich von Berg, der mit dem Kaiser seit gemeinsamen Studienzeiten in Bonn – beide gehörten dort dem Corps Borussia an – befreundet war. Diese Freundschaft hatte sich durch die häufigen Jagdaufenthalte des
Kaisers in seinen ostpreußischen Revieren noch vertieft, weil Berg als Landrat im
ostpreußischen Goldap amtierte.[86] Im Juli 1916 wurde der Kaiserintimus zum
Oberpräsidenten seiner Heimatprovinz Ostpreußen ernannt, was die Möglichkeit
eines Vier-Augen-Gesprächs mit seinem Duzfreund allein aus geographischen
Gründen praktisch ausschloß. Berg war damit direkt dem preußischen Minister-

präsidenten Bethmann Hollweg unterstellt und ihm gegenüber zu absoluter Loyalität verpflichtet.

Nach dem geltenden politischen Ehrenkodex preußischer Beamter war es
streng verpönt, daß ein Beamter hinter dem Rücken seines Vorgesetzten auf dessen
Sturz hinarbeitete. Doch genau das wollte Hindenburg erreichen. Er schloß sich
mit Berg zusammen, zu dem er seit der Befreiung Ostpreußens ein enges Vertrauensverhältnis unterhielt,[87] das auch für eine politische Intrige taugte. Denn die
tiefe Abneigung gegen Bethmann Hollweg verband die beiden zu einer politischen
Seelengemeinschaft. Wie aber sollte Friedrich von Berg mit dem Kaiser in Berührung kommen? Der unkomplizierteste Weg, den eigentlich in Königsberg dienstlich gebundenen Oberpräsidenten Wilhelm II. zuzuführen, war eine Einladung des
Chefs des Generalstabes des Feldheeres. Erst durch diese Einladung Hindenburgs
konnte das abgekartete Spiel beginnen.

Friedrich von Berg traf am 20. Juni 1917 im Hauptquartier in Kreuznach ein
und ließ einige Tage verstreichen, ehe er am 24. Juni zur Attacke gegen Bethmann
Hollweg ausholte und den Kaiser fast anderthalb geschlagene Stunden lang auf der
Terrasse des Schloßhofs zu Bad Homburg, wo der Kaiser residierte, von der Not-
wendigkeit eines Kanzlerwechsels zu überzeugen versuchte. Bis dahin hatte noch
kein Kanzlergegner ein derartig offenes Gespräch mit Wilhelm II. in der Causa
Bethmann Hollweg führen können, obendrein so lautstark, daß mehr als bloße
Gesprächsfetzen in den vom Gefolge bewohnten Trakt des Schlosses drangen.
Doch in der Sache stieß Berg beim Kaiser auf Granit. Dieser hörte sich zwar die
Ausführungen seines alten Bekannten an und war ihm deswegen auch nicht gram,
machte sie sich aber in keinster Weise zu eigen.[88] Allerdings brachte Berg ein Argument zur Sprache, das sich zunehmend verselbständigen und den Reichskanzler
unter Druck setzen sollte: Er verwies darauf, daß Bethmann Hollweg das Vertrauen
bei der Mehrheit der politischen Parteien eingebüßt habe.[89] Ein Reichskanzler, der
von der Obersten Heeresleitung frontal attackiert wurde und gleichzeitig seinen
politischen Rückhalt bei den meisten der im Reichstag vertretenen Parteien verloren hatte, geriet in eine schwere Legitimationskrise. Denn wenn sich mit Hindenburg und dem Reichstag diejenigen Personen und Institutionen, die sich mit mehr
oder weniger großem Recht als Sprachrohr einer partizipatorisch aufgeladenen
Gesellschaft empfanden, gemeinsam auf den Kanzler einzuschießen begannen,
dann blieb diesem nur noch das Vertrauen des Kaisers als politisches Unterpfand.
Damit allein konnte man eine durch den Krieg enorm politisierte Gesellschaft, die
ihren Willen zu politischer Mitsprache auch durch die symbolische Erhöhung
Hindenburgs zum Ausdruck gebracht hatte, aber nicht mehr regieren.

Hindenburg zeigte sich jedenfalls entschlossen, nach dem Mißerfolg der Berg-schen Mission voll und ganz seine höchste Trumpfkarte auszureizen und dem Monarchen mit Hinweis auf seine Salbung mit plebiszitärem Öl die Entlassung Bethmann Hollwegs abzunötigen. Er untermauerte seinen Anspruch, Sprachrohr einer weitverbreiteten Volksstimmung gegen den Kanzler zu sein, indem er Wil-helm II. am 26. Juni das Schreiben eines einfachen Mannes aus dem Volke zutrug, der Hindenburg in den Himmel hob und Bethmann Hollweg verdammte. Dieser deutliche Fingerzeig, der auf Hindenburgs Machtstellung anspielte, verfehlte je-doch seine Wirkung, weil der Kaiser sich durch solche indirekten Hinweise wenig beeindrucken ließ und Hindenburg den Brief mit ziemlich ungnädigen Randbe-merkungen versehen zurückgab.[90] Damit aber mußte Hindenburg zu der schärf-sten Waffe greifen, über die er verfügte, die er aber aus Rücksicht auf seine Erfah-rungen vom Januar 1915 bislang in Reserve gehalten hatte: auf die Drohung mit sei-nem Rücktritt als Chef der Obersten Heeresleitung.

Hindenburg bat den Kaiser am 29. Juni um eine Unterredung unter vier Augen, in der er sein stärkstes Geschütz auffuhr, allerdings noch nicht in ultimati-ver Form. Nachdem er auf die unüberbrückbaren Gegensätze zwischen sich und Bethmann Hollweg hingewiesen hatte, stellte er es der kaiserlichen»Erwägung an-heim, ob es nicht besser wäre, mich gehen zu lassen«.[91] Noch konnte der Kaiser es sich leisten, dieses Ansinnen zurückzuweisen, denn noch war er Herr des Verfah-rens. Doch es war abzusehen, daß Hindenburg es bei nächster Gelegenheit auf die Alternative Bethmann Hollweg oder Hindenburg zuspitzen und dem Kaiser eine Entscheidung abpressen würde. Denn»so, wie es jetzt ist, kann es nicht bleiben«.[92]

Hindenburg hatte allerdings erkannt, daß er den Kaiser aus eigener Kraft wohl nicht zu diesem entscheidenden Schritt würde nötigen können. Schließlich bedeu-tete ein Eingehen des Kaisers auf die Forderungen des Chefs der Obersten Heeres-leitung nichts anderes als die politische Unterwerfung des Monarchen unter den Willen Hindenburgs. Der Feldmarschall benötigte also starke Bündnispartner im Kampf gegen Bethmann Hollweg und zeigte nicht die geringsten Skrupel, nun auf die Dienste der politischen Parteien und des Reichstags zurückzugreifen, die er an-sonsten nicht schätzte. Er kam daher am 29. Juni bei der Unterredung mit dem Kaiser auf ein Argument zurück, das bereits Friedrich von Berg fünf Tage zuvor verwandt hatte:»Nicht die Konservativen allein wären gegen den Kanzler, sondern der größte Teil der Mitglieder aller Parteien, denen seine Schwäche und Unfähig-keit Sorgen für die Zukunft bereitete.«[93]

In der Tat drohte dem Reichskanzler vom Reichstag Ungemach. Bethmann Hollweg hatte sich Anfang Juli 1917 in eine schwierige Situation hineinmanövriert, in der die bisherige Unterstützung durch den Reichstag zu bröckeln drohte; dabei war er angesichts der erbitterten Feindschaft der Obersten Heeresleitung mehr denn je auf Rückendeckung durch den Reichstag angewiesen.[94] Die Friedensfrage hatte sich inzwischen nämlich so zugespitzt, daß der Reichstag erstmals von sich aus die politische Initiative in einer zentralen politischen Angelegenheit ergriff. Am 6. Juli 1917 entlarvte der einflußreiche Zentrumsabgeordnete Erzberger vor dem Hauptausschuß des Parlaments die auf dem uneingeschränkten U-Bootkrieg ruhenden Hoffnungen als pure Illusion und wies der Marineleitung in seiner Rede nach, daß ihre Berechnungen von falschen Voraussetzungen ausgingen. England konnte also nicht durch die Wunderwaffe U-Boot niedergerungen werden. Damit fiel das dahinterstehende Kalkül wie ein Kartenhaus zusammen und die in den Krieg mit Deutschland hineingetriebenen USA drohten – zwar noch nicht 1917, aber im darauffolgenden Jahr – den Ausschlag für den Sieg der Ententemächte zu geben. Erzbergers Rede schlug ein wie eine Bombe und führte dazu, daß der Reichstag seinen Anspruch auf politische Mitgestaltung in einem »Interfraktionellen Ausschuß« institutionalisierte, der erstmals ein gemeinsames politisches Vorgehen von SPD, Zentrum und linksliberaler Fortschrittlicher Volkspartei koordinierte. Das Herzstück dieser Kooperation war die Friedensfrage, in der man ein mutiges Signal von seiten der deutschen Volksvertretung für geboten hielt, um aus der militärischen Sackgasse herauszukommen. Daher formulierte die Reichstagsmehrheit eine eigene Friedensresolution, die am 19. Juli 1917 vom Reichstag angenommen wurde. Sie ging über alle bisherigen Kundgebungen von deutscher Seite hinaus, indem sie erzwungene Gebietsabtretungen und wirtschaftliche oder finanzielle Vergewaltigungen anderer Völker mit dem vom Reichstag erstrebten Verständigungsfrieden für unvereinbar erklärte.[95]

Warum brachte ausgerechnet diese mutige Friedensinitiative des Reichstags einen Reichskanzler in politische Bedrängnis, der mit dem Geist dieser Resolution sympathisierte? Warum profitierte ausgerechnet die Oberste Heeresleitung, die in sachlicher Hinsicht genau das Gegenteil eines Verständigungsfriedens anstrebte, von diesem Schritt des Parlaments? Das selbstbewußte Pochen des Reichstags auf ein Initiativrecht in zentralen politischen Fragen drohte deswegen ein Stolperstein für den Reichskanzler zu werden, weil einzelne einflußreiche Parlamentarier den Machtzuwachs des Reichstags dazu nutzen wollten, einen Personalwechsel an der Spitze der Reichsleitung zu forcieren. Sie wollten Bethmann Hollweg das neue politische Gewicht des Reichstags spüren lassen, zumal sie mit seiner zögerlichen und stets auf Kompromisse ausgerichteten Politik wenig anzufangen wußten.[96] In diesem Punkt deckten sich ihre Vorhaltungen mit den ständigen Klagen der Obersten

Heeresleitung über den Zauderer Bethmann Hollweg, und es entstand eine momentane politische Zweckallianz, die Hindenburg argumentativ so ausrüstete, daß er den Kanzler von allen Seiten unter Feuer nehmen konnte.

Für den politischen Entscheidungskampf war die Anwesenheit Hindenburgs in der Reichshauptstadt erforderlich, denn nur dort konnte mit Unterstützung bestimmter Reichstagsabgeordneter das Unternehmen »Kanzlersturz« vollendet werden. Da Hindenburg nicht einfach auf eigene Faust seine Dienststelle im Kreuznacher Hauptquartier verlassen konnte, bedurfte es einer arrangierten Einladung[97] durch den Hindenburg nahestehenden preußischen Kriegsminister Stein, die den Generalstabschef zur Reise nach Berlin berechtigte. Daß dies alles nicht nur dazu diente, den Kaiser in der Hauptstadt zu überrumpeln, sondern auch dazu bestimmt war, die Lage im Reichstag zu sondieren und dort mit Kanzlergegnern ins Gespräch zu kommen, geht schon daraus hervor, daß Hindenburg nicht allein reiste, sondern einen ganzen Troß von Mitarbeitern mit sich führte. Auch Ludendorff gehörte dieser Gruppe an, die sich in Berlin an ihr politisches Werk machen wollte. Ludendorff scheint sogar erwogen zu haben, im Hauptausschuß des Reichstags, in dem Erzberger einen Tag zuvor seine aufsehenerregende Rede gehalten hatte, selbst das Wort zu ergreifen.[98]

Für den Abend des 7. Juli waren vertrauliche Gespräche mit zwei einflußreichen Reichstagsabgeordneten vorgesehen, die dann in der Tat beim Kanzlersturz eine wichtige Rolle spielen sollten, nämlich mit Erzberger und dem politischen Naturtalent Gustav Stresemann, dem kommenden Parteiführer der Nationalliberalen.[99] Letzterer hatte seit längerem die Nähe zur Obersten Heeresleitung gesucht und war schließlich im Frühjahr 1917 von Hindenburg empfangen worden.[100] Der politisch äußerst umtriebige Erzberger hatte sich schon im August 1916 für die Ernennung Hindenburgs als Chef der Obersten Heeresleitung stark gemacht.[101] Innerhalb der Zentrumsfraktion existierte im übrigen ein starker rechter Flügel, der mit den annexionistischen Ansichten der Obersten Heeresleitung sympathisierte. Hier saßen die eingeschworenen Gegner des Kanzlers, die ein nahezu unbegrenztes Vertrauen in die Führungskraft Hindenburgs besaßen.[102] Aber selbst die Führungsspitze der Sozialdemokratischen Partei stand teilweise im Bann des Hindenburg-Mythos und suchte den Kontakt zu Hindenburg in seiner Eigenschaft als Politiker. Gewiß wertete eine Fühlungnahme mit Hindenburg das sich gerade von der Reichsleitung emanzipierende Parlament politisch auf, weswegen der SPD-Parteiführer Ebert es ausdrücklich für erwünscht erachtete, daß ein Vertreter der Obersten Heeresleitung vor dem Hauptausschuß des Reichstags gehört werden sollte.[103] Darüber hinaus hatte der Zauber Hindenburgs bewirkt, daß man ihn mittlerweile auch in der sozialdemokratischen Führung als eine allzuständige politische Figur akzeptierte und ihn vor weitreichenden politischen Entscheidungen konsultieren wollte. Ebert und sein Kollege Scheidemann griffen daher auch gerne zu, als ihnen für den Abend des 7. Juli eine politische Aussprache – zwar nicht mit Hindenburg, aber immerhin mit Ludendorff – in einem Berliner Hotel offeriert wurde.[104] Weder Hindenburg noch Ludendorff konnten diesen Termin dann wahrnehmen, da der Kaiser die beiden für diesen Tag zu seiner Abendtafel befahl. Aber die Kontaktpflege zu den Parlamentariern sollte sich bereits wenig später auszahlen.

Beim Kaiser handelte sich die Oberste Heeresleitung dann eine förmliche Abfuhr ein, da Wilhelm II. den Grund ihres Kommens anzweifelte, eine Erörterung genuin politischer Fragen als nicht in die Kompetenz der OHL fallend strikt ablehnte und eine rasche Rückkehr ins Große Hauptquartier befahl.[105] Dieses ungebrochene Festhalten Wilhelms II. an seinem Kanzler machte die Beseitigung Bethmann Hollwegs zu einer äußerst diffizilen Angelegenheit, die nur noch durch eine koordinierte Aktion von Hindenburg und Vertretern des Reichstags zu Ende gebracht werden konnte.

Daß Hindenburg und Ludendorff nur zu einer Stippvisite nach Berlin gekommen und ohne Kontakt mit dem Reichstag aufzunehmen unverrichteter Dinge wieder nach Kreuznach abgereist waren, verübelte der seine neu erworbene politische Macht auskostende Reichstag ausgerechnet Bethmann Hollweg. Im Interfraktionellen Ausschuß machte sich Empörung darüber breit, daß der Kanzler angeblich »die Rückkreise Ludendorffs und Hindenburgs, die gekommen waren, um mit dem Parlament Fühlung zu nehmen, ins Hauptquartier veranlaßt habe«.[106] Stresemann nutzte seinen Auftritt im Hauptausschuß am 9. Juli 1917, um eine Brandrede gegen den Reichskanzler zu halten, den er bezichtigte, sowohl für den Verfall des monarchischen Gedankens im Kriege als auch für die Kluft zwischen Reichsleitung und Oberster Heeresleitung verantwortlich zu sein. Er machte sich ebenfalls den Vorwurf zu eigen, Bethmann Hollweg habe die direkte Fühlungnahme des Reichstags mit den »Führern der Armee« hintertrieben, indem er sich beim Besuch Hindenburgs und Ludendorffs in Berlin nicht für eine förmliche Begegnung von Reichstag und Oberster Heeresleitung eingesetzt habe.[107]

In der ersten Juliwoche hatte sich damit eine Stimmung zusammengebraut, die Hindenburgs gegenüber dem Kaiser am 29. Juni in Kreuznach vorgebrachten Argumente nachträglich bestätigte: Nicht nur die preußischen Konservativen bekämpften Bethmann Hollweg, sondern es arbeitete eine breite Front von Stresemann bis Scheidemann gezielt auf den Kanzlersturz hin oder unterließ es zumindest, dem Angeschlagenen den Rücken zu stärken. Dabei lief der Reichskanzler gerade in der Frage der inneren Reform zu dieser Zeit zur Hochform auf und versuchte mit einem großangelegten politischen Befreiungsschlag, die Reformkräfte im Reich und in Preußen an sich zu binden. Mit der von ihm selbst so bezeichneten »Neuorientierung« setzte Bethmann Hollweg alles auf eine Karte und scheute auch nicht davor zurück, politische Weggefährten vor den Kopf zu stoßen.

Diese innenpolitische Neuorientierung besaß zwei Seiten: Im Reich wollte der Reichskanzler auf behutsame Weise Reichsleitung und Reichstag personell miteinander verzahnen und damit eine allmähliche Parlamentarisierung der Reichsverfassung einleiten. In Preußen wollte er gemäß der Osterbotschaft Wilhelms II. vom 7. April 1917 eine Reform des undemokratischen preußischen Dreiklassenwahlrechts durchführen, wobei er sich im Juli 1917 gegen jede halbherzige Reform entschied und den großen Wurf wagen wollte, das preußische Wahlrecht dem Reichstagswahlrecht anzupassen, das in demokratischer Hinsicht eines der vorzüglichsten Wahlrechte der Welt war.[108] Mit der Parlamentarisierung auf Reichsebene zeigten sich die Konservativen nicht einverstanden, die darin eine Abkehr von der Tradition des deutschen Konstitutionalismus sahen, in dem der Reichskanzler allein vom Vertrauen des Kaisers abhing. Der ansonsten mehr als loyale Chef des Geheimen Zivilkabinetts des Kaisers, Rudolf von Valentini, konnte eine solche Verfassungsänderung nicht mit seinem Beamtenkonservatismus vereinbaren und bezog gegenüber dem Kaiser entschieden Stellung gegen eine solche Reform.[109]

Mit dem Votum für die Einführung des gleichen Wahlrechts in Preußen machte Bethmann Hollweg sich die preußischen Konservativen endgültig zu politischen Todfeinden. Das konstatierte auch der Hindenburg nahestehende Oberst Mertz von Quirnheim, der sich als Bayer ein eigenständiges Urteil bewahrt hatte: »Die preußischen stockkonservativen Kreise finden, daß ihnen ihre politischen Felle wegzuschwimmen drohen, da v. Bethmann Hollweg zweifellos das alte Preußen mit seiner jeder politischen Moral Hohn sprechenden Verfassung von Grund aus umbauen will.«[110] Noch viel schwerer wog – und das versetzte Bethmann Hollweg den letzten und entscheidenden Stoß –, daß der Reichskanzler mit seinem mutigen Reformschritt in Preußen die letzten noch erforderlichen politischen Energien bei seinem Hauptgegner Hindenburg mobilisierte.

Die preußische Wahlrechtsreform war durch die Osterbotschaft des Kaisers auf die politische Tagesordnung gelangt. Das preußische Dreiklassenwahlrecht, das bis 1917 im Kern auf einem Wahlgesetz aus dem Jahre 1849 beruhte, war ein politisches Fossil, das gleich in dreifacher Weise mit dem für die Wahlen zum Reichstag gültigen Wahlrecht kollidierte: Es war nicht geheim, da die Stimmabgabe nicht im Schutze einer Wahlkabine erfolgte, sondern zu Protokoll gegeben wurde; es war nicht direkt, da die Stimmen nicht für Wahlkreiskandidaten abgegeben wurden, sondern für Wahlmänner, die in einem weiteren Schritt die Abgeordneten der preußischen Volksvertretung bestimmten; und es war nicht gleich, da der Wahlberechtigte gemäß seinem Steueraufkommen in einer von drei Klassen seine Stimme abgab, wobei jede Klasse ein Drittel aller Wahlmänner entsandte – ungeachtet des Umstandes, daß nur eine verschwindend kleine Minderheit von etwa drei Prozent der Wähler in der privilegierten ersten Klasse wählte, mehr als 85 Prozent hingegen in der dritten Klasse. Dieses extreme Ungleichgewicht wuchs sich im Verlaufe des Krieges, dessen Lasten vor allem die unteren Schichten zu tragen hatten, zu einem unhaltbaren Zustand aus, dem die Osterbotschaft ansatzweise Rechnung trug: Das neue Wahlrecht sollte mit dem Mißstand der öffentlichen und indirekten Stimmabgabe aufräumen; auf die Einführung eines Wahlrechts von der demokratischen Qualität des Reichstagswahlrechts legte sie sich allerdings nicht fest.[111]

Den politischen Spielraum in der Wahlrechtsfrage nutzten die konservativen Fachminister im preußischen Kabinett, um die Wahlrechtsreform so zu verwässern, daß die durch ungleiche Stimmabgabe garantierte Vorherrschaft der preußischen Konservativen im Abgeordnetenhaus möglichst nicht angetastet werden sollte. Der federführende preußische Innenminister von Loebell legte am 18. Juni 1917 einen Gesetzentwurf vor, der durch die Hintertür möglichst viel vom alten Wahlrecht retten sollte. Das Zauberwort hieß Pluralwahlrecht, was bedeutete, daß jeder Wähler nicht nur eine Stimme besaß, sondern sich Zusatzstimmen verdienen konnte, wenn er gewisse Kriterien erfüllte, welche die sogenannten staatserhaltenden Schichten massiv begünstigten. So sollten ein reiferes Lebensalter oder der Kinderreichtum eines Familienvaters eine Stimme mehr wert sein. Vor allen Dingen aber sollte ein höheres Steueraufkommen mindestens zwei weitere Stimmen garantieren.[112]

Bethmann Hollweg wollte sich durch solche Vorschläge aus dem Kreis der preußischen Minister nicht hinhalten lassen und setzte durch, daß Wilhelm II. die Frage der preußischen Wahlreform zur Chefsache erklärte, womit dieses Thema dem widerstrebenden preußischen Staatsministerium entzogen war. Am 9. Juli 1917 berief Wilhelm II. in dieser Angelegenheit einen Kronrat ein, eine Zusammenkunft sämtlicher Ratgeber des Monarchen, bei der die Reformgegner aus den Reihen des preußischen Staatsministeriums durch die ebenfalls anwesenden Staatssekretäre aus der Reichsleitung neutralisiert werden konnten, es sei denn, sie waren wie Roedern und Helfferich beides in einer Person. Wilhelm II. behielt sich nach diesem Kronrat die letzte Entscheidung vor, was Bethmann Hollweg Gelegenheit eröffnete, am folgenden Tag noch einmal persönlich auf den Monarchen einzuwirken und ihn zur Zustimmung für den mutigen Reformschritt, nämlich die Einführung des gleichen demokratischen Wahlrechts, zu bewegen. Der Reichskanzler und preußische Ministerpräsident konnte dabei auch Argumente vortragen, die für den Kaiser persönlich vorteilhaft waren. Er bettete die grundlegende Regelung der preußischen Wahlrechtsfrage nämlich in ein Gesamtkonzept zur Stärkung des monarchischen Gedankens ein, das den Kaiser als Volkskaiser in einem Volksstaat definierte und damit jene bisher Hindenburg zufließende plebiszitäre Akklamation in ein geordnetes demokratisches Wahlverfahren umleiten und der Monarchie zugute kommen lassen wollte. Am Ende gelang es Bethmann Hollweg, Wilhelm II. unter großem Kraftaufwand wieder einmal auf seinen moderaten Reformkurs zu verpflichten, auch weil der Monarch spürte, daß die Konzeption eines demokratisch gesalbten Volkskaisertums die einzige Möglichkeit war, sich vom politischen Allmachtsanspruch des Volkshelden Hindenburg frei zu machen. Voller Hochachtung vertraute Wilhelm II. dem bei diesem Vortrag anwesenden Valentini an: »Und *den* Mann soll ich entlassen, der alle anderen um Haupteslänge überragt!«[113] Drei Tage später waren diese Worte Schall und Rauch und Bethmann Hollweg seiner Ämter enthoben.

Hindenburg schnaubte vor Wut, als er hörte, daß Bethmann Hollweg dem Kaiser das allgemeine Wahlrecht für Preußen abgerungen hatte. Aus seiner Sicht drohte der Kanzler die preußische Identität preiszugeben, die darin bestand, daß preußische Regierung und Verwaltung vermittels eines auf agrarkonservative Interessen zugeschnittenen Wahlrechts gegen alle demokratischen Tendenzen abgeschirmt wurden und sich der Geist der preußischen Armee unbehelligt entfalten konnte. Wie es generell um die Stimmung innerhalb der Generalität bestellt war, veranschaulicht ein Brief des Kommandanten der 3. Armee, des Generalobersten Karl von Einem, der als gebürtiger Hannoveraner keiner altpreußischen Voreingenommenheit bezichtigt werden kann, aber dennoch starr vor Entsetzen war, als er von der Gewährung des allgemeinen Wahlrechts erfuhr: In seinem Stabe »herrschte Einigkeit, daß dieser Tag der böseste des ganzen Krieges sei. Wieviele Flüche sind dem Reichskanzler zugeschleudert worden! Diesem Manne, der alles zerstört, was einst Bismarck für Preußen und Deutschland geschaffen hat ... Welch ein Jubel wird im roten Lager herrschen!«[114]

Bislang hatte sich Hindenburg gescheut, zum allerletzten Mittel zu greifen und mit seinem Rücktritt zu drohen. Doch wenn alle anderen Möglichkeiten versagten und es Bethmann Hollweg gelingen sollte, über den Kaiser seine außenpolitischen (Friedensresolution) und innenpolitischen (preußische Wahlrechtsreform) Vorhaben abzuwickeln, mußte er diese höchste Trumpfkarte ausspielen. Daß er seinem

König und Kaiser damit politisch Gewalt antat, war ihm bewußt, und daher betrachtete er nach der schmerzhaften Erfahrung mit seinem allerersten Abschiedsgesuch vom Januar 1915 dieses Mittel auch als Ultima ratio. Seine letzten Skrupel beseitigte dann eine ihm am 11. Juli 1917 über seinen alten Verbindungsmann Haeften zugeleitete Meldung, daß letztlich der Wunsch Österreichs dafür ausschlaggebend gewesen sei, Bethmann Hollweg gegen alle Widerstände im Amt zu belassen.[115] Daran war immerhin soviel richtig, daß der österreichische Botschafter Prinz Hohenlohe am 10. Juli persönlich bei Wilhelm II. vorstellig geworden war, um Bethmann Hollweg den Rücken zu stärken.[116] Unter den Bedingungen des Weltkrieges mußte der Reichskanzler nicht nur mit den Regierungen der süddeutschen Einzelstaaten vertrauensvoll zusammenarbeiten, sondern auch mit dem Hauptverbündeten in Wien und Budapest.

Diese Information war der Tropfen, der das Faß zum Überlaufen brachte. Hindenburgs tiefsitzende Antipathie gegen Österreich war damit geweckt, die sich aus zwei Quellen speiste: Einmal pflegte der 1847 geborene Hindenburg ein Österreichbild, das noch stark vom Ringen zwischen Preußen und Österreich um die Führung in Deutschland bestimmt war. Hindenburg hatte die preußische Abneigung gegen den Rivalen um die Vorherrschaft in Deutschland so tief verinnerlicht, daß ihm sofort eine der größten Demütigungen Preußens, nämlich diesem im November 1850 im böhmischen Olmütz von Österreich abgetrotzten Verzicht seiner eigenständigen Verfassungspolitik in der deutschen Frage, als historische Parallele in den Sinn kam: »Ich bin wie vom Donner gerührt. Nicht nur wegen der Tatsache an sich und für sich, sondern auch, weil wir uns das von Österreich bieten lassen. Das bedeutet ein zweites Olmütz, wie wir es unter Friedrich Wilhelm IV. erlebten.«[117] Österreich war in der genuin preußischen Wahrnehmung Hindenburgs diejenige Macht, die Preußens deutscher Mission nur Steine in den Weg legte und sich anmaßend in seine Angelegenheiten einmischte – 1850 wie 1917.

Die Haltung des Feldmarschalls wurde noch dadurch bestärkt, daß er Österreich militärisch geringschätzte. Für Hindenburg war das Habsburgerreich eine militärisch zweitklassige Macht, die ihr grobes militärisches Versagen während des Weltkriegs durch selbstherrliches politisches Gebaren zu überspielen suchte. Während er nach außen die hervorragende Zusammenarbeit mit den k.u.k. Bundesbrüdern pflichtschuldig lobte, nahm er hinsichtlich der aus seiner Sicht desaströsen militärischen Leistungsbilanz im vertrauten Kreis kein Blatt vor den Mund. Dann rutschte dem ansonsten seine Stimme zügelnden Hindenburg schon einmal ein nicht druckfähiger Fluch heraus.[118] Hindenburg taxierte als Generalfeldmarschall den Kampfwert Österreichs derartig gering, daß er die national

gemischten Verbände der Donaumonarchie als Klotz am Bein der siegreich vorwärtsstrebenden deutschen Truppen bezeichnete.[119] Selbst als Gegner Deutschlands in einem künftigen Krieg war Österreich für Hindenburg vorstellbar,[120] was
nur eine Rückkehr zu den militärischen Ursprüngen Hindenburgs bedeutete, den
der erste Feldzug als frischgebackener Leutnant 1866 gegen Österreich geführt
hatte. Hindenburgs Erbitterung und Abneigung gegen Österreich ging so weit,
daß von ihm die Äußerung überliefert ist, »er würde es als einen besonders befriedigenden Abschluß seiner milit. Laufbahn betrachten, wenn er die deutschen
Armeen zum Einmarsch nach Böhmen kommandieren dürfte«.[121] In seinen 1920
veröffentlichten Memoiren blitzt das vernichtende Urteil über den Hauptverbündeten zwar an einigen Stellen durch, wird aber insgesamt durch eine glättende
Sicht der Dinge übertüncht, wie sie insgesamt für Hindenburgs Geschichtspolitik
symptomatisch ist.[122] Hindenburg selbst hat in diesem Sinne korrigierend auf den
Rohentwurf seines »Ghostwriters« Mertz von Quirnheim eingewirkt.[123]

Ergrimmt durch die vermeintliche unheilvolle Einmischung Österreichs in
preußisch-deutsche Angelegenheiten, entschloß sich Hindenburg am 12. Juli 1917,
den Kaiser durch ein Rücktrittsgesuch auf seine Linie zu zwingen. In kaum verklausulierter Form machte er darin den Verbleib in seiner Stellung von der Entlassung Bethmann Hollwegs abhängig: »Zwischen dem Reichskanzler und mir bestehen … unüberbrückbare Gegensätze. Ich erblicke in seinen Anschauungen und
Handlungen eine ernste Gefahr für Thron und Vaterland. Dies macht mir ein
nutzbringendes Zusammenarbeiten unmöglich, während ich andererseits dem unheilvollen Wirken nach Lage der Dinge nicht entgegenzutreten vermag.«[124]

Man muß sich die Dimension dieses Schrittes vor Augen halten: Zum ersten
Mal in der preußischen Geschichte verlangte ein Militär in ungebührlicher Weise
von seinem Monarchen, daß dieser seinen engsten politischen Ratgeber aus dem
Amt entfernte. Hindenburg führte für sein Begehren genuin politische Gründe ins
Feld, indem er die Definitionshoheit darüber beanspruchte, was »Thron und Vaterland« frommte. Damit hatte er seine militärischen Eierschalen endgültig abgestreift und seinen politischen Herrschaftsanspruch unmißverständlich artikuliert.
In seine politische Rolle war er inzwischen so sehr hineingewachsen, daß er mit
sich selbst im reinen war und nicht mehr wie im Januar 1915 von Gewissensbissen
gequält wurde. »Ich bin, seitdem ich das Letzte getan, was ich pflichtgemäß tun
mußte, um Thron und Vaterland zu retten, ruhig und getrost.«[125] Damals hatte er
»nur« den obersten Militär im Visier gehabt und konnte noch durch begütigende
Worte seines Monarchen von der letzten Konsequenz abgehalten werden; im Juli
1917 war er kühl bis ins Herz und entschlossen, es zum Äußersten kommen zu lassen.

Hindenburg rechnete sich gute Chancen aus, daß seine Aktion den gewünschten Erfolg zeitigte.[126] Diese Zuversicht rührte aus dem Bewußtsein seiner plebiszitären Verankerung und damit faktischen Unabsetzbarkeit: Auf Bethmann Hollweg konnte der Kaiser verzichten, auf Hindenburg aber nicht. Sie beruhte aber auch auf dem Umstand, daß gleichzeitig mit seiner Pression und zum Teil in Abstimmung mit dieser weitere politische Kräfte von Gewicht den Kaiser bedrängten, Bethmann Hollweg zu entlassen. So griffen die mit dessen Wahlrechtsreform dissentierenden Mitglieder des preußischen Staatsministeriums zu ihrem allerletzten Mittel und kündigten für den Fall der Annahme der Wahlrechtsreform ebenfalls ihren Rücktritt an, was Hindenburg als Unterstützung seines Schrittes wertete.[127] Die größte Verstärkung der Wirkung seiner Rücktrittsdrohung versprach sich Hindenburg jedoch von dem Verhalten der kanzlerkritischen Kräfte im Reichstag[128] – und diese Hoffnung sollte nicht trügen. Denn Bethmann Hollweg war durch den sukzessiven Entzug parlamentarischer Unterstützung bereits so angeschlagen, daß Hindenburg hier nur noch kräftig nachzustoßen brauchte, um sein Ziel zu erreichen. Ein Reichskanzler, der nur noch auf das Vertrauen des Kaisers bauen konnte und der sowohl den plebiszitär legitimierten Herrschaftsanspruch Hindenburgs als auch den parlamentarisch-demokratisch legitimierten Gestaltungsanspruch der Reichstagsmehrheit gegen sich hatte, konnte vom Kaiser nicht länger im Amt gehalten werden. Ein Reichskanzler, der allein mit dem Vertrauen des Monarchen regierte, war im Jahre 1917 ein Anachronismus.

Im Juli 1917 fanden sich große Teile des Reichstags und die Oberste Heeresleitung in einer gemeinsamen Aktion gegen Bethmann Hollweg zusammen, weil beide Kräfte in die monarchische Prärogative in Personalfragen eingreifen und dem Monarchen ihren Willen bei der Besetzung des höchsten Regierungsamtes aufzwingen wollten, auch wenn ihr Einfluß noch nicht ausreichte, Wilhelm II. mit dem Sturz Bethmann Hollwegs zugleich einen Ersatzmann aufoktroyieren zu können. Das ungebrochene Ansehen Hindenburgs bis in die Reihen der Sozialdemokratie[129] ließ das gemeinsame Vorgehen gegen den Reichskanzler zudem nicht als eine politische Aktion erscheinen, die allein von den eingefleischten Bethmann-Gegnern auf seiten der politischen Rechten ausging. Der Hindenburg-Mythos verbreiterte die Aktionsbasis gegen Bethmann Hollweg so sehr, daß dieser ausgerechnet im Moment seiner kraftvollsten Reformanstrengungen in Preußen wie im Reich von einem großen Teil derjenigen Kräfte im Parlament im Stich gelassen wurde, die in sachlicher Hinsicht eigentlich auf seiner Seite standen und in politischer Hinsicht Welten von den Vorstellungen Hindenburgs entfernt waren.

Hindenburg hat diese Schwachstelle der Bethmannschen Position erkannt und mit Hilfe des Reichstags für seine Zwecke ausgenutzt. Hier deckten sich seine Interessen und seine Einstellung mit denen des Kronprinzen, der am 11. Juli 1917 in Berlin auftauchte, um dem Reichstag eine Art Mißtrauenserklärung gegen den Reichskanzler zu entlocken, die diesem den Todesstoß versetzen sollte. Beide spielten mit verteilten Rollen den Kanzlersturz: Hindenburg sollte durch sein Rücktrittsgesuch den Kaiser mürbe machen, der Kronprinz die Reichstagsmehrheit zu einem Akt gegen den Reichskanzler verleiten. Kronprinz Wilhelm war dazu bestens geeignet, da er als Kommandant der nach ihm benannten Heeresgruppe in seinem Hauptquartier in Stenay ohnmächtig mit ansehen mußte, wie Bethmann Hollweg seiner Ansicht nach die Zukunft der Monarchie und damit seine eigene künftige Position verspielte. Als eigenständiger politischer Akteur konnte er nichts ausrichten, da der Kaiser sich nicht von seinem als aufsässig verschrienen Sohn belehren ließ, dem er zutiefst mißtraute. Das Verhältnis des Kronprinzen zu Hindenburg war zwar alles andere als spannungsfrei, und Wilhelm registrierte mit Unbehagen die Schmälerung des monarchischen Gedankens durch den Volkshelden Hindenburg. Doch der Kanzlersturz im Verein mit Hindenburg bot ihm die einmalige Gelegenheit, aus seiner bloßen Beobachterrolle herauszukommen.

Als Kommandant der Heeresgruppe Kronprinz konnte Wilhelm nicht einfach nach Berlin reisen, sondern mußte von seinem Vater dorthin befohlen werden. Dazu bedurfte es eines Anlasses. Kronprinz Wilhelm fand diesen in der Beratung des Kronrats über die preußische Wahlrechtsreform. Noch am selben Tag wandte er sich telefonisch an den Chef des Geheimen Zivilkabinetts mit dem Hinweis, daß eine so tiefgreifende Angelegenheit nicht ohne seine Zustimmung geregelt werden sollte. Valentini machte daraufhin dem Kaiser die Hinzuziehung des Kronprinzen schmackhaft mit dem Argument, daß durch die Einbindung des Thronfolgers die Schwere der Entscheidung nicht allein auf den Schultern des Monarchen ruhe.[130] Nachdem der Kronprinz am 10. Juli endlich telegraphisch die Order seines Vaters erhalten hatte, nach Berlin abzureisen, konnte sich das Gespann Kronprinz–Hindenburg bilden und arbeitsteilig den Sturz Bethmann Hollwegs einleiten.[131]

Am 11. Juli 1917 traf der Kronprinz in Berlin ein und nahm sofort mit den altkonservativen Gegnern Bethmann Hollwegs Kontakt auf.[132] Am selben Tag erschien er auch zum Pflichttermin beim für die Wahlrechtsfrage zuständigen Chef des kaiserlichen Zivilkabinetts und bewies ein so hohes Maß an Verstellungskunst, daß Valentini und auch der anwesende Kaiser den Eindruck gewannen, den Kronprinzen von der sachlichen Notwendigkeit der Wahlrechtsreform überzeugt zu haben. Doch tags darauf ließ der Kronprinz Vertreter der wichtigsten im Reichstag vertretenen Parteien einzeln zu sich in sein Palais Unter den Linden kommen, um diese auszuhorchen. Damit die aus dieser Unterredung geschmiedete politische Munition auch scharf war, verfaßte ein Mitarbeiter der Obersten Heeresleitung[133] ein Protokoll der Unterredungen, die er aus dem Nebenzimmer verfolgte – ein untrügliches Zeichen dafür, daß der Kronprinz und die Oberste Heeresleitung Hand in Hand arbeiteten.

Die Parlamentarier ließen sich auf das Spiel des Kronprinzen ein und versorgten ihn mit der argumentativen Munition, die er brauchte, um beim Kaiser Eindruck zu schinden. Vier der sechs Befragten gaben mehr als deutlich zu verstehen, daß sie sich eine politische Zusammenarbeit mit dem derzeitigen Reichskanzler nicht mehr vorstellen könnten.[134] Mochte diese Einstellung bei den Vertretern der preußischen Konservativen und der Freikonservativen ganz und gar nicht verwundern und auch das entschiedene Nein des Nationalliberalen Stresemann und des Zentrumsvertreters Erzberger angesichts ihrer bislang eingenommenen Haltung keine Überraschung sein, so springt doch ins Auge, daß nur der Abgesandte der liberalen Fortschrittlichen Volkspartei, Friedrich von Payer, sich zumindest halbherzig vor den Kanzler stellte, während der Sozialdemokrat David einem Kanzlerwechsel nicht ablehnend gegenüberstand, weil er sich davon einen Parlamentarisierungsschub versprach. Fast unisono erblickten die befragten Abgeordneten im belasteten Verhältnis Bethmann Hollwegs zu Hindenburg ein gravierendes politisches Handicap für den Reichskanzler, das diesen nahezu untragbar werden ließ. Unabhängig davon hatten sich alle sechs Abgeordneten an einem Verfahren beteiligt, das bei nüchterner Betrachtung allein den Kanzlerstürzern argumentative Schützenhilfe liefern konnte.[135]

Der Kanzler sah sich in eine schier ausweglose Situation hineinmanövriert, in der ihm allein das kaiserliche Vertrauen als politische Basis seiner Regierungsarbeit geblieben war. Bethmann Hollweg war nüchtern genug, um zu erkennen, daß unter den Bedingungen fortschreitender Aushöhlung der monarchischen Prärogative das Fundament seiner politischen Arbeit weggebrochen war und er die Konsequenzen zu ziehen hatte, um dem Kaiser eine zu offensichtliche Kapitulation vor dem Machtwillen Hindenburgs zu ersparen. Denn Hindenburg hatte sich erneut auf den Weg nach Berlin begeben, indem er sich unter Berufung auf die beabsichtigte Friedensresolution des Reichstages in die Reichshauptstadt hatte einladen lassen,[136] um vor Ort das letzte Gefecht mit dem Kaiser auszutragen und Bethmann Hollweg den Gnadenstoß zu versetzen. Doch das waidwund geschossene Wild hatte sich bereits in sein unabwendbares Schicksal gefügt: Am Abend des 12. Juli, nachdem der Kaiser der Herbeirufung von Hindenburg zugestimmt hatte, bat der Reichskanzler um seine Entlassung, um Wilhelm II. die Demütigung durch die

Oberste Heeresleitung am kommenden Tag zu ersparen. Am Vormittag des 13. Juli schrieb er sein Abschiedsgesuch, damit es der Kaiser annehmen konnte, bevor er Hindenburg empfing. Auf diese Weise schien »das Odium vermieden, daß er dem militärischen Druck gewichen war«.[137]

Die noble Geste Bethmann Hollwegs konnte letztlich nicht darüber hinweg-täuschen, daß der Kaiser die Entlassung des Reichskanzlers nicht aus freien Stük-ken vornahm, sondern sich zum ersten Mal in einer kardinalen Frage der Politik dem massiven Druck Hindenburgs beugte.[138] Der Kaiser war damit nicht länger Herr über die Besetzung des Reichskanzlerpostens. Das stellte eine tiefe Zäsur in der Geschichte des deutschen Kaiserreichs und auch der preußischen Monarchie dar. Wenn es zutreffen sollte, daß Wilhelm II. diesen Vorgang mit den Worten kommentiert hat, »es sei wohl Zeit für ihn, abzudanken, da zum ersten Mal ein preußischer Monarch durch seine Generale gezwungen worden sei, etwas zu tun, was er nicht tun wollte«,[139] dann zeugt das von einer realistischen Einsicht in die tatsächlichen Machtverhältnisse im Sommer 1917: Wilhelm II. hatte mit der Kapi-tulation vor dem Willen Hindenburgs das allmähliche Zerbröckeln monarchischer Souveränität manifestiert. Diese herrenlose Souveränität verlagerte sich aber nur zum Teil auf den Reichstag als Organ der Volkssouveränität, obgleich die sich im Sommer 1917 formierende Reichstagsmehrheit erhebliche Anstrengungen in diese Richtung unternahm. Sie durfte zwar beim Kanzlersturz mitwirken, aber auf die Ernennung seines Nachfolgers, eines farblosen Beamten der höheren preußischen Verwaltungsebene namens Georg Michaelis, hatte sie nicht den geringsten Einfluß. Hindenburg hingegen konnte bei der Nachfolge Bethmann Hollwegs zumindest insofern ein gewichtiges Wort mitreden, als der Kanzlerkandidat zwar nicht von ihm ausgesucht wurde, aber sein Placet erhalten mußte, bevor er letztlich dem Kaiser zur endgültigen Übernahme präsentiert wurde.[140] Hindenburg hatte sich damit endgültig als herrschaftliche Potenz etabliert.

Aufruf zur Zeichnung der 7. Kriegsanleihe 1917

Hindenburg als charismatischer Herrscher

Nach der politischen Reifeprüfung Hindenburgs, nämlich dem Sturz Bethmann Hollwegs, erscheint es angebracht, die spezifische Form der Herrschaft Hindenburgs in geeignete Begriffe zu fassen. Eines der mit größtem Nachdruck vertretenen begrifflichen Angebote bedient sich in diesem Zusammenhang des Ausdrucks »Militärdiktatur«. Meistens wird dieser Ansatz nicht systematisch entwickelt und auf Anleihen bei der Diktaturforschung fast ganz verzichtet. Trotz solcher analytischen Defizite markiert dieser Terminus aber die wohl einflußreichste Deutung von Hindenburgs politischem Wirken im Ersten Weltkrieg. Demnach wurde die verfassungsmäßige Ordnung des wilhelminischen Kaiserreichs durch die Tätigkeit der 3. Obersten Heeresleitung so unterhöhlt, daß spätestens mit der Entlassung Bethmann Hollwegs alle zentralen politischen Fragen von der OHL okkupiert wurden. Hinter der Fassade der monarchischen Ordnung fristete Wilhelm II. nur noch eine Existenz als Schattenkaiser, wurde die Reichsleitung auf die Funktion eines ausführenden Organs der militärischen Führung reduziert und konnte sich auch der Reichstag politisch nicht von den Direktiven der Obersten Heeresleitung emanzipieren. Militärdiktatur meint mithin eine verdeckte, aber desto intensivere Form autoritärer Herrschaftsausübung durch die militärische Führung, der es dazu an jeglicher Legitimation mangelte. Sie kooperierte dabei sehr eng mit herrschaftsgewohnten Eliten aus Schwerindustrie und Großlandwirtschaft, die dadurch ihre gefährdete Stellung behaupten und den innenpolitischen Status quo konservieren wollten.[1]

Als Triebkraft dieses maßlosen politischen Geltungsanspruchs der Militärs wird im Regelfall der sogenannte Militarismus identifiziert, der sich in der preußisch-deutschen Geschichte einen festen Platz erobert habe. In enger politikgeschichtlicher Sichtweise meint Militarismus eine unstatthafte Grenzüberschreitung des Militärischen: Der Feldherr macht sich die Politik dienstbar, indem nicht der Staatsmann, sondern der Soldat letztlich darüber befindet, ob Krieg geführt und wie Frieden gestiftet werden soll.[2] Die sozialhistorische Annäherung an das

Phänomen »Militarismus« sprengt die Fixierung auf die Haupt- und Staatsaktionen und fragt nach der Durchdringung der Gesellschaft mit genuin militärischen Organisations- und Habitusformen, wobei das Militär als soziale Schicht verstanden wird, die integraler Bestandteil der Herrschaftsausübung ist.[3] Die Betonung einer Militarisierung der Sozialbeziehungen verleiht dem Konzept der »Militärdiktatur« seine gesellschaftliche Fundierung, indem sie das Hineinregieren des Militärs in den Entscheidungsbereich der zivilen Politik darauf zurückführt, daß die Gesellschaft des deutschen Kaiserreichs von einem Sozialmilitarismus durchtränkt gewesen sei, der für einen stetigen Nachschub militärischer Denkmuster in die Politik gesorgt habe. Diese Auffassung bildet auch den harten Kern der sogenannten Sonderwegsthese, wonach der Lauf der preußisch-deutschen Geschichte mit einer gewissen Zwangsläufigkeit in die Katastrophe des Nationalsozialismus einmündete, weil die strukturellen Defizite, die nicht zuletzt in der Belastung durch die Präponderanz des militärischen Faktors gesehen werden, eine prinzipiell mögliche Entwicklung nach westlich-parlamentarischem Vorbild gewaltsam abgewürgt hätten.[4] Die politikgeschichtliche Verwendung des »Militarismus«-Konzepts ist zwar von einer derartig negativen Teleologie frei, weil sie in der Bändigung militärischer Halbgötter durch staatsmännische Kunst nicht nur ein erstrebenswertes Ideal erblickt, sondern vor allem durch Bismarcks Staatskunst auch eingelöst sieht. Aber mit dem Abtreten dieses genialen Steuermanns, der die Entfesselung des Militärischen nicht zugelassen habe, habe sich eine gefährliche Entwicklung Bahn gebrochen in deren Verlauf die »Staatskunst« zur Magd des »Kriegshandwerks« herabgesunken sei mit dem vorläufigen Kulminationspunkt der Militärdiktatur Ludendorffs.[5]

Dieser Interpretation ist weiterhin eigen, daß Hindenburg hierbei ganz im Schatten Ludendorffs und dessen Beraterkreis steht. Beim Duo Hindenburg/Ludendorff ist die Rollenverteilung eindeutig: Ludendorff ist die kraftstrotzende, hyperaktive militärische und politische Potenz, während Hindenburg in Passivität verharrt und sich dazu hergibt, mit dem Glanz seines Namens die Handlungen seines Ersten Generalquartiermeisters zu decken – »ein Gefangener seiner Berater«.[6] Selbst Darstellungen, die zu Recht Vorbehalte gegen eine zumeist unreflektierte Verwendung des Diktaturbegriffs anmelden und auf Hindenburgs Eigenständigkeit gegenüber Ludendorff verweisen,[7] werten den politischen Einfluß des Feldmarschalls dadurch ab, daß sie innerhalb der Obersten Heeresleitung ehrgeizige Abteilungschefs ausmachen, die ihre eigenen politischen Wege gingen und mehr oder minder selbständig Politik betrieben, allen voran Oberst Max Bauer. Bauer gilt dabei als eigenständiges politisches Kraftzentrum und als ein Mann, der mehr gewesen sein soll als nur ein politischer Einflüsterer Ludendorffs.[8]

Alles in allem unterstellt der eingängige Terminus »Militärdiktatur«, daß sich eine kleine militärische Elite politische Herrschaftsansprüche widerrechtlich aneignete, diese auf autoritärem Wege an den verfassungsmäßigen Institutionen vorbei ausübte und dabei sowohl den Kaiser als auch den Reichstag entmachtete. Nun soll gar nicht in Abrede gestellt werden, daß sich prominente Militärs im Ersten Weltkrieg mit derartigen Überlegungen trugen, die sie ganz offen als Diktatur bezeichneten. Oberst Bauer hat im Dezember 1916 im Kreis der Obersten Heeresleitung vertrauenswürdige Personen über seine in diese Richtung gehenden Absichten informiert;[9] der politisch kaltgestellte Großadmiral Tirpitz hat solche Pläne mit besonderer Energie verfolgt und das Gespann Hindenburg/Ludendorff dafür zu gewinnen versucht.[10] Einen wachsenden ideologischen Nährboden für die Realisierung solcher Diktaturpläne gab es zudem in Gestalt der seit 1890 zunehmend an Bedeutung und Aggressivität gewinnenden »neuen Rechten«. Dort fand ein Radikalnationalismus seinen Ausdruck, der mit dem traditionellen Konservatismus kaum noch etwas gemein hatte, weil eine ins Völkische gewendete Nationsvorstellung als oberste Legitimationsinstanz diente und damit das altkonservative Beharren auf dem Primat monarchischer Legitimität verdrängte. Die neue Rechte stellte prinzipiell alle Grundpfeiler der staatlichen und gesellschaftlichen Ordnung zur Disposition, die dem Konservatismus heilig waren, und machte dabei auch nicht vor der Person und der Funktion des Monarchen halt, wenn dieser der ihm zugedachten Aufgabe als Führer der Nation nicht gerecht wurde und das völkische Verlangen nach nationaler Einheit nicht aufgriff.[11]

Die Forderung nach einer verkappten Militärdiktatur war ein – wenngleich nicht der einzige und auch nicht der politisch folgenreichste – Ausfluß einer Verschiebung im politischen Koordinatensystem, in deren Verlauf die Monarchie der Nation untergeordnet wurde. Nicht nur Befürworter dieser Richtung, sondern auch Verteidiger der Kronrechte haben derartige Pläne als diktatorisch bezeichnet. Die diktatorische Qualität solchen Ansinnens bestand in den Augen Bethmann Hollwegs und Valentinis darin, daß mit der Ausschaltung des Kaisers aus dem Entscheidungsprozeß und der Verlagerung der Entscheidungsgewalt auf die militärische Führung ein erhebliches Legitimationsdefizit entstand.[12] Das monarchische Prinzip als legitimationsspendende Kraft würde ausgehöhlt, ohne daß das demokratische Prinzip an seine Stelle getreten wäre.

Zu einer autoritären Verselbständigung der Obersten Heeresleitung, die im Stil einer Kriegsdiktatur die oberste Regierungsgewalt an sich riß, ist es während des Ersten Weltkriegs im Deutschen Reich aber nicht gekommen. Das institutionelle Gehäuse des Kaiserreichs war intakt genug, um derartige Pläne nicht über das

Stadium bloßer Absichtsbekundungen hinaustreten zu lassen. Nicht zuletzt an der Person und Funktion des Monarchen und Obersten Kriegsherrn zerschlugen sich alle derartigen Erwägungen: Wilhelm II. stand einer diktatorischen Regierungsübernahme durch die Militärs vor allem deswegen im Wege, weil er trotz seines unbestreitbaren Machtverfalls immer noch das letzte Wort bei der Besetzung der höheren Reichsämter sprach.[13] Generaloberst Karl von Einem, durchaus mit radikalnationalistischen Vorstellungen sympathisierend, konnte sich deswegen mit den Diktaturvorstellungen von Tirpitz nicht anfreunden: »Das geht kaum, wenn man einen Monarchen hat.«[14] Das komplizierte politische System des deutschen Kaiserreichs mit seiner Vielzahl konkurrierender Machtzentren erlebte im Weltkrieg keine diktatorische Vereinfachung, obzwar der Machtgewinn der Obersten Heeresleitung unübersehbar war.[15]

Es drängt sich allerdings die viel grundsätzlichere Überlegung auf, ob das Hantieren mit dem Diktaturkonzept nicht den Blick dafür verstellt, daß die Herrschaft Hindenburgs mehr auf Zustimmung von unten denn auf Zwang von oben gegründet war. Zwar kennt die Diktaturforschung auch diverse Spielarten, bei denen ein Diktator zumindest zeitweise auf eine breite plebiszitäre Unterstützung zählen und daraus einen Legitimationsanspruch ableiten kann.[16] Um der klaren begrifflichen Scheidung willen sollten solche Formen personaler Herrschaft, die nicht von der permanenten Mobilisierung plebiszitärer Zustimmung ablösbar sind, jedoch nicht von vornherein mit dem Etikett der »Diktatur« versehen werden. Denn dadurch wird der unzutreffende Eindruck erweckt, daß man das zu erfassende Phänomen durch Fixierung auf die Ebene staatlich-administrativer Herrschaft in seinem Wesenskern ergründen kann. Ein erweiterter Politikbegriff hingegen, der nach kommunikativen Beziehungen zwischen politischen Entscheidungsträgern und der Gesellschaft Ausschau hält,[17] wird sich immer dann anderen terminologischen Angeboten zuwenden, wenn der zu analysierende Herrschaftstypus nicht in einer von oben mit brachialer Gewalt implementierten Zwangsherrschaft aufgeht. Hindenburgs Herrschaft sprengt in jedem Fall die limitierte heuristische Kraft des Diktaturkonzepts, weil sie auf einer symbolischen Repräsentationsleistung beruht und damit nicht von den in der politischen Soziokultur der deutschen Gesellschaft eingelagerten Ordnungen politischen Sinns ablösbar ist. Wer das Spezifische an Hindenburgs Herrschaft ergründen will, benötigt daher eine Begrifflichkeit, welche die symbolischen Vermittlungsprozesse zwischen seiner Person und den dominierenden kulturellen Standards terminologisch beleuchtet und diese kulturellen Austauschprozesse dabei stets auf ihre Politikhaltigkeit abklopft.

Hindenburgs Herrschaft läßt sich terminologisch am besten unter Rekurs auf den von Max Weber eingeführten Begriff der »charismatischen Herrschaft« einfangen. In seiner Herrschaftstypologie hat Weber diesen Terminus verwandt, um eine Herrschaftsform auf den Begriff zu bringen, welche auf eine Person zugeschnitten ist, die ohne förmliches Amt und ohne geregeltes Verfahren Herrschaft ausübt. Dieser Charismatiker mobilisiert in einem ganz ungewöhnlichen Maße Hingabe und Verehrung für seine Person in der Bevölkerung und errichtet auf diesem plebiszitären Fundament eine Form von Herrschaft, die nicht in staatliche Ämter und bürokratische Hierarchien eingezwängt ist.[18] Charismatische Herrschaft zeugt somit von der ungeheuren Dynamik des Politischen, das sich nicht durch überlieferte Traditionen bändigen läßt und sich auch abseits von institutionellen Gehäusen und normierten Verfahrensregeln seinen Weg bahnt.[19] Die heuristische Ergiebigkeit dieses Konzepts ist erfolgreich über die Epochengrenzen hinweg von der Geschichtswissenschaft getestet worden,[20] weil hier ein universalhistorisch anwendbarer Schlüssel zur Strukturierung einer Form von Herrschaft vorliegt, die ihre Legitimation nicht aus rechtlich fixierten Verfahren oder aus der Beachtung traditioneller Gewalten bezieht.

Für die jüngere deutsche Geschichte hat vor allem Hans-Ulrich Wehler das Webersche Charismakonzept zum begrifflichen Fluchtpunkt erhoben, um die Besonderheiten der Herrschaftsentwicklung in Deutschland von 1870 bis 1945 zu markieren. Er entwickelt dabei den Weberschen Idealtypus weiter, indem er den Entstehungsbedingungen charismatischer Herrschaft systematische Beachtung schenkt und eine spezifisch charismatische Herrschaftstechnik am historischen Einzelfall freilegt. Nach Wehler hat zunächst Otto von Bismarck das Modell charismatischer Herrschaft erfolgreich praktiziert[21] und hier stilbildend gewirkt,[22] so daß mehr als vierzig Jahre nach Bismarcks Abgang von der Macht Hitler die ungebrochene charismatische Erwartungshaltung weiter Kreise der deutschen Gesellschaft aufgreifen und seine spezifische Variante charismatischer Herrschaft errichten konnte.[23] Auch wenn man Wehlers Bismarck-Deutung nicht in allen Punkten folgen möchte, haben seine Forschungen die Tauglichkeit des Charismaansatzes zur Erklärung des Herrschaftsgefüges in Deutschland unter Beweis gestellt. Seine Ausführungen werfen aber zugleich die Nachfrage auf, ob nicht die Lücke zwischen Bismarck und Hitler von einem weiteren Charismatiker gefüllt wurde, für den es gerade unter Berufung auf Max Weber mit Hindenburg einen aussichtsreichen Anwärter gibt.

Für Max Weber war der Krieg eine bevorzugte Geburtsstunde charismatischer Herrschaft, weil in seinem Gefolge der Typus des Kriegshelden entstehen konnte,

der aufgrund ihm zuerkannter außergewöhnlicher militärischer Leistungen Herrschaftsansprüche anmeldete.[24] Sollte daher nicht Hindenburg das fehlende Glied
zwischen Bismarck und Hitler darstellen? Durchdenkt man diese Vorstellung,
dann wird man sich ein Stück weit von dem Charismakonzept Max Webers lösen
und es kultursoziologisch erweitern müssen. Denn Weber ging von einer Charis-
mavorstellung aus, bei welcher der Charismatiker die Aura eines Genies ausstrahlte, durch die Kraft seiner Persönlichkeit die Massen in seinen Bann zog und
sie zu fügsamen Gefolgsleuten formte, die wie Jünger an den Lippen ihres Meisters
hingen. Webers Charismabegriff besitzt eine heroistische Schlagseite,[25] weil für ihn
letztlich der politische Genius die Anerkennung seiner außergewöhnlichen Fähigkeiten durch die Gefolgschaft erzwingen kann.[26]

Eine gleichberechtigte Kommunikation zwischen »Führer« und »Gefolgschaft« findet bei Max Weber nicht statt, und genau an diesem Punkt muß man die
Verhaftetheit Max Webers im zeitgenössischen Geniekult überwinden und einen
modifizierten Charismabegriff einführen, der um die Frage kreist, warum eine Gesellschaft charismabedürftig ist. Diese Frage stellen heißt zugleich, die kulturell ge-
formten Erwartungen, die in bestimmten Situationen an eine charismatisch be-
gabte Person herangetragen werden, ins analytische Visier zu nehmen.[27] Auf diese
Weise wird Charisma zu einer Kategorie, die sehr viel stärker als bei Max Weber auf
eine dialogische Struktur der Beziehungen zwischen Charismatiker und Gefolgschaft ausgerichtet ist. Charisma ist demnach weniger die Bezeichnung für die
außergewöhnliche Qualität einer genialischen Persönlichkeit als eine Beziehungs-
größe.[28] In dieser Eigenschaft erscheint Charisma als ein Attributierungsverhält-
nis, das personal gestiftete Herrschaft nur insoweit zuläßt, wie der »Führer« sich
mit nach politischer Vergemeinschaftung drängenden soziokulturellen Grundannahmen in Einklang befindet.[29] In diesem Sinne kann Charisma auch als »inter-
aktiv hergestelltes Sozialprodukt«[30] gelten. Diese perspektivische Erweiterung darf
jedoch nicht dazu führen, die Proportionen zwischen »Führer« und Gefolgschaft
so zu verschieben, daß der Charismatiker zu einem bloßen Speichermedium kultureller Zuschreibungen degradiert wird. Soll der Begriff seine analytische Trenn-
schärfe nicht einbüßen, dann muß daran festgehalten werden, daß charismatische
Herrschaft personenzentriert ist und die vom Charismatiker mobilisierte Zustimmung stets einer Person gilt, die auf dieser Grundlage eine auf sie zugeschnittene
und nicht von ihr ablösbare Herrschaftsordnung etabliert.

Eine kultursoziologische Erweiterung des Charismakonzepts kann die Stabilität charismatischer Herrschaft sehr viel besser erklären als der Webersche Ansatz,
der darauf hinausläuft, daß der Charismatiker mit dem Feuer seiner Persönlichkeit

Begeisterung entfacht und seine Anhänger in den Zustand bedingungsloser Gläubigkeit und ekstatischer Verzückung versetzt. Eine solche »emotionale Vergemeinschaftung«[31] mag in kleinen Herrschaftsverbänden mit Beziehungen von Angesicht zu Angesicht über einen längeren Zeitraum hinweg gelingen, kann aber in Großgemeinschaften keinen dauerhaften Bestand haben. Politisch eher träge Massen können nicht ständig in einen kollektiven Rauschzustand versetzt werden, auch wenn der Charismatiker über außergewöhnliche massensuggestive Fähigkeiten verfügt.[32] In der Nation wird Vergemeinschaftung vor allem über ein Symbolangebot gestiftet,[33] in dem auch und gerade Personen einen herausragenden Platz einnehmen können, die integrative Deutungsmuster repräsentieren. Solch ein symbolisches Startkapital befähigt eine politisch ambitionierte Persönlichkeit zu einer viel tieferen Durchdringung einer gemeinschaftsfähigen Großgruppe als demagogisches Talent im Umgang mit Massen. Durch ihre symbolische Leistung tritt sie nämlich in eine intensive Austauschbeziehung mit den in der politischen Soziokultur eingelagerten Weltbildern ein. Eine derartig verdichtete kulturelle Kommunikation versetzt eine symbolisch erhöhte Persönlichkeit in die Lage, dauerhafte Herrschaftsansprüche anzumelden. Wird charismatische Herrschaft in diesem Sinne als symbolisch vermittelte Herrschaft aufgefaßt,[34] dann handelt es sich um keine flüchtige Erscheinung, die nach dem Abebben eines emotionalen Überschwanges wieder vergeht, sondern um eine Herrschaftsform, die auf einer dynamischen Wechselbeziehung zwischen kulturell fest verankerten »Leitideen« und einer diese verkörpernden Person basiert.

Dieser Gleichklang sichert charismatischer Herrschaft eine gewisse Konstanz und immunisiert sie gegen allzu abrupte politische Konjunkturen. Doch die feste Verbindung mit dem kulturellen Wurzelboden schränkt zugleich die Souveränität des Charismatikers ein. Denn der charismatische Herrscher ist bei der Festsetzung seiner politischen Agenda insofern an Vorgaben gebunden, als er nicht gegen diejenigen vergemeinschaftungsfähigen Großprojekte verstoßen darf, denen er in symbolischer Gestalt Ausdruck verliehen hat. Diese Kulturinhalte transzendieren die Person, in deren Gestalt sie für gewisse Zeit Vergegenwärtigung finden.[35] Nur als Repräsentant einer solchen Kulturmission, die ihr die Ausübung ihrer personenzentrierten Herrschaft unter Ignorierung legal-bürokratischer Verfahren ermöglicht,[36] kann eine außergewöhnliche Persönlichkeit dauerhaft solche politische Legitimation generieren.

Genau diese selbst auferlegte Einschränkung charismatischer Herrschaft ist es denn auch gewesen, die sich in Hindenburgs Reichspräsidentschaft derartig hemmend auf den politischen Aktionsradius des Reichspräsidenten Hindenburg auswirkte, daß Hitler der Hauptnutznießer wurde. Mit der Wahl zum Staatsoberhaupt der Weimarer Republik im Jahre 1925 und der Wiederwahl im Jahre 1932 hatte sich Hindenburg eine legale Amtsautorität erworben, die mit den charismatischen Wurzeln seiner Herrschaft in ein strukturelles Spannungsverhältnis geriet. Nach den Maßstäben legal-bürokratischer Herrschaft stand dem Reichspräsidenten in der Staatskrise 1932/33 eine Fülle von Möglichkeiten zur Verfügung, die in der Konsequenz auf eine intrakonstitutionelle Transformation in eine legal-autoritäre Präsidialherrschaft hinausliefen. Doch was von der Warte legaler Herrschaft als legitimes und zugleich politisch notwendiges Handeln erschien, um den Staat nicht dem Herrschaftsanspruch Hitlers auszuliefern, erschien aus der Perspektive charismatischer Herrschaft als Verstoß gegen jene Leitidee, deren Symbolisierung Hindenburg seinen politischen Aufstieg verdankte. Die Doppelstruktur seiner späteren Herrschaft als Reichspräsident und Charismatiker in Personalunion hat dazu geführt, daß Hindenburg heftige Kämpfe mit sich selbst austrug, welches von den beiden herrschaftsfundierenden Prinzipien den politischen Ausschlag geben sollte. Mit der Ernennung Hitlers zum Reichskanzler und designierten Erben des Hindenburgschen Charismas hat sich Hindenburg am 30. Januar 1933 für die charismatischen Ursprünge seiner Herrschaft und gegen die Ausschöpfung der Möglichkeiten des Reichspräsidentenamtes entschieden.

Dieser Ausblick auf den weiteren Gang der Argumentation rückt die Frage ins Zentrum, welcher Leitidee sich Hindenburg so sehr verbunden fühlte, daß er dafür Hitler und den Nationalsozialisten den Staatsapparat auslieferte. Die vorangegangenen Ausführungen haben gezeigt, wie sehr Hindenburg sich als politisches Sprachrohr des Dranges nach nationaler Einheit verstand und wie er dabei die Integrationssehnsucht einer soziokulturell fragmentierten Gesellschaft auffing. Die Nation als kulturelle Vergemeinschaftung war in Deutschland symbolisch nicht zuletzt deswegen lange unbehaust geblieben, weil sie erst 1871 eine feste staatliche Anbindung erfuhr und damit die staatlichen Institutionen nicht in dem Maße symbolisch aufladbar wurden wie in Frankreich oder in den USA. Die deutsche Nation mit ihrer Indifferenz gegenüber der konkreten staatlichen Ordnung war daher mehr als empfänglich für die symbolische Eroberung durch Personen, die sich in Existenzkrisen als nationale Retter zu bewähren schienen.[37] Daß dieses ungebundene nationale Einheitsbedürfnis auf Hindenburg projiziert wurde und diesem damit eine einzigartige Legitimationsbasis personal gestützter Herrschaft verschaffte, zeugt zugleich davon, welchen politischen Mobilisierungsgrad die Nation zu erzeugen vermochte.

Insgesamt erweist sich ein erweiterter und aller genialischen Züge entkleideter

Charismabegriff als geeignet, um das Spezifische an der Herrschaft Hindenburgs begrifflich einzufangen. Hier und da ist Hindenburg auch schon von der bisherigen Forschung als Charismatiker eingeschätzt worden, ohne daß dieser Zugang allerdings systematisiert worden wäre.[38] Hindenburg Charisma zuzubilligen, bedeutet nicht, diesen Begriff der Gefahr der Verflachung auszusetzen. Fraglos birgt ein inflationär anmutender Umgang mit dem Charismakonzept das Risiko, diesen Terminus so abzunutzen, daß er nicht mehr als scharfes Analyseinstrument taugt.[39] Löst man sich jedoch von der Vorstellung, im Charismatiker eine Person zu erblicken, die willenlose Massen in bedingungslose Gläubigkeit und ekstatische Verzückung treibt, dann macht man den Weg frei für ein Verständnis von charismatischer Herrschaft als symbolisch vermittelter Herrschaft. Dann sind Charismatiker und Großgemeinschaft wie durch eine Nabelschnur verbunden, welche der charismatischen Herrschaft jene Leitideen zuführt, aus deren Übernahme sie den Kern ihrer Legitimität schöpft. Eine solche Charismakonzeption ist schon mit beträchtlichem heuristischem Gewinn getestet worden,[40] der sich auch und gerade bei Hindenburg einstellt.

Ausschnitt aus einen Regierungsflugblatt von 1916

KAPITEL 11

Hoheit in Personalentscheidungen

Die öffentliche Verehrung Hindenburgs strebte im Jahr 1917 ihrem Höhepunkt entgegen, was man daran ablesen kann, daß der Feldmarschall zunehmend auf eine Stufe mit Otto von Bismarck gestellt wurde. »Das Volk nennt ihn nicht mit Unrecht, sondern mit sehr feinem Instinkt über seinen rein militärischen Wert hinaus den »zweiten Bismarck«.[1] Keinem lebenden Deutschen war je das Kompliment zuteil geworden, als bismarckgleich apostrophiert zu werden; in dessen gewaltige Fußspuren zu treten war nur einer Persönlichkeit gestattet, der man ebenfalls überragende staatsmännische Begabung attestierte. Die Ineinssetzung mit Bismarck bedeutete die Krönung für eine Person, die im Unterschied zum bewunderten Lenker des Reiches und Preußens aus dem politischen Nichts urplötzlich aufgetaucht war und der im Handumdrehen die Herzen der Deutschen zugeflogen waren. Hindenburg brauchte gar keine auch nur annähernd vergleichbare politische Leistungsbilanz wie der große Bismarck vorzuweisen, weil ihn seine symbolische Monopolstellung als Garant des »Geistes von 1914« in eine bismarckgleiche Position beförderte. Bismarck hatte die politischen Voraussetzungen dafür geschaffen, mit militärischen Mitteln die Einigung des Reiches zu vollbringen; und Hindenburg schien Vergleichbares zu leisten, indem er die kostbare innere Einheit aufrechterhielt, die in einem alle Dimensionen sprengenden Weltkrieg das unentbehrliche Unterpfand für einen noch für möglich gehaltenen militärischen Sieg war. Im Dezember 1916 erschien ein Flugblatt der Regierung, das diesen Sachverhalt ins Bild setzte: Hindenburg und Bismarck wurden für den Siegeswillen des deutschen Volkes in Anspruch genommen – Hindenburg bezeichnenderweise mit seinem Ausspruch »Erhaltet den Geist von 1914«.[2]

Die Wertschätzung Hindenburgs gipfelte in den Feiern zu dessen siebzigstem Geburtstag am 2. Oktober 1917. Die Öffentlichkeit überschlug sich förmlich in ihrer Verehrung, die bei weitem nicht allein dem Feldherrn, sondern mindestens ebensosehr der Verkörperung der nationalen Einheit galt. Hinter die Symbolfigur Hindenburg vermochte sich nahezu das ganze deutsche Volk ungeachtet seiner sozialen, konfessionellen und regionalen Zugehörigkeit zu scharen, was das katholische Zentralorgan »Germania« folgendermaßen ausdrückte: »Denn wenn wir in einem alle, ohne Unterschied der Person, der politischen Überzeugung, der Auffassung von Krieg und Frieden und was sonst uns auch trennen mag, einig sind, dann ist es die hohe Verehrung, mit der jeder Deutsche zu ›unserem Hindenburg‹ emporschaut.«[3] Damit übertraf Hindenburg sogar Bismarck, der zumindest in seiner aktiven Zeit als Politiker eine nicht unbeträchtliche Schar ernstzunehmender Widersacher vorzuweisen hatte.[4] Hindenburg hingegen besaß keine Feinde, jedenfalls keine, die sich öffentlich zu einer solchen Gegnerschaft bekannt hätten. Von welcher Person der deutschen Geschichte läßt sich zu Lebzeiten dergleichen sagen?

Am 2. Oktober 1917 konnte Hindenburg die Ernte einer mehr als dreijährigen öffentlichen Wertschätzung einfahren, die im Laufe der Zeit immer mehr gewachsen war und nicht zuletzt durch seine tatkräftige Mithilfe den öffentlichen Raum visuell in Besitz genommen hatte. »In allen Hütten und Palästen des weiten deutschen Vaterlandes hängt das Bild des heute Gefeierten. Selbst in den dunklen Unterständen und Gräben unserer Fronttruppen finden sich als Ausschmückungen der von Feuchtigkeit triefenden Wände schmucklose Bilder – oft aus illustrierten Zeitschriften ausgeschnitten –, die die jetzt dem ganzen Volke wohlvertrauten Züge wiedergeben, und unter manchen dieser kunstlosen Abbildungen stehen gekritzelte Worte, die sich ausnehmen wie ein entschlossenes Gelöbnis hart und ernst gewordener Gemüter.«[5] Ganz Deutschland wurde in Hindenburgfeiern getaucht, in denen – ob in den preußischen Kernlanden oder im fernen Süden – Hindenburg eine nicht gekünstelte, sondern echte Hommage dargebracht wurde. Die bayerische Landeshauptstadt zeichnete sich hierbei durch eine besonders eindrucksvolle Hindenburgfeier aus: Auf dem Münchner Königsplatz versammelten sich am milden Abend des 2. Oktober 1917 annähernd hunderttausend Menschen, um einer künstlerisch gestalteten Feier zu Ehren des Geburtstagskindes beizuwohnen, in der Hindenburg als Gesamtbesitz der deutschen Nation gewürdigt wurde.[6]

Hindenburgs Geburtstag wurde im ganzen Reich wie ein Nationalfeiertag begangen: Die Schulkinder erhielten schulfrei, die öffentlichen Gebäude wurden beflaggt, und auch zahlreiche Privatwohnungen zierte der Fahnenschmuck.[7] Der Feldmarschall hatte den Gipfel der öffentlichen Anerkennung erklommen, und der Kaiser war zu einem Schattendasein verurteilt. Eine gewisse Reserve war allerdings bei jenen Zirkeln der organisierten sozialistischen Industriearbeiterschaft zu verspüren, die der Fortführung eines nicht zu gewinnenden Krieges überdrüssig waren und deswegen die sich seit 1917 häufenden Appelle Hindenburgs an die vaterländische Pflichterfüllung der Industriearbeiterschaft und seine öffentlich

kundgetane Siegeszuversicht als disziplinierende und kriegsverlängernde Äußerungen einstuften. Die vermehrte Inanspruchnahme Hindenburgs durch die
Rechtsparteien sowie die begriffliche Markierung eines sieghaften Kriegsendes als
»Hindenburg-Frieden« konnte als bewußte Absage an das von der Sozialdemokratie verfochtene Ziel eines Verständigungsfriedens aufgefaßt werden, das in der Öffentlichkeit mit dem Namen ihres Parteiführers Scheidemann verknüpft war.[8]
Deswegen zielte die Würdigung Hindenburgs durch die Sozialdemokratie im Par-
teiorgan »Vorwärts« bewußt darauf ab, Hindenburg gegen die Vereinnahmung
durch die Annexionisten zu schützen und seine Popularität als Beleg für den
Verteidigungscharakter des Krieges auszugeben, wozu aber einige argumentative
Verrenkungen nötig waren.[9]

Hindenburg hatte es zwar abgelehnt, der im September 1917 gegründeten par-
teimäßigen Sammlungsbewegung der Verfechter eines rücksichtslosen Siegfriedens seinen Namen zu leihen, weswegen diese Speerspitze des Annexionismus notgedrungen auf die Bezeichnung »Vaterlandspartei« ausweichen mußte.[10] Aber er
ließ sich nicht nur auf einen wohlwollenden Telegrammwechsel mit Gliederungen
der »Vaterlandspartei« ein,[11] zu deren Gründungsmitgliedern auch sein enger Bekannter, Hannovers Stadtdirektor Heinrich Tramm,[12] zählte; er bedachte auch
deren Ehrenvorsitzenden, den Herzog Johann Albrecht zu Mecklenburg, mit einer
ausführlichen Adresse, in der er den Tenor des Gründungsaufrufs der »Vaterlandspartei« vom 2. September 1917 ausdrücklich guthieß. Die Sammlungsbewegung
hatte sich in diesem Aufruf zu einem »Hindenburg-Frieden« bekannt und darüber
hinaus die Bewahrung innerer Einheit in der Zeit äußerer Gefährdung auf ihre
Fahnen geschrieben.[13] Hindenburg nutzte sein Schreiben an Herzog Johann Albrecht dazu, den »Geist von 1914« in Erinnerung zu rufen und dem aus dem
Augusterlebnis hervorgegangenen Burgfrieden zu beschwören: »Wohlan, schließen wir von neuem Burgfrieden! … Einig im Innern sind wir unbesieglich.«[14]

Hindenburg bewegte sich damit wieder einmal in der politischen Rolle, in der
er sich heimisch fühlte: als Mahner und Bürge innerer Einheit angesichts der fragmentierten deutschen Gesellschaft. Das blieb bis zu seinem Ende das Leitmotiv seines politischen Handelns. Gewiß erzielten seine Appelle noch immer eine enorme
Breitenwirkung, doch sie erreichten im Herbst 1917 immer weniger jenen Teil der
deutschen Gesellschaft, welcher des Krieges nach mehr als drei Jahren längst überdrüssig war und ohne Vorbedingungen auf einen raschen Friedensschluß drängte.
Die Kriegsfrage hatte sich selbst innerhalb der so sehr auf Parteidisziplin bedachten Sozialdemokratischen Partei als Spaltpilz erwiesen und dazu geführt, daß
die nicht nur mit der radikalmarxistischen Parteilinken identischen Anhänger

einer möglichst raschen Kriegsbeendigung die SPD verließen und im April 1917 mit
der Unabhängigen Sozialdemokratischen Partei Deutschlands (USPD) eine Kon-
kurrenzorganisation zur SPD gründeten, die innerhalb der sozialistischen Arbeiterbewegung regen Zulauf verzeichnete. Durch die beiden erfolgreichen Revo-
lutionen in Rußland im Jahr 1917 erhielt zudem die Attraktivität des russischen
Modells einer Räteherrschaft großen Auftrieb bei diesem sich weiter radikalisie-
renden Teil der Industriearbeiterschaft. Daß es der Sozialdemokratischen Partei
und den mit dieser eng verbundenen Freien Gewerkschaften nur noch mühsam
gelang, die Industriearbeiterschaft zu disziplinieren, machten Ende Januar 1918
flächendeckende Streiks deutlich, von denen vor allem rüstungswichtige Betriebe
betroffen waren. Der verbliebene größere Teil der alten SPD, der sich zur Unterscheidung fortan MSPD (Mehrheitssozialdemokratische Partei Deutschlands)
nannte, hielt hingegen um so entschiedener an seinem Kurs fest, durch Kooperation mit Reichsleitung und Oberster Heeresleitung die inneren Voraussetzungen
für einen erfolgreichen Kriegsausgang zu schaffen und dabei die Weichen in Richtung innenpolitischer Reformen zu stellen, die das Deutsche Reich in eine parlamentarische Monarchie sozialer Prägung umwandeln sollten.[15] Trotz der Resonanz, welche die Idee einer Volksgemeinschaft auch bei den Parteiführern der
MSPD fand, waren die Risse in der im August 1914 scheinbar festgefügten Einheitsfront so unübersehbar geworden, daß die »Vossische Zeitung« zu der Feststellung
gelangte: »Burgfrieden und nationale Einheit sind längst Schall und Rauch.«[16]

Indem Hindenburg die zunehmende Friedenssehnsucht in der sozialistischen
Industriearbeiterschaft ignorierte und sich immer mehr auf Durchhalteappelle
verlegte, trug er zwar zur Hebung der Kriegsmoral in den bewußt vaterländisch
eingestellten Zirkeln bei. Doch fielen Appelle wie: »Die Zähne zusammengebissen!
Kein Wort mehr vom Frieden, bis die blutige Arbeit vollendet und der Sieg unser ist«[17] beim kriegsmüden Teil der Bevölkerung auf wenig fruchtbaren Boden.
Allerdings konnten durchschlagende militärische Erfolge neue Siegeshoffnungen
auch in der Industriearbeiterschaft entfachen, so daß Hindenburgs Autorität selbst
dort nicht wirklich erschüttert war.

Die eigentliche Geburtstagsfeier beging Hindenburg im Großen Hauptquartier, das im Februar 1917 von Pleß nach Bad Kreuznach verlegt worden war. Hier
fand in Anwesenheit des Kaisers der gewissermaßen private Teil der Festivität statt.
Die in Bad Kreuznach gehaltenen Reden spiegelten die eigentümliche Situation
wider, in der sich der Jubilar befand. Aus der operativen Planung der Feldzüge
hatte er sich auch und gerade als Chef des Generalstabs des Feldheeres weitgehend
zurückgezogen und hier dem unentbehrlichen Ludendorff Generalvollmacht er-

teilt. Dennoch fiel der Feldherrnruhm fast ausschließlich auf ihn zurück, und Hindenburg sorgte bei jeder sich bietenden Gelegenheit dafür, daß sich diese Lesart der Öffentlichkeit einprägte. Er profitierte davon, daß vaterländisch gesinnte Schriftsteller ihm vor Drucklegung ihre Werke zur Autorisierung zusandten; Hindenburg hat solche Schriften sorgfältig studiert und gegebenenfalls auch handschriftliche Korrekturen angebracht, insbesondere wenn das Verhältnis zu Ludendorff berührt wurde.[18] Der Feldmarschall war jedoch so generös, bei seiner Geburtstagsfeier im allerengsten Zirkel einzuräumen, daß auch Ludendorff ein gewisser Anteil an den Siegen zustehe.[19] Für Eingeweihte war dies ohnehin kein Geheimnis, und zu diesen zählte spätestens seit dem 28. August 1917 auch der Kaiser, der anläßlich des dritten Jahrestages von Tannenberg in Bad Kreuznach von Ludendorff über den wahren Verlauf der Schlacht aufgeklärt wurde, die als der reinste Ausdruck des Hindenburgschen Feldherrngenies galt.[20] Dennoch konnte Wilhelm II. nicht umhin, bei der Rede an der Mittagstafel Hindenburg als »Nationalheros des deutschen Volkes« zu rühmen,[21] womit er zum Ausdruck brachte, wie sehr Hindenburg sich von der militärischen Funktion gelöst hatte und wie sehr der Mythos ihn gegen jede öffentliche Schmähung immunisierte. Deswegen kostete es Hindenburg kaum Überwindung, im engsten Kreis ein zumindest verstecktes Bekenntnis zur Superiorität Ludendorffs in den rein militärischen Dingen abzulegen.

Hindenburg hatte längst jeden militärischen Ehrgeiz eingebüßt und seine politische Rolle derartig liebgewonnen, daß er seine Energie fast ausschließlich auf dem weiten Feld der Politik einsetzte. Wie ein richtiger Politiker studierte er täglich sieben bis acht Zeitungen hauptsächlich nationalliberaler und konservativer Richtung und schnitt eigenhändig ihn besonders interessierende Artikel heraus, die als Materialsammlung dienten.[22] Hatte er sich zumindest bis 1915 auch noch als Feldherr verstanden, der ein bestimmtes strategisches Credo – die Schlieffensche Idee der Vernichtungsschlacht – fast bis zum Überdruß strapazierte, hielt er sich aus der strategischen Planung der Operationen selbst im Herbst 1917 zurück, als im Osten Bewegung in die eingefahrene Front kam. Hindenburg überließ die operative Kriegführung fast ganz und gar Ludendorff, der sich hier nach Herzenslust betätigen und unter teilweiser Umgehung der Kommandierenden Generale in bis dahin nicht gekannter Weise die Kommandogewalt bei sich und seinem Stab konzentrierte.[23] Hindenburgs Anteil an den in seinem Namen ergangenen Anweisungen beschränkte sich im wesentlichen auf deren Prüfung auf richtige Orthographie und Interpunktion. In altpreußischer Korrektheit, auf die es ihm in Fragen der Kleiderordnung ebenso ankam wie beim Umgang mit der deutschen Sprache, hat er gelegentlich die Entwürfe Ludendorffs sprachlich geglättet und hier und da

um ein Komma bereichert.[24] Im kleinen Kreis räumte Hindenburg diese Aufgabenverteilung auch offen ein: »Sehen Sie, ich gebe den Namen und Ludendorff
macht es.«[25]

Der Tagesablauf Hindenburgs im Großen Hauptquartier in Bad Kreuznach
unterschied sich nicht wesentlich von dem bereits geschilderten im Oberkommando Ost. Hindenburgs Tagesrhythmus war nach wie vor von einem bemerkenswerten Gleichklang geprägt, wobei das genuin Militärische allerdings nur wenig
Zeit in Anspruch nahm. Dem Jagdvergnügen konnte er hier nicht nachgehen wie
in OberOst oder im oberschlesischen Pleß, wo er sein insgesamt 105. Wildschwein
zur Strecke gebracht hatte.[26] Ausgedehnte Jagdausflüge wie im Osten hätte man
ihm im westlichen Hauptquartier nicht hoch angerechnet, doch letztlich war der
Verzicht eine Konsequenz aus der Verlegung des Großen Hauptquartiers in die
Nähe des kriegsentscheidenden westlichen Kriegsschauplatzes. Dort konnte Hindenburg sich jägerisch kaum entfalten, weil er dort kein außergewöhnliches Wild
vor seine Büchse bekam.[27]

Dennoch war Hindenburg im Großen Hauptquartier selten anzutreffen, weil
er Autofahrten zu einzelnen Einheiten unternahm. Ähnlich wie der Kaiser drang er
dabei kaum einmal bis zur richtigen Front vor, sondern begnügte sich damit, in der
Etappe Station zu machen und alten Bekannten einen Besuch abzustatten. Offiziell
dienten solche Besuche Besprechungen – doch im Regelfall dürften sie sich so ab-
gespielt haben, wie jener im Mai 1917, von dem der Oberkommandierende der
3. Armee, Generaloberst von Einem, seiner Frau brieflich ausführliche Mitteilung
machte. Operative Fragen im engeren Sinne berührte das Gespräch zwischen
Einem und Hindenburg überhaupt nicht; Hindenburg tat vielmehr seine politische Einschätzung der Lage im Innern kund, erzählte über seine plötzliche Berufung zum Oberkommandierenden der 8. Armee im August 1914 und berichtete
voller Freude über sein Jagdglück im Osten. Hier kam kein Feldherr zur Inspek-
tion, sondern hier tauchte ein »guter dicker Onkel vom Lande«[28] auf, der das Plaudern mit einem alten militärischen Weggefährten genoß. »Der Mann ist absolut
Mensch, behaglich, freundlich, gütig, unendlich gemütlich und gemütvoll.«[29] Bei
seinen Visiten bedachte Hindenburg natürlich auch jenes Regiment in besonderer
Weise, aus dem er selbst hervorgegangen war: das 3. Garderegiment zu Fuß.[30]

Im Vergleich zu Lötzen und Kowno wies der Standort Bad Kreuznach für den
Nimrod Hindenburg zwar erhebliche Nachteile auf, aber für den Familienmen-
schen Hindenburg waren die Vorteile nicht zu übersehen. Der klimatisch begünstigte Kurort am Zusammenfluß von Nahe und Rhein war landschaftlich so reizvoll gelegen, daß die Großfamilie Hindenburg sich entschloß, den überwiegenden

Teil des Sommers und Herbstes 1917 ganz in der Nähe des Familienoberhauptes zu verbringen. Nicht nur Hindenburgs Gattin Gertrud, sondern auch seine beiden Töchter Irmengard und Annemarie mitsamt ihrem Nachwuchs hielten sich bis weit in den Oktober hinein im Einzugsbereich von Bad Kreuznach auf, und zwar in der »Gräfenbacher Hütte«, einem im idyllischen Soonwald gelegenen Jagdhaus, das ein rheinischer Fabrikant der Familie für diese Zeit überlassen hatte. Von hier aus fuhr man mit dem Auto nicht allzulange nach Bad Kreuznach, so daß Hindenburg bei seinen täglichen Ausflügen seine nahezu komplett versammelte Großfamilie besuchen konnte.[31] Gertrud von Hindenburg blieb sogar bis Februar 1918 in diesem Landhäuschen, wo er sie fast täglich sah.[32] In Zeiten der Trennung korrespondierte Hindenburg jeden Tag mit seiner Frau, wobei seine Briefe in einem eigenen Postbeutel schnellstmöglich nach Hannover geschickt wurden.[33]

Fast ein Jahr lang – von Februar 1917 bis Januar 1918 – hatte sich der Chef des Generalstabs des Feldheeres um militärische Angelegenheiten praktisch kaum zu kümmern, weil ihm das eingespielte Team der Operationsabteilung der Obersten Heeresleitung unter Führung des rastlosen Ludendorff diese Arbeit fast vollkommen abnahm. Damit blieb genügend Zeit für seine immer aktivere Einschaltung in die politische Entscheidungsfindung, aber es fiel ebenfalls ausreichend Zeit für die Wahrnehmung seiner Repräsentationspflichten ab. Die 3. Oberste Heeresleitung konnte sich vor Besuchern kaum retten: Fürsten, Parlamentarier, Wirtschaftsführer, Gelehrte und Künstler machten ihre Aufwartung. Hindenburg ließ es sich nicht nehmen, seine Gastgeberrolle mit Bravour zu spielen und jeden Besucher zumindest einmal an seinen Tisch zu bitten.[34]

In Kreuznach gab es die vom Oberkommando Ost bekannte Tafelrunde mit festem Teilnehmerkreis, der Hindenburg Abend für Abend präsidierte, nicht. Denn in Kreuznach gehörten bis auf Hindenburgs Leibarzt nur Berufsmilitärs zur Entourage des Generalfeldmarschalls, und diese mußten im Unterschied zu Hindenburg nach der Einnahme der Abendmahlzeit an den Kartentisch und das Telefon zurückeilen, um die nur unterbrochene Tätigkeit bis spät in die Nacht fortzusetzen. Da Hindenburg den engeren Stab der Operationsabteilung nicht von der Arbeit abhalten wollte, fand die in OberOst gewohnte abendliche Unterhaltung nur dann statt, wenn er Gäste zur Abendtafel geladen hatte, mit denen sich auch nach Abzug der Operationsabteilung noch trefflich plaudern ließ. Einen durchaus repräsentativen Verlauf eines solchen Abends vertraute der katholische Feldgeistliche im Allerhöchsten Hauptquartier, Ludwig Berg, am 11. Mai 1917 seinem Tagebuch an. Der Teilnehmerkreis für die Abendmahlzeit war an diesem Tag um drei nicht zur Operationsabteilung gehörende Herren vergrößert worden, von denen Berg

einer war. Nach Einnahme des Essens, angeregter Unterhaltung und militärge-
schichtlicher Fachsimpelei erhob sich Ludendorff um 21.30 Uhr mit den Worten:
»Es wird wohl allmählich Zeit zu arbeiten.« Hindenburg wollte wenigstens den
Anschein seiner Involviertheit in die Ludendorffschen Angelegenheiten erwecken
und stellte die rhetorische Frage:»Ist etwas Besonderes eingetreten?« Auf die erwartete Verneinung seines »treuen Beraters« folgte die erleichterte Feststellung:
»Nun, dann kann ich ja noch etwas hierbleiben.« Mit den drei Gästen verbrachte er
dann einen unterhaltsamen Abend, bis er sich zur Nachtruhe begab. [35]

Hindenburg nutzte praktisch jede sich bietende Gelegenheit, sich als Men-
schenfischer zu betätigen. Seine angeborene Fähigkeit, auf einer persönlichen
Ebene mit den unterschiedlichsten Menschen zu verkehren und ohne Scheu auf
Unbekannte zuzugehen, stellte er auch in Bad Kreuznach unter Beweis. Standesgrenzen kannte er nicht und schon gar keinen Standesdünkel; seine Volkstümlich-
keit war nicht gespielt, sondern es war ihm ein inneres Bedürfnis, sich beispielsweise mit den jungen Mädchen zu unterhalten, die seine Wohnung mit frischen
Blumen geschmückt oder ihn bei einer Autofahrt mit Blumensträußen bedacht
hatten. Sie wurden kurzerhand für einen der nächsten Tage zum Nachmittagskaffee in seine Kreuznacher Unterkunft eingeladen, erschienen natürlich im Festtags-
gewand und legten ihre anfängliche Scheu vor dem großen Mann schnell ab, wenn
er sich ihnen im Plauderton zuwandte und sich ganz von seiner großväterlichen
Seite zeigte.[36]

Für einen Siebzigjährigen erfreute sich Hindenburg bester Gesundheit. Eine
im Jahr 1916 zunehmende Neigung zu Luftröhrenkatarrh hatte dazu geführt, daß
dem Generalfeldmarschall von Januar 1917 an ein Leibarzt zur Seite gestellt wurde,
der bis zur Auflösung der Obersten Heeresleitung im Juli 1919 täglich um ihn
herum war. Anlaß zur Sorge bot der prominente Patient dem Oberstabsarzt Professor Münter jedoch nicht. Ernstlich krank ist Hindenburg in dieser Zeit nicht gewesen, und auch bis in den März 1934 hinein blieb er von solchen Heimsuchun-
gen verschont. Zeitweise auftretende rheumatische Beschwerden konnten in den
Kreuznacher Bädern gemildert werden. Hindenburgs Schlafbedürfnis war nach
wie vor groß; der regelmäßige Mittagsschlaf gehörte auch in Kreuznach zur festen
Gestaltung des Tagesablaufs und war so tief, daß Hindenburg gegen 15.30 Uhr zum
Nachmittagskaffee geweckt werden mußte. Die Mahlzeiten nahm er wie gewohnt
so pünktlich ein, daß man danach die Uhr stellen konnte. Er mäßigte sich beim Essen und hielt sich beim Genuß von Nikotin und Alkohol zurück. Jeweils eine Ziga-
rette nach Mittag- und Abendessen gönnte er sich; Zigarrenraucher war er nicht,
obgleich seine Statur und sein Gehabe dies vermuten lassen. Etwas mehr sprach er

Wein und Sekt zu, die er seit seiner Dienstzeit in Koblenz zu regelmäßigen Begleitern seiner Mahlzeiten erkoren hatte.[37]

Hindenburg erweckte in seiner unaufgeregten Art den Eindruck, als könne ihn
nichts aus seinem gemächlichen Tagesablauf herausreißen und ihn zu energischem
Auftreten bewegen. Aber wenn es um Kernfragen der inneren und äußeren Politik
ging, brodelte ein Vulkan in ihm, und dann zeigte er sich von seiner erbarmungs-
losen Seite. Von November 1917 bis Juni 1918 brachte er drei Politiker zur Strecke,
die aus seiner Sicht das Reich ins Verderben steuerten: zunächst den Vizekanzler
Karl Helfferich, dann den Chef des kaiserlichen Zivilkabinetts, Rudolf von Valentini, und zuletzt den Staatssekretär des Auswärtigen, Richard von Kühlmann.

Im Sommer und Herbst 1917 war Hindenburg felsenfest davon überzeugt, daß
das Deutsche Reich und seine Verbündeten den Krieg militärisch zu ihren Gunsten
entscheiden könnten. Und in der Tat verzeichneten die Mittelmächte erstmals seit
der Eroberung Rumäniens wieder nennenswerte militärische Erfolge. Im Osten
wurde nach fast zwei Jahren die Front erstmals zugunsten des Reiches verschoben:
Im August 1917 gingen die deutschen Verbände im Baltikum zur Offensive über
und eroberten Riga, wenig später die Inseln Ösel und Moon in der Rigaer Bucht.
Immer deutlicher zeichnete sich die nachlassende Widerstandskraft des im Innern
geschwächten nachzarischen Rußland ab, so daß durchaus nicht unberechtigte
Hoffnungen bestanden, Rußland mit militärischen Mitteln zu bezwingen. Auch an
der Alpenfront wurde der Stellungskrieg beendet, als dorthin entsandte deutsche
Verbände mit Unterstützung von k.u.k. Truppen am 24. Oktober 1917 in den Karni-
schen Alpen eine großangelegte Offensive starteten, die italienischen Linien durch-
brachen und bis nordöstlich von Venedig vorstießen, ehe sie Mitte November 1917
am Fluß Piave haltmachen mußten. Umgekehrt liefen die Versuche der Briten, die
deutsche Front an der flandrischen Küste zu durchstoßen, ins Leere. Die von Ende
Juli bis November 1917 mit einem gewaltigen Aufwand an Menschen und Material
unternommenen Anstrengungen, die flandrische Küste und damit die wichtigen
Häfen Ostende und Zeebrügge in ihre Hand zu bekommen, schlugen fehl; auch die
dritte Materialschlacht nach Verdun und Somme hatte ungeheure Menschenopfer
auf beiden Seiten gekostet.[38] Es war daher keine gespielte oder aufgesetzte Siegeszuversicht, als Hindenburg Reichskanzler Michaelis meldete: »Ein Blick auf alle
Fronten ergibt, daß wir militärisch am Beginn des vierten Kriegsjahres so günstig
stehen wie nie zuvor.«[39]

Seine Aufgabe erblickte er nun in erster Linie darin zu verhindern, daß eine angeblich unfähige und hasenfüßige Politik den nahezu sicheren militärischen Sieg
diplomatisch verspielte. Bei Ludendorff wußte er die Kriegführung in guten Hän-

den. Auch dieser glaubte den Sieg schon halb errungen, da der Sieg im Osten zum Greifen nahe schien und die deutsche Westfront gehalten hatte.[40] Hindenburg fiel in dieser Situation der Part zu, die politischen Weichen so zu stellen, daß die Politik der Obersten Heeresleitung nicht in den Rücken fiel. Die ihm dafür zu Gebote stehenden Mittel waren primär personalpolitischer Natur: Es mußten Männer in die entsprechenden politischen Ämter gelangen, die sich für einen Siegfrieden nach dem Geschmack Hindenburgs einzusetzen bereit waren und eine Konfrontation mit der Mehrheit der Reichstagsparteien nicht scheuten, die ja durch ihre Friedensresolution vom Juli 1917 einen aus Hindenburgs Sicht schmählichen Verzichtsfrieden in Kalkül gezogen hatten.

Es kam für Hindenburg mithin darauf an, eine tatkräftige Reichsleitung zu installieren, die der Friedensresolution des Reichstages höchstens verbale Reverenz erwies, sich aber ansonsten keine friedenspolitischen Fesseln anlegen ließ. Der neue Reichskanzler Michaelis lag in der Kriegszielfrage inhaltlich ganz auf der Linie der Obersten Heeresleitung, der es gelungen war, anläßlich einer Kronratssitzung in Berlin am 11. September 1917 Einvernehmen zwischen Reichsleitung, Oberster Heeresleitung und Kaiser in punkto Belgien zu erzielen. Hindenburg und Ludendorff hatten auf dieser Sitzung zwar hochfliegenden Plänen nach Annexion der flandrischen Küste, mit denen Hindenburg selbst eine Zeitlang sympathisiert hatte, eine Absage erteilt, aber mit ihrer Forderung nach dem Erwerb der Festungsstadt Lüttich und einer engen wirtschaftlichen Anbindung Belgiens an das Deutsche Reich hatten sie künftigen Friedensverhandlungen immer noch ihren Stempel aufdrücken können.[41] Michaelis' Vorzug bestand überdies darin, daß er ein überaus pflegeleichter und handzahmer Kanzler war: Die Oberste Heeresleitung hatte ihm eigens einen Adjutanten, Oberst von Winterfeldt,[42] an die Seite gestellt, über den sie die Kommunikation mit dem Reichskanzler auf direktem und diskretem Wege abwickelte. Michaelis fehlte als preußischer Beamter jeglicher Ehrgeiz, politisch auf eigenen Füßen zu stehen, vielmehr betrachtete er sich als »erste Staffel des Hauptquartiers«.[43]

Zwar hätte sich Hindenburg kaum einen fügsameren Kanzler wünschen können als Michaelis. Aber genau dieser sonst begrüßte Mangel an Eigenständigkeit und Initiativkraft machte es Michaelis unmöglich, den Reichstag mit seinem seit der Friedensresolution immer lauter werdenden Gestaltungsanspruch in die Schranken zu weisen. Der neue Reichskanzler hatte binnen weniger Wochen bei der Reichstagsmehrheit jeglichen politischen Kredit verspielt.[44] Aus Hindenburgs Sicht bestand damit die Gefahr, daß die Mehrheitsparteien aus lauter Opposition zu Michaelis die Kriegszielpolitik der Regierung torpedierten. Daher sympathisierten Hindenburg und Ludendorff mit einem Personalwechsel an der Spitze der Reichsleitung, sofern der neue Mann die Gewähr bot, in sachlicher Hinsicht wie Michaelis die politischen Grundvorstellungen der Obersten Heeresleitung zu exekutieren, aber in kosmetischer Hinsicht die Reichstagsparteien zu beruhigen. Darüber hinaus bestand sogar die nicht unberechtigte Hoffnung, die im Juli 1917 manifest gewordene Reichstagsmehrheit für einen Verständigungsfrieden zu sprengen, wenn es gelang, innerhalb der Zentrumsfraktion Erzberger kaltzustellen und die Zentrumspartei an die Reichsleitung heranzuführen. Denn nach Einschätzung Hindenburgs hatte das Vorpreschen Erzbergers bei der Friedensresolution das Zentrum in eine schwere innerparteiliche Zerreißprobe getrieben,[45] so daß mit Rückendeckung des wenig reformfreundlich gesinnten preußischen Episkopats eine politische Rückwärtsbewegung der Zentrumsfraktion nicht auszuschließen war.[46] Ohne das Zentrum waren Linksliberale und Sozialdemokraten in der Friedensfrage im Reichstag aber handlungsunfähig.

Der Nachfolger von Michaelis mußte also katholisch sein, um das Zentrum auf seine Seite ziehen zu können; und wenn er darüber hinaus als Politiker des katholischen Süddeutschland auftreten konnte, waren ihm viele Sympathien der katholisch-süddeutschen Föderalisten im Zentrum gewiß. Inhaltlich mußte er allerdings den innerparteilichen Widerpart zum Demokraten Erzberger verkörpern, also jeder weiteren Parlamentarisierung des Reiches abhold und Anhänger eines Siegfriedens sein. Ein Anwärter auf die Reichskanzlerschaft erfüllte dieses Anforderungsprofil: der bayerische Ministerpräsident Georg Graf Hertling, ein gebürtiger Rheinländer und naturalisierter Bayer. Zwar hatte Hertling in der Frage der Zwangsdeportationen der belgischen Arbeiter gegen die Oberste Heeresleitung Position bezogen. Aber er erschien insgesamt als der geeignetste unter allen in Frage kommenden Nachfolgern des unhaltbar gewordenen Michaelis. Denn Hertling schien die Gewähr dafür zu bieten, »daß er wenigstens das Zentrum hinter sich hat und damit die jetzige Mehrheit sprengt«.[47]

Hertling machte kein Hehl daraus, daß er sich als Gegner der Sozialdemokratie empfand und sich wie sein Vorgänger das Kriegszielprogramm der Obersten Heeresleitung in bezug auf Belgien zu eigen machte.[48] Er wollte jeder weiteren Parlamentarisierung einen Riegel vorschieben und setzte im Einklang mit den nationalistischen Kräften innerhalb des Zentrums auf einen Siegfrieden, den Hindenburg zu verbürgen schien.[49] Die Oberste Heeresleitung konnte mit Hertling aber vor allem deswegen zufrieden sein, weil seine Ernennung die Reichstagsparteien politisch disziplinierte. Denn die Reichstagsparteien wurden dadurch eingebunden, daß zum ersten Mal überhaupt ausgewiesene Parteipolitiker mit Regierungsämtern im Reich und in Preußen bedacht wurden. Neben Hertling, der dem Zentrum zuzurechnen war, kamen auch die beiden liberalen Parteien zum Zuge: Friedrich von Payer, ein württembergischer Demokrat und Reichstagsabgeordneter, wurde Vizekanzler in der Reichsleitung, und der Führer der Nationalliberalen im preußischen Abgeordnetenhaus, Robert Friedberg, übernahm den Posten des Vizepräsidenten des preußischen Staatsministeriums, was faktisch auf die preußische Ministerpräsidentschaft hinauslief, da der nominelle preußische Ministerpräsident Hertling sich aus preußischen Angelegenheiten weitgehend heraushielt. Der personelle Zuschnitt der neuen Regierungen im Reich wie in Preußen hielt Zentrum, Nationalliberale und Linksliberale zu politischer Rücksichtnahme auf die neue Reichsleitung an, ohne daß die Regierung Hertling sich in irgendeiner Weise gegenüber diesen Parteien verpflichtet hätte. Zudem war der Einfluß der neuen Minister mit parteipolitischem Hintergrund begrenzt. Vizekanzler von Payer fiel wegen einer Erkrankung, die ihn ans Bett band,[50] bis Ende Januar 1918 als politischer Faktor aus. Von nationalliberaler Seite war ohnehin kein Widerspruch gegen die 3. Oberste Heeresleitung zu erwarten: Der Vorsitzende ihrer Reichstagsfraktion, Gustav Stresemann, hielt engen Kontakt zu ihr,[51] und von dem in die preußische Regierung entsandten Vorsitzenden der preußischen Landtagsfraktion und Repräsentanten des rechten Parteiflügels, Friedberg, war unbotmäßige Kritik am Herrschaftsanspruch Hindenburgs nicht zu erwarten.

Hindenburgs Herrschaft vertrug sich also sehr wohl mit der Bewahrung verfassungsmäßiger Formen und sogar mit einem scheinbaren Einflußgewinn des Reichstags auf die Zusammensetzung der Reichsleitung. Es war ja gerade ihr Kennzeichen, daß die bestehenden Institutionen nicht wie in einer Diktatur abgeschafft oder zu reinen Akklamationsorganen degradiert wurden, sondern weiterbestanden, weil Hindenburg nur vermittels der Verfassungsorgane seine Herrschaft in Regierungshandeln ummünzen konnte. Hindenburg schuf keine Konkurrenzorganisationen, sondern bediente sich der bestehenden staatlichen und verfassungsmäßigen Strukturen zur Ausübung seiner Herrschaft. Solange seine plebiszitäre Basis trug, solange er sich auf »die an Heiligen-Verehrung grenzende Liebe des gesamten deutschen Volkes«[52] stützen konnte, drohte ihm von dieser Seite aus keine Einschränkung seines Herrschaftsanspruchs. Erst als mit der Verfassungsreform vom Oktober 1918 die konstitutionelle Monarchie in eine parlamentarische Monarchie umgewandelt wurde und sich die Reichsregierung als eigenständiges Machtzentrum etablierte, war seine Herrschaft vom Einsturz bedroht. Doch das Ende der Monarchie wehrte diese Gefahr von ihm ab.

Noch war es aber nicht soweit. Im Herbst 1917 hatte sich Hindenburg in den staatlichen Strukturen so eingerichtet, daß er dank des schwachen Kaisers und eines in sich uneinigen Reichstages die Richtlinien der deutschen Politik auf Reichsebene festlegen konnte. In Preußen hingegen war das Erbe Bethmann Hollwegs – der Juli-Erlaß Wilhelms II., der ein neues Wahlrecht zum preußischen Abgeordnetenhaus auf der Grundlage des gleichen Wahlrechts zusagte – nicht so einfach aus der Welt zu schaffen. Die preußische Wahlrechtsreform hatte Hindenburg zwar den letzten Schub gegeben, um bei Wilhelm II. in ultimativer Form die Entlassung Bethmann Hollwegs zu verlangen. Damit war zwar der innere Hauptfeind verschwunden, aber sein Schatten schwebte in Gestalt des Juli-Erlasses immer noch über der preußischen Politik. Hindenburg gab die Hoffnung indes nicht auf, die Einführung des gleichen Wahlrechts doch noch torpedieren zu können. Wenn der Krieg erst einmal gewonnen war, konnte man ihm als strahlendem Sieger kaum einen Wunsch abschlagen. Bis dahin kam es darauf an, Zeit zu gewinnen und das Einbringen einer entsprechenden Gesetzesvorlage und deren Behandlung im preußischen Abgeordnetenhaus zu verzögern. »Die Wahlsache in Preußen muß hingehalten werden.«[53] Der Vorsitzende der konservativen Reichstagsfraktion, Graf Westarp, stellte Hindenburg bei einem Treffen in Bad Kreuznach am 16. September 1917 in Aussicht, daß die preußischen Konservativen alles daransetzen würden, die Erledigung dieser Angelegenheit zu verschleppen.[54] Angesichts der Tatsache, daß in den Reihen der preußischen Nationalliberalen und der preußischen Zentrumsabgeordneten erhebliche Widerstände gegen die Durchsetzung des gleichen Wahlrechts vorhanden waren, hatte diese Taktik beträchtliche Aussichten auf Erfolg. In der Tat einigte sich das preußische Abgeordnetenhaus nach monatelangen Beratungen im Juli 1918 auf die Einführung eines Pluralsystems, das für bestimmte Gruppen bis zu zwei Zusatzstimmen vorsah – und damit hatte das Abgeordnetenhaus die preußische Staatsregierung bloßgestellt. Erst nachdem die Oberste Heeresleitung am 30. September 1918 die Kriegsniederlage eingestanden hatte, gaben das preußische Abgeordnetenhaus und die Zweite Kammer, das Herrenhaus, den Widerstand gegen die Einführung des gleichen Wahlrechts auf.[55]

Nach Hindenburgs Auffassung hatte Bethmann Hollweg aber auch in personeller Hinsicht eine Hypothek hinterlassen, die so schnell wie möglich abgetragen werden mußte. Auf alle Minister und Staatssekretäre, die mit Bethmann Hollweg in Preußen und im Reich in dienstlicher Verbindung gestanden hatten, fiel daher der Generalverdacht Hindenburgs, Bundesgenossen des verhaßten Widersachers zu sein. Dabei spielte es nur eine untergeordnete Rolle, ob der Betreffende in sachlicher Hinsicht tatsächlich den Typ des für innere Reformen aufgeschlossenen Konservativen britischen Zuschnitts vertrat, wie Bethmann Hollweg ihn verkör perte. Hindenburg reichte schon die vermeintliche Nähe zum inkriminierten Ex-Reichskanzler aus, um politische Sippenhaft über ihn zu verhängen und den Betreffenden mit allen Mitteln aus dem Amt zu drängen.

Das erste Opfer war Karl Helfferich, der sich berechtigte Hoffnungen gemacht hatte, auch nach dem Kanzlerwechsel vom November 1917 der Reichsleitung wiederum in einer herausgehobenen Position anzugehören. In der nur wenig mehr als drei Monate währenden Kanzlerschaft von Michaelis hatte er als heimlicher Reichskanzler agiert, da er im Unterschied zum unerfahrenen und überforderten Michaelis zunächst als Staatssekretär des Reichsschatzamtes und von Mai 1916 an als Staatssekretär des Innern und Vizekanzler die Regierungsgeschäfte bestens bewältigte. In sachlicher Hinsicht konnte kaum eine Regierung auf seine Kompetenz verzichten, da er als Direktoriumsmitglied der Deutschen Bank über außerordentlichen finanzpolitischen Sachverstand verfügte und sich überdies auch als politischer Moderator bewährt hatte. Doch Hindenburg und vielen eingeschworenen Altkonservativen galt er als ein Parteigänger Bethmann Hollwegs, mit dem er mehr als zwei Jahre lang gemeinsam Politik betrieben und dessen anstößige Positionen – etwa Ablehnung des uneingeschränkten U-Bootkrieges oder das Bemühen, die sozialdemokratische Arbeiterschaft in den Staat zu integrieren – er geteilt hatte.[56]

Nun bestand aus Sicht der Obersten Heeresleitung die Gefahr, daß ausgerechnet dieser Adept Bethmann Hollwegs bei den sich möglicherweise anbahnenden Friedensverhandlungen eine Schlüsselrolle übernahm und die errungenen militärischen Erfolge leichtfertig verspielte. Denn der Wirtschaftsexperte Helfferich war auserkoren, die deutschen Friedensbedingungen in ökonomischer Hinsicht durchzurechnen – und damit kam er zwangsläufig zu anderen Ergebnissen als die Oberste Heeresleitung, die sich einseitig von militärischen Sicherheitsinteressen leiten ließ. Da der neue Reichskanzler Hertling in außenpolitischen Fragen ein völlig unbeschriebenes Blatt war, stand zu erwarten, daß Helfferich neben dem ressortmäßig zuständigen Staatssekretär von Kühlmann – der das letzte Opfer der Hindenburgschen Interventionen werden sollte – wie schon unter Michaelis zum eigentlichen Leiter der deutschen Außenpolitik aufsteigen würde. Der Posten des Vizekanzlers war dafür wie geschaffen, weil Helfferich sich in dieser Funktion ohne ressortmäßige Einengung in der Außenpolitik entfalten konnte, zudem in einer Reichsregierung, deren Mitgliedern es mit Ausnahme Kühlmanns an Erfahrung auf diesem Gebiet gebrach. Voller Tatendrang hat Helfferich daher unmißverständlich darauf gepocht, der neuen Regierung in dieser herausgehobenen Position anzugehören und nicht auf einen Nebenposten abgeschoben zu werden.[57]

Bei den politischen Parteien und insbesondere beim ehrgeizigen Erzberger, der sich als heimlicher Außenminister fühlte, hatte sich Helfferich im Laufe seiner Amtszeit manche Feinde gemacht, und so kann es nicht verwundern, daß dort ein Verbleiben Helfferichs in seinem Amt auf Widerspruch stieß.[58] Trotz allen Machtgewinns war der Reichstag aber noch nicht imstande, Reichskanzler Hertling die Liste seiner Mitarbeiter vorzuschreiben und auf die Entfernung mißliebiger Personen zu dringen. Die Oberste Heeresleitung dagegen konnte bei Hertling erwirken, Helfferich nicht wieder in herausgehobener Position in die Reichsleitung aufzunehmen. Es war ein Alarmzeichen, daß Hindenburg und Ludendorff sich am 1. November 1917 mit ihrem Stab auf den Weg nach Berlin machten. Denn diese Reisen in die Reichshauptstadt verfolgten immer nur den Zweck, die personalpolitischen Vorstellungen der OHL vor Ort durchzusetzen. Im Juli 1917 war die kampferprobte Truppe zum letzten Mal ausgerückt, und das hatte den Ausschlag für den Sturz Bethmann Hollwegs gegeben.

Vier Monate später mußte Hindenburg gar nicht persönlich vorstellig werden; es reichte eine direkte Intervention beim neuen Reichskanzler durch einen Vertreter seines Stabes. Mit dieser heiklen Mission wurde am 3. November 1917 Hermann Ritter Mertz von Quirnheim betraut, der später als »Ghostwriter« der Hindenburg-Memoiren und erster Präsident des Reichsarchivs in engster geschichtspolitischer Beziehung mit Hindenburg stehen sollte. Der Abteilungschef der Obersten Heeresleitung, der als Bayer die landsmannschaftlichen Voraussetzungen mitbrachte, dem Bayern Hertling die Vizekanzlerschaft Helfferichs auszureden, war beauftragt, unmißverständlich darauf hinzuweisen, daß Helfferich vor allem bei Hindenburg kein Vertrauen genieße und daher in diesem Amt untragbar sei. Ausgerüstet mit diesem unschlagbaren Argument mußte Mertz von Quirnheim keine besondere Mühe aufwenden, Hertling zu überzeugen. Am 8. November 1917 reichte Helfferich sein Abschiedsgesuch ein, da Hertling den Anschein erweckte, die politischen Parteien hätten es so sehr auf den Vizekanzlerposten abgesehen, daß er diesen aus der Hand geben müsse.[59]

Hindenburg beschränkte sich aber nicht darauf, innerhalb der Reichsleitung mit der personellen Hinterlassenschaft Bethmann Hollwegs aufzuräumen. Letztlich zielte er auf den Chef des Geheimen Zivilkabinetts, der seinen Posten ausschließlich der Tatsache verdankte, daß er das Vertrauen des Kaisers genoß. Dieser enge Berater Wilhelms II. in allen genuin politischen Angelegenheiten, der dem Kaiser sämtliche diesbezüglichen Personalvorschläge unterbreitete, war keineswegs ein verkappter Demokrat, ja nicht einmal ein reformfreudiger Konservativer wie Bethmann Hollweg. Rudolf von Valentini verkörperte vielmehr den Typus eines strikt gouvernementalen Konservativen, der seine Person völlig den Staatsinteressen unterordnete und keinerlei persönlichen politischen Ehrgeiz hegte. In den umstrittenen innenpolitischen Fragen, allen voran der preußischen Wahlrechtsreform, gehörte er eher zu den Bremsern, die um die Stellung der Krone fürchteten, wenn die Regierung dem Volkswillen zu sehr entgegenkam.[60]

Ausgerechnet der Bilderbuchkonservative Valentini geriet im Sommer 1917 ins Fadenkreuz Hindenburgs. Das Sündenregister, das der Feldmarschall ihm vorhielt, war eindrucksvoll: Valentini habe den Kaiser einseitig beraten, indem er in »stark links gefärbter Tendenz«[61] Wilhelm II. ein Bild von der im Volk herrschenden Stimmung vermittelt habe. Er habe die treuesten Anhänger der Monarchie vor den Kopf gestoßen und konterkariere die Politik der Reichsleitung. Hindenburg konnte Valentini diese auf den ersten Blick grotesk wirkenden Vorhaltungen deswegen machen, weil sein Politikverständnis vom Ideal eines politisch geeinten Volkes bestimmt war. Danach war im August 1914 das deutsche Volk als homogene Einheit aufgetreten, aber eine schwächliche Politik hatte sich am »Geist von 1914« versündigt und das kostbare Gut der inneren Einheit zerstört.[62] Pardon durfte es für die Verantwortlichen nicht geben, vor allem nicht für Bethmann Hollweg und seine Helfer, von denen sich mit Valentini noch einer in unmittelbarer Nähe des Kaisers befand.[63] Wenn für Hindenburg das Wesen des Politischen in der Verbürgung der Einheit des Handlungssubjekts »Volk« bestand, dann waren diejenigen, die das Volk spalteten, Feinde, die erbarmungslos zur Strecke gebracht werden mußten. Am Fall Valentinis zeigt sich bereits das Freund-Feind-Denken Hindenburgs, das eine Vorform jener Dolchstoßlegende darstellt, der Hindenburg später mit seinem Auftritt vor dem Untersuchungsausschuß der Nationalversammlung im November 1919 offiziöse Weihe verleihen sollte. Im Januar 1918 schreckte er nicht davor zurück, Valentini dafür verantwortlich zu machen, daß die Oberste Heeresleitung keine große Offensive an der Westfront unternehmen könne. Denn ein erfolgversprechender militärischer Einsatz sei nicht möglich, solange der Chef des Generalstabs des Feldheeres mit Valentini »einen solchen Feind im Rücken« habe.[64]

Die von Hindenburg betriebene Ablösung Valentinis war zugleich leichter und schwerer als die Beseitigung Bethmann Hollwegs. Einfacher war sie insofern, als Hindenburgs Herrschaftsanspruch nach dem Sturz Bethmann Hollwegs auf immer weniger institutionelle Widerstände stieß. Doch mit Valentini hatte sich der Generalfeldmarschall nicht irgendeinen Politiker ausgesucht, sondern einen allein aus kaiserlichem Vertrauen ins Amt Berufenen, bei dessen Ernennung oder Entlassung der preußische König und deutsche Kaiser völlig souverän agierte. Es bedeutete einen ungeheuren Eingriff in die monarchische Prärogative, dem Kaiser bei der Besetzung dieser Position Vorschriften zu machen. Selbst die politischen Parteien sind damals nicht so weit gegangen wie der selbsternannte Vorkämpfer des monarchischen Gedankens, Generalfeldmarschall von Hindenburg, der von Wilhelm II. im Befehlston die Entfernung Valentinis verlangte. Wenn der Kaiser sich darauf einließ, wenn er bei der Auswahl seiner engsten Ratgeber nicht mehr Herr der Entscheidung war, dann kapitulierte er und fand sich mit einer rein dekorativen Rolle ab.

Doch Wilhelm II. war durchaus entschlossen, nicht zu einem bloßen Schattenkaiser herabzusinken. Hindenburg mußte daher mit höchstem Einsatz kämpfen und dem Kaiser die Entlassung Valentinis regelrecht abpressen. Daß dies kein leichtes Unterfangen war, hatte zuvor schon der Kronprinz zu spüren bekommen. Er hatte sich nämlich eine Abfuhr geholt, als er Valentini als bösen Geist und politisch nicht mehr haltbare Hinterlassenschaft Bethmann Hollwegs bei seinem Vater anschwärzte und den Chef des Geheimen Zivilkabinetts bezichtigte, seine Pflicht zur unvoreingenommenen Informationspolitik gegenüber dem Monarchen verletzt zu haben.[65] Als der Kronprinzen mit Plessen und dem königlichen Hausminister Eulenburg zwei Mitstreiter fand, die ihm in einer Besprechung am 10. November 1917 sekundierten, machte dies zwar vorübergehend Eindruck auf Wilhelm II., zumal er auch von seiner Gemahlin in diesem Sinne bedrängt wurde.[66] Doch auch unter dem Einfluß der beiden anderen Kabinettschefs Müller und Lyncker besann er sich schnell eines anderen und erteilte dem Kronprinzen eine mehr als deutliche Abfuhr, als dieser schriftlich die Entlassung Valentinis verlangte. Sachlich sprach alles dafür, in einer Zeit innerer Bewegung den erfahrenen und absolut loyalen Valentini auf seinem Posten zu belassen, was der Kaiser in seinem ermahnenden Antwortschreiben an den Kronprinzen auch zum Ausdruck brachte: Der Chef des Zivilkabinetts sei »ein durch den wachsenden Umfang der Geschäfte immer wichtiger gewordener Vermittler, aber kein verantwortlicher Politiker. Und diesen Vermittler, über den seitens keines Reichskanzlers und keines Ministers bei mir jemals Klage geführt worden ist, der loyal seinen Dienst in schwierigster Zeit getan hat, soll ich gehen heißen in einem Augenblick innerer Gärung, bei der ein geschäftserfahrener Kabinettschef doppelte Bedeutung hat. Ich soll ihn gehen lassen, weil eine mehr oder weniger künstliche Stimmungsmache dies verlangt. Das ist meiner nicht würdig.«[67]

Wilhelm II. zeigte sich also fest entschlossen, um den ihm noch verbliebenen Rest an politischer Macht zu kämpfen. Hindenburg mußte daher die persönliche Konfrontation mit dem Kaiser wagen und den Monarchen regelrecht zur politischen Kapitulation zwingen. Bei seinem ersten Vorstoß agierte er noch auf einem Terrain, das der Kronprinz für ihn bereitet hatte. Parallel zum Kronprinzen, nämlich anläßlich eines Vortrags der Obersten Heeresleitung beim Kaiser am 17. November 1917, wurde auch Hindenburg bei Wilhelm II. in der Sache Valentini vorstellig. Es konnte dabei noch in Deckung bleiben und sich darauf berufen, daß der Kaiser ja am 10. November gegenüber dem Kronprinzen die Trennung von Valentini in Aussicht gestellt habe.[68] Da Wilhelm II. sich mittlerweile aber anders besonnen hatte, weil er auf seiner ungeschmälerten Entscheidungsbefugnis in Personalfragen bestand und verärgert reagierte, wenn ihm Dritte hier Vorschriften zu machen suchten,[69] zeigte das Nachstoßen Hindenburgs nicht die erhoffte Wirkung.

Hindenburg blieb es also nicht erspart, dem Kaiser in einem Vier-Augen-Gespräch in ultimativer Weise die Verabschiedung Valentinis abzutrotzen. Bereits im Juli 1917 hatte er seinen stärksten Trumpf ausgespielt und durch seine Rücktrittsdrohung den letzten Ausschlag dafür gegeben, daß sich der Kaiser von Bethmann Hollweg trennte. Im Januar 1918 war jedoch mehr als die Einreichung eines solchen Gesuches[70] erforderlich, um den Willen des Monarchen zu brechen: Hindenburg mußte dem Kaiser ins Gesicht sagen, was er von ihm verlangte. Daß er dies tat und mit welcher Lautstärke dieses Gespräch geführt wurde, zeugt davon, daß Hindenburg im Umgang mit dem Monarchen jede Befangenheit abgelegt hatte. Im Jahr 1915 war er bei seinem ersten politischen Gehversuch noch jeder persönlichen Konfrontation mit dem Kaiser aus dem Weg gegangen; ein warmes Handschreiben des Monarchen hatte genügt, Hindenburgs Haltung aufzuweichen. Drei Jahre später zeigte Hindenburg sich frei von jeder monarchischen Sentimentalität und focht mit harten Bandagen. Als er sich am 12. Januar 1918 zu dem entscheidenden Treffen mit dem Kaiser nach Berlin aufmachte, steigerten er und sein Begleiter Ludendorff sich geradezu in Rage: »Ihre Erregung sei so groß gewesen, daß Hindenburg mehrfach Herzkrämpfe bekommen und Ludendorff Selbstmordgedanken geäußert hätte.«[71] Heiliger Zorn erfüllte Hindenburg, der glaubte, für diese nationale Mission alle Rücksichtnahmen fahrenlassen zu müssen.

Am 14. Januar 1918 fand das Treffen mit dem Kaiser statt. Hindenburg nahm kein Blatt vor den Mund, bezichtigte Valentini, für einen angeblichen »Linkskurs der Regierung« verantwortlich zu sein, und verlangte in lautem Ton vom Kaiser dessen sofortige Entlassung. Der Feldmarschall zeigte nichts von seiner sonstigen Zurückhaltung und Wortkargheit, sondern trat geradezu gebieterisch auf. Zwar wahrte der Kaiser sein Gesicht, indem er Hindenburgs Forderung nicht einfach entsprach. Aber er vollzog in sachlicher Hinsicht die Kapitulation. Man kam dem Kaiser entgegen, indem man die Angelegenheit so arrangierte, daß Valentini um die Entbindung von seinen Aufgaben bat. Wie schon Bethmann Hollweg vollzog auch dieser Edelmann den ihm nahegelegten Schritt ohne Zögern. Unter dem in solchen Fällen üblichen Hinweis auf seine angegriffene Gesundheit ersuchte er um seinen Abschied, der ihm natürlich sofort gewährt wurde.[72]

Hindenburg hatte sein Ziel erreicht. Er hatte nun sogar den Prototyp eines streng monarchisch gesinnten Staatskonservativen aus dem Weg geräumt, der mit dem klassisch konservativen Argumentationsmuster dem auf plebiszitärer Legitimation fußenden Begehren Hindenburgs trotzen wollte. Aus konservativer Perspektive lief es letztlich immer auf eine eklatante Einschränkung der monarchischen Prärogative hinaus, wenn der Legitimationsgrund außerhalb des monarchischen Prinzips gesucht wurde, sei es in Form plebiszitärer Akklamation für einen General, sei es auf parlamentarisch-demokratischem Wege. Gegenüber dem Kronprinzen, der am 13. Januar 1918 bei Valentini auftauchte, um diesen vor dem Treffen Hindenburgs mit dem Kaiser zum freiwilligen Rückzug zu bewegen und damit seinem Vater eine weitere Demütigung durch Hindenburg zu ersparen, brachte Valentini diese Position klar zum Ausdruck: »Welche Untergrabung der Autorität des Monarchen! Diesmal sind es seine Generäle, welche den Kaiser zu einem Wechsel in der Person des nächststehenden Beraters zwingen, das nächste Mal wird es das Parlament sein! Und dann wird der Kaiser nicht mehr frei in der Wahl des Nachfolgers sein, sondern den nehmen müssen, den der Reichstag wünscht! Wie kann der Monarch hierzu die Hand reichen!«[73]

Bei der Bestimmung eines Nachfolgers für den treuen Valentini war Wilhelm II. längst nicht mehr souverän. Hindenburg hatte aus den chaotischen Vorgängen vom Juli 1917 gelernt, als plötzlich ein aus dem dritten Glied stammender Mann wie Michaelis als pure Verlegenheitslösung Reichskanzler werden konnte. Diesmal hatte Hindenburg vorgearbeitet und rechtzeitig das Einverständnis des als Valentinis Nachfolger auserkorenen ostpreußischen Oberpräsidenten Friedrich von Berg eingeholt, der ihm schon im Sommer 1917 bei den Attacken gegen Bethmann Hollweg zur Seite gestanden hatte.[74] Die Ernennung eines Ultrakonservativen wie Berg kam zwar einer Provokation der meisten Reichstagsparteien gleich, aber dies scherte Hindenburg wenig. Denn der Kaiser mußte sich mit dieser Wahl allein schon deswegen anfreunden, weil Berg mit dem Kaiser auf vertrautem Fuß verkehrte. Und in der Tat tröstete die Ernennung eines alten Bekannten den Kaiser ein wenig über seine Demütigung hinweg. Als Realist fügte er sich knurrend in sein scheinbar unvermeidliches Schicksal und räumte dies gegenüber Berg auch frank und frei ein: »Man hat mir befohlen, Dich zum Chef des Zivilkabinetts zu machen.«[75]

Hindenburg hatte damit das politische Personal weitgehend nach seinen

Wünschen zusammengestellt. Es gab jedoch noch ein Politikfeld, das sich seinem Gestaltungsanspruch bislang entzog: die Außenpolitik. Speziell im Auswärtigen Amt saßen geschulte Berufsdiplomaten, welche die Welt nicht aus dem eingeschränkten Blickwinkel des Generalfeldmarschalls betrachteten. Hindenburg hatte seit 1916 durch öffentliche Aussagen seine Person immer stärker mit einem Siegfrieden verknüpft, so daß sich hier ein natürlicher Gegensatz zur deutschen Diplomatie ergab. Die Führung der deutschen Außenpolitik hatte sich unter den spezifischen Bedingungen des deutschen Konstitutionalismus lange Zeit vor der öffentlichen Meinung in dem Sinne abschirmen können, daß sie – von einigen eher unbedeutenden Konzessionen an die Volksmeinung einmal abgesehen – weitgehende Autonomie genoß. Hindenburgs plebiszitär gestützter Herrschaftsanspruch prallte ziemlich wirkungslos ab am Selbstbewußtsein professioneller außenpolitischer Eliten, die sich durch dessen öffentlich kommunizierte Deutungsmacht wenig beeindrucken ließen. Hindenburg mußte also den Dienstweg wählen, um seinen Einfluß in außenpolitischen Fragen zur Geltung zu bringen. Die dafür vorgesehenen Gremien waren Besprechungen zwischen der zivilen Reichsleitung und der militärischen Führung, in denen Hindenburg aber nur als Chef des Generalstabs des Feldheeres auftreten und sein symbolisches Gewicht dementsprechend nur reduziert in die Waagschale werfen konnte.

Im Dezember 1917 gewann die Außenpolitik ein besonderes Gewicht, weil im Osten Friedensverhandlungen einsetzten. Die innenpolitische Umwälzung in Rußland hatte in Gestalt eines Umsturzes, der allgemein als »Oktoberrevolution« bezeichnet wird, mit den Bolschewisten unter der Führung von Lenin und Trotzki eine politische Kraft an die Regierung gebracht, die den schnellstmöglichen Ausstieg Rußlands aus dem Weltkrieg anstrebte, um sich ganz der Festigung ihrer Macht im Innern des riesigen russischen Reiches widmen zu können. Entsprechende Signale der neuen russischen Regierung vom 28. November 1917 griff Deutschland unverzüglich auf und ebnete damit den Weg für Waffenstillstandsverhandlungen, die am 15. Dezember 1917 zum Abschluß gebracht wurden. Seitdem schwiegen im Osten die Waffen, und ein Sonderfrieden mit Rußland rückte in greifbare Nähe.[76]

Der sich abzeichnende Separatfrieden mit Rußland nährte die Siegeshoffnungen der Obersten Heeresleitung, weil durch die militärische Entlastung im Osten das deutsche Truppenkontingent im Westen beträchtlich verstärkt werden konnte, so daß dort erstmals seit Ende 1914 die deutsche Seite wieder zur Aufnahme einer militärischen Offensive in der Lage war. Vor allen Dingen aber lebte die Diskussion um die deutschen Kriegsziele im Osten wieder auf. Nun, da Rußland auf Geheiß seiner revolutionären Regierung praktisch die Waffen gestreckt hatte, bekamen jene Kräfte in Deutschland neuen Auftrieb, die möglichst viel territorialen Gewinn für das Deutsche Reich und seine Verbündeten aus dem Riesenreich im Osten herausschlagen wollten. Hindenburg machte sich zwar die an Maßlosigkeit nicht zu überbietenden Ambitionen der alldeutschen Annexionisten nicht zu eigen; aber er wollte die günstige Gelegenheit nutzen, Rußland einen Frieden zu diktieren, der sich in territorialen Gewinnen niederschlug und den Namen »Siegfrieden« auch wirklich verdiente. Das Auswärtige Amt unter seinem energischen Staatssekretär Richard von Kühlmann hingegen wollte im Zuge der Friedensverhandlungen mit Sowjetrußland die Weichen stellen für einen Verständigungsfrieden mit den Westmächten. Da die versierten Außenpolitiker nicht an den entscheidenden Sieg der deutschen Waffen über Frankreich, Großbritannien und die USA glaubten und nach ihrer Ansicht nur Verhandlungen einen Ausweg aus der militärisch verfahrenen Situation eröffneten, sollte der mit Sowjetrußland abzuschließende Frieden Vorbildcharakter für den noch ausstehenden Frieden mit den Westmächten besitzen und diesen die Ernsthaftigkeit der deutschen Verständigungsabsichten demonstrieren.[77]

Die Positionen der militärischen Führung und der außenpolitischen Leitung des Reiches klafften somit derartig weit auseinander, daß vor Beginn der am 22. Dezember 1917 in Brest-Litowsk beginnenden Friedensverhandlungen mit Sowjetrußland eine Einigung darüber erreicht werden mußte, welche Ziele dort angestrebt werden sollten. Dazu wurde für den 18. Dezember 1917 eine Besprechung im Großen Hauptquartier in Bad Kreuznach anberaumt, welche der Kaiser leitete.[78] Hindenburg sah sich damit in ein formelles Verfahren eingebunden, in dem er die charismatische Qualität seiner Herrschaft nicht richtig zur Geltung bringen konnte. Seine Herrschaft im Innern beruhte ja darauf, daß er jederzeit die Öffentlichkeit mobilisieren konnte, indem er als Stichwortgeber auftrat und auf diese Weise die politische Agenda bestimmte. Ein geordnetes politisches Verfahren hingegen, in dem man für seine Position in entsprechenden Gremien werben und das Treffen politischer Entscheidungen den zuständigen Organen zugewiesen wurde, vertrug sich nicht recht mit dem Modus seiner Herrschaftsausübung.

Hindenburg konnte sich daher bei der Kriegszielbesprechung im Großen Hauptquartier nicht auf ganzer Linie durchsetzen. Hauptstreitpunkt war die Zukunft des Baltikums, das Hindenburg vollkommen von Rußland abtrennen wollte. Aus Litauen, Kurland, Livland und Estland sollten vier Großherzogtümer werden, die in Personalunionen mit Preußen-Deutschland verbunden und damit faktisch zu deutschen Satellitenstaaten werden sollten. Für Hindenburg war die allmähliche Eindeutschung des gesamten Baltikums mit seiner – bis auf Litauen – deutschen Oberschicht eine Herzensangelegenheit. Die dynastische Verknüpfung mit Preußen sollte den Weg dahin ebnen. Spätestens seit der Übernahme des Oberkommandos Ost betrachtete Hindenburg sich als Ostexperten. Während des Aufenthalts in Kowno, wo er nominell mit der Verwaltung des Landes OberOst betraut war, hatte er sich auch dienstlich intensiv mit dem deutsch-baltischen Verhältnis befaßt. Für den geschichtsbewußten Kenner des Ostens repräsentierten Kurland, Livland und Estland uraltes deutsches Kulturland, zu dessen Wiedergewinnung Preußen-Deutschland gegenüber der dort lebenden deutschstämmigen Oberschicht verpflichtet war. Zudem würde Preußen auf diese Weise um eine zahlenmäßig bedeutende Gruppe selbstbewußter und ökonomisch prosperierender Großgrundbesitzer bereichert werden, welche dazu beitragen könnte, die angeschlagene Stellung der altpreußischen Gutsbesitzer zu befestigen.[79]

In der Kreuznacher Besprechung konnte Hindenburg sich mit diesem Ansinnen insoweit durchsetzen, als Alternativen bezüglich Litauens und Kurlands, die man Anfang Dezember 1917 noch durchaus ernsthaft erwogen hatte, verworfen wurden. Zwar war die Abtrennung der beiden südlichsten baltischen Provinzen von Rußland, die bereits im Oktober 1915 von deutschen Truppen erobert worden waren, innerhalb der militärischen und zivilen Führung unstrittig. Innerhalb dieser Kreise neigte man aber eher zu der Vorstellung, in Litauen und Kurland autonome Staaten zu errichten. Staatssekretär Kühlmann verfolgte diesen Plan aus taktischen Gründen, weil er dem Selbstbestimmungsrecht der Völker entsprach. Dieses Recht stand bei ihm deswegen hoch im Kurs, weil es die Basis für einen ehrenvollen Frieden mit den Westmächten sein sollte und überdies an die Ideen des US-amerikanischen Präsidenten Wilson anknüpfte. Einzelne deutsche Bundesfürsten waren ebenfalls dafür aufgeschlossen, weil sie die Chance witterten, in Litauen und Kurland Sekundogenituren zu errichten, wobei das katholische sächsische Herrscherhaus auf das katholische Litauen schielte. Auf parlamentarischer Ebene nahm sich insbesondere der umtriebige Erzberger solcher dynastischer Sonderinteressen an: Er nährte die Ambitionen der Mecklenburger auf die Besetzung des kurländischen Großherzogsthrons[80] und ging in der litauischen Frage einen württembergischen Sonderweg, indem er in Privatverhandlungen mit litauischen Delegationen sich für den Herzog von Urach, der der katholischen Linie des Hauses Württemberg angehörte, einsetzte.[81] Die Zukunft Litauens und Kurlands war innerhalb der militärischen und politischen Führungszirkel Anfang Dezember 1917 jedenfalls noch so umstritten, daß man sich auf keine einheitliche Linie einigen konnte. Es stellte daher einen politischen Erfolg für Hindenburg dar, daß das Auswärtige Amt in der Kreuznacher Besprechung seine Bedenken gegen eine Personalunion Litauens und Kurlands mit Preußen fallenließ.[82]

Aber Hindenburgs Vorstellungen gingen über Kurland und Litauen weit hinaus, denn sie implizierten auch den Anschluß der militärisch noch gar nicht eroberten beiden nördlichen baltischen Provinzen Livland und Estland. In dieser Frage blieb Staatssekretär Kühlmann hart, weil er nicht mit der sowjetrussischen Seite Friedensverhandlungen führen und zugleich die Verantwortung für ein Vordringen der deutschen Truppen nach Livland und Estland tragen wollte. Hindenburg mußte sich hier dem diplomatischen Argument beugen, so daß seine Position nicht zur Richtlinie der deutschen Friedensverhandlungsdelegation erhoben wurde.[83] Aber er hegte die Hoffnung, daß es dem Vertreter der Obersten Heeresleitung am Verhandlungstisch in Brest-Litowsk gelingen werde, diesen Vorstellungen doch noch Geltung zu verschaffen. Dem ausdrücklichen Wunsch der Obersten Heeresleitung, einen eigenen Delegierten zu den Friedensverhandlungen abordnen zu können, war nämlich stattgegeben worden. Diese Aufgabe übernahm Max Hoffmann, der fast zwei Jahre lang an der Seite Hindenburgs und Ludendorffs gestanden hatte.[84] Hoffmann, einstmals die rechte Hand Ludendorffs in OberOst und auf der militärischen Karriereleiter rasant bis zum Generalmajor aufgestiegen, war seit dem Weggang der beiden Dioskuren Chef des Oberkommandierenden im Osten und damit eigentlicher Leiter der militärischen Operationen im Osten.

Hoffmann erfüllte die Erwartungen, verlängerter Arm der Obersten Heeresleitung bei den Verhandlungen in Brest-Litowsk zu sein, jedoch nicht. Er besaß nicht nur in militärischer, sondern auch in politischer Hinsicht seinen eigenen Kopf; zudem hatte er Hindenburg zwei Jahre aus nächster Nähe erlebt und dabei jeden militärischen Respekt vor ihm verloren. Da General Hoffmann sich in keinster Weise willfährig zeigte, sollte es Anfang Januar 1918 zu einem schweren Zusammenstoß zwischen ihm und dem Gespann Hindenburg/Ludendorff kommen. Zum Zankapfel wurde der »polnische Grenzstreifen«, also diejenigen polnischen Gebiete, deren Annexion die Militärs aus militärstrategischen Gründen für erforderlich hielten, um eine besser zu verteidigende Grenzlinie in Ostpreußen, Westpreußen und Schlesien zu errichten. Diese Idee wurde schon Ende 1914 geboren, gelangte aber nun über das Stadium des bloßen Pläneschmiedens hinaus. Die Oberste Heereseitung wollte die Verhandlungen von Brest-Litowsk nutzen, um dem Deutschen Reich ein möglichst großes Territorium als Cordon sanitaire einzuverleiben, das die verniedlichende Bezeichnung »Grenzstreifen« kaum noch verdiente, da es etwa zwei Millionen Einwohner umfaßte. Kühlmann, der politische Verhandlungsführer, wollte sich seine Verhandlungstaktik aber nicht durch derart exorbitante Forderungen torpedieren lassen, und er fand in General Hoffmann einen vehementen Sekundanten.

Als die Oberste Heeresleitung bei einem Kronrat am 2. Januar 1918 in Berlin eine Entscheidung in dieser Angelegenheit nach ihren Vorstellungen herbeiführen wollte, verblüffte der Kaiser sie mit der Mitteilung, daß General Hoffmann tags zuvor Vortrag gehalten und einen etwa halb so großen Grenzstreifen als militärisch völlig ausreichend qualifiziert habe. Die argumentativ entwaffneten Feldherren mußten mit ohnmächtiger Wut registrieren, daß der Kaiser den scheinbaren Einklang von militärischer und politischer Lageeinschätzung zum Anlaß nahm, um in seine ruhende Funktion als Oberster Kriegsherr einzutreten und eine Entscheidung im Sinne des Hoffmannschen Vorschlags herbeizuführen.[85] Wilhelm II. war also selbst 1918 keineswegs zu einem reinen Schattenkaiser herabgesunken, der als Marionette der Obersten Heeresleitung auftrat. Unter bestimmten Umständen konnte er seine Herrschaftsbefugnis revitalisieren, und zwar dann, wenn Einvernehmen zwischen der Reichsleitung und der Obersten Heeresleitung hergestellt schien und der Kaiser von der unangenehmen Aufgabe entbunden war, einen Grundsatzkonflikt mit Hindenburg auszufechten.

Hindenburg selbst ließ Max Hoffmann seine Verärgerung über diese Desavouierung spüren und kehrte demonstrativ den Vorgesetzten heraus. Er schreckte nicht einmal davor zurück, Hoffmann bezüglich seiner Frau Vorhaltungen zu machen. Diese führte in Berlin ein äußerst gastliches Haus, in dem ein buntes Völkchen verkehrte, darunter nicht wenige Intellektuelle. Hindenburg rügte nun in einem offiziellen Schreiben, daß im Salon der Frau Hoffmann »politische Abende« stattfänden, obwohl ein Offizier sich aus der Politik herauszuhalten habe und nicht zu politischen Besprechungen einladen dürfe.[86] Daß er den kunstsinnigen und gebildeten Hoffmann für den gesellschaftlichen Umgang seiner Frau zur Verantwortung ziehen wollte, offenbart auch, daß Hindenburg durchaus nachtragend sein konnte. Auch Ludendorff zeigte sich äußerst verärgert, so daß er seinen ehemaligen Mitarbeiter kurz darauf zur Rede stellte und ihm die Qualifikation absprach, in Brest-Litowsk als Beauftragter der Obersten Heeresleitung aufzutreten.[87]

Das Ziel der Attacken war aber eigentlich der für die Friedensverhandlungen in Brest-Litowsk politisch verantwortliche Staatssekretär. Die Eliminierung Kühlmanns besaß für Hindenburg und Ludendorff nach der Kronratssitzung vom 2. Januar 1918 oberste Priorität. Um ihr Ziel zu erreichen, schlugen sie eine Doppelstrategie ein. Zunächst sollte eine Pressekampagne gegen Kühlmann entfesselt werden und dessen Position sturmreif geschossen werden. Nicht nur die bekanntermaßen alldeutsch eingestellten Blätter sollten sich daran beteiligen, sondern alle Zeitungen, die dem sich abzeichnenden Friedensschluß im Osten den Stempel eines deutschen Siegfriedens aufdrücken wollten. Man hoffte dabei auf Resonanz bis weit in die liberale und katholische Presse hinein, um auf diese Weise Kühlmanns Rückhalt bei den Reichstagsparteien zu schwächen.[88] Doch der eigentliche Adressat war der Kaiser: Die öffentliche Entrüstung über die schwächliche Verhandlungsführung Kühlmanns sollte bis zu Wilhelm II. vordringen und dafür sorgen, daß ein in diesem Sinne an den Monarchen gerichtetes Schreiben Hindenburgs wohlwollende Aufnahme fand.

Hindenburg unternahm mit diesem Schreiben eine Gratwanderung: Es kam ihm darauf an, die letzten personellen Widerstände aus dem Weg zu räumen, die verhinderten, daß die Reichsleitung ihre Funktion als politischer Erfüllungsgehilfe der Obersten Heeresleitung hinnahm. Hindenburg warb daher beim Kaiser um die Gleichschaltung der politischen Führung mit dem Argument, daß nur durch eine solche Grundsatzentscheidung der strukturelle Gegensatz zwischen Oberster Heeresleitung und Reichsleitung beseitigt werden könne. Er beließ es aber nicht bei einem bloßen Appell, sondern verlieh seinen Ausführungen durch eine verkappte Rücktrittsdrohung entsprechendes Gewicht.[89] Ein Eingehen auf diese Forderung hätte eine Konzentration der Entscheidungsmacht bei der Obersten Heeresleitung zur Folge gehabt, womit sich der Kaiser als politischer Faktor endgültig ausgeschaltet hätte. Denn Wilhelm II. benötigte eine zumindest halbwegs selbständige Reichsleitung als Gegengewicht zu einer immer selbstherrlicher auftretenden Obersten Heeresleitung.

Im Januar 1918 war der Kaiser allerdings noch nicht bereit, sich dem politischen Willen Hindenburgs total auszuliefern. Die institutionellen Strukturen des Kaiserreiches erwiesen sich als noch intakt, so daß Wilhelm II. bei zentralen personellen Weichenstellungen wie der Zusammensetzung der Reichsleitung nicht übergangen werden konnte. Und da Hindenburg im Unterschied zum Juli 1917 vor dem letzten Schritt – einer erpresserischen Nötigung des Kaisers durch ein formelles Rücktrittsgesuch – zurückgeschreckt war, weil er auf die Wirkung des öffentlichen Kesseltreibens gegen Kühlmann hoffte, nutzte Wilhelm II. den Kompetenzstreit zu einer milden Zurückweisung des hypertrophen Anspruchs der Obersten Heeresleitung. Über die Pressekampagne verärgert, weil er darin eine Einschränkung seiner Souveränität erblickte,[90] wollte er den militärischen Halbgöttern ihre Grenzen aufzeigen und ermächtigte den Reichskanzler zu einer entsprechenden Antwort auf den Hindenburgschen Vorstoß.

Die ausführliche Replik, die von Kühlmann entworfen wurde,[91] kam Hindenburg insoweit entgegen, als sie die plebiszitäre Grundlage seines Herrschaftsanspruchs ausdrücklich anerkannte. Hindenburg – und in seinem Sog auch Ludendorff – seien keine normalen Heerführer, denen man politische Mitspracherechte niemals zugestehen könne, ohne die verfassungsrechtliche Grundlage des Reiches anzutasten.»Die besondere Stellung, die der Generalfeldmarschall v. Hindenburg und General Ludendorff einnehmen, bringt es mit sich, daß ihre persönlichen Anschauungen und Gedanken größeres Gewicht beanspruchen dürfen, als dies der militärischen Leitung sonst von der Reichsleitung zugestanden werden kann. Bei dem berechtigten Vertrauen, welches das Volk auf diese Männer setzt, ist es selbstverständlich, daß sie in sich die Verantwortung fühlen, diesem Vertrauen gerecht zu werden.«[92] Damit akzeptierte der Kaiser eine auf die Person Hindenburgs zugeschnittene extrakonstitutionelle Legitimationsbasis, die er allerdings einzugrenzen suchte, indem er den Anspruch auf prinzipiellen Primat dieser Legitimationsquelle zurückwies: »Dieses persönliche Verantwortlichkeitsgefühl [Hindenburgs und Ludendorffs, d. Verf.] kann aber nie so weit führen, daß in *politischen* Fragen, die für die Zukunft des deutschen Volkes entscheidend sind, den militärischen Gesichtspunkten infolge des moralischen Gewichts der sie vertretenden Persönlichkeiten eine so ausschlaggebende Bedeutung zugesprochen wird, daß die politischen Erwägungen dagegen ohne weiteres zurücktreten müßten.«[93]

Am 12. Januar 1918 fand eine wichtige Unterredung zwischen dem Reichskanzler und Hindenburg sowie Ludendorff statt, in der Hertling – in Absprache mit Kühlmann – die Dioskuren mit dem verfassungsrechtlichen Argument festnageln wollte, daß gemäß der Reichsverfassung allein der Reichskanzler der dem Kaiser verantwortliche Minister sei und sich daher die Mitwirkungsrechte der Obersten Heeresleitung nur auf Angelegenheiten erstreckten, die unmittelbar mit der Kriegführung in Zusammenhang stehen (Kriegswirtschaft, Verkehrswesen usw.).[94] Hindenburg reagierte darauf zwei Tage später mit einer Klarstellung, die deutlich machte, daß in der Frage der Kompetenzabgrenzung zwei unterschiedliche Typen von Herrschaftslegitimation aufeinanderprallten. Die Reichsleitung stellte sich auf den Standpunkt einer intakten legalen Herrschaft, bei der die Verfassung die oberste Richtschnur des politischen Handelns war. Der jedes staatlichen Amtes ledige Hindenburg hingegen wollte gar nicht in ein solches verfassungsrechtliches Korsett geschnürt werden und stellte unmißverständlich dar, daß sich sein Herrschaftsanspruch aus ganz anderen Quellen speiste. Hindenburg legte die charismatischen Wurzeln seiner Herrschaft offen, wenn er dem Reichskanzler – zugleich für Ludendorff sprechend – entgegenhielt: »Wir fühlen uns aber nach unserer Stellung, wie sie sich – ohne unser gewolltes Zutun – herausgebildet hat, vor dem deut-

schen Volke, vor der Geschichte und vor unserem eigenen Gewissen für die Gestaltung des Friedens verantwortlich. Dieses Verantwortlichkeitsbewußtsein kann uns
keine Erklärung abnehmen.«[95] Daraus leitete Hindenburg frank und frei einen
allumfassenden politischen Gestaltungsanspruch ab, der beispielsweise auch »Fragen der Änderung der Reichsgrenzen, Fragen unserer künftigen Beziehungen zu
anderen Staaten und – soweit diese mit der Führung dieses oder eines künftigen
Krieges in Zusammenhang stehen – Fragen unserer inneren Politik«[96] umfaßte.

Die Herrschaftsstruktur des Kaiserreichs war im Laufe des Krieges bereits so
sehr plebiszitär unterhöhlt worden, daß Hindenburg allen Versuchen, seiner Herr-
schaftsausdehnung mit verfassungsrechtlichen Argumenten Einhalt zu gebieten,
erfolgreich trotzen konnte. Auch der schließlich zustande gekommene Friede mit
Rußland trug letztlich die Handschrift der Obersten Heeresleitung, wobei diese
allerdings davon profitierte, daß die sowjetrussische Verhandlungsdelegation die
Friedensverhandlungen am 10. Februar 1918 jäh abbrach. Damit zerschlugen sich
die Hoffnungen Kühlmanns auf einen Verständigungsfrieden, der den Weg für
analoge Friedensschlüsse mit den Westmächten ebnen sollte. Die sowjetrussische
Verweigerung diskreditierte die Verhandlungstaktik des Auswärtigen Amtes und
arbeitete der Obersten Heeresleitung direkt in die Hände, die nunmehr wieder die
Waffen sprechen lassen konnte, nachdem der Kaiser ihr auf einem Kronrat am
13. Februar 1918 grünes Licht gegeben hatte. Wilhelm II. ließ sich treiben von der
verlockenden Aussicht auf risikolose Geländegewinne gegen einen militärisch hilf-
losen Gegner.[97]

Nach dieser allerhöchsten Freigabe nahm die militärische Führung den Vormarsch im Osten wieder auf, der zu einem Spaziergang wurde, weil die kriegsmüden Truppen der revolutionären Regierung praktisch keinerlei Widerstand lei-
steten und die Appelle der russischen Kommunisten an das deutsche Proletariat,
Klassensolidarität zu üben, wirkungslos verpufften. So blieb der sowjetrussischen
Delegation drei Wochen nach dem Abbruch der Verhandlungen gar nichts anderes
übrig, als nach Brest-Litowsk zurückzukehren. Doch dort hatte sich der Wind inzwischen gedreht: Der sowjetrussischen Seite wurde am 3. März 1918 ein Friedensvertrag abgenötigt, der sich qualitativ erheblich von dem Verhandlungsstand Anfang Februar 1918 unterschied. Erst jetzt wurde der Frieden von Brest-Litowsk zum
Synonym eines Diktatfriedens. Sowjetrußland verlor nicht nur diejenigen Gebiete,
die bereits 1915/16 von den Mittelmächten erobert worden waren (also im wesentlichen Polen, Kurland, Litauen und Teile Weißrußlands). Es mußte überdies Livland, Estland, Finnland und die Ukraine räumen und die Unabhängigkeit der neu
gebildeten Ukrainischen Republik anerkennen. Der Obersten Heeresleitung war

damit der Nordosten und Osten Europas geöffnet worden für eine rigorose er-
nährungs- und wehrwirtschaftliche Ausbeutung, die allerdings eine derartig massive deutsche Militärpräsenz erforderte, daß das Kalkül, eine nennenswerte Zahl
der bislang im Osten stationierten Truppen an die Westfront zu verlagern und mit
dieser Verstärkung im Frühjahr 1918 dort den entscheidenden Durchbruch zu erzielen, nicht aufging. Ludendorff berauschte sich so an den Vorstellungen, ein
deutsch beherrschtes Osteuropa als blockadefesten Wirtschaftsraum zu errichten
und von dort aus den nächsten Krieg gegen das britische Weltreich vorzubereiten,
daß eine Million deutscher Soldaten im Sommer 1918 in dem riesigen Raum von
Finnland bis zum Schwarzen Meer gebunden war.[98]

Mit der militärischen Niederwerfung Rußlands war dem Deutschen Reich
und seiner Führung etwas gelungen, was selbst dem großen Feldherrn Napoleon
verwehrt geblieben war. Die Siegeszuversicht in Deutschland erhielt dadurch neue
Nahrung; Anhänger eines Verständigungsfriedens wurden als einsame Rufer in der
Wüste immer stärker isoliert. Staatssekretär Kühlmann als der wichtigste Regierungsvertreter dieser minoritären Position war nach dem Diktatfrieden von Brest-
Litowsk nur noch ein lästiger Störenfried, der auf Geheiß der Obersten Heeresleitung bei nächstbester Gelegenheit seines Postens verlustig ging.[99] Wieder einmal
bildete eine häßliche Kampagne den Auftakt: Gezielt wurden Gerüchte gestreut,
daß der Staatssekretär seinen Aufenthalt in Bukarest, wo er am 7. Mai 1918 den
Frieden mit Rumänien ausgehandelt hatte, dazu genutzt habe, im Paris des Ostens
allerhand Zerstreuungen nachzugehen, die sich für einen Repräsentanten des
Deutschen Reiches nicht schickten.[100] Selbst Hindenburg war sich nicht zu schade
dafür, solche böswilligen Unterstellungen in einem Immediatschreiben an den
Kaiser zu verbreiten.[101] Zur entscheidenden Attacke blies die Oberste Heeresleitung nach einer Reichstagsrede Kühlmanns am 24. Juni 1918, in der dieser
eigentlich nur eine politische Selbstverständlichkeit formuliert hatte, nämlich daß
angesichts der Zahl der Gegner und der Tatsache, daß auch militärisch nicht be-
zwingbare überseeische Mächte darunter seien, »ohne alle diplomatischen Verhandlungen« allein mit militärischen Mitteln kein befriedigendes Ende des Krieges
herbeigeführt werden könne. Für die Oberste Heeresleitung bot diese Feststellung
den gewünschten Vorwand, eine Pressekampagne gegen Kühlmann zu inszenieren: Bereits einen Tag nach seinem Auftritt vor dem Reichstag berief das der OHL
unterstehende Kriegspresseamt eine Pressesitzung ein, in der diese Rede als schäd-
lich für die Kampfmoral des Heeres gebrandmarkt und deshalb unter Zensur gestellt wurde.[102] Mit der einmaligen Maßnahme, die Verbreitung der Rede eines
Regierungsmitglieds durch Zensurmaßnahmen zu behindern, hatte die Oberste

Heeresleitung den Startschuß dafür gegeben, daß sich der Großteil der Presse – abgesehen von sozialdemokratischen und liberalen Blättern – auf Kühlmann einschoß.

Auch auf ihre parlamentarischen Hilfstruppen konnte sich die Oberste Heeresleitung verlassen. Als erster griff der konservative Parteiführer Westarp Kühlmann im Reichstag noch am 24. Juni an. Am nächsten Tag ritt Stresemann eine scharfe Attacke gegen Kühlmann, in der er sich der Argumente der Obersten Heeresleitung bediente.[103] Damit war aus der Reichstagsrede Kühlmanns eine Kühlmann-Krise geworden,[104] mit der sich der Kaiser zu befassen hatte. Dessen Entscheidung konnte nicht zweifelhaft sein, zumal Reichskanzler Hertling sich nicht schützend vor Kühlmann stellte, indem er mit Rücktritt drohte für den Fall, daß der Staatssekretär aus dem Amt gedrängt wurde. Hertling gab vielmehr sofort dem Verlangen Hindenburgs nach, der in einer vertraulichen Besprechung am 1. Juli 1918 die Entlassung Kühlmanns forderte und diesen bezichtigte, die Kampfmoral der Truppe zu untergraben.[105] Daß Kühlmann die Unterstützung derjenigen Parteien genoß, die knapp ein Jahr zuvor die Friedensresolution im Reichstag beschlossen hatten, machte den Kaiser nur kurz in seinem Entschluß schwankend, der Obersten Heeresleitung das gewünschte Opfer zu bringen.[106] Am 9. Juli 1918 nahm Wilhelm II. das Demissionsgesuch Kühlmanns an. Hindenburgs Herrschaft im Weltkrieg hatte ihren Zenit erreicht: Der Kaiser beugte sich jedem energischen Insistieren Hindenburgs, und die Reichsleitung war letztlich vom Vertrauen der Obersten Heeresleitung abhängig geworden. Der Reichstag hatte zwar einen Machtzuwachs im Verhältnis zu den politisch verantwortlichen Amtsträgern zu verzeichnen; doch diesen unter die Kategorie »legale Herrschaft« zu verbuchenden Einflußgewinn bezahlte er mit der Aktionsunfähigkeit gegenüber der ganz anders strukturierten charismatischen Herrschaft Hindenburgs, die sich wegen ihrer nicht rechtsförmigen Gestalt dem Zugriff des Parlaments entzog.

Am 15. Juni 1918 begeht Kaiser Wilhelm II. im Hauptquartier zu Avesnes
sein dreißigstes Regierungsjubiläum; im Vordergrund (v.l.n.r.):
Wilhelm II., Oberst Max Bauer, Hindenburg und Kronprinz Wilhelm

KAPITEL 12

Enttäuschte Hoffnungen und gefährdeter Ruhm

Wenn ein Feldherr einen großen Krieg verliert, dann dürfte sein Name in der Nachwelt dauerhaft mit dem Makel dieser Niederlage befleckt sein. Generalfeldmarschall Paul von Hindenburg hat als Inhaber der höchsten militärischen Position dem Deutschen Reich dieses Schicksal im Ersten Weltkrieg nicht ersparen können, aber dieses militärische Desaster glitt einfach an ihm ab und vermochte den Hindenburg-Mythos nicht wirklich zu beschädigen. Dabei hatte er seinen Namen eng mit der Hoffnung auf einen Siegfrieden verknüpft und der deutschen Öffentlichkeit eine keineswegs gespielte Siegeszuversicht einzuflößen versucht. Mußte das jähe Scheitern dieser Hoffnungen von Oktober 1918 an nicht auf ihn als die Verkörperung des Sieges zurückfallen? Mußte Hindenburg nicht vorgehalten werden, daß er, als aus einer militärisch starken Position heraus Verhandlungen über einen Verständigungsfrieden noch hätten geführt werden können, diejenigen mit allen Mitteln bekämpft und aus ihren Ämtern gedrängt hatte, die einen solchen Frieden anstrebten?

Daß Hindenburgs symbolisches Kapital durch die Kriegsniederlage nicht aufgebraucht wurde, ist mithin erklärungsbedürftig. In der Tat hatte Hindenburg im Verlaufe des Sommers und Herbstes 1918 politische Gefährdungen zu bestehen, aber nachdem ihm dies ohne großen öffentlichen Ansehensverlust gelungen war, zeigte sich, daß sein Name nichts von seinem symbolischen Klang eingebüßt hatte und sich noch Jahre später in politische Herrschaft ummünzen ließ.

Hindenburg kam zum einen zugute, daß die deutsche Öffentlichkeit Ludendorff im Verlaufe des Jahres 1918 eine gleichberechtigte Stellung als Feldherr zuerkannte.[1] Daß man ihn nicht mehr länger als Zuarbeiter Hindenburgs wahrnahm und damit nachholte, was militärischen Fachkreisen längst bekannt war, sollte zur Entlastung Hindenburgs von der militärischen Niederlage im Herbst 1918 beitragen. Denn je mehr Ludendorff in militärischer Hinsicht in den Vordergrund trat, desto stärker konnte man ihm die Kriegsniederlage anlasten. Die Entscheidung für die große kriegsentscheidende Offensive im März 1918 trug so sehr die militärische

Handschrift Ludendorffs, daß die Kriegsberichterstatter schon Ende des Monats erstmals ein Interview allein mit dem Ersten Generalquartiermeister führten, der bis dahin Pressegespräche nur in Begleitung Hindenburgs geführt hatte.[2] Die Märzoffensive wurde zu Recht Ludendorff zugerechnet – und damit mußte auch ihr Mißerfolg vornehmlich auf ihn zurückfallen.

Die hinter dieser Offensive steckende militärische Überlegung war nachvollziehbar, wenn man die Prämisse akzeptierte, daß Deutschland in der Lage war, auf dem Schlachtfeld den Krieg zu seinen Gunsten zu entscheiden. Stellte man sich hingegen auf den Standpunkt, daß nach dem Sieg im Osten die Stunde der Diplomatie hätte schlagen und eine großangelegte Friedensoffensive hätte gestartet werden müssen, dann war Ludendorffs Vorhaben ein höchst riskantes Vabanquespiel. Denn das Deutsche Reich war militärisch nur noch zu einer einzigen offensiven Anstrengung fähig; sollte diese fehlschlagen, war die Niederlage unvermeidlich, zumal sich bei den Verbündeten des Reiches unübersehbare Auflösungserscheinungen abzeichneten.

Für ein »Alles-oder-Nichts« war der März 1918 zweifellos der geeignete Zeitpunkt. Noch waren die US-amerikanischen Truppen nicht auf dem westlichen Kriegsschauplatz angekommen. Zwar hatten sich die vollmundigen Versprechungen der deutschen Marine, daß sie den Transport amerikanischer Truppen nach Europa mit Hilfe der U-Bootwaffe verhindern würde, als unrealistisch entpuppt. Aber noch waren die mittlerweile nach Frankreich und Großbritannien verschifften US-Kontingente nicht fronteinsatzfähig, so daß im Frühjahr 1918 die allerletzte Chance bestand, mit Hilfe der aus dem Osten abgezogenen Truppen den großen Durchbruch zu erzielen.

Anders als bei Ludendorff mischte sich bei Hindenburg in das militärische Kalkül auch eine dezidiert politische Absicht. Ein siegreicher Durchbruch im Westen hätte sein Ansehen in unerreichte Höhen katapultiert, so daß man ihm keinen politischen Wunsch mehr hätte abschlagen können. Auch die letzten institutionellen Widersacher in Reichstag und Reichsleitung hätten gegen den strahlenden Sieger im Weltkriege nichts mehr ausrichten können. Die nach seiner Ansicht verhängnisvollen Entwicklungen in der preußischen Wahlrechtsfrage könnten dann endlich korrigiert werden. Hindenburg schielte mithin auch auf die deutsche und nicht zuletzt preußische Innenpolitik,[3] als er sich Ludendorffs Vabanquespiel anschloß.

Die Märzoperation sollte durch den massierten Truppeneinsatz an einem bestimmten Frontabschnitt einen siegbringenden Durchbruch ermöglichen, was seit dem Festfahren der Fronten im Westen im November 1914 keiner Seite gelungen war. Der Schlag zielte bewußt gegen einen britischen Frontabschnitt, weil man sich gegen diesen Gegner die größten Erfolgsaussichten ausrechnete. Ludendorff wählte den von den Briten verteidigten Abschnitt zwischen Arras und La Fère in der Picardie. Den drei deutschen Armeen wurden allerdings gleich zwei Aufgaben aufgebürdet, die sie überfordern mußten, was das Scheitern der Operation unvermeidlich machte: Zum einen sollten die britischen Verbände nach dem Durchbruch so nach Norden abgedrängt werden, daß sie die französischen Kanalhäfen aufsuchen mußten. Um zwischen die britischen und französischen Verbände einen Keil zu treiben, mußte man aber die südlich des Flusses Oise stationierten französischen Verbände am Eingreifen hindern. Diese doppelte Aufgabenstellung führte dazu, daß sich die drei angreifenden deutschen Armeen verzettelten und letztlich keines der beiden strategischen Ziele erreichten. Zwar verzeichnete die am 21. März 1918 gestartete Offensive »Michael« große Anfangserfolge, doch nach zwei Wochen war sie festgelaufen. Trotz beträchtlicher Geländegewinne blieb der deutschen Seite der entscheidende Durchbruch verwehrt, und Ludendorff mußte das Unternehmen am 5. April abbrechen. Die enormen Verluste von etwa 230 000 Mann waren nicht mehr auszugleichen; Briten und Franzosen dagegen, die Verluste in ähnlicher Größenordnung zu verzeichnen hatten, konnten auf den Zustrom frischer und bestens ausgerüsteter amerikanischer Truppen im Laufe des Sommers 1918 hoffen.[4]

Statt sich in die strategische Defensive zurückzuziehen und den Geländegewinn, immerhin ein Streifen von sechzig Kilometern, für die Anbahnung von Friedensverhandlungen auf einer günstigeren Basis zu nutzen, verrannte sich Ludendorff in weiteren Vorstößen, die zwar magere territoriale Verbesserungen einbrachten, aber infolge der erlittenen Verluste die Kampfkraft des Frontheeres noch mehr schwächten. Am 9. April versuchte er es ganz im Norden in Flandern, aber er biß sich an der britischen Verteidigung die Zähne aus. Am 27. Mai 1918 griff er britische und französische Verbände am Höhenzug Chemin des Dames nördlich von Reims an, die von dieser Attacke so überrascht wurden, daß die deutschen Angreifer binnen weniger Tage sogar bis zur Marne vorstießen und damit Paris ähnlich nahe kamen wie im September 1914. Doch diese größte militärische Krise seit der Marneschlacht überstanden die Ententemächte dank des massiven Einsatzes französischer Truppen und weil die Angreifer unter den überdehnten Versorgungslinien litten, da sie einfach nicht genug Nachschub heranschaffen konnten. Der deutsche Vorstoß blieb Anfang Juni an der Marne stecken, und auch Reims konnte wie schon 1914 nicht erobert werden.[5]

Die Anfangserfolge dieser Serie von deutschen Offensiven ließen auf deutscher Seite dennoch neue Siegeshoffnungen keimen. Nicht nur in der Heimat, auch in der mittlerweile nach Avesnes umgesiedelten Operationsabteilung der Obersten Heeresleitung nährten sie die Illusion, den Gegner auf dem Schlachtfeld bezwingen zu können.[6] Die Hoffnung auf einen Siegfrieden erfaßte sogar jene politischen Kräfte, die den Krieg so schnell wie möglich zu einem für Deutschland ehrenvollen Ende bringen wollten. Unter Sozialdemokraten im Feldheer wie in der Heimat machte sich im Frühjahr 1918 neue Siegeszuversicht breit: »Der heutige Siegesrausch läßt sich bald mit dem der ersten Kriegsmonate vergleichen.«[7] Und selbst unter den SPD-Oberen mehrten sich die Stimmen derer, die den Verheißungen der OHL Glauben schenkten und in dem greifbar nahe scheinenden militärischen Sieg einen erfolgversprechenden Weg zum Frieden erblickten.[8]

Hindenburg verfolgte die Frühjahrsoffensive von der Warte des wohlwollenden Beobachters. Aus eigenem Antrieb hatte er die operative Planung längst an Ludendorff abgetreten, wo er sie in besten Händen glaubte. Ludendorffs späteres Urteil, Hindenburg habe sich in rein militärischen Angelegenheiten den Willen des Ersten Generalquartiermeisters »restlos zu eigen gemacht«,[9] ist keine Übertreibung. Alle Eingeweihten fällten ein ähnliches Urteil, auch wenn sie ihre Ansicht zum Teil erst nach Kriegsende freimütig äußerten. Kronprinz Wilhelm, als Kommandierender einer Heeresgruppe direkt in das Kriegsgeschehen im Westen eingebunden, schenkte seinem Vater in einem Schreiben vom Januar 1919 reinen Wein ein: »Wie wenig im Bilde der Feldmarschall über die ganze Kriegsführung im Westen war, davon kannst Du Dir ja gar keine Begriffe machen, das muß man selbst staunend miterlebt haben. Bei den eigenen Herren seines Stabes wurde er schon lange nicht mehr als auf der Höhe befindlich angesehen und bei vielen schon nicht mehr als voll genommen.«[10] Oberst Karl von Fabeck, der als Abteilungschef der 1. Obersten Heeresleitung unter Moltke bekanntlich Hindenburg bei der Neubesetzung des Kommandos der 8. Armee ins Spiel gebracht hatte, vermochte sich nicht des Eindrucks zu erwehren, daß sein »Onkel Paul« von Ludendorff an die Wand gedrückt wurde.[11]

Hindenburg teilte voll und ganz den Optimismus des Feldherrn Ludendorff, mit einer gewaltigen Kraftanstrengung bis Sommer 1918 eine militärische Entscheidung auf französischem Boden zugunsten des Reiches herbeiführen zu können. Nach den Anfangserfolgen der »Michael«-Offensive fühlte er sich in seiner Einschätzung derartig bestätigt, daß er die Verfechter eines Verständigungsfriedens öffentlich des Kleinmuts und der Verzagtheit zieh. »Es gab Zeitspannen in diesem Kriege, in denen der Sieg unsicher erschien. Da schieden sich die Meinungen: die einen verzweifelten am Erfolge und setzten ihre Hoffnung auf den Versöhnungswillen unserer Gegner; die anderen glaubten nicht an ein Einlenken unserer Feinde und sahen die Rettung Deutschlands nur in harter, entschlossener Weiterführung des Krieges, sie verloren nicht die Hoffnung auf einen siegreichen Ausgang. Der Erfolg hat letzteren recht gegeben.«[12]

Seine Zuversicht büßte Hindenburg auch nach dem Festfahren der Offensive nicht ein. Zaghafte Anfragen weitsichtiger Militärs, ob nun nicht die Zeit für eine politische Friedensinitiative gekommen sei, stießen auf tiefes Unverständnis. Als Oberst von Haeften, der als Intimus Moltkes Hindenburgs ersten politischen Gehversuch, die Intrige gegen Falkenhayn im Januar 1915, unterstützt hatte, den Generalfeldmarschall Anfang Juni 1918 vom Ergebnis einer von ihm selbst verfaßten Denkschrift in Kenntnis setzte, nämlich daß ein solcher politischer Schritt unerläßlich sei, kommentierte Hindenburg das auf seine Art:»Na – so schlimm wird die Sache ja wohl nicht sein. Wir haben noch vier lange Sommermonate vor uns; da werden wir die Sache wohl militärisch noch schaffen.« Haeften war angesichts von soviel Selbstgewißheit sprachlos.[13] Auch die warnenden Berichte von erfahrenen Frontoffizieren, die den Zustand der kämpfenden Truppe genau kannten und wußten, wie ausgelaugt und ausgebrannt die zum Teil seit Jahren an der Westfront eingesetzten Verbände waren, prallten an Hindenburgs sonst so geschätzter Ruhe ab. Als Oberstleutnant Albrecht von Thaer, von 1915 an als Chef des Generalstabes im Generalkommando des IX. Reservekorps in den Materialschlachten der Westfront gestählt, seine Versetzung in das Große Hauptquartier dazu nutzte, um Hindenburg persönlich am 1. Mai 1918 in ungeschminkten Worten die Lage an der Front zu schildern, machte dies keinerlei Eindruck auf den Feldmarschall, der seine Erfahrung des Ostkrieges geltend machte und eine mehr als gewagte Analogie herstellte:»Sehn Sie mal, in Rußland ist das auch nicht mit einem Male gegangen, bis der Koloß umfiel. Da haben wir auch immer wieder, bald hier bald da angegriffen, und auf einmal war's dann so weit. So wird's hier im Westen auch gehen. Sehn Sie mal, wir haben ja, Gott sei Dank, noch fünf Monate vor uns, ehe es Winter wird, da können wir noch eine ganze Reihe von Offensivstößen ihm geben, da angreifen, hier angreifen, da angreifen.«[14]

Bis Juni 1918 trafen immer wieder Siegesmeldungen von der Front ein, und so lange konnte sich Hindenburg in seiner unerschütterlichen Siegeszuversicht bestätigt fühlen. Darüber hinaus fiel ihm wieder einmal die angenehme Rolle des Überbringers der guten Nachrichten zu, mit dem erfreulichen Nebeneffekt, daß der Kaiser seinem Generalfeldmarschall am zweiten Tag der »Michael«-Offensive das Eiserne Kreuz mit goldenen Strahlen an die Brust heftete,[15] eine Kriegsauszeichnung, die bislang nur der alte Blücher nach seinem wirklich entscheidenden

Sieg über Napoleon in Waterloo erhalten hatte. So hoch dekoriert wurde wohl nie ein Feldherr für eine Schlacht, die er gar nicht selbst geschlagen und zudem überhaupt nicht gewonnen hatte. Auch in symbolischer Hinsicht erklomm Hindenburg Gipfelhöhen; selbst scharfsinnige Intellektuelle wie der Literat und Kunstmäzen Harry Graf Kessler billigten ihm mittlerweile eine symbolische Statur zu, die selbst einen Bismarck in den Schatten stellte:»Daß Hindenburg in seinem Fühlen repräsentativ ist, weit mehr als Bismarck ..., ist eine unermeßliche Kraftquelle. Jedes Wort von ihm trifft ins Herz des gemeinen Mannes, ganz unabsichtlich, und treibt ihn vorwärts in Sieg und Tod.«[16]

In der Stunde des zum Greifen nahen militärischen Triumphes suchte der Kaiser mehr denn je die Nähe Hindenburgs, und er hielt sich häufiger als sonst an der Front auf. Wenn ihm seine Oberste Heeresleitung den Sieg im Weltkrieg schenkte, dann konnte er großzügig über alle ihm von dieser Seite widerfahrenen Demütigungen hinwegsehen. Sein dreißigstes Regierungsjubiläum am 15. Juni 1918 beging Wilhelm II. im Hindenburgschen Hauptquartier in Avesnes,[17] wo er den Wurzeln seiner Herrschaft besonders nahe zu sein schien, nämlich der militärischen Kommandogewalt, die er während des Krieges aber immer weniger ausgeübt hatte.

Der Wendepunkt des Krieges im Westen trat Mitte Juli 1918 ein. Zunächst schlug die letzte deutsche Offensive komplett fehl, und dann brachte ein Gegenstoß französischer Verbände die deutsche Seite in arge Bedrängnis. Am 15. Juli 1918 versuchten deutsche Verbände östlich von Reims und vom Marnebogen aus die Marne entlang bis nach Châlons-sur-Marne vorzustoßen, doch der Angriff mußte nach zwei Tagen abgebrochen werden, da er bereits nach wenigen Kilometern steckenblieb. Unmittelbar danach holten die 6. und die 10. französische Armee mit amerikanischer Unterstützung überraschend zum Gegenschlag aus und eroberten die von den Deutschen bei der Chemin-des-Dames-Offensive erzielten Geländegewinne binnen weniger Tage weitgehend zurück. Als beunruhigendes Warnzeichen mußte angesehen werden, daß deutsche Soldaten erstmals massenhaft den Weg in die Gefangenschaft einem verbissenen Kämpfen bis zur letzten Patrone vorzogen und die Westmächte den Einsatz der neuen Tankwaffe mit durchschlagendem Erfolg praktizierten.[18]

Die Oberste Heeresleitung gestand sich intern ein, eine schwere Schlappe erlitten zu haben, und sann auf Gegenmaßnahmen. Zu aller Überraschung fühlte sich Hindenburg auf einmal verpflichtet, einen eigenen operativen Vorschlag anzubringen: einen sofortigen deutschen Gegenstoß nordwestlich von Soissons. Ludendorff war perplex, daß der Generalfeldmarschall sich in die operativen Planungen einmischte, obgleich ihm dazu sämtliche Detailinformationen, um die er sich nie ge-kümmert hatte, fehlten. Da Ludendorff und seine Operationsabteilung die von Hindenburg favorisierte Operation schon längst geprüft, aber aus militärischen Gründen verworfen hatten, machte Ludendorff aus seiner Verärgerung über Hindenburgs Vorschlag kein Hehl. Hindenburg hatte seine Idee beim eingehenden Studium der Lagekarte entwickelt, weshalb sie für Ludendorff die Weisheit eines Stubengelehrten darstellte, der jeden Kontakt zur militärischen Realität längst verloren hatte. Er wies daher die Einmischung des unkundigen Generalfeldmarschalls in schroffer Weise ab. Hindenburg beugte sich dieser militärischen Belehrung, wies Ludendorff aber an, die Form zu wahren und ihn nicht in dieser Weise vor den Mitarbeitern der Operationsabteilung bloßzustellen.[19] Danach wagte es Hindenburg nicht mehr, gegen den absoluten militärischen Führungsanspruch Ludendorffs aufzubegehren, und trug dessen Entscheidungen klaglos bis zum bitteren Ende mit.

Dieses Ende kündigte sich an, als am 8. August 1918 – von Ludendorff später als »schwarzer Tag von Amiens« bezeichnet – ein von Tanks und Tieffliegern unterstützter Angriff britischer Verbände ein tiefes Loch in die 2. deutsche Armee riß. Diese Niederlage war nicht zu beschönigen, weil zum ersten Mal eine Offensive britischer Verbände eine deutsche Armee ins Wanken gebracht und wohl mehr als 20 000 deutsche Soldaten für sich selbst das Kriegsende herbeigeführt hatten, indem sie in Gefangenschaft gingen. Der politischen Führung und dem Kaiser konnte der Ernst der Lage nicht länger verborgen werden. Am 14. August 1918 trafen sich Reichskanzler Hertling und der neue Staatssekretär des Äußeren, Admiral Paul von Hintze, im Großen Hauptquartier zu einer Besprechung mit der Obersten Heeresleitung unter Vorsitz des Kaisers, um die neue Situation und die daraus abzuleitenden Maßnahmen zu erörtern. Hindenburg und Ludendorff traten wie gewohnt als Dioskurenpaar auf, das sich nicht auseinanderreißen ließ. Beide klammerten sich an die Hoffnung, daß dem Frontheer der Übergang in eine strategische Defensive gelingen werde, wie Hindenburg in dieser Besprechung ausführte: »Auf französischem Boden stehen zu bleiben und dadurch schließlich den Feinden unseren Willen aufzuzwingen.«[20] Mit dieser durch die Autorität des Feldmarschalls geadelten Aussage wurde die Politik von der Notwendigkeit entbunden, bereits jetzt Schritte zur Einleitung von ernsthaften Friedensverhandlungen einzuleiten. Auf der anderen Seite nahm die Oberste Heeresleitung die Politik in die Verantwortung, indem sie anmahnte, daß das Feldheer sich nur bei intakter Heimatfront auf feindlichem Boden behaupten könne.[21] Damit zeichnete sich bereits im August 1918 eine Argumentation ab, die später in der »Dolchstoßlegende« gipfeln sollte: Die militärische Niederlage war nicht dem Versagen der obersten militärischen Führung anzulasten, sondern der Heimat, wo der Defätismus die Oberhand gewonnen habe, so daß das im Felde unbesiegte Heer sich im Stich gelassen sah. Langsam, aber unerbittlich wurde die deutsche Front immer weiter zurückgedrängt. Vom 21. August an übernahmen die Briten bei Arras und Péronne die Initiative und errangen beträchtliche Geländegewinne. Die Lage wurde von der OHL als so bedrohlich angesehen, daß am 5. September das Hauptquartier von Avesnes ins belgische Spa zurückverlegt wurde.[22] Nun dämmerte auch Hindenburg und Ludendorff allmählich, daß der Krieg verloren war. Damit tauchte die bange Frage auf, ob nicht die Führung der 3. Obersten Heeresleitung für das sich anbahnende und kaum noch aufzuhaltende militärische Desaster zur Rechenschaft gezogen werden würde. Auf einmal schien auch Hindenburgs Position gefährdet, nämlich dann, wenn Kaiser und Reichsleitung ihm die bevorstehende Niederlage anlasteten und durch einen Wechsel an der Spitze der militärischen Operationen im letzten Moment noch eine Wende zum Besseren herbeizuführen trachteten.

Die schweren Rückschläge seit Mitte Juli 1918 hatten auch die Zahl der Kritiker in den Reihen hochrangiger Militärs erhöht. Gewiß konzentrierte sich diese Kritik auf die Person des allmächtigen Ludendorff, der nun dafür geradestehen mußte, daß er alle militärische Entscheidungsgewalt bei sich konzentriert hatte. Aber sie verschonte auch den Feldmarschall nicht mehr, weil unter den hochrangigen Kommandeuren die bohrende Frage aufkam, ob sich das Reich in seiner bedrängten Lage den Luxus erlauben konnte, einen Mann an der Spitze der Obersten Heeresleitung zu wissen, der in punkto militärischer Kapazität mit der neuen Lage völlig überfordert und ein glatter Ausfall sei. Besonders in der Heeresgruppe Kronprinz hielt man mit der Kritik an Hindenburgs Passivität nicht hinter dem Berg, wobei sich insbesondere der Generalstabschef, Oberst von der Schulenburg, freimütig äußerte.[23] Auch alten Weggefährten Hindenburgs, wie Generaloberst Karl von Einem, dem Kommandanten der 3. Armee, kamen immer stärkere Zweifel, ob Hindenburg den militärischen Anforderungen noch gewachsen war.[24]

Daß Hindenburg auch in Avesnes die alten Lebensgewohnheiten beibehielt und den Abend lieber in geselliger Runde verbrachte als zumindest den Anschein von Arbeitseifer zu erwecken, ließ unter hochrangigen Militärs, die ins Hauptquartier kamen, Unmut aufkommen. Ludendorff war dies allerdings gewohnt; und so konnte er allerhöchstens schmunzeln über den gut gemeinten dienstlichen Befehl des Feldmarschalls, sich bereits um 23 Uhr zur Nachtruhe zu begeben.[25] Hieraus sprach die ehrliche Fürsorge Hindenburgs, der wie viele andere mit Sorge beobachtete, wie Ludendorffs Gesundheit durch die aufreibende Tätigkeit, die ihn nur maximal von ein Uhr bis fünf Uhr nachts Schlaf finden ließ, angegriffen wurde.[26] Hindenburg zeigte manchmal eine beinahe rührend wirkende Anteilnahme – so schickte er Ludendorff etwa eine extra große Birne zum Verzehr[27] –, aber er blendete die Frage vollkommen aus, ob nicht seine eigene Untätigkeit Ludendorff in diese Situation mit hineingetrieben habe. Auf nicht der Operationsabteilung angehörende Militärs, die das Große Hauptquartier im Wendemonat August 1918 aus dienstlichen Gründen aufsuchten, konnte das nicht einmal kaschierte Phlegma des Feldmarschalls geradezu aufreizend wirken und die Anschlußfrage aufwerfen, ob nicht ein Wechsel an der Spitze geboten sei. Öffentlich sind solche Stimmen nicht geworden, aber im vertrauten Kreis nahm man später hier und da kein Blatt vor den Mund, wenn die Rede auf Hindenburgs Aktivitäten in der kritischen Phase von August 1918 an kam. Besonders freimütig äußerte sich bei solchen Gelegenheiten etwa Magnus von Levetzow, der letzte Chef des Stabes der Seekriegsleitung. Dem Kapitän zur See war nicht verborgen geblieben, daß Hindenburg sich selbst als militärisch unnütz ansah. Eine Szene hatte sich ihm besonders ins Gedächtnis eingegraben: Während einer abendlichen Tafelrunde plauderte Hindenburg fröhlich über die Vergangenheit, bis Ludendorff sich schließlich erhob, um mit den Leuten der Operationsabteilung noch bis spät in die Nacht zu arbeiten. Hindenburg befürchtete einen Gesichtsverlust vor den Gästen der Marine, wenn er sich Ludendorff nicht zum Schein anschloß: »Da sollte ich wohl auch gehen.« Darauf Ludendorff schneidend: »Das ist nicht notwendig, Herr Generalfeldmarschall!« Hindenburg schien ein wenig verlegen und meinte dann brummend: »Na, ich habe sie [die Mitarbeiter der Operationsabteilung] ja auch schon vorher gesehen« – und blieb.[28] Auf Außenstehende mußte dieses Verhalten wie ein militärischer Offenbarungseid wirken.

Hindenburg blieb selbst in der militärischen Existenzkrise seinen Lebensgewohnheiten treu, weil er gar nicht den Anspruch auf die Führung der militärischen Operationen erhob. Noch im August 1918 demonstrierte er seine treue Anhänglichkeit an die militärischen Formationen, denen er selbst angehört hatte. Das 3. Garderegiment zu Fuß, in dem er als junger Leutnant gewirkt hatte, beehrte er am 18. August 1918 zur Jahresfeier eines Gefechts des Deutsch-Französischen Krieges, an dem er selbst noch teilgenommen hatte, mit seiner Anwesenheit.[29] Wenn Angehörige des 91. Infanterieregiments, dem Hindenburg in seiner Oldenburger Zeit vorgestanden hatte, sich im Großen Hauptquartier meldeten, taute der sentimentale Hindenburg auf und legte ihnen zu Ehren seine alte oldenburgische Uniform an.[30]

Nach außen ließ Hindenburg nicht das Geringste auf Ludendorffs Kriegführung kommen und schirmte diesen mit seiner persönlichen Autorität gegen die immer heftiger werdende Kritik ab. Als am 6. September 1918 mit den Generalstabschefs der drei westlichen Heeresgruppen die eigentlichen operativen Köpfe bei der Obersten Heeresleitung vorstellig wurden in der Erwartung, einen Ausweg aus der immer verfahreneren militärischen Situation gewiesen zu bekommen, wurden sie von Hindenburg abgespeist. Jede mögliche Kritik erstickte er im Keim mit der Bemerkung, daß alle großen Operationen der letzten Zeit völlig richtig geplant gewesen seien. »Wenn er die Überzeugung hätte, daß bei den großen Operationen entscheidende Fehler gemacht worden seien, dann stände er nicht mehr hier.«[31] Hindenburg sparte statt dessen nicht mit Vorwürfen an die Führung einzelner Armeen, die schlichtweg versagt hätten. Bei seinen Frontbesuchen bemühte er sich, den Armeeführern Zuversicht einzuimpfen, indem er als Parole ausgab, daß man das Jahr 1918 in gesicherter Stellung auf feindlichem Boden überstehen müsse.[32]

Das Herauskehren der militärischen Hierarchie konnte aber nicht darüber hinwegtäuschen, daß Hindenburgs Position angesichts der militärischen Niederlage stärker bedroht war als jemals zuvor und danach – falls er auf seine militärische Funktion reduziert wurde. Sollte aus genuin militärischen Gründen ein Führungswechsel an der Spitze der OHL erfolgen, weil man sich von neuem Führungspersonal vielleicht doch noch eine Stabilisierung der Fronten erhoffte, dann traf das Hindenburg genauso wie Ludendorff. Brenzlig wurde die Lage zudem, weil Hindenburgs politische Botschaften im Herbst 1918 viel von ihrer Resonanz einbüßten. Ein ausgemergeltes Frontheer und eine unter chronischer Unterernährung leidende Heimat noch im September 1918 auf die innere Einheit als Garanten des militärischen Erfolges einzuschwören,[33] wirkte angesichts der kriegsbedingten sozialen Verwerfungen in der Heimat unzeitgemäß. Hindenburgs Name hatte dort einiges von seinem mythischen Klang eingebüßt, weil ein immer größerer Teil der Bevölkerung des Krieges überdrüssig war und den Durchhalteparolen nichts mehr abgewinnen konnte.[34] Und auch unter den Frontsoldaten wurden die Stimmen derer immer vernehmlicher, die in Hindenburg einen Kriegsverlängerer erblickten.[35]

Hindenburg überstand diese kritische Phase letztlich unbeschadet, weil im Oktober und November 1918 eine für das ungeschmälerte Weiterleben seines Mythos überaus günstige Konstellation eintrat. Der Krieg zog sich nicht mehr quälend lange hin – am 11. November 1918 schwiegen nach Abschluß des Waffenstillstands die Waffen. Damit konnte ihm nicht länger das Leid angelastet werden, das der Krieg Tag für Tag brachte; die militärische Verantwortung für die Niederlage wurde erwartungsgemäß nicht ihm, sondern dem eigentlichen Feldherrn, also Ludendorff, aufgebürdet. Darüber hinaus schufen die heftigen politischen Turbulenzen des Oktober und November 1918 ein neues genuin politisches Aufgabenfeld für Hindenburg. Das Deutsche Reich erlebte in dieser kurzen Zeit gleich zweimal einen politischen Systemwechsel: Im Oktober wurde der Übergang zu der allerdings sehr kurzlebigen parlamentarischen Monarchie vollzogen; am 9. November 1918 fegte die Revolution alle deutschen Fürsten von ihren Thronen, und damit ging die Bismarcksche Reichsverfassung endgültig in die Brüche. Die Bildung einer parlamentarisch verantwortlichen Reichsregierung sollte für Hindenburgs Position noch einmal Gefahren aufwerfen, aber der revolutionäre Umsturz verschaffte ihm dann endgültig eine neue politische Aufgabe, die für ihn maßgeschneidert war.

Nach dem Untergang der Monarchie stellte Hindenburg sich in den Dienst der neuen staatlichen Autoritäten und sorgte für die Überführung des Frontheeres in die Heimat. Damit erhielt er eine Gelegenheit, seine symbolische Stärke erneut auszuspielen. Indem er sich als Moderator des Übergangs vom Kaiserreich zur Republik profilierte, federte er den jähen politischen Systemwechsel symbolisch ab. Das Ende der Monarchie in Deutschland bedeutete für einen erheblichen Teil der Bevölkerung den Zusammenbruch ihres Weltbildes und schuf einen Zustand der Orientierungslosigkeit. Viele der ob dieses Ereignisses Verstörten lehnten sich an Hindenburg an, der zum wichtigsten Symbol staatlicher Kontinuität geworden war, nachdem das Kaisertum und mit ihm die Symbole der Monarchie verschwunden waren. Hindenburgs symbolische Begleitung während des Übergangs von der Monarchie in die Republik trug ihm zwar die Gegnerschaft mancher Ultramonarchisten ein, die es nicht verwinden konnten, daß der Feldmarschall für die Rettung der Monarchie nicht mehr gekämpft hatte. Diese Vorhaltungen hinterließen bei dem Herzensmonarchisten Hindenburg Spuren; doch stärker wog, daß er ohne wesentliche Blessuren seines Ansehens aus einem verlorenen Krieg herausgekommen war und seine symbolische Funktion als Inkarnation nationaler Einheit sogar noch hatte verstärken können.

Mitentscheidend für diese Entwicklung war unzweifelhaft der Umstand, daß die Oberste Heeresleitung von sich aus am 28. September 1918 die Kriegsniederlage eingestand. Denn damit delegierte sie nicht nur die politische Verantwortung für die Herbeiführung eines Waffenstillstands an die Politik, sondern entzog auch Überlegungen den Boden, durch eine Auswechselung der militärischen Leitung doch noch das Eingeständnis der Niederlage abwenden zu können. Hindenburg blieb damit auf einem Posten, der militärisch zunehmend bedeutungslos wurde, von dem aus er sich aber wieder verstärkt in die Politik einschalten konnte.

Für die Einsicht, daß die Kriegsniederlage unvermeidlich war, hatten zwei erfolgreiche Vorstöße der Ententemächte den Ausschlag gegeben. An der mazedonischen Front, die lange Zeit unbeweglich geblieben war, hatten die dortigen Verbände der Entente am 14. September 1918 einen Durchbruch erzielt, nachdem die Bulgaren infolge des Abzugs der für die »Michael«-Offensive benötigten deutschen Verbände auf sich allein gestellt waren. Binnen zwei Wochen war Bulgarien militärisch am Ende und mußte einen Waffenstillstand unterzeichnen. Damit entstand auf dem Balkan eine neue Front gegen das innerlich völlig zerrissene Österreich-Ungarn, dessen Ausscheiden aus dem Krieg damit nur noch eine Frage von wenigen Wochen war.[36] Zur selben Zeit brach erstmals an der gesamten Westfront – von Flandern bis Lothringen – eine Offensive über die deutschen Verbände herein, an der sich auch die frischen US-amerikanischen Truppen massiv beteiligten, wenngleich die Briten die Hauptlast trugen und auch die größten Erfolge zu verzeichnen hatten. Die deutschen Truppen mußten an vielen Frontabschnitten vor der Übermacht weichen; dies geschah zwar ohne Auflösungserscheinungen, aber man konnte nun nicht mehr die Augen davor verschließen, daß dieses Zurückweichen eine eigene Dynamik annahm und die Niederlage der Mittelmächte nicht mehr abzuwenden war.

Nun endlich reagierte die Operationsabteilung der OHL, indem die dortigen Abteilungschefs am 26. September von sich aus initiativ wurden und den Staatssekretär des Äußeren, Hintze, nach Spa bestellten, um ihm reinen Wein einzuschenken. Auch Ludendorff verschloß sich der bitteren Einsicht nicht mehr und genehmigte die Initiative; Hindenburg weihte er am Spätnachmittag des 28. September ein. Einig waren sich beide, daß parallel zu dem nun unvermeidlich gewordenen Waffenstillstandsersuchen eine qualitative Umbildung der Reichsregierung erfolgen mußte. Denn nur wenn die Parteien der Reichstagsmehrheit in die Regierungsverantwortung eingebunden wurden, entstand jenes breite politische Fundament, das zur inneren Absicherung der deutschen Waffenstillstandsofferte unerläßlich war. Nur wenn man auch die Linke einband, konnte das Feldheer als militärischer und politischer Machtfaktor intakt gehalten und eine Revolutionierung nach russischem Beispiel vermieden werden. Was Hindenburg und Ludendorff am meisten fürchteten, war eine Fortsetzung des Krieges, die dem Westheer eine wirklich vernichtende Kriegsniederlage beibringen und dessen Auflösung zur Folge haben mußte. In diesem Fall würde im geschlagenen Frontheer ein revolutionärer Funken sich rasend schnell verbreiten und von dort auf die Heimat überspringen. Im September 1918 war das Westheer zwar zermürbt und voller Friedenssehnsucht, aber diese passive Grundstimmung war noch weit davon entfernt, in aktives revolutionäres Engagement zur Umwälzung der deutschen Gesellschaft umzuschlagen.[37]

Mit dem Eingeständnis der militärischen Niederlage und dem Auftrag an eine neue Reichsregierung, so schnell wie möglich mit US-amerikanischer Vermittlung Friedens- und Waffenstillstandsverhandlungen zu erwirken, tat sich ein neues Betätigungsfeld für Hindenburg auf. Nun galt es, an den politischen Weichenstellungen der kommenden Tage mitzuwirken, also an der Bildung einer neuen Reichsregierung und der Formulierung des Waffenstillstandsgesuchs an Präsident Wilson. Dies waren politische Fragen, für die sich Hindenburg zuständig fühlte; und daher war sein Platz in den nächsten Tagen nicht das Große Hauptquartier in Spa, wo er ja ohnehin nur eine Nebenrolle spielte, sondern die Reichshauptstadt. Die Reise nach Berlin hatte überdies noch den Vorteil, daß Hindenburg ganz in der Nähe des Kaisers weilen konnte, der sich dorthin aufmachte, um den neuen Mann an der Spitze des Reiches zu ernennen. Der durch die unvermeidlich gewordene Niederlage wie gelähmt wirkende Monarch hatte bislang die Oberste Heeresleitung nicht mit Vorwürfen überhäuft und ihr den Ausgang des Krieges nicht angekreidet.[38] Doch angesichts seiner häufigen Stimmungsschwankungen mußte man darauf gefaßt sein, daß er nach dem Abklingen der geistigen Betäubung die Schuldfrage um so vehementer aufwerfen und auch Hindenburg nicht verschonen würde. Daher empfahl es sich für Hindenburg, den Kontakt mit dem Kaiser zu pflegen und ihn auf der Reise nach Berlin zu begleiten.

Zudem gab es eine drängende Frage, die Hindenburg und den Kaiser aufs engste verband: die Zukunft der Monarchie. Im Innersten seines Herzens bangte Wilhelm II. um den Thron und hegte die Befürchtung, daß die Kriegsniederlage ihm persönlich und womöglich sogar dem Haus Hohenzollern angelastet werden könnte. Hindenburg war zwar vor heftigen Konflikten mit dem Kaiser nicht zurückgeschreckt, hatte ihm wichtige Entscheidungen aufgezwungen und die monarchische Prärogative damit mehr entwertet als alle Vorstöße der Reichstagsmehrheit. Aber er blieb schon aus Tradition ein treuer Anhänger der Monarchie als Staatsform, die überdies den unschätzbaren Vorteil besaß, einen maßgeschneiderten institutionellen Rahmen für die Ausübung seiner charismatischen Herrschaft zu bieten. Anhänglichkeit an die schwache Person Wilhelms II., aber auch machtpolitisches Kalkül bewogen Hindenburg, dem Kaiser neuen Mut einzuflößen und ihn zum Durchhalten zu ermuntern. Geschichtsbewußt bemühte er das historische Paradebeispiel, das in solchen Situationen bis zum Ende des Zweiten Weltkriegs immer wieder herangezogen wurde, um in einer schier ausweglosen Situation einen unbeugsamen Willen zu beschwören: Friedrich der Große nach der

Schlacht von Kunersdorf. Der große preußische König hatte nach seiner verheerenden Niederlage gegen die russische Armee im August 1759 den Kmapf nicht
verloren gegeben, ausgeharrt und sich schließlich doch gegen die schier übermächtige Phalanx der Gegner behauptet. Der Verweis auf ein zweites Mirakel
des Hauses Brandenburg scheint den Kaiser sogar für gewisse Zeit aufgerichtet zu
haben.[39]

Kaum waren der Kaiser und Hindenburg am 2. Oktober 1918, Hindenburgs
71. Geburtstag, in Berlin eingetroffen, begann ein wahrer Sitzungsmarathon, bei
dem die Regelung der zwei Hauptfragen im Vordergrund stand: die Zusammensetzung der neuen Reichsregierung und die Ausformulierung des diplomatischen
Ersuchens an die US-Regierung. Hindenburg hat von Anfang an die Grundsatzentscheidung mitgetragen, daß die neue Reichsregierung mit prominenten Parteiführern besetzt werden und das Vertrauen des Reichstags besitzen müsse. Was den
neuen Reichskanzler anlangte, so lief alles auf den badischen Thronfolger Max
hinaus, der geradezu eine Idealbesetzung zu sein schien. Er genoß bei den Mehrheitsparteien den Ruf, ausgesprochen liberale politische Ansichten zu vertreten,
und galt daher als ein Mann, der eng mit der Reichstagsmehrheit zusammenarbeiten würde. Als süddeutscher Bundesfürst entsprach er weiterhin dem föderalen
Prinzip der Bismarckschen Reichsverfassung. Seine fürstliche Stellung ließ bei den
entschiedenen Anhängern der Monarchie zudem die Erwartung aufkommen, daß
Prinz Max von Baden alles in seiner Macht Stehende unternehmen werde, die
Monarchien in Deutschland und damit auch das deutsche Kaisertum durch die
Stürme der Zeit hindurch zu retten.[40]

Allerdings nahm der designierte Kanzler in der zentralen Frage der Einleitung
von Waffenstillstandsverhandlungen eine Position ein, die der Auffassung der
Obersten Heeresleitung zuwiderlief. Max von Baden hielt die Empfehlung Hindenburgs und Ludendorffs, unverzüglich Friedensbemühungen einzuleiten, für
einen überstürzten Verzweiflungsschritt, der bei nüchterner Betrachtung der militärischen Lage nicht geboten sei und wie eine Einladung zur völligen Unterwerfung Deutschlands wirken müsse. Es bedurfte schon der ganzen Autorität des Generalfeldmarschalls, um Max von Baden, dessen Position auch vom designierten
Staatssekretär des Äußeren Solf geteilt wurde, zum Einlenken zu bewegen. Hindenburg schilderte eindringlich den Ernst der militärischen Lage, und das gab
letztlich den Ausschlag. Der Feldmarschall mußte aber zunächst am 3. Oktober 1918
einen von Max von Baden vorgelegten Fragebogen schriftlich beantworten und
sich sogar dazu bekennen, daß möglicherweise deutsche Gebietsabtretungen die
Folge einer solchen von der OHL gewünschten Friedensaktion sein könnten, ehe

der neue Regierungschef den Weg freimachte für das Friedens- und Waffenstill-standsangebot an Präsident Wilson.[41]

Allerdings waren damit die Bedenken der neuen Reichsregierung gegen den Kurs der Obersten Heeresleitung noch lange nicht ausgeräumt. Selbstbewußt packten der neue Reichskanzler und sein Kabinett die schwierige Aufgabe an, den Krieg noch in letzter Stunde zu einem passablen Ende zu bringen. Das Ansehen der Obersten Heeresleitung hatte Kratzer bekommen, weil man ihr nicht nur die sich abzeichnende Niederlage anlasten konnte, sondern zudem auch noch den Versuch, die neue politische Führung zu überrumpeln und auf die sofortige Einleitung von Friedensverhandlungen festzulegen. Zwar richtete sich die Hauptkritik gegen den eigentlichen Leiter der militärischen Operationen, also Ludendorff, färbte aber auch auf Hindenburg ab. Der Oktober 1918 war daher ein mehr als kritischer Moment für Hindenburg, weil er für militärische Entscheidungen haftbar gemacht zu werden drohte, die er nur nach außen hin zu verantworten hatte. Noch schützte ihn seine symbolische Immunität vor einem zu energischen Zupacken der Reichs-regierung. Aber wenn der Kaiser aus seiner Apathie erwachen und der Reichsregie-rung Rückendeckung gewähren sollte, war Hindenburg nicht mehr tabu. Für Wil-helm II. taten sich nämlich mit dem Autoritätsverlust der Obersten Heeresleitung neue Handlungsspielräume auf: Wenn er die Parlamentarisierung der Monarchie aus innerer Überzeugung mittrug, dann bedeutete das für den Monarchen gewiß schmerzhafte Einschränkungen seiner Machtbefugnisse gegenüber dem Reichstag, aber zugleich auch seine Emanzipation vom politischen Führungsanspruch der Obersten Heeresleitung.

Max von Baden stieß unmittelbar nach seiner Ernennung zum Reichskanzler in diese verletzliche Stelle Hindenburgs. Er machte kein Hehl daraus, daß er der militärischen Lageeinschätzung der Obersten Heeresleitung mißtraute und erfah-rene Armeeführer zur Berichterstattung nach Berlin bestellen wolle, um sich ein eigenes Urteil zu bilden. Ein Rapport in Abwesenheit der Obersten Heeresleitung war ein offener Affront gegen Ludendorff wie gegen Hindenburg,[42] zumal dabei auch an General Max Hoffmann gedacht wurde,[43] mit dem die beiden im Januar 1918 bei Meinungsverschiedenheiten um den polnischen Grenzstreifen frontal auf-einandergestoßen waren. Hoffmann wurde tatsächlich nach Berlin gerufen, was Hindenburg nicht verborgen blieb. Spätestens jetzt wurde ihm in aller Deutlichkeit klar, daß die neue Reichsregierung vorhatte, die Position der Obersten Heeresleitung schrittweise zu demontieren. In dieser brenzligen Lage brachte Hindenburg sein schärfstes Geschütz in Stellung, das bislang seine Wirkung nie verfehlt hatte: die Rücktrittsdrohung. Am 12. Oktober 1918 packte er in einem Fernschreiben an den Reichskanzler den Stier bei den Hörnern und kündigte seinen Abschied für den Fall an, daß Ludendorff entlassen werde.[44] Man sollte darin allerdings nicht die Beschwörung einer unverbrüchlichen Schicksalsgemeinschaft erblicken. Denn genau vierzehn Tage nach diesem Treueschwur wurde Ludendorffs Abschied bewilligt, und Hindenburg ließ seinen vollmundigen Worten keine Taten folgen, sondern blieb auf seinem Posten. Er setzte also nur ein zur Steuerung von Personalentscheidungen mehrfach erfolgreich erprobtes Mittel ein: die Rücktrittsdrohung. Doch diese bislang scharfe Waffe erwies sich nun als stumpf, weil der militärische Mißerfolg Hindenburgs militärische Unersetzbarkeit in Frage gestellt und damit auch sein Drohpotential reduziert hatte.

Die *militärische* Position Hindenburgs blieb bis zu jenem 26. Oktober 1918, als Hindenburg es zuließ, daß die Verantwortung für die Kriegsniederlage allein Ludendorff angelastet wurde, erschüttert. Hier war Hindenburg nicht mehr Herr des Verfahrens, die Initiative war auf die neue Reichsregierung übergegangen, die den Kaiser mit zunehmendem Erfolg für ihre Position einnehmen konnte. Doch in *politischer* Hinsicht verblieb ihm ein beträchtlicher Handlungsspielraum, wenn er seine weithin ungebrochene symbolische Kraft als Inkarnation der inneren Einheit zu gezielten politischen Aktionen einsetzte.

Der von Hindenburg seit Herbst 1914 unablässig beschworene »Geist von 1914« hatte sich im Zeichen der drohenden Niederlage allerdings immer mehr verflüchtigt, und die tiefen sozialen und kulturellen Friktionen innerhalb der deutschen Gesellschaft waren längst schonungslos offengelegt worden. Auf den ersten Blick muß es deshalb unzeitgemäß wirken, wenn Hindenburg noch im Herbst 1918 den gewohnten Ton anschlug und in einem Telegramm an den Reichskanzler vom 14. Oktober 1918 zu innerer Geschlossenheit mahnte. Bei genauerem Hinsehen entdeckt man aber den politischen Sprengstoff, der in diesem Telegramm an den verantwortlichen Leiter der Regierung enthalten ist. Bereits die erste Sätzen steckten die argumentative Linie ab: »Euerer Großherzoglichen Hoheit meine ernste Sorge auszusprechen, daß die gegenwärtige Stimmung im Innern des Reiches unsere militärische Lage und unsere Aussichten bei Verhandlungen immer ungünstiger gestaltet, halte ich mich für verpflichtet. Unsere Feinde schöpfen aus unserer inneren Zerrissenheit und verzagten Stimmung neue Kraft zum Angriff, neue Entschlossenheit zu hohen Forderungen.«[45] Hindenburg betätigte sich damit auf jenem Gebiet der Politik, das er neben der Symbolpolitik am besten beherrschte: der Geschichtspolitik.

Am 28. September 1918 hatten Hindenburg und Ludendorff sich in großer Einmütigkeit zu der Einsicht durchgerungen, daß die Niederlage nicht mehr abzuwenden war. Sie mußten damit rechnen, daß die neue Reichsregierung, sobald sie sich vom Schock dieser Nachricht erholt hatte, die Oberste Heeresleitung unter Hinweis auf deren militärische Verantwortung zur Rechenschaft ziehen würde. Als genau das eintrat, nahm Hindenburg den Kampf um die politische Deutungshoheit der Kriegsniederlage mit den ihm zur Verfügung stehenden Mitteln auf. Seine Argumentation war bestechend einfach: Nicht militärische Fehlentscheidungen oder die groteske Überschätzung des militärischen Potentials hätten das Deutsche Reich in die Katastrophe getrieben, sondern die fehlende Unterstützung aus der Heimat in Gestalt mangelnder politischer und gesellschaftlicher Rückendeckung für die kämpfende Truppe. Hindenburg handelte nicht gegen seine innerste Überzeugung, wenn er diese Ansicht mit seiner ungebrochenen moralischen Autorität öffentlich in Umlauf brachte[46] und ihr schließlich mit seiner späteren Aussage vor dem parlamentarischen Untersuchungsausschuß am 18. November 1919 offiziöse Dignität verlieh. Sein Politikverständnis erzwang eine solche Einschätzung geradezu, weil in ihm die Annahme enthalten war, daß nur durch das zersetzende Wirken innerer Feinde der Urzustand nationaler Geschlossenheit gestört werde. Schon bei der Verdrängung Valentinis als Chef des Zivilkabinetts hatte Hindenburg diesen argumentativen Grundton angestimmt. Er konnte dabei an eine in militärischen Zirkeln nicht selten geäußerte Einschätzung anknüpfen, wonach die Heimat das verspielte, was das scharfe Schwert errungen habe.[47]

Mit seinem Telegramm an den Reichskanzler vom 14. Oktober 1918 ging Hindenburg in die geschichtspolitische Offensive, indem er bei der diskursiven Bewältigung der Kriegsniederlage die militärische Führung zu exkulpieren suchte. Noch kam dieser Versuch gleichsam auf Samtpfoten daher, weil er in seinem Schreiben die Zuversicht äußerte, daß die Heimat das Heer nicht im Stich lassen und in einer großen vaterländischen Gemeinschaftsanstrengung Durchhaltewillen bekunden werde. Aber dahinter klang schon die Absicht durch, der Heimat die Niederlage anzulasten, weil sie es am erforderlichen Willen hatte fehlen lassen, die kriegsbedingten Entbehrungen zu ertragen. Der weitsichtige Staatssekretär des Äußeren, Wilhelm Solf, wies in einer Sitzung des Kriegskabinetts genau darauf hin: »Zwischen den Zeilen liege mehr als ein Appell an das deutsche Volk, sich zusammenzuraffen, nämlich der Versuch, die Verantwortlichkeit zu verschieben. Warum sei denn die Stimmung so gedrückt? Weil die militärische Macht zusammengebrochen sei. Jetzt aber sage man: die militärische Macht wird zusammenbrechen, wenn die Stimmung nicht durchhält. Diese Verschiebung dürfe man nicht zulassen.«[48]

Mit ihren Mitteln ging die parlamentarisch verankerte Reichsregierung zunehmend erfolgreich daran, den Einfluß der Obersten Heeresleitung zu beschneiden und die bislang unantastbare Stellung der beiden Dioskuren zu erschüttern. Die Regierung des Prinzen Max pochte immer energischer auf ihren Führungsanspruch und bestellte Ludendorff für den 17. Oktober zu einem Rechenschaftsbericht über die militärische Lage ein. Zugleich erwirkte sie die Zustimmung des Kaisers, in nächster Zeit zu diesem Thema auch noch andere Armeeführer zu hören, was ein kaum verhülltes Mißtrauensvotum gegen die Oberste Heeresleitung war.[49] Obgleich Ludendorff bei seinem Auftritt in der Kabinettssitzung nicht frontal attackiert wurde und die Befriedigung des Informationsbedürfnisses im Vordergrund stand, konnte er auf die bohrende Frage des insistierenden Staatssekretärs Solf, weswegen sich die militärische Lageeinschätzung der OHL seit Ende September zum Positiven gewendet habe,[50] keine wirklich überzeugende Antwort geben. Die Reichsregierung behielt es sich daher vor, weitere militärische Sachverständige zu hören, obgleich Ludendorff für diesen Fall mit dem Rücktritt des Gespanns Hindenburg/Ludendorff drohte.[51] Damit war voraussehbar, daß es zu einer entscheidenden Kraftprobe zwischen der militärischen Führung und der Reichsregierung kommen würde.

So sehr die Regierung das Gespann Ludendorff/Hindenburg auch in Bedrängnis brachte – beim Kampf um die politische Deutungshoheit war Hindenburg aus strukturellen Gründen im Vorteil. Denn hier konnte er seinen entscheidenden Trumpf ausspielen, daß die in den Tiefenschichten der politischen Soziokultur verankerte Vorstellung nationaler Einheit von seiner Person kaum noch ablösbar war. Solange Hindenburg diese symbolische Repräsentation zuerkannt wurde, solange konnte er in seiner Eigenschaft als Sachwalter der inneren Einheit unter Berufung auf dieses kostbare Gut die Definitionshoheit über Freund und Feind für sich beanspruchen und politisch mißliebige Kräfte von der Linken bis zu moderaten Konservativen als Zerstörer der Einheit der Nation hinstellen. Dieser strukturelle Vorteil blieb ihm, solange sein Monopol auf die symbolische Inkarnation der Nation nicht ernsthaft angetastet wurde. Erst als die Frontsoldatengeneration mit ihrer spezifischen Deutung des Kriegserlebnisses, wonach der Krieg verloren werden mußte, um die Nation durch eine gehärtete Generation der Frontkämpfer neu zu begründen, einen ernstzunehmenden deutungskulturellen Gegenentwurf formulierte, erwuchs Hindenburg auf seinem ureigensten Gebiet eine echte Konkurrenz, da der »unbekannte Gefreite« Adolf Hitler eben diesen Anspruch in seiner Person auch symbolisch artikulierte. Hindenburgs Antwort auf diese Herausforderung war schließlich der politische und symbolische Schulterschluß mit Hitler, um diese beiden Varianten nationaler Vergemeinschaftung zu versöhnen.

Im Oktober 1918 mußte Hindenburg erst einmal seine bislang größte Herausforderung bestehen. Zum einen staute sich im Kabinett immer mehr Unmut über die intransigente Haltung der Obersten Heeresleitung auf, die auf einmal die militärische Lage in einem rosigen Licht beurteilte und sich daher schlichtweg weigerte, die unvermeidlichen Konsequenzen aus dem Notenwechsel mit der US-Regierung zu ziehen. Denn Wilson verlangte der deutschen Seite Vorleistungen ab, ehe ernsthafte Waffenstillstandsverhandlungen beginnen sollten. Dabei traf insbesondere seine Forderung nach Einstellung des uneingeschränkten U-Bootkrieges die militärische Führung hart, weil das Deutsche Reich damit auf eine militärische Trumpfkarte verzichtete, die bei kommenden Verhandlungen als Tauschgegenstand hätte eingesetzt werden können. Die Oberste Heeresleitung erhob deshalb Einspruch gegen die Absicht der Reichsregierung, sich auf diese Bedingung Wilsons einzulassen, und beschwor damit eine äußerst heftige Auseinandersetzung mit der neuen Reichsregierung herauf. Am 20. Oktober mußte sie allerdings einlenken, weil Max von Baden durch seine Rücktrittsdrohung dem Obersten Kriegsherrn die »Allerhöchste Entscheidung« abrang, die Heeres- und Marineleitung unmißverständlich anzuweisen, ihre Bedenken aufzugeben.[52]

Immer deutlicher zeichnete sich ab, daß Hindenburg und Ludendorff den Bogen überspannt hatten und die noch wenige Monate zuvor wirksamen Druckmittel nicht mehr fruchteten. Wilhelm II. gewann einen Teil der ihm institutionell zustehenden Entscheidungsgewalt zurück, indem er sich zunehmend auf den Boden der parlamentarischen Regierungsform stellte und dadurch die militärische Führung disziplinierte. Hindenburg hatte seine charismatische Herrschaft nur deswegen aufbauen können, weil der Kaiser seine verfassungsmäßig vorgesehene Rolle als Koordinator von Reichsleitung und militärischer Führung im Laufe des Krieges immer weniger ausfüllte. Der Machtzuwachs von Reichstag und politischen Parteien im Oktober 1918 entzog zwar dieser kaiserlichen Koordinierungsfunktion den Boden, weil der Einfluß des Kaisers auf die Zusammensetzung der Reichsregierung radikal beschnitten wurde. Aber als Oberster Kriegsherr behielt Wilhelm II. weiterhin ein Weisungsrecht gegenüber den Militärs. Machte der Kaiser davon im Sinne der Reichsregierung Gebrauch, sah sich die Oberste Heeresleitung der völlig ungewohnten Situation eines politischen Gleichklangs von parlamentarischer Reichsregierung und monarchischer Kommandogewalt ausgesetzt. Bei diesem geballten Einsatz legaler Herrschaft konnte ein mit dem Odium der Kriegsniederlage behafteter Chef des Generalstabs des Feldheeres seine charismatischen Machtressourcen nicht zur Entfaltung bringen. Es war daher für Hindenburg ein Gebot der Klugheit, die Kraftprobe mit einer erneuerten legalen Herrschaft nicht auf die Spitze zu treiben. Während sein Kompagnon Ludendorff die Auseinandersetzung mit den neuen Herrschaftsverhältnissen eskalieren ließ, weil er gefangen war in der Vorstellung, das Militär sei der Politik übergeordnet, schreckte Hindenburg vor der äußersten Eskalation zurück, weil er im Unterschied zum reinen Militär Ludendorff auch unter veränderten politischen Umständen noch herrschaftliche Wirkung entfalten konnte. Dafür mußte er allerdings symbolisch unbeschädigt aus dem verlorenen Kriege herauskommen und im geeigneten Moment den Absprung von seinem »treuen Gefährten« Ludendorff vornehmen, auf den dann die militärische Verantwortung für die Kriegsniederlage abgewälzt werden konnte.

Ende Oktober 1918 spitzte sich die Lage auch für Hindenburg zu. Der letztlich gescheiterte Versuch der OHL, in der Frage der Fortsetzung des uneingeschränkten U-Bootkrieges in herkömmlicher Weise sich die Regierung untertan zu machen, rief bei den Regierungsmitgliedern so viel Unmut hervor, daß erstmals auch Hindenburg zur Disposition gestellt wurde. Zum ersten Mal wurde das bis dahin Undenkbare erwogen, nämlich daß bei fortgesetzter Unbotmäßigkeit der Obersten Heeresleitung auch der derzeitige Chef des Generalstabs des Feldheeres seinen Posten räumen müsse.[53] Hindenburg stand nicht länger unter politischem Denkmalschutz. So kam es, daß die am 24. Oktober 1918 eingehende dritte Note des US-Präsidenten Hindenburgs angeschlagene Stellung noch mehr erschütterte. Wilson verlangte nämlich eine für Militärs nur schwer hinnehmbare Schwächung der deutschen Kampfkraft und eine grundlegende Umgestaltung der Herrschaftsstruktur im Deutschen Reich. Der amerikanische Präsident gab sich also nicht mit den bereits erreichten Fortschritten einer Parlamentarisierung der Reichsverfassung zufrieden. Er wollte nur mit einer dem deutschen Volk verantwortlichen Regierung verhandeln, nicht aber mit den bisherigen Machthabern. Darunter verstand er namentlich die »monarchischen Autokraten«, womit zumindest indirekt Wilhelm II. gemeint war, dessen Position damit offiziell in Frage gestellt wurde. Aber nicht nur der preußische König und deutsche Kaiser mußte nach der dritten Wilsonnote um seine Stellung fürchten. Wilson prangerte auch die »militärischen Beherrscher« Deutschlands an, und davon durften sich Ludendorff und Hindenburg angesprochen fühlen. Selbst der Chef des Marinekabinetts, Admiral von Müller, interpretierte die Wilsonnote so, daß neben Ludendorff auch Hindenburg »ausgeschifft« werden müsse, wenn das Reich auf die Vermittlung Wilsons hoffen dürfe.[54]

Es braute sich also ein heftiger Sturm über Hindenburg zusammen. Die von der Obersten Heeresleitung angestoßene Waffenstillstandsinitiative entwickelte eine Eigendynamik, die selbst vor dem sakrosankten Generalfeldmarschall nicht haltmachte. Zwar war die Regierung noch nicht entschlossen, beim Kaiser auf Hindenburgs Entlassung zu dringen; aber sie wollte den Pressionen der Obersten Heeresleitung keinen Millimeter nachgeben, auch wenn dies den Abschied Hindenburgs zur Folge haben würde.[55] Im Großen Hauptquartier in Spa herrschte daher helle Aufregung über die dritte Wilsonnote. Aus einem rein militärischen Blickwinkel stellte vor allen Dingen die Forderung Wilsons, daß Deutschland nur dann mit einem Waffenstillstand rechnen dürfe, wenn es in einen Zustand versetzt werde, der das Deutsche Reich nicht mehr zur Wiederaufnahme der Kriegshandlungen befähige, eine Zumutung dar. Diese Bedingung lief darauf hinaus, Heer und Marine kampfunfähig zu machen und sich damit auf Gedeih und Verderb dem guten Willen der Siegermächte auszuliefern. Das rief Empörung sowohl bei der Heeres- als auch bei der Marineleitung hervor; einmütig beschloß man eine Reise nach Berlin, um dort mit vereinten Kräften ein Eingehen auf diese Forderung Wilsons zu verhindern.[56]

Hindenburg teilte diesen soldatischen Standpunkt voll und ganz. Alles in ihm sträubte sich dagegen, die Konsequenz aus der eingestandenen Niederlage zu ziehen und sich in die Unvermeidlichkeit der militärischen Kapitulation zu fügen.[57] Auch seine tiefe monarchische Gesinnung rebellierte gegen die dritte Wilsonnote, die er als zumindest verkappte Forderung nach Abdankung des Kaisers interpretierte. Hindenburg ließ die Antwort Wilsons am 24. Oktober vor dem gemeinsamen Mittagessen der Operationsabteilung verlesen; danach »brachte der Feldmarschall ein Hurra auf den Kaiser aus«.[58] Der Feldmarschall wollte die ihm verbliebene Autorität ausspielen, um die Regierung vor vollendete Tatsachen zu stellen, und erließ daher noch am 24. Oktober eine Proklamation an das Feldheer, die in dem eindeutigen Satz gipfelte: »Wilsons Antwort kann daher für uns Soldaten nur die Aufforderung sein, den Widerstand mit äußersten Kräften fortzusetzen.«[59] Dieser Armeebefehl konnte nur als offene Kampfansage an die Reichsregierung verstanden werden. Als Hindenburg den Zug nach Berlin bestieg, um in der Reichshauptstadt durch persönliche Intervention wieder einmal seinen Willen durchzusetzen, war ihm bewußt, daß er zum entscheidenden Gefecht aufbrach.

Die erste und entscheidende Anlaufstelle war der Kaiser. In den vergangenen fünfzehn Monaten hatte Hindenburg dem Monarchen die Entlassung eines Reichskanzlers abgetrotzt und ihm sogar die Demission des Chefs des Geheimen Zivilkabinetts abgenötigt. Wilhelm II. hatte dabei gegen seine innere Überzeugung gehandelt, doch diesmal glaubte Hindenburg, daß der Monarch schon aus eigenem Interesse die Position der Obersten Heeresleitung teilen und den Abbruch der

Verhandlungen mit Wilson befehlen werde. Es ging ja schließlich um seinen Thron: Mußte Wilhelm II. nicht um der puren Selbsterhaltung willen die Forderung nach Beschneidung der Macht »monarchischer Autokraten« als anmaßende Einmischung in die inneren Angelegenheiten des Reiches abweisen? Mußte er nicht einsehen, daß jede Einlassung auf den Geist dieser Note eine Entwicklung heraufbeschwor, die den Kaiser zum größten Hindernis auf dem Weg zu einem maßvollen Frieden erscheinen ließ?[60] Als sich Hindenburg und Ludendorff am Nachmittag des 25. Oktober 1918 in Schloß Bellevue zum Vortrag beim Kaiser einfanden, brachten sie eben dieses Argument vor, »daß Thron und Vaterland auf dem Spiel stünden, wenn nicht sofort eingegriffen und forsch abgebrochen werde, weitere Verhandlungen zu führen«.[61]

Doch die Argumentation verfehlte die erhoffte Wirkung. Der Kaiser empörte sich zwar über den Ton der dritten Wilsonnote und interpretierte sie als Aufforderung zur Abdankung der deutschen Bundesfürsten. Vor dem Vortrag der Obersten Heeresleitung hatte Staatssekretär Solf ihm aber die Auffassung des Auswärtigen Amtes nahegebracht und ihn darauf eingeschworen, daß der Draht zu Wilson keinesfalls gekappt werden dürfe.[62] Wilhelm II. hatte ohnehin entschieden – sofern man bei diesem wankelmütigen Mann von Entscheidungen sprechen kann –, sich auf den Boden der parlamentarischen Regierungsform zu stellen. Am 21. Oktober 1918 hatte er das neue Kabinett erstmals zu sich ins Schloß Bellevue eingeladen und sich dabei in einer Ansprache unzweideutig zum parlamentarischen Regierungssystem bekannt. Seine Rede, die in dem Satz gipfelte: »In umfassender Weise soll das deutsche Volk berufen sein, an der Gestaltung seiner Geschicke mitzuwirken, an politischer Freiheit keinem Volk der Erde nachstehend, an innerer Tüchtigkeit und fester Staatsgesinnung keinen Vergleich scheuend«,[63] hinterließ nachhaltigen Eindruck bei den Mitgliedern der neuen Regierung.[64]

Indem der Kaiser enge politische Verbindung zur Reichsregierung und den sie tragenden Parteien hielt, hoffte er, seine angeschlagene Stellung am besten stabilisieren zu können. Wilhelm II. besaß durchaus ein Gespür dafür, daß sich infolge der Kriegsmüdigkeit die Stimmung der Bevölkerung so aufgeladen hatte, daß ein sinnloses Weiterkämpfen und damit die Herauszögerung der Kriegsniederlage um einige Monate den revolutionären Funken zünden konnte, der ihn und alle anderen Fürsten hinwegfegen würde. In dieser aufgeheizten Atmosphäre war es daher das Klügste, das sehnsüchtig erwartete Friedenssignal zu verkünden. Damit konnte der Kaiser zugleich darauf hoffen, daß sich die in der Reichsregierung vertretenen Parteien einschließlich der Sozialdemokratie hinter seine Person stellen und möglichen Abdankungsforderungen den Boden entziehen würden.

Der Kaiser schloß sich dabei einer Argumentation des bayerischen Kronprinzen Rupprecht an, der als Kommandierender einer Heeresgruppe im Westen hinter die militärischen Kulissen schaute und eine äußerst kritische Haltung zur Feldherrnkunst Ludendorffs und erst recht Hindenburgs einnahm. Rupprecht hatte seinem Vater am 25. Oktober klipp und klar den Rat erteilt, sich nachdrücklich für ein gründliches personelles Revirement an der Spitze der Obersten Heeresleitung einzusetzen: »Es ist nun unbedingt nötig, Hindenburg oder wenigstens Ludendorff zu entfernen; sie haben zudem, das heißt Ludendorff, im Frühjahr und Sommer überaus schlecht geführt und das Vertrauen des Heeres verscherzt.«[65]

Wilhelm II. ließ daher die beiden Generale einfach abblitzen. Nach dem Vortrag von Hindenburg und Ludendorff am 25. Oktober ließ er den neuen Chef des Geheimen Zivilkabinetts, Clemens von Delbrück, zu sich bitten. Dieser legte den beiden die Ansicht der Reichsregierung dar, die sich mit den Ausführungen Solfs vom Vormittag deckte. Ansonsten sollten sie sich an den Reichskanzler wenden, der aber an Influenza litt und das Bett hütete. Unverrichteter Dinge kehrten die beiden zum Generalstabsgebäude zurück unter dem Eindruck, »daß der Kaiser sich dem Standpunkt der Regierung völlig angeschlossen zu haben schien«.[66] Damit war die Mission Hindenburgs im Grunde bereits gescheitert. Zwar kam es am späten Abend noch einmal zu einem Versuch, Vizekanzler Payer umzustimmen; doch dieser endete erwartungsgemäß ergebnislos.[67] Hindenburg kehrte mit leeren Händen aus Berlin nach Spa zurück und mußte obendrein auf die Begleitung Ludendorffs verzichten, der am 26. Oktober vom Kaiser seinen Abschied erhielt.

Das Kräftemessen der Generale mit der Reichsregierung war erfolglos verlaufen, und Ludendorff war dabei auf der Strecke geblieben. Den Anstoß dafür hatte der Reichskanzler gegeben, der von seinem Krankenlager aus noch am Abend des 25. Oktober ein handschriftliches Schreiben an Wilhelm II. richtete, in dem er mit seinem Rücktritt für den Fall drohte, daß »ein Wechsel in der Obersten Heeresleitung nicht möglich ist«.[68] Dem Kaiser blieb ein gewisser Interpretationsspielraum, weil dieser Forderung Genüge getan sein konnte, wenn er lediglich Ludendorff entließ. Der Tenor des Schreibens, in dem Hindenburg und Ludendorff stets gemeinschaftlich als Verantwortliche für die aus Sicht des Reichskanzlers unerträglichen Provokationen der Obersten Heeresleitung genannt wurden, schloß einen kompletten Austausch der Spitze der OHL aber nicht ausdrücklich aus. In jedem Fall brachte allein der Versuch, die Ablösung Ludendorffs herbeizuführen, Hindenburg in eine äußerst heikle Lage. Denn nun zeigte sich, ob die Solidarität mit seinem »treuen Ratgeber«, mit dessen Schicksal er das seine noch am 12. Oktober unauflöslich verbunden zu haben schien durch seine Demissionsankündigung,

einer solchen Belastungsprobe standhielt.[69] Das mannhafte Einstehen Hindenburgs für seinen engsten »Mitarbeiter« war seit Januar 1915 dessen politische Lebensversicherung gewesen, da Ludendorff schon längst seinen Abschied hätte
nehmen müssen bei dem herrischen Gebaren und dem mehr als unerbietigen Auftreten, das er gegenüber dem Kaiser an den Tag legte.

Während die militärischen Ratgeber des Kaisers Hindenburgs Solidaritätsbekundungen für bare Münze nahmen und dem Kaiser von der Entlassung Ludendorffs abrieten,[70] machte Wilhelm II. sich seinen eigenen Reim. Er durchschaute
Hindenburg besser als viele andere und war der festen Überzeugung, daß die vollmundigen Treubekundungen zu Ludendorff nichts wert waren, wenn der Kaiser
dem Generalfeldmarschall das Verbleiben an der Spitze des Heeres befahl.[71]
Warum aber wollte er Hindenburg, der ihm mehrfach auf demütigende Weise seinen politischen Willen aufgezwungen hatte, behalten? Warum sollte Hindenburg
weiter als Chef des Generalstabes des Feldheeres amtieren, wo doch alle Eingeweihten wußten, daß der Generalfeldmarschall mit der militärischen Gesamtlei-
tung der Operationen völlig überfordert war? Warum sollte Hindenburg weiterhin
an der Spitze der Obersten Heeresleitung stehen, wenn ihm Ludendorff genommen wurde, ohne den Hindenburg in militärischen Dingen hilflos und aktionsun-
fähig war?

Was Hindenburg unentbehrlich erscheinen ließ und ihn an diesem 26. Oktober 1918 vor der Entlassung bewahrte, war einzig und allein die ihm zugedachte
politische Funktion. Als Militär hatte er ausgedient, doch als politischer Faktor war
er begehrter denn je. Da die Kriegsniederlage nicht mehr abzuwenden war, fiel
Hindenburgs militärische Mittelmäßigkeit nicht länger ins Gewicht, um so mehr
aber seine politischen Qualitäten. Hindenburg wurde benötigt, um den Übergang
vom alten Regime zur neuen parlamentarischen Monarchie symbolisch abzufe-
dern. Die konsequente Parlamentarisierung des Reiches verlangte dem Militär vieles ab, was dadurch erträglich gestaltet werden konnte, daß Hindenburg im Amt
blieb, sich damit unzweifelhaft auf den Boden der parlamentarischen Monarchie
stellte und durch sein Vorbild ein klares politisches Signal an das Heer aussandte.
Denn in fliegender Hast wurde die extrakonstitutionelle Stellung des Militärs beseitigt: Der Kriegsminister wurde dem Parlament verantwortlich; Militär- und
Marinekabinett den entsprechenden Fachministerien unterstellt. Gelang es, den
höchsten Soldaten des Reiches eindeutig auf die neue politische Ordnung zu verpflichten, dann trug dies wesentlich zur politischen Beruhigung des stark verunsicherten Heeres bei, das als militärischer Faktor bei den anstehenden Waffenstillstandsverhandlungen unbedingt intakt zu halten war.

Vermutlich war es der weitsichtige Staatssekretär Wilhelm Solf, der als erster den Kaiser von der Notwendigkeit und Machbarkeit einer Separierung Hindenburgs von Ludendorff überzeugte, die Hindenburg als politischen Faktor erhielt und Ludendorff für die militärische Niederlage zur Rechenschaft zog. Wilhelm II. hat jedenfalls die entscheidende Unterredung mit dem vermeintlichen Disokurenpaar in diesem Sinne angelegt und konnte Solf noch am Abend des 26. Oktober stolz Vollzug melden: »Sie müssen mir danken, denn ich habe das getan, über das Sie mir neulich Vortrag gehalten haben, die Operation ist gelungen, ich habe das siamesische Zwillingspaar auseinandergeschnitten und Hindenburg bleibt.«[72] Die entscheidende Unterredung[73] am Vormittag des 26. Oktober 1918 im Schloß Bellevue hatte unter ganz anderen Vorzeichen stattgefunden als sonst. Waren Hindenburg und Ludendorff früher selbstbewußt dem Kaiser gegenübergetreten, um diesem ihren Willen aufzuzwingen, so erschienen sie diesmal als Angeklagte, genauer gesagt: Nur Ludendorff fand sich in dieser Position wieder, nur ihn überhäufte der Kaiser mit Vorwürfen und hielt ihm ein wahres Sündenregister vor. Der Obersten Heeresleitung wurde weniger die Kriegsniederlage angekreidet als der Umstand, daß sie Ende September die Politik zur unverzüglichen Einleitung von Waffenstillstandsverhandlungen gedrängt, aber mittlerweile einen Rückzieher gemacht habe, auf Fortsetzung eines unterdessen aussichtslos gewordenen Krieges beharre und dabei die Politik der Reichsregierung zu torpedieren suche. Diese Vorhaltungen lud der Kaiser ausschließlich bei Ludendorff ab, der sich dagegen in scharfem Ton zur Wehr setzte, während Hindenburg vielsagend schwieg. Ludendorff mußte erkennen, daß der Kaiser ihm das Vertrauen entzogen hatte. Er suchte daraufhin um seinen Abschied nach, der ihm auch prompt bewilligt wurde.

Ludendorff verließ den Raum und wartete draußen auf den Feldmarschall in der sicheren Erwartung, daß dieser sein Schicksal teilen und ebenfalls seines Amtes verlustig gehen würde. Zu seiner Empörung mußte er nun erfahren, daß der Feldmarschall sich auf die Bitte des Kaisers eingelassen hatte, seinen Posten nicht zu verlassen. Ludendorff konnte dies nur als Treubruch auffassen und nicht verwinden, daß Hindenburg sich aus der Verantwortung für die gemeinsam getragenen Aktionen gestohlen und seinen »treuesten Ratgeber« schutzlos der kaiserlichen Ungnade ausgeliefert hätte. Tief getroffen verweigerte er weitere persönliche Begegnungen mit Hindenburg und lehnte es ab, mit diesem gemeinsam im Auto zurück zum Generalstabsgebäude zu fahren. Als er danach noch einmal nach Spa zurückkehrte, um seine Dienstgeschäfte zu übergeben, nahm er nicht den Sonderzug der Obersten Heeresleitung. Seit diesem 26. Oktober 1918 ging ein tiefer Riß durch die Beziehung der beiden ehemals unzertrennlichen Generale, der einige

Jahre zwar oberflächlich gekittet werden konnte, aber mit der Reichspräsidentschaft Hindenburgs erneut aufbrach. Ludendorff sollte nicht der einzige Weggefährte Hindenburgs bleiben, der sich bitter über dessen Undankbarkeit und dessen
durchaus machiavellistische Fähigkeit beklagte, sich dann von Vertrauten zu trennen, wenn dies aus Eigeninteresse geboten schien.

Doch welche Motive leiteten Hindenburg, als er am 26. Oktober 1918 den
Bruch mit Ludendorff in Kauf nahm? Warum konnte das Kalkül des Monarchen
aufgehen und die angeblich so perfekte Feldherrnehe von Hindenburg und Ludendorff in wenigen Minuten geschieden werden? Hindenburg selbst hat sich über die
Hintergründe seines Handelns weitgehend ausgeschwiegen und später in bewährter geschichtspolitischer Manier den Bruch mit Ludendorff zu kaschieren versucht. Aber sein Verhalten an diesem 26. Oktober legt beredtes Zeugnis ab von dem
politischen Reifungsprozeß, den der Feldmarschall in den Jahren zuvor durchlaufen hatte. Nach militärischen Ehrbegriffen hätte Hindenburg seinen Abschied
nehmen müssen: Schließlich war er der Chef des Generalstabes des Feldheeres und
dazu verpflichtet, sich vor den angegriffenen Ersten Generalquartiermeister zu
stellen. Doch Hindenburg sah stillschweigend zu, wie der Zorn des Monarchen
sich allein bei Ludendorff entlud, und sprang diesem nicht bei. Erst als Ludendorff
um seinen Abschied bat, raffte sich Hindenburg dazu auf, um seine eigene Entlassung zu ersuchen. Diese halbherzige Geste wurde von Wilhelm II. sofort zurückgewiesen. Hindenburg insistierte nicht und fügte sich, weil er gar nicht vorhatte, Ludendorff nachzueifern.[74]

Persönlich ging Hindenburg die Trennung von Ludendorff durchaus nahe.
Aber Hindenburgs Naturell neigte nicht zu quälerischen Selbstzweifeln; schließlich
konnte er der Entlassung Ludendorffs auch positive Seiten abgewinnen. Insofern
erlebten die Mitstreiter im Großen Hauptquartier einen von den Ereignissen in
Berlin kaum berührten Generalstabschef,[75] der sofort daranging, seine spezielle
Version der Entlassung Ludendorffs überall zu verbreiten. Er wußte, daß die Militärs zunächst einmal mit Unverständnis auf den Sachverhalt reagieren würden,
daß er entgegen allen vorher geäußerten Bekundungen das Schicksal Ludendorffs
nicht geteilt hatte. Denn während der Kaiser und die neue Reichsregierung erleichtert reagierten,[76] weil ihr Kalkül aufgegangen war und Hindenburg sich von Ludendorff hatte separieren lassen, war es für einen Militär befremdlich, daß der
Ranghöhere nicht die Verantwortung für seinem Untergebenen zur Last gelegte
Verfehlungen übernahm. Für die Verstörung der hochrangigen Militärs ist die
Tagebuchnotiz des Generals von Gündell bezeichnend, der von der Obersten Heeresleitung als militärischer Vertreter bei den bevorstehenden Waffenstillstandsver-

handlungen vorgesehen war: »Ich habe auch geglaubt, daß Hindenburg sich niemals von Ludendorff trennen würde.«[77]

Hindenburg mußte daher den Anschein erwecken, Ludendorff habe seine Entlassung durch ungehöriges Benehmen gegenüber dem Obersten Kriegsherrn selbst verschuldet. Das konnte er von langer Hand vorbereiten, denn er wußte bereits vor der entscheidenden Besprechung am 26. Oktober durch den umtriebigen Haeften, daß der Kaiser auf Verlangen des Reichskanzlers die Entlassung Ludendorffs vollziehen und dazu den anberaumten Vortrag auf Schloß Bellevue nutzen werde.[78] Hindenburg konnte also davon ausgehen, daß der Vortrag mit der Demission Ludendorffs enden und der Kaiser nur nach einer angemessenen Form suchen würde, die Entlassung herbeizuführen. Als das Gespräch dann den erwarteten Verlauf nahm und die Entlassung Ludendorffs vollzogen war, kam es für Hindenburg darauf an, Ludendorff selbst für den Abschied verantwortlich zu machen, den er durch ungebührliches Verhalten geradezu provoziert habe. Gewiß war Ludendorff aufbrausend und zügelte sein Temperament auch in der Besprechung am 26. Oktober 1918 nicht. Da die Entlassung Ludendorffs bereits ausgemachte Sache war, lieferte dieses leicht vorhersehbare Verhalten Ludendorffs lediglich einen Vorwand. Dem Kaiser kam es sehr gelegen, daß Ludendorff sich in der ihm eigenen Art gegen die Anschuldigungen verwahrte, denn er hatte die schroffe Form seiner Attacken gegen Ludendorff nicht zuletzt deswegen gewählt, damit dieser von sich aus um den Abschied nachsuchte, was den Eindruck einer ungnädigen Entlassung kaschierte.[79]

Auch dem Generalfeldmarschall erwies Ludendorff mit seinem aufbrausenden Verhalten einen guten Dienst. Denn Hindenburg konnte fortan in unzähligen Gesprächen mit hochrangigen Militärs behaupten, daß der Heißsporn Ludendorff ohne Not auf sachliche Kritik des Kaisers überzogen reagiert und beleidigt um seinen Abschied gebeten habe. Im Tagebuch des Generals von Gündell vom 28. Oktober liest sich diese Geschichte dann so: In der Besprechung mit dem Kaiser am 26. Oktober »hat der Kaiser, noch mehr als tags zuvor, die Regierung in Schutz genommen; bei der sich daraus ergebenden Besprechung ist die Spannung (Vorwurf der Nervosität der OHL seitens des Kaisers) so stark geworden, daß Ludendorff um seinen Abschied gebeten hat. Man hat ihm zugeredet, seine Bitte zurückzunehmen, aber er hat darauf bestanden, und der Kaiser hat nicht anders gekonnt, als den Abschied zu genehmigen. Soweit Hindenburgs kurze Erzählung.«[80] Ludendorffs Nachfolger Groener teilte Hindenburg am 30. Oktober mit, »Ludendorff sei selbst an seiner Entlassung schuld«. Hindenburg schilderte den Vorgang so, »daß Ludendorff beim Kaiservortrag am 26. sehr schroff geworden sei und impulsiv gesagt habe, wenn er das Vertrauen Seiner Majestät nicht mehr habe, bitte er um seinen Abschied«.[81] Leicht variiert hat Hindenburg seine Version der Geschehnisse mit Erfolg verbreitet.[82]

Bei Licht besehen brachte die Entlassung seines treuen Mitarbeiters Hindenburg handfeste Vorteile – und dies wird ihm, der sich ja darauf hatte einstellen können, bewußt gewesen sein. Nicht allein für die Kriegsniederlage wurde der entlassene Feldherr nun haftbar gemacht; auch die permanente Einmischung der Obersten Heeresleitung in die Politik konnte auf ihn abgewälzt werden, den »bösen Geist« der 3. OHL. Diese Schuldzuweisung besaß für Hindenburg den kaum zu überschätzenden Vorteil, daß er, der sich viel mehr als sein »Ratgeber« die Politik zum eigentlichen Wirkungsfeld erkoren hatte, von allen Vorwürfen entlastet wurde, da Ludendorff alle Pfeile auf sich zog. Der eifrige Zeitungsleser Hindenburg kannte die öffentliche Meinung und sah sich in seiner Einschätzung nicht getäuscht. In trauter Eintracht folgte gerade die liberale und sozialdemokratische Presse diesem Erklärungsmuster. Das sozialdemokratische Zentralorgan »Vorwärts« kommentierte die Entlassung Ludendorffs mit den Worten: »Ludendorff war der Typ des politischen Generals, Hindenburg ist es nicht, will es in Zukunft nicht sein. Wenn sein Name vielfach zu Dingen mißbraucht wurde, die nicht mehr zur Sphäre des rein Militärischen gehören, so lag das vor allem an seinem bisherigen ersten Ratgeber, der nicht nur Soldat, sondern auch ein heißblütiger, alldeutsch-konservativer Politiker war.«[83]

Die Entlassung Ludendorffs bewahrte Hindenburg mithin vor einem Schuldeingeständnis in Sachen Kriegsniederlage und eröffnete ihm zugleich ein neues politisches Wirkungsfeld, nämlich dem Feldheer den schwierigen Übergang in die parlamentarische Monarchie zu vermitteln. Hindenburgs Verhalten am 26. Oktober 1918 zeugt von seiner enormen Anpassungsbereitschaft, die zu einem seiner Markenzeichen werden sollte. Mit dem Verbleiben im Amt akzeptierte er die veränderten politischen Verhältnisse, mithin die parlamentarische Monarchie. Zwei Wochen später sollte er sogar der revolutionär gezeugten Republik seine Dienste anbieten – ein unzweideutiger Beleg dafür, daß Hindenburgs symbolisch vermittelte politische Funktion systemübergreifend gefragt war.

Der Systemwechsel von der konstitutionellen zur parlamentarischen Monarchie, der einem Ludendorff unannehmbar erschien, bereitete Hindenburg keine Gewissensqualen. Noch während seines Berliner Aufenthalts signalisierte er dem neuen preußischen Kriegsminister Heinrich Scheüch, einem für Reformen aufgeschlossenen Elsässer, daß er die bevorstehende Änderung der Bismarckschen Reichsverfassung gutheiße.[84] In Spa nahm er unmittelbar nach seiner Rückkehr aus Berlin seine Dienstgeschäfte wieder auf und verströmte in dieser turbulenten Zeit den gewohnten Gleichmut.[85] Gewiß fehlte ihm nun mit Ludendorff sein militärischer Kopf, aber da die Niederlage nicht mehr abzuwenden und der Rückzug der deutschen Truppen unaufhaltsam war, mußte er nur noch für die Aufrechterhaltung der Kampfkraft bis zum Waffenstillstand und danach für die geordnete Überführung des Heeres ins Reich sorgen. Dies waren Aufgaben, für die man keinen Feldherrn mehr benötigte und die Hindenburg auch ohne Ludendorff meistern konnte. Der vakant gewordene Posten des Ersten Generalquartiermeisters brauchte daher auch nicht mehr mit einem erfahrenen Truppenführer besetzt zu werden. Hindenburg bewies bei der Wahl des Ludendorff-Nachfolgers sein politisches Geschick. Denn an die Stelle der Reizfigur Ludendorff trat mit General Groener ein Mann, der das politische Anforderungsprofil für diesen Posten optimal erfüllte: Groener war Württemberger und hatte sich als Chef des Kriegsamtes im preußischen Kriegsministerium nicht nur Meriten bei der Organisation der Kriegswirtschaft erworben, sondern auch den Ruf, mit Sozialdemokraten unvoreingenommen zusammenarbeiten zu können. Unter den Bedingungen einer parlamentarischen Monarchie war er geradezu eine Idealbesetzung für diese Stelle. Daß Hindenburgs Wahl auf ihn fiel, ist zugleich ein untrüglicher Beleg dafür, daß sich der Feldmarschall tatsächlich auf den Boden der neuen politischen Ordnung stellte und in ihr wirken wollte.[86]

Trotz dieser Anpassungsbereitschaft war Hindenburg der Gefahr für seine Stellung noch nicht ganz entkommen. Zwar drohte ihm von seiten der Reichsregierung kein Ungemach mehr, da dort sein Verbleiben auf dem Posten als Stabilitätsgewinn für die neue Ordnung angesehen wurde. Aber der Kaiser erwies sich wieder einmal als unberechenbar und stellte Hindenburg Ende Oktober 1918 zur Disposition. Die Furcht vor dem Verlust seines Throns führte bei Wilhelm II. zu ernsthaften Überlegungen, einen Wechsel an der Spitze der Obersten Heeresleitung vorzunehmen. Denn seit dem 25. Oktober 1918 gewann nicht nur in der deutschen Öffentlichkeit, sondern auch bei politischen Entscheidungsträgern das Kalkül die Oberhand, daß das Deutsche Reich durch den Thronverzicht Wilhelms II. mit günstigeren Friedensbedingungen rechnen könne. Selbst eingefleischte Anhänger der Monarchie favorisierten diese Lösung immer mehr, weil sie meinten, preußisches Königtum und deutsches Kaisertum nur retten zu können, wenn Wilhelm II. durch einen unbelasteten Hohenzollernsproß ersetzt wurde.

Wilhelm II. war Realist genug, um die Gefährlichkeit solcher Überlegungen richtig einzuschätzen. Er mußte damit rechnen, daß sich die Reichsregierung solchen Forderungen nicht würde verschließen können, je stärker der Ruf nach seiner

Abdankung in denjenigen politischen Parteien erschallte, die in der Reichsregierung vertreten waren. Wilhelms Hoffnungen richteten sich daher auf den einzigen Machtfaktor, über dessen Einsatz der Kaiser noch weitgehend uneingeschränkt verfügen konnte: das Feldheer. Noch war er im Besitz der obersten Kommandogewalt, noch waren die Offiziere eidlich an seine Person gebunden. Sollte es da nicht möglich sein, mit von der Front abgezogenen zuverlässigen Verbänden seine angeschlagene Stellung im Innern zu stabilisieren und seinen Thron notfalls mit Waffengewalt zu retten? Je mehr der Kaiser mit dieser Option liebäugelte, um so deutlicher zeichnete sich ab, daß dann Hindenburg seines Postens enthoben werden mußte. Denn wollte er seinen Plan in die Tat umsetzen, benötigte der Kaiser einen Chef des Generalstabes, der eine solch schwierige Aufgabe entscheidungsfreudig und zupackend zu meistern imstande war – Voraussetzungen, die ganz und gar nicht auf Hindenburg zutrafen.

Das verzweifelte Bemühen des Kaisers, den Thron zu retten, mündete mithin in den Plan, die Position des Chefs des Generalstabes des Feldheeres zu remilitarisieren. Für diese Aufgabe war Hindenburg eine Fehlbesetzung. Wilhelm II. und sein engster Berater in Militärfragen, Generalmajor von Marschall, zogen daher den General der Artillerie Max von Gallwitz in Betracht, der im Westen eine Heeresgruppe kommandierte und sich als energischer Heerführer für eine solche Mission zu eignen schien. Er konnte auch ohne großes Aufsehen dahingehend befragt werden, weil er als militärischer Experte zusammen mit General von Mudra nach Berlin kommandiert war, wo er dem Kriegskabinett Auskunft darüber erteilen sollte, wie lange die Front im Westen noch gehalten werden könne. Am 27. Oktober stieg Kabinettschef Marschall daher in Potsdam-Wildbad in den Zug, der Gallwitz nach Berlin brachte, und fühlte vor, ob dieser sich einer solchen Aufgabe stellen würde. Gallwitz winkte jedoch ab und gab Marschall eine Antwort, die der Kaiser in ähnlicher Form am dramatischen 9. November zu hören bekam: Eine Rückeroberung des Throns mit militärischen Mitteln sei ausgeschlossen, da die kämpfende Truppe die äußere Front halten müsse, dort auch ihre Pflicht erfülle, aber nicht als Bürgerkriegsarmee im Innern einzusetzen sei.[87]

Hindenburg drohte indes nicht nur in militärischer, sondern auch in politischer Hinsicht entbehrlicher zu werden. Bislang hatte er mit periodisch wiederkehrenden Appellen die nationale Einheit beschworen, und dieses Monopol hatte ihm keiner streitig gemacht. Doch nun zeichnete sich ab, daß der Kaiser auch symbolisch aus dem übermächtigen Schatten Hindenburgs heraustreten und ihm nicht länger den Alleinvertretungsanspruch auf die Repräsentanz der Nation überlassen wollte. Wilhelm II. knüpfte dabei an ein historisches Vorbild an, nämlich den Aufruf Friedrich Wilhelms III. »An mein Volk!« vom 17. März 1813, in dem der Monarch zu einer nationalen Kraftanstrengung aufgefordert hatte. Ein ähnlicher Aufruf erschien auch Ende 1918 angebracht, wollte man die deutsche Verhandlungsposition bei den anstehenden Waffenstillstands- und Friedensverhandlungen verbessern. Von einem eindrucksvollen Signal nationaler Geschlossenheit versprach man sich zudem günstige Auswirkungen auf die Kampfkraft der Truppe.

Hindenburg war in derartige Überlegungen nicht eingebunden. Die Initiative ging vielmehr von den beiden Generalen Gallwitz und Mudra aus, die, als sie auf dem Weg nach Berlin von der Entlassung Ludendorffs erfuhren, sofort die Chance erkannten, daß der Kaiser sich aus der Umklammerung der Obersten Heeresleitung gänzlich lösen konnte. Sie konzipierten ihre Initiative so, daß sie von Anfang an als Gemeinschaftsaktion von Kaiser und Reichsregierung angelegt war. Nur wenn Krone und parlamentarische Reichsregierung als nunmehr gleichberechtigte Gewalten und berufene Repräsentanten der deutschen Nation zu einem gemeinsamen Durchhalteappell zusammenfanden, besaß dieser Akt Aussicht auf eine gewisse Durchschlagskraft. Als Gallwitz und Mudra am Abend des 27. Oktober 1918 vom Kaiser im Potsdamer Neuen Palais empfangen wurden, nahmen sie Wilhelm II. für ihre diesbezüglichen Überlegungen ein. Der Kaiser begrüßte die Idee und autorisierte die beiden Generale, das Kabinett für diesen Vorschlag zu gewinnen.[88]

Das Kriegskabinett verhielt sich allerdings reserviert. Ein Appell an die Widerstandskraft des Volkes, der die letzten Reserven herauskitzeln und dem Heer gegebenenfalls ein Weiterkämpfen bis 1919 ermöglichen sollte, war nämlich nur dann sinnvoll, wenn parallel dazu die Verhandlungen mit Wilson abgebrochen wurden. Dies war zwar die Position des Prinzen Max zu Beginn seiner Kanzlerschaft gewesen, die aber – nicht zuletzt weil die OHL auf einen raschen Waffenstillstand bestanden hatte – nicht durchzusetzen gewesen war. Am 28. Oktober 1918 hatte sich die militärische Lage jedoch weiter verschlechtert, zumal an diesem Tag Österreich-Ungarn kapitulierte. Daher kam man im Kriegskabinett überein, den Plan eines Appells an Volk und Heer in Reserve zu halten für den Fall, daß die nächste Antwort Wilsons die bedingungslose Kapitulation des Reiches verlangte.[89]

Hindenburg blieb die Aktivität von Gallwitz und Mudra nicht verborgen. Denn beide legten auf dem Rückweg zu ihren Hauptquartieren eine Zwischenstation in Spa ein, wo sie Hindenburg ausführlichen Bericht über ihren Vortrag beim Kaiser und vor dem Kriegskabinett erstatteten.[90] Auch wenn Gallwitz den Feldmarschall nicht über alle Einzelheiten ins Bild setzte, konnte sich Hindenburg unschwer zusammenreimen, daß seine Stellung sowohl militärisch als auch politisch ins Wanken geraten war. Wenn sich die Regierung tatsächlich zu einem Abbruch der Verhandlungen und zu einer Levée en masse durchringen sollte, dann gab es keinen Platz mehr für ihn, der immer weniger kaschieren konnte, daß es die Oberste Heeresleitung insgesamt und nicht Ludendorff allein gewesen war, welche die Regierung des Prinzen Max zu dem Notenwechsel mit Wilson getrieben hatte. Als Gallwitz diese Information bei der Sitzung des Kriegskabinetts am 28. Oktober erfuhr, hielt er sich während der Sitzung mit einem Kommentar noch zurück, seinem Tagebuch vertraute er aber an: »Hindenburg-Ludendorff sind moralisch gerichtet – obwohl wir schweigen.«[91]

Aus dieser mißlichen Lage wußte Hindenburg allerdings einen erfolgversprechenden Ausweg: Der Kaiser mußte ins Große Hauptquartier nach Spa gelockt werden. Die Entfernung des Kaisers aus dem politischen Zentrum würde das Zusammenspiel von Krone und neuer Regierung, das zu einer immer größeren Bedrohung für Hindenburgs Position wurde, erschweren. Der Feldmarschall kannte die Wankelmütigkeit des Kaisers und wußte genau, wie sehr dieser von der Stimmung seiner Umgebung abhing. Daher kam es entscheidend darauf an, ihn dem Wirkungskreis der Regierung und damit »seinen üblen Beeinflussungen«[92] zu entziehen. Praktisch die gesamte Kriegszeit war es der militärischen Führung gelungen, den Kaiser im Großen Hauptquartier zu halten, wo er zwar keine wirkliche Funktion ausübte, aber immerhin den Einwirkungen der Reichsleitung nicht ausgesetzt war. Speziell Hindenburg hatte sich aus diesem Grund immer strikt dagegen gewandt, das Hauptquartier etwa nach Potsdam zu verlegen, weil dort nach seiner Ansicht die Gefahr bestand, »daß der Kaiser in die Hände der Flaumacher gerate«.[93] Im Oktober 1918 war genau das eingetreten, was die militärische Führung bislang zu verhindern gewußt hatte: Der Kaiser residierte in Potsdam, suchte von dort aus das politische Einvernehmen mit der Reichsregierung, reduzierte auf diese Weise die politische Macht der Obersten Heeresleitung und drohte sogar erstmals Hindenburgs persönliche Autorität drastisch zu beschneiden. Denn eine nicht mehr auszuschließende Entlassung Hindenburgs aus seiner Funktion als Chef des Generalstabes hätte dem Ansehen des Generalfeldmarschalls einen schweren Schlag versetzt.

Hindenburg ergriff daher die Initiative und wurde am 29. Oktober persönlich beim Kaiser vorstellig, um diesen zur Reise nach Spa zu bewegen.[94] Wilhelm II. folgte diesem Ratschlag, bestieg am Abend des 29. Oktober den Hofzug und verließ Potsdam, das er nie wiedersehen sollte. Doch warum entsprach der Kaiser dem Ansinnen Hindenburgs? Warum begab er sich in den Schoß der Obersten Heeresleitung, nachdem er sich gerade erst von deren übermächtigem Einfluß emanzipiert hatte? Wilhelm II. flüchtete sich zur Armee zum einen deswegen, weil er sich auf diese Weise den bedrohlichen Forderungen nach seiner Abdankung zu entziehen glaubte. Der Kaiser wollte sich durch einen Ortswechsel davor schützen, dem Druck in der Abdankungsfrage nachzugeben, den auch die Regierung auf ihn ausüben würde. Insofern kam die Reise nach Spa auch dem Eingeständnis eigener Schwäche gleich. Weil er befürchtete, den »Überredungsangriffen«[95] der Regierung nicht standhalten zu können, suchte Wilhelm II. die Nähe der Armee, wo er Nestwärme und den dringend benötigten psychologischen Halt zu finden hoffte.

Darüber hinaus stellte das Feldheer das einzige dem Kaiser verbliebene Machtinstrument dar. Hier war er nicht mehr ein von allen Seiten bedrängter Monarch auf Abruf, sondern der Oberste Kriegsherr, der zumindest die Hoffnung hegen konnte, daß die Armee seinen Befehlen gehorchen würde. Schon einmal hatte Wilhelm II. mit der Vorstellung gespielt, mit Hilfe der Armee seinen Thron notfalls mit Waffengewalt zurückzuerobern. Dieses Szenario dürfte auch bei seiner Reise nach Spa eine nicht zu unterschätzende Rolle gespielt haben: Wilhelm II. wollte prüfen, ob sich die neue Oberste Heeresleitung für den immer wahrscheinlicher werdenden Eventualfall, daß sein wankender Thron nur noch durch Einsatz des Frontheeres stabilisiert werden konnte, rüstete.[96] Damit gewährte er auch Hindenburg eine neue militärische Bewährungschance, nachdem Gallwitz auf entsprechende Anfragen ja reserviert reagiert hatte.

Es gibt jedoch keine eindeutigen Belege dafür, daß der Kaiser bereits in den ersten Novembertagen ein Einvernehmen mit der Obersten Heeresleitung in dieser Frage anstrebte und Vorkehrungen für die Verwendung des Heeres in der Heimat traf.[97] Vielmehr suchte er die Regierung von der Unentbehrlichkeit seiner Person zu überzeugen und damit den immer heftiger werdenden Abdankungsforderungen den Wind aus den Segeln zu nehmen. Er wollte das Argument entkräften, daß das Reich nur dann Aussicht auf einen milden Frieden habe, wenn er den Thron räumte, indem er dieses zu seinen Gunsten umdrehte: Wenn man das Frontheer seines Obersten Kriegsherrn beraubte, dann würde es sich auflösen. Damit wäre Deutschland völlig hilflos den Feinden ausgeliefert und müsse einen Karthago-Frieden befürchten. Indem er die Aufrechterhaltung der Kampfkraft des Heeres mit der Fortexistenz seines Kaisertums verknüpfte, suchte er seine angeschlagene Stellung zu festigen. Am 1. November trat dann das ein, was der Kaiser hatte kommen sehen: Das Kriegskabinett entsandte einen Vertreter – mit dem preußischen Innenminister Bill Drews sogar einen ausgesprochen monarchisch gesinnten preußischen Beamten – nach Spa, um dem Kaiser das Ungeheuerliche ins Gesicht zu sagen: Man forderte ihn zur freiwilligen Abdankung auf. Wilhelm II. hörte sich die Ausführungen seines Ministers gefaßt an und replizierte mit dem Hinweis auf seine Unersetzbarkeit in seiner Eigenschaft als Oberster Kriegsherr: »Das Heer steht im heldenhaften Kampfe mit dem Feinde. Sein fester Zusammenhalt beruht in der Person des Obersten Kriegsherrn. Geht dieser fort, so fällt die Armee auseinander und der Feind bricht ungehindert in die Heimat ein.«[98]

In diesem Zusammenhang gewann Hindenburg erneut an Wert für den Kaiser, und zwar in seiner Eigenschaft als Bürge für diese kaiserliche Auffassung. Hindenburg hatte zwar seine militärische Autorität längst eingebüßt, aber als moralische Größe, die den Geist der Armee repräsentierte, war Hindenburg weiterhin von Gewicht. Und genau in dieser Funktion sprang er dem Kaiser zur Seite und bezeugte dessen Unentbehrlichkeit als Oberster Kriegsherr. Im Falle einer erzwungenen Abdankung verliere das Heer seinen obersten Befehlshaber, was zu Auflösungserscheinungen führen müsse, so daß die Hälfte der Armee »als marodierende Räuberbande in die Heimat zurückströmt«.[99] Diese Auffassung teilte auch der neue Erste Generalquartiermeister Groener, der als Süddeutscher dem Preußen Drews die Leviten las und sich als mannhafter Streiter für den Kaiser betätigte, weil er wie Hindenburg subjektiv von dessen funktioneller Unersetzbarkeit überzeugt war.[100]

Hindenburgs Festhalten an der Person des Kaisers speiste sich also nicht aus einem strengen Legitimismus, der Wilhelm II. grundsätzlich für sakrosankt erklärte, sondern aus einer am nationalen Nutzen ausgerichteten Sicht der Dinge. Anfang November 1918 schien der Kaiser noch jenes Maß an Aufrechterhaltung der äußeren Widerstandsfähigkeit und der inneren Sicherheit zu verbürgen, das erforderlich war, um dem Deutschen Reich einen erträglichen Waffenstillstand zu verschaffen und ein Abgleiten in ein revolutionäres Chaos zu verhindern: »Zwingt man nun den Kaiser zur Abdankung, so wird das Heer führerlos, und mit seiner Widerstandskraft an der Front ist es zu Ende. Eine Sicherung für die Ordnung im Innern ist dann aber auch nicht mehr vorhanden.«[101]

In dieser Position lag aber bereits der Keim für Hindenburgs Verhalten am 9. November 1918. Denn als nur eine Woche nach der Solidarisierung Hindenburgs mit dem Obersten Kriegsherrn die Revolution in Berlin kampflos siegte, büßte der Kaiser seine doppelte Funktion ein: Er war kein Garant der inneren Sicherheit mehr, ja geradezu zum Sicherheitsrisiko geworden; und sein Pochen auf der Kommandogewalt mußte das Feldheer, das sich von der Revolution bislang nicht hatte anstecken lassen, in eine schwere innere Zerreißprobe stürzen, was die Aussichten auf einen ehrenvollen Waffenstillstand minderte. Indem Hindenburg also bereits Anfang November 1918 sein Eintreten für den Kaiser nicht an eine monarchische Grundsatzüberzeugung knüpfte, sondern aus politisch-funktionalen Erwägungen ableitete, die sich am Wohl der Nation und des Reiches orientierten, beschritt er nur konsequent seinen politischen Weg weiter.

Hindenburg hatte damit die politische Lage wieder einmal richtig einge-schätzt. Denn nach der Abdankung Wilhelms II. am 9. November 1918 fiel das Feldheer eben nicht wegen Führungslosigkeit auseinander, sondern kehrte in vorbildlicher Ordnung in die Heimat zurück, und zwar unter dem Kommando Hindenburgs. Dies war ein unwiderlegbarer Beweis dafür, daß sich die aus der preußischen Militärmonarchie speisende Herrschaftslegitimation der Monarchie überlebt hatte. Auch das Heer war auf die Nation verpflichtet; und auf diesem Feld war Hindenburg im November 1918 unersetzlich, während Wilhelm II. von der Nation politisch wie symbolisch ablösbar war. Hindenburg mochte sich schon in diesen bewegten Novembertagen klargemacht haben, daß er aus eben diesen Gründen dem Kaiser strukturell überlegen war und auch einen zweiten Regime-wechsel – den zur Republik – unbeschadet überstehen würde. Subjektiv hat er sich aber so lange wie möglich für den Erhalt der Monarchie in ihrer legitimistischen Version – also mit Wilhelm II. als Kaiser und König – eingesetzt. Der Sturz der Monarchie am 9. November 1918 traf Hindenburg daher persönlich ins Mark, aber zugleich wertete er seine eigene Position so auf, daß sein symbolischer Wirkungs-kreis noch einmal beträchtlich erweitert wurde.

*Wilhelm II. (mit Pelz) mit seinen Begleitern auf der Fahrt ins Exil
nach Holland am 10. November 1918*

KAPITEL 13

Trauma und Chance: die Abdankung des Kaisers

Am 9. November 1918 durchlebte Hindenburg eine der bittersten Stunden seines Lebens: das Ende des preußischen Königtums und des deutschen Kaisertums. Er bekam aus nächster Nähe mit, wie Wilhelm II. nach schwerem inneren Ringen auf seine Krone verzichtete. Als der im Großen Hauptquartier weilende Kaiser sich an diesem 9. November hilfesuchend an seinen obersten militärischen Ratgeber wandte, um das Schicksal vielleicht doch noch zu wenden, mußte dieser ihm bedeuten, daß der Thron nicht zu retten sei. Zweifellos kostete es Hindenburg enorme Überwindung, dem Kaiser diese unangenehme Wahrheit zu vermitteln; sein Anteil an der Abdankung Wilhelms II. und dessen Flucht ins niederländische Exil hat ihn bis zu seinem Lebensende innerlich bewegt. Aber letztlich war er in dieser Frage mit sich im reinen und hat sich nicht in selbstquälerischen Gewissensbissen verzehrt, wie es quellenmäßig mehr als problematische Zeugnisse behaupten.[1] An der sachlichen Richtigkeit seines Rates an den Kaiser gab es nichts zu rütteln, sofern man in dieser Frage nicht den verengten Blickwinkel eines preußischen Generals einnahm, der sich in persönlicher Treue mit seinem König verbunden fühlte und eine derart niederschmetternde Auskunft niemals über die Lippen gebracht hätte. Von altkonservativen Anhängern der preußischen Monarchie ist Hindenburg später dabei folgerichtig der Vorwurf gemacht worden, daß er sich nicht »als erster Soldat des Kaisers«[2] vor seinen Herrn gestellt habe.

Hindenburg ließen solche Vorwürfe der treuesten Verfechter des monarchischen Gedankens nicht unbeeindruckt. Denn sie rührten zum einen an seine monarchische Empfindsamkeit, die sich immer wieder, aber letztlich politisch folgenlos in seinen politischen Aktionen auch und gerade als Reichspräsident zeigte. Vor allen Dingen stellten derartige Attacken von streng konservativer Seite ihn aber unter Rechtfertigungszwang und nötigten ihm in den ersten Jahren nach Kriegsende eine geschichtspolitische Verteidigungsstrategie auf, die er cum grano salis überaus erfolgreich führte. Letztlich gingen diese Angriffe ins Leere, weil sie Hindenburg als einen durch seinen Treuebund unauflöslich mit seinem König und

Kaiser verschweißten Militär vereinnahmen wollten und damit einen Maßstab an dessen Handeln anlegten, der dem politischen Selbstverständnis dieses Mannes längst nicht mehr gerecht wurde. Der ohnehin nur noch in Spurenelementen nachweisbare Feldherr Hindenburg hatte mit dem Eingeständnis der Kriegsniederlage endgültig zu existieren aufgehört. Hindenburgs Verhalten in den bewegten Novembertagen des Jahres 1918 legte den harten politischen Kern seiner Person frei, und das konnten seine nachträglichen geschichtspolitischen Bemäntelungsversuche nicht kaschieren. Zweifellos kostete es ihn enorme Überwindung, seinem König einen genuin politischen Rat[3] von solcher Tragweite und derartigen persönlichen Konsequenzen zu erteilen, nämlich zum einen auf den Thron zu verzichten, zum anderen Zuflucht im neutralen Ausland zu suchen. Die Abdankung betraf nur den Kaiser selbst; doch indem Wilhelm II. Hindenburgs zweitem Ratschlag folgte, die Armee Hals über Kopf verließ und sich in die Niederlande flüchtete, verspielte er jeden ernstzunehmenden Anspruch des Hauses Hohenzollern auf die preußische Königs- und deutsche Kaiserwürde.[4] Aber gerade indem Hindenburg bereit war, unter schweren inneren Kämpfen mit tiefverwurzelten Überzeugungen zu brechen und das politisch Gebotene zu tun, schuf er sich eine Startposition für seine spätere staatsmännische Überhöhung.[5] Der aus politischer Einsicht resultierende Opfergang am 9. November 1918 löste ihn endgültig von der monarchischen Staatsform und qualifizierte ihn für die Ausübung politischer Herrschaft auch in einer Republik.

Hindenburg hat sich im Verlaufe der Novembertage langsam mit dem Gedanken vertraut machen müssen, daß ein Thronverzicht des Kaisers nicht mehr abzuwenden war. Zwar sträubte sich sein monarchisches Gefühl gegen die Vorstellung, sich von seinem Monarchen zu trennen. Noch am 8. November äußerte er gegenüber seinem Adjutanten Christian von Pentz, der zugleich sein Schwiegersohn war: »Ich lebe und sterbe mit meinem König.«[6] Doch er mußte erkennen, daß die Position des Kaisers zusehends erschüttert wurde, weil die von Hindenburg und Groener gegen eine Abdankung des Kaisers vorgebrachten Argumente immer weiter in sich zusammenfielen. Als Groener am 5. und 6. November 1918 zu Besprechungen mit dem Kriegskabinett in Berlin weilte, suchte er noch im Auftrag Hindenburgs die Reichsregierung von weiteren Schritten in der Kaiserfrage durch den Hinweis abzuhalten, daß nur der Kaiser ein Weiterkämpfen des Frontheeres verbürge. Nehme man dem Heer den Obersten Kriegsherrn, dann breche nicht nur der militärische Widerstand gegen den Feind zusammen, dann werde sich die militärische Disziplin überhaupt auflösen und eine zügellose Soldateska in die Heimat zurückströmen.[7] Doch dieser funktionalen Argumentation entzog die Oberste

Heeresleitung selbst den Boden, indem sie in Übereinstimmung mit der Reichsregierung am 6. November 1918 praktisch die militärische Kapitulation einleitete:
Sie war fest entschlossen, eine Delegation zum Oberbefehlshaber der alliierten
Truppen zu entsenden, die bildlich gesprochen die weiße Fahne hissen und das
Reich dessen Waffenstillstandsbedingungen auf Gedeih und Verderb ausliefern
sollte. Zu diesem Schritt sah sie sich gezwungen durch die revolutionäre Zuspitzung der Situation im Innern des Reiches, wo sich die von Kiel ausgehende Matro-
senrevolte wie ein Lauffeuer verbreitete. Nur eine rasche Beendigung des Krieges
auch um den Preis der Kapitulation schien die revolutionäre Welle noch aufhalten
zu können, bevor sie Berlin erreichte.[8]

Die Oberste Heeresleitung hatte zu diesem Zeitpunkt die Federführung bei
den drängenden Waffenstillstandsverhandlungen aber bereits an die Reichsregierung abgetreten, weshalb nicht der von Hindenburg auserkorene General von
Gündell, sondern Staatssekretär Erzberger die deutsche Delegation leitete. Dieser
traf am 7. November 1918 in Spa ein und machte von seiner Weisungsbefugnis gegenüber den Militärs sofort energischen Gebrauch, indem er anordnete, daß lediglich ein Vertreter der Armee und ein Vertreter der Marine seiner Delegation angehören solle. Hindenburg selbst hat zwar Verwunderung darüber geäußert, »daß
es wohl das erstemal in der Weltgeschichte sei, daß nicht Militärs den Waffenstillstand abschließen, sondern Politiker«.[9] Aber er hat dieses Terrain nicht ungern an
die Reichsregierung abgetreten, weil er dadurch einen Ansehensverlust von der Armee und nicht zuletzt von sich selbst abzuwenden hoffte. Schließlich stand zu
erwarten, daß die harten Waffenstillstandsbedingungen der erst seit wenigen Wochen amtierenden Reichsregierung angelastet würden und nicht der für die militärische Niederlage verantwortlichen Obersten Heeresleitung. Diese Auffassung
teilten auch andere hochrangige Militärs, selbst General Gündell gewann dieser
Entwicklung noch etwas Gutes ab.[10] Der Kaiser äußerte sich dazu unverblümt in
einem Schreiben an seine Gemahlin vom 7. November: Wilhelm II. beschwerte sich
zunächst darüber, daß der Reichskanzler ihn bei der Einleitung der Waffenstillstandsverhandlungen völlig übergangen habe, und fuhr dann im selben Atemzug
fort: »Es hat aber sein Gutes, daß Heer, OHL und ich ausgeschaltet sind.« Denn damit falle die Verantwortung für den Waffenstillstand allein dem »verfluchten Max«
und seiner Regierung zu. Daraus könne eine große Erbitterung im Volke und in
der Armee erwachsen, die »mit dem Schuft von Max die ganze Chose fortfegt«.[11]

Hindenburg zeigte sich wieder einmal von seiner pragmatischen Seite und
bemühte sich, seine tiefe Antipathie gegenüber Erzberger zu überwinden. Kein
zweiter Regierungspolitiker hat damals so viele Pfeile auf sich gezogen und so ab-

grundtiefe Abneigung hervorgerufen wie dieser soziale Aufsteiger, dem man neben seiner einfachen Herkunft und seinem wenig gewinnenden Äußeren vor allem seine katholische Konfession vorhielt, die ihn in den Augen derjenigen, die noch von den Langzeitfolgen des Kulturkampfes infiziert waren, wie einen verkappten Agenten der römischen Kurie erscheinen ließ. Hindenburg hat viele dieser Ansichten geteilt und noch im Sommer 1918 in bezug auf Erzberger geäußert: »Ich kann dem Kerl doch nicht die Hand geben.«[12] Im Unterschied zu seinen fundamentalistischen Standesgenossen konnte er solche Bedenken jedoch zurückstellen, wenn es um der gemeinsamen Sache willen geboten schien – und Erzberger ihn in Hinsicht auf seinen persönlichen Anteil an der Kriegsniederlage entlastete. Er hatte daher keine Skrupel, eben diesem Erzberger am 7. November in Spa die Hand zu schütteln und ihm sogar den Dank des Vaterlandes für die schwierige Mission auszusprechen.[13]

Der Kaiser hingegen klammerte sich an seinen letzten Hoffnungsanker, nämlich die Aussicht, mit Hilfe zuverlässiger Truppenteile nach Berlin zu marschieren und dort mit Waffengewalt die monarchische Ordnung wiederherzustellen. Er hatte auf einen raschen Waffenstillstand gedrängt, um Truppen für diese Ordnungsaufgabe herauszulösen und für den Bürgerkriegseinsatz zu präparieren.[14] Am 8. November 1918 tat er mehrfach seine Entschlossenheit kund, an der Spitze einer Bürgerkriegsarmee den Marsch auf Berlin anzutreten: »Ich stelle mich an die Spitze der aus der Front gezogenen königstreuen Truppen und erobere mir mein Deutschland wieder.«[15] Der Obersten Heeresleitung erteilte er beim Kaiservortrag an diesem Tag den Auftrag, die entsprechenden Vorbereitungen zu treffen,[16] wobei er felsenfest davon ausging, daß sofort nach Abschluß des Waffenstillstands die Militäroperation zur Wiedergewinnung seiner Herrschaft durchgeführt werden könne.[17]

Damit nahte die Stunde der Wahrheit. Am 8. und 9. November erduldete Hindenburg seelische Qualen, weil er, der eingefleischte Monarchist, den Thronverlust des Kaisers nicht abwenden konnte. Bei nüchterner Einschätzung des Frontheeres mußte das Vorhaben des Kaisers als Verzweiflungsschritt angesehen werden, von dem Hindenburg Wilhelm II. nur abraten konnte. Am Abend des 8. November kamen Hindenburg und Groener überein, daß das Vorhaben des Kaisers schlichtweg undurchführbar sei. Die Revolution marschierte unaufhaltsam und hatte schon in Bayern, Braunschweig und Mecklenburg-Schwerin die Throne zum Einsturz gebracht. Selbst wenn es gelang, noch einige Verbände für einen Einsatz in Berlin zusammenzuziehen, hätten sich diese zu Fuß und abgeschnitten von jeder Verpflegungsbasis mehr als sechshundert Kilometer durch eine revoltierende Heimat durchschlagen müssen.[18] Diese realistische Lageeinschätzung machte alle Hoffnungen des Kaisers auf die militärische Rückeroberung seiner Herrschaft zunichte. Die logische Konsequenz war, daß Wilhelm II. den immer drängender werdenden Forderungen nach seiner Abdankung keine militärischen Machtmittel mehr entgegenzusetzen hatte.

Hindenburg gelangte bereits am Abend des 8. November 1918 zu der schmerzlichen Einsicht, daß die Abdankung Wilhelms II. eine Frage von Tagen, ja vielleicht von Stunden war. Er nutzte die Zeit, um sich auf diese Situation einzustellen; sein geschichtspolitischer Sinn war nun hellwach. Er legte sein ganzes Verhalten darauf an, sein Bild in der Geschichte von dem Makel freizuhalten, daß ausgerechnet er, der in Treue zum Monarchen groß gewordene Prototyp eines preußischen Offiziers, den Ausschlag für die Abdankung des Kaisers gab. Zugleich mußte er den Kaiser von der fixen Idee abbringen, mit Eliteeinheiten gegen die sich in revolutionärer Gärung befindliche Heimat zu marschieren. Hindenburg verfolgte also zwei Ziele: Einerseits mußte er dem Kaiser zu der Einsicht verhelfen, daß der Thronverzicht unumgänglich war; zum anderen wollte er selbst nicht damit belastet werden.

Zum ersten Teil dieser Operation gehörte es, durch eine Befragung von Truppenkommandeuren dem Kaiser einen deutlichen Fingerzeig zu geben, daß das Frontheer nicht als Bürgerkriegsarmee taugte. In Einklang mit Hindenburg bestellte Groener noch am 8. November von zehn Armeen jeweils fünf Regiments-, Brigade- und Divisionskommandeure nach Spa, von denen am Morgen des 9. November nach stundenlanger Autofahrt 39 eintrafen. Oberst Heye als Chef der Operationsabteilung der Obersten Heeresleitung richtete an die Versammelten zwei Fragen, von denen die erste das entscheidende Anliegen prägnant auf den Punkt brachte: »Wird es möglich sein, daß der Kaiser an der Spitze der Truppen die Heimat im Kampfe wiedererobert?«[19]

Hindenburg hat die Befragung der Truppenkommandeure nicht selbst geleitet, aber er hat die Vertreter des Feldheeres kurz begrüßt und ihnen dann die Brisanz der Frage so deutlich gemacht, daß an der Antwort kein Zweifel bestehen konnte. Nach den Aussagen von Augen- und Ohrenzeugen[20] schilderte er unverblümt, was die Bejahung der Frage bedeutete: »Hierzu müßte … die ganze Armee angesichts des Feindes, mit dem bis zur Stunde noch kein Waffenstillstand geschlossen sei und der naturgemäß rasch nachfolgen werde, kehrtmachen und in Fußmärschen, die zwei bis drei Wochen dauern könnten, denn auf Bahnen sei nicht zu rechnen, also in einer Zeit von 2–3 Wochen, kämpfend Berlin zu erreichen suchen. Die Schwierigkeiten für Versorgung jeder Art, da alle Vorräte in der Hand der Aufständischen seien, die zu erwartenden Anstrengungen und Entbehrungen, denen die Truppe von neuem entgegensehe, wurden vom Feldmarschall besonders hervorgehoben.«[21] Hindenburg nahm also kein Blatt vor den Mund und ließ nicht die geringsten Illusionen darüber aufkommen, was die Truppe erwartete, wenn sie sich auf das Begehren des Kaisers einließ. Damit war das Ergebnis der Befragung in diesem Punkt vorweggenommen: Nur ein einziger Offizier bejahte die Frage, 23 antworteten mit Nein, und 15 äußerten mehr oder minder offene Zweifel, ob die Truppe dem Kaiser folgen werde.[22]

Hindenburg und Groener beschränkten sich aber nicht darauf, eine Befragung der Truppenoffiziere mit vorhersehbarem Ausgang zu organisieren: Sie ließen der Reichsregierung das vorweggenommene Ergebnis dieser Befragung bereits ausrichten, ehe sie um 10 Uhr morgens zum täglichen Vortrag über die militärische Lage in die Villa des Kaisers fuhren. Vorausgegangen war etwa um 8 Uhr morgens ein Besuch Hintzes bei Hindenburg, der herausfinden wollte, ob die Oberste Heeresleitung in der Abdankungsfrage die Bürgerkriegspläne des Kaisers unterstützen werde. Hindenburg und der im Laufe des Gesprächs hinzustoßende Groener hätten ohne weiteres Hintze die Auskunft verweigern können, der ihnen in dramatischen Worten vor Augen führte, daß das Schicksal der Kaiserkrone in ihren Händen lag: »Die Entscheidung liegt jetzt allein bei Herrn Feldmarschall und Ew. Exzellenz [Groener], ob Seine Majestät abdanken oder nicht.«[23] Doch die beiden legten ihre Karten auf den Tisch und gaben Hintze deutlich zu verstehen, daß sie die Absicht des Kaisers für undurchführbar hielten. Hindenburg war sich der Tragweite seiner Antwort durchaus bewußt: Sie besiegelte nicht nur das Schicksal Wilhelms II. als Kaiser, sie trug auch dazu bei, noch mehr Dynamik in die Abdankungsfrage zu bringen. Denn Hindenburg konnte davon ausgehen, daß Hintze diese Mitteilung sofort nach Berlin weiterleitete und die Reichsregierung sich veranlaßt sah, in ultimativer Form die Abdankung des Kaisers zu verlangen. Genau so kam es. Kurz nach 9 Uhr ging die Nachricht Hintzes telefonisch in Berlin ein, und danach wurde das Große Hauptquartier telefonisch mit stündlich drängender werdenden Abdankungsforderungen bombardiert, weil die Reichsregierung – allerdings vergeblich – hoffte, durch eine rechtzeitige Bekanntgabe der Abdankung doch noch den Ausbruch der Revolution in Berlin verhindern zu können.[24]

Der um 10 Uhr beginnende Vortrag in der Villa des Kaisers konnte damit nur noch den Zweck verfolgen, Wilhelm II. die realitätsfernen Pläne zur Wiedereroberung seines Kaisertums auszureden. Es war ein schwerer Gang, den Hindenburg an diesem Morgen antrat. Er war von der Unausweichlichkeit seines Tuns überzeugt, aber das Ende der Monarchie, die bis dahin der Haltepunkt seiner soldatischen Existenz gewesen war, ging ihm sichtlich nahe. Oberst von Thaer notierte in sein

Tagebuch: »Der Feldmarschall ging mit gramerfülltem Gesicht an mir vorbei und sagte, zu mir hingewendet: Ja, nun ist wirklich nichts mehr zu wollen.«[25] Der schwere innere Kampf, den Hindenburg an diesem Morgen ausfocht, ließ ihn nach einem Ausweg Ausschau halten. Er fand eine Lösung, die zweierlei ermöglichen sollte: Einmal gebot es seine Anhänglichkeit an die monarchische Idee, sich bei dem anstehenden Vortrag zurückzunehmen. Die unangenehme Wahrheit, daß das Heer nicht fähig und willens sei zum Marsch auf Berlin, sollte der Kaiser nicht aus seinem Munde erfahren. So konnte er zum anderen einen Teil seiner Verantwortung auf den Überbringer der schlechten Nachricht abwälzen, der nach Lage der Dinge nur Groener heißen konnte. Hindenburgs geschichtspolitisches Sensorium funktionierte an diesem 9. November 1918 ganz ausgezeichnet: Er würde sein Gesicht als treuer Untertan des preußischen Königs wahren und mußte sich zukünftig vor seinen streng monarchisch gesinnten Kameraden nicht verstecken, wenn er sich bei dem entscheidenden Vortrag möglichst im Hintergrund hielt und den Dingen ihren unabänderlichen Lauf ließ.

Hindenburg hatte den Entschluß gefaßt,[26] zu Beginn des Vortrags seinen Abschied einzureichen, um moralisch und politisch von der Verantwortung für die Abdankung des Kaisers entbunden zu sein, »da er als preußischer Offizier seinem Könige das nicht sagen könne, wozu er jetzt gezwungen sei«.[27] Doch der Kaiser ging nicht darauf ein, und damit blieb Hindenburg nichts anderes übrig, als sich völlig zurückzunehmen und sich in Schweigen zu hüllen. Indem er Groener das Feld überließ, der nun die Auffassung der Obersten Heeresleitung dem Kaiser mitzuteilen hatte, billigte er dessen Ausführungen aber voll und ganz. Das Schweigen Hindenburgs sprach also Bände und trug ihm zumindest verdeckte Vorwürfe der eingefleischten Monarchisten ein, er habe es an diesem 9. November an Initiative zugunsten der Monarchie fehlen lassen.[28]

Es kostete allerdings mehr Anstrengung als gedacht, den Kaiser von seiner fixen Idee eines Marsches auf Berlin abzubringen. Denn unvorhergesehenerweise wohnte Generalmajor Friedrich von der Schulenburg, der Chef der Heeresgruppe Kronprinz, dem Vortrag bei. Schulenburg war eigentlich nur wegen der Besprechung der Truppenoffiziere nach Spa gekommen, wozu er sich im Hotel Britannique, dem Sitz der Obersten Heeresleitung, eingefunden hatte. Dort war er zufällig auf Plessen und Marschall getroffen, die ihn kurzerhand mitnahmen in die etwas außerhalb von Spa gelegene Villa Fraineuse, wo der Kaiser residierte.[29] Vieles spricht für die Annahme, daß Schulenburg den Kommandierenden der Heeresgruppe, nämlich den Kronprinzen, vertrat. Dieser hatte am Abend des 8. November 1918 die Aufforderung seines Vaters erhalten, sich am nächsten Morgen in Spa zu melden,[30] wo er den Monarchen bei der geplanten Rückeroberung der zusammenbrechenden Herrschaft unterstützen sollte – schließlich stand nicht nur der Thron seines Vaters, sondern das Kaisertum der Hohenzollern insgesamt auf dem Spiel. Doch der Kronprinz traf erst um 12 Uhr und damit nicht rechtzeitig zum Kaiservortrag in Spa ein,[31] so daß ihn sein kurzfristig dazu befohlener Chef vertreten mußte.

Schulenburg suchte dem nach dem Vortrag Groeners sichtlich niedergeschlagenen Kaiser neuen Mut einzuflößen und brachte eine Alternative ins Spiel. Nachdem die Meldungen aus der Heimat jedem Anwesenden vor Augen geführt hatten, wie unaufhaltsam die Revolution in Deutschland vorrückte, konnte selbst ein Diehard wie Schulenburg nicht mehr die weltfremde Idee verfechten, Teile des Westheeres zum Marsch nach Berlin zu kommandieren. Schulenburg favorisierte daher die »kleine Lösung«: Nur Eliteeinheiten sollten gegen die Revolution eingesetzt werden, wobei man sich zunächst damit begnügen sollte, an leicht erreichbaren Orten – genannt wurden Aachen, Köln und Verviers – die Revolution mit Waffengewalt niederzuschlagen.[32] Währenddessen spielte sich ein heftiges inneres Ringen bei Wilhelm II. ab: Einerseits hinterließen die Ausführungen Groeners sichtlichen Eindruck bei ihm und weckten tiefe Zweifel, ob er mit Waffengewalt sein Kaisertum tatsächlich noch retten konnte und solche begrenzten militärischen Operationen sinnvoll waren. Auch der nach dem Vortrag herbeigerufene Oberst Heye, der das eindeutige Ergebnis der Befragung der Truppenoffiziere dem Kaiser meldete, bestärkte Wilhelm II., vom Marsch auf Berlin Abstand zu nehmen. Der Kaiser wollte sich aber noch eine Hintertür offenhalten und nicht auf der ganzen Linie kapitulieren, indem er der Abdankungsforderung nachkam, was der Groenersche Vortrag indirekt nahelegte.

Wilhelm II. entschied sich für einen Mittelweg, der sich nur auf den ersten Blick halbherzig ausnimmt: Da die militärische Rückeroberung der Macht illusorisch war, mußte er sich den immer drängenderen telefonischen Abdankungsforderungen der Reichsregierung beugen. Aber er gedachte nur als deutscher Kaiser abzudanken, nicht aber als König von Preußen. Diese Lösung entbehrte nicht einer inneren Ratio: Als König von Preußen behielt Wilhelm II. seine Stellung als Oberster Kriegsherr und konnte den Anspruch erheben, das preußische Heer in die Heimat zurückzuführen. Er verfügte also weiterhin über die militärische Kommandogewalt und damit über die Option, nach dem Abebben der revolutionären Welle gegebenenfalls doch noch militärisch einzugreifen. Wilhelm II. an der Spitze der in die Heimat zurückströmenden preußischen Truppen – diese Konstruktion implizierte die Möglichkeit zur Gegenrevolution, obgleich der Kaiser in seiner etwa um

13.30 Uhr schriftlich fixierten Abdankungserklärung versicherte,[33] daß er das Kommando über die preußischen Armeen nur behalten wolle, um deren Auflösung zu verhindern.

Nach den vorliegenden Zeugnissen[34] hat Hindenburg bei der Unterredung nur ein einziges Mal das Wort ergriffen. Während des Vortrags vor dem Kaiser hatte er sich ganz im Hintergrund gehalten; danach überließ er es im wesentlichen Groener, gegen die »kleine Lösung« Schulenburgs Stellung zu beziehen. Als der verbale Disput zwischen Groener und Schulenburg seinen Höhepunkt erreichte, schloß sich Hindenburg aber der von Groener vehement vertretenen Position an, daß eine militärische Rückeroberung der kaiserlichen Herrschaft unmöglich sei. Hindenburgs Wort hat möglicherweise den letzten Ausschlag dafür gegeben, daß Wilhelm II. sich innerlich mit der Abdankung als Kaiser bereits am Vormittag des 9. November abfand. Den Generalfeldmarschall dürfte diese Stellungnahme einiges an Selbstüberwindung gekostet haben. Aber er wagte sich erst dann mit einer eigenen Meinungsäußerung hervor, als die Abdankung des Kaisers praktisch entschieden war und es lediglich noch um die Frage ging, ob Wilhelm II. als preußischer König die preußischen Truppen unter seinem Kommando in die Heimat überführen sollte.

In dieser Frage grenzte Hindenburg sich deutlich von Groener ab. Daß Wilhelm II. seine Herrschaft teilen und sich auf seine Funktion als preußischer König zurückziehen wollte, stellte für den württembergischen General eine die Reichseinheit sprengende und daher vollkommen unakzeptable Lösung dar. Er hat diese Idee deshalb im Kaiservortrag mit scharfen Worten zurückgewiesen: »Das Heer wird unter seinen Führern und Kommandierenden Generalen in Ruhe und Ordnung in die Heimat zurückmarschieren, aber nicht unter dem Befehl Eurer Majestät, denn es steht nicht mehr hinter Eurer Majestät.«[35] Hindenburg hingegen erblickte in der Konstruktion einer gespaltenen Abdankung die letzte Aussicht, die Monarchie wenigstens für Preußen zu erhalten.[36] Er klammerte sich an diese vage Hoffnung; doch er war nicht bereit, sich vehement für diesen Ausweg einzusetzen und mit seiner moralischen Autorität etwa durch einen Truppenbefehl dafür einzutreten. Bereits am 9. November 1918 kommt das Grundmuster im Verhältnis Hindenburgs zur verfließenden und später verschwundenen Monarchie deutlich zum Ausdruck: Er blieb der monarchischen Idee in sentimentaler Anhänglichkeit verbunden, aber diese Empathie blieb politisch folgenlos, weil er für die Realisierung dieser Idee nicht kämpfen wollte. Der ihm angeborene Realitätssinn hat Hindenburg dagegen gefeit, sich für Vorstellungen in Konflikte zu stürzen, über welche die Zeit längst hinweggegangen war. Seine Zurückhaltung war aber mindestens ebensosehr auf den Umstand zurückzuführen, daß er zu keinem Zeitpunkt willens war, sein eigenes Ansehen aufs Spiel zu setzen, um Wilhelm II. oder einem anderen der Hohenzollern wieder zur Herrschaft zu verhelfen. Wie unverbindlich in politischer Hinsicht Hindenburgs Sympathie für den Vorschlag Wilhelms II. war, sollte sich bereits kurz nach dem Ende des Kaiservortrags zeigen. Hindenburg verließ die kaiserliche Villa gegen 13.15 Uhr und begab sich ins Hotel Britannique in der Gewißheit, daß Wilhelm II. auf sein Kaisertum verzichtet hatte, und in der vagen Hoffnung, eventuell doch noch das preußische Königtum erhalten zu können. Nur eine Stunde später traf in der Kaiservilla die Nachricht ein, daß Max von Baden die Abdankung Wilhelms II. als Kaiser *und* König sowie den Thronverzicht des Kronprinzen verkündet habe. Dieser Schritt des noch amtierenden Reichskanzlers, der bereits durch Nachrichtenbüros verbreitet worden war, schuf eine völlig neue Situation und entzog dem Lösungsweg Wilhelms II. vollends den Boden. Wenn Wilhelm II. jetzt noch auf der Ausübung der Kommandogewalt über die preußischen Truppen beharrte, setzte er sich in fundamentalen Gegensatz zur Regierung, die ihm gerade den Oberbefehl durch die Absetzung als preußischer König entzogen hatte. Damit engte sich die weitere Entwicklung auf die leicht zu beantwortende Frage ein, ob Gegenmaßnahmen zur Verfügung standen, um die Anordnung der Regierung unwirksam zu machen. Dazu aber war die militärische Expertise der Obersten Heeresleitung vonnöten, weshalb Schulenburg, Marschall, Hintze und Grünau beauftragt wurden, zu Hindenburg und Groener zu fahren, um deren Rat einzuholen.[37]

Es bedurfte keiner prophetischen Gaben, um das Ergebnis dieser Unterredung, die von 15.30 bis 16 Uhr im Generalstabsgebäude stattfand, vorherzusehen. Wenn die Oberste Heeresleitung bereits am Vormittag einmütig die Möglichkeit ausgeschlossen hatte, daß Wilhelm II. seine Kaiserwürde mit militärischen Mitteln retten konnte, dann mußte dies ebenso für das preußische Königtum gelten. Mit der regierungsamtlichen Abdankung als preußischer König war Wilhelm II. die ohnehin mehr als vage Möglichkeit verbaut, friedlich an der Spitze der preußischen Armee nach Potsdam zurückzumarschieren. Und so fiel das Votum der Obersten Heeresleitung in der Besprechung eindeutig aus.[38]

Einen Oberbefehlshaber Wilhelm II. konnte es danach nicht mehr geben, höchstens einen ehemaligen König, der zusammen mit seinen geschlagenen Truppen den Weg in die Heimat antrat, um sich danach auf seine Besitzungen in der Heimat zurückzuziehen, wie es der sächsische und württembergische König nach dem Verlust ihrer Throne taten. Noch gegen 13 Uhr hatte Oberst Heye diese Möglichkeit ausdrücklich nicht ausgeschlossen. Das Heer werde zwar von Wilhelm II.

keine Befehle mehr entgegennehmen und nur unter dem Kommando seiner Generale den Rückmarsch antreten. »Und wenn Eure Majestät mit ihm marschieren, so ist das der Truppe recht und ihr eine Freude.«[39]

Nachdem sich in dieser Nachmittagsbesprechung aufgrund der militärischen Expertise Hindenburgs auch das Schicksal Wilhelms II. als preußischer König entschieden hatte, begann der zweite und für Hindenburgs Ansehen in monarchischen Kreisen besonders bedrohliche Akt. Selbst der Kaiser hat Hindenburg niemals verübelt, daß er ihm am 9. November 1918 nicht zum Marsch auf Berlin geraten hat – die dieser fixen Idee entgegenstehenden Fakten waren einfach zu überwältigend. Aber er hat Hindenburg nicht verzeihen können, daß dieser einen Schritt weiter ging, indem er ihm wenige Stunden später den Rat erteilte, ins niederländische Exil zu flüchten, und später abstritt, für den Übertritt Wilhelms II. in die Niederlande verantwortlich zu sein.[40] Mit anderen Worten: Hindenburg riet dem seiner beiden Kronen verlustig gegangenen Ex-Monarchen also keineswegs zu, bei der Truppe zu bleiben und zusammen mit dem Heer friedlich in die Heimat zurückzukehren, was Oberst Heye durchaus für möglich hielt. Er überhäufte hingegen den Kaiser geradezu mit Sicherheitsbedenken, die dessen Verbleiben bei der Armee als unkalkulierbares Risiko einstuften. Statt dessen empfahl der Feldmarschall ihm dringend einen Übertritt in die neutralen und dynastisch mit deutschen Fürstenhäusern eng verbundenen Niederlande.

Daß Hindenburg bei der später als Flucht ausgelegten Abreise Wilhelms II. in die Niederlande die treibende Kraft war, wird aus dem Gang der Ereignisse am Nachmittag und Abend des 9. November ersichtlich. Hatte sich Hindenburg in der Frage der Abdankung nach außen hin bedeckt gehalten, obwohl er von der Unabänderlichkeit dieses Schrittes überzeugt war, so ergriff er bei der Abreise Wilhelms II. in die Niederlande die Initiative. Bei der Besprechung im Hotel Britannique am Nachmittag des 9. November war er es, der die Frage eines – wenn auch wohl als vorübergehend gedachten – Exils des Kaisers als erster anschnitt und dafür sogar ein geeignetes Aufnahmeland, nämlich die Niederlande, vorschlug. Er ging sogar noch einen Schritt weiter: Ohne den Hauptbetroffenen, also den Kaiser, konsultiert zu haben, bedeutete er Hintze in dessen Eigenschaft als Vertreter des Auswärtigen Amtes im Großen Hauptquartier, die notwendigen diplomatischen Vorkehrungen für eine Übersiedlung des Kaisers zu treffen.[41]

In Anschluß daran begaben sich die Teilnehmer der Besprechung – mit Ausnahme des zu seinem Kommando abreisenden Schulenburg – um etwa 16 Uhr in die Kaiservilla, um Wilhelm II. vor vollendete Tatsachen zu stellen und seine Abreise ins niederländische Exil für unabwendbar zu erklären. Im Vergleich zum

Vormittag war die Rollenverteilung zwischen Hindenburg und Groener ver-
tauscht: Groener blieb praktisch stumm, während Hindenburg das Wort führte
und dem Kaiser schließlich bedeutete, daß dessen persönliche Sicherheit angesichts der Auflösung des Heeres nicht mehr gewährleistet sei, wenn er bei der Armee bleibe.[42]

Hindenburg war die treibende Kraft bei einem Schritt, der wie kein zweiter das
Ansehen der Hohenzollernmonarchie ruinierte und zumindest den letzten Träger
der preußischen Krone so diskreditierte, daß Wilhelm II. selbst bei vielen Ultramonarchisten Persona non grata wurde. Der Nachfahre Friedrichs des Großen, der
im Siebenjährigen Krieg in bedrängter Lage nicht aufgegeben und bis zum Schluß
mit aller Macht an der Spitze seiner Armee für sein Königtum eingetreten war,
hatte einfach Reißaus genommen und sich eventuell drohenden Unannehmlichkeiten durch eine unwürdige Flucht ins sichere Ausland entzogen. Solch unsoldati-
sches Verhalten rührte am innersten Kern der preußischen Monarchie, deren Identität in der militärischen Kommandogewalt des Königs ruhte.[43]

Aber konnte ein entthronter preußischer König überhaupt als Privatperson
bei der Armee bleiben und mit ihr in die Heimat zurückkehren? Welchen Eindruck
würde es hinterlassen, wenn der ehemalige Oberste Kriegsherr als einer unter vielen Soldaten unter dem Kommando der Generale die Heimreise antrat? War Wilhelm II. nicht aufgrund der unauflöslichen Verbindung zwischen Kommandogewalt und preußischer Monarchie nach seiner Abdankung geradezu gezwungen, das
Heer zu verlassen, in dem er nur als Oberster Kriegsherr einen angemessenen Platz
besaß? Diese Überlegungen waren gewiß gut preußisch und mögen Hindenburgs
Kalkül nicht unbeeinflußt gelassen haben, als er dem Kaiser energisch zum Übertritt in die Niederlande riet. Doch die eigentliche preußische Lösung dieses Dilem-
mas wäre gewesen, wenn Wilhelm II. an der Spitze zuverlässiger und opferbereiter
Offiziere den Soldatentod an der Front gesucht hätte. Mit einem solchen Opfertod
hätte er seine Person und vor allem die monarchische Idee bei ihren zahlreichen
Anhängern rehabilitieren können, während ihm die plötzliche Abreise in die Niederlande als Desertion und Fahnenflucht ausgelegt werden mußte.

Wilhelm II. stand am 9. November klar vor Augen, was er der Idee der preußischen Militärmonarchie schuldig war. Denn er bekundete wiederholt seine Entschlossenheit, jeden Schritt zu vermeiden, der ihm als unsoldatische und unpreu-
ßische Feigheit ausgelegt werden konnte. Solche Opfertodgedanken kreuzten sich
mit ähnlichen Überlegungen, die auf Anregung Groeners[44] am 5. November kö-
nigstreue Offizieren hegten, die sich sogar bereits gemeldet hatten, um Wilhelm II. auf seinem letzten Gang an die Front zu begleiten.[45] Dieser Plan war aber

nicht bis zum Monarchen, der zu diesem Zeitpunkt noch nicht mit dem Verlust seines Königtums rechnete, vorgedrungen. Hindenburg dagegen konnte dieser Vorstellung vom Königstod nichts abgewinnen.[46] Mit seinem Drängen auf Abreise in die Niederlande hat er zwar das Leben des Monarchen geschont, der monarchischen Idee aber eine kaum abzutragende symbolische Hypothek aufgebürdet.

Sollte Hindenburg mit seinem überaus ausgeprägten Sinn für die Symbolkraft solcher Handlungen die desaströsen Folgen für das Ansehen der Krone gar nicht bedacht haben? Da dies auszuschließen ist, muß Hindenburg gewußt haben, was er dem Haus Hohenzollern zumutete, wenn er dem letzten Träger der Krone zum Gang ins Exil riet. Daß Wilhelm II. damit gegen preußische Traditionen verstieß und die monarchische Idee schwer belastete, nahm er in Kauf. Hindenburg ließ sich am Nachmittag des 9. November 1918 von übergeordneten Aspekten leiten, die quer zur mythisch überhöhten Vorstellung der preußischen Militärmonarchie standen. Sein Verhalten liefert ein eindrucksvolles Zeugnis dafür, wie sehr er sich von der preußischen Monarchie ideell bereits gelöst hatte. Als die Emissäre des Kaisers Hindenburg im Hotel Britannique von der erzwungenen Abdankung Wilhelms als Kaiser und König in Kenntnis setzten, agierte Hindenburg bereits nicht mehr als Vertreter der monarchischen Kommandogewalt, sondern als neuer Oberbefehlshaber des Heeres.

Wilhelm II. hatte in seiner letzten kaiserlichen Amtshandlung am Mittag des 9. November mit seiner Abdankung als Kaiser den Oberbefehl über das deutsche Heer in die Hände Hindenburgs gelegt. Damit ging die verwaiste Kommandogewalt über die deutschen Truppen auf den Feldmarschall über, allerdings bestand Wilhelm II. zu diesem Zeitpunkt noch darauf, als König von Preußen die preußischen Verbände anführen zu dürfen.[47] Als dann am Nachmittag auch das preußische Königtum für Wilhelm II. nicht mehr aufrechtzuerhalten war, ging folglich die ungeschmälerte Kommandogewalt über sämtliche deutschen Verbände auf Hindenburg über.[48] Damit hatte sich Hindenburg völlig von Wilhelm II. gelöst. Bis dahin war seine Befehlsgewalt über das deutsche Heer nur geliehen, weil sie auf einer Ermächtigung durch den Obersten Kriegsherrn beruhte und auch wieder entzogen werden konnte. Zwar schöpfte Hindenburg seine militärische Autorität längst vor allem aus seiner symbolischen Kraft; aber ohne kaiserliche Autorisierung konnte er nicht an der Spitze des Generalstabs des Feldheeres stehen. Hier lag eine Einschränkung seiner Herrschaft vor, die sich im Herbst 1918 nachdrücklich bemerkbar gemacht hatte, als Hindenburgs militärische Position gehörig ins Wanken geriet. Mit der Abdankung Wilhelms als Kaiser und König war Hindenburg keiner monarchischen Autorität mehr untertan und für einige Zeit alleiniger Befehlshaber des Heeres, weil auch die neue revolutionäre Regierung anfänglich den Chef des Generalstabs des Feldheeres gewähren ließ.

Als alleiniger Oberbefehlshaber des Heeres hatte Hindenburg eine Aufgabe zu meistern, die ihm auf den Leib geschneidert war: die Rückführung des deutschen Heeres in die Heimat. Diese Aufgabe war anspruchsvoll, weil Millionen deutscher Soldaten noch über den halben Kontinent verstreut waren und gemäß den am 11. November bekanntgegebenen Waffenstillstandsbedingungen binnen weniger Wochen ins Reich zurückzuführen waren. Diese Anforderung bezog sich nicht nur auf das Westheer, das sich innerhalb von 35 Tagen hinter eine dreißig Kilometer östlich des Rheins verlaufende Linie zurückzuziehen hatte. Sie betraf ebenso die in der Ukraine und in Polen stationierten deutschen Truppen, die dort bislang als Ordnungsmacht nicht zuletzt in Hinblick auf die Eindämmung der Auswirkungen der russischen Oktoberrevolution eingesetzt waren. Aus diesem Grund sollten die deutschen Verbände auf alliierten Wunsch hin ihre militärische Präsenz im Baltikum zunächst behalten. Dennoch war die Rückführung der weit verstreuten deutschen Truppen innerhalb des von den Siegermächten gesetzten Zeitraums nicht nur in logistischer Hinsicht eine Herausforderung, sie hing vor allem von der Aufrechterhaltung militärischer Disziplin ab.

Dieses heikle Unternehmen konnte nur gelingen, wenn zwischen der Obersten Heeresleitung und der neuen revolutionären Regierung in Berlin Einvernehmen herrschte. Nur wenn der »Rat der Volksbeauftragten« einem Ausgreifen der Revolution auf das West- und Ostheer Einhalt gebot und die militärischen Führungsstrukturen im Kern nicht antastete, konnten die Truppen unter dem Kommando ihrer bisherigen Führer geordnet ins Reich überführt werden. Zwar ist eine entsprechende Absprache zwischen Groener und dem starken Mann der neuen Regierung, Friedrich Ebert, erst am 10. November getroffen worden.[49] Aber die Grundzüge dieser Übereinkunft zeichneten sich am 9. November schon deutlich ab. Hindenburg erließ in seiner neuen Eigenschaft nämlich einen Befehl an das Westheer sowie an das gesamte Feldheer,[50] der den Willen zur Kooperation mit den sozialdemokratischen Regierungsmitgliedern klar zum Ausdruck brachte: Er untersagte den Heeresangehörigen, von der Schußwaffe »gegen Angehörige des eigenen Volkes« Gebrauch zu machen – von Ausnahmefällen wie Notwehr und Plünderungen abgesehen. Damit setzte die Oberste Heeresleitung die Spezialeinheiten unter dem Kommando des Generalleutnants Hans Carl von Winterfeldt außer Gefecht, die zur gewaltsamen Niederschlagung der Revolution Anfang November 1918 in der Nähe der deutschen Grenze zusammengezogen worden waren.[51] Diese konnten jetzt nicht mehr mit Waffengewalt verhindern, daß sich einzelne Trupps aus den frühzeitig von der Revolution ergriffenen rheinischen Garnisonen auf den Weg nach Westen machten, um das Frontheer zu erreichen. Überdies wies Hindenburg die Offiziere an, mit den den revolutionären Herrschaftsanspruch artikulierenden neuen Organen – den Arbeiter- und Soldatenräten – zu kooperieren, was die allermeisten Führer enorme Überwindung kostete.

Die Signalwirkung der ersten Aktionen des neuen Oberbefehlshabers des deutschen Heeres war eindeutig: Hindenburg wollte unter allen Umständen verhindern, daß die im Banne der Revolution stehende Heimat und die von der Revolution zunehmend erfaßte Etappe mit im Kern antirevolutionär eingestellten Einheiten des Frontheeres gewaltsam zusammenstieß. Er untersagte dem Westheer aber nicht nur jede gegenrevolutionäre Aktivität: Indem er auch die zur Sicherung Wilhelms II. kommandierten Einheiten zum Stillhalten gegenüber der immer mehr auf das Westheer überschwappenden revolutionären Welle anhielt, erzeugte er eine prekäre Sicherheitssituation für den Kaiser und brachte diesen in eine Lage, in der schon wild kursierende Gerüchte über im Anmarsch auf Spa befindliche Revolutionäre genügten, um einen zutiefst verunsicherten und allein gelassenen Kaiser zur Abreise in das sichere niederländischen Exil zu bewegen.[52]

Beim Nachmittagsvortrag um 16 Uhr hatte Hindenburg dem Kaiser nur mit einem allgemein gehaltenen Hinweis auf die angespannte Sicherheitslage zum Übertritt in die Niederlande geraten. Das dabei entworfene Szenario sah so aus, daß aufrührerische Truppen Wilhelm II. entweder in Spa selbst oder beim Rückmarsch in die Heimat in ihre Gewalt bringen könnten, falls der Kaiser nicht in die von der Revolution verschonten Niederlande wechselte. »Ich kann es nicht verantworten, daß der Kaiser von meuternden Truppen nach Berlin geschleppt wird und der revolutionären Regierung als Gefangener ausgeliefert wird.«[53] Wilhelm II., der bis dahin noch fest entschlossen war, als Inhaber der Kommandogewalt über die preußischen Truppen friedlich in die Heimat zurückzukehren, wurde von den Ausführungen des Feldmarschalls überrascht und rang heftig mit sich. Sein Innerstes sträubte sich gegen eine Abreise in die Niederlande, weil er deren verheerende Folgen für die monarchische Idee sehr wohl einzuschätzen wußte: Der Nachfahre Friedrichs des Großen sollte nicht nur das Heer, den Wurzelgrund der preußischen Militärmonarchie, verlassen, sondern sich auf wenig königliche Weise den Nachstellungen revolutionär infizierter Truppenteile durch Flucht ins Ausland entziehen.

Als Hindenburg gegen 17 Uhr die Kaiservilla verließ, war Wilhelm II. noch nicht zum Übertritt nach Holland entschlossen, aber er war auf das Schlimmste gefaßt. Seinen Flügeladjutanten teilte er mit: »Ich bleibe zunächst in Spa. Falls wir von Bolschewisten angegriffen werden und meine hiesigen Sicherungstruppen nicht treu bleiben, fahren wir nach Den Haag.«[54] Wie um vor sich selbst eine Entschuldigung zu haben, berief er sich auf das von Hindenburg vorgebrachte Argument, daß der deutsche Kaiser nicht in die Hände von revolutionären Soldaten fallen dürfe:»Ich bin nicht feige und fürchte mich nicht vor der Kugel, aber ich möchte hier nicht gefangengenommen werden.«[55] Noch war er weit davon entfernt, eine *potentielle* Bedrohung zum Anlaß zu nehmen für einen Schritt, der das Ansehen seiner Person unwiderruflich beschädigen mußte. Daher neigte er bis gegen 19 Uhr dazu, die Warnungen des Feldmarschalls in den Wind zu schlagen und es notfalls mit den verbliebenen treuen Einheiten auf einen Kampf ankommen zu lassen.[56]

Hindenburg mußte also nachlegen, um Wilhelm II. in die Niederlande abzuschieben. Dazu mußte das Bedrohungsszenario konkretisiert und dem Kaiser in düstersten Farben ausgemalt werden. Diese Aufgabe dachte Hindenburg dem für die Sicherheit des kaiserlichen Hauptquartiers verantwortlichen Generaloberst von Plessen zu. Wenn Plessen dem Kaiser zuredete, sich in die Niederlande abzusetzen, mußte das noch mehr Eindruck auf Wilhelm II. machen als eine entsprechende Aufforderung des Feldmarschalls. Plessen verkörperte nämlich den Typus des absolut loyalen Dieners, das Ideal eines treuen Vasallen und ergebenen Untertanen seines Kaisers. Zudem hatte Plessen gegenüber dem Kaiser im bisherigen Verlauf des 9. November die Ansicht vertreten, daß dieser – auch wenn der Thron nicht mehr zu retten sei – inmitten ihm treu gebliebener Einheiten gefahrlos in die Heimat zurückmarschieren könne.[57]

Etwa gegen 18 Uhr sandte Hindenburg eine Alarmmeldung an Plessen. Die Oberste Heeresleitung sehe sich außerstande, für die Sicherheit des Kaisers zu bürgen, weil neue Sachverhalte bekanntgeworden seien, die einen unverzüglichen Übertritt des Kaisers nach Holland erforderlich machten. Der alarmierte Plessen begab sich sofort zum Generalstab, wo ihm Hindenburg persönlich Mitteilung von einer drastisch verschärften Sicherheitslage machte.[58] Er behauptete zum einen, daß sich eventuell noch in der Nacht ein Trupp bolschewistisch verseuchter Aufrührer von Aachen aus auf den Weg in das in wenigen Stunden zu erreichende Spa machen werde. Diese Auskunft war an sich noch nicht sonderlich besorgniserregend, weil die Oberste Heeresleitung sich auf einen solchen Fall natürlich eingestellt und deswegen die als absolut zuverlässig geltende 2. Gardedivision angewiesen hatte, ihren Abmarsch in die Heimat zu unterbrechen und den strategisch wichtigen Eisenbahnknotenpunkt Herbesthal an der deutsch-belgischen Grenze zu besetzen. Falls tatsächlich revolutionäre Soldaten sich von Aachen aus per

Eisenbahn auf den Weg nach Spa machen sollten, konnten sie in Herbesthal von der 2. Gardedivision leicht abgefangen werden.[59]

Plessen konnte also davon ausgehen, daß aufgrund dieser Vorkehrungen meuternde Einheiten gar nicht bis ins Große Hauptquartier vordringen würden. Doch er mußte nun aus dem Munde Hindenburgs erfahren, daß die 2. Gardedivision nicht mehr kampfbereit sei und sich dem Vormarsch einer rebellierenden Soldateska nicht in den Weg stellen werde.[60] Für Plessen brach ob dieser Mitteilung eine Welt zusammen: Der Kaiser war schutzlos dem Zugriff meuternder Soldaten ausgeliefert. »Ganz erschüttert und in Tränen aufgelöst«,[61] mußte er einsehen, daß nun an dem von Hindenburg dringend empfohlenen Weg – dem Übertritt nach Holland – kein Weg vorbeiführte, sollte dem Kaiser das entwürdigende Schicksal einer Gefangennahme erspart bleiben. Nach der Rückkehr aus dem Generalstabsgebäude schilderte er dem kaiserlichen Flügeladjutanten Ilsemann, wie dramatisch sich die Sicherheitslage zugespitzt habe: »Der Generalstab rechnet … eventuell schon heute nacht mit einem Bolschewistenangriff von Aachen-Verviers her.«[62] Noch bedrohlicher wurde die Lage dadurch, daß Plessen im Verlauf des Nachmittags Meldungen zugegangen waren, wonach auch auf das eigens zur Garantie der persönlichen Sicherheit des Kaisers nach Spa verbrachte Sturmbataillon Rohr »kein fester Verlaß mehr sei«.[63] Diese Auffassung war nur bedingt zutreffend: Dem Sturmbataillon Rohr fehlte es keinesfalls an der Bereitschaft, jeden Vorstoß revoltierender Soldaten nach Spa blutig niederzuschlagen, wohl aber an der dazu erforderlichen Schießerlaubnis. Am 9. November erhielt der Kommandant, Major Rohr, von der Obersten Heeresleitung nämlich den ausdrücklichen Befehl, nur bei tätlichen Angriffen auf die Person des Kaisers zur Waffe zu greifen. »In allen anderen Fällen ist gegen Angehörige des eigenen Volkes von der Waffe kein Gebrauch zu machen.«[64] Damit aber waren dem Sturmbataillon Rohr die Hände gebunden bei einer effektiven Verteidigung des Großen Hauptquartiers gegen revolutionäre Einheiten – und nur in dieser Hinsicht konnte es seinem ursprünglichen Auftrag nicht mehr gerecht werden.

Der zutiefst besorgte Plessen kehrte jedenfalls zusammen mit Hintze gegen 19 Uhr zum Kaiser zurück und beschwor diesen eindringlich, sich zur Abreise in die Niederlande zu entschließen, da das Hauptquartier schutzlos dem Eindringen uniformierter Aufrührer ausgeliefert sei.[65] Den Kaiser stürzten diese neuen Nachrichten in einen schweren inneren Konflikt. Er wußte, daß die wie eine Flucht wirkende Abreise in die Niederlande der denkbar schlechteste Abgang war und daß ihm dieser Schritt niemals verziehen werden würde. Doch das Insistieren aller seiner Ratgeber, vor allem die Aufforderungen Hindenburgs, hatten ihn mürbe gemacht, so daß er schließlich gegen 22 Uhr seinen letzten Widerstand aufgab und die Abreise für den folgenden Tag anordnete. Am frühen Morgen des 10. November machte sich dann der ehemalige Herrscher des Deutschen Reiches bei Nacht und Nebel heimlich davon, in beständiger Furcht, bis zum Erreichen der Grenze doch noch von bolschewistischen Einheiten abgefangen zu werden.[66]

Noch in der Nacht zum 10. November schrieb sich der Kaiser die Eindrücke des 9. November von der Seele.[67] Dabei ging er der Frage nach, wie es so weit hatte kommen können. Einige Sätze dieser Aufzeichnung verdienen zitiert zu werden, weil sie den Sachverhalt exakt wiedergeben und auch die Rolle Hindenburgs korrekt schildern: »Es waren Truppen im Antransport nach Spa begriffen zum Schutze des Hauptquartiers. Jedoch war der Feldmarschall nunmehr der Ansicht, daß man nicht mehr absolut sicher auf die Verläßlichkeit rechnen könne, falls von Aachen und Köln her bolschewistische Soldaten – also Kameraden von ihnen – anrücken sollten, und unsere Leute vor die Frage gestellt würden, gegen eigene Kameraden zu kämpfen. Daher empfahl er mir, doch das zusammenbrechende Heer zu verlassen und einen neutralen Staat aufzusuchen, um einen solchen ›Bürgerkrieg‹ zu vermeiden. Ich habe heute einen furchtbaren inneren Kampf ausgekämpft, da ich mich nicht dem Vorwurf der Feigheit aussetzen und den etwa treu gebliebenen Teil meines Heeres verlassen wollte, sondern lieber mit ihm gemeinsam fechtend sterben. Aber alle verantwortlichen militärischen Stellen, sogar der Generalstab als solcher, erklärten, kämpfen wolle die Truppe und könne sie physisch nicht mehr, weder gegen den Feind, aber auch nicht gegen das eigene Volk.«[68]

Der Ex-Kaiser und Ex-König war für Hindenburg vor allem ein Störfaktor, der eine innere Zerreißprobe des Heeres auslösen konnte, wenn revolutionäre Soldaten aus der Heimat und antirevolutionäre Einheiten des Frontheeres wegen des Kaisers in eine gewaltsame Auseinandersetzung gerieten. Für Hindenburg stand seit dem Nachmittag des 9. November die Einheit des Heeres auf dem Spiel; und er tat alles in seiner Macht Stehende, um das Problem zu entschärfen, indem er Wilhelm II. zum »Preisgeben seines eigenen Willens als König und Offizier«[69] nötigte und ihn in die Niederlande abschob.

Nach der Quellenlage muß offenbleiben, ob Hindenburg wider besseres Wissen nachgeholfen hat, Wilhelm II. zu verunsichern, indem er ihm ausrichten ließ, daß revolutionär infizierte Einheiten sich von Aachen aus auf den Weg ins Große Hauptquartier machten und dabei auf keine ernstzunehmende Gegenwehr durch die 2. Gardedivision stoßen würden. Hindenburg mag hier Opfer einer in seinen Kreisen weit verbreiteten Revolutionsphobie geworden sein, die überall marodierende Soldaten mit der roten Fahne witterte. In jedem Fall hat er die prekäre Si-

cherheitslage des Kaisers dadurch mit erzeugt, daß er den zur militärischen Sicherung des Hauptquartiers ausersehenen Verbänden den Gebrauch der Waffe gegen
eigene Kameraden untersagte. Dies entsprach konsequent seiner Maxime, daß es
wegen der Person des Kaisers zu keinem Blutvergießen kommen dürfe. Das ließ
sich am besten verhindern, indem man den Stein des Anstoßes beseitigte und Wilhelm II. außer Landes schaffte. Damit schonte man das Leben des Monarchen –
und vor allen Dingen beseitigte man eine politische Reizfigur, die das bis dahin von
gewalttätigen Auseinandersetzungen nicht ergriffene Frontheer in den Strudel innerer Unruhen hineinreißen konnte. Solche Unruhen konnten schließlich auf das
ganze Reich ausstrahlen. Dieses Verhalten belegt einmal mehr, daß der Feldmarschall auch in ihn persönlich belastenden Konfliktsituationen nationalen Interessen – wie er sie definierte – den Vorrang einräumte vor den dynastischen Interessen der Hohenzollern. Hindenburg ließ sich dabei von einem Gedanken leiten, der
seinen politischen Kompaß bildete: den absoluten Primat der inneren Einheit.
Alles, was aus seiner Sicht die zur Erreichung nationaler Stärke unerläßliche innere
Befriedung aufs Spiel setzte, mußte daher unterlassen werden.[70] Dieser Grundsatz
kehrte sich gegen den Kaiser, als dieser nach dem Verlust seiner Herrschaft zu einer
einheitsgefährdenden politischen Belastung geworden war.

Hindenburg machte Tabula rasa und räumte auch mit dem zweiten hochrangigen Hohenzollern auf: dem Kronprinzen. Wer den Kaiser nicht mehr bei der Armee duldete, mußte auch den Kronprinzen vom Heer entfernen, weil nach dem
Abgang Wilhelms II. der Kronprinz der letzte war, der den Spaltpilz in die bewaffnete Macht hineintragen konnte. Ihm hatte Hindenburg dasselbe Schicksal wie
dem kaiserlichen Vater zugedacht: Auch Kronprinz Wilhelm sollte in eine Situation gebracht werden, in der ihm das Aufsuchen der Niederlande als einziger Ausweg erschien. Dazu gab es einen einfachen Weg: Hindenburg entzog ihm kurzerhand das Kommando über die nach ihm benannte Heeresgruppe, indem er als
neuer Oberbefehlshaber des Heeres keine militärische Verwendung mehr für ihn
sah.[71] Und er machte kein Hehl daraus, welche Konsequenz sich daraus für Kronprinz Wilhelm ergab. Am 10. November ließ er dem Kronprinzen ausrichten, er
müsse seinem Vater in die Niederlande folgen.[72] Der Kronprinz griff zu einem letzten Mittel und fragte bei der neuen Regierung an, ob nicht die politische Führung
in Berlin ein Kommando für ihn erwirken könne, was dort allerdings abgelehnt
wurde. Zwar hätte Kronprinz Wilhelm nach der Demobilmachung als Privatperson nach Deutschland zurückkehren können, doch er tat es seinem Vater gleich,
überschritt die niederländische Grenze und verbrachte die nächsten Jahre auf der
kleinen Nordseeinsel Wieringen, was Hindenburg durchaus recht war.[73]

*Begrüßung der heimkehrenden Truppen auf dem Pariser Platz in Berlin
durch den Volksbeauftragten Friedrich Ebert am 10. Dezember 1918;
neben Ebert (links) General von Lequis, Kriegsminister Scheüch und der
Berliner Oberbürgermeister Wermuth*

KAPITEL 14

Symbolische Brücke des Übergangs in die Republik

Als am 11. November 1918 der Waffenstillstand abgeschlossen wurde und nach mehr als vierjährigem Ringen die Waffen schwiegen, hatte das Deutsche Reich einen Weltkrieg verloren und war dem Willen der Siegermächte ausgeliefert. Darüber hinaus hatte sich die scheinbar so stabile Monarchie sang- und klanglos unter dem Ansturm revoltierender Matrosen verabschiedet und die revolutionäre Dynamik sämtliche Fürsten von den Thronen gestürzt. Für die betont national und monarchisch eingestellten Deutschen war damit eine Welt zusammengebrochen und ihr politisches Koordinatensystem aus den Fugen geraten. Der nationale Machtstaat, an dem sie sich berauscht hatten, hatte sein Schicksal auf Gedeih und Verderb in die Hand der »Feindmächte« legen müssen; wehrlos mußte sich das geschlagene Deutsche Reich in die bange Hoffnung flüchten, daß der noch abzuschließende Friede die schlimmsten Befürchtungen nicht wahrmachen würde. Mit dieser als Demütigung empfundenen militärischen Niederlage war es indes nicht getan: Gleichsam im selben Atemzug hatten sich das Kaiserreich und sämtliche einzelstaatlichen Monarchien in Luft aufgelöst. Auf einen Schlag war der Lebensinhalt für diejenigen, die sich Deutschland und die deutschen Einzelstaaten nicht ohne Monarchen vorstellen konnten, dahin.[1]

Auch Hindenburg hat ohne Zweifel die Kriegsniederlage und das Ende der Monarchie betrauert, doch ihn haben beide Schicksalsschläge nicht aus der Bahn geworfen. Dies widerstrebte dem Naturell des Feldmarschalls, der so fest in sich ruhte, daß ihn letztlich auch solche Zäsuren nicht zu erschüttern vermochten. Er versuchte sogar, diejenigen in seinem Bekanntenkreis aufzurichten, denen ohne den König die Lebensfreude abhanden gekommen war und die sich nun entweder in Resignation oder ohnmächtigen Zorn flüchteten. Er schöpfte dabei Kraft aus seinem tiefen Gottvertrauen und aus der Geschichte Brandenburg-Preußens, die einige Beispiele dafür bereithielt, daß sich der Staat aus tiefster Not wieder aufgerichtet hatte. Dem Königsberger Oberbürgermeister Körte, der seit den Tagen des »Russeneinfalls« in Ostpreußen zu seinen engeren Bekannten zählte, spendete er

mit für ihn bezeichnenden Worten Trost: »Ich weiß, wie sehr Sie sich den Niedergang unseres Vaterlandes zu Herzen nehmen, und ich thue dergleichen. Darum
lassen Sie uns Hand in Hand der Zukunft entgegenblicken, aber nicht in ... Verzweiflung, sondern fest und getrost. Gott der Herr wird uns nicht verlassen; Er läßt
Sein Preußen-Deutschland nicht untergehen! ... Und sollten wir es selbst auch
nicht mehr erleben, dann wird das ›exoriare aliquis nostris ex ossibus ultor‹ des
Großen Kurfürsten doch gewißlich in Erfüllung gehen.«[2]

Letztlich stürzte der November 1918 Hindenburg in keine wirkliche Sinnkrise,
weil seine Position ganz und gar nicht darunter gelitten hatte.[3] Die Kriegsniederlage blieb nicht an ihm haften, weil diejenigen, welche die Oberste Heeresleitung
dafür zur Verantwortung zogen, allein dem Nur-Feldherrn Ludendorff die Schuld
zuwiesen. Die Hindenburg weltanschaulich besonders Nahestehenden aus dem
konservativ-nationalen Lager richteten ohnehin ihre Anklagen weniger gegen die
militärische Führung als gegen die im Oktober 1918 aus dem Schoß der Reichstagsmehrheit hervorgegangene neue politische Leitung. Hätte Hindenburg – wie etwa
die komplette Seekriegsleitung – nach dem Sturz der Monarchie seinen Abschied
eingereicht, hätte er nicht befürchten müssen, zu seinen Lebzeiten mit dem Makel
eines verlorenen Krieges versehen zu werden. Er hätte seinen wohlverdienten
Ruhestand in Hannover als allseits verehrter Mann verbringen können. Allerdings
wäre ihm dann eine zweite politische Karriere in Gestalt der Reichspräsidentschaft
verwehrt geblieben.

In der Erinnerung wäre die Gestalt Hindenburgs mit zunehmendem Zeitab-
stand vermutlich geschrumpft auf die Größe eines erfolgreichen Heerführers, der
trotz vieler Siege den Krieg infolge widriger Umstände letztlich nicht gewinnen
konnte. Gemessen an der symbolischen Ausstrahlungskraft Hindenburgs während
des Krieges, der schon seit Ende 1914 immer stärker außermilitärische Repräsentationsleistungen erbrachte, wäre dies einer verengenden Remilitarisierung des
Hindenburgbildes gleichgekommen, was zugleich Hindenburgs Politikfähigkeit
eingeschränkt hätte. Hindenburgs Herrschaftsanspruch speiste sich bekanntlich
daraus, daß der Feldmarschall Anschluß an die in der politischen Soziokultur verankerte Vorstellung der geeinten Nation gewonnen und sich durch gezielte symbolpolitische Aktionen als Garant nationaler Einheit profiliert hatte. Hindenburg
war es wie keinem Deutschen vor ihm gelungen, die Nation in seiner Person zu
imaginieren.

Im November 1918 war das Deutsche Reich schwer angeschlagen, und die
Monarchie lag in Trümmern. Doch das Kollektivsubjekt Nation hatte an sinnstif-
tender Bedeutung gewonnen. Denn allein die Vorstellung von einer unteilbaren

und unzerstörbaren deutschen Nation bildete den politisch-kulturellen Minimal-
konsens, auf dessen Basis die Deutschen – abgesehen von einer kommunistischen
Minderheit – darangingen, sich in einer neuen Staatsform einzurichten. Weil die
Integrationskraft der Nation aufgrund des politischen Umbruchs vom Herbst 1918
sogar noch gewachsen war und die Berufung auf eine nunmehr stärker demokratisch konnotierte Vorstellung von wahrer Volksgemeinschaft zur politischen
Grundausstattung auch der neuen Machthaber zählte,[4] konnte Hindenburg in
symbolischer Hinsicht nur profitieren, wenn er sich in einem Akt innerer Selbstüberwindung auch der neuen Regierung zur Verfügung stellte.

Hindenburg schlug damit die symbolische Brücke zwischen dem nunmehr in
die Brüche gegangenen Kaiserreich und der jungen Republik, deren genaue Ausformung noch unklar war. Er wurde zu einer Integrationsklammer zwischen Alt
und Neu, die den für viele schmerzhaften Übergang vom Kaiserreich zur Republik
erträglich machte. Es war letztlich das Sinnangebot einer als unzerstörbar angesehenen nationalen Gemeinschaft, das die kulturelle Bewältigung sowohl der Kriegsniederlage als auch des politischen Systemwechsels erheblich erleichterte. Indem
Hindenburg diesen scheinbaren Opfergang auf sich nahm und – wie er es später
selbst stilisierte – in reiner Pflichterfüllung selbst nach dem Abgang des Kaisers auf
seinem Posten ausharrte,[5] machte er sich als Inkarnation der auch den politischen
Fährnissen trotzenden Nation symbolisch konkurrenzlos und legte damit den
Grundstein für seine atemberaubende zweite politische Karriere. Hindenburg war
in dieser Phase des Überganges unersetzlich, weil er gleich nach zwei Seiten hin
seine symbolische Ausstrahlung entfaltete: Zum einen hielt er das Feldheer zusammen und ermöglichte dessen disziplinierte Rückführung gemäß den alliierten
Waffenstillstandsbedingungen; zum anderen konnten sich die verunsicherten und
verstörten Deutschen an ihm aufrichten.

Hindenburg definierte seine Funktion an der Spitze der deutschen Armee
auch auf eine sehr politische Weise: Er wollte von dieser Position aus einen ge-
wichtigen Beitrag dazu leisten, daß das Deutsche Reich die äußeren und inneren
Gefahren, die bis zur friedensvertraglichen Liquidierung des Krieges noch lauer-
ten, unbeschadet überstand. Mit Hilfe einer reduzierten und in ihren Einsatz-
möglichkeiten erheblich beschränkten bewaffneten Macht wollte er dazu beitragen, die Reichseinheit zu bewahren und die innenpolitischen Verhältnisse so zu
stabilisieren, daß die Gefahr einer Machtübernahme von Linksradikalen nach
russischem Vorbild endgültig gebannt war. Sein politischer Kompaß war und
blieb die deutsche Nation – und nur auf deren Wohlergehen war sein politisches
Handeln gerichtet. Hindenburg verband damit die vage Hoffnung, daß durch die

Stabilisierung der Verhältnisse dereinst auch die Restauration des deutschen Kaisertums wieder auf der politischen Agenda stehen würde. Im Unterschied zu den sentimentalen Monarchisten, die sich in eine folgenlose Fundamentalopposition gegen die neue staatliche Ordnung flüchteten und Hindenburgs Verhalten zumindest mit Unverständnis begleiteten, bekannte sich der Feldmarschall zu einer Realpolitik, die aus seiner Sicht die Tür zur Wiedererrichtung der Monarchie einen schmalen Spalt weit öffnete, indem sie das Deutsche Reich intakt hielt. So äußerte er etwa am 13. März 1919 in einem vertraulichen Schreiben an seinen Schwiegersohn Brockhusen, der als Ultramonarchist diesen Kritikerzirkeln nicht fernstand: »Also ... Deine Art Gutgesinnter muß schon verzeihen, wenn ich weiter so töricht oder schlecht bin, das Schiff ›Vaterland‹ erst dann zu verlassen, wenn ich die Überzeugung gewonnen habe, daß es nicht mehr zum Wrack zerschlagen werden, sondern in ruhigeres Fahrwasser kommen kann, in welchem es mit Gottes Hülfe seinen ausgebooteten Kapitän wieder an Bord zu nehmen vermag.«[6]

Hindenburgs legale Autorität beim Feldheer beruhte bekanntlich auf einem noch vom Kaiser vollzogenen Rechtsakt, den auch der aus der Revolution hervorgegangene »Rat der Volksbeauftragten« stillschweigend anerkannte. Diese Legitimationsbasis ermöglichte es den allermeisten Offizieren, weiterhin ihren Dienst zu versehen und die Truppen geordnet zurückzuführen. Sie alle hatten einen Treueid auf den Monarchen persönlich geschworen, und viele waren in Gewissensnöte geraten, als sie nach der Abdankung des Monarchen weiter ihren Dienst verrichten sollten. In dieser schwierigen Situation half ihnen, daß der letzte kaiserliche Chef des Generalstabs des Feldheeres mit kaiserlicher Bevollmächtigung als neuer Oberbefehlshaber der deutschen Armee amtierte.

Hindenburg selbst hat seinen Untergebenen mit einem Erlaß vom 10. November den Weg in die neuen Verhältnisse geebnet: Er hielt die Offiziere unter Verweis auf seine Vorbildfunktion dazu an, »alle mit Recht bestehenden Gewissensbedenken bezgl. des Sr. Majestät dem Kaiser und Könige geleisteten Fahneneides zurückzustellen und unvermindert ihre Pflicht zu tun zur Rettung der deutschen Lande aus größter Gefahr. Aus demselben Grunde habe ich mich entschlossen, auf meinem Posten zu verharren, und gemäß der mir mündlich gewordenen Weisung Sr. Majestät des Kaisers und Königs den Oberbefehl über das deutsche Feldheer übernommen.«[7] Hindenburgs Signal verfehlte seine Wirkung nicht: Nahezu alle Truppenführer entschlossen sich, meistens nach intensiver Gewissenserforschung, es Hindenburg gleichzutun.[8] »Es ist wirklich großartig, daß Hindenburg treu auf seinem Posten bleibt, um das Heer geordnet in die Heimat zu führen ... Dadurch erreicht er auch, daß alle anderen bleiben. Hindenburg wird späteren Geschlechtern mal wie ein Heiliger des Heeres und Volkes erscheinen.«[9]

Die ungebrochene Autorität des Generalfeldmarschalls im Feldheer trug auch maßgeblich dazu bei, daß alle gegenrevolutionären Pläne aus dem Stadium folgenloser Gedankenspielereien nicht herauskamen. Dabei mangelte es nicht an Überlegungen, das in die Heimat zurückkehrende Feldheer dafür einzusetzen, die aus der Revolution hervorgegangene sozialistische Regierung auseinanderzutreiben. Hindenburg war dabei eine herausragende Rolle zugedacht: Er sollte dieses gewaltsame Vorgehen plebiszitär legitimieren, indem er kraft seiner Stellung als »Nationalheld« einen Aufruf an das deutsche Volk erließ. Hindenburgs väterlicher Freund, Graf Wartensleben, klopfte Ende November 1918 beim Feldmarschall an, um zu sondieren, ob man ihn für ein solches Unternehmen gewinnen könne.[10] Hindenburg ließ sich auf solche Andeutungen aber erst gar nicht ein.[11] Er wies jeden Gedanken strikt von sich, daß das zurückströmende Feldheer in irgendeiner Weise die revolutionär erzeugten Machtverhältnisse revidieren könne.

Die Absage war zum einen Hindenburgs Grundüberzeugung geschuldet, daß jedes bürgerkriegsartige Unternehmen das Heer überfordere. Der Feldmarschall und die Oberste Heeresleitung hatten mit der Vertreibung des Kaisers nach Holland die Grundsatzentscheidung gefällt, das Heer nicht zur gewaltsamen Restauration alter politischer Verhältnisse einzusetzen.[12] Hindenburg war zudem nicht bereit, seinen guten Namen für eine Aktion herzugeben, die extrem polarisierte und seinen überparteilichen Nimbus zu zerstören drohte. Hier zeichneten sich bereits die Konturen einer Argumentation ab, die ihn an der Jahreswende 1932/33 dazu bewegen sollte, alle mit einem derartigen Risiko behafteten Pläne zum Einsatz der bewaffneten Macht als Ordnungsfaktor zu verwerfen, wovon letztlich Hitler profitierte, dessen Ernennung vor dem Hintergrund solcher Pläne als der verfassungsgemäße und das Ansehen Hindenburgs schonende Ausweg erschien.

Im Dezember 1918 spielten aber auch ganz praktische Gründe eine erhebliche Rolle. Denn selbst wenn bei Hindenburg und Groener derartige Überlegungen im Spiel gewesen wären, hätten sie gar nicht über die dazu erforderlichen militärischen Einheiten verfügen können. Beide wußten genau, daß die zurückströmenden Frontsoldaten nur von dem einen Gedanken beseelt waren, so schnell wie möglich nach Hause zu gelangen. In militärischer Ordnung marschierten sie bis zum Rhein, aber dort zeigten sich Auflösungserscheinungen, weil der Drang zur Rückkehr in die Heimat übermächtig wurde. Aus diesem Grund scheiterte der Versuch der Obersten Heeresleitung, als zuverlässig eingestufte Divisionen zu einer

Art Einsatztruppe zusammenzustellen, die nicht zur Konterrevolution, sondern zum Schutz der Regierung der Volksbeauftragten gegen die zunehmend militanteren Kräfte der extremen Linken gedacht war. Ebert und Scheidemann war Anfang Dezember 1918 deutlich geworden, daß die neue Regierung über keine zuverlässige Ordnungsmacht verfügte, obgleich das staatliche Gewaltmonopol immer mehr ausgehöhlt worden war und es in Berlin vor Bewaffneten nur so wimmelte.[13] Daher griff Ebert bereitwillig auf das Hilfsangebot der Obersten Heeresleitung zurück: Zehn Divisionen erfahrener Frontsoldaten sollten in Berlin einziehen, sich dort der Regierung Ebert zur Verfügung stellen und in der Hauptstadt mit allen Mitteln das Aufkommen bewaffneter linksradikaler Verbände verhindern.[14] Doch kaum waren diese Verbände schubweise in Berlin eingetroffen und am 10. Dezember 1918 von Ebert begrüßt worden, erwies sich die Sogwirkung der Heimat als zu groß: Sie zerstreuten sich bis auf einen zu vernachlässigenden Rest in alle Richtungen. Das Frontheer war nach seiner Rückführung kein innenpolitischer Ordnungsfaktor mehr, was Hindenburg wohl bewußt war: »Man würde sich einer gefährlichen Selbsttäuschung hingeben, wenn man annehmen wollte, daß die Truppe einem Befehl zur Bekämpfung aufsässiger Bevölkerung gehorchen würde.«[15] Die Kooperation mit der Regierung Ebert/Scheidemann trug immerhin insofern Früchte, als die heimkehrenden Truppen von hochrangigen Regierungsvertretern empfangen wurden, die es in ihren Ansprachen vermieden, die für Hindenburg heikle Frage nach der Verantwortung für die Kriegsniederlage aufzuwerfen, und überdies die Heimkehrer als Helden willkommen hießen: »Eure Opfer und Taten sind ohne Beispiel. Kein Feind hat Euch überwunden!«[16]

Hindenburg und mit ihm die Oberste Heeresleitung hielten sich mit Kritik an den Maßnahmen der sozialistischen Regierung auffällig zurück, weil sie um ihre Machtlosigkeit wußten. Dieses Verhalten trug ihnen zumindest Unverständnis bei nicht wenigen Anhängern der alten Ordnung ein. Der Kölner Kardinal Hartmann wunderte sich, daß Hindenburg die auf eine völlige Trennung von Kirche und Staat hinauslaufenden Maßnahmen der neuen preußischen Regierung ungerührt hinzunehmen schien.[17] Die Generale Gallwitz und Marwitz bekundeten Befremden, weil die Oberste Heeresleitung am 16. November 1918 einen Erlaß[18] herausgebracht hatte, der die roten Abzeichen nur innerhalb der Truppe verbot, es aber hinnahm, daß öffentliche Gebäude weiterhin mit dem Symbol der Revolution geschmückt waren.[19] Hindenburg hat sich wohl nicht selten auf die Zunge beißen müssen, wenn er die Geschehnisse rings um sich herum beurteilte. Aber er wollte der neuen Regierung keinerlei Angriffsfläche bieten, da er die Position der kooperationsbereiten Sozialdemokraten innerhalb des »Rates der Volksbeauftragten«

nicht durch unbedachte Äußerungen seinerseits schwächen und damit den Vertretern der Unabhängigen Sozialdemokaten innerhalb der neuen Reichsregierung
Gelegenheit bieten wollte, seine Entlassung zu verlangen.[20] Im Laufe der Zeit
brachte er einigen der neuen Regierenden sogar Respekt entgegen, vor allem dem
für Wehrfragen zuständigen Gustav Noske, dessen zupackende Art ihm durchaus imponierte. »Noske macht wirklich einen guten Eindruck, denkt ganz soldatisch.«[21]

Hindenburgs Pragmatismus hat in den ersten Wochen der Zusammenarbeit
mit Ebert und Noske ein gewisses Vertrauensverhältnis auf beiden Seiten entstehen
lassen, so daß der Feldmarschall schließlich in einem für ihn und die Oberste Heeresleitung essentiellen Punkt fordernd an die neue Regierung herantreten konnte.
Die im Heer bestehenden Soldatenräte, die den aus der Revolution hervorgegangenen Anspruch auf Partizipation ausdrückten, waren Hindenburg und Groener von
Anfang an ein Dorn im Auge, weil sie die Befehlsgewalt der Offiziere aufweichten
und damit an den innersten Kern militärischer Strukturen rührten. Ermuntert von
Groener, richtete Hindenburg daher am 8. Dezember 1918 erstmals ein Schreiben
an Ebert, der – obgleich offiziell nur einer von sechs Volksbeauftragten – faktisch
die Position eines Reichskanzlers bekleidete. Hindenburg forderte diesen darin
ziemlich unmißverständlich auf, die Soldatenräte aus der Truppe zu entfernen,
weil nur dadurch die Armee »ein brauchbares Machtmittel in der Hand der Regierung sein und bleiben« könne.[22]

Die Situation spitzte sich zu, als der in Berlin tagende erste allgemeine Kon-
greß der Arbeiter- und Soldatenräte Deutschlands am 18. Dezember 1918 einen Beschluß faßte, dessen Verwirklichung einer revolutionären Umgestaltung des Heeres gleichgekommen wäre:[23] Wahl der Offiziere durch die Soldaten, Entfernung
aller Rangabzeichen und Übertragung der Kommandogewalt in den Garnisonen
auf die örtlichen Soldatenräte waren Punkte, auf die sich kein Militär der Welt und
schon gar nicht Hindenburg einlassen konnte. Dieser spielte noch am selben
Abend sein stärkstes Druckmittel aus, um die Umsetzung der Entschließung des
Rätekongresses zu unterbinden: Er drohte seinen Rücktritt an. Wie bei den Rück-
trittsdrohungen, die dem Kaiser bestimmte Forderungen abpressen sollten, warf
Hindenburg auch diesmal das ganze Gewicht seiner moralischen Autorität in die
Waagschale. Seine militärische Position war im Dezember 1918 stärker denn je, da
kein Oberster Kriegsherr als scheinbarer Garant des Zusammenhalts aller deutschen Truppen mehr über ihm stand. Jetzt verkörperte er allein die Einheit der in
die neue Zeit überführten bewaffneten Macht, denn er hatte mit seinem Ausharren
auf seinem Posten das entscheidende Zeichen gesetzt, dem das Gros der Offiziere

gefolgt war. Sein Rücktritt hätte die von den Alliierten verlangte geordnete Rückführung der deutschen Truppen, die im Ostheer noch nicht abgeschlossen war,
unmöglich gemacht. Mit der Drohung, seinen Abschied zu nehmen, kam Hindenburg im übrigen auch Ebert entgegen, der den entsprechenden Beschluß des Rätekongresses vergeblich aufzuhalten versucht hatte und daher höchst erleichtert
war, als Hindenburg sein schärfstes Geschütz dagegen in Stellung brachte.[24] Zwar
konnte Ebert den Beschluß des Rätekongresses nicht gänzlich ignorieren; aber er
konnte ihn insoweit verwässern, als der vom Rätekongreß eingesetzte»Zentralrat«, der sich als oberstes, vom Rätekongreß legitimiertes Kontrollorgan der neuen
Reichsregierung verstand, am 20. Dezember unter seiner und Groeners tatkräftigen Regie die Umsetzung dieses Beschlusses hinauszögerte und ihn zudem als für
das Frontheer ungültig deklarierte.[25]

An der Unbrauchbarkeit des heimkehrenden Frontheeres für innere Siche-
rungsaufgaben änderte dies aber nichts. Von den in Berlin einmarschierten Truppen, dem Generalkommando Lequis, war Weihnachten 1918 nicht mehr als ein
kärglicher Rest von achthundert einsatzfähigen Männern übriggeblieben, der zudem überfordert war, die Regierung gegen die sich immer deutlicher bemerkbar
machenden militanten Kräfte auf der Linken abzuschirmen. Die bewaffnete Macht
erlebte am 24. Dezember 1918 ein Fiasko, da es ihr nicht gelang, die gegen die Regierung rebellierende revolutionär gesinnte»Volksmarinedivision«, die im Berliner
Schloß den Berliner Stadtkommandanten und späteren SPD-Vorsitzenden Otto
Wels gefangengenommen und mißhandelt hatte, zu entwaffnen.[26] Damit lag klar
auf der Hand, daß sich reguläre Truppen nicht zur Übernahme innenpolitischer
Ordnungsaufgaben eigneten.

Hindenburg ging unbelastet aus dem fehlgeschlagenen Einsatz der heimge-
kehrten Fronttruppen hervor. Nicht er hatte die Divisionen in die Reichshauptstadt geführt, sondern ein der Öffentlichkeit unbekannter General namens Arnold
Lequis. Klug hielt sich Hindenburg aus allen innenpolitischen Streitfragen heraus,
weil er sich politisch nicht exponieren und damit sein überparteiliches Ansehen
aufs Spiel setzen wollte. Angebote, ganz offiziell die politische Bühne zu betreten und bei der im Januar anstehenden Wahl zur Verfassunggebenden Nationalversammlung ein Mandat zu erringen, schlug er aus. Speziell die aus der alten
Deutschkonservativen Partei hervorgegangene – wenngleich die regionale und soziale Verengung des Vorkriegskonservatismus auf die ostelbische Landbevölkerung
überschreitende – Deutschnationale Volkspartei (DNVP) hatte sich Hoffnungen
gemacht, den ihr weltanschaulich zweifellos nahestehenden Generalfeldmarschall
als Zugnummer gewinnen zu können. Hindenburg erteilte solchen Avancen eine

eindeutige Absage, indem er auf die Kernaussage seiner politischen Botschaft verwies, die er seit 1914/15 immer wieder öffentlich verkündet hatte: die innere Einheit des deutschen Volkes. Ein als unermüdlicher Sachwalter dieser Einheit auftretender Hindenburg konnte unmöglich auf der Liste einer bestimmten politischen Partei kandidieren, wie er den Werbern gegenüber unmißverständlich zum Ausdruck brachte: »Würde ich augenblicklich in das Parteigetriebe hineingezogen, so würde mein Name eine Färbung bekommen, die mich einem Teil des Volkes entfremden könnte. Dies zu vermeiden ist aber jetzt um so wichtiger, als nach dem militärischen Ausgang des Krieges ... für mich eine ethische und historische Verpflichtung dazu vorliegt, dem ganzen Volke, nicht einer einzelnen Partei, zu dienen.«[27]

Dies war keine prinzipielle Absage an die Übernahme eines politischen Amtes in der Republik. Hindenburg wollte nur nicht in die Niederungen der Parteipolitik hineingezogen werden. Als hochpolitischer Mensch nahm er an den Vorbereitungen für die Wahl zur Nationalversammlung nicht nur lebhaften Anteil, sondern schaltete sich auch aktiv in die Kandidatenauswahl ein. Der Partei seines Herzens, der DNVP, suchte er seinen Freund General Friedrich von Bernhardi als seinen »Ersatzmann« schmackhaft zu machen: Wenn er selbst schon nicht auf der Liste der DNVP in die Nationalversammlung einziehen konnte, sollte ihn gewissermaßen der aus demselben Holz geschnitzte Bernhardi vertreten.[28] Sollte jedoch ein Amt zur Wahl stehen, in dem Hindenburg seine symbolischen Qualitäten zur Geltung bringen konnte und das auf plebiszitäre Weise vergeben wurde, war Hindenburg jedenfalls nicht grundsätzlich abgeneigt, ein solches ihm auf den Leib geschneidertes Amt zu bekleiden. Da die Verfassunggebende Nationalversammlung mit dem Amt des Reichspräsidenten eine solche Einrichtung geschaffen hatte, sollte Hindenburg zu Beginn des Jahres 1920 seine Bereitschaft erklären, sich bei einer Volkswahl um dieses Amt zu bewerben.

Daß Hindenburg überhaupt eine politische Wahlkarriere ins Auge fassen konnte, hing nicht zuletzt mit dem politischen Regimewechsel zusammen, der seine symbolische Ausstrahlung noch verstärkt hatte. Seine symbolische Überbrückung der tiefen politischen Zäsur machte aus dem königlich preußischen General endgültig eine Verkörperung all jener Kollektiveigenschaften, welche die normative Bevorratung nationaler Vergemeinschaftung bildeten. Als »Symbol deutschen Pflichtgeistes«[29] von geradezu kantischer Statur strahlte sein Stern heller als jemals zuvor. Seine konservativen Gesinnungsgenossen – mit Ausnahme einiger hartgesottener Ultramonarchisten – schätzten an Hindenburg besonders, daß er den von den Konservativen ins Zentrum gerückten Staatsgedanken hochgehalten und trotz innerer Bedenken um des Reiches willen bei der Fahne geblieben war. Hindenburg »hat am Ende seiner Laufbahn den schwersten Sieg errungen, der Menschen gelingt, den Sieg über sich selbst«.[30] Und sogar bei den Sozialdemokraten gewann der Feldmarschall noch an Statur, weil diese ihm den Pragmatismus hoch anrechneten, mit dem er sich auf den Boden der neuen Ordnung gestellt hatte. Als der Feldmarschall nach der Räumung von Spa am 16. November für drei Monate sein Hauptquartier in Wilhelmshöhe bei Kassel aufschlug, hieß ihn eine Abordnung des Kasseler Arbeiter- und Soldatenrates voller Ehrerbietung mit folgenden Worten willkommen: »Hindenburg gehört dem deutschen Volk und dem deutschen Heer. Er hat sein Heer zu glänzenden Siegen geführt und sein Volk in schwerer Stunde nicht verlassen. Nie hat Hindenburg in der Größe seiner Pflichterfüllung uns näher gestanden als heute.«[31] Bis weit in die demokratische Linke hinein hatte sich Hindenburg durch sein Verhalten nach dem 9. November 1918 soviel Respekt erworben,[32] daß das im Herbst 1918 vernehmbare Rumoren gegen seine Person in Vergessenheit geriet und scharfe Kritik an Hindenburg nur noch von den politisch randständigen linkssozialistisch-kommunistischen Kräften geübt wurde. Im vertrauten Kreis wußte Hindenburg durchaus zu würdigen, daß die sozialdemokratisch geführte Reichsregierung ihn respektierte und weitgehend frei gewähren ließ: »Um gerecht zu sein, muß ich aber bekennen, daß mir gegenwärtig weniger Schwierigkeiten durch die Regierung bereitet werden als zu Bethmanns Zeiten.«[33]

Hindenburg konnte sich also mit dem Segen der Regierung als Schirmherr der nationalen Einheit präsentieren. Zu Beginn des Jahres 1919 waren mahnende Worte aus seinem Munde gefragter denn je, da in der Tat die territoriale Integrität des Reiches bedroht war. In West- und Süddeutschland mehrten sich separatistische Stimmen; aber vor allen Dingen zeigte der neu entstandene Staat Polen keine Scheu, in Posen noch offiziell zum Reich gehörende, wenngleich überwiegend von Polen besiedelte Gebiete mit militärischen Mitteln in Besitz zu nehmen, um noch vor der im Mai 1919 beginnenden Friedenskonferenz vollendete Tatsachen zu schaffen. Hier fiel der Obersten Heeresleitung eine neue Aufgabe zu, die ihr von der aus den Wahlen zur Nationalversammlung hervorgegangenen Regierung unter dem Reichsministerpräsidenten Scheidemann übertragen wurde: eine Verschiebung der Ostgrenze zu Lasten Deutschlands bis zum Beginn der Friedensverhandlungen mit militärischen Mitteln zu verhindern.[34] Zwar hatte die Truppe sich nicht als innenpolitische Ordnungsmacht bewährt, aber die militärische und politische Führung vertraute darauf, daß aus Freiwilligen gebildete Grenzschutzverbände den polnischen Griff nach Posen und Westpreußen abwehren würden.[35]

Am 14. Februar 1919 appellierte Hindenburg an die ehemaligen Frontsoldaten, sich freiwillig für diesen vaterländischen Abwehrkampf zu melden. Hindenburg schlüpfte wieder einmal in seine Lieblingsrolle, die ihm seit Ende 1914 niemand streitig gemacht hatte: die des unermüdlichen Rufers nach innerer Geschlossenheit. Seine Worte erhielten besonderes Gewicht durch den Umstand, daß die Bedrohung aus dem Osten kam. Seit dem Sieg von Tannenberg galt Hindenburg ja als Wächter der deutschen Ostmark, und mit diesem Image und dem Bonus als Ostexperte fand er Zustimmung bis weit in die Reihen der Sozialdemokratie. Der sozialdemokratische Unterstaatssekretär im Kriegsministerium Paul Göhre machte auf einer Versammlung des Zentralorgans der Rätebewegung aus seinem Glauben an die Zauberkraft des Namens Hindenburg kein Hehl: »Gerade im Osten ist Hindenburgs Stern aufgegangen und die Tatsache, daß Hindenburg wieder im Osten ist und gegen die Polen Stellung nimmt, ist den Polen gegenüber bestimmt sehr eindrucksvoll. Die Polen werden jetzt schon weich und unentschieden, so daß wir jetzt am Anfang einer Wendung stehen, die beschleunigt wird durch die Tatsache, daß Hindenburg dort wieder auftaucht.«[36]

Nicht nur gegen den Verlust der bedrohten östlichen Provinzen sollte der Name Hindenburg Wunder wirken. Mindestens ebenso stark war die Hoffnung, daß er den gewaltsamen Export des sowjetrussischen Gesellschaftsmodells würde verhindern können, indem er die Wacht im Osten hielt. Dieser gesellschaftlich breit akzeptierte Antibolschewismus speiste sich bei Hindenburg, aber nicht nur bei ihm, auch aus einem spezifischen Rußlandbild, in dem die sowjetische Herrschaft als radikale Version einer typisch russischen Form asiatischer Despotie erschien. Wie Hindenburg Ostpreußen 1914 gegen brandschatzende und plündernde Kosakenhorden des Zaren verteidigt habe, so wollte er 1919 Deutschland und damit den europäischen Kulturkreis gegen einen erneuten Einfall der Barbarei aus dem Osten schützen.[37] Hierfür aber – so die immer wiederkehrende Mahnung des Feldmarschalls in seinem Aufruf – bedürfe es einer wirklichen Geschlossenheit im Innern: »Dazu gehört in erster Linie, daß wir eins sind in der Liebe zur Heimat und den alten deutschen Boden schirmen vor dem neuen Feinde, dem Bolschewismus, der die Kulturwelt bedroht.«[38]

Trotz der enormen Wirkung dieses Appells blieben Hindenburg aber in Hinblick auf die Sicherung der Ostgrenze gegen polnische Übergriffe die Hände gebunden. Faktisch lief die Realisierung seiner Grenzschutzpläne auf eine »neue Teilmobilmachung«[39] an der Ostgrenze hinaus; doch diese militärischen Absichten waren politisch nicht durchsetzbar. Denn die deutsche Waffenstillstandsdelegation mußte sich am 16. Februar 1919 anläßlich der Verlängerung des Waffenstillstandsabkommens auf massiven alliierten Druck hin dazu verpflichten, auf jegliches Vorgehen gegen die bereits nach Posen eingedrungenen polnischen Verbände zu verzichten.[40] Hindenburg tadelte diese Entscheidung im vertrauten Kreis heftig und bezichtigte die Regierung eines schwächlichen Verhaltens,[41] obgleich diese gar nicht anders hatte handeln können, da insbesondere die französische Seite massiv Partei zugunsten Polens ergriff. Auch die antibolschewistische Karte stach nicht in dem erhofften Maße. Bei der Aufstellung der Freiwilligenverbände hatte die Hoffnung mitgeschwungen, sich außenpolitische Vorteile in Hinblick auf die anstehenden Friedensverhandlungen verschaffen zu können, indem sich das Deutsche Reich gegenüber dem Sowjetkommunismus noch stärker als bisher als Ordnungsmacht profilierte und damit zugleich britische und insbesondere US-amerikanische Interessen an einer Eindämmung der weltrevolutionären Bestrebungen der sowjetrussischen Führung vertrat. Immerhin stand das VI. Reservekorps unter Generalmajor Rüdiger Graf von der Goltz noch in weiten Teilen Kurlands und nahm dort mit stillschweigender Unterstützung der Westmächte diese Sicherungsaufgabe wahr.

Reichsregierung und Oberste Heeresleitung zogen in bezug auf die Wahrung der Ostgrenze an einem Strang und versuchten, mit den ihnen zur Verfügung stehenden Mitteln insbesondere auf die US-Regierung einzuwirken, sich in dieser Angelegenheit als Fürsprecher Deutschlands bei der anstehenden Pariser Friedenskonferenz einzusetzen.[42] Die Oberste Heeresleitung betrieb eine Art Nebendiplomatie, indem sie den Chef der Politischen Abteilung im amerikanischen Hauptquartier in Europa, einem Oberst namens Conger, mit entsprechenden Informationen versorgte. Conger kam im März 1919 sogar nach Kolberg in Pommern, wohin die Oberste Heeresleitung am 14. Februar 1919 ihren Sitz verlegt hatte, um der gefährdeten Ostgrenze näher zu sein. Nun zeigte sich, welche Wertschätzung Hindenburg selbst beim Noch-Kriegsgegner USA genoß; denn der deutschfreundliche Conger dürfte nur wenig übertrieben haben, als er Hindenburg einen triumphalen Empfang versprach, sollte dieser nach Friedensschluß die USA bereisen.[43]

Als der deutschen Delegation am 7. Mai 1919 in Versailles die Friedensbedingungen übergeben wurden, offenbarte sich, daß die überzogenen Erwartungen der deutschen Seite – insbesondere durch Herauskehrung der gemeinsamen antikommunistischen Haltung einen milden »Wilson-Frieden« zu erreichen – sich nicht erfüllt hatten. Die Alliierten ließen keinen Zweifel darüber aufkommen, daß das Deutsche Reich den Weltkrieg verloren hatte und dementsprechend auch wie ein Verlierer behandelt würde. Der alliierte Entwurf für einen Friedensvertrag mit

Deutschland, an dessen Entstehung die deutsche Seite nicht beteiligt war und der
nur noch eher marginale Änderungen zuließ, stieß in Deutschland parteiübergreifend auf Empörung; zu groß war der Kontrast zwischen der Situation im Herbst
1918, als sich der Großteil der deutschen Bevölkerung noch als Sieger wähnte, und
dem Frühjahr 1919, als jäh alle Hoffnungen zerplatzten, wenn schon nicht als Sieger, dann doch mit nur minimalen Einbußen aus dem Krieg herauskommen zu
können. Eine Woge des Protestes gegen den »Schandfrieden« erhob sich in der
deutschen Öffentlichkeit.[44] Für eine nüchterne Beurteilung der Friedensbedingungen, die ungeachtet aller schmerzlichen territorialen Verluste besonders im Osten,
der Einschränkung der deutschen Wehrhoheit und der Verpflichtung zur Zahlung
von Kriegsentschädigungen dem Deutschen Reich das machtpolitische Potential
für einen Wiederaufstieg als europäische Großmacht ließen, war in der emotional
aufgepeitschten Atmosphäre vom Mai und Juni 1919 kein Platz.

Nicht nur die Verfassunggebende Nationalversammlung stand im Juni 1919
vor der ganz und gar nicht leicht zu beantwortenden Frage, ob sie die Regierung
zur Unterzeichnung des Versailler Vertrages ermächtigen sollte oder nicht. Denn
die deutschen Nachbesserungswünsche waren bei den Siegermächten eigentlich nur in punkto Oberschlesien auf Resonanz gestoßen, wo über Verbleib bei
Deutschland oder Abtretung an Polen nun in einer Volksabstimmung entschieden
werden sollte. Die Stunde der Wahrheit nahte unerbittlich, als die Alliierten die
deutsche Regierung am 16. Juni 1919 ultimativ zur Vertragsunterzeichnung drängten. Dieses Ultimatum stürzte die Regierung Scheidemann in eine schwere Krise,
an der sie zerbrach, und löste bei den drei Regierungsparteien SPD, Zentrum und
der liberalen Deutschen Demokratischen Partei (DDP) schwere Zerreißproben
aus. Darüber hinaus konfrontierte es die Oberste Heeresleitung und damit Hindenburg mit einem Problem, das kaum lösbar schien, ohne daß man Blessuren da-
vontrug.

Wenn schon die Parteien in kaum gekannter Einmütigkeit den Versailler Vertrag als unannehmbar verwarfen und der sozialdemokratische Reichsministerpräsident Scheidemann sich mit pathetischen Worten an die Spitze der Ablehnungsfront gestellt hatte,[45] konnte man sich leicht ausmalen, wie es im Innern der
Militärs aussah, die sich weniger als ein Jahr zuvor noch auf der Siegerstraße ge-
wähnt hatten. Für Hindenburg und praktisch sämtliche hohen Offiziere verstieß
die Unterzeichnung dieses »Schandfriedens« gegen alle soldatischen Ehrvorstellungen. Doch Hindenburg flüchtete sich im Unterschied zu den ultrakonservativen Kräften in den Reihen der Generalität nicht in Wunschträume, was er schon
durch sein Verhalten am 9. November 1918 demonstriert hatte. Man mochte sich

viel auf sein vaterländisch reines Gewissen zugute halten, wenn man dem Ultimatum der Siegermächte ein mannhaftes »Niemals« entgegenschleuderte, doch welche Folgen entstanden daraus? Die Alliierten waren schließlich ohne weiteres imstande, ihre Forderung mit militärischer Gewalt durchzusetzen und ihren nicht demobilisierten Truppen den Einmarsch in das nicht besetzte deutsche Gebiet zu befehlen.

Und genau dies war der Punkt, an dem die Regierung den Sachverstand der Obersten Heeresleitung einholte. Hindenburg und Groener sollten Auskunft darüber erteilen, ob die dem Deutschen Reich verbliebenen militärischen Mittel ausreichten, um die Kampfhandlungen mit Erfolg wieder aufzunehmen.[46] Damit war Hindenburg mit einer Frage konfrontiert, der er am liebsten ausgewichen wäre. Denn sein ungetrübter Blick für die realen Kräfteverhältnisse ließ militärischen Widerstand gegen das angedrohte alliierte Vorgehen als aussichtslos erscheinen. Doch er urteilte nicht nur als oberste Instanz in militärischen Fragen, sondern bedachte stets und mit zunehmender Intensität, wie sich sein Handeln in exponierten Situationen auf seinen Nimbus auswirkte. Sein hellwacher Sinn für die Geschichtsmächtigkeit seines Votums ließ es mehr als ratsam erscheinen, vor der Öffentlichkeit seinen Teil der Verantwortung für die Unterzeichnung des Versailler Vertrags zu verwischen. Hindenburg wollte um alles in der Welt vermeiden, daß sein Name in irgendeiner Weise mit dem Eingeständnis der deutschen Kriegsniederlage in unauflösliche Verbindung gebracht wurde, für die der Versailler Vertrag stand. Hier zeichnete sich schon deutlich ab, daß Hindenburgs Hauptaugenmerk nach dem Ende der Kampfhandlungen auf die Konservierung des Hindenburg-Mythos durch nachhaltige Geschichtspolitik gerichtet war. Der im Verlaufe des Krieges auch durch sein eigenes aktives Zutun entstandene Mythos sollte nicht beschädigt werden und das Fundament seiner charismatischen Herrschaftsansprüche erhalten bleiben. Wenn Hindenburgs Mythos als Inkarnation der in der politischen Soziokultur fest verankerten Grundannahmen über die Nation durch die letztlich von den militärischen Führern zu verantwortende Kriegsniederlage nicht befleckt werden sollte, dann durfte sich der Feldmarschall in der Frage des als Diktat der Siegermächte wahrgenommenen Friedensvertrags nicht exponieren. Sein gezieltes Untertauchen schützte den Mythos vom Streiter für die nationale Ehre und sicherte ihm damit jene politische Manövrierfähigkeit, die es ihm schon ein halbes Jahr später erlauben sollte, nach dem höchsten Amt zu streben, das der neue Staat zu vergeben hatte.

Diese geschichtspolitische Taktik schien Hindenburg um so mehr angebracht zu sein, als er sich gerade in dieser Zeit heftigen Vorwürfen von seiten betont königstreuer Kräfte wegen seines Verhaltens bei der Abdankung und Flucht Wilhelms II. ausgesetzt sah. Er hatte bereits alle Hände voll zu tun, diesen Attacken die Spitze zu nehmen und sein Image als treuer Diener des Monarchen zu wahren, woran ihm aus persönlichen und geschichtspolitischen Gründen so viel gelegen war. Da konnte er es sich gar nicht leisten, sich erneut eine geschichtspolitisch höchst sensible Blöße zu geben.[47] Hindenburg ging daher so vor, wie er es bereits am 9. November 1918 getan hatte: In sachlicher Hinsicht empfahl er, sich in das Unausweichliche zu fügen. Am 9. November 1918 war das die Abdankung Wilhelms II.; und am 17. Juni 1919 riet er in zwar verklausulierten, aber letztlich an der Kernaussage keinen Zweifel lassenden Worten, von einer Wiederaufnahme der Feindseligkeiten mangels Erfolgsaussichten Abstand zu nehmen. Eigenhändig schrieb er seine Stellungnahme nieder, die Groener den in Weimar versammelten Spitzen der Regierung zur Kenntnis geben sollte. Sie gipfelte in der Aussage: »Ein günstiger Ausgang der Gesamtoperation ist daher sehr fraglich.«[48] Im privaten Schriftverkehr wurde er deutlicher: Zwar könnten im Osten gegen Polen gewisse Erfolge erzielt werden, aber die Ententemächte würden von Westen und Süden aus das Reich in die Zange nehmen. »Wir kommen also bald zwischen mehrere Feuer, und die Katastrophe kann nicht ausbleiben.«[49] Damit stimmte er sachlich völlig mit der Einschätzung Groeners überein, der bei nüchterner Abwägung zu demselben Ergebnis gekommen war.

Es war abzusehen, daß die einmütige Stellungnahme der Obersten Heeresleitung den Ausschlag geben und Regierung wie Parteien sich nach heftigem Ringen für die Annahme des Versailler Vertrages entscheiden würden. Aber gerade deswegen mußte es Hindenburg vermeiden, für diesen Schritt politisch haftbar gemacht zu werden. Daher schwächte er im letzten Halbsatz seiner Stellungnahme seine Aussagen nach der politischen Seite hin ab, indem er sich auf einen rein soldatischen Standpunkt zurückzog: »Aber ich muß als Soldat den ehrenvollen Untergang einem schmählichen Frieden vorziehen.«[50] Hindenburgs Erklärung wurde damit zu einem Meisterstück geschichtspolitischer Kasuistik: In sachlicher Hinsicht hatte er zwar nichts anderes getan, als der Regierung die militärische Ohnmacht des Deutschen Reiches schriftlich zu bestätigen, was deren Entscheidung präjudizieren mußte. Doch gelang es ihm zugleich, jede politische Verantwortung für die Vertragsunterzeichnung von sich abzuwälzen, indem er sich auf den Standpunkt des unpolitischen Soldaten zurückzog, ein Ausweg, den er stets wählte, wenn er sich aus einer für sein Ansehen brenzligen Situation ohne Gesichtsverlust befreien wollte.

Mit der Autorisierung Hindenburgs reiste Groener am Abend des 17. Juni 1919 nach Weimar. Dort fand am 19. Juni 1919 eine Beratung aller Truppenführer mit Reichswehrminister Noske und dem preußischen Kriegsminister Reinhardt statt, in der es darum ging, Einvernehmen über die Einschätzung der militärischen Lage herzustellen. Der Verlauf dieser Besprechung verdeutlicht, wie schwer es einem Teil der Generalität fiel, sich dem Realitätssinn Hindenburgs und Groeners anzuschließen. Denn drei der hochrangigen Generale ließen deutlich durchblicken, daß sie sich an eine mögliche Unterzeichnung des Friedensvertrages nicht gebunden fühlten und notfalls auf eigene Faust den Kampf aufnehmen würden.[51] Sie zeigten sich entschlossen, die mit der Annahme des Friedensvertrags verbundene Räumung fast ganz Posens und großer Teile Westpreußens zu verweigern. Wortführer war der in Danzig stationierte Kommandierende General des XVII. Armeekorps Otto von Below, der in historischen Reminiszenzen schwelgte. Er gefiel sich nämlich darin, sich als neuer Yorck auszugeben, und träumte davon, wie das legendäre Vorbild eine unentschlossene Regierung durch eigenmächtiges Handeln mitzureißen und damit eine nationale Erhebung zu entfesseln.[52] Für den in der preußischen Geschichte bestens bewanderten Hindenburg erschien ein solcher historischer Vergleich allerdings mehr als gewagt, und die sich daraus ergebenden Konsequenzen waren schlichtweg fatal. In einer nicht veröffentlichten Erklärung,[53] mit der er sich gegen den in betont nationalen Kreisen erhobenen Vorwurf zur Wehr setzte, nicht wie ein zweiter Yorck gehandelt zu haben, wies Hindenburg auf die fundamentalen Unterschiede zwischen der Situation Preußens im Jahre 1812 und Deutschlands im Jahre 1919 hin. 1812 konnte sich das offiziell noch mit Frankreich verbündete Preußen auf die Seite des siegreich nach Westen vorstoßenden Rußlands schlagen, das gerade die Grande Armée Napoleons vernichtet hatte; 1919 dagegen stand Deutschland ohne Bundesgenossen gegen einen Wall übermächtiger Feinde und war zudem nach einem mehr als vierjährigen Weltkrieg ausgezehrt und ausgeblutet. Angesichts solch fundamentaler Unterschiede überschritt eine sich auf Yorck berufende Wiederaufnahme der Kriegshandlungen nicht nur die Grenze zur Tollkühnheit, sie war schlichtweg verantwortungslos, weil sie das nichtbesetzte Deutschland der Willkür der Sieger auslieferte. In diesem Fall sah Hindenburg schon französische Truppen in Berlin einmarschieren.[54]

   Als General Otto von Below sich am 22. Juni schriftlich an Hindenburg wandte und diesen dafür zu gewinnen suchte, sich an die Spitze der Erhebung der Militärs gegen den »Schmachfrieden« zu stellen, blitzte er beim Generalfeldmarschall ab. Da Below zudem die Unverfrorenheit besaß, auch für den Fall einer Absage Hindenburgs den bewaffneten Kampf im Osten anzukündigen, bekam er die ganze Strenge seines Oberbefehlshabers zu spüren. Hindenburg duldete keine Insubordination der ihm untergebenen Generale. So wurde Below am 25. Juni seines Postens enthoben und damit ein unmißverständliches Zeichen gesetzt.[55] Hindenburgs Verhalten hatte jeden Versuch eines Militärputsches gegen eine unterzeichnungs- willige Regierung im Keim erstickt. Auch deswegen war er einer der wichtigsten Wegbereiter dafür, daß Regierung und Nationalversammlung zähneknirschend in die Unterzeichnung des Friedensvertrags einwilligen konnten.

Nachdem die Regierung Scheidemann wegen unüberbrückbarer Differenzen in der Unterzeichnungsfrage zerbrochen war, kam es am 21. Juni 1919 zur Bildung einer neuen Regierung, in der sich die beiden einzigen Parteien, nämlich SPD und Zentrum, die mangels Alternative weitgehend geschlossen für die Vertragsunter- zeichnung eintraten, zusammenfanden. Auf Betreiben der neuen Regierung be- schloß die in Weimar tagende Nationalversammlung am 22. Juni mit ansehnlicher Mehrheit, die Regierung zur Ratifizierung des Friedensvertrages zu ermächtigen. Verknüpft war dies allerdings mit dem Vorbehalt, daß zwei Artikel, die »Schmach- paragraphen«, nicht zustimmungsfähig seien. In diesen Paragraphen wurde zum einen Deutschland und seinen Verbündeten in mehr als bedenklicher Weise die Al- leinschuld am Kriegsausbruch zugewiesen, zum anderen das Reich dazu verpflich- tet, vermeintliche Kriegsverbrecher an die Siegermächte auszuliefern. Dieser Vor- behalt erwies sich jedoch als wertlos, weil noch am selben Tage die Siegermächte in ultimativer Form auf der ungeschmälerten Annahme des Friedensvertrages bin- nen 24 Stunden bestanden.

Den unterzeichnungswilligen Abgeordneten der Nationalversammlung war die Zustimmung erleichtert worden durch die Aussicht, daß wenigstens diese bei- den als besonders ehrenrührig geltenden Paragraphen eliminiert werden würden. Als sich das als Trugschluß erwies, richteten sich die Augen der politischen Ent- scheidungsträger noch intensiver als zuvor auf das Verhalten der Obersten Heeres- leitung: Welchen Rat würde Hindenburg geben? Würde er an der konditionierten Zustimmung festhalten und sich dem Ultimatum nicht beugen, weil ja die beiden inkriminierten Vertragsbestimmungen speziell die soldatischen Ehrvorstellungen verletzten? Ein paar Stunden schien es so, als ob Hindenburg auf einem rein solda- tischen Standpunkt verharren und die Ablehnung der beiden »Schmachparagra- phen« zur Ehrensache erklären würde. Denn auf die Anfrage des Reichspräsiden- ten wiederholte Hindenburg nicht nur seine bekannte Erklärung vom 17. Juni, die im Schlußsatz soldatische Ehrvorstellungen in den Vordergrund gerückt hatte. Er verwies zudem auf das Ergebnis der Besprechung Groeners mit den Komman- doführern am 19. Juni und erweckte dabei den Eindruck, als würden »eine große Anzahl von Offizieren« sowie die Oberste Heeresleitung ihren Dienst quittieren, wenn die Regierung einen Friedensvertrag unterzeichnete, welcher diese beiden Paragraphen enthielt.[56]

In Weimar faßten die Hauptbeteiligten diese Stellungnahme Hindenburgs so auf, daß die Oberste Heeresleitung und das Gros der höheren Offiziere ihre Zusammenarbeit mit der Regierung aufkündigten, falls diese in die vorbehaltlose Unterzeichnung einwilligte. Ein Rücktritt Hindenburgs wegen dieser Angelegenheit mußte aller Voraussicht nach eine Sogwirkung auf das Offizierskorps entfalten und die noch ungefestigte Republik ihrer einzigen, wenngleich nicht immer verläßlichen Ordnungsmacht berauben. Jedenfalls sah der sozialdemokratische Reichswehrminister Gustav Noske, der ganz auf Kooperation mit der bewaffneten Macht setzte, aufgrund dieser Erklärung sein politisches Konzept in die Brüche gehen: »Ich selber habe bis jetzt ausgeharrt, mein Instrument, das ich mir zur Aufrechterhaltung der Ordnung geschaffen, ist kaputt, damit ist meine Mission zu Ende.«[57] Einen ähnlichen Eindruck hinterließ die Haltung Hindenburgs in der zweiten Regierungsfraktion, bei den Zentrumsabgeordneten. Die Aussicht, bei einer Unterzeichnung des Friedensvertrags zu alliierten Bedingungen durch den Wegfall der Reichswehr als Ordnungsfaktor in einen Zustand der Anarchie abzugleiten, veranlaßte die Zentrumsfraktion bei einer Probeabstimmung kurz vor 12 Uhr, sich mit eindeutiger Mehrheit gegen die Unterzeichnung auszusprechen.[58]

Doch Reichspräsident Ebert wollte ganz genau wissen, ob die Oberste Heeresleitung wirklich jede Kooperation mit der Regierung aufkündigte, falls diese auch zu den Bedingungen der unnachgiebigen Siegermächte unterzeichnungswillig sei. Am 23. Juni kurz vor 12 Uhr spielte sich in Kolberg eine Szene ab, die symptomatisch für den Politikstil Hindenburgs ist. Groener hatte Reichspräsident Ebert persönlich am Telefon, doch er reichte den Hörer nicht etwa an den im selben Raum weilenden Hindenburg weiter, sondern nahm es auf sich, dem Reichspräsidenten einen Rat zu erteilen, von dem er wußte, daß er für die Annahme des Vertrags ausschlaggebend sein würde. Zwar stellte sich Groener dabei für einen Moment außer Dienst, in dem er ausdrücklich als »Deutscher, der die Gesamtlage klar übersieht«, und nicht als Erster Generalquartiermeister dem Reichspräsidenten die erbetene Auskunft erteilte. Aber dies war pure Kosmetik, weil Groener damit eben nicht nur seine persönliche Ansicht, sondern auch den Standpunkt des Feldmarschalls und der gesamten Obersten Heeresleitung formulierte. Groener empfahl die Annahme und stellte in Aussicht, daß die Offiziere dann auf ihren Posten bleiben würden, wenn der zuständige Minister Noske in einem öffentlichen Aufruf an die Reichswehr die Unausweichlichkeit des Friedensschlusses deutlich machte. Auf Wunsch

Eberts wurde diese Auskunft Groeners per Fernschreiber schriftlich wiederholt, so daß die schwankende Zentrumsfraktion aufgrund der neuen Sachlage ihren vorläufigen Beschluß revidierte, womit die parlamentarische Mehrheit für die Unterzeichnung des Friedensvertrages gesichert war.[59] Die Nationalversammlung tat ein Übriges, um sich die Loyalität des Heeres zu sichern: Parallel zum Aufruf des Wehrministers[60] erließ sie einen von den Parteiführern ausgearbeiteten Aufruf an das deutsche Heer, der im Namen des deutschen Volkes die Erwartung ausdrückte, daß die bewaffnete Macht trotz des aufgezwungenen Friedensvertrags »ein Beispiel der Selbstverleugnung und der Aufopferung geben« werde.[61]

Groener trug damit nach außen die Hauptverantwortung dafür, daß das Militär kein Veto einlegte und der Regierung und den Parteien politische Handlungsfreiheit ließ. Genau deswegen wurde Groener zur Zielscheibe der gehässigen Kritik von rechts, in der sein Verhalten als Verrat am soldatischen Ehrgefühl und an der vaterländischen Gesinnung gebrandmarkt wurde. Aber bei Lichte besehen hatte er mit dem stillschweigenden Einverständnis Hindenburgs gehandelt. Als Oberkommandierender hätte Hindenburg seinen Mitarbeiter Groener jederzeit zurückpfeifen können, sollte dieser eine Eigenmächtigkeit begehen und seiner persönlichen Meinung einen offiziösen Anstrich verleihen. Doch Hindenburg ließ Groener gewähren und verließ sogar das Zimmer, in dem das Telefonat mit Ebert stattfand, damit die Dinge ihren Lauf nehmen konnten, ohne daß er selbst für jedes dort gesprochene Wort politisch haftbar zu machen war. Hindenburgs Passivität war mithin eine hochpolitische Aktion, weil sie Groener erst in die Lage versetzte, der Regierung einen Rat zu erteilen, der auf die unveränderte Annahme des Friedensvertrags hinauslief.

Hier schält sich wieder einmal ein für Hindenburg typisches Verhaltensmuster heraus: Der Generalfeldmarschall ermöglichte durch sein Verhalten schwerwiegende politische Entscheidungen, die von einem rein soldatischen Standpunkt aus nicht zu tolerieren waren. Aber er trat durch vielsagendes Schweigen in den Hintergrund und überließ es seinen »Gehilfen«, die Dinge beim Namen zu nennen. Schon bei der Abdankung des Kaisers hatte Groener am 9. November 1918 den aktiven Part übernommen, während Hindenburg sich in Schweigen gehüllt und den Dingen ihren Lauf gelassen hatte. Diese »Arbeitsteilung« setzte sich am 23. Juni 1919 bei der ebenfalls hochpolitischen Entscheidung über die Annahme des Friedensvertrages fort: Hindenburg hielt sich im Hintergrund, billigte aber das Verhalten Groeners. Der Erste Generalquartiermeister war es, der sich in dieser überaus heiklen Frage exponieren mußte und damit automatisch die Pfeile auf sich zog, was Hindenburg mit einer gewissen Gelassenheit konstatierte, als er nach dem

Telefonat Groeners mit Ebert wieder den Raum betrat: »Sie müssen eben wieder
das schwarze Schaf sein.«[62]

Hindenburg stellte hiermit erneut seine ausgesprochene Begabung im politischen Finassieren unter Beweis. Es war und ist eine hohe Kunst des Politikers,
unangenehme Entscheidungen zu treffen, ohne daß diese ihm politisch angerechnet werden. Genau diese Fähigkeit beherrschte Hindenburg in hohem Maße. Dieses Verhaltensmuster konnte Hindenburg aber nur durchhalten, weil er nicht die
alleinige amtsmäßige Verantwortung trug. 1918 konnte die militärische Niederlage
auf Ludendorff abgewälzt und die Verantwortung für die Abdankung des Kaisers
dem Reichskanzler Max von Baden zugeschoben werden. 1919 war es die Nationalversammlung, die den Friedensvertrag billigte und die Reichsregierung, die ihn
unterzeichnete. Solange Hindenburg kein politisches Amt innehatte, konnte er die
Strategie verfolgen, an politischen Wendepunkten unangenehme Weichenstellungen vorzunehmen, ohne dafür politisch einzustehen. Die andersartige Struktur
seiner charismatischen Herrschaft ließ dieses Rollenspiel zu und ermöglichte ihm
zugleich die Aufrechterhaltung des für sein Charisma unentbehrlichen Mythos, indem er durch raffinierte geschichtspolitische Inszenierungen von seiner politischen Mitwirkung an diesen Zäsuren ablenkte. Hindenburg immunisierte sich
also gegen politische Kritik, indem er sich symbolisch so in Szene setzte, daß die
Kritik an ihm abperlte und auf einige randständige Außenseiter beschränkt blieb,
aber nicht die Mitte der deutschen Gesellschaft erreichte. Weder seine Rolle bei der
Flucht des Kaisers hat sein Ansehen bei den konservativ-monarchischen Kreisen
nachhaltig beschädigt noch sein Hinwirken auf die Unterzeichnung des Friedensvertrags. Das verdankte er seinem geschichtspolitischen Geschick, die Interpreta-
tionshoheit über die wunden Punkte seiner politischen Biographie zu erringen.

Hindenburg konnte sich die Deutungshegemonie aneignen, weil ihm von nahezu allen Seiten eine unersetzliche Funktion zugedacht wurde: in einer Zeit, in
der vieles aus den Fugen geraten war, den Übergang vom Kaiserreich zur Republik,
vom Weltkrieg in den Frieden symbolisch zu moderieren. Hindenburgs symbolische Unentbehrlichkeit führte dazu, daß jede laute Kritik an ihm unterblieb und
nur im vertrauten Kreise vereinzelt offen geredet wurde. Als die Oberste Heeresleitung nach der Unterzeichnung des Friedensvertrags ihre Existenzberechtigung
eingebüßt hatte und am 3. Juli 1919 aufgelöst wurde, konnte Hindenburg die Heimreise nach Hannover in dem beruhigenden Bewußtsein antreten, daß sein im Verlaufe des Krieges angehäuftes symbolisches Kapital seit dem 9. November 1918 ansehnliche Zinsen abgeworfen hatte. Im Rückblick ließ Hindenburg einen Seufzer
der Erleichterung anklingen, daß er ohne symbolische Blessuren aus dem Krieg

herausgekommen war und auch durch seinen Dienst gegenüber der Republik keinen Ansehensverlust erlitten hatte.[63]

Am Vorabend des 3. Juli veranstaltete Hindenburgs Mitarbeiterschar in Kolberg eine eindrucksvolle Abschiedsfeier, bei welcher Groener die obligatorische Lobeshymne auf den militärischen Lebensweg Hindenburgs anstimmte. Groener hob aber auch die symbolische Bedeutung Hindenburgs für die Bewältigung des politischen Systemwechsels hervor: »So bildet die Person des Generalfeldmarschalls den Übergang von einer alten in eine neue Zeit, sie bildet den Träger der großen sittlichen Kräfte der Vergangenheit für die Zukunft unseres Volkes.« Mit wachem Gespür für die beschränkte militärische, aber dafür um so größere symbolische Leistungsfähigkeit Hindenburgs ging Groener sogar so weit, Hindenburgs auf dem politisch-kulturellen Feld erworbene »Siegeslorbeeren« als die eigentlich unvergänglichen zu rühmen.[64]

Hindenburg wäre nicht Hindenburg gewesen, wenn er seinen Abschied vom Militär nicht symbolpolitisch umrahmt hätte. Daß er seinen Dienst quittieren würde, sobald der Friedensvertrag unterzeichnet war, hatte er dem Reichspräsidenten bereits am 1. Mai 1919 schriftlich kundgetan.[65] Die Dankesworte Eberts, der in seinem Antwortschreiben hervorhob, daß Hindenburg »auch in den Zeiten schwerster Not in Treue auf [seinem] Posten ausgeharrt« habe, waren der offizielle Ausdruck einer lagerübergreifenden Wertschätzung. Das Verbleiben an der Spitze der Obersten Heeresleitung im November 1918 wurde Hindenburg – von wenigen ultramonarchistischen Stimmen einmal abgesehen – nicht als Zeichen fehlender Grundsatzüberzeugung ausgelegt, sondern als markanter Beleg seines unerschütterlichen Pflichtbewußtseins hoch angerechnet. Symptomatisch hierfür war der Kommentar einer aus dem katholisch-bürgerlichen Milieu des Westmünsterlandes stammenden Arztfrau nach dem eingereichten Abschied Hindenburgs: »Deutscher Heldenmut, deutsche Treue, deutsche Mannhaftigkeit verkörpert sich in unserem Nationalhelden.«[66]

Da Hindenburg bewußt darauf verzichtet hatte, die Entscheidung von Reichsregierung und Nationalversammlung zur Unterzeichnung des Versailler Vertrags zum Anlaß zu nehmen, unter Protest aus seinem Amt zu scheiden, haftete seinem schließlich am 25. Juni 1919 vollzogenen Rücktritt nicht der Charakter einer flammenden Kundgebung gegen die Vertragsunterzeichnung an. Aber Hindenburg wollte die Gelegenheit symbolpolitisch nicht ungenutzt lassen und verabschiedete sich am 25. Juni mit einer Kundgebung für das Heer. Darin dankte er Offizieren, Unteroffizieren und Mannschaften für die treue Zusammenarbeit und appellierte an alle Militärs, unter Hintanstellung persönlicher Anschauungen dem Vaterland zu dienen, auch wenn sie mit der bestehenden Regierung nicht einverstanden seien. Er verband diese Aufforderung zur Loyalität gegenüber der neuen Regierung allerdings mit einer geschichtspolitisch motivierten Distanzierung von der Annahme des Friedensvertrages, indem er den letzten Halbsatz seiner schon mehrfach angeführten Stellungnahme vom 17. Juni als Ouvertüre seines Abschiedsgrußes zitierte: »Soldaten! Ich habe mich seinerzeit der Regierung gegenüber dahin ausgesprochen, daß ich als Soldat den ehrenvollen Untergang einem schmählichen Frieden vorziehen muß. Diese Erklärung bin ich Euch schuldig.«[67]

Hindenburg erwies sich damit ein weiteres Mal als wahrer Meister des politischen Doppelspiels: Faktisch hatte er eben *nicht* sein Veto gegen die Unterzeichnung dieses »schmählichen Friedens« eingelegt, obgleich er im Juni gleich zweimal in einer Schlüsselposition war und mit seinem unmißverständlichen Nein die Dinge womöglich einen anderen Lauf genommen hätten. Hindenburg beließ es also bei einer rein verbalen Bekundung des honorigen soldatischen Standpunktes des Niemals, während er sich in Wirklichkeit von genuin politischen Erwägungen leiten ließ und der Vertragsunterzeichnung auf seine Weise den Weg ebnete. Nach außen hin gab sich Hindenburg als der auf dem Feld der nationalen Ehre unnachgiebige Soldat, der damit jegliche Verantwortung für einen seiner Ansicht nach unvermeidlichen Schritt auf die Regierenden abwälzen konnte. Damit hatte er aus der Annahme des Versailler Vertrages, an der er selbst nicht unmaßgeblich beteiligt war, eine politisch scharfe Waffe geschmiedet, deren Wirkung sich bereits in den nächsten Monaten entfalten sollte.

Daß der Friedensvertrag ausgerechnet jenen politischen Kräften angelastet wurde, die einen bereits verlorenen Krieg geerbt hatten, war nicht zuletzt darauf zurückzuführen, daß sich die Öffentlichkeit keinen rechten Reim auf die Ursachen des verlorenen Krieges machen konnte. Da der Krieg im Osten tatsächlich gewonnen worden war und die deutschen Truppen zum Zeitpunkt des Waffenstillstandsersuchens noch weit in Belgien und in einigen Teilen Nordfrankreichs standen, setzte sich der Eindruck fest, daß die Armee im Grunde nicht vom Gegner überwunden worden sei. Dieser Eindruck hatte sich noch verstärkt durch den Trost, der den Truppen gespendet wurde, als sie in die Heimat zurückkehrten: Man hieß sie mit Jubel willkommen; nicht als Gedemütigte und Geschlagene zogen sie durch die deutschen Städte, sondern in einem Meer von Fahnen wie Sieger. Auch die Politik stimmte in diesen Chor ein, allen voran Ebert mit dem bereits zitierten Diktum vom 10. Dezember 1918, wonach kein Feind sie überwunden habe.[68] Damit stellte sich aber mit um so größerer Dringlichkeit die Frage, was denn die Kriegsniederlage verschuldet habe, deren gravierende Folgen erst mit der Veröffentlichung der alliierten Friedensbedingungen so richtig sichtbar wurden. Natürlich wäre es möglich gewesen, einer verfehlten Politik und Kriegführung, die maßgeblich von der Obersten Heeresleitung zu verantworten war, die Niederlage anzulasten, wie es vereinzelt im November 1918 geschah.[69] Doch diese Deutung konnte sich nicht durchsetzen, weil allein die Rücksichtnahme auf Hindenburg es nicht opportun erscheinen ließ, die Frage nach der Verantwortung der 3. OHL für den verlorenen Krieg aufzuwerfen. Indem Hindenburg auf seinem Posten ausharrte, immunisierte er sich zugleich gegen eine allzu lautstarke Kritik an der von ihm praktizierten politischen Herrschaft im Weltkrieg. Hier zahlte sich aus, daß er nie ein offizielles politisches Amt innegehabt und seine Herrschaft sich in einer verfassungsmäßig nicht greifbaren Form manifestiert hatte.

Unter diesen günstigen Voraussetzungen ging Hindenburg daran, seine sich immer mehr verschärfende Version der Erklärung für die deutsche Kriegsniederlage in Umlauf zu bringen. Am Anfang stand die trotzige Behauptung in seinem letzten Tagesbefehl vom 12. November 1918, daß die von ihm geführte Armee im Felde unbesiegt geblieben sei. Von der Armee nicht zu verantwortende Umstände wie die Zunahme der Zahl der Gegner, der Zusammenbruch der Verbündeten sowie die »immer drückender werdenden Ernährungs- und Wirtschaftssorgen« hätten die Regierung – aber eben nicht die Heeresleitung – dazu veranlaßt, die harten Waffenstillstandsbedingungen anzunehmen.[70] Dreist unterschlug Hindenburg, daß ausschließlich auf das hastige Drängen der Obersten Heeresleitung hin das deutsche Waffenstillstandsersuchen zustande gekommen war. Er stritt auch ab, daß nur die erpresserische Politik der Obersten Heeresleitung den uneingeschränkten U-Bootkrieg durchgesetzt hatte, womit der Kriegseintritt der USA provoziert und somit erst jene militärische Konstellation geschaffen worden war, welche die deutsche Kriegsniederlage besiegelte. Am 12. November 1918 hatte Hindenburg allerdings nur Entlastung in eigener Sache betrieben und noch nicht mit dem Finger auf die vermeintlich Hauptschuldigen gezeigt.

Der mit der Abschiedskundgebung an das Heer vollzogene Rückzug als Oberbefehlshaber am 25. Juni 1919 lieferte bestimmten politischen Kräften allerdings das Stichwort, um bei der Suche nach einem Schuldigen für den Versailler »Schmachfrieden« fündig zu werden. Die preußisch-konservative »Kreuzzeitung« machte in einem Kommentar zum Rücktritt Hindenburgs nicht die militärische Überlegenheit der Gegner für den deutschen Zusammenbruch verantwortlich, sondern den Umstand, »daß die Selbstvergiftung des Volkes das Heer ... in seinen Händen zermürben und zerbrechen ließ«.[71] Demnach hatte also eine schleichende Unterminierung der Kampfmoral des Heeres durch von der Heimat ausgehende zersetzende Einflüsse die militärische Widerstandskraft erlahmen lassen. Nun war es nur noch ein kleiner Schritt bis zu der Version, die wie keine zweite die Verantwortlichkeit für die Kriegsniederlage in grotesker Weise verschob, aber sukzessive die Deutungshegemonie erringen sollte: die Dolchstoßlegende. Danach war eine revolutionär verhetzte Heimat dem siegreichen Frontheer in den Rücken gefallen, wodurch der militärische Sieg preisgegeben worden sei.

Eine solche Deutung in dieser radikalen Form konnte man in Deutschland erstmals am 17. Dezember 1918 in der nationalistischen »Deutschen Tageszeitung« lesen. Dort wurde als Kronzeuge der britische General Frederick Maurice angeführt, der sich den unvermutet raschen Zusammenbruch der Kampfkraft des deutschen Heeres nur dadurch erklären konnte, daß »die deutsche Armee von der Zivilbevölkerung von hinten erdolcht worden« sei.[72] Der Bericht stützte sich auf eine Mitteilung der angesehenen »Neuen Zürcher Zeitung« vom selben Tage. Das schweizerische Journal hatte allerdings in verzerrter Weise über zwei Artikel von Maurice in britischen Zeitungen berichtet, in denen der General den Ursachen der deutschen Niederlage auf den Grund zu gehen suchte. Er hatte darin keineswegs eine solche Deutung der deutschen Niederlage von sich gegeben, aber der Berichterstatter der »Neuen Zürcher Zeitung« hatte sich zu der durch nichts gedeckten Behauptung verstiegen: »Was die deutsche Armee betrifft, so kann die allgemeine Ansicht in das Wort zusammengefaßt werden: sie wurde von der Zivilbevölkerung von hinten erdolcht.«[73]

Diese vermeintlich unparteiische Aussage einer angesehenen Zeitung aus einem neutralen Land wurde begierig aufgegriffen, weil sie der in den Kreisen hochrangiger Militärs verbreiteten Einschätzung entsprach, daß die Heimat das Frontheer im Stich gelassen habe.[74] Zunächst lieferte sie allerdings nur eine wohlfeile Erklärung dafür, daß Deutschland in eine faktisch bedingungslose Kapitulation hatte einwilligen müssen: Zwar sei der militärische Sieg im November 1918 in unerreichbare Ferne gerückt gewesen, aber erst der Ausbruch der Revolution im Innern habe Deutschland so wehrlos gemacht, daß das im Felde unbesiegte Heer nicht mehr für einen erträglichen Frieden habe weiterkämpfen können.[75] Im Verlaufe des Jahres 1919 verselbständigte sich die Anklage gegen die vermeintlich untreu gewordene Heimat jedoch zusehends. Je mehr das tatsächliche Geschehen vom Herbst 1918 in Vergessenheit geriet und je mehr die Erinnerung daran verblaßte, daß nach dem Eingeständnis der obersten militärischen Führung bereits lange vor dem Ausbruch der Revolution der Krieg verloren gegeben wurde, desto stärker setzte sich die Ansicht durch, allein die revolutionären Umtriebe hätten der Armee jenen entscheidenden Stoß versetzt, der zur militärischen Niederlage führte.

An der Jahreswende 1918/19 hatten hauptsächlich die nationalistischen Kräfte auf der politischen Rechten die Revolution für die Kriegsniederlage haftbar gemacht und dabei das kurze Gedächtnis der Zeitgenossen einkalkuliert.[76] Daß sich diese Deutung von den Rändern des politischen Spektrums immer mehr zur Mitte hin verlagern konnte, war vor allem einem öffentlichkeitswirksamen Auftritt Hindenburgs zu verdanken, bei dem er wieder einmal eine Kostprobe seiner Fähigkeit zu symbolträchtigem Handeln gab: seiner Aussage vor dem Untersuchungsausschuß der Nationalversammlung am 18. November 1919. Dieser parlamentarische Untersuchungsausschuß hatte in erster Linie die Aufgabe, den Nachweis zu erbringen, daß sich das Deutsche Reich keiner schwerwiegenden Verstöße gegen das Völkerrecht schuldig gemacht habe und den Alliierten daher eine Rechtsgrundlage für ihr Verlangen nach Auslieferung angeblicher deutscher Kriegsverbrecher fehle. Darüber hinaus wollte die republiktreue Ausschußmehrheit auch einigen zur Kriegsniederlage führenden Versäumnissen der deutschen Politik während des Krieges nachspüren, was den Rechtsparteien unliebsam war, weil damit unter Umständen die Oberste Heeresleitung auf die Anklagebank geraten konnte.

In einer konzertierten Aktion gelang es den Angeklagten jedoch, den Untersuchungsausschuß für ihre Zwecke zu instrumentalisieren, indem sie ihn zum Forum für eine öffentliche Erklärung Hindenburgs machten, welche der Dolchstoßlegende die höheren Weihen verlieh. Drei Personen spielten sich dabei die Bälle zu: Karl Helfferich, Erich Ludendorff und eben Hindenburg.[77] Den ehemaligen Vizekanzler Helfferich hatte der 2. Unterausschuß dieses Untersuchungsausschusses als Zeugen geladen, damit er Auskunft darüber erteilte, wie die Entscheidung für den uneingeschränkten U-Bootkrieg zustande gekommen war, der ja maßgeblich zur militärischen Niederlage beigetragen hatte. Helfferich selbst hatte als enger Gefolgsmann Bethmann Hollwegs zu den Kritikern dieser von den Militärs und nicht zuletzt von Hindenburg durchgesetzten Entscheidung gehört. Doch die Kriegsniederlage hatte ihn traumatisiert und weit nach rechts getrieben. Seitdem ließ er keine Gelegenheit aus, um diejenigen politischen Kräfte der Verantwortung für die Niederlage zu bezichtigen, die sich während des Krieges für einen Verständigungsfrieden eingesetzt und den politischen Systemwechsel durchgesetzt hatten. Damit lag er ganz auf der Linie Hindenburgs, so daß die aus dem Krieg herrührenden sachlichen Differenzen zwischen beiden verflogen waren und Helfferich den Generalfeldmarschall mit juristischem Sachverstand auf den Auftritt vor dem Untersuchungsausschuß vorbereiten konnte. Schon eine Woche vor dem 18. November traf Hindenburg in Berlin ein und verbrachte diese Zeit in Helfferichs Privathaus, wo er sich für seinen großen Auftritt präparieren ließ.[78]

Hindenburg selbst war vom Untersuchungsausschuß ursprünglich gar nicht als Zeuge in Aussicht genommen worden, sondern nur Ludendorff, was die rein militärische Aufgabenverteilung zwischen beiden maßstabgerecht abbildete. Doch Ludendorff bestand darauf, nur gemeinsam mit Hindenburg vor dem Ausschuß zu erscheinen,[79] weil er das völlig intakt gebliebene Ansehen Hindenburgs als Schutzschild benötigte, um die zu erwartende Kritik an den ihm zugerechneten Entscheidungen der Obersten Heeresleitung mit Hindenburgs Hilfe abzuwehren. Hindenburg erwies Ludendorff bereitwillig diesen Dienst. Einerseits konnte er so einen kleinen Teil der Dankesschuld an Ludendorff abtragen, von dem er sich mitleidlos am 26. Oktober 1918 getrennt hatte; andererseits konnte er zuversichtlich damit rechnen, daß ihn der parlamentarische Untersuchungsausschuß mit Samthandschuhen anfassen würde, da er sich durch seinen Eintritt in die Dienste der Republik bei fast allen Parlamentariern – selbst auf der Linken – einen Bonus erworben hatte.[80] Es war für ihn also völlig risikolos, der Einladung als Zeuge Folge zu leisten. Zugleich tat sich die einmalige Gelegenheit auf, den Auftritt zu einer politischen Demonstration zu nutzen und seine Version, wie es zur Kriegsniederlage gekommen war, erstmals so publik zu machen, daß sie Wellen schlug.

Hindenburgs Kalkül ging auf. Schon seine Ankunft in Berlin am 11. November 1919 glich einem Triumphzug: Er wurde mit militärischen Ehren am Bahnhof Friedrichstraße willkommen geheißen, und die Reichswehr stellte ihm zwei Offiziere für die Zeit seines Berliner Aufenthalts als Adjutanten zur Verfügung.[81] Hindenburg wirkte wie ein Magnet auf die Berliner Bevölkerung, die zum ersten Mal überhaupt den wohl berühmtesten lebenden Deutschen zu Gesicht bekam. Hindenburg machte sich in der einen Woche seines Berliner Aufenthaltes in der Öffentlichkeit keineswegs rar und verschaffte seinen Verehrern genügend Gelegenheit, ihm Ovationen darzubringen. Sein Aufenthalt in Berlin zog aber nicht nur Neugierige an, die den »Vater des Vaterlandes« einmal persönlich sehen wollten. Er mobilisierte auch republikfeindliche Kräfte auf der politischen Rechten, welche die Präsenz ihres angebeteten Heros zu Straßendemonstrationen gegen die Regierung nutzten.[82] Da Berlin seit den bürgerkriegsähnlichen Kämpfen im März 1919 unter Belagerungszustand stand, mußte der Reichswehrminister eingreifen und solche Straßenumzüge unterbinden.[83]

Am 18. November 1919 betrat Hindenburg zum ersten Mal in seinem Leben den Reichstag. Bereits auf der Fahrt zum Reichstagsgebäude mußte er Menschentrauben passieren, die sich größtenteils eingefunden hatten, um dem Feldmarschall die Ehre zu erweisen.[84] Im Sitzungssaal selbst offenbarte sich schnell, daß Hindenburgs Aura auch auf die ihm politisch eher fernstehenden Ausschußmitglieder ausstrahlte und diese zu einer durchaus ehrerbietig zu nennenden Behandlung des Feldmarschalls veranlaßte.[85] Als er den Saal betrat, hatten sich die Anwesenden wie auf Kommando von ihren Sitzen erhoben, als hielte das Staatsoberhaupt Einzug.[86] Der Ausschußvorsitzende Gothein, ein klassischer Liberaler, zeigte sich Hindenburg nicht gewachsen. Denn er ließ es zu, daß dieser sich zum Herrn des Verfahrens aufschwang. Eigentlich sollte Hindenburg als vereidigter Zeuge nur die ihm zuvor schriftlich zugegangenen Fragen zur Rolle der Obersten Heeresleitung beim Zustandekommen wichtiger Entscheidungen im Weltkrieg – wie des uneingeschränkten U-Bootkrieges – in sachlicher Hinsicht beantworten und sich dabei jeglicher Werturteile enthalten. Doch damit gab Hindenburg sich nicht zufrieden. Er wollte seinen Auftritt zur Abgabe einer politischen Erklärung nutzen, in der er nicht nur das Verhalten der Obersten Heeresleitung rechtfertigte, sondern zugleich in unmißverständlicher Weise die Schuldigen an der Kriegsniederlage vor aller Öffentlichkeit beim Namen nannte. Zwar unternahm Gothein während der Verlesung dieser Erklärung insgesamt fünfmal den schwachen Versuch, Hindenburg an die eigentliche Aufgabe eines Zeugen zu erinnern. Doch diese Einsprüche verpufften wirkungslos, da sie von Hindenburg einfach ignoriert wurden und Gothein es nicht wagte, Hindenburg das Wort zu entziehen.

An dieser Erklärung[87] hatten Hindenburg, Helfferich und Ludendorff lange gefeilt; insofern war es eine Gemeinschaftsarbeit, die auch den Zweck verfolgte, Ludendorff aus der Schußlinie zu nehmen, indem Hindenburg alle Aktivitäten seines nominellen Untergebenen deckte.[88] Aber darüber hinaus brachte sie Hindenburgs ureigenste politische Anschauung zum Ausdruck, die sich wie ein roter Faden durch sein politisches Wirken zog und auch bei der Machtübertragung an Hitler zum Tragen kommen sollte: Nur ein politisch geeintes Volk ist zu großen Taten fähig. Hätte das deutsche Volk in der Schicksalsfrage des Weltkrieges in unübertrefflicher Einmütigkeit sich durch nichts davon abbringen lassen, den Sieg und nichts als den Sieg zu erringen, dann hätte die deutsche Seite im Krieg auch triumphiert. Die Fähigkeit zum Sieg wurde damit losgelöst von der heiklen militärstrategischen Lage des Deutschen Reiches, der Schwäche seiner Verbündeten und der schwierigen Ernährungslage und erschien letztlich als »Ausfluß des Volkswillens«.[89] Hindenburgs Erklärung schloß nahtlos an sein Politikverständnis an, das die Homogenität des Volkskörpers als Voraussetzung für politische Aktionsfähigkeit deklarierte.

Die Folgerungen aus dieser Analyse lagen auf der Hand: Der Krieg konnte gar nicht durch Fehler der militärischen Führung verlorengehen, sondern nur durch das heimtückische Wirken derjenigen Kräfte, die sich versündigt hatten am großen

Ziel des Sieges und aus kleinkariertem Parteiinteresse die militärische Führung im Stich gelassen hatten. Diese Auffassung deckte sich vollkommen mit den Argumenten, mit denen Hindenburg im Sommer 1917 gegen Reichskanzler Bethmann Hollweg zu Felde gezogen war und mit denen er im Januar 1918 den Chef des Zivilkabinetts Valentini zu Fall gebracht hatte. Nach seinem holistischen Politikverständnis konnte nur der innere Feind den Sieg verspielen. Folgerichtig konnte er sich die bereits im Umlauf befindliche »Dolchstoßlegende« voll und ganz zu eigen machen, ohne sich dabei verbiegen zu müssen. Hindenburg radikalisierte die Vorstellung, daß die Heimat das Frontheer schmählich verraten habe, sogar noch. Denn der Ausbruch der Revolution wurde nicht als Ausdruck der totalen Erschöpfung und Überforderung der Heimat im letzten Kriegsjahr gedeutet, sondern als Folge einer zielgerichteten Unterhöhlung der Kampfmoral, die schon vor dem Krieg begonnen hatte: Gegen Ende des Krieges »setzte die heimliche, planmäßige Zersetzung von Flotte und Heer als Fortsetzung ähnlicher Erscheinungen im Frieden ein ... So mußten unsere Operationen mißlingen, es mußte der Zusammenbruch kommen; die Revolution bildete nur den Schlußstein.«[90]

Hindenburg nannte keine Namen, aber jeder wußte, wer gemeint war, wenn er schließlich auf das bis dahin nicht in dem Maße gebräuchliche Bild vom Dolchstoß zurückgriff und die apokryphe Aussage des britischen Generals Maurice als Beleg anführte: »Ein englischer General sagte mit Recht: ›Die deutsche Armee ist von hinten erdolcht worden‹ ... Wo die Schuld liegt, ist klar erwiesen. Bedürfte es noch eines Beweises, so liegt er in dem angeführten Ausspruch des englischen Generals und in dem maßlosen Erstaunen unserer Feinde über ihren Sieg.«[91] Der Dolchstoß war aus dieser Sicht nur die zu erwartende Folge der zuvorigen Wühlarbeit, was Hindenburg auch immer wieder betonte: »Der 9. November krönte das Werk; der Vergiftung war der Dolchstoß gefolgt.«[92] In seinen 1920 erschienenen Erinnerungen reicherte Hindenburg seine Behauptung noch um eine Metapher an, die sich aus dem reichhaltigen Fundus der deutschen Mythologie bediente: der Nibelungensage. »Wie Siegfried unter dem hinterlistigen Speerwurf des grimmigen Hagen, so stürzte unsere ermattete Front.«[93]

Hindenburgs Äußerungen schlugen ein wie eine Bombe. Erstmals hatte aus dem Munde einer praktisch unanfechtbaren Autorität die Dolchstoßlegende eine offizielle Bestätigung erhalten, nachdem sie zuvor eher eine parteitaktisch eingesetzte Waffe im politischen Meinungsstreit gewesen war. Dies blieb sie zwar auch weiterhin, aber Hindenburg verankerte seine Kernaussage, wonach das bis dahin siegreiche Heer von einem revolutionären Bazillus infiziert worden sei, so sehr in den Diskursen über die Verantwortlichkeit für die Kriegsniederlage, daß seitdem kaum mehr in Frage stand, *daß* das Heer durch revolutionäre Unterwühlung kampfunfähig geworden sei.der Streitpunkt erstreckte sich nur noch auf die Frage, welche politischen Kräfte dem Heer in den Rücken gefallen seien, nämlich nur die Linkssozialisten und Anhänger Sowjetrußlands oder gar auch die antirevolutionär eingestellte Mehrheitssozialdemokratie.[94]

Karl Helfferich, Hindenburg und Erich Ludendorff nach der Aussage vor dem Untersuchungsausschuß der Nationalversammlung, November 1919

KAPITEL 15

Hindenburg locutus, causa finita!

Hindenburg war peinlich darauf bedacht, bei allen wichtigen politischen Entscheidungen, an denen er maßgeblich beteiligt war, die Hoheit über deren nachträgliche Deutung zu gewinnen. Kein Schatten sollte sein Ansehen verdunkeln, weil sein ungebrochener Nimbus als siegreicher Feldherr und untadeliger Repräsentant deutscher Kollektiveigenschaften das Erbe bildete, das er aus der Weltkriegszeit mitnahm und möglichst über Generationen hinweg erhalten wissen wollte. Im August 1914 hatte man einen pensionierten General dadurch beglückt, daß man ihm das Kommando einer Armee anvertraute. Ohne große Erwartungen hatte er die Reise zum ostpreußischen Kriegsschauplatz angetreten. Daß er binnen weniger Wochen zum allseits bewunderten Kriegshelden und danach zum nationalen Symbol aufsteigen sollte, hätte Hindenburg sich nicht träumen lassen. Im November 1918 blickte er auf eine geradezu atemberaubende Karriere zurück, mit der er sich ein kulturelles Kapital erworben hatte, das resistent war gegen das Auf und Ab politischer Konjunkturen. Daß ihn das deutsche Volk symbolisch adoptiert hatte, fiel für ihn stärker ins Gewicht als die Kriegsniederlage oder das Ende der Monarchie. Beides war zwar bedauerlich, doch es bereitete ihm keine schlaflosen Nächte und brachte ihn nicht aus dem Tritt. Denn der Fixpunkt seines politischen Denkens war die Vorstellung einer innerlich geeinten Nation, die überhaupt erst die Voraussetzung bildete für einen allmählichen machtpolitischen Aufstieg des Reiches, an dessen Ende sich vielleicht sogar einmal die Aussicht auf eine Wiederherstellung der Monarchie eröffnen konnte.

Für Hindenburg war es daher nicht nur ein nachvollziehbares persönliches Interesse, nach Kriegsende einen großen Teil seiner Energie auf die Pflege seines Ansehens zu verwenden. Er konnte dafür dieselben symbolpolitischen Gründe anführen, die bereits Groener anläßlich seiner Verabschiedung in Kolberg am 2. Juli 1919 hatte anklingen lassen.[1] Als ruhender Pol, der in der stürmischen Phase des Übergangs allein Halt und Orientierung gewährte, als getreuer Ekkehard, der die Deutschen in die ungewisse Zukunft begleitete und ihnen geistige Wegzehrung anbot, erfüllte Hindenburg eine wichtige integrative Funktion. Daraus leitete er allerdings den Anspruch ab, daß kein Staubkorn auf sein Ansehen fallen dürfe; denn ein Denkmal, zu dem alle auf der Suche nach Orientierung aufblicken, beschmutzt man nicht. Er war zutiefst entrüstet, wenn sich jemand erdreistete, ihm nicht die nationalpolitisch gebotene Schonung zukommen zu lassen:»Das zur Zeit einzige Idol des Volkes, unverdientermaßen meine Wenigkeit, läuft Gefahr, vom Piedestal gerissen zu werden, weil es plötzlich der Kritik ausgesetzt wird.«[2]

Daß ihn die Kommunisten als Militaristen und Menschenschlächter attackierten, konnte Hindenburg verkraften, weil der deutsche Kommunismus ohnehin die gesamte Gesellschaftsordnung mit fundamentaler Kritik überzog und sich mit militanter Revolutionsrhetorik ins politische Abseits stellte. Gefährlich für sein Ansehen wurde es aber, wenn die Kritik aus den eigenen Reihen kam. Hindenburg wußte ganz genau, daß er sich im Weltkrieg zumindest zweimal politisch so exponiert hatte, daß sein Verhalten genügend Nahrung für bohrende Fragen aus derjenigen politischen Ecke bot, der er eigentlich weltanschaulich nahestand. Seine eigentliche Achillesferse war sein Verhalten am 9. November 1918, das ultrakonservativen Monarchisten in doppelter Hinsicht skandalös vorkommen konnte: Zum einen, weil Hindenburg nicht energisch genug der Abdankung Wilhelms II. entgegengetreten war, zum anderen weil er den seines Throns verlustig gegangenen Kaiser gedrängt hatte, nach Holland abzureisen. Die zweite Schwachstelle war das von ihm gepflegte Image als erfolgreicher Feldherr mit Tannenberg als Synonym für seine Feldherrnkunst. Was würde geschehen, wenn der eine oder andere hochrangige Mitarbeiter von OberOst oder der Operationsabteilung der Obersten Heeresleitung die tatsächliche Aufgabenverteilung zwischen Hindenburg, Ludendorff und Max Hoffmann offenbarte? Welchen Eindruck würde es machen, wenn überdies der eigentliche Feldherr, also Ludendorff, auspackte und einer sensationslüsternen Öffentlichkeit nicht vorenthielt, welchen überaus bescheidenen Anteil Hindenburg an der Kriegführung besessen hatte?

Hindenburg hat diese Gefahren gewittert; und er hat mit durchschlagendem Erfolg jede ihm gefährlich werdende Kritik aus diesen Reihen im Keim erstickt, so daß die Zahl der Hindenburg-Kritiker auf eine Handvoll Randfiguren beschränkt blieb, deren ohne großen öffentlichen Widerhall vorgebrachte Anwürfe wirkungslos verpufften. Mit der Reichspräsidentschaft gewann Hindenburg 1925 überdies noch die Verfügungsgewalt über bestimmte Einrichtungen zur Steuerung des Geschichtsbildes und war dadurch für einige Jahre praktisch jeder nachhaltigen öffentlichen Kritik enthoben. Die verbliebenen kritischen Stimmen konnten als Nörgelei unverbesserlicher Neider abgetan werden. Hindenburg bemächtigte sich mithin in beispielloser Weise der Deutung über den Weltkrieg und das Ende des Kaiserreiches. Er erwies sich als überaus erfolgreicher Akteur auf dem Feld der Geschichtspolitik, insofern man darunter die Aneignung der Vergangenheit zu dezidiert politischen Zwecken versteht.[3]

Hindenburg fand für sein Vorgehen ideale Voraussetzungen vor, weil sich der Hindenburg-Mythos im Verlaufe des Krieges immer mehr verselbständigt hatte und der reale Hindenburg dabei immer mehr vom imaginierten überdeckt worden war. Dahinter steckte keine Manipulation gesellschaftlicher Eliten zur Festigung ihrer angeschlagenen Herrschaft, vielmehr hatte die deutsche Gesellschaft auf der Suche nach symbolischer Vergemeinschaftung einen Großteil ihrer politisch-kulturellen Sinnmuster auf Hindenburg übertragen. Sofern dieser seine symbolische Funktion nicht einbüßte – und diese war durch den Umbruch 1918/19 eher gestärkt worden –, bestand keine akute Gefahr, daß sich der einfache Deutsche sein Hindenburgbild durch öffentliche Kritik am Verhalten des Verehrten beschmutzen lassen würde. Aber Hindenburg wußte, welchem Wandel Geschichtsbilder unterworfen sind. Niemand konnte 1919 voraussehen, daß er sechs Jahre später als Reichspräsident für einige Jahre jeder ernsthaften öffentlichen Kritik entrückt sein würde. Daher kam es für Hindenburg ganz wesentlich darauf an, sich nicht die geringste Blöße zu geben und sich geschichtspolitisch gegen jeden Versuch zu wappnen, seinen Mythos durch respektloses Nachfragen zu beschädigen.

Der Feldmarschall war dementsprechend hellhörig, als zum ersten Mal in einer ihm politisch nahestehenden Ecke die Hintergründe der Abdankung und Flucht des Kaisers thematisiert wurden. Im Dezember 1918 klang allmählich die politische Betäubung ab, welche die preußischen Konservativen befallen hatte. Nun forschte man nach den Gründen, warum Wilhelm II. abgedankt hatte und danach nicht etwa in die Heimat zurückgekehrt war, sondern sich in die Niederlande geflüchtet hatte. Es ist nicht verwunderlich, daß aufgrund des immensen Informationsbedürfnisses über die Hintergründe von Abdankung und Flucht schon bald ein Bericht erschien, der anscheinend auf der Schilderung der Flügeladjutanten Wilhelms II. beruhte. In diesem Artikel der weit rechts stehenden »Deutschen Tageszeitung« vom 15. Dezember 1918 wurde Hindenburgs Rolle allerdings nur gestreift, weswegen dieser davon absah, eine bereits fertiggestellte Gegenerklärung[4] zu publizieren. Solange die Öffentlichkeit nur von irgendwelchen Nebenpersonen Näheres über den 9. November erfuhr und sich nicht diejenigen offenbarten, die an diesem 9. November Hindenburg sachlich widersprochen hatten, bestand kein Anlaß, sich rechtfertigend an die Öffentlichkeit zu wenden.

Hindenburg achtete aber mit Argusaugen darauf, daß die unvermeidliche Auf-

arbeitung des 9. November nicht zu seinen Lasten erfolgte. Schon den leisesten Anfängen wollte er wehren und sandte daher der hochkonservativen »Kreuzeitung«
postwendend eine Berichtigung zu, als diese in einem Gedenkartikel zum sechzigsten Geburtstag Wilhelms II. am 27. Januar 1919 eher nebenher einen der im Hauptquartier tätigen Generale beschuldigte, am 9. November 1918 mit roter Kokarde an
der Mütze, dem Abzeichen der Revolution, herumgelaufen zu sein. Aus dem Kontext ergab sich, daß damit nur General Groener gemeint sein konnte. Hindenburg
wies in seiner Beschwerde vom 2. Februar diese Anschuldigung als verleumderisch
zurück und stellte sich mannhaft vor Groener, und zwar nicht nur, weil die Behauptung in der Tat jeglichen Wahrheitsgehalts entbehrte, sondern vor allem weil
er selbst als Chef des Generalstabs des Feldheeres belastet wurde, wenn unwider-
sprochen behauptet werden konnte, das Große Hauptquartier sei am 9. November
1918 ein revolutionäres Nest gewesen: »Außerdem fällt der Vorwurf auf mich zurück.«[5] Die »Kreuzeitung« entsprach dem Wunsch Hindenburgs. Doch das war
erst der Auftakt zu einer in der Presse offen ausgetragenen Auseinandersetzung um
Hindenburgs Rolle am 9. November 1918. Der Feldmarschall hatte dabei durchaus
Anlaß zur Sorge, daß sein Image als treuer Vasall des Monarchen Schaden nahm,
wenn er selbst nicht gegensteuerte.

Ein untrügliches Zeichen dafür, wie verstört streng monarchische Kreise sich
über das Verhalten Hindenburgs zeigten, ist die Tatsache, daß sogar Hindenburgs
Schwiegersohn Hans-Joachim von Brockhusen, ein eingefleischter Monarchist,
vorsichtige Anfragen an seinen Schwiegervater richtete.[6] Kritik aus dem Familienkreis konnte Hindenburg leicht abwehren, indem er seine familiäre Autorität geltend machte und seinen Schwiegersohn deutlich in die Schranken wies: »Ich kann
nur tief bedauern, daß Du auf solchen kläglichen Klatsch hereingefallen bist, der
nur auf Unkenntnis, Bosheit oder Neid zurückführbar ist.«[7] Brockhusen zog daraus die Konsequenzen und kam im familiären Umgang auf dieses heikle Thema
nie mehr zu sprechen, aber er engagierte sich dafür mit ganzer Kraft im »Bund der
Aufrechten«, einer zahlenmäßig relativ unbedeutenden Vereinigung von Ultramonarchisten.[8] Daß selbst sein Schwiegersohn an Hindenburgs Treue zur Monarchie irre zu werden drohte, läßt erahnen, welche Lawine auf Hindenburg zukam,
wenn er nicht energische Gegenmaßnahmen ergriff und dieses Thema aus der Öffentlichkeit heraushielt.

Doch ganz ließ sich eine öffentliche Debatte nicht abwürgen. Ausgelöst wurde
sie schließlich durch die Veröffentlichung einer Denkschrift über die Ereignisse am
9. November in Spa, die der Chef der Heeresgruppe Kronprinz, Graf Schulenburg,
am 7. Dezember 1918 und damit sehr zeitnah zu den geschilderten Begebenheiten

verfaßt hatte. Generalmajor Schulenburg hatte sich am 9. November 1918 bekanntlich als der eigentliche Gegenspieler Hindenburgs und Groeners sowohl in der Frage der Abdankung als auch in der Frage des Übertritts des Kaisers in die Niederlande profiliert. Insofern sparte seine Denkschrift[9] nicht mit indirekter Kritik am Verhalten Hindenburgs. Schulenburg hatte diese Denkschrift nicht nur als Gedächtnisstütze verfaßt, sondern durchaus mit der Absicht, Geschichtspolitik zu betreiben. Schon kurz nach der Fertigstellung wurde der »Kreuzzeitung« und der DNVP eine vertrauliche Abschrift angeboten, damit sie daraus politische Munition herstellte. Graf Westarp bediente sich daraus, um in der »Kreuzzeitung« gegen den Prinzen Max von Baden öffentlich zu Felde zu ziehen, und er behielt sich aufgrund dieses Materials auch eine Abrechnung mit Groener vor.[10] Doch bald zeigte sich, daß Schulenburgs Rekonstruktion des 9. November 1918 für Hindenburg mindestens ebenso gefährlich werden konnte, woran weder Westarp noch die DNVP das geringste Interesse hatten.

Die Schulenburgsche Denkschrift ließ sich allerdings nicht mehr unter Verschluß halten, nachdem sie auf mysteriöse Weise in den Besitz des USPD-Organs »Freiheit« gelangt war, das sich die Gelegenheit nicht entgehen ließ, die Denkschrift Anfang April 1919 zu publizieren.[11] Hindenburg reagierte umgehend mit einer scharfen Replik in der »Kreuzzeitung«,[12] in der er Schulenburg bezichtigte, die Ereignisse vom 9. November aufgrund seiner mangelnden Kenntnis der Sachverhalte verzerrt dargestellt zu haben. Diese empfindliche Reaktion offenbarte, daß er an einer überaus sensiblen Stelle getroffen worden war.[13] Doch Hindenburg besaß genug politisches Geschick, die Kontroverse mit Schulenburg nicht auf dem offenen Markt in Gestalt einer Pressefehde auszutragen. Diese eine scharfe öffentliche Zurechtweisung mußte reichen; was danach folgte, war stille Diplomatie mit dem Ziel, Schulenburg einzufangen und diese offene geschichtspolitische Flanke Hindenburgs ohne Ansehensverlust zu schließen.

Hindenburg suchte mit Hilfe des Grafen Westarp den geschichtspolitischen Sprengstoff zu entschärfen, den mögliche Enthüllungen über sein tatsächliches Verhalten am 9. November zutage fördern konnten. Schon im Februar 1919 hatte er entsprechende Signale an die Adresse des Grafen ausgesandt, nachdem dieser auf die Forderung nach Richtigstellung des in der »Kreuzzeitung« erschienenen Berichts über Groener dem Feldmarschall eine in höchstem Maße alarmierende Antwort erteilt hatte. Westarp ließ nämlich durchblicken, daß der inkriminierte Artikel vom 27. Januar 1919 nur der Auftakt zu einer von der »Kreuzzeitung« geplanten Attacke gegen die ihrer Ansicht nach für das Ende der Monarchie Verantwortlichen sei. Hindenburg konnte sich leicht ausrechnen, daß dabei nicht nur sein engster

Mitarbeiter Groener ins Fadenkreuz der konservativen Beschuldigungen geraten würde, sondern daß diese Kampagne leicht ausufern konnte und dann auch vor ihm nicht haltmachen würde. Westarp legte nämlich frank und frei dar, daß Groener nur noch so lange Schonfrist genieße, wie er zusammen mit Hindenburg an der Spitze der Obersten Heeresleitung stehe. Sobald er diese Position aufgebe, falle jede öffentliche Rücksichtnahme weg.[14]

Hindenburg konnte sich damit ausmalen, daß in wenigen Monaten die konservative und nationalistische Presse zur Jagd auf Groener blasen und er selbst einiges an Schlägen würde einstecken müssen. Daher war ihm dringend daran gelegen, Westarp die Enthüllungsabsichten auszureden. So wandte er sich am 7. Februar vertraulich an den ehemaligen konservativen Parteiführer und suchte um eine persönliche Unterredung nach. Dazu lud er ihn für »ein bis zwei Tage« nach Kolberg ein, wohin die OHL umzog.[15] Diese Umarmungsstrategie schlug indes zunächst fehl, denn Westarp antwortete ausweichend. Noch wollte er sich nicht der Möglichkeit berauben, das Schulenburgsche Material im politischen Meinungskampf zu verwenden.[16]

Zwei Monate später war genau das eingetreten, was Hindenburg befürchtet hatte: Die Veröffentlichung der Schulenburg-Denkschrift trat eine lebhafte öffentliche Debatte um die Verantwortlichkeit für die Abdankung und die Flucht des Kaisers los. Hindenburg vermied es klug, Öl ins Feuer zu gießen und durch eine öffentliche Stellungnahme gegen Schulenburg das heikle Thema unnötig aufzuwerten. Die kurze Replik mußte genügen. Für den privaten Kreis verfaßte er eine vertrauliche Gegendarstellung, die nur »Freunden und Bekannten« zuging und die angeblich schiefen Ausführungen Schulenburgs zurechtrückte.[17] Hindenburgs Augenmerk war nun darauf gerichtet, einen öffentlichen Meinungsstreit zwischen den am 9. November maßgeblich Beteiligten um alles in der Welt zu verhindern. Wenn Schulenburg Nachahmer fand, tickte eine Zeitbombe für Hindenburg. Kandidaten, die dem Kaiser am 9. November zumindest eine gewisse Zeit lang davon abgeraten hatten, dem Vorschlag Hindenburgs zu folgen und sich in die Niederlande abzusetzen, gab es reichlich, an der Spitze Generaladjutant Plessen und der letzte Chef des Militärkabinetts Marschall. Gar nicht auszudenken, wenn schließlich Wilhelm II. sich durch eine solche öffentliche Auseinandersetzung bemüßigt fühlte, seine Sicht der Dinge darzulegen, und Hindenburg als Hauptverantwortlichen für seine Abschiebung in die Niederlande brandmarkte.

Wie aber konnte Hindenburg erreichen, daß der Meinungsstreit über den 9. November gewissermaßen als Familienzwist innerhalb der vier Wände ausgetragen wurde? Zunächst brauchte er einen unparteiischen Schiedsrichter, der geräuschlos zwischen den Parteien vermittelte und die öffentliche Eskalation verhinderte. Und dann mußte das Ergebnis der Schlichtung eine von allen Protagonisten mitgetragene Erklärung sein. Ein solches Protokoll besaß den unschätzbaren Vorteil, daß es alle Beteiligten inhaltlich verpflichtete und die festgehaltene Darstellung des 9. November 1918 in den Rang eines offiziösen Dokuments beförderte, an dem jede weitere Kritik abprallen mußte. Gelang es Hindenburg, auf die inhaltliche Gestaltung einer solchen Erklärung so viel Einfluß zu nehmen, daß man ihm sowohl bei der Abdankung des Kaisers als auch bei dem noch heikleren Übertritt in die Niederlande untadeliges Verhalten bescheinigte und die übrigen Beteiligten in Solidarhaftung für den 9. November genommen wurden, dann hatte er ein geschichtspolitisches Meisterstück vollbracht und sich immunisiert gegen alle künftigen Anwürfe.

Eine Idealbesetzung für die Rolle des Moderators war schnell gefunden: Dafür kam nur Kuno Graf Westarp in Frage, eine Persönlichkeit, die dafür bürgte, daß eine solche Aufgabe mit äußerster Gewissenhaftigkeit und unter Hintanstellung aller persönlichen Ambitionen erledigt wurde. Darüber hinaus konnte Hindenburg bei Westarp ein originär politisches Interesse voraussetzen, der Diskussion um die Rolle des Chefs der Obersten Heeresleitung am 9. November die Spitze zu nehmen. Westarps Hauptaugenmerk galt in den ersten Monaten des Jahres 1919 nämlich der Bewältigung der schwierigen Aufgabe, die im November 1918 unter seiner tatkräftigen Mithilfe gebildete neue Rechtspartei, die Deutschnationale Volkspartei, zusammenzuhalten. Dies war ein schwieriges Unterfangen, weil viele der Parteimitglieder bis zum Zusammenbruch der Monarchie in rivalisierenden Parteien politisch gewirkt und dabei nicht selten auch die politische Klinge gekreuzt hatten.[18] In der neuen Sammelpartei fanden sich gouvernementale Konservative wie der letzte Chef des Zivilkabinetts, Clemens von Delbrück, oder der ehemalige badische Minister Adelbert Düringer zusammen mit rabiaten Antisemiten und alldeutschen Nationalisten. Ostelbische Gutsbesitzer, die bis dahin in der von Westarp geführten Deutsch-Konservativen Partei politisch beheimatet gewesen waren, teilten plötzlich mit Vertretern der christlich-sozialen Landarbeiterbewegung, die sie bis 1918 nicht als politisch gleichberechtigt anerkannt hatten, dieselbe Parteiüberzeugung.

Die Deutschnationale Volkspartei war nicht zuletzt das Werk Westarps, der in einer neuen Sammelpartei der Rechten die einzige Chance sah, den durch Kriegsniederlage und Untergang der Monarchie verstörten und diskreditierten preußischen Konservativen zumindest einen gewissen politischen Einfluß zu erhalten.[19] Daher konnte ihm nicht an der Selbstzerfleischung konservativer Kreise über die

Frage der Verantwortlichkeit für den 9. November gelegen sein. Aus diesem Grund
mußte er Hindenburg aus der politischen Schußlinie halten, ganz abgesehen davon, daß dieser als nationales Symbol aus konservativer Sicht ganz und gar unentbehrlich war: Gerade weil sie den König und Kaiser als Fixpunkt verloren hatten,
hielten sich die preußischen Konservativen an Hindenburg fest. Westarp betrachtete deswegen »den Namen des Feldherrn Hindenburg als eines der wenigen dem
deutschen Volke noch verbliebenen nationalen Besitztümer, das durch Kritik zu
entwerten man so weit als irgend möglich vermeiden mußte«.[20]

Westarp nahm daher die zweite Einladung nach Kolberg an und verbrachte
den 24. und den 25. April 1919 bei Hindenburg. Die Lage hatte sich in der Zwischenzeit insofern verändert, als sich auf Betreiben Westarps Schulenburg, Plessen
und Marschall am 6. April auf eine gemeinschaftliche Denkschrift verständigt hatten.[21] Westarp hatte sich dabei von Rücksichtnahme auf den Kaiser leiten lassen,
die gebot, daß sich die Hauptbeteiligten an den Ereignissen vom 9. November auf
eine einheitliche Darstellung der Vorgänge einigten, um keine Spekulationen über
die Beweggründe des Kaisers aufkommen zu lassen.[22] Auf Hindenburg nahm diese
Denkschrift daher keine besondere Rücksicht; ja, sie sprach sogar mit anerken-
nenswerter Deutlichkeit aus, daß es der Feldmarschall gewesen war, der als erster
Wilhelm II. zum Übertritt in die Niederlande geraten hatte.[23] Es war lediglich
daran gedacht, Hindenburg Gelegenheit zu einer Stellungnahme zu geben, bevor
diese Denkschrift der drei Generale der Öffentlichkeit übergeben wurde.

Hindenburg durchkreuzte diese Absicht, indem er Westarp für die Idee der
Anfertigung eines Protokolls über die Vorgänge vom 9. November 1918 gewann, an
dem Hindenburg gleichberechtigt beteiligt war. Damit sicherte der Feldmarschall
sich maßgeblichen Einfluß auf den Inhalt der Erklärung. Wenn er an den Formulierungen mitarbeitete, war abzusehen, daß eben nicht eine bloße Ergänzung der
Denkschrift der drei Generale, sondern ein ganz neues Protokoll entstehen würde,
das an den Kernaussagen erhebliche Abstriche machte und Hindenburg exkul-
pierte. Indem Westarp sich auf die Bitte Hindenburgs einließ und auch Plessen,
Marschall und Schulenburg für einen solchen Schritt gewann, hatte er bereits die
Weichen für eine Umfunktionalisierung der Generalsdenkschrift gestellt.

Ursprünglich war diese Schrift ausschließlich als Entlastungsaktion für den
Kaiser gedacht gewesen: Indem Hindenburg und Groener die Verantwortung für
dessen Abreise in die Niederlande zuerkannt wurde, sollte Wilhelm II. vom gerade
in monarchischen Kreisen zirkulierenden Vorwurf der Feigheit und des unpreußi-
schen Verhaltens freigesprochen werden.[24] Das sah Westarp auch noch so, als er zu
Hindenburg nach Kolberg reiste: »Hindenburg und Groener wollen es nun nicht

recht wahrhaben, daß sie dem Kaiser geraten haben, abzudanken und nach Holland zu gehen. Die Partei Schulenburg und ich legen aber Wert darauf, daß sie diese wohl kaum abzustreitende Tatsache zugeben und veröffentlichen, damit bekannt wird, aus welchen Motiven der Kaiser nach Holland ging.«[25] Doch in Kolberg ließ Westarp sich dann von dem mit äußerster Liebenswürdigkeit auftretenden Hindenburg ein Verfahren abhandeln, das ganz auf Konsens ausgerichtet war und daher zwangsläufig Abstriche an der ursprünglichen Absicht erforderlich machte. Zwar hatten Schulenburg und Marschall ihr Einverständnis zu diesem Verfahren ausdrücklich an die Auflage geknüpft, daß die zentrale Aussage ihrer gemeinsamen Denkschrift nicht abgeschwächt werden dürfe.[26] Aber Hindenburg verfügte über eine faktische Vetoposition, und so geriet dieses gemeinsame Projekt quasi unter der Hand zu einer geschichtspolitisch nutzbaren Verteidigung Hindenburgs.

Westarp machte sich Ende April 1919 an die schwierige Arbeit, die in den entscheidenden Passagen schwer zu vereinbarenden Versionen der Beteiligten so aufeinander abzustimmen, daß zum Schluß alle dem Abschlußprotokoll zustimmen konnten. Mit viel Fingerspitzengefühl, aber auch mit eingebauter Rücksichtnahme auf Hindenburg erstellte Westarp insgesamt vier Entwürfe einer gemeinsamen Erklärung,[27] deren Kernaussagen sich immer mehr von der gemeinsamen Denkschrift der Generale entfernten und immer stärker auf die Position Hindenburgs einschwenkten. In der Frage nach der Verantwortung Hindenburgs für die Abdankung des Kaisers konnte Hindenburg sich schließlich auf der ganzen Linie durchsetzen. Hier glückte ihm die komplette Entlastung, weil der logische Zusammenhang ausgeblendet wurde, der zwischen der Weigerung des Feldheeres, dem Monarchenbei der Rückeroberung der Macht in Berlin zu folgen, und der sich daraus ergebenden Abdankung Wilhelms II. auch als preußischer König bestand.

Die Beteiligten konnten sich in dieser Frage relativ problemlos verständigen, weil mit dem Prinzen Max von Baden ein bequemer Sündenbock gefunden wurde, der durch seine eigenmächtige Abdankungserklärung den Thron für Wilhelm II. verspielt habe. Im gemeinsamen Protokoll vom 27. Juli 1919 hieß es dazu: »Die Frage der Abdankung Seiner Majestät war während des Vortrages über die militärische Lage [am Vormittag des 9. November 1918] nicht berührt worden. Erst gegen Ende dieses Vortrages traf die erste Aufforderung zur Abdankung aus der Reichskanzlei in Berlin ein.«[28] Und am Schluß des Protokolls war zu lesen: Der Kaiser »stand unter dem niederschmetternden Eindruck, daß ihn der erste Ratgeber der Krone, der Reichskanzler, preisgegeben hatte«.[29] Marschall und Schulenburg fanden sich mit dieser Darstellung ab, die mehr verhüllte als klarstellte, und kamen

Hindenburg um des lieben Friedens willen entgegen.[30] Doch speziell Schulenburg, der ja Hindenburg und Groener im Anschluß an diesen Vortrag heftig widersprochen hatte, fühlte sich bei dieser Version so unwohl, daß er einen Monat später seine eigene Sicht der Dinge in einer eigenen Denkschrift niederlegte, die allerdings erst Jahre später der Öffentlichkeit zugänglich gemacht wurde. Hatte er sich bei der Mitarbeit an dem gemeinsamen Protokoll noch auf die Zunge beißen müssen, so legte er hierin jegliche Zurückhaltung ab und nannte die Dinge ohne Schonung der Person beim Namen: »Wenn die Oberste Heeresleitung … am 9. November vormittags die Abdankung nicht gefordert hat, so war doch der Inhalt ihres Vortrags gleichbedeutend mit der Notwendigkeit zur Abdankung.«[31]

Bei der zweiten Kernfrage – Hindenburgs Verantwortung für die Flucht des Kaisers – mußte der Feldmarschall nur partielle Zugeständnisse machen, was angesichts der Ausgangsposition ein beträchtlicher Erfolg war. Denn Schulenburg und Marschall bestanden anfänglich darauf, daß Hindenburg sich dazu bekennen müsse, daß er dem Kaiser zum Übertritt nach Holland geraten habe.[32] Hindenburg hingegen beharrte darauf, daß er mit dieser ganzen Angelegenheit überhaupt nichts zu tun gehabt habe, und versuchte die Verantwortung hierfür auf Hintze abzuwälzen, der angeblich am 9. November noch um 22 Uhr abends beim Kaiser gewesen sei und bei dieser Gelegenheit Wilhelm II. endgültig für den Vorschlag einer Abreise in die Niederlande gewonnen habe.[33]

Der geschickte Taktiker Hindenburg hatte damit eine Maximalposition aufgebaut, von der aus er einen geordneten Rückzug antreten konnte, der ihm immer noch erhebliche geschichtspolitische Geländegewinne bescherte. Als sich seine Position nicht mehr aufrechterhalten ließ, weil nicht Hintze, sondern dessen Vertreter Grünau zu der besagten Zeit beim Kaiser gewesen war und sich Hindenburgs Argument sogar ins Gegenteil zu verkehren drohte, da Grünau behauptete, im Auftrag Hindenburgs dem Kaiser dringend zum Übertritt geraten zu haben,[34] konnte Hindenburg durch ein scheinbares Einlenken immer noch erhebliche Vorteile für sich herausschlagen. Ihm kam es nun darauf an zu unterdrücken, daß er die treibende Kraft bei der Abschiebung des Kaisers gewesen war; statt dessen suchte er den Übertritt des Kaisers als eine Gemeinschaftsaktion aller Ratgeber des Monarchen hinzustellen. Damit nahm Hindenburg Plessen, Marschall und sogar den am Nachmittag des 9. November gar nicht mehr in Spa weilenden Schulenburg in Kollektivhaftung. Er konnte dieses scheinbare Entgegenkommen sogar als Beleg seiner unerschütterlichen Treue zum Monarchen ausgeben, denn Wilhelm II. hatte sich verwundert gezeigt, daß Hindenburg sich nicht zu seiner Verantwortung für die Abreise des Kaisers bekannte.[35]

Am 29. Juni 1919 machte sich Westarp ein zweites Mal nach Kolberg auf, um im persönlichen Gespräch mit Hindenburg diesen Streitpunkt auszuräumen, an dem die gemeinsame Abfassung des Protokolls zu scheitern drohte, da Schulenburg und Plessen gewillt waren, notfalls ohne Hindenburg an die Öffentlichkeit zu gehen. Gerade Schulenburg, der entschiedenste Gegenspieler Hindenburgs, wollte verhindern, daß aus einer ursprünglich zur Verteidigung des Kaisers gedachten Erklärung eine Rechtfertigung Hindenburgs wurde: »Auch ich wünsche jede nur erdenkliche Rücksicht auf den Feldmarschall. Diese Rücksicht darf aber nicht so weit gehen, daß die OHL uns vorschreibt, was wir mit unserem Namen vertreten sollen, und daß unser Protokoll an einzelnen Stellen nicht mehr die Darstellung der nackten Tatsachen ist, sondern zu einer Verteidigung und Rechtfertigung der OHL übergeht.«[36]

In Kolberg erwies sich Hindenburg wieder einmal als glänzender geschichtspolitischer Stratege. Er »wußte ... sehr genau, was er wollte«.[37] Hindenburg erklärte sich schließlich – natürlich schweren Herzens – zum Nachgeben in der betreffenden Frage bereit und stellte das sogar noch als Ehrenpflicht gegenüber Wilhelm II. dar. Dabei hatte ihm Westarp in Kolberg eindringlich vor Augen geführt, mit welcher Entschiedenheit insbesondere Marschall bezeugt hatte, daß Hindenburg die ausschlaggebende Kraft beim Übertritt des Kaisers in die Niederlande gewesen sei.[38] Schulenburg hatte sogar einen Alternativentwurf für ein Abschlußprotokoll erstellt, der Westarps Vorarbeiten zwar aufgriff, aber in einem für Hindenburg wenig günstigen Sinne zuspitzte, weil darin klipp und klar Hindenburg als derjenige bezeichnet wurde, der dem Kaiser den Rat zum Übertritt ins neutrale Holland gegeben hatte. Besonders brisant wurde dieser Entwurf dadurch, daß er als vom Kaiser autorisiert betrachtet werden konnte. Er stützte sich nämlich auf die Niederschrift, die Wilhelm II. in der Nacht vom 9. auf den 10. November 1918 persönlich angefertigt hatte.[39] Da Schulenburg, Marschall und Plessen ihre Sicht der Dinge – vielleicht sogar noch unter Berufung auf den Kaiser – der Öffentlichkeit nicht länger vorenthalten wollten, war das vermeintliche großzügige Entgegenkommen Hindenburgs, der trotz abweichender eigener Erinnerung um der Treue zum Monarchen willen nun einen kleinen Teil der Verantwortung für die Abreise des Kaisers zu übernehmen bereit war, ein überaus geschickter Schachzug.

Westarp ging nun daran, einen neuen Entwurf zu erarbeiten, der gemäß den Vorgaben Hindenburgs die Verantwortung für den Übertritt nach Holland auf mehrere Schultern verteilte. Hindenburg mußte dabei hinnehmen, daß auch sein Name in diesem Zusammenhang genannt wurde. Nun endlich genehmigten die Generale das dann am 27. Juli 1919 in verschiedenen Zeitungen publizierte Protokoll.[40] Hindenburg hatte sich allerdings mächtig ins Zeug legen müssen, um Plessen und Schulenburg die Zustimmung zu der am 29. Juni in Kolberg erarbeiteten Version abzuringen. Denn bis Mitte Juli bestanden beide darauf, daß Hindenburgs herausragende Rolle beim Übertritt des Kaisers nicht derartig minimiert und die Verantwortung für diesen Schritt nicht kollektiv auf alle übrigen Beteiligten abgewälzt werden dürfe. Da Westarp keine weitere Vergleichsmöglichkeit mehr sah, lag die endgültige Einigung auf ein Hindenburg genehmes Protokoll in den Händen von Plessen, der hier im Auftrag Schulenburgs, Marschalls und des später noch hinzugezogenen Hintze handelte.[41]

Hindenburg zog in einem Schreiben an Plessen vom 15. Juli 1919 alle Register seines Könnens und stimmte ihn schließlich um. Geschickt schob er die vermeintliche Rücksichtnahme auf den Kaiser in den Vordergrund seiner Argumentation, was beim absolut kaisertreuen Plessen verfing. Je mehr im Protokoll im Sinne Plessens und Schulenburgs darauf hingewiesen werden würde, daß dem Kaiser auch andere Ratschläge als die Hindenburgs zugegangen waren, desto dunkler würden die politischen Schatten sein, die auf das Verhalten des Kaisers fielen. Denn je stärker die politischen Alternativen kenntlich gemacht würden, »desto mehr mußte die urteilslose Menge es Seiner Majestät verübeln, sie nicht beachtet zu haben«.[42] Hindenburg erreichte auf diese Weise sein Ziel: Indem aus Gründen der Schonung des kaiserlichen Ansehens im Protokoll der Übertritt nach Holland als alternativlos dargestellt wurde, brachte er sich aus der politischen Schußlinie.[43]

Um ganz sicher zu gehen, hatte der Generalfeldmarschall am Ende des Schreibens an Plessen noch ein besonders schweres Geschütz aufgefahren. Obwohl er sich einer nicht nur für sein Alter ganz exzellenten gesundheitlichen Konstitution erfreute und praktisch nie wirklich ernsthaft krank war, animierte er Plessen zur »Beendigung des unseligen Federstreites« mit dem Mitleid heischenden Hinweis, daß diese Kontroverse »meine Gesundheit völlig untergraben hat«.[44] Das war eine kühne Behauptung, die gezielt eingesetzt wurde, da Plessen im Unterschied zu Hindenburg gesundheitlich schwer angeschlagen war, worauf Hindenburg auch zu Beginn seines Schreibens Bezug genommen hatte.[45] Zu guter Letzt versäumte der Feldmarschall nicht, darauf hinzuweisen, daß er mit einem Schreiben vom 3. Juli 1919[46] an den Oberbefehlshaber der alliierten Truppen, den französischen Marschall Foch, seine Bereitschaft zu einem persönlichen Opfer bekundet habe, nämlich anstelle des Kaisers ausgeliefert zu werden, falls die Alliierten darauf bestünden. Der überaus deutliche Wink in seinem Schreiben an Plessen – »Gerne würde ich die Angelegenheit vor meiner Auslieferung an die Entente abgethan wissen«[47] – legte dem Generaloberst nahe, diesem so mannhaft für seinen Allerhöchsten Herrn

Eintretenden doch keine unnötigen Schwierigkeiten bei der Abfassung eines gemeinsamen Schriftstückes zu machen.

Hindenburg erhielt so das Einverständnis Plessens, Schulenburgs, Hintzes und Marschalls und konnte in der für ihn besonders empfindlichen Frage der Abschiebung des Kaisers nach Holland erfolgreich die Spuren verwischen. Die endgültige Fassung der umstrittenen Passage des Protokolls lautete: »Unter diesen Umständen wurde vom Generalfeldmarschall auf Grund der vorhergegangenen Beratungen und in Übereinstimmung mit der Auffassung des Vertreters des Auswärtigen Amtes, Herrn v. Hintze, sowie der sonst anwesenden Ratgeber als äußerster Ausweg der Übertritt in das neutrale Ausland bezeichnet und hierfür Holland als am geeignetsten genannt.«[48]

Der zarte Hinweis auf den aktiven Part, den Hindenburg bei der Abschiebung des Kaisers gespielt hatte, war kaum geeignet, möglichen Widersachern geschichtspolitisch verwertbare Munition zu liefern. Aber selbst dieser schwache Eindruck, der möglicherweise bei unvoreingenommenen Lesern des Protokolls hätte haften bleiben können, wurde überdeckt durch die Formulierung der Schlußpassage, bei der sich Hindenburg aus guten Gründen stark engagierte und der er gemeinsam mit Westarp am 29. Juni in Kolberg die – abgesehen von später vorgenommenen stilistischen Änderungen – endgültige Form verlieh.[49] Hier tauchte Hindenburg weder namentlich noch in seiner Funktion als Chef des Generalstabs des Feldheeres auf; seine treibende Rolle bei der Überführung des Kaisers in die Niederlande wurde gezielt vernebelt. Es gelang sogar, dem Kaiser ein Motiv für die Abreise unterzuschieben, über das der überaus akkurate Graf Westarp später urteilte, es sei ihm »in den Unterlagen nirgends entgegengetreten«.[50] Dabei handelte es sich um die nirgendwo verbürgte Vermutung Hindenburgs, Wilhelm II. sei ins Ausland gegangen, »um durch dieses Opfer nicht der Durchführung der Wilson'schen Punkte im Wege zu sein«.[51] Diese nachträgliche Rationalisierung des Übertritts, eine psychologisch durchaus nachvollziehbare Projektion Hindenburgs, wurde vom akribischen Arbeiter Westarp zwar nicht wörtlich, aber immerhin in einer leicht abgeschwächten Version übernommen: Der Kaiser wollte »vermeiden, daß seine Person ein Hindernis bilde, erträgliche Bedingungen für Waffenstillstand und Frieden zu erreichen«.[52]

Der letzte Abschnitt des Protokolls, auf dessen Formulierung Hindenburg soviel Mühe verwandt hatte, mußte vom Leser als Fazit der vorangegangenen Ausführungen aufgefaßt werden. Der Eindruck, der sich bei einer nicht durch Vorkenntnisse getrübten Lektüre dieser Passage festsetzte, mußte Hindenburg von jeder herausgehobenen Verantwortung für den gerade Monarchisten tief verstörenden Übertritt des Kaisers in die Niederlande freisprechen. Demnach hatten der illoyale Prinz Max von Baden und die revolutionäre Verseuchung von Heimat und Heer dem Kaiser diesen Schritt aufgezwungen. Dieser stand am 9. November 1918 »unter dem niederschmetternden Eindruck, daß ihn der erste Ratgeber der Krone, der Reichskanzler, preisgegeben hätte, daß Heer und Marine ihn verlassen hatten und daß ihm der Weg in die Heimat und zur Front verschlossen war«. Hindenburg tauchte unter im namentlich nicht aufgeschlüsselten Kollektiv der Ratgeber Wilhelms II., die nichts weiter getan hätten, als sich in die von diesen äußeren Mächten oktroyierte Zwangslage zu fügen: »So faßte der schwergeprüfte Herrscher nach qualvollen Seelenkämpfen in Übereinstimmung mit dem Urteil seiner verantwortlichen Ratgeber und seiner Umgebung den Entschluß, außer Landes zu gehen.«[53]

Das nach heftigem Ringen zustande gekommene und am 27. Juli 1919 der Öffentlichkeit übergebene Protokoll war das Ergebnis einer glänzenden Geschichtspolitik Hindenburgs.[54] Er hatte mit dieser Erklärung die Mitwisser des 9. November 1918 auf eine Version verpflichtet, die sein aktives Hervortreten gerade bei der Abschiebung des Kaisers nach Holland bis zur Unkenntlichkeit verzerrte. Um die geschichtspolitische Front in seinem Sinne zu begradigen, hatte er allerdings das volle Gewicht seines Nimbus in die Waagschale werfen müssen. Geradezu inständig hatte er Plessen gebeten, aus Rücksicht auf das öffentliche Ansehen seiner Person auf diese Version des 9. November einzuschwenken: »Ihr und Schulenburgs Ruhm wird dadurch nicht geschmälert, und mir wird eine unverdiente Bloßstellung erspart.«[55]

Hindenburg hatte mit dem gemeinsamen Protokoll ein quasi offizielles Geschichtsdokument konstruiert,[56] das bei künftigen Auseinandersetzungen um den wahren Verlauf des 9. November kaum zu widerlegen war. Dieser Erfolg seiner ausgeklügelten geschichtspolitischen Strategie dürfte ihn zur Nachahmung ermuntert haben. Es ist jedenfalls frappierend, wie es dem durch die Übernahme der Reichspräsidentschaft zusätzlich geadelten Hindenburg von 1925 an glückte, seine Werturteile über die historisch besonders sensiblen Kapitel des Ersten Weltkrieges in durchaus seriöse Publikationen einfließen zu lassen. Er hat beispielsweise die nahezu uneingeschränkte Deutungshoheit über die Schlacht von Tannenberg erlangt, weil das Wort des Generalfeldmarschalls und Reichspräsidenten die historische Wahrheit gewissermaßen ex cathedra verbürgte. Ohne die subjektive Befangenheit und die massiven Eigeninteressen Hindenburgs auch nur im Ansatz zur Sprache zu bringen, machte sich die Öffentlichkeit die Version des Zeitzeugen Hindenburg fast ohne Abstriche zu eigen: Hindenburg locutus, causa finita (Hindenburg hat gesprochen, die Sache ist erledigt)! Die Voraussetzungen dafür hatte Hindenburg im

Sommer 1919 gelegt, als er sich mit einem geschichtspolitischen Panzer rüstete, der ihn gegen alle potentiellen Attacken wegen seiner aus konservativer Sicht als fragwürdig einzustufenden Rolle am 9. November 1918 so immunisierte, daß jede Kritik in den Wind gesprochen war.

Eine öffentliche Debatte über Hindenburgs Anteil an der Flucht des Kaisers ist auf diese Weise im Keim erstickt worden. Seitdem taten Autoren konservativer Provenienz gut daran, vor einer Veröffentlichung über den 9. November das Imprimatur Hindenburgs einzuholen. So verfuhr zu Beginn des Jahres 1922 auch General Ernst von Eisenhart Rothe, der als ehemaliger Generalquartiermeister von OberOst fast zwei Jahre lang in enger dienstlicher Beziehung zu Hindenburg gestanden hatte. Eisenhart Rothe war ein monarchischer Idealist, der auf eigene Faust das Verhalten des Kaisers am 9. November 1918 zu rechtfertigen suchte. Zwar hatte er diesen Tag nicht in unmittelbarer Nähe Wilhelms II. in Spa verbracht, aber er konnte auf die Niederschrift des Kaisers zurückgreifen. Der vorletzte Chef des Zivilkabinetts, Friedrich von Berg, der als enger persönlicher Vertrauter des Kaisers über ein Exemplar dieser kaiserlichen Aufzeichnung verfügte, hatte die Unterlagen Eisenhart Rothe zukommen lassen.[57] Auf Grundlage dieses bis dahin der Öffentlichkeit nicht bekannten Materials fertigte Eisenhart Rothe die kleine Broschüre an »Der Kaiser am 9. November! Eine Klarstellung nach noch nicht veröffentlichtem Material«[58], die er vor Drucklegung Hindenburg zur Autorisierung zusandte.

Hindenburg bedankte sich bei Eisenhart ausdrücklich »für Ihr Vertrauen und Ihre Rücksichtnahme mir gegenüber«[59] und baute darauf, daß er ähnlich wie bei Plessen, Schulenburg, Marschall und Hintze unliebsame Passagen würde eliminieren können. Davon gab es genug, weil sich Eisenhart ja auf die Niederschrift des Kaisers stützte, die – noch dazu in unmittelbarer zeitlicher Nähe zu den Ereignissen verfaßt – Hindenburgs treibende Rolle bei der Überführung Wilhelms in die Niederlande gebührend zum Ausdruck brachte.[60] Hindenburg stand nun aber unter größerem Rechtfertigungsdruck als 1919. Damals hatte man sich schließlich in die Hoffnung flüchten können, daß der Kaiser nur vorübergehend seinen Aufenthalt in den Niederlanden nehmen und als Privatperson nach Deutschland zurückkehren würde, sobald sich dort die innenpolitische Lage stabilisiert hatte. Allem Anschein nach hat sich wohl auch Hindenburg von solcher Hoffnung leiten lassen und sogar sein Verbleiben als Oberbefehlshaber beim Heer mit der Absicht verbunden, von dieser Position aus an der Rückkehr Wilhelms II. mitzuwirken.[61] Doch wegen der äußeren Umstände war aus einer vorübergehenden Übersiedlung ins neutrale Ausland 1922 ein dauerhaftes Exil geworden.

Verbindlich im Ton, aber unnachgiebig in der Sache suchte Hindenburg daher

Eisenhart Rothe all jene Passagen der Schrift auszureden, die geeignet waren, die Aufmerksamkeit des Lesers auf die ganz und gar nicht opportune Tatsache zu lenken, daß der Kaiser sich auf den unmißverständlichen Rat Hindenburgs hin zu dem anstößigen Schritt entschlossen hatte. Ein deutlicher Fingerzeig für Eisenhart Rothe war die wörtliche Wiedergabe jenes Schreibens, das Hindenburg als Standardantwort[62] auf die vielen besorgten Nachfragen »Gutgesinnter«, mit welchen Argumenten man der für den Kaiser so schädlichen Behauptung von dessen Flucht begegnen könne, entworfen hatte. Darin verwies Hindenburg apodiktisch auf die Alternativlosigkeit des kaiserlichen Verhaltens und malte das Gespenst eines Bürgerkriegs an die Wand, wenn Wilhelm II. als Privatperson in die Heimat zurückgekehrt wäre.

Eisenhart Rothe war überhaupt nicht geneigt, in investigativer Absicht Hindenburgs tatsächliches Verhalten am 9. November aufzudecken und der Öffentlichkeit mitzuteilen. Insofern griff auch bei ihm der übliche Mechanismus, aus Rücksichtnahme auf Hindenburg den einen oder anderen Sachverhalt höchstens zart anzudeuten und nicht laut auszusprechen. Der Verfasser ließ sich also ausdrücklich von der Maßgabe leiten, daß »die Persönlichkeit des Nationalheros, Hindenburg, so wenig wie möglich beeinflußt wird«.[63] Aber Hindenburg paßte die ganze Richtung der Broschüre nicht, weil sie aufgrund des authentischen Quellenmaterials das aus Hindenburgs Sicht sakrosankte Gemeinschaftsprotokoll vom Juli 1919 nicht nur ergänzte, sondern in Einzelheiten auch berichtigte.[64] Vor allen Dingen mußte Hindenburg mehr als unangenehm sein, daß der Verfasser das Schwergewicht seiner Untersuchung auf die Nachmittags- und Abendstunden des 9. November 1918 legte, als Wilhelm II. in der Frage des Übertritts in die Niederlande noch nicht weichgeklopft war. Im Protokoll vom Juli 1919 war Hindenburg für diesen entscheidenden Zeitraum als Unbeteiligter erschienen. Nun nahm Eisenhart Rothe ausgerechnet diese Zeitspanne in den Blick und förderte die zumindest zu weiterem Nachfragen veranlassende Beobachtung zutage, daß der Kaiser sich erst nach Hindenburgs Drängen zum Übertritt entschlossen hatte. Eisenhart Rothe stellte die Entstehung dieser Entscheidung zwar als großes Mißverständnis dar, weil der Überbringer dieser Nachricht – Legationsrat von Grünau – sich fälschlich auf eine Autorisierung durch Hindenburg berufen habe.[65] Aber selbst mit dieser Einschränkung konnte der ungünstige Eindruck entstehen, daß Hindenburg bei der Abreise des Kaisers doch eine bedeutendere Rolle gespielt hatte, als zuzugeben er gewillt war.[66]

Hindenburgs Reaktion auf die Broschüre seines Mitstreiters aus OberOst fiel dementsprechend ungnädig aus. Eisenhart Rothe hatte sich erdreistet, die gutgemeinten redaktionellen Vorschläge Hindenburgs nicht in allen Einzelheiten zu übernehmen. Eisenhart traf daher der zwar verbindlich formulierte, aber in der Sache heftige Zorn Hindenburgs. Ähnlich wie schon im Schreiben an Plessen vom Juli 1919 schob Hindenburg auch hier wieder den Kaiser vor und gebärdete sich als Hüter des kaiserlichen Ansehens, das beschädigt werden könne, wenn aufgrund der erstmals publizierten Quellenzeugnisse Wilhelm II. als »Schwächling« erscheine.[67] Doch Wilhelm II. verbat sich die vermeintliche Parteinahme Hindenburgs, mit welcher der Feldmarschall davon ablenken wollte, daß es ihm im Kern um die »Entlastung des Generalstabes« und damit, was er auch durchblicken ließ, letztlich um seine eigene Entlastung ging.[68] Dem Kaiser, der mittlerweile in Doorn lebte, ging die Broschüre Eisenharts nicht weit genug; für ihn hatte der Verfasser sich aus Rücksichtnahme auf Hindenburg bremsen lassen und war auf halbem Wege stehengeblieben. In einer seiner berühmten Randbemerkungen, in denen er seine spontanen Gedanken ungefiltert zu Papier zu bringen pflegte, polterte Wilhelm II. in bezug auf Hindenburg: der »sog. Nationalheros soll eben, auf meine Kosten, fein herauskommen!«[69]

Die Eisenhart-Broschüre hat am Ansehen Hindenburgs in den Kreisen, auf deren Urteil der Feldmarschall besonderen Wert legte, nicht kratzen können. Doch in einer Hinsicht brachte sie Hindenburg in gewisse Bedrängnis: Sie veranlaßte Wilhelm II. dazu, Hindenburg in nahezu ultimativer Form aufzufordern, sich endlich zu seiner herausragenden Rolle beim Übertritt des Kaisers in die Niederlande zu bekennen. Bereits im März 1919 hatte Wilhelm II. Hindenburg in dieser Frage drängen lassen. Doch dieser hatte daraufhin nur in einer relativ nichtssagenden Erklärung, die am 19. März 1919 in rechtsstehenden Zeitungen veröffentlicht wurde, seine Version der Ereignisse publik gemacht, in der nur von den »Ratgebern« des Kaisers die Rede ist.[70] Da der Feldmarschall von sich aus keinen weiteren Schritt unternahm und sich in der Folgezeit hinter dem Protokoll vom Juli 1919 verbarrikadierte, sah sich Wilhelm II. genötigt, im Sommer 1921 verstärkt auf eine entsprechende Erklärung zu pochen. Der Kaiser verlangte nun über Plessen eine Klarstellung von Hindenburg.[71] Er verwies dabei auf eine Denkschrift des Kommandeurs der zur Sicherung der deutsch-belgischen Grenze eingesetzten 2. Gardeinfanteriedivision, Generalleutnant von Friedeburg. Dieser entkräftete nämlich die Behauptung Hindenburgs vom 9. November 1918, diese Sicherungsformation sei so vom revolutionären Bazillus infiziert gewesen, daß sie meuternde Truppen vom Anmarsch auf Spa nicht hätte abhalten können.

Hindenburg entzog sich diesem Drängen und reagierte erst nach nochmaliger Intervention Plessens im November 1921 mit einem langatmigen Schreiben, das aber einer Antwort auf die gestellte Frage auswich und überhaupt nicht Stellung dazu nahm, warum er am 9. November 1918 der betreffenden Einheit die Kampfkraft abgesprochen hatte.[72] Hindenburg wußte genau, warum er sich auf dieses heikle Thema nicht weiter einlassen wollte: Wenn die alarmierenden Meldungen über eine sich dramatisch verschlechternde Sicherheitslage nicht zutreffend gewesen waren, die er dem verstörten Kaiser am 9. November 1918 übermittelt hatte, brach seine Argumentation, man habe den Kaiser um seiner persönlichen Sicherheit willen in die Niederlande verbringen müssen, in sich zusammen.

Das Insistieren des Kaisers zeigte am Jahresende 1921 insofern Wirkung, als Hindenburg der konservativen »Kreuzzeitung« seinen Briefwechsel mit dem Kaiser aus dem Frühjahr 1921 zur Veröffentlichung übergab.[73] Darin hatte Wilhelm II. in Einklang mit den Tatsachen darauf verwiesen, sich zur Abreise in die Niederlande »nur auf Ihre und meiner übrigen berufenen Ratgeber dringende Vorstellung«[74] durchgerungen zu haben. Hindenburg mochte die Publizierung dieses Schriftwechsels als Zeichen des guten Willens verstanden haben; in der Öffentlichkeit löste sie aber eine heftige Debatte aus, die wenig vorteilhaft für den Kaiser verlief. Der Hinweis auf den Rat Hindenburgs erschien bis weit in das nationalliberale Spektrum hinein als eine billige Ausrede, hinter der sich Wilhelm II. verschanzte, um davon abzulenken, daß er das deutsche Volk im Stich gelassen und es versäumt habe, für sein vermeintliches Recht zu streiten.[75]

Die Eisenhart-Denkschrift brachte dann beim Kaiser das Faß zum Überlaufen. Er schickte seinen Hofmarschall Wilhelm von Dommes mit einer vorbereiteten Erklärung zu Hindenburg nach Hannover, durch deren Unterzeichnung sich Hindenburg zumindest indirekt zu seiner Verantwortung für die Abreise des Kaisers nach Holland bekennen sollte.[76] Hindenburg befand sich damit in akuter Bedrängnis, die er aber in einer für ihn bezeichnenden Weise meisterte. Er konnte sich nun nicht mehr in gewohnter Weise aus der Affäre ziehen, da der Kaiser ihm gewissermaßen die Pistole auf die Brust gesetzt hatte. Eine Totalverweigerung seinerseits war weder opportun, noch entsprach sie Hindenburgs Grundeinstellung. Ganz abgesehen davon konnte er durch ein solches Verhalten nicht verhindern, daß der Kaiser zum äußersten Mittel griff und ihm weiter zusetzte, indem er in einer großangelegten publizistischen Kampagne mit Enthüllungen über die Rolle des Feldmarschalls am 9. November aufwartete. Aber Hindenburg wollte es schon allein aus Anhänglichkeit an die Monarchie nicht zum totalen Bruch kommen lassen. Die emotionale Bindung an die Monarchie, die er in mehr als sechzig Jahren entwickelt hatte, konnte nicht binnen wenigen Jahren gelöst werden.

Hindenburg versuchte daher, dem nicht mehr zu umgehenden Teileingeständnis zumindest die publizistische Breitenwirkung zu nehmen. Ursprünglich sollte er dieses Bekenntnis auf Geheiß des Kaisers direkt der Presse zuleiten,[77] wofür Dommes schon die entsprechende Erklärung mit nach Hannover gebracht hatte.[78] Doch Hindenburg konnte dem Emissär aus Doorn abhandeln, daß zunächst ein Brief Hindenburgs an den Kaiser genügen sollte, der zwar im Wortlaut auf die vorbereitete Presseerklärung zurückgriff, aber Hindenburg Spielraum für eigene Formulierungen ließ. In dem Schreiben vom 28. Juli 1922 bekannte sich Hindenburg erstmals zu seiner »Mitverantwortung« für die Abreise des Kaisers in die Niederlande; die bisherigen Ausflüchte waren damit nicht mehr möglich. Er suchte aber immer noch Deckung hinter den übrigen Beratern des Kaisers, indem er darauf verwies, nur im Namen dieser Ratgeber gehandelt zu haben.[79]

Wilhelm II. sah ungeachtet solcher Einschränkungen seine persönliche Ehre wiederhergestellt.[80] Mehr als drei Jahre lang hatte er einen sich bis zuletzt sträubenden Hindenburg bedrängen müssen, zumindest einen Teil seiner Verantwortung für den den meisten Leuten unerklärlichen Schritt des Kaisers zu übernehmen. Hindenburg konnte sich am Ende zu diesem Eingeständnis durchringen, weil es keinerlei publizistischen Effekt hervorrief. Nach mehr als drei Jahren erfolgreicher Verzögerungstaktik konnte Hindenburgs halbherziges Einschwenken auf die Position des Kaisers den verheerenden Eindruck nicht mehr revidieren, den die Abreise in die Niederlande dem kaiserlichen Ansehen zugefügt hatte.[81] Überdies stieß der Kaiser bei Hindenburg auf taube Ohren mit dem Wunsch, das als privates Schreiben gefaßte »Schuldeingeständnis« in die Öffentlichkeit zu tragen, um auf diese Weise »diese Hundsschmach öffentlich von mir [zu] nehmen«.[82] Wilhelm II. griff schließlich zur Selbsthilfe: Er ließ den Hindenburgbrief vom 28. Juli 1922 in der »Deutschen Wochenzeitung für die Niederlande« publizieren. Doch seine publizistische Aktion versickerte, denn an dieser abgelegenen Stelle fand das Schreiben fast ausschließlich in monarchischen Organen Beachtung und schlug praktisch keine Wellen bis nach Deutschland.[83] In geschichtspolitischer Hinsicht ging von Wilhelm II. keine ernsthafte Gefahr mehr für Hindenburg aus.

Anders stand es um seinen engsten Mitstreiter Ludendorff, den Hindenburg am 26. Oktober 1918 kaltblütig geopfert hatte, als seine eigene Position bedroht war. Würde der notorisch nachtragende Ludendorff, der ohnehin darunter litt, daß Hindenburg allein die öffentlichen Lorbeeren für die militärischen Erfolge der Obersten Heeresleitung geerntet hatte, nicht die erstbeste Gelegenheit nutzen, um Hindenburg dessen Verhalten am 26. Oktober 1918 heimzuzahlen? Ludendorff war so unberechenbar, daß man ihm durchaus zutrauen konnte, am Feldherrnnimbus ordentlich zu kratzen. Mit seiner schroffen Art hatte er sich zwar viele Gegner innerhalb der Generalität gemacht, aber er besaß zumindest in der Operationsabteilung der Obersten Heeresleitung eine nicht geringe Schar glühender Verehrer, die in ihm den eigentlichen militärischen Genius erblickten und durchaus für ihren Meister öffentlich einstehen würden.

Hindenburg mußte also in kluger Voraussicht das in seiner Macht Stehende unternehmen, um Ludendorff zu neutralisieren. Bei dessen Nachfolger Groener war dagegen keine vergleichbare geschichtspolitische Prävention erforderlich. Wilhelm Groener war mit dem Feldmarschall durch dick und dünn gegangen und hatte sich sowohl im November 1918 bei der Abdankung des Kaisers als auch im Juni 1919 bei der Stellungnahme zum Versailler Vertrag so exponiert, daß Hindenburg im Hintergrund bleiben konnte. Der Feldmarschall revanchierte sich, indem er Groener – ohne sich allerdings öffentlich für ihn ins Zeug zu legen – gegenüber den unfairen Attacken der »neuen Feinde«[84] von rechts in Schutz nahm. Dies hinderte ihn indes nicht daran, vertraulich manche kriegsgeschichtliche Publikation Groeners zu kritisieren, der sich die Freiheit nahm, beispielsweise die Frühjahrsoffensive 1918 vom militärischen Standpunkt aus eindeutiger Kritik zu unterziehen.[85] Aber schaden konnten dem Generalfeldmarschall diese Ausführungen Groeners kaum, die im übrigen hauptsächlich auf Ludendorffs Strategie abzielten. Gefahr lauerte nur, wenn Ludendorff seine Zurückhaltung ablegte. Zwar konnte er mit eventuellen Enthüllungen nur das Feldherrnimage Hindenburgs beschädigen, aber auch daran konnte Hindenburg ganz und gar nicht gelegen sein.

Genau das drohte zu Beginn des Jahres 1919 einzutreten. Ludendorff hatte sich nämlich noch im November 1918 aus Deutschland davonstehlen müssen. Er fand im südschwedischen Hässleholm Unterschlupf, wo er sich mit Eifer daranmachte, seine Kriegserinnerungen niederzuschreiben, besessen von dem Wunsch, sein Verhalten im Weltkrieg zu rechtfertigen und keinen zu schonen, den er für die deutsche Kriegsniederlage verantwortlich machte.[86] Ludendorff schrieb sich dabei auch seine Bitterkeit über Hindenburg von der Seele und ließ es sich nicht nehmen, über diesen ungeschminkt Tatsachen zu Papier zu bringen, die den Mythos des Siegers von Tannenberg durchaus hätten erschüttern können.[87] Ludendorff war schließlich der erste der hochrangigen Generale, der seine Erinnerungen in Buchform vorlegte, und konnte daher mit großer öffentlicher Aufmerksamkeit rechnen.

Doch Ludendorff wurde gebremst durch die Intervention des Hindenburg-Bewunderers Sven Hedin, der Ludendorff am 24. Januar 1919 im schwedischen Exil aufsuchte. Hedin gelang es, Ludendorffs aufklärerischen Drang in punkto Hindenburg zu zügeln, indem er aufzeigte, welche Nachteile sich Ludendorff einhandeln würde, wenn er seiner investigativen Leidenschaft nachgab. Ein intakter Hindenburg-Mythos sei nämlich auch ein Schutzschild für Ludendorff und schirme ihn gegen zu erwartende Attacken ab. Ludendorff konnte sich diesen Argumenten nicht verschließen und reinigte nach einer Phase der Selbstbesinnung sein Manuskript von allen hindenburgkritischen Passagen. Als seine »Kriegserinnerungen« dann im August 1919 erschienen, konnte kein Leser ahnen, wie es um das Verhältnis zwischen ihm und Hindenburg tatsächlich bestellt gewesen war.[88] Ludendorff erwies sogar dem Feldherrn Hindenburg seine Reverenz und entwaffnete damit sich selbst. Denn als er 1930 nach Jahren der Zurückhaltung öffentlich mit Enthüllungen über Tannenberg und mit anderen für Hindenburg wenig ruhmreichen Details über den »großen Feldherrn« herausrückte,[89] hatte er sich durch seine exzentrische Besserwisserei und das Abgleiten in einen sektenähnlichen völkischen Kult bereits derartig ins öffentliche und politische Abseits gestellt, daß nur noch die kleine Schar seiner Jünger seine Auslassungen über Hindenburg zur Kenntnis nahm.

Wenn also selbst ein Ludendorff den Deutschen ihren Glauben an die militärische Größe Hindenburgs nicht nehmen wollte, wer aus dem Kreis der Obersten Heeresleitung oder aus der Riege der Generalität würde es dann überhaupt wagen, aus dem Bann der mythischen Verklärung Hindenburgs herauszutreten und sich ohne Unterwerfungsgesten dessen Wirken im Weltkrieg zu nähern? Hindenburg trug seine Dankesschuld dafür ab, daß auch Ludendorff sich an der öffentlichen Hindenburg-Verehrung beteiligte. Als Reichsministerpräsident Scheidemann im Februar 1919 Ludendorff in der Nationalversammlung als »Hasardeur« bezeichnete, sprang Hindenburg dem Angegriffenen zur Seite.[90] Im Juli desselben Jahres stellte er sich in einer öffentlich verbreiteten Erklärung mit markigen Worten vor Ludendorff: »Wer den General Ludendorff trifft, trifft also mich.«[91] Dabei ging er jedoch stets so vor, daß die Solidaritätsbekundungen ihm nicht allzusehr schaden konnten. Aus diesem Grunde hat er die von den Anhängern Ludendorffs schon im November 1918 angemahnte Ehrenerklärung bis zum Juli 1919 hinausgezögert.

Gewiß war Hindenburg politischen Zwängen ausgesetzt, denn als Funktionsträger des neuen Staates konnte er nicht öffentlich für seinen »alten Waffengefährten« Ludendorff eintreten, der bis weit in das konservative Lager hinein für den deutschen Zusammenbruch verantwortlich gemacht wurde. Letztlich war es aber sein Eigeninteresse, das ihm Schweigen gebot: Solange die Erinnerung an die Kriegsniederlage noch frisch war und Ludendorff als Hauptschuldiger dafür herhalten mußte, wäre es höchst ungeschickt gewesen, wenn Hindenburg sich öffentlich zu seinem »Gefährten« bekannt und Mitverantwortung für den militärischen

Zusammenbruch übernommen hätte. So vertröstete er entsprechende Anfrager: »Ich glaube, es ist besser, ruhigere Zeiten abzuwarten.«[92]

Hindenburgs Reaktion auf Scheidemanns Attacke gegen Ludendorff wäre ebenfalls nach diesem Motto ausgefallen. Aber just zu diesem Zeitpunkt mußte der Feldmarschall befürchten, daß die Rechtspresse zu den wunden Punkten in seiner Vergangenheit nicht länger schweigen würde. Anfang Februar 1919 hatte Graf Westarp ihn bereits vorgewarnt, daß die konservative »Kreuzzeitung« umfassend über den Verlauf des 9. November 1918 in Spa informieren wolle, was bei Hindenburg die Alarmglocken hatte schrillen lassen.[93] Und nun drohte die Rechtspresse bohrend nachzufragen, warum Hindenburg die im Weltkrieg nicht zuletzt von Ludendorff errungenen militärischen Erfolge der Obersten Heeresleitung seinem eigenen Konto gutschreiben ließ, aber dem bedrängten Mitstreiter nicht zur Seite sprang. Entsprechende Artikel waren bereits geschrieben und wurden nur zurückgehalten, weil Hauptmann Wilhelm Breucker, der wohl eifrigste Streiter für Ludendorff, eine Ersatzlösung durchsetzte. Die Presse veröffentlichte an Stelle der geplanten Angriffe auf den Feldmarschall schließlich den Wortlaut eines Telegramms, das Breucker am 14. Februar 1919 an Hindenburg gerichtet hatte, in dem dieser dringend zu einer Solidaritätserklärung zugunsten Ludendorffs aufgefordert worden war. Hindenburg verstand diesen Wink. Der verlangten Geste konnte er sich nicht entziehen, weil die Veröffentlichung der Mahnung Breuckers ihn in Zugzwang brachte. Er kam daher dem Drängen Breuckers nach und richtete das entsprechende Schreiben an Scheidemann.[94]

Ende Juli 1919 hatte sich die Lage für Hindenburg so weit gebessert, daß ein öffentliches Eintreten für Ludendorff nun gefahrlos schien. Mit der Fertigstellung des gemeinsamen Protokolls über den 9. November 1918 hatte er seine historisch sensibelste Stelle mit einer dicken geschichtspolitischen Panzerung versehen. Zudem war er nach seinem Abschied als Oberbefehlshaber des Heeres nicht mehr zur Rücksicht auf die Reichsregierung angehalten. Vor allen Dingen drängte die allseitige Empörung über den Versailler Friedensvertrag die unangenehme Frage endgültig in den Hintergrund, welcher Anteil der Obersten Heeresleitung und damit auch Hindenburg am militärischen Zusammenbruch zukam. Seine Solidarisierung mit Ludendorff schuf zugleich die Plattform, von der die beiden Feldherren darangehen konnten, in Umkehrung der tatsächlichen Begebenheiten eine revolutionär verseuchte Heimat für die Kriegsniederlage verantwortlich zu machen. Der gemeinsame Auftritt vor dem parlamentarischen Untersuchungsausschuß im November 1919 bildete den vorläufigen Höhepunkt dieses Zweckbündnisses.

Hindenburg hatte in dieser Zeit auch den persönlichen Kontakt zu Ludendorff wieder aufgenommen. Dazu mußte er allerdings den ersten Schritt tun, da der in Ehrfragen ungeheuer verletzliche Ludendorff auf einer solchen Geste bestand. Hindenburg konnte sich natürlich nicht zu einer förmlichen Entschuldigung für sein Verhalten bei der Entlassung Ludendorffs bereitfinden, brachte aber immerhin in einem Schreiben an Ludendorff vom 9. April 1919 sein Bedauern darüber zum Ausdruck: »Lassen Sie uns dieses Mißverständnis vergessen, und reichen Sie mir wieder Ihre Freundschaftshand, in welche ich die meinige freudig legen würde.«[95] Dahinter steckte nicht nur kühle Strategie. Hindenburg war die Aussöhnung mit Ludendorff auch ein Herzensbedürfnis, wobei ein Gefühl der Dankbarkeit für die von diesem geleisteten Dienste mitschwang. Aber wie im Verhältnis zum Kaiser war Hindenburg auch hier frei von übertriebenen Sentimentalitäten. Letztlich gab immer der zweckrationale Aspekt den Ausschlag, daß sein historisches Ansehen nicht beschädigt werden durfte.

Ein guter Draht zu Ludendorff war auf jeden Fall wünschenswert, denn solange dieser bestand, war es leichter, die immer noch ansehnliche Verehrerschar des Ersten Generalquartiermeisters unter den ehemaligen Mitarbeitern der Obersten Heeresleitung zu disziplinieren. Zwar hatte Hindenburg 1920 die geschichtspolitische Gefahrenzone längst verlassen, aber dessenungeachtet reagierte er überaus empfindlich auf Kritik von dieser Seite. Als der zu penetranter Selbstüberschätzung neigende Oberst Max Bauer im Sommer 1921 sein Mitteilungsbedürfnis in Gestalt von Erinnerungen befriedigte und darin durchblicken ließ, daß er Hindenburg als Chef der Obersten Heeresleitung vor allen Dingen in politischer Hinsicht für überfordert hielt,[96] reagierte Hindenburg pikiert und versuchte Ludendorff zu bewegen, Bauer einen öffentlichen Ordnungsruf zu erteilen. In diesem Zusammenhang sprach er sogar eine Einladung auf das Gut seines Schwiegersohnes in Pommern aus, wo er den Sommerurlaub verbrachte. Ludendorff entzog sich diesem Ansinnen allerdings, weil er nicht gegen seine Überzeugung handeln wollte. Aber es fanden sich andere Militärs, die dieses Geschäft an seiner Stelle erledigten.[97]

Im Verhältnis zwischen Hindenburg und Ludendorff stellte sich 1919 eine oberflächliche Versöhnung ein. Es gab noch keinen öffentlich ausgetragenen Streit über die Urheberschaft des Sieges von Tannenberg; bei der Grundsteinlegung des Tannenbergdenkmals am 29. August 1924 traten sie gemeinsam auf.[98] Hindenburg betätigte sich auch immer wieder als Vermittler, um zu verhindern, daß der notorisch streitsüchtige Ludendorff sich durch öffentliche Attacken noch mehr aus der Gemeinschaft der hochrangigen Militärs ausschloß.[99] Zum endgültigen Zerwürfnis zwischen beiden kam es wenige Monate nach dem Amtsantritt Hindenburgs als Reichspräsident. Ludendorff zerschnitt das Tischtuch, weil er nicht verwinden konnte, daß Hindenburg ihm kurzfristig eine Absage erteilt hatte. Ludendorff hatte zum Jahrestag des Sieges von Tannenberg für den 28. August 1925 den damaligen Kommandierenden der 8. Armee und weitere Mitstreiter in sein Haus nach München geladen. Hindenburg hatte die Einladung gerne angenommen, zumal er sich zu diesem Zeitpunkt im oberbayrischen Dietramszell zur Gamsjagd aufhielt und keine sonderlichen Reisestrapazen auf sich nehmen mußte. Doch als der nationalsozialistische »Völkische Beobachter« seine Absicht publik machte, bekam der private Besuch einen politischen Anstrich, so daß der Reichspräsident aus Staatsräson absagte. Hindenburg ahnte wohl schon die sich daraus ergebenden Konsequenzen, weil er in seinem Absageschreiben ausdrücklich hinzusetzte: »Hoffentlich verstehen Sie meine Begründung!«[100]

Ludendorff aber verwand die Absage nicht, weil sie eine nur oberflächlich geheilte Wunde wieder aufriß: seine traumatische Erinnerung an die Entlassung als Generalquartiermeister am 26. Oktober 1918. Seitdem hegte Ludendorff den Verdacht, daß Hindenburg ihn trotz markiger Treuebekundungen immer dann im Stich ließ, wenn er zu einer Belastung für dessen Position und Ansehen werden konnte. Dieser unterschwellige Eindruck wurde durch die Besuchsabsage so erhärtet, daß Ludendorff nach seiner überaus kühl gehaltenen Antwort[101] die persönlichen Beziehungen zu Hindenburg abbrach, nur noch über Mittelsmänner mit diesem verkehrte und von 1930 an in seinen publizistischen Organen immer heftigere Attacken gegen Hindenburg ritt.

Hindenburg ging das Zerwürfnis mit Ludendorff zwar durchaus zu Herzen, aber es vermochte ihm – und darauf kam es ihm an – keinen politischen Schaden mehr zuzufügen. Durch das endgültige Abdriften in eine spezifische Variante völkischer Religion und die damit verbundenen haßerfüllten Attacken gegen das Christentum marginalisierte sich Ludendorff selbst und nahm den Enthüllungen über Hindenburgs Verhalten im Weltkrieg jede über den Kreis seiner eingefleischten Anhänger hinausreichende öffentliche Resonanz. Im Jahr 1919 war das öffentliche Stillhalten Ludendorffs noch von nicht zu unterschätzender Bedeutung dafür gewesen, daß eine öffentliche Debatte über Hindenburgs Feldherrnschaft unterblieb. Im Jahr 1925 hatte sich der Mythos vom Feldherrn Hindenburg dagegen so sehr verfestigt, daß ein revanchelüsterner Ludendorff ihm nichts mehr anhaben konnte, zumal sich Hindenburg in seiner neuen Eigenschaft als Reichspräsident nun auch noch staatlicher und semistaatlicher Einrichtungen bedienen konnte, um das von ihm gewünschte Geschichtsbild zu reproduzieren.

Endgültig unangreifbar in geschichtspolitischer Hinsicht machte Hindenburg sich mit der Publikation seiner 1920 erschienenen Lebenserinnerungen. Mit der Veröffentlichung seiner Memoiren schaltete er sich zielstrebig in die Gestaltung eines bestimmten Geschichtsbildes ein und krönte damit sein geschichtspolitisches Werk.

Hindenburgs ausgeprägter Sinn für Geschichtsproduktion hatte sich bereits im Weltkrieg offenbart, als er in seiner Eigenschaft als Chef des Generalstabes des Feldheeres im Oktober 1918 die Neueinrichtung der 1914 kriegsbedingt aufgelösten Kriegsgeschichtlichen Organisation des Großen Generalstabs verfügte.[102] Damit war eine Institution zu neuem Leben erweckt worden, die immer schon Kriegsgeschichte im angewandten Sinne betrieben und auf ihren Nutzen für die Schulung des militärischen Führungspersonals abgeklopft hatte. In die Schlüsselposition als »Oberquartiermeister Kriegsgeschichte« berief Hindenburg einen Offizier, der mehr als zwei Jahre lang als Leiter der Operationsabteilung B in der Obersten Heeresleitung eng mit Hindenburg zusammengearbeitet hatte und dem das Privileg zuteil geworden war, bei der täglichen Mittagstafel der Operationsabteilung stets an der linken Seite Hindenburgs Platz nehmen zu dürfen: Oberst Hermann Ritter Mertz von Quirnheim.[103] Mertz von Quirnheim avancierte damit zum Leiter der übergeordneten militärischen Dienststelle für alle kriegsgeschichtlichen Fragen. Darüber hinaus schlüpfte er in die Rolle des engsten geschichtspolitischen Mitarbeiters Hindenburgs. Der überaus gebildete bayerische Offizier war eine Idealbesetzung: Seine hundertprozentige Loyalität bürgte dafür, daß keine Vertraulichkeiten nach außen drangen; sein stilsicherer Umgang mit der deutschen Sprache, seine souveräne Kenntnis der Kriegsgeschichte und seine Vertrautheit mit der Persönlichkeit Hindenburgs machten ihn zum geschichtspolitischen Alter ego des Feldmarschalls und damit zugleich zum perfekten »Ghostwriter« der unter Hindenburgs Namen publizierten Memoiren.

Bereits im März 1919 unterbreitete Mertz von Quirnheim Hindenburg ein Konzept für dessen Erinnerungen,[104] das verriet, wie gut der Oberquartiermeister Kriegsgeschichte sich in Hindenburg hineinversetzen konnte. Der Generalfeldmarschall konnte kein Interesse daran besitzen, die Verkaufszahlen seiner Memoiren dadurch in die Höhe zu treiben, daß er mit Indiskretionen aufwartete oder zumindest nicht mit seinem Urteil über bestimmte Personen hinter dem Berg hielt. Zwar hatte Hindenburg sich ziemlich eindeutige Urteile über seine vermeintlichen Widersacher gebildet; doch es war nicht opportun, diese Ansichten in die Öffentlichkeit zu tragen. Hindenburg wollte keinen Meinungsstreit entfachen und dadurch seine symbolische Kraft unnötigerweise der Gefahr aussetzen, in den Niederungen der politischen Auseinandersetzungen verschlissen zu werden. Es war daher ein Gebot geschichtspolitischer Klugheit, die Erinnerungen »dem Streit der Tagesmeinungen« zu entziehen.[105] Sie sollten nicht polarisieren, vielmehr sollte sich in ihnen der größte Teil des Volkes mit seinen Empfindungen wiederfinden können. Hindenburg hieß diese Konzeption ausdrücklich gut und billigte insbesondere die erzieherische Absicht des Buches, das nicht der historischen Wahrheitsfindung diene, sondern zu dem Zweck entstehe, »ethisch auf unser unglückliches Volk einzuwirken«.[106]

Mertz von Quirnheim, der noch im selben Jahr zum Präsidenten des Reichsarchivs aufstieg,[107] erwies sich als idealer Betreuer dieses Unternehmens. Mit viel Einfühlungsvermögen traf er den gewünschten Ton: Alle anstößigen Punkte klammerte er gezielt aus; über alle problematischen Stellen der atemberaubenden Karriere Hindenburgs im Weltkrieg glitt seine Feder elegant hinweg.[108] Hindenburg erschien nicht nur als begnadeter Feldherr, sondern noch viel mehr als Mensch mit vorbildlichen Qualitäten – eine Stoßrichtung, die bereits in der Einführung erkennbar wurde: »Als Mensch habe ich gedacht, gehandelt und geirrt. Maßgebend in meinem Leben und Tun war für mich nicht der Beifall der Welt, sondern die eigene Überzeugung, die Pflicht und das Gewissen.«[109] Zunächst hatte man noch die Absicht, einen Fachhistoriker als weiteren Bearbeiter zu gewinnen. Der ursprüngliche Verlagsvertrag sah daher die gleichberechtigte Mitwirkung von Professor Otto Hoetzsch vor, der schon 1915 als Verfasser einer Hindenburg-Biographie in Aussicht genommen worden war.[110] Hoetzsch sollte den Zeitraum von der Geburt Hindenburgs 1847 bis zu dessen erstem Ruhestand 1911 bearbeiten, während Mertz für den Abschnitt von 1911 bis 1918 zuständig war.[111] Aus ungeklärten Gründen schied Hoetzsch aus dem Bearbeiterkreis aber gegen Ende des Jahres 1919 aus,[112] was dazu führte, daß der Lebensweg Hindenburgs bis 1911 verhältnismäßig knapp abgehandelt wurde. Der Absicht des Buches dürfte dies allerdings kaum geschadet haben: Es war aus einem Guß geschrieben.

Im Mai 1919 ging Mertz voller Eifer an die Erstellung des Manuskripts. Hindenburg gab im Gespräch die inhaltlichen Richtlinien vor, die Mertz dann in entsprechende Formulierungen umsetzte. Bis Ende Mai 1919 hatten die beiden auf diese Weise schon die Hälfte des Entwurfs fertiggestellt.[113] Peinlich war Mertz darauf bedacht, daß keine Widersprüche zu den bereits nahezu abgeschlossenen Erinnerungen Ludendorffs auftraten. Er bat daher um die Überlassung der Druckfahnen von Ludendorffs »Kriegserinnerungen«, eine Bitte, der dieser im Zeichen neuer Harmonie zwischen den beiden ehemaligen Dioskuren auch bereitwillig nachkam.[114] Mertz stimmte den Entwurf von Hindenburgs Memoiren so auf die Erinnerungen Ludendorffs ab, daß die Erinnerungswerke der Führungsspitze der

Obersten Heeresleitung in der Beurteilung der zentralen Fragen des Weltkriegs übereinstimmten.

Umgekehrt erhielt Ludendorff die Druckfahnen von Hindenburgs »Aus meinem Leben« zur Einsichtnahme. Ludendorff erhob keine Einwände, was ihm als Autorisierung dieses Textes ausgelegt werden konnte. So hatte er es später schwer, sich gegen eine bei flüchtiger Lektüre leicht zu überlesende Passage zu verwahren, die so interpretiert werden konnte, als habe Ludendorff während der Schlacht von Tannenberg in einer entscheidenden Phase die Nerven verloren und sei erst durch die alles überragende Ruhe Hindenburgs wieder aufgerichtet worden.[115] Hindenburgs Opus mutierte nach Übernahme der Reichspräsidentschaft im Jahre 1925 von einer zu erbaulichen Zwecken verfaßten Rechtfertigungsschrift[116] zu einer scheinbar objektiven Geschichtsquelle, auf die sich selbst namhafte Historiker kritiklos beriefen – insbesondere dann, wenn sie Hindenburg das alleinige Verdienst des Sieges von Tannenberg attestieren wollten.

Ende 1919 legte Mertz einen Rohentwurf vor, den Hindenburg penibel Satz für Satz und Wort für Wort durchsah und gelegentlich verbesserte.[117] Die endgültige Fassung fertigten die beiden in langen Sitzungen in Hindenburgs Haus in der Zeit vom 7. bis zum 13. Januar 1920 an.[118] Sie erschien Anfang 1920 im angesehenen Leipziger Hirzel-Verlag. Hindenburg hatte sich weitgehend an die Vorlage von Mertz gehalten und nur wenige substantielle Korrekturen vorgenommen. Auf ihn allein ging nur das vier Druckseiten umfassende Schlußkapitel »Mein Abschied« zurück, das es allerdings in sich hatte. Denn dieser Schlußakkord enthielt den Kern von Hindenburgs politischem Glaubensbekenntnis, an dem sich bis zum Tod des Generalfeldmarschalls nichts mehr ändern sollte. Wie ernst Hindenburg diese von ihm selbst stammenden Schlußpassagen seines Buches nahm, wird dadurch ersichtlich, daß er sein politisches Testament vom 11. Mai 1934 mit einer – bis auf unerhebliche Auslassungen – wörtlichen Übernahme dieses letzten Kapitels seines Buches begann und diese Passagen darin als sein »Vermächtnis an das deutsche Volk« bezeichnete.[119]

Hindenburg zeigte sich im Schlußkapitel wieder einmal als ein der Zukunft zugewandter Politiker, welcher dem Vergangenen nicht unnötig lange nachtrauerte. Nur im ersten längeren Absatz betrieb er platte Rechtfertigung, indem er die von ihm popularisierte »Dolchstoßlegende« noch einmal aufgriff und sie in ein anderes metaphorisches Gewand kleidete: »Wie Siegfried unter dem hinterlistigen Speerwurf des grimmigen Hagen, so stürzte unsere ermattete Front; vergebens hatte sie versucht, aus dem versiegenden Quell der heimatlichen Kraft neues Leben zu trinken.«[120] Dann verlieh er seiner nie versiegenden Hoffnung auf Deutschlands Wiederaufstieg Ausdruck und erwähnte in diesem Zusammenhang sogar dessen »große weltgeschichtliche Sendung«.[121] Er schöpfte diese Zuversicht nicht zuletzt aus der preußischen Geschichte, in der sich Männer fanden, die nach der vernichtenden Niederlage gegen Napoleon 1806 nicht verzagten und das Fundament für die Wiedergeburt der Keimzelle des späteren Deutschen Reiches schufen.

Der Schlüssel für den hier beschworenen Wiederaufstieg Deutschlands zu einer machtvollen und respekterheischenden Nation lag für Hindenburg in der Rückbesinnung auf den »Geist«, der Deutschland stark gemacht und zum alten Glanz geführt habe: der Geist der nationalen Einigkeit. Dieser Geist hatte sich auf eindrucksvolle Weise im »Augusterlebnis« von 1914 manifestiert. Er war im Weltkrieg nur verschüttet worden, so daß sein Wiederaufleben für Hindenburg im Grunde eine Frage der Zeit war. Der Feldmarschall betonte das Leitmotiv seines politischen Denkens noch einmal nachdrücklich: »Ist so erst der nationale Gedanke, das nationale Bewußtsein wieder erstanden«,[122] dann werde Deutschland wieder zu vergangener Größe gelangen. Die Nation überwölbte mithin alles, und auch die Staatsform blieb der Wiederherstellung echter nationaler Gemeinschaft untergeordnet. Zwar machte Hindenburg kein Hehl aus seiner Überzeugung, daß zumindest bei der älteren Generation das Kaiserreich das passende staatliche Gehäuse für eine innerlich geeinte Nation darstelle. Aber er legte sich nicht auf diese eine Möglichkeit fest. Denn sein hoffnungsvoller Schlußsatz, in dem er ausdrücklich an die »deutsche Jugend«[123] appellierte, das Werk nationaler Einigung anzupacken und zum Abschluß zu bringen, konnte auch so gedeutet werden, daß er einer jungen, durch die Materialschlachten des Weltkriegs gehärteten Generation keine Vorschriften machen wollte, welches staatliche Dach am besten zu der neu erwachten Nation paßte.

Hindenburgs Buch »Aus meinem Leben« wurde auf diese Weise zu einem durchkomponierten Werk, das immer wieder die Grundmelodie »nationale Einheit« variierte und damit nahtlos an die vielen Äußerungen Hindenburgs aus der Kriegszeit anknüpfte. Die Rezeption hat denn auch gerade diesen Aspekt des »Volksbuches« wohlwollend hervorgehoben: »Dem inneren Frieden und der Eintracht des deutschen Volkes soll, wie so viele goldene Worte Hindenburgs, auch sein Buch dienen.«[124] Auf diese Weise erhielt und steigerte das Werk nicht nur die symbolische Funktion Hindenburgs als Inkarnation des Willens zur nationalen Einheit. Indem Hindenburg im Schlußkapitel seinem brennenden politischen Wunsch nach einer nationalen Wiedergeburt Deutschlands nachhaltigen Ausdruck verlieh, konnte man in diese Zeilen auch hineinlesen, daß er selbst nicht wenig Neigung verspürte, sich an dieser Aufbauarbeit an führender Stelle zu beteiligen. Hindenburg hatte sich mit seinem Buch jedenfalls nicht als ein Ruheständler profiliert, der mit seinem öffentlichen Leben abgeschlossen hatte und nur noch die Jahre bis zu seinem Hinscheiden zählte. Er brannte noch vor politischer Leidenschaft, verzehrte sich nicht in rückwärtsgewandter Trauerarbeit über das Verflossene und hatte seinen Glauben an eine machtvolle deutsche Zukunft nicht verloren. Es konnte also keine wirkliche Überraschung sein, daß Hindenburg sich bereits im Januar 1920 bereit hielt, um sich für die Übernahme des wichtigsten politischen Amtes zu rüsten, das die Weimarer Republik zu bieten hatte: das Amt des Reichspräsidenten.

Hindenburg mit seiner Frau Gertrud beim Spaziergang in der Seelhorststraße
zu Hannover, 1919

KAPITEL 16

Anwartschaft auf das höchste Staatsamt

Hindenburgs Symbolkraft war nach dem Rücktritt als Oberbefehlshaber des Heeres weitgehend ungebrochen. Als er am 3. Juli 1919 von Kolberg nach Hannover zurückkehrte, bereitete ihm seine Heimatstadt einen triumphalen Empfang. Der Bahnhofsvorplatz quoll über von Menschen, wobei der große Anteil junger Leute auffiel, die dem Feldmarschall regelrechte Huldigungen darbrachten. Tausende hatten sich zudem bei der Villa in der Seelhorstraße 32 eingefunden, welche die Stadt Hannover ihrem Ehrenbürger als Zeichen des Dankes zum Geburtstag am 2. Oktober 1918 geschenkt hatte. Dort begrüßte ihn auch eine Abteilung der hannoverschen Studentenschaft, der gegenüber der Generalfeldmarschall seine Zuversicht zum Ausdruck brachte, daß die junge Generation den Wiederaufstieg Deutschlands zu einer achtunggebietenden Macht schaffen werde: »Die Jugend ist es, die unser zerrüttetes Deutschland wieder aufrichten muß. In ihr ist noch der deutsche Geist lebendig.«[1]

In Hannover hatte Hindenburg nach fast fünf Jahren erstmals wieder Gelegenheit, mit der einfachen Bevölkerung in Berührung zu kommen. Während des Krieges hatte er sich in wechselnden Hauptquartieren aufgehalten; nach Kriegsende war er in Kassel-Wilhelmshöhe und Kolberg ebenfalls abgeschieden von der Öffentlichkeit gewesen, nur umgeben von seinen Mitarbeitern. Zwar war ihm aufgrund der zahlreichen Besucher in den wechselnden Hauptquartieren und dank seiner intensiven Zeitungslektüre nicht verborgen geblieben, welcher Popularität er sich erfreute. Doch jetzt hatte er erstmals Gelegenheit, regelrecht auszukosten, welche Wertschätzung ihm die Bevölkerung entgegenbrachte.

Der überwältigende Empfang in Hannover berührte Hindenburg tief und bestärkte ihn in der Absicht, sich nicht auf das politische Altenteil zurückzuziehen. Besonders beeindruckte ihn, wie hoch er bei der Schuljugend im Kurs stand, der noch jede soldatische Prägung fehlte und die daher zu Hindenburg gar nicht als ehemaligem Oberbefehlshaber aufblicken konnte. Am 29. August 1919 etwa huldigten ihm Tausende von Jugendlichen: Am Nachmittag des Jahrestags der Schlacht von Tannenberg hatte sich ohne Anweisung von oben ein Zug von Schülern aus allen Schulen Hannovers von der Eilenriede aus in Bewegung gesetzt zur Villa des Feldmarschalls. Ein Oberprimaner hielt dort eine flammende Ansprache, die Hindenburgs Gemüt bewegte: In den mit leuchtenden Augen vor ihm stehenden Jugendlichen erblickte er die Gewähr dafür, daß der nationale Gedanke nicht verweht war. »Wir müssen wieder werden, was wir damals waren, als im Schlosse zu Versailles das neue deutsche Kaiserreich gegründet wurde, wobei ich mich unter denjenigen befand, die das erste Hoch auf den deutschen Kaiser ausbringen durften. Der Geist jener großen Tage darf uns nicht verlorengehen in dieser schlappen falschen Zeit. Dafür hat die Jugend zu sorgen, und der Geist, der aus Ihren Worten spricht, gibt mir die Gewähr dafür, daß er wiederkommen wird, wenn ich's auch nicht mehr erlebe.«[2]

Hindenburg ließ sich von den patriotischen Bekundungen der Jugend Hannovers zwar nicht so beeindrucken, daß er die revolutionäre Umwälzung des November 1918 vergaß, die in seinen Augen ja auch eine Volksbewegung gewesen war. Doch die Skepsis, ob er selbst die von ihm beschworene »nationale Wiedergeburt« erleben, ja sie sogar mitgestalten würde, schwand in dem Maße, in dem sich die Hindenburg dargebrachten Ovationen nicht als ein lokales und flüchtiges Phänomen erwiesen. Auch außerhalb seiner Heimatstadt flogen Hindenburg die Herzen zu. Ein besonders aussagekräftiger Indikator war der Empfang Hindenburgs im November 1919 im »roten Berlin«, der Stadt, in der am 9. November 1918 die Symbole der preußischen Monarchie aus Hindenburgs Sicht geschändet worden waren, gegen die er seitdem eine tiefe Abneigung empfand und in der er sich deshalb bis zur Übernahme der Reichspräsidentschaft – von der einen Ausnahme im November 1919 abgesehen – nie mehr aufhielt.[3]

Wenn Hindenburg seinem Auftritt in der »Hauptstadt der Revolution«, wo er vor dem Untersuchungsausschuß des Reichstags als Zeuge aussagen sollte, mit einem gewissen Bangen entgegengesehen haben sollte, wurde er angenehm überrascht. Schon bei der Ankunft am 12. November auf dem Bahnhof Zoologischer Garten brachte ihm eine nach Tausenden zählende Menge Ovationen dar.[4] Aufgrund seiner Anwesenheit in Berlin fanden erstmals nach dem Ende der Monarchie wieder öffentliche Kundgebungen zugunsten des Kaiserreichs statt, in deren Mittelpunkt Hindenburg unfreiwillig stand. Als der Feldmarschall am 14. November vor dem Reichstagsgebäude eintraf, wo er seine Aussage machen sollte, warteten dort bereits drei- bis viertausend Schüler und Studenten, um ihm zu huldigen. Diese Kundgebung geriet jedoch zu einer Manifestation gegen die Republik: Die Demonstranten, die der Regierung vorwarfen, daß sie den deutschen Volkshelden wie einen »dummen Jungen« vor den Untersuchungsausschuß zitiere, versperrten nämlich den Zugang zum Reichstag, so daß der Feldmarschall wieder umkehren mußte.[5] Hindenburg genoß die ihm dargebrachten Sympathiebezeugungen sichtlich, verwahrte sich aber in einer öffentlichen Erklärung gegen den Versuch von deutschnationaler Seite, seine Anwesenheit parteipolitisch zu vereinnahmen mit Demonstrationen, die gegen die Regierung gerichtet waren. »Bei meiner Ankunft und während meines bisherigen Aufenthaltes in Berlin sind mir Äußerungen persönlicher Ehrung in solcher Fülle und in solcher Herzlichkeit entgegengetreten, daß ich mich tief verpflichtet fühle, dafür der Berliner Bevölkerung meinen aufrichtigen und herzlichen Dank zu sagen … In Rücksicht auf den in Berlin verhängten Belagerungszustand bitte ich jedoch, von weiteren Kundgebungen absehen zu wollen, die geeignet sein könnten, Verkehr und öffentliche Ordnung zu erschweren.«[6] Daß die Jugend ihn zu ihrem Idol erkoren hatte, das beeindruckte den alten Feldmarschall indes so sehr, daß er sich mit dem Gedanken anfreundete, an der »Wiedergeburt Deutschlands« tatkräftiger als ursprünglich beabsichtigt mitzuwirken.[7]

Die ihn feiernden Berliner Studenten hatten auch schon eine ideale Verwendungsmöglichkeit für ihn gefunden: die Reichspräsidentschaft.[8] Sie waren nicht die einzigen, die bereits im Sommer 1919 auf die Idee verfielen, Hindenburg als Kandidaten für die erste Volkswahl der neu geschaffenen Institution des Reichspräsidenten zu gewinnen. Die beiden im November/Dezember 1918 neu gebildeten Rechtsparteien, die Deutschnationale Volkspartei (DNVP) und die Deutsche Volkspartei (DVP), hatten ihn ebenfalls dafür bereits ins Auge gefaßt. Aus drei Gründen drängte sich diese Überlegung für die besagten Parteien geradezu auf: Erstens amtierte Friedrich Ebert nur als von der Nationalversammlung gewählter vorläufiger Reichspräsident. Da das Amt des Reichspräsidenten gemäß der am 11. August 1919 in Kraft tretenden neuen Verfassung durch Volkswahl vergeben werden sollte, war in nächster Zeit mit der plebiszitären Bestimmung des Staatsoberhauptes zu rechnen, wenn auch noch kein genauer Wahltermin vereinbart worden war.[9] Insofern waren alle Parteien gut beraten, sich für diesen Fall zu wappnen, indem sie nach geeigneten Kandidaten Ausschau hielten. Zweitens enthob die Benennung Hindenburgs die betreffenden Parteien der mühsamen Suche nach einem Kandidaten, der beiden Parteien gleichermaßen genehm war; denn auf den »Sieger von Tannenberg« konnte sich das politische Spektrum von den Nationalliberalen bis zu den völkisch-alldeutschen Kräften ohne große Umstände einigen. Drittens war eine gemeinsame Nominierung Hindenburgs geeignet, die Pläne für eine stärkere Kooperation zwischen diesen beiden Parteien zu befördern. Das Parteiensystem der Weimarer Republik war gerade auf der rechten Seite ständig im Umbruch, so daß eine parteipolitische Neuformierung in Gestalt einer möglichen Fusion im Jahre 1919 ernsthaft von beiden Parteien diskutiert wurde.[10] Hob man gemeinsam einen Präsidentschaftskandidaten Hindenburg auf den Schild, so konnten von dieser Aktion wichtige einigende Impulse ausgehen.

Die Initiative hierzu ergriff die Deutsche Volkspartei, die bereits im August 1919 Hindenburg als Einheitskandidaten für die künftige Volkswahl des Reichspräsidenten öffentlich ins Spiel brachte.[11] Die Deutschnationalen schlossen sich dieser Anregung an, da ihre Partei ja bereits Ende 1918 Hindenburg die Kandidatur für die Verfassunggebende Nationalversammlung angeboten hatte. Nachdem Hindenburg das Oberkommando der Reichswehr niedergelegt hatte, warb der deutschnationale Parteivorsitzende sogar öffentlich um diese Symbolfigur der nationalen Einheit und bot ihm eine Führungsrolle an.[12] Im November 1919 war der parteiinterne Klärungsprozeß bereits so weit vorangeschritten, daß die beiden Parteivorsitzenden – Stresemann von der DVP und Hergt von der DNVP – Hindenburg während seines Aufenthalts in Berlin ihre Aufwartung machten.[13]

Hindenburg stand damit vor der schwerwiegenden Entscheidung, ob er zum ersten Mal in seinem Leben für ein auf demokratischem Wege vergebenes politisches Amt kandidieren sollte. Die Politik an sich hatte ihn seit den Weltkriegstagen immer stärker angezogen, weil er glaubte, durch aktives Einschalten in genuin politische Abläufe dem Ideal der geeinten Nation näher zu kommen. Hindenburg hatte also zweifellos politisch Blut geleckt, aber mußte er sich deswegen gleich um das Amt des Reichspräsidenten eines republikanisch verfaßten Staatswesens bewerben? Im Weltkrieg konnte Hindenburg sich frei von der Bürde eines politischen Amtes in die Politik einschalten. Sollte er, der bislang nur die charismatische Form politischer Herrschaft ausgeübt hatte und durch symbolische Gesten und goldene Worte mit dem Volk kommuniziert hatte, sich nun in ein staatliches Amt einzwängen lassen?

Andererseits ließ sich im Amt des Reichspräsidenten wie in keinem anderen hohen politischen Amt des neuen Staates die plebiszitäre Verankerung von Hindenburgs Herrschaftsanspruch zur Geltung bringen. Denn der Reichspräsident schöpfte seine Legitimation direkt aus der Volkswahl und war keiner Partei gegenüber rechenschaftspflichtig. Als dem Parteienstreit enthobene Spitze des Staates konnte er durchaus eine integrative Funktion ausüben, die Hindenburg auf den Leib geschneidert war und in die er seine Symbolkraft einbringen konnte. Als Reichspräsident brauchte sich Hindenburg nicht zu aktuellen Fragen der Tagespolitik zu äußern und konnte sich von den Niederungen der Alltagspolitik fern-

halten. Aber konnte der Reichspräsident überhaupt einen wirklichen Herrschaftsanspruch geltend machen? Besaß er überhaupt den politischen Einfluß, um die
sehnlichst von Hindenburg gewünschte nationale Wiederauferstehung in die Wege
zu leiten?

Als im Herbst 1919 der Gedanke einer Kandidatur für das Amt des Reichspräsidenten an Hindenburg herangetragen wurde, ließ sich kaum erahnen, wie sehr
sich während der Weimarer Republik im Zusammenspiel von Reichspräsident,
Reichsregierung und Reichstag die politischen Gewichte zugunsten des Reichspräsidenten verschieben würden. Aber es bedurfte schon 1919 durchaus keiner prophetischen Gaben, um die enorme politische Gestaltungskraft dieses Amtes zu taxieren. Das erkannte als erster Friedrich Ebert, und er zog daraus die politische
Konsequenz, indem er im Februar 1919 die faktische Reichskanzlerschaft aufgab,
um das aus seiner Sicht höherwertige, weil machtvollere Präsidentenamt anzustreben.[14] Die am 11. August 1919 in Kraft getretene neue Reichsverfassung bestätigte
Eberts Einschätzung: Im politischen System nahm der Reichspräsident zweifellos
die herausragende Position unter allen Verfassungsorganen ein, weswegen man die
Weimarer Republik auch als ein semipräsidentielles System einstufen kann.[15] Gegenüber Reichsregierung und Reichstag konnte der Reichspräsident seine Prärogative vor allen Dingen durch zwei Verfassungsbestimmungen geltend machen: Er
allein ernannte den Reichskanzler und war dabei an keine personellen Vorgaben
seitens des Reichstages gebunden; zudem konnte er den Reichstag dadurch disziplinieren, daß er die verfassungsmäßige Vollmacht besaß, die Volksvertretung
praktisch jederzeit aufzulösen, wenn es ihm geboten erschien.

Hindenburg war daher sehr wohl in der Lage, das enorme Gestaltungspoten-
tial zu erfassen, das im Amt des Reichspräsidenten steckte. Auf die Reichspräsidentschaftskandidatur wollte er sich überhaupt nur einlassen, wenn gewährleistet
war, daß er die politischen Richtlinien bestimmen und auf diese Weise aktiv am
machtpolitischen Wiederaufstieg des Reiches mitwirken konnte. Wirkliche Begeisterung vermochte er für den Plan einer Bewerbung um dieses Amt jedoch nicht
aufzubringen, weil er befürchtete, daß sein symbolisches Kapital durch eine
Reichspräsidentschaft aufgezehrt werden könnte. Er sah das Fundament seines
charismatischen Herrschaftsanspruchs – nämlich die keinem geregelten Verfahren
unterliegende direkte Kommunikation mit einer ihn verehrenden Bevölkerung –
bedroht, wenn er den Zwängen eines politischen Amtes unterworfen wurde. Der
Reichspräsident konnte sich nicht vollkommen gegen ungünstige Auswirkungen
der von der Reichsregierung verfolgten Politik abschirmen, weil der Präsident die
politische Verantwortung für deren Ernennung trug. Insofern war nicht auszu-

schließen, daß die mit der Amtsführung verbundenen Sachzwänge das kostbarste Gut beschädigen konnten, das Hindenburg 1914 ohne sein Zutun zugefallen, auf dessen Pflege er aber seitdem einen großen Teil seiner Energien verwendet hatte: den Mythos als Idealgestalt eines Deutschen. In klarer Voraussicht solcher Gefahren erwiderte Hindenburg am 5. Januar 1920 auf einen Werbeversuch seines alten politischen Weggefährten Friedrich von Berg, daß ihn die Übernahme des Präsidentenamtes in eine Lage hineinmanövrieren könne, in der er »bald auch derartig von meinen Freunden aufgegeben würde, daß das letzte Ideal des deutschen Volkes kläglich unterginge«.[16] Hindenburg spielte hier deutlich darauf an, daß er als Symbolgestalt unersetzlich war; aber auch das ganz persönliche Interesse blitzte auf, sein Ansehen vor der Geschichte nicht durch die mit erheblichen Risiken behaftete Übernahme eines politischen Amtes zu gefährden.

Bereits 1919/20 schälte sich damit das Kernproblem heraus, das sich für Hindenburg an den weiteren wichtigen Wegmarken seines politischen Weges – seiner definitiven Reichspräsidentschaftskandidatur im Jahre 1925, der Entscheidung für eine zweite Amtszeit 1932 und nicht zuletzt bei der Machtübertragung an Hitler – immer weiter zuspitzen sollte: Die Reichspräsidentschaft konnte die Entzauberung des Hindenburg-Mythos einleiten. Hindenburg wollte herrschen, ohne zu regieren, doch wenn ihn das Amt des Reichspräsidenten sukzessive in die Regierungsgeschäfte hineinzog, drohte ein Verschleiß seiner symbolischen Kräfte.

Schon zu diesem frühen Zeitpunkt sah Hindenburg die für seinen Mythos schädlichen politischen Zwänge voraus, denen er als Reichspräsident ausgesetzt sein konnte. »Je mehr ich mich in die Situation hineindenke, desto mehr sehe ich ein, daß sie für mich unhaltbar wäre.«[17] Schon bei der Auswahl »seines« Kanzlers war er nicht gänzlich frei, weil er die Mehrheitsverhältnisse im Reichstag einkalkulieren mußte. Seine Wunschbesetzung – zu diesem Zeitpunkt Karl Helfferich, in dessen Berliner Domizil er ja eine Woche im November 1919 verbracht hatte – erschien aus diesem Grunde nicht durchsetzbar. Die verfassungsmäßigen Restriktionen konnten ihm überdies Minister aus Parteien zumuten, die ihm aus politischen Gründen suspekt waren und mit denen sich die erhoffte nationale Wiedergeburt nicht in Angriff nehmen ließ.[18]

Warum aber wies Hindenburg das an ihn herangetragene Ansinnen nicht sogleich kategorisch ab? Warum erteilte er den politischen Werbern nicht sofort eine eindeutige Absage, sondern verschloß sich der Idee einer Reichspräsidentschaftskandidatur nicht prinzipiell, so daß sich eine Entwicklung Bahn brach, an deren Ende er im Februar 1920 schließlich doch ja sagte? Eine befriedigende Antwort auf diese Frage muß zunächst die Hartnäckigkeit in Rechnung stellen, mit der er umworben wurde. Den Anfang machte der Oberpräsident der preußischen Provinz Hannover, Ernst von Richter,[19] der zugleich die DVP im preußischen Abgeordnetenhaus vertrat. Wenig später hatten sich die beiden Parteiführer von DVP und DNVP, Stresemann und Hergt, dieser Angelegenheit angenommen und Hindenburg bei dessen Aufenthalt in Berlin für eine Kandidatur zu gewinnen versucht.[20] Schließlich drängte ihn auch noch sein alter Weggefährte aus der Weltkriegszeit, Friedrich von Berg.[21] Doch alle diese Bemühungen hätten nichts gefruchtet, wenn kein sachlicher Grund vorhanden gewesen wäre, der so sehr ins Gewicht fiel, daß die enormen Bedenken Hindenburgs gegen eine Kandidatur überwunden werden konnten.

Hindenburg wollte auch nach der Niederlegung des Oberbefehls der Armee politisch wirken, weil er die »Hoffnung auf die Wiederkehr der alten Macht und Herrlichkeit«[22] Deutschlands nicht verloren hatte. Aber dazu mußte er in der Republik ein politisches Amt anstreben. Im Weltkriege konnte Hindenburg von einer Position aus politisch operieren, die das komplizierte Institutionengeflecht des wilhelminischen Kaiserreichs nutzte, um das daraus resultierende politische Vakuum durch plebiszitäre Legitimation auf charismatische Weise aufzufüllen. Das wesentlich eindeutigere politische System der Weimarer Republik verstopfte solche plebiszitären Gestaltungsansprüche beziehungsweise engte sie auf die Volkswahl des Reichspräsidenten ein und integrierte sie damit in das Regelwerk einer geschriebenen Verfassung. Von seinem Alterssitz in Hannover aus hätte Hindenburg sehr wohl weiterhin mahnende Worte an das deutsche Volk richten können, doch sie wären mehr oder weniger politisch folgenlos verhallt, weil hinter ihnen kein herrschaftlicher Anspruch mehr stand. Wollte Hindenburg sich damit nicht begnügen, mußte er sich auf die Regeln legaler Herrschaft einlassen und das Präsidentenamt ins Visier nehmen – so unwohl ihm bei diesem Schritt auf ungewohntes Terrain auch war.

Da Hindenburg wußte, worauf er sich mit einer Kandidatur einließ, wollte er die riskanten Auswirkungen, die dieser Schritt auf sein Ansehen haben konnte, minimieren. Er diktierte daher die politischen Bedingungen, unter denen er eine Kandidatur überhaupt erst ins Auge fassen wollte; fünf Jahre später, bei seinem zweiten Anlauf, sollte er genauso verfahren. An erster Stelle rangierte die Bemühung um eine möglichst breite politische Basis zur Unterstützung seiner Kandidatur. Nach seinem politischen Selbstverständnis als Repräsentant nationaler Einheit war es für ihn ohnehin unmöglich, als Kandidat von nur einer oder zwei politischen Parteien aufzutreten. Ein nur von DNVP und DVP nominierter Präsidentschaftskandidat Hindenburg kam daher nicht in Frage; er wollte »von weiten

Kreisen des deutschen Volkes gerufen«[23] werden, was die Linksparteien zwar ausschloß, aber vom Anspruch her auch die liberale demokratische Partei und das katholische Zentrum umfaßte.

Mindestens ebenso wichtig war für ihn das Placet Wilhelms II. aus dem Door-
ner Exil; und zwar nicht weil er sich als Statthalter des Kaisers betrachtete und nach
Übernahme des Präsidentenamtes so schnell wie möglich die Restauration der
Monarchie einleiten, sondern weil er sich im Gegenteil politische Handlungsfreiheit in seinem neuen Amt bewahren wollte. Hindenburg war daran gelegen, die
Herstellung »wahrer Volksgemeinschaft« nicht dadurch zu erschweren, daß er
diese aus seiner Sicht ohnehin schwierige Aufgabe an die Wiederherstellung der
Monarchie koppelte und auf diese Weise mit einer kaum abzutragenden politischen Hypothek belastete. Denn für jeden Klarblickenden, zu denen Hindenburg
ohne Zweifel zählte, war die monarchische Restauration ein Ziel, das nicht am Anfang, sondern allerhöchstens am Ende einer geglückten »nationalen Integration«
stehen konnte. Mit einer vorherigen Anfrage in Doorn strebte Hindenburg die offizielle Billigung seiner Präsidentschaftskandidatur durch Wilhelm II. an, um sich
gegen etwaige spätere Vorwürfe von dieser Seite zu schützen, er habe es wie schon
im November 1918 an Loyalität gegenüber dem Kaiser fehlen lassen. Hindenburg
achtete aber strikt darauf, daß ihm aus Doorn keinerlei inhaltliche Auflagen erteilt
wurden. Er war keine sachliche Verpflichtungen eingegangen, als ihn an der Jahreswende 1919/20 das erbetene Signal des Kaisers über den Mittelsmann Friedrich von
Berg erreichte.[24]

Den letzten Ausschlag für seine endgültige Zustimmung gab die Besorgnis,
daß ein süddeutscher Katholik das Präsidentenamt erringen könnte. Diese Vorstellung, die in konservativen protestantischen Kreisen zu Beginn des Jahres 1920 kursierte, war für Hindenburg so inakzeptabel, daß seine letzten Bedenken ausgeräumt
wurden. Ein dem politischen Katholizismus entstammender Präsident stand bei
Hindenburg wie bei vielen Nationalprotestanten unter Generalverdacht, in letzter
Instanz doch nur der verlängerte Arm des Papstes zu sein und damit für die nationale Wiedergeburt Deutschlands nicht zu taugen.[25] Diese vermeintliche Gefahr erhöhte sich noch durch die Aussicht, daß ein romhöriger Präsident bei möglichen
Vorstößen in Richtung Wiederherstellung des deutschen Kaisertums die protestantischen Hohenzollern ausbooten und dafür die katholischen Wittelsbacher auf
den Kaiserthron hieven könnte. Der bayerische Kronprinz Rupprecht wurde in
preußisch-protestantischen Kreisen durchaus solcher Ambitionen verdächtigt.[26]

Angesichts solcher Aussichten fühlte sich Hindenburg in die Pflicht genommen, schließlich hatte er ja noch manches gegenüber dem Familienoberhaupt der

Hohenzollerndynastie gutzumachen. Am 6. März 1920 meldete er Wilhelm II. seine endgültige Bereitschaft zur Kandidatur, die für ihn gleichbedeutend war mit der Übernahme dieses Amtes, da er an seiner Wahl nicht zweifelte. Dabei legte er unzweideutig auch den Kern seiner Entscheidung frei, die ihm wahrlich nicht leichtgefallen war: »daß nur so dem Vaterlande Zucht und Ordnung im Innern und Ansehen nach außen wiedergegeben werden können«.[27]

Hindenburgs Schritt war der Auftakt zu einer gezielten öffentlichen Propagierung seiner Präsidentschaftskandidatur, die aus Sicht seiner Unterstützer erforderlich schien, um auf die Nationalversammlung öffentlichen Druck auszuüben. Denn diese hielt den politischen Schlüssel dafür in der Hand, daß es in absehbarer Zeit überhaupt zu einer Volkswahl des Reichspräsidenten kam. Solange das Parlament das verfassungsmäßig vorgeschriebene Gesetz zur Wahl des Reichspräsidenten nicht verabschiedete, mußte Hindenburg tatenlos in Wartestellung verharren. Die aus den Koalitionsparteien SPD, DDP und Zentrum bestehende Parlamentsmehrheit zeigte sich jedoch bei der Aussicht, daß Hindenburg ante portas stand, an einer beschleunigten Behandlung einer solchen Gesetzesvorlage verständlicherweise nicht interessiert.[28]

Speziell die Presse der Deutschen Volkspartei stimmte die Bevölkerung nun wie in einem Vorwahlkampf auf die Volkswahl des Reichspräsidenten ein. Dabei zeichnete sich ab, unter welchem Motto Hindenburg sich um das höchste Staatsamt bewerben würde: Er wurde als derjenige herausgestellt, der als einziger in der Lage sei, die innere Zerklüftung des deutschen Volkes zu überbrücken. In diese Kerbe hieb Josef Buchhorn, der als Redakteur des »Hannoverschen Kuriers« Hindenburg aus nächster Nähe kannte und sich parteipolitisch für die DVP engagierte. Seine Anfang 1920 erschienene Schrift »Hindenburg. Der Führer in unsere Zukunft« gab die Grundmelodie der langsam in Fahrt kommenden Präsidentschaftskampagne vor. Hindenburg, den man konsequent entmilitarisierte, wurde eine bismarckgleiche Statur als Politiker verliehen, wobei als politische Bewährungsprobe Hindenburgs Verhalten nach dem 9. November 1918 galt: Daß Hindenburg sich auch nach dem Sturz der Monarchie in den Dienst der neuen Staatsform gestellt habe, demonstriere eindrucksvoll, wie sehr ihn die zeitlos gültige und gerade jetzt brennend aktuelle Idee der Nation als Fixpunkt seines Handelns leite. Damit erschien er nicht als ein Aufschein vergangener Zeiten, sondern als Wegweiser in die Zukunft.[29]

Am 6. März 1920 wurde die Kandidatur Hindenburgs erstmals in zwei Hindenburg nahestehenden Zeitungen, dem der DVP verbundenen »Hannoverschen Kurier« und der konservativen »Kreuzzeitung«, öffentlich verkündet.[30] Danach entbrannte sofort eine publizistische Debatte, die deutlich machte, welche Aussichten die hinter den Regierungsparteien stehende Presse Hindenburg einräumte.

Trotz aller verständlichen Versuche, Hindenburgs Kandidatur abzustempeln als Kandidatur der beiden Rechtsparteien, konnte den regierungsnahen Kräften nicht verborgen bleiben, daß das Vorpreschen in der Präsidentenfrage vollendete Tatsachen im »bürgerlichen Lager« geschaffen hatte. Denn welcher bürgerliche Kandidat würde es angesichts der Tatsache, daß er gegen den Sieger von Tannenberg anzutreten hatte, noch wagen, seinen Hut in den Ring zu werfen? Würde es überhaupt ein ernstzunehmender nichtsozialistischer Kandidat auf sich nehmen, Hindenburg herauszufordern?[31] Falls sich niemand finden ließ, war ja der Wahlerfolg Hindenburgs faktisch garantiert. In Kenntnis dieser Aussichten unternahm die SPD-Fraktion in der Nationalversammlung einen Vorstoß, um durch eine Verfassungsänderung zu erreichen, daß der Reichspräsident nicht vom Volk, sondern vom Reichstag gewählt wurde. Als warnendes Beispiel tauchte die Gestalt Napoleons III. auf, der ebenfalls über ein Plebiszit den Sprung in das höchste Staatsamt geschafft und danach in kurzer Zeit die Republik demontiert hatte.[32] Ob diese Initiative die erforderliche verfassungsändernde Zweidrittelmehrheit erhalten würde, war indes alles andere als sicher. Denn nicht nur die Zentrumspartei hielt sich auffällig mit einer öffentlichen Unterstützung dieses Vorhabens zurück; auch in der dritten Regierungspartei – der liberalen DDP – ertönten Stimmen, die es für unangebracht hielten, eine kaum mehr als ein halbes Jahr alte Verfassung an einer wichtigen Stelle zu ändern.[33]

Insofern deuteten manche Anzeichen darauf hin, daß die in der Verfassung vorgesehene Volkswahl des Reichspräsidenten in greifbare Nähe rückte. In diesem Fall sprach vieles für einen Erfolg Hindenburgs. Doch dann durchkreuzte am 13. März 1920 ein dilettantisch durchgeführter Putsch, getragen von einer rechten Fronde um den ostpreußischen Generallandschaftsdirektor Kapp, dem Oberbefehlshaber des Reichswehrgruppenkommandos I, Walther Freiherr von Lüttwitz, sowie ausgerechnet Ludendorff, alle durchaus berechtigten Hoffnungen auf eine rasche Volkswahl des Reichspräsidenten. Der nach wenigen Tagen kläglich gescheiterte Putsch diskreditierte die beiden Rechtsparteien, die zwar nicht an der Vorbereitung dieser tollkühnen Aktion teilgenommen, aber nach der zeitweisen Übernahme der Regierungsmacht in Berlin durch die Putschisten mit den Aufrührern kooperiert hatten.[34] Damit waren die politischen Kräfte, die am energischsten die Kandidatur Hindenburgs gefördert hatten, kompromittiert. Dies drohte auch auf den Feldmarschall abzufärben, wenn dieser an seiner Kandidatur festhielt. Überdies hatte sich als Reaktion auf den Kapp-Lüttwitz-Putsch eine dritte und letzte revolutionäre Welle von ganz links Bahn gebrochen, die im Ruhrgebiet in Gestalt einer »Roten Ruhrarmee« zeitweise die Macht übernahm. Erst der Einsatz der Reichswehr konnte diesen gut organisierten Aufstand an der Ruhr Anfang April 1920 mit Waffengewalt niederschlagen – in einem Blutbad mit weit mehr als tausend Toten.

Der Kapp-Lüttwitz-Putsch bewirkte also eine extreme politische Polarisierung und legte offen, wie zerrissen die deutsche Gesellschaft war. Dies war alles andere als ein günstiger Nährboden für Hindenburgs zentrale Botschaft, die Parteiengegensätze hintanzustellen und sich hinter ihn als dem Symbol nationaler Einheit zu scharen. Hindenburg handelte daher nur konsequent, als er unter diesen Umständen seine Kandidatur zurückzog: »Ich kann meines Erachtens nicht mehr, wie geplant, der beruhigende und einigende Mittelpunkt werden.«[35] Hier kommt zugleich ein bezeichnender Zug von Hindenburgs Verhalten als Politiker zum Ausdruck: Er scheute die harte öffentliche Auseinandersetzung, weil er in einer aufgeheizten politischen Atmosphäre um die Integrität seines Mythos bangte. In solchen Situationen zog er es vor, seinen guten Namen aus der politischen Schußlinie zu nehmen. Insofern zeichnete sich bereits 1920 ab, daß Hindenburg fünf Jahre später in einer beruhigten und einigermaßen konsolidierten Situation die Kandidatur für das Reichspräsidentenamt nicht ausschlagen, aber aus eben diesen Gründen sich 1933 für den bequemeren Weg einer Quasi-Abdankung zugunsten Hitlers entscheiden würde.

Mit den Zielen des Kapp-Lüttwitz-Putsches hat Hindenburg durchaus sympathisiert, den dabei gewählten Weg verwarf er allerdings als untauglich: »So sehr ich mit dem Herzen dafür war, so wenig konnte ich es mit dem Verstand sein. Mehr Schade wie Nutzen ist die Folge. Traurig!«[36] Hindenburg hat das Gewicht seiner Persönlichkeit daher nicht eingebracht, um das Putschunternehmen durch eine öffentliche Verurteilung zum Scheitern zu bringen. Sein alter Kamerad Groener, der aus seiner Ablehnung des Aufruhrs nicht den geringsten Hehl machte, hatte Hindenburg telegraphisch am 15. März 1920 zu einem solchen Schritt aufgefordert: »In diesem Augenblick genügt ein Wort von Ihnen, um die Reichswehr auf den verfassungsmäßigen Boden zu bringen.«[37] Die Initiative Groeners dürfte Hindenburg aber darin bestärkt haben, in Deckung zu bleiben und keineswegs mit einer voreiligen Sympathiekundgebung für die Putschisten an die Öffentlichkeit zu gehen.[38] Einer der wichtigsten Putschisten, der als Innenminister vorgesehene und später zu fünf Jahren Festungshaft verurteilte ehemalige Berliner Polizeipräsident Traugott von Jagow, fand übrigens für sieben Monate Unterschlupf bei Hindenburgs Schwiegersohn Brockhusen auf dessen hinterpommerschem Gut Groß-Justin.[39]

Nach den bewegten Märztagen des Jahres 1920 verschwand Hindenburg für fünf Jahre weitgehend von der politischen Bildfläche. Zu politischen Tagesfragen nahm er öffentlich nicht Stellung. Er führte in seiner Villa in Hannover das Leben eines Ruheständlers, das nur durch gelegentliche Reisen und öffentliche Auftritte unterbrochen wurde. Im Juli 1920 hatte sich der erste Schatten auf das neue Heim in Hannover gelegt, als ein Einbrecher, von Hindenburg auf frischer Tat ertappt, auf den Hausherrn schoß, ihn aber verfehlte. Hindenburg wertete diesen Zwischenfall auch als Zeichen für die allgemeine Verrohung der Sitten: »Überrascht hat mich die Sache in heutiger Zeit nicht.«[40] Im Frühjahr 1921 ereilte ihn ein schwerer Schicksalsschlag, als seine geliebte Frau Gertrud einem Krebsleiden erlag. Im Juli 1920 hatte man eine Darmgeschwulst diagnostiziert, deren Wachstum auch zwei Operationen nicht einzudämmen vermochten. Tapfer kämpfte Gertrud von Hindenburg gegen die heimtückische Krankheit. Das letzte Drittel des Jahres 1920 verbrachte sie fast ausschließlich im Krankenhaus.[41] Vor Weihnachten wurde sie nach Hause entlassen – ein untrügliches Zeichen, daß die Ärzte nichts mehr für sie tun konnten. Dort pflegte sie ihr Mann, bis sie am 14. Mai 1921 verstarb. Die Beerdigung fand unter großer öffentlicher Anteilnahme statt.[42]

Hindenburg hat unter dem Verlust seiner treuen Gefährtin schmerzlich gelitten. 43 Jahre lang waren die beiden gemeinsam durchs Leben gegangen. Nun machte sich bei ihm immer stärker die Einsamkeit des Lebensabends bemerkbar. Anfänglich konnte er dem Alleinsein noch dadurch ausweichen, daß für ein Jahr sein Sohn Oskar zu ihm in die Villa in der Seelhorststraße zog. Oskar kam in Begleitung seiner Frau Margarete, mit der er sich wenige Wochen vor dem Tod der Mutter verheiratet hatte. Hindenburgs Verhältnis zu seiner Schwiegertochter, die »Dete« genannt wurde, gestaltete sich sehr innig,[43] so daß Dete ihm nach der Übernahme der Reichspräsidentschaft den Haushalt in Berlin führte und bei repräsentativen Anlässen die Rolle der Frau des Hauses übernahm. Als Oskar im Frühjahr 1922 mit seiner Frau eine eigene Wohnung bezog, besuchte er den Vater zwar beinahe täglich,[44] doch es kehrte trotzdem ungewohnte Stille in das Haus ein. Die Tochter Annemarie lebte zwar in nicht allzugroßer Entfernung, da ihr Ehemann, Rittmeister Christian von Pentz, in Lüneburg stationiert war. Doch dorthin zog es Hindenburg nicht sehr häufig – in der Regel kam er nur über Ostern –,[45] da das Verhältnis zu Annemarie von Pentz wesentlich lockerer war als die innige Beziehung zu der älteren Tochter Irmengard, die aber in Hinterpommern, fast eine Tagesreise von Hannover entfernt, wohnte.

Der Familienbesuch, den er nun erhielt, war nicht gleichermaßen vergnüglich. Besonders schätzte er es, wenn seine ältesten Enkel, Hans-Heinrich und Hans-

Henning von Brockhusen, kamen.[46] Die Dauerbesuche, die ihm sein Bruder Bernhard und dessen Ehefrau Ida abstatteten, bereiteten ihm dagegen weniger Freude. Die Beziehung zum elf Jahre jüngeren Bruder, der als Literat ein wenig aus der Familienart schlug, war eher reserviert, so daß Hindenburg sich zwar aus familiärer Pflicht und als höflicher Gastgeber genötigt sah, Bruder und Schwägerin oft monatelang bei sich zu beherbergen, aber Seufzer der Erleichterung ausstieß, wenn die Dauergäste sich endlich verabschiedet hatten.[47]

Nicht zuletzt um sich nach dem Tod seiner Frau abzulenken, besann Hindenburg sich wieder auf seine alte Jagdpassion. Zur Jagd war er seit der Rückkehr nach Hannover – aus Rücksichtnahme auf seine kranke Frau und weil es an attraktiven Jagdangeboten fehlte – nicht mehr gegangen. Nun meldete sich sein alter Jagdgefährte aus Bialowieza, Forstrat Georg Escherich, und verschaffte dem Feldmarschall die Gelegenheit, einem Wild nachzustellen, das bislang auf Hindenburgs Abschußliste fehlte: der Gemse. Escherich brachte Hindenburg erstmals im Jahr 1922 für vier Wochen – Mitte August bis Mitte September – bei einem seiner Freunde, dem bayerischen Kammerherrn Schilcher, in Dietramszell unter. Von dort ging es zum Gamstreiben in das nahe gelegene Revier Fall, dessen Nutzung der bayerische Staat Hindenburg einräumte. Trotz der erheblichen körperlichen Anstrengungen, die das Gamstreiben im Hochgebirge mit sich brachte, hat Hindenburg daran soviel Gefallen gefunden, daß er mit nur einer Unterbrechung bis 1932 immer wieder den Spätsommer in Dietramszell verbrachte. Im Jahr 1924 konnte er überdies noch in Ostpreußen auf die Jagd gehen, als er sich anläßlich der zehnten Wiederkehr des Jahrestages der Schlacht von Tannenberg in der östlichsten Provinz des Reiches aufhielt und sich die Gelegenheit, zwei starke Schaufler zur Strecke zu bringen, nicht entgehen ließ.[48] Zur Familie Schilcher knüpfte er sogar freundschaftliche Beziehungen: Frau Schilcher und ihre Tochter suchten Hindenburg in Hannover auf, und nachdem Neudeck 1926 durch Schenkung wieder in den Besitz der Hindenburgs gelangt war, konnte Hindenburg sich für die ihm in Dietramszell erwiesene Gastfreundschaft auch dadurch revanchieren, daß er die Familie Schilcher nach Ostpreußen einlud.[49]

Welchen Stellenwert Hindenburg der Jagd einräumte, wird schon an der Inneneinrichtung seines Hauses erkennbar. Die Flure waren geschmückt mit Jagdtrophäen, wobei der in Bialowieza erlegte Wisent und der auf der Kurischen Nehrung zur Strecke gebrachte Elch einen Ehrenplatz einnahmen.[50] Von den zahlreichen Gemälden waren insbesondere zwei bemerkenswert: das Hindenburg-Bildnis von Walter Petersen, welches die Stadt Hannover ihrem Ehrenbürger geschenkt hatte, und ein von Lenbach angefertigtes Bildnis des älteren Moltke, ebenfalls ein Geschenk seiner Heimatstadt. Das Lenbachbild war dem Generalfeld-marschall besonders ans Herz gewachsen, weil er in Moltke bekanntlich seinen Lehrmeister erblickte.[51]

Wenn er zu Hause war, verwandte Hindenburg viel Zeit auf die Beantwortung seiner Post, die zu den Geburtstagen waschkörbeweise einging.[52] Aber auch sonst trafen derartig viele Anfragen ein, daß er sie ohne fremde Hilfe nicht bewältigen konnte. Um der sich auftürmenden Arbeitslast Herr zu werden, griff er von 1921 an auf die Dienste eines Privatsekretärs zurück. Vier Jahre lang versah der verabschie-dete Oberstleutnant Wilhelm von Kügelgen diese Aufgabe.[53] Die Einstellung einer solchen Kraft wurde Hindenburg ermöglicht durch eine Finanzspritze, die ihm die deutsche Wirtschaft auf sehr diskrete Weise zukommen ließ. Die Idee zu einer sol-chen Hindenburg-Spende ging auf den Kruppdirektor Otto Wiedfeldt zurück. Dieser bat ihm persönlich bekannte Wirtschaftsführer im Frühjahr 1921 um eine finanzielle Unterstützung für den Feldmarschall, mit der man dessen bescheidene Pension aufbessern und diesem eine »anständige Lebensmöglichkeit«[54] verschaf-fen wolle. Etwa 25 Firmen beteiligten sich an der diskret ablaufenden Aktion mit einer Summe von zunächst jährlich fünftausend Mark, die in der Inflationszeit der Geldentwertung angeglichen beziehungsweise in Dollarschatzanweisungen ausge-zahlt wurde.[55] Das Geld wurde auf ein Sonderkonto bei einer hannoverschen Pri-vatbank transferiert, das auf den Namen des ehemaligen Majors Bodo von Har-bou, eines alten Mitarbeiters der Obersten Heeresleitung, eingerichtet war. Bodo von Harbou hatte schon während des Krieges enge Beziehung zu Schwerindu-striellen gepflegt und nach seinem Ausscheiden aus der Armee in der Wirtschaft sein Unterkommen gefunden.[56] Mit Hindenburg verband ihn die gemeinsame Dienstzeit im Oldenburger Infanterieregiment. Über Harbou lief der Zahlungsver-kehr geräuschlos, und er regelte auch die steuerliche Behandlung dieser Zuwen-dungen.[57] Der warme Geldsegen versetzte Hindenburg in die Lage, seine Familien-angehörigen – insbesondere seinen Sohn – finanziell zu unterstützen, zudem konnte er davon »durchaus standesgemäß leben«.[58] Überdies kam er erstmals in näheren persönlichen Kontakt zu Wirtschaftsführern. Recht intensiv gestaltete sich die Beziehung zur treibenden Kraft der Hindenburg-Spende, also zu Otto Wied-feldt, dessen Rat auch bei Reichspräsident Ebert so gefragt war, daß dieser ihm den Posten des deutschen Botschafters in den USA antrug. Von Wiedfeldt ließ Hinden-burg sich über die Vereinigten Staaten von Amerika informieren,[59] deren militäri-sche Kraft er ja im Weltkrieg so sträflich unterschätzt hatte. Eine solche Fehlein-schätzung sollte ihm nicht noch einmal unterlaufen.

All das bewahrte Hindenburg – wie so viele Pensionäre – in der Hyperinflation des Jahres 1923 aber nicht vor schweren wirtschaftlichen Einbußen, da die Pension nicht Schritt halten konnte mit der rasanten Geldentwertung. Hindenburg mußte Reisen zu Familienangehörigen ausfallen lassen; auch als Gastgeber mußte er sich erheblich einschränken, weil er Gäste nicht mehr standesgemäß beherbergen und versorgen konnte. Selbst am Porto mußte er sparen. Seine wirtschaftliche Lage war so angespannt, daß er dem ihm am nächsten stehenden Kind, seiner älteren Tochter Irmengard, am 29. Oktober 1923 mitteilte, daß damit aus Kostengründen wahrscheinlich auch »alle sonstigen Segenswünsche für die nächsten Monate, als da ist Weihnachten, Neujahr und der Geburtstag Deines Jüngsten« [Hans-Hartmut von Brockhusen hatte am 5. Januar Geburtstag], abgegolten seien.[60] Als er Ende Oktober 1923 durch Harbou unverhofft neunzig wertbeständige US-Dollar erhielt, half ihm dies über den Winter. Bis dahin hatte er nicht gewußt, »wie ich mir für diesen Winter Wohnung und Heizung in ausreichendem Maße beschaffen sollte«.[61] Erst die Stabilisierung der Währung im November 1923 befreite Hindenburg von solchen Nöten.

Hindenburgs Reisen erfolgten in einem festgelegten Rhythmus.[62] Ostern verbrachte er bei Tochter Annemarie in Lüneburg, im Juli oder August suchte er seine »Älteste« in Hinterpommern auf, Ende August weilte er zum Jagen in den oberbayrischen Bergen. Als Domherr von Brandenburg und als Mitglied des Johanniterordens gehörte die Teilnahme an den Zusammenkünften der jeweiligen Kapitel zu seinem Pflichtprogramm. Ansonsten verließ er selten das Haus, eigentlich nur dann, wenn ein militärisches Denkmal eingeweiht wurde oder ein ihm verbundenes Regiment eine Festlichkeit beging. Hindenburg nutzte solche raren öffentlichen Auftritte, um seine vertraute Botschaft zu verkünden und zu nationaler Einheit zu mahnen. Er sprach bei solchen Anlässen nicht wie ein Militär, der in nostalgischen Worten vergangene militärische Ruhmestaten pries, sondern wie ein Politiker, der das deutsche Volk an sein kostbarstes Gut, die allen äußeren Widrigkeiten trotzende Idee der Nation, erinnerte. Als Königsweg für den Wiederaufstieg zu nationaler Größe beschwor er die Wiedergewinnung innerer Einheit: »Das ist nur möglich, wenn wir einig sind und frei von allem täglichen Parteihader.«[63]

Hindenburg vermeinte durchaus Anzeichen einer nationalen Wiedergeburt zu entdecken. Die ungekünstelte Begeisterung gerade junger Menschen für seine Person registrierte er aufmerksam, er genoß sie sichtlich und wertete sie als Beleg dafür, daß der Schlußappell seiner Memoiren, in denen er ja der Jugend den Auftrag zur nationalen Auferweckung erteilte, nicht in den Wind gesprochen war. Die Verehrung, die ihm von jungen Menschen entgegenschlug, galt weniger dem Feldherrn vergangener Schlachten als dem Symbol nationaler Einheit. Bei der Tannenbergfeier von 1919 in Hannover hatte ein Oberprimaner Hindenburgs Rolle als symbolische Leitfigur so bezeichnet: »Wir haben ihn gesehen, haben seine Worte gehört und einen Hauch von seinem Geiste verspürt, der seine Größe ausmacht, den Geist der Pflichterfüllung und der Treue, kurz: den Geist des Deutschtums. Nur mit ihm können wir unser Vaterland wieder aufbauen, nach ihm müssen wir streben, wenn wir dazu helfen wollen.«[64] Beim Stapellauf eines auf seinen Namen getauften Dampfers in Bremen brachte ihm die dortige Schülerschaft am 8. Februar 1921 eine Huldigung dar, auf die der Gefeierte mit den Worten antwortete: »Ich sehe, daß der nationale Geist noch nicht eingeschlafen ist, er wird uns wieder besseren Zeiten entgegenführen.«[65] Und auch bei der Studentenschaft wußte er sein Vermächtnis in besten Händen.[66] Seine bei all seinen öffentlichen Auftritten verkündete Kernbotschaft schien damit auch in der Republik wenig von ihrer Wirkung eingebüßt zu haben. Hindenburg stimmte dies zunehmend optimistisch, warnte aber vor überstürztem Handeln. »Man müsse in der Stille wirken und die Frucht reifen lassen, ehe man sie zu pflücken versuche.«[67]

Wie groß die Wertschätzung Hindenburgs in der Bevölkerung war, wurde im Sommer 1922 offenkundig, als er sich erstmals seit dem Weltkrieg nach Ostpreußen begab. Daß dies kein reiner Privatbesuch werden konnte, war Hindenburg bewußt. Es stand der Besuch Neudecks auf dem Programm, das Hindenburgs Schwägerin Lina bewirtschaftete, sowie ein Aufenthalt im nahe gelegenen Januschau, wo Hindenburgs Bekannter Elard von Oldenburg residierte. Der »Sieger von Tannenberg« wollte aber auch die übrige Provinz bereisen und dabei die Stätten seiner militärischen Erfolge aufsuchen. Dabei suchte er bewußt den Kontakt zur Bevölkerung und nahm sich vor, wenigstens die vielen Städte dieser Provinz mit seiner Anwesenheit zu beglücken, die ihm die Ehrenbürgerrechte verliehen hatten. Die Einzelheiten der Reisevorbereitung legte er in die Hände von Wilhelm Freiherr von Gayl, der schon in OberOst die offiziellen Reisen des Feldmarschalls geplant hatte.[68] Gayl war mittlerweile Direktor der Ostpreußischen Landgesellschaft, deutschnationaler Politiker und Vorsitzender der »Staatsbürgerlichen Arbeitsgemeinschaft«, der es gelungen war, die »nationalen Verbände« in Ostpreußen zu sammeln.

Hindenburgs Ostpreußenreise vom 20. Mai bis 15. Juni 1922 verstimmte die sozialdemokratisch geführte preußische Regierung, weil sie darin eine »deutschnationale Propagandafahrt«[69] erblickte. Dieser Eindruck war nicht abwegig, weil Hindenburg bei deutschnational eingestellten Gutsbesitzern Quartier nahm und bei offiziellen Empfängen – etwa in Rosenberg, der Kreisstadt Neudecks – zunächst jeden Kontakt mit Mitgliedern des Kreisausschusses vermied, die er der Linken zurechnete. Hindenburgs Bekannter Oldenburg-Januschau intervenierte sogar persönlich beim Rosenberger Landrat, um die programmgemäße Begrüßung Hindenburgs durch den Kreisausschuß zu unterbinden, dessen sieben Mitglieder nicht alle die politische Gesinnung des vormaligen Kammerherrn teilten. »Man dürfe dem Generalfeldmarschall unter keinen Umständen zumuten, mit Sozialdemokraten zusammenzukommen. Sozialdemokraten, Zentrum und Freisinnige betrachte der Generalfeldmarschall als diejenigen, die ihm den Dolch in den Rücken gestoßen hätten.«[70] Landrat Friedensburg gelang es schließlich, die Wogen zu glätten und alle gewählten Vertreter des Kreises Rosenberg in die offizielle Begrüßung Hindenburgs einzubinden.

Kritik rief Hindenburgs Ostpreußenreise auch deshalb hervor, weil der geradezu enthusiastische Empfang, den die große Mehrheit der west- und ostpreußischen Bevölkerung bis weit hinein in die sozialdemokratische Anhängerschaft Hindenburg bereitete, sich deutlich abhob von der meist kühlen Begrüßung, die Reichspräsident Ebert bei seinen wenigen offiziellen Reisen selbst aus Kreisen der Industriearbeiterschaft zuteil wurde.[71] Die Triumphfahrt Hindenburgs durch Ostpreußen ähnelte – wie Preußens Ministerpräsident Otto Braun zu Recht anmerkte[72] – einer Kaiserreise, und damit warf sie ein unvorteilhaftes Licht auf die Art und Weise, mit welcher der amtierende Reichspräsident bei seinen öffentlichen Auftritten von der Bevölkerung aufgenommen wurde. Nur zwei Monate später wiederholte sich ein ähnliches Schauspiel in München. Hindenburg machte auf der ersten Reise in sein neues Jagdrevier auf Einladung des oberbayerischen Regierungspräsidenten Kahr in der bayerischen Hauptstadt Station und wurde dort vom Großteil der bayerischen Bevölkerung begeistert begrüßt.[73]

Die Ovationen, die Hindenburg auf seiner Rundreise in der östlichsten Provinz des Reiches dargebracht worden waren, konnte man noch damit erklären, daß der »Sieger von Tannenberg« dort gewissermaßen ein Heimspiel hatte. Doch daß auch die katholische Bevölkerung in Bayern Hindenburg zujubelte, zeugt von der milieuübergreifenden Verehrung, die ihm schon während des Weltkrieges in Bayern zuteil geworden war. Hindenburg ließen die Erfahrungen seiner beiden ausgedehnten Reisen nicht kalt; sie hatten ihm vor Augen geführt, daß ein symbolischer Zauber weiterhin seinen Namen umgab. Er war in der Lage, zwei kulturell sehr weit auseinanderliegende Landesteile unter dem Motto nationaler Einheit zusammenzuführen.[74] Daher nimmt es gar nicht wunder, daß sein Name hoch gehandelt wurde, als sich 1922 die zwei Jahre zuvor wegen des Kapp-Lüttwitz-Putsches verschobene Volkswahl des Reichspräsidenten ankündigte.[75]

Mittlerweile war eine gesetzliche Grundlage für die Wahl des Reichspräsidenten geschaffen worden, allerdings oblag es dem Reichstag, den Termin für die

Volkswahl festzulegen. Anfang Oktober 1922 zeichnete sich eine Mehrheit der Parteien für einen Wahltermin im Dezember dieses Jahres ab. Für diesen Fall stand die DNVP schon in den Startlöchern, um Hindenburg erneut als Kandidaten ins Spiel zu bringen.[76] Doch dieser Plan scheiterte an der DVP, die beim ersten Mal noch zusammen mit den Deutschnationalen die Hindenburg-Kandidatur propagiert hatte. Die Stresemann-Partei setzte nun aus parteitaktischen Gründen statt auf eine baldige Volkswahl auf eine Verlängerung der Amtszeit Eberts bis zum 30. Juni 1925. Dazu war eine verfassungsändernde Zweidrittelmehrheit im Reichstag und damit auch die Zustimmung der Deutschen Volkspartei erforderlich, die als Gegenleistung eine Verbreiterung der Regierungsbasis nach rechts unter Einschluß der DVP verlangen konnte. Dieses Vorhaben stieß auf Resonanz bei den Regierungsparteien, die entweder eine Aufnahme der DVP in die Regierung als Gegengewicht zur SPD befürworteten oder – wie die SPD selbst und die beiden katholischen Parteien – in Hindenburg einen sehr aussichtsreichen Bewerber erblickten, der gerade beim katholischen Bevölkerungsteil mit Zustimmung rechnen könnte, falls kein katholischer Präsidentschaftskandidat zur Verfügung stand.[77] Am 24. Oktober 1922 kam der politische Handel zustande, der die Amtszeit des amtierenden Reichspräsidenten bis zur Mitte des Jahres 1925 verlängerte und im Gegenzug für die DVP den Weg in die Regierung freimachte.[78] Damit hatten sich Hindenburgs Aussichten, bei einer Volkswahl des Reichspräsidenten anzutreten, zum zweiten Mal zerschlagen. Beim dritten Mal hingegen sollte es soweit sein.

*Wahlkampfauftritt Hindenburgs in der Stadthalle Hannover anläßlich der
Reichspräsidentenwahl, 19. April 1925*

KAPITEL 17

Wahl zum Reichspräsidenten

Die Wahl Hindenburgs zum Reichspräsidenten ist ein an Bedeutung kaum zu überschätzender Einschnitt in der Geschichte der Weimarer Republik. Gewiß führt von dieser Zäsur kein gerader Weg zum 30. Januar 1933, der Auslieferung der Regierungsmacht an Hitler. Aber mit Hindenburg berief die Mehrheit der Wähler einen Mann an die Spitze des Staates, der ein zumindest ambivalentes Verhältnis zu den demokratischen Institutionen dieses Staatswesens unterhielt und der innerlich nie auf dem Boden des demokratischen Verfassungsstaates stand, auch wenn er sich in formaler Hinsicht lange Zeit durchaus pflichtschuldig an die geltenden Verfahrensregeln hielt, ohne allerdings ihren Geist zu erfassen. Welche politische Hypothek die Republik sich mit der Wahl Hindenburgs aufgeladen hatte, sollte spätestens 1930 offenkundig werden, als das demokratische Staatswesen in schweres Fahrwasser geriet und die Navigationskunst eines zuverlässigen Steuermanns dringend nötig gewesen wäre. Doch in ihrer Existenzkrise fehlte der Weimarer Republik ein fester und zuverlässiger präsidialer Rückhalt.

Daher muß die bohrende Frage lauten, warum Hindenburg sein Pensionärsdasein in Hannover freiwillig gegen das entbehrungsreiche Amt des Reichspräsidenten eintauschte, obgleich sein symbolisches Kapital darunter nur leiden konnte. Im April 1925 konkurrierte Hindenburg erstmals unter Wettbewerbsbedingungen um ein politisches Amt. Der knappe Ausgang dieser Wahl verdeutlicht, daß ihm dieses nicht ohne weiteres in den Schoß fiel. Warum also strebte Hindenburg überhaupt nach dem höchsten Staatsamt und ging das Wagnis einer Wahlniederlage ein? Um darauf eine Antwort zu finden, muß man zunächst auf die Rahmenbedingungen eingehen, unter denen die Auswahl der Kandidaten erfolgte.

Ein bewährtes Muster für die Kandidatenkür gab es nicht, da mit der Volkswahl des Reichspräsidenten Neuland betreten wurde. Ebert war noch von der Nationalversammlung zum vorläufigen Reichspräsidenten gewählt worden. Der Reichstag hatte dann 1922 seine Amtszeit bis zum 30. Juni 1925 verlängert. Ein eingespieltes Verfahren zur Bestimmung der Kandidaten für eine Volkswahl stand mithin nicht zur Verfügung, wenngleich es Anfang 1920 bekanntlich politische Absprachen zwischen den Parteiführern von DNVP und DVP zugunsten der Kandidatur Hindenburgs gegeben hatte. Doch dann war der antizipierte Fall einer Volkswahl gar nicht eingetreten. Im Jahr 1925 war der Modus der Kandidatenfindung viel komplizierter als bei dem 1920 ansatzweise erprobten Verfahren, da diejenigen politischen Kräfte, die Hindenburg damals auf den Schild zu heben versucht hatten, nun divergierende Interessen ausgleichen mußten. Hindenburgs Name wurde zwar auch im Februar und März 1925 wieder genannt, aber er fiel zunächst den politischen Abwägungen in dem für die Kandidatenauswahl zuständigen Gremium zum Opfer.

Bereits vor dem überraschenden Tod des bisherigen Amtsinhabers Ebert, der am 28. Februar 1925 an einer verschleppten Blinddarmentzündung starb, hatte sich ein Organ herausgebildet, das für die Kandidatenkür zuständig sein sollte: der sogenannte Loebell-Ausschuß. Treibende Kraft war der Präsident des »Reichsbürgerrates«, der ehemalige preußische Innenminister Friedrich Wilhelm von Loebell, der mit dem bis dahin relativ unbedeutenden Reichsbürgerrat das Ziel verfolgte, eine gegen die Sozialdemokratie gerichtete bürgerliche Einheitsfront aller sogenannten bürgerlichen Parteien zu bilden.[1] Da aber die politischen Inhalte von liberaler DDP und sozialkatholischer Zentrumspartei kaum auf einen gemeinsamen Nenner mit denen der beiden Rechtsparteien DNVP und DVP zu bringen waren, blieb die antisozialistische Sammlung des Bürgertums lediglich eine Idee, bis die nahende Reichspräsidentenwahl erstmals realistische Aussichten auf die Formierung eines solchen geschlossenen Bürgerblocks bot. Denn das geltende Wahlverfahren, wonach im zweiten Wahlgang die relative Mehrheit der abgegebenen Stimmen ausreichte, legte es nahe, die ansonsten zersplitterten Kräfte der »bürgerlichen« Parteien zu bündeln und sich bereits im Vorfeld auf einen gemeinsamen Kandidaten zu einigen, der in der Lage war, dem sozialdemokratischen Bewerber Paroli zu bieten. Die Erfolgsaussichten für eine solche Einheitskandidatur waren auch dadurch gewachsen, daß sich die DVP mit der bestehenden Staatsform ausgesöhnt hatte und auch die DNVP sich zumindest zögernd auf die republikanische Ordnung zubewegte und als Zeichen dieser Annäherung im Januar 1925 erstmals Regierungsverantwortung auf Reichsebene übernommen hatte. Die seit dem 15. Januar 1925 amtierende Reichsregierung unter dem parteilosen Kanzler Hans Luther umfaßte Vertreter der DDP, der Zentrumspartei, der Bayerischen Volkspartei (BVP), der DVP und der DNVP. Warum sollten die Parteien, die gemeinsam am Kabinettstisch saßen, sich nicht auf einen gemeinsamen Präsidentschaftskandidaten einigen können?[2]

Der Präsident des »Reichsbürgerrates« suchte die Gunst der Stunde zu nutzen und lud am 12. Februar 1925 Vertreter des gesamten politischen Spektrums rechts von der SPD mit Ausnahme der rechtsextremen Deutschvölkischen ein. Man einigte sich darauf, daß die Kandidatenkür von einer neunköpfigen Findungs-kommission vorgenommen werden sollte, die Loebell auf den schönen Namen »Kurfürstenkollegium« taufte und die neben den Vertretern aller bürgerlichen Parteien – mit Ausnahme der nicht geladenen DDP – auch Repräsentanten des »Reichslandbundes«, des Bankenwesens, der Großindustrie und der paramilitärischen »Vaterländischen Verbände« umfaßte.[3] Auch wenn Zentrumspartei und BVP aus dem Gremium bald wieder ausschieden, weil sie sich nicht ins politische Schlepptau der Deutschnationalen begeben und sich ihrer Handlungsfreiheit in der Präsidentenfrage nicht berauben lassen wollten, verwandte der Loebell-Aus-schuß viel Mühe darauf, einen Kandidaten ausfindig zu machen, dessen Persönlichkeit Gewähr für einen Wahlerfolg bot. Wäre Hindenburg unter solchen Umständen nicht der ideale Kandidat gewesen?

In der Tat wurden vor allem bei den Deutschnationalen bald Stimmen laut, die unter Berufung auf Hindenburgs Bereitschaft zur Kandidatur im Jahre 1920 den Namen des Feldmarschalls ins Spiel brachten. Vor allem der DNVP-Parteivorsit-zende Winckler favorisierte die Aufstellung Hindenburgs und wußte sich darin einig mit vielen seiner Parteifreunde.[4] Doch im Unterschied zu 1920 mußte diese Kandidatur das Nadelöhr des »Loebell-Ausschusses« passieren, und da zeigte sich rasch, daß Hindenburg bei den dort versammelten politischen Kräften keineswegs unumstritten war. Die Bedenkenträger kamen vornehmlich aus den Reihen der in den Vaterländischen Verbänden stark vertretenen Ultramonarchisten, die es Hindenburg nicht verziehen, daß er am 9. November 1918 nicht bis zum Letzten für den Kaiser eingetreten war und sich danach in den Dienst der Republik gestellt hatte.[5] Viele Hindenburg-Anhänger wollten es zudem zu keiner Kampfabstim-mung kommen lassen, die sie für unangemessen hielten. Vor allen Dingen aber wollten sie Hindenburg für den zweiten Wahlgang in Reserve halten,[6] der nötig wurde, wenn kein Bewerber im ersten Wahlgang die absolute Mehrheit der abgege-benen Stimmen auf sich vereinigte.

Solche taktischen Winkelzüge wären durchkreuzt worden, wenn sich die »bür-gerlichen« Parteien gemäß der ursprünglichen Zielsetzung des Loebell-Ausschusses für den ersten Wahlgang doch noch auf einen Einheitskandidaten geeinigt hätten. Ein von DDP, Zentrum, BVP, DVP, Wirtschaftspartei und DNVP gemeinsam getra-gener Kandidat hätte mit ziemlicher Sicherheit die erforderliche absolute Mehrheit der Stimmen errungen, wenn man vom Abschneiden dieser Parteien bei den Reichstagswahlen im Dezember 1924 ausgeht. Da die Milieugrenzen relativ verfestigt waren, konnten die Kandidaten – mit einer bezeichnenden Ausnahme – kaum kraft ihrer Persönlichkeit über die eigene politische Herkunftswelt hinaus strahlen und in nennenswertem Maße Stimmen aus fremden Milieus gewinnen. Am 12. März 1925 schien für einen Moment eine Einheitskandidatur in greifbare Nähe zu rücken, da man einen Mann gefunden hatte, der das Anforderungsprofil bestens erfüllte: Reichswehrminister Otto Geßler. Als Mitglied der DDP war ihm die Unterstützung der Liberalen gewiß. Auf das Wohlwollen des Zentrums konnte er rechnen, weil er das für die Partei des politischen Katholizismus wichtigste Kriterium erfüllte: Er gehörte der katholischen Kirche an. Für die bayerische Variante des politischen Katholizismus, die BVP, war mindestens ebenso wichtig die landsmannschaftliche Verbundenheit mit dem aus dem bayerischen Allgäu stammenden Süddeutschen. Und bis weit nach rechts hatte Geßlers Name einen guten Klang, weil er als Wehrminister die Interessen der bewaffneten Macht energisch vertreten hatte. Alles schien am 12. März 1925 auf eine bürgerliche Sammelkandidatur Geßler hinauszulaufen,[7] bis ein Parteiführer sein Veto einlegte: Gustav Stresemann.

Der Reichsaußenminister schob außenpolitische Gründe vor, um die Geßler-Kandidatur abzuwenden: Ein ehemaliger Reichswehrminister als Reichspräsident würde im Ausland, speziell in Frankreich, enorme Bedenken hervorrufen. Doch der eigentliche Grund war, daß Stresemann einen ihm verpflichteten Kandidaten durchsetzen wollte; und dies war sein Parteifreund Jarres und nicht sein Kabinettskollege Geßler. Zudem dürfte dem begnadeten Strategen Stresemann gar nicht so unwohl bei der Vorstellung gewesen sein, daß der von der Rechten unterstützte Kandidat bei den Wahlen durchfiel. Denn ein solcher Wahlausgang sicherte der DVP politische Handlungsfreiheit nach links und kettete sie nicht an die Deutschnationalen.[8] Indem er Jarres durchsetzte, sprengte Stresemann die bürgerliche Einheitskandidatur, da dieser westdeutsche Protestant und industrienahe Bürgermeister von Duisburg weder für den politischen Katholizismus noch für die DDP akzeptabel war, so daß diese Gruppen schließlich im ersten Wahlgang mit eigenen Kandidaten antraten und Jarres ausschließlich mit Unterstützung der im Loebell-Ausschuß verbliebenen politischen Kräfte kandidierte, die sich nun hochtrabend »Reichsblock« nannten. Da auf diese Weise die Zahl der Kandidaten auf insgesamt sieben anwuchs, konnte keiner die im ersten Wahlgang erforderliche absolute Mehrheit gewinnen, womit es zu einem zweiten Urnengang kam, für den auch völlig neue Bewerber zugelassen waren. Nun konnte der Name Hindenburg erneut – und diesmal mit durchschlagendem Erfolg – ins Spiel gebracht werden. Doch das geschah erst, nachdem die »bürgerliche« Einheitskandidatur gescheitert war. Insofern hat Stresemann als unfreiwilliger Geburtshelfer der Reichspräsidentschaft Hindenburgs gewirkt.

Karl Jarres schlug sich mehr als achtbar beim ersten Wahlgang und lag mit knapp 39 Prozent der abgegebenen Stimmen fast zehn Prozent vor dem Zweitplazierten, dem sozialdemokratischen Bewerber Otto Braun. Er hatte damit das Wählerpotential auf der Rechten fast komplett ausschöpfen können, obwohl sich mit General Ludendorff ein Weltkriegsheros für die Völkischen um das höchste Staatsamt bewarb, der aber mit lediglich 1,1 Prozent Stimmenanteil ein Debakel erlebte.[9] Die einfache arithmetische Rechnung ergab allerdings, daß Jarres im zweiten Durchgang, selbst wenn er alle Ludendorff-Stimmen auf sich vereinigte, nicht als Sieger durchs Ziel gehen würde, wenn sich die links von der DVP angesiedelten Parteien auf einen gemeinsamen Kandidaten für den zweiten Wahlgang verständigten und dort die Stimmenübertragung reibungslos funktionierte. Nach einigem Hin und Her einigten sich Zentrum, SPD und DDP Anfang April 1925 darauf, den im ersten Wahlgang bereits angetretenen Zentrumsvorsitzenden Wilhelm Marx als Bewerber für den zweiten Wahlgang zu präsentieren. Diese Übereinkunft war ein politisches Tauschgeschäft, weil im Gegenzug für die sozialdemokratische Unterstützung von Wilhelm Marx die Zentrumsfraktion im preußischen Landtag den ehemaligen SPD-Präsidentschaftskandidaten Otto Braun zum preußischen Ministerpräsidenten wählte.[10] Ob aber der rheinische Katholik Marx, ein redlicher und pflichtbewußter Mann ohne persönliche Ausstrahlung, alle auf Otto Braun und den liberalen Kandidaten Hellpach entfallenen Stimmen im zweiten Wahlgang auf sich vereinigen konnte, erschien dann fraglich, wenn der »Reichsblock« für den entscheidenden Durchgang einen neuen Kandidaten auf den Schild hob, dessen politische Ausstrahlung die im ersten Wahlgang offenkundig gewordenen Milieugrenzen überschritt. Die Karten wurden auch dann neu gemischt, wenn es diesem neuen Bewerber durch seine Popularität gelang, im Lager der Nichtwähler für einen Mobilisierungsschub zu sorgen, was bei der geringen Wahlbeteiligung von knapp 69 Prozent im ersten Wahlgang nicht aussichtslos war. Sollte der neue Name schließlich noch in Bayern einen guten Klang besitzen, dann konnte sogar auf Unterstützung durch die BVP gehofft werden, deren Beziehungen zur Zentrumspartei gespannt waren, weil die BVP über die in Preußen wieder einmal manifest gewordene enge politische Zusammenarbeit zwischen Zentrum und SPD verärgert war und dazu neigte, aus der konfessionellen Solidarität mit dem Katholiken Marx auszuscheren und sich im zweiten Wahlgang für einen Bewerber zu entscheiden, der nicht von der verhaßten Sozialdemokratie mitgetragen wurde.

Dieses Anforderungsprofil traf auf keinen so optimal zu wie auf Paul von Hin-

denburg. Insofern war es keine Überraschung, daß er unmittelbar nach dem
29. März als neuer Kandidat des »Reichsblocks« hoch gehandelt wurde und man
Werber nach Hannover sandte, um Hindenburg für eine Kandidatur zu gewinnen.
Der hier und da verbreitete Eindruck, dieses heftige Werben sei gegen den Willen
des Feldmarschalls erfolgt, ja, man habe ihn mit dieser Angelegenheit gewissermaßen überfallen, trügt.[11] Denn Hindenburg hatte bereits *vor* dem ersten Wahlgang Signale ausgesandt, daß er sich unter bestimmten Umständen sehr wohl eine
Kandidatur für den entscheidenden Durchgang vorstellen könne. Wie jeder klar-
blickende Politiker hatte auch Hindenburg nicht mit der absoluten Mehrheit
für Jarres im ersten Wahlgang gerechnet. Ungeachtet dessen hatte er sich pflichtschuldig in die Wahlkampagne des »Reichsblocks« einspannen lassen und den von
Loebell ausgearbeiteten Wahlaufruf zugunsten von Jarres mit unterzeichnet.[12]
Und er hatte seinem alten Mitstreiter Ludendorff in deutlichen Worten zum Rücktritt von der aussichtslosen Kandidatur geraten, um dem politisch unbedarften
General eine Blamage zu ersparen und zugleich eine Zersplitterung des »nationalen Lagers« zu verhindern.[13] Hindenburg drängte es nicht zur Reichspräsidentschaft, aber indem er einem Vertrauten kundtat, er würde das Präsidentenamt
»unendlich ungern übernehmen«,[14] gab er indirekt zu verstehen, daß er unter
ganz bestimmten Umständen die Kandidatur nicht ausschlagen würde. Das kam
einer mehr oder minder deutlichen Einladung gleich, nach dem ersten Wahlgang
Hindenburgs Bereitschaft erneut auszuloten. Der Feldmarschall ließ sogar durchblicken, daß er es den »nationalen Kräften« ein wenig verübelte, daß sie in Sachen
Reichspräsidentschaft noch gar nicht bei ihm vorstellig geworden waren.[15] Er wäre
schon gerne gefragt worden, auch wenn er für den ersten Wahlgang gewiß abge-
wunken hätte.

Hindenburg hatte durch gezielte Auskünfte an die Adresse ihm persönlich ver-
bundener deutschnationaler Politiker dafür gesorgt, daß er sich nach dem 29. März
1925 vor Anfragen von dieser Seite kaum noch retten konnte. Er hatte sich in die
Situation des Umworbenen hineinmanövriert, der sich seine Entscheidungsfrei-
heit bewahrt hatte und die politischen Bedingungen für eine eventuelle Annahme
der Kandidatur diktieren konnte. Der Loebell-Ausschuß war damit zum Statisten
degradiert: Sagte Hindenburg ja, dann war es nur noch eine Formsache, daß ihm
der »Reichsblock« auch offiziell die Kandidatur antrug; entschied er sich für ein
Nein, dann mußte man das ebenso hinnehmen. Hindenburg hat sich mithin keiner institutionalisierten Form der Personalauswahl unterworfen. Bis zu seinem
Ausscheiden als Reichspräsident sollte er stets die Entscheidungshoheit in Personalfragen für sich reklamieren.

Hindenburgs Votum hing nicht zuletzt davon ab, wie geschickt es die Werber anstellten, ihn von der Notwendigkeit zu diesem Schritt zu überzeugen. Der kommissarische Parteivorsitzende der DNVP, der konservative Gutsbesitzer Johann Friedrich Winckler, faßte diese Aufgabe mit dem nötigen psychologischen Einfühlungsvermögen an. Keinesfalls sollte zuerst eine parteioffizielle Delegation bei Hindenburg anklopfen, weil dies den Eindruck erwecken konnte, er würde nur von einer Partei nominiert werden. Der DNVP-Parteivorsitzende wollte sich vielmehr ganz im Hintergrund halten und ausgewählte Persönlichkeiten vorschicken, die das Eis brechen sollten. Als sich am 1. April die erste deutschnationale Abordnung nach Hannover aufmachte, war deren Zusammensetzung sorgfältig ausgewählt: Mit dem aus der Nähe Hannovers stammenden Landtagsabgeordneten von Ditfurth wurde ein Mann zu Hindenburg geschickt, der bereits einige Tage zuvor erste Sondierungen auf noch rein privater Basis angestellt hatte. Ihn begleitete der Pommer Hans Schlange-Schöningen, der Hindenburg im Unterschied zu Ditfurth zwar persönlich überhaupt nicht bekannt war, der diesem aber durch sein Alter – er war 38 Jahre alt – signalisieren sollte, daß die junge Generation den greisen Feldmarschall als Hoffnungsträger empfand. Schlange war sozusagen die personifizierte Bestätigung für Hindenburgs politische Grundmelodie, daß Deutschland nur gemeinsam mit der Generation der Frontkämpfer wieder aufgebaut werden könne.[16]

Das erste Anklopfen bei Hindenburg hatte insofern Erfolg, als dieser seine prinzipielle Bereitschaft zur Kandidatur signalisierte. Denn als Ditfurth am 4. April und der in Hannover wohnhafte deutschnationale Reichstagsabgeordnete Otto Schmidt zwei Tage später nachbohrten, indem sie Hindenburg im Auftrag der DNVP die Kandidatur antrugen, hatten sie diesen bereits so weit gewonnen, daß nur noch die offizielle Anfrage des »Reichsblocks« erfolgen mußte. Jarres selbst war dazu ausersehen, dem Feldmarschall die Kandidatur im Namen des »Reichsblocks« anzutragen.[17] Doch dann sollten am Abend des 6. April zwei Emissäre der Deutschen Volkspartei Hindenburgs Entschluß ins Wanken bringen und damit offenbaren, wie ungefestigt Hindenburgs Meinung noch war. Stresemann hatte alles aufgeboten, um durch zwei Hindenburg persönlich bekannte DVP-Politiker auf den Feldmarschall einzuwirken. Gegen 18 Uhr erschienen vor Hindenburgs Haustür der Landtagsabgeordnete Wilhelm Spickernagel und Hannovers Oberstadtdirektor Heinrich Tramm, dem Hindenburg ja seit Weltkriegszeiten überaus eng verbunden war. Tramm traf Hindenburgs sensibelste Stelle, so daß dieser tags drauf dem »Reichsblock« telefonisch seinen Rückzug von der Kandidatur bekanntgab.[18] Tramm hatte nämlich auf die Folgen für das Ansehen des Feldmarschalls hingewiesen, wenn der Wahlkampf um das Reichspräsidentenamt erbittert ausgetragen

würde. »Der Feldmarschall würde in der gemeinsten Weise durch den Schmutz gezogen werden.«[19] Diese wohlmeinend geäußerten Bedenken ließen Hindenburg
an der Richtigkeit seiner Entscheidung zweifeln. Zwei Seelen rangen in seiner
Brust: Von politischer Warte aus winkte die Aussicht, vom höchsten Staatsamt aus
die von ihm immer wieder beschworene »nationale Wiedergeburt« selber vorantreiben zu können; doch Hindenburg schreckte davor zurück, wenn sein Mythos
dabei Schaden zu nehmen drohte. Die mit einer Kandidatur verbundenen möglichen schädlichen Auswirkungen auf den auf fast wundersame Weise durch die
Kriegsniederlage hindurch geretteten Hindenburg-Mythos legten wieder einmal
das strukturelle Spannungsverhältnis frei, das zwischen Hindenburgs legitimen
persönlichen Interessen an einer Pflege seines öffentlichen Ansehens und staatspo-
litisch gebotenen Notwendigkeiten bestand und das knapp acht Jahre später maßgeblich zu der Entscheidung vom 30. Januar 1933 führen sollte.

Die Güterabwägung zwischen diesen beiden Aspekten zog sich im April 1925
für längere Zeit hin. Als Hindenburg am Vormittag des 7. April anscheinend endgültig von der Kandidatur Abstand genommen hatte, war sein letztes Wort in dieser Angelegenheit freilich noch nicht gesprochen. Denn die Deutschnationalen
schickten ein neues Aufgebot nach Hannover, dem Hindenburg unmöglich die
Tür weisen konnte. Mit Großadmiral Tirpitz, Mitglied der DNVP-Reichstagsfraktion, stand ein geradezu idealer neuer Werber bereit: ein dem Feldmarschall rangmäßig Ebenbürtiger, der Hindenburg persönlich zwar nur flüchtig kannte, aber
dafür den persönlichen Zugang zu ihm erzwingen konnte. Tirpitz wurde bei seinem
Überraschungsbesuch in Hannover flankiert von seinem Fraktionskollegen Walter
von Keudell, der als Landwirt und Vertreter der jüngeren Generation ähnlich wie
Schlange-Schöningen ein paar Tage zuvor Hindenburg signalisieren sollte, daß die
junge Generation im Feldmarschall *den* politischen Hoffnungsträger erblickte.[20]

Tirpitz und Keudell nahmen den D-Zug nach Hannover und wurden noch am
frühen Abend des 7. April 1925 von Hindenburg empfangen. Mit vereinten Kräften
gelang es den Werbern, die durch ihren Fraktionskollegen Otto Schmidt noch Verstärkung erhielten, Hindenburg von seiner Absage abzubringen: Falls der »Reichsblock« Jarres endgültig fallenließe und Hindenburg einmütig nominierte, würde
dieser sich der Aufforderung zu einer Kandidatur vermutlich nicht länger entziehen.[21] Damit war die Entscheidung an den Loebell-Ausschuß zurückverwiesen,
der sich der neuen Lage natürlich nicht zu entziehen vermochte. Hindenburg hatte
einen eindeutigen Wink gegeben, und so blieb selbst den DVP-Vertretern im Loebell-Ausschuß nichts anderes übrig, als die Waffen zu strecken. Stresemann ließ
zwar durchblicken, »die Candidatur Hindenburgs sei für ihn eine Niederlage«,[22]

aber es war völlig unvorstellbar, daß die Deutsche Volkspartei, die Hindenburg 1919/20 zur Kandidatur gedrängt hatte, sich nun dem doch recht eindeutig artikulierten Wunsch des Feldmarschalls entzog, indem sie ein Veto einlegte. Am 8. April 1925 trug der Loebell-Ausschuß Hindenburg einstimmig die Kandidatur an. Kaum etwas deutete darauf hin, wie hart hinter den Kulissen um dieses Votum gerungen worden war.[23] Damit Hindenburg nicht noch im letzten Moment absprang, blieb Tirpitz als »Schildwache«[24] in Hannover zurück, und der mit Hindenburg aus seiner Amtszeit als Staatssekretär des Innern gut bekannte deutschnationale Reichstagsabgeordnete Max Wallraf reiste eigens nach Hannover, um den Feldmarschall darin zu bestärken, daß seine Entscheidung richtig sei.[25]

Damit war die wechselvolle Geschichte der Kandidatur Hindenburgs abgeschlossen. Aus dem verwirrenden Auf und Ab der Geschehnisse den Schluß zu ziehen, Hindenburg sei in der Kandidatenfrage ein Getriebener gewesen und habe sich wetterwendisch der Ansicht seines jeweiligen Gegenübers angeschlossen, wäre indes unzutreffend. Hindenburg besaß zweifellos in dieser für ihn persönlich zentralen Frage erheblichen Beratungsbedarf und hörte sich daher widerstreitende Positionen an, aber nur, um sich dann sein eigenes Urteil zu bilden. Das fiel ihm in diesem Fall nicht leicht, weil im Verlauf weniger Tage die Güterabwägung mal für die eine, mal für die andere Richtung sprach. Aber immer blieb Hindenburg Herr des Verfahrens. Wie professionell er die Chancen und Risiken seiner Kandidatur auslotete, wird auch daran ersichtlich, daß er Clemens Graf Wedel, den Hindenburg seit 1911 aus unzähligen geselligen Runden im Hannoveraner Herrenklub kannte, zu seinem politischen Bevollmächtigten ernannte.

Hindenburg wollte nicht von den Lagebeurteilungen abhängig sein, die ihm die Abordnungen der Parteien bei ihren Besuchen schmackhaft zu machen versuchten. Er wollte sich die Entscheidung nicht aufschwatzen lassen. Daher wurde Graf Wedel beauftragt, zusätzliche Informationen einzuholen.[26] Als Hindenburgs Vertrauter wohnte er fast allen Gesprächen mit Befürwortern und Gegnern der Hindenburg-Kandidatur in der Hannoveraner Villa bei; über ihn lief der Kontakt zum Loebell-Ausschuß, und er besprach sich im politischen Berlin mit Max Wallraf, dem Hindenburg ein unparteiisches Urteil über seine Kandidatur am ehesten zutraute.[27] Wallraf und Hindenburg waren sich dienstlich nähergekommen, als der Kölner Oberbürgermeister im August 1917 Staatssekretär des Innern wurde. Nach dem Weltkrieg betätigte sich der bis dahin parteilose preußische Verwaltungsbeamte dann auf dem Feld der Parteipolitik: Er zog für die DNVP in den Reichstag ein und wurde nach der Reichstagswahl vom Mai 1924 zum Reichstagspräsidenten gewählt.

Hindenburg schätzte an Wallraf nicht nur die Liebe zur Jagd; für ihn war vor allem dessen politischer Rat im April 1925 von unschätzbarem Wert, da Wallraf eine mögliche Kandidatur Hindenburgs nicht aus der allzu engen altpreußisch-konservativen Perspektive betrachtete wie die bislang zu Hindenburg entsandten deutschnationalen Emissäre. Wallraf konnte nämlich ziemlich genau einschätzen, wie das katholische Deutschland außerhalb der altpreußischen Kernlande eine Kandidatur Hindenburgs auffassen würde. Daß dieser in Ostpreußen und Pommern mit großer Mehrheit gewählt werden würde, garantierte noch keinen Sieg bei einer reichsweiten Präsidentenwahl. Der Urkölner und Katholik Wallraf, aus dem rheinischen Bürgertum stammend, konnte einschätzen, wie stark die Anziehungskraft des Namens Hindenburg bei der nicht unbeträchtlichen Zahl der katholischen Wähler war, welche die Zentrumspartei der Linksabweichung bezichtigten und daher bereit waren, sich über Wahlempfehlungen des katholischen Klerus hinwegzusetzen.

Hindenburg verfügte damit über einen Informationsstand, der ihn in die Lage versetzte, sich ein fundiertes Urteil über die Erfolgsaussichten seiner Kandidatur zu bilden. Daß seine Vertrauten ihm nur zuarbeiteten, nie aber seine endgültige Entscheidung zu präjudizieren vermochten, wird durch den für Außenstehende abrupten Sinneswandel am Vormittag des 7. April 1925 schlaglichtartig erhellt. Der gerade von einer Beratung mit Wallraf aus Berlin zurückgekehrte Graf Wedel hatte bereits den Text eines Telegramms an den »Reichsblock« formuliert, in dem Hindenburg die Bereitschaft zur Kandidatur kundtat, falls der »Reichsblock« alle daran geknüpften Bedingungen – einmütige Nominierung; Jarres persönlich sollte Hindenburg die Kandidatur antragen – erfüllte. Doch dann wies Hindenburg den Vorschlag Wedels kurzerhand ab und erklärte zu dessen nicht geringer Verblüffung, daß er sich die Sache anders überlegt habe und von einer Kandidatur Abstand nehme.[28]

Hindenburg konnte ausgesprochen verärgert reagieren, wenn er den Eindruck gewann, daß ihm etwas aufgedrängt wurde. Das sollten in mehr oder weniger deutlicher Weise die Werber beider Seiten zu spüren bekommen, die ihn in Hannover geradezu bestürmten, entweder nein oder ja zur Kandidatur zu sagen. Den beiden DVP-Abgesandten erklärte er klipp und klar: »Ich will mich nicht drängen lassen, sondern schließlich das tun, was ich selbst will.«[29] Und der deutschnationalen Delegation Tirpitz/Keudell bereitete er einen ausgesprochen zornigen Empfang, weil sie ihn umzustimmen und sein Nein in ein mögliches Ja umzuwandeln versuchte. Zwar verschloß Hindenburg sich deren Argumenten am Ende nicht, aber er war verstimmt, weil er den überfallartigen Besuch von Tirpitz als Nötigung empfand.[30] Der herrschaftsgewohnte Hindenburg bestand auf seiner Entscheidungsgewalt; und diesen Stil sollte er auch während seiner Reichspräsidentschaft beibehalten. Hindenburg war beileibe nicht beratungsresistent, aber die von ihm berufenen Ratgeber sollten sich nicht erdreisten, ihre Grenzen zu überschreiten. Insofern verkennen alle, die behaupten, Hindenburg sei gegen Ende seiner Reichspräsidentschaft von einer Kamarilla beherrscht worden, die ihm seine Entscheidungen gewissermaßen diktiert habe, Hindenburgs Herrschernatur.

Daß Hindenburg sich nach einigen Wendungen doch noch zur Kandidatur entschloß, war folglich ausschließlich auf seine eigenen Überlegungen zurückzuführen. Aber welches politische Kalkül bewog ihn, sich auf dieses Unternehmen trotz aller Risiken einzulassen? Die Bedenken Hindenburgs hingen hauptsächlich mit der Rücksichtnahme auf seinen Mythos zusammen. Hindenburg war sich seiner symbolischen Unentbehrlichkeit bewußt, weshalb jede Beschädigung des Hindenburg-Mythos einen nicht nur aus persönlichen Gründen zu vermeidenden Imageschaden darstellte. Durch eine Präsidentschaftskandidatur verursachte Abstriche an seinem Ansehen mußten überdies aus nationalpolitischen Gründen abgewendet werden, da »das deutsche Volk dadurch des Vertrauens zu seiner letzten Säule beraubt wird«.[31] Hindenburgs Sohn Oskar war ganz besonders darauf erpicht, daß der Name Hindenburg von jedem Makel befreit blieb, weil er und das gesamte »Haus Hindenburg« nur der ungeschmälerten Fortexistenz des Hindenburg-Mythos ihre historische Bedeutung verdankten. Daher flehte er Großadmiral Tirpitz bei dessen Besuch in Hannover geradezu an, seinen Vater in Ruhe zu lassen: »Es kann nichts Gutes aus diesem Unternehmen erwachsen. Mein Vater wird auch noch seinen Ruhm als Heerführer verlieren.«[32] Zwar darf man Oskars Rolle, die immer nur die eines manchmal ungebetenen Beraters seines Vaters war, keineswegs überschätzen; aber indem er ein ausgeprägtes Familieninteresse am Weiterleben des Hindenburg-Mythos herauskehrte, zeigte Oskar von Hindenburg sich zweifellos in einem Grundzug seinem Vater ähnlich.

Hindenburg muß bei sorgfältiger Prüfung aller Umstände am 8. April 1925 zu der Einschätzung gelangt sein, daß die auf dem staatspolitischen Gebiet liegenden Chancen die Risiken auf der persönlichen Ebene insgesamt doch überwogen. Daß er nach seinem zweiten Eintritt in den Ruhestand politisch weiter wirken und gestalten wollte, war nicht zu übersehen. Gerade in seinem Hannoverschen Umfeld wußte man, wie sehr es in seinem Innern brannte. Hindenburg hatte schon einmal – von Januar 1915 bis zur Übernahme der Obersten Heeresleitung im August 1916 – erleben müssen, daß er zwar die Verehrung der Bevölkerung genoß, aber politisch kaltgestellt war. Auch nach 1919 wollte er nicht auf eine politisch letztlich folgenlose Symbolfunktion reduziert werden. Ihm lag »keine Rolle weniger als die, gleichsam als Reliquie aufbewahrt zu werden«.[33] Konnte es ein größeres Kompliment für einen fast Achtundsiebzigjährigen geben als das, daß er als einziger Hoffnungsträger für den nationalen Wiederaufstieg gehandelt wurde? »Jetzt soll ich ... wieder mal die Karre aus dem Dreck ziehen.«[34] Hindenburg hat sich nicht zum Amt des Reichspräsidenten gedrängt, aber er nahm die Kandidatur an, weil nach seiner Einschätzung die Erfüllung der unvollendeten Mission der nationalen Einigung von ihm abhing. Am 9. April 1925 teilte er seiner älteren Tochter mit: »Kam überraschend, that es ungern, aber aus Pflichtgefühl! Gott füge alles wieder so, wie es für das Vaterland gut ist!«[35]

Hindenburg wollte nach der Übernahme der Präsidentschaft sein symbolisches Kapital behalten, vielleicht sogar noch vermehren. Dies setzte voraus, daß er sich durch seine Kandidatur nicht persönlichen Attacken solcher Kräfte auslieferte, auf deren Urteil er Wert legte. Im April 1925 sprach alles dafür, daß sein im Ersten Weltkrieg erworbener Nimbus auch eine Wahlkampagne um das Präsidentenamt schadlos überstehen würde. Denn sein einziger ernsthafter Konkurrent war der Zentrumsvorsitzende Wilhelm Marx, den neben seiner eigenen Partei die DDP und die SPD unterstützten. Daß die sozialistische Linke nicht halt vor seiner Person machen würde, nahm er in Kauf. Die Sozialdemokraten rechnete Hindenburg ohnehin nicht zu den »nationalgesinnten Deutschen«,[36] aus deren Hand er Kandidatur und Amt entgegennehmen wollte. Marx aber und die hinter ihm stehenden nichtsozialistischen Unterstützer würden sich aus übergeordneten Gründen jeder persönlichen Kritik an Hindenburg enthalten und auch die diesem zugeschriebenen militärischen Leistungen nicht herabsetzen. Hindenburg lieferte sich also nicht einer kritischen Durchleuchtung seiner militärischen Rolle im Weltkrieg aus, wenn er sich mehr als sechs Jahre nach Kriegsende um das höchste Staatsamt bewarb. Und wenn er wider Erwarten seinem Gegenkandidaten Marx unterliegen sollte, konnte er sich zurückziehen, ohne daß sein Mythos ernsthaft angetastet werden würde.[37]

Darüber hinaus hat Hindenburg selbst politischen Zündstoff aus seiner Kandidatur genommen, indem er jeden demonstrativen Kontakt mit Wilhelm II. vermied. Im Unterschied zu 1920, als er noch beim Ex-Kaiser um dessen Placet angefragt hatte, waren ihm 1925 keine Schritte nachzuweisen, die als Rücksichtnahme auf Wilhelm II. ausgelegt werden konnten. Hindenburg hatte noch im letzten Moment eine ihn möglicherweise kompromittierende Zusammenkunft mit Wilhelm II. vermieden: Ende 1924 hatte ihn der Ex-Kaiser durch einen Mittelsmann nach Doorn eingeladen. Hindenburg war das gar nicht recht, da er befürchtete, daß eine solche

Reise eine ungünstige Außenwirkung habe könnte: »Je mehr ich darüber nachdenke, desto mehr besorge ich, daß in diesem unmöglich geheim zu haltenden Besuch durch die Öffentlichkeit irrtümlich eine beunruhigende politische Handlung erblickt wird trotz aller in Wirklichkeit vorliegenden Harmlosigkeit.«[38] Hindenburg konnte die Einladung jedoch nicht in aller Form ausschlagen, da dies eine Brüskierung des Kaisers gewesen wäre. So bat er den deutschnationalen Fraktionsvorsitzenden Graf Westarp um Vermittlung, doch dieser sprach sich dafür aus, trotz möglicher Mißverständnisse einem Wiedersehen mit Wilhelm II. nicht auszuweichen.[39] Damit war Hindenburg in der Pflicht. Der geplante Besuch hätte Ende März 1925 stattgefunden, wenn er nicht wegen einer Erkrankung von Hermine, der Gemahlin Wilhelms II., verschoben worden wäre.[40] Diese Verschiebung war für Hindenburg ein Glück, weil er damit unbelastet in die Wahlauseinandersetzung im April hineingehen konnte. Öffentlich hatte er sich nicht zugunsten des Hauses Hohenzollern exponiert, und so drohte ihm – sah man von den üblichen Verdächtigen einmal ab – keine unter dem unvorteilhaften Leitthema stehende Wahlschlacht, ob ein in das Präsidentenamt der Republik gewählter ehemaliger königlicher Generalfeldmarschall nicht die Weichen für eine Restaurierung der Monarchie stellen werde.

Schließlich fiel für Hindenburg noch ins Gewicht, daß das Spektrum seiner Unterstützer die herkömmlichen Milieugrenzen sprengte. Zwar war nicht, wie er es gewünscht hatte, »der Ruf aller nationalgesinnten Deutschen«[41] an ihn ergangen, weil die Zentrumspartei aus dem Loebell-Ausschuß ausgeschert und die liberale DDP gar nicht an dem Findungsprozeß beteiligt gewesen war. Aber es war eben auch nicht so, daß Hindenburg nur das politische Fundament seines Kandidatenvorgängers Jarres erbte. Denn es gelang ihm, eine tiefe Bresche in den politischen Katholizismus zu schlagen, weil sich die dezidiert katholische Bayerische Volkspartei nahezu einmütig hinter ihn stellte und auch nicht wenige mit dem Kurs der Zentrumspartei unzufriedene außerbayrische Katholiken öffentlich oder insgeheim dem Sieger von Tannenberg den Vorzug vor dem farblosen Zentrumsvorsitzenden gaben.

Für Hindenburg war die Spaltung des politischen Katholizismus ein Beleg dafür, daß es ihm – und nur ihm – gelingen könnte, parteibildende Fundamentalkonflikte wie den Konfessionsgegensatz durch Unterordnung unter die von ihm definierten nationalen Interessen allmählich zu entschärfen. Insofern stellte das Votum der BVP eine in seinen Augen unentbehrliche Bestätigung dar, daß seine politische Kernbotschaft – die Proklamierung einer Volksgemeinschaft – auf Widerhall stieß.[42] Die Wahlempfehlung der Bayerischen Volkspartei war zwar nicht zuletzt eine Absage an den vermeintlichen Linksdrall der Zentrumspartei. Aber Wilhelm Marx als Exponenten dieser verhaßten Richtung abzulehnen und zur Wahl Hindenburgs aufzurufen, waren zwei verschiedene Dinge. Es war daher vor allem die Wirkung des Namens Hindenburg, der gerade unter der bayerischen Landbevölkerung nichts von seinem Zauber eingebüßt hatte und die BVP davon abhielt, sich im wahlentscheidenden zweiten Durchgang in die Wahlenthaltung zu flüchten.[43] Mit ihrer Hindenburg-Parole erreichte sie zugleich bestimmte katholische Kreise im Rheinland und in Westfalen, die auf ein solches Signal gewartet hatten und nun den Absprung wagten vom Kandidaten des Zentrums zu Hindenburg.[44]

Der Bewerber Hindenburg hatte es nicht nötig, sich wie sein einziger ernstzunehmender Gegenkandidat Wilhelm Marx ins Wahlkampfgetümmel zu stürzen und Wahlreisen durch ganz Deutschland zu unternehmen. Es genügte eine einzige öffentliche Proklamation, welche die Grundmelodie seiner Wahlkamagne anstimmte und die dann von den im »Reichsblock« zusammengeschlossenen Parteien und Organisationen landauf, landab verbreitet wurde. Am 11. April 1925 wandte sich Hindenburg mit einer solchen programmatischen Erklärung an die Öffentlichkeit, die als »Osterbotschaft« in die Annalen einging. Hindenburg überließ bei der Formulierung der »Osterbotschaft« nichts dem Zufall; sie stellte seine politische Visitenkarte dar und wurde dementsprechend von ihm höchstpersönlich entworfen.[45] Allerdings holte sich Hindenburg bei der Formulierung Rat von Max Wallraf, der dafür wie kaum ein zweiter prädestiniert war. Denn der einer Kölner Honoratiorenfamilie entstammende Reichstagspräsident konnte besser als jeder ostelbische Gutsbesitzer oder ehemalige Waffenkamerad Hindenburgs taxieren, ob Hindenburg mit seiner Botschaft auch diejenigen katholischen Kreise in West- und Süddeutschland erreichte, die drauf und dran waren, fahnenflüchtig zu werden und der Wahlparole des Zentrums nicht länger zu folgen. Wallraf begab sich am 9. April 1925 nach Hannover und steckte mit Hindenburg zusammen die Leitlinien der »Osterbotschaft« ab.[46] Diese öffentliche Erklärung war so durchkomponiert, daß sie die Überwindung der die deutsche Nation spaltenden Zwietracht ganz in den Mittelpunkt stellte und damit Hindenburgs symbolische Stärke als Verkörperung des nationalen Einheitswillens ausspielte: »Ich reiche jedem Deutschen die Hand, der national denkt, die Würde des deutschen Namens nach innen und außen wahrt und den konfessionellen und sozialen Frieden will.«[47] Hindenburg vermied es überdies geschickt, sich irgendeine politische Blöße zu geben. In der heiklen Frage der Staatsform hütete er sich ausdrücklich davor, sich in irgendeiner Weise auf die Wiederherstellung der Monarchie festzulegen.

Hindenburg variierte sein Generalthema bei seinem einzigen öffentlichen Auftritt in der Stadthalle Hannover am 19. April, zu dem sich eine gewaltige Schar in- und ausländischer Pressevertreter einfand. Er unterstrich dabei »die Bedeutung des Willens zur Einigkeit, der nichts mit Parteipolitik zu tun hat, sondern dem gesunden Nationalgefühl des deutschen Volkes entspricht«.[48] Darüber hinaus gab er zwei Versicherungen ab, die all jene beruhigen sollten, die Hindenburg in punkto Verfassungstreue und Friedensliebe mißtrauten. Er bekannte sich aus- drücklich zu den verfassungsmäßigen Grundlagen, auf denen das Amt des Reichs- präsidenten ruhte, und betonte insbesondere, daß der von ihm ersehnte Wieder- aufstieg Deutschlands nur mit friedlichen Mitteln zu erreichen sei.[49] Hindenburg präsentierte sich der erwartungsvollen Presse aber auch deshalb persönlich, weil er vor aller Welt demonstrieren wollte, daß er noch lange nicht zum alten Eisen gehörte. Sein fortgeschrittenes Alter sollte im Wahlkampf nicht zur zentralen An- griffsfläche werden: »Ich bin auch nicht der alte Mann im Rollstuhl, wie man das Volk glauben machen will.«[50]

Den Wahlkampf überstand der Hindenburg-Mythos erwartungsgemäß unbe- schädigt. Nur die sozialdemokratische Presse ließ es an Ehrerbietung gegenüber dem Sieger von Tannenberg fehlen, vermied aber frontale Angriffe auf seine Per- son. Hindenburg erschien dort als alter, überforderter Mann, der Wachs in den Händen reaktionärer Berater sei, die ihn als »Statthalter der Monarchie« einsetzen und für ihre Zwecke benutzen wollten.[51] Damit mobilisierte die SPD zwar ihre eigenen Anhänger, die mit erstaunlicher Disziplin den Kandidaten Marx wählten; aber von sozialdemokratischer Seite hatte Hindenburg ohnehin nichts anderes er- wartet. Die übrigen Befürworter der Marx-Kandidatur wagten sich indes nicht an das Denkmal Hindenburg heran und verharrten in ehrfurchtsvoller Verneigung. Der Hindenburg-Mythos strahlte bis zur Zentrumspresse aus, die Hindenburgs militärischen Verdienste in den höchsten Tönen lobte und ihn als »Symbol der Volksgemeinschaft« pries – doch solle man gerade in Anerkennung seiner Verdiens- te den Soldaten Hindenburg nicht auf einen ihm wesensfremden Posten verpflan- zen.[52] Wilhelm Marx vermied jedes böse Wort über den Feldmarschall[53] und ver- suchte sogar dessen Wahlparole zu imitieren, da er sich als eigentlicher Garant der inneren Einheit präsentierte.[54] Doch indem er sich auf das Kernthema der Hin- denburg-Kampagne einließ, mußte er gegenüber diesem Kandidaten verblassen. Der brave und pflichtbewußte Jurist Marx reichte auch nicht im entferntesten an seinen symbolisch erhöhten Konkurrenten heran, erst recht nicht, wenn er dessen Spiel mitmachte und die Schaffung wahrer »Volksgemeinschaft« als zentrale Bot- schaft verkündete.

Das Wahlergebnis der zweiten Runde am 26. April 1925 war eindeutig: Hindenburg erhielt 900 000 Stimmen mehr als Marx, was einem Unterschied von drei Prozent der abgegebenen Stimmen entsprach (48,3 Prozent zu 45,3 Prozent). Der kommunistische Kandidat Thälmann erhielt 6,4 Prozent. Möglicherweise hätte ein Verzicht Thälmanns den Sieg Hindenburgs verhindert, wenn die Thälmann-Wähler aus ähnlichen Gründen wie die sozialdemokratischen Wähler im zweiten Wahlgang für Marx votiert hätten. Der Kandidat Marx vermochte zwar das sozialdemokratische und das zentrumsnahe katholische Milieu hinter sich zu bringen und auch einen Großteil der linksliberalen Wähler auf sich zu vereinigen. Doch diese Mobilisierung der Kernmilieus reichte nicht zum Sieg, weil Hindenburg das Kunststück gelang, die Milieugrenzen zu überwinden. Gewiß lagen die Hochburgen Hindenburgs in den ost- und norddeutschen Kernlanden des protestantischen Konservatismus. Aber seine Wählerschaft war wesentlich größer als die der Rechtsparteien, da Hindenburg in nennenswertem Ausmaß auch süd- und westdeutsche Katholiken für sich gewann. Statt für den guten Katholiken Wilhelm Marx hatte die kirchenfromme bayerische Landbevölkerung auf Empfehlung der BVP mit klarer Mehrheit für den Urprotestanten Hindenburg votiert. Dieses Ergebnis ist ein klares Indiz dafür, daß Hindenburg sich einer engen konfessionellen Zuordnung entzog[55] und seine »Osterbotschaft« in Bayern auf fruchtbaren Boden gefallen war. Überdies schnellte mit seiner Kandidatur die Zahl der Wähler im zweiten Wahlgang enorm in die Höhe; die Wahlbeteiligung stieg um fast neun Prozentpunkte an. Hindenburgs Name lockte Wähler an die Wahlurnen, die ihre Stimme einem Kandidaten geben wollten, der mit dem Anspruch der Überparteilichkeit auftrat und dessen Name alte Parteigrenzen verwischte. Seine Kandidatur bewirkte einen bislang nicht dagewesenen Mobilisierungsschub speziell im politisch fragmentierten protestantischen Bürgertum.[56]

Hindenburg selbst verbrachte den Wahltag auf Groß-Schwülper, dem bei Braunschweig gelegenen Gut seiner Schwiegertochter. Von dort verfolgte er in aller Seelenruhe die Ereignisse und begab sich zur gewohnten Zeit zur Nachtruhe, ohne irgendwelche Notiz von den zuerst zögerlich, dann immer schneller eintreffenden Wahlergebnissen aus allen Teilen des Reiches zu nehmen. Als ihm sein Sohn am nächsten Tag um sieben Uhr morgens mitteilte, daß er die Wahl gewonnen hatte, läutete dies einen neuen Lebensabschnitt ein, auf den Hindenburg zwar nicht zielgerichtet hingearbeitet hatte, der ihm aber auch nicht wider seine innere Überzeugung aufgedrängt worden war.

Vereidigung des Reichspräsidenten Paul von Hindenburg im
Plenarsaal des Deutschen Reichstags am 12. Mai 1925

KAPITEL 18
Weichenstellung im neuen Amt

Am 27. April 1925, also am Tag nach der Wahlentscheidung, begann ein neuer Abschnitt im Leben des mittlerweile siebenundsiebzigjährigen Paul von Hindenburg. Er wurde aus dem Alltag herausgerissen, in dem er sich seit der Niederlegung des Oberbefehls im Juni 1919 eingerichtet hatte. Nun mußte er sich mit einer Aufgabe vertraut machen, die ihm fremder war als alle Posten, die er in seinem langen Leben bekleidet hatte. Bislang hatte er ausschließlich militärische Kommandos übernommen, nun war ihm auf demokratischem Weg das höchste Staatsamt zugefallen. Die neuartige Herausforderung für Hindenburg bestand aber nicht darin, daß er nun ständig mit einer für ihn ungewohnten Sphäre – nämlich der Politik – konfrontiert sein würde; denn mit der Politik hatte Hindenburg es bereits seit 1914/15 zu tun gehabt.

Der Unterschied lag darin, daß Hindenburg sich bis 1919 in politische Angelegenheiten eingeschaltet hatte, ohne dazu durch ein politisches Amt ermächtigt worden zu sein – eben als ein mit charismatischen Weihen Versehener. Mit der Übernahme der Reichspräsidentschaft wandelte sich die Form seines politischen Herrschaftsanspruchs: Sein charismatischer Führungsanspruch wurde zumindest ergänzt, wenn nicht gar überlagert durch die von seinem neuen Amt ausgehende Herrschaftslegitimation. Als Reichspräsident gründete sich Hindenburgs Autorität eben nicht mehr allein auf ihm zugeschriebene außergewöhnliche Fähigkeiten, sondern vor allen Dingen auf die in der Verfassung fixierten Befugnisse des Amtes. Daraus mußte keine Minderung seiner Herrschaft entstehen, wenn es ihm gelang, durch diese neue Amtsautorität seinen Herrschaftsanspruch auf solche politischen Formationen auszudehnen, die der Person Hindenburg nicht ohne Skepsis gegenüberstanden, aber dem Reichspräsidenten Hindenburg gebührenden Respekt erwiesen, falls sich dieser einer überparteilichen Amtsführung befleißigte.

Die Amtszeit Hindenburgs als Reichspräsident bis zum Frühjahr 1933 ist damit geprägt von der wechselhaften und nie spannungsfreien Verschränkung zweier

Herrschaftstypen: der legalen und der charismatischen Form politischer Herrschaft. Als Reichspräsident war Hindenburg eingebunden in eine Verfassungsord-
nung und in die Anordnung des Institutionengefüges, in dem das Präsidentenamt
einen bestimmten Platz einnahm. Er hatte damit grundlegende Verfahrensregeln
zu beachten, wie sie für alle bürokratisch-rationalen Formen politischer Herrschaft gelten.[1] Aber Hindenburg wurde nicht zum Gefangenen dieses Amtes, weil
seine extralegalen Herrschaftsansprüche, die sich aus der ihm attribuierten Kompetenz speisten, nicht mit Übernahme der Reichspräsidentschaft verfielen. Es
stand vielmehr zu erwarten, daß gerade Hindenburg die Befugnisse des Präsidentenamtes in einer beispiellosen Weise würde neu auslegen können. Ihm stand die
Möglichkeit offen, aufgrund seiner zusätzlichen charismatischen Legitimationsressource einen Verfassungswandel zugunsten der Präsidialgewalt herbeizuführen.
Schließlich offerierte allein der bloße Verfassungstext dem Reichspräsidenten eine
Fülle politischer Gestaltungsmöglichkeiten.[2] Überdies gab es dieses Amt noch
nicht einmal sechs Jahre, so daß der zweite Reichspräsident nicht in eine fest etablierte Tradition der Amtsführung eingeschnürt war.

Da Hindenburg mit der Wahl auf unvertrautes Terrain vorstieß, mußte er sich
zunächst einen Eindruck von den Umrissen der neuen Aufgabe verschaffen. Hindenburg griff dabei – wie es seine Art war – auf verschiedene Berater zurück, um
sich nach sorgsamer und abgewogener Prüfung der Situation ein eigenes Urteil bilden zu können. Verständlicherweise kam dabei den Empfehlungen des amtierenden Reichskanzlers Hans Luther besonderes Gewicht zu. Hindenburg war der von
seinem Amtsvorgänger im Januar 1925 ernannte Kanzler persönlich unbekannt.
Politisch lagen zwischen ihm und Luther aber keine Welten, da der parteilose
Reichskanzler einem Kabinett vorstand, dem erstmals in der Weimarer Republik
auch Minister der Deutschnationalen Volkspartei angehörten. Diese Regierungsmitglieder repräsentierten politische Kräfte, denen Hindenburg weltanschaulich
nahestand. Insofern konnte Luther, der Hindenburg vor dessen Vereidigung zweimal besuchte,[3] damit rechnen, daß sein Wort vom künftigen Reichspräsidenten
aufmerksam bedacht werden würde. Hindenburg ließ sich darüber hinaus von
weiteren Politikern informieren, die mit dem höchsten Regierungsamt Erfahrungen gesammelt hatten und von dieser Warte aus beurteilen konnten, welcher politische Gestaltungsspielraum dem Reichspräsidenten bislang zugefallen war. Besonders gute Dienste leistete ihm eine Ausarbeitung des ehemaligen Reichskanzlers
Wilhelm Cuno, die der Generaldirektor der HAPAG-Reederei über einen Mittelsmann Mitte Mai 1925 an Hindenburg weiterleitete. Cuno hatte immerhin neun
Monate als Reichskanzler amtiert und sich dabei einen intimen Einblick in die Ar-

beitsweise des Reichspräsidenten Ebert verschaffen können – nicht zuletzt deswegen, weil er als erster Kanzler eines zumindest verdeckten Präsidialkabinetts wie niemand vor ihm auf das Vertrauen des Reichspräsidenten angewiesen war.[4] Cuno skizzierte in seiner Darstellung in prägnanten Zügen den Politikstil Eberts, den er als geradezu vorbildlich hinstellte. Denn dieser habe »ein praktisches und nachahmenswertes System ausgebildet, das, ohne die Grenzen der Reichsverfassung zu überschreiten, die Befugnisse des Reichspräsidenten stark betonte«.[5] Daraus konnte Hindenburg ableiten, daß er allein schon dann ein starker Reichspräsident werden konnte, wenn er in die Fußstapfen Eberts trat und von dessen Amtsführung lernte. Doch ihm standen zur Durchsetzung seines politischen Führungsanspruchs darüber hinaus ja noch charismatische Ressourcen zur Verfügung, die bei Ebert – einem Prototypen bürokratisch-legaler Herrschaft – niemals auch nur ansatzweise vorhanden waren. Wie stark würde seine Autorität werden, wenn es ihm gelang, neben dem ohnehin starken Gewicht seines Amtes noch die charismatischen Quellen seines Herrschaftsanspruchs auszuschöpfen?

In den ersten Monaten seiner Amtszeit mußte Hindenburg jedoch zunächst einmal in dem ungewohnten Amt Tritt fassen und sich neu orientieren. Vor allen Dingen in personeller Hinsicht waren die Weichen zu stellen und eine Leitung für das Büro des Reichspräsidenten zu bestimmen. Dieses Büro bestand aus einem kleinen Stab: neben dem Büroleiter im Rang eines Staatssekretärs drei Ministerialräte, welche die im engeren Sinne politischen Angelegenheiten bearbeiteten.[6] Der Bestellung eines geeigneten Büroleiters kam herausragende Bedeutung zu, weil sich Hindenburg in der präsidialen Alltagsarbeit auf diesen stützen mußte. Speziell in der Eingewöhnungsphase war er darauf angewiesen, daß eine zuverlässige Vertrauensperson die Geschäfte des Präsidentenbüros reibungslos erledigte. Wenn man zudem noch eine gewisse politische Nähe des obersten politischen Beamten zu seinem Chef als unentbehrlich erachtete, dann konnte eigentlich für den bisherigen Leiter Otto Meißner kein Platz mehr an der Seite des neuen Reichspräsidenten sein.

Otto Meißner war im April 1920 auf diese Position gelangt[7] und galt vor allem den Deutschnationalen als ein Parteigänger der »Linken«, wenngleich er entgegen umlaufenden Gerüchten nicht der SPD angehörte, sondern der liberalen DDP. In jedem Fall gehörte die Ablösung des demokratischer Neigungen verdächtigten Meißner zu den Minimalerwartungen, welche diejenigen an die Reichspräsidentschaft Hindenburgs knüpften, die sich besonders massiv für die Kandidatur des Feldmarschalls eingesetzt hatten. Nicht zuletzt durch die Einwirkung des Hindenburg nahestehenden Vorsitzenden der deutschnationalen Reichstagsfraktion, Kuno

Graf Westarp, sollte der neue Reichspräsident zu einem personellen Revirement an der Spitze seines Büros bewegt werden.[8] Doch selbst eine persönliche Intervention Westarps bei Hindenburg[9] verpuffte, weil der neue Reichspräsident seinen eigenen Kopf besaß und sich keine Trennung von Meißner aufdrängen lassen wollte.

Dabei konnten die Deutschnationalen sogar einen Kandidaten für die Nachfolge Meißners präsentieren, der das persönliche Vertrauen Hindenburgs genoß. Es handelte sich um den Vorsitzenden des deutschnationalen Landesverbandes Hannover-Süd, Otto von Feldmann, der auf den ersten Blick für die Übernahme dieser Position geradezu prädestiniert schien. Der 1919 verabschiedete Oberstleutnant brachte soldatische Erfahrungen mit; sein Weg hatte sich mit dem Hindenburg bereits 1918/19 gekreuzt, als Feldmann der Verbindungsmann der Obersten Heeresleitung zum Kriegsministerium war. Als Leiter der Hannoverschen Nebenstelle des »Reichsblocks« hatte Feldmann während der Wahlkampagne überdies mehrfach Gelegenheit gehabt, mit Hindenburg in näheren Kontakt zu treten.[10] Anfänglich konnte er sich durchaus Hoffnungen machen, Meißner zu beerben, weil ihn der frisch ins Amt eingeführte Reichspräsident mit nach Berlin nahm und ihn dort zur persönlichen Verwendung im Büro des Reichspräsidenten einsetzte.

Zu diesem Zeitpunkt scheint Hindenburg mit einer Doppellösung geliebäugelt zu haben: Meißner sollte im Amt bleiben, weil er in der Phase der Einarbeitung Hindenburgs noch unentbehrlich schien; daneben aber wollte der neue Reichspräsident den Posten eines Privatsekretärs schaffen und durch Feldmann besetzen, um den politischen Einfluß Meißners zu neutralisieren. Der Haushaltsausschuß des Reichstags hatte bereits die Einkünfte des neuen Reichspräsidenten so erhöht, daß sich eine solche ganz zu Hindenburgs persönlicher Verfügung stehende Stelle finanzieren ließ.[11] Doch diese Lösung zerschlug sich, weil Meißner die Degradierung nicht hinnehmen wollte, worauf Feldmann wieder in seine alte Position nach Hannover zurückkehrte. Hindenburg scheint diesen Ausgang begrüßt zu haben, weil er auf diese Weise einen eingespielten Stab übernahm, der ihm bei seiner Akklimatisierung im politischen Berlin gute Dienste leistete. Darüber hinaus hatte er eine Konstellation geschaffen, die ihm die Dienstbeflissenheit Meißners sicherte, der eine Dankesschuld gegenüber seinem neuen Dienstherrn abzutragen hatte. Zugleich war Meißner nun auf die Rolle eines bloßen Zuarbeiters festgelegt, der den neuen Reichspräsidenten in erster Linie in formalen Fragen beraten sollte.[12]

Nicht zuletzt dürfte bei dieser Personalentscheidung eine nicht unmaßgebliche Rolle gespielt haben, daß Hindenburg seine Unabhängigkeit von den Deutschnationalen demonstrieren wollte. Der neue Reichspräsident wollte alle diejenigen

Lügen strafen, die ihn im Wahlkampf zum ausführenden Organ der Rechtskräfte abgestempelt und als Wachs in den Händen deutschnationaler Einflüsterer dargestellt hatten. Die Berufung eines prominenten deutschnationalen Parteipolitikers wie Feldmann zum Leiter des Präsidentenbüros hätte dieser Auffassung neue Nahrung verschafft. Hindenburg legte aber auf nichts so sehr Wert wie auf die volle Souveränität seiner Entscheidungen. Er wollte von niemandem – und stand dieser ihm politisch auch noch so nahe – zu einer bestimmten Aktion genötigt werden. Aus diesen Gründen fügte sich die Übernahme Meißners in seine Generallinie ein.

Wer Hindenburg nur flüchtig kannte und die Illusion hegen mochte, den neuen Reichspräsidenten politisch fernsteuern zu können, den mußte die unveränderte Zusammensetzung des Präsidentenbüros bitter enttäuschen.[13] Wenn gerade die Deutschnationalen gehofft hatten, eine Art Nebenregierung installieren zu können und »gelegentlich in den Nachmittagsstunden zu intimen Besprechungen, auch über die schwebenden politischen Fragen eingeladen zu werden«,[14] so wurden sie schnell eines Besseren belehrt. Sie sollten nicht die einzigen sein, denen die schmerzhafte Erfahrung nicht erspart blieb, daß Hindenburg stets das letzte Wort behielt und sich in kühler Unbeirrtheit in seine Entscheidungshoheit nicht hineinreden ließ.

Wer hingegen den politischen Weg des Feldmarschalls schon seit geraumer Zeit verfolgt hatte und zu seinen wenigen wirklichen Vertrauten zählte, den konnte die Richtung nicht überraschen, die Hindenburg in den ersten Jahren seiner Amtszeit einschlug. Forstrat Georg Escherich, der Jagdbegleiter Hindenburgs seit den Tagen von Bialowieza, benötigte keine prophetischen Gaben, als er schon am 30. April 1925 seinem Tagebuch anvertraut: »Hindenburg wird seinen Weg geradeaus gehen und vielen Enttäuschungen bereiten, die jetzt glauben, daß ihre Zeit gekommen ist. Er wird sicher ein besserer Volks-Präsident werden, als Marx es je hätte sein können.«[15] Bereits in den ersten Erklärungen nach seiner Wahl nahm Hindenburg den roten Faden wieder auf, der sich durch seine »Osterbotschaft« gezogen hatte und der überhaupt das Erkennungszeichen des Politikers Hindenburg war: Er wiederholte seinen Appell an die Deutschen, unter Anknüpfung an den »Geist von 1914« die politischen Gräben zu überbrücken und sich zu einer handlungsfähigen nationalen Einheit zusammenzuschließen.

Bereits im Mai 1925 schälte sich das Amtsverständnis Hindenburgs heraus, das im Kern bis zum Januar 1933 unverändert bleiben sollte. Demnach wollte Hindenburg mit den Mitteln seines neuen Amtes die von ihm unablässig beschworene »Einigung und Sammlung unseres Volkes« vorantreiben, wie er in seiner ersten politischen Proklamation im neuen Amt unmißverständlich ausführte.[16] Als Präsident wollte Hindenburg an seine Symbolkraft anknüpfen, die ihn im Weltkrieg zur Inkarnation der Sehnsucht nach nationaler Vergemeinschaftung hatte aufsteigen lassen: »Das Reichsoberhaupt verkörpert den Einheitswillen der Nation.«[17] Aber damit legte er dem Amt politische Fesseln an, welche die legalen Möglichkeiten seiner Präsidentschaft spürbar einschränkten. Denn wie würde Hindenburg reagieren, wenn sich die sozialen und politischen Gegensätze trotz aller Einheitsappelle zuspitzten und das Staatswesen in schwere Bedrängnis geriet? Würde er in einer solchen Staatskrise seine präsidialen Befugnisse tatsächlich vollkommen ausschöpfen, auch wenn er damit Partei ergriff und das Präsidentenamt in die politische Schußlinie manövrierte? In welche Zwangslage würde er geraten, wenn in dieser schwierigen Situation überdies sein Anspruch auf die Inkarnation politischer Einheit von einem Konkurrenten in Frage gestellt wurde, der es verstand, eine Massenbewegung um seine Person zu scharen, die ihm charismatische Gaben attestierte? War es für Hindenburg dann nicht angebracht, seine präsidiale Autorität ruhen zu lassen, den politischen Rückzug auf Raten anzutreten und dafür wenigstens den symbolischen Anspruch auf Verkörperung des Einheitswillens zu seinen Lebzeiten aufrechtzuerhalten?

Schon das Amtsverständnis, mit dem Hindenburg am 12. Mai 1925 sein erstes politisches Amt übernahm, offenbart die Problematik, die am 30. Januar 1933 ihren markanten Ausdruck fand. Denn wenn sich die aus dem Reichspräsidentenamt erwachsenden Möglichkeiten zur Einheitsstiftung abnutzten, ja wenn sogar ein verstärkter Einsatz der präsidialen Autorität auf Kosten der persönlichen Autorität Hindenburgs ging, dann konnte sich Hindenburg eigentlich nur sukzessive von der legalen Herrschaft absetzen und sich auf die revitalisierbaren charismatischen Wurzeln seiner Autorität zurückziehen.

Als Hindenburg am 11. Mai 1925 Hannover endgültig verließ und den Zug bestieg, der ihn in die Reichshauptstadt bringen sollte, konnte er noch darauf hoffen, vom neuen Amt aus seine politische Mission der nationalen Integration erfolgreich vorantreiben zu können. Geradezu überwältigend waren die Sympathiebekundungen, die ihm auf der Fahrt von Hannover nach Berlin dargebracht wurden. Die Reise glich einer Triumphfahrt, denn Hindenburg nahm an jeder Station ein Bad in der Menge und schüttelte unzählige Hände.[18] Hier hielt kein Parteikandidat Einzug ins höchste Staatsamt, hier wurde vielmehr der neue Reichspräsident von weiten Teilen des deutschen Volkes auf eine Art und Weise bejubelt, die jede parteimäßige Zurechnung sprengte. Neben den Farben des untergegangenen Kaiserreiches war auch Schwarz-Rot-Gold in nennenswertem Umfang vertreten: »Überall auf der langen Strecke ein etwa 20 Glieder tiefes Spalier mit großen und kleinen schwarz-weiß-roten Flaggen, alle Häuser in Fahnenschmuck, teilweise beide Fahnen friedlich vereint, die Fenster und Dächer besetzt, über den Dächern 8 Flieger, dazu fortgesetztes Hurrarufen.«[19] Wenn Hindenburg jemals ernsthaft befürchtet haben sollte, daß er durch seine Kandidatur Gefahr lief, der öffentlichen Mißachtung ausgesetzt zu werden, dann wurden diese Bedenken auf einen Schlag weggewischt. Sichtlich genoß der Feldmarschall-Reichspräsident die ihm dargebrachten Huldigungen.[20]

Am Tag darauf erfolgte der staatsrechtliche Akt, der an die Übernahme des Präsidentenamtes geknüpft war: die Ablegung des Amtseides. Vor dem versammelten Reichstag hatte der Feldmarschall Hindenburg gemäß Artikel 42 der Weimarer Reichsverfassung eine vorgeschriebene Eidesformel zu sprechen und danach als Reichspräsident Hindenburg offiziell in die Dienstgeschäfte einzutreten. Für Hindenburg war diese Vereidigung keine bloße Formsache; vielmehr läßt sich an der Art und Weise, wie das neue Staatsoberhaupt die Eidesformel auffaßte, ablesen, inwieweit die Reichsverfassung sein Handeln als Reichspräsident einschränkte. Denn die Eidesformel nahm ausdrücklichen Bezug auf die Verfassung, indem sie den Reichspräsidenten verpflichtete, »die Verfassung und die Gesetze des Reichs [zu] wahren«.[21] Allerdings handelte es sich dabei um eine schwache Form der eidlichen Bindung an die bestehende Konstitution: Das Staatsoberhaupt schwor im Unterschied zu den Reichsbeamten nicht ausdrücklich »Treue der Verfassung«, sondern band sich eidlich nur an eine allgemein gehaltene Wahrung der Verfassung.[22]

Die konservative Presse hat die Eidesleistung Hindenburgs denn auch so gedeutet, daß sich der neue Reichspräsident mit diesen Worten keineswegs an die republikanische Staatsform gekettet, sondern lediglich gegen eine auf revolutionärem oder putschistischem Wege vorgenommene Umwälzung der politischen Ordnung Stellung bezogen habe.[23] Gewiß war das insoweit richtig, als der Eid Hindenburg keine bejahende inhaltliche Beziehung zur Weimarer Verfassung abverlangte. Zudem fehlte dem Eid, den Hindenburg als Staatsoberhaupt am 12. Mai 1925 ablegte, die Bindungskraft des Fahneneides, den er vor einem Menschenalter, nämlich 1866 anläßlich seines Eintritts in die preußische Armee, geschworen hatte. Dieser verpflichtete zur Treue gegenüber einer Person, nämlich dem »allergnädigsten Landesherrn«, und verlangte dem Treupflichtigen ein höheres Maß an persönlichem Einsatz ab als die rein abstrakte Bindung an eine institutionelle Ordnung.[24] Hält man sich überdies vor Augen, daß der Fahneneid Hindenburg nicht daran gehindert hatte, aus übergeordneten staatspolitischen Gründen Wilhelm II. in die Niederlande abzuschieben, dann kann man sich leicht ausmalen, daß er aus seinem Amtseid keine dogmatische Verfassungstreue ableitete.

Hindenburg betrachtete die Weimarer Verfassung aus einer ganz nüchternen Perspektive: Sie gab die institutionellen Rahmenbedingungen für das Agieren der Verfassungsorgane vor, war aber in vielfacher Hinsicht ein noch unfertiger Rohbau, der durch energisches Handeln des Reichspräsidenten umgestaltet werden konnte. Um zu dieser Ansicht zu gelangen, die im übrigen auch von namhaften Staatsrechtslehrern geteilt wurde,[25] reichte Hindenburg das autodidaktische Studium des Verfassungstextes, den er nach seiner Wahl erworben und Zeile für Zeile durchgearbeitet hatte. Der besseren Orientierung wegen hatte er dabei auf die aus seiner Militärzeit vertraute farbliche Markierung zurückgegriffen: Diejenigen Stellen, an denen der Reichspräsident Erwähnung fand, strich er blau an; nahm der Text auf Reichstag oder Reichsregierung Bezug, unterlegte er sie mit dem für die militärische Gegenpartei reservierten Rotstift.[26] So hatte er unter Verzicht auf Einflüsterungen von deutschnationaler Seite schon im Sommer 1925 ein recht eigenständiges Urteil in grundlegenden Verfassungsfragen entwickelt, das in dem Satz zusammengefaßt werden kann, »daß die Weimarer Verfassung nun einmal da sei und von ihm beachtet werden müsse, daß er sie aber keineswegs als Dogma betrachte und ihren Abbau etappenweise ins Auge fasse«.[27]

Hindenburg hat also schon kurz nach Beginn seiner Amtszeit eine Transformation der Reichsverfassung in Aussicht genommen, wobei der Reichspräsident selbst die treibende Kraft bilden sollte. Er scheint gehofft zu haben, daß die verfassungsmäßigen Möglichkeiten seines Amtes ausreichten, um die politischen Parteien, die für ihn primär Ausdruck eines zu überwindenden politischen Pluralismus waren, allmählich in den Hintergrund zu drängen und die politische Willensbildung beim Reichspräsidenten als Expression nationaler Einheit zu konzentrieren. Ein fertiges Konzept, wie diese Entwicklung en detail zu bewerkstelligen sei, hat Hindenburg aber nicht besessen. Dafür war er mit den verfahrensmäßigen Abläufen des Regierens im Weimarer Staatsgefüge zu wenig vertraut, zudem konnte er das Ausmaß der Befugnisse seines neuen Amtes noch nicht genau genug ausloten. Erst wenn er sich in diesem Amt bewährte, würden sich möglicherweise nach und nach entsprechende Wege auftun.

Auf jeden Fall konnte und wollte Hindenburg die Verfassung nicht einfach aus den Angeln heben, dazu nahm er seinen Amtseid zu ernst. Hindenburg war kein verkappter Revolutionär, der lediglich Kreide gefressen hatte und die nächstbeste Gelegenheit ergreifen würde, seine eidliche Versicherung Lügen zu strafen und einen Umsturz anzuzetteln. Am 12. Mai 1925 hatte Hindenburg seinem Amtseid nicht nur *eine* religiöse Beteuerung hinzugefügt, sondern gleich *zwei* religiöse Zusätze gesprochen: Er schwor »bei Gott dem Allmächtigen und Allwissenden« und fügte am Ende der Eidesformel noch an: »So wahr mir Gott helfe.«[28] Diese von den Zeitgenossen vielbeachtete[29] doppelte religiöse Untermauerung seines Amtseides zeugt zum einen von der tiefen Religiosität des Menschen Hindenburg, der in unerschütterlichem Gottvertrauen die ihm zufallenden Aufgaben in Angriff nahm. Zum anderen ergab sich aus dieser religiösen Verankerung, daß Hindenburg allen politischen Abenteuern und Diktaturplänen abgeneigt war, auch wenn sie ihm von Personen schmackhaft gemacht wurden, die ihm nahestanden.[30] Hindenburg wollte also nicht mit dem Kopf durch die Wand, als er seine Amtsgeschäfte aufnahm; an seinem politischen Gestaltungswillen konnte aber kein Zweifel bestehen.

Empfang des Reichspräsidenten Hindenburg am 21. März 1926 in Köln

KAPITEL 19

Ausloten von Möglichkeiten und Grenzen der Präsidentschaft

Hindenburg trat sein Amt mit dem festen Willen an, von den darin enthaltenen Befugnissen energisch Gebrauch zu machen, um auf diese Weise der inneren Einigung des deutschen Volkes ein erhebliches Stück näherzukommen. Nach der Hälfte seiner Amtszeit gelangte Hindenburg jedoch zunehmend zu der Einsicht, daß mit den ihm zur Verfügung stehenden präsidialen Mitteln keine großen Sprünge zu machen waren. Der Reichspräsident zog daraus den Schluß, eine mit der Verfassung kompatible Ausweitung der Präsidialgewalt etappenweise anzustreben und durch einen intrakonstitutionellen Umbau des Verfassungsgefüges seine Position so zu stärken, daß der Reichspräsident zum institutionellen Kristallisationskern der politischen Sammlung des deutschen Volkes avancierte. Herrschaftstypologisch betrachtet, handelte es sich dabei um den Versuch, durch Konzentration der legalen Herrschaft auf den Reichspräsidenten von Staats wegen die viel beschworene »Volksgemeinschaft« herbeizuführen.

Hindenburg hatte also in seinen ersten Amtsjahren einen Lernprozeß absolviert, der im folgenden systematisch unter die Lupe genommen werden soll. Dies soll dadurch geschehen, daß wir die wichtigsten Politikfelder in den Blick nehmen, in denen sich der politische Gestaltungsanspruch des Reichspräsidenten manifestierte. Die Außenpolitik soll dabei am Anfang stehen.

Der Reichspräsident besaß in der Weimarer Republik eine verfassungsmäßig so herausgehobene Stellung, daß einschlägige verfassungshistorische Studien diesem Staatswesen »Züge einer Präsidialdemokratie« attestieren.[1] Zwar schlugen die Kompetenzen des Reichspräsidenten in der Außenpolitik weniger zu Buche als in der Innenpolitik, aber auch in den auswärtigen Angelegenheiten ließ sich der Reichspräsident keineswegs auf die Funktion als bloß repräsentatives Staatsoberhaupt reduzieren.[2] Artikel 45 der Reichsverfassung gab ihm dazu eine verfassungsmäßige Grundlage an die Hand: Allein der Reichspräsident vertrat das Deutsche Reich in völkerrechtlicher Hinsicht. Diese außenpolitische Kompetenz erschöpfte sich nicht darin, daß der Reichspräsident seine Unterschrift unter völkerrechtliche

Verträge setzte, an deren Entstehung er keinerlei Anteil hatte. Denn indem der
Reichspräsident seinen verfassungsmäßigen Einfluß auf die Zusammensetzung
der Regierung ausübte, konnte er seine politische Handschrift vor allem vermittels
der Auswahl des Reichskanzlers zur Geltung bringen und damit auch eine außenpolitische Richtungsentscheidung verbinden. Hindenburgs Vorgänger Ebert hatte
sich auf diese Weise besonders nachdrücklich in die Außenpolitik eingeschaltet
und vor allen Dingen durch die allein von ihm ausgehende Besetzung des Reichskanzlerpostens mit dem parteilosen Spitzenmanager Wilhelm Cuno im November
1922 ein außenpolitisches Signal gesetzt.[3]

Auch auf die außenpolitische Detailarbeit vermochte der Reichspräsident einzuwirken. Er konnte sich in den Entscheidungsprozeß einklinken, indem er zu Ka-
binettssitzungen erschien, in denen wichtige außenpolitische Sachfragen erörtert
wurden – ein Verfahren, das ebenfalls Reichspräsident Ebert etabliert hatte.[4] Indem er darauf bestand, daß ihm der wichtigste Schriftwechsel zwischen dem Auswärtigen Amt und den deutschen Auslandsvertretungen vorgelegt wurde, gelangte
ein gestaltungsfreudiger Reichspräsident an die Informationen, die nötig waren,
um in dieser Runde mitreden zu können und die Autorität seiner Position durch
Sachargumente zu untermauern.[5] Schließlich verlieh Artikel 46 der Reichsverfassung – Ernennungsrecht für Reichsbeamte – dem Präsidenten bei entsprechender
Auslegung auch noch die Kompetenz, bei der personellen Besetzung der deutschen
Botschaften ein gewichtiges Wort mitzureden.[6]

Die außenpolitische Handschrift eines Reichspräsidenten kam dort besonders
zum Vorschein, wo dieser andere außenpolitische Akzente als der verantwortliche
Fachminister und/oder der Reichskanzler setzte. An einer derartigen Profilierungs-
möglichkeit mangelte es dem Reichspräsidenten Hindenburg aber, weil er in den
wichtigen außenpolitischen Fragen, die in den ersten drei Jahren seiner Amtszeit
anstanden, zwar hier und da die Gewichte anders verteilte, aber letztlich die außenpolitische Linie des Reichsaußenministers Gustav Stresemann unterstützte. Gewiß
störte sich Hindenburg an der aus seiner Sicht eigenmächtigen Art, in der Stresemann die Außenpolitik in seinem Amt zu monopolisieren suchte. Da er aber keine
überzeugende Alternative zur Politik des zuständigen Fachministers präsentieren
konnte, wollte er in punkto Grundanlage der deutschen Außenpolitik nicht intervenieren.[7] Zwar drosselte Hindenburg hier und da einmal das Tempo beziehungsweise forcierte an der einen oder anderen Stelle, aber insgesamt trug er Stresemanns Politik mit.

Hindenburg bekannte sich wie nahezu alle politischen Kräfte in Deutschland
zur Revision des Versailler Vertrags. Daß sie das Deutsche Reich von den ihm in

Versailles auferlegten außenpolitischen Beschränkungen befreien und zumindest einen Teil der territorialen Verluste wettmachen wollten, darin waren sich die deutschen Parteien von links bis rechts einig. Erhebliche Meinungsverschiedenheiten gab es allerdings in der Frage, auf welchem Wege die »Fesseln von Versailles« zu lösen seien. Während die Rechtskräfte in Fundamentalopposition verharrten, betrieb Außenminister Stresemann eine intelligente Revisionspolitik, die sich breiter Unterstützung bis hinein in die Sozialdemokratie erfreute. Er stellte sich auf den Boden des Versailler Vertrages, suchte aber alle sich aus diesem Vertrag ergebenden Möglichkeiten auszuschöpfen, um etappenweise die Einschränkungen der deutschen Souveränität abzubauen und Deutschland als geachtete Macht in den Kreis der Großmächte zurückzuführen.[8] Der Logik der Stresemannschen Außenpolitik vermochte sich auch Reichspräsident Hindenburg nicht zu versagen, zumal er lautstarke Bekenntnisse verletzten Nationalstolzes noch nie als befriedigenden Ersatz für eine die Realitäten in Rechnung stellende Außenpolitik angesehen hatte.[9]

Da Hindenburg sich nur in Nuancen von der Außenpolitik Stresemanns abhob, mag hier ein kursorischer Überblick über die wichtigsten außenpolitischen Etappen genügen, der verdeutlicht, daß Hindenburg nach anfänglicher Skepsis als Reichspräsident eine Außenpolitik begleitete, die mit zunehmender Heftigkeit von seinen alten militärischen Weggefährten als unsoldatisch und unehrenhaft abqualifiziert wurde. Dieses außenpolitische Agieren legt mithin wieder einmal Hindenburgs genuin politischen Kern frei, wobei sich sein Selbstverständnis als Politiker allmählich auch den aus dem neuen Amt erwachsenen Erfordernissen legaler Herrschaft öffnete.

Während der neue Reichspräsident sich noch in die ihm bis dahin wenig vertraute Materie der Außenpolitik einarbeitete, wurde er mit zwei politischen Vorhaben des Reichsaußenministers konfrontiert, die heftigen Widerspruch bei den Rechtskräften hervorriefen und anfänglich auch Hindenburg gar nicht behagten. Zum einen handelte es sich um das Projekt eines Sicherheitspaktes, das vom Auswärtigen Amt seit Januar 1925 lanciert wurde: Man bot an, die deutsche Westgrenze völkerrechtlich anzuerkennen und unter die Garantie der europäischen Großmächte zu stellen. Überdies sollte die im Versailler Vertrag fixierte Entmilitarisierung des Rheinlandes vertraglich bekräftigt werden. Dieses Angebot rief bei der politischen Rechten einen Sturm der Entrüstung hervor, weil das Deutsche Reich damit nicht nur die Beschränkung seiner außenpolitischen Souveränität – Verbot der Stationierung deutscher Truppen in seinen linksrheinischen Territorien – ausdrücklich anerkannte, sondern zugleich auf die im Versailler Vertrag an Frankreich (Elsaß-Lothringen) und Belgien (Eupen-Malmedy) abgetretenen Gebiete ein für allemal verzichtete. Zum anderen war mit dieser deutschen Offerte das Streben nach einer Mitgliedschaft des Deutschen Reiches im Völkerbund verknüpft. Diese auf Initiative des US-amerikanischen Präsidenten Wilson nach dem Ende des Weltkriegs ins Leben gerufene Organisation sollte eine neue, auf friedliche Konfliktregulierung zielende Struktur der internationalen Mächtebeziehungen etablieren.[10] Weite Kreise der deutschen Politik sahen im Völkerbund jedoch ein getarntes Kartell der Siegermächte des Ersten Weltkriegs, die sich dieses neuen Instrumentes bedienen wollten, um die relative Machtlosigkeit des Deutschen Reiches dauerhaft festzuschreiben.

Hindenburg teilte anfänglich viele der hauptsächlich von den Deutschnationalen vorgetragenen Bedenken gegen diese beiden Vorhaben und verhehlte in vertraulichen Äußerungen nicht,»daß er Herrn Stresemann ausgesprochenes Mißtrauen entgegenbringe ... Die Sicherheitspakt-Politik habe Hindenburg durchaus verurteilt und versichert, den Anschluß an den Völkerbund werde er nicht mitmachen.«[11] Doch im Unterschied zu den Deutschnationalen, die wegen dieser beiden Projekte am 23. Oktober 1925 ihre Minister aus der Reichsregierung zurückzogen, erwies sich Hindenburg als lernfähig und schwenkte immer mehr auf die Linie des Außenministers ein. Wie intensiv er sich mit diesen Fragen befaßte, wird schon daran ersichtlich, daß die diesen Themen gewidmeten Kabinettsrunden unter seinem Vorsitz stattfanden.[12] Indem er höchstpersönlich die Besprechungen leitete, bestimmte er den Gang der Diskussion und legte damit auch die Tagesordnung fest. Durch diese intensive Beobachtung, bei der natürlich immer auch ein Hauch von Kontrolle mitschwang, gewann Hindenburg einen tiefen Einblick in die außenpolitischen Realitäten und verschloß sich nicht länger der Einsicht, daß die von Stresemann favorisierte Methode den Verhältnissen angemessen war: Wer die Rückkehr Deutschlands zu machtpolitischer Größe nicht nur in markigen Worten proklamierte, sondern das Deutsche Reich wirklich aus seiner relativen Machtlosigkeit herausführen wollte, mußte einen mühsamen Weg gehen, auf dem erst mittelfristig die angestrebten Erfolge winkten.»Unser Aufstieg muß ein langsamer sein; mit einem Ruck kann es nicht in die Höhe gehen; wir müssen die Leiter mühsam emporklettern und hauptsächlich verhüten, daß wir herunterfallen, weil ein zweites Emporklettern dann kaum noch möglich wäre. Ich hätte auch manches anders gewünscht, aber im ganzen ist wohl nun nichts mehr zu ändern.«[13]

Aber es war nicht nur Hindenburgs Einsicht in die Alternativlosigkeit des eingeschlagenen außenpolitischen Kurses, die zur präsidialen Rückendeckung von Stresemanns Außenpolitik beitrug. Der Reichspräsident hoffte, daß diese Politik letztlich auch den Zusammenhalt im Innern befördern würde. Es ist überaus kennzeichnend, daß Hindenburg seine politische Grundmelodie – die Einigung eines in sich zerrissenen »Volkskörpers« – auch in außenpolitischen Fragen immer wieder anklingen ließ, indem er die Außenpolitik auf ihren funktionalen Wert für die Integration einer fragmentierten Gesellschaft prüfte. Vergemeinschaftende Nebeneffekte waren durchaus zu erwarten: Wenn sich Stresemanns Kurs als Königsweg für den Wiederaufstieg Deutschlands zur Großmacht erwies, dann konnte der Stolz auf die Wiedererlangung der dem Reich gebührenden Stellung einigend wirken.[14]

Hindenburg hegte mithin die Überzeugung, daß der von ihm ständig beklagte Parteienstreit angesichts nationaler Gemeinschaftsaufgaben verstummen würde. Als er am 17. September 1925 nach der Räumung des 1923 von französischen und belgischen Truppen besetzten Ruhrgebiets zur Feier dieses Anlasses die Ruhrgebietsmetropole Essen besuchte, rühmte er den gemeinsamen Abwehrkampf der Ruhrbevölkerung gegen die fremde Besatzung: »Sie haben uns allen ein Beispiel dafür gegeben, daß ein Volk, mag es auch sonst durch Verschiedenheit der politischen Anschauungen, durch Interessenwiderstreit und abweichende Meinungen in sich getrennt sein, sich doch zusammenfinden kann und muß, wenn es um ... seine großen nationalen Güter geht.«[15] Diese politische Botschaft verkündete er erneut, als er am 21. März 1926 zur Feier der Räumung des nördlichen Rheinlandes in der Kölner Messehalle das Wort ergriff. Bei dieser Gelegenheit konnte er schon einen ersten Teilerfolg der von Stresemann verantworteten Außenpolitik verbuchen. Denn zur Räumung des nördlichen Rheinlandes war es erst gekommen, nachdem Hindenburg am 28. November 1925 seine Unterschrift unter die im schweizerischen Locarno ausgehandelten Sicherheitspakt gesetzt hatte, womit das Rheinland seine Funktion als alliiertes Sicherheitspfand einbüßte. Zwar verblieben die alliierten Besatzungstruppen noch in den südlichen Rheinlanden, aber deren Abzug schien durch den Locarnovertrag näher zu rücken, als im Versailler Vertrag vorgesehen. Diese Erfolge sowie die von Hindenburg in seiner Kölner Rede beschworene Treue der rheinischen Bevölkerung zum Reich machten den Reichspräsidenten zuversichtlich, daß sich diese nationale Gesinnung auch auf die inneren Verhältnisse übertragen lassen werde: »Und weiter lassen Sie uns hoffen, daß das deutsche Volk auch über den inneren Zwist und die Fehde des Tages hinweg durch einen neuen Geist brüderlichen Verstehens emporgetragen werde zur Einigkeit und zu starkem gemeinsamen Empfinden seines Volkstums.«[16]

Damit von der Außenpolitik eine einheitsstiftende Wirkung ausgehen konnte, mußte die deutsche Diplomatie nach Hindenburgs Ansicht alles in ihrer Macht Stehende unternehmen und auf dem internationalen Parkett energisch gegen die

»Kriegsschuldlüge« protestieren, das heißt gegen die in Artikel 231 des Versailler Vertrages von den Siegermächten fixierte Feststellung der vermeintlichen Alleinschuld Deutschlands und seiner Verbündeten am Ausbruch des Ersten Weltkrieges. Eine mit den diplomatischen Usancen zu vereinbarende feste Sprache in dieser Angelegenheit war Hindenburg eine Herzensangelegenheit, da er als Militär in diesen Krieg gezogen war; überdies erblickte er in der Abschüttelung der »Schmach, die uns auferlegt wurde«,[17] eine wirksame Therapie in Sachen nationaler Vergemeinschaftung.

Wenn Hindenburg alles in allem die Gesamtanlage der Stresemannschen Außenpolitik billigte und am 28. November 1925 den besser als Locarnovertrag bekannten Sicherheitspakt unterzeichnete, so tauchten doch immer wieder inhaltliche Bedenken auf, die Stresemann zwar auszuräumen vermochte, die aber geeignet sind, die außenpolitische Gedankenwelt des Reichspräsidenten zu beleuchten. Hindenburg dachte stets in den Kategorien des klassischen Machtstaates, der keine anderen Ziele verfolgte als die machtpolitisch gebotenen und sich – wenn irgend möglich – keinerlei außenpolitische Fesseln anlegen ließ. Nun mußte das Deutsche Reich in seiner realen Außenpolitik Abstriche an diesem Ideal machen, da es sich aufgrund der Kriegsniederlage in einem Stadium relativer Machtlosigkeit befand. Aber daß es am Ende eines allmählichen machtpolitischen Aufstiegs wieder die volle Souveränität über seine außenpolitischen Angelegenheiten erlangen sollte, war für den Reichspräsidenten eine pure Selbstverständlichkeit.

Aus diesem Grund stand Hindenburg der Einrichtung des Völkerbunds verständnislos gegenüber. Diese Organisation war ein Fremdkörper, der in seine Vorstellung von einer Welt souveräner Nationalstaaten nicht paßte. Es erschien ihm geradezu systemwidrig, wenn das Deutsche Reich, das ja wieder zu einer souveränen Großmacht aufsteigen wollte, freiwillig einer Völkergemeinschaft beitrat, die auf dem Prinzip einer Übertragung nationaler Hoheitsrechte beruhte. Seine Kritik an der Außenpolitik seiner Regierung entzündete sich daran, daß das Deutsche Reich sich ohne Not außenpolitische Fesseln anlegte, indem es auf den Beitritt zum Völkerbund zusteuerte: »Durch Eintritt in den Völkerbund geben wir für ein Phantom den Rest unserer Souveränität auf. Alle anderen Staaten haben zwar auch die Beschränkung ihrer Freiheit übernommen, aber sie sind militärisch stark genug, um sich militärisch auch durchzusetzen.«[18]

Hindenburgs Widerstand gegen einen Beitritt zum Völkerbund[19] konnte zu einem gefährlichen Stolperstein für Stresemanns Außenpolitik werden. Zwar betrachtete der Außenminister diese Einrichtung primär unter nüchternen machtpolitischen Aspekten. Aber er erblickte im Unterschied zu Hindenburg im Völkerbund ein für ein machtpolitisch unterentwickeltes Land wie die Weimarer Republik geradezu ideales Terrain, auf dem mittels der dort geltenden Mechanismen Ziele durchgesetzt werden konnten, deren Erreichung sonst verwehrt war. Außerdem vermochte Stresemann dem Prinzip der verdichteten außenpolitischen Kooperation von Staaten, die im Völkerbund erstmals institutionalisiert wurde, einen Eigenwert abzugewinnen, weil durch solche kooperativen Strukturen einer kriegerischen Eskalation von Konflikten der Boden entzogen werden konnte.[20]

Insofern wuchs sich die Frage des deutschen Völkerbundsbeitritts zu einer politischen Machtprobe zwischen dem Reichspräsidenten und der Reichsregierung aus, als Hindenburg diesen Schritt zu torpedieren suchte. Unmittelbar vor der abschließenden parlamentarischen Verhandlung über den Locarnovertrag regte der Reichspräsident in einer mit dem bayerischen Ministerpräsidenten Held abgestimmten Aktion an, den in diesem Vertrag enthaltenen Beitritt zum Völkerbund auszulagern und einem separaten Gesetz vorzubehalten, womit eine endgültige Entscheidung in dieser Angelegenheit verschoben worden wäre.[21] Selbst nach der einmütigen Zurückweisung dieses Ansinnens durch das Kabinett[22] ließ Hindenburg nicht locker: Nun wollte er den Beitritt Deutschlands zum Völkerbund an außenpolitische Konzessionen geknüpft sehen, die der Wunschtraum eines jeden Revisionspolitikers waren, aber allerhöchstens am *Ende* einer längeren Mitwirkungszeit in den Völkerbundsgremien stehen konnten. Dazu zählte vor allem die vorzeitige Räumung der noch bestehenden zwei Besatzungszonen im Rheinland, eine vorzeitige Freigabe des Saargebietes, eine Zusage über die Erteilung von Kolonialmandaten durch den Völkerbund und nicht zuletzt eine völkerrechtliche Notifizierung des deutschen Einspruchs gegen die »Kriegsschuldlüge«.[23] Wenn Hindenburg solche Gegenleistungen noch *vor* dem Beitritt zum Völkerbund durchgesetzt wissen wollte, fehlte ihm entweder jeder Realitätssinn, oder er wollte den Beitritt durch die Formulierung nicht zu erfüllender Bedingungen unmöglich machen.

Hindenburg verschloß sich den Einwänden des Kabinetts, daß erst nach vollzogenem Völkerbundsbeitritt die Revision des Versailler Vertrags allmählich vorangebracht werden könne,[24] nicht ganz. Aber er insistierte noch bis in den Sommer 1926 hinein darauf, daß ein Teil der revisionspolitischen Früchte geerntet werden müsse, bevor das Deutsche Reich der Völkergemeinschaft beitrat. Immerhin schraubte er seine Forderungen zurück: Er wollte sich nunmehr damit begnügen, daß die Stärke der alliierten Besatzungstruppen in den beiden Rheinlandzonen beträchtlich reduziert wurde und zudem die interalliierte Militärkontrollkommission, welche Verstöße Deutschlands gegen die Entwaffnungsvorschriften des Versailler Vertrags aufspüren sollte, vor dem Gang Deutschlands nach Genf ihre Tätigkeit einstellte.[25]

Neue Munition gegen den von der Regierung gewünschten bedingungslosen Beitritt zum Völkerbund erhielt Hindenburg durch den im Februar 1926 durchsickernden Plan Frankreichs, Polen einen ständigen Sitz in der Völkerbundsexekutive, dem Völkerbundsrat, zu verschaffen. Die Reichsregierung hatte aber nicht zuletzt deswegen hartnäckig auf den Völkerbundsbeitritt Deutschlands hingearbeitet, weil gute Aussichten bestanden, daß das Neumitglied Deutschland sogleich in den erlauchten Kreis der ständigen Mitglieder des Völkerbundsrates – bis dahin gehörten dazu nur Großbritannien, Frankreich, Italien und Japan – aufgenommen werden würde. Eine gleichzeitige Rangerhöhung Polens mußte den deutschen Machtzuwachs schmälern, weil Polen der Hauptadressat der deutschen Revisionswünsche war und eine territoriale Neuregelung der deutschen Ostgrenze zu Lasten Polens erschwert worden wäre.

Hindenburg rannte daher offene Türen ein, als er eine mögliche gleichzeitige Aufnahme Deutschlands und Polens in den Völkerbundsrat als einen nicht hinnehmbaren Affront geißelte.[26] Den Reichspräsidenten leitete hierbei eine politische Grundüberzeugung: Wie nahezu alle preußisch sozialisierten Militärs und das Gros der politischen Elite in Deutschland war er zutiefst antipolnisch eingestellt und hielt den polnischen Staat im Grunde für eine politische Mißgeburt. Speziell die Abschnürung seiner ostpreußischen Heimat vom Rest des Reiches durch den polnischen Zugang zur Ostsee, den sogenannten Korridor, brachte ihn in Rage.[27] Die Wiedererlangung des Korridors erachtete er für ein drängendes Ziel der deutschen Außenpolitik.[28] Hindenburgs Ressentiments gegen alles Polnische gingen so weit, daß es ihn unangenehm berührte, wenn in den deutschen Ostprovinzen ein vermeintlicher »polnischer Einschlag« zu registrieren sei. Als Hindenburg ausgerechnet in der mittelschlesischen Metropole Breslau solche polnischen Einflüsse festzustellen meinte, obgleich diese mehr als 550 000 Einwohner zählende Stadt nur tausend polnischsprechende Bewohner auswies,[29] zeigte sich der Breslauer Regierungspräsident geradezu bestürzt.

Hindenburg kam die urplötzlich auftauchende polnische Frage durchaus gelegen, um den Völkerbundbeitritt Deutschlands zumindest hinauszuzögern. Die deutsche Diplomatie hatte alle Hände voll zu tun, um den außenpolitischen Schaden in Grenzen zu halten. Schließlich erreichte das Außenministerium eine Lösung, der sich auch der Reichspräsident nicht länger verschließen konnte: Polen erhielt keinen ständigen Sitz im Völkerbundsrat und wurde damit Deutschland nicht ebenbürtig an die Seite gestellt; aber es wurde zum nichtständigen Mitglied erhoben und durch die Möglichkeit zur Wiederwahl gegenüber einfachen nicht-permanenten Mitgliedern aufgewertet.[30]

Auch in anderer Hinsicht kam das Außenministerium Hindenburg entgegen, so daß dieser – wenn auch schweren Herzens – dem deutschen Gesuch auf Aufnahme in den Völkerbund im September 1926 keine Steine mehr in den Weg legte. Der Reichspräsident hatte nämlich die in weiten Kreisen vorherrschende Befürchtung artikuliert, daß der deutsche Beitritt zum Völkerbund die Beziehungen zur Sowjetunion verschlechtern könnte, weil das neue Völkerbundmitglied Deutschland sich im Falle eines polnisch-sowjetischen Konflikts an vom Völkerbund beschlossenen kollektiven Maßnahmen zugunsten des Völkerbundmitgliedes Polen beteiligen müsse. Nicht nur nach Ansicht Hindenburgs gab das Deutsche Reich seine Handlungsfreiheit auf, wenn es gezwungen war, ausgerechnet Polen zur Seite zu springen, nur weil es im Unterschied zur Sowjetunion dem Völkerbund angehörte. Letztlich verbarg sich also hinter der recht akademischen Frage, ob dem Reich im Falle eines polnisch-sowjetischen Krieges Fesseln angelegt waren, eine Grundsatzentscheidung darüber, ob Deutschland auch weiterhin zwischen Ost und West lavieren und die russische Karte zu gegebener Zeit würde ausspielen können, um Polen Zugeständnisse abzuringen.

Indem Hindenburg sich an die Spitze der Mahner stellte, die eine außenpolitische Option zugunsten der Westmächte für unvereinbar hielten mit dem Grundsatz der »freien Hand«,[31] verlieh er diesen Bedenken ein solches Gewicht, daß das Deutsche Reich durch eine auf der Locarnokonferenz abgegebene Kollektivnote eine Freistellung von bestimmten Verpflichtungen aus Artikel 16 der Völkerbundsatzung erreichte.[32] Auch wenn Hindenburg das Prinzip kollektiver Sicherheit gerne noch mehr aufgeweicht gesehen hätte,[33] gewann er schließlich den Eindruck, daß das Deutsche Reich sich außenpolitisch durch die Völkerbundpolitik nicht festgelegt habe und damit an den aus seiner Sicht bewährten Methoden klassischer Machtpolitik festhalten könne. Als das Deutsche Reich wenige Monate nach Annahme des Locarnovertrags die vertraglichen Bande zur Sowjetunion stärkte und am 24. April 1926 einen Freundschaftsvertrag mit Moskau schloß, sah er sich in dieser Überzeugung nachhaltig bestätigt.[34]

Die außenpolitische Bilanz seines ersten Amtsjahres war aus Sicht des Reichspräsidenten zwar nicht überwältigend, doch immerhin überwog das Licht den Schatten. Obgleich sich Hindenburg gegenüber der Reichsregierung nicht mit allen Wünschen hatte durchsetzen können, sah er die Außenpolitik des Reiches insgesamt doch auf einem erfolgversprechenden Kurs. Daher konnte er aus innerer Überzeugung die Fundamentalkritik zurückweisen, die prominente Kriegskameraden insbesondere am Vertragswerk von Locarno übten. Daß sein ehemaliger Mitstreiter Ludendorff, der für die Völkischen im Reichstag saß, ihn im November 1925 davor warnte, seine Unterschrift unter den Locarnovertrag zu setzen,[35] war angesichts der politischen Entwicklung Ludendorffs hin zum völkischen Sektierertum nicht verwunderlich und zählte nicht viel, da Ludendorff sich durch sein exzentrisches Wesen innerhalb der Generalität längst isoliert hatte. Die Interventionen von Großadmiral Tirpitz und Generalfeldmarschall Mackensen besaßen dagegen ein nicht unerhebliches Gewicht, weil sich hier die ranghöchsten Offiziere von Marine und Heer auf die Seite der Kritiker der Stresemannschen Außenpolitik schlugen. Mackensens Einwände gelangten sogar unter Umgehung des Dienstweges zu Hindenburg, als der in Berlin lebende General August von Cramon, mit dem Hindenburg regelmäßig privat verkehrte, ein entsprechendes Schreiben Mackensens dem Reichspräsidenten bei einer solchen Gelegenheit überreichte.

Diese mit militärischer Autorität vorgetragenen Vorhaltungen verfehlten jedoch aus zwei Gründen ihr Ziel: Zum einen appellierten sie an die soldatische Seele eines Reichspräsidenten, der gerade dabei war, die herrschaftlichen Möglichkeiten seines Amtes auszuloten und nicht auf eine soldatische Funktion reduziert werden wollte. Insofern erhielt Mackensen auf sein Schreiben eine Antwort, in der Hindenburg ganz als Politiker argumentierte: Die vom Reichspräsidenten mitverantwortete Außenpolitik ziele auf »die Lockerung der Fesseln von Versailles ..., deren gewaltsame und plötzliche Sprengung leider unmöglich ist«.[36] Zum anderen scheiterten sie, weil Hindenburg verstimmt auf Kritik reagierte, die er als unangemessene Belehrung empfand. Als ausgesprochene Herrschernatur verwahrte er sich heftig gegen Einwände, die er als ungebetene Ermahnungen auffaßte.[37] Sobald er den Eindruck gewann, Einflüsterungen ausgesetzt zu sein, kehrte er trotzig seine alleinige Entscheidungsgewalt hervor, und die Bittsteller erreichten oft das Gegenteil dessen, was sie erstrebten.[38] Nach der Unterzeichnung des Locarnovertrages bekam Hindenburg erstmals zu spüren, daß sein Amt ihn in Konflikt mit seiner politischen Herkunftswelt brachte. Doch solche Anwürfe konnten ihm nichts anhaben, da er über ein gefestigtes herrschaftliches Selbstbewußtsein verfügte. Kritik an seinem Verhalten konnte er daher als »Bosheit oder Dummheit« abtun, die ihn nicht von seinem Weg abzubringen vermochte: »Aber ich thue unentwegt meine Pflicht; Gott wird weiter sehen!«[39]

Solche demonstrativen Bekundungen bekamen hier und da auch Regierungsmitglieder zu spüren. Selbst Stresemann blieb zuweilen nicht vom Zorn des Reichspräsidenten verschont, wenn dieser sich übergangen oder einfach nur mangelhaft informiert fühlte.[40] Ohnehin war das Verhältnis der beiden nicht frei von Spannungen. Da Hindenburg Stresemanns Außenpolitik im Prinzip guthieß, steckten sie auf Nebenkriegsschauplätzen ihre Claims ab. Als Kraftprobe eignete sich insbesondere die Besetzung der Botschafterposten im Ausland, weil der Reichspräsident hier auf ein Mitspracherecht pochte. Zwar gelangten Reichspräsident und Auswärtiges Amt in der Regel zu einer einvernehmlichen Lösung, doch hier und da klafften die personellen Vorstellungen so weit auseinander, daß die Parteien regelrecht in Streit gerieten. Die heftigste Auseinandersetzung entbrannte im Herbst 1928 um die Neubesetzung des Botschafterpostens in Moskau. Hier engagierte sich Hindenburg über alle Maßen, weil ihm die Pflege guter Beziehungen zu Rußland ein echtes Anliegen war. Daher legte er großen Wert auf einen Botschafter seiner Wahl. Nur vermittels heftiger Pression – unter anderem durch eine Rücktrittsdrohung – gelang es Stresemann, Hindenburgs Kandidaten auszuschalten. Am Ende einigten sich die Kontrahenten auf einen beiden Seiten genehmen Diplomaten.[41]

Hindenburgs Abstecher auf das ihm bis dahin wenig vertraute Feld der Außenpolitik bringen zum Ausdruck, daß er willens und bereit war, sich die neuen Herrschaftsmöglichkeiten zu erschließen, welche die Reichspräsidentschaft bereithielt. Allerdings vermittelte schon diese erste Phase des Abtastens der in diesem Amt steckenden Potenzen einen Vorgeschmack, welchen Preis Hindenburg dafür zu entrichten hatte, daß er mit seiner im ganzen korrekten Amtsführung Respekt bei denjenigen gewann, die ihm bei der Präsidentenwahl ihre Stimme verweigert hatten.[42] Es zeichnete sich nämlich eine Entfremdung von seinen alten Kriegskameraden ab, die gewiß eine Zeitlang zu verkraften war, aber in dem Maße zunehmend ins Gewicht fallen mußte, wie die Hoffnung verflog, daß Hindenburg von seinem Präsidentenamt aus die innere Einigung der Nation vorantreiben könnte.

Die Kernkompetenz eines Reichspräsidenten entfaltete sich allerdings primär auf einem anderen Politikfeld, nämlich bei der Bildung der Reichsregierung. Hier verfügte er über einen breiten verfassungsrechtlichen Spielraum, den auch schon Friedrich Ebert ausgeschöpft hatte. Als Hindenburg sein Amt antrat, war weder unter den Verfassungsexperten noch unter den politischen Praktikern ernsthaft umstritten, daß der Reichspräsident die Initiative zur Regierungsbildung dann an sich reißen konnte, wenn der Reichstag aufgrund fehlender eindeutiger parlamentarischer Mehrheitsverhältnisse dazu nicht in der Lage war.[43] Hindenburg konnte sich mithin an einer bereits von seinem Amtsvorgänger eingeführten Verfassungspraxis orientieren, und auch Staatssekretär Meißner, der als Jurist den verfassungsrechtlichen Laien Hindenburg gerade in solchen Fragen beriet, zehrte in den ersten Jahren der Amtszeit Hindenburgs von der unter Ebert gesammelten Erfahrung, wie sich der Reichspräsident in den Prozeß der Regierungsbildung einschalten konnte.[44]

In den Jahren 1925 bis 1928 hat Hindenburg insgesamt vier Reichskanzler ernannt: am 19. Januar 1926 Hans Luther, am 12. Mai 1926 Wilhelm Marx (Zentrumspartei), am 29. Januar 1927 noch einmal Marx und am 28. Juni 1928 den Sozialdemokraten Hermann Müller. Damit verfügen wir über hinreichend viele Beispiele, um einen systematisch angelegten Streifzug zu unternehmen, der sich an zwei Leitfragen ausrichten soll: Unter welchen Umständen konnte Hindenburg gestalterisch auf die Bildung einer Reichsregierung einwirken, und was bedeutete dies für sein Amtsverständnis? Wann mußte sich Hindenburg mit einer eher passiven Rolle zufriedengeben, die ihm lediglich die Funktion eines Notars der von den Parteien getroffenen Vorentscheidungen beließ?

Beginnen wir mit den beiden Beispielen, bei denen sich der Reichspräsident zum Herrn des Verfahrens aufschwang und auf diese Weise eine Regierung nach seiner Wahl zustande brachte. In beiden Fällen waren die Mehrheitsverhältnisse im Reichstag unklar und mehrere Kombinationen denkbar. Zum ersten Mal wurde Hindenburg mit dem Problem der Regierungsbildung konfrontiert, als die Regierung Luther am 5. Dezember 1925 demissionierte und damit die Konsequenzen aus dem Umstand zog, daß sie nach dem Ausscheiden der Deutschnationalen wegen der Locarnopolitik nicht mehr auf eine stabile parlamentarische Unterstützung bauen konnte.[45] Der Reichspräsident schaltete sich von Anfang an massiv in die Regierungsneubildung ein, um sein Wunschkabinett durchzusetzen.

Hindenburg machte allerdings nicht von seiner in Artikel 25 der Reichsverfassung verankerten Befugnis Gebrauch, den Reichstag aufzulösen. Ein solcher Schritt ergab für ihn nur dann Sinn, wenn die fällige Neuwahl eine Zusammensetzung des Reichstags nach seinem Geschmack versprach. Genau das stand aber nicht zu erwarten, vielmehr mußte er einen »Ruck nach links«[46] befürchten, mithin eine Stärkung von SPD und KPD, die vermutlich einen Regierungseintritt der SPD unumgänglich machte. Aber genau daran hatte Hindenburg überhaupt kein Interesse. Denn in seinem Leitbild einer »Volksgemeinschaft« kam der Sozialdemokratischen Partei nur die Rolle eines Störfaktors zu: Hindenburg wollte die Industriearbeiterschaft sehr wohl in die nationale Einheitsfront einbeziehen, aber dazu mußten die Industriearbeiter dem Einfluß von SPD und KPD entzogen werden, weil auch die SPD für Hindenburg letztlich eine den Gedanken des Klassenkampfes predigende und dem Internationalismus huldigende Interessenpartei war. Hindenburgs Verständnis von »Volksgemeinschaft« besaß also eine stark antisozialdemokratische Schlagseite. Zwar sollte er während seiner Amtszeit das Verhalten der Rechtsparteien durchaus deutlich tadeln, wenn diese aus seiner Sicht parteiegoistische Motive über den Gedanken der nationalen Sammlung stellten. Doch er billigte den Rechtskräften immer eine prinzipiell »nationale Gesinnung« zu, während er genau dies der Sozialdemokratie absprach.

Da er auf die Auflösung des Reichstags verzichtete, hatte Hindenburg die Zusammensetzung dieses am 4. Dezember 1924 gewählten Parlaments zu beachten, was ihm allerdings ein hohes Maß an Gestaltungsfreiheit bei der Bildung einer neuen Regierung ließ. Ein Kabinett unter Einschluß der Sozialdemokraten war nur dann unvermeidlich, wenn eine Große Koalition zustande kam, an der sich neben Zentrum und liberaler DDP auch die beiden speziell in Wirtschaftsfragen weit auseinanderliegenden Parteien SPD und DVP beteiligten. Da es dazu aber bei den in Frage kommenden Parteien, insbesondere bei der DVP, an Willen mangelte,[47] fiel dem Reichspräsidenten eine Schlüsselrolle bei der Bestellung einer Regierung ohne sozialdemokratische Beteiligung zu.

Auf Anraten des in diesen Dingen erfahrenen Meißner[48] wählte Hindenburg ein Prozedere, das den Reichspräsidenten zum Herrn des Verfahrens machte, aber zugleich durch ein geschicktes taktisches Vorgehen die Parteien in die Entscheidungsfindung einband. Nach dem Rücktritt der Regierung empfing der Reichspräsident die Parteiführer, um sich ein genaues Bild von der Lage zu machen, ein Szenario, das sich unter intakten parlamentarischen Bedingungen nach jeder Regierungsdemission wiederholen sollte. Danach erteilte Hindenburg – angeblich im Lichte dieser Sondierungen – dem Partei- und Fraktionsvorsitzenden der DDP, Erich Koch-Weser, den Auftrag zur Regierungsbildung. Auf den ersten Blick schien Koch-Weser dafür prädestiniert, da die von ihm vertretene Partei sowohl nach links (SPD) wie nach rechts (DVP) koalitionsfähig war. Doch Hindenburg hatte Koch-Weser einen Scheinauftrag erteilt, weil der liberale Politiker unmöglich die an diese Order geknüpfte Bedingung, nämlich eine Regierung auf Basis einer Großen Koalition zustande zu bringen, erfüllen konnte. Damit hatte Hindenburg seinen Tribut an die Parteien entrichtet und konnte nach dem unweigerlichen Scheitern Koch-Wesers denjenigen mit der Regierungsbildung beauftragen, den er von Anfang an im Auge gehabt hatte: den bisherigen Kanzler Hans Luther.[49]

Luther stand für die Wiederauflage einer bürgerlichen Minderheitsregierung, die sich mit wechselnden Mehrheiten durchaus längere Zeit behaupten konnte. Allerdings war es erforderlich, daß Zentrumspartei und DDP, die ernsthaft mit einer Großen Koalition geliebäugelt hatten, Minister aus ihren Reihen in das Kabinett Luther II entsandten und diese Regierung damit parlamentarisch absicherten. Um die Ministerposten in der neuen Regierung und deren Grundorientierung entbrannte Mitte Januar 1926 ein heftiger Streit, den erst ein Machtwort Hindenburgs schlichtete. Der Reichspräsident bestellte die Parteiführer am 19. Januar 1926 zum Rapport und appellierte an ihre vaterländische Gesinnung mit dem gewünschten Effekt, daß kleinliche Bedenken beiseite geschoben wurden und die Regierung ihre Arbeit aufnehmen konnte.[50] Hindenburg verfügte also nicht nur über die Möglichkeiten seines hohen Amtes, sondern auch über die Kraft einer Persönlichkeit, der man nicht ohne weiteres die politische Gefolgschaft verweigerte. Die charismatische Komponente seiner Herrschaft blitzte auf, und vielleicht ist hier erstmals der Gedanke aufgekommen, daß eine ganz auf die Person dieses Reichspräsidenten ausgerichtete »Präsidialregierung« jene disziplinierende Wirkung entfalten könnte, die nötig war, um die notorisch zerstrittenen bürgerlichen Parteien zu einigen.

Hindenburgs zweites aktives Eingreifen in die Regierungsbildung legt ebenfalls Zeugnis davon ab, wie er kraft seines Amtes und seiner Persönlichkeit die Parteien zu einer ihm genehmen Lösung antrieb. Im Januar 1927 konnte er nämlich seinen lange gehegten Wunsch des Wiedereintritts der DNVP in die Reichsregierung verwirklichen und eine Regierung schmieden, die vom Zentrum über die Bayerische Volkspartei und die DVP bis hin zur DNVP reichte. An einer derartig zusammengesetzten Regierung hing Hindenburgs Herz, weil sie nahezu alle von ihm als »national« apostrophierten politischen Kräfte umfaßte und damit eine »Volksgemeinschaft« en miniature bildete. Bereits vor seiner Reichspräsidentschaft hatte Hindenburg an die DNVP-Führung appelliert, nicht in unfruchtbarer Fundamentalopposition gegen den Staat von Weimar zu verharren, über den eigenen Schatten zu springen und in die Reichsregierung einzutreten. »Für das Vaterland, das uns über die Parteien gehen muß, darf ... kein Opfer zu groß sein!«[51]

Hindenburg nutzte zur Bildung einer solchen Mitte-Rechts-Regierung eine günstige innenpolitische Konstellation. Die SPD hatte sich nämlich ins politische Abseits manövriert und ihre Koalitionsfähigkeit mit den Kräften der politischen Mitte beschädigt, als der ehemalige Reichsministerpräsident Scheidemann in einer aufsehenerregenden Reichstagsrede am 16. Dezember 1926 bestimmte Praktiken der Reichswehr, unter anderem die geheime Zusammenarbeit mit der Sowjetarmee, anprangerte.[52] In bürgerlichen Kreisen galt eine derartige Kritik an der bewaffneten Macht als Sakrileg, noch mehr traf das auf Hindenburg zu, der sich in seiner Eigenschaft als Oberbefehlshaber der Reichswehr persönlich angegriffen fühlte und direkt nach dieser parlamentarischen Attacke, die mit dem Sturz der Regierung einherging, die Weichen für eine Rechtsregierung stellte.[53] Allerdings mußte er erst erhebliche Widerstände bei der Zentrumspartei überwinden: Während die Bayerische Volkspartei und die Deutsche Volkspartei sich nicht gegen die

Regierungsbeteiligung der DNVP sperrten, wurden innerhalb des Zentrums ernste Bedenken gegen ein Regierungsbündnis mit einer Partei geäußert, deren Bekenntnis zur verfassungsmäßigen Ordnung auf tönernen Füßen stand und die, was Außen- und Sozialpolitik anging, im Vergleich zur SPD vielen im Zentrum als nicht regierungsfähig erschien.[54]

Hindenburg richtete daher wie auch schon ein Jahr zuvor einen persönlichen Appell an die nichtsozialistischen Parteien, in dem er diese in eindringlicher Form ermahnte, »persönliche Bedenken und Verschiedenheiten der Anschauungen im Interesse des Vaterlandes beiseite zu stellen«. Insbesondere an die Adresse des linken Zentrumsflügels gerichtet war die Versicherung, daß auch ohne Minister aus den Linksparteien sehr wohl eine arbeiterfreundliche Politik betrieben werden könne: »Diese neue Regierung soll, wenn ihr auch Vertreter der Linksparteien nicht angehören, dennoch die besondere Pflicht haben, in gleicher Weise wie andere Staatsnotwendigkeiten die berechtigten Interessen der breiten Arbeitermassen zu wahren.«[55] Eine gleichberechtigte Teilhabe der Arbeiterschaft an der »Volksgemeinschaft«, wie sie von Hindenburg durchaus gewünscht wurde, setzte nach Ansicht des Reichspräsidenten also keineswegs eine politische Einbindung der Sozialdemokratie voraus. Eher konnte man aus solchen Bekundungen ablesen, daß die Arbeiterschaft erst dann in die nationale Willensgemeinschaft wirklich integriert werden konnte, wenn der verderbliche Einfluß der Linksparteien zerschlagen war. Und genau mit diesem Argument hat einige Jahre später die Nationalsozialistische Deutsche Arbeiterpartei Hindenburg zu beeindrucken versucht. Natürlich war das Einschwenken der Zentrumsfraktion auf die bislang verschmähte Regierungsbeteiligung der DNVP nicht allein auf die persönliche Intervention Hindenburgs zurückzuführen.[56] Aber der Reichspräsident stärkte mit seinem Eintreten für die von ihm favorisierte Lösung innerhalb der an der Regierung beteiligten Parteien jene Kräfte nachhaltig, die ebenfalls auf ein solches Regierungsbündnis hinsteuerten, allerdings nicht unbedingt aus denselben Gründen wie er.

Das Zustandekommen des vierten Kabinetts, das von dem Zentrumspolitiker Wilhelm Marx geführt wurde, zeigt aber auch die Grenzen, die dem Einfluß des Reichspräsidenten gesetzt waren. Zwar gelang es ihm wiederum durch persönliche Intervention, das Feilschen der Parteien um die ihnen zustehenden Ministerposten zu regulieren und nach einem präsidialen Machtwort den Verteilungskampf um die Ministerämter zu beenden.[57] Aber dafür hielten die Parteien eisern an ihrem Anspruch fest, die ihnen zugesprochenen Ministerien mit Kandidaten ihrer Wahl zu besetzen. Das bekam auch Hindenburg zu spüren, der sich im Januar 1927 nicht mit der Bildung seiner Wunschregierung begnügen, sondern Einfluß auf deren personelle Zusammensetzung nehmen und damit seinen verfassungspolitischen Spielraum ausloten wollte. Insofern ist die Bildung der Regierung Marx IV auch als Probelauf für die Ende März 1930 beginnende Etablierung der »Präsidialkabinette« zu werten, bei denen sich der Reichspräsident von den Personalvorschlägen der Parteien zu lösen und die Ministerliste nach eigenem Gutdünken zusammenzustellen suchte.

Hindenburg hatte sich in dieser Hinsicht zunächst zurückgehalten, doch nun wollte er zumindest den ihm weltanschaulich nahestehenden Deutschnationalen den Ministerkandidaten seiner Wahl aufdrücken. Dieser Versuch des Austestens seiner Einflußmöglichkeiten endete allerdings mit der für ihn bitteren Erfahrung, daß sich die DNVP-Fraktion unter dem ihm persönlich nahestehenden Vorsitzenden Westarp eine solche Form präsidialer Einmischung verbat und Hindenburgs Favoriten für den Posten des Innenministers abblitzen ließ: Sein Wunschkandidat, der deutschnationale Abgeordnete von Lindeiner-Wildau, unterlag in einer fraktionsinternen Kampfabstimmung.[58] Lindeiner beugte sich der Fraktionsdisziplin, was bedeutete, daß er nicht als persönlicher Vertrauensmann des Reichspräsidenten in die Regierung eintreten und dem Kabinett eine neue, präsidiale Qualität verleihen konnte. Hindenburg waren die Grenzen seines Einflusses ausgerechnet von der deutschnationalen Fraktion aufgezeigt worden.

Angesichts der weitreichenden Ambitionen des Reichspräsidenten war es nur ein schwacher Trost, daß wenigstens ein Minister der neuen Regierung die Berufung vor allem dem Vertrauen Hindenburgs zu verdanken hatte: Reichswehrminister Otto Geßler. Da die DDP der neuen Regierung nicht mehr angehörte, konnte Geßler, der das Amt des Wehrministers für die DDP seit März 1920 bekleidete, von dieser Partei nicht mehr für ein Ministeramt nominiert werden. Seine erneute Ernennung zum Minister erfolgte aufgrund seiner unbestrittenen fachlichen Qualitäten, in allererster Linie aber auf Wunsch Hindenburgs,[59] der als Oberbefehlshaber der Reichswehr in personalpolitischen Fragen erstmals ein erhebliches Mitspracherecht bei der Berufung des Wehrministers reklamierte.

Aufs Ganze gesehen machte Hindenburg bei der Bildung der Regierungen Luther II und Marx IV von den präsidialen Möglichkeiten etwa so viel Gebrauch wie sein Amtsvorgänger. Er konnte die Parteien in eine bestimmte Richtung lenken, wenn diese unentschlossen und zerstritten waren. Doch selbst dann vermochte er auf die personelle Zusammensetzung der von ihm angestrebten Regierungsbündnisse nur einen sehr begrenzten Einfluß auszuüben. Zeigten die Parteien aber Initiative, verblieb selbst einem Hindenburg nur die passive Rolle, in formaler Hinsicht das zu vollziehen, was die Parteiführer unter sich ausgemacht hatten. Dies soll ein Blick auf die Bildung der Kabinette Marx III (Mai 1926) und Müller II (Juni 1928) veranschaulichen.

Am 12. Mai 1926 trat die Regierung Luther II zurück, nachdem ihr im Reichstag das Mißtrauen ausgesprochen worden war, wobei sich die DDP als treibende Kraft erwiesen hatte. Aber nicht nur beim Sturz dieser Regierung hielten die Fraktionen das Gesetz des Handelns in Händen, auch bei dem nicht selten mühseligen Geschäft der Bildung des neuen Kabinetts blieben sie unter sich. Der Reichspräsident wurde überhaupt nicht eingeschaltet. Nach der Demission Luthers empfing er weder die Parteiführer zu Sondierungsgesprächen, noch beauftragte er einen von diesen mit der Bildung einer Nachfolgeregierung. Die Fraktionen von Zentrum, DDP und DVP zimmerten in der Rekordzeit von fünf Tagen eine neue Regierung, deren Zusammensetzung sich hauptsächlich dadurch vom vorherigen Kabinett unterschied, daß der den Liberalen unliebsam gewordene Luther gegen den Zentrumsvorsitzenden Wilhelm Marx ausgetauscht wurde. Hindenburg blieb nicht viel mehr als eine Zuschauerrolle.[60]

Der Reichspräsident konnte sich immerhin damit trösten, daß wegen der Bedenken der DVP ein Regierungseintritt der SPD nicht zustande kam und ihm die Zumutung erspart blieb, ausgerechnet Sozialdemokraten zu Ministern zu ernennen. Doch zwei Jahre später wurde ihm auch diese Selbstüberwindung abverlangt: Bei der Reichstagswahl vom 20. Mai 1928 erzielte die SPD mit knapp dreißig Prozent der abgegebenen Stimmen ihr bestes Reichstagswahlergebnis überhaupt. Damit führte kein Weg mehr an einer sozialdemokratischen Kanzlerschaft vorbei, falls die SPD den Posten des Regierungschefs für sich beanspruchte und Regierungspartner fand. Hindenburg waren also die Hände gebunden, wenn unter sozialdemokratischer Führung eine regierungsfähige Parteienkonstellation geschmiedet wurde.[61]

Einige Zeit schien es so, als würden die Verhandlungen der Parteiführer an taktischen Manövern scheitern. Vor allem die DVP-Reichstagsfraktion tat sich dabei hervor, da sie ein Regierungsbündnis mit der SPD, also eine Große Koalition, verschmähte und den designierten Kanzler einer solchen Regierung, den Sozialdemokraten Hermann Müller, abblitzen ließ. Aus dieser verfahrenen Situation half allein eine Intervention Gustav Stresemanns heraus: Vom Sanatorium aus zwang der gesundheitlich schwer angeschlagene DVP-Vorsitzende seine renitente Fraktion auf Kurs und stellte die Weichen für eine Große Koalition auf Raten. Denn zunächst sollten nur einzelne Persönlichkeiten aus den beteiligten Parteien (SPD, DDP, Zentrum, BVP und DVP) der neuen Regierung unter Hermann Müller beitreten, ohne daß die betreffenden Parteien eine förmliche Koalition bildeten. Der erfahrene

Stratege Stresemann sah voraus, daß die Parteien nach einer Übergangszeit ihre Bindungsscheu ablegen und ein festes Regierungsbündnis eingehen würden, wozu es im April 1929 auch kam.[62]

Angesichts des zähen Verlaufs dieser Regierungsbildung, der ein grelles Licht auf den Zustand des Weimarer Parlamentarismus wirft, tat Hindenburg gewiß gut daran, sich verschiedene politische Optionen offenzuhalten für den Fall, daß die Bildung einer arbeitsfähigen Regierung auf breiter parlamentarischer Grundlage scheitern sollte. Der Reserveplan Hindenburgs verriet indes viel von dessen verfassungspolitischen Vorlieben; denn er knüpfte an das bereits ein Jahr zuvor angedeutete Vorhaben des Reichspräsidenten an, einen Mann seiner Wahl ohne vorherige Konsultierung der Parteien dem Reichstag als Kanzler vorzusetzen und dem Parlament unmißverständlich mit der Auflösung zu drohen.[63] Hier zeichneten sich bereits deutlich die Konturen einer Präsidialregierung ab, die von April 1930 an Gestalt gewinnen sollte. Doch noch erwiesen sich die Selbstbehauptungskräfte des Parlamentarismus als stark genug, um die Initiative zur Regierungsbildung für die im Reichstag vertretenen Parteien zu reklamieren, falls es der Wahlausgang zuließ und ein durchsetzungsfähiger politischer Wille – im Juni 1928 der Stresemanns – dahinterstand. Bei Vorliegen dieser Bedingungen war Hindenburg mehr oder weniger zur Passivität verurteilt, gefangen in der Logik eines Regierungssystems, das dem Parlament eine Schlüsselrolle bei der Regierungsbildung zuwies. Für jemanden, der sein Amt mit dem Ziel angetreten hatte, die Einigung der Nation voranzutreiben und in politischen Parteien wie im Parlament tendenziell Störfaktoren für dieses Unterfangen erblickte, konnte das kein befriedigender Zustand sein. Hindenburg sah, wie seine Reichspräsidentschaft immer mehr in Gefahr geriet, den Zwängen eines politischen Systems unterworfen zu sein, dessen Transformierung er sich eigentlich vorgenommen hatte.

Auch bei der Betrachtung der innenpolitischen Lage während seiner ersten drei Jahre im Amt konnte bei Hindenburg nur wenig Freude aufkommen. Der von ihm sehnlichst herbeigewünschte und im Schlußkapitel seiner Erinnerungen prophezeite nationale Wiederaufstieg des Reiches erforderte gewiß einen langen Atem. Aber noch waren kaum Signale zu registrieren, die in diese Richtung wiesen. Alle von Hindenburg berufenen Regierungen waren voll und ganz damit beschäftigt, der drängenden Tagesfragen Herr zu werden. Hindenburgs Projekt der »Volksgemeinschaft« drohte zwischen den Mühlsteinen der politischen Routinearbeit und dem unvermeidlichen Austarieren gegensätzlicher Interessen zermahlen zu werden.

Als Reichspräsident hatte sich Hindenburg aus den tagespolitischen Streitfragen herauszuhalten, und er beherzigte diese Maxime weitgehend. In einer Frage, die im Frühjahr 1926 die politische Agenda beherrschte, legte er jedoch seine präsidiale Zurückhaltung ab und ergriff Partei. Es handelte sich hierbei um die innenpolitisch heftig umstrittenen Vermögensauseinandersetzungen zwischen den ehemals regierenden Fürstenhäusern und dem Staat. Mit dem Sturz der Monarchie in Deutschland war eine saubere Scheidung zwischen dem den ehemaligen Fürsten als Privatpersonen zustehenden Vermögen und den an den Staat übergehenden Besitzrechten, welche dieser Personenkreis nur in seiner Eigenschaft als Landesherren innegehabt hatten, ein dringendes Desiderat. Da aber eine reichsgesetzliche Regelung bislang ausgeblieben war, wurde die Lösung dieser heiklen Frage den Zivilgerichten aufgebürdet, die tendenziell zugunsten der fürstlichen Häuser entschieden. Die dadurch ausgelöste Prozeßlawine ließ bei den politischen Parteien Ende 1925 die Überlegung reifen, die Vermögensfrage auf politische Weise zu lösen und eine entsprechende gesetzliche Regelung auszuarbeiten.[64]

An diesem Punkte schaltete sich Hindenburg – zunächst nicht öffentlich – in die politische Debatte ein, indem er am 15. März 1926 ein Schreiben an den Reichsjustizminister richtete, in dem er schwere Geschütze gegen den von den Regierungsparteien nach intensiven Beratungen aufgestellten Gesetzentwurf auffuhr. Ihm widerstrebte der Gedanke einer reichsgesetzlichen Lösung dieser Frage grundsätzlich, und so versuchte er ein solches Reichsgesetz unmöglich zu machen, indem er kaum zu überwindende verfassungsrechtliche Hürden errichtete. Nach seinem ausführlich dargelegten Rechtsverständnis handelte es sich bei dem geplanten Gesetz um »eine Vermögensentziehung aus politischen Gründen«, die einen Verstoß gegen Artikel 153 der Verfassung darstelle (Schutz des Privateigentums). Daher trage der vorliegende Gesetzentwurf einen verfassungsändernden Charakter und verlange nach der dafür erforderlichen Zweidrittelmehrheit im Reichstag.[65]

Hindenburg konnte sich beim Blick auf die Mehrheitsverhältnisse leicht ausrechnen, daß eine solche verfassungsändernde Majorität nicht zustande kommen würde, wenn DNVP und KPD aus sehr unterschiedlichen Gründen einem solchen Gesetz ihre Zustimmung verweigerten. Warum aber legte er es auf die Torpedierung dieses Gesetzesvorhabens an und drohte sogar damit, ein nur mit einfacher Mehrheit angenommenes Gesetz nicht zu unterzeichnen? Mangels aussagekräftiger Quellen sind wir auf Vermutungen angewiesen. Nicht fehlgehen dürfte der Hinweis auf eine moralische Bringschuld, die Hindenburg insbesondere gegenüber dem Haus Hohenzollern empfand.

Wenn Hindenburg, was er sich selbst eingestand, am 9. November 1918 aus übermächtigen Gründen den Hohenzollernthron nicht hatte verteidigen können, dann wollte er wenigstens in seiner neuen Funktion den Hohenzollern ihr Vermögen so weit wie möglich erhalten. Dies konnte dadurch geschehen, daß er ein Reichsgesetz zur Vermögensfrage blockierte. Denn dann kam eine rein preußische Regelung der strittigen Frage zum Zuge, auf die sich die preußische Staatsregierung und Vertreter des Hauses Hohenzollern am 12. Oktober 1925 geeinigt hatten. Dabei schnitten die Hohenzollern wesentlich besser ab, als mittels eines Reichsgesetzes jemals erreichbar war: Fast drei Viertel allen strittigen Grundbesitzes fiel demnach an das ehemalige Königshaus in Preußen zurück.[66]

Der preußische Vergleichsentwurf, der den Hohenzollern Vermögenswerte von 30 Millionen Mark und rund 300 Millionen Morgen Grundbesitz beschert hätte, war allerdings unter günstigen Bedingungen zustande gekommen, die im Frühjahr 1926 nicht mehr bestanden: Mittlerweile waren die Deutschnationalen aus der Reichsregierung ausgeschieden, und damit rückte eine reichsrechtliche Regelung der Vermögensfrage in Reichweite, die für die Fürstenhäuser unvorteilhafter war als die preußische Regelung. Zudem hatte das wenig sensible Vorgehen der Fürstenhäuser beim Einklagen ihrer Vermögensansprüche die Öffentlichkeit für dieses Thema so sensibilisiert, daß bis weit in die Reihen der liberalen DDP und des Zentrums hinein eine für die öffentliche Hand weniger kostspielige Lösung angestrebt wurde, die nur über ein Reichsgesetz zu erreichen war.[67] Indem der Reichspräsident genau diese Lösung zu versperren suchte, betrieb er das Geschäft der ehemals regierenden Fürstenhäuser.

Aber Hindenburg hatte unterschätzt, welche politischen Energien diese Frage mobilisierte und daß es neben dem von ihm blockierten Weg der parlamentarischen Gesetzgebung auch noch den in der Verfassung vorgesehenen Weg der Volksgesetzgebung gab. Diesen beschritten die beiden Linksparteien KPD und SPD, als sie im März 1926 ein Volksbegehren einleiteten. Sie präsentierten dabei einen Gesetzentwurf, dessen Inhalt mit der Forderung nach entschädigungsloser Enteignung der fürstlichen Vermögen an Radikalität kaum zu übertreffen war. Die Beteiligung am Volksbegehren übertraf dann die kühnsten Erwartungen und die schlimmsten Befürchtungen gleichermaßen: Statt der erforderlichen zehn Prozent der Wahlberechtigten (4 Millionen) trugen sich innerhalb von zwei Wochen nicht weniger als 12,5 Millionen in die Listen ein. Der Kreis der Unterzeichner reichte weit über das klassische Wählerpotential der beiden Linksparteien hinaus und umfaßte auch nicht wenige Anhänger des politischen Katholizismus und des Linksliberalismus. Mit dem Erfolg des Volksbegehrens wurde der Gesetzentwurf zur entschädigungslosen Enteignung dem Reichstag vorgelegt, der ihn erwartungsgemäß verwarf. Damit aber ging die Volksgesetzgebung in die zweite Runde: Für den 20. Juni 1926 wurde ein Volksentscheid über den vom Reichstag abgelehnten Entwurf anberaumt.[68]

Zwar legte der Gesetzgeber die Meßlatte für einen erfolgreichen Volksentscheid so hoch, daß bei nüchterner Betrachtung kaum mit einem Erfolg zu rechnen war; schließlich erlangte der vom Reichstag abgelehnte Entwurf nur dann Gesetzeskraft, wenn mehr als die Hälfte der Wahlberechtigten sich an diesem plebiszitären Akt beteiligte und mit Ja stimmte. Aber Hindenburg war zutiefst alarmiert und zögerte daher nicht, sein politisches Gewicht in die Waagschale zu werfen, um gegen den Volksentscheid Stellung zu beziehen. Eine entsprechende präsidiale Kundgebung regte Friedrich Wilhelm von Loebell an, der schon als Präsident des Reichsbürgerrates bei der Nominierung Hindenburgs eine Rolle gespielt hatte. Als Bruder des engsten Kameraden Hindenburgs, des schon länger verstorbenen Generals Arthur von Loebell, verfügte der ehemalige preußische Innenminister über einen besonderen Draht zum Reichspräsidenten. Hindenburg bekundete sein ablehnendes Urteil in Form einer persönlichen Auffassung, weil er aus verfassungsrechtlichen Gründen nicht ex officio sprechen konnte. Aber der damit verfolgte Zweck war eindeutig, zumal das entsprechende Schreiben an Loebell vom 22. Mai 1926 von dem Empfänger – mit stillschweigender Billigung des Verfassers – publiziert und als Munition in der beginnenden Kampagne verwendet wurde.[69] Hindenburg setzte mithin seine ganz persönliche Autorität ein – er agierte hier weniger als Reichspräsident denn als Gebieter über eine treue Gefolgschaft, die seinem Votum auch dann gefolgt wäre, wenn er gar kein Staatsamt bekleidet hätte.

Der Volksentscheid erreichte die erforderliche Zahl von 19,9 Millionen Ja-Stimmen nicht, gleichwohl bedeutete er ein Alarmzeichen auch für den Reichspräsidenten, weil immerhin mit nahezu 14,5 Millionen Voten weit mehr Menschen der Enteignungsvorlage ihre Zustimmung erteilt hatten, als die Anhängerschaft der sozialistisch-kommunistischen Parteien umfaßte. Hindenburg wollte den sich darin artikulierenden sozialen Protest nicht ignorieren und gab seinen ursprünglichen Widerstand gegen eine reichsrechtliche Regelung dieser Frage auf. Ein auf breiter politischer Basis angenommenes Entschädigungsgesetz bot die Aussicht, den politischen Streit zu schlichten und die offenkundig hervorgetretenen politischen Gräben zuzuschütten. Er ermunterte daher nicht nur die Reichsregierung zu einem zweiten gesetzgeberischen Anlauf, er übte auch vehementen Druck auf die Deutschnationalen aus, sich der Verantwortung nicht zu entziehen und einer Entschädigungsregelung zuzustimmen, die zwar den Fürsten gewisse Vermögensverluste zumutete, sie aber im großen und ganzen großzügig behandelte. Um seinem Appell den nötigen Nachdruck zu verleihen, drohte er mit der Auflösung des Reichstags, was einige Wirkung versprach, da die DNVP angesichts des Ergebnisses des Volksentscheides bei Neuwahlen eine Wahlschlappe befürchten mußte.[70]

Doch die DNVP verweigerte sich dem Werben des Reichspräsidenten, weil sie aus prinzipieller Opposition gegen die Regierung Marx IV keinem Gesetzesvorhaben dieses Kabinetts zustimmen wollte, ohne dafür Gegenleistungen einzustreichen. Das Odium, daß ausgerechnet an der vermeintlich hindenburgtreuen DNVP die vom Reichspräsidenten gewünschte gesetzliche Regelung gescheitert sei, wurde der DNVP aber erspart, da die SPD-Fraktion sich ebenfalls ablehnend verhielt und damit den durch ihr Ja einzuleitenden Eintritt in die Regierung leichtfertig zurückwies.[71] Da der Gesetzentwurf – wie eine rechtliche Prüfung der Reichsregierung ergeben hatte – tatsächlich einer verfassungsändernden Mehrheit zur Annahme bedurfte, war sein Schicksal besiegelt, und die Regierung zog ihn kurzerhand zurück. Hindenburg aber hatte sein Interesse an einer Entschärfung dieses Konfliktstoffes nicht verloren und drängte nun darauf, daß sich wenigstens in bezug auf das Haus Hohenzollern Preußen und die fürstlichen Vertreter einigten. Mit sanftem Druck ebnete er schließlich den Weg für einen am 6. Oktober 1926 geschlossenen Vertrag, der für die Hohenzollern zwar schlechter ausfiel als der ein Jahr zuvor in Aussicht genommene Vergleich, der sich aber angesichts der aufgewühlten Stimmung immer noch sehen lassen konnte.[72]

Was hat Hindenburgs Hervortreten in der Frage der Fürstenenteignung letztlich bewirkt? Hindenburg hatte in einer politischen Einzelfrage Partei ergriffen, wobei er allerdings mehr seine charismatische als seine Amtsautoriät zur Geltung brachte. Zu diesem ungewöhnlichen Schritt sah er sich genötigt, weil eine entschädigungslose Enteignung des fürstlichen Vermögens eine Fundamentalattacke auf seine Werteordnung darstellte, denn sie verstieß sowohl gegen die Treuepflicht gegenüber den Hohenzollern als auch gegen sein Verständnis von Eigentum.[73] Zugleich aber hatte er die tiefe politische Zerrissenheit der deutschen Gesellschaft durch die sich daran entzündende heftige politische Auseinandersetzung noch einmal schmerzlich zu spüren bekommen. Er hatte darauf als politischer Brückenbauer reagiert, indem er die Weichen für eine möglichst einvernehmliche gesetzliche Lösung dieser so umstrittenen Frage zu stellen suchte. Aber nicht zuletzt die brüske Abweisung dieses Vermittlungsversuches durch die Deutschnationalen hatte ihn wieder einmal belehrt, daß die ersehnte »Volksgemeinschaft« noch in weiter Ferne lag.

Während Hindenburg in der Frage der Fürstenenteignung aus der Defensive heraus operierte, ging er in einem wichtigen Bereich in die Offensive: in der Symbolpolitik. Dieses Betätigungsfeld, auf dem sich bereits sein Vorgänger Friedrich

Ebert hervorgetan hatte, war für den Reichspräsidenten wie geschaffen. Ebert hatte in den emotional hoch befrachteten Fragen der Nationalhymne wie der National-flagge einen Weg beschritten, der auch den gedanklich noch im Kaiserreich Ver-wurzelten den symbolischen Anschluß an die Republik erleichterte. Er schöpfte die integrative Kraft des Deutschlandliedes aus, indem er es zur Nationalhymne der Republik deklarierte, und auch in der Flaggenfrage baute er den Anhängern der Farben des Kaiserreichs Brücken, indem er mittels einer Verordnung vom April 1921 auch Schwarz-Weiß-Rot in das Flaggenrepertoire der Republik aufnahm, wenngleich diese Farben für weniger wichtige Flaggen reserviert blieben, von de-nen die Handelsflagge noch die bedeutendste war.[74]

Hindenburg wollte dieses mühsam austarierte Verhältnis der Symbole des neuen und des alten Deutschland jedoch zugunsten der alten kaiserlichen Farben verändern. Natürlich konnte er als Reichspräsident nicht Artikel 3 der Verfassung ignorieren, welche Schwarz-Rot-Gold als Reichsfarben festlegte. Aber er ver-mochte Schwarz-Weiß-Rot dadurch aufzuwerten, daß er die Handelsflagge in be-stimmten Fällen gleichberechtigt an die Seite der schwarz-rot-goldenen National-flagge stellte. Zwar enthielt diese Flagge insofern eine optische Konzession an die neue Zeit, als sie in der rechten oberen Ecke, im sogenannten Gösch, auch die Reichsfarben zeigte. Aber durch die farbliche Dominanz von Schwarz-Weiß-Rot konnte kein Zweifel bestehen, daß das Aufziehen der Handelsflagge ein symboli-sches Wiederauferstehen der Zeit darstellte, die nicht nur für Hindenburg iden-tisch mit der Hochzeit einer wiederherzustellenden deutschen Machtentfaltung war. Kein Geringerer als Reichsaußenminister Stresemann war ein vehementer Be-fürworter der alten Reichsfarben, ebenso Reichskanzler Hans Luther. Mit vereinten Kräften legten es der Reichspräsident wie die wichtigsten Kabinettsmitglieder dar-auf an, die Handelsflagge als symbolische Visitenkarte Deutschlands im Ausland auszugeben. Dazu erließ Hindenburg in enger Absprache mit Luther und Strese-mann am 5. Mai 1926 eine Verordnung, in welcher das Hissen dieser Flagge nicht mehr allein auf die deutsche Handelsflotte beschränkt wurde. Nunmehr sollten auch die deutschen Gesandtschaften und Konsulate in Übersee wie in allen Anlauf-häfen für Seehandelsschiffe die Handelsflagge gleichberechtigt mit der National-flagge zeigen.[75]

Hindenburg hat mit Erlaß dieser Verordnung ähnlich wie sein Vorgänger Ebert symbolpolitische Entscheidungen im Reichspräsidentenamt konzentrieren wollen. Doch er mußte die Erfahrung machen, daß das Parlament sich in dieser wichtigen Frage nicht überrumpeln ließ und ein Mitspracherecht reklamierte. Wortführer war hier mit der DDP ausgerechnet die Regierungspartei, die den Innen-, Finanz- und Wehrminister im Kabinett Luther II stellte. Angetrieben von ihrem Fraktions- und Parteivorsitzenden Erich Koch-Weser, witterte die Mehrheit der Fraktion hinter der präsidialen Verordnung den Versuch einer Aushöhlung des Geltungsanspruchs der Reichsfarben Schwarz-Rot-Gold. Für die meisten Links-liberalen war dies eine Prinzipienfrage, und daher scheuten sie selbst eine Kraft-probe mit dem Reichspräsidenten nicht. Die DDP-Fraktion verlangte nämlich nicht nur eine Aufhebung der Flaggenverordnung, sondern darüber hinaus noch ein Flaggengesetz, das eine einheitliche Reichsflagge festlegte, wobei Schwarz-Weiß-Rot zwar nicht gänzlich eliminiert, aber doch gegenüber Schwarz-Rot-Gold in den Hintergrund gedrängt werden sollte.[76]

Die DDP machte Hindenburg also ein politisches Monopol in symbolpoliti-schen Fragen streitig und suchte die Entscheidung über derartige Themen ins Par-lament zu verlagern. Selbst eine auf ihr Drängen zustande gekommene schriftliche Erklärung Hindenburgs gegenüber dem Reichskanzler vermochte ihre Kritik nicht zu entschärfen, da Hindenburg darin an der Flaggenverordnung festhielt und sich nicht eindeutig zu einem Flaggengesetz bekannte.[77] Die Partei ließ sich von der Drohkulisse nicht einschüchtern, die Reichspräsident und Reichsregierung auf-gebaut hatten, um die Liberalen von einem zusammen mit der SPD eingebrach-ten Mißtrauensantrag gegen Luther abzuhalten. Meißner drohte unverhohlen mit einer Reichstagsauflösung für den Fall eines Regierungssturzes,[78] und zahlreiche Verfechter der Flaggenverordnung warnten vor einem möglichen Rücktritt Hin-denburgs in diesem Falle.[79] Doch dazu konnte sich diese Regierungskrise gar nicht auswachsen, weil alle Beteiligten – auch die DDP – Hindenburg sichtlich schonten, obgleich dieser durch sein Vorpreschen die Krise mit provoziert hatte.[80] Der Reichs-präsident konnte sich aber leicht aus der politischen Schußlinie zurückziehen, weil er die Verantwortung auf eine Person abwälzen konnte, auf die es die DDP ohnehin abgesehen hatte: Reichskanzler Luther.[81] Als eine Mehrheit von SPD, KPD und DDP Luther am 12. Mai 1926 im Reichstag das Mißtrauen aussprach, war dieser das einzige politische Opfer. Denn wenige Tage später wurde ein neues Kabinett gebil-det, das personell nahezu identisch war mit der Vorgängerregierung – nur der Kanzler war ausgetauscht worden.

In sachlicher Hinsicht hatte Hindenburg einen Teilerfolg erzielt, da seine Flag-genverordnung in Kraft blieb und auch die Diskussion um ein Flaggengesetz von anderen politischen Themen überlagert wurde und schließlich versandete. Die Po-sition von Schwarz-Weiß-Rot innerhalb der verwirrenden Flaggenvielfalt der Re-publik war gestärkt worden,[82] und das mag Hindenburg innere Befriedigung ver-schafft haben. Allerdings hatte er auch die Erfahrung machen müssen, daß ihm die

Besetzung eines politischen Themas, das sein Amtsvorgänger noch weitgehend monopolisieren konnte, streitig gemacht wurde. Daß Hindenburg beinahe ohne Gesichtsverlust aus der Flaggenaffäre herauskam, verdankte er dem Umstand, daß er als Reichspräsident die Verantwortung auf seinen Kanzler abwälzen konnte, der dann auf der Strecke blieb. Gewiß legte es die Konstruktion des Weimarer politischen Systems nahe, daß der Kanzler für tagespolitische Fragen die Verantwortung auch dann übernahm, wenn der Reichspräsident die treibende Kraft dahinter war. Aber schon im Mai 1926 zeichnete sich ab, daß Hindenburg »seinen« Kanzler ohne Bedenken fallenließ, wenn dieser ihm politische Schwierigkeiten bereitete. Immer stärker schälte sich als Maxime im Verhältnis Hindenburgs zu seinen Kanzlern heraus, daß der Reichspräsident sich von ihnen trennte, wenn sie zu einer Belastung für sein persönliches Ansehen zu werden drohten. Die Bewahrung des eigenen Mythos als Quelle charismatischer Herrschaftsansprüche spielte schon zu Beginn der Reichspräsidentschaft Hindenburgs eine erhebliche Rolle, und dieses Motiv sollte seine Amtsführung von 1931 an zunehmend überlagern.

Der Reichspräsident übte nach der Reichsverfassung den Oberbefehl über die Armee aus. Von Hindenburg stand zu erwarten, daß er der bewaffneten Macht seine besondere Aufmerksamkeit widmen würde, denn er konnte seine militärische Erfahrung einfließen lassen. Doch Hindenburg mußte einige Mühe aufwenden, um seine Prärogative in Wehrfragen so zur Geltung zu bringen, wie es von einem Feldmarschall-Reichspräsidenten zu erwarten war. Der energischen Wahrnehmung seiner militärpolitischen Befugnisse stand zunächst der Chef der Heeresleitung entgegen, welcher die höchste militärische Funktion in der auf hunderttausend Mann reduzierten Armee innehatte. Generaloberst Hans von Seeckt war in fachlicher Hinsicht überaus beschlagen; und er brachte Hindenburg nicht wie die meisten seiner Standeskollegen kritiklose Ehrfurcht entgegen, weil er unter anderem als Stabschef von Mackensen während des Weltkriegs hinter die Kulissen geblickt hatte, was ihn gegen blinde Verehrung der militärischen Leistungen Hindenburgs feite. Zudem hatte er sich der Gunst von Hindenburgs Amtsvorgänger erfreut und über den Kopf des eigentlich zuständigen Reichswehrministers direkt mit dem Reichspräsidenten Ebert verkehrt.[83] Hindenburg fand bei seinem Amtsantritt also einen überaus selbstbewußten Chef der Heeresleitung vor, der sich keineswegs als bloßer Befehlsempfänger des Reichspräsidenten verstand. Mit dem Amtsantritt Hindenburgs zeichnete sich zwar ab, daß Seeckt nicht mehr schalten und walten konnte wie zuvor. Doch solange er die Position eines Chefs der Heeresleitung bekleidete, konnte Hindenburg sich nicht nach Belieben in die inneren Angelegenheiten der Reichswehr einschalten.[84]

Insofern war es für Hindenburg ein Glücksfall, daß Seeckt im Oktober 1926
über eine eher belanglose Angelegenheit stolperte. Der älteste Sohn des ehemaligen
Kronprinzen, Prinz Wilhelm, hatte als Beobachter am Manöver einer Reichswehr-
einheit teilgenommen, was Seeckt dem Reichswehrminister nicht mitgeteilt hatte.
Dieser befürchtete eine politische Belastung der Reichswehr, der man aufgrund der
Teilnahme eines Hohenzollernprinzen an militärischen Übungen republikanische
Unzuverlässigkeit unterstellen konnte. Es war allein Reichswehrminister Geßler,
der aus dieser Angelegenheit eine politische Affäre machte; Hindenburg verhielt
sich passiv, weil er Seeckt nicht für eine als Verbeugung vor der Monarchie deut-
bare Geste an das Haus Hohenzollern zur Rechenschaft ziehen wollte.

Hindenburgs Funktion bestand einzig und allein darin, im Konflikt zwischen
Geßler und Seeckt zu vermitteln. Wenn es nach ihm gegangen wäre, hätte eine Miß-
billigung Seeckts genügt, womit sich im übrigen auch der zu Tadelnde einverstanden erklärt hatte. Doch Geßler beharrte auf der nur von Hindenburg als Oberbefehlshaber zu vollziehenden Entlassung Seeckts. Da sich das gesamte Kabinett
dieser Forderung anschloß, sah sich Hindenburg erheblichen Pressionen von seiten der Reichsregierung wie der Linksparteien ausgesetzt. Das Kabinett diktierte
dem Reichspräsidenten mehr oder minder eine in dessen Hoheitsbereich fallende
Personalentscheidung; und Hindenburgs Rücktrittsdrohung machte keinen Eindruck, weil sie bestenfalls halbherzig gemeint und schon beim Sturz Luthers durch
zögerlichen Einsatz zur stumpfen Waffe geworden war. So blieb dem Reichspräsidenten kaum etwas anderes übrig, als das pflichtschuldig eingereichte Abschiedsgesuch Seeckts am 8. Oktober 1926 zu bewilligen.[85]

Dieses Verhalten trug Hindenburg nicht nur das Unverständnis Seeckts ein,[86]
sondern herbe Kritik von seiten hochrangiger Offiziere der alten Armee. Für sie
war unvorstellbar, daß ein Feldmarschall sich den Forderungen ziviler Politiker
beugte und den höchsten Soldaten der Reichswehr auf deren Geheiß hin entließ.[87]
Die alten Kameraden legten an Hindenburg immer noch militärische Maßstäbe an
und erkannten nicht, daß dieser sich längst in das Feld der Politik abgesetzt hatte.
Daß der Politiker Hindenburg auch die Spielregeln seines neuen Amtes beachtete
und die Möglichkeiten legaler Herrschaft abzutasten begann, zeugt wieder einmal
von seinem politischen Gespür. Daher konnte er auch aus der Verabschiedung
Seeckts politisches Kapital schlagen, indem er nach dem Abschied des heimlichen
Reichswehrbefehlshabers daranging, in einem bislang einmaligen Maße den Zugriff des Reichspräsidenten auf die bewaffnete Macht zu verstärken.

Der erste Schritt bestand darin, einen Nachfolger für Seeckt zu berufen, dem
jeder politische Ehrgeiz fehlte und der über keinen selbst erworbenen militäri-

schen Ruhm aus dem Weltkrieg verfügte. General von Heye, Befehlshaber im Wehrkreis I, erfüllte diese Voraussetzung in reichem Maße. Darüber hinaus war Heye Hindenburg in besonderem Maße verpflichtet, weil er mit Hindenburg das Erlebnis teilte, an jenem einschneidenden 9. November 1918 einer nüchternen Lageanalyse den Vorzug vor Bürgerkriegsplänen gegeben zu haben: Heye, damals noch Oberst, hatte am Mittag des 9. November 1918 in der Kaiservilla das niederschmetternde, aber realistische Ergebnis der Befragung der Truppenoffiziere verkündet, wonach die Truppe nicht unter dem Kommando des Kaisers nach Berlin marschieren werde, um den Thron zurückzugewinnen. Dieses Verhalten machte Heye für entschiedene Monarchisten suspekt. Daher hing dieser in hohem Maße von der Rückendeckung Hindenburgs ab, die ihm allein schon deswegen gewährt wurde, weil der Reichspräsident damit sein eigenes Agieren an jenem Tage rechtfertigte.[88]

Drei Monate später tat sich für Hindenburg die Chance auf, erstmals einen Minister ausschließlich nach eigener Wahl zu benennen und damit das bisher praktizierte Nominierungsrecht der politischen Parteien zu ignorieren. Denn im Januar 1928 schied der seit 1920 amtierende Wehrminister Geßler aus dem Amt und setzte damit Rücktrittsabsichten in die Tat um, die den gesundheitlich und persönlich Angeschlagenen schon seit geraumer Zeit bewegten.[89] Das frei gewordene Amt weckte selbstverständlich Begehrlichkeiten bei Parteien, die sich Hoffnungen auf eine Neubesetzung dieses Postens mit einem ihrer Vertreter machten. Die in dieser Hinsicht besonders ambitionierte DVP wurde dabei zur Gefangenen ihrer eigenen Argumentation, denn sie hatte sich im Verein mit der DNVP dafür ausgesprochen, die Position des Reichspräsidenten zu stärken. Wenn Hindenburg die DVP nun beim Wort nahm und bei der Neubesetzung des Postens die Ansprüche der Parteien außer acht ließ, dann konnten ihm die Rechtsparteien dieses Anrecht kaum verwehren, wenn sie ihre vorherigen Erklärungen nicht ad absurdum führen wollten.[90] Hindenburg fand damit eine ideale Situation vor, um das nachzuholen, was er im Falle Lindeiner-Wildau schon ein Jahr zuvor vergeblich unternommen hatte: einen Minister durchzusetzen, der in fachlicher Hinsicht den Anforderungen des Amtes genügte und darüber hinaus als sein persönlicher Vertrauensmann in der Reichsregierung agierte.

Wer aber sollte der von Hindenburg persönlich ausgesuchte Mann an der Spitze des Reichswehrministeriums sein? Er mußte sich in die Ministerrunde harmonisch einfügte und auch die Gewähr für eine gedeihliche Zusammenarbeit mit den Regierungsparteien bieten. Ein Nur-Militär, der das Parlament als feindlichen Boden betrachtete, schied damit aus. Andererseits mußte der Kandidat sich im mi-

litärischen Bereich bestens auskennen, um den Willen Hindenburgs in der Reichswehr zur Geltung zu bringen. Damit lief das Anforderungsprofil auf einen Militär
hinaus, der während des Weltkriegs eng und vertrauensvoll mit Hindenburg kooperiert hatte und der dem Reichstag ohne Berührungsängste gegenübertreten
konnte. Nach Lage der Dinge gab es einen Kandidaten, der diese Bedingungen nahezu optimal erfüllte: General Wilhelm Groener. Als Nachfolger Ludendorffs hatte
er in der Umbruchzeit 1918/19 an der Seite Hindenburgs gestanden und dabei
mehrmals Beispiele seiner selbstlosen Loyalität geliefert, die den Hindenburg-Mythos schonten. Groener zählte zu den ganz wenigen hochrangigen Militärs, die sich
bewußt auf den Boden der republikanischen Ordnung stellten. Ihm war sogar der
Übergang in den zivilen Bereich geglückt, denn er hat immerhin drei Jahre – von
Juni 1920 bis August 1923 – als parteiloser Verkehrsminister in wechselnden Kabinetten amtiert. Damit war er nicht zuletzt für Geßler ein heißer Kandidat für den
Posten des Wehrministers.[91]

Daß Groener am 19. Januar 1928 zum Reichswehrminister ernannt wurde, war
in erster Linie Hindenburgs Werk. Hindenburg hatte damit einen bewährten Mitstreiter aus alten Zeiten im Kabinett plaziert, dessen Berufung sich der Logik des
Parlamentarismus entzog und einen Vorgeschmack auf das vermittelte, was eine
noch stärkere Geltendmachung des präsidialen Gestaltungsanspruchs erreichen
konnte, nämlich eine Zusammensetzung der Regierung ganz nach dem Geschmack
des Reichspräsidenten. Die Besetzung des Wehrministeriums durch Groener war
die Einbruchstelle für den zwei Jahre später erfolgenden Übergang zu den sogenannten Präsidialregierungen.[92]

Daß Hindenburg ausgerechnet bei der Besetzung des Reichswehrministeriums erfolgreich ansetzen konnte, war zum einen auf den Interpretationsspielraum
zurückzuführen, den die Reichsverfassung und daran anknüpfende Reichsgesetze
ermöglichten. In Anlehnung an Paragraph 47 der Reichsverfassung, der dem
Reichspräsidenten den Oberbefehl über die gesamte Wehrmacht zuerkannte, war
am 23. März 1921 ein Wehrgesetz erlassen worden, das unter anderem in Paragraph 8 bestimmte, daß der Reichswehrminister »unter dem Reichspräsidenten«
die Befehlsgewalt ausübe.[93] Daraus ließ sich eine Sonderstellung des Reichswehrministers im Vergleich zu den übrigen Kabinettsmitgliedern ableiten: Der Reichspräsident war in Fragen der Kommandogewalt Vorgesetzter des Wehrministers
und besaß mithin ein gleichsam natürliches Recht, bei der Auswahl seines Untergebenen ein gewichtiges Wort mitzureden.[94] Zum anderen profitierte Hindenburg
von seiner Doppelfunktion als Feldmarschall-Reichspräsident: Dem allseits verehrten Sieger von Tannenberg konnte man kaum einen Wunsch abschlagen, wenn

es um sein ureigenstes Metier – die Auswahl seines engsten wehrpolitischen Ratgebers – ging. Insofern konnte Hindenburgs sein intaktes Feldherrncharisma ausnutzen, um seine präsidialen Operationsmöglichkeiten zu erweitern.

Groener trat sein Amt mit der ausdrücklichen Maßgabe an, daß er sich als Vertrauensmann des Reichspräsidenten fühle und von dieser Basis aus zu handeln gedenke.[95] Zwar war er weit entfernt von serviler Unterwürfigkeit gegenüber Hindenburg, aber die Emanzipation Groeners von seinem präsidialen Vormund drohte vorerst auch nicht. Politisch konnte der neue Reichswehrminister zunächst nicht auf eigenen Beinen stehen, schließlich verdankte er seine Position allein Hindenburg. Außerdem war es allein dessen Fürsprache, die ihn vor allzu heftigen Attacken der Rechtskräfte bewahrte. Diese sahen in dem Minister bekanntlich noch immer den Hauptverantwortlichen für Abdankung und Flucht des Kaisers. Indem sich Hindenburg eindeutig vor Groener stellte,[96] machte er diesen überhaupt erst politikfähig. Diese Solidarisierung barg für den Reichspräsidenten kaum geschichtspolitische Risiken, da bis auf die wenigen, von der Öffentlichkeit kaum beachteten Hindenburg-Kritiker niemand Neigung zeigte, Hindenburgs Anteil an der Flucht des Kaisers einer intensiven Neubewertung zu unterziehen. Zwar blieb dieses Thema die geschichtspolitische Achillesferse Hindenburgs, aber da keine ernstzunehmenden Kräfte ein Interesse daran hatten, die Debatte über diesen heiklen Gegenstand wieder aufzurollen, mußte Hindenburg nicht befürchten, daß die Präsentation Groeners als Reichswehrminister schlafende Hunde weckte.

In Wehrfragen war Hindenburg auch als Reichspräsident in seinem Element. Zwar beschlich ihn gelegentlich Wehmut, wenn er das kleine Hunderttausend-Mann-Heer der Reichswehr der machtvollen und respekterheischenden bewaffneten Macht des Kaiserreiches gegenüberstellte.[97] Aber Hindenburg neigte nicht zu übertriebenen Sentimentalitäten, sondern blickte lieber nach vorn und nutzte die Gelegenheit, sich so oft wie möglich einen eigenen Eindruck vom Leistungsstand der Truppe zu verschaffen. Daher wohnte er im Herbst, wenn die Reichswehreinheiten zu Übungen ausschwärmten, tagelang den Manövern bei[98] und sparte nicht mit anerkennenden oder tadelnden Kommentaren. Die zu inspizierenden Truppenführer gaben sich dementsprechend alle erdenkliche Mühe, vor dem Feldmarschall zu bestehen.[99]

Nach drei Jahren im Amt des Reichspräsidenten hatte sich Hindenburg so in seine neue Aufgabe eingefunden, daß er nicht nur die aus diesem Amt erwachsenden Gestaltungsmöglichkeiten genau zu taxieren verstand. Er war mittlerweile auch in der Lage, seine beiden bislang ausgeübten Tätigkeiten in struktureller Hinsicht miteinander zu vergleichen. Gegenüber dem sächsischen Kronprinzen Georg zog Hindenburg in einem eigenhändigen und von ihm selbst entworfenen Schreiben am 10. Oktober 1928 eine Parallele zwischen der Betätigung im Militärwesen, die er für sich als Feldherrntum übersetzte, und der Ausübung von Funktionen im Staatsdienst, bei der er für sich die Bezeichnung »Staatsmann« in Anspruch nahm. Er strich das hohe Maß an Verantwortung heraus, das mit beiden Aufgaben verbunden war. In dieser Hinsicht konnte Hindenburg eine Brücke zwischen Kriegshandwerk und Staatskunst schlagen, die den Kern des religiösen Selbstverständnisses des gläubigen Christen Hindenburg berührte. Die oft drückende Last der Verantwortung disponiere Feldherren wie Staatsmänner dazu, »mehr noch als andere Menschen ... ihre Sorgen und Entschlüsse vor Gottes Thron niederzulegen, um sich von Ihm Kraft und Weisheit für ihr schweres Amt zu erbitten«.[100] Damit offenbarte er, welche Antriebskraft sein Handeln in beiden Aufgabenbereichen prägte. Zwar trug Hindenburg seine religiöse Grundeinstellung nicht demonstrativ zur Schau, aber gegenüber Georg von Sachsen kehrte er ausnahmsweise sein Innerstes nach außen. Hier tauschten sich zwei verwandte Seelen aus, denn der sächsische Kronprinz ließ sich von einer tiefen Religiosität leiten, die ihn schließlich dem weltlichen Leben entsagen und eine geistliche Laufbahn ergreifen ließ.[101]

Diese sehr persönliche Motivation war für Hindenburg aber nur das eine Verbindungsglied zwischen Feldherrn und Staatsmann. Es existierte nämlich noch eine Bezugsgröße, die in politischer Hinsicht beide Sphären miteinander verknüpfte: die Nation. Der Staatsmann hatte nicht einem abstrakten Staatsgedanken zu dienen, sondern die lebendigen Kräfte nationaler Einheit zur Entfaltung zu bringen, um der »Volksgemeinschaft« näher zu kommen. Und auch der Oberbefehlshaber der Armee hatte sein Tun immer diesem Grundsatz unterzuordnen. In seinen programmatischen Ansprachen zu seinem sechzigsten Militärjubiläum am 7. April 1926 strich Hindenburg heraus, daß die Reichswehr in der Tradition der alten Armee die Keimzelle dieser »Volksgemeinschaft« bilden müsse. Als »Hort nationaler Kraft« dürfe sie sich nicht in Parteikämpfe verstricken, sondern habe in »hingebender Vaterlandsliebe« an der Einheit der Nation mitzuwirken.[102] Von der bewaffneten Macht müsse trotz der Abschaffung der Wehrpflicht eine gemeinschaftsstiftende Ausstrahlung ausgehen, wobei auf den in der alten Armee erprobten Geist der Kameradschaft zurückzugreifen sei: »Die Kameradschaft, wie wir sie immer verstanden haben, bedeutet Zusammenhalten und Einigkeit.«[103]

Wie verhielten sich aber beide Rollen, die Hindenburg in seinem beruflichen Leben gespielt hatte, in bezug auf seinen Herrschaftsanspruch zueinander? Hatte Hindenburg so sehr Geschmack an seinem Amt und der damit verbundenen legalen Herrschaftsausübung gefunden, daß die andere Quelle seiner herrschaftlichen

Befugnisse – sein aus dem Weltkriege stammendes Charisma – zusehends entbehrlicher wurde? Die ersten Jahre als Reichspräsident offenbarten, daß Hindenburg sich mit dem Präsidentenamt und dem darin enthaltenen Herrschaftspotential anfreundete. Aber trotz erster Ansätze, durch eine extensive Auslegung der präsidialen Befugnisse seine legalen Herrschaftsansprüche zu steigern, mußte Hindenburg an seinen selbstgesteckten Zielen Abstriche machen. Das Unterfangen, als Reichspräsident die zerrissene Nation zu einigen, erwies sich als äußerst mühselig; Hindenburg hatte, wie er sich selbst eingestehen mußte, in den ersten drei Jahren seiner Amtszeit auf dem Weg dorthin nicht wenige Rückschläge einstecken müssen.

Allein deswegen konnte Hindenburg auf die Pflege seines Charismas nicht verzichten. Er erkannte instinktiv, daß er nur in der Kombination von legaler und charismatischer Herrschaft der Realisierung seines Lebensziels – der Wiederbelebung des »Geistes von 1914« – ein gehöriges Stück näher kommen würde. Um aber auch auf extralegale Herrschaftsressourcen zurückgreifen zu können, bedurfte es der Pflege des symbolischen Kapitals. Sein Agieren als Reichspräsident durfte nicht dazu führen, daß sein Mythos entzaubert wurde. Vielmehr bekam er durch das Amt sogar neue Möglichkeiten in die Hand, um in geschichtspolitischer Hinsicht in einer ganz einzigartigen Weise die Deutungshoheit über sein historisches Tun zu erlangen. Für Hindenburg war dieses geschichtspolitische Wirken genauso wichtig wie die Ausübung seiner Dienstgeschäfte als Reichspräsident.

Einweihung des Tannenbergdenkmals, 18. September 1927,
im Hintergrund links neben Hindenburg Feldmarschall Mackensen,
in der ersten Reihe (mit Umhang) Erich Ludendorff

KAPITEL 20

Sicherung historischer Anrechte auf die Feldherrnschaft

In geschichtspolitischer Hinsicht verfügte Hindenburg mit der Übernahme der Reichspräsidentschaft über eine glänzende Startposition, um die Deutung seiner soldatischen Taten im Weltkriege in die von ihm gewünschte Richtung zu lenken. Pointiert formuliert: Der Reichspräsident Hindenburg sorgte auf direkte und indirekte Weise dafür, daß dem Weltkriegsgeneral Hindenburg das Feldherrnmonopol zufiel und andere Anwärter, vor allem Ludendorff, bei der öffentlichen Verarbeitung der Weltkriegsgeschichte an den Rand gedrängt wurden.

Die Geschichte des Weltkriegs konnte nicht zuletzt deshalb ganz im Sinne Hindenburgs geschrieben werden, weil von amtlicher Seite erheblicher Einfluß auf die wissenschaftliche Aufarbeitung des Geschehens genommen wurde. Nach 1918 erschien zwar eine Flut von Büchern, in denen mehr oder minder hochrangige deutsche Militärs ihre Sicht der Dinge ausbreiteten und dabei nicht mit Ratschlägen geizten, wie der Sieg hätte errungen werden können. Natürlich waren die memoirenschreibenden Generale nicht frei von Neid, so daß es an meist indirekten Schuldzuweisungen an die Adresse des einen oder anderen Kollegen nicht mangelte. Da sich die allermeisten dieser Werke aber auf die Politiker einschossen und diesen – allen voran Reichskanzler Bethmann Hollweg – vorhielten, die glänzende militärische Ausgangslage leichtfertig verspielt zu haben, war die Spannbreite solcher Aussagen eher begrenzt.

Ein geschichtspolitisches Steuerungsinstrument ganz einzigartiger Art stellte demgegenüber das Reichsarchiv dar. Diese 1919 begründete Einrichtung war eine nachgeordnete Behörde des Reichsinnenministeriums. Da das Archiv aus den kriegsgeschichtlichen Abteilungen des Großen Generalstabes hervorgegangen war, dominierten dort ehemalige Offiziere. Im Unterschied zu herkömmlichen Archiven verfügte das Reichsarchiv über eine üppig ausgestattete Forschungsabteilung, deren Hauptaufgabe in der Herausgabe einer fünfzehnbändigen Geschichte des Ersten Weltkriegs bestand. So kam es, daß Offiziere ohne jede fachwissenschaftliche Ausbildung als Historiker eine offiziöse Darstellung des Weltkriegs verfassen konnten. Obwohl mit der Zeit auch Fachhistoriker in den Forschungsbereich des Reichsarchivs übernommen wurden, lag die Erstellung dieses Weltkriegswerkes letztlich in den Händen ehemaliger Offiziere, die diesem Großprojekt eine enge operationsgeschichtliche Ausrichtung gaben und über die reine Militärgeschichte hinausgehende Fragen ausblendeten. Diese Generallinie floß ebenfalls in die vom Reichsarchiv herausgegebene Schriftenreihe »Schlachten des Weltkrieges« ein, welche die nüchternen und sich in operationsgeschichtlichen Details verlierenden dicken Bände des Weltkriegswerkes in einer auch breite Volkskreise ansprechenden Darstellung popularisierte.[1]

Die in den Weltkriegswerken des Reichsarchivs herrschende Tendenz kam Hindenburg zugute. Dieser hatte in seinem Memoirenwerk seine Lesart bereits 1920 einem Millionenpublikum mitgeteilt. Es steigerte seine Glaubwürdigkeit als Zeuge in eigener Sache jedoch, wenn ihm durch das Reichsarchiv gewissermaßen amtlich bescheinigt wurde, daß die Wissenschaft seine Version bestätigte. Es fügte es sich gut, daß die mit dem Weltkriegswerk befaßte Historische Abteilung des Reichsarchivs ihre Arbeit genau in dem Zeitraum beschleunigte, als der ehemalige Chef des Generalstabs des Feldheeres die Reichspräsidentschaft antrat. Allein schon deswegen war es kaum vorstellbar, daß in den Schriften des Reichsarchivs zur Weltkriegsgeschichte Passagen erschienen, an denen der amtierende Reichspräsident Anstoß nehmen konnte, weil sie seiner sehr subjektiven Sicht der Dinge widersprachen.[2]

Aber die Befangenheit der soldatischen Historiker gegenüber dem Weltkriegsheros und Staatsoberhaupt war nicht der einzige Grund für diese Rücksichtnahme auf Hindenburg. Diesem kam überdies zugute, daß die ersten beiden Präsidenten des Reichsarchivs ihm persönlich eng verbunden waren. Der bis 1931 amtierende erste Präsident, Hermann Ritter Mertz von Quirnheim, hatte zwei Jahre lang als Abteilungsleiter der 3. Obersten Heeresleitung in intensivem dienstlichen Kontakt zu Hindenburg gestanden. Vor allem aber war ihm das sensible Feld der Geschichtspolitik bestens vertraut, weil er maßgeblich am ersten Entwurf von Hindenburgs Erinnerungen beteiligt gewesen war. Als Leiter der Kriegsgeschichtlichen Abteilungen des Großen Generalstabes hatte er in Kolberg vom April bis Juni 1919 eine erste Fassung der Hindenburgschen Memoiren erarbeitet und danach ohne dienstlichen Auftrag mit dem Feldmarschall in dessen Haus in Hannover die Endredaktion vorgenommen. Mertz war ein diskreter Mitarbeiter, der das in Worte kleidete, was Hindenburg ihm auftrug. Als Präsident des Reichsarchivs bemühte sich der feinsinnige und hochgebildete Bayer redlich darum, zwischen den soldatischen Mitarbeitern und den um wissenschaftliche Aufklärung bemühten Fachhistorikern einen Ausgleich zu finden. Allerdings endete auch die Aufklärungsbereitschaft von Mertz dort, wo Hindenburg Schaden zu nehmen drohte.[3] Indem er alles zu vermeiden suchte, was auch nur einen Schatten auf das historische Ansehen des von ihm verehrten Hindenburg werfen konnte, kam er einer für ihn selbstverständlichen »Treueleistung gegen diesen Edelmann«[4] nach.

Mertz' Nachfolger Hans von Haeften hatte sich bei der von Moltke und Hindenburg gesponnenen Intrige gegen Falkenhayn im Januar 1915 sogar noch mehr zugunsten Hindenburgs exponiert, indem er den »Briefträger« zwischen Hindenburgs Hauptquartier und Berlin/Potsdam gespielt hatte. Nach einigen Zwischenstationen fand Haeften 1918 den Weg in die Oberste Heeresleitung, war im Herbst 1918 sogar Vertreter der 3. OHL beim Reichskanzler und bekleidete damit eine Position, die absolute Loyalität gegenüber Hindenburg voraussetzte. Im Jahre 1920 schied er als Generalmajor aus dem Heeresdienst aus, um im Reichsarchiv als Direktor der dortigen Kriegsgeschichtlichen Abteilung einen geschichtspolitischen Schlüsselposten zu besetzen. 1931 beerbte er den nur vier Jahre älteren Mertz als Präsident. In seiner Präsidentschaft engagierte er sich derartig zugunsten seines Gönners Hindenburg, daß ihm ein Kenner der Verhältnisse bescheinigte, er habe seine Rolle »zugleich als Propagandachef für den Reichspräsidenten« aufgefaßt.[5]

Seine Instruktionen empfing Haeften bei den regelmäßig stattfindenden Vorträgen,[6] zu denen ihn der Reichspräsident-Feldmarschall befahl. Bereits sechs Tage, nachdem er die Leitung des Reichsarchivs übernommen hatte, bestellte Hindenburg von Haeften ein, der ihn über den Fortgang des Weltkriegswerkes auf dem laufenden halten sollte. Dem Reichspräsidenten ging es vor allen Dingen um die militärischen Operationen, die seinen Feldherrnanspruch begründeten, ganz besonders um die alleinige Urheberschaft am Sieg von Tannenberg. Aber auch die »richtige« Darstellung seiner Tätigkeit als Oberbefehlshaber Ost war von erheblichem geschichtspolitischen Wert, wenn ihm amtlich bescheinigt wurde, daß OberOst mit dem großangelegten Plan einer umfassenden Vernichtungsschlacht im Osten im Jahre 1915 den konzeptionellen Schlüssel für den militärischen Sieg besessen habe, der aber von Falkenhayn aus purer Eifersucht auf Hindenburg verworfen worden sei.[7]

Eine direkte politische Verwertbarkeit der vom Reichsarchiv gesammelten Erkenntnisse wurde im Vorfeld der Reichspräsidentenwahl 1932 akut, als Hindenburg zu aller Überraschung eine erneute Kandidatur erwog. Da in diesem Fall der bisherige Reichspräsident im Unterschied zur Reichspräsidentenwahl 1925 mit ernstzunehmenden Bewerbern konkurrieren mußte, welche die nationalistische Karte spielten, sollte das Reichsarchiv geschichtspolitisch gefährliche Munition entschärfen helfen. Dazu zählte nicht zuletzt die Frage, ob die 3. Oberste Heeresleitung für den Abschluß des Waffenstillstands vom 11. November 1918 Verantwortung trug, dessen Bedingungen in der innenpolitisch aufgeheizten Atmosphäre an der Jahreswende 1931/32 von weiten Kreisen der Bevölkerung als nationale Erniedrigung aufgefaßt wurden. Haeften gab daher bei einem Mitarbeiter seines Hauses ein Gutachten in Auftrag, dessen Ergebnis allerdings – wie von einer nüchternen wissenschaftlichen Würdigung nicht anders zu erwarten – die 3. OHL und damit Hindenburg persönlich in dieser Angelegenheit nicht reinwaschen konnte. Unter anderem belegte ein Telegramm Hindenburgs an den Reichskanzler vom 10. November 1918 klipp und klar, daß der Feldmarschall den Abschluß des Waffenstillstands der Reichsregierung auch unter der Bedingung empfohlen hatte, daß die deutschen Unterhändler die als drückend empfundenen Waffenstillstandsbedingungen nicht mildern konnten. Diese Ausarbeitung blieb daher unter Verschluß; Hindenburg ließ sich allerdings von Haeften über deren wichtigste Resultate mündlich unterrichten.[8]

Das Reichsarchiv unter Haeften diente Hindenburg somit auch als ein geschichtspolitisches Frühwarnsystem, das historische Themen daraufhin prüfte, ob sie Hindenburgs Feldherrnprestige schaden konnten und frühzeitig gegensteuerte, wenn das zu befürchten war. Darüber hinaus sorgte Haeften dafür, daß das im Reichsarchiv lagernde Archivmaterial für Forschungen nur eingeschränkt benutzt und die heiklen Themen ausschließlich von zuverlässigen Mitarbeitern des Hauses bearbeitet werden durften. Das historische Bild Hindenburgs sollte keine Kratzer erhalten; Haeften »unterdrückt die intimen Wahrheiten über die Führer des Weltkrieges, ihre Zerwürfnisse untereinander«.[9]

Personalpolitisch wurden die geschichtspolitischen Zulieferdienste noch dadurch abgesichert, daß Oberarchivrat Dr. Wolfgang Foerster, der in jeder Hinsicht der Wunschkandidat Hindenburgs war, die Nachfolge Haeftens als Direktor der Historischen Abteilung antrat. Foerster hatte bis dahin ein Teilgebiet des Weltkriegswerkes bearbeitet und sich nicht zuletzt dadurch empfohlen, daß er in der vom Büro des Reichspräsidenten angestoßenen Festschrift zum achtzigsten Geburtstag Hindenburgs im Jahre 1927 ein besonders sensibles Thema übernommen und ganz im Sinne Hindenburgs bearbeitet hatte: »Hindenburg als Feldherr«.[10] Diese Privatarbeit hatte ihm heftige Kritik von seiten einiger Mitglieder des wissenschaftlichen Beirats des Reichsarchivs, der »Historischen Kommission für das Reichsarchiv«, eingetragen. Dem Beirat gehörten mit den Professoren Hans Delbrück und Friedrich Meinecke zwei prominente Historiker an, die zwar weit von jeder Denkmalstürzerei in bezug auf Hindenburg entfernt waren, aber die unerträgliche Verabsolutierung militärischer Maßstäbe rügten, die Foerster vorgenommen hatte. Dieser klagte in der Festschrift die parlamentarische Reichsregierung unter Prinz Max von Baden an, keine hinreichenden Anstrengungen unternommen zu haben, um die Kapitulation am 11. November 1918 abzuwenden.[11] Damit sprach er die militärische Führung von jeder Verantwortung für die Einleitung der Waffenstillstandsgespräche frei, obgleich Hindenburgs Eingeständnis der militärischen Niederlage Ende September 1918 die neue Regierung erst zu diesem Schritt gezwungen hatte.

Foerster kam mit einer Rüge der Historiker davon.[12] Durch diese ganz im Sinne Hindenburgs liegende tendenziöse Geschichtsschreibung hatte er sich aber bestens empfohlen als Nachfolger Haeftens in der Leitung der Historischen Abteilung. Nichts war dabei dem Zufall überlassen: Um den zu erwartenden Widerspruch Delbrücks und Meineckes gegen die Ernennung Foersters zu unterlaufen, wurde Oskar von Hindenburg, der Erste Adjutant des Reichspräsidenten, eingeschaltet.[13] Mit Kurt von Schleicher, einem Regimentskameraden sowohl Oskar von Hindenburgs als auch von Oberstleutnant a. D. Foerster,[14] kümmerte sich sogar der strategische Kopf der Reichswehrführung um diese Personalangelegenheit des Reichsarchivs. Schließlich war allen Beteiligten bewußt, daß Foerster mit seinem von Meißner in Auftrag gegebenen Artikel in der Hindenburg-Festschrift nichts anderes getan hatte, als eine Hindenburg begünstigende Deutung der Verantwortlichkeit für die Kriegsniederlage von 1918 zu vertreten. »Letzten Endes handelt es sich doch hier um einen Kampf für die von Hindenburg vertretene Sache.«[15] Hindenburg scheint sich sogar persönlich dieser Personalie angenommen zu haben.[16] Damit stellte er selbst die Weichen dafür, daß die durch die Beförderung Haeftens frei gewordene Direktorenstelle überhaupt neu besetzt werden konnte und daß mit Foerster ein engagierter Streiter für sein eigenes historisches Ansehen diese Schlüsselposition erhielt.[17]

Hindenburg griff überdies persönlich in die inhaltliche Gestaltung des ja noch im Entstehen begriffenen Weltkriegswerkes ein, und zwar dort, wo er seine historischen Feldherrnanrechte berührt glaubte. Da dieses Langzeitprojekt noch nicht bis zu Hindenburgs Zeit an der Spitze der 3. OHL vorgedrungen war, konzentrierten sich seine Interventionen auf die Darstellung des Jahres 1915, als er als Oberbefehlshaber Ost der 2. OHL unter Falkenhayn vorgehalten hatte, durch mangelnde Konzentration der verfügbaren Kräfte im Osten die Aussicht auf eine rasche Niederwerfung Rußlands zu verspielen. Hindenburg konnte die Entstehung der diesen Zeitraum betreffenden Bände 7 und 8 genau verfolgen, da der Präsident des Reichsarchivs persönlich ihm die entsprechenden Ausarbeitungen der Bearbeiter beziehungsweise zum Schluß die Druckfahnen zusandte. Damit hatte er freie Hand, noch bis in einzelne Formulierungen der beiden Bände einzugreifen, wovon er gelegentlich Gebrauch machte. Allerdings hielten sich die redaktionellen Korrekturen, die er eigenhändig vornahm, in Grenzen,[18] weil er wenig auszusetzen hatte: Beide Bände übernahmen Hindenburgs Sicht der Dinge und ließen deutlich durchblicken, daß Falkenhayn durch Kurzsichtigkeit und Eifersucht eine große Siegchance im Osten verpaßt habe.

Hindenburg hatte im Grunde nicht zu befürchten, daß diese amtlichen Werke seine Beteiligung am Komplott gegen Falkenhayn im Januar 1915 enthüllen würden. Zwar hatte sich unter den Mitarbeitern des Reichsarchivs herumgesprochen, daß Hindenburg in der Nacht vom 11. auf den 12. Januar 1915 ein Schreiben an Wilhelm II. gerichtet hatte, das von einiger Bedeutung gewesen sein mußte. Aber der genaue Inhalt war nur den vom Feldmarschall selbst Eingeweihten und dem Empfänger bekannt. Besonders gut hatte sich Hans von Haeften den Inhalt eingeprägt, weil Hindenburg ihm das Schreiben nicht weniger als dreimal vorgelesen hatte.[19] Und der wachte nun als Direktor der Historischen Abteilung darüber, daß dieser Sachverhalt nicht ohne ausdrückliches Placet des Feldmarschalls aufgedeckt wurde. Hindenburg hat im Januar 1930 sogar behauptet, daß es gar kein Schreiben an den Monarchen gegeben habe.[20] Sollte ihn sein Gedächtnis derartig im Stich gelassen haben? Schließlich hatte ihn das Verfassen des Schreibens in tiefste Seelenqualen gestürzt, weil er damit den entscheidenden Schritt hin zum politischen Handeln getan und gewagt hatte, von Wilhelm II. ultimativ die Entlassung Falkenhayns zu fordern. Konnte sich Hindenburg nach fünfzehn Jahren wirklich nicht mehr daran erinnern? Wie dem auch sei, die Winke Hindenburgs waren eindeutig: Eine Auseinandersetzung mit diesem heiklen Thema im Rahmen des Weltkriegswerkes war unerwünscht, und nicht zuletzt deswegen unterblieb sie auch.

Hindenburg beschränkte sich aber nicht darauf, eine öffentliche Diskussion über unangenehme Kapitel seiner Vergangenheit im Keim zu ersticken. Die Geschichtspolitik des Reichspräsidenten ging viel weiter: Er wollte die uneingeschränkte Deutungshoheit seiner militärischen Leistungen erlangen. Hindenburg verwendete enorm viel Energie auf den fast monopolartigen Ausbau seiner Feldherrnansprüche, weil er auf diese Weise die Nachteile zu kompensieren hoffte, die ihm die Reichspräsidentschaft bei den ihm sozial und politisch Nahestehenden eintrug.

Durch seine weitgehend unparteiische Amtsführung hatte sich Hindenburg mehr als bloßen Respekt sogar in Kreisen erworben, die er als links einstufte. Eine solche Ansehensvermehrung war die heimliche Hoffnung gewesen, die er an die

Übernahme der Präsidentschaft geknüpft hatte. Aber auf der anderen Seite schien er sich jenen Kräften zu entfremden, auf deren Wohlwollen er schon allein deswegen Wert legte, weil er mit ihnen sozial verkehrte. Diesen Ansehensverlust bei der Rechten hoffte er in Grenzen halten zu können, wenn er seine Rolle als Feldherr herauskehrte. Die Betonung des Soldatischen bildete während seiner Präsidentschaft die Brücke, die ihn mit seiner Herkunftswelt verband. Ein Blick in die konservative Presse zeigt, daß sich die nationalkonservativen Kreise über die aus ihrer Sicht wenig erfreulichen ersten Amtsjahre Hindenburgs hinwegtrösteten, indem sie ihn als Feldherrn vereinnahmten. »Der Feldherrnruhm ist die Grundlage der Bewunderung und Verehrung, die das deutsche Volk dem achtzigjährigen Generalfeldmarschall darbringt.«[21]

Gelang es Hindenburg, seine historischen Anrechte auf die Feldherrnschaft aufrechtzuerhalten, dann konnte es ihm sogar glücken, sein Ansehen zu vermehren. Denn durch die Kombination Reichspräsident und Generalfeldmarschall erreichte seine sich aus unterschiedlichen Quellen speisende Ausstrahlung praktisch das gesamte politische Spektrum, die Kommunisten einmal ausgenommen. Kritiker von rechts, die ihm seine Kompromisse mit der Weimarer Demokratie verübelten und überdies erhebliche Zweifel an der Berechtigung seines Feldherrnruhms äußerten, haben dies auch erkannt.[22]

Wie aber konnte Hindenburg dauerhafte Ansprüche auf den Feldherrnnimbus anmelden? Wie stellte er sicher, daß kein kleinliches Gezänk um die Quotierung des jeweiligen Anteils am Schlachtenerfolg aufkam? Auf welche Weise konnte er erreichen, daß sich die Krönung dieser Bemühungen – nämlich das Monopol auf den Sieg von Tannenberg – mit einer gewissen Zwangsläufigkeit einstellte? Hindenburg mußte dazu an der Konstruktion eines Geschichtsbildes mitwirken, das seine militärischen Erfolge als logische Konsequenz der von ihm gewählten militärischen Strategie erscheinen ließ. Denn dann konnte der Sieg von Tannenberg kein Zufallsprodukt sein, sondern das gleichsam natürliche Resultat einer überlegenen Kriegführung, die untrennbar mit Hindenburg verbunden war. Diese militärische Aufwertung ließ sich am besten durch eine geschichtspolitische Ausbeutung des Schlieffenschen Erbes erreichen: Wenn sich Hindenburg als Wahrer der Tradition dieses preußischen Generalstabschefs zu stilisieren vermochte, war er jeder Kritik enthoben und als überragender Feldherr geadelt.

Die militärische Geschichtsschreibung nach 1918 hat Schlieffen in den militärischen Olymp erhoben, und diese Glorifizierung mußte auf jeden abfärben, dem es gelang, das historische Erbe Schlieffens für sich zu reklamieren. Die Verklärung Schlieffens zum militärischen Genius diente nicht zuletzt der zur eigenen

Entlastung vorgebrachten Theorie der Militärs, daß man den Weltkrieg hätte gewinnen können, wenn man nicht vom strategischen Erfolgsrezept Schlieffens ab-
gewichen wäre. Das Ansehen Schlieffens überstand so nicht nur den Krieg unbeschadet, sondern steigerte sich zu einem Schlieffen-Mythos, was auf der anderen
Seite die Schmälerung der Leistungen seiner beiden Nachfolger, des jüngeren
Moltke und Falkenhayns, nach sich zog.[23]

Hindenburg hat den Schlieffen-Mythos nach Übernahme der Reichspräsidentschaft bereits vorgefunden. Daher brauchte er ihn nur gezielt für seine Zwecke
auszubeuten. Er erscheint hierbei als überaus engagierter Akteur, der persönlich
Schriften in Auftrag gibt, die seinen Anspruch auf das historische Alleinerbe an
Schlieffen untermauern sollten. Der passende Anlaß war der hundertste Geburtstag Schlieffens, der am 28. Februar 1933 gefeiert wurde. In der Jubiläumsrede zur
Jahresfeier der Schlieffen-Gesellschaft, der Vereinigung ehemaliger Generalstabsoffiziere, sollte diese historische Legitimation nach dem Wunsch Hindenburgs erfolgen. Bereits zur Mitte des Jahres 1931 wählte er einen Festredner aus, dem diese
Aufgabe auf den Leib geschneidert war: Generalmajor Friedrich von Boetticher,
der als Kommandeur der Artillerieschule Jüterbog in militärischer Hinsicht nicht
ausgelastet war. Hindenburg öffnete Boetticher den Zugang auch zu als vertraulich klassifizierten Akten des Reichsarchivs, damit der von ihm bestellte Bearbeiter
seine Arbeit auf eine breite Materialgrundlage stellen konnte.[24] Boetticher enttäuschte Hindenburg nicht. In der Jubiläumsrede wies er unmißverständlich darauf hin, daß Hindenburg bereits als Generalleutnant und Kommandierender General des IV. Armeekorps beim Kaisermanöver des Jahres 1903 den Schlieffenschen
Grundgedanken der Vernichtungsschlacht auch im Kampf gegen eine numerische
Übermacht angewandt habe, also dasselbe Erfolgsrezept, das elf Jahre später den
Sieg von Tannenberg ermöglicht habe.[25]

Aber Hindenburg wollte mehr. Er fütterte Boetticher überdies mit vertraulichen Informationen, die belegen sollten, daß Wilhelm II. und der Leiter des Militärkabinetts ihn 1903 als Nachfolger des damals siebzigjährigen Schlieffen gewinnen wollten. Er sei sogar gefragt worden, ob er Kriegsminister werden wolle, habe
jedoch in beiden Fällen abgelehnt.[26] Konnte es einen schlagkräftigeren Beweis dafür geben, daß Hindenburg das Feldherrnattribut verdiente, als die Tatsache, daß
ihm die Nachfolge dieses großen Strategen angetragen worden war? Das angebliche Nachfolgeangebot ist in der Folgezeit in manche kriegswissenschaftliche Abhandlung über Hindenburgs Feldherrngröße eingeflossen.[27] An eher versteckter
Stelle ist es bereits 1928 in einer von Hindenburg mit offiziösen Weihen versehenen
Darstellung über die Schlacht von Tannenberg zu finden.[28] Aber das war schon zu

spät, um noch zu Lebzeiten Hindenburgs dessen Anspruch auf die Erbfolge Schlieffens weiter zu untermauern. Nach dem Zweiten Weltkrieg hat Boetticher diese Instruktion Hindenburgs dann posthum umgesetzt und in einer auf seinen früheren Vorarbeiten fußenden Schrift über Schlieffen die ihm von Hindenburg mitgeteilte Version ungeschmälert übernommen.[29] Die vorhandenen Quellen lassen aber nur den Schluß zu, daß Hindenburg zum erweiterten Kreis derer gehörte, die der Chef des Militärkabinetts als geeignet für eine Nachfolge Schlieffens eingestuft hatte. Eine offizielle Anfrage an Hindenburg hat es nie gegeben.

Die Okkupation des Schlieffenerbes zielte letztlich darauf, Hindenburg die alleinigen historischen Urheberrechte am Schlachtenplan von Tannenberg zu sichern. Der Sieg von Tannenberg sollte als Ausfluß der überlegenen Strategie Schlieffens erscheinen, die in Hindenburg einen kongenialen Erben gefunden habe. Hindenburg, so lautete die Boschaft, war der Meisterschüler Schlieffens. Die Monopolisierung des Erfolges von Tannenberg erforderte von diesem allerdings mehr Durchsetzungsbereitschaft, als bei der Sicherung des Schlieffenerbes erforderlich war, auf das es keinen Anwärter gab, der genug Mut und Ausdauer besaß, dem Reichspräsidenten in den Weg zu treten. Bei Tannenberg verhielt es sich anders: Hier kämpfte General Erich Ludendorff, der sich als Nur-Feldherr definierte und in manischer Besessenheit öffentlich gegen jeden zu Felde zog, der es wagte, ihm seine Feldherrnansprüche streitig zu machen, geradezu verbissen um seine Feldherrnehre. Ludendorffs Dilemma bestand darin, daß er in punkto Tannenberg in vielem recht hatte, aber gegen den Hindenburg-Mythos und die überlegene geschichtspolitische Strategie des Reichspräsidenten wenig ausrichten konnte.

Für Hindenburg war die Pflege der Erinnerung an den Sieg von Tannenberg gerade in der Zeit seiner Reichspräsidentschaft von zentraler Bedeutung. Denn die ihm zugeschriebenen Feldherrnqualitäten konnten historisch nur überdauern, wenn der Sieg von Tannenberg in das kollektive Gedächtnis des deutschen Volkes fest eingegraben wurde. Das geeignete Medium hierzu war ein Denkmal, das in den Status eines nationalen Monuments hineinwachsen konnte. Ein Tannenbergmonument konnte die Imagination der Schlacht von Tannenberg so verdichten, daß dieses längst vergangene Ereignis in einem Erinnerungsort für die Nachwelt in politisch gewünschter Weise überliefert wurde.[30] Mit seinem wachen geschichtspolitischen Sensorium hat Hindenburg daher die privaten Pläne eines rührigen Vereins zur Errichtung eines solchen Denkmals massiv unterstützt. Er verlieh der Grundsteinlegung zum zehnten Jahrestag der Schlacht am 31. August 1924 durch seine Anwesenheit eine besondere Note, und er hat als Reichspräsident die Auswahl des vom Preisgericht ausgelobten Denkmalentwurfs mitbestimmt. Mit seiner doppelten Autorität als Feldmarschall und Reichspräsident verhalf er auch der im Verlauf des Jahres 1927 angekurbelten Werbekampagne des Trägervereins zum Erfolg, der immerhin eine Million Reichsmark durch Spenden eintreiben mußte.[31]

Indem Hindenburg als Staatsoberhaupt diesen Akt geschichtspolitisch erwünschter Erinnerungspflege vollzog, verherrlichte er zugleich seine eigenen Feldherrntaten. Das Tannenberg-Nationaldenkmal wurde auf diese Weise zum Ersatz für ein Hindenburg-Denkmal, an dessen Errichtung Hindenburg ja zu Weltkriegszeiten ein lebhaftes Interesse bekundet hatte, das aber nicht zustande gekommen war. Wie sehr das Denkmal auf den Feldherrn Hindenburg zugeschnitten war, wird allein daran ersichtlich, daß der Rohbau spätestens zum achtzigsten Geburtstag des »Siegers von Tannenberg« fertiggestellt sein sollte. Die Einweihungsfeier fand dann pünktlich am 18. September 1927, mithin zwei Wochen vor diesem Ereignis, statt. Hindenburg stand in seiner Doppelfunktion als Reichspräsident und Generalfeldmarschall im Mittelpunkt der Einweihungsfeier, zu der etwa achtzigtausend Menschen kamen. Als Staatsoberhaupt adelte er das von privater Seite geplante und finanzierte Projekt zu einem nationalen Erinnerungsort, und als Soldat meldete er dezent, aber unüberhörbar mit diesem Akt seine alleinige Anwartschaft auf den Siegeslorbeer von Tannenberg an.

Der Reichspräsident Hindenburg ließ diesen wirkungsvollen öffentlichen Auftritt natürlich nicht verstreichen, ohne einen vaterländischen Appell an die deutsche Gesellschaft zu richten und zur inneren Einheit zu mahnen: »Darum möge an diesem Erinnerungsmale stets innerer Hader zerschellen; es sei eine Stätte, an der sich alle die Hand reichen, welche die Liebe zum Vaterland beseelt.«[32] Allem Anschein nach hat dieser Auftritt Hindenburgs den gewünschten Effekt bei den Teilnehmern der Feier nicht verfehlt, wenn man die Tagebucheintragung einer Anwesenden Pars pro toto nimmt: »Der alte Recke steht auf seinen Degen gestützt – o deutsches Volk – möge es mit feurigen Lettern in dein Herz geschrieben sein. ›Deutschland über alles‹ auch über Parteienhaß u. Zwietracht.«[33]

Am 18. September 1927 sprach Hindenburg aber in erster Linie als Soldat, was optisch durch die Feldmarschalluniform unterstrichen wurde. Er schlüpfte in die Rolle des soldatischen Zeitzeugen, wenn er sein außenpolitisches Lieblingsthema anschnitt, das ihn seit der Übernahme der Reichspräsidentschaft verfolgte: die öffentliche Zurückweisung der »Kriegsschuldlüge«: »Reinen Herzens sind wir zur Verteidigung des Vaterlandes ausgezogen, und mit reinen Händen hat das deutsche Volk das Schwert geführt.«[34] Auf diese Weise nutzte er das Forum der Denkmalseinweihung, um unter Berufung auf seine militärische Expertise das öffentlich auszusprechen, was der Reichsaußenminister aus diplomatischer Rücksichtnahme nicht so offen artikulieren konnte, was aber Zustimmung bei der überwältigenden Mehrheit der Deutschen fand: die vehemente Ablehnung der Alleinschuld Deutschlands am Kriegsausbruch, verbunden mit der Selbstrechtfertigung, in einen von außen aufgezwungenen Krieg nur um der Selbstbehauptung willen gezogen zu sein.[35]

Nicht zuletzt agierte Hindenburg am 18. September 1927 jedoch auf eigene geschichtspolitische Rechnung: Sein Auftreten als Feldherr implizierte das Aufscheinen seiner geschichtlichen Besitzansprüche auf den Sieg von Tannenberg. Im Verlauf der Einweihungsfeierlichkeiten gab es daher manche Spitze gegen Ludendorff, der in den Augen mancher Militärexperten mit größerem Recht als Hindenburg derartige Ansprüche reklamieren konnte. Zwar wollte Hindenburg Ludendorffs Anteil an Tannenberg nicht aus den Geschichtsbüchern tilgen, aber er pochte unmißverständlich darauf, daß der Sieg unauslöschlich zuallererst mit seinem Namen verbunden sei. Hindenburg konnte geradezu aus der Haut fahren, wenn es um die Verteidigung vermeintlich wohlerworbener Feldherrnansprüche gegenüber Anmaßungen seines einstigen Mitstreiters ging.[36] Ludendorff war daher wie alle anderen Mitkämpfer zwar zur Einweihungsfeier geladen, aber er sollte sich mit einer untergeordneten Rolle abfinden. Da das seinem Naturell zutiefst widerstrebte, kam es fast zum Eklat.

Daß das Tischtuch zwischen Ludendorff und Hindenburg zerschnitten war, machte schon die Begrüßungsszene am Tannenbergdenkmal deutlich. Ludendorff hatte sich vorgenommen, Hindenburg zu ignorieren; Hindenburg dagegen wollte diese womöglich letzte Gelegenheit eines persönlichen Zusammentreffens nutzen, um eine Versöhnung mit Ludendorff zu seinen Bedingungen herbeizuführen. Daher trat er auf den General zu und reichte ihm die Hand mit den Worten: »Ich werde nie vergessen, was Sie mir einst gewesen sind.« Ludendorff interpretierte diese Geste als einen weiteren Ausdruck von Hindenburgs Mißachtung und übersah demonstrativ die gereichte Hand.[37] Auch im weiteren Verlauf der Feier trug er sein Beleidigtsein zur Schau. Geradezu exaltiert mutete sein Verhalten an, als der Vorbeimarsch der geladenen Kriegervereine nahte. Da verließ Ludendorff unter erheblichem Aufsehen die Ehrentribüne und stellte sich an der Straße so auf, daß die Vorbeimarschierenden ihm als erstem die Ehrenbezeugung zu erweisen hatten.[38] Dieses Verhalten aus gekränkter Eitelkeit trug Ludendorff, der an diesem Tag um alles in der Welt im Mittelpunkt stehen wollte, selbst bei ihm Wohlgesinnten Unverständnis ein und isolierte ihn innerhalb der Generalität noch mehr.

Hindenburg hatte daher leichtes Spiel, Ludendorff nach diesen Vorkommnissen um dessen historischen Anteil am Sieg von Tannenberg zu prellen. Da diesem die planerische Mitwirkung am erfolgreichen Schlachtverlauf nicht abzusprechen war, mußte eine geschichtspolitisch verwertbare Argumentation gefunden werden, die den gewünschten Effekt erzielte. Der Gedankengang war von bestechender Einfachheit: Ludendorff sollte als Theoretiker dargestellt werden, der zwar hervorragende Ideen besaß, dem es aber an der wichtigsten Tugend eines wahren Feldherrn gebrach: der Fähigkeit, einen einmal gefaßten Entschluß durchzusetzen und sich auch nicht davon abbringen zu lassen, wenn Bedenken auftauchten. Daß Hindenburg den Kontrast zum wankelmütigen Ludendorff bilden konnte, hing mit der riskanten Anlage des Schlachtplans zusammen, der ja auf der Grundannahme beruhte, daß die zweite russische Armee unter Rennenkampf sich nicht nach Süden wenden und der von der Einschließung bedrohten Armee Samsonow zu Hilfe eilen würde. Daher schien es zumindest nicht unglaubwürdig, daß Ludendorff im Verlaufe dieser extrem risikoreichen Operation den Mut verloren habe und erst durch Hindenburgs Eingreifen eine Abkehr vom Erfolgsrezept der Einkesselung der Samsonowarmee verhindert worden sei.

Vermutlich war der erste hochkarätige Militär, der Hindenburgs unerschütterliche Nervenstärke als eigentlichen Garanten des Sieges von Tannenberg pries und damit Ludendorff implizit der Nervenschwäche zieh, kein Geringerer als Feldmarschall Mackensen. Dieser nutzte das Abendessen im Anschluß an die Denkmalseinweihung für eine Rede in der kleinen Runde vornehmlich hochrangiger Militärs, die das argumentative Grundmuster bis zu Hindenburgs Ableben absteckte: »Liebe Kameraden! Sie, die mit dem Generalfeldmarschall und mir die Schlacht bei Tannenberg mitgemacht haben, werden wissen, daß es eine Zeit gab, in der wir alle die Nerven verloren hatten, wo wir alle an einem Erfolg verzweifelten. Wir sahen alles verloren und gingen zum Generalfeldmarschall und sagten: Wir müssen zurück! Es geht nicht mehr! Die Sache ist aus! – Der Generalfeldmarschall aber war der Einzige, der die Nerven nicht verloren hatte! Er sagte: Geben Sie mir noch eine halbe Stunde! Dann werde ich mich entscheiden! Und wir warteten die halbe Stunde und die Schlacht war gewonnen! Und nun frage ich Sie, liebe Kameraden, wer hat eine Schlacht gewonnen? Derjenige, der schöne Pläne ersonnen, oder derjenige, der diese ausführt, aber im entscheidenden Moment die Nerven nicht verliert? Ich bin der Meinung: der letztere ist der Sieger, und das ist von Tannenberg unser verehrter Generalfeldmarschall von Hindenburg.«[39]

Es bleibt unklar, inwieweit Mackensen hier aus eigenem Antrieb handelte oder von Hindenburg inspiriert wurde. Die letzte Möglichkeit hat insofern viel für sich, als Hindenburg in seine Memoiren einen Hinweis eingeflochten hat, der eine Ausschmückung, wie Mackensen sie vorgenommen hat, nicht nur zuließ, sondern geradezu nahelegte. Es handelte sich dabei um eine einzige Passage, die der Verfasser aber durchaus in dem Sinne gemeint haben dürfte, wie sie von 1927 an gedeutet wurde: als quasi offizieller Beleg für die Nervenschwäche Ludendorffs und damit als unwiderlegbarer Beweis für seine eigene Standfestigkeit. Nachdem er von bedrohlichen Nachrichten gesprochen hatte, die am 26. August 1914 ein Vorrücken eines Korps der Rennenkampfarmee meldeten, führte Hindenburg in seinen Erinnerungen nämlich weiter aus: »Die Krisis der Schlacht erreicht ihren Höhepunkt … Ist es überraschend, wenn ernste Gedanken manches Herz erfüllen; wenn Schwankungen auch da drohen, wo bisher nur festester Wille war; wenn Zweifel sich auch da einstellen, wo klare Gedanken bis jetzt alles beherrschten? … Wir überwinden die Krisis in uns, bleiben dem gefaßten Entschlusse treu und suchen weiter die Lösung mit allen Kräften im Angriff.«[40]

Als die Memoiren 1920 erschienen, konnte und wollte Hindenburg seinen Weggefährten Ludendorff nicht direkt bloßstellen und durch Namensnennung der Wankelmütigkeit bezichtigen, zumal sich Ludendorff bei der Abfassung seiner Memoiren auf die Zunge gebissen und Hindenburg so sehr geschont hatte, daß kein Blatt zwischen die beiden zu passen schien. Hindenburg hoffte zu diesem Zeitpunkt wohl noch, daß Ludendorff ihm seine Illoyalitäten verzeihen und sich von seinem Werben um dessen Juniorpartnerschaft einfangen lassen würde. Daher behalf er sich mit einer Formulierung, die ihm alle Freiheiten ließ: Sie mußte nicht zwangsläufig auf Ludendorff abzielen, aber sie taugte als Schlüsselbeleg, um sie auf diesen umzumünzen, wenn Hindenburg das Startsignal für eine geschichtspolitische Kampagne gegen seinen Rivalen geben sollte.

Daß Hindenburg eine solche Absicht verfolgt hat, geht eindeutig aus der Genese der zitierten Textpassage hervor. Denn die Formulierungen finden sich im ersten Entwurf von Hindenburgs »Ghostwriter« nicht, sondern sind auf ausdrücklichen Wunsch des Feldmarschalls erst später in die Memoiren aufgenommen worden. Mertz von Quirnheim, dem Hauptbearbeiter der Memoiren, fehlte jede Vollmacht, um über ein so heikles Thema wie Tannenberg ein Urteil abzugeben, das nicht von der Autorität Hindenburgs gedeckt war. Dieser hat seinen treuen Mitarbeiter Anfang August 1919 höchstpersönlich zu Hause in Hannover in das vermeintliche Zaudern Ludendorffs während eines kritischen Augenblickes der Schlacht eingeweiht und Mertz den Auftrag erteilt, dies in solche Formulierungen zu kleiden, daß zwar Ludendorffs Name verschwiegen werde, aber an der Eindeutigkeit des Sachverhalts nicht zu zweifeln sei.[41] Wie Mertz kurz vor dieser Begegnung seinem Tagebuch anvertraute, ging es dabei um die Sicherung von Hindenburgs historischen Ansprüchen gegenüber Ludendorff: Hindenburg wollte »alles vermeiden, was so aussieht, als ob er selbst nur eine untergeordnete Rolle im Getriebe der Obersten Heeresleitung gespielt hätte. Es berührt mich eigenartig, wie scharf und wiederholt der Feldmarschall betonte, daß er selbst vier Jahre Chef gewesen sei«.[42] Das ist eine eindeutige Formulierung aus dem Munde eines Mannes, der zeit seines Lebens nichts auf Hindenburg kommen ließ, sein Wissen nicht öffentlich preisgab und Hindenburg stets als »Edelmann«[43] rühmte.

Hindenburg schwang sich mit der zarten, aber geschichtspolitisch ausschlachtbaren Bemerkung zur angeblichen Krisis auf dem Höhepunkt der Tannenbergschlacht zum Kronzeugen in eigener Sache auf. Irgendwelche dokumentarischen Belege für seine Behauptung existierten nicht;[44] der Feldmarschall gab lediglich seine Sicht eines angeblichen Vieraugengesprächs mit Ludendorff wieder. Spätestens seit Antritt des Reichspräsidentenamtes grenzte es aber fast schon an Majestätsbeleidigung, den Wahrheitsgehalt einer solchen Aussage Hindenburgs ernsthaft in Zweifel zu ziehen. Wie das von diesem maßgeblich bestimmte »Protokoll« zu Abdankung und Flucht des Kaisers hatten sich derartige Aussagen so verselbständigt, daß sie in den Rang eines unanfechtbaren Zeugnisses erhoben wurden. Und damit öffnete Hindenburg das Tor für die nächste Runde der Auseinandersetzung mit Ludendorff: Er ermunterte geschichtspolitische Hilfsbataillone, den verklausulierten Hinweis in seinen Memoiren aufzugreifen und Ludendorff des Schwankens zu bezichtigen.

Der erste, der sich darauf einließ, war der Militärhistoriker Dr. Walter Elze. Elze, geboren 1891, hatte den Weltkrieg als einer der jüngsten Hauptleute im Großen Generalstab mitgemacht und dort ein überaus kritisches Urteil über Ludendorff gewonnen, mit dem eine tiefe Bewunderung Hindenburgs korrespondierte.[45] Im Jahr 1920 nahm er an der Universität das Geschichtsstudium auf und erkannte schnell, daß man sich mit einer wissenschaftlichen Ansprüchen genügenden Darstellung der Schlacht von Tannenberg militärhistorische Meriten verdienen konnte, die einer akademischen Karriere recht förderlich waren – vor allem wenn man zentrale Passagen einer solchen Studie durch die Befragung von Zeitzeugen absicherte, die sich des präsidialen Wohlgefallens erfreuten. Dazu zählte der Hindenburg-Verwandte Karl von Fabeck,[46] der bei der Reaktivierung Hindenburgs im August 1914 eine nicht unmaßgebliche Rolle gespielt hatte. Besonders wichtig war der Kontakt mit Mertz von Quirnheim, der Elze nicht nur in seiner Eigenschaft als Präsident des Reichsarchivs den Zugang zu den Akten eröffnete, sondern ihn vor allen Dingen auch über die Genese der Andeutungen Hindenburgs in dessen Memoiren über die vermeintliche Krise am 26. August 1914 ins Benehmen setzte.[47] Da diese Passage auf keinen Geringeren als den Feldmarschall-Reichspräsidenten zurückging, war sie gewissermaßen ex cathedra autorisiert und konnte also als zentraler Beleg für Elzes These dienen, daß allein Hindenburgs Beharrungskraft der glorreiche Sieg von Tannenberg zu verdanken sei. Elze konstruierte ein Gegensatzpaar, in dem Ludendorff als »Vertreter des Siegeswissens« dem überlegenen Repräsentanten des »Siegenkönnens«, nämlich Hindenburg, gegenüberstand.[48] Elze machte seine Sache so gut, daß Hindenburg ihm am 15. Oktober 1928 nach Erscheinen des Tannenberg-Buches eine Audienz gewährte und die »gegebene Darstellung der Krisis in der Schlacht von Tannenberg persönlich bestätigte«.[49]

Damit war der Grundstein gelegt, um unter Rekurs auf die schnell zum Standardwerk avancierende Schrift Elzes die militärgeschichtliche Debatte um die Schlacht von Tannenberg in die gewünschte Richtung zu lenken. Aber mindestens ebenso wichtig war der Umstand, daß Hindenburg die alleinigen Siegerrechte nicht durch eine populäre literarische Verarbeitung des Weltkriegs streitig gemacht wurden, die seit den späten 1920er Jahren den Diskurs um die Kriegsdeutung immer stärker beherrschte.[50] Die in großer Auflage publizierten Schilderungen des Kriegsgeschehens wandten sich nicht an Militärexperten und waren nicht von einer militärischen Elite für einen eher kleinen Kreis von Eingeweihten verfaßt. Sie entsprangen der Feder von Weltkriegsteilnehmern, die als Frontsoldaten den Krieg hautnah im Schützengraben erlebt hatten und die bisherige Perspektive von oben durch eine Sichtweise von unten überlagerten. In dieser Literatur kam ein soldatischer Nationalismus der Frontkämpfergeneration zum Ausdruck, der durchaus das Potential in sich barg, die Taten der Feldherren zumindestens zu verdunkeln, indem die soldatischen Erlebnisse im Trommelfeuer in den Mittelpunkt gestellt wurden. Für die populäre Akzeptanz der Feldherrnrolle Hindenburgs, die sich aus dem Siegermonopol auf die Schlacht von Tannenberg speiste, hing daher viel davon ab, ob Hindenburgs Version von Tannenberg auch in diese Literaturgattung Einzug hielt.

Wie Hindenburg auch in diesem Genre seine Deutungshoheit über Tannenberg aufrechterhalten konnte, soll an einem einschlägigen Beispiel dargelegt werden. Im Januar 1930 kam ein Buch des Schriftstellers Werner Beumelburg auf den Markt, in dem zum ersten Mal der Versuch unternommen wurde, eine aus dem soldatischen Blickwinkel erfolgende lebendige Schilderung des Kriegsgeschehens einzubetten in die übergreifende militärische und politische Rahmenhandlung, womit der Autor einer Auflösung des Kriegsgeschehens in eine heterogene Schilderung individueller Kriegserlebnisse vorbeugen wollte. Das Buch wurde aber nicht nur wegen dieser konzeptionellen Anlage ein Verkaufserfolg. In zwei Ausgaben, nämlich einer Volksausgabe und einer für Kriegsteilnehmer gedachten bebilderten Fassung, fand es unter zwei Titeln – »Sperrfeuer um Deutschland« und »Die stählernen Jahre« – auch deswegen reißenden Absatz, weil es Hindenburg gewidmet war, der sich für diese Widmung in einem persönlichen Schreiben bedankte, das von der zweiten Auflage an dem Buch beigegeben wurde.

Dem Verleger war die verkaufsfördernde Widmung zugestanden worden, weil er dem Büro des Reichspräsidenten inhaltliche Eingriffe in das Manuskript Beumelburgs erlaubt hatte, wodurch alle geschichtspolitisch sensiblen Stellen im Sinne Hindenburgs geglättet werden konnten. Dies betraf zum einen die Vorgänge am 9. November 1918, zum anderen die Darstellung der Schlacht von Tannenberg. Staatssekretär Meißner unterbreitete dem Verleger Stalling persönlich entsprechende Korrekturwünsche, die dieser prompt berücksichtigte.[51] Damit wurde Elzes Behauptung noch einmal bekräftigt. Denn das Büro des Reichspräsidenten hatte auf Geheiß Hindenburgs das Manuskript Beumelburgs an der betreffenden Stelle um zwei Sätze ergänzt, die an Eindeutigkeit nichts zu wünschen übrigließen: »Ludendorff und die Mitglieder des Generalstabes geraten in Zweifel, ob die Schlacht noch durchzuführen ist. Hindenburg aber entscheidet, daß es bei dem alten Plan bleibt.«[52]

Diese geschichtspolitische Expropriierung Ludendorffs stieß von 1930 an bei Ludendorff und seinen Anhängern auf erbitterten Widerspruch, der zwar zu Lebzeiten Hindenburgs wirkungslos verpuffte, aber den Reichspräsidenten und seine Mitarbeiter in solche Erklärungsnot brachte, daß die sachliche Unhaltbarkeit der Hindenburgschen Behauptungen intern eingeräumt wurde. Im Falle des Beumelburg-Buches flüchtete sich der Stalling-Verlag in eine von Meißner empfohlene Hinhaltetaktik, als ein enger militärischer Vertrauter Ludendorffs im Frühjahr 1930 die unter dem Namen Beumelburgs vorgetragene Darstellung der Tannenbergschlacht als unrichtig verurteilte und vom Verlag eine Richtigstellung in einer späteren Auflage anmahnte.[53] Meißner instruierte den Verleger Stalling, in dieser Sache nicht nachzugeben, ließ aber durchblicken, daß die im Buch verbreitete Version allein auf das Zeugnis Hindenburgs zurückging und sich auf keine Beweisstücke von dokumentarischem Wert berufen konnte.[54] Erst nach dem Tod des Reichspräsidenten rückte der Stalling-Verlag stillschweigend von der ihm aufgezwungenen Darstellung der Tannenbergschlacht ab und berichtigte in den folgenden Neuauflagen den inkriminierten Passus.[55]

Die Berichtigung erfolgte nicht zuletzt, weil mittlerweile ein dokumentarischer Beweis aufgetaucht war, daß Hindenburg selbst die in seinen Memoiren aufgestellte und danach in der Öffentlichkeit durch sein Zutun verbreitete Darstellung von einem Schwanken Ludendorffs während der Tannenbergschlacht nicht mehr länger aufrechterhielt. Dieser Rückzug fiel Hindenburg nicht schwer, weil damit keine öffentliche Rehabilitation Ludendorffs verbunden war, sondern lediglich eine für den internen Dienstgebrauch des Reichsarchivs bestimmte historische Ehrenerklärung für seinen alten Mitstreiter. Hans von Haeften erwies sich dabei in seiner Eigenschaft als Präsident des Reichsarchivs als treibende Kraft: Er befragte Hindenburg bei einem seiner regelmäßigen Vorträge vor dem Reichspräsidenten am 24. Oktober 1932 nach der sachlichen Richtigkeit der gegen Ludendorff erhobenen Vorwürfe, worauf Hindenburg von seinen autorisierten Darstellungen völlig abwich und das Einvernehmen betonte, daß zwischen ihm und Ludendorff am 26. August 1914 geherrscht habe. Ausdrücklich distanzierte er sich dabei von der Darstellung im Beumelburgschen Buch. Er konnte dies ohne Gesichtsverlust gegenüber Haeften tun, weil dieser nicht wußte,[56] daß sowohl die gegen Ludendorff gerichtete Stelle in den Memoiren als auch diejenige in Beumelburgs Buch von Hindenburg »persönlich geprüft und gebilligt worden«[57] war. Der Reichspräsident zeigte sich daher ohne weiteres bereit, die von Haeften angefertigte Aufzeichnung über die Unterredung vom 24. Oktober 1932 am 9. Februar 1933 mit einem »Einverstanden« abzuzeichnen.[58] Da diese im Reichsarchiv aufbewahrt wurde, ging er davon aus, daß für eine streng vertrauliche Behandlung gesorgt war,[59] so daß ihm aus der Einverständniserklärung kein öffentlicher Ansehensverlust erwachsen konnte.

Ähnliche Rückzieher blieben zu Lebzeiten Hindenburgs ebenfalls ohne öffentlichen Widerhall und tangierten sein Feldherrnmonopol damit nicht. Ludendorff war im Frühjahr 1930 eher zufällig[60] auf die Stelle bei Elze gestoßen, an welcher der Militärhistoriker ihn der Weichheit während der Tannenbergschlacht beschuldigte. Wie üblich fühlte sich Ludendorff in seiner Feldherrnehre tödlich gekränkt, witterte – durchaus zu Recht – Hindenburg dabei im Spiel[61] und begann, Elze und Hindenburg mit heftigen öffentlichen Vorwürfen zu überziehen,[62] die aber über die kleine Schar der eingefleischten Ludendorff-Jünger hinaus keine Resonanz fanden. Als Ludendorff nach dem Tod Hindenburgs aber einen Prozeß gegen Elze anstrengte,[63] schaltete sich Hitler höchstpersönlich in den Streit ein und sorgte für dessen Beilegung.[64] Hitler betrachtete Ludendorff als einen seiner Lehrmeister und hatte gegenüber Hindenburg noch eine Dankesschuld abzutragen; überdies konnte die Schmälerung des historischen Ansehens dieser beiden, aus seiner Sicht gleichwertigen Feldherren nicht in seiner Absicht liegen. Insofern lebten in der Geschichtspolitik des »Dritten Reiches« Hindenburg und Ludendorff als einträchtiges Feldherrenpaar weiter, dem gleichermaßen der Anteil am Sieg von Tannenberg gebührte. Diesen Umstand konnte Hindenburg wohl verschmerzen, weil er während seiner Reichspräsidentschaft genügend Kapital aus der Okkupation Tannenbergs geschlagen hatte. Der Sieg von Tannenberg war so sehr mit seinem Namen verbunden, daß er ihn bei offiziellen Anlässen ganz selbstverständlich bemühte. So wies er bei der traditionellen Silvesteransprache am 31. Dezember 1931 auf dem Höhepunkt der Wirtschaftskrise im Rundfunk auf den vorbildhaften Charakter von Tannenberg hin, wo durch eine Gemeinschaftsanstrengung eine bedrängte Lage gemeistert worden sei. Er konnte allerdings der Versuchung noch immer nicht widerstehen, wenigstens in einer kleinen Andeutung eine Spitze gegen Ludendorff einzuflechten: Bei der Umsetzung gewagter Entschlüsse in Tannenberg »mag mancher innerlich Bedenken gehegt haben«.[65]

Feier zu Hindenburgs achtzigstem Geburtstag, 2. Oktober 1927

KAPITEL 21

Im Zenit des Ansehens

Die erfolgreiche Sicherung des Feldherrnmonopols versetzte den Reichspräsidenten Hindenburg in die Lage, jederzeit auf eine zusätzliche Legitimationsressource
zurückgreifen zu können, so daß er in den Kreisen der Republikgegner durch seine
Amtsführung als Reichspräsident sein Ansehen zunächst nicht aufs Spiel setzte. Als
Hindenburg am 2. Oktober 1927 seinen achtzigsten Geburtstag beging, konnte er
sich des Beifalls von links wie rechts sicher sein. Das Gros des republikanischen Lagers rechnete es dem Reichspräsidenten hoch an, daß er in seinem Amt restaurativen Eifer völlig vermissen ließ und sich trotz seines fortgeschrittenen Alters mit der
neuen Staatsordnung abgefunden zu haben schien. Die republikskeptische Rechte
tröstete sich über das irritierende Arrangement Hindenburgs mit der Republik damit hinweg, daß der Generalfeldmarschall Hindenburg jedenfalls nicht in der Republik aufging und der Militär Hindenburg weiterhin ihr gehörte.[1]

Auf den ersten Blick schien es so, als sei in der Feier des 2. Oktober 1927 die
traute Eintracht zwischen Reichspräsidentenamt und Feldherrnschaft offiziell besiegelt. Die Festchoreographie reservierte den Abend des 1. Oktober für die militärische Feier: Auf die unvermeidlichen Parademärsche folgte der Große Zapfenstreich vor dem Palais Hindenburgs. Der eigentliche Geburtstag war dafür dem
Reichspräsidenten gewidmet, der sich ausdrücklich eine schlichte Feier erbeten
hatte. Es begann mit Morgenmusik im Vorgarten seiner Dienstwohnung, danach
folgten ähnlich wie am Neujahrstag Gratulationsempfänge. Am Nachmittag begab
sich Hindenburg in das mit vierzigtausend Menschen gefüllte Berliner Stadion,
wobei er auf der Fahrt dorthin die Huldigungen der am Straßenrand versammelten Bevölkerung entgegennahm. Auch in der Einladung kam diese scheinbare
Synthese zwischen Staatsoberhaupt und Militär zum Ausdruck, denn es wurde gebeten zur »Feier aus Anlaß des achtzigsten Geburtstages des Herrn Reichspräsidenten Generalfeldmarschall von Hindenburg«.[2]

Bei näherem Hinsehen bemerkt man jedoch, daß Hindenburg am 2. Oktober
eine auffallende Distanz zu den Verfassungsorganen wahrte. Weder Reichstag noch

Reichsregierung waren institutionell in den Ablauf der Feier eingebunden, deren
Organisation ganz beim Büro des Reichspräsidenten und damit bei Staatssekretär
Meißner lag. In Einvernehmen mit Hindenburg sorgte dieser dafür, daß die republikanische Staatsform so weit wie möglich in den Hintergrund trat.[3] Hindenburg
ließ sich am 2. Oktober 1927 nicht vom Staat und seinen Organen feiern, sondern
von ausgewählten Gruppen, die für ihn ein Abbild des deutschen Volkes darstellten. Dazu zählte in erster Linie die »deutsche Jugend«, auf die er ja bereits im
Schlußsatz seiner Erinnerungen seine politischen Hoffnungen gerichtet hatte. Infolgedessen bildeten die Schulkinder von Berlin sowohl die Akteure als auch die
Kulisse der Feier im Berliner Stadion: Siebentausend Kinder brachten Hindenburg fünf vaterländische Lieder dar, und die übrigen füllten mit den dreitausend
Ehrengästen das Stadionrund. Auch die auf dem Weg zum Stadion zur Huldigung versammelten Gruppen waren sorgfältig ausgewählt und sollten ein Spiegelbild der »Volksgemeinschaft« abgeben: Krieger- und Militärvereine, Vertreter
von Adelsgenossenschaften, Burschenschaften, Handwerksverbände, vaterländische Frauenvereine, Landbund-Abordnungen, Reitervereine, Angehörige von
Automobilclubs – insgesamt 149 angemeldete Gruppen – bildeten nach einem besonderen Aufstellungsplan Spalier.[4] Organisationen, die nach Hindenburgs Verständnis die nationale Einheit durch ihre pure Existenz in Frage stellten, also in
erster Linie die Repräsentanten der sozialistischen Arbeiterbewegung, fehlten dagegen. Dafür waren die Rechtsparteien ganz offiziell vertreten, allein der Deutschnationalen Volkspartei mit ihren regionalen und lokalen Gliederungen waren insgesamt zwölf Stellen zugeteilt.

Das Weimarer Staatswesen war nur am Vormittag des 2. Oktober beim Gratulationsempfang vertreten. Hier erhielten Vertreter von Reichsregierung, Landes-
regierungen, gesetzgebenden Körperschaften, Reichswehr und der Stadt Berlin
Gelegenheit, ihre Glückwünsche zu entbieten, wobei die Zeit für jede dieser Gruppen auf fünfzehn Minuten beschränkt war.[5] Die republikanischen Gratulanten
wurden eingerahmt und damit in gewisser Weise neutralisiert durch Abordnungen
der alten Armee und von Wehrverbänden – unter anderem der drei Traditionsregi-
menter des Generalfeldmarschalls Hindenburg –, die diesem Empfang den Stempel aufdrückten. Sah der Terminplan vor, innerhalb von 75 Minuten die Repräsentanten von Reich, Ländern und Gemeinden durchzuschleusen, so nahm sich Hindenburg fast doppelt soviel Zeit für die Begegnung mit seinen alten Kameraden.[6]
Gerade einmal zehn Minuten räumte das Protokoll den Spitzen des Reiches ein:
Um 11.30 Uhr drängelten sich sämtliche Reichsminister inklusive ihrer Staatssekretäre, der Präsident des Reichsgerichts, die Präsidenten des Rechnungshofes und

der Reichsbank sowie der Generaldirektor der Reichsbahn und machten genau zehn Minuten später der preußischen Staatsregierung Platz, der genausoviel Zeit zugestanden wurde.[7] Davor hatte sich Hindenburg immerhin eine Viertelstunde genommen, um seinen einzig wirklichen persönlichen Vertrauten, Generalleutnant August von Cramon, in seinem Arbeitszimmer zu empfangen.

Reichskanzler Marx begleitete Hindenburg beim Großen Zapfenstreich und bei der Fahrt ins Stadion,[8] war aber nicht mehr als Staffage. Und die Rede, die er am 2. Oktober um 11.30 Uhr beim Gratulationsempfang namens der Reichsregierung hielt, war nicht dazu angetan, die Stellung der übrigen Verfassungsorgane zur Geltung zu bringen. Der Hindenburg-Verehrer Marx erwies dem Reichspräsidenten auf eine Weise seine Reverenz, die sich kaum vom Tenor der Erwiderungsansprache des Gefeierten unterschied: Sie war eine Verbeugung vor der Würde dieser Persönlichkeit und ein Rekurs auf Hindenburgs Kernbotschaft, das deutsche Volk zu wachsender Einheit zu führen.[9] Der Rede des Reichskanzlers war nicht zu entnehmen, daß hier dem Staatsoberhaupt eines republikanischen Staatswesens, das an verfassungsrechtliche Rahmenbedingungen gebunden war, die Ehre erwiesen wurde. Hindenburg nutzte die Replik auf die Ausführungen des Reichskanzlers dazu, seine politische Grundmelodie anzustimmen, die in seinem Herzenswunsch gipfelte, »daß unserem Volke Einigkeit beschert werde«.[10] Am Tag darauf wandte er sich mit einem besonderen Erlaß an das deutsche Volk, in dem er für die Glückwünsche dankte und dies mit einem politischen Ausblick verband: »Das stärkt in mir die Hoffnung, daß das Streben nach Einigkeit und Zusammenschluß den Kampf der Meinungen und den Widerstreit der Interessen in unserem Volke überwinden wird. Möge ein jeder, der gestern meiner in Worten und Grüßen gedacht hat, an seiner Stelle an diesem Werke der Einigung mitarbeiten.«[11]

Hindenburg gab damit einem politischen Verlangen Ausdruck, das sich in weiten Kreisen enormer Zustimmung erfreute. »Volksgemeinschaft« war die prinzipiell über die eingefahrenen politischen Lager hinausreichende terminologische Markierung hierfür. Mit ihren Partizipationsverheißungen war die »Volksgemeinschaft« auch anschlußfähig an demokratische Konzepte liberaler oder sozialistischer Provenienz, weil das Volk als politischer Willensträger ins Zentrum gestellt wurde. Allerdings war nicht zu übersehen, daß sich der Begriff in der Nachkriegszeit immer stärker von solchen Konnotationen löste und eine stärkere antipluralistische Stoßrichtung erhielt.[12] Die Prediger der »Volksgemeinschaft« wiesen mit ihrer politischen Kernbotschaft zunehmend über die bestehende Staatsform hinaus. Und wenn das Staatsoberhaupt unablässig die Herstellung nationaler Einheit beschwor, wurde ein politischer Sprengsatz erkennbar, der die Weimarer Republik aus den Angeln heben konnte. Die von Hindenburg seit 1915 beschworene Revitalisierung des »Geistes von 1914« stellte schließlich nicht nur einen direkten Angriff auf jede Form parlamentarischer Bildung des Volkswillens dar und leistete damit einer Entparlamentarisierung Weimars Vorschub; sie richtete sich im Grunde auch gegen den Versuch, die in der Weimarer Verfassung angelegten institutionellen Möglichkeiten des Präsidentenamtes auszuschöpfen und auf diese Weise zu einem für das Funktionieren eines Staatswesens unentbehrlichen Mindestmaß an politischer Homogenität zu gelangen. Hindenburg wollte letztlich nicht vom Präsidentenamt aus das Volk einigen und damit der demokratischen Republik eine noch stärker präsidiale Ausrichtung geben. Er ging diese Aufgabe vielmehr mit seinem seit 1915 erworbenen symbolischen Kapital an, das die politische Zäsur von 1918 überdauert hatte und damit unabhängig vom Präsidentenamt existierte. Für die Reichspräsidentschaft hatte sich Hindenburg entschieden, weil sich unter den geänderten politischen Rahmenbedingungen nur von einem machtvollen Amt aus nachhaltige politische Wirkung erzielen ließ. Hatten ihm die andersartigen Entscheidungsstrukturen im Weltkrieg noch erlaubt, von einer militärischen Position aus symbolische Politik zu betreiben und genuin politische Herrschaftsansprüche zu reklamieren, so mußte sich Hindenburg in der Weimarer Republik der staatlichen Institutionen bedienen und sich damit auf die Mechanismen legaler Herrschaft einlassen. Er tat dies aber immer aus einem instrumentellen Interesse heraus: Der Wert der Reichspräsidentschaft bemaß sich für Hindenburg danach, ob er von diesem Amt aus die nationale Integration besser befördern konnte oder nicht.

Dieses Verständnis von den Möglichkeiten legaler Herrschaft war grundlegend für eine politische Entwicklung, die im 30. Januar 1933 kulminieren sollte. Zunächst wollte Hindenburg das Potential seines Amtes ausloten: Sollte es nicht möglich sein, vermittels einer extensiven Auslegung der präsidialen Befugnisse institutionelle Gegenspieler – also den Reichstag – zu entmachten, die das Projekt »Volksgemeinschaft« blockierten, weil die gesellschaftliche Heterogenität Deutschlands im Parlament eben einen spiegelbildlichen parteipolitischen Niederschlag fand? Diese präsidiale Variante wollte das Potential des Präsidentenamtes ausreizen, indem Hindenburg die verfassungsmäßigen Vollmachten seines Amtes bis zur Neige ausschöpfte. Doch es war bald abzusehen, daß er hier nicht bis zum Äußersten des Denkbaren und politisch Machbaren gehen würde, sondern von dieser präsidialen Lösung Abstand nehmen würde, sobald der Einsatz legaler Machtmittel ihn in die Niederungen der politischen Auseinandersetzung zu zerren und seine symbolische Leistungsfähigkeit zu beschädigen drohte. Dieser freiwillige Verzicht auf die legalen Möglichkeiten seines Amtes konnte ihm erleichtert werden, wenn alternative politische Kräfte bereitstanden, die das Projekt der Realisierung einer im nationalen Sinne ausgedeuteten »Volksgemeinschaft« auf ihre Fahnen geschrieben hatten.

Zunächst durchlebte Hindenburg von 1929 an eine drei Jahre während Periode, in der ihm die symbolischen Kosten des Präsidentenamtes immer deutlicher wurden. Die Ausweitung der legalen Befugnisse des Reichspräsidenten Hindenburg in der Endphase der Weimarer Republik darf nicht darüber hinwegtäuschen, daß dieser selbst diesen Weg nur halbherzig beschritt. Denn er mußte die für ihn bittere Erfahrung machen, daß er von seinem Amt aus die herbeigesehnte politische Einigung des deutschen Volkes nicht bewerkstelligen konnte, jedenfalls nicht, ohne in heftige politische Auseinandersetzungen mit »nationalen Kräften« zu geraten, die nach seinem Verständnis einen integralen Bestandteil der zu schaffenden Volksgemeinschaft bildeten.

Eine erste Kostprobe dafür lieferte die Auseinandersetzung um die Unterzeichnung des Young-Plans, die zum ersten wirklich heftigen Konflikt des Reichspräsidenten Hindenburg mit der Rechten führte. Eigentlich war die Ratifizierung dieses Vertrags eine Konsequenz aus der revisionistischen Anlage von Stresemanns Außenpolitik, die Hindenburg letztlich mitgetragen hatte. Der im Sommer 1929 ausgehandelte Vertrag sah eine endgültige Regelung der leidigen Frage der deutschen Reparationen vor, indem eine Gesamtsumme der zu entrichtenden Zahlungen fixiert und ein sich bis zum Jahr 1988 erstreckender Zahlungsplan festgelegt wurde. Stresemann hatte nicht vor, solche vertraglichen Verpflichtungen einzugehen mit der Aussicht, daß Deutschland tatsächlich noch 59 Jahre lang Kriegsentschädigungen entrichtete, deren Ansprüche nicht zuletzt auf der von den Siegermächten dekretierten alleinigen Kriegsschuld Deutschlands und seiner Verbündeten beruhten. Er schätzte aber die spürbare finanzielle Entlastung gegenüber der bisherigen Reparationsvereinbarung, nämlich dem Dawes-Plan. Zum anderen fiel ins Gewicht, daß die Siegermächte fünf Jahre früher als im Versailler Vertrag vorgesehen die noch besetzten Zonen des Rheinlandes räumen sollten. Aber nicht nur diese Vereinbarung, die dem Deutschen Reich überhaupt erst zu weitgehend uneingeschränkter territorialer Souveränität verhalf, sprach für den Young-Plan. Stresemann hoffte insgeheim, daß durch diesen Plan eine Entwicklung eintreten werde, die mittelfristig auf das Auslaufen der deutschen Reparationsverpflichtungen überhaupt hinauslief, wenn nachgewiesen wurde, daß sie nicht zu erfüllen waren. Da die deutsche Außenpolitik mithin dezidiert revisionistische Absichten mit der Unterzeichnung des Young-Plans verfolgte, sah Hindenburg keinen Anlaß, sich von diesem zu distanzieren.[13]

In einem wesentlichen Punkt unterschied sich der Young-Plan jedoch von allen bisherigen außenpolitischen Aktionen, die Hindenburg als Reichspräsident gebilligt hatte: Die Unterzeichnung dieses Abkommens fiel auch auf Hindenburg zurück und wurde von nationalistischen Kritikern nicht mehr nur der Reichsregierung und insbesondere Außenminister Stresemann angelastet. Hindenburg wurde damit erstmals in politische Haftung genommen für die im wesentlichen nicht von ihm, sondern von der Reichsregierung konzipierte und durchgeführte Außenpolitik. Ihm drohte ein ernsthafter Ansehensverlust, weil seit Herbst 1929 eine neue nationalistische Welle Deutschland überrollte, deren Entstehen nicht zuletzt aus der Fundamentalkritik am Versailler Vertrag und dessen Folgen resultierte. Hindenburg setzte sich zunehmend der öffentlichen Kritik von rechts aus, weil er sich konform zu den Möglichkeiten seines Amtes verhielt und loyal die Politik seines Außenministers verteidigte.

Daß die massive Kritik von rechts am Young-Plan auch den Reichspräsidenten nicht aussparte, hing wesentlich damit zusammen, daß die Gegner der Unterzeichnung Hindenburg förmlich bedrängten, sich in dieser Frage öffentlich zu erklären und sich auf ihre Seite zu schlagen. Zum ersten Mal wurde der Reichspräsident in einer überaus sensiblen außenpolitischen Frage geradezu inquisitorisch angehalten, sich politisch zu offenbaren. Die Young-Plan-Gegner hielten hartnäckig an ihrem Drängen fest, weil die verfahrensmäßige Behandlung der Young-Plan-Gesetze den rein parlamentarischen Raum verlassen hatte und zum Gegenstand eines Volksbegehrens gemacht worden war. Die Mobilisierung der plebiszitären Elemente der Weimarer Verfassung brachte es zwangsläufig mit sich, daß sich die in einem Reichsausschuß für ein Volksbegehren gegen den Young-Plan zusammengeschlossenen Kräfte um prominente Fürsprecher ihres Anliegens bemühten. Was lag da näher, als sich an Hindenburg zu wenden? Und wer konnte ein solches Anliegen besser vortragen als die Gruppe der 22 ehemaligen Generale und Admirale, die am 11. Oktober 1929 bei Hindenburg vorstellig wurden? Der Zeitpunkt für diese Intervention war klug gewählt, denn er lag unmittelbar vor der vom 16. bis zum 29. Oktober laufenden Einschreibungsfrist für das Volksbegehren. Wenn sich wenigstens zehn Prozent der Wahlberechtigten in die ausliegenden Listen eintrugen, war dafür gesorgt, daß die Anti-Young-Kampagne die deutsche Politik im auslaufenden Jahr 1929 in Atem hielt. Dann mußte nämlich das diesem Volksbegehren zugrunde gelegte »Freiheitsgesetz«, das im Kern die einseitige Aufkündigung der deutschen Reparationsverpflichtungen bedeutete, zunächst einer parlamentarischen Beratung unterzogen werden. Wenn das Gesetz – wie zu erwarten war – im Reichstag scheiterte, mußte ein Volksentscheid anberaumt werden.[14]

Hindenburg fühlte sich unter einem gewissen Rechtfertigungszwang, da sich fast die gesamte Prominenz der alten Armee in dieser Initiative vereinigt hatte, darunter auch alte Kameraden, die er persönlich über alles schätzte. So fand sich neben Feldmarschall Mackensen auch General Cramon unter den Unterzeichnern des Appells, also ein Militär, mit dem Hindenburg die engsten persönlichen Kontakte pflegte und dem die Auszeichnung zuteil geworden war, anläßlich des achtzigsten Geburtstages von Hindenburg noch vor der Reichsregierung seine Glückwünsche in einer Privataudienz entrichten zu dürfen.

Hindenburg nahm sich für seine ausführliche Antwort Zeit und griff dabei auf den Sachverstand und die Formulierungshilfe des Auswärtigen Amtes zurück. Stellenweise liest sich seine Antwort, die er am 4. November 1929 an den Wortführer der Aktion, Admiral von Schröder, sandte, wie eine Stellungnahme des Außenministeriums. Darüber hinaus enthüllt dieses Schreiben in seinem Kernsatz erneut, wie sehr sich Hindenburg als Politiker empfand, der seine soldatische Herkunft zwar nicht abgestreift, aber erkannt hatte, daß mit einer Verabsolutierung militärischer Maßstäbe keine verantwortungsbewußte Politik betrieben werden konnte: »Ich gebe zu, daß Gefühl und soldatisches Empfinden angesichts der jahrelangen Demütigungen und Bedrängungen durch unsere Kriegsgegner das Nein und den Widerstand als das allein Richtige bezeichnen; kühle Erwägung und das Verantwortungsgefühl für die Nation und ihre Zukunft müssen aber unter Zurückstellung aller persönlichen Empfindung wohl zu dem anderen Weg führen.«[15]

Hindenburgs alte militärische Weggefährten waren nicht die einzigen, die ihn zu einer politisch ausschlachtbaren Stellungnahme gegen den Young-Plan drängten. Er wurde geradezu überschüttet mit Anfragen in dieser Richtung. Besonders ins Gewicht fielen dabei Interventionen von zwei ostpreußischen Gutsbesitzern, mit denen Hindenburg einen intensiven persönlichen Verkehr pflegte und denen er in jüngster Zeit auch geographisch nahe gerückt war: Elard von Oldenburg aus Januschau im Kreis Rosenberg und Manfred von Brünneck aus Groß-Bellschwitz im selben Kreis. Die deutsche Wirtschaft hatte sich nämlich nicht lumpen lassen und Hindenburg als Präsent zum achtzigsten Geburtstag das ebenfalls im Kreis Rosenberg gelegene Familiengut Neudeck, das Hindenburgs Schwägerin nicht mehr hatte halten können und das deswegen zum Verkauf stand, überreicht. Sollten Oldenburg-Januschau und seine Standesgenossen gehofft haben, durch die Schenkung Neudecks den Weg zu bereiten für politische Einflüsterungen, mußten sie beim Young-Plan unmißverständlich registrieren, wie gering ihr politischer Einfluß auf den Reichspräsidenten war. Hindenburg lehnte ungebetene politische Ratschläge ab, egal aus welcher Richtung sie kamen oder wie eng und einvernehmlich die persönlichen Beziehungen zu den Ratgebern waren. Hindenburg ließ Oldenburg einfach abblitzen und sich kein abfälliges Urteil über den Young-Plan entlocken.[16]

Dem Grafen Brünneck, mit dem ihn seit den frühen 1920er Jahren ein enges persönliches Verhältnis verband, machte er in vier handschriftlichen Sätzen die praktischen Vorteile des Young-Plans deutlich und brachte damit seine Haltung auf den Punkt: »Dawes- und Young-Plan sind beide von Uebel. Bezahlen müssen wir, nicht als der schuldige, sondern als der besiegte Theil, auf alle Fälle. Die große Summe muß auf längere Zeit verteilt werden. Revision muß bei beiden Plänen nach einiger Zeit eintreten; bis dahin ist Young billiger und zwangloser.«[17] Hindenburg bekannte sich zu einer pragmatischen Politik, bei der man den Realitäten ins Auge sah und sich nicht in Illusionen flüchtete. Die berechtigten Klagen über die dem Deutschen Reich widerfahrene Ungerechtigkeit »ändert an der Thatsache nichts, daß wir die Unterlegenen sind«.[18] Hindenburg bemühte in diesem Zusammenhang die preußische Geschichte und stellte sich in eine Traditionslinie mit dem Freiherrn vom Stein, gegen dessen Bewältigung der preußischen Niederlage von 1806 ultrakonservative Junker, insbesondere Marwitz, heftige Vorwürfe erhoben hatten. Doch die Geschichte habe Stein »nachher recht gegeben, denn sonst wäre Preußen vernichtet worden. Jetzt liegen die Dinge vielleicht sehr ähnlich.«[19] Der Realpolitiker Freiherr vom Stein erschien als Hindenburgs politischer Lehrmeister und prominenter Zeuge gegen einen wohlfeilen Gesinnungsfundamentalismus.

Hindenburg störte aber nicht nur der dogmatische Eifer der Anti-Young-Kampagne, deren Vertreter sich ohne Rücksicht auf die zu erwartenden Konsequenzen einer Fundamentalverweigerung in der Präsentation ihrer reinen, »nationalen« Gesinnung gefielen. Ebenso mißfiel ihm, daß – wie schon beim Volksbegehren und Volksentscheid des Jahres 1926 – auch diesmal die Aktivierung der plebiszitären Mechanismen die politischen Gräben noch mehr vertiefte und damit seine immerwährende Mahnung zur Geschlossenheit in übergreifenden nationalen Fragen ungehört verhallte. Eine unter seiner Führung zustande gebrachte innere Einigung des deutschen Volkes erschien ihm gerade unter außenpolitischen Aspekten nötig, weil erst ein innerlich geeintes Volk den machtpolitischen Aufstieg des Reiches in Angriff nehmen könnte. Erst wenn das deutsche Volk seine strukturelle Schwäche – die Zerrissenheit – überwunden und zu einheitlicher politischer Willensbildung gefunden hätte, könnte es wieder zu außenpolitischer Kräftigung gelangen. Dieser Gedankengang war bereits im Schlußkapitel seiner Erinnerungen angeklungen[20] und wurde nun in Zusammenhang mit dem Volksbegehren wieder aufgegriffen: »Nicht Kriegsschuld, sondern unsere Schwäche ist die Ursache. Ehe wir diese nicht überwunden haben, hilft alles Protestieren nichts. Volksbegehren ist Gefahr.«[21]

Hindenburg mißfiel zudem die Zusammensetzung der sich selbst laut tönend als »nationale Opposition« titulierenden Kräfte, die sich in der Kampagne gegen den Young-Plan erstmals zu einer politischen Aktionseinheit versammelt hatten. Dem »Stahlhelm« konnte Hindenburg seine Beteiligung daran noch nachsehen, da dieser Bund der Frontsoldaten seinem Ehrenvorsitzenden Hindenburg gegenüber stets Hochachtung bewahrte.[22] Daß die radikalsten Ausfälle gegen die Befürworter des Young-Plans von der Nationalsozialistischen Deutschen Arbeiterpartei unter ihrem Führer Adolf Hitler stammten, dürfte Hindenburg nicht verwundert haben, weil er von ihr ohnehin wenig anderes erwartete. Für ihn war diese Partei, die es bei der letzten Reichstagswahl vom Mai 1928 nur auf 2,6 Prozent der abgegebenen Stimmen gebracht hatte, auf der politischen Landkarte vorerst nur verzeichnet als eine Vereinigung vielleicht Gutmeinender, aber letztlich im Abseits Stehender, die das rechte Maß vermissen ließen.[23]

Wirklich betrübt war er hingegen über die Entwicklung der DNVP im Herbst 1929. Diese Partei, der er sich innerlich am nächsten fühlte und auf deren Liste er einstmals bei der Wahl zur Nationalversammlung im Jahre 1919 hätte kandidieren sollen, hatte im Oktober 1928 einen Führungswechsel erlebt, der einem Richtungswechsel gleichkam. Der von Hindenburg hochgeschätzte Graf Westarp, Exponent der hochkonservativen Richtung, wurde als Parteivorsitzender abgelöst durch Alfred Hugenberg, der den in der Partei immer mehr die Oberhand gewinnenden alldeutsch-nationalistischen Flügel repräsentierte. Dieser schwor die DNVP auf einen unversöhnlichen Kampf gegen die Republik ein und drängte die verständigungsbereiten Konservativen an den Rand. Als Anfang Dezember 1929 zwölf Reichstagsabgeordnete der moderaten Richtung die DNVP verließen und Graf Westarp daraufhin den Fraktionsvorsitz niederlegte, fehlte Hindenburg ein vertrauenswürdiger Ansprechpartner an der Spitze der Deutschnationalen.[24]

Den neuen starken Mann der DNVP trennten Welten von Hindenburg. Hugenberg hatte beruflich als Verfechter schwerindustrieller Interessen reüssiert und dann mit fremdem Geld ein undurchsichtiges Presseimperium aufgebaut[25] – was ihn Hindenburg eher suspekt machte, zumal Hugenberg auch auf keinerlei militärische Erfahrungen zurückblicken konnte, die ihm beim Feldmarschall hätten Respekt eintragen können. Überdies konnte der Geheimrat Hugenberg ein lehrmeisterhaftes Gebaren nicht unterdrücken, was der herrschaftsbewußte Hindenburg als Ausdruck fehlender Demut dem Reichspräsidenten gegenüber ganz und gar nicht schätzte. So endete der briefliche und mündliche Verkehr in Sachen Young-Plan zwischen den beiden damit, daß der Reichspräsident – der Bekehrungsversuche Hugenbergs überdrüssig – einen zunächst einvernehmlich ins Auge gefaßten Gesprächstermin platzen ließ, indem er Hugenberg im März 1930 kurzerhand auslud.[26]

Hindenburg verhehlte im privaten Kreis nicht, wie verärgert er über den Zustand der Rechten war. Das von Hugenberg initiierte Volksbegehren hatte sich als Spaltpilz erwiesen, wo doch nach seiner Ansicht gerade in den selbsternannten vaterländischen Kreisen Einigkeit in nationalen Belangen das oberste Gebot sein sollte. Zudem war er mit dem Führungspersonal der traditionellen Rechtskräfte so unzufrieden, daß er gegenüber seinem Zweiten Adjutanten offenbarte:»Sie wissen, innerlich stehe ich durchaus rechts. Aber das muß ich sagen, wir sind von allen Parteien die dämlichste!«[27] Diese Aussage bedeutete aber keine prinzipielle Absage Hindenburgs an die Kräfte der»nationalen Opposition«. Denn wenn der von diesen vertretene Konfrontationskurs auf enormen Widerhall in der Bevölkerung stoßen und der»nationalen Opposition« einen Wahlerfolg bescheren sollte, dann mußte Hindenburg darüber nachdenken, ob die von ihm unablässig verkündete Einigung der Nation es nicht zwingend erforderlich machte, die»nationale Opposition« einzubeziehen oder ihr sogar eine Führungsrolle zuzuerkennen. Dennoch zeichnete sich bereits Ende 1929 deutlich ab, daß Hindenburg sich unter seiner Reichspräsidentschaft einen Kanzler Hugenberg nicht vorstellen konnte. Über die politischen Karrierechancen eines Adolf Hitler unter einem Reichspräsidenten Hindenburg war hingegen zu diesem Zeitpunkt keine Vorentscheidung gefallen. Hindenburg kannte Hitler – der immerhin vier Jahre als Frontkämpfer vorzuweisen hatte – persönlich überhaupt nicht.

Noch war Hindenburg bestrebt, das aus seiner Sicht sachlich Gebotene in der Außenpolitik zu tun und darüber hinaus seine präsidialen Befugnisse immer nachdrücklicher zur Geltung zu bringen. Daher wurde er auch nicht weich, als alte militärische Weggefährten ihn nach dem Volksentscheid über das Gesetz gegen den Young-Plan bestürmten, dieses nicht zu unterzeichnen. Der Volksentscheid war am 22. Dezember 1929 erwartungsgemäß fehlgeschlagen; aber immerhin hatten sich 13,8 Prozent aller Stimmberechtigten in die Wahllokale begeben und für die Annahme des von der»nationalen Opposition« eingebrachten Gesetzentwurfes votiert. Danach prasselte ein wahres Trommelfeuer von Interventionen der Young-Plan-Gegner auf Hindenburg nieder, der aber scheinbar unbeirrt an seiner Position festhielt.[28] Die brieflichen Eingaben dieser Zirkel offenbarten so deutlich eine gesteuerte Kampagne, daß Hindenburg darin kaum das unverfälschte Stimmungsbild ihm ansonsten treu ergebener Kräfte erkennen konnte. »Ich werde mit Briefen überschüttet, aber sie haben alle fast den gleichen Wortlaut und dasselbe Datum, sind also bestellte Arbeit. Augenblicklich sind die Frauenvereine und die alten Offiziere an der Reihe. Sie meinen es gewiß treu und gut, aber ich bin überzeugt, sie haben keine Ahnung und sind meist durch die Hugenberg-Presse aufgehetzt.«[29] Nachdem der Reichstag am 13. März 1930 die Young-Gesetze angenommen hatte, zögerte er nicht, sondern setzte am folgenden Tag seine Unterschrift unter das Vertragswerk und verlieh ihm damit Rechtsgültigkeit. Seine Standfestigkeit wurde in der demokratischen und liberalen Presse gelobt und nötigte auch jenen Republikanern Respekt ab, die den Amtsantritt Hindenburgs mit bangem Herzen verfolgt hatten.[30]

Wie zu erwarten, wurde Hindenburg von der radikalen Rechten deswegen angefeindet. Zum ersten Mal geriet er von dieser Seite aus unter politischen Beschuß; öffentliche Kritik an Hindenburg von rechts war seit März 1930 kein Tabu mehr. Während die alte, konservative Rechte eher mit Stillschweigen über den für sie peinlichen Akt »ihres« Reichspräsidenten hinwegging, schäumte die rechtsradikale, völkische Presse vor Wut und bescheinigte dem Reichspräsidenten, durch sein Verhalten seine früheren Verdienste als Feldmarschall aufgezehrt zu haben.[31] Speziell Goebbels, der nationalsozialistische Gauleiter von Berlin, und der Chefredakteur des »Völkischen Beobachters«, Rosenberg, spien Feuer und griffen den Feldmarschall frontal an: Der »Sieger von Tannenberg« sei politisch fahnenflüchtig geworden und ins Lager der antinationalen Kräfte übergelaufen.[32] Der Hindenburg-Mythos war in diesen Kreisen bereits so verblaßt, daß der Reichspräsident sich ausmalen konnte, welchen Belastungen er sein Ansehen aussetzte, wenn er an seinem Kurs festhielt und die extreme Rechte weiteren politischen Aufwind erhielt.

Besonders bedrohlich für das mythosgestützte Charisma Hindenburgs war der Umstand, daß auch in konservativen Kreisen die Unzufriedenheit mit seiner Reichspräsidentschaft wuchs. Noch war man dort von einer Fundamentalkritik, welche Hindenburgs symbolisches Kapital aufzehren konnte, weit entfernt und versuchte sich mit dem Argument zu trösten, daß Hindenburg nur von falschen Beratern umgeben sei und eine Trennung von diesen ihn wieder auf den richtigen Kurs führen werde. Doch selbst im Familienkreis kam Unverständnis auf, was sich an den tagebuchartigen Aufzeichnungen Karl von Fabecks ablesen läßt. Der an Hindenburgs Reaktivierung im August 1914 nicht ganz unbeteiligte Neffe Hindenburgs hatte sich im Januar 1930 noch der felsenfesten Überzeugung hingegeben, daß der Reichspräsident niemals den Young-Plan unterschreiben werde: »Ich halte es für ausgeschlossen, daß der alte Hindenburg einen Vertrag unterschreibt, der unsere Kinder und Kindeskinder versklavt und den Franzosen das Recht gibt, unsere Grenzen zu überschreiten und uns zu bestrafen.« Als dann das Undenkbare doch geschah, geriet Fabeck in große Erklärungsnot. Da er vor persönlicher Kritik an »Onkel Paul« zurückschreckte, behalf er sich mit der Schuldzuweisung an die Adresse der Reichsregierung, »die geflissentlich zu allem Ja sagte«, und prangerte das Verhalten der Parteien an, »insbesondere der Sozialdemokraten, die sich an der Macht halten wollen«. Schließlich flüchtete er sich in das beliebte Motiv der Tragik: »Furchtbar ist das Los unseres Volkes, das für 59 Jahre versklavt ist und Fronarbeiten leisten muß. Die Tragik um den alten Hindenburg ist sehr traurig.«[33] Selbst gegenüber seiner älteren Tochter Irmengard mußte Hindenburg alle Argumente aufbieten, um seine Position zu rechtfertigen, und war am Ende doch nicht sicher, ob die Tochter, mit der ihn ein besonderes Vertrauensverhältnis verband, seine Meinung teilte: »Sei überzeugt, daß ich nicht böse bin, wenn Du anders denkst als ich.«[34]

Es zeichnete sich ab, daß die Präsidentschaft den Hindenburg-Mythos auch in konservativen Kreisen zu beschädigen drohte. Einen Politiker, dessen Autorität sich vornehmlich aus seinem Amt speiste, mußte diese Aussicht nicht erschüttern, wohl aber jemanden, der seine Herrschaftsansprüche im Kern nicht aus einem Amt, sondern aus der ihm zugedachten symbolischen Kraft schöpfte. Doch im Frühjahr 1930 bestand noch kein Anlaß zur Sorge. Hindenburg hatte die bisher schwerste Entscheidung seiner Reichspräsidentschaft gefällt, wobei auch eine gewisse Portion Trotz mitgespielt hatte. Von Resignation und Amtsmüdigkeit war nichts zu spüren. Dem ihm politisch und persönlich nahestehenden Diplomaten Konstantin Freiherr von Neurath, damals Botschafter in Rom, schrieb er: »Ostern habe ich mich gründlich auf dem Lande ausgeruht und bin, wenn nöthig, zu neuen Kämpfen bereit.«[35]

Hindenburg war entschlossen, einen neuen Abschnitt seiner Präsidentschaft einzuleiten und in Zukunft die Kompetenzen des Reichspräsidenten noch mehr als bislang zur Geltung zu bringen. In den ersten fünf Jahren seiner Amtszeit hatte er immer wieder einmal mit der Möglichkeit geliebäugelt, den Einfluß der Parteien zu stutzen, die Rolle des Reichstags abzuwerten und das Präsidentenamt zum institutionellen Kristallisationskern seiner um die politische Einheit kreisenden Sammlungsbemühungen zu machen. Doch letztlich war er davor zurückgeschreckt, weil er entweder mit den Mechanismen des politischen Geschäfts noch nicht vertraut war oder ihm das politische Personal zur Umsetzung seiner Vorstellungen fehlte. Im Frühjahr 1930 stellte sich die Situation jedoch anders dar: Hindenburg hatte sich in sein Amt so eingelebt, daß er die voraussichtlich letzten zwei Jahre seiner

Präsidentschaft dazu nutzen wollte, unverwechselbare Akzente zu setzen und der Politik seinen Stempel aufzudrücken. Daß er 1932 noch einmal für das Präsidentenamt kandidieren sollte, lag 1930 außerhalb seiner politischen Vorstellung. Es wurde also Zeit, in der allmählich auslaufenden Präsidentschaft die verfassungsmäßigen Möglichkeiten dieses Amtes bis zur Neige auszuschöpfen. Einiges sprach zudem dafür, daß die demokratischen Kräfte einer solchen Entwicklung keine unüberwindlichen Hindernisse in den Weg legen würden. Da er den Young-Plan unterzeichnet und damit eine von den Mehrheitsparteien getragene Außenpolitik vollendet hatte, glaubte sich Hindenburg vor Kritik von dieser Seite weitgehend geschützt, wenn er nun versuchte, den Einfluß von Parlament und Parteien zu beschneiden.[36]

Reichswehrminister Wilhelm Groener und Hindenburg, 1930

KAPITEL 22

Der Übergang zum präsidialen Regieren

Es war kein Zufall, daß Hindenburg nach der Verabschiedung des Young-Gesetzes die politische Initiative übernahm. Noch an dem Tag, an dem die neue Reparationsregelung den Reichstag passiert hatte, richtete er ein Schreiben an den Reichskanzler, in dem er in höflicher, aber bestimmter Form nicht weniger als die politische Agenda der Reichsregierung für die nächste Zeit festlegte. Dies war ein Novum, da der Reichspräsident sich bislang aus der konzeptionellen Gestaltung der Regierungspolitik weitgehend zurückgehalten hatte. Insofern war der Vorstoß vom 13. März 1930 ein unmißverständliches Signal dafür, daß er sich nun massiv in die Regierungspolitik einschalten wollte.[1]

Glaubte Hindenburg mit der zu diesem Zeitpunkt bestehenden Regierung der Großen Koalition die von ihm definierten Aufgaben lösen zu können? Ein Blick auf die ausgewählten Themen wirft erhebliche Zweifel auf, daß Hindenburg der Regierung unter dem sozialdemokratischen Reichskanzler Hermann Müller große Zukunftschancen einräumte. Denn der Reichspräsident setzte Sachfragen auf die politische Tagesordnung, deren Behandlung die ohnehin vorhandenen politischen Spannungen zwischen den Koalitionspartnern noch weiter verschärfen und mit ziemlicher Sicherheit das Kabinett Müller sprengen mußte.

Vor allem die Finanzpolitik barg seit Ende 1929 erheblichen politischen Sprengstoff. Hindenburgs Mahnung an den Reichskanzler, für einen ausgeglichenen Etat zu sorgen,[2] fußte zweifellos auf der sachlichen Notwendigkeit, nach der Annahme der Young-Gesetze eine vorausschauende Finanzpolitik zu betreiben, um die Reparationskosten erwirtschaften zu können. Die Folgen des Börsenkrachs in den USA im Oktober 1929 hatten jedoch speziell in Deutschland, das auf US-amerikanische Kredite angewiesen war, schon im Winter 1929/30 zu einer erheblichen Eintrübung des konjunkturellen Klimas geführt. Im Dezember 1929 stieg die Zahl der Arbeitslosen auf die Marke von 2,9 Millionen; noch gravierender erschien das Haushaltsdefizit, das die beunruhigende Höhe von 1,2 Milliarden Reichsmark erreichte. In einer sich immer mehr verschärfenden Wirtschaftskrise für einen ausgeglichenen Haushalt zu sorgen, stelle die Kompromißfähigkeit insbesondere der beiden Flügelparteien SPD und DVP auf eine harte Probe, die beide nicht bestehen sollten. Denn nachdem sich die Regierungsparteien Ende März 1930 in vielen Punkten auf ein Haushaltsgesetz geeinigt hatten und mit einer Mischung aus Steuererhöhungen und Einsparungen einen ausgeglichenen Haushalt anstrebten, prallten nun in der Frage der Sanierung der defizitären Arbeitslosenversicherung die Standpunkte von DVP und SPD unversöhnlich aufeinander. Die Sozialdemokraten machten sich zum Anwalt der Leistungsempfänger und forderten eine maßvolle Anhebung der paritätisch von Arbeitgebern und Arbeitnehmern aufzubringenden Beiträge zur Arbeitslosenversicherung, während die DVP Beitragserhöhungen als Gift für die Wirtschaft verwarf. Das Zerbrechen einer Regierung an unüberbrückbaren Meinungsverschiedenheiten war in der Geschichte der Weimarer Republik durchaus nichts Ungewöhnliches. Was aber das Scheitern der Großen Koalition am 27. März 1930 in einem besonderen Licht erscheinen läßt, ist der Umstand, daß den im Reichstag vertretenen Parteien die Initiative zur Regierungsbildung abhanden kam und eine Entwicklung eingeleitet wurde, welche die Weimarer Republik auf die schiefe Bahn geraten ließ und die Errungenschaften einer demokratischen Staatsordnung zur Disposition stellte.[3]

Welche Rolle spielte der Reichspräsident bei der Bewältigung der schwelenden Koalitionskrise, die spätestens seit Dezember 1929 unübersehbar war? Bis Anfang März 1930 schien sein Handeln sich in den gewohnten Bahnen zu bewegen, denn es haftete ihm wenig Spektakuläres an. Der mit Koalitionskrisen vertraute Reichspräsident begnügte sich zunächst mit gutem Zureden, um die Regierungsparteien auf einen Kompromißweg einzuschwören. Besonders energisch wandte er sich dabei der DVP zu, deren Sturheit ein Haupthindernis darstellte. Hindenburg warb am 1. März 1930 beim DVP-Parteichef Ernst Scholz dafür, daß die Deutsche Volkspartei über ihren Schatten springen und das für die Haushaltssanierung geplante Sonderopfer für »Festbesoldete« akzeptieren solle. Doch selbst das präsidiale Einwirken konnte die DVP, die stark von Beamteninteressen geleitet war, nicht erweichen.[4] Daraufhin schien es eine Zeitlang, als wolle Hindenburg die renitenten Kräfte innerhalb der Regierung durch den Einsatz bislang noch nicht aktivierter präsidialer Befugnisse disziplinieren. Hier kam vor allem der Artikel 48 der Weimarer Reichsverfassung in Betracht, der dem Reichspräsidenten erlaubte, bei inneren Krisen den normalen Gesetzgebungsvorgang zu verlassen und die erforderlichen Maßnahmen über Notverordnungen zu dekretieren. Zwar konnte der Reichstag diese präsidialen Notverordnungen mit Mehrheit außer Kraft setzen, aber das wäre einer

Desavouierung des Reichspräsidenten gleichgekommen. So weit wollten es die betroffenen Parteien, insbesondere die DVP, nicht kommen lassen.

Wäre Hindenburg der Regierung der Großen Koalition durch die Anwendung der präsidialen Notverordnungsvollmacht zur Seite gesprungen, was er am 10. März 1930 dem Regierungschef gegenüber andeutete, hätte sich diese Regierung gar nicht den Kräften innerhalb der Regierungsparteien ausliefern müssen, die mit aller Macht auf ein Zerbrechen des Regierungsbündnisses drängten.[5] Doch Hindenburg zog seine Zusage zurück, da er seine präsidialen Vollmachten nicht zur Stabilisierung einer angeschlagenen und von Teilen der Regierungsfraktionen im Stich gelassenen Regierung einsetzen wollte. Die Selbstlähmung der Regierung kam ihm im Grunde nicht ungelegen, weil sie ihm gestattete, seit 1925 gehegte, aber mangels Gelegenheit immer wieder stornierte Absichten in die Tat umzusetzen. Der Reichspräsident profitierte nun davon, daß die Parteien nicht mehr den politischen Willen aufbrachten, eine Regierung aus ihrer Mitte auch in schwierigen Zeiten zu unterstützen.[6] Der Rückzug aus eigenen Stücken fiel den meisten Parteien auch deswegen leicht, weil die Weimarer Verfassung eben kein lupenreines parlamentarisches System installiert, sondern dem Reichspräsidenten ein verfassungsrechtlich verbürgtes Mitspracherecht bei der Regierungsbildung zugestanden hatte, dessen Ausgestaltung freilich von Fall zu Fall auszuhandeln war.[7]

Da der Reichspräsident über mobilisierbare verfassungsrechtliche Befugnisse verfügte, waren sämtliche Parteien der rechten Mitte versucht, die Initiative zur Regierungsbildung an die Präsidialgewalt abzutreten. Besonders massiv trat dies bei den Parteien hervor, in denen wirtschaftliche Interessengruppen immer mehr den Kurs vorgaben. Die Großindustrie drängte mit Macht auf eine Abkehr von der parlamentarischen Regierungsweise, weil sie damit ihren politischen Gegenspieler, die Sozialdemokratie, aus der Regierungsverantwortung ausschließen konnte und so die Weichen für eine wirtschaftsfreundliche Politik zu stellen hoffte.[8] In diesem Sinne drängte sie die Deutsche Volkspartei, in der ihre Interessen durch die Plazierung schwerindustrieller Vertrauensmänner am stärksten verankert waren, auf ein Ausscheiden aus der Großen Koalition.[9] Die Großlandwirtschaft versprach sich von einem Hindenburg-Kabinett massive staatliche Hilfsmaßnahmen für die in schwerer wirtschaftlicher Bedrängnis befindliche deutsche Landwirtschaft und machte in diesem Sinne ihren Einfluß geltend bei der agrarischen Interessen besonders aufgeschlossenen DNVP und kleinen agrarischen Interessenparteien.[10] Teile des gewerblichen Mittelstandes hatten sich mit der Wirtschaftspartei sogar eine eigene Partei als Organ zur Artikulation ihrer ökonomisch bestimmten Interessen geschaffen, die bei der Reichstagswahl vom Mai 1928 immerhin 4,5 Prozent der Stimmen erhalten hatte. Die Wirtschaftspartei zählte zu den entschiedenen Anwälten einer Entparlamentarisierung des Regierungssystems, weil sie glaubte, daß eine auf die präsidiale Autorität gestützte Regierung ihren wirtschaftlichen Sonderinteressen besonders zugänglich sei.[11]

Die Neigung, sich in die auffangbereiten Arme des Reichspräsidenten zu flüchten, war aber auch unter den Parteien verbreitet, die Politik nicht aus wirtschaftlich motivierten Partikularinteressen betrieben. Die Bayerische Volkspartei etwa hatte ohnehin immer ein gespanntes Verhältnis zum Parlamentarismus unterhalten und erblickte in einer Stärkung der Präsidialgewalt ein probates Mittel, den Mechanismen einer Mehrheitsdemokratie unter Wahrung der Eigenständigkeit Bayerns zu entgehen.[12] Hier vertraute man auf Hindenburg, für dessen Wahl – und gegen den Kandidaten des Zentrums – sich die BVP sich ja im April 1925 ausgesprochen hatte. In der Schwesterpartei, dem Zentrum, hatte zwar die Vorstellung vom Eigenwert parlamentarisch zentrierter Politik ungleich stärkere Wurzeln geschlagen als in Bayern. Aber hier hatte sich nach dem Ausscheiden Erzbergers aus der Politik ein sehr instrumentelles Verhältnis zum Parlamentarismus durchgesetzt, das nicht zuletzt aus der Enttäuschung über die mangelnde Gestaltungskraft der mehr oder minder auf parlamentarischem Wege gebildeten Reichsregierungen resultierte, an denen diese Partei als gleichsam natürliche Regierungspartei stets beteiligt gewesen war.[13] Das Unbehagen an einem sich selbst lähmenden Parlamentarismus war schließlich auch in der liberalen Deutschen Demokratischen Partei zu spüren, die sich deswegen einem Eintritt in eine auf Hindenburgs Initiative gebildete Regierung nicht abgeneigt zeigte.[14]

Alles in allem rannte Hindenburg mit einer stärker präsidial akzentuierten Regierungsweise im politischen Spektrum von DDP bis zu Teilen der DNVP offene Türen ein. Er konnte darauf zählen, daß sich aus den Reihen dieser Parteien genügend politisches Personal für die Übernahme von Ministerposten in einer neuen Regierung finden würde, wenn sein Ruf sie ereilte. Ein Hindenburg-Kabinett konnte überdies auf die Unterstützung durch die betreffenden Fraktionen im Reichstag bauen, wobei allerdings die Haltung der DNVP schwer kalkulierbar war, weil Hugenberg sich in seine Fundamentalopposition gegen den Staat von Weimar dermaßen verstiegen hatte, daß ihm selbst eine Abkehr vom Parlamentarismus als ungenügend erschien.

Aber nicht nur von den erwähnten politischen Parteien gingen unübersehbare Signale aus, daß sie eine Regierung neuen Zuschnitts unter Hindenburgs maßgeblicher Beteiligung geradezu herbeisehnten. Auch Hindenburgs Beraterkreis ermunterte den Reichspräsidenten zu einem solchen Schritt. Wer waren diese Ratgeber, die Hindenburg nicht nur gut zuredeten, sondern ihm nicht ohne Erfolg einen massiven Einsatz präsidialer Machtmittel schmackhaft machten? Diese Frage verdient besondere Beachtung, weil ihre Beantwortung von erheblicher Konsequenz für die Einschätzung von Hindenburgs Herrschaftskraft ist. Denn sollte es so sein, daß ein mit der komplizierten politischen Materie letztlich überforderter Reichspräsident sich immer stärker berufenen und unberufenen Ratgebern anvertraute und auf diese Weise einem Kreis politischer Souffleure wachsenden Einfluß auf seine Entscheidungen einräumte, trat er als eigenständiger politischer Akteur in den Hintergrund. Dann müßte man den Blick viel stärker auf die Mitglieder einer vermeintlichen Kamarilla richten, welche die politischen Strippen zogen und Hindenburg für ihre Zwecke in Stellung brachte.

Betrachten wir also die Kandidaten, die als Anwärter für diese Position in Frage kamen, und fangen wir dabei im Büro des Reichspräsidenten an. In dieser personell mehr als sparsam ausgestatteten Stabsstelle war allein Staatssekretär Meißner zuzutrauen, daß er aus seiner täglichen Nähe zum Reichspräsidenten Kapital schlug und Hindenburg in eine ihm genehme Richtung zu dirigieren suchte. Der Arbeitsstil Hindenburgs war durchaus dazu angetan, einem Mitarbeiter wie Meißner gewisse Entfaltungsmöglichkeiten einzuräumen. Bekanntlich hatte der Feldmarschall schon im Weltkrieg nicht nur die Alltagsarbeit auf den Chef des Stabes ausgelagert, sondern Ludendorff auch erhebliche Entscheidungsspielräume in genuin militärischen Dingen zugestanden. War Staatssekretär Meißner gewissermaßen ein ziviler Ludendorff-Ersatz, der Hindenburg behutsam mit militärfremden Sachfragen vertraut machte und dabei auch eigene politische Absichten verfolgte? Hat der versierte Jurist Meißner dem Reichspräsidenten speziell in verfassungsrechtlichen Fragen, die beim Übergang zu einer Präsidialregierung notwendigerweise in den Vordergrund traten, die Feder geführt?

Zweifellos benötigte Hindenburg fachlichen Beistand speziell in der komplizierten verfassungsrechtlichen Materie, und hier war Meißner im Regelfall seine erste Anlaufstelle. Aus diesem Umstand kann jedoch nicht gefolgert werden, daß der Staatssekretär diese Stellung ausnutzte, um Politik auf eigene Rechnung zu machen. Denn Hindenburg wachte mit Argusaugen darüber, daß er sich nicht von den Informationen Meißners oder anderer Beamten abhängig machte. Zu diesem Zweck hatte er sich Notizbücher angeschafft, mit deren Hilfe er sich gewissenhaft auf jedes wichtige politische Gespräch vorbereitete, indem er die anzuschneidenden Themen notierte. Auch die ihm besonders wichtig erscheinenden Ergebnisse solcher Unterredungen trug er darin ein, um auf Basis dieser Aufzeichnungen seinen Mitarbeitern Anweisungen zu geben. Damit verschaffte er sich einen jederzeit

abrufbaren Informationsschatz, was auch dazu diente, möglichen Eigenmächtigkeiten Meißners vorzubeugen. Mit Hilfe seiner Notizbücher wahrte Hindenburg
seine informationelle Selbstbestimmung und blieb in den wichtigen Dingen immer auf dem laufenden. Diese Notizbücher verwahrte er wie einen Schatz im Safe
seines Schlafzimmers. Wie vertraulich die darin nur für ihn persönlich bestimmten
Notizen waren, wird nicht zuletzt daran ersichtlich, daß er vollgeschriebene Notizbücher, die für die täglichen Dienstgeschäfte nicht mehr gebraucht wurden, vernichtete – ein schmerzlicher Verlust für die historische Forschung.[15]

Hindenburg las im übrigen jedes Schriftstück, das ihm vorgelegt wurde und
unter seinem Namen veröffentlicht werden sollte, sehr genau. Mit geradezu philo-
logisch anmutender Akribie nahm er Korrekturen vor, wohl wissend, daß jedes
Wort von ihm öffentliches Gewicht besaß. Zudem war er geschult durch die minu-
tiöse Durchsicht von Texten als Teil seiner seit 1919 praktizierten Geschichtspolitik.
Hindenburg hatte nicht nur seine Erinnerungen Wort für Wort darauf geprüft,
ob der gewünschte Effekt erzielt werden konnte, er hatte auch die Werke anderer
Autoren redigiert, um sensible Sachverhalte in seinem Sinne darzustellen.[16] Angesichts dieses Arbeitsstils war es für Meißner wie für jeden anderen Ratgeber Hindenburgs schlichtweg unmöglich, dem Reichspräsidenten irgendwelche wichtigen
Schriftstücke zur Unterschrift unterzuschieben.[17]

Meißner mußte daher alle enttäuschen, die hofften, mit Hilfe des Staatssekretärs die Entscheidungen des Reichspräsidenten in eine bestimmte Richtung lenken zu können. Es war keine Koketterie, sondern eine schlichte Beschreibung des
tatsächlichen Arbeitsverhältnisses zwischen dem Büroleiter und dem Reichspräsidenten, wenn Meißner auf ein entsprechendes Ansinnen, das ein hochkarätiger
Militär an ihn herantrug, die eindeutige Antwort gab: Er »habe bisher stets davon
abgesehen, bei Entscheidungen, die von der Geschichte mit seinem Namen zu verantworten sind, meiner persönlichen Meinung und Auffassung Geltung zu verschaffen. Der Herr Reichspräsident ... pflegt sich nach sorgfältiger Prüfung der
Dinge seine eigene Meinung zu bilden und unter vorsichtiger Abwägung aller in
Frage kommenden Gründe *selbst* zu entscheiden.«[18]

Meißner war somit alles andere als ein eigenständiger politischer Akteur.[19] Er
hielt sich gegenüber dem Reichspräsidenten stets bedeckt und trat nicht mit eigenen politischen Ideen hervor. Schließlich hatte er zu Beginn der Reichspräsidentschaft Hindenburgs zur Disposition gestanden und wollte nicht durch unbe-
dachtes Hervortreten jenen Kredit bei Hindenburg verspielen, den er sich durch
pflichtgetreue und diskrete Erledigung der anfallenden Aufgaben seitdem erworben hatte. Darüber hinaus hatte er einen persönlichen Beweggrund für sein Ver-

halten, der nicht zu unterschätzen ist: Meißners Ehefrau Hilde hatte sich so sehr an den gesellschaftlichen Bedeutungszuwachs gewöhnt, den die Stellung ihres Mannes mit sich brachte, daß sie ihren Mann darin bestärkte, alles zu unterlassen, was geeignet war, das Wohlwollen Hindenburgs zu verspielen, von dem allein ihre herausgehobene Position innerhalb der Berliner Gesellschaft abhing.[20]

Der Leiter des Präsidentenbüros fiel damit als Einflüsterer Hindenburgs aus. Aber es gab einen weiteren Kandidaten, der in der Regel genannt wird, wenn die vermeintlichen politischen Hintermänner des Reichspräsidenten aufgeführt werden: Hindenburgs Sohn Oskar. Um dessen geheimnisumwitterten Einfluß auf seinen Vater ranken sich Mutmaßungen, die gewöhnlich in der fast obligatorischen Bezeichnung von dem »in der Verfassung nicht vorgesehenen Sohn«[21] gipfeln und nahelegen, daß Oskar von Hindenburg einen mit den Verfassungsorganen konkurrierenden Einfluß auf seinen Vater ausgeübt habe. Dazu sei er nicht zuletzt deswegen in der Lage gewesen, weil er sich als Erster Adjutant des Reichspräsidenten aus dienstlichen Gründen stets in dessen unmittelbarer Umgebung bewegte und damit eine einzigartige Stellung einnahm. Oskar sei in dienstlicher wie privater Hinsicht ständig an der Seite Hindenburgs gewesen und habe daher wie kein anderer über privilegierte Zugänge zum Staatsoberhaupt verfügt.

Zweifellos verkehrte dienstlich keiner so intensiv mit dem Reichspräsidenten wie Oskar von Hindenburg. Doch daraus darf nicht der Schluß gezogen werden, daß der Reichspräsident politische Ratschläge von seinem Sohn erbeten und erhalten habe. Es gibt keine zeitgenössischen Quellen, die bis Ende 1932 eine erfolgreiche Einflußnahme Oskars auf seinen Vater in wichtigen politischen Angelegenheiten verbürgen. Nachträgliche Zeugnisse legen überdies die Auffassung nahe, daß der Reichspräsident seinen Sohn rigoros beaufsichtigte und gelegentlich auch zurechtwies, wenn sich Oskar in Angelegenheiten einzumischen suchte, die ihn nach Ansicht des Vaters nichts angingen. Hindenburgs Gutsnachbar von Brünneck, der als Pate eines der Kinder Oskars der Familie Hindenburg eng verbunden war, sah ihn daher »nur in der Rolle des politisch bedeutungslosen Haussohnes«.[22]

Oskar von Hindenburg selbst hat im engen Kreis seine Unzufriedenheit über seine Position hier und da erkennen lassen. Er fühlte sich kaltgestellt, weil der übermächtige Schatten seines Vaters auf ihm lastete und er sich mit der Stellung eines »gehobenen Kammerdieners in Uniform«[23] begnügen mußte. Er war auf eine dekorative Funktion an der Seite seines Vaters reduziert und mußte eigene politische Ambitionen zurückstellen, solange sein Vater als Reichspräsident amtierte. Im März 1930 brach sein Kummer einmal aus ihm heraus: »Jetzt muß ich noch 2 Jahre als Trottel herumlaufen.«[24] Die ihm mit Ablauf der Amtszeit seines

Vaters im Frühjahr 1932 zufallende Freiheit wollte er aber nutzen, um politisch auf eigenen Beinen zu stehen, wobei er auf eine parteipolitische Karriere bei den Deutschnationalen spekulierte: »Dann werde ich die Fackel hineinwerfen!«[25] Solche Klagen führte er wohlweislich aber nur im kleinsten Kreis, da er sich über seinen Adjutantenposten eigentlich nicht beschweren konnte.

Oskar von Hindenburg hatte beruflich nicht sonderlich reüssiert: Er hatte den Militärdienst gewählt, war aber weit davon entfernt, es wie sein Vater zu allerhöchsten Diensträngen zu bringen. Gewiß wirkte sich die von den Siegermächten verfügte Einschränkung der Heeresstärke nachteilig auf seine Karrierechancen aus. Doch selbst wenn man das berücksichtigt, fiel Oskars Bilanz recht bescheiden aus: Er wirkte als Lehrer und Aufsichtsoffizier im Range eines Majors an der Kavallerieschule in Hannover, bis ihn sein Vater nach der Wahl zum Reichspräsidenten zu seinem militärischen Adjutanten machte. Der Wechsel nach Berlin in die neue Funktion, wo er dienstlich dem Stab des Gruppenkommandos I zugeordnet wurde, wirkte sich überaus förderlich auf seinen militärischen Aufstieg aus: 1929 wurde er zum Oberstleutnant, 1932 zum Oberst befördert, ohne daß er seine Fähigkeiten zur Führung eines militärischen Verbandes unter Beweis stellen mußte.[26] Damit waren seine Beförderungsmöglichkeiten ausgeschöpft, und nicht zuletzt deswegen dachte Oskar darüber nach, sich nach dem Abtreten des Vaters ein neues Betätigungsfeld zu suchen.

Insgesamt muß das politische Gewicht Oskar von Hindenburgs zumindest für die erste Amtszeit seines Vaters als vollkommen unerheblich eingestuft werden. Damit drängt sich die Frage auf, ob nicht Kräfte auf Hindenburg einwirkten, die gar nicht zum dienstlichen Umfeld des Reichspräsidenten gehörten, etwa ostpreußische Gutsbesitzer, in deren Einflußbereich Hindenburg durch die Schenkung des Familiengutes Neudeck geraten sein konnte. Dieser häufig ins Spiel gebrachte, aber kaum einmal namentlich und zahlenmäßig en detail aufgeführte Kreis umfaßte jenes knappe Dutzend west- und ostpreußischer Agrarier, deren mehr oder weniger subtilen Einflüsterungen Hindenburg ausgesetzt gewesen sein soll, wenn er seit 1930 einen großen Teil des Frühjahrs und Sommers in Neudeck verbrachte, um sich vom Berliner Alltag zu erholen und neue Kräfte zu schöpfen.[27] War Hindenburg bei Besuchen der Gutsnachbarn Manipulationen ausgesetzt, die zwar nicht sofort, aber auf mittlere Sicht Effekte erzielten? Mußte diese permanente Bearbeitung nicht Folgen haben, da Hindenburg in Neudeck, das man wie die ganze Provinz Ostpreußen vom übrigen Reich aus nur schwer erreichen konnte, von der Außenwelt für Wochen abgeschnitten war?

Zweifellos hat sich Hindenburg von 1928 an energisch für die Belange der

überwiegend großwirtschaftlich strukturierten Landwirtschaft im Osten eingesetzt. Diese hätte sich kaum einen besseren politischen Anwalt wünschen können
als den Reichspräsidenten, der stets ein offenes Ohr für die immer lauter werdenden Hilferufe aus dem Osten hatte. Die sichtbare und sich im Laufe der Zeit noch
verschärfende Agrarkrise, deren Ursachen zum erheblichen Teil struktureller Art
waren und in der mangelnden Rentabilität gerade der ostdeutschen Landwirtschaft lagen sowie einer weitgehend hausgemachten Überschuldung, rief den
Reichspräsidenten auf den Plan. Hindenburgs Abkehr von der letzten parlamentarischen Reichsregierung unter Reichskanzler Hermann Müller hing auch damit
zusammen, daß er einer Regierung unter Einschluß der Arbeiterpartei SPD nicht
zutraute, jene Umschichtung der knappen Mittel zugunsten von Beihilfen für die
Landwirtschaft vorzunehmen, die er für unerläßlich hielt.[28]

Die besondere Anteilnahme des Reichspräsidenten an den agrarischen Belangen war aber eben nicht Ausdruck einer nackten Interessenpolitik. Hindenburg
besaß ein waches Gespür dafür, wann sich wirtschaftliche Partikularinteressen besondere Vorteile sichern wollten und dies durch eine gemeinwohlorientierte Argumentation zu bemänteln suchten. Wenn er der ostdeutschen Landwirtschaft besondere Aufmerksamkeit und eine Vorzugsbehandlung angedeihen ließ, so tat er
dies nicht, weil er seit dem Erwerb von Neudeck in den ökonomischen Kategorien
der Agrarier dachte. Ihn leiteten vielmehr übergeordnete Aspekte. Denn er sah die
Gefahr, daß der vorwiegend agrarisch verfaßte Osten durch die Agrarkrise wirtschaftlich ausgezehrt werden und zu einem Notstandsgebiet herabsinken könnte[29]
mit der verheerenden Folge einer massiven Abwanderung der Bevölkerung. Eine
solche Entwicklung erschien ihm vor allem aus nationalen Gründen untragbar,
weil die Entvölkerung des Ostens die Aussichten auf eine Revision der Grenze zu
Polen verschlechtert hätte. Um Polen nicht zuletzt mit den Mitteln des Volkstums-
kampfes unter Druck zu setzen, mußte die Landwirtschaft im Osten massiv unterstützt werden. Im Jahr 1914 hatte sich der Feldherr Hindenburg als Retter des
Ostens vor der eindringenden russischen Armee profiliert, 1930 wollte der Reichspräsident Hindenburg mit politischen Mitteln die perhorreszierte wirtschaftliche
Ausblutung des Ostens aufhalten.

Hindenburgs Einsatz für die Belange der ostdeutschen Landwirtschaft wur-
zelte mithin in seiner politischen Grundüberzeugung und mußte ihm gar nicht
erst von seinen Gutsnachbarn eingeimpft werden. Mit den Gutsbesitzern der
Nachbarschaft unterhielt er einen mehr oder minder regen gesellschaftlichen Verkehr, bei dem politische Fragen kaum angeschnitten wurden. Hindenburg wünschte
Erholung von den Dienstgeschäften, wenn er zur Entspannung in Neudeck weilte,

und das hatten auch jene zu berücksichtigen, die ihren privilegierten gesellschaftlichen Umgang mit dem Reichspräsidenten nur zu gerne in politischen Einfluß umgemünzt hätten. Welchen Restriktionen sie sich zu beugen hatten, mag ein Blick auf Elard von Oldenburg-Januschau erhellen, dessen Name an erster Stelle genannt wird, wenn von politischen Einflüsterern aus der Nachbarschaft Hindenburgs die Rede ist. Oldenburg repräsentierte unverfälscht den Typus des ostelbischen Junkers alter Prägung: patriarchalisch im Umgang mit den Bediensteten und nicht bereit, auch nur die geringsten Abstriche an seiner herrschaftlichen Stellung zu machen; königstreu bis in die Knochen; zeit seines Lebens ein Verächter einer politischen Beteiligung der aus seiner Sicht ungebildeten Massen.[30] Dieser Prototyp eines Hochkonservativen war politisch mit allen Wassern gewaschen und hatte die von der Großindustrie maßgeblich finanzierte Schenkung Neudecks auch mit dem Hintergedanken eingefädelt, den ihm bereits aus dem Weltkrieg bekannten Hindenburg in seine unmittelbare Nachbarschaft zu locken, denn sein Gut Januschau lag nicht weit von Neudeck entfernt. Hindenburg hatte bereits in den Jahren 1928 und 1929, als Neudeck noch nicht bezugsfertig war, im Sommer längere Zeit in Januschau geweilt, um von dort aus den Fortgang der Arbeiten auf seinem Gut zu verfolgen.[31]

Der Gutsnachbar Oldenburg nutzte häufig die Gelegenheit, Hindenburg zum Mittag- oder Abendessen nach Januschau einzuladen und ihn dort mit politisch konservativen Männern aus Politik und Wirtschaft zusammenzubringen.[32] Doch politisches Kapital vermochte er daraus kaum zu schlagen. Denn Hindenburg verbat sich alle politischen Ratschläge und schätzte die Abendeinladungen im Hause Oldenburg vor allem wegen ihres Unterhaltungswertes, wozu der Mutterwitz des Gastgebers nicht unerheblich beitrug.[33] In politischer Hinsicht biß der Kammerherr beim Reichspräsidenten im Regelfall auf Granit, was er später auch freimütig einräumte: »Meinen Versuchen, während der Reichspräsidentenjahre auf Hindenburg politischen Einfluß zu gewinnen, war nur in den wenigsten Fällen Erfolg beschieden.«[34] Wie sehr sich Hindenburg den Versuchen seines Gutsnachbarn entzog, im Gespräch politische Themen anzuschneiden, wird allein daran ersichtlich, daß Oldenburg zur Feder greifen mußte, wenn er Hindenburg seine Meinung darlegen wollte. Diese schwer lesbaren handschriftlichen Schreiben wurden von den Mitarbeitern Hindenburgs in Maschinenschrift übertragen und erregten nicht immer das Wohlgefallen des Reichspräsidenten.[35] Selbst Gutmeinende berichten von gelegentlichen Trübungen des Verhältnisses aufgrund solcher unliebsamen Interventionen, die aber nie lange anhielten, da Hindenburg es mit seinem Gutsnachbarn nicht verderben wollte und den gesellschaftlichen Verkehr mit dem Januschauer nach einer Pause von einigen Tagen wieder aufnahm.[36] Das Verhältnis der vermeintlichen Busenfreunde Oldenburg und Hindenburg litt also unter erheblichen Spannungen, und so ist es nicht verwunderlich, daß Oldenburg nach dem Tode Hindenburgs im vertrauten Kreis seinem Ärger und seiner Enttäuschung über den Reichspräsidenten freien Lauf ließ.[37]

Es kann daher als gesichert gelten, daß Hindenburg sich als Reichspräsident in allen wesentlichen politischen Fragen sein eigenes Urteil bildete. Weder sein Büro (Meißner) noch seine Familie (Oskar von Hindenburg) oder seine Gutsnachbarn übten nennenswerten politischen Einfluß auf den Reichspräsidenten aus, der diesen zu wichtigen Entscheidungen politischer Natur verleitet hätte. Daraus darf aber nicht gefolgert werden, daß Hindenburg bei der sich seit 1929 anbahnenden verfassungspolitischen Weichenstellung ohne Ratgeber gehandelt hätte. Diese Berater mußten allerdings ein über Jahre gewachsenes und erprobtes Vertrauensverhältnis zu ihm unterhalten.

Darüber verfügten nach Lage der Dinge nur Militärs. Denn nur in militärischen Kreisen konnten kameradschaftliche Bindungen reifen, die so belastungsfähig waren, daß sie auch die Herausforderungen schwerer Zeiten überstanden. Das hohe Alter Hindenburgs brachte es zwangsläufig mit sich, daß die Anzahl der Kandidaten gering war. Die meisten seiner alten militärischen Weggefährten waren verstorben, und die beiden wichtigsten neuen Bekanntschaften – nämlich sein Feldmarschallskollege Mackensen und der General Cramon – hatten längst das Pensionsalter erreicht. Hindenburg, der keine Duzfreundschaften mehr unterhielt, legte großen Wert auf den Kontakt zu diesen beiden. Sein Bedürfnis nach einem freimütigen und ungezwungenen Austausch unter annähernd gleichaltrigen Kameraden kam auch darin zum Ausdruck, daß er um das Fortbestehen dieser Beziehungen trotz aller seit 1929 auftauchenden politischen Meinungsverschiedenheiten geradezu flehentlich warb.[38]

In den Differenzen offenbarten sich aber zugleich die Grenzen seines Verhältnisses zu Mackensen und Cramon: Beide kamen zwar als Gesprächspartner des Generalfeldmarschalls, nicht aber als Berater des Reichspräsidenten in Frage, da es ihnen an der politischen Urteilskraft mangelte, welche die Ausübung eines Staatsamtes erforderte und die Hindenburg selbst in einem so reichen Maße mitbrachte. Nur-Militärs, welche die Politik von einem rein soldatischen Standpunkt aus betrachteten, nutzten dem Reichspräsidenten wenig; er war auf die Mitarbeit von Geistesverwandten angewiesen, welche die politische Gesamtlage zu analysieren imstande waren und einen Blick für das politisch Durchsetzbare besaßen. Damit reduzierte sich der Kreis der Kandidaten auf Militärs, die nach der Entlassung Ludendorffs in der Obersten Heeresleitung mit Hindenburg gemeinsam den schwierigen Übergang vom Kaiserreich zur Republik gemeistert und dabei – wie Hindenburg – ihr genuin politisches Talent unter Beweis gestellt hatten.

Zwei Männer kamen dafür in Frage, und mit diesen beriet Hindenburg sich von 1929 an für mehr als drei Jahre in den großen politischen Angelegenheiten – natürlich ohne dabei seine politische Selbständigkeit einzubüßen, was die beiden zu ihrem Leidwesen im Laufe der Zeit deutlich zu spüren bekamen. Der erste dieser beiden Ratgeber war Wilhelm Groener, den Hindenburg seit der gemeinsamen Zeit in der Obersten Heeresleitung schätzte. Besonders gefiel Hindenburg die absolute Loyalität Groeners, der im Juni 1919 bei der heiklen Frage der Unterzeichnung des Versailler Vertrages in die Bresche gesprungen, die Verantwortung für den Rat der Obersten Heeresleitung an Reichspräsident Ebert übernommen und damit Hindenburg aus der politischen Schußlinie gehalten hatte. Daneben hatte Groener als parteiloser Reichsverkehrsminister drei Jahre lang von 1920 bis 1923 in diversen Regierungen wertvolle Erfahrungen sammeln und einen intimen Einblick in den politischen Betrieb gewinnen können. Als Reichswehrminister saß er seit Januar 1928 als Vertrauensmann Hindenburgs in der Reichsregierung und vermittelte einen Vorgeschmack davon, wie Hindenburgs Wunschregierung aussehen würde.

Groener fiel daher eine Schlüsselrolle zu, als Hindenburg im Herbst 1929 auf die Bildung einer Reichsregierung zusteuerte, die unabhängig sein sollte von den Vorgaben der politischen Parteien.[39] Unterstützt wurde er dabei von Kurt von Schleicher, einem in mancher Hinsicht atypischen Militär. Kurt von Schleicher verkörperte den politischen Offizier schlechthin, hatte bis auf eine kurzzeitige Ausnahme nie ein Truppenkommando übernommen und fühlte sich am wohlsten, wenn er im Hintergrund an den politischen Strippen ziehen konnte. Groener war das politische Talent des Majors Schleicher schon während der gemeinsamen Zeit in der letzten Obersten Heeresleitung aufgefallen, und er förderte diesen nach besten Kräften, nachdem er im Januar 1928 an die Spitze des Reichswehrministeriums gelangt war:[40] Schleicher – nunmehr Generalmajor – erhielt im März 1929 den Posten des Chefs des Ministeramtes, was der Funktion eines Staatssekretärs entsprach.[41]

Schleicher war auch im Hause Hindenburg kein Unbekannter. Er war etwa so alt wie Oskar von Hindenburg, mit dem ihn zeitweise eine Männerfreundschaft verband. Zudem konnte Schleicher den kaum zu überschätzenden Vorteil für sich verbuchen, zu Beginn seiner militärischen Laufbahn just in dem Regiment gestanden zu haben, aus dem Paul von Hindenburg und dessen Sohn hervorgegangen

waren: dem 3. Garderegiment zu Fuß. Aber nicht nur durch diese Herkunft empfahl er sich. Als Hindenburg im Frühjahr 1919 in Kolberg den Oberbefehl über die
Reichswehr ausübte, war Major Schleicher derjenige, der mit ihm die Beantwortung der an den Feldmarschall gerichteten Anfragen besprach[42] – eine Aufgabe, die
politisches Geschick und Einfühlungsvermögen erforderte. Auch nachdem der
Feldmarschall den Oberbefehl im Juni 1919 niedergelegt hatte, hielt Schleicher den
Kontakt, wenn es darum ging, in den Hindenburg nun nicht mehr direkt zugängli-
chen Akten der Obersten Heeresleitung Recherchen anzustellen.[43] Diese Informa-
tionsbeschaffung besaß einen nicht zu unterschätzenden Anteil an der Wirksam-
keit von Hindenburgs geschichtspolitischer Strategie.

Schleichers Zuverlässigkeit und Diskretion in diesen Fragen sowie sein rasches
politisches Auffassungsvermögen qualifizierten ihn für allerhöchste Aufgaben an
der Schnittstelle von Politik und Militär, als Hindenburg auf eine Abkehr vom bisherigen System parlamentarischen Regierens zusteuerte. Der Generalmajor ging
mit großer verfassungspolitischer Phantasie an die ihm vom Reichspräsidenten
übertragene Aufgabe. Gewiß besaß er kein bis in alle Einzelheiten ausgefeiltes Konzept, aber dafür ein ausgesprochenes Gespür für die in der Verfassung enthaltenen
Möglichkeiten, unter denen ein schleichender Umbau des Regierungssystems zu
einer präsidialen Demokratie erfolgen konnte. Den nötigen verfassungsrechtlichen
Sachverstand lieferte die ihm zuarbeitende »Wehrmachtsabteilung« im Reichswehrministerium, die sich wiederum externer juristischer Berater bediente, unter
denen vor allem der Berliner Staatsrechtslehrer Carl Schmitt hervorragte. So entstand im Laufe der Zeit ein abgestimmtes Vorgehen, bei dem schrittweise einzelne
Verfassungsbestimmungen so ausgelegt wurden, daß zum einen die Bildung der
Reichsregierung allein präsidialem Willen entsprang und zum anderen diese »Präsidialregierung« so mit vom Reichspräsidenten legitimierten exekutiven Vollmachten ausgerüstet war, daß sie kraftvoll zu agieren vermochte. Schleicher erblickte in
der auf diese Weise bewerkstelligten Verselbständigung der Exekutive eine zentrale
Voraussetzung für die massive Stärkung der bewaffneten Macht, die unter parlamentarischen Bedingungen kaum zu erreichen war. An diesem Punkt trafen
sich also die Absichten des Verfassungspolitikers und die des Militärs Kurt von
Schleicher.[44]

Auf den ersten Blick schien zwischen dem Reichspräsidenten und seinen
engsten politischen Beratern vollkommene Übereinstimmung in den politischen
Nahzielen, nämlich der Etablierung einer über den Parteien stehenden und die
präsidialen Befugnisse nutzenden Reichsregierung, zu herrschen. Doch näheres
Hinsehen legt die Kluft frei, die zwischen dem Ansatz Schleichers und der Konzep-

tion Hindenburgs klaffte. Der politische General dachte in den Kategorien legaler Herrschaft: Ihm schwebte eine Erweiterung der legalen Machtbasis des *Reichspräsidenten* Hindenburg vor, in welche der *Feldmarschall* Hindenburg seine persönliche Autorität einspeisen sollte. Die Gefahr, daß Hindenburg sein symbolisches Kapital aufzehrte, weil er sich durch die Hervorkehrung seiner präsidialen Befugnisse in einem bislang unbekannten Maße politisch exponierte,[45] spielte in Schleichers Kalkül nur eine untergeordnete Rolle. Hindenburg hingegen betrachtete das Reichspräsidentenamt immer nur unter dem funktionalen Gesichtspunkt, ob er durch gestalterisches Eingreifen kraft präsidialer Machtmittel die deutsche Nation der herbeigesehnten inneren Einheit besser entgegenführen konnte als ohne eine solche Stärkung seiner präsidialen Autorität. Dieses Experiment durfte aber keinesfalls auf Kosten seiner symbolischen Qualität als Verkörperung des nationalen Einheitswillens gehen: Die Wahrung seiner Symbolkraft war eine notwendige Voraussetzung, wenn er sein politisches Lebensziel überhaupt ernsthaft angehen wollte. Denn ein Reichspräsident Hindenburg, der nur auf legale Machtmittel – und seien sie noch so stark – zurückgreifen konnte, weil seine persönliche Autorität beim Ausbau seiner verfassungsmäßigen Stellung verbraucht worden war, hatte seinen charismatischen Herrschaftsanspruch irreparabel beschädigt. Seine zentrale politische Botschaft konnte Hindenburg glaubhaft aber nur verkünden, wenn die Aufrechterhaltung seines Charismas auch unter den Bedingungen legaler Herrschaft gelang. Als Präsident in einem allein auf ihn zugeschnittenen politischen System hätte Hindenburg unter Umständen eine diktaturähnliche Herrschaft errichten können, aber damit hätte er zugleich immer weniger persönliche Gefolgschaftstreue mobilisieren und die auf seine Person eingeschworene Anhängerschaft nicht länger auf das Ziel der »Volksgemeinschaft« verpflichten können.

Schon im März 1930 war diese Prioritätensetzung Hindenburgs zu erkennen. Als er sich nach der Unterzeichnung der Young-Gesetze, die ihm die bislang größte Schmälerung seiner persönlichen Autorität und damit erhebliche Konzessionen an sein Präsidentenamt auferlegt hatte, in einem Aufruf direkt an das deutsche Volk wandte, ließ er keinen Zweifel daran aufkommen, daß er unbeirrt an seiner Rolle als Mahner zu nationaler Einheit festhielt.[46] Dem designierten Reichskanzler des neuen »Hindenburg-Kabinetts«, Heinrich Brüning, machte er noch am Tag der Beauftragung unmißverständlich klar, daß er keine schrankenlose und verfassungsmäßig unzulässige Ausweitung seiner präsidialen Vollmachten mittragen würde.[47] Es sollte allerdings noch geraume Zeit dauern, bis sich die fundamentalen Unterschiede zwischen Hindenburg und Schleicher in der Auslegung des Präsidentenamtes so herauskristallisierten, daß der politische Bruch zwischen den beiden unvermeidlich war. Die Entlassung des mittlerweile zum Reichskanzler avancierten Schleicher und die darauf folgende Ernennung Hitlers als dessen Nachfolger markierten im Januar 1933 den Endpunkt einer Entwicklung, die zugleich Ausdruck der allmählichen Abkehr Hindenburgs vom Konzept einer Präsidialherrschaft war.

Im März 1930 war Hindenburg noch bestrebt, bei der Bildung einer neuen Regierung keineswegs sämtliche Brücken zum Reichstag abzubrechen. Das neue Kabinett würde zwar insofern einen qualitativen Einschnitt markieren, als es »ohne Koalitionsverhandlungen und Vereinbarungen«[48] auf Geheiß des Präsidenten konstituiert werden sollte, womit seit der Berufung der Regierung Cuno im Jahre 1922 die Parteien erstmals vom Prozeß der Regierungsbildung völlig ausgeschlossen waren. Hindenburg zeigte sich entschlossen, einer auf seine Initiative zustande gekommenen Regierung gegebenenfalls die präsidialen Befugnisse gemäß Artikel 48 der Reichsverfassung zur Verfügung zu stellen.[49] Der berühmte Artikel 48, Absatz 2, räumte dem Reichspräsidenten außerordentliche Vollmachten im Falle einer erheblichen Störung der öffentlichen Sicherheit und Ordnung ein. Diese bestanden im Kern darin, daß er auf dem Verordnungswege Maßnahmen dekretieren konnte, die gesetzesvertretenden Charakter besaßen. Damit wurde die Gesetzgebungskompetenz des Reichstags ausgehöhlt und einer der Pfeiler der Legislative angetastet. Zwar konstituierte Artikel 48 keine Diktatur des Reichspräsidenten, weil der Reichstag mit einfacher Mehrheit jederzeit diese präsidialen Maßnahmen außer Kraft setzen konnte. Aber wenn die neue Reichsregierung einen Kurs einschlug, der den Einsatz der präsidialen Notverordnungsvollmacht immer mehr als Königsweg erscheinen ließ, mußte eine erhebliche Verschiebung der Gewichte innerhalb des institutionellen Gefüges zugunsten des Präsidenten und zu Lasten des Reichstags die Folge sein.[50]

Hindenburg strebte aber keineswegs die Bildung einer Regierung an, die ihr Heil ausschließlich im Rückgriff auf Artikel 48 suchte. Das neue Kabinett sollte durchaus ernsthaft den Versuch unternehmen, im Reichstag auf herkömmliche Weise parlamentarische Mehrheiten für seine Gesetzesvorhaben zustande zu bringen.[51] Allerdings barg dieses Unterfangen das Risiko, daß legislative Initiativen am Reichstag scheiterten, da sich die Regierung ja nicht vorher bei den politischen Parteien absichern konnte und ohne feste Parteibindung vor den Reichstag trat. Aussichtslos war ein solches Vorhaben jedoch nicht, wenn die Reichstagsmehrheit sich einerseits in der politischen Agenda der neuen Reichsregierung und andererseits in deren personeller Konstellation wiederfand. Hindenburg bemühte sich, einen solchen Mittelweg einzuschlagen und seine Regierung in sachlicher wie personeller Hinsicht so zusammenzusetzen, daß sie einem Kooperationsangebot an eine potentielle Reichstagsmajorität gleichkam. Insofern war dieses erste Hindenburg-Kabinett keine in schroffer Konfrontation mit dem Parlament entstandene Präsidialregierung, sondern ein nicht ganz eindeutig zu bestimmendes Mittelding, präsidentiell auf der einen, parlamentarisch auf der anderen Seite.[52]

Diese Eigenschaft wird offenbar, wenn man die personelle Zusammensetzung der neuen Regierung näher betrachtet. Denn zum Reichskanzler ernannte Hindenburg eine alles andere als parteiungebundene Persönlichkeit: den Vorsitzenden der Reichstagsfraktion der Zentrumspartei Heinrich Brüning. Kaum etwas war übriggeblieben von den Gedankenspielereien Hindenburgs ein Jahr zuvor, als er zusammen mit dem Grafen Westarp die Kanzlerkandidaten eines möglichen Hindenburg-Kabinetts erwogen hatte und dabei nur Namen gefallen waren, die sich durch eine mehr oder minder große Distanz zum Parteienbetrieb auszeichneten, nämlich Luther, Groener, Schleicher und Lindeiner.[53] Heinrich Brüning konnte überdies im Gegensatz zu diesen Persönlichkeiten keine langjährige Vertrauensstellung zum Reichspräsidenten vorweisen. Hindenburg hatte mit Brüning dienstlich bis dahin kaum verkehrt und kannte seinen neuen Kanzler persönlich nur höchst flüchtig. Zum allerersten Mal hat er um den 13. Februar 1930[54] ein längeres Gespräch mit Brüning geführt. Was also veranlaßte Hindenburg, einen Mann an die Spitze »seiner« Regierung zu stellen, der auf den ersten Blick so gar nicht das Anforderungsprofil eines Hindenburg-Kanzlers zu erfüllen schien?

Auf den Vorsitzenden der Zentrumsfraktion aufmerksam geworden war der Reichspräsident durch seine beiden Emissäre Schleicher und Groener, die seit Frühjahr 1929 eifrig mögliche Kanzlerkandidaten für ein Hindenburg-Kabinett auf ihre Tauglichkeit prüften. Brüning besaß eine Reihe von Vorzügen, die ihn für Hindenburg als Kanzler geeignet erscheinen ließen: Er war von untadeliger nationaler Gesinnung und hatte sich – was für Hindenburg ein gewichtiges Argument war – als Militär im Ersten Weltkrieg ausgezeichnet. Der Kriegsfreiwillige hatte es zum Leutnant der Reserve sowie Träger des Eisernen Kreuzes Erster Klasse gebracht und sich geraume Zeit als Kompanieführer einer Elitetruppe, einer Maschinengewehrscharfschützeneinheit, an vorderster Front im Westen als Führungskraft mit Nervenstärke bewährt.[55] Seine berufliche Erfahrung als Geschäftsführer des Deutschen Gewerkschaftsbundes (DGB) trug ihm zwar von rechtsgerichteten Kreisen den Vorwurf ein, einseitig Partei zugunsten der organisierten Arbeiterschaft zu ergreifen. Allerdings war der DGB ein Teil der christlich-nationalen Arbeiterbewegung, die in weltanschaulich-kulturellen Fragen durch eine unüberwindliche Kluft von der sozialistischen Arbeiterbewegung getrennt war und daher aus Sicht Hindenburgs, der ein sozialpaternalistisch gefärbtes Verständnis von sozialer Gerechtigkeit hatte, nicht anstößig.

Die langjährige Tätigkeit als Geschäftsführer einer interkonfessionellen und überparteilichen Gewerkschaft hatte überdies den Vorteil, daß Brüning ein politisches Netzwerk von Vertrauten geknüpft hatte, das in sämtliche politischen Parteien rechts von der DDP hineinreichte. Er stammte aus dem katholischen Milieu seiner Heimatstadt Münster und führte ein Leben unter strenger Beachtung der kirchlichen Gebote, aber er war kein typischer Milieukatholik, dessen soziale Kontakte über den geschützten Raum des katholischen Vereinswesens nicht hinausreichten. Brüning pflegte politische und persönliche Freundschaften über die Konfessionsgrenzen hinweg und ließ sich keinerlei politische Anweisungen von Klerikern erteilen.[56] Gerade deswegen dürfte er Hindenburg leicht vermittelbar gewesen sein. Denn Hindenburg hielt nach einem Kanzler Ausschau, der die politischen Kräfte der Mitte bis hin zur gemäßigten Rechten hinter sich scharen konnte. Eine solche politische Sammlung stellte für ihn das Fundament der zu schaffenden »Volksgemeinschaft« dar. Er hatte bekanntlich im Vorfeld seiner Kandidatur zur Reichspräsidentschaft im Frühjahr 1925 eine ähnliche Konstellation angestrebt und insgeheim darauf spekuliert, daß sich der gesamte politische Katholizismus auf seine Person würde einigen können. In dieser Zeit und auch als Reichspräsident hatte er engen Kontakt zu den wenigen Katholiken innerhalb der DNVP, vor allem zu Max Wallraff, gepflegt. Daher paßte es hervorragend zu Hindenburgs Strategie, daß mit Heinrich Brüning ein prononciert national und borussisch ausgerichteter Zentrumskatholik für den Posten des Kanzlers in einer Regierung empfohlen wurde, die das gesamte politische Spektrum zwischen der DDP und dem Westarp-Flügel der DNVP abdecken sollte.

Für Brüning sprach zudem sein politisches Hauptarbeitsgebiet. Der 1924 für das Zentrum in den Reichstag gelangte Parlamentarier hatte sich als Finanzexperte seiner Partei profiliert[57] – wofür ihn nicht zuletzt das Studium der Volkswirtschaft prädestinierte –, und damit schien er der richtige Mann, die schwierige Aufgabe der Haushaltssanierung energisch anzupacken. Schleicher und Groener hatten Brüning bei einer längeren Besprechung am 26. Dezember 1929 erstmals das Kanzleramt angeboten, sich allerdings noch einen Korb geholt, da Brüning aus Loyalität zur Regierung Hermann Müller absagte.[58] Als die Regierung der Großen Koalition am 27. März 1930 aber trotz der stabilisierenden Bemühungen Brünings scheiterte, erfolgte ein weiteres Angebot, dem sich der Wunschkandidat Hindenburgs auch infolge des energischen persönlichen Zuspruchs des Reichspräsidenten am 28. März nicht länger entzog.

Mit Brünings Zusage war die parlamentarische Unterstützung von Zentrum und Bayerischer Volkspartei für die neue Regierung gesichert. Brüning ging nun daran, seine Regierung in personeller Hinsicht so auszustatten, daß sie auf die Unterstützung möglichst vieler Reichstagsabgeordneter zählen konnte. Dabei ließ ihm Hindenburg weitgehend freie Hand. Lediglich für vier Ministerposten machte er Brüning personelle Auflagen,[59] was aber für diesen keine Zumutung darstellte, da er die Betreffenden ohnehin ins Kalkül gezogen hatte. Groeners Position als Reichswehrminister war unstrittig. Daß Hindenburg aus persönlichen Gründen auf der Übernahme des bisherigen Reichspostministers Georg Schätzel (BVP) bestand, wird den designierten Kanzler nicht gestört haben, da die Bayerische Volkspartei auf jeden Fall mit einem Ministerposten abgefunden werden mußte.

Hindenburgs Verlangen nach einem Ministeramt für den Reichstagsabgeordneten Gottfried Treviranus stieß bei Brüning ebenfalls nicht auf Widerstand: Zum einen verband ihn mit Treviranus eine politische und persönliche Freundschaft; zum anderen sammelten sich um diesen ehemaligen Marineoffizier die DNVP-Dissidenten, die im Dezember 1929 aus Protest gegen die Obstruktionspolitik Hugenbergs die Fraktion der Deutschnationalen Volkspartei verlassen hatten und nun mit der Volkskonservativen Vereinigung einen politischen Neuanfang suchten. Da der moderate protestantische Konservatismus auf jeden Fall an die Regierung Brüning gebunden werden sollte, lag es also ganz auf der Linie Brünings, Treviranus zum Minister für die besetzten Gebiete zu ernennen. Auch beim vierten Wunschkandidaten Hindenburgs, dem für die DNVP im Reichstag sitzenden Präsidenten des Reichslandbundes Martin Schiele, gab es keine nennenswerten Schwierigkeiten. Hindenburg hatte für diesen das Landwirtschaftsressort vorgesehen, da Schiele die staatlichen Hilfsmaßnahmen zur Unterstützung vor allem der ostdeutschen Landwirtschaft durchsetzen sollte, die Hindenburg bereits von der Regierung Müller verlangt hatte. Der Reichspräsident nominierte mit Schiele einen Mann für diese Aufgabe, der schon unter der Regierung Marx IV für anderthalb Jahre Erfahrung auf diesem Posten gesammelt hatte. Den Finanzpolitiker Brüning störte an dieser Personalie allerdings, daß damit ein ausgesprochener Lobbyist in ein Ministeramt berufen wurde, der zudem in ultimativer Form darauf pochte, daß das Kabinett die von ihm vertretene Landwirtschaftspolitik mit allen Mitteln unterstützte.[60] Allerdings konnte Brüning die Übernahme Schieles verschmerzen, weil er sich davon eine Sogwirkung auf den schwankenden Teil der DNVP-Fraktion erhoffte. Schiele konnte eine nützliche Schachfigur sein, wenn es mit seiner Hilfe gelang, die agrarischen Interessenvertreter innerhalb der DNVP auf die parlamentarische Unterstützung der Regierung Brüning zu verpflichten.

Ansonsten konnte Brüning bei der Regierungsbildung frei schalten und walten. Wie sehr er darauf bedacht war, trotz des ihm zugesagten Rückgriffs auf die präsidialen Vollmachten nach Artikel 48 dem Reichstag ein Kabinett zu präsentieren, das durchaus realistische Chancen hatte, auch auf dem legislativen Weg für seine Gesetzesvorlagen parlamentarische Mehrheiten zu erhalten, erkennt man daran, daß Brüning die vom Reichspräsidenten freigegebenen Ministerposten so besetzte, als seien der Regierungsbildung förmliche Koalitionsverhandlungen vorausgegangen. Brüning wählte das Personal für die Besetzung der restlichen Ministerposten mit Bedacht so aus, daß die parlamentarische Basis der neuen Regierung schließlich das gesamte politische Spektrum zwischen der SPD auf der Linken und den nationalistischen Kräften um Hugenberg auf der Rechten abdeckte. Schieles Funktion als politische Offerte an den kompromißbereiten Teil der DNVP-Reichstagsfraktion um den Grafen Westarp ist bereits zur Sprache gekommen. Da angesichts der äußerst knappen Mehrheitsverhältnisse im Reichstag jede Stimme zählte, war es ein Gebot der politischen Klugheit, auch jene kleineren Parteien mit einem Ministerposten zu bedenken, die sich als Sachwalter ökonomisch ausgerichteter Partikularinteressen verstanden. Die weitaus wichtigste dieser Gruppierungen war die Wirtschaftspartei, im Grunde eine Interessenvertretung der Handwerker und Hausbesitzer, die aus diesem Grunde auch kaum politisches Personal besaß, das ministrabel war. Die einzige Ausnahme stellte der Marburger Professor der Rechtswissenschaft Johann Victor Bredt dar, der sich im Kaiserreich in der Freikonservativen Partei betätigt hatte, nach einem kurzen Gastspiel bei der DNVP zur Wirtschaftspartei gestoßen war und durch seine Wahl in den Reichstag 1924 das intellektuelle Niveau dieser Reichstagsfraktion deutlich angehoben hatte. Bredt erhielt mit dem Reichsjustizministerium ein Ressort, das ihm auf den Leib geschneidert war. Damit konnte die neue Regierung immerhin auf die knapp fünf Prozent der Reichstagsmandate zählen, welche die Wirtschaftspartei einbrachte. Aber es gab auch eine inhaltliche Morgengabe an diese Mittelstandsvereinigung: Zu den ersten gesetzgeberischen Vorhaben der neuen Regierung zählte die Erhöhung der Umsatzsteuer für Betriebe mit einem Jahresumsatz von mehr als einer Million Reichsmark, ein Vorhaben, das nicht nur fiskalische Gründe hatte, sondern zugleich eine Art Sondersteuer für die Hauptkonkurrenten des mittelständischen Handels – nämlich Warenhäuser und Konsumgenossenschaften – darstellte.[61]

Daß auch ein Hindenburg-Kabinett nicht darum herumkam, sich die Unterstützung gerade kleinerer Parteien durch sachliches Entgegenkommen in Einzelfragen zu erkaufen, zeigt der Blick auf das Werben um die Gunst der Bayerischen Volkspartei. Für die BVP war die von der Regierung Brüning ins Auge gefaßte Er-

höhung der Biersteuer um fünfzig Prozent, was immerhin 148 Millionen Reichsmark in die leeren öffentlichen Kassen spülen sollte, ein neuralgischer Punkt, da sie
darin die Bedrohung eines bayerischen Kulturgutes erblickte. Da die BVP-Fraktion
mit der Ablehnung der dringend benötigten Steuergesetze drohte, sah sich Brüning gezwungen, den Bayern entgegenzukommen und sich eine etwas geringere
Biersteuererhöhung abhandeln zu lassen.[62] Das politische Kalkül der Brüning-
Regierung, durch sachliches Entgegenkommen in Einzelfällen die parlamentarische Unterstützung unsicherer Kantonisten für den Gesamtkurs des Kabinetts zu
erhalten, unterschied sich nicht grundlegend von dem Agieren früherer Regierungen,[63] die durch ihre stärkere koalitionsmäßige Bindung vor solchen Tauschge-
schäften ebenfalls nicht bewahrt wurden.

Letztlich bestimmte Rücksichtnahme auf die Stimmung in den zur Mehr-
heitsbildung unerläßlichen Parteien Brünings Vorgehen bei der Besetzung der
noch vakanten Ministerposten. Natürlich mußte die Deutsche Volkspartei im Kabinett vertreten sein; und da schien es am einfachsten, wenn die Minister, die bereits in der Regierung Hermann Müller amtiert hatten, ihre Posten behielten. Auf
diese Weise konnten Curtius als Außenminister und Moldenhauer als Finanzminister zunächst weiterwirken.[64] Auf die liberale DDP konnte man ebenfalls nicht
verzichten, und so blieb auch hier der Minister derselbe, wenngleich Hermann
Dietrich den Posten des Ernährungsministers im Kabinett Müller gegen den des
Wirtschaftsministers im Kabinett Brüning eintauschte. Bei der Nominierung der
aus seiner eigenen Partei stammenden Minister mußte Brüning sorgsam darauf
achten, daß diese die innerparteiliche Gewichtsverteilung widerspiegelten.[65] Auf
jeden Fall waren die Interessen der christlich-nationalen Gewerkschaftsbewegung
angemessen zu berücksichtigen, gegen die in einer sozial so heterogenen Partei wie
dem Zentrum keine Politik durchgesetzt werden konnte. Hier war Brünings alter
Mentor Adam Stegerwald, der Vorsitzende des DGB, die beste Wahl, der vom Verkehrsministerium auf seinen Wunschposten, den des Arbeitsministers, wechselte.
Aber auch der strikt republikanische Zentrumsflügel, der in der Weimarer Republik nicht nur einen Notbau, sondern eine um ihrer selbst willen zu bewahrende
Staatsform erblickte, mußte politisch eingebunden werden, weswegen der Hindenburg wenig sympathische linke Flügelmann des Zentrums, Joseph Wirth, das wichtige Reichsinnenministerium erhielt. Auch der ehemalige Vorsitzende der Reichstagsfraktion, Theodor von Guérard, mußte abgefunden werden, und das geschah
mit dem Verkehrsministerium.

Trotz solcher Rochaden wies das Kabinett Brüning eine erstaunliche personelle Kontinuität mit der Vorgängerregierung auf. Es gab nur vier neue Gesichter,

was exakt der Zahl der ausgeschiedenen sozialdemokratischen Minister entsprach. Die anderen acht Kabinettsmitglieder hatten bereits – in vier Fällen in anderen Ressorts – der alten Regierung angehört.[66] Und auch der Charakter der Regierung Brüning hatte sich nicht so grundsätzlich geändert, daß sie zu einem Geschöpf des Reichspräsidenten geworden wäre und ihre Existenz allein präsidialen Machtmitteln verdankte. Wegen ihrer engen inhaltlichen und personellen Abstimmung mit den Parteien erschien die neue Regierung einflußreichen politischen Akteuren sogar als eine Koalition, deren Spektrum zwar deutlich nach rechts verschoben worden war, die sich aber in punkto Anbindung an die parlamentarischen Mehrheiten nicht grundlegend vom Kabinett Müller unterschied.[67]

Andererseits darf nicht verkannt werden, daß sich die Regierung Brüning in eine Abhängigkeit vom Reichspräsidenten und dessen Notverordnungsvollmacht begab. Solange die Drohung eines Einsatzes von Artikel 48 nur ein politischer Wink war, um die Reichstagsfraktionen zu disziplinieren und der Regierung für ihre auf herkömmlichem Wege eingebrachten Gesetzesvorlagen die erforderliche parlamentarische Unterstützung zu gewähren, konnte sich die Regierung Brüning aus eigener Kraft politisch behaupten. Doch sobald sie im Reichstag mit einem Gesetzesvorhaben in die Minderheit geriet und die präsidialen Vollmachten in Anspruch nehmen mußte, hing ihr Fortbestand allein vom Einsatz präsidialer Machtmittel ab. Hindenburg hatte diese gerne zugesagt, weil er auf diese Weise die Sammlung der gemäßigten Rechten vorantreiben wollte,[68] die für ihn den ersten Schritt zur Annäherung an sein Lebensziel, die »Volksgemeinschaft«, darstellte. Aber er war nicht darauf erpicht, seine verfassungsmäßigen Befugnisse so auszureizen, daß sich alle exekutive Gewalt beim Reichspräsidenten konzentrierte. Denn damit konnte er derartig in die Niederungen der politischen Auseinandersetzungen hineingezogen werden, daß es seiner charismatischen Autorität abträglich war.

Hindenburg und Heinrich Brüning beim Stapellauf eines Panzerkreuzers
am 19. Mai 1931 in Kiel

KAPITEL 23
Hindenburg und die Regierung Brüning
bis zum Sommer 1931

Hindenburg hatte sich im Frühjahr 1930 dazu entschlossen, seine präsidialen Befugnisse stärker als bislang auszuschöpfen und der Regierung Brüning notfalls mit allen verfassungsmäßigen Mitteln beizuspringen, die ihm zu Gebote standen. Allerdings war der Reichspräsident nicht darauf erpicht, sich über alle Maßen zugunsten der Regierung Brüning politisch zu exponieren. Der mehr oder minder sanfte Druck, der vom Hinweis auf die präsidialen Machtmittel ausging, sollte vielmehr die Sammlung der politischen Kräfte rechts von der Sozialdemokratie in die Wege leiten. Hindenburg erhoffte sich von seinem politischen Hervortreten eine Signalwirkung insbesondere auf die deutschnationalen Reichstagsabgeordneten, sich vom Konfrontationskurs Hugenbergs loszusagen und zur Zusammenarbeit mit einer Regierung zu finden, die das Gütesiegel eines Hindenburg-Kabinetts trug.[1] Die Nationalsozialisten spielten in Hindenburgs Kalkül keine Rolle. Zum einen bildete die NSDAP mit ihren lediglich zwölf Reichstagsabgeordneten eine zu vernachlässigende Größe, zum anderen empfand er nationalsozialistische Kritik an seiner Person, die sich an seiner Haltung zum Young-Plan entzündete, als ungehörig.[2]

Im Sommer 1930 zeigte sich jedoch, daß sich die Hoffnung, in der deutschnationalen Reichstagsfraktion eine ausreichende Unterstützung für das Kabinett Brüning zu mobilisieren, nicht erfüllte. Daß der normale parlamentarische Gesetzgebungsweg schon bald an Grenzen stoßen würde, weil hinter den Gesetzesvorhaben der Regierung keine ausreichende Reichstagsmehrheit stand, zeichnete sich überdeutlich im Juli 1930 ab. Die sich rasant verschlechternde Finanzlage hatte Reichskanzler Brüning, dem als ausgesprochenen Fiskalpolitiker ein ausgeglichener Haushalt am Herzen lag, zur Einbringung eines Bündels gesetzgeberischer Maßnahmen veranlaßt, das zur Sanierung der Sozialversicherungen einschneidende Sparmaßnahmen und Steuererhöhungen vorsah. Der sich daraufhin erhebende Sturm der Entrüstung in der öffentlichen Meinung, bei Interessenverbänden und nicht zuletzt bei den Parteien, die bislang den Regierungskurs mitgetragen hatten, ließ ein Scheitern der Deckungsvorlage im Reichstag mehr als wahrscheinlich werden, so daß sich Brüning mit den bislang in Reserve gehaltenen präsidialen Befugnissen zu wappnen suchte.[3]

Am 16. Juli 1930 trat der Ernstfall ein: Der Reichstag lehnte mit deutlicher Mehrheit ein Herzstück der Brüningschen Finanzvorlage, ein Sonderopfer der Angehörigen des öffentlichen Dienstes, ab, weil die Deutschnationalen nahezu geschlossen mit Nein stimmten. Die Regierung Brüning hatte sich darauf vorbereitet[4] und beizeiten ein Rechtsgutachten eingeholt, das es als verfassungsrechtlich unbedenklich einstufte, wenn parlamentarisch gescheiterte Gesetzesvorlagen auf dem Wege der präsidialen Notverordnungsvollmacht gemäß Artikel 48, Absatz 2, in Kraft gesetzt würden. Noch am Abend des 16. Juli ging die Regierung diesen Weg. Erst jetzt war sie zu einer wirklichen Präsidialregierung geworden, die mangels parlamentarischer Majorität zu den Vollmachten des Reichspräsidenten Zuflucht nahm.

Mit diesem qualitativen Wandel geriet auch Hindenburg in die politische Schußlinie. Denn der Reichstag machte von seinem verfassungsmäßigen Recht Gebrauch, die Aufhebung der präsidialen Notverordnungen zu beantragen. Als am 18. Juli 1930 über einen entsprechenden, von der SPD eingebrachten Antrag abgestimmt wurde, stand nicht wie zwei Tage zuvor lediglich das Schicksal eines Gesetzesvorhabens der Reichsregierung zur Debatte. Das Verlangen nach Außerkraftsetzung einer Notverordnung richtete sich im Kern gegen die Handhabung der präsidialen Kompetenzen und damit mehr oder minder direkt gegen den Reichspräsidenten. Hindenburg konnte verschmerzen, daß die von ihm ohnehin nicht geliebte Linke hinter diesem Ansinnen stand. Etwas anderes war es, wenn sich die Mehrheit der Deutschnationalen diesem Vorhaben anschließen sollte. Es mochte für Hindenburg noch angehen, daß die deutschnationalen Abgeordneten aus Parteiinteresse die Regierung Brüning beim ordentlichen Gesetzgebungsverfahren im Stich ließen. Aber sollten sie sich selbst dann verweigern, wenn ein präsidialer Akt zur Abstimmung stand, dann kam dies einer Brüskierung Hindenburgs gleich. Und so hofften Hindenburg und Brüning, daß sich eine genügend große Anzahl der Deutschnationalen aus Rücksicht auf den Reichspräsidenten bereit fand, einer immer stärker auf die präsidialen Vollmachten zugeschnittenen Regierungspolitik keine Steine in den Weg zu legen. Denn wurde damit nicht der Weg zu einem autoritären, den Reichstag immer mehr in den Hintergrund drängenden Regierungssystem beschritten, das prominente Deutschnationale wie Graf Westarp schon seit längerem herbeisehnten?

In der Tat waren die in der DNVP noch verbliebenen gouvernementalen Konservativen vor allem aus Rücksichtnahme auf Hindenburg nicht gewillt, sich in einer so hochrangigen Frage wie der Aufhebung von Notverordnungen gegen den Reichspräsidenten zu stellen.[5] Doch war ihre Zahl nicht groß genug, um der Regierung und dem Reichspräsidenten am 18. Juli 1930 eine Abstimmungsniederlage zu ersparen: Mit 236 gegen 222 Stimmen nahm der Reichstag den Antrag auf Aufhebung der Notverordnungen an. 32 Mitglieder der DNVP-Reichstagsfraktion stimmten diesem Antrag zu, während 25 dagegen votierten.[6]

Die Präsidialgewalt reagierte auf diesen Akt umgehend, indem sie alle ihre verfassungsrechtlichen Befugnisse mobilisierte. Unmittelbar nach der Verkündung des Abstimmungsergebnisses ließ der Reichspräsident den Reichstag auflösen, wozu er nach Artikel 25 der Reichsverfassung befugt war. Am selben Tag wurden zwar gemäß dem bekundeten Verlangen des Reichstags die inkriminierten Notverordnungen aufgehoben; doch nur acht Tage später erließ Hindenburg eine neue Notverordnung, die in nur leicht veränderter Form die wesentlichen Inhalte der vom Parlament verworfenen Notverordnung aufgriff und ihnen auf diesem Weg Rechtskraft verlieh. Da infolge der Auflösung des Reichstags kein parlamentarischer Einspruch gegen diese Maßnahme möglich war, konnte die Exekutivgewalt auch gemäß herrschender juristischer Lehre[7] so lange nach Belieben schalten und walten, bis nach der vorgeschriebenen Frist von sechzig Tagen Neuwahlen stattfanden und ein neuer Reichstag gegebenenfalls über diese neue Notverordnung befand.

Damit war das präsidiale Regieren auf die Spitze getrieben: Durch die Kombination von zwei dem Reichspräsidenten unzweifelhaft zustehenden Befugnissen – der Notverordnungsvollmacht und der Auflösungsbefugnis – vermochte der Reichspräsident dem Parlament zumindest in der parlamentslosen Zeit seinen Willen aufzuzwingen. Auf diese Weise kristallisierte sich eine eigene Logik präsidialen Regierens heraus. Sie feite die Exekutive nicht gegen den verfassungsrechtlich verbürgten Einfluß der Legislative, weil ein neu gewählter Reichstag jederzeit auf Verlangen die präsidialen Notverordnungen außer Kraft setzen und eine Aushebelung dieser Entscheidung nur durch eine Reichstagsauflösung erfolgen konnte. Aber dieser Regierungsstil zeugte unmißverständlich davon, daß die Reichsregierung drauf und dran war, sich von der Reichstagsmehrheit abzunabeln und allein auf die Unterstützung des Reichspräsidenten zu bauen. Insofern kann man davon sprechen, daß sich die Regierung Brüning seit dem 18. beziehungsweise 26. Juli 1930 zu einer echten Präsidialregierung entwickelt hatte.[8]

Doch die Präsidialregierung Brüning schleppte ein Strukturproblem mit sich herum, an dem sie im Mai 1932 scheitern sollte, nämlich die zunehmende Entfremdung Hindenburgs von der politischen Rechten. Hugenberg hatte die DNVP im Juli 1930 endgültig übernommen, weil die moderaten Konservativen unter Graf Westarp Partei und Fraktion nach dem 18. Juli 1930 verließen. Die meisten von ihnen schlossen sich zu einer neuen Partei, der Konservativen Volkspartei, zusammen,[9] der allerdings der organisatorische Unterbau fehlte, so daß sie sich bei der anstehenden Reichstagswahl kaum Chancen ausrechnen konnte. Hindenburg schmerzte es, wie weit sich die einstige Partei seines Herzens von ihm entfernt hatte. Geradezu beunruhigend war jedoch, daß damit eine radikale Rechtspartei entstanden war, die in ihrer Fundamentalopposition zum Staat von Weimar auch vor dem Reichspräsidenten nicht mehr haltmachte. Für die staatskonservative Minderheit in der DNVP war Hindenburg sakrosankt gewesen; und wenn dazu noch soldatische Maßstäbe ins Spiel kamen wie beim Reichstagsabgeordneten Generalmajor a. D. Paul von Lettow-Vorbeck, der bis zum November 1918 die deutsche Schutztruppe in Ostafrika befehligt hatte, konnte Hindenburg sogar besondere Gefolgschaftstreue einklagen: »Hindenburg ist doch eine ganz gewaltige Erscheinung. Für mich als Soldaten ist es einfach unmöglich, gegen ihn zu stimmen.«[10]

Doch die reine Hugenberg-DNVP stand Hindenburg unsentimental gegenüber[11] und erblickte in ihm nur einen Vertreter des bestehenden politischen Systems, das man mit aller Kraft zu überwinden trachtete. In diesen Kreisen hatte Hindenburg seinen Weltkriegsbonus als Feldherr längst aufgezehrt. Der Zauber seines Namens war verflogen. Bürgerliche Manieren und ein Rest an Respekt vor Hindenburgs Lebensleistung hielt die Vertreter des bürgerlichen Radikalnationalismus jedoch noch von schroffen persönlichen Attacken auf den Reichspräsidenten ab. Auch das hätte Hindenburg noch verschmerzen können, wenn die Hugenberg-DNVP eine Randerscheinung geblieben wäre. Aber die Reichstagswahl vom 14. September 1930 offenbarte, daß in Deutschland eine noch viel radikalere Rechtspartei im Vormarsch war, die sich auf dem besten Weg befand, die Führungsrolle im »nationalen Lager« zu übernehmen: Hitlers NSDAP. Die Wähler hatten die Partei Hitlers an diesem Wahlsonntag zur zweitstärksten politischen Kraft im Reichstag aufsteigen lassen. Ihr Stimmenanteil stieg von 2,6 auf 18,3 Prozent, was absolut 6,4 Millionen Wählern entsprach, während die DNVP auf 7,0 Prozent herabsank. Das Wahlergebnis vom 14. September 1930 hatte die politischen Ränder dermaßen gestärkt, daß die Präsidialregierung Brüning alle Energien aufbieten mußte, um mit dem neu gewählten Reichstag zumindest zu einer tragfähigen Arbeitsbeziehung zu kommen. Denn zu ihren eingeschworenen Gegnern zählte zudem auf der Linken eine auf Kosten der SPD auf mehr als dreizehn Prozent angewachsene KPD, so daß die radikalen Flügelparteien zusammen fast vierzig Prozent aller Reichstagsmandate errungen hatten.

In besondere Schwierigkeiten stürzte Hindenburg das explosionsartige Wachstum der Nationalsozialisten. Bis zum Wahltag hatte er die Hitlerpartei weitgehend ignorieren können als eine Schar völkischer Schreihälse, die es am nötigen Respekt gegenüber seiner Person fehlen ließen; damit war nach dem 14. September 1930 Schluß. Zu einer wirklichen Bedrohung weitete sich der Siegeszug der NSDAP aber aus, weil die Partei unverhohlen Hindenburg auf dessen ureigenstem Gebiet Konkurrenz machte. Denn Hitler erhob die Herstellung einer wahren »Volksgemeinschaft« zum politischen Erkennungszeichen seiner Bewegung, die so ganz anders zu sein beanspruchte als die übrigen Parteien. Sie setzte sich zum Ziel, die marxistisch ausgerichtete Arbeiterschaft wieder für den Gedanken der Nation zu gewinnen und dafür sowohl SPD als auch KPD gewaltsam auszuschalten.[12] Hier ergab sich eine inhaltliche Schnittmenge mit Hindenburgs Vorstellungen, der ebenfalls in den beiden Linksparteien das Haupthindernis für die Erreichung des herbeigesehnten Zustandes nationaler Einheit sah. Doch Hitler traute dem aus seiner Sicht feigen und verkalkten Bürgertum die Erfüllung dieser historischen Mission nicht zu, weil es den Gedanken der Nation zu sehr mit dem Bekenntnis zur kapitalistischen Wirtschaftsordnung verquickt und damit die Idee der Nation in den Kreisen der Arbeiterschaft diskreditiert habe.[13] Hindenburg war für Hitler ein Exponent jenes »nationalen« Bürgertums, das im wilhelminischen Kaiserreich seine historische Chance besessen, diese aber durch Kriegsniederlage und Revolution verspielt hatte.

Mit der NSDAP erschien also eine kraftvolle und dynamische Bewegung auf der politischen Bühne, die Hindenburgs Leitthema der nationalen Wiedergeburt durch Überwindung aller Klassen- und Konfessionsschranken propagierte, dem Reichspräsidenten die Verwirklichung dieser Vision aber nicht zutraute, weil sie ihn zu den Männern von gestern rechnete, deren historische Stunde vorbei war.[14]

Die NSDAP profitierte bei ihrem Aufstieg zweifellos von günstigen politischen Rahmenbedingungen. Die Weimarer Republik war nie wirklich zur Ruhe gekommen und wurde im Abstand von vier bis fünf Jahren von Krisen geschüttelt, die von außen über sie hereinbrachen. Die sich Ende 1929 massiv bemerkbar machende Weltwirtschaftskrise traf keine große europäische Industrienation härter als das Deutsche Reich und begünstigte radikale politische Kräfte mit ihren einfachen politischen Botschaften. Aber die Hitler-Bewegung war keine reine Krisengewinnerin, die nach Überwindung der wirtschaftlichen Depression wieder in sich zusammenfiel. Sie verstand es besser als alle politischen Konkurrenten, sich in jenen politisch-kulturellen Segmenten einzunisten, die im Unterschied zum kirchlich gebundenen katholischen Milieu und zur Lebenswelt der sozialistischen Industriearbeiterschaft keinen festen Anschluß an politische Parteien gefunden hatten. Dabei handelte es sich um den bürgerlichen Mikrokosmos in den Städten mit überwiegend protestantischer Einwohnerschaft sowie um die abgeschiedene Lebenswelt der agrarisch geprägten Dörfer in protestantischen Landstrichen.[15]

Mit ihrer Kombination aus egalitärem Nationalismus und gewalttätigem Antimarxismus stieß die Hitler-Bewegung vor allem in den bürgerlichen Kreisen auf Zustimmung, die keine Restaurierung des Kaiserreiches herbeisehnten, weil die verblichene monarchische Ordnung ihrer Ansicht nach die durch das Augusterlebnis geweckten »lebendigen Kräfte der Nation« nicht in den Staat integrieren konnte. Der Aufstieg der NSDAP zeugt von der ungeheuren politischen Mobilisierung, die das nationale Lager durch Krieg, Revolution, Inflation und Wirtschaftskrise erfahren hatte und die nun von der NSDAP in Gestalt einer nationalistisch-antimarxistischen Sammlungsbewegung in organisierte politische Bahnen gelenkt wurde.[16] Nicht zuletzt die Deutung des Kriegserlebnisses half, die lebensweltlichen Gräben zuzuschütten, die einen kleinstädtischen Handwerksmeister von einem Berliner Großbürger trennten.[17] Die Beschwörung der Leitidee der »Volksgemeinschaft« begünstigte die Vorstellung, daß diese geeinte Nation bereits während des Krieges in Gestalt der Frontgemeinschaft der kämpfenden Kameraden bestanden habe.[18] Dieser Rekurs verlieh dem Nationalismus eine soldatische Note, die in den späten 1920er Jahren nicht zuletzt durch den Aufschwung der Kriegsliteratur zum Ausdruck kam. Die darin artikulierte sinnhafte Aneignung des Krieges lief tendenziell auf die Auffassung hinaus, der verlorene Weltkrieg habe der Nachkriegsgeneration das Vermächtnis hinterlassen, die in der Frontkameradschaft bereits durchschimmernde Idee der Nation politisch zu vollenden.[19]

Wer aber sollte berufen sein, das steckengebliebene nationale Projekt zu vollenden? Der soldatisch imprägnierte Nationalismus hielt Ausschau nach Männern, deren Führungsanspruch sich dadurch legitimierte, daß sie die Vorstellung einer nach dem Muster der Frontgemeinschaft zusammengeschweißten Nation im Weltkrieg selbst vorgelebt hatten, und zwar ungeachtet ihres militärischen Ranges, und die mittels straffer soldatischer Führung Deutschland von den vermeintlich antinationalen Kräften zu »säubern« versprachen. Eine solche neue nationale Führungselite berief sich nicht auf Herkunft und Stand, und sie sollte sich auch nicht als Resultat eines geregelten Verfahrens rekrutieren. Es war allein das dieser zugeschriebene Charisma,[20] das den politischen Führungsanspruch begründete und untrennbar mit der inhaltlichen Auflage verbunden war, die Nation zu einer politisch handlungsfähigen Einheit zu formen.

Genau auf diesem Weg hatte Hindenburg seinen Herrschaftsanspruch während des Weltkriegs legitimiert. Doch damit hatte er die charismatische Transformation des Nationalismus nicht auf Dauer monopolisiert. Ein den Zwängen seines Amtes ausgesetzter Reichspräsident Hindenburg eignete sich nämlich nicht als Projektionsfläche des aufwallenden Nationalismus, der seit Ende der 1920er Jahre mit unbändiger Energie einen neuen Anlauf unternahm, die »Volksgemeinschaft« Wirklichkeit werden zu lassen. Schon während des Weltkrieges war bis in hochadlige Kreise eine erstaunliche Bereitschaft zu registrieren gewesen, den charismatischen Führer aus der Masse der Frontsoldaten zu rekrutieren, wenn man ihn dort nur gefunden hätte. Selbst der Hindenburg-Verehrer Ernst zu Hohenlohe-Langenburg hatte Ende 1916 bekundet: »Ich hoffe auf den Mann aus dem Schützengraben.«[21] Der deutsche Adel war in großen Teilen nach 1918 bereit, sich auf das Konzept des charismatischen Führertums einzulassen und seinen weiter aufrechterhaltenen Herrschaftsanspruch damit zu rechtfertigen, daß sich der Adel ohne Standesdünkel an die Spitze der nationalen Bewegung zu stellen bereit sei und nationale Führungsaufgaben übernehme, die ihm von den nationalistisch aufgerüttelten Massen übertragen worden seien.[22]

Der Adel war jedoch nicht der erste und bevorzugte Anwärter auf die Position eines solchen charismatischen Führers, seit sich in den 1920er Jahren jene Frontsoldatengeneration politisch zu regen begann, die am vehementesten einen neuen nationalen Aufbruch einklagte. Die überall spürbare Suche nach einer charismatischen Führergestalt[23] lief in diesen Kreisen vielmehr auf Personen hinaus, die auf der sozialen Skala von unten kamen und daher besonders geeignet schienen, die Arbeiterschaft mit der Idee der Nation zu versöhnen. Der in diesem Zusammenhang einschlägige Ernst Jünger hat bereits 1925 »die Gestalt des Gefreiten Hitler« dafür in die engere Wahl gezogen.[24] Hitler selbst stilisierte sich mit Vorliebe als Anwalt der Frontsoldatengeneration und würzte seine Reden häufig mit Schilderungen seiner Kriegserlebnisse.[25]

Der Anspruch der Frontsoldatengeneration auf politische Führerschaft resultierte nicht zuletzt aus der »Dolchstoßlegende«, an deren Popularisierung Hindenburg ja erheblichen Anteil hatte. Weil die Frontsoldaten auch noch im November 1918 ein vorbildliches Beispiel nationaler Pflichterfüllung abgegeben hätten, während das Heimatheer unter dem Einfluß von Vaterlandsverrätern, Deserteuren und Schiebern mit revolutionärem Gift infiziert worden sei,[26] könne die Nation nur durch die »Schicksalsgemeinschaft des Schützengrabens«[27] erneuert werden.[28]

Aber der Vorwurf an die Adresse der Heimat traf nicht nur die vermeintlichen revolutionären Anstifter in den Reihen der internationalistischen Sozialdemokratie. Auch die monarchische, politische und selbst die militärische Führung wurde auf die Anklagebank gesetzt und der Halbheit geziehen: Sie habe nicht energisch genug gegen die Verhetzung im Innern durchgegriffen und auf diese Weise die Ausbreitung des Defätismus nicht verhindert. Und als dann die Novemberrevolution ausbrach, hätten sich die Funktionsträger der alten Ordnung feige weggeduckt.[29]

Diese Vorwürfe waren nicht nur gegen moderate Politiker wie Bethmann Hollweg gerichtet, gegen die Hindenburg als Chef der Obersten Heeresleitung mit ganz ähnlichen Argumenten zu Felde gezogen war, sondern färbten aus Sicht der Nationalsozialisten auch auf Hindenburg ab. Der Feldmarschall wurde in eine Reihe gestellt mit Politikern wie Bethmann Hollweg und Hertling,[30] allesamt Exponenten der wilhelminischen Führungselite, die in der Stunde der Bewährung jämmerlich versagt habe. Hindenburg mußte sich zudem gefallen lassen, daß die Nationalsozialisten seinen Feldherrnruhm in Frage stellten, da sie in dem von Hitler verehrten Ludendorff den eigentlichen militärischen Genius des Weltkriegs sahen.[31] Mit der Hinwendung zur Gemeinschaft der Frontkämpfer als Keimzelle für die ersehnte nationale Wiedergeburt traf der Nationalsozialismus Hindenburg an seiner verletzlichsten Stelle: seinem Anspruch auf symbolische Imaginierung der zu einigenden Nation. Wenn Hitler auf dem NSDAP-Parteitag in Nürnberg im August 1929 proklamierte, daß der Frontsoldat »zum Repräsentanten der deutschen Nation«[32] geworden sei, steckte darin mehr als nur eine kleine Spitze gegen Hindenburg. Diesem war mit Hitler eine symbolische Konkurrenz erwachsen, die sich desto stärker als eigentliche Inkarnation der klassen- und konfessionsübergreifenden Volksgemeinschaft profilieren konnte, je mehr Hindenburg im Amt des Reichspräsidenten aufzugehen schien.

Im Herbst 1930 mußte diese Herausforderung Hindenburg noch nicht allzusehr beunruhigen. Denn es war noch keineswegs ausgemacht, daß sich die nationalsozialistische Welle nicht ebenso rasch verlaufen würde, wie sie emporgeschnellt war. Aber wenn die politische Konjunktur der NSDAP anhalten sollte, dann stand Hindenburg vor der Kardinalfrage, wie er sich zu einer politischen Bewegung stellen sollte, die rein zahlenmäßig die sich formierende und radikalisierende »nationale Opposition« dominierte. Man mußte kein Prophet sein, um vorauszusehen, daß Hindenburg eine Ignorierung der NSDAP oder gar eine Konfrontation mit der Hitler-Bewegung nicht durchhalten konnte.[33] Dazu verbanden Hindenburg und Hitler viel zu viele inhaltliche Gemeinsamkeiten: Beide hatten das Ziel einer poli-

tisch geeinten Nation vor Augen, in der die als unpatriotisch identifizierten Kräfte
vor allem des Marxismus ausgeschaltet werden sollten, womit der Grundstein für
den machtpolitischen Aufstieg des Reiches gelegt war. Handelte es sich bei den Nationalsozialisten nicht um jene jugendliche Bewegung, von der Hindenburg in
seinen Memoiren gehofft hatte, daß von ihr dereinst die nationale Wiedergeburt
ausgehen werde?[34] Mußte Hindenburg das in dieser Bewegung steckende nationale
Potential nicht einbinden, selbst wenn der Nationalsozialismus in seiner ungestümen Art Vertreter der älteren Generation vor den Kopf stieß? Wenn Hitler seine
Führungsansprüche reduzierte und von Hindenburg nicht verlangte, daß dieser
seine symbolische Funktion aufgab, dann konnten sich die beiden zusammenfinden und zur Arbeit am gemeinsamen Ziel verbünden. Bis zu diesem Arrangement,
das am 30. Januar 1933 Gestalt gewann, war aber noch ein langer Lernprozeß zu
durchlaufen, der von beiden Kompromisse und Abstriche verlangte.

Zunächst deutete wenig darauf hin, daß Hindenburg und Hitler dereinst ein
politisches Führungsduo bilden würden. Der Reichspräsident hielt vielmehr an
seiner Präsidialregierung fest und brachte dies unmißverständlich zum Ausdruck,
indem er nach der Reichstagswahl vom 14. September 1930, die ja die politischen
Kräfteverhältnisse gründlich durcheinandergewirbelt hatte, von jeder Kabinettsumbildung absah. Hindenburg hatte das Experiment Präsidialkabinett nicht gewagt, um es nach wenigen Monaten wieder abzubrechen. Reichskanzler Heinrich
Brüning besaß sein uneingeschränktes Vertrauen und konnte daher weitgehend
ohne inhaltliche Einmischungen des Reichspräsidenten regieren. Einer Auflage
unterlag der Reichskanzler allerdings: Das Regieren mit Hilfe der präsidialen Vollmachten mußte sich strikt innerhalb der von der Verfassung gesetzten Grenzen bewegen. Nun hatte sich der verfassungspolitische Spielraum der Exekutive zweifellos dadurch erhöht, daß der koordinierte Einsatz der dem Reichspräsidenten zu
Gebote stehenden Vollmachten – insbesondere die Kombination von Notverord-
nungsmaßnahmen und Reichstagsauflösung – von der herrschenden Meinung der
Staatsrechtslehre gebilligt und von den politischen Parteien mehr oder minder
hingenommen wurde. Dennoch unterlag auch eine Präsidialregierung nicht unerheblichen verfassungsrechtlichen Restriktionen und konnte die Mehrheitsverhältnisse im Reichstag nicht einfach ignorieren, wenn sie vom Pfad der Verfassungs-
konformität nicht abweichen wollte.

Zwei Mittel standen dem Reichstag zu Gebote, um einer Präsidialregierung
das Leben schwerzumachen: der gezielte Einsatz von Mißtrauensanträgen und
das Ersuchen auf Aufhebung von Notverordnungen. Wenn Hindenburg seinem
Kanzler am 22. September 1930 zu verstehen gab, daß Brüning in inhaltlicher Hin-

sicht freie Hand habe, ihm aber zugleich einschärfte, daß er sich strikt an die verfassungsmäßigen Bestimmungen halten müsse,[35] erteilte er zugleich die Order,
eine politische Konstellation im Reichstag zu schmieden, die der Präsidialregierung ein verfassungsgemäßes Auskommen selbst mit einem Reichstag ermöglichte, bei dem knapp vierzig Prozent der Parlamentarier den extremistischen Flügelparteien angehörten. Hindenburg traute Brüning dieses Kunststück zu, nicht
aber den beiden Rechtsparteien DNVP und NSDAP, die – selbst wenn sie sich zu gemeinsamer Regierungsarbeit zusammenfanden – nach seiner Ansicht niemals eine
Mehrheit zustande bringen würden, die ein gedeihliches Miteinander mit dem gerade gewählten Reichstag ermöglichte. Damit drohe Gefahr, daß sie versuchen
könnten, den Reichspräsidenten zum Verfassungsbruch zu drängen.[36] Derartige
Überlegungen konzentrierten sich vor allem auf den Artikel 25, Absatz 2, der Weimarer Reichsverfassung, der bestimmte, daß nach einer vom Reichspräsidenten
verfügten Reichstagsauflösung eine Neuwahl des Parlaments binnen sechzig Tagen
zu erfolgen habe. Wenn man an dieser Festlegung rüttelte, dann steuerte man auf
eine Präsidialdiktatur zu, die Hindenburg unter den gegebenen Umständen eindeutig verwarf. Der Umgang mit Artikel 25, Absatz 2, der im September 1930
erstmals in die Überlegungen des Reichspräsidenten einbezogen wurde, war für
Hindenburg der Lackmustest auf die Verfassungsmäßigkeit seines Handelns als
Reichspräsident.

Hindenburg war peinlich darauf bedacht, daß sein Agieren als Reichspräsident nicht in den Geruch der Verfassungswidrigkeit geriet. Er wollte den seinem
Amt zustehenden konstitutionellen Handlungsspielraum voll und ganz ausschöpfen, um die Regierungspolitik in seinem Sinne zu gestalten, aber er wollte dafür
nicht die von der Verfassung gesetzten Grenzen überschreiten. Seine Skrupel wur-
zelten zum einen in einer altpreußisch anmutenden Auffassung von Gesetz und
Ordnung, die zudem eine religiöse Dimension erhalten hatte, da er bei seinem
Amtsantritt den Eid auf die Verfassung abgelegt hatte – und dies gleich mit doppelter religiöser Formel. Mindestens ebenso wichtig war für ihn aber die historische
Pflege seines Ansehens. Sein Ruf in der Geschichte sollte nicht dadurch befleckt
werden, daß er des Verfassungsbruchs bezichtigt wurde. Hindenburg wollte seinen
bereits angekratzten Mythos nicht der Gefahr aussetzen, in öffentlichen Auseinandersetzungen um seine Person noch mehr beschädigt zu werden. Sein guter Name,
der Quell seiner charismatischen Herrschaftsansprüche, war zu kostbar und durfte
nicht um der Steigerung der Präsidialgewalt willen aufs Spiel gesetzt werden.

Hindenburg wäre es am liebsten gewesen, wenn er den Einsatz der präsidialen Machtmittel auf ein Minimum hätte dosieren können ohne die Handlungs-

fähigkeit der Regierung seines Vertrauens einzuschränken. Dafür gab es einen verfassungsmäßigen Weg, der im Krisenjahr 1923 eingeschlagen worden war: das Ermächtigungsgesetz. Die Regierung Stresemann hatte damals für einen begrenzten Zeitraum eine nahezu diktatorische Vollmacht erhalten, um die drängendsten Fragen auf dem Gebiet der Finanz-, Wirtschafts- und Sozialpolitik ohne parlamentarische Zustimmung zu regeln. Der Verordnungsweg stand also auch einer Reichsregierung offen, wenn diese sich dafür mittels eines Ermächtigungsgesetzes eine legale Legitimation verschaffte. Allerdings waren die verfassungsmäßigen Hürden hoch: Ein solches Ermächtigungsgesetz bedurfte der Zustimmung von zwei Dritteln der abstimmenden Reichstagsabgeordneten bei einem Quorum von ebenfalls mindestens zwei Dritteln aller Parlamentarier (doppelte Zweidrittelmehrheit).[37]

Hindenburg liebäugelte im Herbst 1930 mit einer solchen Lösung, die ihn aus der politischen Schußlinie genommen hätte.[38] Angesichts der Mehrheitsverhältnisse des neugewählten Reichstags war ein solches Vorgehen allerdings wenig aussichtsreich, da praktisch alle übrigen Reichstagsabgeordneten einem solchen Ermächtigungsgesetz zustimmen mußten, wenn man davon ausging, daß NSDAP und KPD es ablehnten. Diese Idee wurde im Herbst 1930 daher wieder verworfen.[39] Das änderte nichts daran, daß sie für Hindenburg weiterhin eine attraktive Option darstellte, um die Präsidialgewalt freiwillig einzuschränken und damit den Mythos Hindenburg zu schonen. Insofern ist es nicht verwunderlich, daß Hindenburg diese Überlegungen wieder aufgriff, als sich nach der Auflösung des Reichstags am 30. Januar 1933 die Möglichkeit zu eröffnen schien, mit dem neuen Reichstag ein Ermächtigungsgesetz zustande zu bringen. Diesmal war es allerdings Hitler, der als frisch ernannter Reichskanzler Hindenburg mit der Aussicht auf einen solchen scheinbar verfassungskonformen Weg aus der Staatskrise Entlastung versprach.

Da sich die Hoffnung auf ein Ermächtigungsgesetz zerschlagen hatte, blieb Hindenburg vorerst nichts anderes übrig, als der Regierung Brüning weiterhin seine präsidialen Notverordnungsvollmachten zur Verfügung zu stellen. Seinem Reichskanzler oblag es allerdings, dafür Sorge zu tragen, daß der Reichstag solche neuen Notverordnungen nicht wie am 18. Juli 1930 aufhob.[40] Die Mehrheitsverhältnisse im gerade gewählten Reichstag wiesen aber ausgerechnet der SPD eine Schlüsselrolle zu. Denn wenn davon auszugehen war, daß sich NSDAP und KPD in der Ablehnung der Regierung und des politischen Systems einig waren und bei jeder sich bietenden Gelegenheit Anträge auf Aufhebung der Notverordnungen einbringen würden, nutzte der Brüning-Regierung selbst die Unterstützung der Hugenberg-DNVP nichts, wenn die SPD solche Anträge unterstützte. Die SPD-

Reichstagsfraktion mußte also zur Unterstützung der Regierungspolitik gewonnen werden, zwar nicht in Gestalt einer direkten Regierungsbeteiligung, die weder von seiten der SPD noch von seiten der Präsidialregierung verlangt beziehungsweise gewünscht war, aber doch in Form einer parlamentarischen Unterstützung durch Zurückweisung aller Anträge auf Aufhebung der präsidialen Notverordnungen.

Unter dem Eindruck des Wahlerfolges der NSDAP und einer nicht auszuschließenden Regierungsbeteiligung Hugenbergs und Hitlers im Falle des Scheiterns der Brüning-Regierung entschloß sich die SPD-Führung im Oktober 1930 schweren Herzens, die in ihren Kräften stehende parlamentarische Überlebenshilfe zu leisten, obgleich Brünings rigoroser Sparkurs die eigene Anhängerschaft deutlich verunsicherte und den Kommunisten reichlich Munition für die Agitation gegen die SPD-Führung bot. Neben staatspolitischer Einsicht leitete die SPD bei ihrer Tolerierungspolitik auch die Rücksichtnahme auf ihre Regierungsbeteiligung in Preußen. Denn solange die Zentrumspartei mit SPD und Liberalen in Preußen eine gut funktionierende Regierung bildete, besaß der Zentrumspolitiker Brüning ein Druckmittel gegenüber der SPD-Führung: Für den Fall der Verweigerung stellte er der SPD den Bruch der preußischen Regierungskoalition und eine Ersetzung der SPD durch die DNVP in Aussicht.[41]

Der Hebel Preußen war auch dafür verantwortlich, daß Hindenburg sich nicht in die preußische Regierungspolitik einmischte. An und für sich wäre es naheliegend gewesen, die SPD auch aus der preußischen Regierungsverantwortung zu vertreiben, nachdem Hindenburg mit der Bildung der Regierung Brüning die Sozialdemokratie aus der Reichsregierung ausgeschlossen hatte. Als Hindenburg zu Beginn des Jahres 1930 auf die Etablierung einer Präsidialregierung zusteuerte, spielten die sich daraus ergebenden Auswirkungen auf Preußen in der Tat eine nicht unerhebliche Rolle.[42] Zwar besaß der Reichspräsident keinen direkten Einfluß auf die Bestellung der preußischen Regierung, weil das preußische Parlament den Ministerpräsidenten des größten deutschen Landes wählte. Aber wenn von der Errichtung einer Präsidialregierung eine Signalwirkung auf die Zentrumspartei ausgehen und diese zu einem Koalitionswechsel in Preußen verleiten würde, hätte sich der gewünschte Effekt eingestellt. Unter der Voraussetzung sozialdemokratischer Tolerierungspolitik im Reich drehte sich dieses Kalkül jedoch um. Nur wenn die Sozialdemokratie in Preußen weiterhin Regierungsverantwortung übernahm und den Ministerpräsidenten stellte, war sie geneigt, der von Hindenburg bestellten Reichsregierung das verfassungsgemäße Regieren zu ermöglichen. Dies war der Preis, den Hindenburg für sein Festhalten an der Präsidialregierung Brüning und sein Beharren auf verfassungskonformem Regieren zu entrichten hatte.

Im Oktober 1930 war Hindenburg geneigt, die Sozialdemokratie für ihr staatsbewußtes Verhalten zu belohnen, zumal er den preußischen Ministerpräsidenten Otto Braun nicht nur wegen dessen Jagdleidenschaft außerordentlich schätzte.[43] Als sich die DNVP seinem Werben entzog und am 14. Oktober 1930 ankündigte, für die Aufhebung der Notverordnungen zu stimmen, ergriff Hindenburg sogar selbst die Initiative und versicherte sich in einer Unterredung mit Otto Braun der sozialdemokratischen Unterstützung für den Kurs des Präsidialkabinetts.[44]

Die Umstände fügten es mithin, daß die Sozialdemokratie stiller Teilhaber an der Regierung Brüning wurde, obgleich dies in der ursprünglichen Anlage von Hindenburgs Präsidialregierung ganz und gar nicht vorgesehen war. Da dieser Zustand nicht Hindenburgs Herzenswunsch entsprach, ist zu fragen, warum diese eher unnatürliche Konstellation immerhin mehr als 18 Monate – bis zu Brünings Entlassung im Mai 1932 – anhalten konnte. Der Schlüssel hierzu war der aus Hindenburgs Sicht beklagenswerte Zustand der Rechten. Immer noch empfand er eine gewisse Nähe zur DNVP, zumal sein Gutsnachbar Elard von Oldenburg-Januschau dem neugewählten Reichstag als neuer DNVP-Abgeordneter angehörte. Aber sosehr er die deutschnationalen Militärs und Gutsbesitzer schätzte, so sehr ging er auf Distanz zum Parteiführer Hugenberg. Hugenberg war für Hindenburg eine Persona non grata: ein windiger Taktierer und undurchsichtiger Geschäftemacher, der mit unfeinen Tricks arbeitete und sich in blinder Opposition zu seiner, Hindenburgs Regierung verrannt habe. Im privaten Kreis konnte Hindenburg höchst ungehalten werden, wenn die Rede auf Hugenberg kam, »den dümmsten Sturbock, den es gäbe«.[45] Solange die Rechte nicht zur Vernunft komme, könne man mit ihr nicht kooperieren und müsse stattdessen auf die Aushilfe der Sozialdemokratie zurückgreifen: »Da Rechts nicht mithelfen will, muß man die Hilfe der Sozis annehmen, um etwas zu erreichen, aber ohne eine Coalition abzuschließen.«[46]

Äußerungen über Hitler aus dem Winter 1930/31 sind hingegen praktisch nicht überliefert. Hindenburg dürfte hier mit seiner Meinung zurückhaltender gewesen sein, da er noch nicht persönlich Bekanntschaft mit dem NS-Parteiführer gemacht hatte und sich daher kein Urteil aus erster Hand bilden konnte. In seinen Augen waren aber auch die Nationalsozialisten immer noch zu sehr auf Parteiinteressen eingeschworen, als daß man ihnen bedenkenlos die Regierung hätte anvertrauen können. Auch sie trugen mit ihrer hemmungslosen Agitation gegen den politischen Gegner zum Meinungsstreit bei, der die deutsche Gesellschaft mehr denn je zu zerreißen schien. In seiner Neujahrskundgebung vom 1. Januar 1931 stellte Hindenburg den politischen Kräften insgesamt kein gutes Zeugnis aus: »Vor einem Jahre habe ich an dieser Stelle der Hoffnung Ausdruck gegeben, daß der Geist der

Einigkeit im deutschen Volke sich festigen und zum Zusammenschluß aller schaffenden Kräfte führen möge. Dieser Wunsch hat sich leider nicht erfüllt. Im Gegenteil will es scheinen, als ob die harte Sorge um das Einzelschicksal den Gedanken an das Gesamtschicksal Deutschlands und die Zukunft unseres Vaterlandes zurückgedrängt und neue Gegensätze geschaffen hat.«[47]

War aber Hindenburgs Präsidentschaft nicht die Grundlage entzogen, wenn ausgerechnet unter seiner Ägide die inneren Spannungen ein bislang unbekanntes Ausmaß erreicht hatten? Welche Hoffnungen trieben den Reichspräsidenten überhaupt noch an, wenn es schien, als würden seine ständigen Mahnungen zur inneren Einheit folgenlos verhallen und als würde er gegen eine Wand rennen?

Das Politikfeld, in das Hindenburg 1931 die größte Hoffnung investierte, war die Außenpolitik. Hier schien es einen Hoffnungsschimmer für den von ihm ersehnten machtpolitischen Aufstieg Deutschlands zu geben. Und es war sein Reichskanzler Brüning, der dieses Ziel mit großer Tatkraft anstrebte, indem er zunächst die Abschüttelung der deutschen Reparationsverpflichtungen ins Auge faßte. Brüning betrieb, so schien es Hindenburg, mit mehr Energie und mehr strategischem Weitblick Revisionspolitik als jeder seiner Amtsvorgänger. Und daher konnte der Reichspräsident seinen Kanzler in außenpolitischen Fragen ruhig gewähren lassen und mußte sich nicht wie etwa beim Locarnovertrag oder beim Young-Plan in einzelne außenpolitische Fragen einschalten.[48]

Hindenburg trug die Außenpolitik seines Kanzlers mit und verweigerte sich keinem außenpolitischen Schritt, der dem Kanzler erforderlich schien. Am diplomatischen Aufrollen der Reparationsfrage hatte Hindenburg einen gewissen protokollarischen Anteil, da er als Staatsoberhaupt am 20. Juni 1931 den von den USA erbetenen Hilferuf an den US-amerikanischen Präsidenten Hoover absandte. Dieser konnte daraufhin mit seiner vorbereiteten Initiative an die Öffentlichkeit gehen und ein zunächst einjähriges Moratorium sowohl für die deutschen Reparationsverpflichtungen als auch für die interalliierten Schulden vorschlagen. Hindenburg, der sich zu diesem Zeitpunkt auf seinem Gut in Neudeck aufhielt, brachte die dort eingehenden Entwürfe durch eigenhändige Korrekturen in eine Form, die an der Dringlichkeit des deutschen Hilfeersuchens keinen Zweifel ließ, aber zugleich die Würde des Reiches wahrte: »Die Hilfe muß sofort kommen, wenn wir schweres Unglück für uns und andere vermeiden wollen. Das deutsche Volk muß weiter die Möglichkeit haben, unter erträglichen Lebensbedingungen zu arbeiten.«[49]

Die komplizierten wirtschaftlichen Hintergründe der Außenpolitik Brünings, der als ausgewiesener Finanzexperte die Kapitalverflechtungen zwischen den großen Volkswirtschaften ins Kalkül zog, hat Hindenburg wohl nicht durchschaut. Aber daß die Vereinigten Staaten von Amerika über den Schlüssel verfügten, um die Abschaffung der Reparationen überhaupt auf die politische Tagesordnung zu setzen,[50] hat ihm gewiß eingeleuchtet. Denn da speziell Frankreich aufgrund der amerikanischen Hilfe im Ersten Weltkrieg bei amerikanischen Banken im Debet stand, konnten die USA ein politisches Paket schnüren, das Frankreich den Erlaß seiner Schulden in Aussicht stellte, wenn dieses auf seine Reparationsforderungen gegenüber Deutschland verzichtete. Als sich die französische Regierung am 6. Juli 1931 auf dieses Junktim einließ und zunächst für ein Jahr ein umfassendes Moratorium in Kraft trat, hatte die deutsche Außenpolitik den Durchbruch in der Reparationsfrage erzielt,[51] auch wenn noch ein weiteres Jahr bis zum endgültigen Auslaufen dieser Verpflichtungen verging. Hindenburg, der als Chef der 3. OHL die militärische Potenz der USA sträflich unterschätzt hatte, entwickelte aufgrund des entscheidenden amerikanischen Eingreifens in den Weltkrieg ein sicheres Gespür für die ausschlaggebende Bedeutung der USA. Daß er seine Lektion gelernt hatte, brachte er dadurch zum Ausdruck, daß er am 27. Juli 1931 den nach Europa geeilten amerikanischen Außenminister Stimson in Berlin empfing.[52] Stimson war überhaupt der einzige namhafte ausländische Regierungsvertreter, den der Reichspräsident in den turbulenten Tagen des Sommers 1931 zu einer Visite einlud.

Brünings außenpolitische Erfolge waren das stärkste Band, das Reichspräsident und Kanzler zusammenhielt und zu einem relativ reibungslos funktionierenden politischen Gespann werden ließ. Brüning hatte unter Beweis gestellt, daß Hindenburgs außenpolitischer Kurs, für den er bei der politischen Rechten seit der Unterzeichnung des Young-Plans so vielen Anfeindungen ausgesetzt war, sich auszahlte. Der Young-Plan war knapp anderthalb Jahre nach der Unterzeichnung nur noch ein Stück Papier und hatte wie von Hindenburg prognostiziert dem Deutschen Reich keineswegs die Revisionsmöglichkeiten genommen. Düpiert waren damit aus Hindenburgs Sicht nicht zuletzt die Kritiker von rechts, die ihm im Frühjahr 1930 Beihilfe zur Versklavung des deutschen Volkes vorgeworfen hatten. Diese Kritiker entwaffnet zu haben, rechnete Hindenburg seinem Kanzler hoch an.

Noch unglaubwürdiger war nun Hugenberg mit seinen besserwisserischen Einlassungen geworden, der Deutschland vor dem Abgrund sah und sich als geeigneten Retter aus der Not anpries. Auch die nationalsozialistischen Attacken fielen in sich zusammen, Brüning hatte recht behalten, als er den von der Hitlerpartei lauthals proklamierten Weg einer einseitigen Aufkündigung der deutschen Verpflichtungen als Katastrophenpolitik eingeschätzt und demgegenüber eine taktisch klug angelegte Reparationsrevision favorisiert hatte.[53] Seine hintergründige

Revisionspolitik, die das eigentliche Ziel auf Umwegen ansteuerte und einen langen Atem erforderte, entsprach im übrigen durchaus Hindenburgs Vorstellung von einer erfolgreichen Außenpolitik. Der Feldmarschall übertrug sein militärisches Vorgehen im Krieg – hier stilisierte er sich bekanntlich als überlegener Stratege, der durch nichts aus der Ruhe zu bringen war – auf die Außenpolitik und prägte als deren Erfolgsrezept eine Formel, die auf Brüning zuzutreffen schien: »Geduld und gute Nerven werden ... nötig sein.«[54]

Brünings Außenpolitik hatte das Tor für eine endgültige Abschaffung der Reparationen weit aufgestoßen, und dies machte in Hindenburgs Augen viel von dem Verdruß wett, den der Zustand der deutschen Innenpolitik ihm verursachte. Fast schien es so, als herrsche zwischen beiden ein Einvernehmen wie einst zwischen Wilhelm I. und Bismarck:[55] ein dem politischen Tagesgeschäft Enthobener, der seinen Kanzler politisch gewähren ließ, weil er trotz gelegentlicher Bedenken davon überzeugt war, daß dieser den richtigen Kurs einschlug. Der Reichspräsident konnte sich daher damit begnügen, seinen Vertrauten nur alle drei bis vier Wochen zum Vortrag zu empfangen, da die Grundlinien der Politik festzuliegen schienen.[56]

Hindenburg ließ im persönlichen Umgang mit Brüning allerdings nur gelegentlich durchblicken, wie sehr er mit der geleisteten Arbeit zufrieden war. Der eher wortkarge Reichspräsident geizte ohnehin mit überschwenglichem Lob, so daß es schon besonders ins Gewicht fiel, als er seinem Kanzler während einer Eisenbahnfahrt zum Stapellauf eines Panzerkreuzers in Kiel im Mai 1931 versicherte: »Sie sind mein letzter Kanzler. Ich werde mich von Ihnen nicht trennen.«[57] Bekanntlich hat Hindenburg aber nach der Entlassung Brünings innerhalb von neun Monaten mit Papen, Schleicher und Hitler drei weitere Kanzler ernannt. Doch Hindenburg hätte sein Versprechen gegenüber Brüning eingelöst, wenn er seine Reichspräsidentschaft mit Auslaufen seiner ersten Amtszeit im April 1932 beendet und nicht für eine zweite Amtszeit von sieben Jahren kandidiert hätte, die ein fast 85jähriger mit großer Wahrscheinlichkeit nicht durchstehen konnte. Im Frühjahr 1931 war Hindenburgs Beteuerung durchaus für bare Münze zu nehmen, da in seiner Zukunftsplanung eine zweite Amtszeit nicht vorgesehen war. Brüning selbst erfaßte die Lage sehr präzise, als er nach einem Vortrag bei Hindenburg Anfang August 1931 feststellte, der Reichspräsident habe, »wie es schien, nur eine Idee: mit dem bisherigen Kurs möglichst schnell in einen politischen Ruhestand hineinzukommen«.[58]

Das Kaminzimmer im Gutshaus Neudeck mit dem Hindenburg-Gemälde von Professor Walter Petersen, das die Stadt Hannover Gertrud von Hindenburg zum Geschenk machte

KAPITEL 24

Rückzug auf Raten

Hindenburg empfand sich im Frühjahr und Sommer 1931 als ein Reichspräsident auf Zeit, dem nur noch knapp ein Jahr blieb, um die Dinge in seinem Sinne zu ordnen. Den Gedanken an eine zweite Amtszeit wies er weit von sich. Es lassen sich zwei Schichten von Motiven unterscheiden, die für seine Absicht ausschlaggebend waren, sich spätestens im April 1932 auf das politische Altenteil zurückzuziehen. Das eine Ursachenbündel war im politischen Bereich, das andere im persönlichen Umfeld angesiedelt. Ausschlaggebend waren in erster Linie politische Gründe. Zwar waren die außenpolitischen Erfolge seiner Regierung Labsal für seine durch die Anti-Young-Kampagne angeschlagene Seele. Doch sie bedeuteten nur einen schwachen Trost angesichts der zunehmenden politischen Zerrissenheit des deutschen Volkes, das unter einer Welle politischer Gewalt, die schon alltäglich geworden war, litt. Hindenburgs großes Projekt der nationalen Versöhnung schien in unerreichbare Ferne gerückt.

Der Reichspräsident hätte das aber noch verschmerzen können, wenn die Kritik an seiner Person nicht ein so bedrohliches Ausmaß angenommen hätte. Seit der Kampagne gegen den Young-Plan war er es zwar gewohnt, mit Anwürfen von deutschnationaler und nationalsozialistischer Seite umzugehen. Zunächst hatte er sich mit dem Hinweis getröstet, daß der auf ihn niederprasselnde Hagel von Kritik auf Unkenntnis basiere und größtenteils auf die Verhetzung durch die Hugenberg-Presse zurückzuführen sei. »Das Urteil ruhiger, abgeklärter Leute, auch bei der Rechten, lautet ganz anders.«[1] Es verwunderte ihn daher nicht, daß insbesondere die Nationalsozialisten ihn im Frühjahr 1931 mit zum Teil beißender Kritik überzogen. Dabei tat sich insbesondere sein spezieller »Freund«, der Berliner Gauleiter Joseph Goebbels, hervor. Gegen Goebbels war Hindenburg bereits Anfang Januar 1930 gerichtlich vorgegangen, was den durch seine parlamentarische Immunität zumindest teilweise geschützten Gauleiter aber nicht davon abhielt, Hindenburg in seinem Hausorgan, der Tageszeitung »Der Angriff«, weiterhin in gehässiger Weise zu attackieren.[2] Mit den ihm zur Verfügung stehenden journalistischen Mitteln, die so gewählt waren, daß ein zweiter Strafantrag gegen ihn tunlichst vermieden wurde, erweckte Goebbels den Eindruck, als stünde ein verkalkter Greis an der Spitze des Reiches, Wachs in den Händen seiner reaktionären Umgebung und ohne jegliche Tatkraft in nationalen Angelegenheiten. Diese Anschuldigungen gipfelten in dem Artikel »Der [Feld-]Marschall-Präsident« vom 31. Mai 1931, in dem gefragt wurde: »Wie war es möglich, daß dieser Trottel kaiserlicher Heerführer und Präsident der Republik werden konnte?« Wer gemeint war, konnte den Lesern nicht verborgen bleiben, dennoch erschien als salvatorische Klausel zum Schluß des Artikels der Hinweis, daß sich dieser Beitrag auf den französischen Marschall MacMahon beziehe, Marschall unter Napoleon III. und späterer Präsident der französischen Republik.[3]

Hitler selbst scheute derartige Frontalangriffe, ließ aber keinen Zweifel darüber aufkommen, daß er dem Reichspräsidenten politisch wenig zutraute und für die NSDAP die Alleinvertretung nationaler Interessen reklamierte.[4] Eine offene Kampfansage war der Beschluß der NSDAP-Reichstagsfraktion vom 27. April 1931, der einem Ultimatum an Hindenburg gleichkam: Dieser solle seine am 28. März 1931 erlassene »Notverordnung zur Bekämpfung politischer Ausschreitungen«, mit der man die Auswüchse radikaler politischer Propaganda einzudämmen suchte, zurücknehmen oder zurücktreten und den Weg frei machen für die Neuwahl eines wirklich nationalen Reichspräsidenten.[5]

Im Frühjahr 1931 beharrte Hitler noch auf seinem Monopolanspruch, die nationalen Belange zu vertreten, und nahm keine Rücksicht auf einen Reichspräsidenten, dessen Amtszeit und politische Uhr ohnehin in knapp einem Jahr ablaufen würde. Hindenburg bekümmerte Kritik von dieser Seite wenig. Doch das Befremden an seiner Amtsführung hatte inzwischen Kreise erreicht, die nicht zu den mittlerweile notorischen Hindenburg-Kritikern gehörten, sondern ihm politisch wie persönlich wohlwollend gegenüber standen. Bei konservativen Militärs stieß seine Politik zunehmend auf Unverständnis, weil sie gerade in der Außenpolitik Anschluß an die politische Mitte suchte. Was von der liberalen Hauptstadtpresse oder gar von sozialdemokratischer Seite gelobt wurde, galt in den Augen von Hindenburgs alten Kameraden als suspekt. Selbst in der Familie gab es mit dem Generalleutnant a. D. Karl von Fabeck ein Beispiel für diese Haltung. Der seit 1921 verabschiedete Fabeck stattete »Onkel Paul« am 7. und 8. Juli 1931 in Neudeck einen Besuch ab, bei dem auch politische Fragen angeschnitten wurden. Dabei zeigte er sich geradezu entsetzt über die politischen Ansichten, die nicht nur beim Reichspräsidenten, sondern auch bei dessen Sohn Oskar vorherrschten: »Über die Deutschnationalen, Hugenberg, Goltz, Cramon sprach sich besonders Oskar reichlich ablehnend aus.

Brüning wurde sehr gelobt. Man könne eben jetzt keine andere Politik machen. Die Deutschnationalen seien Katastrophenpolitiker, die nur kritisierten, aber nicht sagten, wie man es besser machen könne, kurz all die alten Phrasen, die auch die Linksblätter bringen. Es ist sehr bedauerlich, daß der alte Mann in solchen Auffassungen lebt, die ihn von den Rechtskreisen immer mehr trennen.«[6]

Hindenburg war dabei, sich selbst die Sympathien seiner alten Kameraden zu verscherzen, mit denen er persönliche Beziehungen unterhielt. Wie stark sein Ansehensverlust in diesen Kreisen war, belegen Äußerungen des Generalleutnants August von Cramon vom April 1931. Obgleich Cramon Hindenburg gegen allzu harsche Kritik in Schutz nahm, war selbst er an einem Punkt angelangt, an dem er dem Hindenburg-Kritiker Ludendorff inhaltlich recht geben mußte: Hindenburg fehle einfach jede zupackende Initiativkraft. Damit fiel auch ein ungünstiges Licht auf die dem Feldmarschall zugeschriebenen Erfolge im Weltkriege. Diese »sind, mit Ausnahme von Tannenberg, wohl lediglich auf seine Berater zurückzuführen. So ganz unrecht hat Ludendorff eben leider nicht, wenn man auch seine Art des Vorgehens nur verurteilen muß.«[7] Der Hindenburg-Mythos begann also auch in den Zirkeln, auf deren Urteil Hindenburg großen Wert legte, zu bröckeln. Das Denkmal des Schlachtensiegers im Weltkrieg erhielt Risse, und das Ansehen des Reichspräsidenten war deutlich angekratzt. Mit blutendem Herz vertraute Karl von Fabeck seinen privaten Aufzeichnungen an: »Es ist ein Jammer, ... wie das Vertrauen in den Alten sinkt, der eine unbeschreibliche Liebe des Volkes besaß.«[8]

Hindenburg reagierte höchst unwillig auf solche Vorhaltungen, auch wenn sie von Fabeck oder Cramon in dosierter Form vorgebracht wurden. Schon in der Frage der Locarnoverträge und des Young-Plans hatte er sich jede Belehrung von dieser Seite energisch verbeten. Seine Herrschernatur ertrug solche Einwände nicht, schon gar nicht, wenn sie an sein Innerstes rührten. Er ging daher so weit, seinen Gesprächspartnern das Anschneiden heikler politischer Themen schlichtweg zu untersagen. Als Cramon ihn Anfang April 1931 aufsuchte, fuhr Hindenburg ihm über den Mund: »Kommen Sie mir aber nicht mit politischen Fragen, ich bin über alles orientiert. Neulich wollte mich auch der Fabeck in einer politischen Sache sprechen. Ich habe es aber abgelehnt!«[9]

Solche Einwände beeindruckten den Reichspräsidenten jedoch mehr, als er sich nach außen hin anmerken ließ. Denn sie berührten den innersten Kern seines Herrschaftsverständnisses. Hindenburg registrierte aufmerksam, daß das Präsidentenamt immer mehr zu Lasten seines Charismas ging. Je länger er an der von der Sozialdemokratie tolerierten Regierung Brüning festhielt, desto mehr schwand sein Ansehen in den Kreisen, die sich als Anwalt der nationalen Sache verstanden.

Dies konnte ihn nicht kaltlassen, weil seine herrschaftliche Autorität sich im Kern nicht auf ein Amt gründete, sondern auf das ihm zuerkannte Charisma, welches sich aus der ihm zugeschriebenen symbolischen Leistung speiste, die politische Einheit der deutschen Nation zu repräsentieren. Wollte Hindenburg eine weitere Beschädigung dieser Symbolkraft vermeiden, standen ihm zwei Optionen offen: Er mußte so schnell wie möglich die Bürde seines Amtes abschütteln und sich in den wohlverdienten Ruhestand begeben. Oder er übte die Präsidentschaft noch für eine zweite Amtsperiode aus, kooperierte dann aber im Sinne einer Arbeitsteilung übergangsweise mit jenen politischen Kräften, die das Projekt der nationalen Erneuerung und Einigung ebenfalls für sich reklamierten. Im Frühjahr 1931 deutete alles darauf hin, daß er sich für die erste Möglichkeit entschieden hatte.

Die Kritik seiner ehemaligen Weggefährten zermürbte den Reichspräsidenten immer mehr, so daß er in der ersten Hälfte des Jahres 1931 kaum noch in der Öffentlichkeit auftauchte. Repräsentationsaufgaben, die ihm eigentlich auf den Leib geschneidert waren, weil er bei diesen Gelegenheiten als Mahner zur inneren Versöhnung auftreten konnte, nahm er nicht wahr oder ließ sich durch den Reichskanzler vertreten. Den hundertsten Todestag des Freiherrn vom Stein ließ er verstreichen, ohne den verehrten Stein als leuchtendes Beispiel dafür hinzustellen, daß in einer Zeit politischer Erniedrigung durch eine mutige Politik das Fundament für einen Wiederaufstieg gelegt werden konnte. Im Reigen der Stein-Elogen,[10] die in einer Gedenkfeier des Westfalenbundes im Reichstag am 25. Juni 1931 gipfelten, fand Brüning in seiner Schlußansprache die Worte, die eigentlich dem Reichspräsidenten zugestanden hätten,[11] der aber gar nicht anwesend war. Auch bei der Feier zum zehnten Jahrestag der oberschlesischen Abstimmung in Beuthen am 22. März 1931 vermißte man den Reichspräsidenten,[12] obgleich diese Festlichkeit einen willkommenen Anlaß geboten hätte, patriotische Töne anzuschlagen und gegen die Teilung Oberschlesiens zu protestieren. Man mag darüber streiten, ob eine Rede Hindenburgs bei Kundgebungen anläßlich des zehnjährigen Bestehens des Deutschen Studentenwerkes, der Eröffnung der Reichshandwerkwoche oder des fünfzigsten Jubiläums des Deutschen Sparkassenverbandes zum Pflichtprogramm des Reichspräsidenten gehörten. Der vielbeschäftigte Reichskanzler nahm solche Termine jedenfalls wahr und schlug in seinen Reden Töne an, die eigentlich dem Präsidenten zugestanden hätten.[13]

Hindenburg machte sich in der Öffentlichkeit rar, und zwar derselbe Hindenburg, der bis 1930 bei Anlässen wie der Räumung des Rheinlandes von den Besatzungstruppen das Wort ergriffen und zu innerer Eintracht gemahnt hatte. Es schien, als habe es ihm die Sprache verschlagen. Er ließ sich nur noch bei Ereignissen blicken, die ihm besonders am Herzen lagen. Am 19. Mai 1931 etwa nahm er die Taufe des Panzerkreuzers »Deutschland« in Kiel vor, ein Feiertag für den Militär Hindenburg, da mit diesem Akt die allmähliche militärische Gleichberechtigung Deutschlands zum Ausdruck gebracht wurde.[14] Am 14. Juni reiste er von Neudeck ins nahe gelegene Marienburg zur 700-Jahrfeier des Deutschen Ordenslandes.[15] Aber auch dort verzichtete Hindenburg auf eine feierliche Rede. Zwei Wochen später beehrte er anläßlich einer Regimentsfeier ein nach ihm benanntes ehemaliges Regiment im masurischen Lyck mit seiner Anwesenheit, beließ es aber bei wenigen mahnenden Worten zur Einigkeit.[16] Bei seinen Auftritten in Ostpreußen gab sich Hindenburg weniger als Reichspräsident denn als der Feldmarschall des Weltkriegs, der historische Spurensuche betrieb. Die Krönung war am 1. Juli 1931 gemeinsam mit Sohn, Schwägerin und deren Schwester der Besuch des sogenannten Feldherrnhügels von Frögenau, von wo aus er die Operationen in der von ihm später so genannten Schlacht von Tannenberg geleitet hatte.[17] Mit den Gedanken war er schon längst in Ostpreußen heimisch geworden und malte sich bereits aus, daß er vom kommenden Frühjahr an für immer in Neudeck ansässig sein würde.[18]

Dieses Abtauchen Hindenburgs führte dazu, daß der Name des Reichspräsidenten in der Öffentlichkeit fast nur noch in Zusammenhang mit den von ihm erlassenen Notverordnungen fiel. Im ersten Halbjahr 1931 nahm das Notverordnungsregime immer mehr Gestalt an. Der Reichstag spielte als Gesetzgebungsorgan praktisch keine Rolle mehr und ließ der Regierung freie Hand, weil die Tolerierungsmehrheit aus den hinter der Regierung Brüning stehenden Parteien der rechten Mitte mitsamt den Sozialdemokraten alle Anträge der radikalen Parteien NSDAP, DNVP und KPD auf Aufhebung der präsidialen Notverordnungen zurückwies. Am 26. März 1931 vertagte sich der Reichstag gar für mehr als ein halbes Jahr und trat erst am 13. Oktober 1931 wieder zusammen. Hindenburg unterzeichnete klaglos alle Notverordnungen, die ihm die Regierung vorlegte, darunter auch solche, die dem Reich eine radikale Sparpolitik verordneten, die staatlichen Leistungen senkten und die Beamtenbezüge kürzten.

Hindenburg hütete sich allerdings davor, auch nur mit einem Wort derartige Notverordnungen öffentlich zu kommentieren. Als er am 1. Dezember 1930 die erste große Notverordnung unterzeichnete, die den Reichshaushalt sanieren sollte und dazu unter anderem die Beamtengehälter um sechs Prozent kürzte,[19] gab er im kleinen Kreis aber zu verstehen, wie sehr er sachlich mit dem eisernen Sparkurs Brünings übereinstimmte. Bei seiner Signatur fielen die bezeichnenden Worte: »Der Herrgott im Himmel möge seinen Segen dazu geben ... Der Teufel soll aber alle holen, die dagegen anstinken!«[20] Opposition gegen die in der Notverordnung enthaltenen Einschnitte gab es wahrlich genug, und zwar nicht nur bei den immer aufheulenden Lobbyisten und den diesen nahestehenden Parteien.[21] Doch der Reichspräsident stellte sich nicht öffentlich vor die Regierung[22] und setzte diese damit schutzlos dem scharfen politischen Wind aus, der ihr wegen des radikalen Sparkurses von rechts wie von links ins Gesicht blies. Hindenburg ging in Deckung, weil er sein Charisma nicht weiterer Auszehrung aussetzen wollte. Dabei hatte er nach der Reichstagswahl vom September 1930 erwogen, einen öffentlichen Appell an alle gutwilligen politischen Kräfte zu richten, in dieser schwierigen Zeit das Trennende hintanzustellen und sich hinter die vom Präsidenten zur Regierung beauftragten Männer zu scharen.[23] Aber er blieb stumm, erst recht als nach der »zweiten Verordnung zur Sicherung von Wirtschaft und Finanzen« vom 5. Juni 1931 die öffentlichen Proteste gegen den rigorosen Sparkurs besonders heftig wurden.[24]

Hindenburg exponierte sich auch deswegen nicht, weil er vermeiden wollte, daß die 1919 so erfolgreich erstickte öffentliche Debatte über seine Rolle im Weltkrieg und insbesondere beim Sturz der Monarchie wieder in Gang kam. Einen Vorgeschmack auf das, worauf er dann gefaßt sein mußte, hatte die Reichstagsdebatte vom 18. Oktober 1930 geliefert. Dort hatte ausgerechnet Hindenburgs Gutsnachbar Oldenburg-Januschau als DNVP-Abgeordneter das Wort ergriffen, um einen Keil zwischen Reichswehrminister Groener und den Reichspräsidenten zu treiben, indem er Groener bezichtigte, den Namen Hindenburgs für seine Wehrpolitik zu mißbrauchen.[25] Assistiert wurde Oldenburg von seinem Fraktionskollegen Otto Schmidt, der Groeners Verhalten im November 1918 wieder aufrührte und diesen indirekt beschuldigte, damals Fahneneid und Obersten Kriegsherrn als bloße Idee abqualifiziert zu haben.[26] Zwar wurde diesem Vorstoß dadurch die Spitze genommen, daß das Frühwarnsystem des Reichskanzlers sofort reagierte und Brüning in einem Redebeitrag Oldenburg so zurechtwies, daß dieser nie wieder das Wort im Reichstag ergriff.[27] Aber Hindenburg wußte – übrigens im Unterschied zu dem zu diesem Zeitpunkt noch ahnungslosen Brüning –, wie leicht Vorwürfe an die Adresse Groeners, der in der Tat am 9. November 1918 die Vermeidung eines Bürgerkriegs und den Abschluß des Waffenstillstands über die Treue zum Kaiser gestellt hatte, auf ihn selbst zurückfallen konnten, der sich von den gleichen Überlegungen wie sein damaliger Generalquartiermeister hatte leiten lassen. Hindenburg hatte aus den publizistischen Debatten an der Jahreswende 1918/19 gelernt. Damals war es ihm mit geschichtspolitischer Meisterschaft gelungen, seine Kritiker einzubinden und sie auf das Protokoll vom Juli 1919 zu verpflichten, das seitdem jeder öffentlichen Debatte um Hindenburgs Rolle am 9. November 1918 das argumentative Futter entzogen hatte. Im Jahr 1931 hingegen war nicht zu erwarten, daß er eine einmal entbrannte öffentliche Auseinandersetzung über den Sturz der Monarchie so würde steuern können wie zwölf Jahre zuvor. Allein wenn die unberechenbaren Nationalsozialisten dieses Thema für sich entdeckten, gab es kein Halten mehr. War es daher nicht schon um seines historischen Ansehens willen ratsam, sich aus der ersten Reihe der Politik zurückzuziehen?

Hindenburgs Rückzugsgedanken erhielten Unterstützung durch die persönlichen Umstände, in denen er sich befand. Das Amt des Reichspräsidenten verlangte von seinem Inhaber einen geregelten Tages- und Arbeitsablauf,[28] was dem an strenge Abläufe gewöhnten ehemaligen Soldaten allerdings keine Probleme verursachte. Gegen 7 Uhr stand Hindenburg auf, nach dem um 8 Uhr eingenommenen Frühstück folgte der obligatorische Morgenspaziergang im großen Garten des Reichspräsidentenpalais in der Wilhelmstraße 73 im Berliner Regierungsviertel, bei dem ihn sein Schäferhund Rolf begleitete. Gegen 9 Uhr begab sich Hindenburg an den Schreibtisch seines Arbeitszimmers, um die Zeitungen sowie die ihm vorzulegenden Berichte der deutschen Botschafter und Gesandten zu lesen. Damit war er über das Geschehen im In- und Ausland bestens informiert, wenn Staatssekretär Meißner ihm um 10 Uhr Vortrag hielt und dabei das Tagesgeschäft besprach. Um 11 Uhr folgte ein halbstündiger Vortrag von Reichspressechef Walter Zechlin, der als SPD-Mitglied ein »rotes Tuch« für die Rechte war, über die Presseberichterstattung. Die Zeit bis zum Mittagessen um 13.30 Uhr wurde durch diverse Tätigkeiten ausgefüllt: Gelegentlich meldete sich der Reichskanzler zu einem Vortrag an, etwa alle sechs Wochen überreichte ein frisch akkreditierter Gesandter sein Beglaubigungsschreiben; im Regelfall begab sich zu dieser Zeit Hindenburgs Erster Adjutant, sein Sohn Oskar, zum Oberbefehlshaber der Streitkräfte, um Unterschriften einzuholen. Seinen Sohn sah Hindenburg beim Mittagessen wieder, welches Schwiegertochter Margarete zubereitete. Für die Auswahl des Sohnes zum Ersten Adjutanten war nicht zuletzt der Umstand ausschlaggebend gewesen, daß auf diese Weise die Schwiegertochter Margarete seinen Haushalt führen konnte. Wenn Sohn und Schwiegertochter – zumeist im Frühjahr – verreisten, übernahm in der Regel Hindenburgs jüngere Tochter Annemarie die Hausfrauenpflichten und machte sich zu diesem Zweck mit Ehemann Christian von Pentz und den drei Kindern von Lüneburg nach Berlin auf.[29]

Nach dem Mittagessen folgte bis 16 Uhr der obligatorische Mittagsschlaf. Der Nachmittag war in kein strenges Terminkorsett gezwängt. Oft erschien Meißner noch einmal zum Vortrag; aber im Regelfall wurden Besucher empfangen. Deren Auswahl erfolgte in Absprache mit Meißner und erstreckte sich auch auf Personen, mit denen Hindenburg privaten Umgang pflegte. Politikerbesuche waren eher die Ausnahme, wie ohnehin zu bemerken ist, daß Hindenburg mit seinem Kabinett keinen regelmäßigen dienstlichen Verkehr unterhielt. Der Kontakt zur Reichsregierung lief ausschließlich über den Reichskanzler, den er 1931 allerdings nur alle drei bis vier Wochen empfing. Am Spätnachmittag spazierte er noch einmal durch seinen Garten, wobei ihn häufig seine Enkelkinder begleiteten. Um 19.30 Uhr folgte das Abendessen im Familienkreis, in dem er dann auch den restlichen Abend verbrachte, ehe er sich gegen 23 Uhr zur Nachtruhe begab, wobei auf dem Nachttisch als Lektüre Memoirenliteratur oder Kriminalgeschichten von Edgar Wallace zu finden waren.[30] Außerhäusliche Geselligkeit hat er praktisch nie gesucht, und die Repräsentationspflichten im Reichspräsidentenpalais beschränkten sich auf drei Abendessen und zwei Empfänge im Winter sowie zwei sommerliche Gartentees. Halbdienstliche Abendeinladungen zum Reichskanzler, Reichstagspräsidenten oder zum Bierabend eines Gesandten waren selten.[31] Hindenburg war ein zutiefst häuslicher Mensch, der seine vertraute Umgebung nur ungern verließ.

Im Mai 1930 verlagerte Hindenburg seinen Lebensmittelpunkt teilweise nach Neudeck. Das ihm von der Industrie geschenkte Gut war mittlerweile so hergerichtet worden, daß er sein Privathaus in der Seelhorststraße in Hannover aufgab und die dortige Inneneinrichtung nach Ostpreußen transportieren ließ. Auch in Neudeck umgab sich Hindenburg mit den ihm ans Herz gewachsenen Gemälden. Im Arbeitszimmer hatte das bekannte Moltkeporträt Lenbachs, ein Geschenk der Stadt Hannover an ihren Ehrenbürger, seinen festen Platz gefunden. Auch das Bildnis Ludendorffs, das bereits in seiner Hannoveraner Arbeitsstube gehangen hatte, verschwand nicht im Keller, sondern erhielt aus alter Verbundenheit und aus sentimentaler Erinnerung an gemeinsame Tage einen Ehrenplatz im Neudecker Arbeitszimmer. Das Kaminzimmer schmückte das 1915 in Kowno entstandene, fast lebensgroße Porträt des Feldmarschalls von Professor Walter Petersen, das die Stadt Hannover Hindenburgs Frau zum Geschenk gemacht hatte.[32] Das Herrenzimmer wurde ausgefüllt von dem einzigen der vielen Hindenburg-Gemälde seines »Leibmalers« Hugo Vogel, das in Hindenburgs Besitz übergegangen war: ein Anfang 1917 in Pleß entstandenes Porträt Hindenburgs in der Uniform des 3. Garderegiments zu Fuß.[33] Hindenburgs beachtliche Sammlung von Jagdtrophäen war über das halbe Herrenhaus verteilt. Im Treppenhaus des ersten Stocks hingen die ausgestopften Zeugnisse seiner beiden größten Jagderfolge: der Kopf des auf der Kurischen Nehrung erlegten Elches und das Haupt des im Wald von Bialowieza zur Strecke gebrachten Wisents.[34]

Neudeck wurde seit Sommer 1930 zu einem Refugium, in das sich Hindenburg während der Sommermonate oft wochenlang zurückzog. In dieser Zeit nahm er seine Dienstgeschäfte nur eingeschränkt wahr – auch ein Zeichen zunehmender Amtsmüdigkeit. 1930 verbrachte er von Mitte Juni bis Anfang Juli drei Wochen am Stück in Neudeck.[35] Ein Jahr später erholte er sich in der Abgeschiedenheit Ostpreußens gar mehr als sechs Wochen. Nachdem er am 5. Juni 1931 die zweite »Notverordnung zur Sicherung von Wirtschaft und Finanzen« unterzeichnet hatte, flüchtete er sich bis zum 15. Juli nach Neudeck.[36] Wie sehr sich Hindenburg hier als Privatmann fühlte, der in seiner alten Heimat die Last des Amtes abschütteln wollte, offenbarte schon die Fahne auf dem Vordergiebel des Neudecker Herrenhauses: Es war eine Fahne in den Hindenburgschen Wappenfarben blau-weiß und nicht etwa die Reichspräsidentenstandarte.[37] In Neudeck umgab sich Hindenburg mit dem engsten Familienkreis: Sohn Oskar mit Frau und den mittlerweile drei Kindern gehörte zur ständigen Begleitung und leistete unter anderem Chauffeurdienste, indem er wichtige Gäste mit dem Auto von der Bahnstation Rosenberg abholte. Auch Tochter Annemarie von Pentz weilte mit ihren Kindern häufig in Neudeck.[38] Zum erweiterten Familienkreis ist auch die Familie von Schilcher zu rechnen, bei der Hindenburg seit 1922 im Spätsommer regelmäßig zu Gast war, um vom oberbayrischen Dietramszell aus auf Gamsjagd zu gehen. Daraus hatte sich eine innige Bekanntschaft zwischen beiden Familien entwickelt; nach dem frühen Tod ihres Mannes hat Elisabeth von Schilcher mitsamt ihren Kindern häufiger die Großfamilie Hindenburg in Berlin aufgesucht und nach der Fertigstellung Neudecks dort einen Teil des Sommers verbracht.[39]

Hindenburg empfing in Neudeck nicht selten Tagesbesuch, wobei es sich in der Regel um in Ostpreußen ansässige Familien wie die Dohna-Finckensteins und die Lehndorffs oder um alte Bekannte wie Friedrich von Berg handelte. Sehr selten mischte sich Besuch aus der Reichshauptstadt unter die Gäste. Neudeck war für die privaten Bekannten Hindenburgs reserviert, die als Zeichen der Wertschätzung auf den alten Familiensitz geladen wurden. Aus dem politischen Berlin zählte eigentlich nur der niederländische Gesandte Johan Paul Graf van Limburg Stirum zu diesem Kreis.[40]

In Neudeck wollte Hindenburg Kraft tanken und sich im Kreise seiner Familie entspannen. Aber dies war beileibe nicht die einzige Möglichkeit, um dem immer unerfreulicheren politischen Alltag in Berlin zu entfliehen. Hindenburg nutzte dazu auch jede sich bietende Gelegenheit zur heißgeliebten Jagd. Vier Wochen lang – in der Regel vom 12. August bis etwa zum 10. September[41] – pflegte er im bayrischen Staatsforstamt Fall bei Lenggries den Gemsen nachzusteigen. Gewiß hat man ihm den Anstieg dadurch erleichtert, daß eine Lore der Holzabfuhrbahn mit Sitzen versehen und durch Pferde bergan gezogen wurde. Aber das Weitersteigen zu Fuß bis zum Stand, von dem aus die zusammengetriebenen Gemsen in Anschlag genommen werden konnten, blieb ihm dennoch nicht erspart. Die Jagd im Hochgebirge verlangte dem Nimrod Hindenburg körperlich viel ab. Daß er diese Strapazen bis 1931 dennoch Jahr für Jahr auf sich nahm und mit einem oder mehreren guten Böcken belohnt wurde, zeugt von seiner Leidenschaft für das edle Waidwerk wie von seiner guten körperlichen Konstitution. Quartier nahm er bei der befreundeten Familie Schilcher, der das Klosterschloß Dietramszell gehörte. Begleitet wurde er in die oberbayrischen Berge nur von seinem Sohn und dem treuen Kammerdiener Karl. Mit politischen Dingen behelligte man ihn während dieser Zeit kaum, es sei denn, Staatssekretär Meißner meldete sich zur Berichterstattung an, oder eher unerwünschte Besucher suchten zu ihm vorzudringen, um ihm ihre Anliegen vorzutragen.[42]

Auch wenn er in Berlin weilte, ging Hindenburg zumindest in der Hauptjagdzeit regelmäßig auf Pirsch. Dazu hatte der preußische Staat dem Reichspräsidenten ein Jagdrevier in der Schorfheide nordöstlich von Berlin zur Verfügung gestellt, in dem bereits der Kaiser gejagt hatte. Wann immer es ging, machte er sich am Samstag vormittag auf den einstündigen Weg dorthin und kehrte erst am Montag morgen in die Reichshauptstadt zurück. Er übernachtete in einem direkt am Werbellinsee gelegenen Blockhaus, das einfach eingerichtet war, aber den Bedürfnissen vollauf genügte.[43] Dort nahm ihn der für das Jagdrevier zuständige Hegemeister Scholz in Empfang, und gemeinsam pirschten sie dann dem Rothirsch nach. Bei diesen Wochenendausflügen wurde Hindenburg stets von seinem Zweiten Adjutanten Wedige von der Schulenburg begleitet, der in dieser Zeit dem Rehbock nachstellen durfte. Hindenburg hielt streng die Sonntagsruhe ein und ging am »Tag des Herrn« nicht auf die Jagd, sondern genoß die Landschaft und nicht zuletzt eine Erdbeer- oder Pfirsichbowle auf der Veranda, wenn das Wetter es zuließ.[44] Er war mit ganzem Herzen bei der Sache, wenn es um seine einzige Passion ging. Von der Nutzung des Jagdreviers in der Schorfheide machte er bezeichnenderweise sofort Gebrauch: Schon das Wochenende nach seiner Vereidigung verbrachte er im Jagdhaus am Werbellinsee.[45] Seinen ersten Geburtstag im neuen Amt beging er im engsten Familienkreis just an diesem Ort.[46]

Das Jagen bot nicht nur Gesprächsstoff bei den seltenen Abendgesellschaften, das Erzählen von Jagderlebnissen bescherte dem Reichspräsidenten auch die eine oder andere Bekanntschaft in einem Alter, in dem man kaum noch neue Bekanntschaften zu knüpfen pflegt. Otto Braun, der sozialdemokratische Ministerpräsident von Preußen, mit dem Hindenburg politisch nichts verband, der aber als ostpreußischer Landsmann und vor allem als leidenschaftlicher Jäger Anknüpfungspunkte für eine Fülle von Gesprächen bot, war eine solche Bekanntschaft. Braun hat nicht nur Hindenburgs Jagdberechtigung auf die ganze Schorfheide ausgedehnt, er hat ihn gelegentlich auch am Werbellinsee aufgesucht. Mit diesem passionierten Weidmann ließ sich vortrefflich über das Jagen in der Schorfheide fachsimpeln.[47] Als der Fraktionsvorsitzende der NSDAP im preußischen Abgeordnetenhaus, Wilhelm Kube, im Januar 1931 mittels einer Kleinen Anfrage eine Verfügung anprangerte, die dem Reichspräsidenten und dem preußischen Ministerpräsidenten das Recht einräumte, über den Kopfschmuck des selbst erlegten Wildes unentgeltlich zu verfügen, schweißte er die beiden passionierten Jäger an der Spitze des Reiches und Preußens nur noch mehr zusammen. Die Summen, die Dritte für derartige Trophäen zu entrichten hatten, waren übrigens erheblich: Für ein Hirschgeweih waren je nach Stärke bis zu dreihundert Reichsmark fällig, für ein Rehbocksgehörn immerhin noch bis fünfzig Reichsmark.[48] Wenn Hindenburgs Sohn Oskar, sein Schwiegersohn Rittmeister von Pentz oder der Zweite Adjutant von der Schulenburg die Beweise ihrer erfolgreichen Jagd auf Rot-, Dam- oder Rehwild für sich beanspruchten, mußten sie die entstehenden Kosten tragen.[49]

Die regelmäßige Ausübung der Jagd wirft auch ein Licht auf Hindenburgs gesundheitliche Konstitution. Die gelegentlich auftauchenden Behauptungen, Hindenburg habe seinem hohen Alter Tribut zollen müssen und sei körperlich wie geistig in dieser Zeit nicht mehr auf der Höhe gewesen, entbehren jeder Grundlage.[50] Wer im Alter von knapp 84 Jahren noch den Gemsen im Hochgebirge nachsteigt, um dessen körperliche Konstitution kann es nicht schlecht bestellt sein. Im Jahr 1931 empfahl der Berliner Hausarzt Dr. Adam sogar ausdrücklich den Aufenthalt in den bayerischen Alpen.[51] Der Hausarzt bestätigte Hindenburg generell einen guten Gesundheitszustand; das Bett mußte Hindenburg bis zum Frühjahr 1934, als das zu seinem Tod führende Blasenleiden eintrat, praktisch gar nicht hüten.[52] Wenn er sich in Neudeck aufhielt, konsultierte er bei Bedarf den in der nächstgelegenen Kreisstadt praktizierenden Landarzt, der mit dem Allgemeinbefinden des Reichspräsidenten ebenfalls zufrieden war.[53] Erst 1932 machte sich die Last des Alters so bemerkbar, daß Hindenburg die mit der Hochwildjagd verbundenen Strapazen nicht mehr auf sich nehmen konnte. Zu seinem größten Bedauern mußte er den Jagdaufenthalt im geliebten Dietramszell in diesem Jahr absagen,[54] konnte als Entschädigung dafür aber im August 1932 immerhin in der Schorfheide einen stolzen Zwanzigender zur Strecke bringen. Dies war der stärkste Rothirsch, den Hindenburg jemals schoß, aber auch der letzte,[55] da vor allem die Beeinträchtigung des

Gehvermögens die Ausübung der Jagd in den beiden letzten Lebensjahren nicht mehr zuließ.

Um so wichtiger wurden für Hindenburg die kleinen Freuden des Alters. Er war nie einem guten Trunk abgeneigt gewesen und hatte sich mit der Zeit zu einem respektablen Weinkenner entwickelt. An Möglichkeiten, beim Abendessen im Familienkreis einem guten Tropfen zuzusprechen, mangelte es nicht, da Hindenburg zu seinen Geburtstagen mit erlesenen Weinen reichlich bedacht wurde.[56] Zumindest wenn Gäste da waren, ließ Hindenburg mehrere Weine, vom Riesling der Mosel bis zum schweren Rheinwein, servieren. Der trinkfeste Forstrat Escherich mußte bei einer dieser Gelegenheiten, als er zum Abendessen bei seinen alten Jagdkameraden geladen war, neidlos anerkennen, daß bei Hindenburg selbst der schwerste Wein keine Spuren hinterließ. Er selbst war vom Genuß der Weine dagegen so mitgenommen, daß er auf der kurzen Fahrt vom Reichspräsidentenpalais zum Anhalter Bahnhof, wo er den Nachtzug nach München bestieg, einschlief.[57]

Bei abendlichen Festessen legte sich Hindenburg keine Zurückhaltung beim Weingenuß auf. Sein Ehrgeiz ging dahin, von jedem gereichten Wein auch gehörig zu probieren.[58] So faßte er es als bedenkliches Zeichen auf, daß er zum Ende seines Lebens nicht mehr unbegrenzt dem dargebrachten Weine zusprechen konnte. Der Frau des Berliner Oberbürgermeisters Sahm, mit dem sich Hindenburg persönlich ausgesprochen gut verstand, teilte Oskar von Hindenburg anläßlich einer Abendeinladung im Frühjahr 1934 mit, daß Hindenburg sich jüngst im Familienkreis besorgt folgendermaßen geäußert habe: »Ich werde alt, es will mir nicht mehr schmecken, kann ich doch nur noch von jeder Sorte Wein ein Glas trinken.«[59] Bei dem Essen, auf das sich Hindenburg bezog, wurden allerdings fünf Sorten Wein angeboten, von denen der Reichspräsident keine einzige ausließ, wobei er sich freilich auf jeweils »nur« ein Glas beschränkte.

Hindenburg war auch sonst dem Alkohol grundsätzlich nicht abgeneigt, mied aber harte Spirituosen. Im Sommer sprach er reichlich der Bowle zu, wobei als Zutaten jeweils eine Flasche Moselwein und eine Flasche Sekt verwendet wurden.[60] Zum Mittagessen verzichtete er gewöhnlich auf Wein, ersetzte ihn aber häufig durch Sekt. Als ihn im Herbst 1926 der Asienforscher Sven Hedin, der ja einige Zeit im Weltkrieg in Hindenburgs Hauptquartier im Osten zugebracht hatte, aufsuchte, verblüffte der 79jährige seine Gäste beim Mittagessen mit einer erstaunlichen Kondition und bewältigte nicht unerhebliche Mengen Sekt. Als Hedin, der von seinem Quantum schon sichtlich gezeichnet war, den nach dem Essen angebotenen Kognak dankend ablehnte, kommentierte Hindenburg dies mit den Worten: »Die Jugend taugt heutzutage gar nichts. Da muß ich wohl allein trinken«,[61] und leerte sein Glas. Gutgemeinte Angebote von Heilbädern, dem Reichspräsidenten unentgeltlich die für eine Haustrinkkur erforderlichen Heilwassermengen zu liefern, wies Hindenburg zurück, nachdem er sich ausdrücklich bei seinem Hausarzt versichert hatte, daß eine solche Veränderung seiner Lebens- und Trinkgewohnheiten nicht erforderlich sei.[62]

Die kleinen Freuden des Alters konnten Hindenburg aber nicht wirklich über den Verlust an sozialen Kontakten hinwegtrösten, der sich aufgrund seiner Amtsführung immer stärker bemerkbar machte. Gewiß war er kein einsamer Mensch, da er ständig von Familienangehörigen umgeben war. Neben den Kindern Oskar und Annemarie nebst Familien war auch Tochter Irmengard hier und da in Berlin anzutreffen, ebenso deren älteste Söhne Hans-Henning und Hans-Heinrich, die beide schon auf eigenen Füßen standen.[63] Im zweiten Stock des Reichspräsidentenpalais in der Wilhelmstraße 73 standen genügend Gästezimmer zur Verfügung, um sämtliche Kinder und Enkel unterzubringen. Auch Bruder Bernhard klopfte häufiger an.[64] So war der Reichspräsident mit familiärer Zuwendung durchaus reichlich eingedeckt, auch wenn die Kinder und Enkel den Verlust der geliebten Frau Gertrud nicht wirklich aufzuwiegen vermochten. Waren dennoch einmal nur Köchin und Diener im Haus, klagte der greise Mann an der Spitze des Reiches hin und wieder: »Da kommt wieder so eine gewisse Einsamkeit über mich.«[65]

Der Verlust an Gesprächspartnern, mit denen sich Hindenburg frank und frei über außerfamiliäre Angelegenheiten austauschen konnte, fiel nachhaltig ins Gewicht. Gerade das immer mehr als Bürde empfundene Amt weckte das Bedürfnis, sich mit Vertrauten offen auszusprechen. Hindenburg hatte sich schon in seiner aktiven Militärzeit bei der Anbahnung wirklicher Freundschaften eher zurückgehalten, so daß er im hohen Alter praktisch ohne wirklichen Freund dastand, nachdem die wenigen alten Vertrauten gestorben waren. Die während des Weltkriegs geknüpften Bekanntschaften konnten dieses Defizit bis auf zwei Ausnahmen, nämlich Feldmarschall August von Mackensen und Generalleutnant August von Cramon, nicht aufwiegen, auch wenn Hindenburg diese Bekanntschaften in rührender Weise pflegte und damit sein tiefes Bedürfnis nach außerfamiliären Ansprechpartnern zum Ausdruck brachte. Forstrat Escherich etwa konnte bei Hindenburg ein- und ausgehen. Ein Anruf bei Staatssekretär Meißner genügte, um von Hindenburg empfangen zu werden. Wenn Escherich genügend Zeit mitbrachte, schloß sich im Regelfall eine Einladung zum Frühstück oder zum Abendessen an.[66]

Doch bei wem konnte Hindenburg sein Herz ausschütten und Themen zur Sprache bringen, die ihn in seinem Innersten aufwühlten? Von den alten militärischen Weggefährten kamen dafür nur jene in Frage, die sich nicht auf Äußerungen der Ehrerbietigkeit gegenüber dem mythisch entrückten Feldmarschall beschränkten, es auf der anderen Seite aber nicht an Respekt fehlen ließen. Das traf nur auf Mackensen und Cramon zu. Mackensen war als Feldmarschall Hindenburg in punkto militärischer Rangordnung ebenbürtig; und da er Hindenburg den militärischen Ruhm nicht neidete, ergab sich hieraus ein im Weltkrieg gewachsenes Vertrauensverhältnis, das auch durch die immer schärferen Attacken von rechts auf Hindenburg nicht erschüttert wurde. Mackensen war zudem so taktvoll, seine Kritik am Kurs der Regierung Brüning verbal so zu kleiden, daß sein persönliches Verhältnis zu Hindenburg keinen Schaden erlitt.

Die beiden fast gleichaltrigen Marschälle verkehrten im Regelfall brieflich miteinander, da der in Falkenwalde bei Stettin ansässige Mackensen nicht allzu häufig nach Berlin kam. Es ist bezeichnend für die zunehmende Vereinsamung Hindenburgs, daß er um Mackensens Wohlwollen, obgleich dieser als direkter Gesprächspartner weitgehend ausfiel, geradezu buhlte. Der Reichspräsident, der im Umgang mit Familienfremden eine schützende Distanz aufrechterhielt und durch eine betont förmliche Anrede Bekannte nicht zu nahe an sich herankommen ließ, hat sich Mackensen in einer für seine Umgangsformen erstaunlichen Weise genähert. Er ging zwar keine Duzfreundschaften mehr ein, hielt Mackensen im Februar 1930 aber an, auf die Anrede »Exzellenz« zu verzichten und ihn einfach mit seinem Familiennamen anzureden.[67] Es war ein für Hindenburg ungewöhnliches Zeichen der Vertraulichkeit, daß er seine Korrespondenz seitdem mit »mein lieber Mackensen« einleitete. Den Briefwechsel durchzog seit den Anfeindungen, denen sich Hindenburg wegen der Unterzeichnung des Young-Plans ausgesetzt sah, ein fast schon flehentlicher Unterton, etwa wenn der Reichspräsident an Mackensen die Bitte richtete, »mir die alte Freundschaft, die mir in jetziger schwerer Zeit doppelt wohl thut«, zu erhalten.[68]

In der Feinabstufung der von Hindenburg ganz gezielt gewählten Gruß- und Anredeformeln rangierte General August von Cramon hinter Feldmarschall Mackensen, da Hindenburg nie über die Anrede »verehrter, lieber Herr von Cramon« hinausging.[69] Aber zu Cramon bestand insofern eine einzigartige Beziehung, als er der einzige Vertraute war, mit dem Hindenburg regelmäßig Gespräche führte, bei denen auch heikle Angelegenheiten nicht ausgespart wurden. Schließlich hatte sich die bis Anfang der 1920er Jahre eher flüchtige Beziehung zwischen den beiden Männern dadurch vertieft, daß sie in ihren Funktionen im Verein der Angehörigen des ehemaligen Generalstabs, wo Hindenburg Vorsitzender und Cramon Geschäftsführer war, Ehrenhändel zwischen hochrangigen Offizieren zu schlichten hatten.[70] Daraus erwuchs ein Vertrauensverhältnis, das an Intensität gewann, als Hindenburg 1925 zum Reichspräsidenten gewählt wurde und die persönlichen Kontakte zum in Berlin wohnenden Cramon ausbauen konnte.

Cramon war vom Scheitel bis zur Sohle ein entschiedener Monarchist, der im Sturz der Monarchie die Wurzel allen Übels erblickte und deswegen auch nicht mit Kritik an Hindenburgs Verhalten am 9. November 1918 sparte. »Mangel an Initiative« war das wenigste, was er Hindenburg in diesem Zusammenhang vorhielt.[71] Hindenburg mußte, wenn er Cramon zu sich bestellte, stets gewärtigen, daß dieser den 9. November zur Sprache brachte und überhaupt die Frage einer monarchischen Restauration anschnitt. Denn Cramon diente zugleich Wilhelm II. als Generaladjutant und stellte damit die Kommunikation zwischen dem Ex-Kaiser in Doorn und dem Reichspräsidenten her.[72] Dieses Verhältnis war von seiten Wilhelms aber so gestört, daß bis auf den Austausch von Höflichkeitsfloskeln kein persönlicher Kontakt zustande kam. Cramon sah seine Aufgabe darin, eine realistische Strategie zur Wiederherstellung der Monarchie zu entwerfen, welche dem Reichspräsidenten eine zentrale Rolle zudachte.[73]

Warum aber suchte Hindenburg ausgerechnet den Kontakt zu einem alten Kameraden, der ihn immer wieder – oft im Auftrag von Doorn – mit unangenehmen historischen Begebenheiten konfrontierte? Warum erfuhr Cramon sogar eine öffentliche Vorzugsbehandlung anläßlich Hindenburgs achtzigstem Geburtstag, als er als einziger der Gäste eine Einzelaudienz beim Geburtstagskind erhielt? Für Hindenburg bedeuteten die Gespräche mit Cramon eine Gewissensentlastung: Ohne daß er auch nur im geringsten die Richtigkeit seines Verhaltens am 9. November 1918 anzweifelte, konnte Hindenburg gegenüber Cramon immer wieder die Lauterkeit seiner monarchischen Gesinnung unterstreichen. Dieser Akt blieb aber ein politisch ganz und gar folgenloses Bekenntnis des Privatmanns Hindenburg, da der Reichspräsident Hindenburg trotz des gelegentlichen Drängens von Cramon jeden Schritt zugunsten des Ex-Kaisers verweigerte, der als Abtragen einer historischen Schuld hätte gedeutet werden können.[74] Hindenburg konnte leichter mit sich ins reine kommen, wenn er in den Gesprächen mit Cramon beteuerte, »daß er nichts lieber tun würde, als dem Kaiser Zepter und Krone wieder zur Verfügung zu stellen«,[75] zugleich aber vor jeder Initiative zurückschreckte, weil er selbst um die mangelnde Realisierbarkeit einer solchen Wunschvorstellung wußte. Die Gespräche mit Cramon riefen beim harten Realisten Hindenburg, der in der Stunde der Entscheidung die Nation über die Monarchie gestellt hatte, sentimentale Gefühle hervor und dienten damit auch der Selbstberuhigung, daß er im Grunde seines Herzens doch immer ein treuer Diener seiner Majestät geblieben war.

Es konnte Hindenburg daher nicht unbeeindruckt lassen, daß das Verhältnis zu Cramon durch seine Amtsführung als Reichspräsident in Mitleidenschaft gezogen wurde. Zwar schonte Cramon Hindenburg und führte dessen aus seiner Sicht unerklärliche Politik auf die Einflüsterungen »unverantwortlicher Persönlichkeiten« zurück, die diesen entscheidungsschwachen Mann in eine bestimmte Richtung geschoben hätten.[76] Hindenburg war herrschaftsbewußt genug, sich in der Sache selbst durch Cramon nicht umstimmen zu lassen.[77] Doch die spürbare Entfremdung zu Vertrauten wie Mackensen und Cramon ließ immer drängender den Wunsch in ihm aufkommen, so schnell wie möglich die Bürde des Präsidentenamtes abzuschütteln. Hindenburgs öffentliche Zurückhaltung ist somit auch ein Zeugnis seines im Frühjahr 1931 gereiften Entschlusses, sich mit Auslaufen seiner Amtszeit im Frühjahr 1932 vom höchsten politischen Amt zu verabschieden. Schreiben aus der ersten Hälfte des Jahres 1931 an seine ältere Tochter Irmengard, mit der er als einziger aus dem Familienkreis auch politische Fragen gründlicher erörterte, sprechen hier eine deutliche Sprache: Hindenburg stellte sich gedanklich auf seinen Ruhestand ein, den er am liebsten zusammen mit seiner »Ältesten«, die 1928 mit 48 Jahren Witwe geworden war, verbringen wollte, und zwar nicht im abgelegenen Neudeck, sondern in Potsdam oder einer vergleichbaren Stadt.[78]

Die Amtsmüdigkeit Hindenburgs sprach sich auch in politischen Kreisen herum. Der Geschäftsführer des »Stahlhelm«, in dem Hindenburg Ehrenmitglied war, hat diese Information aus zuverlässiger Quelle erhalten.[79] Hindenburg trug sich zeitweise sogar ernsthaft mit dem Gedanken eines vorzeitigen Rücktritts.[80] Doch er war ein viel zu politischer und pflichtbewußter Mensch, als daß er sich einfach aus dem Staub gemacht hätte. Im Jahr 1925 hatte er sich schweren Herzens zur Kandidatur für das Reichspräsidentenamt durchgerungen, weil er seinen seit 1914 unablässig proklamierten Leitgedanken – die Herstellung der inneren Einheit des deutschen Volkes – mit Hilfe des mächtigsten Staatsamtes in praktische Politik umsetzen wollte. Wenn er dieser tiefverwurzelten politischen Grundanschauung nicht untreu werden wollte, konnte er sich auch im Frühjahr 1931 nicht ohne weiteres von der politischen Bühne verabschieden, ohne die Weichen dafür gestellt zu haben, daß sich sein Nachfolger auf die Realisierung von Hindenburgs politischem Lebensziel verpflichtete. Hindenburg selbst war seelisch zu ausgebrannt, um die zunehmend zerrissene deutsche Nation vom obersten Staatsamt aus zu einigen. »Für einen Mann meiner Jahre ist das alles sehr schwer. Jetzt muß ein Jüngerer kommen, um die Last dieser Aufgabe zu tragen und zu lösen.«[81] Hindenburg wollte seine Nachfolge mithin in seinem Sinne gestalten und vor seinem Ausscheiden aus dem Amt einen geeigneten Kandidaten auswählen, dem er die Vollendung seines politischen Lebenswerkes zutraute. Die angestrebte Nachfolgerdesignation ist ein eindeutiges Indiz für die weiterhin bestehenden charismatischen Quellen seiner Herrschaft. Denn er beanspruchte, durch persönliche Auswahl die personelle Besetzung des wichtigsten Staatsamtes zu steuern, indem er mittels seiner persönlichen und eben nicht aus dem Amt abgeleiteten Autorität dem deutschen Volk seinen Wunschkandidaten präsentierte und eine gewissermaßen plebiszitäre Akklamation dieser Personalentscheidung erwartete. Max Weber rechnet die Nachfolgerdesignation durch den Charismaträger zu den Spezifika charismatischer Herrschaft.[82] Bei Hindenburg ist genau dieser Prozeß vom Frühjahr 1931 an für zwei Jahre nachzuweisen. Seit dieser Zeit setzte hinter den Kulissen die Suche nach dem optimalen Nachfolger ein, in die sich Hindenburg energisch einschaltete.

Der achtzigjährige Impressionist Max Liebermann vor dem Porträt Hindenburgs, das er 1927 im Auftrag des mecklenburgischen Staatsministeriums malte, ein weiteres Porträt des Reichspräsidenten entstand zur selben Zeit im Auftrag der Stadt Hannover.

KAPITEL 25

Fehlschläge bei der Kür eines Nachfolgers

Hindenburg konnte sich realistische Chancen auf die Nominierung eines ihm genehmen Nachfolgers im Amt des Reichspräsidenten ausrechnen, weil es kein eingespieltes und verfestigtes Verfahren der Kandidatenauswahl gab. Bei der ersten Volkswahl eines Reichspräsidenten im Jahr 1925 hatten Parteien und Interessenverbände auf das Prozedere durch die Bildung von Nominierungsausschüssen eingewirkt, welche die beiden politischen Lager abbildeten und in denen die personellen Absprachen getroffen wurden. Doch je näher das Ende der ersten Amtszeit Hindenburgs rückte, desto klarer zeichnete sich ab, daß die Parteien und Interessengruppen sich diesmal nicht zu Herren des Verfahrens aufschwingen würden.

Dies lag zum einen daran, daß die parteipolitische Konstellation mit dem Aufstieg der NSDAP und der Installierung der Präsidialregierung Brüning durchgerüttelt worden war. Die Etablierung der Brüning-Regierung hatte nicht nur die Deutschnationalen gespalten, sondern auch einen tiefen Riß bei jenen politischen Kräften hinterlassen, die 1925 noch einmütig im »Reichsblock« zuerst die Kandidatur von Jarres und dann die von Hindenburg unterstützt hatten. Die moderaten Konservativen und Nationalliberalen standen 1930/31 hinter der Regierung Brüning, während ein erheblicher Teil der Hindenburg-Wähler von 1925 sich der »nationalen Opposition« angeschlossen hatte. Aber selbst die nationalistische Rechte war zerrissen, weil sich nach dem enormen Wahlerfolg der NSDAP bei der Reichstagswahl vom September 1930 die Führungsfrage innerhalb des »nationalen Lagers« neu stellte und nicht zu erwarten war, daß Hitler sich mit der ihm von Hugenberg zugedachten Juniorrolle abfinden würde. Die extreme Rechte war daher gelähmt und nicht in der Lage, einen Reichspräsidentenkandidaten zu küren.

Der entscheidende Grund für die Passivität der politischen Parteien in der Kandidatenfrage war aber Hindenburg selbst. Solange er sich nicht erklärt hatte, geboten es der Respekt vor dem Reichspräsidenten und taktisches Kalkül, nicht mit Personalvorschlägen vorzupreschen. Auch die DNVP und der »Stahlhelm« konnten dem Helden des Weltkriegs nicht das Vortrittsrecht absprechen, zumal sie immer noch hofften, Hindenburg für sich gewinnen zu können.[1] Die politischen Kräfte, welche die Regierung Brüning direkt oder indirekt – wie die Sozialdemokraten – unterstützten, mußten sich in der Kandidatenfrage ebenfalls zurückhalten. Denn durch die Brüning-Regierung war eine politische Plattform geschaffen worden, die eine einmalige politische Konstellation ermöglichte: einen Präsidentschaftskandidaten, der sowohl bei der SPD als auch bei den von der Hugenberg-DNVP abgespaltenen Deutschnationalen um Graf Westarp Unterstützung finden konnte, wenn ihm der Segen des amtierenden Reichspräsidenten zuteil wurde.

Die Zurückhaltung der politischen Parteien in der Kandidatenfrage führte dazu, daß sich kleine politische Zirkel außerhalb parteipolitischer Strukturen um so eifriger dieses Themas annahmen und viel Energie darauf verwandten, sich als Königsmacher zu profilieren. Zwar kamen solche Pläne letztlich nicht über bloße Gedankenspielereien hinaus, weil die Parteien sich das Gesetz des Handelns nicht von elitären Klubs vorschreiben lassen wollten und ein Wort Hindenburgs derartige Gedankengebäude ohnehin mit einem Schlag vernichtete. An dieser Stelle verdienen sie dennoch Interesse, weil sie politische Absichten offenbaren, die erstmals seit 1918 mit großem Einsatz und nicht ohne Realisierungschance auf die politische Agenda gesetzt wurden, nämlich Versuche, mit Hilfe der Reichspräsidentschaft die Wiederherstellung der Monarchie einzuleiten.

Die Bemühungen, eine monarchische Restauration in die Wege zu leiten, waren seit Ende der 1920er Jahre professionalisiert worden. Bis dahin hatte sich der im niederländischen Exil lebende Ex-Kaiser in Selbstmitleid ergangen und wollte gewissermaßen als Wiedergutmachung für das an ihm verübte Unrecht vom deutschen Volk flehentlich gebeten werden, den ihm zustehenden Thron wieder zu besteigen. Im Herbst 1928 hatte sich Wilhelm II. dazu durchgerungen, diese abwartende Haltung aufzugeben und die politische Landschaft in Deutschland selbst entsprechend zu bearbeiten. Er beauftragte daher den letzten Chef der kaiserlichen Seekriegsleitung, den verabschiedeten Admiral Magnus von Levetzow, mit der Bündelung der verschiedenen Privatinitiativen zur Restauration des Kaisertums. Levetzow war ein begabter Organisator, der sich politisch bisher weder von den konkurrierenden Parteien noch von den Verbänden im nationalistisch-völkischen Lager hatte vereinnahmen lassen und insofern genügend Manövrierfähigkeit besaß, um gegen ein monatliches Salär von zweitausend Reichsmark eine durchaus beachtenswerte Tätigkeit im verborgenen zu entfalten.[2]

Levetzow ordnete die monarchistischen Bestrebungen, indem er ein Netzwerk von Vertrauensleuten schuf, die in der Szene der nationalen Verbände arbeiteten oder über Verbindungen verfügten, die bis in höchste gesellschaftliche Kreise reichten. Zu denen, die Levetzow auf das gemeinsame Ziel der Wiedererrichtung des Kaisertums einschwor, zählte unter anderem Rüdiger Graf von der Goltz, der Vorsitzende der »Vereinigten vaterländischen Verbände Deutschlands«. Das wichtigste Sammelbecken waren aber nach 1919 entstandene elitäre Zirkel, die in sozialer Hinsicht eine Synthese aus Adel und besitzendem Bürgertum darstellten und in politischer Hinsicht eine scharfe Haltung gegen die Weimarer Republik einnahmen mit mehr oder weniger großen Sympathien für die Restauration der Monarchie. Dazu zählte zum einen der sozial exklusive, stärker dem Konservatismus verpflichtete »Deutsche Herrenclub« in Berlin mitsamt den angeschlossenen regionalen »Herrengesellschaften«, zum anderen die sozial durchlässigeren und völkisch angehauchten »Nationalen Klubs«. Besonders enge Kontakte pflegte Levetzow zum Hamburger »Nationalklub von 1919«, dessen Vorstandsmitglied Georg von Holten sein bevorzugter Ansprechpartner war.[3]

Ungeachtet aller inhaltlichen Meinungsverschiedenheiten einigten sich diese Organisationen auf ein übergreifendes politisches Nahziel: das verhaßte politische System mit Hilfe des Reichspräsidentenamtes aus den Angeln zu heben, und zwar indem der Nachfolger Hindenburgs seine Amtsbefugnisse zur Herstellung autoritärer Verhältnisse nutzte.[4] Damit hatten sie bereits Ende 1928 die Regelung der Nachfolge Hindenburgs als strategisches Ziel definiert; die Suche nach einem »nationalen« Einheitskandidaten konnte beginnen. Levetzows Aufgabe bestand darin, diese Personaldiskussion so zu lenken, daß der Kandidat des »nationalen Lagers« für zweierlei stand: dem Parlamentarismus den Garaus zu machen und die Weichen für eine monarchische Restauration zu stellen.[5] Das Augenmerk fiel dabei im Herbst 1929 auf den bereits bei der Präsidentenwahl 1925 in die engere Wahl gezogen Wilhelm Cuno, den Generaldirektor der HAPAG. Als Katholik konnte dieser auf die Unterstützung einflußreicher Kreise der Bayerischen Volkspartei zählen, als Chef der größten deutschen Reederei sprach er das Besitzbürgertum an, und er verfügte über glänzende Beziehungen zur einflußreichen rheinisch-westfälischen Industrie.[6] Was für Levetzow den Ausschlag gab, war der Umstand, daß Cuno auch für restaurative Absichten empfänglich schien.[7]

Im Mai 1930 einigte sich der Levetzow-Kreis auf die Cuno-Kandidatur. Wenn die Anhänger der Restauration gehofft hatten, nach eifrigem Werben hinter den Kulissen einen »nationalen Einheitskandidaten« für die kommende Reichspräsidentenwahl aus dem Hut zaubern zu können, wurden sie aber bald belehrt, daß mit den Mitteln hergebrachter Honoratiorenpolitik keine grundlegenden personellen Weichenstellungen mehr vorzunehmen waren. Die Führung der NSDAP, die seit Herbst 1930 in dieser zentralen Personalfrage nicht zu umgehen war, dachte nämlich gar nicht daran, sich unterzuordnen.[8] So wurde Cuno zum Spielball zwischen den sich befehdenden Kräften innerhalb der selbsternannten »nationalen Opposition«.[9] Speziell Hitler und Hugenberg belauerten sich in der Kandidatenfrage, weil keiner von beiden sich der Möglichkeit berauben lassen wollte, Zugriff auf das höchste Staatsamt zu erhalten. Auch der »Stahlhelm« gefiel sich in der Rolle des Königsmachers.[10] Bereits im Frühjahr 1931 hatte sich so die Kandidatur Cunos erledigt. Dieser Fehlschlag wies schonungslos auf die Achillesferse der Rechtskräfte, nämlich die Unfähigkeit, sich auf Vorschläge zur Besetzung der höchsten Staats- und Regierungsämter zu verständigen. In welcher Personalnot sich die »nationale Opposition« befand, belegen die Namen, die im Frühjahr 1931 in diesen Kreisen kursierten. Kein einziger der Genannten besaß irgendwelche Aussichten, in die Fußstapfen Hindenburgs zu treten. Im Gespräch war beispielsweise General Otto von Below, der sich als Vorsitzender des Reichsausschusses für das Volksbegehren gegen den Young-Plan eine gewisse Reputation in deutschnationalen Kreisen erworben hatte. Aber im Falle einer Kandidatur wäre er bereits 75 Jahre alt gewesen, und zudem war er der breiten Öffentlichkeit weitgehend unbekannt.[11]

Solange dieser Zustand anhielt, bestand für Hindenburg die Möglichkeit, durch ein Machtwort die unstrukturierte Nachfolgediskussion in seinem Sinne zu steuern und durch Designation den »gordischen Knoten« in dieser Personalfrage zu durchtrennen. Schon vor Jahren hatte er dazu Überlegungen angestellt, freilich für den nicht ganz unwahrscheinlichen Fall, daß ein Hochbetagter wie er jederzeit durch den Tod aus dem Amt gerissen werden konnte. Er hatte entsprechende Vorkehrungen getroffen und ein politisches Testament aufgesetzt, das eine deutliche Empfehlung enthielt, wen das deutsche Volk zu seinem Nachfolger bestimmen sollte. Dieses politische Testament glich einem Akt der Designation, der allerdings noch durch das Wahlvolk nachzuvollziehen war. Es spricht Bände für die einem Charismatiker eigene Art der Nachfolgeregelung, daß sich Hindenburg durch eine solche Verfügung aktiv in die Auswahl seines Nachfolgers einzuschalten trachtete.

Hindenburg hatte im Herbst 1928 Admiral Reinhard Scheer zu seinem Wunschnachfolger erkoren und diesen auch am 19. November 1928 in seinen Plan eingeweiht.[12] Scheer hatte sich im Weltkrieg einen Namen als »Sieger der Skagerrak-Schlacht« gemacht und kann in gewisser Weise als »Hindenburg der See« gelten. Denn in diesem einzigen direkten Aufeinandertreffen der deutschen und der britischen Hochseeflotte am 31. Mai 1916 hatte die deutsche Seite mehr britische Schlachtschiffe versenkt, als sie eigene Verluste zu beklagen hatte. Der von der deutschen Öffentlichkeit sehnsüchtig aufgegriffene Schlachtenerfolg zur See blieb allerdings der einzige vorzeigbare Erfolg der mit so großem finanziellen Aufwand aufgebauten Schlachtflotte und bescherte Scheer als dem verantwortlichen Befehlshaber der Hochseestreitkräfte eine große Popularität, die auch nach dem Krieg anhielt.

Was aber qualifizierte Scheer aus Hindenburgs Sicht für die Nachfolge außer der Tatsache, daß ihm Scheer als Kriegsheld fast ebenbürtig war? Das persönliche Verhältnis zwischen den beiden Oberkommandierenden war gut, seitdem sie sich im November 1916 erstmals im Großen Hauptquartier begegnet waren.[13] Scheer befand sich überdies in einem Alter, das ihn für höhere Aufgaben geeignet erscheinen ließ. Er zählte sechzehn Jahre weniger als Hindenburg und war unter den vorzeigbaren Weltkriegshelden einer der jüngsten. Aber den Ausschlag gab, daß der Admiral in den politischen Grundanschauungen mit Hindenburg übereinstimmte.

Auch für Scheer rangierte die Nation über der Staatsform, und deswegen besaß für ihn die Förderung aller Bestrebungen, die auf Überwindung der »inneren Zersplitterung und Uneinigkeit«[14] und damit auf die »Volksgemeinschaft« ausgerichtet waren, ebenfalls absoluten Vorrang. Aus diesem Grund stand der Admiral monarchischen Restaurationsplänen mehr als skeptisch gegenüber, weil sich damit an der Frage der Staatsform neue heftige politische Auseinandersetzungen entzünden würden und neue Zwietracht in die sich erst langsam wieder konsolidierende Nation hineingetragen würde: »Dieses würde unter den jetzigen Verhältnissen einen aussichtslosen und der Volksgemeinschaft hinderlichen Kampf hervorrufen.«

Scheer war also weit davon entfernt, vergangenen Zeiten nachzutrauern, sondern wollte politisch mitgestalten, ohne sich parteipolitisch vereinnahmen zu lassen. Er nahm gezielt das Reichspräsidentenamt ins Visier[15] und wurde insbesondere für die Stresemann-DVP interessant, als Hindenburg durch den Kapp-Putsch vom März 1920 seine Bereitschaft zur Kandidatur für dieses Amt zurückzog.[16] Die Kandidatur Scheers für die erste Volkswahl eines Reichspräsidenten wurde also von denselben politischen Kräften gefördert, die Hindenburgs Kandidatur angeschoben hatten. Doch dann erübrigte sich alles weitere, weil die DVP im Herbst 1922 ein politisches Tauschgeschäft einging und die Amtszeit des amtierenden Reichspräsidenten Ebert durch ein verfassungsänderndes Gesetz bis zum 30. Juni 1925 verlängerte.[17] Aber der politisch weiterhin aktive Scheer blieb der Reservekandidat nationaler Kreise und galt dort als natürlicher Präsidentschaftsanwärter für den Fall, daß Hindenburg abtrat.[18]

Scheer empfahl sich Hindenburg letztlich dadurch, daß er dessen Lebensprojekt – die nationale Integration – fortzuführen gedachte. Der Admiral hatte zu Hindenburgs achtzigstem Geburtstag im Oktober 1927 einen Artikel verfaßt, der

dem Reichspräsidenten aus der Seele sprach, weil er dessen politische Antriebs-
kräfte haargenau erfaßte: »Durch seine [Hindenburgs, d. Verf.] Übernahme der
Präsidentschaftskandidatur gab er das Zeichen zur Sammlung aller deutschbe-
wußten Kräfte, in der Hoffnung, daß auch noch abseitsstehende Volkskreise sich
der Notwendigkeit zum Zusammenschluß in nationaler Einmütigkeit nicht verschließen werden.«[19] Und fast schon wie die Verpflichtung des Nachfolgers zur
Wahrung des von Hindenburg hinterlassenen Erbes klingt der folgende Satz: Hindenburg »will damit auch vorbeugend auf die Gefahren hinweisen, die uns bei
unserer leider vorhandenen Neigung zur Zersplitterung bedrohen, wenn er einst
nicht mehr seines jetzigen hohen Amtes walten kann«.[20]

Doch der unerwartet frühe Tod Scheers am 26. November 1928 – er verstarb
während einer Reise an Lungenembolie – durchkreuzte die Pläne Hindenburgs.
Die Suche nach einem geeigneten Ersatz gestaltete sich mehr als schwierig. Denn
das von Scheer vorbildlich erfüllte Anforderungsprofil engte den Kreis der Bewerber ein: der Wunschkandidat sollte sich durch untadelige vaterländische Gesinnung auszeichnen und diese am besten durch militärische Betätigung im Weltkrieg
unterstrichen haben. Zugleich sollte er so volkstümlich sein, daß er sich bei einer
Volkswahl behaupten konnte. Damit wäre eigentlich alles auf einen der wenigen
Weltkriegshelden hinausgelaufen, die sich neben Hindenburg und Scheer Ansehen
erworben hatten. Doch Militärs vom Schlage eines Mackensen kamen schon aus
Altersgründen nicht in Betracht und hatten sich parteipolitisch zumeist so exponiert, daß sie als nationale Sammlungskandidaten nicht akzeptabel waren.[21] Insofern gestaltete sich die Suche nach einem passablen Kandidaten äußerst schwierig.

Es gab allerdings einen Kandidaten, der an der Jahreswende 1930/31 in verschiedenen Kreisen hoch gehandelt wurde. Es war der Herzog Adolf Friedrich zu
Mecklenburg,[22] dessen Bereitschaft zu einer solchen Kandidatur sich bis zu den
Nationalsozialisten herumgesprochen hatte. Der Onkel des letzten regierenden
Großherzogs von Mecklenburg-Schwerin vereinigte viele der Eigenschaften in
sich, die erforderlich waren, um einen in den Augen Hindenburgs würdigen Nachfolger abzugeben. Adolf Friedrich hatte sich im Weltkrieg militärisch betätigt und
es bis zum Oberst gebracht, auch wenn er nicht durch aufsehenerregende Aktionen
aufgefallen war.[23] Öffentliche Aufmerksamkeit hatte der Herzog schon vor dem
Weltkrieg durch seinen Drang in die Ferne hervorgerufen, der gepaart war mit
Abenteuerlust. 1907/08 erkundete er bei einer spektakulären Expedition das unzu-
gängliche Innere Zentralafrikas, zwei Jahre später war er Leiter einer vom Kongo
zum Niger führenden Expedition, was ihn für den Posten eines kaiserlichen Gou-
verneurs in der deutschen Kolonie Togo qualifizierte, den er bis zum Kriegsaus-

bruch innehatte. Der Herzog machte seine Reiseerfahrungen durch mehrere Publikationen bekannt, von denen der 1909 erschienene Reisebericht »Ins innerste Afrika« wesentlich dazu beitrug, seinen Ruf als Entdecker unbekannter Regionen auf dem »schwarzen Kontinent« zu begründen.[24]

Nach dem Krieg fand er ein neues Betätigungsfeld, das den massenkulturellen Bedürfnissen der Nachkriegszeit entgegenkam: den Sport. War er bis dato ein eifriger Reiter gewesen, so traf er jetzt mit dem Automobilsport den Nerv der Massen. Er profitierte davon, daß das Autofahren bis 1914 als Herrensport galt und infolgedessen im »Kaiserlichen Automobilclub« Adel und Großbürgertum den Ton angaben.[25] Der Herzog erkannte jedoch die Herausforderungen der Zeit und war maßgeblich an der Überführung dieses elitären Klubs in den »Automobilclub von Deutschland« (AvD) beteiligt, dessen Vorsitzender er wurde.[26] Damit stand er an der Spitze einer Organisation, die den Automobilismus als Ausdruck eines neuen technischen Zeitalters propagierte. Zehntausende pilgerten in den 1920er Jahren zu den Autorennen und interpretierten die Erfolge deutscher Rennfahrer auf deutschen Fahrzeugen als Ausdruck nationaler Stärke.[27] Indem sich Herzog Adolf Friedrich in der Öffentlichkeit als »Automann« präsentierte, fand er Zugang zu einem Kulturphänomen, das die politisch gezogenen Milieugrenzen übersprang[28] und ihm das Image eines modernen Sportsmannes verlieh. Zudem sprach sein Alter für ihn. Er war 1873 geboren worden und hatte das sechzigste Lebensjahr noch nicht überschritten. Parteipolitisch hatte sich der Herzog nicht exponiert,[29] so daß er als bürgerlicher Sammelkandidat durchsetzbar erschien, zumal es keinen Gegenkandidaten gab, dem ungeteilt die Herzen des bürgerlich-nationalen Lagers zugeflogen wären.[30]

Hindenburg war in der Kandidatenfrage überhaupt noch nicht festgelegt und ging die potentiellen Bewerber in aller Ruhe durch, um bei nüchterner Betrachtung den besten auszuwählen. Im Mai 1931 hatte sich der Reichspräsident zu einem Votum entschlossen: In einer mehrstündigen vertraulichen Unterredung mit dem Herzog begrüßte er dessen Kandidatur und erklärte sich bereit, zu gegebener Zeit öffentlich für dessen Wahl einzutreten.[31] Damit warf er das Gewicht seiner Persönlichkeit zugunsten Adolf Friedrichs in die Waagschale und wollte eine Wahlempfehlung abgeben, die einer Designation gleichkam.

Hindenburg hatte, so schien es, die Weichen für seine Nachfolge im Amt des Reichspräsidenten gestellt. Aber warum hatte er sich so eindeutig ausgerechnet für Adolf Friedrich von Mecklenburg entschieden? Gewiß sprach für den Herzog dessen Integrationskraft im »nationalen Lager«; auf ihn konnten sich sowohl Deutschnationale wie Liberale, ja möglicherweise sogar der politische Katholizismus verständigen. Seine Aktivitäten im kolonialen und sportlichen Bereich verschafften ihm eine gute Ausgangsposition, vor allem wenn sich der fleischgewordene Mythos Hindenburg für ihn verbürgte. Seine Herkunft aus einem ehemals regierenden Fürstenhaus machte zwar die strammen Republikaner zu seinen Gegnern, andererseits entsprach die Kandidatur eines Herzogs aber durchaus dem Bedürfnis der nicht wenigen eher unpolitischen Zeitgenossen, die an der Spitze des Staates einen würdigen Repräsentanten sehen wollten und auch aus diesem Grund an Hindenburg Gefallen gefunden hatten.[32]

Im übrigen errichtete die Weimarer Reichsverfassung keine Hürden gegen Mitglieder der ehemaligen Fürstenhäuser. Ein Vorstoß in der Nationalversammlung, diesen Personenkreis vom Reichspräsidentenamt auszuschließen, hatte keine Mehrheit gefunden.[33] Herzog Adolf Friedrich war überdies nicht der erste Abkömmling eines ehemals regierenden Fürstenhauses, der als Kandidat für das höchste Staatsamt gehandelt worden war. Tatsächlich brachten sich hinter den Kulissen Angehörige dieser Gruppe mehr als einmal für die Reichspräsidentschaft ins Gespräch oder wurden von dritter Seite darum gebeten. So war im Führungskreis der Deutschen Volkspartei 1929 der Gedanke gereift, einen Nachfolger Hindenburgs aufzubauen, der das alte monarchische und das neue republikanische Deutschland versöhnen sollte. Stresemanns hatte dabei zunächst den Prinzen Ernst Heinrich von Sachsen im Blick, den zweiten Sohn des letzten sächsischen Königs. Der in München lebende Wettiner, ein Schwager des bayerischen Kronprinzen Rupprecht, hatte sich weitgehend mit der neuen republikanischen Ordnung abgefunden und sympathisierte mit der DVP. Stresemann fragte daher 1929 an, ob der Prinz für eine Reichstagskandidatur der DVP bereitstünde, die das Sprungbrett für eine Präsidentschaftsbewerbung im Jahr 1932 bilden sollte. Ernst Heinrich von Sachsen winkte aber nach reiflicher Überlegung ab, weil er sich des Erfolges bei einer Volkswahl nicht sicher sein konnte.[34]

Etwa fünf Jahre zuvor hatten sich die Führer der wichtigsten Reichstagsfraktionen für den Fall wappnen wollen, daß der 1922 mit verfassungsändernder Mehrheit gewählte Reichspräsident Ebert aufgrund seiner gesundheitlichen Konstitution sein Amt vor Ablauf der Amtszeit zur Verfügung stellte. Auf vertraulichen Wegen wurde kein Geringerer als der aus dem Fürstenhaus Sachsen-Coburg stammende ehemalige bulgarische König Ferdinand, der 1918 zugunsten seines Sohnes auf den Thron in Sofia verzichtet hatte und seitdem als Privatmann in Coburg lebte, gefragt,[35] ob er für die Nachfolge Eberts kandidieren würde. Ferdinand von Coburg verfügte über wissenschaftliches Renommee als Ornithologe und wurde über die Parteigrenzen hinweg bis hin zur Sozialdemokratie wegen seines ausgleichenden Wesens geschätzt.[36] Der Fürst erteilte seine prinzipielle Zustimmung, doch der in Aussicht genommene Fall trat nicht ein, weil Ebert sich wieder erholte.

Daß Ferdinand von Coburg und Ernst Heinrich von Sachsen ernsthaft als Anwärter für die Reichspräsidentschaft in Erwägung gezogen wurden, zeigt, daß Mitglieder ehemals regierender Fürstenhäuser als Bewerber um höchste Staatsämter durchaus in Betracht kamen. Insofern fügte sich eine Kandidatur von Adolf Friedrich zu Mecklenburg nahtlos in derartige Überlegungen ein, aber sie war dennoch von anderer politischer Qualität: Bei ihr schwang eine Nebenabsicht mit, die weder beim Coburger noch beim Wettiner eine Rolle gespielt hatte, nämlich vom höchsten Amt der Republik aus die Weichen für eine Restauration des Kaisertums in Deutschland zu stellen. Der Hebel dazu sollte eine »Reichsverweserschaft« des Reichspräsidenten sein: Die Befugnisse des Reichspräsidenten sollten ausgedehnt und ihm das Schicksal des Reiches treuhänderisch anvertraut werden mit der Folge, daß er sich über die Verfassung hinwegsetzen und die Staatsform ändern konnte. Insofern konnte eine in diesem Sinne ausgelegte Reichsverweserschaft als Übergangslösung auf dem Weg zur Wiedereinführung der Monarchie dienen.

Auf die Erfolgsaussichten solcher Restaurationsbestrebungen kann hier nicht näher eingegangen werden. Doch allein die Tatsache, daß ähnliche Pläne 1932 mit großem Elan angegangen wurden und selbst das Verhalten der nationalsozialistischen Führung beeinflußten, sollte den Historiker davor bewahren, derartige Überlegungen von vornherein als politische Phantastereien abzutun. Der Gedanke einer Reichsverweserschaft war der deutschen Verfassungsgeschichte ja nicht fremd. Die Frankfurter Nationalversammlung hatte im Juni 1848 die Reichsverweserschaft als Institution eingeführt und Erzherzog Johann von Österreich zum Reichsverweser gewählt. Auch unmittelbar nach dem Rücktritt Wilhelms II. als Kaiser und preußischer König war dieses Rechtsinstitut ins Auge gefaßt worden. Denn mit Wilhelms Verzicht auf die Kaiserwürde stand das Reich ohne Staatsoberhaupt da. Unter den Bedingungen der staatlichen Umwälzung konnte sich selbst der neue Reichskanzler Friedrich Ebert mit der Vorstellung einer Reichsverweserschaft durch den Prinzen Max von Baden anfreunden, wenn die bedrohte Einheit des Reiches nach dem Wegfall des Kaisertums auf diese Weise gefestigt wurde.[37] Das Zaudern des Prinzen und die Novemberrevolution ließen diese staatsrechtlich durchaus denkbare Möglichkeit nicht zum Zuge kommen. Daß eine Reichsverweserschaft unter veränderten, nämlich gegenrevolutionären Bedingungen praktikabel sein konnte, bewies Ungarn, wo seit März 1920 der ehemalige Admiral der österreichisch-ungarischen Kriegsmarine, Nikolaus von Horthy, als Reichsverweser treuhänderisch die seit November 1918 als ruhend angesehene ungarische Königswürde verwaltete.

Bis zum Ende der 1920er Jahre tauchte in bestimmten Kreisen immer wieder einmal die Vorstellung auf, die staatsrechtliche Konstruktion eines Reichsverwesers wiederzubeleben. In alldeutsch-völkischen Zirkeln war der Reichsverweser nur eine Umschreibung für einen Diktator, der aus eigenem Recht die oberste Gewalt beanspruchte. Als Generaloberst von Seeckt in der Staatskrise des November 1923 die vollziehende Gewalt vom Reichspräsidenten übertragen wurde, knüpften sich daran manche Hoffnungen, Seeckt möge sich zum Reichsverweser erklären.[38] Im Mai 1926 verdichteten sich solche Überlegungen auf alldeutscher Seite zu dem staatsstreichähnlichen Plan, einen Reichsverweser auszurufen, der mit Hilfe eines Direktoriums diktatorisch regieren sollte.[39] Diese Erwägungen blieben folgenlos, weil sie aufflogen und die preußische Polizei energisch durchgriff.[40] Ganz abgesehen davon hatten die Verschwörer es versäumt, der Reichsverweserschaft mit Hilfe der präsidialen Autorität einen legalen Anstrich zu verleihen; der Reichsverweser war nach dieser Konstruktion ein reiner Usurpator, der in Konfrontation mit der Präsidialgewalt die Staatsgewalt an sich riß.

Der einzig halbwegs erfolgversprechende Weg, mit Hilfe der Reichsverweserschaft eine Transformation des Verfassungsgefüges im gewünschten Sinne anzustreben, bestand in der sukzessiven Ausstattung der Präsidialmacht mit Vollmachten, bis sie sich zu einer Reichsverweserschaft entwickelte. Die DNVP hat diese Richtung 1926 unter dem Einfluß ihres streng monarchisch eingestellten Partei- und Fraktionsführers Westarp eingeschlagen.[41] Stresemann scheint für solche Überlegungen ebenfalls empfänglich gewesen zu sein.[42] Und auch der unermüdliche politische Beauftragte des Kaisers, Magnus von Levetzow, verfolgte Ende der 1920er Jahre Pläne dieser Art.[43] Wie bei allen monarchischen Restaurationsabsichten konnte man aber auch hier nicht der Kardinalfrage ausweichen, die alle Aktivitäten der diversen monarchischen Zirkel behinderte und ein einheitliches Vorgehen fast unmöglich machte: Sollte sich die beabsichtigte Wiederherstellung der Monarchie nur auf das deutsche Kaisertum beschränken? Oder sollten darüber hinaus auch noch die deutschen Bundesstaaten wieder eine monarchische Ordnung erhalten? Wie viele der bis 1918 existierenden Königreiche, Großherzogtümer und Fürstentümer sollten in diesem Fall restauriert werden? Sollte auch in Schaumburg-Lippe, Anhalt und in Oldenburg das angestammte Herrscherhaus zurückkehren, oder sollte dies nur für die größeren Bundesstaaten gelten?

Letztlich konnten sich alle Bestrebungen in diese Richtung nur dann ein Minimum an Realisierungschancen ausrechnen, wenn sie Einvernehmen mit dem bayrischen Herrschergeschlecht suchten, das noch fest in seinem Stammland verankert war. In Bayern blieb die Monarchie nach 1918 in weiten Kreisen der Bevölkerung populär, und die Anhänger einer Restauration reichten bis weit in die regierende Bayerische Volkspartei hinein. Es war also unerläßlich, daß Kronprinz Rupprecht von Wittelsbach in solche Pläne eingeweiht wurde. Die Verhältnisse in Bayern waren für diesen derartig verlockend, daß er 1923 mit einem bayerischen Sonderweg zur Wiederherstellung der Monarchie geliebäugelt hatte, sozusagen einer bayerischen Variante der Reichsverweserschaft. Im September 1923 hatte der bayerische Ministerrat nämlich ohne Absprache mit der Reichsregierung den Regierungspräsidenten von Oberbayern, Gustav Ritter von Kahr, zum »Generalstaatskommissar« bestellt und ihm die exekutiven Vollmachten des bayerischen Staates übertragen. Diese Aktion war eine Machtdemonstration gegen die Reichsregierung und enthielt zudem eine mit monarchischen Hintergedanken versehene massive antiparlamentarische Spitze. Denn der neue starke Mann, Kahr, war ein eingefleischter Anhänger der Wittelsbachermonarchie und verstand sich als Statthalter des bayerischen Kronprinzen. Diesem wollte er sogar sein Amt übertragen und damit die Restauration der Monarchie in Bayern in die Wege leiten. Doch Kronprinz Rupprecht winkte schließlich ab, weil er einen bayerischen Alleingang zur Wiederherstellung der Monarchie für aussichtslos hielt.[44] Rupprecht hielt eine Restauration der Monarchie nur dann für chancenreich, wenn der bayerische Thronfolger und der potentielle Reichsverweser sich abstimmten und koordiniert vorgingen.

Als die Diskussion um die Nachfolge Hindenburgs aktuell wurde, drängte sich also eine Absprache zwischen dem Wittelsbacher und dem Anwärter auf die Reichspräsidentschaft und damit in nuce auch auf die Reichsverweserschaft, also Herzog Adolf Friedrich, auf. Im Herbst 1930 trafen sich die beiden an Rupprechts Wohnsitz in Berchtesgaden und führten Einvernehmen in dieser Frage herbei.[45] Der Königsweg bestand darin, von den Institutionen der Republik sowohl in Bayern als auch im Reich aus auf zunächst verdeckte Weise die Restauration zumindest des deutschen Kaisertums und des bayerischen Königtums einzufädeln.

Daß eine Reichspräsidentschaftskandidatur des Mecklenburgers mit derartigen Absichten verwoben war, bestätigt der Blick auf den Kreis seiner Unterstützer. Zu den aktivsten Werbern gehörte mit Traugott von Jagow ein Mann, den die ultramonarchistische Gesinnung einst zur Teilnahme am Kapp-Putsch verleitet hatte. Nach Verbüßen seiner Haftstrafe war Jagow im Hintergrund weiter eifrig für die monarchische Sache tätig. Enge persönliche Verbindungen unterhielt er zu Hindenburgs Schwiegersohn Hans-Joachim von Brockhusen, der bis zu seinem

Tod dem »Bund der Aufrechten« vorstand, der Speerspitze des hohenzollerntreuen Monarchismus in der Weimarer Republik.[46] Nun rührte Jagow die Werbetrommel für Adolf Friedrich und sprach dabei gezielt einflußreiche Multiplikatoren an.[47]

Der »Manager« des Mecklenburgers, Rudolf Freiherr von Brandenstein, verfuhr ähnlich. Brandenstein war der persönliche und politische Intimus von Herzog Adolf Friedrich.[48] Beider Wege hatten sich erstmals in Afrika gekreuzt; nach 1918 wurde der durch Geschäftssinn in der Inflationszeit zu Reichtum gekommene Freiherr von Brandenstein der politische Beauftragte des Herzogs in der Reichshauptstadt, wo er sich keine Abendgesellschaft entgehen ließ, um Kontakte zu knüpfen, die sich dereinst politisch nutzen ließen.[49] Brandenstein betätigte sich im Frühjahr 1931 als politischer Emissär des Herzogs. Er machte dessen Kandidatur in Hintergrundgesprächen den gesellschaftlichen und politischen Zirkeln der Hauptstadt bekannt[50] und sorgte dafür, daß Adolf Friedrich bei privaten Einladungen mit Wirtschaftsführern zusammenkam.[51] Brandenstein verfügte darüber hinaus über glänzende Beziehungen zur Automobilindustrie (Daimler-Benz)[52] und vor allem zum IG-Farben-Konzern, als dessen Lobbyist er eifrig für die synthetische Herstellung von Benzin aus deutscher Kohle warb.[53] Dieser Salonlöwe, dessen Kontakte bis in die höchsten Reichswehrkreise reichten und der auch mit Schleicher gut bekannt war,[54] hatte bereits im Weltkrieg die Wünsche des Hauses Mecklenburg angemeldet, als sich nach Einnahme des Baltikums durch deutsche Truppen für einige Monate die faszinierende Aussicht zu eröffnen schien, in Kurland eine mecklenburgische Sekundogenitur zu begründen. Damals suchten viele deutschen Dynastien nachgeborene Söhne oder Nebenlinien auf diese Weise zu versorgen. Brandenstein trat dabei als Thronwerber für Herzog Adolf Friedrich auf, der Großfürst im Baltikum zu werden hoffte.[55]

Den Fürstenhäusern insgesamt erwies Brandenstein nach dem Krieg einen besonderen Dienst, als er bei der Auseinandersetzung um die entschädigungslose Enteignung ihrer Hausvermögen im Jahre 1926 eine schlagkräftige Allianz schmiedete und für die Fürsten das pekuniäre Maximum herausholte. Rudolf von Brandenstein war die treibende Kraft in der »Vereinigung Deutscher Hofkammern«,[56] die eine höchst effiziente Arbeit leistete und nicht unmaßgeblichen Anteil daran hatte, daß der auf die entschädigungslose Enteignung des fürstlichen Vermögens zielende Volksentscheid am 20. Juni 1926 nicht die erforderliche Mehrheit erhielt.[57]

Hinter der Reichspräsidentschaftskandidatur des Herzogs Adolf Friedrich zu Mecklenburg standen also Kräfte, die über das Präsidentenamt eine Wiederherstellung des Kaisertums ansteuerten. Wie aber verhielt sich der amtierende Reichspräsident zu derartigen Bestrebungen? Ist die Auswahl Adolf Friedrichs als Zeugnis zu werten, daß Hindenburg gewissermaßen auf Umwegen der Restauration der Monarchie Vorschub leisten wollte?

Es gibt ein Faktum, das eine solche Lesart nachhaltig unterstützt. Denn Hindenburg suchte um eine Bestätigung seiner Personalauswahl nach, und zwar beim Ex-Kaiser höchstpersönlich.[58] Wenn die Designation des Herzogs von Mecklenburg zum Amtsnachfolger Hindenburgs Teil einer Restaurationsstrategie war, dann erforderte sie eine Abstimmung mit dem Haus Preußen und dementsprechend mit dem Chef dieses Hauses, also Wilhelm II. Der Herzog von Mecklenburg hatte sich ja bereits 1930 mit dem bayerischen Kronprinzen abgesprochen, aber die Koordination mit den Hohenzollern stand noch aus. Da Hindenburg sich ein deutsches Kaisertum nur mit einem Hohenzollern an der Spitze vorstellen konnte, mußte er in Doorn anfragen lassen, ob sich Wilhelm II. für eine Reichspräsidentschaft des Herzogs Adolf Friedrich und die damit verbundene Restaurationsstrategie erwärmen könne.

Hindenburgs Verhalten in dieser Frage ist symptomatisch für seine Einstellung zu dem heiklen Thema Wiederherstellung der Monarchie. Im Herzen war er fraglos ein Monarchist, der Gleichgesinnten in privaten Gesprächen seinen Wunsch bekundete, »daß er nichts lieber tun würde, als dem Kaiser Zepter und Krone wieder zur Verfügung zu stellen«.[59] Wenn ihm sein Vertrauter Cramon in seiner Eigenschaft als Generaladjutant des Kaisers am 2. Oktober die Geburtstagsglückwünsche aus Doorn übermittelte, pflegte Hindenburg stets zu beteuern: »Nun, Sie wissen ja am besten, wie ich zu meinem Kaiser und Könige stehe und wie ich bestimmt hoffe, seinen Platz hier für ihn offen halten zu können.«[60]

Aber Hindenburg enttäuschte alle Hoffnungen von dieser Seite, weil er kein Monarchist der Tat war, der schnurstracks dem Kaiser die Rückkehr auf den Thron ebnen wollte.[61] Im Unterschied zu ultrakonservativen Anhängern der Monarchie verschloß er die Augen nicht vor den grundstürzenden Umwälzungen, die seit dem November 1918 Deutschland verändert hatten. Für ihn rangierte die Nation über der Staatsform, und dies hatte zur Konsequenz, daß eine Wiederherstellung der Monarchie vom Volk mitgetragen werden mußte und nicht einfach von oben aufgepflanzt werden durfte. Charakteristisch ist in diesem Zusammenhang seine Reaktion auf den 1928 erschienenen Roman des Schriftstellers Werner von der Schulenburg »Jesuiten des Königs«. Dieses Werk ist eine literarische Verarbeitung des Hindenburg immer wieder aufrüttelnden Themas der »Königsflucht«; seine Botschaft deckt sich mit dem Schlußkapitel von Hindenburgs Memoiren. Der Autor, der während der Weltkriegszeit in dienstlicher Beziehung zu Hindenburg gestanden hatte und diesen bewunderte,[62] entwarf darin die Gestalt eines Hinden-

burg zum Verwechseln ähnlichen alten Feldmarschalls, der nach Flucht und Abdankung des Königs auf seinem Platz ausharrte. Diese Hommage an die Weitsicht
und Herzensgüte des Feldmarschalls[63] mündete in die politische Aussage, daß die
Monarchie in Deutschland erst nach einer »geistigen Revolution« wieder eine
Chance bekäme, und zwar wenn das deutsche Volk aus sich heraus ein monarchisches Bekenntnis ablege.[64] Auf Hindenburg machte das Buch einen starken Eindruck; er erblickte in den Ausführungen Schulenburgs eine treffliche literarische
Darstellung der Gefühlslage, in die der 9. November 1918 und seine Folgen ihn gestürzt hatten.[65]

Hindenburg, der sich nach eigenem Bekunden schon damals von den harten
Realitäten hatte leiten lassen, als er blutenden Herzens dem Kaiser zum Thronverzicht riet und vor allen Dingen dessen Verbringen nach Holland arrangierte,
mußte 1931 als Reichspräsident den Gegebenheiten in Sachen monarchischer Restauration in noch viel stärkerem Maße Rechnung tragen. Angesichts der verheerenden Ansehenseinbuße der Hohenzollernmonarchie und angesichts der äußeren
Lage des Deutschen Reiches war es für ihn ein Ding der Unmöglichkeit, den Wünschen eingefleischter Monarchisten zu entsprechen und Wilhelm II. heimzuholen,
damit dieser wieder auf dem Thron Platz nahm. Immer wieder hat er beklagt, daß
unrealistische Forderungen an ihn herangetragen würden;[66] das hieß aber nicht,
daß er in dieser Herzenssache die Hände in den Schoß legen und den Dingen ihren
Lauf lassen wollte.

Hindenburg nahm regen Anteil am Leben des exilierten Kaisers. Dabei war er
nicht auf Cramon oder Kleist angewiesen, wenn er Neuigkeiten über die politischen Absichten Wilhelms in Erfahrung bringen wollte, sondern verfügte über
eigene Informationskanäle. Ulrich Freiherr von Sell, jener Ratgeber des Kaisers,
der über die Besetzung des Reichspräsidentenamtes der Wiederherstellung der
Monarchie ein großes Stück näher zu kommen hoffte,[67] besuchte Hindenburg
mehrfach in dessen Dietramszeller Quartier.[68] Über die im Hause Hohenzollern
erwogenen Pläne, vermittels der Reichspräsidentschaft einer monarchischen Restauration den Weg zu ebnen, war Hindenburg also im Bilde.[69] Daher vermochte
er die Erfolgsaussichten einer solchen Strategie relativ gut einzuschätzen.

Die Nominierung des Herzogs Adolf Friedrich zu seinem Wunschnachfolger
fügt sich nahtlos in Hindenburgs Einstellung zur monarchischen Frage ein. Hindenburg selbst wollte sich in punkto Wiederherstellung der Monarchie nicht exponieren, aber dafür sorgen, daß sein Amtsnachfolger in diese Richtung initiativ
wurde. Für die Beförderung einer Wiedererrichtung des deutschen Kaisertums
fehlte es ihm an politischer Tatkraft; zudem ließ die prekäre außenpolitische Lage

des Reiches ein solches Unterfangen erst ratsam erscheinen, wenn das Deutsche Reich die Bestimmungen des Versailler Vertrags weitestgehend revidiert und seine uneingeschränkte Souveränität wiedererlangt hatte. Hindenburg glaubte in dieser Angelegenheit seine Schuldigkeit getan zu haben, wenn er seine Nachfolge entsprechend arrangierte. Er konnte sein Gewissen entlasten und die Hintertür für eine mögliche Restauration öffnen, ohne daß er selbst mit den Folgen und Risiken eines solchen Vorhabens konfrontiert war.

Die weitere Behandlung einer Kandidatur des Mecklenburgers hing somit davon ab, ob Wilhelm II. seine Zustimmung zu diesem Kandidaten und zu diesem Verfahren erteilte. Doch Hindenburg erhielt im Juli 1931 eine Absage aus Doorn.[70] Wilhelm II. konnte sich mit der von Hindenburg favorisierten Lösung nicht anfreunden, weil er in der Furcht schwebte, übergangen zu werden, wenn ein Familienfremder den Schlüssel zur Wiedererrichtung der Monarchie in Händen hielt. Außerdem schien sich mit dem Aufkommen der NSDAP eine Alternative aufzutun, wenn es gelang, die Hitler-Bewegung in das Restaurationsziel einzubauen. Für diese Überlegung begann sich Wilhelm II. zu dieser Zeit nicht zuletzt auf Drängen seiner Gemahlin zunehmend zu erwärmen.[71] Mit dem Nein aus Doorn war der Traum von der Anwartschaft des Herzogs von Mecklenburg auf die Präsidentschaft geplatzt, auch wenn Adolf Friedrich diesen nicht sogleich aufgab, sondern eine Zeitlang noch auf eigene Faust agierte und sich dabei auch den Nationalsozialisten als Präsidentschaftskandidat andiente.[72]

Für Hindenburg hatte sich damit die Hoffnung zerschlagen, im Sommer 1931 die Nachfolge in seinem Sinn regeln zu können. Es gab keinen anderen Kandidaten, der das Anforderungsprofil erfüllte und von dem man erwarten konnte, daß er die »nationale Einigung«, so wie Hindenburg sie verstand, vollenden und sich zugleich empfänglich zeigen würde für eine in der Zukunft liegende Wiederherstellung der Monarchie. Angesichts dieser Umstände zeichnete sich ab, daß Hindenburg gezwungen sein könnte, eine erneute Kandidatur für die Reichspräsidentschaft ernsthaft in Erwägung zu ziehen.

Im Herbst 1931 hat Hindenburg heftig mit sich gerungen, ob er die künftige Politik noch mitgestalten oder sich doch lieber in den wohlverdienten Ruhestand begeben sollte. Daß in ihm die politische Aktivität nach einem Jahr des sukzessiven Rückzugs wieder erwachte, spricht dafür, daß er sich allmählich auf die erste Möglichkeit einstellte.

Der DNVP-Vorsitzende Alfred Hugenberg (stehend) eröffnet die Tagung der »nationalen Opposition« im Kurhaus zu Bad Harzburg, 10. Oktober 1931.

KAPITEL 26

Moderator des Übergangs

Nachdem sich im Spätsommer 1931 Hindenburgs Hoffnungen zerschlagen hatten, durch eine frühzeitige Regelung der Nachfolge seine Reichspräsidentschaft ruhig ausklingen zu lassen, erwachte bei ihm eine neue politische Aktivität und beendete das Jahr der Abstinenz, in dem er von der politischen Bildfläche verschwunden war und der Reichsregierung unter Kanzler Brüning das Terrain freiwillig überlassen hatte. In der ihm als Reichspräsident noch verbleibenden Zeit wollte er die politischen Weichen dafür stellen, daß die selbsternannte »nationale Opposition« Regierungsverantwortung übernehmen konnte. Für Hindenburg war es undenkbar, daß die zur Vollendung der »nationalen Einheit« seiner Ansicht nach unentbehrlichen Kraftquellen, die sich im deutschnationalen und nationalsozialistischen Lager befanden, auf Dauer von der Regierung ausgeschlossen wurden.[1] In welcher Konstellation die gewünschte Integration der Rechten erfolgen und wer letztlich die politische Führung innehaben sollte, war für den Reichspräsidenten allerdings eine offene Frage. Es zeichnete sich aber bereits im Herbst 1931 deutlich ab, daß mit der Bildung einer von Hindenburg gewünschten Regierung der nationalen Konzentration auch eine Grundentscheidung für seine Nachfolge fallen würde. Wen Hindenburg mit der Kanzlerschaft in einer solchen Regierung der »nationalen Einheit« betraute, der würde mit dem Segen und der Designation Hindenburgs auch eine natürliche Anwartschaft auf die Reichspräsidentschaft erwerben. Brüning war also ein Kanzler auf Abruf, der nur noch so lange amtieren sollte, bis die Rechte ihre internen Querelen ausgeräumt und sich auf das von Hindenburg vorgegebene Ziel verpflichtet hatte.[2]

Die Kräfte der »nationalen Opposition« waren im Herbst 1931 allerdings noch so heillos zerstritten, daß nicht vorherzusehen war, wann der von Hindenburg gewünschte Zustand eintreten würde. Magnus von Levetzow, der in der Einigung zwischen Hugenberg und Hitler den Schlüssel für die Ablösung Brünings erblickte, fällte ein geradezu vernichtendes Urteil über die Fähigkeit der Rechtskräfte, ihre inneren Machtkämpfe beizulegen: »Es ist tief beschämend und niederschmet-

ternd, mit ansehen zu müssen, daß die Rechte in ihrer Sucht nach der Futter-
krippe zum mindesten politisch ebenso kompromittiert ist wie die verworfene
Linke.«[3] Es war weder Hindenburgs Absicht, noch lag es in seiner Macht, die Einigung der »nationalen Opposition« vom Reichspräsidentenamt aus zu betreiben. Die Rechte hatte sich aus eigener Kraft zusammenzuraufen, um sich für den
Eintritt in die Reichsregierung zu qualifizieren. Hindenburg sandte daher seit
August 1931 unübersehbare politische Signale aus, daß der Rechten dieser Preis
winke, wenn sie ihre inhaltlichen und personellen Meinungsverschiedenheiten
ausräumte.

Am 1. August 1931 empfing der Reichspräsident Hugenberg, mit dem er anderthalb Jahre lang kein Wort mehr gewechselt und dem er seine Sturheit schwer
verübelt hatte. Hindenburg wollte herausfinden, wie der innere Zustand der »nationalen Opposition« war und zu welchen Konditionen sich Hugenberg zur Übernahme von Regierungsverantwortung bereit finden würde.[4] Doch Hugenberg ließ
sich nicht in die Karten schauen, vermied klare Aussagen und verstärkte damit
den Eindruck, daß der Führer der DNVP in erster Linie auf parteitaktische Vorteile
erpicht war.[5] Immerhin war der Gesprächsfaden wieder aufgenommen; Hugenberg hatte eine Art Option auf die Regierungsbeteiligung erhalten unter der Auflage, daß möglichst eine Verständigung mit Brüning herbeigeführt wurde. Im
Herbst 1931 schwebte Hindenburg noch eine Ideallösung vor, die von Brüning
bis Hitler reichte.[6] Eine solche Kombination entsprach Hindenburgs Wunsch nach
einer Zusammenfassung aller aus seiner Sicht national gesinnten Kräfte, wobei er
einen von Brüning geführten politischen Katholizismus ausdrücklich einschloß.
Überdies wollte sich Hindenburg absichern, daß eine neugebildete Regierung mit
dem Reichstag zumindest dasselbe Auskommen fand wie die Brüning-Regierung,
also von einer parlamentarischen Mehrheit toleriert wurde. Eine Rechtsverlagerung der Regierung bedeutete zwar den Verlust der parlamentarischen Unterstützung durch die SPD, der Hindenburg ohnehin keine Träne nachweinte, aber das
konnte kompensiert werden, wenn alle Parteien vom Zentrum bis zu den Nationalsozialisten das neue Kabinett duldeten.

Hindenburg, der sich nicht ohne Not in einen Konflikt mit dem Reichstag hineinmanövrieren wollte, legte großen Wert darauf, daß auch die neue Regierung mit
dem Parlament auf verfassungskonforme Weise auskam.[7] Deshalb wies er seinen
Kanzler unmißverständlich an, das persönliche Gespräch mit Hugenberg zu suchen und auszuloten, ob ein Arrangement mit den Deutschnationalen möglich
sei.[8] Doch die Unterredung, die am 27. August 1931 stattfand, offenbarte nur ein
weiteres Mal die Intransigenz des deutschnationalen Parteiführers. In der Kardi-

nalfrage, der Außenpolitik, wollte er sich keinesfalls auf die Strategie des Kanzlers einlassen und die Reparationsverpflichtungen durch das glaubhafte Bemühen ihrer Erfüllung ad absurdum führen, sondern frontal gegen sie anrennen. Damit bestanden gerade dort unüberbrückbare Meinungsverschiedenheiten, wo Brüning in den Augen Hindenburgs die größten Verdienste vorzuweisen hatte: bei der Beseitigung der Reparationen, die durch das Hoover-Moratorium in greifbare Nähe gerückt zu sein schien. Solange Brüning in der Außenpolitik unersetzlich war, konnte er Hindenburg mit dem Argument hinhalten, daß eine Aufnahme der Rechten in die Regierung erst dann verantwortbar sei, wenn das Deutsche Reich seine außenpolitische Souveränität wiedererlangt habe.[9]

Der Auftrag Hindenburgs an seinen Kanzler erstreckte sich auch auf eine Kontaktaufnahme mit den Nationalsozialisten. Brüning stand einer Regierungsbeteiligung der Hitlerpartei nicht grundsätzlich ablehnend gegenüber, wenn gewisse Sicherheiten eingebaut waren und vor allem der außenpolitische Kurs gehalten wurde. Bereits am 5. Oktober 1930 hatte Brüning diese Position in einer ersten Unterredung mit Hitler zum Ausdruck gebracht.[10] Fast genau ein Jahr später, am 10. Oktober 1931, trafen sich die beiden erneut. Brüning hatte vorher sondieren lassen, inwieweit nationalsozialistische Unterführer bereit waren, sich auf eine Regierungsbeteiligung einzulassen. Zumindest der ambitionierte Hermann Göring, Hitlers Statthalter in der Hauptstadt und Verbindungsmann zu konservativen Kreisen, zeigte sich nicht abgeneigt, auch weil er selbst auf einen Ministerposten spekulierte.[11] Hitler ließ sich in diesem Gespräch alle Türen offen und wies den Gedanken einer nationalsozialistischen Beteiligung an einer von Brüning geführten Regierung nicht prinzipiell von sich.[12] Brüning hatte damit den Auftrag Hindenburgs ausgeführt und erneuerte auch in seiner Reichstagsrede vom 16. Oktober 1931 das Angebot zur Zusammenarbeit mit der Rechten.[13]

Fast zur selben Zeit versammelte sich die »nationale Opposition« im braunschweigischen Städtchen Harzburg zu einer Kundgebung, die nach außen hin Geschlossenheit suggerierte und dazu diente, bei der anstehenden Reichstagssitzung erstmals eine parlamentarische Mehrheit gegen die Brüning-Regierung zu schmieden. Die Chancen dafür standen besser denn je, weil die Deutsche Volkspartei sich von Brüning losgesagt hatte und dessen Schicksal im Parlament damit vom Votum der unberechenbaren Wirtschaftspartei abhing. Aber Brüning überstand die Mißtrauensvoten in der Reichstagssitzung vom 16. Oktober 1931, weil er die Wirtschaftspartei mit pekuniären Verlockungen auf seine Seite brachte.[14] Die Abwanderung ehemals Brüning nahestehender Kräfte ins Lager der »nationalen Opposition« machte es für Hindenburg jedoch immer interessanter, den zahlreicher werdenden Kräften der »nationalen Opposition« die Regierungsgeschäfte anzuvertrauen. Die NSDAP erklärte sich im Oktober 1931 erstmals offiziell zum Eintritt in eine solche Regierung bereit,»wenn der Reichspräsident uns ruft«.[15]

Eine solche Lösung hatte etwas für sich, da Hindenburg die »nationale Opposition« mit der Verwirklichung seines politischen Lebenstraums – der Einigung der Nation – betrauen konnte, ohne seinen Einfluß auf den politischen Lauf der Dinge aufzugeben. Denn dieses Modell konnte nur funktionieren, wenn Hindenburg weiterhin auf die verfassungsmäßig verbürgten Gestaltungsmöglichkeiten des Reichspräsidentenamtes zurückgreifen und von dieser Position aus gegebenenfalls korrigierend intervenieren konnte. Hindenburg mußte also weiterhin als Reichspräsident amtieren, wobei es die Aufgabe der Rechtsparteien war, ihn in diesem Amt zu belassen, etwa indem sie ihn einmütig als ihren Präsidentschaftskandidaten für eine im Frühjahr 1932 fällige Volkswahl nominierten.[16]

Im Herbst 1931 hat Hindenburg ernsthaft eine solche Lösung erwogen. Die Anklagen gegen eine Regierung, die sich auf die Sozialdemokratie als stille Teilhaberin stützte und damit reichlich Angriffsflächen für die Nationalsozialisten bot,[17] blieben nicht ohne Eindruck auf ihn und ließen ihn immer stärker von Brüning abrücken. Nach der Rückkehr vom Jagdurlaub in Dietramszell ließ er dies den Reichskanzler spüren: Hatte er Brüning mehr als ein Jahr schalten und walten lassen, so zitierte er ihn nun binnen drei Wochen dreimal zu sich und machte ihm Vorhaltungen, daß die geforderte Erweiterung des Kabinetts nach rechts noch nicht in die Wege geleitet sei.[18] Am 29. September 1931 konfrontierte Hindenburg den Reichskanzler mit Briefen rechtsgerichteter Militärs und Wirtschaftsführer, die alle nach demselben Schema abgefaßt waren und Brüning als nationales Unglück hinstellten, von dem sich der verehrte Reichspräsident schleunigst trennen solle. Diese Schreiben waren der Ausfluß einer von alldeutschen Zirkeln um den Fürsten von Salm-Horstmar gesteuerten Kampagne gegen Brüning.[19]

Daß Hindenburg, der anderthalb Jahre zuvor äußerst verärgert auf die bestellte Flut gleichlautender und anklagender Briefe im Zusammenhang mit dem Young-Plan reagiert hatte,[20] solche Vorhaltungen nun ernst nahm und aufwertete, indem er sie seinem Kanzler präsentierte, mußte Brüning als Warnzeichen einstufen. Der Reichspräsident hatte die Verbreitung seines Briefwechsels mit dem Fürsten von Salm-Horstmar, der wie er dem Johanniterorden angehörte, autorisiert, wenn eine »diskrete Behandlung«[21] seines Namens garantiert sei, und damit die Kampagne letztlich erst möglich gemacht. Dies kam einer Einladung an die Hugenberg nahestehenden alldeutschen Kreise gleich, den Reichspräsidenten mit brieflichen Anklagen gegen Brüning zu überfluten, die Hindenburg dann dem

Reichskanzler als Ausweis seiner Gewissensnot präsentieren konnte. Der Feldmarschall zeigte sich immer geneigter, seinen Frieden mit jenen politischen Weggefährten zu machen, denen er sich durch die Unterzeichnung des Young-Plans und das Festhalten an Brüning entfremdet hatte.[22]

Das Verhältnis zu Brüning kühlte sich aber auch ab, weil Hindenburg sich zunehmend an der katholischen Konfession des Reichskanzlers stieß. Gewiß war Hindenburg kein Kulturkämpfer, der in jedem Zentrumspolitiker einen in jesuitischer Kasuistik geschulten verlängerten Arm der römischen Kurie erblickte. Gerade die aufrichtige Verehrung, die Hindenburg nicht zuletzt im katholischen Altbayern entgegengebracht wurde, hatte bei diesem die Auffassung verstärkt, daß die deutschen Katholiken vollgültige Mitglieder der deutschen Nation seien. Doch seine Vorstellung von Nation verriet noch insofern nationalprotestantische Anklänge, als er einen protestantischen Führungsanspruch in den Schicksalsfragen der deutschen Nation beanspruchte. Gerade weil er als exzellenter Kenner der preußischen und deutschen Geschichte in historischen Dimensionen dachte, war es für ihn schwer erträglich, daß die dank der Außenpolitik Brünings sich abzeichnende grundlegende Revision des Versailler Vertrags »vor der Geschichte mit dem Namen eines Katholiken verknüpft sein würde«.[23]

Warum aber hielt Hindenburg bis zum Mai 1932 überhaupt an Brüning fest und bildete nicht schon im Herbst 1931 eine Regierung, die seinen politischen Anschauungen entsprach? Was Brüning mehr als ein halbes Jahr schützte, war seine Unersetzlichkeit in außenpolitischer Hinsicht. Brünings Revisionspolitik trug nach dem Hoover-Moratorium vom Juni 1931 immer mehr Früchte, so daß eine mit dem Placet der Siegermächte des Weltkriegs versehene Einstellung der deutschen Reparationsverpflichtungen in greifbare Nähe rückte, was den Young-Plan zu Makulatur machte. Damit würde der Stein des Anstoßes aus dem Weg geräumt sein, der Hindenburgs Verhältnis zu seinen alten Weggefährten einer so harten Belastungsprobe ausgesetzt hatte. Dank der erfolgreichen Außenpolitik Brünings hätte Hindenburgs Haltung in der Young-Plan-Kontroverse damit eine eindrucksvolle Rehabilitation erfahren. Insofern war der Reichspräsident in sachlicher wie persönlicher Hinsicht gut beraten, das außenpolitische Ruder nicht herumzureißen und Brüning solange im Amt des Reichskanzlers zu belassen, bis die außenpolitische Ernte eingefahren war.[24] So war es nur folgerichtig, daß Brüning bei einer Kabinettsumbildung im Oktober 1931 auch noch den Posten des Außenministers übernahm.[25]

Letztlich profitierte Brüning jedoch von dem Umstand, daß die »nationale Opposition« im Oktober 1931 heillos zerstritten war und keine regierungsfähige

Alternative bieten konnte. Hindenburg signalisierte noch kurz vor der entscheidenden Abstimmung des Reichstags am 16. Oktober 1931 seine Bereitschaft, im Falle einer Abstimmungsniederlage Brünings eine Rechtsregierung zu berufen. Doch er knüpfte seine Bereitschaft an eine Bedingung, die Hugenberg und Hitler nicht erfüllen konnten: Sie sollten sich auf einen gemeinsamen Kanzlerkandidaten einigen und diesen dem Reichspräsidenten präsentieren.[26] Da beide die Führung in einem solchen Rechtskabinett anstrebten,[27] wiesen sie aus Hindenburgs Sicht die ausgestreckte Hand zurück, weil sie ihre parteiegoistischen Interessen nicht zurückzustellen vermochten.[28] Mit dem unnachgiebigen Pochen auf die Kanzlerschaft, die für Hindenburg Ausdruck eines ungezügelten Machtwillens war, disqualifizierten sich die selbsternannten »Führer« der »nationalen Opposition« für die große Aufgabe der vaterländischen Sammlung, die Hindenburgs politische Antriebskraft war und blieb. Am 14. Oktober 1931 stellte der Reichspräsident in einem Brief an seine Tochter nüchtern fest, daß die Rechte ihre Chance verpaßt habe, aber durchaus ein zweites Mal (falls geläutert und weiser geworden) Gelegenheit erhalten werde, Brüning zu beerben: »Hätte die Rechte nicht wiederholt abgesagt, dann wäre wohl schon alles in Ordnung; ich gebe aber die Hoffnung nicht auf, daß Ruhe und Einigkeit schließlich bei uns einkehren, wenn man einsehen wird, daß das Vaterland mehr bedeutet als die Partei.«[29]

Hitler hatte seine Aussichten auf die Kanzlerschaft darüber hinaus geschmälert, indem er dem Reichspräsidenten Auflagen machen und den Auftrag zur Regierungsbildung nur dann annehmen wollte, wenn er im Falle der Ablehnung einer von ihm gebildeten Regierung durch das Parlament vom Reichspräsidenten die Vollmacht zur Auflösung desselben erhielte. Es war leicht zu durchschauen, welches Kalkül dahinter stand: Die dann fälligen Neuwahlen würden der NSDAP einen immensen Stimmenzuwachs bescheren und Hitler – in Verbindung mit den anderen Rechtskräften – eine eigene parlamentarische Mehrheit, so daß er nicht mehr auf die präsidialen Vollmachten angewiesen war. Damit hätte der Reichspräsident aber einen wesentlichen Teil seiner Kontrollmöglichkeiten über die neue Regierung eingebüßt.[30] Hindenburg ließ sich auch diesmal nicht vorschreiben, wie er seine präsidialen Befugnisse einzusetzen habe. Schon Brüning hatte im Vorfeld der Reichstagssitzung vom Oktober keine bindende Zusage des Reichspräsidenten in bezug auf eine Parlamentsauflösung erhalten, weil Hindenburg sich nicht »eines bedeutsamen Teiles seiner Präsidialrechte entäußern«[31] wollte. Und was Hindenburg seinem bewährten Kanzler Brüning nicht zugestand, wollte er nicht zum Gegenstand eines politischen Tauschhandels mit Hitler und Hugenberg machen. Wenn er diese beiden denn schon mit der Regierungsbildung beauftragen sollte, dann konnten sie nicht auch noch mit bindenden Zusagen in punkto Reichstags-auflösung rechnen.[32]

Darüber hinaus türmten sich Hindernisse auf, die im persönlichen Bereich lagen. Es hätte den Reichspräsidenten ein Höchstmaß an Überwindung gekostet, den als starrsinnig geltenden Hugenberg zum Reichskanzler zu ernennen. Hugenberg hatte noch Öl ins Feuer gegossen und auf dem Reichsparteitag der DNVP in Stettin am 20. September 1931 eine Rede gehalten, die Hindenburg so auffaßte, als beschuldige Hugenberg ihn des Eidbruchs.[33] Der älteste Enkel des Feldmarschalls war unter den Zuhörern, als Hugenberg den Reichspräsidenten attackierte; und so erhielt dieser auf direktem Wege von diesem Vorfall Kenntnis. Umgehend bestellte er Oldenburg-Januschau ein und wies diesen an, Hugenberg zur Rede zu stellen. Der DNVP-Parteiführer gab klein bei, so daß »die Sache um des lieben Friedens willen beigelegt«[34] wurde; aber Hugenberg hatte den Reichspräsidenten wieder einmal verstimmt.[35]

Im Unterschied zum Geheimrat Hugenberg war Hitler für Hindenburg ein unbeschriebenes Blatt. Diesen politischen Aufsteiger konnte er keinesfalls auf Anhieb mit dem höchsten Regierungsposten betrauen, aber der Vorsitzende der NSDAP konnte ja noch reifen und sich so allmählich für die Reichskanzlerschaft qualifizieren. Bei der ersten persönlichen Begegnung am 10. Oktober 1931 wollte Hindenburg den NS-Parteiführer »beschnuppern« und herausfinden, ob dieser überhaupt für Regierungsämter tauge; Hitler erblickte in dieser Unterredung die Chance, die Einstellung Hindenburgs gegenüber der NS-Bewegung und seiner Person zu seinen Gunsten zu korrigieren. Doch zunächst mußte Hitler bei diesem Aufeinandertreffen psychologische Barrieren aus dem Weg räumen. Denn Hindenburg stellte den NS-Parteiführer zur Rede für persönliche Angriffe von Nationalsozialisten auf den Reichspräsidenten, die er als ungehörig empfand. Solche Vorkommnisse hatten sich ausgerechnet in Ostpreußen, dem Stammland der Hindenburg-Verehrung, zugetragen, wo der Feldmarschall den größten Teil des Juni und Juli 1931 zugebracht hatte. Er hatte in dieser Zeit das Hindenburg-Regiment in Lyck und das Schlachtfeld von Tannenberg besucht und bei diesen öffentlichen Auftritten registriert, daß sich zum ersten Male überhaupt in den Jubel der Bevölkerung Parteirufe von Nationalsozialisten mischten, die Hindenburg durch ihr »Deutschland, erwache!« zu verstehen geben wollten, daß seine Zeit abgelaufen sei.[36] Das Maß des Erträglichen war für Hindenburg überschritten, als ihm bei der Rückreise nach Berlin auf dem Bahnhof von Rosenberg am 14. Juli 1931 von jungen NS-Parteigängern provokativ »Deutschland, erwache!«[37] entgegengeschleudert wurde. Er verlor für einen Moment die Fassung, fuhr aus der Haut und hielt den jugendlichen Schreiern entgegen: »Heute regieren Männer und nicht Lümmel!«[38]

Nach Auffassung des Reichspräsidenten zeigten die jugendlichen Schreihälse keinen Respekt vor dem Alter. Noch schlimmer war, daß die Nationalsozialisten es anscheinend an jedem Sinn fehlten ließen für seine historischen Verdienste und ihn aufs politische Altenteil abschieben wollten. Hindenburgs Gefühlslage kommt besonders markant in einem Schreiben an seine ältere Tochter zum Ausdruck: »Was mich am meisten schmerzt und kränkt, ist das Mißverstandenwerden von einem Theile der Rechten, aber ich hoffe auch dabei, daß später Erkenntnis folgen wird, wie solches die Geschichte schon oft gezeigt hat (Stein, Bismarck, ohne mich mit ihresgleichen vergleichen zu wollen). Das Anpöbeln durch unreife Jugend, der die alte militärische Erziehung fehlt, stört mich weiter nicht, wie ich es in Lyck, Osterode, Rosenberg erleben mußte. Das war der Dank, daß ich die Russen verjagt und mit 84 Jahren noch für das Vaterland arbeite. Mit der Sorte hätte ich Tannenberg nicht schlagen können – doch ich will nicht bitter werden; es werden schon bessere Zeiten kommen!«[39]

Hindenburg ergriff nun die erste sich bietende Gelegenheit, Hitler eine Lektion zu erteilen: Sollte die NSDAP tatsächlich versuchen, ihn einfach beiseitezuschieben und an ihm vorbei an die Macht zu gelangen, dann würde sie es mit ihm als Gegner zu tun bekommen. Nur wenn Hitler zur Anerkennung der historischen Verdienste Hindenburgs bereit war, dem Reichspräsidenten die politische Regie überließ und damit zu der geforderten Einsicht gelangte, könnten bessere Zeiten anbrechen und könnte sich die Einigung der nationalen Rechten unter seiner Führung vollziehen. Solange Hitler aber im Alleingang die Regierungsgewalt erobern wollte, hatte er mit Hindenburg als Widersacher zu rechnen. Und daher wollte Hindenburg Hitler gleich beim ersten Aufeinandertreffen Grenzen setzen. Nachdem er dem NS-Parteiführer eine Stunde lang Gelegenheit gegeben hatte, seine politischen Vorstellungen darzulegen, verlangte er im Stile eines Kompaniechefs von dem ehemaligen Gefreiten Hitler Rechenschaft über die ungeheuerlichen Vorkommnisse in Ostpreußen und redete sich dabei in Rage.[40]

Hitler gelang es im Verlaufe der zweistündigen Unterredung jedoch, die atmosphärischen Störungen weitgehend auszuräumen. Der Gefreite des Weltkriegs ging dabei psychologisch äußerst geschickt vor, indem er Hindenburg von der militärischen Seite packte.[41] Der mit dem Eisernen Kreuz dekorierte Frontkämpfer, der nach Ansicht des Reichspräsidenten im Weltkrieg seine untadelige nationale Gesinnung unter Beweis gestellt hatte, trat mit Ehrerbietung vor den ehemaligen Generalfeldmarschall und schlug auf diese Weise eine kommunikative Brücke, wozu der ungediente Geheimrat Hugenberg nicht imstande gewesen war. Aufgrund des eklatanten Rangunterschiedes zwischen dem Feldmarschall und dem Gefreiten war es vermessen zu erwarten, daß Hindenburg schon beim ersten Zusammentreffen Hitler gewissermaßen das Offizierspatent verleihen und diesen damit für die Führung der Regierung als würdig erachten würde. Aber eine – um in der Terminologie Hindenburgs zu bleiben – Beförderung Hitlers zum Unteroffizier mit Portepee[42] sprang bei diesem ersten persönlichen Treffen doch heraus.

Hitler hat auf den Reichspräsidenten sichtlich Eindruck gemacht, indem er seine Vaterlandsliebe herausstrich[43] und im Namen der Frontsoldaten einen Kurswechsel einklagte: »Sie, die ihr Leben zur Rettung des Vaterlandes an der Front aufs Spiel gesetzt hätten, verlangten, nachdem alle Regierungen bisher versagt hätten, die Zügel selbst in die Hand zu nehmen.«[44] Hier klang bereits die Arbeitsteilung an zwischen dem Feldmarschall als verehrungswürdigem Symbol nationaler Einheit und dem Gefreiten als Repräsentanten der Frontkämpfergeneration und Vollender der von Hindenburg verkörperten Mission, die am 30. Januar 1933 Gestalt annahm. Erste Konturen dieses Arrangements schimmerten bereits am 10. Oktober 1931 durch, wenngleich Hitler sich zunächst weiter bewähren und gewissermaßen hochdienen mußte, bis ihm der Reichspräsident schließlich das höchste Kommando verlieh. Damit sich ein wirkliches Vertrauensverhältnis zwischen dem Marschall und dem Gefreiten einstellen konnte, hatte Hitler zudem noch die Hürde seiner Herkunft zu überwinden. Ihm haftete der Malus des geborenen Österreichers an, denn Hindenburg war wegen der Erfahrungen mit der Donaumonarchie im Krieg schlecht auf alles Österreichische zu sprechen.[45]

Nach dem Besuch war Hitler sichtbar in der Achtung des Reichspräsidenten gestiegen und zumindest in die Führungsreserve aufgenommen, wenn nach dem voraussehbaren Ablauf der Kanzlerschaft Brünings der höchste Regierungsposten frei wurde. Im Herbst 1931 kam eine solche Beförderung Hitlers aus Hindenburgs Sicht jedoch noch zu früh, weshalb er sich vorläufig mit einer kleinen Lösung – sprich einer Umbildung des Kabinetts Brüning – zufriedengab. Brüning gab dem Drängen Hindenburgs nach einer Rechtserweiterung der Reichsregierung insofern nach, als er die Demission seines Kabinetts einreichte und bei der Neubesetzung auf einige Minister verzichtete, die dem Reichspräsidenten nicht mehr zu vermitteln waren. Dazu zählte Innenminister Joseph Wirth, der als Exponent des linken Zentrumsflügels Hindenburg seit langem ein Dorn im Auge war. Anläßlich der offiziellen Feier zum Volkstrauertag im Jahr 1930 hatte der Reichspräsident Wirth vor dem Reichstagspräsidium zurechtgewiesen und diesem die angeblich unzureichende Beflaggung der öffentlichen Gebäude vorgehalten.[46] Aus politischer Klugheit schien es überdies geboten, das konfessionelle Mißtrauen Hindenburgs gegen die Regierung nicht noch mehr zu schüren. Weil es Hindenburg auf Dauer für untragbar hielt, daß fünf der neun alten Kabinettsmitglieder sich zum katholischen Glauben bekannten, hatte neben Wirth auch Verkehrsminister von Guérard (ebenfalls Zentrum) bei der Kabinettsumbildung seinen Platz räumen müssen, womit die Zahl der Katholiken auf drei schrumpfte (neben Reichskanzler Brüning noch Arbeitsminister Stegerwald und Postminister Schätzel).[47]

Der Reichspräsident schaltete sich bei der Besetzung der frei gewordenen Posten energischer ein als jemals zuvor. Als Kandidat für die Nachfolge Wirths wurde zunächst Otto Geßler gehandelt, der bereits zweieinhalb Jahre als Reichswehrminister reibungslos mit dem Reichspräsidenten zusammengearbeitet hatte. Als Hindenburg diesen auf Anraten Brünings im Vorfeld der Kabinettsumbildung zu einem Gespräch empfing, verlieh Geßler jedoch seiner tiefsitzenden Überzeugung Ausdruck, daß nur durch eine komplette Ausschöpfung der verfassungsmäßigen Befugnisse des Reichspräsidenten die Staatskrise zu überwinden sei. Dabei brachte er auch eine autoritäre Verselbständigung der Exekutive, gestützt auf die präsidialen Machtmittel, in Vorschlag.[48] Doch Hindenburg schreckte die Aussicht, seine Amtsautorität für diktaturähnliche Maßnahmen einzusetzen, welche in qualitativer Hinsicht die Anwendung des Artikels 48 bei weitem überstiegen. Die Betrauung Geßlers mit dem für Verfassungsfragen zuständigen Ministerium hatte sich damit erledigt.[49] Das Innenministerium ging kommissarisch an Reichswehrminister Groener, dem ein solcher verfassungspolitischer Ehrgeiz fehlte, obgleich er durchaus mit autoritären Lösungen liebäugelte; und vor allen Dingen stand er sich persönlich sowohl mit Hindenburg als auch mit Brüning gut.[50]

Bereits im Oktober 1931 war mithin abzusehen, daß Hindenburg den sich im Verlauf des Krisenjahres 1932 noch verstärkenden Überlegungen,[51] mit Hilfe der Präsidialgewalt und der Reichswehr die Staatsgewalt zu überhöhen, eine Absage erteilen würde. In diesem Kontext fügt sich auch sein Drängen, in das zweite Brüning-Kabinett prominente Vertreter der deutschen Wirtschaft aufzunehmen.[52] Er wollte damit keineswegs ökonomische Sonderinteressen prämieren und Repräsentanten großer Unternehmen einen privilegierten Zugriff auf das Handeln der Regierung einräumen. Aber angesichts der sich verschärfenden Wirtschaftskrise schien ihm die Einbindung von Wirtschaftsführern ein Gebot ökonomischer Notwendigkeit. Zudem sprach sein vorherrschendes Motiv – die Aufrechterhaltung seiner angeschlagenen persönlichen Autorität – für einen solchen Schritt. Denn je mehr die Zahl der Arbeitslosen anwuchs und je größer die soziale Notlage von Millionen Deutschen wurde, desto mehr geriet der Reichspräsident, der schließlich durch entsprechende Notverordnungen der Regierung Brüning die rechtliche Handhabe für eine strikte Austeritätspolitik zur Verfügung stellte, in die Kritik. Hindenburg registrierte voller Sorge, daß nicht mehr allein der »Hungerkanzler« Brüning zur Zielscheibe solcher Vorhaltungen wurde, sondern auch der Reichspräsident für die radikale Sparpolitik der Brüning-Regierung verantwortlich gemacht wurde. Seinen alten Kameraden Generaloberst von Einem fragte er bang: »Die Leute würden mich am liebsten wohl totschießen?«[53]

Daher war der Abbau der Massenarbeitslosigkeit für Hindenburg persönlich ein drängendes Anliegen.[54] Nach seinem groben Verständnis wirtschaftlicher Abläufe versprach am ehesten die Aufnahme ökonomischer Kompetenz in die Regierung Abhilfe. Deshalb kam für ihn in erster Linie ein Wirtschaftskapitän als Wirtschaftsminister in Frage, zumal dieses Amt seit Juni 1930 gar nicht ordentlich besetzt war und lediglich durch einen Staatssekretär vertreten wurde. Wie zielgerichtet Hindenburg auf eine solche Erweiterung der Regierung hinarbeitete, offenbart die Einbestellung des HAPAG-Chefs Wilhelm Cuno für den 5. Oktober 1931, also zwei Tage vor der Demission Brünings. Der politisch umtriebige Cuno sollte dem in Wirtschaftsfragen eher unkundigen Hindenburg ministrable Wirtschaftsführer benennen. Cuno brachte drei Männer für diverse Ministerämter in Vorschlag, so daß der Reichspräsident Brüning eine Namensliste überreichen konnte, die dieser abarbeiten mußte.[55]

Brüning führte den Auftrag des Reichspräsidenten aus, holte sich jedoch bei mehreren führenden Wirtschaftsvertretern einen Korb, da diese sich scheuten, einer angeschlagenen Regierung beizutreten. Außerdem lehnte Brüning es strikt ab, sich den Zugewinn herausragender Köpfe aus der Wirtschaft dadurch zu erkaufen, daß diese ihm das Aufweichen der Tariflöhne als Wirtschaftsprogramm verordnen wollten.[56] Aber es gelang ihm immerhin, mit Hermann Warmbold ein Mitglied des Vorstands der IG Farben als Wirtschaftsminister zu gewinnen, der insofern für seine neue Aufgabe gerüstet war, als er von Hause aus Agrarökonom war, nach dem Krieg kurzzeitig politische Erfahrungen als preußischer Landwirtschaftsminister gesammelt hatte und mithin prädestiniert war, exportorientierte industrielle und binnenmarktorientierte agrarische Interessen miteinander zu verbinden.[57]

Neben der Aufnahme von Wirtschaftsvertretern in das zweite Kabinett Brüning verlangte Hindenburg, einen Sachverständigenbeirat zu installieren, der beim Reichspräsidenten angesiedelt sein sollte. Bei dem am 21. Oktober 1931 etablierten Wirtschaftsbeirat handelte es sich um ein Novum, für das Hindenburg aus zwei Gründen plädiert hatte: Zum einen erhoffte er sich von diesem neuen Gremium eine institutionalisierte Kontaktpflege mit den Spitzenvertretern der Wirtschaft, womit zugleich ein Gesprächsfaden zu gesellschaftlichen Kräften geknüpft werden sollte, von denen ein Teil mit der »nationalen Opposition« sympathisierte. Hindenburg erblickte mithin »in diesem Beirat nach der nicht ganz gelungenen Verlängerung des Reichskabinetts nach rechts eine Art Wurmfortsatz nach rechts«.[58] Zum anderen entsprach ein solcher Beirat seinem Politikverständnis, wonach die oberste Aufgabe der von ihm verantworteten Politik die Aussöhnung widerstreitender Interessen war. Entgegen den Empfehlungen Cunos,[59] der den Wirtschaftsbeirat zu einem Organ allein ökonomischer Interessen ausbauen wollte, achtete Hindenburg darauf, daß auch Gewerkschaftsvertreter in dieses Gremium aufgenommen wurden (insgesamt sechs von 25 Mitgliedern). Er erblickte in dem Wirtschaftsbeirat also eine Einrichtung, die en miniature vorführen sollte, daß durch eine am vaterländischen Interesse ausgerichtete gemeinsame Kraftanstrengung ein Weg aus der Wirtschaftskrise gefunden werden konnte. Sein Credo drückte er anläßlich der konstituierenden Sitzung des Wirtschaftsbeirats in einer programmatischen Rede aus, der ersten nach gut anderthalb Jahren des öffentlichen Wegtauchens: »Ich erhoffe als Ergebnis dieser Zusammenarbeit wirtschaftlicher Sachverständiger und der Reichsregierung einen Ausgleich wirtschafts- und sozialpolitischer Gegensätze und eine Besserung der deutschen Wirtschaftsnot. Wenn diese schwere Aufgabe gelöst werden soll, dann darf jeder von Ihnen sich nur der Gesamtheit des deutschen Volkes und dem eigenen Gewissen verantwortlich fühlen, muß sich jeder innerlich loslösen von Gedanken an Gruppeninteressen und an Einzelrücksichten.«[60]

In Hindenburgs gestiegenem Interesse an ihm bislang eher fernstehenden wirtschaftspolitischen Fragen lag zugleich ein Auftrag an den Reichskanzler, das neue Instrument des Wirtschaftsbeirats zu nutzen und die drängenden Wirtschaftsprobleme energisch anzupacken,[61] unter anderem durch ein Wirtschaftsprogramm, das »die Arbeitslosigkeit zu mindern« hatte.[62] Daraus sprach die Absicht Hindenburgs, Brünings Leistungsbilanz auch daran zu messen, ob die Massenarbeitslosigkeit reduziert und damit öffentlicher Druck vom Reichspräsidenten genommen wurde, der schließlich mit den Notverordnungen der Regierung erst die rechtliche Handhabe für deren Wirtschafts- und Finanzpolitik lieferte.

Doch Brüning gedachte dem Wirtschaftsbeirat eine andere Funktion zuzuweisen als der Reichspräsident. Der Reichskanzler wollte nämlich keinesfalls zulassen, daß in dem neuen Gremium Vorschläge erarbeitet wurden, die seine finanz- und wirtschaftspolitische Leitlinie konterkarierten. Brüning hatte durch die schmerzhafte Konsolidierung der öffentlichen Haushalte dem Ausland erfolgreich den Eindruck vermittelt, daß das Deutsche Reich trotz aller Anstrengungen seine Reparationsverpflichtungen beim besten Willen nicht erfüllen könne. Mit dem Hoover-Moratorium war eine Entwicklung eingeleitet worden, die auf die faktische Abschaffung der Reparationen in absehbarer Zeit hoffen ließ. Brüning, dem die Früchte seiner Revisionspolitik zum Greifen nahe schienen, wollte im Oktober 1931 jeden Schritt vermeiden, der nach aktiver Konjunkturpolitik aussah und das Erreichen seines großen Ziels gefährden konnte. Daher suchte er den Wirtschaftsbeirat zu neutralisieren, was ihm auch gelang. Die erste Sitzung am 29. und 30. Oktober 1931 lief dank seiner geschickten Regie so ab, daß die Vertreter von exportorientierter Industrie, Landwirtschaft, Handel und Gewerkschaften ihre jeweiligen Sonderinteressen in den Vordergrund stellten und Brüning daraufhin ohne Schwierigkeiten eine Agenda vorgeben konnte, welche der Erhaltung der Währungsstabilität Priorität einräumte und allen Bestrebungen nach Ankurbelung der Binnennachfrage durch die öffentliche Hand den Boden entzog. Die Abarbeitung dieser Agenda übertrug Brüning vier Ausschüssen des Wirtschaftsbeirates, deren Mitglieder er vorsichtshalber selbst benannte.[63]

Der Wirtschaftsbeirat war damit als Ideengeber lahmgelegt und flankierte lediglich die Brüningsche Wirtschafts- und Finanzpolitik, deren starres Festhalten an der Konsolidierung der öffentlichen Haushalte angesichts der zunehmenden Arbeitslosigkeit immer stärkerer fachlicher Kritik ausgesetzt war.[64] Letztlich sollte der Wirtschaftsbeirat nur Brünings Kurs absichern, der in die vierte – und gleichzeitig letzte – »Notverordnung zur Sicherung von Wirtschaft und Finanzen« vom 8. Dezember 1931 mündete. Neben der Einführung des neuen Instruments einer institutionalisierten Preisüberwachung sah diese Notverordnung unter anderem die Erhöhung der Umsatzsteuer um zwei Prozent sowie eine merkliche Kürzung der Gehälter, Pensionen, Renten und Löhne aller im öffentlichen Dienst Beschäftigten vor.[65] Hindenburg hat auch diese Notverordnung unterzeichnet, obgleich ihm bewußt war, daß die darin enthaltenen Sparmaßnahmen eher auf öffentliches Unverständnis denn auf Zustimmung stoßen würden.[66]

Für die rein legitimatorische Funktion des Wirtschaftsbeirats spricht auch seine kurze Lebensdauer von nicht einmal vier Wochen. Bereits am 23. November 1931 fand die abschließende Sitzung statt, auf der Brüning den Wirtschaftsbeirat als Kronzeugen dafür heranzog, »daß jegliche Maßnahmen inflationistischen Charakters entschieden abzulehnen« seien,[67] was in seinem Sprachgebrauch gleichzusetzen war mit einer strikten Ablehnung jeder kreditfinanzierten Ankurbelung der Binnennachfrage.

Brüning hat sich durch die Instrumentalisierung des Wirtschaftsbeirats zweifellos so exponiert, daß ausbleibende Erfolge bei der Senkung der Arbeitslosigkeit
aus Sicht des Reichspräsidenten auf den Kanzler zurückfielen und jederzeit gegen
ihn verwandt werden konnten, wenn Hindenburg eine elegante Lösung suchte,
sich von Brüning zu trennen. Schon im Vorfeld der abschließenden Sitzung des
Wirtschaftsbeirats hat Hindenburg durchblicken lassen, daß die Arbeit dieses Gremiums seine Erwartungen nicht erfüllt habe.[68] Auch wenn der Wirtschaftsbeirat
nur ein kurzes Intermezzo gegeben hatte, verfügte der Reichspräsident immer
noch über ein Druckmittel: den neuen Wirtschaftsminister Warmbold. Dieser personifizierte den vom Reichspräsidenten gewünschten wirtschaftlichen Sachverstand und stand zudem dem rigorosen Sparkurs Brünings so skeptisch gegenüber,
daß er die Mitunterzeichnung der vierten Notverordnung am 8. Dezember 1931
verweigert hatte.[69] Eine Demission Warmbolds wegen unüberbrückbarer wirt-
schaftspolitischer Gegensätze würde Brüning über kurz oder lang zu Fall bringen.[70]

Nach eigenem Bekunden[71] hat Brüning dem Wirtschaftsbeirat nur eine einzige Aufgabe zugedacht, nämlich den Vertretern der Wirtschaft vorzuführen, daß
Hindenburg sein Amt trotz seines hohen Alters uneingeschränkt ausüben könne
und einer zweiten Amtszeit keine gesundheitlichen Bedenken entgegenstünden.
Damit war zugleich die entscheidende Frage berührt, die zu Ende des Jahres 1931
einer befriedigenden Antwort harrte: Würde Hindenburg tatsächlich für eine Verlängerung der im Frühjahr 1932 auslaufenden Reichspräsidentschaft zu gewinnen
sein? Hindenburgs im Herbst 1931 neu entfachter politischer Gestaltungswille hatte
zum Ausdruck gebracht, daß er bereit war, von der Position des Reichspräsidenten
aus den Übergang zu der von ihm herbeigesehnten Regierung der »nationalen
Konzentration« zu moderieren. Da die damit verbundene Ablösung Brünings als
Reichskanzler kurzfristig nicht zu realisieren war, hatte Hindenburg nun zu erwä-
gen, ob er für eine Übergangszeit das Präsidentenamt weiter ausüben wollte. Die
Klärung der sich daraus ergebenden Modalitäten sollte die Zeit von Dezember 1931
bis Mitte Februar 1932 ausfüllen und die Möglichkeit unterschiedlicher politischer
Kombinationen eröffnen.

Der Reichspräsident

Berlin, den 16. Februar 1932.

Ich erkläre hiermit, dass ich der Aufnahme meines Namens in den "Wahlvorschlag Hindenburg" für die Reichspräsidentenwahl 1932 zustimme.

von Hindenburg

Bewerbung um die Reichspräsidentschaft

KAPITEL 27

Zwischenlösung: erneute Präsidentschaftskandidatur

Im Dezember 1931 fand Hindenburg allmählich Geschmack an der Vorstellung, für eine Übergangsperiode weiterhin als Reichspräsident zu amtieren. In dieser Zeit sollte unter seiner Aufsicht eine »nationale Konzentrationsregierung« gebildet werden, in der sich die zur inneren Einigung der deutschen Nation aus seiner Sicht unentbehrlichen Kräfte versammelten. Seinen »unerschütterlichen Glauben« an die Verwirklichung »schicksalsverbundener Einigkeit« bekundete er in einer Rundfunkansprache zu Silvester des Jahres 1931.[1] Es war das erste Mal, daß Hindenburg sich über den Rundfunk an das deutsche Volk wandte. Jedes Wort war wohlüberlegt und die Ansprache so gestaltet, daß darin seine politische Kernbotschaft zum Ausdruck kam.[2]

Hindenburg befand sich in der komfortablen Situation, die Modalitäten seines Verbleibens im Präsidentenamt selbst bestimmen zu können. Der verfassungspolitische Spielraum ließ nämlich nicht nur die sich zuerst aufdrängende Möglichkeit – ein Antreten Hindenburgs bei der fristgerecht im Frühjahr 1932 stattfindenden Volkswahl des Reichspräsidenten – zu. Es kam auch eine Verlängerung der Amtszeit mit verfassungsändernder Zweidrittelmehrheit im Reichstag in Frage, eine Variante, die man bereits 1922 bei der Verlängerung der Amtszeit Eberts gewählt hatte.[3] Hindenburg machte im vertrauten Kreis kein Hehl daraus, daß er nur dann erneut zur Verfügung stehe, wenn ihm eine zweite Volkswahl erspart bliebe.

Es waren nicht nur die Beschwerden des Alters, die Hindenburg vor einer Wahlkampagne um das Präsidentenamt zurückschrecken ließen. Nicht zuletzt spielte eine Rolle, daß er in seiner Eigenschaft als nationales Symbol nicht in Wahlkampfauseinandersetzungen hineingezogen werden wollte. Denn es bestand die Gefahr, daß sein ohnehin schon angekratzter Mythos eine offene Wahlschlacht nicht unbeschadet überstehen würde, vor allen Dingen dann nicht, wenn die Nationalsozialisten einen Gegenkandidaten aufboten. Diese würden es wohl darauf anlegen, Hindenburg an seiner sensibelsten Stelle zu treffen, und sein Verhalten am 9. November 1918 zum Wahlkampfthema erheben. Zwar hatte es Hindenburg dank seiner Autorität bislang verstanden, eine öffentliche Debatte über seine Verantwortung für die Flucht des Kaisers zu verhindern. Doch es gab reichlich Material und auch Zeugen, die Hindenburg hier in Bedrängnis bringen konnten. Unter anderem war mittlerweile eine sorgfältig ausgearbeitete Darstellung »Revolution von oben – Umsturz von unten« des Majors Alfred Niemann erschienen, eines ehemaligen Offiziers im Großen Hauptquartier, der sich nicht durch eine Unterschrift unter das von Hindenburg redigierte Protokoll vom Juli 1919 der Möglichkeit beraubt hatte, in dieser heiklen Frage Nachforschungen anzustellen, die Hindenburg höchst unangenehm sein mußten. Niemanns Werk zeichnete sich durch einen reichhaltigen Dokumentenanhang aus, der bei unbefangener Lektüre sehr wohl den Eindruck vermitteln konnte, Hindenburg sei wesentlich stärker an dem Übertritt des Kaisers in die Niederlande beteiligt gewesen, als er nach und nach eingestanden hatte. Zorn hatte beim Reichspräsidenten vor allem der Umstand erweckt, daß der Version des Grafen von der Schulenburg, des Chefs der Heeresgruppe Kronprinz, in dieser Dokumentation breiter Raum zugestanden worden war.[4] Er bedachte Schulenburg, der politisch überaus rege war und sich bei der DNVP, später bei der Konservativen Volkspartei betätigte, seither mit ostentativer Mißachtung.[5]

Im Jahr 1925 hatte Hindenburg als einmütiger Kandidat der vereinigten Rechten ein Aufwühlen seiner Vergangenheit nicht befürchten müssen. Doch sieben Jahre später war in einer veränderten politischen Konstellation durchaus damit zu rechnen, daß die Rechte ihn nun an seiner geschichtspolitischen Achillesferse packte.[6] Daher bestand Hindenburg zunächst darauf, daß er nicht um das Amt zu kämpfen brauche, sondern daß es ihm »als eine vollendete Tatsache in seine Hände gelegt werden«[7] müsse.

Einer derartig konfliktfrei arrangierten weiteren Amtszeit konnte der Reichspräsident durchaus Reize abgewinnen. Diese lagen nicht nur in der Perspektive, auf diese Weise die politische Entwicklung in dem gewünschten Sinne steuern und die angestrebte Versöhnung aller »nationalgesinnten« Kräfte herbeiführen zu können. Auch pekuniäre Aspekte dürften eine nicht ganz zu unterschätzende Rolle gespielt haben. Der Reichspräsident war der höchstbezahlte Beamte des Reiches mit etwa doppelt so hohen Bezügen wie der Reichskanzler. Seit 1926 stand ihm ein Jahresgehalt von 60 000 Reichsmark sowie eine Aufwandsentschädigung von 120 000 Reichsmark zu;[8] zudem konnte er seine Dienstwohnung in der Wilhelmstraße 73 kostenlos nutzen. Die von der Brüning-Regierung verordnete Kürzung der Gehälter ging an ihm zwar nicht spurlos vorbei, weil der Reichspräsident hier nicht zurückstehen wollte: Am 1. November 1930 verzichtete Hindenburg auf 20 Prozent seiner Ge-

haltsbezüge; von 1932 an ergab sich bei Einrechnung der bis dahin vorgenommenen Kürzungen der Beamtengehälter noch ein Jahresgehalt des Reichspräsidenten
von 37 800 Reichsmark.[9] Die Aufwandsentschädigung dagegen blieb unangetastet.
Doch selbst mit dem geringeren Gehalt war Hindenburg durchaus in der Lage, weniger gut betuchten Familienangehörigen äußerst kräftig unter die Arme zu greifen.
Der Familienmensch Hindenburg ließ seit 1925 jedem seiner drei Kinder monatlich 500 Mark zukommen. Auch seinem Bruder Bernhard, dessen literarische Betätigung sich nur unzureichend in Mark und Pfennig niederschlug, half er mit
etwa 200 Reichsmark monatlich aus. Als der mittlere Sohn Irmengards, Hans-
Henning von Brockhusen, das Studium aufnahm, beteiligte sich der Großvater mit
200 Mark an den Kosten.[10] Der durchschnittliche Monatsverdienst eines Beschäftigten im Steinkohlenbergbau lag 1931 bei 162 Reichsmark;[11] die knapp 2000 Mark,
die Hindenburg Monat für Monat dem engsten Familienkreis zuführte, hatten also
einen ganz erheblichen Wert.

Für sein Lieblingskind Irmengard engagierte sich der Reichspräsident aber
noch darüber hinaus und zahlte ihr eine nicht unbeträchtliche Summe des ihr zustehenden Erbteils von etwa 80 000 Reichsmark aus. Allem Anschein nach war die
seit 1928 verwitwete Tochter mit der Bewirtschaftung des ihr zugefallenen Gutes
Groß-Justin überfordert, so daß erhebliche finanzielle Lücken entstanden, die
Hindenburg mit mehr als 30 000 Reichsmark aus der Erbmasse notgedrungen
stopfte. Er verstand dies als eine selbstverständliche väterliche Verpflichtung,
mahnte seine Tochter aber, die Kosten für den Haushalt zu senken und beispielsweise Personal einzusparen.[12]

Das Geld, das Hindenburg seiner Familie zuführte, fehlte andererseits zur Finanzierung dringend erforderlicher Modernisierungen an dem Familiengut in
Neudeck. Zwar hatte die deutsche Industrie ihm den Familienbesitz geschenkt und
auch für eine Erneuerung der heruntergekommenen Wirtschaftsgebäude gesorgt.
Doch der Wirtschaftsbetrieb erforderte Investitionen in neue Anlagen, die Hindenburg aus eigener Kraft zu bewältigen hatte. Beim Ausscheiden aus dem Amt
drohten ihm daher nicht unerhebliche finanzielle Engpässe, »dann könnte er z. B.
seinen Kuhstall in Neudeck nicht vollenden«.[13] Auf jeden Fall würde er mit der
ihm dann zustehenden Pension Kinder, Bruder und Enkelkinder nicht mehr unterstützen sowie den erheblichen Investitionsbedarf in Neudeck aus dem laufenden Einkommen decken können.[14] Für zwölf Monate stand ihm noch ein Über-
gangsgeld in Höhe von 75 Prozent der bisherigen Bezüge zu, umgerechnet auf das
letzte Jahresgehalt von 37 800 Reichsmark ein monatlicher Betrag von 2362,50 Reichsmark. Danach erhielt er die als Ehrensold deklarierte Pension, die sich auf die

Hälfte der alten Bezüge, mithin monatlich 1575 Reichsmark, belief.[15] Die Aufwandsentschädigung entfiel generell. Die deutliche Minderung seines monatlichen Einkommens hat sicher dazu beigetragen, daß Hindenburg sich nicht mehr länger gegen eine zweite Amtszeit sperrte, wenn er zu seinen Konditionen gerufen werden sollte: »Hält man mich für unbedingt nöthig, so muß ich anstandshalber bleiben.«[16]

Hindenburg offenbarte wieder einmal seinen ungebrochenen herrschaftlichen Anspruch. Sein Verhalten glich haargenau der Vorgeschichte seiner ersten Kandidatur im Jahre 1925, als er sich erst nach längerem Hin und Her durchgerungen hatte, das Amt des Reichspräsidenten anzustreben. Aber er hatte dabei klare Bedingungen gestellt, denen sich seine Unterstützer zu beugen hatten; knapp sieben Jahre später wollte er ebenfalls nur zu seinen Bedingungen erneut kandidieren. Er hatte sechs Punkte notiert,[17] auf deren Erfüllung er pochte, ehe er offiziell seine Bewerbung verkünden ließ. Die wichtigste Kondition war für ihn, daß er nicht Gegenstand parteipolitischer Auseinandersetzung werden dürfe. Weiterhin mußte ihm zugestanden werden, daß nur er allein den Zeitpunkt seines Ausscheidens aus dem Präsidentenamt bestimmte. Gewiß sah er ein, daß ein fast 85jähriger wohl kaum die volle Amtsdauer von sieben Jahren würde ausfüllen können. Aber er wollte seine herrscherliche Hoheit nicht einschränken, indem er sich auf eine Amtszeit von lediglich ein oder zwei Jahren einließ, sondern bestand auf der siebenjährigen Amtsperiode.[18] Dies gestattete ihm den Rücktritt vom Amt, sobald die Sammlung der »nationalen Kräfte« erfolgt und vor allen Dingen sein Wunschnachfolger gefunden war. Überdies wollte Hindenburg seine Autorität nicht dadurch antasten lassen, daß die Reichstagsfraktionen ihre Zustimmung zur Verlängerung seiner Amtszeit von der Gewährung politischer Konzessionen abhängig machten[19] – eine Auflage, die sich nicht zuletzt an die Parteien der »nationalen Opposition« richtete. Hindenburg maß die Regierungsfähigkeit speziell der Nationalsozialisten daran, daß diese sich ihm ohne weitreichende Vorbedingungen zur Verfügung stellten.

Durch das Eingehen auf die Bedingungen Hindenburgs konnte Hitler die Anwartschaft auf seine Regierungsbeteiligung zum nächstbesten Termin erwerben. Der NSDAP fiel nämlich eine Schlüsselrolle bei der Verlängerung der Amtszeit des Reichspräsidenten auf parlamentarischem Wege zu, da ihre Stimmen und nicht unbedingt die der DNVP-Fraktion unentbehrlich waren für die erforderliche Zwei-Drittel-Mehrheit, das strikte Nein der KPD und eine Zustimmung der hinter der Brüning-Regierung stehenden Fraktionen inklusive der SPD einmal vorausgesetzt. Für Hindenburg war die Haltung der NSDAP zur Frage seiner Amtsverlängerung

ein Testfall dafür, ob die Partei bereit war, sich der Erfüllung einer nationalen Gemeinschaftsaufgabe unterzuordnen und alle parteitaktischen Überlegungen, die
sich in Richtung eines eigenen nationalsozialistischen Kandidaten für dieses Amt
bewegten, beiseite zu lassen. Sollte die Hitlerpartei ihm auf parlamentarischem
Weg zu einer neuen Amtszeit verhelfen, dann wollte und konnte er ihr eine Regierungsbeteiligung zum nächstmöglichen Zeitpunkt nicht verwehren. Hindenburg
war fest entschlossen, Brüning zu entlassen, sobald dieser seine Schuldigkeit getan
hatte und auf einer zunächst für Frühjahr 1932 angesetzten internationalen Konferenz in Lausanne die Einstellung der Reparationszahlungen erreicht war. Nach
eigenem Bekunden hat er diesem auch »angedeutet, daß seine Zeit abgelaufen sei,
wenn er aus Lausanne wiederkehrt«.[20]

Mit der Verlängerung der Amtszeit regelten sich für Hindenburg mithin zwei
Dinge auf elegante Weise: Er selbst blieb in einer Position, von der aus er die politische Entwicklung in seinem Sinne zu steuern vermochte. In persönlicher Hinsicht
war damit sogar ein Gewinn an öffentlichem Ansehen verknüpft. Denn eine Zustimmung der »nationalen Opposition« zu diesem Plan verpflichtete insbesondere
die Nationalsozialisten, von Angriffen gegen seine Person abzusehen, so daß seine
offene geschichtspolitische Flanke abgesichert war. Zum anderen demonstrierten
die Nationalsozialisten durch das Eingehen auf seine Bedingungen ihre Regierungsfähigkeit, so daß Hindenburg seinem Ziel einer Aufnahme der Rechten in die
Regierung einen entscheidenden Schritt näher rückte.

Der Reichspräsident ging nun daran, seine Wunschkonstellation herbeizu-
führen. Am 11. Dezember 1931 empfing er Hermann Göring, Hitlers Statthalter in
Berlin, um vorzufühlen, ob die Hitlerpartei für seinen Plan empfänglich sei.[21]
Göring versicherte dem Reichspräsidenten, daß auf Weisung Hitlers die gerügten
»Belästigungen« des Reichspräsidenten durch nationalsozialistische Anhänger unter strengste Bestrafung gestellt worden seien. Der Verbindungsmann Hitlers ließ
aber vor allem durchblicken, daß die NSDAP »eine Wiederwahl oder ein längeres
Verbleiben des Herrn Reichspräsidenten im Amte begrüßen würde«.[22] Diese Aus-
kunft bestärkte Hindenburg, jene politischen Kräfte in einer Regierung zu versammeln, die seiner Ansicht nach zusammengehörten, weil sie »doch vom selben
Fleisch und Blut«[23] seien.

Aus Hindenburgs Sicht waren damit die Voraussetzungen geschaffen, um
nähere Erkundigungen bei Hitler selbst einzuholen. Bezeichnenderweise beauftragte er damit nicht den Reichskanzler, sondern seinen alten Weggefährten Groener, was die angeschlagene Position Brünings beleuchtet.[24] Als Groener noch im
Dezember 1931 die prinzipielle Bereitschaft Hitlers, sich auf eine parlamentarische

Verlängerung der Amtszeit Hindenburgs einzulassen, meldete,[25] übertrug der Reichspräsident Brüning am 5. Januar 1932 die Aufgabe, ihm die endgültige Zustimmung der Rechten zu seinen Konditionen und damit die Garantie für eine Verlängerung seiner Amtszeit zu verschaffen. Hindenburg mutete Brüning damit eine Mission zu, die, egal wie sie ausging, die Stellung des Reichskanzlers weiter untergraben mußte: Wenn er das Placet Hitlers mitbrachte, hatte er dazu beigetragen, seine Kanzlerschaft zur Disposition zu stellen und an seiner eigenen Ablösung mitgewirkt. Brüning wußte das,[26] aber die Inkarnation preußischen Pflichtbewußtseins ließ sich dennoch nicht abhalten, diesen Auftrag pflichtgetreu zu erfüllen. Sollten seine Bemühungen dagegen fehlschlagen, fiel das Mißlingen ganz auf ihn zurück, und der Reichspräsident besaß einen weiteren Grund, sich von seinem Reichskanzler bei nächster Gelegenheit schmerzlos zu trennen.

Hindenburg konnte also beruhigt zusehen, wie Brüning nach dem 5. Januar 1932 in einer Serie von Besprechungen Hitler und Hugenberg auf eine definitive Unterstützung der zweiten Amtszeit des Feldmarschalls festzulegen suchte. Es war nicht nur Loyalität zu Hindenburg, die Brüning unter einem hohen Maß an Selbstverleugnung die Gespräche mit allen politischen Lagern führen ließ, wobei er auch seinen sozialdemokratischen Gesprächspartnern nicht verhehlte, daß eine von Hitler und Hugenberg mitgetragene Verlängerung der Amtszeit Hindenburgs einen Regierungswechsel zur Folge haben werde.[27] Brüning ließ sich von einem politischen Kalkül leiten, das zugleich ein bezeichnendes Licht auf den Reichspräsidenten wirft: Eine Verlängerung der Amtszeit Hindenburgs bedeutete, daß die Nationalsozialisten dieses wichtigste Staatsamt nicht über eine Volkswahl aus eigener Kraft eroberten; damit ließen sie sich auf eine Teilung der Macht ein.[28] Insgeheim hegte Brüning aber die Hoffnung, daß Hitler keinen Kompromiß eingehen und durch eine Absage Hindenburg so gegen die Nationalsozialisten aufbringen werde, daß die Regierung mit Unterstützung des Reichspräsidenten die Nationalsozialisten mit allen staatlichen Mitteln bekämpfen konnte.[29]

Möglicherweise ließ sich Brüning bei seinem Drängen auf eine Verlängerung der Amtszeit Hindenburgs noch von einem weiteren Motiv leiten: Der Reichskanzler glaubte, nur mit Hindenburgs Hilfe seinem politischen Fernziel näher zu kommen, nämlich der Wiederherstellung der Monarchie. Brüning hat sich während seiner Amtszeit über solche weitreichenden Pläne weitgehend ausgeschwiegen, was zu seinem Politikstil paßt.[30] Verbürgt ist aber, daß er im Frühjahr 1933 entsprechende Absichten hegte.[31] Es spricht manches dafür, daß er sich auch während seiner Kanzlerschaft von solchen Absichten leiten ließ, wenngleich nicht auszuschließen ist, daß er in der Retrospektive die Ernsthaftigkeit derartiger Pläne überzeichnete.[32] Nach seinen Erinnerungen, deren Quellenwert aufgrund der zeitlichen Nähe der ersten Niederschrift zu den Ereignissen als außerordentlich hoch einzuschätzen ist,[33] hat Brüning dem Reichspräsidenten die entsprechenden Pläne am detailliertesten offenbart. Da die Realisierung solcher Absichten überhaupt nur mit der Autorität Hindenburgs vorstellbar war, ist es durchaus pausibel, daß der Reichskanzler zuvörderst den Reichspräsidenten in solche Vorhaben einweihte. Da keine weiteren Zeugnisse über die Vieraugengespräche zwischen Hindenburg und Brüning zur Verfügung stehen, sollte man sich zunächst an Brünings retrospektive Darstellung dieser Unterredungen halten. Die nicht unwahrscheinlichen Restaurationsabsichten Brünings sind insofern aufschlußreich, als sie einmal mehr Hindenburgs ambivalentes Verhältnis zu den an ihn herangetragenen restaurativen Vorhaben beleuchten. Hindenburgs Reaktion auf den Vorstoß seines Reichskanzlers bringt schlagartig zum Ausdruck, daß für Hindenburg nicht die Wiedererrichtung der Monarchie, sondern die innere Einigung der deutschen Nation, bei der er sich selbst als unentbehrlich einstufte, eindeutig Vorrang besaß.

Folgt man Brünings Darstellung, so hat er Hindenburg gegenüber zweimal das Thema einer Wiederherstellung der Monarchie konkret angeschnitten. Vor allem von Bedeutung ist hier die Rolle, die dem Reichspräsidenten zufallen sollte. Brüning griff nämlich eine Konstruktion auf, die schon im Frühjahr 1931 in politischen Zirkeln erörtert worden war: die Reichsverweserschaft. Sobald Hindenburgs Amtszeit mit verfassungsändernder Reichstagsmehrheit verlängert war, sollte der Reichspräsident anstreben, auf demselben Weg von Reichstag und Reichsrat zum Reichsverweser ernannt zu werden mit der Maßgabe, die Regentschaft zu übernehmen, bis einer der beiden ältesten Söhne des Kronprinzen regierungsfähig sei.[34]

Brüning hatte sich damit einem Restaurationskonzept verschrieben, das in zweierlei Hinsicht bemerkenswert ist. Zum einen sah es eine eindeutige Option in der leidigen Frage des Thronprätendenten vor: Da sowohl Kaiser wie Kronprinz politisch und persönlich zu belastet waren, konnte nur ein Rückgriff auf einen der Söhne des Kronprinzen in Frage kommen. Zum anderen wählte Brüning einen strikt verfassungsmäßigen Weg. Die Söhne des Kronprinzen, Wilhelm und Louis Ferdinand, hatten noch nicht das vorgeschriebene Alter von 35 Jahren erreicht, das ein Kandidat für das höchste Staatsamt vorweisen mußte. Brüning schloß daher die Möglichkeit aus, daß ein Hohenzoller für das Präsidentenamt kandidieren und auf diese Weise nach dem Vorbild Napoleons III. die Monarchie wiederherstellen könnte. Das Mitglied des Hauses Hohenzollern, das eifrig mit dieser Möglichkeit liebäugelte, war Kronprinz Wilhelm, der aber aus Brünings Sicht untragbar war.

Wenn der Weg zur Wiederherstellung der Monarchie also nicht über die direkte Besetzung des Präsidentenamtes durch einen Hohenzollern führen konnte, stand nur noch die Konstruktion der Reichsverweserschaft offen. Hindenburg fiel es dann zu, für eine Übergangszeit als Treuhänder der Monarchie zu amtieren, bis einer der Kronprinzensöhne für den Eintritt in seine monarchische Aufgabe gerüstet war. Ein überzeugter Monarchist, für den die Restauration der Monarchie kein politisch folgenloses Lippenbekenntnis war, hätte Brünings Vorschlag begeistert aufgenommen. Brüning hat zumindest eine zustimmende Reaktion erwartet und war daher höchst irritiert, als Hindenburg abwinkte und eine »merkwürdige Gleichgültigkeit«[35] in dieser Angelegenheit offenbarte.

Hindenburgs Reserviertheit ist nicht verwunderlich, wenn man bedenkt, welchen erheblichen Eingriff in Hindenburgs Souveränität Brünings Vorschlag bedeutete. Indem Brüning den Reichspräsidenten zum Reichsverweser machen wollte, zwang er ihm eine ganz bestimmte Nachfolgeregelung auf, nämlich die Ablösung durch einen Hohenzollern als künftigen Monarchen. Damit mißachtete er Hindenburgs Maxime, der sich berufen fühlte, selbst einen Nachfolger auszuwählen und auf dem Wege der Designation dem deutschen Volk zu empfehlen. Überdies setzte sich Brüning über das inhaltliche Anforderungsprofil des Reichspräsidenten hinweg: Der Wunschnachfolger hatte den politischen Lebenstraum Hindenburgs, die Verwirklichung der »Volksgemeinschaft«, zu vollenden; der Kandidat mußte also danach ausgewählt werden, ob er zur Erfüllung dieser nationalen Aufgabe taugte. Wenn damit monarchische Nebenabsichten verbunden waren – wie im Falle des in die engere Wahl gezogenen Herzogs Adolf Friedrich zu Mecklenburg –, war dies Hindenburg gewiß lieb. Nach seiner Ansicht konnte man die Restauration der Monarchie aber nicht zum obersten Ziel erklären, wenn dadurch der »nationalen Wiederauferstehung« des deutschen Volkes kein Dienst erwiesen, sondern vielmehr ein neuer Konflikt in die ohnehin tief gespaltene deutsche Gesellschaft hineingetragen würde.

Das erklärt, warum Hindenburg auf Brünings Ausführungen so kalt reagierte und die monarchistischen Avancen ihn gar nicht lockten. Die Reichsverweserschaft, die seine Reichspräsidentschaft limitierte und politisch entwertete, wurde ihm zudem in Aussicht gestellt, nachdem er sich gerade erst nach schweren inneren Kämpfen für eine Fortführung des Präsidentenamtes über die gesamte Amtszeit entschieden hatte, weil er seiner Herrschaft kein Verfallsdatum aufstempeln lassen wollte. Reichsverweserschaft und Reichspräsidentschaft standen für Hindenburg also in einem unauflöslichen Spannungsverhältnis, und daher mußten ihn alle Vorschläge in punkto Reichsverweserschaft verstimmen. Aus diesem Grund waren auch entsprechende Überlegungen Hitlers[36] für Hindenburg nicht akzeptabel, weil er darin den durchsichtigen Versuch erblickte, an der herrschaftlichen Autorität des Reichspräsidenten zu rütteln.

Überdies verstand sich Hindenburg nicht als Treuhänder einer momentan nicht handlungsfähigen Monarchie, sondern als »Treuhänder des ganzen deutschen Volkes«.[37] Gegenüber Brüning griff er zudem zu einem Argument, das zum Standardrepertoire zählte, wann immer das Thema einer monarchischen Restauration ernst zu werden drohte. Schon gegenüber dem in dieser Hinsicht drängenden Cramon hatte Hindenburg stets versichert, daß sein Herzenswunsch eine Wiederherstellung der Monarchie mit Wilhelm II. an der Spitze sei.[38] Als Brüning ihm seinen Königsweg zur Restauration der Monarchie darlegte, verschanzte sich Hindenburg sogleich hinter einem starren Legitimismus und wies alle Vorstellungen zurück, daß ein anderes Mitglied des Hauses Hohenzollern den Thron besteigen dürfe.[39] Er unterband letztlich jeden ernsthaften Versuch einer monarchischen Restauration, indem er ihn an die Erfüllung einer Forderung knüpfte, die nur noch von einer kleinen Schar strenger Legitimisten erhoben wurde. Hindenburg konnte damit sein Gewissen beruhigen, aber letztlich kam es nur darauf an, daß er sich durch die Festlegung auf eine vollkommen unrealistische Variante der Restauration elegant jeder Verpflichtung zu politischer Aktivität entledigte, nach aussichtsreicheren Lösungen zu suchen, die alle auf Kosten seiner herrscherlichen Autorität gingen.

Am 6. Januar 1932 setzten die Verhandlungen der Reichsregierung mit den Spitzen von NSDAP und DNVP ein. Bald schon kristallisierte sich heraus, daß beide Rechtsparteien der parlamentarischen Verlängerung der Amtszeit Hindenburgs eine Absage erteilen würden, weil sie sich nicht ohne Vorbedingungen darauf einlassen wollten.[40] Während die im Wähleraufwind befindliche NSDAP eine Reichstagsauflösung mit anschließender Neuwahl anstrebte, mußte die DNVP das Votum der Wähler fürchten und favorisierte daher einen Kanzlerwechsel ohne Neuwahl. Um Hindenburg keine allzu schroffe Absage zu erteilen und um vor allen Dingen Brüning zum Schuldigen zu stempeln, verschanzten sich Hitler und Hugenberg hinter verfassungsrechtlichen Bedenken.[41] Nach knapp einer Woche bestätigte sich, was Brüning einkalkuliert hatte: NSDAP und DNVP waren nicht ohne Vorleistungen des Reichspräsidenten bereit, diesem entgegenzukommen. Sie belauerten sich dabei gegenseitig, weil jede Gruppierung befürchtete, daß die andere sie übervorteilen und doch noch ein Arrangement mit Brüning treffen könnte.[42] Noch hatten die Rechten aber einen Trumpf in der Hand, den sie schließlich gegen Brüning ausspielten: Sie stellten ihre Unterstützung des Kandidaten Hindenburg bei einer Volkswahl unter der Bedingung in Aussicht, daß der Reichspräsident sich öffentlich von der parlamentarischen Lösung distanzierte, sich die aufgesetzten verfassungsrechtlichen Einwände dagegen zu eigen machte und damit seinen Kanzler bloßstellte.[43]

Einen Moment schien es, als würde sich Hindenburg auf dieses Spiel einlassen und Brüning desavouieren, um im Gegenzug von Hitler und Hugenberg auf den Schild gehoben zu werden. Reizvoll war an diesem Angebot der aus Hindenburgs Sicht unschätzbare Vorteil, daß er das Amt des Reichspräsidenten in Einklang mit der Rechten wenigstens auf dem Wege der Volkswahl erlangen konnte. Daß dadurch der Zeitplan für die vorgesehene Entlassung Brünings durcheinanderkam, weil dieser natürlich auf eine solche Bloßstellung mit seiner sofortigen Demission reagieren würde, konnte Hindenburg verschmerzen, weil das Interesse, auch aus geschichtspolitischen Gründen keine Konfrontation mit der Rechten in einem Präsidentschaftswahlkampf einzugehen, überwog. Was Brüning in dieser brenzligen Lage noch einmal rettete und ihm eine letzte Frist bescherte, war der persönliche Einsatz der beiden wichtigsten Ratgeber Hindenburgs: Sowohl Groener, der als kommissarischer Innenminister jede verfassungsrechtliche Kritik an der Verlängerungsaktion als Affront empfinden mußte, als auch Schleicher hielten – allerdings aus unterschiedlichen Gründen – an Brüning fest und waren nicht bereit, mitten in der außenpolitischen Entscheidungsphase den Kanzler zu wechseln. Zum ersten und einzigen Mal begleiteten sie Brüning zu dem für den Nachmittag des 12. Januar 1932 angesetzten Vortrag beim Reichspräsidenten, und Hindenburg scheute sich, die letzte Konsequenz zu ziehen und sich vorzeitig von Brüning zu trennen.[44] Es blieb dabei: Hindenburg wollte »den Zeitpunkt abwarten, den er schon früher immer in Aussicht genommen hatte, nämlich die Rückkehr des Kanzlers aus Lausanne«.[45]

Daß Hindenburg sich mehr als einen Monat Zeit ließ, ehe er sich endgültig zu einer Kandidatur bei einer Volkswahl durchrang, war auch darauf zurückzuführen, daß er mit Widerständen zumindest eines Teils der »nationalen Opposition« rechnen mußte. Dieser überaus zähe Entscheidungsprozeß offenbart, wie sehr Hindenburg hin- und hergerissen war zwischen den beiden Ressourcen seines Herrschaftsanspruchs, der legalen Amtsautorität und dem aus seiner symbolischen Wirkung gespeisten charismatischen Gefolgschaftsanspruch. Er wollte nicht auf die Funktion des obersten Repräsentanten der Staatsgewalt festgelegt werden, was vor allem Reichskanzler Brüning mit der erneuten Hindenburg-Kandidatur bezweckte. Brüning wollte mit Hindenburgs Antreten Hitler den Weg zum höchsten Staatsamt versperren.[46] Hindenburg dagegen wollte um jeden Preis vermeiden, in eine politische Auseinandersetzung mit jenen politischen Kräften hineingetrieben zu werden, die er für sein Vorhaben der »nationalen Einigung« unbedingt benötigte. Ein gegen die geschlossene Front der »nationalen Opposition« gewählter Reichspräsident Hindenburg lief Gefahr, sein symbolisches Kapital zu verspielen. Was konnte ihm eine solche Reichspräsidentschaft, die das Fundament seiner personalen Herrschaft irreparabel zu beschädigen drohte, überhaupt wert sein?

Hindenburg formulierte daher nach der fehlgeschlagenen parlamentarischen Verlängerung seiner Amtszeit eine zentrale Bedingung für seine Kandidatur bei der nun nicht mehr zu vermeidenden Volkswahl. Sie fußte auf der Prämisse, daß er seine Nominierung als Zeichen plebiszitärer Zustimmung durch das deutsche Volk aufgefaßt sehen wollte. Seine Wiederwahl sollte nicht Resultat einer erbitterten politischen Auseinandersetzung sein, welche die politischen Gräben noch mehr vertiefte, sondern Ausdruck des Willens zur nationalen Einigung. Dies implizierte aus seiner Sicht, daß die »nationalen Kräfte« nicht beiseitestehen durften. Einen Sonderweg der unberechenbaren NSDAP in der Präsidentenfrage wollte Hindenburg noch akzeptieren, aber wenn sich die Kräfte der selbsternannten »nationalen Opposition« geschlossen seiner Nominierung entziehen sollten und seine Kandidatur allein von den hinter der Regierung Brüning stehenden Kreisen getragen werden würde, hätte sich seine Präsidentschaft in einer Schieflage befunden. Deswegen bestand er darauf, daß die beiden wichtigsten »vaterländischen Verbände« seine Nominierung mittrugen.[47] Neben dem »Stahlhelm«, der größten Frontkämpfervereinigung mit dezidiert politischem Anspruch, war dies der unpolitische »Kyffhäuserbund«, die Dachorganisation der Kriegervereine, die eine sentimentale Erinnerung an ihre Soldatenzeit pflegten. Hier sprach einmal das soldatische Herz Hindenburgs, der eine geschlossene »vaterländische Front« als unvollständig erachtete, wenn ihr nicht die beiden größten Soldatenverbände angehörten. Dahinter steckte aber auch das Bestreben, den Anspruch der Nationalsozialisten und insbesondere Hitlers, die Frontsoldatengeneration zu repräsentieren, abzuwehren.

Vom 13. Januar 1932 an wurde hinter den Kulissen heftig um die Zustimmung der beiden Wehrverbände zur Nominierung Hindenburgs gerungen. Dabei überließ der »Kyffhäuserbund« dem »Stahlhelm« die Initiative, der jedoch einer Entscheidung auswich. Der »Stahlhelm« hatte sich politisch viel zu sehr als Gegner Brünings positioniert und wollte Hindenburg nicht ohne politische Gegenleistung auf den Schild heben. Um Brüning durch eine Rechtsregierung abzulösen, hatte die Führung des »Stahlhelm« mit Hugenberg vereinbart, in der Reichspräsidentenfrage nur in Absprache mit der DNVP zu agieren. Damit war der »Stahlhelm« in seinen Entscheidungen nicht mehr frei und ganz in das parteipolitische Geschacher Hugenbergs eingebunden. Am 23. Januar 1932 zeichnete sich daher ab, daß die Bedingung Hindenburgs nicht ohne Gegenleistungen erfüllt werden würde.[48]

Der eleganteste Weg aus dieser Sackgasse war schon seit Oktober 1931 mehrfach erwogen, aber nie beschritten worden: die Umbildung der Regierung zu einer Regierung der »nationalen Konzentration«, die nach der Vorstellung Hindenburgs vom Zentrum bis zu den Nationalsozialisten reichen sollte. Eine solche Konstellation war bislang nicht am Willen Hindenburgs, sondern an den überzogenen Forderungen der in sich gespaltenen »nationalen Opposition« gescheitert. Die Auflagen Hindenburgs brachten es nun mit sich, daß Hugenberg eine Schlüsselrolle zufiel, weil nur sein Placet dem Reichspräsidenten die gewünschte Konstellation für die Wiederwahl bescherte. Daher erneuerte Hindenburg sein Angebot an Hugenberg und stellte diesem durch Schleicher die Vizekanzlerschaft in einer weit nach rechts erweiterten Regierung unter einem neuen Reichskanzler in Aussicht.[49] In den Tagen zwischen dem 25. Januar und dem 10. Februar 1932 war eine Rechtsregierung zum Greifen nahe, wenn Hugenberg nur zugegriffen und in dieses politische Tauschgeschäft eingewilligt hätte.

Doch Hugenberg verrannte sich wieder einmal und wollte dem Reichspräsidenten völlig überzogene Bedingungen diktieren. Wie immer, wenn er den Verdacht hegte, daß die Führer der beiden Rechtsparteien nur auf ihre parteipolitischen und persönlichen Vorteile bedacht waren und daher den Eintritt in die Reichsregierung an unerfüllbare Bedingungen knüpften, reagierte Hindenburg überaus empfindlich. Seine Vorstellung von einer Regierung, welche die »nationalen Kräfte« bündelte und die nationale Einigung vorantrieb, war klar umrissen: »Konzentrationskabinett auf breitester Basis mit fachlich hervorragenden Persönlichkeiten als Minister«.[50] Eine solche Regierung schloß Brüning weiterhin ein, wenn auch nicht als Reichskanzler, so doch als Außenminister. Der Reichskanzler sollte parteipolitisch möglichst nicht gebunden sein, eine Ernennung Hitlers oder Hugenbergs zum Reichskanzler schloß der Reichspräsident aus.[51]

Letztlich lief das Angebot Hindenburgs auf eine Mitarbeit der nicht nationalsozialistischen Rechten in einer weit nach rechts erweiterten Regierung hinaus. Es bedurfte schon einer gehörigen Portion politischer Sturheit und eines unbändigen Hasses insbesondere auf Brüning und die Zentrumspartei, die als verlängerter Arm des Vatikans angesehen wurde,[52] daß Hugenberg diese Offerte ausschlug und sich zusammen mit Hitler in Fundamentalopposition gefiel. Überdies hat Hugenberg den Zusagen Hindenburgs wohl auch mißtraut und hielt es nicht für ausgeschlossen, daß er um die entsprechenden Gegenleistungen geprellt werden würde, sobald Hindenburg mit seiner Unterstützung nominiert und wiedergewählt worden war.[53]

Die Taktik des Reichspräsidenten, sich eine Nominierung zu seinen Bedingungen durch die Heranführung der Deutschnationalen an die Regierung zu sichern, wurde aber auch noch von Brüning durchkreuzt. Der Reichskanzler klebte nicht an seinem Stuhl, aber er wollte erst abtreten, wenn er seine Außenpolitik mit dem Ende der Reparationszahlungen gekrönt sah. Daher konnte er nicht billigen, daß Hindenburg ihn als Reichskanzler zur Disposition stellte, nur um sich die Zustimmung von »Stahlhelm« und DNVP für seine erneute Kandidatur zu sichern. Noch war Brünings Stellung in außenpolitischer Hinsicht so stark, daß er ein Druckmittel in der Hand hielt, nämlich den Verzicht auf das ihm zugedachte Amt des Außenministers. Wenn sich darüber hinaus das Zentrum der von Hindenburg in Aussicht genommenen Rechtsregierung verweigerte und eventuell sogar diese Regierung im Parlament bekämpfte, dann drohte dem neuen Kabinett der Verlust der parlamentarischen Majorität, was den verstärkten Einsatz präsidialer Machtmittel erforderte, von denen Hindenburg aber nur noch sehr dosiert Gebrauch machen wollte. In jedem Fall mußte es den Reichspräsidenten beeindrucken, wenn Brüning ihm signalisierte, daß er und seine Partei sich nicht mit der ihnen zugedachten Rolle abfinden und an einer Rechtsregierung nicht beteiligen würden.

Brüning war entschlossen, sich nicht zum Objekt degradieren zu lassen. Gleich zweimal – am 27. Januar und am 6. Februar 1932 – bot er anläßlich eines Vortrags unter vier Augen dem Reichspräsidenten seinen Rücktritt an. Bei Annahme dieses Gesuchs hätte Hindenburg auf Brüning und die Zentrumspartei als integralem Bestandteil einer »nationalen Konzentrationsregierung« verzichten müssen. Deshalb sah Hindenburg schließlich davon ab, sich seine Nominierung durch die Deutschnationalen vermittels der Entlassung Brünings zu erkaufen, zumal auch Groener Brüning zur Seite sprang und in einem Vortrag bei Hindenburg am 27. Januar 1932 herausstrich, daß der Kanzler gerade in der Außenpolitik unersetzlich sei.[54] Hindenburg mußte die Bedingungen, unter denen er für das Amt des Reichspräsidenten noch einmal kandidieren wollte, erneut modifizieren und auf die Zustimmung des »Stahlhelm« verzichten. Am 28. Januar forderte er nur noch, daß seine Kandidatur »nicht auf den geschlossenen Widerstand der gesamten Rechten stößt und meine Wiederwahl im ersten Wahlgang als gesichert angesehen werden kann«.[55] Dazu reichte es aus, wenn der bislang im Schlepptau des »Stahlhelm« segelnde »Kyffhäuserbund« zu einem Votum zugunsten Hindenburgs zu bewegen war.

Unmerklich begann sich das Gewicht innerhalb der »Hindenburgfront« für die Präsidentenwahl zu verschieben. Ende Januar 1932 hätte man die Kandidatur Hindenburgs noch mit der Unterstützung zumindest eines Teils der »nationalen Opposition« ausrufen können – mit entsprechenden Konsequenzen für die Regierungsbildung. Doch vierzehn Tage später stand die Rechtsopposition abseits, und Hindenburgs Kandidatur wurde von den politischen Kräften der Mitte getragen. Die Basis der Hindenburg-Kandidatur verschob sich immer mehr nach links, und manches spricht dafür, daß Brüning genau das bezweckte, um Hindenburg nach der Präsidentschaftswahl zur Rücksichtnahme auf seine Wähler zu verpflichten.[56] Eine Hindenburgfront, die von der Sozialdemokratie bis hin zu den Volkskonservativen reichte und ein Spiegelbild jener Kräfte bot, die sich hinter die Regierung Brüning scharten – war dies nicht wegen des Einschlusses der Mitte und der Linken ein alternatives Konzept jener »Volksgemeinschaft«, die Hindenburg ständig beschwor? Legten die staatstragenden Kräfte auf der demokratischen Linken, der politischen Mitte und der gemäßigten Rechten nicht mit der Nominierung Hindenburgs ein Zeugnis aufrichtiger nationaler Gesinnung ab, indem sie den »Sieger von Tannenberg« zu ihrem Kandidaten gegen die Bewerber der »nationalen Opposition« erkoren? Formulierten sie damit nicht einen Anspruch, als unentbehrlicher Bestandteil der zu einigenden Nation zu gelten? Konnte es Hindenburg unbeeindruckt lassen, wenn sich Sozialdemokraten und Zentrumsleute für ihn im Wahlkampf einsetzten, während die bisher von ihm bevorzugten politischen Ansprechpartner am Reichspräsidenten vorbei nach der ungeteilten Macht strebten?

Die Antwort auf diese Fragen zeigt, inwieweit sich Hindenburg auf die Umschichtung seiner politischen Basis einließ, die in den folgenden Wochen stattfand. Wenn Brüning den Reichspräsidenten von seiner Fixierung auf die Rechtsopposition als Königsmacher lösen wollte, dann mußte er ihm eine politische Plattform für seine erneute Kandidatur anbieten, die in quantitativer Hinsicht zu beeindrucken vermochte. Hindenburgs Kür zum Kandidaten sollte – wie es sich für einen Charismatiker ziemte – plebiszitär erfolgen, indem er durch »den überwiegenden Teil des Volkes«[57] gerufen wurde. Hierfür hatten sich bereits Ende Januar 1932 mehrere parteipolitisch unabhängige Initiativen gebildet, die nur noch auf ein Signal warteten, um die plebiszitäre Unterstützung für Hindenburg zu mobilisieren. Eine Schlüsselrolle fiel dabei einer koordinierten Aktion der zwölf wichtigsten Zeitungen zu, die das politische Spektrum von der gemäßigten Rechten (Deutsche Allgemeine Zeitung) bis zur linksliberalen Mitte (Frankfurter Zeitung) abdeckten und die vom Verleger der liberalen »Kölnischen Zeitung«, Kurt Neven Dumont, ausging. Über diese Zeitungen sollte millionenfach dazu aufgefordert werden, Hindenburg durch Eintragung in dafür bestimmte und in den Zeitungshäusern ausliegende Listen eine erneute Kandidatur anzutragen. Nur so konnte die Massenverbreitung und vor allem die parteipolitische Unabhängigkeit einer solchen Kampagne garantiert werden.[58]

Mit Hilfe dieser verlegerischen Infrastruktur konnte man schließlich auch darangehen, ein organisatorisches Dach für die Hindenburg-Aktion zu errichten. Der erste Schritt war die Gründung eines überparteilichen Ausschusses unter der Leitung des Berliner Oberbürgermeisters Heinrich Sahm, der bereits auf eigene Faust entsprechende Kontakte geknüpft hatte, um in Gestalt einer überparteilichen Einrichtung »Hindenburg auf den Schild [zu] heben«.[59] Wie sehr Sahm damit das Bedürfnis weiter Teile der bürgerlichen Öffentlichkeit traf, bestätigt die Tatsache, daß sich fast zeitgleich in Bayern ein Hindenburg-Komitee konstituierte, das unter der Leitung des ehemaligen Präsidenten des Reichsfinanzhofes, Geheimrat Gustav Jahn, stand.[60] Sahm saß also bereits in den Startlöchern, als er am 27. Januar 1932 grünes Licht von Brüning erhielt, nachdem Hindenburg die Einleitung der Werbeaktion zustimmend zur Kenntnis genommen hatte. Die personelle Zusammensetzung des Hindenburg-Komitees wurde nicht dem Zufall überlassen. Denn die gewünschte Wirkung auf den Umworbenen war nur zu erzielen, wenn parteipolitisch möglichst wenig exponierte Persönlichkeiten, an deren konservativer Gesinnung kein Zweifel bestand, Hindenburg die Kandidatur antrugen. Sahm hatte daher Grundsätze der Personalfindung aufgestellt, wonach neben der weltanschaulichen Gesinnung auch ein repräsentativer Querschnitt der Berufsgruppen und »vaterländischen« Organisationen vertreten sein sollte, denen sich Hindenburg verbunden fühlte. Infolgedessen wurden gezielt Persönlichkeiten angesprochen, die diese Kriterien erfüllten.[61]

Als das bayerische Hindenburg-Komitee am 27. Januar und der reichsweite Berliner Ausschuß am 1. Februar an die Öffentlichkeit traten und in diesem Zusammenhang auch weitere lokale Hindenburg-Komitees sich zu Wort meldeten, verkündeten sie zwei Kernbotschaften, mit denen sie nicht nur eine Mobilisierungswelle erzeugen, sondern auch Hindenburg persönlich erreichen wollten. Es kam ihnen darauf an, die einzigartige symbolische Qualität Hindenburgs herauszustreichen: Hindenburg sei der einzige, der die deutsche Nation abseits aller Parteienkämpfe und weltanschaulichen Gräben zu einigen vermöge. »Hindenburg: Das ist die Überwindung des Parteigeistes, das Sinnbild der Volksgemeinschaft, die Führung in die Freiheit.«[62] Das der Integration nach innen dienende Amt des Reichspräsidenten dürfe keinem Parteimann ausgeliefert werden, sondern müsse erneut der Person anvertraut werden, die als einzige für nationale Eintracht stehe. Hindenburg »ist der ruhende starke Pol über dem wechselnden Tagesstreit der Parteien. Es wäre deshalb verderblich, in einem solchen Zeitpunkte diese Persönlichkeit den Parteikämpfen auszuliefern und das deutsche Volk in einem Kampf um die verschiedensten Interessen und Kandidaten zu zersplittern.«[63] Diese Botschaft wurde in verschiedenen Varianten von den lokalen Initiativen verkündet, die ohne zentrale Steuerung durch den Sahm-Ausschuß entstanden und das Maß an Zustimmung erkennen ließen, das der Name Hindenburgs in bürgerlich-konservativen Kreisen zu wecken vermochte. Der öffentliche Aufruf des Leipziger Komitees versah Hindenburg sogar mit einer bismarckgleichen Statur, wenn er ausführte: »Bismarck mußte gehen, obgleich er durch sein Ansehen und seine Staatskunst dem Reiche noch die wertvollsten Dienste hätte leisten können. Ein derartiger Fehler darf nicht wiederholt werden.«[64]

Mit der Kampagne setzte sich das Hindenburglager allerdings auch unter Erfolgsdruck.[65] Um die beabsichtigte »große Volksfront für Hindenburg zu ermöglichen«,[66] mußte die Zahl der Unterschriften unter das in den Zeitungsagenturen ausliegende Einzeichnungsformular die Millionengrenze überschreiten. Die Kampagne durfte aber nicht zu lange laufen, da Brüning angesichts seiner gefährdeten Stellung darauf drängte, Hindenburg möglichst schnell den quantifizierbaren Beweis seiner unverbrauchten Symbolkraft zu präsentieren und damit endlich dessen Ja zur Kandidatur einzuholen. Da Hindenburg sich mit der Entscheidung allerdings Zeit ließ, konnte die ursprünglich bis zum 6. Februar 1932 vorgesehene Einzeichnungsfrist verlängert werden. Oberbürgermeister Sahm verkündete dem Reichspräsidenten persönlich am 16. Februar 1932, daß sich innerhalb von gerade einmal vierzehn Tagen ohne Unterstützung durch Parteiapparate mehr als drei Millionen Wahlberechtigte in die ausliegenden Listen eingetragen hatten.[67]

Erzielte die Mobilisierung einer immerhin doch mehr als ansehnlichen Zahl von Unterstützern die erhoffte Wirkung auf den Reichspräsidenten? Gelang es, Hindenburg davon zu überzeugen, daß die hinter dem Sahm-Ausschuß und seinen lokalen Filiationen stehenden Kräfte einen repräsentativen Querschnitt durch das »nationale Deutschland« darstellten, aus dessen Hand er seine Kandidatur entgegennehmen konnte? Natürlich blieb Hindenburg nicht verborgen, daß ein nicht unerheblicher Teil der Rechten, der er innerlich nahestand, sich an dieser Aktion nicht beteiligte und in Wartestellung verharrte, bereit, sogar mit eigenen Kandidaten gegen Hindenburg in die Volkswahl zu ziehen, falls dieser sich nicht auf die Bedingungen Hugenbergs einließ. Es war aber gerade die Maßlosigkeit insbesondere Hugenbergs, die es Hindenburg erleichterte, die von Brüning initiierte Kampagne zumindest wohlwollend zur Kenntnis zu nehmen. Gewiß repräsentierten die »Frankfurter Zeitung« und die liberalen Zeitungen des Berliner Ullstein-Konzerns nicht jene Kräfte, von denen Hindenburg am liebsten zum Kandidaten gekürt worden wäre. Da die Rechte sich durch Uneinigkeit und überzogene politische Forderungen selbst ins Abseits gestellt hatte, wollte sich Hindenburg dem Werben des

Sahm-Ausschusses jedoch nicht grundsätzlich verschließen: »Ich bitte aus dem Umstand, daß unter andern auch die Ullstein-Blätter gegenwärtig für mich Propaganda machen, nicht zu folgern, daß es sich dabei um eine einseitige Linksbewegung handelt und daß ich mich womöglich gar als deren Vertreter fühle. Die Rechte kann mir daraus keinen Vorwurf machen, daß die Initiative für die Aufstellung meiner Wiederwahl von einer mittleren Linie aus dem Volke heraus und nicht von ihr ausgegangen ist.«[68]

Hindenburg fühlte sich von DNVP und NSDAP mißverstanden und rechnete kaum noch damit, daß sich die »nationale Opposition« zur Unterstützung seiner Kandidatur bereit finden würde. Umgekehrt war es für ihn unvorstellbar, diese ohne Mitwirkung der »nationalen Kräfte« entgegenzunehmen. Daher hielt er an der Bedingung fest, daß wenigstens die Kameradschaftsverbände ihm die Kandidatur antragen sollten.[69] Er konzentrierte sich damit auf seine Funktion als Feldmarschall, der glaubte, von den beiden entsprechenden Organisationen soldatische Gefolgschaftstreue verlangen zu können. »Stahlhelm« und »Kyffhäuserbund« erschienen ihm noch nicht vom Parteienegoismus zerfressen, der, wie es schien, auch die Rechtsparteien befallen hatte. In der ersten Februarhälfte setzte daher noch einmal ein heftiges Werben um »Stahlhelm« und »Kyffhäuserbund« ein, bei dem sich Hindenburgs Bemühungen zunächst auf die Gewinnung des »Bundes der Frontsoldaten« konzentrierten.

Hindenburg verlangte durchaus nicht, daß der »Stahlhelm« die Schilderhebung ohne Gegenleistung vornahm. Der im Auftrag des Reichspräsidenten bei Hugenberg sondierende Schleicher hatte ja eine Umbildung des Kabinetts zugesagt und Hugenberg sogar den Vizekanzlerposten in Aussicht gestellt.[70] Teile der Stahlhelmführung waren durchaus geneigt, sich auf dieses Angebot einzulassen, und wirkten in diesem Sinne auf Hugenberg ein: »Sie können doch keinen 100%igen Systemwechsel verlangen. Ein völliger Systemwechsel kann doch überhaupt nicht sofort eintreten, sondern erst allmählich und dann erst nach den Wahlen herbeigeführt werden.«[71] Ungeachtet taktischer Meinungsverschiedenheiten waren die beiden Stahlhelmführer Seldte und Duesterberg entschlossen, Hindenburg auf bestimmte Bedingungen festzulegen, als sie am 10. Februar 1932 mit dem Reichspräsidenten zur entscheidenden Aussprache zusammentrafen. Sie wollten Hindenburg dazu bewegen, im ersten Wahlgang nicht zu kandidieren und sich erst in der zweiten Runde, die bei Verfehlen der absoluten Mehrheit durch einen Bewerber fällig würde, zur Verfügung zu stellen. Doch damit provozierten sie Hindenburg so sehr, daß dieser die Contenance nicht wahren konnte und mehrfach erregt mit der Faust auf den Tisch schlug.[72]

Eine solche Reaktion Hindenburgs konnte nur die irritieren, die noch nie erlebt hatten, wie Hindenburg im kleinen Kreis lautstark auf seinen ungeschmälerten Herrschaftsanspruch pochte, wenn ihm dieser bestritten wurde. Hindenburgs Herrschernatur reagierte überaus sensibel auf alle Versuche, ihn in der Souveränität seines Handels zu beschneiden. Bei den gelegentlichen heftigen Zusammenstößen mit Oldenburg-Januschau geschah es schon einmal, daß Hindenburg »im Gesicht blau anlief«.[73] Nach solchen Vorkommnissen vertrugen sich die beiden alten Männer, deren menschliche Beziehung durch solch heftige Auseinandersetzungen nicht beeinträchtigt wurde, in der Regel bald wieder. Als aber ausgerechnet die beiden Stahlhelmführer Hindenburg die Bedingungen für seine Präsidentschaftskandidatur diktieren wollten, war für den Reichspräsidenten das Maß des Erträglichen überschritten, so daß er ausgesprochen grob wurde.

Hindenburg hatte bis dahin nämlich den »Stahlhelm« als einen parteipolitisch ungebundenen Wehrverband angesehen, von dem er in seiner Eigenschaft als Generalfeldmarschall und erster Soldat der kaiserlichen Armee soldatische Gefolgschaftstreue einfordern konnte.[74] Nun aber erdreistete sich dieser Bund, seinem Ehrenmitglied Vorschriften zu machen, statt es vorbehaltlos auf den Schild zu heben. Darauf konnte und wollte sich Hindenburg nicht einlassen, weil er das Präsidentenamt »von einem politischen Schacher nicht abhängig machen kann«.[75] Daß ausgerechnet der »Stahlhelm« sich für eine derartig durchsichtige Parteitaktik hergegeben hatte, enttäuschte Hindenburg schwer und bestärkte ihn in der Auffassung, daß die Rechte momentan nicht reif zur Übernahme der Kanzlerschaft sei.[76] Erst als der »Stahlhelm«, durch sein Desaster bei der Präsidentschaftswahl klüger geworden, sich im Mai 1932 aus der parteipolitischen Umklammerung Hugenbergs löste, war der Weg für eine Versöhnung mit Hindenburg frei.[77]

Je reservierter sich der »Stahlhelm« zeigte, um so mehr Verantwortung für die Hindenburg-Kandidatur fiel dem »Kyffhäuserbund« zu. Hindenburg hatte zwar im Laufe des Jahres 1932 immer mehr Abstriche an seinen ursprünglichen Vorstellungen machen müssen, welche politischen Kräfte seine Kandidatur proklamieren sollten. Aber aus der Hand des Sahm-Ausschusses allein wollte er sie nicht empfangen, so daß der weitere Lauf der Ereignisse davon abhing, ob wenigstens der »Kyffhäuserbund« ein Treuegelöbnis zum Feldmarschall Hindenburg ablegen würde. Die Chancen dafür standen nicht schlecht, da der »Kyffhäuserbund« sich aus der Parteipolitik herauszuhalten trachtete. Als Dachorganisation der regional organisierten Kriegervereine betrieb der Bund vor allem Kameradschaftspflege.[78] Das Hereintragen parteitaktischer Erwägungen mußte daher als Sprengsatz wirken, weshalb er sich gerade in der Reichspräsidentenfrage vom »Stahlhelm« deutlich distanzierte.[79] Wollte der »Kyffhäuserbund« weiterhin seine Verbindungen zur Reichswehr pflegen und Wert darauf legen, daß unter seinen mehr als zwei Millionen Mitgliedern etwa 300 000 Beamte waren, dann konnte er nicht wie der »Stahlhelm« versuchen, einen politischen Handel mit dem Reichspräsidenten einzufädeln. Denn dann hätte der Reichskriegerbund als politischer Verband deklariert werden können, was erhebliche Nachteile mit sich gebracht hätte.[80]

Hindenburg richtete aber vorsichtshalber eine Drohkulisse auf, um den »Kyffhäuserbund« zu dem verlangten Treuegelöbnis zu bewegen. Er ließ über seinen Sohn dem Bundesvorsitzenden Horn ausrichten, daß er sein Reichspräsidentenamt niederlegen werde, falls der Bund ihm die Gefolgschaft versage.[81] Das erzielte die gewünschte Wirkung. Am 15. Februar 1932 wurde Horn von Hindenburg zu einem Vieraugengespräch empfangen und konnte sich dabei dem Appell des Feldmarschalls an die Gefolgschaftstreue seiner alten Kameraden nicht entziehen. Er gab schließlich die gewünschte Erklärung ab, fügte aber hinzu, daß Hindenburg nicht mit den Stimmen sämtlicher Bundesmitglieder rechnen könne.[82] Letztlich wog die soldatische Gefolgschaftstreue bei General von Horn schwerer als die Bedenken, die innerhalb seines Verbandes gegen ein solches Vorgehen erhoben wurden: »Bewahren wir alten Soldaten unserem verehrten Ehrenpräsidenten das Vertrauen, das er verdient, und die Treue, die er uns gehalten hat.«[83] Damit war Hindenburg die Kandidatur von der richtigen Seite angetragen worden. Noch am selben Tag verlieh der Reichspräsident in einer schriftlichen Verlautbarung seiner Bereitschaft Ausdruck, für eine erneute Bewerbung um das Präsidentenamt zur Verfügung zu stehen; am Tag darauf leistete er die für eine Kandidatur erforderliche Unteschrift. Das Votum des »Kyffhäuserbundes« hatte seinen »Entschluß mitbestimmt und wesentlich erleichtert«.[84]

Hindenburg nahm die ihm angetragene Kandidatur also nur an, weil sie mit einem Vertrauensbeweis für ihn persönlich verknüpft war. Die Legitimationsbasis für seine erneute Bewerbung um das Präsidentenamt hatte sich damit gegenüber dem Jahr 1925 nicht geändert: Damals konnte Hindenburg seine ungebrochene symbolische Strahlkraft als Verkörperung des nationalen Einheitswillens in die politische Waagschale werfen, und diese persönliche Autorität sollte mit Hilfe des Präsidentenamtes in staatlich geformte Politik überführt werden. Sieben Jahre später hatte er seine Auffassung vom Präsidentenamt nicht geändert: Er betrachtete die durch dieses Amt ausgeübte legale Herrschaft als unvermeidliche Ergänzung der charismatischen Fundierung seines Herrschaftsanspruchs, weil er nur durch den Besitz des höchsten Staatsamtes in die Lage versetzt wurde, grundlegende politische Weichenstellungen zu vollziehen. Dazu zählte vor allem die Berufung einer

Regierung seines Vertrauens, die seine zentrale Vorgabe – die Sammlung der »nationalen Kräfte« und die Ausschaltung der diesem Vorhaben entgegenstehenden Parteien – umsetzte. Aber die eigentliche Quelle seines Herrschaftsanspruchs blieb die auf seine Person zugeschnittene Gefolgschaftstreue, die sich unter anderem in dem besonderen Treueverhältnis der ehemaligen Soldaten zum Feldmarschall Hindenburg manifestierte.

Auch aus adligen Kreisen wurde dem Reichspräsidenten Anfang Februar 1932 die gewünschte Ergebenheitsadresse zuteil. Hier war es der erste Vorsitzende der deutschen Adelsgenossenschaft, der am 6. Februar 1932 Hindenburg durch eine öffentliche Kundgebung zur erneuten Kandidatur ermunterte, indem er ihn zum Symbol adliger Tugenden ausrief: Die Wahl Hindenburgs »bedeutet … die Wahl des Mannes, in dem Ehre, Vaterlandsliebe, Treue verkörpert sind«.[85] Auf Hindenburg hinterließ dieser Appell auch deswegen die gewünschte Wirkung,[86] weil der Unterzeichner dieses Aufrufs Friedrich von Berg war, Hindenburgs politischer Vertrauter seit Weltkriegstagen, der als Adelsmarschall an der Spitze der größten deutschen Adelsvereinigung stand. Nach der Annahme der Kandidatur stellte sich jedoch heraus, daß Friedrich von Berg diesen Vorstoß auf eigene Faust unternommen hatte, weshalb er unter schweren innerverbandlichen Beschuß geriet. Am 17. Februar mußte er den Vorsitz der Adelsgenossenschaft niederlegen, was zum Ausdruck brachte, wie sehr gerade jüngere Adlige sich von dem klassischen Adelsverständnis abgewandt hatten und mit einer völkischen Definition von Adel liebäugelten, welche die »rassische Reinhaltung« zum obersten Kriterium von Adligkeit erhob.[87]

Am 15. Februar 1932 hat Hindenburg sich zu einem Schritt von enormer Tragweite entschlossen, indem er seine Kandidatur verkündete und sich damit auf die Bedingung einer Volkswahl einließ. Er hatte seine Wunschkonstellation – eine Nominierung durch zumindest einen Teil der »nationalen Opposition« – nicht herbeiführen können und mußte auch einkalkulieren, daß mindestens ein Kandidat aus diesem Lager gegen ihn antreten würde. Damit war die Volkswahl nicht jene Formsache und jener plebiszitäre Akt der Akklamation, den er sich eigentlich vorgestellt hatte. Entgegen seiner ursprünglichen Intention mußte er um das Präsidentenamt kämpfen und damit rechnen, daß seine Rolle beim Sturz der Monarchie thematisiert wurde. Speziell den Nationalsozialisten war zuzutrauen, daß sie Hindenburg »mit Schmutz bewerfen und ihn bis aufs Hemd ausziehen würden«.[88]

Warum trat Hindenburg überhaupt an, wenn ihm das Amt nicht in den Schoß fiel? Warum exponierte er sich und zog damit politische Pfeile auf sich? Hindenburg hat vom Zeitpunkt seiner Kandidatur am 15. Februar bis unmittelbar vor dem ersten Wahlgang am 12. März 1932 mehrfach seine Motive erläutert, und zwar auch deswegen, weil nicht wenige seiner alten Kameraden an seiner Entscheidung irre zu werden und ihm die Gefolgschaft zu versagen drohten. Das wichtigste Selbstzeugnis hierfür ist die »persönliche Darlegung des Herrn Reichspräsidenten über die Vorgänge und Vorgeschichte seiner Wiederkandidatur«.[89] Da Hindenburg sich gegenüber seinen alten Weggefährten unter Legitimationszwang glaubte, hatte er seinen Sohn und Staatssekretär Meißner schon vor der Annahme der Kandidatur beauftragt, einen Entwurf für eine solche Niederschrift anzufertigen, die er eigenhändig korrigierte und am Tag seiner Zusage autorisierte.[90] Am 25. Februar schickte er diese Darlegung mit einem auf den jeweiligen Empfänger zugeschnittenen Begleitbrief an die fünf Männer aus Adel und Militär, mit denen er persönlich besonders enge Beziehungen pflegte und auf deren Verständnis er besonderen Wert legte: Feldmarschall von Mackensen, Generaloberst von Einem, General von Eisenhart Rothe, Friedrich von Berg und den Kanzler des Johanniterordens, Graf Arnim-Boitzenburg. Da es den Empfängern anheimgestellt war, diese Denkschrift vertrauenswürdigen Personen aus ihrem Freundeskreis zur Kenntnis zu geben, zirkulierte die Darlegung bald in konservativen Militär- und Adelskreisen mit dem Ziel, aufklärerische Wirkung zu entfalten.[91] Zusammen mit anderen Quellen lassen sich mit Hilfe dieses Schlüsseldokuments die Ursachen für Hindenburgs Kandidatur sehr genau nachzeichnen.

Der zentrale Grund für seine Kandidatur war die Einsicht, daß er Reichspräsident bleiben mußte, wollte er seinem politischen Lebensziel, die innere Zerrissenheit der Nation zu überwinden, ein gehöriges Stück näher kommen. Hindenburg drängte sich nicht nach einer zweiten Amtsperiode; aber da seine Bemühungen vom Sommer 1931, einen gleichgesinnten Nachfolger aufzubauen, nicht zum Erfolg geführt hatten, konnte er seinen Posten nicht räumen. Er beanspruchte weiterhin die politische Führungsrolle, weil nur er mit seiner Autorität und seiner symbolischen Qualität dafür zu bürgen schien, daß das Projekt »innere Einheit« nicht in die falschen Hände geriet und im egoistischen Parteienstreit zerrieben wurde. Bei der Wahl jedes anderen Bewerbers bestand die Gefahr, daß sich dieser als Vertreter einseitiger Parteiinteressen entpuppte. Für einen solchen wollte Hindenburg das Präsidentenamt nicht räumen, auch wenn er dafür schwere Auseinandersetzungen zu bestehen hatte: »Die Wahl eines Parteimannes, der Vertreter einer einseitigen und extremen politischen Anschauung sein und hierbei die Mehrheit des deutschen Volkes gegen sich haben würde, hätte aber nur unser Vaterland in schwere, nicht absehbare Erschütterungen versetzt. Das zu verhindern, gebot mir meine Pflicht. Ich war mir dabei wohl bewußt, daß diese meine Entscheidung von einem Teil meiner alten Wähler, darunter leider manchem alten Kameraden, miß-verstanden und ich deshalb angefeindet werden würde.«[92]

Diese Kritik Hindenburgs zielte insbesondere auf die beiden Parteien der »na-tionalen Opposition«, also DNVP und Nationalsozialisten. Ihnen war Hindenburg gram, weil sie seinen Führungsanspruch nicht akzeptierten und selbst auf die Be-setzung des Präsidentenamtes schielten, beziehungsweise dem Reichspräsidenten Vorschriften für die Bildung einer neuen Regierung machen wollten. Hindenburg verschonte dabei insbesondere Hugenberg nicht: Dieser habe seine ausgestreckte Hand ausgeschlagen, seine Nominierung zu einem parteipolitischen Geschachere machen wollen und auf diese Weise »ein Zusammengehen der Deutschnationalen und des Stahlhelms mit mir verhindert«.[93] Zu den Abtrünnigen zählte Hinden-burg auch die Nationalsozialisten. Solange Hitler an einem konkurrierenden Füh-rungsanspruch festhielt und die Reichskanzlerschaft oder gar das Präsidentenamt für sich reklamierte, konnten Hindenburg und Hitler nicht zusammenkommen. In Hindenburgs Augen hatte sich Hitler viel zu sehr als Parteimann profiliert und ungeachtet der ihm attestierten glühenden nationalen Gesinnung noch nicht durch praktische Arbeit den Nachweis erbracht, daß er der Mann sei, der die deut-sche Nation einigen könne. Hindenburg verwahrte sich dagegen, »das Reich einer Alleinherrschaft einer einzigen Partei zu überantworten, einer Partei, die zwar ge-kämpft hat für den Aufbruch der Nation, die aber noch nicht einen Tag im Dienst des Staates sich bewährt hat«.[94]

Hindenburgs Bedenken gegen die Nationalsozialisten erwuchsen also vor allem aus der Sorge, daß diese Partei unter Führung Hitlers im Alleingang an die Macht gelangen könnte. Für diesen Fall befürchtete Hindenburg »schwere innere Kämpfe«, die bürgerkriegsähnliche Ausmaße annehmen könnten.[95] Ihm als Advo-katen der »inneren Einheit« konnte eine solche Entwicklung verständlicherweise ganz und gar nicht behagen. Darüber hinaus befürchtete er, daß einige Nachbar-staaten die daraus resultierende innere Schwächung des Reiches erbarmungslos ausnutzen könnten: »Die sich hieraus ergebene Ohnmacht würde dazu führen, daß Polen sicherlich in Ostpreußen, Frankreich zum mindesten in das Saarland einrücken würde.«[96] Eine Heranführung der Nationalsozialisten an die Macht, dies läßt sich aus den Bemerkungen Hindenburgs unschwer herauslesen, kam für ihn nur dann in Frage, wenn er selbst mit seiner persönlichen und präsidialen Autorität dafür bürgte, daß sich eine Machtbeteiligung Hitlers nicht zu einer un-beschränkten Machtübernahme der Nationalsozialisten ausweitete. An dieser schon im Frühjahr 1932 erkennbaren Maxime hat Hindenburg konsequent festge-halten.

Die Nationalsozialisten durften nach Ansicht Hindenburgs also nie allein, sondern nur gemeinsam mit den Deutschnationalen und anderen »national gesinnten« Kräften mit der Regierungsverantwortung betraut werden. Anfang 1932 war die Zeit dafür allerdings noch nicht reif, da die Rechte aus Hindenburgs Sicht ein erbärmliches Bild innerer Zerstrittenheit bot: Hitler proklamierte »die Errichtung einer rein nationalsozialistischen Parteidiktatur«,[97] und Hugenberg verlangte die Kanzlerschaft in einer Rechtsregierung, obgleich die Deutschnationalen zahlenmäßig weitaus schwächer als die Nationalsozialisten waren. Hindenburg zog daher deprimiert Bilanz: »Es ist nur tief zu bedauern, daß die Rechte – zerrissen wie sie ist – von einseitig parteiehrgeizigen Führern den Weg der Einflußlosigkeit und Selbstzerstörung geführt wird.«[98]

Trotz dieser Lageeinschätzung hielt Hindenburg unbeirrt an der Absicht fest, die Rechte in nächster Zeit mit der Regierungsarbeit zu beauftragen, sofern sie ihre inneren Differenzen beilegte: »Trotz aller Nackenschläge werde ich dennoch meine Bemühungen um eine gesunde Entwicklung nach rechts nicht einstellen.«[99] Und damit unterstrich er das, was sich seit Herbst 1931 immer deutlicher abzeichnete: Die Tage Brünings als Reichskanzler waren gezählt, obgleich Hindenburg diesem eine beeindruckende Leistungsbilanz attestierte: »Den Reichskanzler Dr. Brüning schätze ich als einen außerordentlich befähigten Mann von hingebender Vaterlandsliebe und großer Arbeitskraft, der in einer sehr schweren Zeit Proben seines Könnens abgelegt und sich namentlich in den außenpolitischen Verhandlungen dem Ausland gegenüber eine beachtliche Stellung erobert hat.«[100] Normalerweise wäre ein Kanzler mit einer solchen Bilanz sakrosankt, aber Hindenburg formulierte in aller Offenheit: »Trotz dieser menschlichen Hochachtung und politischen Anerkennung hätte ich mich auch von Brüning getrennt und wäre bereit gewesen, eine andere, nach rechts verlagerte Regierung zu bilden, wenn eine solche Umbildung mit Aussicht auf Erfolg gewesen wäre.«[101]

Warum wollte Hindenburg einen so erfolgreichen Regierungschef entlassen? Warum hielt er trotz aller menschlichen Enttäuschungen den Deutschnationalen und Nationalsozialisten immer noch die Tür offen? Die Vertreter der »nationalen Opposition« besaßen nach seiner Ansicht einen entscheidenden Vorzug: Sein großes Ziel der Volksgemeinschaft konnte nur durch deren tatkräftige Mitwirkung erreicht werden, während das Projekt der nationalen Integration bei der Mitte oder gar der Linken nach Ansicht des Feldmarschalls nicht in den richtigen Händen lag. Dank Brünings Sacharbeit konnte zwar das Fundament für den machtpolitischen Aufstieg Deutschlands gelegt werden, doch die Lösung der überragenden innenpolitischen Aufgabe, nämlich die Stiftung einer wahren Volksgemeinschaft, traute

Hindenburg nur der politischen Repräsentanz des Radikalnationalismus zu, welcher in der Tradition des »Geistes von 1914« und des Schützengrabennationalismus stand. »Das große Ziel aber können wir nur erreichen, wenn wir uns zu einer wahren Volksgemeinschaft zusammenfinden ... Ich erinnere an den Geist von 1914 und an die Frontgesinnung, die nach dem Mann fragte und nicht nach dem Stand oder der Partei. Wie einst im Kriege die Not des Vaterlandes alles Trennende aufhob ..., so gebe ich die Hoffnung nicht auf, daß Deutschland sich zu einer neuen Einigkeit im Gedanken an das Vaterland zusammenfindet.«[102]

Hindenburgs unverrückbares Ziel war also die Einigung der »nationalen Kräfte« unter seiner Führung, was bislang an der notorischen Zerstrittenheit und dem absoluten Machtanspruch der Nationalsozialisten gescheitert war. Brüning wurde noch so lange eine politische Schonfrist eingeräumt, bis er die Früchte seiner Außenpolitik geerntet und die Reparationslasten abgeschüttelt hatte. Einen Tag nach der Annahme der Kandidatur, am 16. Februar 1932, legte Hindenburg seine Position in schonungsloser Offenheit dar. Er führte in einem Schreiben aus, »daß ich innerlich rechts stehe und nur die zerstörende Aktion der Rechtsradikalen nicht gutheißen kann, die uns in den Bürgerkrieg und Conflikte mit Außen führen würde. Und wenn man der jetzigen Regierung vorwirft, daß sie schwarz-roth sei, so ist darauf zu erwidern, daß nichts anderes übrig bleibt, nachdem Herr Hugenberg die Mithilfe versagt hat. Außerdem wäre im jetzigen Augenblick, das heißt mitten in der Genfer und Lausanner Verhandlung, ein politischer Wechsel ein grober Fehler. Mit uneingearbeitetem Personal könnte man nichts anfangen. Erweist sich die Rechte später als willfährig, so soll sie mir von Herzen willkommen sein, vorausgesetzt, daß sie nicht zu radikal ist und die Dinge nicht unrichtig hinstellt.«[103]

Daß bei der Volkswahl auch die Parteien der Mitte und der Linken ihm erneut zum Amt verhelfen würden, focht Hindenburg nicht weiter an, da er sich diesen Kräften gegenüber nicht verpflichtet fühlte. Sie waren ein unvollkommener Ersatz für die ausgebliebene Nominierung durch die Rechte, auf den er notgedrungen zurückgreifen mußte: »Wenn die Sozialdemokraten ... es ihren Anhängern freistellen, ebenfalls mich zu wählen, so kann ich das nicht verhindern.«[104] Die legitimatorische Grundlage seiner Reichspräsidentschaft waren eben nicht die tatsächlichen Hindenburg-Wähler von 1932, sondern jene politischen Kräfte, bei denen er sein Lebenswerk der nationalen Einigung am besten aufbewahrt sah. Auch deswegen goutierte er die Bemühungen des Grafen Westarp, 430 rechtsstehende Hindenburg-Wähler des Jahres 1925 zu einer Ergebenheitsadresse an Hindenburg zu veranlassen und darin für den Entschluß zur erneuten Kandidatur mit den Worten zu danken: »Hindenburg verkörpert des deutschen Volkes Einigkeit, für die er als

getreuer Mahner seine Stimme erhebt. Sein Name soll bei der Wahl des Staatsoberhauptes die alte deutsche Schwäche der inneren Zerrissenheit überwinden
helfen.«[105]

Hindenburg hielt es also für eine Übergangserscheinung, daß er bei der Präsidentenwahl gegen ein oder zwei Bewerber der »nationalen Opposition« antreten
mußte. Eine Versöhnung mit den Rechten würde eintreten, sobald diese sich be-
sannen und zwei Voraussetzungen erfüllten: Sie mußten sich den Regieanweisungen Hindenburgs beugen und durften diesem keine aus Parteiinteresse geborenen
Auflagen machen; ferner hatten sie sich intern zu verständigen und damit die
»Harzburger Front« von einer Fiktion in die Realität zu überführen.[106] Alles in allem konnten vor dem Hintergrund solcher Überlegungen die Entwicklungen des
nächsten Jahres, die in den 30. Januar 1933 mündeten, für aufmerksame politische
Beobachter nicht wirklich überraschend kommen.[107] Die Reichskanzlerschaft Hitlers lag im Bereich des Möglichen, wenn dieser sich auf die Bedingungen Hindenburgs einließ. Da Hitler das aber zunächst nicht tat, standen sich beide noch viele
Monate als Kontrahenten gegenüber – zunächst bei der Wahl des Reichspräsidenten.

»Wählt einen Mann! Wählt keine Partei! Wählt Hindenburg!«
Wahlkampf für Hindenburg im März/April 1932 in Berlin

KAPITEL 28

Hitler gegen Hindenburg

Bevor Hitler und Hindenburg zueinanderfanden, mußte Hitler die Erfahrung machen, daß er ohne Hindenburgs Placet nicht an die Regierungsmacht gelangen konnte. Hitlers Niederlage bei der Reichspräsidentenwahl war eine wichtige Etappe in diesem Lernprozeß.

Der NSDAP-Parteiführer hatte die Entscheidung Hindenburgs am 15. Februar 1932 abgewartet und eine Woche später mit der Verkündung seiner Kandidatur den Hut in den Ring geworfen. Damit war eingetreten, was Brüning vorausgesagt hatte: Hitler strebte nach dem höchsten Staatsamt, um keinerlei Kompromisse bei der Machteroberung eingehen zu müssen. Seine Kandidatur signalisierte, daß seine Bewegung nicht bereit war, Seite an Seite mit Hindenburg zu gehen, sondern die Staatsmacht im Alleingang erobern wollte. Hitler rechnete sich durchaus Siegchancen aus, wenn es ihm gelang, Hindenburg als Kandidaten des von der Sozialdemokratie gestützten »Systems« abzustempeln und bis weit in die rechte Mitte hinein Stimmen zu gewinnen.[1] Selbst aus einer Niederlage gegen Hindenburg konnte er Kapital schlagen, wenn er im direkten Aufeinandertreffen so achtbar abschnitt, daß Hindenburg ihn bei der Nachfolge Brünings nicht mehr umgehen konnte. Insofern war die Kandidatur auch eine Empfehlung für höhere Aufgaben, wenn Hitler sich darauf einließ, die daran geknüpften Auflagen eines neugewählten Reichspräsidenten Hindenburg zu akzeptieren.

Hitler hat Hindenburg daher in der ersten Runde der Reichspräsidentenwahl nicht persönlich attackiert, weil das seinen Bemühungen nicht zuträglich gewesen wäre, ein politisches und auch menschliches Vertrauensverhältnis zum Reichspräsidenten herzustellen.[2] Er strich vielmehr die Verehrungswürdigkeit Hindenburgs heraus, der sich aber leider in schlechter Gesellschaft befinde, weil er für das bestehende »System« instrumentalisiert werde. Hitlers Wahlkampfstrategie war darauf ausgerichtet, Hindenburg als Relikt der Vergangenheit und sich selbst als Repräsentanten der Frontkämpfergeneration auszugeben, die ihren Anspruch auf politische Führerschaft in den Schützengräben des Weltkriegs erworben habe: »Du kannst keine Verantwortung mehr übernehmen für uns, wir, die Generation des Krieges, werden sie selbst übernehmen.«[3] Mit solchen Äußerungen wurde Hindenburg zwar der symbolische Anspruch streitig gemacht, die ganze deutsche Nation zu repräsentieren; aber Hitler scheute vor persönlichen Verletzungen zurück, die das Verhältnis irreparabel belastet hätten.

Hindenburg hat sich ebenfalls abfälliger Äußerungen über seinen schärfsten Kontrahenten in der Öffentlichkeit enthalten, weil er die Tür für eine spätere Kooperation nicht zuschlagen wollte. Selbst als der Berliner Gauleiter Joseph Goebbels, der Exponent des sozialrevolutionären NS-Flügels, in seiner Reichstagsrede vom 23. Februar 1932 Hindenburg bezichtigte, von der »Partei der Deserteure« – für Goebbels ein Synonym für die Sozialdemokratie – unterstützt zu werden, blieb eine öffentliche Rüge Hindenburgs aus. Der Ältestenrat schloß Goebbels daraufhin wegen schwerer Beleidigung des Staatsoberhauptes von der laufenden Sitzung aus, und auch Innenminister Groener hieb in diese Kerbe.[4] Hindenburg nahm diese Attacken jedoch nicht persönlich und legte ein anderes Verhalten als noch im Juli 1931 an den Tag, als er sich ja höchst pikiert über das »Deutschland, erwache!« einiger nationalsozialistischer Aktivisten in Ostpreußen geäußert hatte. Er ließ sich auch nicht dazu bewegen, sich vor die sozialdemokratischen Kriegsteilnehmer zu stellen und Goebbels indirekt zu rügen.[5] Die Sozialdemokratie war für Hindenburg eben kein vollwertiger Teil der deutschen Nation, obgleich sie im Weltkrieg die Reichsleitung gestützt und ihren Beitrag dazu geleistet hatte, daß das Deutsche Reich den Weltkrieg überhaupt vier lange Jahre hatte durchhalten können.

Der erste Wahlgang am 13. März 1932 brachte noch keine endgültige Entscheidung, weil Hindenburg die erforderliche absolute Mehrheit mit 49,6 Prozent der abgegebenen Stimmen knapp verfehlte. Aber er hielt Hitler deutlich auf Distanz, obgleich die 30,1 Prozent für den NSDAP-Parteiführer demonstrierten, wie stark die NS-Bewegung mittlerweile gerade in konservativen Kreisen verankert war. Der vom »Stahlhelm« aufgestellte Duesterberg schnitt mit 6,8 Prozent so ab, wie man es von dieser Zählkandidatur erwarten konnte. Am Sieg Hindenburgs im zweiten Wahlgang bestand kein Zweifel mehr. Denn in der zweiten Runde reichte die einfache Mehrheit, und diese war Hindenburg praktisch sicher, weil die Stimmen des noch im Rennen verbliebenen kommunistischen Kandidaten Thälmann auf keinen Fall in toto Hitler zufallen würden.

Doch Hitler wollte nicht kampflos aufgeben und zog alle Register der politischen Kunst. Hindenburg sollte dazu gebracht werden, seine Kandidatur im zweiten Wahlgang zurückzuziehen, und das wollte die NSDAP erreichen, indem sie auf Hindenburgs vermeintliche Achillesferse zielte. Für die verletzliche Stelle Hindenburgs hielt man dessen Verhältnis zu den Hohenzollern. Die monarchistische, mit Hugenberg und der »Stahlhelm«-Kandidatur sympathisierende Rechte nahm nun wieder Hindenburgs Verhalten am 9. November 1918 aufs Korn.[6] Die hochkonservative »Kreuzzeitung« veröffentlichte am 11. März 1932 einen von 51 Offizieren der alten Armee veröffentlichten Aufruf, der ziemlich deutlich auf Hindenburgs Verhalten in Spa anspielte: »Wie Hindenburg einst in Spa sich vom Kaiser trennte, um Deutschland zu retten, so kann er uns nicht verargen, wenn wir zu gleichem Zwecke uns von ihm trennen.«[7] Diese Formulierung konnte auch als versteckte Drohung verstanden werden, daß die monarchisch-konservative Seite Hindenburgs Verhalten am 9. November öffentlich zur Sprache bringen werde. Der Reichspräsident reagierte umgehend und wies die »ungeheuerliche Behauptung, ich hätte mich von Seiner Majestät dem Kaiser und König getrennt«, unter Berufung auf seine bekannte Verteidigungsstrategie zurück: Er sei auf Befehl des Kaisers auf seinem Posten geblieben, und die Abreise des Kaisers sei nur erfolgt, »um Deutschland eine Verlängerung des Krieges und schwere innere Wirren zu ersparen«.[8]

Damit war für Hindenburg die Angelegenheit erledigt; und sie schlug auch keine größeren Wellen, weil keiner der Augenzeugen des 9. November 1918 sein Schweigen brach und an die Öffentlichkeit trat. Da mit General Otto von Below nur ein prominenter General zu den Unterzeichnern gehörte, konnte diese Aktion Hindenburg nicht wirklich schaden. Sie verlief sich schließlich auch deswegen, weil die NSDAP nicht auf dieses Thema aufsprang. Die Hitlerpartei, die dem Kaiser die Flucht nicht verzieh, konnte schlecht als Vorkämpferin des kaiserlichen Ansehens auftreten. Dennoch gedachte Hitler aus der monarchischen Frage Kapital zu schlagen und daraus eine Waffe gegen Hindenburg zu schmieden. Seine Strategie war so einfach wie bestechend: Würde Hindenburg sich nicht zurückziehen müssen, wenn im zweiten Wahlgang plötzlich ein Hohenzollernprinz seine Kandidatur für das Reichspräsidentenamt erklärte? Konnte man Hindenburg durch einen solchen Schachzug nicht elegant aus dem Rennen werfen?

Derartige Pläne wurden intensiv verfolgt, zumal gleich drei Hohenzollernprinzen als mögliche Kandidaten in Frage kamen und zumindest zwei von ihnen politisch so disponiert waren, daß jeweils ein Teil der »nationalen Opposition« sie ohne Bedenken als Kandidaten ausgeben konnte. Der »Stahlhelm« und die DNVP konnten Prinz Oskar von Preußen für sich vereinnahmen, weil der fünfte Sohn des Kaisers ein strammer Anhänger Hugenbergs und aktiver »Stahlhelmer« war.[9] Seine Kandidatur ist von dieser Seite ernsthaft erwogen worden;[10] doch Oskar wies das Ansinnen weit von sich, weil seine Bewerbung nur Sinn hatte, wenn er als gemeinsamer Kandidat der »Harzburger Front« auftrat, die sich aber wieder einmal als pure Fiktion erwies.[11] Zudem war er übermäßigem politischen Ehrgeiz abhold.[12] Somit zerschlugen sich die deutschnationalen Hoffnungen, auf einen Streich Hindenburg aus dem Weg zu räumen[13] und zugleich eine Option auf die Wiederherstellung der Monarchie zu eröffnen.

Auch die NSDAP erwog, die Karte einer Hohenzollernkandidatur aus dem Ärmel zu ziehen und sich so Hitlers lästigsten Konkurrenten zu entledigen.[14] Die NS-Bewegung setzte zunächst auf August Wilhelm, den vierten Kaisersohn. August Wilhelm war ein überzeugter nationalsozialistischer Parteisoldat, der nicht auf eigene Rechnung agierte, sondern mit einer Kandidatur den politischen Willen Hitlers erfüllt hätte.[15] Doch dazu kam es nicht, weil August Wilhelm für die Deutschnationalen »als Nazi untragbar«[16] war und – ähnlich wie sein Bruder Oskar – viel zu sehr als Parteimann abgestempelt war, um als Sammelkandidat der »nationalen Opposition« in Frage zu kommen. Damit zerschlug sich die Kandidatur eines Hohenzollernprinzen für den ersten Wahlgang, aber es blieb immer noch die Möglichkeit, eine bislang noch nicht ernsthaft erwogene Variante zu verfolgen und den ältesten Sohn des Kaisers, Kronprinz Wilhelm, ins Spiel zu bringen.[17]

Kronprinz Wilhelm war aus zwei Gründen für eine solche Mission geeignet. Im Unterschied zu den beiden anderen Prinzen hatte er sich nicht parteipolitisch zugunsten von DNVP oder NSDAP exponiert und kam daher durchaus als Sammelkandidat der »nationalen Opposition« in Frage. Vor allem strebte Wilhelm ganz gezielt das Reichspräsidentenamt an, um nach dem Vorbild Napoleons III. vom höchsten Amt der Republik aus die Wiederherstellung des Kaisertums in die Wege zu leiten. Spätestens seit 1928, mithin fünf Jahre nach seiner Rückkehr aus dem selbstgewählten niederländischen Exil, verfolgte er dieses Ziel.[18] Kronprinz Wilhelm hatte gute Gründe, mit der traditionellen Vorstellung, daß ein Monarch seine Legitimation allein der dynastischen Herkunft verdanke, zu brechen. Denn er konnte nur so seinen Vater beiseiteschieben, der gemäß der strengen Auffassung von erbmonarchischer Legitimität seinen Ambitionen im Wege stand. Es zeugt vom Realitätssinn des Kronprinzen, daß er den Weg über das Präsidentenamt einschlagen wollte. Denn auf diese Weise konnte er sich eine plebiszitäre Legitimation für die Errichtung einer Monarchie verschaffen, die auf einem neuen Legitimationsfundament ruhte. Kronprinz Wilhelm wollte also nicht die alte Hohenzollernmonarchie restaurieren, sondern »eine neue Krone«[19] aufrichten.

Der Kronprinz hatte es allerdings bislang strikt abgelehnt, Kontakt mit den Parteien aufzunehmen, sich in den Reichstag wählen zu lassen und sich dort als Nachfolger Hindenburgs »warmzulaufen«,[20] eine Möglichkeit, die Stresemann Ernst Heinrich von Sachsen offeriert hatte. Dies eröffnete Spielraum für eine politische Doppelstrategie, in der er alle taktischen Raffinessen einsetzte, um Hindenburg zu eliminieren und sich an dessen Stelle zu setzen. Zunächst einmal erweckte der Kronprinz jedoch den Eindruck, als würde er die Wiederwahl Hindenburgs nicht behindern. Reichskanzler Brüning versuchte in einer langen Unterredung am 2. Februar 1932 gemeinsam mit Schleicher, der ein persönlicher Freund des Kronprinzen war, auf ihn in diesem Sinne einzuwirken. Auch Brüning hatte eine monarchische Schwachstelle bei Hindenburg ausgemacht, und als gewiefter Politiker bemühte er sich nun, den Kronprinzen einzubinden und ihm jede Kandidatenabsicht auszutreiben. Er präsentierte ihm dabei seine eigenen Restaurationsabsichten, um ihn von unbedarften Entscheidungen abzuhalten, welche die gesamte Hohenzollernfamilie in Mißkredit bringen mußten.[21]

Insgeheim lotete der Kronprinz aber nur die Möglichkeit einer eigenen Bewerbung um das höchste Staatsamt aus. Rücksichtnahme auf Hindenburg war ihm fremd, da er im Weltkrieg seine Erfahrungen mit Hindenburg gesammelt hatte und diesem nicht verzeihen konnte, daß er nach der Abdankung des Kaisers keine Verwendung für ihn als Heerführer mehr gehabt hatte. Um in einer Volkswahl bestehen zu können, benötigte Kronprinz Wilhelm allerdings die organisatorische Rückendeckung durch eine Massenbewegung, und dies konnte nach Lage der Dinge nur die NSDAP sein. Da Hitler sich im vertrauten Kreis neuerdings durch Bekenntnisse zur Wiedereinführung der Monarchie hervortat,[22] schien es möglich, mit ihm ins Geschäft zu kommen bei folgender Aufgabenteilung: Die Hitlerpartei verhalf dem Kronprinzen zur Präsidentschaft, und der neue Reichspräsident revanchierte sich mit der Ernennung Hitlers zum Reichskanzler. Diese Abgrenzung der Kompetenzen folgte dem Muster, das sich in Italien zwischen König Viktor Emanuel und Mussolini eingespielt hatte und nach Ansicht des Kronprinzen nachahmenswert war.[23] Eine persönliche Fühlungnahme zwischen dem Kronprinzen und Hitler in dieser Sache hat vermutlich vor dem ersten Wahlgang stattgefunden,[24] brachte aber noch keine Einigung. Hitler kandidierte im ersten Wahlgang, behielt aber die Trumpfkarte einer Kronprinzenkandidatur für den zweiten Wahlgang in der Hinterhand. Der Kronprinz blieb in Wartestellung und ließ vorsorglich die erforderlichen 20 000 Unterschriften für einen auf seinen Namen lautenden Wahlvorschlag sammeln, um für den Fall der Fälle als Kandidat einspringen zu können.[25]

Obwohl das Ergebnis des ersten Wahlgangs ernüchternd war, gab die NS-Parteiführung zunächst die Hoffnung nicht ganz auf, im zweiten Wahlgang den Sieg davontragen zu können. Dazu mußte Hitler die knapp 2,6 Millionen Stimmen, die Duesterberg im ersten Wahlgang errungen hatte, komplett auf sich vereinigen. Hier war nun die Vermittlungstätigkeit des Kronprinzen gefragt, der um den 17. März herum in seinem Berliner Haus Vertreter von NSDAP, DNVP und »Stahlhelm« versammelte, um ein Aktionsbündnis für den zweiten Wahlgang zu schmieden.[26] Diese Bemühungen schlugen aber wegen der notorischen Uneinigkeit im »nationalen Lager« fehl, so daß Hitler in einen aussichtslosen zweiten Wahlgang zog, wenn man kein Mittel fand, Hindenburg auszuschalten. Das war die Stunde des Kronprinzen, dessen schlummernde Bereitschaft zu einer Kandidatur nun aktiviert wurde.

Auf den ersten Blick ähnelt das, was sich zwischen dem 28. und dem 31. März 1932 abspielte, einer überhasteten Aktion, die ein ungünstiges Licht auf die politischen Fähigkeiten der Beteiligten wirft: Am 28. März entschließen sich drei Männer in Bochum, auf eigene Faust den Kronprinzen für eine Kandidatur im zweiten Wahlgang einzunehmen. Sie erreichen nach vierzehnstündiger Zugfahrt am Mittag des 29. März dessen Schloß im schlesischen Oels, wo sie den Kronprinzen für ihren scheinbar abenteuerlichen Plan gewinnen. Die folgenden Stunden sind geprägt von enormem Zeitdruck, da am 31. März um 24 Uhr die Frist zur Einreichung von Wahlvorschlägen ausläuft. Doch die ganze Aktion verläuft im Sand, da Wilhelm II. von Doorn aus die Genehmigung zur Kandidatur versagt, um die ihn der Kronprinz schriftlich gebeten hatte.[27]

Die dilettantisch anmutende Aktion offenbart auf den zweiten Blick[28] jedoch tiefer liegende politische Dispositionen. Die auf die Spontaneität dreier Monarchisten zurückgehende Episode bringt nämlich das politische Kalkül des Kronprinzen und Hitlers klar zum Ausdruck: Der Kronprinz war fest entschlossen, über die Reichspräsidentschaft die Wiederherstellung der Monarchie anzusteuern, und griff dabei auf eine Konzeption zurück, die in monarchischen Kreisen in verschiedenen Varianten diskutiert wurde und auch in Brünings Restaurationskonzept eine wichtige Rolle spielte, nämlich die Reichsverweserschaft. Als gewählter Reichspräsident wollte sich der Kronprinz vorsichtig und unter Rücksichtnahme auf die Belange des Auslands allmählich an die Reichsverweserschaft herantasten.[29] Er hätte sieben Jahre Zeit gehabt, die Weichen in Richtung Restauration des Kaisertums zu stellen. Um aber in das Präsidentenamt gewählt zu werden, benötigte er die Unterstützung der Hitlerpartei für den bevorstehenden zweiten Wahlgang. Daher ersuchte er Hitler schriftlich um Unterstützung[30] und ließ durchblicken, daß er diesen nach gewonnener Wahl im Gegenzug um Reichskanzler ernennen werde.[31]

Daß dies keine politische Träumerei war, wird daraus ersichtlich, wie sehr sich Hitler für diese Idee erwärmte. Er empfing am Abend des 30. März 1932 den eigens nach München geeilten Propagandaleiter des Gaus Westfalen-Nord der NSDAP,

Joachim von Ostau,[32] der den Anstoß für die ganze Aktion gegeben hatte und den Brief des Kronprinzen an Hitler überbrachte. Hitler versprach den Rückzug von seiner Kandidatur und die Unterstützung des Kronprinzen, wenn eine Voraussetzung erfüllt sei: Hindenburg müsse seine Kandidatur ebenfalls zurückziehen. Hitlers Interesse an diesem spontan gefaßten Plan bestand mithin einzig und allein darin, Hindenburg durch die Bewerbung eines Hohenzollern aus dem Feld zu schlagen.[33] Er hoffte, den Reichspräsidenten auf die frühere Funktion als Feldmarschall festnageln und auf das daraus resultierende Treueverhältnis zum Haus Hohenzollern verpflichten zu können.[34]

War es denn vorstellbar, daß Hindenburg es mit seiner monarchischen Gesinnung vereinbaren konnte, gegen die kaiserliche und königliche Hoheit, den Kronprinzen, bei einer Wahl anzutreten? Auch der Kronprinz hatte seine Kandidatur an die Bedingung geknüpft, daß Hindenburg sich zurückzog. Einer der drei »Werber«, nämlich Günther von Einem, Sohn des Generaloberst von Einem und aktives Mitglied der DNVP, sollte von Berlin aus auf Bekannte Hindenburgs, allen voran Mackensen, einwirken, daß sie diesen in dem gewünschten Sinne bearbeiteten.[35] Für den nötigen Nachdruck wollte der Kronprinz selbst sorgen und sich trotz eines Ischiasleidens mit dem Nachtzug nach Berlin begeben und dort am 31. März persönlich bei Hindenburg vorsprechen.[36] Dazu kam es nach dem kaiserlichen Veto aus Doorn dann nicht mehr.

Die hektischen Ereignisse der letzten Märztage des Jahres 1932 machen deutlich, wieviel politische Phantasie sowohl der Kronprinz als auch Hitler aufbrachten, um Hindenburg aus der politischen Schlüsselstellung zu verdrängen. Die Zweckgemeinschaft der beiden bestand in den nächsten Wochen weiter und konnte bis weit in das Jahr 1933 revitalisiert werden. Der Kronprinz gab seine Ambitionen auf die Präsidentschaft nämlich keineswegs auf, sondern hielt sich bereit für den nächsten Anlauf, da man bei Hindenburgs Alter jederzeit auf Neuwahlen gefaßt sein mußte.[37] Es empfahl sich daher, die Kontakte zu Hitler weiter auszubauen und zu pflegen. Der Vertiefung der Beziehung zu Hitler in den letzten Märztagen des Jahres 1932 konnte der Kronprinz daher nur Positives abgewinnen: Es ist »für die Zukunft ... bestimmt von Wichtigkeit, daß die Beziehung zwischen mir und der Leitung der NSDAP durch die Verhandlungen der letzten Tage sicher eine Festigung erfahren hat«.[38] Als unzweideutiges Bekenntnis seines aufrechten Willens ließ er am 1. April 1932 eine öffentliche Erklärung verbreiten, in der er die Einigkeit der »Harzburger Front« beschwor und sich zur Wahl Adolf Hitlers im zweiten Wahlgang bekannte.[39] Auch danach rastete er nicht und unterstützte Hermann Göring, Hitlers Statthalter in Berlin, in dem Bemühen,[40] die angespannten Beziehungen der Hitlerpartei zur Reichswehr zu verbessern,[41] wozu er nicht allein durch seine Freundschaft mit Schleicher, sondern auch durch sein Renommee als Heerführer beitragen konnte. Er bot sogar an, mit Hilfe seiner persönlichen Verbindungen zur bewaffneten Macht Reichswehrminister Groener und damit eine tragende Säule der Brüning-Regierung zu stürzen.[42]

Hitler und der Kronprinz hatten also Ende März 1932 eine Allianz gegen Hindenburg geschmiedet, deren erste wirkliche Bewährungs- und Belastungsprobe noch bevorstand, nachdem sich die Kandidatur des Kronprinzen für das Präsidentenamt durch das Veto aus Doorn zerschlagen hatte. Aber wäre das Kalkül der beiden überhaupt aufgegangen? Hätte sich Hindenburg – eventuell unter tätiger Mithilfe Mackensens und anderer alter Kameraden – zum Rückzug entschlossen, weil ein Hohenzollernprinz als Kandidat antreten wollte? Bei Hindenburgs Einstellung zur Restauration der Monarchie und seinem angespannten persönlichen Verhältnis sowohl zu Kaiser wie Kronprinz sind mehr als berechtigte Zweifel angebracht, ob das Spiel des Kronprinzen und Hitlers geglückt wäre. Hindenburg fehlte es an altpreußisch-konservativer Treue zum Monarchen und der angestammten Dynastie, und seine monarchische Gesinnung war letztlich nicht mehr als eine unverbindliche Meinungsäußerung. Er hatte den ersten Wahlgang gegen alle Kritik von rechts durchgestanden, weil er sein politisches Lebensziel – die Errichtung einer Volksgemeinschaft – mit der Eroberung des Präsidentenamtes absichern und nicht auf Gedeih und Verderb den unreifen Parteipolitikern aus der »nationalen Opposition« ausliefern wollte. Er hätte wohl keinen Rückzieher gemacht, nur weil der Kronprinz auftrat. August Wilhelm, als preußischer Prinz und hochkarätiger SA-Mann ein idealer Beobachter, konstatierte im April 1932 lapidar: Hindenburg werde »doch kandidieren, selbst wenn eine Kompanie von Preußenprinzen aufmarschierte!«[43]

Hindenburg hielt daran fest, die Reichspräsidentschaft zu sichern und von dieser Position aus die Einigung mit der Rechten zu seinen Bedingungen zu steuern. Dem zweiten Wahlgang konnte er angesichts des Ergebnisses im ersten Durchgang relativ gelassen entgegensehen, zumal seine Wahlkampagne nach einigen Anlaufschwierigkeiten mittlerweile professionell organisiert wurde. Das Hindenburg-Komitee des Berliner Oberbürgermeisters hatte seine Schuldigkeit getan, und Sahm konnte bereits nach der Entgegennahme der Kandidatur durch Hindenburg ins Glied zurücktreten, was er auch klaglos tat.[44] Überdies war er so sehr mit Amtspflichten eingedeckt, daß er jenes Maß an Professionalität bei der Finanzierung und der propagandistischen Ausrichtung des Wahlkampfes nicht garantieren konnte, das für den Sieg Hindenburgs erforderlich war.

Für die Wahlkampforganisation wollte man zwar auf die Hindenburg-Ausschüsse zurückgreifen, diesen aber eine andere organisatorische Spitze und damit auch eine anders gelagerte politische Ausrichtung verleihen. Im Sahm-Ausschuß und vor allem bei der von der Presse betriebenen Unterstüzung waren nach Hindenburgs Ansicht viel zu viele liberaldemokratische Kräfte am Werk, die der Kampagne in den Augen seiner alten Weggefährten einen »linken« politischen Anstrich verleihen konnten.[45] Um die »anrüchige« Nähe zu liberalen Journalen wie der »Vossischen Zeitung« oder dem »Berliner Tageblatt« zu meiden, erhielten die Hindenburg-Ausschüsse direkt nach der Annahme der Kandidatur »ein anderes Gesicht«.[46] An die Spitze der neu gebildeten »Vereinigten Hindenburg-Ausschüsse« trat ein Kuratorium, dessen dreizehn Mitglieder nahezu allesamt zu den moderaten Konservativen zählten und in vielen Fällen ausgesprochene Anhänger einer forcierten Entparlamentarisierung waren, etwa Forstrat Escherich, General Eisenhart Rothe oder Graf Westarp.[47] Die Wahlarbeit wurde von einem vierköpfigen Arbeitsausschuß geleitet, dessen Zusammensetzung noch eindeutiger auf diese politische Ausrichtung verwies: Neben Westarp gehörte diesem Ausschuß General a.D. von Winterfeldt, als ehemaliger Verbindungsmann der 3. OHL zur Reichsleitung ein alter Bekannter Hindenburgs, und der Reichstagsabgeordnete Günther Gereke an, der für die Landvolkpartei im Parlament saß und als Gutsbesitzer das ländliche Deutschland repräsentieren sollte. Vierter im Bunde war Staatssekretär a.D. Franz Kempner, der zugleich die Hauptgeschäftsstelle der Hindenburg-Ausschüsse in Berlin leitete und der Wahlkampagne die nötige Professionalität verlieh.

Mehr Professionalität war dringend erforderlich, wenn man der bestens organisierten und hoch motivierten Hitlerpartei Paroli bieten wollte. Ein Hauptaugenmerk Kempners galt daher der Aufbringung der erforderlichen Finanzmittel,[48] die zum größten Teil von der Großindustrie zur Verfügung gestellt werden sollten. Zu diesem Zweck war mit Carl Duisberg einer der prominentesten deutschen Wirtschaftsführer an die Spitze des Kuratoriums berufen worden. Doch trotz aller Aufrufe und Bettelbriefe zeigte sich die Großindustrie eher zurückhaltend. Manche prominente Industrielle spendeten gar nicht, weil sie ein politisches Bekenntnis zu Hindenburg scheuten. So flossen der Berliner Zentrale für den ersten Wahlgang lediglich 269 000 Reichsmark zu, wovon der IG-Farben-Konzern, deren Leverkusener Werk Duisberg leitete, allein 100 000 Mark aufbrachte.[49] Allerdings lag das Finanzaufkommen der Hindenburg-Kampagne erheblich höher, weil viele der Umworbenen dezentral agierten und lieber den lokalen Hindenburg-Ausschüssen Geld zukommen ließen.[50]

Hindenburgs Wiederwahl war aber hauptsächlich jenen Kräften zu verdan-

ken, die in den Hindenburg-Ausschüssen nicht auftauchen durften. Die Sozialdemokratische Partei mobilisierte ihre Wähler in einem ganz erstaunlichen Maße
und brachte diese dazu, nahezu geschlossen für den ehemaligen Feldmarschall zu
votieren, obgleich dasselbe Elektorat sieben Jahre zuvor noch genau so einheitlich
gegen Hindenburg gestimmt hatte. Das einleuchtende Argument, daß allein Hindenburg in der Lage sei, eine Reichspräsidentschaft Hitlers und damit eine totale
Parteidiktatur zu verhindern, bewog die SPD-Wählerschaft, mit eiserner Disziplin
der Wahlempfehlung der Parteispitze zu folgen.[51] Im politischen Katholizismus
bedurfte es dagegen kaum einer Selbstüberwindung, Hindenburg die Stimme zu
geben, obgleich auch die Vertreter dieser politischen Richtung sorgsam von den
Hindenburg-Ausschüssen ferngehalten wurden. Die von Hindenburg unablässig
propagierte »nationale Einigung« rief in der Zentrumspartei breite Zustimmung
hervor, so daß Brünings Werben für Hindenburg in der Zentrumswählerschaft auf
entsprechende Resonanz stieß, die sich im Wahlergebnis eindrucksvoll niederschlug. Brüning selbst gönnte sich im Wahlkampf keine Schonung und betätigte
sich als der eifrigste Werber Hindenburgs, obgleich er seit Herbst 1931 wußte, daß
er für diesen nur noch ein Kanzler auf Abruf war und nach einer Einigung der
Rechten seinen Platz würde räumen müsen. Aber es gab für ihn keine Alternative,
wenn Hitler die Reichspräsidentschaft nicht überlassen werden sollte. So pries er in
seinen Reden auch vor sozialdemokratisch eingestellten Wählern das Pflichtbewußtsein des Reichspräsidenten, obwohl er »wußte, daß der Reichspräsident sich
gleich nach seiner Wahl gegen sie wenden würde«.[52]

Wer Ohren hatte zu hören, konnte schon der Reichstagsrede Brünings vom
25. Februar 1932 entnehmen, wie dicht nach erfolgter Präsidentenwahl die Bildung
einer Rechtsregierung bevorstand. Der Reichspräsident hatte seinem Kanzler mehr
oder minder deutlich seine Erwartung zu verstehen gegeben, daß er in dieser Rede
den guten Willen und die Bereitschaft des Reichspräsidenten zur Bildung einer
Rechtsregierung herausstreichen und darauf verweisen solle, daß sich diese Absicht nur aufgrund der Uneinigkeit der Rechten noch nicht habe realisieren lassen.
Brüning erhielt vom Büro des Reichspräsidenten einen siebenseitigen Rede-
entwurf,[53] der sich in vielen Passagen wortwörtlich an die persönlichen Darlegungen anlehnte, die Hindenburg einen Tag nach Brünings Rede an seine Vertrauten
sandte. Brüning wich im Wortlaut zwar von dieser Vorlage ab, aber sinngemäß
hielt er sich an die Direktive Hindenburgs. Vor dem Parlament ließ er keinen Zweifel aufkommen, daß er seinen Posten räumen werde, wenn die Gruppen der »nationalen Opposition« ihre internen Streitereien begruben und auf die Auslieferung
des gesamten Staatsapparats verzichteten. Völlig zutreffend strich er heraus, daß

Hindenburg »während seiner ganzen Präsidentschaft nichts so sehr am Herzen gelegen hat wie die Einigkeit und Konzentration aller zur Mitarbeit bereiten
Kräfte«.[54] Brüning legte sein politisches Schicksal damit öffentlich in die Hände
der »nationalen Opposition«: Wenn sie auf die zwei zentralen Bedingungen Hindenburgs – interne Verständigung und Unterordnung unter die Autorität Hindenburgs – einging, würde sie die Regierung Brüning umgehend beerben.

Mehr Loyalität und Selbstverleugnung, als Brüning aufbrachte, konnte Hindenburg kaum erwarten. Dennoch bedachte er den getreuen Kanzler immer öfter
mit Ungnade. Hindenburg verübelte Brüning, daß er ihm nicht bereits im ersten
Wahlgang die Wiederwahl gesichert hatte.[55] Sein herrschaftliches Selbstverständnis faßte es geradezu als Majestätsbeleidigung auf, zu einem zweiten Wahlgang
genötigt worden zu sein. Der Reichspräsident bekundete, nachdem er die Annahme seiner Kandidatur verkündet hatte, lebhaftes Interesse für seine Wahl-
aussichten.[56] Während des Wahlkampfs empfing er mindestens zweimal pro
Woche außerhalb des Protokolls den starken Mann des Arbeitsausschusses der
Hindenburg-Ausschüsse, Günther Gereke, um aus erster Hand auf dem laufenden gehalten zu werden.[57] Gereke, der Präsident des Verbandes der Preußischen
Landgemeinden, erwarb durch seine zupackende Art schnell das Vertrauen Hindenburgs.[58]

Das Wahlergebnis vom 13. März 1932 empfand Hindenburg als eine unverdiente Geringschätzung seiner aufopferungsvollen Arbeit für das Wohl des Vaterlandes. Obgleich seine Stimmenzahl gegenüber dem Ergebnis von 1925 gewachsen
war und er die absolute Mehrheit nur knapp verfehlt hatte, kreidete er Brüning
dieses Resultat persönlich an. Kein Wort des Dankes bekam der Kanzler zu hören,
als er am 14. März dem Reichspräsidenten Bericht erstattete.[59] Die Stimmung Hindenburgs war auch deswegen gedrückt, weil er nicht im erhofften Maße von den
ihm nahestehenden Kreisen gewählt worden war. Zwar war er darauf gefaßt gewesen, daß ihm viele seiner Altwähler das Vertrauen nicht wieder schenken würden.[60]
Aber dennoch schmerzte es ihn, daß ihm ausgerechnet jene Wähler die Gefolgschaft versagt hatten, auf die es ihm ankam, während er massiv von Anhängern des
demokratischen Sozialismus und des politischen Katholizismus unterstützt worden war, auf deren Votum er keinen gesteigerten Wert legte. Trost spendete ihm
der Vergleich mit herausragenden Gestalten der preußischen Geschichte. Hatte er
während der Kampagne gegen die Unterzeichnung des Young-Plans Anfang 1930
noch den Freiherrn vom Stein als historisches Vorbild herangezogen, so bemühte
er zwei Jahre später keinen Geringeren als Bismarck. Hatte nicht auch dieser viel
Unverständnis bei seinen altpreußischen Standesgenossen geerntet, als er das hi-

storische Werk der äußeren Einigung Deutschlands vollbrachte? Doch die Geschichte hatte Bismarck letztlich eindrucksvoll rehabilitiert. Hindenburg empfand sich in gewisser Weise als Vollender des Bismarckschen Werkes, indem er das von Bismarck nach außen geeinte Reich zu wahrer nationaler Gemeinschaft im Innern führen wollte. Dabei wurde er gerade von jenen mißachtet, denen er eigentlich so nahestand: »Hoffentlich wird die Geschichte mich einmal dereinst besser beurteilen als viele meiner Landsleute. Das ist mein Trost. Selbst ein Bismarck hat einst den pommerschen Granden nicht genügt; sie glaubten viel klüger zu sein.«[61]

Als persönliches Mißtrauensvotum mußte er das Wahlergebnis aus Dietramszell auffassen. Die dortige Bevölkerung war durchweg katholisch, und damit stand zu erwarten, daß sie sich für die Hindenburg-Parole der Bayerischen Volkspartei empfänglich zeigen würde. Hindenburg verbrachte hier seit den frühen 1920er Jahren seinen Jagdurlaub und war 1927 zum Ehrenbürger der Gemeinde erhoben worden. Angesichts dieser Ausgangslage mußte er das Dietramszeller Wahlergebnis wie einen Schlag ins Gesicht empfinden: Von 396 abgegebenen Stimmen entfielen nur 157 auf den Ehrenbürger der Gemeinde, hingegen 228 auf Hitler. Gewiß hatte die NSDAP die symbolische Bedeutung dieses besonderen Wahlergebnisses frühzeitig erfaßt und die ganze Gemeinde mit einem Trommelfeuer an Wahlagitation überzogen. Doch Hitler konnte nur deswegen auf so große Resonanz stoßen, weil der größte Teil der bäuerlichen Bevölkerung, der vom Verkauf von Holz und Milch lebte, die Reichspräsidentenwahl nutzte, um gegen die als unerträglich empfundene wirtschaftliche Notlage zu protestieren. Viele Dietramszeller nahmen es dem Ehrenbürger Hindenburg auch übel, daß er bislang keine Verpflichtung empfunden hatte, in großzügiger Weise für die Ortsarmen zu spenden. Das Ergebnis wäre noch verheerender ausgefallen, wenn die sechzig Bewohnerinnen des Frauenklosters nicht geschlossen zur Wahl gegangen und den Empfehlungen des politischen Katholizismus und der Kirche folgend für Hindenburg votiert hätten.[62]

Wenig Freude bereitete Hindenburg auch das Ergebnis seiner ostpreußischen Heimat. Zwar lag er in beiden Wahlgängen vor Hitler, verfehlte aber in dieser Provinz jedesmal die absolute Mehrheit. Im zweiten Wahlgang kam Hitler sogar bis auf fünf Prozent an den »Retter Ostpreußens« heran, weil fast sämtliche Duesterberg-Stimmen des ersten Wahlgangs auf ihn übertragen wurden.[63] 1925 hatte Hindenburg hingegen noch mit zwei Dritteln aller Stimmen über seinen damaligen Konkurrenten in Ostpreußen triumphiert. Der Reichspräsident faßte das Ergebnis von 1932 als persönlichen Affront auf und war tief verletzt.[64] Den Mitgliedern des Hindenburg-Ausschusses, die ihm am 11. April zur Wiederwahl gratulierten, tat er sein Mißfallen kund. Er könne sich kaum noch in seiner alten Heimat blicken lassen, denn »historische Namen aus der Friedrich-Zeit und anderen großen Zeiten hätten sich gegen ihn gewandt«.[65]

In der zweiten Runde der Reichspräsidentenwahl am 10. April 1932 waren 53 Prozent der abgegebenen Stimmen auf Hindenburg entfallen, der damit für eine zweite Amtszeit gewählt worden war. Doch Hitler war ihm näher gerückt und hatte es auf immerhin fast 37 Prozent gebracht. Im zweiten Wahlgang war es ihm gelungen, fast sämtliche Duesterberg-Wähler zu sich herüberzuziehen und letztlich zwei Millionen Stimmen mehr zu erringen.[66] In den Wahlkreisen Pommern, Osthannover, Schleswig-Holstein, Thüringen und Chemnitz-Zwickau lag Hitler sogar teilweise deutlich vor Hindenburg.[67] Ein erheblicher Teil des protestantischen Bürgertums und der evangelischen Landbevölkerung hatte sich für Hitler entschieden, während Hindenburg seinen Wahlerfolg letzten Endes dem disziplinierten Wahlverhalten der Anhänger der sozialistischen Arbeiterbewegung und des politischen Katholizismus verdankte. Hindenburg verfügte zwar durch seine Wiederwahl weiterhin über die verfassungsrechtlich garantierten Möglichkeiten, die Rechte unter seiner Aufsicht in die Regierung zu führen, aber das war aus seiner Sicht ein teuer erkaufter Sieg. Im Mai zog er sich zur Erholung in sein geliebtes Neudeck zurück, und dort brach eines Abends die ganze Bitterkeit aus ihm heraus: »Ja, was bin ich für ein Esel gewesen, daß ich mich ein zweites Mal habe wählen lassen!«[68]

Brüning hält am 11. Mai 1932 seine letzte Rede als Reichskanzler vor dem Reichstag.

KAPITEL 29

Erste Etappe: die Entlassung Brünings

Mit der Wiederwahl Hindenburgs hatte Brüning seine Schuldigkeit getan und amtierte nur noch als Regierungschef auf Zeit, bis die außenpolitische Ernte eingefahren und die Rechte sich auf die Bedingungen Hindenburgs zur Regierungsbeteiligung eingelassen hatte. Da Brüning um die Absichten Hindenburgs wußte, konnte es ihn nicht erschüttern, als Hindenburg ihm beim ersten Vortrag nach der Präsidentenwahl am 11. April 1932 deutlich zu verstehen gab, daß seine Tage als Kanzler gezählt seien. Der Reichspräsident bestand darauf, daß Brüning namens des Kabinetts die Demission förmlich anbot, wozu der Kanzler ohnehin bereit war; aber Hindenburg wollte in das offizielle Kommuniqué hineinschreiben lassen, daß er den Rücktritt der Regierung nur vorläufig nicht akzeptiere. Von einer solchen Desavouierung des Reichskanzlers, der dadurch vor aller Öffentlichkeit zum Kanzler auf Abruf gestempelt worden wäre, was der deutschen Verhandlungsposition in der Reparationsfrage schweren Schaden zugefügt hätte, konnte Brüning den Reichspräsidenten gerade noch einmal abbringen.[1]

Welchen Kurs Hindenburg nach seiner Wiederwahl steuern wollte, ließ sich der Ansprache entnehmen, die er am 11. April 1932 an das deutsche Volk richtete. Sie enthielt die programmatische Richtschnur für seine zweite Amtszeit und führte mit dem Appell zur Konzentration aller vaterlandsliebenden Kräfte Hindenburgs unermüdliches Werben um innere Geschlossenheit fort: »Die Zusammenfassung aller Kräfte ist notwendig, um der Wirrnisse und Nöte unserer Zeit Herr zu werden.«[2] Diese Grundmelodie variierte Hindenburg in seiner privaten Korrespondenz in den Tagen nach der Wiederwahl. Hindenburg machte dabei kein Hehl aus seinem Wunsch, »alle bürgerlichen Parteien einschließlich der Nationalsozialisten für eine Regierungsbildung zusammenzufassen«.[3]

Zu dieser Grundeinstellung scheint auf den ersten Blick in Widerspruch zu stehen, daß der Reichspräsident drei Tage nach seiner Wiederwahl, also am 13. April 1932, eine Notverordnung unterzeichnete, welche die paramilitärischen Organisationen der Hitlerpartei, SA und SS, reichsweit verbot. Damit schöpfte das

Reich erstmals die staatlichen Sanktionsmöglichkeiten gegen Verbände aus, die für die Kampagnenfähigkeit der NSDAP unentbehrlich waren und deren Auflösung die Mobilisierungskraft der NS-Bewegung erheblich behinderte.[4] Die treibende Kraft hinter dem Verbot von SA und SS waren die Innenminister der Länder, welche nicht tatenlos zusehen wollten, wie diese Formationen die Staatsautorität untergruben, indem sie sich Ordnungsaufgaben anmaßten. Auch Minister Groener trat für ein energisches Vorgehen gegen die »braunen Bataillone« ein: In seiner Eigenschaft als kommissarischer Reichsinnenminister war er darauf bedacht, die Länder, die ja die Befehlsgewalt über die Polizei besaßen, auf einen einheitlichen Umgang mit der NS-Parteiarmee zu verpflichten; als Reichswehrminister pochte er auf die alleinige Wehrhoheit der Reichswehr und wollte das in der SA versammelte wehrfähige Potential unter staatliche Kontrolle bringen.[5]

Warum unterschrieb Hindenburg diese Notverordnung und ließ damit zu, daß die NSDAP erstmals die volle Härte der Staatsmacht zu spüren bekam, wo er doch auf eine Regierungsbeteiligung der Nationalsozialisten zusteuerte? Daß Hindenburg sich mit dem SA-Verbot schwertat, ist den Kabinettsmitgliedern, die dieses Vorgehen mit Hindenburg persönlich erörterten, nicht verborgen geblieben. Reichskanzler Brüning, der dazu am 11. und 12. April dem Präsidenten Vortrag gehalten hatte, informierte die übrigen Minister anläßlich einer Ministerbesprechung am 13. April,»daß für den Herrn Reichspräsidenten diese Unterschrift nicht leicht gewesen sei, zumal der Herr Reichspräsident gerade in dieser Woche erneut das Volk in seiner Kundgebung zur Einigkeit und Mitarbeit aufgefordert habe«.[6] Der zuständige Ressortminister Groener hatte ebenfalls die Bedenken Hindenburgs gespürt, der befürchtete, in eine unnötige Konfrontation mit den Nationalsozialisten hineingetrieben zu werden, und das, nachdem nach der Wahlschlacht die Signale auf Versöhnung mit Hitler gestellt worden waren. Daher rang sich Hindenburg erst nach einer energischen Intervention von Groener und Brüning am 12. April dazu durch, seine Unterschrift unter die Notverordnung zu setzen.[7]

Hindenburg gab dem Drängen Brünings und Groeners nach, weil beide mit Demission drohten[8] und Hindenburg derzeit keine personelle Alternative parat hatte.[9] Insofern willigte er notgedrungen in diese Maßnahme ein, allerdings mit der Aussicht, sie zu kassieren, sobald sein Wunschkabinett das Licht der Welt erblickt hatte. Außerdem konnte das SA-Verbot erzieherisch wirken, da die Hitlerpartei zu spüren bekam, daß sie nicht im Alleingang die Macht erobern konnte, und so möglicherweise eher bereit war, auf die Bedingungen Hindenburgs für eine Zusammenarbeit einzuschwenken. Mit dem SA-Verbot entzog Hindenburg der NSDAP das für die Machteroberung erforderliche zentrale Instrument einer Parteiarmee.[10]

Das SA-Verbot bot im übrigen eine Handhabe, sich auf elegante Weise Groeners zu entledigen. Brüning hingegen wollte der Reichspräsident im neuen Kabinett halten, weil er auf dessen außenpolitische Expertise nicht verzichten konnte und ihn auch benötigte, weil der Katholik eine politische Brücke bis in die Zentrumspartei hinein schlagen konnte. Groener hingegen stand einem vom Zentrum bis zur NSDAP reichenden Kabinett nur im Wege, weil hinter ihm keine parteipolitischen Bataillone standen. Was lag daher näher, als diesen mit einer Maßnahme politisch zu belasten, die ihn untragbar für eine Regierung erscheinen ließ, in der die Nationalsozialisten ein gehöriges Wort mitzureden hatten? Groener exponierte sich mit dem SA-Verbot derart,[11] daß er sein politisches Schicksal besiegelte und Hindenburg die Unannehmlichkeit abnahm, einen alten militärischen Weggefährten aus dem Amt jagen zu müssen.

Groener war sich klar darüber, daß Hindenburg ihn nicht aus alter Kameradschaft zumindest im Amt des Wehrministers halten würde. In den letzten Wochen der 3. Obersten Heeresleitung und bei der Überführung der kaiserlichen Armee in die Dienste der Republik hatte er Hindenburg gründlich kennengelernt und wußte, daß dieser althergebrachten preußischen Vorstellungen von lebenslanger Treue nicht anhing. Wer trotz altpreußischer Erziehung dem Monarchen am 9. November 1918 zur Flucht ins Exil geraten hatte, besaß auch zu alten Weggefährten ein nüchternes Verhältnis und trennte sich ganz unsentimental von diesen, wenn sie zur Belastung für sein alles überragendes politisches Projekt wurden.[12] Am 24. April 1932 klärte Groener Brüning daher über die Hintergründe des 9. November 1918 und des 23. Juni 1919 auf,[13] als der Generalfeldmarschall jedes Mal seinen engsten militärischen Mitarbeiter Groener vorgeschickt hatte, damit dieser die Verantwortung für dem Hindenburg-Mythos abträgliche Aktionen übernahm: für den Thronverzicht des Kaisers und für die parlamentarische Annahme des Versailler Vertrags. Hindenburg kalkulierte wie ein durch und durch herrschaftsbewußter Politiker, und Brüning war spätestens zu diesem Zeitpunkt klar, daß den gelegentlichen Treueschwüren Hindenburgs keinerlei Wert beizumessen war.[14] Hindenburg, der sich zum Inbegriff eines preußischen Edelmanns stilisierte, brachte seinen Wahlspruch »Die Treue ist das Mark der Ehre«, der eingemeißelt war in den Kaminsims der Neudecker Eingangshalle,[15] als Leitspruch für Bücher, als Widmung auf Photographien und bei vielen anderen Gelegenheiten[16] demonstrativ zur Geltung. Doch in der harten politischen Realität entpuppte sich diese Haltung als aufgesetzte Attitüde, als Kokettieren mit einem altpreußisch-adligen Verständnis von Treue und Ehre, das längst vom moderneren Nationalismus überdeckt worden war.

Die öffentliche Demontage Groeners setzte ein mit einem der rechtsstehenden Presse zugespielten Schreiben des Reichspräsidenten an den kommissarischen Reichsinnenminister vom 15. April.[17] Darin beschuldigte Hindenburg den zuständigen Minister einer einseitigen Ausübung der Staatsgewalt gegen die politische Rechte: Groener habe Hindenburg zum Verbot von SA uns SS geradezu genötigt, während die sozialdemokratisch ausgerichtete Schutzformation »Reichsbanner Schwarz-Rot-Gold«, die ebenfalls die Staatsautorität untergrabe, unbehelligt bleibe. Der erzürnte Reichspräsident befahl dem Minister, ein Verbot des »Reichsbanners« aufgrund des beigefügten Materials zu prüfen. Politisch spielte es keine Rolle, daß dieses Material von äußerster Dürftigkeit war und in sachlicher Hinsicht nicht im geringsten eine Gleichsetzung von republikanischer Schutzformation und nationalsozialistischer Wehrorganisation rechtfertigte. Die öffentliche Bloßstellung Groeners durch Hindenburg war aber ein unübersehbares Signal an die Reichswehr, sich von Groener zu distanzieren, nachdem der oberste Befehlshaber der bewaffneten Macht demonstrativ von diesem abgerückt war.

Damit ermunterte Hindenburg das illoyale Treiben gegen den Wehrminister innerhalb der Reichswehrführung, wo das angebliche Belastungsmaterial gegen das »Reichsbanner« unter Umgehung des Ministers zusammengestellt worden war.[18] Der Reichspräsident persönlich hatte den Chef der Heeresleitung, Generaloberst von Hammerstein, am 15. April 1932 angewiesen, ihm das im Ministerium gesammelte Material über das »Reichsbanner« auszuliefern;[19] und dieser hatte dem Befehl Hindenburgs folgend somit eine Handhabe gegen den eigenen Minister zur Verfügung gestellt. Bei diesen Intrigen gegen Groener konnte Hindenburg auf die Dienste Kurt von Schleichers, des bisherigen Intimus von Groener und Chef des Ministeramtes im Reichswehrministerium, zurückgreifen, den er beauftragte, den in die Enge getriebenen Groener zu erledigen, das Kabinett Brüning zu Fall zu bringen und die Personalauswahl für eine neue Reichsregierung zu treffen.

Der politische Ziehsohn Groeners sollte von diesem in absehbarer Zeit nicht nur das Amt des Wehrministers erben, sondern für knapp ein halbes Jahr auch in die Rolle des privilegierten Beraters Hindenburgs in politischen Fragen schlüpfen. Zweierlei prädestinierte Schleicher dazu: Ihm haftete der richtige militärische Stallgeruch an, denn wie Hindenburg entstammte er dem 3. Garderegiment zu Fuß. Und ihn verband eine enge persönliche Beziehung mit Oskar von Hindenburg, die es mit sich brachte, daß er sich – im Unterschied zu Groener – häufig in halb privater, halb dienstlicher Mission im Reichspräsidentenpalais einfand. Von ausschlaggebender Bedeutung war allerdings seine politische Umtriebigkeit und Talentiertheit. Schleicher war mindestens ebensosehr Politiker wie Militär;[20] er wollte seine Schlüsselstellung im Reichswehrministerium nutzen, um die politischen Weichen so zu stellen, daß die Interessen der bewaffneten Macht – militärische Gleichberechtigung und in deren Gefolge militärische Aufrüstung – optimal zum Tragen kamen. Dazu hatte er ein undurchsichtiges Netz von Kontakten in fast alle politischen Lager geknüpft. Schleicher hatte sich in politischen Missionen bereits mehrfach bewährt und war daher der geeignete Mann, Hindenburgs Wunschregierung zustande zu bringen: eine weit nach rechts ausgreifende Verbindung unter einem Kanzler, der sich von jedem sozialdemokratischen Einfluß frei machte. Solange Schleicher diesen Auftrag im Sinne Hindenburgs auszuführen schien, konnte er seine Stellung als bevorzugter Ratgeber des Hauses Hindenburg behaupten. Sein Stern sank in dem Moment, als er gegen diese Auflage verstieß und Hindenburg in eine andere, auf die Ausschöpfung der Amtsbefugnisse des Reichspräsidenten konzentrierte Funktion hineinzudrängen suchte, die sich mit Hindenburgs Verständnis seiner politisch-symbolischen Aufgabe nicht mehr deckte.

Schleicher brauchte zunächst nur dort weiterzumachen, wo er auf Geheiß Hindenburgs im Februar 1932 aufgehört hatte. Damals waren seine Konsultationen mit Hitler und Hugenberg an den unannehmbaren Bedingungen und an der notorischen Zerstrittenheit der beiden Parteiführer gescheitert.[21] Nach der Wiederwahl Hindenburgs konnte ein neuer Anlauf unternommen werden, bei dem sich zeigen würde, ob die Rechtsparteien ihre Lektion gelernt hatten und nunmehr bereit waren, sich auf die Konditionen Hindenburgs einzulassen. Der Reichspräsident war des Regierens mit Notverordnungen längst überdrüssig, weil er sich dadurch über die Maßen exponierte und der Zuwachs an legaler Autorität mit einer Einbuße seiner Symbolkraft erkauft wurde, die ihm aber für die Realisierung der Volksgemeinschaft unerläßlich schien. Die Einbeziehung der Nationalsozialisten in die Regierungsverantwortung war zunächst auch Schleichers Anliegen, da »die jetzige Art des Regierens, die sich auf einen ausgeschalteten und dem Volkswillen nicht mehr entsprechenden Reichstag stützt, für längere Zeit nicht mehr möglich sei«.[22]

Die Schonfrist Brünings lief mit den Landtagswahlen vom 24. April 1932 ab, bei denen sich das Hauptaugenmerk Hindenburgs auf Preußen konzentrierte.[23] Zwar gingen auch in Bayern, Württemberg, Hamburg und Anhalt die Wähler an die Urnen, doch galt das vordringliche Interesse des Reichspräsidenten dem bei weitem größten deutschen Staat. Daß ausgerechnet seine preußische Heimat seit 1919 ohne Beteiligung der Rechten regiert worden war und fast ununterbrochen ein Sozialdemokrat als preußischer Ministerpräsident amtiert hatte, bedeutete für Hindenburg ein Übel, das endlich beseitigt werden mußte. Gerade weil er auf Reichsebene aus Rücksicht auf die bevorstehende Entscheidung in der Reparationsfrage derzeit keinen Regierungswechsel herbeiführen wollte, drängte er mit aller Macht darauf, daß Preußen eine Vorreiterrolle übernahm: Preußen als Modell für eine Zusammenarbeit aller »nationalen Kräfte« vom Zentrum bis zur NSDAP.[24]

Das Ergebnis der Wahl zum Preußischen Abgeordnetenhaus[25] eröffnete diese Möglichkeit: Die NSDAP erreichte 36,3 Prozent und erhielt damit bis auf ein Mandat dieselbe Zahl an Abgeordneten wie die bisherigen Regierungsparteien SPD, Zentrum und Staatspartei zusammen. Doch sie konnte nicht aus eigener Kraft die Regierung bilden, und selbst mit der auf 6,9 Prozent abgemagerten DNVP reichte es nicht, da in Preußen der Ministerpräsident vom Landtag gewählt wurde und nach einer Geschäftsordnungsänderung dazu in allen Wahlgängen die absolute Mehrheit der Mandate erforderlich war. Hindenburg, der sein Kreuz bei der Konservativen Volkspartei des Grafen Westarp gemacht hatte,[26] die allerdings leer ausging, war das nur allzu recht: Die NSDAP war auf die Unterstützung des Zentrums angewiesen, wenn sie in die preußische Regierung eintreten wollte; und das Zentrum sollte unter Beweis stellen, daß es mit den Nationalsozialisten eine Regierung bilden konnte, so daß im größten deutschen Land die Kräfte der »nationalen Konzentration« die Macht übernahmen, wobei tunlichst auch noch die Deutschnationalen einbezogen werden sollten. Da der Reichspräsident auf die Bildung der preußischen Regierung keinen direkten Einfluß nehmen konnte, faßte er es als Bringschuld Brünings auf, in Preußen den Brückenschlag zwischen Zentrum und NSDAP zustande zu bringen.

Brüning verschloß sich diesem Ansinnen nicht: »Ich habe nie einen Hehl daraus gemacht: ›Ich stehe rechts und bin konservativ eingestellt.‹«[27] Er zeigte daher keine grundsätzlichen Bedenken, auf seine preußischen Parteifreunde in diesem Sinne einzuwirken, und versicherte dem Reichspräsidenten: »Ich werde mich für eine Rechtsregierung in Preußen einsetzen.«[28] Aber Brüning ließ im Umgang mit der NSDAP nicht die Vorsichtsmaßregeln außer acht, die das Zentrum traditionell beherzigte. Keinesfalls dachte er daran, der Hitlerpartei den Posten des preußischen Ministerpräsidenten auszuliefern, weil dieser gemäß der Verfassung die Ressortminister ernannte; auf keinen Fall wollte er zulassen, daß das preußische Innenministerium und damit die Befehlsgewalt über die preußische Polizei in die Hände eines Nationalsozialisten fiel. Brüning wirkte in diesem Sinne auf die preußische Landtagsfraktion ein und knüpfte auch im geheimen Beziehungen zum zweiten Mann der NSDAP, Reichsorganisationsleiter Gregor Straßer, dem er zutraute, daß er sich auf eine solche Machtverteilung einlassen würde.[29]

Doch Brüning war nicht mehr Herr des Verfahrens, da Hindenburg längst Schleicher – ähnlich wie im Februar 1932 – damit beauftragt hatte, Sondierungen mit den Rechten aufzunehmen, um in Erfahrung zu bringen, zu welchen Konditionen diese zur Übernahme von Regierungsverantwortung bereit seien. Beide Seiten verhandelten auf Geheiß Hindenburgs[30] über eine Paketlösung: eine Regierungsbeteiligung der Rechten in Preußen sollte mit einer Rechtsverlagerung der Reichsregierung verknüpft werden. Schleicher wollte dabei anfangs durchaus ergebnisoffen ausloten, ob sich die Nationalsozialisten auf eine Umbildung der bisherigen Reichsregierung durch die Aufnahme nationalsozialistischer Minister einließen oder ob sie auf dem kompletten Austausch der bisherigen Minister beharrten. Als sich abzeichnete, daß Hitler auf der totalen Ersetzung des bisherigen Kabinetts bestand und auch für Brüning als Außenminister kein Platz mehr vorgesehen war, führte Schleicher in der Nacht vom 2. auf den 3. Mai 1932 eine entscheidende Aussprache mit Brüning herbei.[31] Der Reichskanzler und Außenminister in Personalunion wollte seinen Posten aber nach wie vor erst räumen, wenn die außenpolitische Gefahrenzone durchschritten sei und das Reich die Früchte seiner Revisionspolitik geerntet habe. Damit zeichnete sich ab, daß Hindenburg, wollte er mit den Nationalsozialisten ins Geschäft kommen, Brüning auch als Außenminister opfern und ein komplett neues Kabinett ernennen mußte. Schleicher ließ in der besagten Aussprache durchblicken, daß er dieser Lösung zuneige, und damit wuchs auch bei Hindenburg die Bereitschaft, die große Lösung anzustreben, einen radikalen Schnitt vorzunehmen und sich von allen bisherigen Ministern zu trennen.

Noch schützte die außenpolitische Bilanz den Reichskanzler. Brüning harrte in seiner prekären Stellung aus, weil er darauf vertraute, daß Hindenburg ihn nicht während zentraler außenpolitischer Entscheidungsprozesse austauschen würde. Im Juni 1932 sollte in Lausanne eine internationale Konferenz zusammentreten, auf der er die definitive Abschaffung der Reparationen als Krönung seiner Außenpolitik zu erreichen trachtete. Danach, so bedeutete er Hindenburg mehrfach, könne dieser den Kanzlerwechsel vollziehen und »ruhig nach rechts drehen«.[32] Darüber hinaus konnte der Kanzler Fortschritte auf einem anderen Feld der Revision des Versailler Vertrags verbuchen: der militärischen Gleichberechtigung. Ende April 1932 hatte er diplomatische Gespräche im Umkreis der unter Völkerbundregie stehenden Abrüstungskonferenz in Genf geführt, die eine zunehmende Aufgeschlossenheit für die deutsche Position erkennen ließen: Deutschland sollte den militärischen Status eines Kleinstaates (100 000-Mann-Armee) verlassen dürfen, wenn die stark gerüsteten Staaten, vor allem Frankreich und Polen, nicht auf das deutsche Niveau hinabstiegen.[33] Damit zeichnete sich ab, daß ähnlich wie in der Reparationsfrage die internationale Staatenwelt unter Führung der USA in der Frage der militärischen Gleichstellung auf die deutsche Position einschwenken könnte. Brüning hoffte, daß gerade diese Entwicklung den Militär Hindenburg nicht unbeeindruckt lassen würde.[34] Es war sein letzter Trumpf, der immerhin dafür sorgte, daß Hindenburg ihm eine letzte Gnadenfrist einräumte, als ihm der Reichskanzler am 30. April über seine Genfer Besprechungen Vortrag hielt: »Es ist erstaunlich, was der kleine Brüning in Genf erreicht hat. Ich hätte das nie für möglich gehalten.«[35]

Hindenburg hatte bereits längst mit Brüning abgeschlossen und war dabei, ein neues Kabinett zusammenzustellen, was durch den Wunsch offenbar wurde, für den 10. und 11. Mai 1932 die Führer aller Parteien mit Ausnahme der Kommunisten ins Reichspräsidentenpalais zu bestellen. Niemals während der Kanzlerschaft Brünings hatte Hindenburg die Parteiführer empfangen, und so konnte Brüning diese Absicht nur als Affront werten: als offenkundigen Versuch, bereits die Weichen für eine neue Regierung zu stellen. In der Tat war das Drehbuch für die Ablösung Brünings bereits geschrieben, denn am 7. Mai 1932 hatte sich Schleicher mit Hitler auf die Grundzüge eines Arrangements geeinigt.[36] Danach sollte Hindenburg seinen Kanzler in den nächsten Tagen entlassen und ein Übergangskabinett berufen. Die Nationalsozialisten sollten als Morgengabe die Auflösung des Reichstags und die Wiederzulassung der SA erhalten, womit sie in eine Schlüsselposition im neu gewählten Reichstag gelangen würden. Hindenburg könnte dann unter Berücksichtigung des Wahlergebnisses eine Regierung berufen, die seinem Ideal einer »nationalen Konzentrationsregierung« möglichst nahe kam.

Doch Brüning bot Hindenburg erfolgreich die Stirn und sah nicht tatenlos seiner Demontage zu. Am 9. Mai 1932 kündigte er seine sofortige Demission an, falls Hindenburg die Parteiführer zu sich bestellen würde, und das konnte der Reichspräsident immer noch nicht riskieren, denn er wollte nicht die politische Verantwortung dafür übernehmen, daß die zum Greifen nahen außenpolitischen Erfolge im letzten Moment durch einen Kanzlerwechsel verspielt würden. Noch einmal stach Brünings Argument, daß »andernfalls … alle angebahnten außenpolitischen Verhandlungen – Abrüstungskonferenz wie Reparationskonferenz – bedroht oder zum Scheitern gebracht« würden.[37] Brüning ging aber noch einen entscheidenden Schritt weiter, indem er drohte, Hindenburgs Verhalten vor das Forum des Reichstags zu bringen, der nach halbjähriger Vertagung erstmals wieder zusammengetreten war.[38] Damit traf Brüning Hindenburg an einer empfindlichen Stelle. Dieser wünschte, daß die Entlassung Brünings geräuscharm vor sich ging und sein eigener Name geschont wurde; ein Auftritt Brünings vor dem Reichstag gerade einmal vier Wochen nach der durch Brüning bewerkstelligten Wiederwahl Hindenburgs hätte dieses Kalkül durchkreuzt. Daher zog Hindenburg seine Absicht zurück, und der für den 11. Mai vorgesehene Empfang Hitlers bei Hindenburg[39] mußte abgesagt werden.

Brüning hegte zwar keine prinzipiellen Einwände gegen eine vom Zentrum bis zur NSDAP reichende Regierung in Preußen wie im Reich.[40] Aber er war nicht bereit, der NSDAP irreversible machtpolitische Konzessionen zu machen, ihr die Schlüsselpositionen in beiden Regierungen auszuliefern und den Reichstag ohne Not auflösen zu lassen.[41] Hindenburg wollte die NSDAP zwar ebenfalls so beaufsichtigen, daß sie keine Parteidiktatur errichtete. Aber die Anziehungskraft einer nur unter Einschluß der Nationalsozialisten zu vollziehenden »nationalen Konzentration« war so stark, daß Hindenburg im Mai 1932 immer größere Bereitschaft zu politischen Vorleistungen an die Adresse der Hitlerpartei zeigte, was er im Oktober 1931 noch strikt von sich gewiesen hatte.

Hinzu kam, daß Hindenburg seinem Kanzler zunehmend mangelnde Aktivität bei der Ankurbelung der Wirtschaft vorhielt. Hindenburg hatte seine Unterschriften unter die insgesamt vier Notverordnungen, mit denen Brüning die Wirtschafts- und Finanzpolitik auf einen eisernen Austeritätskurs ausrichtete, unter dem Vorbehalt geleistet, daß er auf Dauer keine Politik mitverantworten könne, die dem deutschen Volk schwere Lasten auferlegte und seinem Mythos abträglich sei.[42] Mitte 1932 schien aus Hindenburgs Sicht die Zeit reif für einen wirtschaftspolitischen Kurswechsel, da er die von Brüning ins Spiel gebrachten außenpolitischen Zwänge einer solchen rigiden Sparpolitik immer weniger einzusehen vermochte. Doch Brüning hielt kompromißlos an der Konsolidierung der öffentlichen Haushalte fest und lehnte es ab, durch staatlich induzierte Konjunkturprogramme die Auswirkungen der Wirtschaftskrise zu lindern. Damit geriet er in grundsätzlichen Dissens mit Reichswirtschaftsminister Warmbold, der für staatlich geförderte Arbeitsbeschaffungsmaßnahmen plädierte.[43] Am 28. April 1932 zog Warmbold die Konsequenzen aus den »Meinungsverschiedenheiten in Angelegenheiten grundsätzlicher Natur«[44] und reichte Hindenburg sein Rücktrittsgesuch ein, das der Reichspräsident am 5. Mai annahm. Für Hindenburg, der mit den wirtschaftspolitischen Ansichten Warmbolds sympathisierte, schien Brüning nun auch aus wirtschaftspolitischen Gründen als Kanzler nicht mehr tragbar.[45]

Am 9. Mai 1932 tagte nach einer mehr als halbjährigen Pause der Reichstag. Die Regierung Brüning sah sich dort wieder den üblichen Mißtrauensanträgen ausgesetzt, die sie beim letzten Mal nur knapp hatte abwehren können. Sollte Brüning im Reichstag das Vertrauen entzogen werden, dann hatte sich für Hindenburg das Problem Brüning von alleine gelöst, das darin bestand, sich von diesem Kanzler zu trennen, ohne daß sein eigenes Ansehen Schaden nahm. Für diese Reichstagssitzung hatten sich die Nationalsozialisten neu munitioniert: Göring, dem die Aufgabe zufiel, das nationalsozialistische Mißtrauensvotum gegen die Regierung zu begründen, war Material auch aus Reichswehrkreisen zugespielt worden, das die Regierung in schwere Bedrängnis bringen sollte.[46] Die Attacke Görings erfüllte insofern ihren Zweck, als der auf ihn replizierende Doppelminister Groener gesundheitlich beeinträchtigt war und überdies einen schlechten Tag erwischte, was seinen Gegnern einen willkommenen Vorwand bot, seine Entlassung zu verlangen.[47] Hindenburg setzte sich an die Spitze dieser Kräfte und ließ Brüning ausrichten, daß Groener als Wehrminister wie als Innenminister nicht länger tragbar sei.[48] Damit wollte er die Verteidigungslinie Groeners durchkreuzen, der von sich aus seinen Rücktritt als Wehrminister angeboten hatte, aber als Innenminister zur Unterstützung Brünings weiterhin dem Kabinett angehören wollte. Hindenburg wollte also seinen ehemaligen Mitstreiter Groener, den er 1928 als seinen Vertrauensmann in die Reichsregierung geholt hatte, eliminieren und damit den Sargnagel für die Regierung Brüning einschlagen. Groener kannte Hindenburg zu gut, um darüber empört zu sein, und konstatierte nüchtern: Hindenburg »hat mich kurz und ohne Schamgefühl fallenlassen«.[49]

Doch zum zweiten Mal binnen weniger Tage trotzte Brüning dem Ansinnen Hindenburgs. Er solidarisierte sich mit Groener und kündigte für den Fall einer Entbindung Groeners von beiden Ministerämtern seine Demission an. Brüning konnte diese Kraftprobe wagen und ein letztes Mal für sich entscheiden, weil Hindenburg vor den außenpolitischen Schäden einer vorzeitigen Entlassung Brünings immer noch zurückschreckte.[50] Darüber hinaus fürchtete der Reichspräsident einen öffentlichen Eklat, weil auch Groener deutlich zu verstehen gegeben hatte, daß er seine Behandlung durch Hindenburg »nicht ruhig hinnehmen würde«.[51] Es schien daher klüger, die Entlassung Brünings nicht zu überstürzen und die Situation so reifen zu lassen, daß die Trennung von Brüning ohne öffentlichen Ansehensverlust erfolgen konnte. Hindenburg verschob also die endgültige Entscheidung und reiste am 12. Mai 1932 für zwei Wochen nach Neudeck ab.[52]

Die Grundsatzentscheidung, sich so bald wie möglich von Brüning zu trennen, stand indes fest, längst bevor Hindenburg nach Neudeck aufbrach. Es bedurfte also nicht der Beeinflussung durch die in diesem Zusammenhang immer wieder verdächtigten »ostpreußischen Großgrundbesitzer« oder anderer vermeintlicher Hintermänner, um Hindenburg zu diesem Schritt zu veranlassen, der sich als logische Konsequenz aus der Gesamtanlage seiner Politik ergab.[53] Zudem hat Hindenburg während seines Neudecker Aufenthalts kaum Besuch aus diesen Kreisen erhalten. Der übliche Verdächtige Oldenburg-Januschau, unzweifelhaft ein

Befürworter einer Rechtsregierung unter Einschluß der Deutschnationalen, hielt sich zum fraglichen Zeitpunkt gar nicht in Januschau auf, sondern auf seinem Gut in Biegen bei Frankfurt/Oder.[54] Außerdem hatte sich das Verhältnis zwischen Oldenburg und Hindenburg abgekühlt, weil der Feldmarschall diesem das Eintreten für die Duesterberg-Kandidatur verübelte.[55] Während seines Pfingsturlaubs im Mai 1932 hat Hindenburg aus dem Kreis der ostpreußischen Gutsbesitzer aller Wahrscheinlichkeit nach nur den früheren ostpreußischen Landeshauptmann Manfred von Brünneck-Bellschwitz empfangen, der aber auf der Seite Brünings stand.[56]

Dies bedeutet nicht, daß agrarische Interessen überhaupt keine Rolle bei der Entlassung Brünings spielten. Denn Hindenburg griff unter Hinweis auf die Belange der ostdeutschen Großgrundbesitzer erstmals inhaltlich in die Arbeit der Regierung Brüning ein und weigerte sich, die ihm als Entwurf in Neudeck vorgelegte fünfte Notverordnung zur Sicherung von Wirtschaft und Finanzen in dieser Form zu unterschreiben. Gegen den Grundgedanken dieser Notverordnung – die Besiedlung des menschenarmen deutschen Ostens zu befördern – hatte Hindenburg nichts einzuwenden, wohl aber gegen die Art und Weise, wie Siedlungswillige günstig an Siedlungsland gelangen sollten. Man beabsichtigte, die staatlichen Stellen zu ermächtigten, nicht mehr entschuldungsfähige Güter auf dem Weg der Zwangsversteigerung zu erwerben und den Siedlungsbewerbern zur Verfügung zu stellen.[57] Dagegen liefen die großagrarischen Lobbyisten Sturm, und Hindenburg machte sich deren Einwände zu eigen und brandmarkte dieses Verfahren als »Enteignung ohne Rechtsgarantie«,[58] wie er am 25. Mai dem in Neudeck zum Vortrag weilenden Meißner zu verstehen gab.

In dieser Ablehnung kam mehr der Überdruß Hindenburgs gegen die Notverordnungspolitik Brünings zum Ausdruck als die einseitige Übernahme großagrarischer Interessen. Denn im selben Atemzug erklärte Hindenburg eine weitere Bestimmung der vorgesehenen Notverordnung für inakzeptabel, nämlich die geplante Kürzung der Bezüge der Kriegsbeschädigten und Kriegshinterbliebenen, die bereits bei früheren Runden nicht verschont worden waren: »die neuen Kürzungsbestimmungen in der Kriegsversorgung seien sozial und menschlich ungerecht«.[59] Er pochte aber nicht zuletzt deswegen auf die Fürsorgepflicht eines Generalfeldmarschalls gegenüber den Kriegsopfern, weil er das ganze Notverordnungsregime hinter sich lassen und seinen Namen nicht mehr für eine Wirtschafts- und Finanzpolitik hergeben wollte, deren Ratio er nicht mehr begriff und deren Urheber er ohnehin bald entlassen würde.

Zuletzt spielten auch konfessionelle Momente[60] in die Grundsatzentscheidung Hindenburgs hinein, sich von Brüning zu trennen. Die Stiftung nationaler Einheit war für den Feldmarschall trotz aller Anerkennung der patriotischen Leistungen katholischer Deutscher im Weltkrieg im Kern eine Sache der Protestanten. Er hatte Bedenken, diese Aufgabe dem Vertreter einer Partei anzuvertrauen, die den politischen Katholizismus repräsentierte und damit nicht nur aus Sicht Hindenburgs im latenten Verdacht stand, im Konfliktfall die Interessen des römischen Papsttums über nationale Anliegen zu stellen. Selbst so national und dazu noch preußisch gesinnte Zentrumspolitiker wie Brüning standen unter Generalverdacht, für Einflüsterungen von seiten der römischen Kurie empfänglich zu sein. Daher unterstellte Hindenburg Brüning jesuitisches Verhalten[61] – und das hieß Durchtriebenheit –, da dieser angeblich durch gespielte Anhänglichkeit und durch prononciert vorgetragene nationale Absichten seine wahren Beweggründe verschleiere.

Als Hindenburg am 28. Mai 1932 aus Neudeck nach Berlin zurückkehrte, hatte sich sein Zeitplan nicht verschoben. Brüning ließ er am Abend des 28. Mai über Meißner ausrichten, daß er noch bis zum Ende der für Mitte Juni angesetzten Reparationskonferenz in Lausanne weiter amtieren solle; danach müsse aber »eine Neubildung des Kabinetts stattfinden«.[62] In der Zwischenzeit würde Schleicher durch Sondierungsgespräche die Weichen für eine Rechtsregierung stellen, deren personelle Zusammensetzung Ende Mai noch völlig unklar war, von der aber feststand, daß sie in Übereinkunft mit den Nationalsozialisten gebildet werden sollte. Wieder durchkreuzte Brüning die Pläne Hindenburgs, indem er den Reichspräsidenten bei seinem Vortrag am 29. Mai 1932 vor eine Alternative stellte: Er verlangte von Hindenburg eine Art Generalvollmacht, die über die Konferenz von Lausanne hinausreichte, und kündigte bei Ausbleiben solcher Garantien seine Demission an. Brüning forderte nicht weniger als das Ende aller »Quertreibereien« gegen seine Regierung, womit vor allem die Rolle Schleichers gemeint war, und er bestand auf einem »neuen Vertrauensakt des Herrn Reichspräsidenten«: Hindenburg solle die beiden derzeit offenen Ressorts, nämlich Wehrministerium und Wirtschaftsministerium, neu besetzen und damit zu verstehen geben, daß er mit diesem Kanzler an der Spitze einer umformierten Regierung weiter zusammenarbeiten wolle.[63]

Brüning ergriff damit die Initiative und brachte den Reichspräsidenten in Zugzwang. Er machte Hindenburg unmißverständlich klar, daß er das unwürdige Theater um seine Person nicht mehr mitmache und der schrittweisen Demontage nicht tatenlos zusehen werde. Eine entscheidende Antriebskraft für diesen Vorstoß war seine Selbstachtung: Nachdem er am 28. Mai von Meißner erfahren hatte, daß seine Uhr nach der Konferenz von Lausanne abgelaufen sein würde,[64] trat er bei der nächsten sich bietenden Gelegenheit die Flucht nach vorn an und setzte den Reichspräsidenten unter Druck.[65] Brüning wollte nicht länger dessen Spielball sein, sondern das Verfahren und den Termin seiner Ablösung selbst bestimmen: »Ich habe aber auch eine Ehre und diese Ehre muß ich auch schützen.«[66] Brüning wollte nicht die Entwicklung zu einem nach rechts erweiterten Kabinett unter Einschluß der Nationalsozialisten blockieren, wohl aber verhindern, daß die neue Regierung das von ihm angehäufte außenpolitische Kapital verspielte und innenpolitisch die nationalsozialistischen Diktaturgelüste beförderte.

Brüning hat sich durchaus Chancen ausgerechnet, Hindenburg wie schon bei der Einberufung der Parteiführer und der Entlassung Groeners mit seinem Vorgehen so zu beeindrucken, daß dieser erneut einlenkte. Eine Entlassung Brünings nur sieben Wochen nach der vom Kanzler erst ermöglichten Wiederwahl des Reichspräsidenten wäre ein Affront gegen die Hindenburg-Wähler[67] und konnte einen beträchtlichen Ansehensverlust des Feldmarschalls zur Folge haben. Insofern gebiete das Eigeninteresse Hindenburgs, so die Überlegung Brünings, sich in dieser Personalfrage nicht zu exponieren und zu »warten bis zu dem Termin, den ich Ihnen vorgeschlagen habe, und wenn ich dann gehe, dann wird niemand an Ihrer Autorität rütteln. Ich will Ihren geschichtlichen Namen schützen.«[68] Doch Brüning unterschätzte, wie sehr der Mythos bereits zum Schutzpanzer um den realen Hindenburg geworden war: Dem Reichspräsidenten drohte keine öffentliche Demaskierung, weil nicht zuletzt Brüning selbst durch seine öffentlichen Auftritte am Hindenburg-Mythos mitgewirkt hatte. Zudem schirmte der Reichspräsident sich durch die mit der Entlassung Brünings sichtbar werdende Hinwendung nach rechts gegen die einzige Kritik ab, die seiner symbolischen Funktion noch gefährlich werden konnte, weil sie unter Berufung auf den soldatischen Nationalismus der Frontkämpfer seine monopolistische Stellung als Inkarnation des nationalen Einheitswillens attackierte. Hindenburg hatte schon am 9. November 1918 keine Rücksicht auf eine mögliche Beschädigung seines Ansehens genommen, als er den Kaiser in die Niederlande schickte, und es war ihm nicht zuletzt durch eine geschickte Geschichtspolitik gelungen, die Deutungshoheit über den 9. November 1918 zu erlangen. Deswegen quälten ihn keine Skrupel, im Falle Brünings so zu verfahren, wie er es für richtig hielt, und sich von Brüning keine Vorschriften über den Termin von dessen Ausscheiden aus dem Amt machen zu lassen.

Hindenburg faßte das Beharren Brünings auf Garantien als ungehörige Insubordination auf und reagierte daher eisig auf den Vorstoß des Kanzlers. Unmißverständlich wies er Brüning in die Schranken und teilte diesem lapidar mit, daß die von ihm geführte Regierung keine Erlaubnis zum Erlassen von Notverordnungen mehr erhalten werde, womit das politische Schicksal Brünings besiegelt war.[69] Als Brüning Hindenburg am 29. Mai 1932 um 11.45 Uhr verließ, waren beide geschiedene Leute. Die formelle Besiegelung der Trennung war nur noch Formsache. Am 30. Mai tagte die Ministerrunde ein letztes Mal und beschloß die Demission des gesamten Kabinetts. Im Demissionsschreiben wies Brüning ausdrücklich darauf hin, daß er um die Entlassung bitte, weil der Reichspräsident nicht die »notwendigen Garantien für eine ungehinderte und aussichtsreiche Durchführung der der Reichsregierung obliegenden innen- und außenpolitischen Aufgaben«[70] zur Verfügung gestellt habe. Als Brüning dem Reichspräsidenten am 30. Mai 1932 um 11.55 Uhr dieses Demissionsgesuch überreichte, ließ Hindenburg ihn seine Ungnade noch einmal überdeutlich spüren. Ganze dreieinhalb Minuten[71] nahm sich Hindenburg, um jenen Mann zu verabschieden, den er wiederholt seines ungeteilten Vertrauens versichert hatte und dessen außenpolitisches Geschick er schätzte. Aber Brüning hatte sich in seinen Augen ungebührlich benommen, weil er sich politisch aufgespielt und in die präsidiale Prärogative einzugreifen versucht hatte. Hindenburg bestrafte ihn, indem er den Termin für die Verabschiedung auf fünf Minuten vor 12 Uhr legte. Damit blieben nicht einmal fünf Minuten für die Begegnung mit Brüning. Denn um 12 Uhr hatte der Reichspräsident die vor seinem Palais aufziehende Marinewache zu begrüßen, die erstmals in dieser Form den Tag der Skagerrakschlacht würdigte. Der Feldherr des Weltkriegs und Oberbefehlshaber der Reichswehr empfing Brüning wie einen kleinen Leutnant, der es gewagt hatte, gegen die Anweisungen seines Vorgesetzten zu rebellieren und daher gestutzt werden mußte.[72]

Allerdings geriet durch die Demission Brünings der Zeitplan für die Bildung einer Rechtsregierung durcheinander, denn Hindenburg hatte Brüning entlassen, ohne daß ein neuer Kanzler bereitstand. Infolgedessen setzte nun eine hektische Aktivität ein, um auf die Schnelle ein Kabinett nach Hindenburgs Wünschen zusammenzustellen.

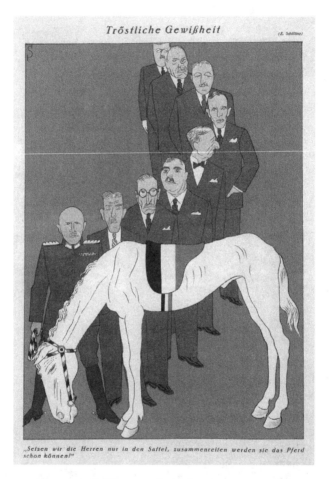

»Setzen wir die Herren nur in den Sattel, zusammenreiten werden sie das Pferd schon können!« Zeichnung von Erich Schilling im »Simplicissimus«, 26. Juni 1932

KAPITEL 30

Verlegenheitslösung: die Berufung Papens

Der Abgang der Regierung Brüning am 30. Mai 1932 brachte Hindenburg in Zugzwang; er mußte nun schneller als erwartet eine Regierung nach seinen Wunschvorstellungen zustande bringen. Dem Reichspräsidenten schwebte ein Kabinett auf möglichst breiter Grundlage vor, das seiner Vorstellung einer »nationalen Konzentrationsregierung« entsprach. Dazu brauchte er nur an die Vorgaben anzuknüpfen, die er Schleicher im Februar 1932 mitgegeben hatte, als dieser in seinem Auftrag bei Hugenberg und Hitler – allerdings noch vergeblich – die Möglichkeit ausgelotet hatte für ein »Konzentrationskabinett auf breitester Basis mit fachlich hervorragenden Persönlichkeiten als Minister«.[1] Es sollte endlich der Brückenschlag zwischen den politischen Kräften vom Zentrum bis zu den Nationalsozialisten erfolgen, den Brüning zwar angekündigt, aber nicht vollbracht hatte. Wer an der Spitze dieser Regierung stehen sollte und unter welchen Bedingungen sich Politiker zur Mitarbeit in diesem Kabinett bereit finden würden, war am 30. Mai 1932 noch nicht entschieden. Hindenburg favorisierte aber seit längerem einen parteiunabhängigen Kanzler.[2]

Prinzipiell war Hindenburgs Vorstellung einer Regierung, die bei Zentrum wie NSDAP Unterstützung fand, in dieser Situation gar nicht abwegig. Vom Grundsatz her hatte sich Brüning ja schon zu dieser Konzeption bekannt,[3] sofern die Nationalsozialisten Abstriche an ihren Forderungen machten. Daher verwundert es nicht, daß Brüning selbst die Kanzlernachfolge in diesem Sinne zu regeln suchte und Hindenburg einen Kandidaten präsentierte, der ihm geeignet schien, Zentrum wie NSDAP hinter sich zu bringen. Diese Person schien das Anforderungsprofil Hindenburgs zu erfüllen: ein Konservativer, der durch herausragende Sacharbeit im Verwaltungsdienst seine Fähigkeiten unter Beweis gestellt hatte; ohne feste Bindungen an eine politische Partei; evangelische Konfession. Brünings Personalvorschlag war der Leipziger Oberbürgermeister Carl Friedrich Goerdeler, der sich als Kommunalpolitiker der Messestadt parteiübergreifend Ansehen erworben hatte und sich zudem seit Dezember 1931 als ehrenamtlicher Reichskommissar für

Preisüberwachung betätigte. In dieser Eigenschaft hatte er mehrfach an Kabinetts-
sitzungen teilgenommen und war insofern in die Regierungspolitik eingearbeitet.
Daß er 1931 mit der Hugenberg-DNVP gebrochen und diese Partei verlassen hatte,
kam ihm ebenfalls zugute, da er sich nun als ein parteiunabhängiger Fachmann
präsentieren konnte.[4] Brüning, der seit Mai versucht hatte, Goerdeler als Nachfolger aufzubauen, legte Hindenburg den Leipziger Oberbürgermeister in seiner letzten Aussprache am 30. Mai 1932 ans Herz.[5]

Hindenburg griff diesen Ball jedoch nicht auf und verfolgte den Gedanken
nicht weiter, obgleich Goerdeler auf den ersten Blick eine Idealbesetzung zu sein
schien. Aber mit Goerdeler ließ sich in der Wirtschafts- und Finanzpolitik nicht
jener vorsichtige Kurswechsel hin zu einer Ankurbelung der Binnennachfrage
durchführen, die Hindenburg anstrebte, um die Arbeitslosigkeit zu bekämpfen.
Der Leipziger Oberbürgermeister war in wirtschaftspolitischen Fragen ein treuer
Schüler Brünings und kannte nur ein Rezept gegen die Wirtschaftskrise: eisernes
Sparen und damit noch weitere Reduzierung der staatlichen Transferleistungen.[6]
Als flankierende Maßnahme plante er zudem die Freigabe der Löhne: Er versprach
sich von einer Abschaffung der Tarifbindung eine Reduzierung der Löhne auf ein
Niveau, bei dem der Großteil der Arbeitslosen wieder Arbeit finden würde. Die
Umsetzung solcher Vorschläge hätte aber einen Aufschrei der Empörung bei jenen
ausgelöst, die als Anwälte einer kollektiven Regelung der Löhne auftraten und von
der Sozialdemokratie bis hin zu den Nationalsozialisten reichten. Die Berufung
Goerdelers an die Spitze der Reichsregierung barg also sozialen Sprengstoff, so daß
Hindenburg vor einer solchen Personalentscheidung zurückschreckte.

Der zweite vielversprechende Kandidat für den Kanzlerposten einer von Zentrum bis NSDAP zumindest geduldeten Regierung war Graf Westarp. Die NSDAP
hatte sich schon drei Wochen vor Brünings Sturz mit einer Kanzlerschaft Westarps
anfreunden können[7] und erneuerte nach dem Sturz Brünings ihre Bereitschaft
hierzu.[8] Auch die Zentrumspartei zeigte sich gewillt, eine Kanzlerschaft Westarps
mitzutragen.[9] Allerdings knüpften beide Parteien ihre Bereitschaft zur Unterstützung des Westarp-Kabinetts an völlig unterschiedliche Bedingungen: Brüning erwartete, daß der ihm politisch nahestehende Altkonservative sein politisches Werk
fortsetzte und die NSDAP in die Regierungsverantwortung zwang, ohne ihr die
Trumpfkarte einer vorzeitigen Reichstagsauflösung in die Hand zu geben.[10] Denn
nur wenn es keine vorgezogenen Neuwahlen gab, die nach allen Prognosen die
Hitlerpartei zur weitaus stärksten Kraft im Reichstag machen würden, konnte der
Führungsanspruch der NSDAP abgewehrt und diese mit etwa zwei Ministern noch
kurzgehalten werden.[11] Westarp sollte mithin eine Regierung nach einem Zu-

schnitt bilden, der auch Brüning vorgeschwebt hätte, wenn Hindenburg ihm nicht das Vertrauen entzogen hätte.

Die Zustimmung der NSDAP zu einem Westarp-Kabinett war dagegen an die Bedingung gebunden, daß diese Regierung möglichst schnell den Weg für eine Reichstagsauflösung freimachte, also nur eine Zwischenlösung darstellte, bis die Hitlerpartei nach dem erwarteten Wahlsieg ihren Führungsanspruch anmelden konnte. »Ein farbloses Übergangskabinett mit Westarp als Kanzler«[12] schwebte Hitler vor, der dann nach der angestrebten Neuwahl machtvoll seine gesteigerten Ansprüche beim Reichspräsidenten anmelden wollte.

Wie aber würde sich Hindenburg in dieser verwickelten Lage entscheiden? Der plötzliche Wechsel im höchsten Regierungsamt, der schneller als geplant vollzogen worden war, zwang ihn zum politischen Improvisieren, da keine Ersatzlösung bereitstand. Seiner Vorstellung einer »nationalen Konzentrationsregierung« entsprach am besten eine Regierung, die mit dem am 14. September 1930 gewählten Reichstag zusammenarbeitete und vom Zentrum bis hin zur NSDAP unterstützt wurde. Eigentlich sollte dieser Regierung auch der kaum zu ersetzende Brüning als Außenminister angehören, doch dieser hatte sich verbittert gezeigt und Hindenburg bei der letzten Besprechung am 30. Mai eine Absage erteilt.[13] Dies erschwerte es, auch weiterhin den politischen Katholizismus in die Regierung einzubinden.[14] Hindenburg befiel eine gewisse Ratlosigkeit. Als er Westarp am 31. Mai empfing – allerdings nicht, um diesem das Kanzleramt anzubieten, sondern nur im Rahmen der nach dem Rücktritt Brünings anberaumten Sondierungsgespräche mit allen im Reichstag vertretenen Parteien mit Ausnahme der Kommunisten –, verbarg er seine Orientierungsschwierigkeiten nicht: »Er sei in einer furchtbaren Lage, wer solle denn nun eigentlich Reichskanzler werden?«[15]

Nachdem Goerdeler und Westarp als Nachfolger Brünings ausgeschieden waren, kam ein Personalvorschlag Schleichers zum Zuge. Der politische General und Strippenzieher hatte im Zuge seiner Sondierungen mit den Nationalsozialisten Gelegenheit gehabt, die Namen der Kandidaten durchzugehen, die Hindenburgs Anforderungsprofil erfüllen konnten. Der neue Kanzler sollte demnach zumindest Aussichten haben, die Unterstützung des politischen Katholizismus zu gewinnen; zugleich sollte er aber den Kräften der »nationalen Opposition« genehm sein, ohne der Hitlerpartei die Schalthebel der Macht auszuliefern. Unter diesen Auspizien fiel der Blick Schleichers auf den preußischen Landtagsabgeordneten Franz von Papen, der für diese Vermittlerrolle geeignet zu sein schien: ein Zentrumspolitiker von unzweifelhaft »nationaler« Gesinnung, der schon immer die Annäherung an die Rechte gesucht hatte. Papen war für eine solche Funktion in vielerlei Hinsicht prädestiniert: Innerhalb der preußischen Zentrumspartei hatte er gegen innerparteiliche Widerstände eine Abkehr von der Koalition mit den Sozialdemokraten propagiert und dabei mehrfach die Fraktionsdisziplin verletzt; in sozialer Hinsicht schlug er eine Brücke zwischen agrarischen Interessen, die aus der Pacht eines Gutes im westfälischen Dülmen herrührten, und industriellen Interessen. Denn Papen war mit einer Tochter des Keramikpoduzenten von Boch aus dem saarländischen Mettlach verheiratet. Was ihn für Hindenburg überdies annehmbar erscheinen ließ, war seine militärische Laufbahn als Berufsoffizier bis zu seinem Abschied 1918, die ihn immerhin bis zum Major geführt hatte. Außerdem hatte sich Papen vor der Reichstagswahl 1925 öffentlich für Hindenburg und gegen seinen Parteifreund Marx ausgesprochen.[16]

Papen hatte schon im Dezember 1931 Kontakte zu Göring geknüpft, der zu dieser Zeit ernsthaft mit dem Gedanken spielte, sich bei Hitler für den Eintritt der Nationalsozialisten in eine von Brüning geführte Regierung zu verwenden.[17] Insofern hatte er sich als Brückenbauer zu den Nationalsozialisten in eingeweihten Kreisen schon einen gewissen Ruf erworben, weshalb Schleicher überhaupt auf die Idee verfallen war, Papen ins Spiel zu bringen. Im übrigen war der Zentrumspolitiker innerhalb seiner Parteil nicht so isoliert, daß er als Einzelgänger ohne politische Hausmacht gelten mußte. Der seit 1928 amtierende Parteivorsitzende Ludwig Kaas empfand durchaus Sympathien für eine Rechtsverlagerung des Zentrums, für die sich Papen frühzeitig empfohlen hatte. Der Trierer Prälat und der mittlerweile im Saarland beheimatete und überaus umtriebige Papen hatten politisch manches gemein, auch wenn der spätere Bruch zwischen der Zentrumspartei und Papen dies für einige Monate überdeckte. Auch Kaas neigte »durchaus dem Rechtskurs zu«[18] und hatte deswegen schon Ende der 1920er Jahre Verbindungen zu Papen gepflegt,[19] der sich seinerseits für die Wahl von Kaas zum Parteivorsitzenden eingesetzt hatte.[20] Auch mit Schleicher bestand eine langjährige politische Bekanntschaft, so daß Papen in den Kreis der potentiellen Kanzlerkandidaten rücken konnte, als Ende Mai nach einem Nachfolger Brünings Ausschau gehalten wurde.[21] Schleicher scheint die Hoffnung gehegt zu haben, daß sich die Zentrumspartei mit einer Kanzlerschaft ihres rechten Flügelmanns anfreunden würde, zumal ihm Papen am 21. Mai 1932 berichtet hatte, daß Kaas schon über das Kabinett Brüning hinausdenke und sich für Lösungen aufgeschlossen zeige, die auf eine noch mehr von den Parteien unabhängige Regierung hinausliefen.[22] Als Kaas am Morgen des 31. Mai im Rahmen der Parteiführergespräche bei Hindenburg weilte, ließ er die Haltung seiner Partei zu einer solchen Regierung offen und behielt sich Handlungsfreiheit »von Fall zu Fall«[23] vor.

Aus Sicht Hindenburgs und Schleichers hatte das Zentrum damit die Türen nicht zugeschlagen und sich auch nach dem Sturz Brünings als potentielle Unterstützung einer nach rechts verlagerten Regierung in Position gebracht. Die Nominierung Papens zum Kanzler war mithin als Signal zur Kooperation an die Adresse des Zentrums gedacht: Als Nachfolger Brünings war ausdrücklich kein Deutschnationaler vorgesehen (die DNVP blieb in dieser Frage praktisch ausgeschlossen),[24] und auch die Hitlerpartei war aus Sicht Hindenburgs noch nicht reif für den Kanzlerposten, wenngleich er darauf hoffte, daß sie eine Papen-Regierung im Reichstag unterstützen würde. Daß dieses Kalkül nicht aufging, zeigte sich bereits im Verlaufe des 31. Mai, dem Tag also, an dem Papen den offiziellen Auftrag zur Regierungsbildung erhielt. Denn das Zentrum war wohl bereit gewesen, einen ehemaligen Deutschnationalen wie Goerdeler oder Westarp als Kanzler zu akzeptieren, aber auf keinen Fall einen Zentrumsmann. Kam der Nachfolger des verehrten Brüning ausgerechnet aus der eigenen Partei, dann war er von vornherein mit dem Odium des politischen Verräters behaftet. Den politischen Katholizismus hatte es schwer getroffen, wie ihr unbestrittener Führer abserviert worden war; und so erwiesen Hindenburg und Schleicher mit der Nominierung eines Zentrumsmannes ihrer Grundidee einer bis zum politischen Katholizismus ausstrahlenden Sammlung aller »nationalen Kräfte« einen Bärendienst. Als Papen am Nachmittag des 31. Mai pflichtgemäß seinen Parteivorsitzenden Kaas aufsuchte, um ihm von dem Angebot des Reichspräsidenten Mitteilung zu machen, erntete er heftige Ablehnung.[25] Die Ernennung eines Zentrumspolitikers zum Nachfolger des aus dem Amt gejagten Brüning mußte die Zentrumspartei als Provokation auffassen.

Damit war die Geschäftsgrundlage für den ursprünglichen Auftrag zur Regierungsbildung hinfällig geworden. Papen war daher entschlossen, diesen Auftrag in die Hände Hindenburgs zurückzulegen, als er am Abend des 31. Mai vom Reichspräsidenten empfangen wurde.[26] Hindenburgs ursprüngliches Konzept einer weitgehend parteiunabhängigen Rechtsregierung, die in der Lage war, vom Zentrum bis zur NSDAP Unterstützung im Reichstag zu gewinnen, war damit gescheitert. Was als Alternative noch blieb, war das von der NSDAP favorisierte Konzept einer reinen Übergangsregierung, die schnellstmöglich den Weg für Neuwahlen frei machte, von denen die Nationalsozialisten profitieren würden. Hitler, der am Abend des 30. Mai von Hindenburg im Rahmen der Parteiführerbesprechungen empfangen worden war, hatte keinen Zweifel daran gelassen, daß er für eine mögliche Unterstützung einer von Hindenburg berufenen Regierung die Neuwahl des Reichstags verlangte.[27]

Hindenburg hatte sich durch die Entlassung Brünings in eine Situation hineinmanövriert, in der er, wenn er an einer Konzentration aller »nationalen« Kräfte unter Einschluß der Nationalsozialisten festhalten wollte, gegenüber der NSDAP in Vorleistung gehen mußte ohne Garantie, daß die Hitlepartei sich seiner politischen Regie bei der Bildung einer Rechtsregierung unterordnen würde.

Die nach der Entlassung Brünings zu bildende Regierung war damit reduziert auf den Status einer reinen Übergangsregierung.[28] Vor diesem Hintergrund war es für Hindenburg ziemlich unerheblich, wer dafür in Frage kam, da die Interimsregierung aller Voraussicht nach gerade einmal zwei Monate im Amt sein würde, bis nach der Neuwahl des Reichstags die Karten neu gemischt wurden. Das Hauptproblem bestand nun vielmehr darin, überhaupt geeignete Personen zu finden, die sich für ein derartiges Intermezzo zur Verfügung stellten. Um ein arbeitsfähiges Kabinett zusammenzubringen, mobilisierte Hindenburg seine ganze Autorität als Feldmarschall und forderte von den in Aussicht genommenen Kandidaten militärische Gefolgschaftstreue. Diese Methode verfing zunächst bei Major a.D. Papen, den der Feldmarschall am 31. Mai an den soldatischen Gehorsam erinnerte, womit er erfolgreich dessen Widerstreben überwand.[29] Auch das übrige Kabinett stellte Hindenburg auf diese Weise zusammen. Es handelte sich dabei um einen einzigartigen Vorgang: Kein einziger Minister wurde von einer Partei vorgeschlagen – was tendenziell schon bei der ersten Regierung Brüning der Fall gewesen war –, und der auserwählte Kanzler hatte bei der Besetzung seines Kabinetts kaum ein Wort mitzureden – während Brüning seine Minister bis auf wenige Ausnahmen noch selbst ausgesucht hatte –, sondern durfte im wesentlichen nur die von Hindenburg im Einvernehmen mit Schleicher präsentierte Ministerliste abnicken.[30] Hindenburg sorgte mit seiner Autorität als Feldmarschall dafür, daß die in Aussicht genommenen Kandidaten das ihnen angetragene Amt nicht ausschlugen, obwohl ihnen bewußt war, daß die Lebensdauer des Kabinetts nur wenige Wochen betragen dürfte.

Als neuen Reichsinnenminister gewann Hindenburg Wilhelm Freiherr von Gayl, einen hochkonservativen Ostpreußen, den seit der gemeinsamen Zeit beim Oberkommando Ost eine besondere militärische Beziehung mit dem Generalfeldmarschall verband. Als der politisch versierte Gayl zunächst zögerte, sich auf ein so unsicheres Unternehmen wie die Mitarbeit in einer Übergangsregierung einzulassen, befahl Hindenburg ihm in seiner reaktivierten Eigenschaft als militärischer Vorgesetzter die Übernahme des Reichsinnenministeriums: »Ich habe keinen anderen. Sie werden doch Ihren alten Oberbefehlshaber nicht im Stich lassen.«[31] Damit wischte er die Bedenken Gayls[32] gegen die äußerst schwankende Grundlage der neuen Regierung vom Tisch. Auf ähnliche Weise überwand der Feldmarschall die

Vorbehalte des als Reichsminister für Ernährung und Landwirtschaft auserkorenen Magnus Freiherr von Braun. Der aus altem ostpreußischen Landadel stammende Jurist war für das Ministeramt als Generaldirektor des Reichsverbandes der Deutschen Landwirtschaftlichen Genossenschaften wohl ausgewiesen, wenn man von einem Landwirtschaftsminister in erster Linie die Wahrnehmung großagrarischer Interessen verlangte. Aber auch hier bedurfte es eines Appells des Generalfeldmarschalls an den Hauptmann der Reserve Braun, ehe dieser seine Bedenken wegen des unzureichenden politischen Rückhalts der neuen Regierung zurückstellte und dem Ruf des Feldmarschalls Folge leistete.[33] Auch den neuen Finanzminister, Lutz Graf Schwerin von Krosigk, packte Hindenburg am Portepee. Schwerin von Krosigk war als Ministerialdirektor im Reichsfinanzministerium bestens in die komplizierte Finanzmaterie eingearbeitet und konnte als Offizier des Weltkriegs den Befehl des Feldmarschalls zur Übernahme des Postens des Finanzministers nicht abschlagen.[34]

Bei anderen Ministerämtern handelte sich Hindenburg allerdings Absagen ein. Als Postminister hätte Hindenburg gerne Georg Schätzel behalten, den er persönlich sehr schätzte, doch dieser verweigerte sich auf Geheiß der Bayerischen Volkspartei, die den politischen Schulterschluß mit dem Zentrum übte und das Ansinnen Hindenburgs ablehnte.[35] Nur weil Schätzel ausfiel, konnte Papen einen eigenen Personalvorschlag unterbreiten und empfahl seinen persönlichen Freund, den Präsidenten der Karlsruher Reichsbahndirektion Paul Freiherr von Eltz-Rübenach, der neben dem Post- auch das Verkehrsministerium erhielt.[36] Besonders langwierig gestaltete sich die Suche nach einem neuen Arbeitsminister. Hier war Goerdeler in die engere Wahl gezogen worden, dem Hindenburg zwar nicht die Kanzlerschaft, aber doch ein Fachministerium anvertrauen wollte. Doch Goerdeler hatte kein Interesse an einem Posten in diesem Übergangskabinett und überdies wenig Zutrauen in Papens politische Fähigkeiten, weshalb er Hindenburg in einer persönlichen Unterredung am Morgen des 2. Juni 1932 eine Absage erteilte.[37] Erst vier Tage nach der ersten Kabinettssitzung, am 6. Juni 1932, wurde der Posten des Reichsarbeitsministers besetzt, da sich schließlich der bis dahin politisch nicht hervorgetretene Präsident des Reichsversicherungsamtes Hugo Schäffer breitschlagen ließ.

Reichswirtschaftsminister wurde mit Hermann Warmbold der einzige Kandidat, der bereits der Brüning-Regierung angehört hatte. Seine Berufung sollte garantieren, daß die neue Regierung vom radikalen Austeritätskurs Brünings abwich und für eine binnenkonjunkturelle Belebung sorgte. Neben Warmbold war auch der neue Außenminister Konstantin Freiherr von Neurath Hindenburgs erste

Wahl. Den schwäbischen Berufsdiplomaten hätte Hindenburg gerne schon als Nachfolger Stresemanns gesehen, aber das war 1929 noch nicht durchzusetzen gewesen. Zweieinhalb Jahre später mußte der Reichspräsident keine Rücksicht mehr auf die Mitwirkungsrechte der politischen Parteien nehmen und konnte dem deutschen Botschafter in London das Auswärtige Amt antragen. Neurath war neben Gayl und abgesehen von Schleicher, der als neuer Reichswehrminister erstmals aus dem Hintergrund ins politische Rampenlicht trat, das einzige Kabinettsmitglied, mit dem Hindenburg ein persönliches Verhältnis verband, was sich nicht zuletzt darin äußerte, daß Neurath Hindenburg in Dietramszell aufsuchen durfte.[38] Der Reichspräsident mußte allerdings alle Register ziehen, um den zunächst zögerlichen Neurath zum Eintritt in die Regierung zu bewegen. Denn im Unterschied zu den übrigen neuen Ministern konnte es für den vorgesehenen Außenminister kein Zurück auf den begehrten Botschafterposten in London geben, auf den Neurath lange hingearbeitet hatte. Da Neurath realistischerweise mit einer kurzen Lebensdauer des Papen-Kabinetts rechnen mußte, ließ er sich also möglicherweise auf einen Karriereknick ein, wenn er den sicheren Posten eines Botschafters in London gegen ein kurzes Intermezzo als Leiter des Auswärtigen Amtes eintauschte. Doch Neurath hatte kaum eine andere Wahl, da der Reichspräsident mit der Befugnis zur Ernennung und Abberufung der Botschafter ein probates Mittel in der Hand hielt, ihn zur Zustimmung zu bewegen. Er bedeutete ihm nämlich, daß er im Falle der Weigerung nicht mehr lange Botschafter in London bleiben werde. Die Aussicht auf eine Versetzung von London in irgendeine südamerikanische Hauptstadt verfehlte ihre Wirkung nicht: Neurath willigte in seine Berufung ein.[39] Die Bildung des Kabinetts Papen vollzog sich also nicht so reibungslos,[40] wie es auf den ersten Blick schien.

Das Übergangskabinett nach den Vorstellungen Hindenburgs sollte nun für einige Wochen die Regierungsgeschäfte übernehmen und nach der Neuwahl des Reichstags einer Regierung Platz machen, an der die Nationalsozialisten in einer noch genau festzulegenden Weise zu beteiligen waren. Das neue Kabinett deklarierte sich bereits in seiner allerersten Ministerbesprechung am 2. Juni 1932 zu einer solchen Regierung auf Abruf, indem die Ministerrunde ohne inhaltliche Diskussion in die Reichstagsauflösung einwilligte.[41] Brav und ohne Widerspruch fügte sich das Kabinett den von Hindenburg formulierten Vorgaben, so daß Schleicher und der gleichfalls in der Ministerrunde anwesende Meißner gar keine Überzeugungsarbeit leisten mußten. Am 4. Juni vollzog der Reichspräsident nach Artikel 25 der Reichsverfassung die Reichstagsauflösung. Die diesem Akt beigegebene Begründung ließ erkennen, daß sich Hindenburg von einer Neuwahl eine Legitimation für die von ihm angestrebte Regierungskonstellation erhoffte, weil er sich darin auf den »politischen Willen des deutschen Volkes«[42] berief. Daraus ließ sich auch der Wunsch ablesen, nach der Neuwahl der Notwendigkeit enthoben zu sein, die präsidialen Befugnisse weiterhin so massiv durch Notverordnungen zur Geltung zu bringen. Nach den Erfahrungen mit den vier großen Notverordnungen während der Ära Brüning drängte es Hindenburg, die Präsidialgewalt sparsamer sowie sorgsam dosiert einzusetzen[43] und sich auf die bevorzugte Position des Hüters und Initiators des Projekts »nationale Einigung« zurückzuziehen.

Es entsprach der Logik dieser Politik, daß Hindenburg am 14. Juni 1932 das Verbot von SA und SS aufhob und damit der NSDAP das schärfste Instrument zur Massenmobilisierung und zur Einschüchterung des politischen Gegners zurückgab. Vergebens suchten die süddeutschen Staats- und Ministerpräsidenten ihn von diesem Schritt abzuhalten mit dem Argument, daß die präsidiale Autorität Schaden nehmen könne, wenn der Reichspräsident nach nur zwei Monaten Geltungsdauer das SA-Verbot aufhebe, obwohl die von der SA ausgehende Bürgerkriegsgefahr unverändert fortbestehe.[44] Hindenburg ließ durchblicken, daß er nur eine Maßnahme kassiert habe, die ihm gegen seine innere Überzeugung abgerungen worden sei und die mit der Demission der Brüning-Regierung ihren Sinn verloren habe. Das Verbot der »Sturmabteilungen« war in der Tat systemwidrig, sobald Hindenburg der Hitler-Bewegung die Schlüsselrolle in seinem Konzept der nationalen Einigung zuerkannte. Die SA mochte gewaltbereiten Mitgliedern das Ausleben ihrer Aggressionen gestatten und damit einen Gefahrenherd für die Staatsautorität darstellen. Doch Hindenburg, der sich eben nicht in erster Linie als Hüter der Staatsautorität empfand, sondern als Brückenbauer der »Volksgemeinschaft«, schätzte die in der NS-Bewegung steckenden Chancen höher ein als die von ihr ausgehenden Risiken: »Bei allem Ungeklärten steckt doch in der nationalsozialistischen Bewegung und namentlich in deren Jugend ein starkes nationales Gefühl.«[45] Der Reichspräsident wollte also mit dem Entgegenkommen gegenüber der Hitler-Bewegung testen, ob die stärkste Kraft des »nationalen Lagers« bereit war, sich unter seiner Führung der nationalen Gemeinschaftsaufgabe unterzuordnen und eigene Gelüste auf die ungeteilte Herrschaft aufzugeben. »Um darauf die Probe zu machen, habe man sich entschlossen, den Reichstag aufzulösen und Neuwahlen auszuschreiben.«[46]

Hitler spielte allerdings ein Doppelspiel: Er hatte gegenüber Schleicher zwar mündlich seine Bereitschaft zu konstruktiver Mitarbeit in einer von Hindenburg nach der Reichstagsneuwahl bestimmten Reichsregierung bekundet, aber in Wirklichkeit hatte er seinen Traum von der Eroberung der ungeteilten Macht im Alleingang nicht aufgegeben. Nach dem fehlgeschlagenen ersten Versuch der Reichspräsidentenwahl wollte er einen zweiten Anlauf unternehmen und bei der für den 31. Juli 1932 angesetzten Neuwahl ein derartig fulminantes Wahlergebnis einfahren, daß ihm der Reichspräsident den politischen Führungsanspruch nicht länger verwehren konnte. Hitler war also weiterhin entschlossen, über Hindenburg hinweg aus eigener Kraft – durch den Appell an das Wahlvolk – in das höchste Regierungsamt zu gelangen. Hindenburg stellte für ihn eine unzeitgemäße Person noch aus dem Kaiserreich dar, die sich aus Altersstarrsinn dem Repräsentanten der Frontkämpfergeneration in den Weg stellte. Im Präsidentschaftswahlkampf hatte er den Feldmarschall nur geschont, weil er dessen symbolische Qualitäten notgedrungen in Rechnung stellen mußte.[47]

Hinter dem Versuch der NS-Führungsspitze, Hindenburg und Schleicher auszuspielen und ohne Gegenleistung zur ungeteilten Macht vorzustoßen,[48] steckte aber auch die nicht ganz unverständliche Furcht, von Hindenburg geprellt und übervorteilt zu werden. Wer nüchtern betrachtete, wie Hindenburg mit Menschen umging, die ihm nahestanden, der konnte sich des Eindrucks nicht erwehren, daß er sich seiner Weggefährten ohne Sentimentalitäten entledigte, wenn sie seine Erwartungen enttäuschten oder ihre Nützlichkeit einbüßten. Diese Treulosigkeit beklagten nicht nur Geschädigte wie Groener;[49] auch wohlmeinende alte Kameraden ließen in vertraulichen Schreiben erkennen, daß sie sich keinen Illusionen über Hindenburgs Zuverlässigkeit hingaben: »In ernster Lage ist er noch von jedem Schicksalsgefährten abgesprungen!«[50] Da Hindenburg den Anspruch vertrat, daß nur er allein aufgrund seiner Symbolkraft unerläßlich sei für die Stiftung der nationalen Einheit, während alle anderen zeitweiligen Mitarbeiter an diesem Projekt austauschbar seien, waren die Beziehungen zu seinen Weggefährten letztlich von geschäftsmäßiger Nüchternheit bestimmt. In seinem fortgeschrittenen Alter war ihm schon viele Male die Vergänglichkeit des menschlichen Daseins vor Augen geführt worden: »Hindenburg hat so viele Dynastien und Kabinette stürzen sehen, daß ihn diese Vorgänge innerlich gar nicht berühren.«[51] Es ist daher nicht verwunderlich, daß Hitler den Reichspräsidenten für einen »untreuen Geist«[52] hielt, der mit ihm genauso umspringen würde wie mit allen anderen.

Bei den Absprachen zwischen Schleicher und Hitler war die preußische Frage zwar erörtert, aber nicht so geregelt worden, daß Reichspräsident und Reichsregierung irreversible Vorleistungen zugunsten der NSDAP erbringen mußten.[53] Hindenburg und Schleicher wollten das Faustpfand Preußen nicht leichtfertig aus der Hand geben, sondern die Hitlerpartei mit diesem zu politischem Wohlverhalten bewegen. Denn die NSDAP vermochte ohne Mithilfe des Reiches die Ministerpräsi-

dentschaft im größten deutschen Land nur dann zu erobern, wenn die Zentrumspartei einen Nationalsozialisten zum preußischen Ministerpräsidenten wählte, was
nach Lage der Dinge zumindest vor der Reichstagswahl vollkommen ausgeschlossen war. Vorläufig blieb die aus SPD, Zentrum und Staatspartei gebildete Regierung
Braun-Severing-Hirtsiefer als geschäftsführende Regierung weiter im Amt; damit
war die preußische Verwaltung und vor allem die preußische Polizei dem Zugriff
der NSDAP weiterhin entzogen, so daß die Nationalsozialisten in der Auseinandersetzung mit dem politischen Gegner im Zuge des Wahlkampfes in Preußen nicht
auf die wohlwollende Unterstützung der Staatsorgane rechnen konnte, was nicht
nur Goebbels erboste.[54]

In ihrer Ablehnung der geschäftsführenden Preußenregierung, welche die
letzte noch verbliebene Regierungsbastion der Sozialdemokratie darstellte, waren
sich Hindenburg, Schleicher und Hitler indes völlig einig. Insofern stießen Pläne,
die letzte, wenngleich bereits angeschlagene republikanische Festung durch einen
Eingriff von seiten der Reichsgewalt zu schleifen, auf ungeteilte Zustimmung. Das
dafür zur Verfügung stehende verfassungsmäßige Mittel war die Einsetzung eines
Reichskommissars mit Hilfe der Notverordnungsvollmacht des Reichspräsidenten.
Überlegungen in diese Richtung waren bereits unter der Regierung Brüning seit
Herbst 1931 aufgetaucht und damals auch vom preußischen Ministerpräsidenten
Braun und dessen Innenminister Severing gutgeheißen worden, weil beide Seiten
auf diese Weise die Lösung eines drängenden Strukturproblems der Weimarer Republik, nämlich den Dualismus zwischen dem zwei Drittel des Reichsterritoriums
umfassenden Preußen, das über eine ausgebaute Verwaltung verfügte, und der in
dieser Hinsicht aus historischen Gründen zurückgebliebenen Reichsgewalt, an-
packen wollten.[55] Unter der Regierung Papen wurden diese Überlegungen reaktiviert, aber zugleich mit einer politischen Akzentverschiebung versehen: Man
wollte nunmehr nicht allein die Reichsreform vorantreiben, die allen Befürwortern
eines unitarischen Reichsgedankens immer schon am Herzen gelegen hatte, sondern vor allen Dingen die republikanischen Kräfte aus ihrer letzten staatlichen
Machtposition von einigem Wert vertreiben. Die Initiative zu diesem Schritt ging
im Kabinett von Schleicher sowie von Innenminister Gayl aus.[56]

Am 11. Juli 1932 beriet die Reichsregierung erstmals über ein derartiges Vorgehen gegen Preußen und erzielte prinzipielle Einigkeit darüber, mittels einer präsidialen Verordnung einen Reichskommissar für Preußen einzusetzen und für diese
Position den Reichskanzler vorzusehen.[57] Das Kabinett ging wie selbstverständlich
davon aus, damit im Sinne des Reichspräsidenten zu handeln und ihm einen Herzenswunsch zu erfüllen, wenn Preußen sich wieder zur Tradition von Friedrich

dem Großen und Bismarck bekennen könne und der »historische Sündenfall« der seit 1919 anhaltenden Regierungszeit der Sozialdemokratie in Preußen beendet werde. In der Tat konnte kein Zweifel bestehen, daß ein solches Vorgehen ganz in der Konsequenz des seit Herbst 1931 von Hindenburg eingeschlagenen Kurses der Konzentration aller vermeintlich nationalen Kräfte lag.

Doch der Reichspräsident mußte, auch wenn er das Ziel dieser Aktion begrüßte, darauf bedacht sein, daß das Vorgehen mit der Verfassung in Einklang stand und einer gerichtlichen Nachprüfung standhielt. Hindenburg war nicht bereit, sich in seiner Amtsführung in punkto Verfassungsmäßigkeit Blößen zu geben. Seine eidliche Bindung an die Verfassung war für ihn auch deswegen sakrosankt, weil Verfassung und Recht einer Sphäre angehörten, deren Verästelungen er nicht durchschauen konnte und wollte. Von daher lag es nahe, sich auf diesem Gebiet durch einen formalen Rigorismus zu schützen, der nichts mit einer inhaltlichen Durchdringung von Buchstaben und Geist der Weimarer Verfassung zu tun hatte. Insofern lautete die Kardinalfrage für Hindenburg, ob die präsidialen Maßnahmen, durch die das Vorgehen gegen Preußen ermöglicht wurde, ihn mit der Verfassung in Konflikt bringen könnten. Dem zuständigen Minister Gayl erklärte er unmißverständlich: »Wenn ich in den Spiegel sehe, will ich darin keinen Eidbrecher sehen.«[58] Mindestens ebenso wichtig war aber die Rücksicht auf sein symbolisches Kapital: Es ist ein charakteristischer Zug von Hindenburgs Herrschaftsverständnis, daß die Ausübung seiner legalen Herrschaft als Reichspräsident nicht den auf seine Person bezogenen, symbolisch fundierten und mythisch überhöhten Herrschaftsanspruch beeinträchtigen durfte. Wenn Spannungen zwischen diesen beiden Polen seiner Autorität auftraten, optierte Hindenburg im Zweifel für die Lösung, die seine symbolische Qualität schonte. Hindenburg fürchtete also weniger eine Beschädigung des Präsidentenamtes als einen irreparablen persönlichen Ansehensverlust, wenn der für eine rechtliche Nachprüfung zuständige Staatsgerichtshof des Deutschen Reiches die von ihm verordnete Aktion gegen Preußen als verfassungswidrig einstufen sollte. Insofern hatte es für ihn oberste Priorität, daß das Vorgehen gegen Preußen verfassungsrechtlich abgesichert war, andernfalls wollte er vom Präsidentenamt zurücktreten.[59]

Am 14. Juli 1932 unterrichteten Reichskanzler Papen und Innenminister Gayl den in Neudeck weilenden Hindenburg über das geplante Vorgehen gegen Preußen; den Text einer entsprechenden Notverordnung brachten sie gleich mit. Hindenburg unterzeichnete diese Verordnung ohne Angabe des Datums und überließ es damit der Reichsregierung, zu einem ihr genehmen Zeitpunkt von der präsidialen Vollmacht Gebrauch zu machen. Damit bestellte Hindenburg den Reichskanz-

ler zum Reichskommissar für das Land Preußen und übertrug ihm in dieser Eigenschaft auch die Vollmacht zur Amtsenthebung der preußischen Regierung.[60]

Verfassungsrechtlich exponierte sich der Reichspräsident mit dieser Notverordnung durchaus, weil das Vorgehen gegen Preußen nicht nur auf dem berühmten Absatz 2 des Artikels 48 beruhte, sondern auch Absatz 1 herangezogen wurde,
der ein Eingreifen des Reiches vom Tatbestand der Pflichtverletzung des betreffenden Landes abhängig machte. Und damit begab sich das Reich auf ein schwanken-
des verfassungsrechtliches Terrain, da selbst wohlmeinende Verfassungsrechtler
angesichts der bürgerkriegsähnlichen Zustände im Vorfeld der Reichstagswahl
zwar eine erhebliche Störung der öffentlichen Sicherheit und Ordnung konstatierten – womit Artikel 48, Absatz 2, griff –, aber daraus nicht unbedingt eine Pflichtverletzung der preußischen Regierung in bezug auf ihre Pflichten gegenüber dem
Reich ableiteten. In der Tat sollte sich die Heranziehung von Absatz 1 als die eigentliche verfassungsrechtliche Achillesferse des »Preußen-Schlags« entpuppen, so daß
auch die Richter des Staatsgerichtshofs, die dem Reichspräsidenten und dessen Regierung durchaus gewogen waren, in ihrem Urteilsspruch vom 25. Oktober 1932 die
Berufung auf eine Pflichtverletzung Preußens für unzulässig erklärten.[61]

Hindenburg selbst hat sich durch die komplizierte verfassungsrechtliche Lage
hingegen nicht von der Aktion gegen Preußen abschrecken lassen.[62] Er autorisierte
die Regierung Schleicher-Papen-Gayl zu diesem Schritt, der für ihn die konsequente Fortsetzung des mit der Entlassung Brünings eingeschlagenen Kurses bedeutete: eine der letzten Regierungen zu beseitigen, die sich gegen seinen Kurs
der »nationalen Konzentration« sperrte, und andererseits die Nationalsozialisten
nicht an die alleinige Macht zu lassen, um ein Faustpfand in der Hand zu behalten,
das Hitlers Wohlverhalten zu Hindenburgs Konditionen garantieren sollte. Denn
es war das Reich und damit die von Hindenburg eingesetzte Reichsregierung, die
über den Umweg eines Reichskommissars faktisch die Regierung in Preußen übernahm und damit den nationalsozialistischen Zugriff auf Preußen, der nur über
die parlamentarische Wahl des preußischen Ministerpräsidenten erfolgen konnte,
blockierte.[63]

Die Reichstagswahl vom 31. Juli 1932 brachte das erwartete Ergebnis.[64] Die Hitlerpartei konnte wie schon bei den Landtagswahlen vom April mächtig zulegen
und ihr Gewicht gegenüber der Reichstagswahl vom 14. September 1930 verdop-
peln. Mit 37,3 Prozent der abgegebenen Stimmen erreichte sie das beste Ergebnis,
das je eine Partei bei uneingeschränkt freien Reichstagswahlen in der Weimarer Republik erzielen konnte. Die politischen Konkurrenten verwies sie mit riesigem Abstand auf die Plätze. Die SPD fiel auf 21,6 Prozent zurück, und selbst zusammen mit

der KPD, die sich auf Kosten der SPD auf 14,3 Prozent verbesserte, reichte das Ergebnis beider Linksparteien nicht an das der NSDAP heran. Ungeschoren davongekommen war allein der politische Katholizismus, der sogar prozentual leicht zulegen konnte – Zentrum und BVP erhielten zusammen 15,7 Prozent gegenüber 14,8 Prozent zwei Jahre zuvor –, was die Stabilität des katholischen Milieus nachdrücklich unterstrich. Die DNVP schrumpfte auf 5,9 Prozent; alle übrigen Parteien der Mitte und rechten Mitte wurden auf den Status von Splitterparteien reduziert, die bestenfalls wie etwa die DVP 1,2 Prozent der Stimmen auf sich vereinigten.

Erst mit der Reichstagswahl vom 31. Juli 1932 fiel der Hitlerpartei die politische Schlüsselrolle im Reichstag zu. Denn nun verfügte sie über die zahlenmäßige Stärke, eine gegen ihren Willen gebildete Reichsregierung politisch zu lähmen. Zusammen mit der KPD konnte sie im Reichstag leicht eine Destruktionsmehrheit mobilisieren, welche jede ihr nicht genehme Regierung mit einem Mißtrauensvotum bedenken oder die Aufhebung präsidialer Notverordnungen verlangen konnte. Wenn der Reichspräsident den Versuch unternehmen sollte, die künftige Reichsregierung gegen das Votum Hitlers zu bilden, mußte er einen Konflikt mit dem Verfassungsorgan Reichstag einkalkulieren, der unter Umständen in eine verfassungspolitische Sackgasse einmündete. Andererseits war Hitler von einer eigenen Mehrheit für seine Partei so weit entfernt, daß der Reichspräsident weder verfassungsrechtlich noch politisch verpflichtet war, ihm und seiner Bewegung die ungeteilte Macht auszuliefern. Insofern war die Situation eigentlich maßgeschneidert für die Lösung, die Hindenburg seit Herbst 1931 favorisierte: eine Regierung auf möglichst breiter Basis, die alle »nationalgesinnten« Kräfte umfaßte und in der Hitlers Partei ein bedeutender Part zufallen sollte.

Die ersten zwei Wochen nach der Reichstagswahl waren daher mit Sondierungsgesprächen ausgefüllt, die darauf abzielten, einen Modus für die Regierungsbeteiligung der NSDAP zu finden. Hindenburg hielt sich zu diesem Zeitpunkt noch in Neudeck auf, während Schleicher als sein politischer Beauftragter mit Hitler und dem zweiten Mann der NSDAP, Gregor Straßer, verhandelte. Durch den Wahlerfolg seiner Partei bestärkt, hatte Hitler den Preis für eine nationalsozialistische Regierungsbeteiligung heraufgesetzt und reklamierte unmißverständlich das Amt des Reichskanzlers für sich sowie weitere Regierungsämter für führende Nationalsozialisten. Um den 5. August 1932 herum erzielte er mit Schleicher eine Einigung über die Kabinettsliste: Neben dem Reichskanzler sollte auch der Reichsinnenminister, und zwar Straßer, der Hitlerpartei angehören; Goebbels war für den neu zu schaffenden Posten eines Reichserziehungsministers vorgesehen; der Agrarexperte Darré sollte das Landwirtschaftsministerium übernehmen. Auf Schleicher hatte anscheinend die Drohung der NSDAP, den parlamentarischen Weg zu gehen und mit Hilfe ihrer Schlüsselstellung im Reichstag eine nur vom präsidialen Vertrauen getragene Reichsregierung in die Enge zu treiben, ihre Wirkung nicht verfehlt. »In diesem Falle wäre der Herr Reichspräsident und die Reichsregierung von Papen zu einer Kapitulation genötigt. Das sei auch für den Herrn Reichspräsidenten wohl untragbar.«[65]

In der Tat lief eine Ablehnung des Führungsanspruchs Hitlers auf eine Konfrontation mit dem Verfassungsorgan Reichstag hinaus, die nur durchgehalten werden konnte, wenn der Reichspräsident seine Amtsautorität bis zur Neige ausschöpfte und möglicherweise selbst vor einer Verletzung der Verfassung nicht zurückschreckte. Die Entscheidung über den Umgang mit einer machtbewußt auftretenden NSDAP lag allein bei Hindenburg. Dieser hatte seinem Politikstil gemäß Schleicher die Verhandlungen führen lassen und sich nach der Rückkehr aus Neudeck am Morgen des 10. August 1932 vom Regierungschef Vortrag über den Stand der Verhandlungen mit Hitler halten lassen, über den er in groben Zügen allerdings bereits unterrichtet gewesen sein dürfte. An diesem 10. August mußte Hindenburg also eine Vorentscheidung treffen, ob er sich auf die Forderungen Hitlers einlassen und diesem die Führung einer neuen Regierung anvertrauen wollte.

Hindenburg ließ sich bei seinen Überlegungen von einem Kriterium leiten, das seit Herbst 1931 seinen Umgang mit Hitler und dessen Bewegung bestimmt hatte: Wenn sich die NSDAP unter präsidialer Anweisung und Kontrolle zur Teilhabe an der Regierung bereit fand, war sie willkommen; wenn er allerdings den Eindruck gewann, daß ein Eintritt Hitlers in die Regierung den Zweck verfolgte, dem Präsidenten die politische Regie streitig zu machen, würden die Forderungen der Nationalsozialisten abgeschmettert werden. Der Lackmustest hierfür war die Frage der Kanzlerschaft. So sehr er eine Mitarbeit Hitlers in der Regierung wünschte, so sehr mußte bei Hindenburg dessen Pochen auf die Kanzlerschaft auf Ablehnung stoßen, weil damit unverhüllt zum Ausdruck kam, daß beim »Führer« das nackte Parteiinteresse vor dem nationalen Interesse rangierte, dessen Definitionsmonopol sich Hindenburg vorbehielt. Insofern reagierte Hindenburg auf das Verlangen Hitlers nach der Kanzlerschaft ablehnend: »Hitler sei Parteiführer und das von ihm geführte Kabinett wäre dann auch ein Parteikabinett, das nicht überparteilich, sondern einseitig sei.«[66]

An diesem Punkt läßt sich ablesen, wie ambivalent Hindenburg Hitler und dessen Bewegung gegenüberstand. Einerseits erschien sie ihm unentbehrlich für die Vollendung der nationalen Erneuerung, die er eingeleitet zu haben glaubte. Nur mit Unterstützung dieser stärksten Massenbewegung in Deutschland würde

er sein Lebenswerk mit der Verwirklichung der »Volksgemeinschaft« krönen können. Andererseits irritierte ihn der aus seiner Sicht anmaßende Anspruch der
NSDAP und ihres »Führers«, das »nationale Deutschland« monopolartig in Beschlag zu nehmen und allen politischen Widersachern, auch wenn sie von unzweifelhaft nationaler Gesinnung waren, die Existenzberechtigung abzusprechen. Solche Diktaturgelüste waren für Hindenburg nicht akzeptabel, da sie sich gegen
Kräfte richteten, die gleichberechtigt an der Realisierung des Projekts »nationale
Einigung« mitzuwirken ein Recht hatten. Hindenburg wollte »keine Parteidiktatur
und würde Hitler nicht Deutschland als Versuchskaninchen übergeben«.[67] Diese
Haltung gegenüber Hitler und der NSDAP war bei deren Konkurrenten im »nationalen Lager« ebenfalls weit verbreitet. Der »Stahlhelm« stieß sich ebenso am »brutalen Diktaturanspruch der NSDAP«[68] wie der konservative Reichsinnenminister
Gayl, der in der Kabinettssitzung vom 10. August entschieden davor warnte, Hitler
die ungeteilte Regierungsmacht zukommen zu lassen: »Eine Regierung Hitler
würde die Machtmittel des Staates einseitig gegen die politisch Andersdenkenden
anwenden.«[69]

Diese tiefsitzende Skepsis hatte Anfang August neue Nahrung durch gewalttätige Ausschreitungen von SA-Leuten erhalten, wobei der Eindruck erweckt wurde,
daß diese von der NS-Führung ermuntert worden waren, eine politische Drohkulisse aufzubauen.[70] Sollte Hitler tatsächlich zweigleisig fahren und mit der Androhung einer revolutionären Machtübernahme mit Hilfe der SA politischen Eindruck schinden wollen, dann erreichte er damit bei Hindenburg das Gegenteil.
Denn diesen bestärkten die »Terrorakte durch Parteimitglieder«[71] nur in seinen
Bedenken, keinen Mann mit der Führung der Regierung zu betrauen, der entweder
seine Bewegung nicht fest in der Hand hatte oder die staatliche Autorität fahrlässig
untergrub.

Vor diesem Hintergrund wirkte auch die Aussicht, durch eine Übertragung
der Regierungsgewalt auf Hitler von den Anforderungen präsidialen Regierens
entlastet zu werden, wenig verlockend. Als Alternative zum Gebrauch der präsidialen Notverordnungsvollmacht war schon zu Zeiten der Regierung Brüning hin
und wieder der Gedanke an ein vom Reichstag zu beschließendes Ermächtigungsgesetz aufgetaucht,[72] wobei man sich auf zwei Anwendungsbeispiele im Krisenjahr 1923 berufen konnte. Damals hatte das Parlament im Oktober und im Dezember 1923 für einen befristeten Zeitraum der Regierung Stresemann beziehungsweise Marx die Vollmacht zu einschneidenden gesetzesvertretenden Maßnahmen erteilt.[73] Wenn man die Exekutivgewalt bündeln und sich dabei nicht der
präsidialen Notstandsbefugnisse bedienen wollte, stellte die vom Reichstag mit

verfassungsändernder Zweidrittelmehrheit auszusprechende Autorisierung der Regierung zu solchen grundlegenden Eingriffen eine bereits praktizierte Alternative dar. Prinzipiell vermochte sich auch Hindenburg für eine solche Lösung zu erwärmen, die für ihn den Vorteil besaß, daß er mit der präsidialen Autorität sparsamer umgehen konnte und seinen Namen nicht ständig für Notverordnungen hergeben mußte. Dieser Weg konnte aber nur dann eingeschlagen werden, wenn der Reichspräsident der Reichsregierung uneingeschränktes Vertrauen entgegenbrachte, von den ihr verliehenen Sondervollmachten in seinem Sinn Gebrauch zu machen. Diese Voraussetzung traf aber im August 1932 für eine von Hitler geführte Regierung nicht zu, und daher erledigten sich alle Überlegungen, die in diese Richtung zielten.[74]

Die sachlichen Bedenken, daß ein von Hitler geführtes Kabinett nicht die Versöhnung aller »nationalen Kräfte« bewerkstelligen, sondern den Weg in eine vom Reichspräsidenten nicht mehr zu kontrollierende Parteiherrschaft ebnen könnte, standen bei Hindenburg im Vordergrund, als er am 10. August abwehrend auf das Ergebnis der Schleicherschen Sondierungsgespräche reagierte. Hinzu gesellten sich Vorbehalte, die den nationalsozialistischen Anwärter, also Hitler persönlich, betrafen. Dieser brachte für das Amt des Regierungschefs keine im engeren Sinne einschlägige Qualifikation mit und galt dem Präsidenten »in Verwaltungs- und Regierungsgeschäften als ganz unerfahren«.[75] Mindestens ebenso ungünstig schlug zu Buche, daß Hitler mit enormem Sendungsbewußtsein ausgestattet war und es an der nötigen Ehrerbietung gegenüber Hindenburg fehlen ließ. Aus Sicht des Generalfeldmarschalls grenzte es an Insubordination, wenn ein ehemaliger Gefreiter seinem ehemaligen Oberbefehlshaber die Gefolgschaft verweigerte und sich als Vollstrecker des nationalen Willens in Konkurrenz zu diesem aufspielte. Nachteilig wirkte sich auch aus, daß Hindenburg in Hitler immer noch den Österreicher sah, auch wenn er dessen oberösterreichischen Geburtsort Braunau am Inn mit dem in Böhmen gelegenen Braunau verwechselte. Ob nun Oberösterreicher oder Böhme, bei Hindenburgs ausgeprägter Abneigung gegen die ehemaligen Bundesgenossen aus dem Ersten Weltkrieg lief beides darauf hinaus, daß er Hitler notorische Unzuverlässigkeit und Großsprecherei unterstellte.

Alles in allem war für Hindenburg die Zeit noch nicht reif, sich auf ein derartig unsicheres Experiment einzulassen, ausgerechnet Hitler die Führung der Regierung zu überlassen. Hindenburgs Bedenken gipfelten in dem Satz: »Ich kann doch nicht das Reich Kaiser Wilhelms und Bismarcks einem böhmischen Gefreiten anvertrauen.«[76] Damit fällte er kein Verdikt über Hitler, das für alle Zeiten Gültigkeit beanspruchte. Die politischen Umstände konnten sich ändern und Hindenburg am Ende sogar bereit sein, selbst einem anmaßend auftretenden Gefreiten die Geschicke des Reiches anzuvertrauen. Zudem konnte sich das persönliche Verhältnis zu Hitler verbessern, beruhte doch der Eindruck, den dieser hinterlassen hatte, bis dahin auf lediglich zwei Gesprächen im Oktober 1931 und im Mai 1932. Schließlich konnte Hitler mit den Aufgaben wachsen und so an Statur gewinnen, daß es am Ende geboten schien, ihm die politische Führung zu überantworten. So wollte Hindenburg an jenem 10. August 1932 noch kein definitives Urteil über die Kanzlerambitionen Hitlers fällen und behielt sich eine endgültige Entscheidung vor. Er beauftragte Papen damit, die Situation nach allen Seiten hin auszuloten.[77] Damit erhielt Papen vom Reichspräsidenten zum ersten Mal einen politischen Auftrag von Gewicht; das war einerseits ein Ausdruck dafür, daß Hindenburg an diesem Kanzler, der nur auf Empfehlung Schleichers in dieses Amt berufen worden war, allmählich Gefallen fand, zum anderen aber ein untrügliches Indiz dafür, daß Hindenburg sich nicht mehr allein auf den Rat Schleichers stützen wollte.

Erstmals erhielt auf diese Weise auch das Kabinett ein Mitspracherecht. Bislang war es vollkommen ausgeschaltet gewesen, denn Schleicher hatte über die Köpfe der übrigen Minister hinweg mit Hitler eine Lösung ausgehandelt, welche die meisten Minister zur Disposition stellte. Nun erhielt das eher zufällig zusammengewürfelte Kabinett Gelegenheit zu einer Generalaussprache, in der die erheblichen Vorbehalte bei nicht wenigen Ministern – vor allem bei Innenminister Gayl – gegen eine Kanzlerschaft Hitlers deutlich wurden. Auf der anderen Seite schälten sich ebenso klar die politischen Konsequenzen einer Absage an den Führungsanspruch des NS-Parteiführers heraus: Sie bedeutete Konfrontation mit dem nationalsozialistisch dominierten Reichstag und konnte nur dann ohne Autoritätsverlust der Regierung durchgestanden werden, wenn der Reichstag als Machtfaktor auch um den Preis einer Abweichung von der Verfassung ausgeschaltet würde. Reichsjustizminister Gürtner sah diesen Folgen ins Auge, ohne etwas zu beschönigen, und gab allen Kabinettskollegen zu verstehen, daß ein solcher »Weg ohne Bruch der Verfassung nicht gegangen werden könne«.[78]

Insgesamt stellte sich das Kabinett hinter die Direktive des Reichspräsidenten und stärkte dem Reichskanzler den Rücken bei dem Versuch, die NSDAP für den Eintritt in die Reichsregierung zu gewinnen, ohne Hitler die Kanzlerschaft anzuvertrauen. Hitler kam aus diesem Grund am 12. August zu Gesprächen mit Schleicher und Papen nach Berlin, doch diese offenbarten nur die Unvereinbarkeit der Standpunkte.[79] Schleicher und Papen waren Hitler weit entgegengekommen und hatten ihm nicht nur die Vizekanzlerschaft angeboten, sondern zugleich den Posten des preußischen Ministerpräsidenten in Aussicht gestellt sowie dem als

Reichsinnenminister vorgesehenen Gregor Straßer den Posten des preußischen Innenministers.[80] Hier konnte die Reichsregierung ihre nach dem 20. Juli 1932 erworbene Verfügungsgewalt über Preußen nutzen und über das Reichskommissariat den Nationalsozialisten diese beiden Positionen offerieren. Hitler aber wollte alles oder nichts: Er beanspruchte die Reichskanzlerschaft und damit zugleich die Bestellung zum Reichskommissar für Preußen, um eine von der Präsidialgewalt unabhängige Machtposition zu erwerben, von der aus er die Regierungsgeschäfte ohne Kompromisse in seinem Sinn führen konnte. Damit wäre die Angelegenheit eigentlich erledigt gewesen und Hitler wäre unverrichteter Dinge nach München zurückgekehrt, wenn er nach diesen Unterredungen nicht telefonisch die Einladung zu einem Treffen mit Hindenburg erhalten hätte.

Warum bestellte der Reichspräsident den NS-Parteiführer zu sich, nachdem seine beiden Beauftragten Schleicher und Papen ergebnislos mit diesem verhandelt hatten? Die Unterredung zwischen Hindenburg und Hitler am 13. August 1932 kam allein auf Wunsch Hindenburgs zustande. Sie offenbart wieder einmal, daß Hindenburg seinen Gefolgschaftsanspruch als ehemaliger Oberbefehlshaber zuweilen gezielt einsetzte, um Bedenken ehemaliger Soldaten auszuräumen. Hindenburg hatte dieses Mittel bereits erfolgreich bei der Konstituierung der Regierung Papen angewandt. Wenn der Einsatz seiner Feldherrnautorität bei dem widerstrebenden Ex-Major Papen funktioniert hatte und beim Großteil der neuen Kabinettsmitglieder ebenfalls nicht ohne Resonanz geblieben war, warum sollte sie nicht auch bei dem Gefreiten Hitler die gewünschte Wirkung zeigen? Hindenburg setzte also auf seine Ausstrahlung als Generalfeldmarschall und wollte einen letzten Versuch unternehmen, Hitler im persönlichen Gespräch zum Einlenken zu bewegen. Dementsprechend behandelte er Hitler in dieser Unterredung als »alten Kriegskameraden«.[81]

Hitler aber wollte sich auf diese Gesprächsebene nicht einlassen und reagierte auf Hindenburg ausschließlich in dessen Eigenschaft als Reichspräsident. Er trat diesem gegenüber als Führer der weitaus stärksten politischen Kraft auf und leitete daraus seinen Anspruch auf die Kanzlerschaft ab. In der Unterredung stießen damit zwei unterschiedliche Herrschaftsansprüche aufeinander: Der Appell des Feldmarschalls an den Gefreiten zur Gefolgschaftstreue prallte wirkungslos ab, weil Hitler im Unterschied zu Papen auf die aus Wahlen abgeleitete Legitimation seines Führungsanspruchs verweisen konnte. Aber Hitler ging noch einen Schritt weiter: Er pochte kompromißlos auf seinen Führungsanspruch und lehnte die ihm angebotenen Posten ab, weil er für seine Bewegung und für sich selbst darauf beharrte, das »nationale Deutschland« zu repräsentieren. Indem er Hindenburg auf die

Funktion des Reichspräsidenten reduzierte, sprach er ihm indirekt die symbolische Funktion als Inkarnation des nationalen Einheitsverlangens ab, die Hitler für sich selbst reklamierte. Damit mußte er Hindenburgs Widerspruch nicht allein als Reichspräsident, sondern noch viel mehr als Symbol der Volksgemeinschaft hervorrufen. Der Reichspräsident revanchierte sich, indem er Hitler kategorisch jeden symbolischen Anspruch absprach und ihn zu einem reinen Parteiführer abstempelte, der nicht das Projekt »nationale Einheit« vollenden, sondern eine ihm übertragene Regierungsgewalt »einseitig gegen Andersdenkende«[82] einsetzen wolle.

Der 13. August 1932 bedeutete aber kein irreparables Zerwürfnis der beiden. Hitler blieb für Hindenburg ein Mensch mit einer aufrichtigen nationalen Gesinnung.[83] Auf der kameradschaftlichen Ebene konnte es nach dem Willen Hindenburgs jederzeit zu einem Einvernehmen zwischen beiden kommen: »Wir sind ja beide alte Kameraden und wollen es bleiben, da später uns der Weg doch wieder zusammenführen kann.«[84] Dies setzte aber voraus, daß Hitler seine parteipolitischen Forderungen mäßigte, Hindenburgs symbolische Funktion rückhaltlos anerkannte und in eine Regierung der »nationalen Konzentration« eintrat, um unter Hindenburgs Direktiven zu regieren.

Hitler empfand den 13. August 1932 als Affront. In die Unterredung mit Hindenburg hatte er überhaupt nur eingewilligt in der leisen Hoffnung, seine politischen Pläne entfalten und Hindenburg durch die Macht seiner Rede beeindrucken zu können.[85] Statt dessen war er zum militärischen Appell zitiert worden und »gar nicht zum Reden gekommen«.[86] Er wollte es daher auf eine Machtprobe mit Hindenburg und dessen Regierung ankommen lassen, wobei die Schlüsselrolle seiner Partei im Reichstag seine schärfste Waffe war. Noch unmittelbar nach der von ihm als Demütigung empfundenen Aussprache mit Hindenburg, die ganze zwanzig Minuten währte, kündigte er Papen die schärfste Opposition an und warf dabei die Kardinalfrage auf, auf die bereits drei Tage zuvor der Reichsjustizminister hingewiesen hatte: »Wie wollen Sie denn überhaupt regieren? Glaubt die Regierung, daß sie mit diesem Reichstag arbeiten kann?«[87]

Politische Beratungen in Neudeck (v.l.n.r.): Franz von Papen, Otto Meißner,
Wilhelm von Gayl, Hindenburg und Kurt von Schleicher, 30. August 1932

KAPITEL 31

Präsidialregierung auf Konfrontationskurs

Der 13. August 1932 leitete eine Phase erbitterter Auseinandersetzungen zwischen den Nationalsozialisten und der Reichsregierung ein. Der Konflikt entzündete sich ausschließlich an der ungeklärten Führungsfrage: Solange Hitler unnachgiebig auf der Reichskanzlerschaft in einer NS-dominierten Regierung beharrte und dem Reichspräsidenten seinen politischen Willen aufzuzwingen suchte, konnten Hindenburg und Hitler nicht zueinander finden. Diese politische Kraftprobe bewirkte, daß Hindenburg an der Regierung Papen festhielt, der damit entgegen der ursprünglichen Intention eine längere Lebensdauer beschieden war. Dieser Umstand warf aber in aller Dringlichkeit die Frage nach der politischen Konzeption auf, von der diese Regierung getragen sein sollte, wenn sie nicht mehr vordringlich die Aufgabe hatte, den Weg frei zu machen für eine Reichsregierung mit nationalsozialistischer Beteiligung.

Hindenburg selbst hatte bereits an jenem 13. August dem Reichskanzler die politische Agenda vorgegeben, mit der sich die Papen-Regierung eine neue Legitimation erwerben konnte: Arbeitsbeschaffung. Mit der Entlassung Brünings hatte sich der Reichspräsident auch von jenem fiskalischen Rigorismus befreit, der die wirtschaftspolitischen Ansichten Brünings dominiert hatte. Hier eröffnete sich ein Handlungsspielraum für die neue Regierung, zumal die Reparationskonferenz in Lausanne Anfang Juli 1932 das faktische Ende der Reparationszahlungen bis auf die Entrichtung einer letzten Rate beschlossen hatte. Hindenburg konnte daher dem Reichskanzler die von Wirtschaftsminister Warmbold empfohlenen Rezepte zur Ankurbelung der Binnennachfrage ans Herz legen und ihm auftragen, »daß mit der größten Beschleunigung die zur Behebung der Arbeitslosigkeit vordringlichen Aufgaben gefördert werden müßten«.[1] Papen tat, wie ihm geheißen. Auf der nächsten Ministerbesprechung erzielte das Kabinett völliges Einvernehmen darüber, eine große wirtschaftspolitische Initiative zu starten, wobei Wirtschaftsminister Warmbold den Ton angab.[2]

Warmbold erarbeitete daraufhin eine wirtschaftspolitisch tragfähige Konzeption, deren Grundgedanke darin bestand, durch staatliche Impulse der Privatwirtschaft Anreize für Neueinstellungen zu geben. Das Tarifrecht sollte dergestalt gelockert werden, daß neu eingestellte Arbeiter unter Tarif entlohnt werden konnten. Weiterhin sollten Neueinstellungen dadurch erleichtert werden, daß die Regierung Finanzmittel zur Verfügung stellte, mit denen die Löhne zusätzlich eingestellter Arbeitskräfte zu einem Drittel subventioniert wurden. Das zweite Maßnahmenbündel zur Ankurbelung der Binnenkonjunktur sah eine erhebliche Steuerentlastung der Unternehmen vor, wozu man mit »Steuergutscheinen« ein unkonventionelles Finanzierungsinstrument schuf.[3] Erarbeitet wurden diese Vorschläge vom federführenden Wirtschaftsministerium,[4] der Reichskanzler behielt sich allerdings vor, diese Pläne in ihren Grundzügen in einer Rede vor dem »Westfälischen Bauernverein« in Münster am 28. August 1932 publik zu machen. Das Redemanuskript war vom Kabinett autorisiert und mit den zuständigen Ressortministern abgestimmt.[5]

Als Papen dem in Neudeck weilenden Reichspräsidenten am 30. August Vortrag hielt, konnte er verkünden, daß seine Regierung den Auftrag des Reichspräsidenten ausgeführt habe und in der Frage der Arbeitsbeschaffung initiativ geworden sei. Hindenburg hieß die Maßnahmen gut und bekräftigte dies, indem er zwei Notverordnungen zur »Belebung der Wirtschaft« und zur »Vermehrung und Erhaltung der Arbeitsgelegenheit« unterzeichnete, die am 4. beziehungsweise 5. September 1932 in Kraft traten. Ihm war es ein besonderes Anliegen, »die Opfer gleichmäßig auf die verschiedenen Berufsstände zu verteilen«[6] und jeden Anschein sozialer Unausgewogenheit zu vermeiden. Unter dieser Prämisse erklärte sich der Reichspräsident bereit, der Regierung bei den drängenden Entscheidungen in der Wirtschafts- und Sozialpolitik seine präsidialen Befugnisse zur Verfügung zu stellen.

Mit der Wendung zu einer aktiven Wirtschaftspolitik machte die Regierung den Nationalsozialisten auch ein politisches Thema streitig, aus dem vor allem diese bislang politischen Honig gesogen hatten. Bis dahin hatte sich die Hitler-Bewegung in der Öffentlichkeit als einzige politische Kraft präsentiert, die energisch auf eine staatlich geförderte Arbeitsbeschaffungspolitik setzte; auch deswegen hatte sie am 31. Juli 1932 ein überaus gutes Reichstagswahlergebnis erzielt.[7] Aber nun sah sich die NSDAP auf diesem politischen Schlüsselgebiet der Konkurrenz durch die Reichsregierung ausgesetzt.

Im übrigen trug das Verhalten Hitlers viel dazu bei, daß er und der Reichspräsident sich immer weiter voneinander entfernten, ohne freilich die politischen Brücken endgültig abzubrechen. Hitler brauchte einige Tage, um den Schock des

13. August zu verdauen. Doch dann ging der NS-Parteiführer mit aller Kraft zur frontalen Attacke auf die Regierung Papen über und verschonte dabei auch den Reichspräsidenten nicht. Immer noch glaubte er, ohne die Zustimmung Hindenburgs nach der ungeteilten Macht greifen zu können; seine Zuversicht schöpfte er aus dem in der Tat eklatanten Altersunterschied von 42 Jahren, der zwischen ihm und Hindenburg bestand. In aller Offenheit spielte Hitler auf eine biologische Lösung an, indem er durchblicken ließ, daß er bei dem Kräftemessen mit Hindenburg auch deswegen die Oberhand behalten werde, weil Hindenburgs Tage gezählt seien:»Mein großer Gegenspieler, der Herr Reichspräsident, ist 85 Jahre alt und ich bin 43 Jahre alt, und ich fühle mich ganz gesund.«[8]

Hindenburg mußte diese Selbstgewißheit abstoßen und in dem Vorhaben bestärken, dem anmaßenden Parteiführer zu verdeutlichen, wer die Staatsgewalt in Händen hielt. Noch weniger konnte ihm gefallen, daß Hitler sich provokativ mit fünf SA-Leuten öffentlich solidarisierte, die am 22. August 1932 von einem Sondergericht zum Tode verurteilt worden waren, nachdem sie zwölf Tage zuvor im oberschlesischen Potempa einen kommunistischen Bergarbeiter auf bestialische Weise zu Tode getrampelt hatten. Die rechtliche Handhabe für den Urteilsspruch bot die kurz zuvor erlassene »Verordnung gegen politischen Terror«. Hitler wollte mit seinem demonstrativen Akt aber nicht nur die aufmüpfige SA beruhigen, sondern zugleich die Regierung Papen, auf deren Drängen diese Notverordnung erlassen worden war, attackieren, indirekt also auch den formal für diese Notverordnung verantwortlichen Reichspräsidenten treffen.[9] Damit kehrte er erneut die gewalttätige Seite seiner Bewegung heraus, was Hindenburg schon bei der Unterredung am 13. August unangenehm aufgefallen war.[10]

Alternativ dazu hielt sich die NS-Führung die Option offen, auf parlamentarischem Wege im Reich wie in Preußen die Regierung zu übernehmen. Hierzu bedurfte es allerdings einer Übereinkunft mit der Zentrumspartei, da rein rechnerisch NSDAP und Zentrum im preußischen Abgeordnetenhaus aus eigener Kraft einen gemeinsamen Kandidaten zum Ministerpräsidenten wählen und im Reichstag durch eine förmliche Koalition den Reichspräsidenten in Zugzwang bringen konnten, den von ihnen präsentierten Anwärter zum Reichskanzler zu ernennen. Straßer und Hitler führten deshalb mit Brüning, der immer noch der starke Mann des Zentrums war, geheime Verhandlungen. Am 29. August 1932 trafen Hitler und Brüning zusammen und erzielten eine prinzipielle Übereinkunft darüber, den Gesprächsfaden weiter zu knüpfen. Da Brüning der NSDAP den Zugriff auf den Posten des preußischen Ministerpräsidenten aber weiterhin verwehrte, nutzte die NS-Führung diesen Kontakt in erster Linie, um eine Drohkulisse aufzubauen und dem Reichspräsidenten zu signalisieren, daß die Hitlerpartei auf parlamentarischem Wege an der Präsidialgewalt vorbei an die Regierung gelangen könne, wenn Hindenburg partout nicht Hitler an die Spitze einer Präsidialregierung stelle.[11]

Als stärkstes Argument der Nationalsozialisten für die Übertragung der Kanzlerschaft an Hitler fiel ins Gewicht, daß der Reichspräsident und seine Regierung sich am 13. August 1932 in eine verfassungspolitische Sackgasse hineinmanövriert hatten. Durch die leichtfertige Auflösung des Reichstags war der Hitlerpartei mit der Neuwahl vom 31. Juli 1932 die parlamentarische Schlüsselrolle zugefallen, da die NSDAP nun jede Aktion der Präsidialregierung im Parlament blockieren konnte – sei es, daß sie der Regierung das Mißtrauen aussprach, sei es, daß sie die Aufhebung präsidialer Notverordnungen durchsetzte. Solange die NSDAP also in strikter Opposition zur Papen-Regierung stand, mußte der Reichspräsident dieser Regierung Überlebenshilfe leisten. Dies konnte auf verfassungsmäßigem Wege geschehen, indem er den frisch gewählten Reichstag unmittelbar nach dessen Zusammentreten wieder auflöste und die nach der Verfassung innerhalb von sechzig Tagen zu erfolgenden Neuwahlen anberaumte. Da ein solcher Schritt jedoch keine grundlegende Verschiebung der parlamentarischen Kräfteverhältnisse versprach, schien es zunehmend unvermeidlich, einen von mehreren Kabinettsmitgliedern avisierten Ausweg zu wählen und unter Rückgriff auf die Präsidialgewalt den Reichstag vorläufig als Machtfaktor zu eliminieren, auch wenn dies den formellen Bruch mit dem Buchstaben der Verfassung bedeutete.[12] Insbesondere Reichsinnenminister Gayl befürwortete eine verfassungsüberschreitende Ausdehnung der Präsidialgewalt, deren Kern eine verfassungswidrige Verschiebung der Neuwahlen auf unbestimmte Zeit nach erfolgter Reichstagsauflösung war.[13]

Auch Papen und Schleicher liebäugelten mit diesem Ausweg, wollten aber am 29. August 1932 ein letztes Mal in einem persönlichen Gespräch mit Hitler ausloten, ob dieser nicht doch von seinen Maximalforderungen abrücken und zu den bekannten Konditionen in die Regierung eintreten würde. Da dieses Gespräch jedoch keine Annäherung der Standpunkte brachte und die Fronten verhärtet blieben,[14] entschieden sich Papen, Schleicher und Gayl für den schon seit längerem erörterten und mittlerweile auch durch juristischen Beistand abgesicherten Ausweg. Demnach sollte gegen ausdrückliche Bestimmung der Verfassung der Reichstag für unbestimmte Zeit als Machtfaktor eliminiert werden, indem das Parlament aufgelöst und kein Termin für Neuwahlen anberaumt wurde. Allerdings hing die Realisierung dieses Vorhabens von der Zustimmung des Reichspräsidenten ab: Nur durch die Autorität Hindenburgs ließ sich dieses eindeutig verfassungswidrige

Vorgehen legitimieren. Deshalb machten sich die drei am Abend des 29. August mit dem Zug nach Neudeck auf,[15] um den Reichspräsidenten für diese Lösung zu gewinnen, für die zwar sachliche Gründe (Staatsnotstand) geltend gemacht werden konnten, deren Verfassungswidrigkeit aber durch nichts zu bemänteln war. Würde sich Hindenburg, der ja bislang geradezu ängstlich darauf bedacht gewesen war, mit der Verfassung nicht in Konflikt zu geraten, dafür hergeben?

Die Unterredung zwischen Hindenburg und den aus Berlin angereisten Regierungsmitgliedern am Mittag des 30. August 1932 ließ wieder einmal das Spannungsverhältnis aufscheinen, das zwischen den beiden Polen von Hindenburgs Herrschaftsanspruch – der legalen und der charismatischen Autorität – bestand. Von der Warte seines charismatischen Führungsanspruchs aus konnte Hindenburg überhaupt nicht an Handlungen gelegen sein, zu denen der Reichspräsident Hindenburg zwar ermächtigt war, die aber zu Lasten von Hindenburgs persönlicher Autorität gingen. Einer Ausschöpfung der Präsidialgewalt sogar über den geschriebenen Text der Verfassung hinaus, wie sie von einflußreichen Verfassungsexperten, allen voran Carl Schmitt, propagiert und von einer Spezialabteilung in Schleichers Wehrministerium wohlwollend geprüft wurde,[16] stand Hindenburg reserviert gegenüber, da zu befürchten war, daß ihn die Verwirklichung dieser Pläne in eine Konfrontation mit denjenigen politischen Kräften trieb, auf die er bei der Realisierung seines Herzensprojekts, der »Volksgemeinschaft«, nicht verzichten zu können glaubte. Hindenburg dachte nicht von der Stärkung der Staatsgewalt aus und war daher nicht bereit, die günstige verfassungspolitische Situation in der zweiten Hälfte des Jahres 1932 für eine Transformation des politischen Systems hin zu einer verfassungsrechtlich ausgebauten Präsidialherrschaft zu nutzen. Im Zentrum von Hindenburgs Absichten stand nicht ein auf den Reichspräsidenten zugeschnittenes Regierungssystem, sondern eine auf der Mobilisierung weiter Volkskreise beruhende »nationale Gemeinschaft«.

Nach Hindenburgs Vorstellung sollte die herausgehobene Stellung des Reichspräsidenten im Verfassungsgefüge als Kristallisationskern dienen, damit von der Präsidialgewalt aus die ersehnte »nationale Einigung« vorangetrieben werden konnte. Als Reichspräsident wollte er Tempo und Konditionen der Verwirklichung dieses Projekts bestimmen. Daher reagierte er überaus sensibel, wenn er den Eindruck gewann, daß die politischen Parteien sich über seine Autorität hinwegsetzen und ihn zum ausführenden Organ parlamentarischer Beschlüsse degradieren wollten. Hindenburg hatte kein Interesse daran, die Präsidialgewalt in eine aussichtslose Konfrontation mit dem Verfassungsorgan Reichstag zu treiben, aber ebenso strikt beharrte er auf der präsidialen Prärogative und ließ keinen Zweifel aufkommen, daß der Reichspräsident sich vom Parlament die Regierungsbildung nicht diktieren lasse.

Aber genau diese Möglichkeit zeichnete sich nach dem 13. August 1932 ab. Die NSDAP brachte die Idee einer parlamentarischen Mehrheitsregierung ins Spiel, die sich auf eine rechnerisch vorhandene Reichstagsmajorität stützen konnte, falls NSDAP und Zentrum/BVP sich auf ein festes parlamentarisches Bündnis verständigten. Mit dieser Option drohte die NSDAP nun.[17] Ihre plötzlich entflammte Liebe zum Parlamentarismus drückte sich auch darin aus, daß der neu gewählte Präsident des Reichstags, Hermann Göring, an dem Tag, als die Spitzen der Reichsregierung mit Hindenburg in Neudeck konferierten, unmißverständlich darauf hinwies, daß der neu gewählte Reichstag über »eine große, arbeitsfähige nationale Mehrheit«[18] verfüge und davon auch konstruktiv Gebrauch machen werde. Gleichzeitig begann die Führung des politischen Katholizismus ernsthaft die Möglichkeit einer Regierungsbildung mit den Nationalsozialisten auszuloten und trat dazu in förmliche Verhandlungen mit der NSDAP ein.[19]

Nur vor diesem Hintergrund einer sich abzeichnenden handlungsfähigen schwarz-braunen Mehrheit im Reichstag läßt sich Hindenburgs Reaktion in Neudeck nachvollziehen.[20] Für den Reichspräsidenten stellte sich die verfassungspolitische Lage am 30. August 1932 – dem Tag des erstmaligen Zusammentretens des dreißig Tage zuvor gewählten Reichstags – so dar, daß eine Mehrheit aus NSDAP und Zentrum/BVP ihm einen Reichskanzler aufnötigen wollte, auf den sich diese Parteien verständigt hatten.[21] Hindenburg faßte das als Provokation auf: Die Reichstagsmehrheit maßte sich an, in die verfassungsrechtlichen Befugnisse des Reichspräsidenten einzugreifen, indem sie eine Art Nominationsrecht für das Amt des Reichskanzlers beanspruchte. In der Tat war der Reichspräsident verfassungsrechtlich überhaupt nicht an eventuelle Personalvorschläge einer Reichstagsmehrheit gebunden. Hindenburg bestand außerdem auf einer Vorrangstellung des Reichspräsidenten gegenüber dem Reichstag, die verfassungsrechtlich zwar nicht fixiert war, sich aber seit dem Übergang zum präsidialen Regieren im März 1930 eingebürgert hatte. Daß der Reichstag sich wieder zu einem eigenständigen politischen Machtfaktor entwickelte, indem er darauf beharrte, daß eine Reichsregierung die parlamentarischen Mehrheitsverhältnisse widerspiegeln müsse, deutete Hindenburg als Einschränkung seiner präsidialen Befugnisse. Zwar wollte er die Präsidialgewalt nicht bis zum äußersten steigern, aber er reklamierte für sich ein politisches Wächteramt und eine politische Steuerungsfunktion, die er durch das in seinen Augen anmaßende Auftreten des gerade gewählten Reichstags bedroht sah.

Hindenburg reagierte daher äußerst ungehalten auf alles, was er als Einmischungsversuche des Reichstags interpretierte. Das Auftreten des frisch gewählten Reichstagspräsidenten Göring am 30. August empfand er als geradezu ungehörig. Göring hatte in seiner Rede nicht nur Hindenburg zur Verfassungstreue ermahnt,[22] sondern sich nach Hindenburgs Ansicht geradezu erdreistet, dem Reichspräsidenten diktieren zu wollen, wann dieser das Reichstagspräsidium zu empfangen habe: Hindenburg solle das Reichstagspräsidium »unverzüglich« – und zwar noch in Neudeck – zum Vortrag empfangen und sich bei dieser Gelegenheit aus erster Hand über die Arbeitsfähigkeit des Reichstags informieren.[23]

Hindenburg hatte mit seinen Besuchern in Neudeck die Rede Görings am Rundfunkgerät verfolgt und spontan beschlossen, Göring eine demonstrative Abfuhr zu erteilen. Unverzüglich ließ er ein Telegramm aufsetzen, in dem das Reichstagspräsidium in die Schranken gewiesen und unmißverständlich klargestellt wurde, daß niemand anderes als der Reichspräsident den Termin für einen Empfang des Reichstagspräsidiums bestimme.[24] Nach der Rückkehr aus Neudeck bestellte er dieses für den 9. September ein. Wenn Göring gehofft hatte, das Reichstagspräsidium aufwerten und als Verhandlungsgremium zwischen Reichspräsident und Reichstag positionieren zu können, wurde er durch die deutliche Zurechtweisung des Reichspräsidenten eines Besseren belehrt. Görings Position wurde überdies dadurch geschwächt, daß ihm einer der Reichstagsvizepräsidenten – der DNVP-Abgeordnete Graef – in den Rücken fiel und demonstrativ Einspruch dagegen erhob, daß das Reichstagspräsidium dem Reichspräsidenten seine politischen Ansichten über die vermeintliche Arbeitsfähigkeit des Parlamentes mitteilte.[25] Auch ohne den Auftritt Graefs, der mit der Reichsregierung abgesprochen war[26] (denn die DNVP wollte sich auf diese Weise von der befürchteten Revitalisierung des Parlamentarismus durch eine schwarz-braune Mehrheit absetzen), konnte es keinen Zweifel geben, daß Hindenburg demonstrativ an die Regierung Papen heranrücken würde, je mehr diese politisch unter Beschuß geriet und je stärker Nationalsozialisten und Zentrum parlamentarische Mitwirkungsrechte bei der Bildung einer neuen Reichsregierung einforderten. Erst dieser konzentrierte Druck der Reichstagsmehrheit veranlaßte Hindenburg zu einer Solidarisierung mit dem zunächst als Übergangsregierung gedachten Kabinett Papen, da der Reichstag nach Lesart Hindenburgs unzulässig in die verfassungsmäßigen Rechte des Reichspräsidenten eingriff: »Was die gegenwärtige Reichsregierung anbelangt, so habe ich für meine Person keinen Grund, ihr den Laufpaß zu geben, weil es einige Parteien wünschen.«[27]

Daß Hindenburg die verfassungsrechtlich zweifelhaften Pläne der Reichsregierung, die ihm am 30. August in Neudeck vorgetragen wurden, billigte, läßt sich mithin nur unter Beachtung von Hindenburgs Situationsanalyse begreifen: Demnach hatte er es mit einem anmaßend auftretenden Reichstag zu tun, der seine Muskeln spielen ließ und dem Reichspräsidenten das Heft des Handelns bei der Regierungsbildung aus der Hand zu schlagen drohte. Hindenburg sah darin eine pure Provokation und Einmischung in seine präsidiale Prärogative; daher stellte er sich schützend vor eine Regierung, die für ihn ursprünglich nur eine Notlösung dargestellt hatte. Die Konsequenz war, daß er den Reichskanzler mit der Blankovollmacht ausstattete, den Reichstag zu jedem beliebigen Zeitpunkt und aus jedem verfassungsrechtlich unbedenklichen Grunde aufzulösen.[28] Es oblag dem Kanzler, von dieser Auflösungsbefugnis zu einem ihm genehmen Zeitpunkt Gebrauch zu machen. Dazu mußte er nur das entsprechende Datum in die von Hindenburg unterschriebene Befugnis einsetzen. Auch die Formulierung einer entsprechenden Begründung für die Reichstagsauflösung legte Hindenburg in die Hände der Regierung und begnügte sich damit, den Text nach telefonischer Absprache zu autorisieren. Das in solchen Fragen federführende Reichswehrministerium unter Schleicher – bezeichnenderweise nicht das eigentlich zuständige Reichsinnenministerium – beauftragte daraufhin seinen inoffiziellen Verfassungsberater, den Staatsrechtler Carl Schmitt, mit der Zusammenstellung eines verfassungsrechtlich unanfechtbaren Angebots an möglichen Begründungen. Bereits am 5. September 1932 lagen dem Reichswehrministerium fünf solcher Begründungen vor,[29] so daß im Fall des Falles die Regierung aus einem reichen Angebot wählen und die Legislaturperiode des Reichstags beenden konnte, die gerade erst begonnen hatte.

Damit hatte Hindenburg den verfassungsrechtlichen Rahmen, den ihm die Konstitution – zugegebenermaßen nach extensiver Ausschöpfung, aber durchaus in Einklang mit der Mehrheit der Staatsrechtslehrer – einräumte, noch nicht verlassen. Doch er ging am 30. August 1932 einen entscheidenden Schritt weiter. Denn er gab zu verstehen, daß er mit der Autorität seines Amtes ein von der Regierung angeregtes Vorgehen legitimieren werde, das unzweifelhaft den Boden der Verfassungsurkunde verließ und dessen Verfassungswidrigkeit nicht zu bemänteln war. Reichskanzler Papen und Innenminister Gayl warben in Neudeck nämlich dafür, nach der Auflösung des Reichstags die innerhalb von sechzig Tagen vorgeschriebene Neuwahl des Parlaments nicht anzusetzen. Papen entschied sich für diesen verfassungswidrigen Schritt, weil aller Voraussicht nach eine Neuwahl innerhalb der gebotenen Frist das strukturelle Dilemma der Regierung Papen – eine in eindeutiger Opposition zu dieser Regierung verharrende Reichstagsmajorität – nicht behoben, sondern vielmehr bestätigt hätte. Aus Sicht Papens und Gayls war eine

Aussetzung von Neuwahlen zweifellos die konsequenteste Möglichkeit, eine Regierung ohne irgendwelche Aussichten zumindest auf eine parlamentarische Tolerierung gegen die dem Parlament zur Verfügung stehenden Mittel zu immunisieren.[30]

Unter Berufung auf positives Recht – dies räumten Papen und Gayl unumwunden ein – ließ sich eine solche Aktion nicht legitimieren. Es gab nichts daran zu deuteln, daß die Hinausschiebung der Neuwahl »formell eine Verletzung der diesbezüglichen Verfassungsvorschrift«[31] (Artikel 25 der Weimarer Verfassung) bedeutete. Beide suchten dem Reichspräsidenten das beabsichtigte Vorgehen daher schmackhaft zu machen, indem sie eine den Boden der positivistischen Rechtsauffassung verlassende Argumentationsfigur heranzogen: die Kategorie des Staatsnotstandes. Ein »staatlicher Notstand«[32] sei gegeben, weil sich die Verfassungsorgane Reichstag und Reichsregierung gegenseitig paralysierten. Damit sei das Funktionieren des Staatswesens derart in Mitleidenschaft gezogen, daß nur noch ein in der Verfassung nicht vorgesehener Weg aus diesem Zustand der Verfassungslähmung hinausführe. Um des höheren Gutes der Aufrechterhaltung der Staatsfunktionen willen sei es mithin gerechtfertigt, eine punktuelle Verletzung des Verfassungstextes in Kauf zu nehmen. Papen und Gayl griffen damit eine unter Juristen kursierende Argumentation auf, durch welche die Exekutive mit Berufung auf ein überpositives Staatsnotstandsrecht aus den Fesseln der Legalität gelöst werden sollte. Der damit in Kauf genommene Rechtsbruch sollte durch den Verweis auf eine außerhalb der Verfassung liegende und diese transzendierende Quelle der Legitimität geheilt werden.[33] Obgleich die herrschende Staatsrechtslehre sich mit der Vorstellung eines überpositiven Staatsnotrechts noch nicht anzufreunden vermochte, gab es doch nicht wenige Stimmen renommierter Staatsrechtslehrer, die diesen Weg mit mehr oder weniger großem Nachdruck propagierten. Unter den Befürwortern befand sich zu diesem Zeitpunkt auch Carl Schmitt, der Verfassungsberater Schleichers.[34] Schmitt konstruierte als Gegenentwurf zu einer in die Grenzen des Verfassungstextes eingezwängten Legalität einen Legitimitätsgrund, der seine demokratische Weihe durch den Appell an das Volk – und zwar an einen als einheitliche politische Willenseinheit gedachten Volkskörper – erhielt.[35]

Indem Carl Schmitt – und in der Linie seiner Argumentation auch die Reichsregierung – »die plebiszitäre Legitimität als einziges, anerkanntes Rechtfertigungssystem«[36] ins Feld führten, beriefen sie sich auf diejenige Legitimitätsressource, aus der Hindenburg seinen politischen Führungsauftrag bereits im Ersten Weltkrieg abgeleitet hatte. In der Rolle des Treuhänders eines imaginierten Volkswillens war Hindenburg politisch groß geworden, und in seiner Amtsführung als Reichspräsident hatte von Anfang an der Anspruch durchgeschimmert, dem Parlament das Prinzip demokratischer Repräsentation streitig zu machen. Weil er die politische Größe Volk nur als politische Einheit zu denken vermochte, die im Parlament, dem Spiegelbild heterogener gesellschaftlicher Kräfte, freilich kein Abbild finden konnte, war Hindenburg prinzipiell für die Sirenentöne Papens empfänglich. Wenn es Papen und Gayl gelang, Hindenburg die Sprengung des legalen Rahmens als Hinwendung zu den extralegalen Legitimitätsressourcen verständlich zu machen, die den zweiten, den charismatischen Pfeiler von Hindenburgs Herrschaft bildeten, dann bestand Aussicht, ihn für den von ihnen ins Auge gefaßten Ausweg zu gewinnen. Papen und Gayl schoben bei ihrem eindringlichen Werben daher den vermeintlichen Willen des Volkes in den Vordergrund, der im Handeln des Reichspräsidenten seinen eigentlichen Ausdruck finde. Das »Volksempfinden«[37] gebiete die mit dem Text der Verfassung nicht in Einklang stehende Verschiebung der Neuwahl, da das Volk in diesen politischen und ökonomischen Krisenzeiten Stabilität einem erneuten Wahlkampf und damit einem Heraufziehen bürgerkriegsähnlicher Unruhen vorziehe.

Für den vorübergehenden Erfolg ihrer Bemühungen war ausschlaggebend, daß die Regierungsvertreter dem in verfassungsrechtlichen Fragen unbewanderten Hindenburg eine tragfähig scheinende Brücke bauten, die den Graben überwand zwischen seinem Amtsverständnis und der ihm zugemuteten Überschreitung der verfassungsmäßigen Grenzen dieses Amtes. Im Ersten Weltkrieg hatte der Feldmarschall Hindenburg keine rechtlichen Bedenken gehegt gegen die Ausweitung seines Führungsanspruchs auf die Politik, weil das Militär im überaus komplizierten Regierungssystem des Kaiserreichs ein extrakonstitutionelles Terrain besetzte, von dem aus solche politischen Forderungen vorgetragen werden konnten. Doch in der Weimarer Republik gab es keine derartige verfassungsrechtliche Grauzone; zudem war der Reichspräsident Hindenburg stärker auf die Beachtung verfassungsrechtlicher Rahmenbedingungen verpflichtet als der Feldmarschall Hindenburg. Die Resonanz des Appells an Hindenburg, den Boden der Verfassung zu verlassen, hing also davon ab, ob es einen im Präsidentenamt, aber außerhalb des Verfassungstextes angesiedelten Anknüpfungspunkt gab, von dem aus Hindenburg an eine Entscheidung zugunsten der von der Reichsregierung befürworteten Lösung herangeführt werden konnte. Dieser argumentative Brückenkopf bestand in einer extensiven Ausschöpfung des Amtseides, den Hindenburg im Mai 1925 abgelegt hatte, und zwar in der gezielten Auslegung seiner eidlichen Verpflichtung, »Schaden vom deutschen Volke abzuwenden«.[38]

Mit Hilfe des Eides sollte der Reichspräsident so auf eine Funktion als plebiszitär legitimierter Treuhänder des Volkswillens festgelegt werden, daß er sich im Konfliktfall unter Berufung auf eben diesen Eid über die geschriebene Verfassung hinwegsetzen konnte, wenn ein Staatsnotstand unkonventionelles Handeln erforderte. Den Kern dieser Argumentationsstrategie hatte der Privatgelehrte Horst Michael entwickelt, der in juristischen Fragen ein getreuer Schüler Carl Schmitts war und dank enger Verbindungen zum Reichswehrministerium seine juristischen Ausarbeitungen in den politischen Prozeß einspeisen konnte.[39] Michael hatte Carl Schmitts Lehre weiterentwickelt und für den politischen Gebrauch maßgeschneidert, so daß Hindenburg darin als Verkörperung des Volkswillens erschien, der über der Verfassung thronte. Hindenburgs Eid nahm auf diese Weise den Charakter einer Generalermächtigung an, sich in einer verfassungsrechtlichen Notlage über den Verfassungstext hinwegzusetzen. Diese Grundgedanken hatte Michael in einer mit einem Koautor – ebenfalls einem Schmitt-Schüler – verfaßten Schrift niedergelegt, die pünktlich zum August 1932 ausgeliefert wurde.[40]

Hindenburgs Eidesformel als Hebel zu nutzen, um dem Reichspräsidenten ein Abweichen von der Legalität schmackhaft zu machen, war ein Konzept, das nicht nur in Schleichers Ministerium[41] erwogen wurde. Anscheinend konnte sich auch Staatssekretär Meißner dafür erwärmen, den verfassungspolitischen Spielraum des Reichspräsidenten auf diese Weise auszuweiten. Am 17. August 1932 erschien ein anonymer, von Meißner angeregter Artikel in der rechtsliberalen »Vossischen Zeitung« (die Hindenburg regelmäßig zu lesen pflegte), der unter Hinweis auf die eidliche Verpflichtung des Reichspräsidenten, Schaden vom deutschen Volke abzuwenden, der Präsidialgewalt nahelegte, in »einem durch Verschulden des Reichstags herbeigeführten Notstand«[42] sich nicht von der Legalität Fesseln anlegen zu lassen. Meißner dürfte es auch gewesen sein, der dem Reichspräsidenten in Neudeck die soeben erschienene Schrift Michaels zur Kenntnis gab und ihn mit den Grundzügen der Argumentation vertraut machte.[43] Der Staatssekretär hatte Michael nämlich nicht mehr aus den Augen gelassen, seitdem dieser sich im Präsidentschaftswahlkampf für Hindenburg verwandt und dabei die Beweggründe für dessen Kandidatur treffend erfaßt hatte. Seitdem standen die beiden Herren in Kontakt, über den auch Oskar von Hindenburg unterrichtet war.[44]

Der Reichspräsident war also nicht unvorbereitet, als Papen und Gayl ihn am 30. August 1932 bei seinem Eid zu packen versuchten. Sie schlugen damit einen Ton an, auf den Hindenburg bereits eingestimmt war. Als Begleitfanfare hatte Horst Michael zudem in einer einflußreichen Tageszeitung just am Morgen des 30. August einen Aufsatz plaziert, der die Überschreitung der Legalität unter Berufung auf eine plebiszitäre Legitimität – mithin den Grundgedanken Carl

Schmitts – für den aktuellen politischen Gebrauch interpretierte und maßgerecht auf Hindenburg zuschnitt: Hindenburg »trägt in seinem Eid das Reich, er sorgt durch den Eid für das Wohl des gesamten Volkes … Hindenburg ist die Verfassung!«[45] In Neudeck zahlte sich diese Vorbereitung aus: Es bedurfte keiner großen Kraftanstrengung, Hindenburg für die Idee der verfassungswidrigen Verschiebung von Neuwahlen zu gewinnen. Er ließ sich auf die Argumentation ein, daß sich der Reichspräsident in einer staatlichen Notlage unter Berufung auf den Volkswillen ausnahmsweise über die Legalität hinwegsetzen dürfe, und berief sich dabei implizit auf die Eidesformel.[46]

Hindenburg wurde in dieser Haltung noch bestärkt durch die politische Entwicklung in Preußen. Dort zeichnete sich ab, daß Zentrum und NSDAP gemeinsam eine preußische Regierung bilden könnten, indem sie den verfassungsmäßigen Weg einschlugen und gemäß der Geschäftsordnung des Landtags einen Ministerpräsidenten mit der erforderlichen absoluten Mehrheit der Landtagsabgeordneten wählten. An diesem historischen 30. August 1932 trat nicht nur der Reichstag zu seiner konstituierenden Sitzung zusammen; auch der preußische Landtag tagte und bot das ungewöhnliche Bild, daß Zentrum und NSDAP die geschäftsführende preußische Kommissariatsregierung gemeinsam attackierten und auf das Recht des Landtags pochten, aus sich heraus eine Regierung auf verfassungsmäßige Weise zu bestimmen.[47]

Sollten sich Zentrum und NSDAP in Preußen auf die Bildung einer gemeinsamen Regierung verständigen, dann besaß der Reichspräsident zunächst keine Handhabe dagegen. Aber Hindenburg war nicht gewillt, sich das Ergebnis des »Preußenschlages« vom 20. Juli 1932 – die Bemächtigung der preußischen Regierung durch das Reich und damit durch die Präsidialgewalt – entwinden zu lassen. Nicht nur dem Reichstag, auch dem im Unterschied zum Reichstag mit dem Recht zur Wahl des Regierungschefs ausgestatteten preußischen Landtag sollte der politische Wille des Reichspräsidenten aufgezwungen werden. Daher erklärte sich Hindenburg in Neudeck zur Unterzeichnung einer Notverordnung bereit, die für den Fall einer Regierungsbildung durch den preußischen Landtag diese neue Regierung in den Zustand politischer Machtlosigkeit versetzte, indem sie die preußische Polizei dem Reichsinnenminister unterstellte und damit massiv in die Hoheit der preußischen Staatsregierung eingriff.[48] Eine solche Expropriierung des preußischen Staates war verfassungsrechtlich ebenfalls äußerst bedenklich.[49]

Als Eingeständnis eines verfassungsrechtlich äußerst zweifelhaften Hineinregierens des Reiches in preußische Angelegenheiten sind denn auch streng vertrauliche Pläne zu werten, die Beziehungen zwischen dem Reich und seinem größten Einzelstaat im Rahmen einer grundlegenden Reichsreform neu zu ordnen. Derartige von Reichsinnenminister Gayl angestellte Überlegungen zielten darauf, den Dualismus zwischen dem Reich und Preußen durch Verschmelzung der wichtigsten Ministerämter zu beseitigen; darüber hinaus sollte die Personalunion von Reichskanzler und preußischem Ministerpräsidenten dazu dienen, das Recht des preußischen Landtags auf Wahl des preußischen Ministerpräsidenten auszuhebeln durch das neue Amt eines preußischen Staatspräsidenten, dem – in Personalunion mit dem Reichspräsidenten verbunden – künftig analog zu den Befugnissen des Reichspräsidenten die Ernennung des preußischen Ministerpräsidenten obliegen sollte.[50]

Hindenburg konnte sich mit den verfassungspolitisch bedenklichen Plänen der Regierung Papen deswegen anfreunden, weil er eine Reaktivierung des Reichstags zu einem gestaltenden Machtfaktor verhindern und den Zugriff des Reiches und damit der Präsidialgewalt auf Preußen nicht mehr aus der Hand geben wollte. Erst allmählich dämmerte ihm, auf was für ein riskantes Spiel – auch für ihn persönlich – er sich eingelassen hatte. Denn nun wurde er gerade für die Nationalsozialisten zur Zielscheibe scharfer Kritik, die alte historische Wunden wieder aufriß und erstmals Hindenburgs Verhalten am 9. November 1918 öffentlich thematisierte. Der Fraktionsvorsitzende der NSDAP im preußischen Landtag und Anwärter auf die Ministerpräsidentschaft, Wilhelm Kube, erhob am 30. August 1932 heftig Anklage gegen Hindenburg, wie man sie seit Ludendorffs Attacken nicht mehr vernommen hatte. Kube warf Hindenburg in der Landtagsrede vor, am 9. November 1918 seinen königlichen Herrn im Stich gelassen und ihn zudem nach Holland abgeschoben zu haben: »Die Paladine haben den Thron verlassen, an der Spitze der Mann, der als oberster Generalfeldmarschall der königlich preußischen Armee dazu verpflichtet war, seinen Degen vor seinen Kaiser zu halten.«[51]

Die Vertreter der bis auf Restbestände zusammengeschrumpften bürgerlichen Mitte (DVP und Staatspartei) reagierten empört und faßten diese Anschuldigung als Angriff auf die persönliche Ehre Hindenburgs auf,[52] mußten sich aber vom NS-Abgeordneten Haake, der als Vizepräsident des preußischen Landtags eine Führungsposition in der preußischen NSDAP innehatte, sagen lassen: »Wir haben genug Material! Seien Sie froh, daß wir uns so vornehm zurückhalten!«[53] Ganz deutlich blitzte hier die Drohung auf, daß die Rede Kubes nur der Auftakt war zu einer öffentlichen Kampagne der NSDAP gegen Hindenburg, bei der das zur Sprache kommen würde, was Hindenburg dank seiner geschickten Geschichtspolitik seit 1919 zum Verstummen gebracht hatte. Nicht zuletzt die Beteiligung des jüngst für die NSDAP in den preußischen Landtag gewählten Kaisersohnes August Wilhelm[54] an der Kampagne gegen Hindenburg ließ erahnen, auf welche Interna die NSDAP im Bedarfsfall zurückgreifen konnte.

Aber das alles war nur die öffentliche Begleitmusik zu einer Attacke, die auf Hindenburgs legale Herrschaft zielte. In dem taktischen Machtspiel gegen den Reichspräsidenten ging es nicht nur darum, diesen öffentlich in Mißkredit und damit die Quelle seines charismatischen Herrschaftsanspruchs zum Versiegen zu bringen. Den Reichspräsidenten gemäß Artikel 43 der Reichsverfassung durch eine Volksabstimmung absetzen zu lassen, war das stärkste Geschütz, das die NSDAP aufbieten konnte, wenn sie darüber hinaus Hindenburgs legale Herrschaft erschüttern wollte. Im September 1932 stellte diese Möglichkeit keinesfalls eine leere Drohung dar, da die für die Einleitung eines solchen Verfahrens erforderliche Zweidrittelmehrheit im Reichstag durchaus zustande kommen konnte, und zwar dann, wenn sich einem solchen parlamentarischen Vorstoß der NSDAP die beiden linken Parteien KPD und SPD oder neben den Kommunisten die beiden Parteien des politischen Katholizismus anschlossen.[55] Bei KPD beziehungsweise SPD war durchaus nicht ausgeschlossen, daß sie für einen solchen Schritt zu gewinnen waren. Das eigentliche Warnzeichen für Hindenburg war allerdings, daß auch innerhalb des politischen Katholizismus eine solche Möglichkeit ernsthaft erwogen wurde.

Der innerste Führungskreis der NSDAP – Hitler, Göring, Röhm und Goebbels – verständigte sich schon einen Tag nach der Neudecker Besprechung darauf, nicht weniger als den Sturz des Reichspräsidenten herbeizuführen.[56] Der Reichstag mußte dazu mit Zweidrittelmehrheit den Weg für eine Volksabstimmung freigeben, in der über das politische Schicksal Hindenburgs endgültig entschieden werden würde. Aber allein das Zustandekommen eines solchen Reichstagsbeschlusses wäre eine schallende Ohrfeige für den Reichspräsidenten gewesen, der – nach einem solchen Beschluß ohnehin an der Ausübung seines Amtes gehindert – es auf eine Volksabstimmung wohl nicht hätte ankommen lassen und von sich aus den Rückzug vom Amt angetreten hätte. Die Absetzungspläne wurden für Hindenburg bedrohlich, weil führende Vertreter der Zentrumspartei ihre Bereitschaft erkennen ließen, sich einer entsprechenden nationalsozialistischen Initiative anzuschließen. Am 8. und am 10. September 1932 verhandelte die Führungsspitze des Zentrums im Palais des Reichstagspräsidenten auf Einladung Görings über diese Option und ließ durchblicken, daß man solchen Plänen nicht prinzipiell abgeneigt sei.[57] Es bedurfte des energischen Einsatzes von Brüning, der – auch ohne offizielles Parteiamt – immer noch als starker Mann im Hintergrund wirkte und die mit dieser Option liebäugelnde Zentrumsspitze von einem Frontalangriff auf Hindenburg abhielt: Brüning drohte mit seinem Parteiaustritt und mobilisierte seine Anhängerschaft in der Reichstagsfraktion, so daß sich diese am 12. September 1932 gegen den totalen Bruch mit dem Reichspräsidenten entschied.

Der ehemalige Reichskanzler war selbst ein Leidtragender von Hindenburgs selbstherrlichem Umgang mit Weggefährten, doch er besaß genug strategischen Weitblick, um zu erkennen, daß sich nur ein einziger Politiker beste Chancen ausrechnen konnte, bei einem Rücktritt Hindenburg im Amt des Reichspräsidenten nachzufolgen: Adolf Hitler.[58] Daß sich die Zentrumsführung dennoch auf einen durch politische Pressionen erzwungenen Rücktritt Hindenburgs einstellte, wird daraus ersichtlich, daß sie zusammen mit der NSDAP Vorkehrungen für den Fall traf, daß der Reichspräsident sein Amt nicht mehr ausüben konnte. Artikel 51 der Verfassung bestimmte, daß bei einer solchen »Verhinderung« zunächst der Reichskanzler den Reichspräsidenten vertrat, mithin der von beiden Seiten attackierte Franz von Papen. Allerdings verwies derselbe Verfassungsartikel darauf, daß bei einer länger andauernden Verhinderung die Vertretung durch ein Reichsgesetz geregelt werden könne. Genau hier setzten beide Parteien an und einigten sich in den Grundzügen auf ein Stellvertretungsgesetz, bei dem nicht der Reichskanzler, sondern der Präsident des Staatsgerichtshofes, also der oberste deutsche Verfassungsrichter, die Geschäfte eines nicht mehr amtsfähigen oder amtswilligen Reichspräsidenten bis zur Wahl eines neuen Präsidenten übernahm.[59]

Hinter Hindenburgs Rücken braute sich also ein politisches Unwetter zusammen, von dem der Betroffene zu diesem Zeitpunkt wenig mitzubekommen schien. Am 12. September 1932 entspannte sich die Lage allerdings ein wenig, da Papen von der präsidialen Blankovollmacht zur Reichstagsauflösung Gebrauch machte, die Hindenburg ihm am 30. August in Neudeck zur Verfügung gestellt hatte. Durch die Auflösung des Reichstags war zumindest bis zum Zusammentreten des neugewählten Parlaments die Gefahr gebannt, daß eine schwarz-braune Reichstagsmehrheit Hindenburg ihren Willen aufzwang und sogar eine Frontalattacke gegen den Reichspräsidenten einleitete.

Die Art, wie Franz von Papen von der präsidialen Auflösungsvollmacht Gebrauch machte, zeugte allerdings von mangelnder politischer Professionalität. Statt bei der ersten Arbeitssitzung des Reichstags, die für den 12. September 1932 angesetzt war, vorausschauend Vorkehrungen dagegen zu treffen, daß der Reichstag der Reichsregierung das Mißtrauen aussprach, was durch den rechtzeitigen Einsatz der Auflösungsvollmacht unterbunden werden konnte, wurde Papen davon überrascht, daß der Reichstag über einen von der KPD eingebrachten Mißtrauensantrag gegen die Reichsregierung abstimmen wollte.[60] Eigentlich stand an diesem Tag nur die Entgegennahme der Regierungserklärung des Reichskanzlers auf der

Tagesordnung, aber das wurde durch die Initiative der KPD, der alle übrigen Fraktionen nicht widersprachen, hinfällig und somit die Reichsregierung für Papen unerwartet zur Zielscheibe einer von KPD, SPD, politischem Katholizismus und NSDAP gemeinschaftlich vorgetragenen Mißtrauensbekundung. Da Reichstagspräsident Göring die Sitzung für eine halbe Stunde unterbrechen ließ, gewann Papen immerhin genügend Zeit, um die Blankovollmacht heranzuschaffen. Der juristisch geschulte Meißner formulierte rasch eine tragfähige Begründung für die Auflösung und fügte diese von eigener Hand in die Blankovollmacht Hindenburgs ein, wobei er allerdings gezwungen war, das verräterische Wort »Neudeck« als Ort der Ausfertigung dieser Notverordnung durchzustreichen und durch »Berlin, den 12. September 1932«, zu ersetzen.[61]

Derart ausgerüstet, hätte es Papen durch den sofortigen Vollzug der Reichstagsauflösung nach Wiederaufnahme der Sitzung eigentlich gar nicht mehr zur Abstimmung über den KPD-Antrag kommen lassen dürfen. Doch er sorgte durch Ungeschicklichkeit dafür, daß Göring der Abstimmung über den Mißtrauensantrag stattgab mit dem niederschmetternden Ergebnis, daß die Regierung Papen nur auf ein Zehntel der Abgeordneten zählen konnte: 512 Parlamentarier sprachen dieser Regierung das Mißtrauen aus; nur das kleine Häuflein von 52 Mandatsträgern aus DNVP und DVP stand hinter ihr. Zwar war das Mißtrauensvotum verfassungsrechtlich bedeutungslos, weil der Reichskanzler dem Reichstagspräsidenten während der Abstimmungsprozedur die rote Mappe mit der Auflösung des Reichstags aufs Pult gelegt hatte, womit die Legislaturperiode des am 31. Juli 1932 gewählten Parlaments beendet war. Aber das politische Signal an die deutsche Öffentlichkeit, daß der Papen-Regierung jeder nennenswerte Rückhalt im deutschen Volk fehlte, war nicht einfach zu ignorieren. Würde der Reichspräsident nun noch bereit sein, seine am 30. August 1932 in Neudeck gegebene Versicherung einzulösen? Würde er den verfassungswidrigen Weg einer Verschiebung der Reichstagsneuwahl gehen und es dieser politisch isolierten Regierung damit ermöglichen, im Amt zu bleiben?

Hindenburg selbst wurde noch am Nachmittag des 12. September von Meißner über die Vorgänge im Reichstag informiert. Seine Reaktion glich dem Verhalten, das er schon am 30. August an den Tag gelegt hatte: Hindenburg wollte sich nicht vom Reichstag das Gesetz des Handelns aufzwingen lassen und kanzelte daher Reichstagspräsident Göring ab, als dieser im Anschluß an die Reichstagssitzung den Versuch unternahm, die Verfassungsmäßigkeit der Reichstagsauflösung beziehungsweise deren Begründung – wegen der Gefahr der Aufhebung einer präsidialen Notverordnung vom 4. September – anzuzweifeln. Hierin erblickte Hindenburg eine anmaßende Einschränkung seiner präsidialen Autorität, und folglich solidarisierte er sich mit der Reichsregierung.[62] Von diesem eindeutigen Pochen auf Wahrung der präsidialen Autorität ist Hindenburgs Einstellung zum Staatsnotstandsplan jedoch strikt zu trennen. Denn mittlerweile war auch bis zu ihm vorgedrungen, daß er sich im Falle einer Einlösung seiner in Neudeck gegebenen Zusage der Gefahr aussetzte, daß der Reichstag seine verfassungsmäßigen Mittel ausschöpfte mit der Folge, daß die legale und letztlich auch charismatische Autorität Hindenburgs irreparabel beschädigt wurde.

Wenn Hindenburg die nach der Auflösung des Reichstags fälligen Neuwahlen über die von der Verfassung bestimmte Sechzig-Tage-Frist hinaus verschob, drohte ihm Gefahr durch Artikel 59 der Reichsverfassung. Dieser Artikel berechtigte den Reichstag nämlich mit Zweidrittelmehrheit zur »Präsidentenanklage« vor dem Staatsgerichtshof, falls dem Staatsoberhaupt eine schuldhafte Verletzung der Reichsverfassung oder eines Reichsgesetzes vorgeworfen werden konnte. Unzweifelhaft hätte Hindenburg mit einer so offen verfassungswidrigen Aktion wie der Verschiebung von Neuwahlen dem Parlament einen wohlfeilen Grund für eine solche Anklage geliefert. In der NSDAP wie im Zentrum trug man sich längst mit derartigen Überlegungen, und in eingeweihten politischen Kreisen waren entsprechende Bestrebungen ein offenes Geheimnis.[63] Brüning nahestende Zentrumspolitiker wie der württembergische Staatspräsident Bolz weihten bestimmte Kabinettsmitglieder in diese Pläne ein, um Hindenburg von dem verfassungswidrigen Akt abzuhalten. Als das Kabinett am 14. September 1932 zusammentrat, um über die Exekutierung des Neudecker Staatsnotstandsplans zu befinden, geschah dies daher nicht nur unter dem Eindruck der psychologisch verheerenden Abstimmungsniederlage der Regierung zwei Tage zuvor, sondern auch mit der Maßgabe, Hindenburg nicht in verfassungsrechtliche Bedrängnis zu bringen. Als Staatssekretär Meißner in seiner Eigenschaft als Verfassungsberater Hindenburgs auf dieser Sitzung ausdrücklichen Bezug auf das Szenario einer Präsidentenanklage gemäß Artikel 59 der Verfassung nahm, war der Notstandsplan vom Tisch[64] – und damit wurde eine fristgerechte Neuwahl im Herbst 1932 fällig.

Bestärkt haben dürfte Hindenburg in seiner Entscheidung, daß zur selben Zeit eine seiner Maßnahmen als Reichspräsident – die Exekution gegen Preußen vom 20. Juli 1932 – auf ihre verfassungsrechtliche Standfestigkeit vor dem Staatsgerichtshof überprüft wurde. Es war ein Novum in der Verfassungsgeschichte der Weimarer Republik, daß die höchste judikative Instanz über die Verfassungsmäßigkeit einer präsidialen Maßnahme befand. Auch wenn die klagenden Parteien – darunter die amtsenthobene preußische Regierung und die Fraktionen von SPD

und Zentrum im preußischen Landtag – den Reichspräsidenten in ihrer Klage-
schrift zu schonen suchten und die politische Verantwortung für die Einsetzung
eines Reichskommissars auf die Reichsregierung abwälzten,[65] überprüfte der Staatsgerichtshof immer noch eine vom Reichspräsidenten verfügte Maßnahme und saß
damit indirekt auch über Hindenburg zu Gericht.[66] Dieser Umstand berührte und
beunruhigte Hindenburg, der bislang nie einen Prozeß geführt hatte und um sein
Ansehen besorgt war, falls der Prozeß nicht zu einer vollständigen juristischen Rehabilitierung der beklagten Partei führte. Als die Prozeßvertreter des Reiches – an
der Spitze Carl Schmitt – am 10. Oktober 1932 zu den mündlichen Verhandlungen
nach Leipzig reisten, gab er ihnen mit auf den Weg:»Blamieren Sie mich nicht vor
den Amtsrichtern in Leipzig!«[67] Das schließlich am 25. Oktober 1932 verkündete
Urteil des Staatsgerichtshofs war indes nicht dazu angetan, Hindenburgs Befürchtungen vor den juristischen Folgen seines Tuns zu zerstreuen. Zwar bestätigte der
Staatsgerichtshof unter seinem Präsidenten Bumke, der politisch mit Hindenburg
sympathisierte, faktisch die Übertragung der preußischen Regierungsgewalt an
den Reichskommissar.[68] Aber er erklärte eine vom Reichspräsidenten in seiner
Notverordnung vom 20. Juli 1932 in Anspruch genommene Begründung für diesen
Schritt – eine Pflichtverletzung durch die geschäftsführende preußische Regierung
gemäß Artikel 48, Absatz 1 – für unzulässig, was zur Konsequenz hatte, daß die geschäftsführende Regierung Braun/Severing offiziell weiterhin im Amt blieb und
überdies das Recht auf Vertretung der Interessen Preußens im Reichsrat erhielt.

Die Regierung Braun/Severing amtierte zwar als Phantomregierung, weil der
Staatsgerichtshof zugleich die Übertragung der preußischen Regierungsgewalt auf
das Reich billigte und damit der faktische Zugriff des Reiches auf die preußische
Exekutive nicht angetastet wurde. Aber dieses Urteil trug dennoch nicht unerheblich zur rechtlichen Verunsicherung Hindenburgs bei.[69] Wenn schon seine Aktion
gegen Preußen nicht die ungeteilte Zustimmung des höchsten deutschen Gerichts
fand, wie würde es sich wohl bei einer Maßnahme verhalten, die im Unterschied
zum»Preußenschlag« gar nicht mehr durch eine extensive Ausschöpfung des Artikels 48 zu legitimieren war, sondern nur durch überpositives Notstandsrecht?

Wenn Hindenburg aber nicht den von der Papen-Regierung empfohlenen
Weg des Staatsnotstands mitzugehen bereit war, lief alles darauf hinaus, erneut ein
Arrangement mit Hitler zu suchen in der Hoffnung und Erwartung, daß das Ergebnis der für den 6. November 1932 anberaumten Reichstagsneuwahl für Hitler
weniger günstig ausfiel und der NS-Parteiführer sich auf die Bedingungen Hindenburgs einließ, wenn er sich und seine Bewegung in eine neue Reichsregierung
einbrachte.

*Sicherheitspolizei sperrt den Weg vom Hotel Kaiserhof, Hitlers Berliner Domizil,
zur Reichskanzlei, Hindenburgs vorübergehendem Amtssitz,wo Hitler am 21. November 1932
den Sondierungsauftrag zur Bildung einer neuen Reichsregierung erhält.*

KAPITEL 32

Auf dem Weg zu Hitlers Kanzlerschaft

Im Herbst 1932 schälte sich heraus, daß Hindenburg das Risiko scheute, einen Weg einzuschlagen, auf dem seiner legalen Autorität irreparabler Schaden drohte. Aber auch um der Aufrechterhaltung seines charismatischen Herrschaftsanspruchs willen verbot sich eine offene Konfrontation mit einem nationalsozialistisch beherrschten Reichstag. Denn Hindenburg beging am 2. Oktober 1932 seinen 85. Geburtstag, und dieser sollte in bewährter geschichtspolitischer Manier zum Anlaß genommen werden, seinen Stern so hell wie möglich erstrahlen zu lassen. Daher waren Hindenburg wie seine geschichtspolitischen Mitarbeiter klug beraten, alles zu unterlassen, was dieses Vorhaben gefährden konnte.

Auch im Herbst 1932 bediente Hindenburg als Projektionsfläche noch immer die Sehnsucht weiter Kreise der deutschen Gesellschaft nach nationaler Einheit, und so flocht ihm die bürgerliche und konservative Presse anläßlich seines Geburtstages Kränze, ohne daß das Büro des Reichspräsidenten sanft nachhelfen mußte.[1] Sämtliche deutsche Illustrierten erschienen am 2. Oktober 1932 mit einem Bild Hindenburgs auf der ersten Seite.[2] Aber der Ehrgeiz des »Hauses Hindenburg« erschöpfte sich nicht darin, Huldigungen von dieser Seite entgegenzunehmen. Die Linke hielt sich wie immer zurück, und die Nationalsozialisten hatten durchblicken lassen, daß ihnen ein geschichtspolitischer Denkmalsturz zuzutrauen war, wenngleich selbst Goebbels an Hindenburgs Ehrentag milde gestimmt war und diesen nur unverhohlen zu einer Revision der Entscheidung vom 13. August 1932 aufforderte.[3]

Der besonders »treue Diener seines Herrn«, Staatssekretär Meißner, hatte aber weitaus Größeres im Sinn. Als Krönung von Hindenburgs Geschichtspolitik sollte an diesem Ehrentag ein öffentliches Bild vermittelt werden, bei dem Hindenburg auf Augenhöhe mit Bismarck, dem unangreifbaren Heros der preußisch-deutschen Geschichte, gehoben werden sollte. Dazu hatte Meißner wie schon fünf Jahre zuvor eine Festschrift forciert,[4] deren Erlös der »Hindenburg-Spende« zufloß, einer rechtsfähigen Stiftung unter Vorsitz von Hindenburg, die mit den immerhin knapp acht Millionen Mark Stiftungskapital unbürokratisch die Not von Kriegsbeschädigten und Kriegshinterbliebenen zu lindern suchte. Meißner war nicht nur der erste Justitiar Hindenburgs, sondern auch derjenige, der solche Publikationen mit feinem Gespür für geschichtspolitische Erfordernisse einfädelte. Wie schon zu Hindenburgs achtzigstem Geburtstag erhielt sein alter Bekannter, der Verleger Otto Stollberg, den Zuschlag für dieses offiziöse Geschichtswerk. Der erste Teil würdigte in gewohnter Weise die militärischen Leistungen Hindenburgs; er stammte aus der Feder von Hindenburgs Weggefährten beim Oberkommando Ost, dem General der Infanterie Ernst von Eisenhart Rothe,[5] und war so gehalten, daß Hindenburgs militärischer Stern in hellem Glanz erstrahlte.[6] Der zweite Kontribuent hatte die ungleich größere Herausforderung zu meistern, Hindenburg auf dieselbe Stufe wie den Titanen Bismarck zu stellen. Hierzu bediente man sich des Berliner Geschichtsprofessors Erich Marcks, der sich als Bismarck-Biograph einen Namen gemacht hatte. Marcks hatte aus eigenem Antrieb im März 1932 vor dem ersten Wahlgang zur Reichspräsidentenwahl eine Würdigung Hindenburgs verfaßt, die bereits Anklänge an Bismarck aufwies.[7] Der Professor hatte diesen Beitrag dem Reichspräsidenten zugesandt,[8] der sich so ein Bild machen konnte, wie sehr sich dieser aufrichtige Hindenburg-Verehrer für die anspruchsvolle Aufgabe eignete. Hindenburg selbst hat in privaten Zeugnissen seine Situation gelegentlich mit der Bismarcks verglichen,[9] was verdeutlicht, daß er seine historische Leistung durchaus mit der des Reichseinigers messen wollte.

Marcks löste seine Aufgabe zur vollsten Zufriedenheit seiner Auftraggeber. Der Vergleich Hindenburgs mit Bismarck zog sich wie ein roter Faden durch die Ausführungen[10] und adelte Hindenburg auf der ganzen Linie: Wie Bismarck habe auch Hindenburg gegen die Borniertheit eines »zähen Altpreußentums«[11] kämpfen müssen, das in partikularer Vereinzelung immer wieder den Blick für das große Ganze und die Erfordernisse der Zeit verloren habe;[12] und wie Bismarck sei er über das Preußentum hinausgewachsen und Gesamtbesitz der Nation geworden. Indem er sich der inneren Einigung des deutschen Volkes verschrieben habe, sei das Reich in der Tradition Bismarcks fortgebildet worden und Hindenburg selbst als Staatsmann an die Riesengestalt Bismarcks herangerückt. Und schließlich hätten Bismarck wie Hindenburg dieselbe symbolische Funktion eingenommen, nämlich die »Verkörperung der Nation«.[13] Eine glänzendere historische Würdigung hätte Hindenburg sich nicht erträumen können.

Diese öffentlichen Huldigungen verpflichteten den Reichspräsidenten jedoch, sein symbolisches Ansehen nicht aufs Spiel zu setzen. Daher mußten Hindenburg die zunehmenden Verselbständigungstendenzen des Reichskanzlers beunruhigen, der vor der deutschen Öffentlichkeit im Herbst 1932 verfassungspolitische Pläne ausbreitete, die nicht nur die Papen-Regierung, sondern auch den Reichspräsidenten in die politische Schußlinie brachten. Papen und Innenminister Gayl propagierten nämlich die Idee einer großangelegten Verfassungsreform, die darauf abzielte, die Verfassung so abzuändern, daß dem Reichstag die ihm noch verbliebenen Einwirkungsmöglichkeiten auf die Regierung (Mißtrauensvotum; Aufhebung von Notverordnungen) genommen und seine Einflußmöglichkeiten auf ein Maß reduziert wurden, das noch geringer gewesen wäre als im kaiserlichen Reichstag.[14] Hindenburg war gewiß kein Freund des Reichstags, aber er wußte inzwischen um die politischen Risiken, welche die Realisierung solcher Pläne nicht zuletzt für ihn barg. Weite Kreise der deutschen Politik hatten sich mit der Transformation des politischen Systems in eine Präsidialherrschaft deswegen abgefunden, weil sie dem Reichspräsidenten Hindenburg vertrauten und weil dieser Verfassungswandel gleichsam schleichend dahergekommen war. Eine schlagartige und spektakuläre Entmachtung des Reichstags hingegen, wie sie Papen anstrebte, mußte alle politischen Kräfte zu einer Einheitsfront zusammenschweißen, die dem Reichstag als demokratisch gewähltem Organ – aus welchen parteitaktischen Gründen auch immer – einen zentralen Platz im Institutionengefüge zubilligten. Dazu zählten in erster Linie die wenigen verbliebenen Anhänger einer parlamentarisch zentrierten Demokratie, die fast nur noch bei der Sozialdemokratie zu finden waren, sowie die für eine Stärkung der Präsidialgewalt empfänglichen Kräfte des politischen Katholizismus, die aber gleichwohl nicht auf ihre parlamentarischen Mitwirkungsrechte verzichten wollten. Aber auch die Kommunisten und insbesondere die Nationalsozialisten liefen Sturm gegen die reaktionären Verfassungsvorstellungen des Kanzlers und seines Innenministers.[15]

Hindenburg hatte abzuwägen, ob es politisch klug war, seinen Namen für Verfassungspläne herzugeben, welche die überwältigende Mehrheit der politischen Kräfte als Provokation auffaßte. Papen befand sich zudem in einer verfassungspolitischen Sackgasse, aus der ihm nur mit der Verfassung nicht in Einklang stehendes Handeln heraushelfen konnte. Nach dem Abstimmungsdebakel im Reichstag am 12. September hatte er unter anderem aus Rücksicht auf den Reichspräsidenten die verfassungswidrige Verschiebung von Neuwahlen vorläufig ad acta gelegt, und so fand die fällige Reichstagsneuwahl fristgerecht am 6. November 1932 statt. Diese brachte aber erwartungsgemäß keine Veränderung der strategischen Ausgangslage der Regierung bis auf den Umstand, daß durch die nicht unerheblichen Stimmenverluste der NSDAP (4,2 Prozent) und die leichten Einbußen von Zentrum und BVP rein rechnerisch keine schwarz-braune Mehrheit im Reichstag mehr vorhan-

den war. An der Tatsache, daß die NSDAP eine Schlüsselstellung im Reichstag innehatte und dieser ohne die Hitlerpartei nicht arbeitsfähig war, hatte sich jedoch
nichts geändert; auch die nahezu totale Isolation der Regierung Papen im deutschen Volk bestand weiterhin. Die mit der Regierung Papen halbwegs sympathisierenden Parteien DNVP und DVP vereinigten gerade einmal etwas mehr als zehn
Prozent der abgegebenen Stimmen auf sich.

Am deutlichsten war Papen mit seinen Verfassungsvorstellungen in einer programmatischen Rede vor dem Bayerischen Industriellenverband am 12. Oktober
1932 in München hervorgetreten. Er nahm dabei für sich in Anspruch, daß seine
Regierung vom Reichspräsidenten ein Mandat auch für eine grundlegende Umgestaltung des Staatslebens erhalten habe, und schloß seine Ausführungen bezeichnenderweise mit dem Appell: »Mit Hindenburg für ein neues besseres Deutschland!« Wie schon bei dem Neudecker Notstandsplan suchte Papen den Reichspräsidenten durch Berufung auf dessen Eid auf die weitreichenden Verfassungspläne
der Regierung zu verpflichten: »Mit dem Eid, den er geschworen hat, ruht die Verfassung als Schicksal des Volkes in seiner Hand.« In direktem Anklang an die offiziöse Hindenburg-Festschrift sollte ein Verweis auf Bismarck Hindenburg dazu
veranlassen, in Verfassungsfragen unkonventionelle Wege zu beschreiten: Hindenburg »wird sorgen, daß Bismarcks Vermächtnis, daß die Idee des ›sacrum impe-
rium‹ wieder die Hoffnung der kommenden Geschlechter werde«.[16]

Papen maßte sich damit eine Vollmacht an, die ihm der Reichspräsident niemals erteilt hatte. Als reine Übergangsregierung konzipiert, hatte die Regierung
Papen erst mit dem vorläufigen Zerwürfnis von Präsidialgewalt und NSDAP eine
eigene Existenzgrundlage erhalten, die aber in Hindenburgs Augen nur zur Ankurbelung der Wirtschaft und nicht für riskante Verfassungsexperimente genutzt werden sollte. Mit seinen verfassungspolitischen Vorstellungen war Papen überdies im
Kabinett isoliert, da sich die Mehrheit der Minister, die sich Papen bekanntlich
nicht hatte aussuchen können, dagegen aussprach, zur Unzeit eine Verfassungsreform in Angriff zu nehmen.[17] Erhebliche Teile der Reichsregierung rückten mithin schon im November 1932 von Papen ab, weil sie von diesem Reichskanzler keinen Ausweg aus der verfassungspolitischen Sackgasse erwarteten. Daher rieten sie
auch von allen Unternehmungen ab, die von seiten des Reichstags und der dort
vertretenen Parteien als politische Provokation gedeutet werden konnten. Dies galt
vor allem für die Absicht Papens, den Reichstag dadurch zu mißachten, daß er dessen Auflösung bewirkte, bevor die am 6. November 1932 gewählte Volksvertretung
ein einziges Mal zusammengetreten war.[18] Auch Hindenburg hielt nichts davon,
daß die Regierung in dieser angespannten Lage noch Öl ins Feuer goß und die

offene Konfrontation mit dem Reichstag suchte. »Diese Politik könne man mit Hindenburg nicht machen.«[19]

Papen wurde aber noch aus einem anderen Grund immer mehr zur Belastung für den Reichspräsidenten. Im Grunde seines Herzens hatte der Reichskanzler mit der Verwirklichung seiner weitreichenden Verfassungspläne nämlich nichts anderes im Sinn als die Wiederherstellung der Monarchie – ein politisches Projekt, dem Hindenburg bekanntlich aus einer Vielzahl von Gründen skeptisch gegenüberstand, was schon Papens Vorgänger Brüning hatte registrieren müssen. Papen verfolgte mit der Abkoppelung der Exekutive vom Parlament letztlich die Absicht, die Gesellschaft politisch auszuschalten und ihr von oben die Restauration der Monarchie überzustülpen, für die es keine wie auch immer geartete demokratische Zustimmung gab. Papen war so klug, derartige Absichten nicht an die Öffentlichkeit dringen zu lassen, da dies die beabsichtigte Verfassungsreform kompromittiert hätte. Aber im geheimen lotete er eifrig die Möglichkeiten einer Wiederherstellung der Monarchie aus, wobei er die strukturellen Probleme dieses Vorhabens – ganz abgesehen von der Realisierungsmöglichkeit – durchaus nicht verkannte.

Da war zum einen die Frage, ob eine Wiedererrichtung der Monarchie sich nur auf das deutsche Kaisertum beziehen sollte oder doch zumindest auch die ehemaligen Königshäuser von Sachsen, Württemberg und Bayern wieder in die alten Rechte eingesetzt werden sollten. Wer immer das heiße Eisen der Restauration anfaßte, tat gut daran, eine Abstimmung zumindest mit dem bayerischen Kronprinzen Rupprecht zu suchen, der von allen Thronanwärtern auf den größten Rückhalt in der Bevölkerung seines Landes zählen konnte. Papen suchte Rupprecht daher bei seinem Besuch in München am 12. Oktober 1932 im Leuchtenbergpalais auf und machte deutlich, wie ernst es ihm mit seinen Restaurationsabsichten war. Er wartete sogar mit der unkonventionellen Anfrage an Kronprinz Rupprecht auf, ob nicht auch ein deutsches Kaisertum mit einem Wittelsbacher an der Spitze denkbar sei.[20] Dieser Vorstoß des Katholiken Papen zeugte davon, daß er ein katholisches Kaisertum zumindest in Erwägung zog, vor allem offenbarte er aber, wie sehr sich selbst in monarchischen Kreisen die Hohenzollern durch interne Querelen politisch diskreditiert hatten: Ein Fürstenhaus, bei dem mindestens vier Anwärter auf den Kaiserthron vorhanden waren (nämlich Wilhelm II., Kronprinz Wilhelm, der ältere Sohn des Kronprinzen, sowie August Wilhelm von Preußen), die sich eifersüchtig belauerten und gegenseitig auszuschalten trachteten,[21] hatte selbst bei einem eingefleischten Monarchisten wie Papen derartig viel politischen Kredit verspielt, daß es für ihn nicht mehr für die Kaiserkrone in Betracht kam.

Die Ernsthaftigkeit von Papens Bemühungen läßt sich auch an seinen Plänen zur Reichsreform ablesen. Selbst ein glühender Anhänger der Wiederherstellung der Monarchie konnte nicht so vermessen sein, die Monarchie in allen 22 monarchischen Einzelstaaten des verblichenen Kaiserreichs erneut zu etablieren und damit etwa dem Fürsten von Lippe wieder zu seinem Herrscherrecht zu verhelfen. Nur wenn man den territorialen Bestand der deutschen Einzelstaaten so zurechtschnitt, daß wenige lebensfähige politische Einheiten übrigblieben, die dann monarchisch verfaßt sein sollten, ließ sich der strukturell unlösbare Widerspruch zwischen einem wiedererrichteten deutschen Kaiserreich und republikanisch verfaßten Einzelstaaten vermeiden. Schon Papens Beteiligung am »Preußenschlag« dürfte durch solche monarchische Nebenabsichten motiviert gewesen sein.[22] Auch sein Werben um Bayerns Zustimmung zu den Reichsreformplänen war von der Überlegung getragen, die Stärkung der bayerischen Autonomie innerhalb des Reiches zu verknüpfen mit der Wiederherstellung der Monarchie.[23] Bayern sollte sich dadurch, daß es den Weg zurück zur Monarchie beschritt, ein Maß an föderaler Selbstbestimmung erwerben wie im Bismarckreich. Wie eng Papens Reichsreformpläne mit solchen monarchischen Hintergedanken verwoben waren, zeugt auch seine Mitwirkung am Reichsstatthaltergesetz vom April 1933, mit dem durch die Einsetzung von Reichsstatthaltern das Reich – analog zum »Preußenschlag« – den Zugriff auf die Exekutive aller deutschen Länder erhielt. Im vertraulichen Gespräch mit Carl Schmitt, dem die juristische Begleitung der faktischen Abschaffung des Föderalismus oblag, machte Papen kein Hehl daraus, daß er dieses Gesetz als wichtige Etappe auf dem Wege zur monarchischen Restauration ansah: »Letztes Ziel sei die Reichsmonarchie und die Reichsstatthalter müßten Platzhalter der Monarchie sein.«[24]

Die Restauration wollte Papen in einem schrittweisen Verfahren erreichen, dessen Dreh- und Angelpunkt die Einrichtung einer Reichsverweserschaft war. Die seit 1931 in den mit der Restauration liebäugelnden Kreisen umherschwirrenden Überlegungen verdichteten sich im Laufe des Jahres 1932 zu der Auffassung, daß zunächst die Position eines Reichsverwesers zu schaffen sei. Dieser Reichsverweser müsse sich als Statthalter einer noch nicht handlungsfähigen monarchischen Gewalt betrachten und in der Zeit seiner Reichsverweserschaft die Weichen für eine Rückkehr zur Monarchie stellen.[25] Für manche Verfechter eines Ausbaus der Präsidialgewalt kam für diese Aufgabe kein anderer als Hindenburg in Frage. Man identifizierte die von Hindenburg vertretene Präsidialherrschaft so sehr mit der Staatsgewalt, daß der Reichspräsident gleichsam auf natürliche Weise in die Rolle eines Reichsverwesers hineinwuchs.[26] Die von den allermeisten Monarchisten favorisierte Version sah jedoch vor, daß der zum Souverän erhobene Reichspräsident die

Staatsgewalt kraft seiner Vollmacht auf einen Reichsverweser übertrug, dem es dann oblag, die Monarchie wiederherzustellen. Damit wurde aber ein Personalkarussell in Bewegung gesetzt, da – ähnlich wie bei den Anwärtern auf ein restauriertes Kaisertum – eine Vielzahl von Kandidaten in Frage kam,[27] die sich gegenseitig belauerten. Seit 1931 stand Herzog Adolf Friedrich zu Mecklenburg solchen Vorstellungen aufgeschlossen gegenüber und wurde für diese Funktion vom bayerischen Kronprinzen im Oktober 1932 ins Spiel gebracht.[28] Papen hingegen favorisierte den bayerischen Kronprinzen Rupprecht selbst, dem er das Vorbild Ungarns vor Augen führte, wo Admiral Horthy als Reichsverweser offiziell nur die politisch nicht mehr handlungsfähige Krone vertrat.[29]

Die meisten Hoffnungen auf eine Reichsverweserschaft machte sich aber der politisch umtriebige Hohenzollernkronprinz. Wilhelm verfuhr dabei doppelgleisig: Einmal diente er sich weiterhin Hitler an, weil er sich Chancen ausrechnete, daß dieser ihn im Falle des Übergangs der Staatsgewalt auf die Nationalsozialisten zum Reichsverweser bestimmen werde.[30] Im Oktober/November 1932 setzte er allerdings noch darauf, daß der amtierende Reichspräsident ihn zum Reichsverweser berief.[31] Diese vage Aussicht löste höchsten Alarm in Doorn aus, wo der Ex-Kaiser und seine Gemahlin Hermine durch die Umtriebe des mißratenen Sohnes die Rückgewinnung des Throns für den Vater gefährdet sahen. Schon im Juli 1932 hatte der Kronprinz bei einem seiner seltenen Besuche in Doorn die Idee seiner Reichsverweserschaft ventiliert[32] und damit Beunruhigung ausgelöst, da vor allem die Stiefmutter Hermine ihm nicht abnahm, daß er diese Funktion nur als Platzhalter für den Vater ausüben wolle. Hermine setzte daher alle Hebel in Bewegung, um solche Absichten des Kronprinzen zu torpedieren. Dazu spannte sie Feldmarschall Mackensen ein, an dessen streng legitimistischer Gesinnung kein Zweifel bestand. Mackensen sollte um einen Gesprächstermin bei Hindenburg nachsuchen und diesem solche vermeintlichen Pläne austreiben. In der Tat empfing der Reichspräsident seinen alten Kameraden am 14. November 1932 und versicherte diesem, daß er niemals die Hand zu einer Reichsverweserschaft des Kronprinzen reichen werde.[33]

Nicht nur der Kronprinz machte sich vergebliche Hoffnungen, daß Hindenburg ihm den Weg zur Reichsverweserschaft ebnen könne. Der Reichspräsident erteilte grundsätzlich allen Plänen einer Reichsverweserschaft eine klare Absage, weil sie für ihn inakzeptabel waren, da alle derartigen Überlegungen darauf fußten, daß er selbst abdankte. Er sollte sich von seiner Reichspräsidentschaft zurückziehen und seine unbegrenzte herrschaftliche Gewalt auf den Reichsverweser übertragen.[34] Eine solche Selbstentmachtung stand jedoch in eklatantem Widerspruch zur

Grundsatzentscheidung, die Hindenburg im Herbst 1931 getroffen hatte: vom Präsidentenamt aus und ausgestattet mit seiner weitgehend intakten symbolischen Autorität den Übergang zu einer Regierung »der nationalen Konzentration« zu gestalten, in der die sich bislang bitter befehdenden »nationalen Kräfte« ihre Streitigkeiten begruben und sich zu gemeinsamer Aufbauarbeit bereit fanden. Daher konnte Hindenburg überhaupt kein Interesse daran haben, sein Amt für einen Reichsverweser zu räumen, der ein politisches Projekt verfolgte, das neue Spannungen in das ohnehin schon fragmentierte »nationale Lager« hineintrug.

Darüber hinaus lehnte Hindenburg es ab, irgendein politisches Risiko für die Verwirklichung monarchischer Ziele einzugehen. Sein Monarchismus war und blieb ein politisch folgenloser Herzensmonarchismus, der nicht auf der politischen Agenda auftauchte. Bei der Zusammenkunft mit Hindenburg am 14. November 1932 hatte Mackensen – wie zuvor schon des öfteren Cramon – die entscheidende Frage angeschnitten, ob Hindenburg sich nicht für eine Rückkehr Wilhelms II. nach Deutschland einsetzen wolle. Zwar sollte der Ex-Kaiser zunächst nur als Privatmann in seine Heimat zurückkehren; aber natürlich schwang dabei die Absicht mit, den ersten Schritt zur Wiedereinsetzung in die angestammten Herrscherrechte zu tun. Gerade weil Hindenburg um die politischen Implikationen eines solchen Schrittes wußte, zeigte er sich unnachgiebig und erteilte Mackensen eine Antwort, die zu seinem Standardrepertoire werden sollte:»innen- und außenpolitische Rücksichten«[35] ließen dies nicht zu. Hier deckten sich seine Ansichten im übrigen mit denen Hitlers, der ganz ähnlich argumentierte. Auf dessen Beteuerung der prinzipiellen Sympathie für die Sache der Monarchie folgte gerade zu dieser Zeit stets der Hinweis, daß ein Restaurationsversuch das Reich innenpolitisch erschüttern und den außenpolitischen Widersachern einen wohlfeilen Vorwand zur Intervention bieten würde.[36]

Hindenburgs Reichskanzler handelte mithin auf eigene Rechnung, als er im Oktober/November 1932 behutsame Schritte in Richtung Restauration unternahm. Hält man sich das verfassungspolitische Dilemma vor Augen, in das Hindenburg geriet, wenn er weiterhin an der Regierung Papen festhielt, dann drängt sich die Frage auf, ob der Reichspräsident angesichts solcher Aussichten nicht erwog, einen neuen Anlauf zu unternehmen, Hitler und dessen Partei für eine Regierungsbeteiligung zu seinen Konditionen zu gewinnen. Nach der Reichstagswahl vom 6. November 1932 schien der richtige Zeitpunkt für solche Bemühungen gekommen: Die schmerzlichen Einbußen von mehr als 4 Prozent, die die NSDAP hatte hinnehmen müssen, konnten – so das Kalkül – bei Hitler einen Gesinnungswandel verursacht und ihn zum Abrücken von seinen Maximalforderungen bewegt haben. Andererseits behauptete die NSDAP ihre politische Schlüsselposition im Reichstag, so daß sie ein nicht zu umgehender Machtfaktor blieb, wenn man auf einen autoritären Ausbau der Präsidialgewalt verzichtete.

Damit war Hindenburg mehr denn je in die Rolle des Entscheidungsträgers gerückt. Würde er nach dem 13. August 1932 einen zweiten Versuch unternehmen, Hitler zu seinen Konditionen als Kanzler zu engagieren? Im November 1932 meldeten sich erstmals Wirtschaftskreise zu Wort, um den »alten Herrn« zu einem neuen Anlauf zu ermuntern. Damit erreichte die Einwirkung auf Hindenburg eine neue Qualität. Denn hinter der Eingabe der Wirtschaftsführer, die Hindenburg am 19. November 1932 vorgelegt wurde, stand auch Papen, der am 17. November 1932 nicht zuletzt deswegen seinen Rücktritt erklärt hatte, um einer Kanzlerschaft Hitlers nicht im Wege zu stehen. Der geschäftsführende Reichskanzler und bestimmte Kreise der deutschen Wirtschaft wollten gemeinsam auf Hindenburg einwirken, um diesen für eine Kanzlerschaft Hitlers zu gewinnen.

Papen pflegte enge Beziehungen zu Wirtschaftskreisen. Er war hier bestens vernetzt[37] und daher der ideale Ansprechpartner für die Wirtschaftsführer, die Hindenburg die Bitte, Hitler mit der Kanzlerschaft zu betrauen, mit der flankierenden Unterstützung des Regierungschefs vortragen konnten. Allerdings wurde die Wirkung dieser Eingabe von vornherein dadurch abgeschwächt, daß sie nur 17 Unterschriften trug. Aus der westdeutschen Schwerindustrie hatte bis auf Fritz Thyssen niemand unterzeichnet; Sachsen und Süddeutschland waren ebenfalls nicht durch prominente Wirtschaftsführer vertreten; die Unterzeichner waren vielfach nur ökonomisch Bewanderten bekannt und konnten keineswegs beanspruchen, im Namen der deutschen Wirtschaft zu sprechen.[38]

Inhaltlich war die Staatssekretär Meißner übergebene Bittschrift derart auf die politische Situation nach der Reichstagswahl zugeschnitten, daß die in ihr entwickelten Argumente durchaus beim Adressaten Wirkung zu erzielen vermochten. Hindenburg wurde davor gewarnt, auf schmalster politischer Basis die Idee eines Präsidialkabinetts weiterhin zu verfolgen; vielmehr riet man ihm, »die Umgestaltung des Reichskabinetts in einer Weise [zu bewerkstelligen], die die größtmögliche Volkskraft hinter das Kabinett bringt«.[39] Die Unterzeichner riefen Hindenburg in der Konsequenz dieser Einschätzung dazu auf, eine unter der Kanzlerschaft Hitlers stehende Regierung zu bilden, in der alle bedeutenden nationalen Gruppierungen berücksichtigt seien. Keine nur aus Nationalsozialisten bestehende Ministerliste schwebte ihnen vor, sondern ein »mit den besten sachlichen und persönlichen Kräften ausgestattetes Präsidialkabinett«, das im Unterschied zur Regierung Papen eng mit der »nationalen Bewegung« verklammert sei. War dies nicht die

Vorstellung einer Regierung der nationalen Einheit, auf die Hindenburg bislang vergeblich hingewirkt hatte? Trafen die zumeist parteilosen Unterzeichner damit nicht den politischen Nerv des Reichspräsidenten? Mußte sich Hindenburg jetzt nicht noch mehr als zuvor veranlaßt sehen, ein weiteres Mal die Initiative zu ergreifen, um die politisch zerstrittenen »nationalen Kräfte« zusammenzuführen?

Derartige Überlegungen waren nicht von der Hand zu weisen, doch das eigentliche Gewicht der Petition rührte aus dem Umstand, daß erstmals Wirtschaftsvertreter in einer koordinierten Aktion für die Kanzlerschaft Hitlers in einer nationalen Konzentrationsregierung eintraten. Darin lag überhaupt ihre eigentliche Ratio: den Reichspräsidenten für die Ansicht zu gewinnen, daß die Wirtschaftspolitik auch in einem von Hitler geführten Kabinett in guten Händen sei.[40] Hält man sich vor Augen, daß bei der Entlassung Brünings und beim Festhalten an der Kanzlerschaft Papens auch wirtschaftspolitische Gründe für Hindenburg maßgeblich gewesen waren, dann zielte das Vorgehen der Unterzeichner darauf ab, ein wesentliches Hindernis für die Kanzlerschaft Hitlers aus dem Wege zu räumen. Die Bittschrift diente also in erster Linie dazu, einer von Hitler geführten Regierung ein ökonomisches Gütesiegel zu verleihen und dem Reichspräsidenten die Überzeugung zu vermitteln, daß Hitler ebenso wie Papen die Wirtschaftskrise zu beheben imstande sei. Zur Strategie gehörte, daß Papen, dem Hindenburg vor allem seine wirtschaftspolitischen Aktivitäten hoch anrechnete,[41] nicht nur die Unterzeichner bei der Abfassung ihrer Eingabe beriet, sondern nach deren Überreichung bei Hindenburg selbst vorsprechen wollte, »um in dem gleichen Sinne auf ihn einzuwirken«.[42]

Die Namen der 17 Erstunterzeichner, zu denen sich nach dem 19. November noch einige Nachzügler gesellten, waren auf den ersten Blick wenig dazu angetan, den gewünschten Eindruck bei Hindenburg zu erzielen, weil es an wirtschaftlicher Prominenz eindeutig mangelte. Aber auf den zweiten Blick war zumindest nicht auszuschließen, daß sich die Eingabe im gewünschten Sinne auswirken konnte. Denn für Hindenburg, der über keine lebensweltlichen Beziehungen zu Wirtschaftsgrößen verfügte, gaben nicht nackte ökonomische Kennziffern wie der Umsatz einer Firma den Ausschlag dafür, ob er einem Wirtschaftsführer Gehör schenkte. Hindenburg dachte vielmehr in ganz handfesten persönlichen Beziehungskategorien. Und vor diesem Hintergrund mußte ihm der Name Emil Helfferich auf der Liste der Unterzeichner auffallen: Der Hamburger Überseekaufmann Emil Helfferich war nämlich der Bruder Karl Helfferichs, mit dem Hindenburg in der Weltkriegszeit in Kontakt getreten war, wobei sich die Beziehungen nach Kriegsende so sehr verfestigt hatten, daß Hindenburg anläßlich seiner Aussage vor dem Untersuchungsausschuß des Reichstags im Jahre 1919 in der Berliner Privatwohnung Helfferichs übernachtet hatte. Nach dem Unfalltod Karl Helfferichs hielt Hindenburg engen Kontakt mit dessen Witwe.[43] So sorgte der Name Emil Helfferich auf der Liste dafür, daß die Eingabe von vornherein eine gewisse Beachtung fand.

Noch mehr fiel für Hindenburg allerdings ins Gewicht, daß eine Reihe prominenter Vertreter der Landwirtschaft den Aufruf unterschrieben hatte, an der Spitze der Präsident des Reichslandbundes, Eberhard Graf von Kalckreuth. Hindenburg hatte sich immer als Fürsprecher der Interessen vor allem des ostelbischen Großgrundbesitzes empfunden, weil er in diesem eine soziale Stütze für die von ihm präferierte Gesellschaftsordnung und Staatsform erblickte. Gerade die ostdeutsche Großlandwirtschaft und der von ihr beherrschte Reichslandbund drängten im Verlaufe des Jahres 1932 immer deutlicher auf die Ernennung Hitlers zum Reichskanzler, nicht zuletzt weil die Hitlerpartei in den großagrarisch geprägten Regionen östlich und nördlich der Elbe zur dominierenden politischen Kraft aufgestiegen und von unten her die Standesorganisationen der Landwirtschaft erobert hatte.[44]

Daß die Petition von Kalckreuth unterschrieben worden war, machte nachhaltig Eindruck auf den Reichspräsidenten. Am Vormittag des 19. November hatte Friedrich Reinhart, Vorstandsmitglied der Commerzbank, die Eingabe Meißner zukommen lassen, der Hindenburg davon umgehend in Kenntnis setzte.[45] Der Termin war gut gewählt, weil Hindenburg zuvor eine ausführliche Unterredung mit Hitler hatte, die überhaupt erst das dritte persönliche Gespräch zwischen den beiden darstellte.[46] Diese Unterredung unterstrich noch einmal, daß Hindenburg ein vitales Interesse an der Einbeziehung der NSDAP besaß. Bei dieser Gelegenheit richtete Hindenburg einen dringenden Appell an Hitler, sich seinem Wunsch nicht zu versagen: »Helfen Sie mir. Ich erkenne durchaus den großen Gedanken an, der in Ihnen und Ihrer Bewegung lebt, und würde es daher begrüßen, Sie und Ihre Bewegung an der Regierung beteiligt zu sehen.«[47] Hindenburg ging bei diesem Treffen einen weiteren Schritt auf Hitler zu und schloß dessen Kanzlerschaft nicht mehr kategorisch aus. Auch Hitler hatte aus seinem Debakel vom 13. August 1932 gelernt und forderte nicht wie noch drei Monate zuvor eine nationalsozialistisch beherrschte Regierung, die Hindenburg als eine reine Parteiregierung ansehen mußte und nicht mit seinem Verständnis einer parteiübergreifenden Regierung der nationalen Konzentration vereinbaren konnte. Hitler beanspruchte für sich und seine Bewegung aber die politische Führung in einer solchen Regierung; was die weitere Zusammensetzung des Kabinetts anlangte, war er gesprächsbereit.[48]

Unter diesen Voraussetzungen rückte die Kanzlerschaft Hitlers in greifbare Nähe. Hindenburg und Hitler hatten sich erstmals unter vier Augen ausgetauscht, Meißner war erst am Schluß der Unterredung zur Aufnahme des Protokolls hinzugezogen worden.[49] Ursprünglich war die Unterredung eher als Pflichtübung für den Reichspräsidenten angesehen worden, weil dieser nach dem Rücktritt der Regierung Papen am 17. November zumindest pro forma die Auffassungen der wichtigsten Parteien vor Bildung einer neuen Regierung einholen wollte.[50] Aber dann gewann das Gespräch eine Eigendynamik, weil Hitler von seiner Maximalposition deutlich abrückte. Statt der veranschlagten 15 Minuten dauerte der Meinungsaustausch 65 Minuten.[51]

Hitler gab nicht nur zu erkennen, daß er seine personellen Forderungen deutlich zurückgeschraubt hatte; er offerierte dem Reichspräsidenten auch einen Ausweg aus der verfahrenen verfassungspolitischen Situation. Diese schwierige, Hindenburg nicht sonderlich zugängliche Materie hatte beim Reichspräsidenten bislang den Eindruck hervorgerufen, er habe nur die Wahl zwischen den Staatsnotstandsplänen Papens und der Rückkehr zu einer von den Parteien dominierten Regierung. Die zweite Lösung war für ihn inakzeptabel, weil er die Parteien der Wahrnehmung von Partikularinteressen bezichtigte und ihnen keine an »vaterländischen« Interessen orientierte Politik zutraute. Aber auch Papens Pläne behagten ihm nicht, weil diese Lösung ihn sowohl als Inhaber des höchsten Staatsamtes als auch als Person zu beschädigen drohte.

Nun aber kam erstmals Hoffnung auf, daß Hitler sich auf die Bedingungen Hindenburgs für die Übertragung der Kanzlerschaft einlassen könnte. Überdies eröffnete er dem Reichspräsidenten eine politische Perspektive, die sich qualitativ deutlich von den Notstandsplänen Papens abhob. Während Papen dem Reichspräsidenten zumutete, sich ins politische Kampfgetümmel zu begeben und einen klaren Verfassungsbruch mit seiner legalen und persönlichen Autorität zu decken, brachte Hitler eine Idee ins Spiel, mit der schon Brüning geliebäugelt hatte und die schon damals die Unterstützung Hindenburgs gefunden hatte: die Verabschiedung eines Ermächtigungsgesetzes. Ein Ermächtigungsgesetz hatte aus Hindenburgs Sicht entscheidende Vorteile: Es war absolut legal, war bereits während der Kanzlerschaft Stresemanns erprobt worden und entlastete den Reichspräsidenten politisch; auf der anderen Seite verlieh das Gesetz der Regierung diktatorische Machtmittel, so daß diese sich vom Reichstag und den darin vertretenen Parteien lösen konnte. Eine vom Vertrauen des Reichspräsidenten getragene Regierung, die sich ein legales Mandat verschaffte, um unabhängig von der Institution Reichstag eine energische Politik im »nationalen Sinne« zu betreiben – dies war eine politische

Aussicht, über die nachzudenken sich lohnte. Natürlich konnte dieser Weg nicht eingeschlagen werden ohne die stärkste politische Kraft, also die Nationalsozialisten, was Hitler gebührend herausstrich: »Ich glaube, daß ich eine Basis finden werde, auf der ich und die neue Regierung vom Reichstag ein Ermächtigungsgesetz bekämen. Eine solche Ermächtigung wird vom Reichstag niemand anderes als ich bekommen. Damit wäre die Schwierigkeit gelöst.«[52]

Die Verpflichtung, einer zum Greifen nahe gerückten »nationalen Konzentrationsregierung« den Weg zu ebnen, hatte Hindenburg auch in den Gesprächen mit den drei Parteiführern empfunden, die er einen Tag zuvor geführt hatte. Nur Hugenberg, den er als Sturkopf einschätzte, hatte sich dabei für die Fortführung eines konsequent autoritären Kurses unter Ausschaltung der Parteien ausgesprochen.[53] Die Vorsitzenden von Zentrum und DVP, Kaas und Dingeldey, hatten hingegen ausdrücklich die Bildung einer Regierung gutgeheißen, die das gesamte »nationale Spektrum« umfaßte. Insbesondere der Zentrumsführer, dessen Partei ja bereits Koalitionsverhandlungen mit der Hitlerpartei geführt hatte, warb kräftig für das »Ziel einer nationalen Konzentration einschließlich der Nationalsozialisten«.[54] Hindenburg ließ seinerseits keinen Zweifel aufkommen, daß er eine solche Lösung favorisiere: »Das Gebot der Stunde sei ein Kabinett der nationalen Konzentration vom Zentrum bis zu den Nazi.«[55]

Der Reichspräsident war also nicht grundsätzlich abgeneigt, die Regierung Papen fallenzulassen und Hitler den Auftrag zur Regierungsbildung zu erteilen, falls dieser ihm seine Ideallösung anbot. Denn Hindenburg hatte sich seit seiner politischen Erweckung als Anwalt der »nationalen Einheit« verstanden; sein ganzes Sinnen und Trachten war darauf gerichtet, aus den sich oft heftig befehdenden Kräften jenseits von Liberalismus und Sozialdemokratie ein zu einheitlichem Handeln befähigtes »nationales Lager« zu schmieden. Bei der Verfolgung dieses politischen Lebensziels nahm er keine Rücksicht auf Personen. Er hatte Brüning fallenlassen, weil er bei ihm diese Aufgabe nicht mehr in den richtigen Händen wähnte, und auch Papen stand er ohne jede Sentimentalität gegenüber. Dieser hatte sich gewiß persönliches Ansehen erworben in den fünfeinhalb Monaten der politischen Zusammenarbeit mit dem Reichspräsidenten. Aber diese Grundsympathie für den westfälischen Edelmann hinderte Hindenburg keinen Augenblick, ihn zur Disposition zu stellen. Wie er sich von Brüning getrennt hatte, »werde er gegebenenfalls auch nicht zögern, Papen zu opfern, wenn damit das Ziel der Einigung erreicht werde«.[56]

Papen war diese Einstellung nicht verborgen geblieben, und er hatte daher bereits Vorkehrungen für das Ende seiner Kanzlerschaft getroffen. Der zunächst als reine Übergangslösung gehandelte Papen hatte Geschmack an der Macht gefunden und sann darüber nach, wie er sich unentbehrlich machen könne. Dabei kam ihm zugute, daß Hindenburg mit ihm nicht nur die ausufernden Verfassungspläne verband. Papen hatte sich beim Reichspräsidenten vielmehr Renommee erworben als Wirtschaftspolitiker, der durch ein engagiertes Programm die Wirtschaft allmählich in Gang gesetzt und damit die Arbeitslosigkeit – das Grundübel für Hindenburg – wirksam bekämpft habe.[57] Indem er die Bittschrift der Wirtschaftsvertreter an Hindenburg unterstützte, suchte Papen eine neue Regierung auf seinen Wirtschaftskurs festzulegen und sich selbst als Mitglied der neuen Regierung unentbehrlich zu machen. Zwar büßte er so die Kanzlerschaft, über die er ohnehin nicht verfügen konnte, ein, aber er brachte sich als Vertrauensmann der Wirtschaft politisch ins Spiel und hoffte, in einer möglicherweise von Hitler geführten künftigen Regierung als Garant dieses Wirtschaftskurses vertreten zu sein.[58] War nach dem Gespräch Hindenburgs mit Hitler am 19. November 1932 eine Konstellation geschaffen, in der erstmals ein Auftrag zur Regierungsbildung an Hitler in den Bereich des Möglichen rückte, so gab die Hindenburg *nach* der Unterredung mit Hitler überreichte Petition der Wirtschaftsvertreter den endgültigen Ausschlag für diese Lösung, wie Meißner noch am Abend des 19. November zu berichten wußte: »Hindenburg will Hitler mit Kabinettsumbildung auf parlamentarischer Basis betrauen. Bewogen durch Einflüsse der Industrie (DAZ), Landwirtschaft (Kalckreuth) ...«[59]

Der 19. November 1932 steht in verschiedener Hinsicht für einen politischen Dammbruch: Erstmals erhielt Hitler von Hindenburg ein politisches Mandat zur Regierungsbildung, und damit stellte die zweieinhalb Monate später endgültig vollzogene Ernennung Hitlers zum Reichskanzler im Grunde keine politische Sensation mehr dar. In den Augen Hindenburgs war Hitler im November 1932 mittlerweile durchaus für die Kanzlerschaft befähigt. Wie weit die Annäherung zwischen den beiden fortgeschritten war, wird auch daran ersichtlich, daß in der Unterredung vom 19. November 1932 schon über Personalfragen gesprochen und die personelle Zusammensetzung eines Hitler-Kabinetts in den Grundzügen abgeklopft wurde.[60]

Allerdings wollte Hindenburg – und darin liegt der fundamentale Unterschied zum 30. Januar 1933 – den NS-Parteiführer nur unter harten politischen Auflagen zum Kanzler machen. Als Hitler am 21. November 1932 erneut mit Hindenburg zusammentraf, um jetzt auch offiziell den Auftrag zur Regierungsbildung entgegenzunehmen, konfrontierte ihn der Reichspräsident mit Bedingungen, die den Aktionsradius Hitlers einengten. Er verlangte nämlich »eine sichere, arbeitsfähige

Mehrheit mit festem, einheitlichen Arbeitsprogramm«[61] für eine von Hitler geführte Regierung, und das lief darauf hinaus, daß Hitler – ähnlich wie das zweite Kabinett Brüning – zumindest eine Tolerierungsmehrheit für sein Kabinett zustande bringen mußte. Dies war zwar kein unmögliches Unterfangen, erforderte aber die Mitarbeit der DNVP und zudem die Unterstützung des politischen Katholizismus. Damit wäre Hitler von den Mehrheitsverhältnissen im Reichstag abhängig gewesen und hätte seine Regierungspolitik parlamentarisch absichern müssen.

Doch Hindenburg ging noch einen Schritt weiter: Er begnügte sich nicht damit, Hitler präsidiale Vollmachten wie etwa die Reichstagsauflösung vorzuenthalten und ihn dem parlamentarischen Auf und Ab auszuliefern. Der Reichspräsident mischte sich darüber hinaus massiv in die Regierungsarbeit ein, indem er einem Reichskanzler Hitler zwei weitere Bedingungen diktierte.[62] Die erste war inhaltlicher Art und knüpfte nahtlos an die Bittschrift der Wirtschaftsführer an: Hitler hatte sich auf ein Wirtschaftsprogramm festzulegen, von dem klar war, daß es die Fortsetzung des von Papen eingeschlagenen Kurses sein würde. Die zweite Auflage war personeller Art: Der Reichspräsident behielt sich die endgültige Zustimmung zu einer von Hitler zu präsentierenden Ministerliste vor und bestand darauf, daß er ganz allein über die Besetzung des Auswärtigen Amtes und des Reichswehrministeriums zu entscheiden habe. Damit schrieb Hindenburg das fest, was sich seit der Ernennung Groeners zum Reichswehrminister (1928) und Neuraths zum Reichsaußenminister (Juni 1932) als Gewohnheitsrecht eingebürgert hatte.

Letztlich befand sich Hitler damit in der Lage, die Brüning in seinem zweiten Kabinett vorgefunden hatte,[63] das erstmals die personalpolitische Handschrift des Reichspräsidenten trug. Das politische Schicksal Brünings – Entlassung wegen Vertrauensverlustes – mußte Hitler als Menetekel erscheinen, während es für Hindenburg umgekehrt ein Beleg dafür war, daß der Reichspräsident Herr des Verfahrens blieb und einen Reichskanzler stets zu seinen Bedingungen ernannte oder wieder entließ. Es ist daher kaum verwunderlich, daß Hitler sich nur halbherzig auf den Regierungsauftrag Hindenburgs einließ. Immerhin lotete er in Gesprächen mit dem Zentrum und der DNVP aus, ob eine stabile parlamentarische Unterstützung für eine Regierung Hitler zu erreichen sei. Doch bald zeichnete sich ab, daß er die Auflagen Hindenburgs gar nicht erfüllen konnte. Denn allein ein Einvernehmen mit der Hugenberg-DNVP zu erzielen, erwies sich als nahezu unmöglich; und die Einbeziehung des Zentrums scheiterte vor allem an der Haltung Hugenbergs, der auch aus konfessioneller Engstirnigkeit den politischen Katholizismus endgültig aus der Regierungsmacht verdrängen wollte.[64]

Am 23. November 1932 gab Hitler den Auftrag zur Regierungsbildung aber letztlich deswegen wieder zurück, weil er nicht ein Kanzler von Hindenburgs Gnaden sein wollte. Hindenburg suchte einen Reichskanzler Hitler am kurzen Zügel zu führen und verweigerte ihm sowohl die Reichstagsauflösung wie den gewohnheitsmäßigen Rückgriff auf Artikel 48. Hitler galt ihm immer noch als ein Parteiführer, der sich – einmal zum Kanzler ernannt – der Aufsicht des Reichspräsidenten zu entwinden und diesen in den Hintergrund zu drängen suchte. Ein Reichskanzler Hitler würde im Unterschied zu Papen und Brüning auf eigene Rechnung arbeiten und sich nicht an Zusagen gebunden fühlen. In den Augen Hindenburgs war die politische Verpuppung Hitlers vom Parteiführer zum Treuhänder des Reichspräsidenten noch nicht so weit fortgeschritten, daß er gewagt hätte, diesem die präsidialen Vollmachten zur Verfügung zu stellen, den Reichstag aufzulösen und ihm zu erlauben, mit der Parole »Hindenburg mit Hitler« in eine Neuwahl zu gehen. Dann hätte Hitler nämlich die symbolische Ausstrahlung Hindenburgs erstmals für die NSDAP ausschlachten und sich durch den daraus resulierenden Wahlsieg eine vom Reichspräsidenten unabhängige Legitimation erwerben können. Hindenburg beharrte daher auf dem Standpunkt, den er bereits am 13. August 1932 eingenommen hatte: »Hiernach kann ein Parteiführer, noch dazu der Führer einer die Ausschließlichkeit seiner Bewegung fordernden Partei, nicht Führer eines Präsidialkabinetts sein.«[65]

Wenn Hitler vom Reichskanzleramt aus die Errichtung einer NS-Parteiherrschaft anstrebte, wollte Hindenburg das aus einem alles überragenden Grund unterbinden: Eine solche Entwicklung lief nicht auf die von ihm inständig beschworene Einigung des deutschen Volkes hinaus, sondern auf eine weitere schwere innere Zerreißprobe. Der Reichspräsident befürchtete, daß ein von Hitler geführtes Präsidialkabinett »sich zwangsläufig zu einer Parteidiktatur mit allen ihren Folgen für eine außerordentliche Verschärfung der Gegensätze im deutschen Volke entwickeln würde«.[66] Solange zu erwarten stand, daß Hitler vom Reichskanzleramt aus rücksichtslos die übrigen national gesinnten Kräfte ausschalten und ihn selbst ins politische Abseits drängen würde, war Hindenburg nicht bereit, diesem das Amt mit den Papen und Brüning bereitwillig gewährten präsidialen Befugnissen zu überlassen.

Noch immer trug Hindenburg der NSDAP die gegen ihn gerichteten politischen Attacken nach. In dem von Meißner verfaßten Absagebrief an Hitler vom 24. November 1932 hielt er der NS-Partei ausdrücklich vor, daß sie »gegen ihn persönlich … überwiegend verneinend eingestellt sei«.[67] Hitler selbst – »doch eigentlich auch ein patriotischer und famoser Kerl«[68] – nahm er allerdings von dieser Einschätzung aus, immerhin hatte er ihn ja für kanzlerwürdig erklärt. Allerdings erregte es den Zorn Hindenburgs, daß sich der NS-Parteiführer nicht den Direktiven des Reichspräsidenten fügte. Als sich abzeichnete, daß Hitler den Auftrag zur parlamentarischen Regierungsbildung zurückgeben werde, hatte der Reichspräsident Schleicher zu Sondierungen mit Hitler ermächtigt, um herauszufinden, ob Hitler einem von Schleicher geführten Kabinett beitreten würde. Das dreistündige Gespräch zwischen Schleicher und Hitler am 23. November 1932 bestätigte aber nur die prinzipielle Absage Hitlers an eine Lösung, bei der nicht er selbst das mit allen präsidialen Vollmachten ausgestattete Kanzleramt innehatte.[69] Für Hindenburg hatte Hitler damit wieder einmal jene Unbotmäßigkeit erkennen lassen, die der »alte Herr« ganz und gar nicht schätzte. In solchen Situationen konnte Hindenburg ausgesprochen ungnädig werden und seinen Gefühlen freien Lauf lassen: »Er hat getobt.«[70]

Nachdem sich die Hitler-Lösung zu den Bedingungen Hindenburgs zum zweiten Mal nach dem 13. August 1932 zerschlagen hatte, spitzte sich alles auf die Frage zu, welche Alternative Hindenburg überhaupt noch blieb. Der Reichspräsident befand sich in einem verfassungspolitischen Dilemma: Solange sich die NSDAP der Unterstützung einer Präsidialregierung verweigerte – sich also nicht an dieser Regierung beteiligte und sich auch nicht zur Tolerierung eines Präsidialkabinetts im Reichstag hergab –, stand jede Präsidialregierung vor dem Problem, daß der Reichstag ihren Handlungsspielraum unter den Bedingungen der geltenden Verfassung jederzeit einengen konnte, sei es durch einen Mißtrauensantrag oder durch einen Antrag auf Aufhebung von Notverordnungen. Hitler hatte diese Schwäche der Präsidialkabinette geschickt offengelegt, als er in seinem Schreiben an Meißner vom 23. November 1932 zutreffend darauf hinwies, daß jede Präsidialregierung – sofern sie den Boden der Verfassung nicht verließ – für ihre Regierungsarbeit zumindest »die nachträgliche Billigung einer parlamentarischen Mehrheit« benötigte.[71] Nach der Verweigerung Hitlers blieb Hindenburg damit nur noch die Möglichkeit, durch verfassungspolitische Phantasie den Reichstag zumindest zeitweise als Machtfaktor auszuschalten und dabei gezielt eine frontale Konfrontation auch mit den Nationalsozialisten in Kauf zu nehmen – eine Konstellation, auf die sich Hitler bereits nach Abbruch der Verhandlungen eingestellt hatte.[72]

Es lag daher in der Logik der Sache, daß Hindenburg Ende November Zuflucht zu jenen Staatsnotstandsplänen suchte, mit denen er sich bereits am 30. August 1932 angefreundet hatte beim Besuch Papens und Gayls in Neudeck. Zum politischen Härtetest war es damals nicht gekommen, weil das Kabinett in dieser Frage zu keiner klaren Linie gefunden hatte und vor dem Ernstfall zurückgeschreckt war. Ende November 1932 hatte sich die Lage insofern gewandelt, als der Anstoß für einen Rückgriff auf die Staatsnotstandspläne nicht vom Kabinett ausgehen konnte, da es nur noch geschäftsführend amtierte. Der Reichspräsident selbst mußte in dieser Frage nun die Initiative ergreifen und die Verantwortung für diesen Schritt übernehmen.[73] Erschwert wurde die Entscheidung durch das ungelöste Problem der Regierungsbildung: Wenn Hindenburg sich für die Wiederberufung Papens zum Reichskanzler entschied, war dies gleichbedeutend mit der Grundsatzentscheidung für ein »Kampfkabinett«, das unter Berufung auf den Staatsnotstand die Verfassung überschreiten und Wege außerhalb der Verfassung unter Rückgriff auf die höhere Legitimität des Staatswohls beschreiten würde.

Zeitgenössische Stimmen trauten Hindenburg zu, »den Sprung über die Verfassung zu machen«.[74] Auch Innenminister Gayl, die eigentlich treibende Kraft im Kabinett in Hinblick auf die Staatsnotstandspläne, glaubte, daß Hindenburg dafür nun empfänglicher sei als je zuvor.[75] Wie schon Ende August 1932 sollte wieder der Verfassungseid dazu dienen, Hindenburg auf den gewünschten Weg zu leiten: Die mit dem Eid eingegangene Verpflichtung Hindenburgs, Schaden vom deutschen Volk abzuwenden, relativiere die Verfassung und ermächtige den Reichspräsidenten, um des Staatswohls willen »den Reichstag aufzulösen, ohne ihn wiederwählen zu lassen«.[76] Papen hatte sich schon auf diesen Fall eingestellt. Er war fest entschlossen, den Staatsnotstand auszurufen und eine erneute Kanzlerschaft nur dann anzunehmen, wenn ihm der Reichspräsident alle dafür erforderlichen präsidialen Vollmachten gewährte.[77] Insofern konnte es nicht verwundern, daß Hindenburg am 1. Dezember 1932 Papen zu solchen Konditionen mit der Kabinettsbildung beauftragte.

Schleicher hatte zwar noch versucht, dem Reichspräsidenten eine Alternative zu offerieren, nämlich den Eintritt prominenter Nationalsozialisten in eine von Schleicher – und nicht von Papen – geführte Regierung, sich jedoch erwartungsgemäß von Hitler einen Korb geholt.[78] Damit stellte ein Präsidialkabinett Schleicher keine strategische Verbesserung gegenüber einer Präsidialregierung Papen dar, weil der Reichspräsident in beiden Fällen zu Experimenten mit der Verfassung gezwungen worden wäre; schließlich sollte die Präsidialregierung sich vom Reichstag keine Einschränkungen ihrer Aktionsfähigkeit gefallen lassen müssen. Hindenburg stellte Papen daher am Abend des 1. Dezember 1932 die Blankovollmacht aus, die dieser verlangt hatte: Der Reichspräsident sagte zu, »im Falle eines Konfliktes mit dem Reichstag alle erforderlichen präsidialen Maßnahmen zu ergreifen, um Deutschland vor einem Schaden zu bewahren, der aus einer Verletzung der Pflichten des Reichstags entstehen könnte«.[79]

Hindenburg bediente sich damit einer Sprachregelung, die sich unter den juristischen Verfechtern einer Steigerung der Präsidialgewalt eingebürgert hatte. Demnach hatte sich der Reichstag seine Ausschaltung selbst zuzuschreiben, weil er aus sich heraus keine positive Gestaltungsmehrheit, sondern nur eine negative Destruktionsmehrheit hervorbringe. Es sei daher gerechtfertigt, einen solchen pflichtvergessenen Reichstag für gewisse Zeit unter Umgehung einschlägiger Verfassungsbestimmungen auszuschalten, wobei sich zwei Wege anboten: die sofortige Auflösung des am 6. November 1932 gewählten Reichstags und das Hinauszögen der Neuwahl oder die Zwangsvertagung des Parlaments auf unbestimmte Zeit. Der Staatsrechtslehrer Carl Schmitt arbeitete auf politisches Verlangen hin sogar den Entwurf einer Proklamation des Reichspräsidenten aus, in der dieser unter Berufung auf eine vermeintliche Pflichtverletzung dem Reichstag die Selbstausschaltung in Gestalt einer auf mehrere Monate ausgedehnten Vertagung nahelegte.[80]

Hindenburg hat sich mithin am 1. Dezember 1932 dezidiert für ein »Kampfkabinett« Papen entschieden, das unter Rückgriff auf die extralegalen Herrschaftsressourcen Hindenburgs auf eine unverhüllte Konfrontation mit dem Reichstag zusteuerte. Warum ging Hindenburg das Risiko einer solchen politischen Kraftprobe ein, durch die nicht nur seine legale Autorität als Reichspräsident, sondern auch der Hindenburg-Mythos als Quelle seiner charismatischen Herrschaftsansprüche irreparablen Schaden nehmen konnten? Schreckte ihn nicht, daß – ähnlich wie im September 1932 – der Reichstag mit Zweidrittelmehrheit eine Präsidentenanklage, ja sogar die Absetzung des Reichspräsidenten ins Auge fassen konnte? Glaubte er sich davor schützen zu können, indem er den Reichstag durch Auflösung beziehungsweise Zwangsvertagung einfach als institutionellen Machtfaktor zeitweilig eliminierte – denn ein suspendierter Reichstag konnte keine derartigen Maßnahmen gegen den Präsidenten in die Wege leiten?[81]

Hindenburgs Agieren am 1. Dezember 1932 läßt sich im Kern auf denselben Grund zurückführen, der schon am 30. August 1932 in Neudeck den Ausschlag gegeben hatte für seine prinzipielle Unterstützung des Staatsnotstandsplans: Hindenburg hielt eisern daran fest, den Kanzler und zentrale Minister (Außen- und Wehrminister) aus eigener präsidialer Macht zu bestimmen. Dabei leitete ihn nicht primär das Pochen auf das vermeintliche verfassungsrechtliche Vorrecht des Reichspräsidenten, den Reichskanzler ohne vorherige Konsultationen mit den im Reichstag vertretenen Parteien zu ernennen. Hindenburg bestand vielmehr auf dieser Prärogative, weil er dem Reichstag prinzipiell die Fähigkeit absprach, eine Regierung zu bilden, die sich rückhaltlos zur Verwirklichung von Hindenburgs Lebensziel, der Stiftung nationaler Einheit über die Parteigrenzen hinweg, bekannte.

Selbst bei der NSDAP, die mit großem Aplomb die Errichtung der Volksgemeinschaft verkündete, witterte Hindenburg parteiegoistische und damit unlautere
Motive. Solange er in Hitler vor allem den Parteiführer sah, befürchtete er, daß eine
von diesem geführte Regierung »sich zwangsläufig zu einer Parteidiktatur mit allen
Gefahren eines Bürgerkrieges für das deutsche Volk entwickeln würde«.[82] Hindenburg empfand letztlich nur sich selbst als unparteilichen Treuhänder des nationalen Gedankens; und daraus leitete er das Recht ab, durch die Ernennung einer ihm
genehmen Regierung die personellen Weichen für die Durchsetzung einer allein
am vaterländischen Wohl ausgerichteten Politik zu stellen. Deswegen reagierte er
überaus schroff, wenn der Reichstag oder einzelne darin vertretene Parteien sich
anzumaßen schienen, ihm personelle Vorschriften bei der Regierungsbildung zu
machen: »Man will mir den Mann meines Vertrauens wegnehmen und mir einen
Kanzler aufzwingen.«[83]

Hindenburgs Entscheidung für Papen war mithin nicht zuletzt dadurch bestimmt, daß er unbeugsam darauf beharrte, von den Parteien keine Ministerliste
vorgelegt zu bekommen, sondern die Regierung nach eigenem Gutdünken zusammenzusetzen. Damit erhielten die bisherigen Kabinettsmitglieder ein außeror-
dentliches politisches Gewicht. Denn Hindenburgs personalpolitischer Spielraum
war eingeschränkt: Wollte er am Konzept eines überparteilichen Präsidialkabinetts
unter Papen festhalten, das die offene Konfrontation mit dem Reichstag nicht
scheute, hatte er kaum eine andere Wahl, als nicht nur Papen, sondern auch nahezu
alle übrigen Mitglieder der demissionierten Regierung neu zu berufen. Im Juni
1932 hatte der Reichspräsident händeringend Minister für die Übergangsregierung
Papen gesucht und den wichtigsten Kabinettsmitgliedern wie Finanzminister
Schwerin von Krosigk, Ernährungsminister Braun und Außenminister Neurath
die Übernahme dieser Ressorts gewissermaßen befohlen. Ende November 1932
griff er zu ähnlichen Mitteln, indem er die Gefolgschaftstreue seiner Minister einforderte: Sie sollten sich dem Rufe des Feldmarschall-Präsidenten nicht verweigern
und diesen in einer schwierigen Zeit nicht im Stich lassen.[84]

Im November 1932 mußte Hindenburg allerdings erstmals die Erfahrung machen, daß der Zauber seines Namens und die Wirkung seiner Persönlichkeit nicht
mehr ausreichten, um national-konservative Persönlichkeiten auf seine politische
Linie zu zwingen. Eine ansehnliche Schar von Ministern versagte sich dem Gefolg-
schaftsappell, weil sie keinem Kabinett angehören wollten, das auf die offene politische Auseinandersetzung mit der Linken wie der Rechten zusteuerte und dabei
durch die Überschreitung der Verfassung bürgerkriegsähnliche Zustände provozierte.[85] Wortführer der Abweichler war Finanzminister Schwerin von Krosigk;

aber auch Wirtschaftsminister Warmbold entzog sich dem Drängen Papens. Der Ausfall dieser beiden Minister war insofern von erheblicher Bedeutung, weil damit einer Neuauflage der Papen-Regierung die wirtschaftspolitische Basis entzogen war. Zudem verhielten sich die beiden Minister ohne Geschäftsbereich, Bracht und Popitz, ebenfalls abweisend. Beide sollten in ihrer Eigenschaft als Mitglieder der preußischen Kommissariatsregierung den Willen zur Reichsreform und damit zur Verklammerung Preußens mit dem Reich bekunden. Im größten deutschen Staat waren sie zuständig für die Polizei beziehungsweise für Finanzen und galten als politische Schwergewichte, deren Ausscheiden den Reichsreformplänen Papens einen harten Schlag versetzt hätte.

Die Position dieser vier Minister war Papen und dem Reichspräsidenten bekannt, als sich Hindenburg am 1. Dezember 1932 für eine Neuauflage der Papen-Regierung (als Kampfkabinett) entschied. Aber dem Reichspräsidenten kam gar nicht in den Sinn, daß das alte Kabinett – vielleicht mit Ausnahme des unberechenbaren Bracht, bei dem die militärische Ansprechweise nicht verfing – wagen würde, sich gegen eine ausdrückliche Entscheidung Hindenburgs aufzulehnen und sich seinem Wunsch zu versagen. So rief Papen am Morgen des 2. Dezember seine Regierung zusammen und unterrichtete sie darüber, daß der Reichspräsident ihn erneut mit der Bildung des Kabinetts beauftragt habe. Der anwesende Meißner ließ überdies keinen Zweifel darüber aufkommen, daß Hindenburg damit eine unaufschiebbare Entscheidung getroffen hatte – eine weitere Verzögerung »vertrüge im übrigen auch seine Autorität nicht mehr«.[86] Damit war klar, daß ein Aufstand des Kabinetts gegen eine erneute Kanzlerschaft Papens viel weniger den amtierenden Reichskanzler traf als den Reichspräsidenten. Eine Absage der versammelten Ministerrunde an Papen lief auf eine unverhüllte Rebellion gegen Hindenburg hinaus.

Den »Dissidenten« fiel es nach diesen Ausführungen keineswegs leicht, ihre Bedenken gegen die Entscheidung Hindenburgs vorzutragen.[87] Zunächst warnte Neurath mit stockenden Worten vor der erneuten Betrauung Papens, und danach fand Schwerin von Krosigk deutliche Worte. Damit war das Eis gebrochen. Als einziger ergriff der Verkehrsminister Eltz, der mit dem Kanzler auf freundschaftlichem Fuße stand, für Papen Partei. Selbst Innenminister Gayl, obgleich der stärkste Anwalt der Staatsnotstandspläne, verhielt sich still und ließ die politische Demontage Papens, den er mit dem Kanzleramt für überfordert hielt, ungerührt zu.[88] Doch Papen war nicht gewillt, sich durch die Verweigerung des Kabinetts um seine Kanzlerschaft bringen zu lassen. Und auch Meißner ließ keinen Zweifel, daß Hindenburg nicht vor einer Kabinettsrevolte kapitulieren und Papen den Auftrag entziehen würde.[89] Solange Hindenburg auf Papen als Kanzlerkandidaten bauen konnte, sah er keinen Anlaß, sich durch die Gehorsamsverweigerung von Kabinettsmitgliedern einen politischen Kurswechsel abpressen zu lassen.

In dieser angespannten Situation spielte der Reichswehrminister einen politischen Trumpf aus, mit dem er zwar einen Augenblickserfolg erzielte, aber zugleich sein politisches Schicksal besiegelte. Schleicher hegte die Befürchtung, ein Kampfkabinett Papen werde bürgerkriegsähnliche Unruhen hervorrufen und die Reichswehr in eine innenpolitische Zerreißprobe hineinziehen, weshalb er zum eigentlichen Antipoden Papens im Kabinett geworden war. Wenn der bewaffneten Macht eine Parteinahme für die neue Papen-Regierung aufgenötigt würde, mußten die ehrgeizigen Pläne des Wehrministers Schaden erleiden, der für seine weitreichenden Aufrüstungswünsche eine über den Parteien stehende Reichswehr benötigte, die das gesamte wehrfähige Potential insbesondere auf der Rechten ausschöpfen konnte.[90] Schleicher hatte die Hoffnung nicht aufgegeben, zumindest Teile der NSDAP unter dem zweiten Mann der Partei, Straßer, für den Eintritt in ein Präsidialkabinett zu gewinnen und der Reichswehr damit den militärischen Flankenschutz für eine zweite Papen-Regierung zu ersparen.

Nachdem Hindenburg sich am Abend des 1. Dezember 1932 eindeutig für den Papenkurs entschieden und Schleichers Alternative eine Absage erteilt hatte, fuhr der Unterlegene am Morgen des 2. Dezember 1932 sein schärfstes Geschütz auf: In seiner Eigenschaft als Wehrminister legte er gewissermaßen ein Veto gegen eine erneute Kanzlerschaft Papens ein. Schleicher hatte bereits eine Woche vor dieser Kabinettssitzung im Wehrministerium durchspielen lassen, ob die Reichswehr in der Lage sei, mit politischen Streiks und Sabotageakten fertig zu werden, die von seiten der marxistischen Arbeiterbewegung und von den Nationalsozialisten als Reaktion auf die Regierungspolitik eines Kampfkabinetts Papen zu erwarten sein würden. Diese Prüfung erbrachte das nicht sehr überraschende Ergebnis einer Überforderung der bewaffneten Macht mit dieser ihr eigentlich funktionsfremden Aufgabe.[91] Dieses Ergebnis behielt Schleicher in der Hinterhand, um es im entscheidenden Augenblick effektvoll den Kollegen am Kabinettstisch mitteilen zu können. Auf Anfrage eines Ministers ließ Schleicher seine rechte Hand, Oberstleutnant Ott von der Wehrmachtsabteilung, hereinrufen und über das Ergebnis der Planübung berichten. Ott zog alle Register und führte den Ministern eindrucksvoll vor Augen, daß die Reichswehr zwar allen Befehlen zum Einsatz gegen innere Unruhen folgen müsse, daß sie aber nicht imstande sei, mit Waffengewalt eine bürgerkriegsähnliche Lage unter Kontrolle zu bringen.

Die Intervention Schleichers zielte weniger auf seine Ministerkollegen, die in ihrer Haltung durch den Vortrag Otts nur noch bestärkt worden waren. Ihr eigentlicher Adressat war der Reichspräsident, dem nahegebracht werden sollte, daß die Papen-Lösung aus originär militärischen Gründen nicht zu realisieren sei: Mittels seiner militärischen Expertise erklärte der Wehrminister ein politisches Verlangen des Staatsoberhauptes damit für undurchführbar. Pointiert formuliert handelte Schleicher im Kern genauso wie Hindenburg am Mittag des 9. November 1918 in Spa. Damals hatte sich der wichtigste militärische Ratgeber des Kaisers ausdrücklich gegen dessen Absicht, mit Hilfe von Waffengewalt den Thron zurückzuerobern, ausgesprochen und damit maßgeblich zum Thronverzicht Wilhelms II. beigetragen. Hindenburg widerfuhr an jenem 2. Dezember 1932 durch Schleicher das, was Wilhelm II. von seiten Hindenburgs am 9. November 1918 widerfahren war: Die bewaffnete Macht verweigerte sich einem politischen Begehren der Staatsführung.[92]

Hindenburg faßte das Vorgehen Schleichers als politische Nötigung auf, der er sich für den Moment ingrimmig zu beugen hatte.[93] Denn als Papen nach der Kabinettssitzung zu ihm kam, um Bericht über deren Verlauf zu erstatten, mußte Hindenburg den Auftrag zur Regierungsbildung an Papen zurücknehmen. Die Ministerrevolte hätte den Reichspräsidenten nicht dazu bewogen, aber der militärische Offenbarungseid der Reichswehrspitze entzog dem Kampfkabinett Papen das machtpolitische Fundament. Schleichers Intervention hatte weitreichende Folgen für Hindenburgs Lageeinschätzung: Erstmals wurden ihm die politischen Risiken einer Präsidialdiktatur drastisch vor Augen geführt. Hindenburg bewegte dabei nicht allein der Umstand, daß eine Regierung, die eine Einheitsfront von links bis rechts provozierte, nicht länger die öffentliche Sicherheit garantieren könnte.[94] Die befürchtete innenpolitische Zerreißprobe könnte sich außerdem in außenpolitischer Hinsicht fatal auswirken. Hindenburg hatte immer schon befürchtet, daß im Falle eines Bürgerkriegs Polen die günstige Gelegenheit nutzen würde, in das isolierte Ostpreußen einzumarschieren.[95] Dieser Befürchtung gab das Ergebnis der Planübung im Wehrministerium weitere Nahrung.[96] Die Lehren, die Hindenburg daraus zog, waren weitreichender Art: Wenn die Reichswehr als machtpolitischer Rückhalt einer zum Konflikt mit dem Reichstag entschlossenen Präsidialregierung praktisch ausfiel, konnte der Reichspräsident den Staatsnotstand nicht wagen und mußte sich in irgendeiner Weise mit den Parteien ins Benehmen setzen. Der Nachfolger Papens, der nach Lage der Dinge nur Schleicher heißen konnte, wurde damit zum Gefangenen seines Vorgehens am 2. Dezember 1932[97] und durfte Hindenburg in Zukunft keine Auswege mehr anbieten, die auf ein Regieren hart am Rande der Verfassung oder unter Mißachtung der Verfassung hinausliefen.

Die Ereignisse des 2. Dezember 1932 legten sich wie ein Schatten auf die Beziehungen Hindenburgs zu Schleicher. Der Feldmarschall hatte den kometenhaften Aufstieg Schleichers innerhalb der Reichswehrführung unterstützt, weil Schleicher die bewaffnete Macht als politischen Faktor im Sinne der Präsidialgewalt in Bereitschaft hielt. Beim Sturz Brünings, bei der Installierung der Papen-Regierung und bei der Absage an eine Kanzlerschaft Hitlers in einem Präsidialkabinett hatten beide Männer an einem Strang gezogen. Doch nun hatte sich Schleicher aus Hindenburgs Sicht eine politische Eigenmächtigkeit zuschulden kommen lassen: Er hatte seine Stellung als Reichswehrminister genutzt, um eine Grundsatzentscheidung des Reichspräsidenten außer Kraft zu setzen. Damit hatte er sich als ein auf eigene Rechnung handelnder politischer General entpuppt, was für Hindenburg auch deswegen ein unerhörter Akt war, weil damit ein General einem Feldmarschall-Reichspräsidenten seinen politischen Willen aufnötigte. Entsprechend gereizt reagierte er darauf: »Hindenburg ist wutschnaubend.«[98]

*Franz von Papen und der Kölner Bankier von Schröder,
1933 in Hamburg*

KAPITEL 33
Das Intermezzo des Generals Schleicher

Die Kanzlerschaft Schleichers war mit dem Geburtsfehler behaftet, daß Hindenburg sie als eine ihm vom Reichswehrminister aufgezwungene Kanzlerschaft empfand. Gerade weil Hindenburg selbst einmal auf der anderen Seite gestanden und sich als oberster Militär im Ersten Weltkrieg aktiv am Kanzlersturz beteiligt hatte, schätzte er es gar nicht, daß General Schleicher auf seinen Spuren wandelte und sich in die Regierungsbildung einmischte. Hindenburg war daher entschlossen, sowohl den neuen Reichskanzler als auch die Reichswehr am kurzen Zügel zu führen. Folglich stellte er Schleicher bei der Ernennung am 3. Dezember 1932 nicht annähernd jene präsidialen Vollmachten in Aussicht wie dem Amtsvorgänger. Es konnte keine Rede davon sein, daß Schleicher verfassungsbrechende Maßnahmen zugestanden wurden, nicht einmal der Rückgriff auf die präsidiale Auflösungsbefugnis gehörte zu seiner Ausstattung. Die einzige Existenzberechtigung der Schleicher-Regierung sah der Reichspräsident darin, daß es ihr gelang, sich mit dem bestehenden Reichstag zu arrangieren; und dies konnte nach Lage der Dinge nur heißen, eine Tolerierung durch die Nationalsozialisten zu erreichen.[1] Hindenburg wartete in aller Ruhe ab, ob Schleicher diese kaum lösbare Aufgabe bewältigen würde. Schleicher mußte nun unter Beweis stellen, ob sich seine Kontakte zu fast allen politischen Lagern auszahlten und er zumindest jene Kräfte der NSDAP, die Straßer zuneigten und zur Zusammenarbeit bereit schienen, dazu bewegen konnte, sich dem Führungsanspruch des Reichspräsidenten unterzuordnen. Scheiterte Schleicher an dieser Aufgabe, dann war ihm als Reichskanzler noch nicht einmal die Schonfrist von hundert Tagen vergönnt.[2]

Unterdessen ließ Hindenburg die Reichswehrführung spüren, daß er sich eine Einmischung in das Hoheitsgebiet des Reichspräsidenten verbat. Hindenburg hatte schon immer großen Wert auf den Oberbefehl über die Reichswehr gelegt und sich kein Herbstmanöver entgehen lassen. Bei dieser Gelegenheit kehrte er nicht selten den Feldmarschall heraus und verschonte selbst den Chef der Heeresleitung, Generaloberst Kurt Freiherr von Hammerstein-Equord, nicht mit militärischer Kritik. So hatte er Hammerstein Anfang Oktober 1932 zu sich zitiert und sein Mißfallen über die wenig souveräne Art und Weise zum Ausdruck gebracht, in welcher der Chef der Heeresleitung die Schlußbesprechung des gerade zu Ende gegangenen Herbstmanövers geleitet habe.[3] In seiner Eigenschaft als Feldmarschall-Reichspräsident konnte Hindenburg gegenüber der hohen Generalität einen Befehlston anschlagen, der keinen Widerspruch duldete. Nach den Erfahrungen mit Schleicher reagierte der Reichspräsident erst recht allergisch, wenn auch nur der leiseste Anschein auftauchte, die Reichswehrführung engagiere sich politisch in einer von ihm nicht autorisierten Weise. Im Januar 1933 fuhr er Hammerstein, der sich anläßlich eines Vortrags bei Hindenburg eingefunden hatte, unvermittelt an: »Wenn die Generale nicht parieren wollen, werde ich sie alle verabschieden.«[4]

Schleicher war mit der Übernahme der Kanzlerschaft in eine prekäre Lage geraten; zu allem Überfluß war ihm aber zugleich auch noch einer seiner wichtigsten Aktivposten abhanden gekommen: die enge persönliche Beziehung zu Oskar von Hindenburg. Die aus gemeinsamen Ausbildungszeiten beim 3. Garderegiment zu Fuß resultierende Kameradschaft mit dem Sohn des Reichspräsidenten war für Schleicher das Sprungbrett für die persönliche Beziehung zum Vater. Daß Schleicher sich lange Zeit des Wohlwollens und des besonderen Vertrauens des Reichspräsidenten erfreute, basierte vor allem auf der durch Oskar vermittelten Nähe zum »Hause Hindenburg«. Doch an der Jahreswende 1932/33 trat im Verhältnis Schleichers zu Oskar von Hindenburg eine dramatische Verschlechterung ein, deren Ursache nicht genau zu bestimmen ist.[5] Durch dieses Zerwürfnis war Schleicher seines persönlichen Rückhalts beim Reichspräsidenten beraubt und nunmehr auf Gedeih und Verderb darauf angewiesen, sich mit dem Reichstag ins Einvernehmen zu setzen. Schleichers politisches Schicksal hing also davon ab, ob es ihm glückte, eine arbeitsfähige Parlamentsmehrheit für seine Politik zu schmieden. Das konnte nur gelingen, wenn Hitler von seinem Anspruch auf die Kanzlerschaft abrückte und die NSDAP die Schleicher-Regierung zumindest tolerierte, wenn nicht sogar Minister in diese entsandte.

Für Schleicher hing alles davon ab, ob ihm glückte, woran seine Vorgänger gescheitert waren: die NSDAP zur Unterstützung einer nicht von Hitler geführten Regierung zu bewegen. Der General versuchte sein Glück, indem er vorgab, den vermeintlich verständigungsbereiten Teil der NSDAP unter Straßer auf seine Seite ziehen und damit die NSDAP spalten zu können.[6] Das hätte Hindenburgs Idealbild von einer Regierung der nationalen Konzentration entsprochen, weshalb sich der Reichspräsident bereit erklärte, die Schlüsselfigur in diesem Spiel – Straßer – am

6. Januar 1933 zu empfangen.[7] Hindenburg konnte daher seelenruhig abwarten, ob Schleicher der große Befreiungsschlag tatsächlich gelingen würde.

Die Aussichten hierfür waren aber schon Anfang 1933 zerstoben. Zwar verfügte Straßer über eine nicht unerhebliche Anhängerschaft in der NSDAP, und es mehrten sich innerhalb der NS-Führung die Stimmen derer, die Hitler nahelegten, an seinen Maximalforderungen Abstriche zu machen und sich zunächst mit einem Eintritt in die Regierungen im Reich wie in Preußen zu begnügen. Zweifellos durchlebte die Hitlerpartei im Winter 1932/33 ihre erste wirkliche Krise: Sie stieß bei den Wahlen an die Grenzen ihrer Ausdehnungsfähigkeit und hatte ernste Finanzschwierigkeiten zu bewältigen. Doch Hitler änderte seinen Kurs ungeachtet dieser Umstände nicht; und Straßer resignierte, statt die Machtprobe zu wagen und zu kämpfen. Am 8. Dezember 1932 trat er vom Amt des Reichsorganisationsleiters der NSDAP zurück und räumte damit kampflos seine innerparteiliche Machtposition.[8] Damit war Hitler seinen letzten innerparteilichen Konkurrenten los und Schleicher seine Anlaufstelle in der NSDAP. Praktisch war damit der Versuch gescheitert, die NSDAP zum Einlenken zu bewegen.

Es war leicht vorauszusehen, wie Hindenburg darauf reagieren würde. Schleichers Schonfrist würde Ende Januar 1933 auslaufen, wenn der Reichstag zu seiner nächsten Sitzung zusammentrat. Alle Anzeichen deuteten darauf hin, daß ihm dort dieselbe feindselige Reaktion entgegenschlagen würde wie seinem Vorgänger Papen. Er hatte mit einem Mißtrauensvotum oder mit der Aufhebung von Notverordnungen zu rechnen; und es war davon auszugehen, daß er auf dieselben verfassungsdurchbrechenden Mitteln spekulierte, die schon Papen erwogen hatte. Immerhin gelang es dem General im Unterschied zu seinem Vorgänger, das Kabinett in dieser Frage geschlossen hinter sich zu scharen. Am 16. Januar 1933 billigte die Ministerrunde die Pläne Schleichers, unter Bruch der Verfassung nach der Reichstagsauflösung die fällige Neuwahl über die Sechzig-Tage-Frist hinaus zu verschieben, wobei der Reichskanzler den Herbst 1933 favorisierte.[9] Bemerkenswert daran war, daß sich mit Finanzminister Schwerin und Außenminister Neurath auch zwei Kabinettsmitglieder für die Verschiebung von Neuwahlen aussprachen, die noch sechs Wochen zuvor gegen die Wiederbetrauung Papens revoltiert hatten, der mit einem im Kern identischen Staatsnotstandsplan seine zweite Kanzlerschaft hatte antreten wollen.

Anscheinend ging das Kabinett davon aus, daß eine von Schleicher geführte Regierung selbst im Falle eines Verfassungsbruchs nicht mit inneren Unruhen zu rechnen hatte. Und für diese Annahme gab es auch gute Gründe. Schleicher hatte sich nicht wie sein Vorgänger Papen durch eine als unsozial empfundene Wirt-

schaftspolitik zum Feindbild einer vom Gewerkschaftsflügel des Zentrums bis hin
zu den Kommunisten reichenden und aktionsbereiten »Einheitsfront« der Arbeiterbewegung gemacht, sondern sich nicht ohne Erfolg als »sozialer General« darzustellen versucht. Überdies hatte er allen restaurativen Verfassungsplänen seines
Vorgängers eine klare Absage erteilt, womit glaubhaft wurde, daß die zeitweilige
Ausschaltung des Reichstags nur als Notbehelf gedacht war und in dieser Zeit nicht
die Weichen für eine Rückkehr zu Zuständen gestellt werden sollten, die an die
Verfassungsvorstellungen des monarchischen Konstitutionalismus anknüpften.[10]

Mit der Rückendeckung durch das Kabinett trat Schleicher am 23. Januar 1933
vor Hindenburg, um dessen Zustimmung für die Verschiebung von Neuwahlen zu
erwirken. Der Reichskanzler hatte sich zuvor von der für Verfassungsfragen zuständigen Abteilung des Reichswehrministeriums ausführlich über die verfassungsrechtlichen Möglichkeiten zur Ausschaltung des Reichstags informieren lassen.[11] Die Verfassungsexperten aus der Wehrmachtsabteilung hatten neben der
vom Kabinett favorisierten Verschiebung der Neuwahlen noch zwei weitere Möglichkeiten ins Spiel gebracht: Einmal handelte es sich um eine Zwangsvertagung
des Reichstags, die Anfang Dezember 1932 rechtstechnisch durchdacht worden war
und ebenfalls einen Bruch der Verfassung darstellte. Zum anderen erwog man die
Ignorierung eines vom Reichstag ausgesprochenen Mißtrauensvotums. Dahinter
stand die Überlegung, daß ein solches Mißtrauensvotum dann seine Rechtsver-
bindlichkeit verlor, wenn es nur den negativen Willen einer lediglich zur Ablehnung der bestehenden Regierung entschlossenen Reichstagsmehrheit zum Ausdruck brachte, die aber ihrerseits unfähig war, sich konstruktiv in die Regierungsarbeit einzubringen. Dieser dritte Ausweg besaß den Charme, daß er nach Ansicht
prominenter Juristen mit der Verfassung in Einklang stand und damit keinen
Rückgriff auf überpositives Staatsnotstandsrecht erforderte. Die Ignorierung einer
rein negativen Willensbekundung des Reichstags wäre rechtlich der am ehesten
mit der Verfassung in Einklang stehende Ausweg gewesen und überdies von den
politischen Parteien wohl ohne ernsthaften Widerstand hingenommen worden.[12]
Aber aus Sicht Schleichers stellte er nur eine Halbheit dar, weil er dem Reichstag
das Recht beließ, Notverordnungen aufzuheben und damit seiner Regierung
das wichtigste Instrument des Regierens zu entwinden.[13] Daher mußte Schleicher
in seiner bedrängten Lage zur großen Lösung greifen, wonach der Reichstag als
Machtfaktor für eine Übergangszeit eliminiert wurde. Die dafür erforderliche präsidiale Autorisierung verwehrte der Reichspräsident ihm jedoch in jenem Gespräch am 23. Januar 1933.

Hindenburg erteilte Schleicher eine Abfuhr, nicht weil der Reichspräsident den Verfassungsbruch prinzipiell ablehnte – dieses Wagnis war er mit der Nominierung Papens am 1. Dezember 1932 bereits in ungleich größerer Weise eingegangen –,[14] sondern weil Schleicher seiner Ansicht nach die Kanzlerschaft mit der vagen Aussicht, zumindest eine Tolerierung durch die Nationalsozialisten zu erreichen, übernommen hatte. Mit dem Rückgriff auf die Staatsnotstandspläne gestand Schleicher das Scheitern dieser Konzeption ein. Nun suchte er Zuflucht bei der Präsidialgewalt und mutete dieser mit dem Überschreiten der Verfassung eine gewaltige politische Kraftanstrengung zu.

Hindenburg ließ sich auf keinerlei Risikoabwägung ein und dachte anscheinend nicht ernsthaft darüber nach, ob eine Verschiebung von Neuwahlen trotz eines formellen Bruchs der Verfassung nicht der sachlich gebotene Ausweg wäre. Auch die Frage, ob die politisch erschöpfte Bevölkerung ein Aussetzen der Wahlen nicht hingenommen hätte, so daß in diesem Fall auch nicht mit bürgerkriegsähnlichen Unruhen zu rechnen war, hat er wohl nicht ernsthaft erörtert. Dabei konnte Schleicher bei einem solchen Vorgehen auf die zumindest stillschweigende Duldung weiter politischer Kreise rechnen; selbst der abgesetzte preußische Ministerpräsident Otto Braun hatte bei einem Treffen mit Schleicher am 6. Januar 1933 eine Verschiebung von Neuwahlen als Ausweg ins Auge gefaßt.[15] Nicht zuletzt hätte ein solcher Schritt Hitler in erhebliche Bedrängnis gebracht. Zwar feuerte dieser immer wieder publizistische Warnschüsse gegen die unübersehbaren Folgen eines derartigen Verfassungsbruchs ab,[16] doch dahinter steckte vor allem parteipolitisches Eigeninteresse. Denn er konnte nicht sicher sein, ob die SA stillhalten und diesen Schritt nicht als willkommenen Anlaß für ein Aufbegehren gegen die Staatsgewalt an der Seite der revolutionär eingestellten Kommunisten nutzen würde.[17] Damit aber wäre Hitlers Legalitätstaktik in sich zusammengefallen; ein mögliches Arrangement mit Hindenburg und damit die Kanzlerschaft Hitlers wäre unerreichbar geworden.

Insofern spricht viel für die Annahme, daß der Aufschub von Neuwahlen der am ehesten erfolgversprechende Ausweg aus der verfassungspolitischen Sackgasse war, sofern die Präsidialgewalt sich gewillt zeigte, unter Einsatz aller Mittel eine Auslieferung der Regierungsgewalt an Hitler zu verhindern.[18] Schleicher konnte mit derartigen Überlegungen bei Hindenburg aber nicht durchdringen, weil dieser ihm die Torpedierung der Wiederernennung Papens und die damit verbundene Erzwingung der eigenen Kanzlerschaft als politische Eigenmächtigkeit nachtrug. Hindenburg hatte sich bislang standhaft geweigert, einen Parteipolitiker zum Reichskanzler zu ernennen, wenn zu befürchten stand, daß sich daraus ein Parteiregiment entwickelte; und er wollte es erst recht nicht dulden, daß sich die Reichswehrführung vom Reichspräsidenten emanzipierte. Hindenburg ließ Schleicher daher am 23. Januar 1933 abblitzen, wobei er sich hinter verfassungspolitischen Bedenken verschanzte.[19] Schleicher war damit politisch erledigt, seine Demission nur noch eine Frage von wenigen Tagen. Hindenburg trug sich bereits mit dem Gedanken, den politisch eigenmächtigen »Bürogeneral« abzuschieben und mit einem Truppenkommando fernab vom politischen Berlin zu betrauen.[20] Am 28. Januar 1933 war es dann soweit: Hindenburg wies Schleicher kühl darauf hin, daß der Versuch, »die Nationalsozialisten für sich zu gewinnen und eine Reichstagsmehrheit zu schaffen«,[21] gescheitert sei. Als Schleicher darum bat, seiner bedrängten Regierung wenigstens die allen Kabinetten seit Brüning zur Verfügung gestellte Befugnis zur Auflösung des Reichstags zu gewähren, beschied ihn der Reichspräsident: »Nee, die kriegen Se nich.«[22] Hindenburg hatte das Kabinett Schleicher nie als sein Präsidialkabinett und Schleicher nie als den Kanzler seines Vertrauens angesehen, und dies ließ er den Reichskanzler nun spüren.

Die Verabschiedung Schleichers glich in manchem der Demission Brünings,[23] aber es gab einen zentralen Unterschied: Als der Reichspräsident Brüning am 30. Mai 1932 das Vertrauen entzog, hatte er noch keinen Ersatz in Reserve; doch als er acht Monate später den ungeliebten Schleicher verabschiedete, konnte er gleich auf zwei Alternativen zurückgreifen, an denen in seinem Auftrag seit Anfang 1933 eifrig gearbeitet worden war. Und genau daran stieß sich der verabschiedete Kanzler: »Ich gestehe Ihnen auch das Recht zu, mich abzusetzen, aber das Recht, hinter dem Rücken des von Ihnen gegen seinen Willen berufenen Kanzlers mit einem andern zu paktieren, gestehe ich Ihnen nicht zu. Das ist Treubruch.«[24] Dies waren starke Abschiedsworte eines verbitterten Politikers in Generalsuniform, dem spätestens bei dieser Gelegenheit aufgehen mußte, daß Hindenburg selbst im Umgang mit militärischen Kameraden desselben Regiments frei von Sentimentalität war.

Zum Zeitpunkt der Entlassung Schleichers hatte die NSDAP gewisse politische Vorleistungen erbracht und bestimmte Hindernisse beseitigt, die bislang einer Kanzlerschaft Hitlers im Wege gestanden hatten. Dazu zählte nicht zuletzt eine aus Sicht Hindenburgs befriedigende Lösung der Frage seiner Stellvertretung. Die angesichts seines Lebensalters nicht unwichtige Frage, wer Hindenburg vertreten sollte, wenn er an der Ausübung seines Amtes verhindert war oder vor Ablauf der Amtszeit ausschied, war in Artikel 51 der Reichsverfassung geregelt: In einem solchen Fall trat der Reichskanzler die Stellvertretung an. In diesem Artikel wurde allerdings ausdrücklich auf die Möglichkeit hingewiesen, daß die Vertretung durch ein Reichsgesetz anderweitig geregelt werden könne.

Die NSDAP hatte im Spätsommer 1932 im Zuge ihrer Koalitionsverhandlungen mit der Zentrumspartei ein solches Stellvertretungsgesetz auf ihre politische Agenda gesetzt.[25] Beide Parteien einte damals die Ablehnung der Regierung Papen, und so lag es nahe, durch eine Änderung der Stellvertretung dem ungeliebten Papen die zeitweilige Verfügung über das Präsidentenamt zu entziehen. Falls Hindenburg ausfiel, sollte danach anstelle des Reichskanzlers der Reichsgerichtspräsident den Reichspräsidenten vertreten. Die Auflösung des Reichstags am 12. September 1932 hatte solchen Bemühungen allerdings vorerst den Boden entzogen.

Als im Winter 1932 erneut ein Vorstoß zur parlamentarischen Verabschiedung eines Stellvertretungsgesetzes mit der dazu erforderlichen verfassungsändernden Mehrheit unternommen wurde, zielte diese Initiative allerdings nicht auf eine Entmachtung des amtierenden Reichskanzlers, sondern auf einen freiwilligen Machtverzicht eines künftigen Reichskanzlers Adolf Hitler. Angesichts der bei Hindenburg vorherrschenden Bedenken, daß ein nicht unter Kontrolle stehender Reichskanzler Hitler eine reine Parteidiktatur ansteuern könnte, war es eine nachvollziehbare Vorbedingung und Vorsichtsmaßnahme für den Fall, daß Hitler doch mit der Kanzlerschaft betraut wurde, ihm den direkten Zugriff auf das Präsidentenamt bei einer Verhinderung Hindenburgs zu entziehen. Es nimmt daher nicht wunder, daß der juristische Chefberater Hindenburgs, also Staatssekretär Meißner, das Stellvertretergesetz an dem Tag erneut ins Spiel brachte,[26] an dem Hitler von Hindenburg mit der Kabinettsbildung – unter den Bedingungen einer parlamentarischen Mehrheitsregierung – beauftragt wurde.

Die NSDAP war durchaus gewillt, über das Stöckchen zu springen, das ihr das Büro des Reichspräsidenten hingehalten hatte. Denn Hitler hätte sich mit der Übernahme der Reichskanzlerschaft in jedem Fall eine natürliche Anwartschaft auf die Nachfolge Hindenburgs gesichert – dazu bedurfte er keines verfassungsmäßig verbrieften Anspruchs auf die Stellvertretung. Zudem bedeutete eine Neuregelung der Stellvertretung eine politische Spitze gegen den neuen Reichskanzler Schleicher, der damit einer unter bestimmten Umständen durchaus machtvollen Kompetenz verlustig gehen würde. Als der am 6. November 1932 neu gewählte Reichstag am 6. Dezember 1932 zusammentrat, erwies er sich auch deswegen als arbeitsfähig, weil die parlamentarische Verabschiedung eines Stellvertretungsgesetzes zu den Kernzielen der dreitägigen Session zählte, ehe sich das Parlament auf den Januar vertagte.

Die NSDAP-Fraktion brachte unter ihrem Fraktionsvorsitzenden Frick am 7. Dezember einen entsprechenden Gesetzentwurf ein, der zwei Tage später in dritter und letzter Lesung mit einer satten Dreiviertelmehrheit angenommen wurde.[27] Neben den Kommunisten, die obligatorisch jede Zustimmung verweigerten, hatte sich auch die DNVP gegen das Gesetz ausgesprochen, aber nicht weil sie gegen eine Neuregelung der Stellvertretung gewesen wäre,[28] sondern weil sie dem Reichspräsidenten das Recht einräumen wollte, selbst einen Stellvertreter zu ernennen.[29] Den Deutschnationalen, entschiedene Anwälte einer Entmachtung des Parlaments und des weiteren Ausbaus der Präsidialgewalt, mißfiel, daß der Reichstag die Stellvertretung einer politisch neutralen Person – dem Reichsgerichtspräsidenten – übertragen wollte. Die Delegierung dieser Kompetenz an Hindenburg hätte bedeutet, daß der Reichspräsident im Falle seines Rücktritts eine Person mit seiner Stellvertretung hätte beauftragen können, die diese Aufgabe als Reichsverweserschaft auffaßte und im restaurativen Sinne auslegte. Und genau aus diesem Grund konnte sich eine ansonsten heterogene Konstellation aus Nationalsozialisten, Sozialdemokraten,[30] politischem Katholizismus und Liberalen darauf verständigen, mit verfassungsändernder Mehrheit einen neutralen Beamten mit der Stellvertretung zu betrauen. Die Unterstützer des nationalsozialistischen Gesetzesantrags bedachten allerdings nicht, daß sie mithalfen, eine Barriere gegen eine künftige Reichskanzlerschaft Hitlers zu beseitigen.[31]

Ausschlaggebend dafür, daß Hindenburg sich immer stärker auf die Reichskanzlerschaft Hitlers einstellte, waren indes andere Gründe. Im Verlaufe des Januar 1933 stellte sich nämlich langsam heraus, daß jene zwei Bedingungen Hindenburgs erfüllt werden konnten, an denen bislang die Betrauung Hitlers mit der Kanzlerschaft gescheitert waren. Dazu zählte zum einen die Bildung einer Regierung der »nationalen Konzentration«, die alle aus Hindenburgs Sicht »nationalen Kräfte« umfaßte. Die Verwirklichung dieses seit Herbst 1931 auf Hindenburgs Agenda stehenden Projekts war bislang vor allem an der notorischen Uneinigkeit der dafür in Frage kommenden Kräfte gescheitert. Speziell die Hugenberg-DNVP stand dem Führungsanspruch Hitlers äußerst reserviert gegenüber und hatte sich stets gescheut, diesem das Kanzleramt auszuliefern. Die wütenden Attacken der NSDAP auf die Deutschnationalen vor der Novemberwahl 1932 hatten Hugenberg und seine Umgebung in dieser Ablehnung noch bestärkt. Zu den deutschnationalen Bedenken gegen den diktatorischen Absolutheitsanspruch der Hitlerpartei gesellte sich noch die grundsätzliche Einstellung der Deutschnationalen zum Umbau des politischen Systems. Die Hugenberg-Partei verfocht entschiedener als jede andere das Konzept einer autoritären Regierung, die losgelöst von den politischen Parteien und vom Parlament nur vom Vertrauen des Reichspräsidenten getragen war. Deswegen riet sie Hindenburg zur Neuauflage eines »Kampfkabinetts« unter Beteiligung der Deutschnationalen.[32]

Auch die Hindenburg besonders nahestehende Wehrorganisation »Stahlhelm« stimmte in diesen Chor ein und bat den Feldmarschall inständig, »die von den Parteien unabhängige autoritäre Form der Staatsführung zu erhalten«.[33] Beharrten die DNVP wie der »Stahlhelm« auf ihrer Position, war der von Hindenburg gewünschten Konstellation die Grundlage entzogen. Der politische Katholizismus war für Hindenburg in einer solchen Regierungskombination dagegen durchaus entbehrlich, wenngleich der Reichspräsident prinzipiell keine Einwände gegen dessen Einbeziehung in eine möglichst breit angelegte Sammlung aller Kräfte besaß, denen aus seiner Sicht die Ehrenbezeichnung »national« zukam. Allerdings stieß eine Integration von Zentrum und BVP auf die Schwierigkeit, daß sich diese beiden Parteien zwar durchaus eine Zusammenarbeit mit den Nationalsozialisten auf der Grundlage vorstellen konnten, daß die Verfassung und damit auch die Rechte des Reichstags gewahrt blieben, aber eben keine Kooperation mit den Verfechtern einer autoritären Lösung aus den Reihen der DNVP.[34] Umgekehrt war Hugenberg nicht bereit, mit Vertretern des Zentrums gemeinsam am Kabinettstisch Platz zu nehmen,[35] wofür nicht zuletzt konfessionelle Antipathien ausschlaggebend waren. Deswegen war eine Regierung Hitler/Hugenberg/Kaas – die größtmögliche Sammlung aller in Hindenburgs Augen national zuverlässigen Kräfte – praktisch ausgeschlossen.

Die Verwirklichung der zweiten zentralen Vorbedingung für die Kanzlerschaft Hitlers rückte im Januar 1933 ebenfalls näher: die Unterordnung Hitlers unter die Regie des Reichspräsidenten. Hitler mußte aus Sicht Hindenburgs Gewähr dafür bieten, daß er vom Amt des Reichskanzlers aus nicht wie ein Parteiführer handelte, sondern als Chef einer »nationalen Konzentrationsregierung« agierte, die sich Hindenburg verpflichtet fühlte und dessen Ziel der Sammlung aller Kräfte mit Blick auf den nationalen Aufstieg. Hindenburg verstand darunter im Innern die politische Ausschaltung von Sozialdemokraten und Kommunisten, die nach seiner Auffassung einer nationalen Wiedergeburt im Wege standen. Ein im Innern gekräftigtes, weil zu einer homogenen politischen Willenseinheit zusammengewachsenes Deutschland könnte dann darangehen, die als erdrückend und erniedrigend empfundenen Fesseln des Versailler Vertrags abzustreifen und zu selbstbewußt auftrumpfender nationaler Machtpolitik zurückzukehren. Daß das parteiegoistische Schielen auf partikulare Vorteile bisher eine solche Zusammenballung aller »nationalen Kräfte« verhindert hatte, daran trug die Hitlerpartei nach Hindenburgs Überzeugung einen Großteil der Verantwortung, da sie bislang auf die politische Handlungsfreiheit eines Kanzlers Hitler gepocht hatte. Nur wenn Hitler Abstriche an seiner bisherigen Position machte und durch die Zusammensetzung einer von ihm geführten Regierung signalisierte, daß er sich der Kontrolle und Beaufsichtigung durch den Reichspräsidenten unterwarf, konnte sich Hindenburg dazu hergeben, diesen ihm innerlich immer noch fremden Kandidaten zum Reichskanzler zu ernennen.

Wie auch immer letztlich die genaue Zusammensetzung der Hindenburg-schen Ideallösung einer »nationalen Konzentrationsregierung« aussehen mochte – allein das Zustandebringen der Kombination Hitler/Hugenberg erforderte ein enormes Maß an Anstrengung. Bislang waren alle Bemühungen daran gescheitert, daß niemand sich bereit gefunden hatte, zielgerichtet darauf hinzuarbeiten und mit Verhandlungsgeschick und Energie die politisch zerstrittenen Teile der »nationalen Rechten« unter dem gemeinsamen Dach einer Präsidialregierung zu-sammenzuführen. Der Reichspräsident kam dafür nicht in Frage, da er es nicht als seine Aufgabe ansah, aktiv in diesen Prozeß einzugreifen. Es entsprach dem Ver-ständnis seines Amtes und der ihm zugefallenen symbolischen Funktion, sich aus der politischen Detailarbeit herauszuhalten und darauf zu beschränken, die politi-schen Richtlinien für eine solche Regierung zu formulieren und zu überwachen. Und von den um ihre partikularen Vorteile bedachten Parteiführern Hitler und Hugenberg konnte man erst recht nicht erwarten, daß auf ihre Initiative hin der gordische Knoten durchtrennt wurde.

Was die Lage im Januar 1933 grundlegend von den Monaten zuvor unter-schied, war der Umstand, daß erstmals ein solcher politischer Vermittler zur Verfü-gung stand, dem die Bewältigung dieser Aufgabe zuzutrauen war, nämlich der vor wenigen Wochen verabschiedete Ex-Kanzler Franz von Papen. Wenn einer für diese Aufgabe prädestiniert war, dann dieser politisch Spätberufene. Papen war der einzige Politiker, der zu allen Kreisen, die für ein Hitler-Kabinett in Frage kamen, enge Kontakte unterhielt. Seine Beziehungen zu Hitler und zur NSDAP waren durch seine Kanzlerschaft nicht so gestört, daß er dort ein »rotes Tuch« gewesen wäre. Immerhin hatte sich Papen im August 1932 für die Kanzlerschaft Hitlers, wenn auch vergeblich, bei Hindenburg stark gemacht. Sein Liebäugeln mit den ge-gen den Machtanspruch Hitlers gerichteten Staatsnotstandsplänen konnte ihm nachgesehen werden, weil ihm seit dem Verlust der Regierungsmacht die Grund-lage für eine Verwirklichung solcher Absichten fehlte. Mit den Deutschnationalen verstand sich Papen in inhaltlicher Beziehung prächtig, teilten sie doch seine poli-tischen Grundüberzeugungen. Gerade weil Papen am Ende seiner Kanzlerschaft gewillt gewesen war, das deutschnationale Lieblingsprojekt einer autoritären Präsi-dialregierung bis zur Konfrontation durchzuziehen, konnte man ihm zutrauen, Hugenbergs Bedenken gegen eine Kanzlerschaft Hitlers zu zerstreuen. Gleiches galt für die Einwände der parteiungebundenen Gruppierungen und Fachleute. Diese waren unbedingt erforderlich zur Komplettierung einer Regierung, die aus Hindenburgs Sicht das Prädikat »Kabinett der nationalen Einheit« uneingeschränkt verdiente.

Allerdings wäre aller Eifer Papens umsonst gewesen, wenn er nicht weiterhin das Vertrauen des Reichspräsidenten besessen hätte.[36] Hindenburg hatte im Verlaufe der sechsmonatigen Zusammenarbeit die Arbeit Papens außerordentlich schätzen gelernt und in der Regierung Papen ein empfehlenswertes Vorbild für eine überparteiliche, allein dem nationalen Wohl verpflichtete Regierung erblickt. Er hatte sich allerdings nicht der bitteren Einsicht verschlossen, daß das politische Fundament Papens zu schmal war, um darauf die nationale Einigung zu errichten. Hindenburgs persönliche Wertschätzung für Papen speiste sich aus dessen Vorleben als Offizier, der adligen Herkunft und dem ausgeprägten Geschick im persönlichen Umgang mit dem »alten Herrn«.

Allerdings darf man daraus nicht eine ausgeprägt affektive Bindung Hindenburgs an Papen ableiten, die zu einer gleichberechtigten Beziehung zwischen beiden geführt hätte. Hindenburg war in einem Alter und in einer Position, in der man keine Freundschaften mehr schloß; was er verschenkte, waren Gunstbezeugungen, die nicht selten nach kurzer Zeit zurückgezogen und auf andere Personen übertragen wurden. Brüning hatte damit leidvolle Erfahrungen gemacht. Für den Moment zählte allerdings, daß Papen einen Platz ganz oben auf der Sympathieskala Hindenburgs erobert hatte, was ihm noch nach dem Ausscheiden aus dem Kanzleramt eine privilegierte Position verschaffte. Hindenburg hatte am 3. Dezember 1932 ein handschriftliches Schreiben[37] an seinen ehemaligen Kanzler gerichtet und ihn dabei »mit kameradschaftlichen Grüßen« bedacht – eine hohe Auszeichnung, die er sonst nur Generalen wie Mackensen zukommen ließ. Den warmen Worten folgten insofern Taten, als Hindenburg Papen eindringlich aufforderte, sich weiterhin als Ratgeber in seiner Nähe zu halten. Papen blieb damit im politischen Geschäft, und die Nähe zu Hindenburg war auch räumlich hergestellt, denn der Ex-Kanzler wohnte weiterhin in einer Dienstwohnung – im Innenministerium – und konnte bei Hindenburg unbemerkt persönlich vorstellig werden. Vom Innenministerium aus gelangte man nämlich durch die Ministergärten unbeobachtet zum Reichspräsidenten,[38] der wegen der Renovierung des Präsidentenpalais in der Wilhelmstraße 73 vorübergehend die Dienstwohnung des Reichskanzlers in der Wilhelmstraße 77 bezogen hatte.[39]

Papen stürzte sich mit Feuereifer auf seine neue Aufgabe und führte als erstes eine Aussprache mit Hitler herbei. Denn nur so konnte er sich ein Bild machen, ob dieser bereit war, von seinem bisherigen Standpunkt abzuweichen und sich den

Auflagen des Reichspräsidenten zu beugen. Das Ergebnis des ersten Gesprächs, das unter konspirativen Umständen am 4. Januar 1933 im Hause des Kölner Bankiers Schröder stattfand, stimmte Papen optimistisch. Zwar hatte man hauptsächlich atmosphärische Störungen beseitigt; aber Papen hatte doch den Eindruck gewonnen, daß mit Hitler ernsthaft über eine Kanzlerschaft zu den Bedingungen Hindenburgs verhandelt werden könne.[40] Wenige Tage später erstattete er dem Reichspräsidenten Bericht über seinen Vorstoß, und dieser nahm die Initiative Papens zustimmend zur Kenntnis.[41] Damit hatte Hindenburg eine Politik autorisiert, die hinter dem Rücken des amtierenden Kanzlers dessen Ablösung vorbereitete und an einer Alternative zu Schleicher feilte, die Hindenburg die verheißene Wunschkonstellation bescheren sollte. Fortan konnte sich der Reichspräsident im Hintergrund halten und darauf beschränken, von Papen über dessen Verhandlungen informiert zu werden.

Papen ging auch den zweiten Teil seiner Aufgabe voller Elan an, wobei ihn nicht zuletzt ganz persönliche Motive antrieben. Er brannte darauf, es seinem alten Mentor Schleicher heimzuzahlen, den er für seinen Sturz verantwortlich machte.[42] Allerdings war seine Mitwirkung am Zustandekommen einer Hitler-Regierung auch insofern auf die Zukunft gerichtet, als Papen damit seine eigene politische Karriere sicherte. Wie immer das Ergebnis der Verhandlungen ausfallen würde, aufgrund der ihm vom Reichspräsidenten zugedachten Rolle als Vermittler konnte er sich berechtigte Hoffnungen machen, in jedem Fall der Regierung anzugehören, die das Schleicher-Intermezzo beenden würde.

Der am 10. Januar 1933 einsetzende und bis zum 29. Januar während Verhandlungsmarathon wies alle Höhen und Tiefen auf, die Gespräche mit offenem Ausgang zu kennzeichnen pflegen. Mehr als einmal gerieten die Verhandlungen ins Stocken, doch jedesmal fand Papen einen Ausweg, und am 29. Januar 1933 konnte er Hindenburg endlich ein aus seiner Sicht vorzeigbares Resultat präsentieren, das Chancen hatte, vom Reichspräsidenten gutgeheißen zu werden. Papen erwies sich als geschmeidiger Verhandlungsführer, der in Einzelgesprächen mit den umworbenen Partnern einer zukünftigen »Regierung der nationalen Konzentration« Differenzen auszuräumen suchte und im geeigneten Moment größere Gesprächsrunden einberief. Dabei vermied er allerdings, die künftigen Regierungsmitglieder bereits vor der Vereidigung durch Hindenburg am Vormittag des 30. Januar an einem Tisch zu versammeln, und hielt auf diese Weise die Verhandlungsfäden ganz alleine in der Hand.

Ein Herzstück der Vermittlungsarbeit bestand darin, den Widerstand Hugenbergs gegen den Eintritt in eine von Hitler geführte Regierung zu brechen. Mit wa-

chem Machtinstinkt hatte Hugenberg schon seit dem Herbst 1931 dagegen opponiert, als Juniorpartner Hitlers herhalten zu müssen, weil er die berechtigte Sorge
hegte, bei erstbester Gelegenheit vom skrupellosen NS-Parteiführer ausmanövriert
zu werden.[43] Papen hatte am 27. Januar 1933 den Boden soweit bereitet, daß Hugenberg und Hitler in Gespräche über die mögliche Formierung einer gemeinsamen Regierung eintraten, doch dieses erste Zusammentreffen endete mit einem
großen Krach. Ähnlich wie das Zentrum bei seinen Verhandlungen mit der NSDAP
im Spätsommer 1932 wollte Hugenberg der Hitlerpartei nicht die Polizeigewalt
ausliefern und ihr daher nicht den Posten des Innenministers in Preußen und im
Reich überlassen.[44] Diese Vorsichtsmaßnahme entsprang nicht nur der Skepsis
gegenüber dem totalen Machtanspruch Hitlers, sondern rührte auch daher, daß
die Deutschnationalen den politischen Gegnern auf der Linken den Schutz des
Rechtsstaates nicht verwehren und diese nicht dem NS-Straßenterror aussetzen
wollten. Denn dem Führungszirkel der DNVP war infolge der Ankündigungen
Hitlers bewußt, daß eine Übertragung der Polizeigewalt auf die Nationalsozialisten
zur Folge haben würde, daß sich die SA in Gewaltorgien gegen ihre kommunistischen und sozialdemokratischen Widersacher ergehen und die Polizei einfach
wegsehen würde.[45] Über die Risiken einer Kooperation mit der NSDAP machte
man sich im Führungszirkel der DNVP jedenfalls keine Illusionen: »Gehen wir mit
Hitler, so müssen wir ihn bändigen. Andernfalls sind wir erledigt.«[46]

In dieser Situation schaltete sich Papen ein und bearbeitete Hugenberg – mit
Erfolg. Er lockte Hugenberg mit einem Angebot, zu dessen Weitergabe ihn der
Reichspräsident am Abend des 28. Januar 1933 autorisiert hatte.[47] Hindenburg offerierte Hugenberg via Papen nicht weniger als sämtliche Ministerposten im Reich
und in Preußen, die sich mit ökonomischen Fragen befaßten, nämlich jeweils
beide Ressorts für Wirtschaft und Landwirtschaft, womit Hugenberg zum vier-
fachen Minister aufsteigen würde. Aus Hindenburgs Sicht war dieses Angebot
sinnvoll, weil er die Wirtschaftspolitik in die Hände eines erfahrenen Politikers
legen wollte, der allen Experimenten mit der bestehenden Wirtschaftsordnung
abhold war. Daher kamen Nationalsozialisten für die Übernahme dieser Schlüs-
selressorts keinesfalls in Frage, da er ihnen in wirtschaftlicher Hinsicht wenig
zutraute, jedenfalls nicht die Einleitung der von ihm ersehnten wirtschaftlichen
Erholung. Hugenberg sollte also die aus Hindenburgs Sicht absolut unerläßliche
Wirtschaftskompetenz beisteuern und in dieser Hinsicht an die Politik Papens anknüpfen, dessen wirtschaftspolitische Initiativen der Reichspräsident ausdrücklich
begrüßt hatte.

Diesem Angebot des Reichspräsidenten konnte Hugenberg nicht widerstehen.

Die Aussicht, in Wirtschaftsfragen über völlige Handlungsfreiheit zu verfügen, war für Hugenberg eine unwiderstehliche Versuchung, für die er auch die Reichskanzlerschaft Hitlers und die Überlassung der Polizei an die Nationalsozialisten in Kauf zu nehmen bereit war. Hugenberg hatte sich immer schon als der einzig kompetente Wirtschaftsfachmann verstanden, der – wenn man ihn nur gelassen hätte – die deutsche Wirtschaft saniert hätte ohne Konzessionen an das Ausland. Dieser Hang zur ökonomischen Besserwisserei, der in enger Verbindung zu den erfolgreichen – und undurchsichtigen – Betätigungen des Geschäftsmanns Hugenberg stand, gab nicht zuletzt den Ausschlag dafür, daß sich Hugenberg auf Basis des von Papen vermittelten Kompromisses am 29. Januar prinzipiell zum Eintritt in eine Regierung Hitler entschloß. Dabei spielte auch der Umstand eine nicht zu unterschätzende Rolle, daß die Lieblingslösung der Deutschnationalen – nämlich ein strikt antiparlamentarisches »Kampfkabinett« – weder von Hindenburg noch von Papen ernsthaft in Erwägung gezogen wurde, so daß Hugenberg als einzige Alternative der Eintritt in die neue Regierung zu den von Papen ausgehandelten Bedingungen verblieb.[48]

Hugenberg wäre das Ja zu der Hitler-Lösung aber wohl nicht abzuringen gewesen, wenn nicht Teile des »Stahlhelm« zur selben Zeit auf diese Lösung eingeschwenkt wären. Dem Bund der Frontsoldaten fiel in doppelter Hinsicht eine Schlüsselposition zu. Einmal mußte dessen Verhalten Auswirkungen auf die Politik der DNVP haben, weil beide Gruppen bislang energisch das Konzept einer reinen Präsidialregierung verfochten und als Unterstützer der Papen-Regierung eine von der NSDAP wüst attackierte Schicksalsgemeinschaft gebildet hatten. Zum anderen war ein Mitmachen des »Stahlhelm« in einem Hitler-Kabinett auch für Hindenburg eine fast unerläßliche Vorbedingung, wenn diese Regierung »ein Kabinett der gesamten nationalen Bewegung«[49] darstellen sollte. Bei seiner zweiten Kandidatur für das höchste Staatsamt hatte Hindenburg großen Wert auf die Unterstützung des »Stahlhelm« gelegt; als dieser sich verweigerte, hatte er darin einen markanten Ausdruck jener »Uneinigkeit der Rechten« gesehen, die er in seinen vertraulichen Ausführungen vom 25. Februar 1932 – dem Schlüsseldokument für sein weiteres Verhalten – so bitter beklagte.[50]

Am 29. Januar 1933, als Hugenberg sich zur Mitarbeit in einer Hitler-Regierung entschloß, erreichte Papen auch die Zusicherung einer entsprechenden Absicht der Stahlhelmführung. Vor allem der Erste Bundesführer Franz Seldte hatte sich für die Idee einer nationalen Konzentrationsregierung unter Hitler gewinnen lassen, wobei gewiß nicht nachteilig ausschlug, daß für ihn dort das Amt des Reichsarbeitsministers vorgesehen war. Zwar gab es im »Stahlhelm« wie in der DNVP eine starke Gruppe von Bedenkenträgern, die Hitler und der NSDAP so sehr mißtrauten, daß sie es nicht für verantwortbar hielten, den Tiger reiten zu wollen. Doch diese wurden von Seldte überspielt, und das Haupt dieser innerverbandlichen Opposition, der Zweite Bundesvorsitzende Duesterberg, wollte es nicht bis zum Äußersten kommen lassen und lenkte schließlich ein, da Hitler sich persönlich am Morgen des 30. Januar für die Hetzkampagne der NS-Presse gegen Duesterberg, der einen jüdischen Großvater hatte, entschuldigte.[51]

Die Herstellung einer geschlossenen Regierung der »nationalen Front« erforderte aber nicht nur die Mitarbeit von Deutschnationalen und »Stahlhelm«. Einem solchen Kabinett hatten auch parteilose konservative Fachminister anzugehören. Hindenburg legte Wert darauf, daß die neue Regierung das überparteiliche Projekt der Sammlung aller national gesinnten Kräfte auch dadurch zum Ausdruck brachte, daß ihr parteiunabhängige Experten angehörten. Dies galt vor allem für Ressorts, die Hindenburg persönlich am Herzen lagen. Daher rückten Fachminister, die bereits in den Kabinetten Papen und/oder Schleicher durch ihre Arbeit das Wohlgefallen des Reichspräsidenten gefunden hatten, ins Blickfeld Papens, als dieser eine Hindenburg genehme Ministerliste zusammenstellte. In diese Kategorie fiel Finanzminister Schwerin von Krosigk, der sich zudem noch dadurch empfahl, daß er im Kabinett Papen gegen die Staatsnotstandspläne opponiert hatte und auf die erste Anfrage Papens am 28. Januar 1933, ob er sich für ein Ministeramt bereithalte, geanwortet hatte, daß er nur einer Regierung auf möglichst breiter »nationaler Basis« mit Hitler als Kanzler angehören wolle.[52] Besonderen Wert legte Hindenburg darauf, daß Neurath, den er ja bereits für das Kabinett Papen verpflichtet hatte, sein Amt in einer Regierung Hitler weiter ausübte. Auch hier fügte es sich, daß Neurath nur in eine von Hitler geführte Regierung einzutreten bereit war und jede Beteiligung an einer »Kampfregierung«, welche auf die Staatsnotstandspläne zurückgegriffen hätte, ablehnte.[53] Sehr am Herzen lag Hindenburg bekanntlich auch die Beseitigung der Arbeitslosigkeit, und hier unterstützte er die aktive Arbeitsbeschaffungspolitik der Schleicher-Regierung, die unter anderem ein eigenes Reichskommissariat für Arbeitsbeschaffung ins Leben gerufen hatte. Hindenburg drang nun persönlich beim betreffenden Amtsinhaber Gereke darauf, daß dieser in die Hitler-Regierung eintrat, wobei der umtriebige Gereke als einer der wichtigsten Wahlkampfmanager Hindenburgs bei der Reichspräsidentenwahl von 1932 zusätzlich auf einen Bonus bei Hindenburg rechnen konnte. Gereke, eigentlich eher ein Schleicher-Mann, vermochte sich der persönlichen Bitte des Reichspräsidenten nicht zu entziehen.[54]

Das härteste Stück Arbeit bestand für Papen allerdings darin, Hitler und seine

Partei zum Eintritt in die Regierung zu bewegen. Zwar hatte er sich bereits am
22. Januar 1933 auf die Reichskanzlerschaft Hitlers festgelegt[55] und damit das entscheidende Hindernis aus dem Weg geräumt, an dem bislang die Verhandlungen
mit dem »Führer« gescheitert waren. Aber Papen versuchte, den personellen Einfluß der NSDAP auf ein Minimum zu beschränken, damit die neue Regierung
keine nationalsozialistische Parteipolitik betreiben konnte. Hitler sollte an die
Spitze einer Regierung treten, die auf den Reichspräsidenten verpflichtet war und
dessen politische Richtlinien umsetzte. Zur Geschäftsgrundlage dieser Regierung
gehörte daher, daß nicht der designierte Reichskanzler die Ministerliste festlegte,
sondern Hindenburgs Vermittler Papen im Einvernehmen mit dem Reichspräsidenten. Hitler war bereit, sich dieser Vorbedingung zu beugen, sofern seine Partei
die beiden Posten erhielt, welche die besten innenpolitischen Gestaltungsmöglichkeiten boten: das Reichsinnenministerium und das Reichskommissariat für Preußen.[56] Da insbesondere die Deutschnationalen, aber auch Papen die politische Re-
levanz dieser beiden Ämter erkannten und es zur Sicherungsstrategie gehörte, daß
der Hitlerpartei der ungeteilte Zugriff auf Preußen auf dem Wege des Reichskommissars verwehrt blieb, mußte Hitler in der Preußenfrage Zugeständnisse machen.
Am 29. Januar wurde ein Kompromiß ausgehandelt,[57] wonach Papen, der von
Hindenburg als Vizekanzler in Aussicht genommen war, als Reichskommissar für
Preußen amtieren sollte und nicht Reichskanzler Hitler. Allerdings wurde mit
Göring der bisherige Statthalter Hitlers in Berlin mit dem wichtigen Posten des
kommissarischen preußischen Innenministers betraut, womit ein Nationalsozia-
list Zugriff auf die preußische Polizei erhielt.

Als letztes strittiges Thema blieb damit noch die Frage der Reichstagsauflösung
und der Einleitung von Neuwahlen im Reich wie in Preußen, ohne die die politische Manövrierfähigkeit des designierten Reichskanzlers Hitler recht eingeschränkt
geblieben wäre. Denn Hitler hätte sich einem Reichstag gegenübergesehen, in dem
Nationalsozialisten und Deutschnationale zusammen über keine regierungsfähige
Mehrheit verfügten. Entweder hätte er versuchen müssen, den politischen Katholizismus in die Regierung einzubeziehen und damit die politische Basis der neuen Regierung zu erweitern; oder er hätte eine Art Stillhalteabkommen mit dem Reichstag schließen müssen. In jedem Fall wäre seine Aktionsfreiheit gering gewesen. In
bezug auf Preußen stellte sich die Situation ähnlich dar: Solange der 1932 gewählte
preußische Landtag bestand, besaß die NSDAP keine Aussicht auf die Eroberung
des Postens des preußischen Ministerpräsidenten – vorausgesetzt, die Zentrumsfraktion verhalf keinem Nationalsozialisten in dieses Amt. Nur auf parlamentarischem Weg konnte Hitler den ungeliebten preußischen Reichskommissar Papen

eliminieren, da dieser seine Funktion verlor, wenn das preußische Abgeordneten-haus aus sich heraus und einen Ministerpräsidenten mit absoluter Mehrheit wählte, wofür nach Lage der Dinge nur ein Nationalsozialist in Frage kam.

Somit drehte sich alles um die Frage, ob der neue Reichskanzler die Auflösung des Reichstags und des preußischen Landtags durchsetzen konnte. Für beides benötigte er die Unterstützung des Reichspräsidenten. Was den Reichstag betraf, war bekanntlich nur der Reichspräsident zur Auflösung des Parlamentes ermäch-tigt; im Falle des preußischen Abgeordnetenhauses mußte der Reichspräsident mit Hilfe einer Notverordnung nachhelfen, weil auf dem verfassungsmäßig vorgesehe-nen Weg eine Auflösung des preußischen Abgeordnetenhauses nicht zu erreichen war. Denn eine solche Auflösung fiel in die Kompetenz eines »Drei-Männer-Kolle-giums«, bestehend aus dem Minister-, dem Landtags- und dem Staatsratspräsiden-ten in Preußen. Davon war nur der Landtagspräsident ein Nationalsozialist; die beiden anderen Amtsinhaber – der formal immer noch amtierende Ministerpräsi-dent Otto Braun (SPD) und der Staatsratspräsident Konrad Adenauer (Zentrum) – waren nicht gewillt, der NSDAP den Zugriff auf das Amt des Ministerpräsidenten durch die Auflösung des Landtags zu erleichtern.[58]

Bei der Frage der Reichstagsauflösung klafften die Vorstellungen der Deutsch-nationalen und der Nationalsozialisten weit auseinander. Hugenberg erkannte, daß man Hitler nur dann am kurzen Zügel halten konnte, wenn man Neuwahlen vermied, da diese der NSDAP erhebliche Stimmengewinne bescheren würden.[59] Während Hugenberg Neuwahlen also verhindern mußte, strebte Hitler sie mit aller Kraft an. Die Einrahmung der Nationalsozialisten in einer ansonsten von Konservativen mehrheitlich beherrschten Regierung entpuppte sich als Schein, wenn Hitler seine Kanzlerschaft durch eine Neuwahl des Reichstags legitimierte und sich, gestärkt durch das Ergebnis, der Aufsicht durch Papen und die Deutsch-nationalen entledigte. Eine Neuwahl des Reichstags, bei der Hitler seinen Kanzler-bonus ausspielen und vor allem erstmalig das symbolische Kapital Hindenburgs nutzen konnte, war daher die optimale Konstellation für den NS-Parteiführer.[60] Dazu konnte ihm aber nur eine Entscheidung des Reichspräsidenten verhelfen. Es oblag also letztlich dem Reichspräsidenten, über diese Frage zu entscheiden, die noch offen war, als das neue Kabinett am 30. Januar 1933 vereidigt wurde.[61]

Hindenburg wurde regelmäßig von Papen über den Gang der Verhandlungen informiert, so daß er sich ein genaues Bild machen konnte. Der wichtigste Ort der Verhandlungen zwischen Hitler und Papen war die im vornehmen Berliner Stadt-teil Dahlem gelegene Villa des Sekthändlers Joachim von Ribbentrop. Dieser alte Kriegskamerad Papens war ein frischgebackenes Mitglied der NSDAP und eignete sich ideal dafür, beiden Seiten in seinem Haus eine angenehme Gesprächsatmosphäre zu bieten. Aber Papen ließ sich nicht nur von Hindenburg förmlich autorisieren, im Hause Ribbentrop geheime Gesprächsfäden zu Hitler zu knüpfen,[62] sondern suchte seine Verhandlungsführung auch dadurch abzusichern, daß Staatssekretär Meißner und Hindenburgs Sohn Oskar Gelegenheit erhielten, einem dieser Treffen beizuwohnen. Es war undenkbar, daß der engste Mitarbeiter und der Sohn des Reichspräsidenten ohne die ausdrückliche Erlaubnis des Reichspräsidenten dort erschienen. Hindenburg erteilte – vermutlich am 20. Januar 1933 – die Erlaubnis,[63] weil er seine Meinungsbildung nicht allein auf die Berichte Papens stützen wollte, sondern sein Eindruck durch zwei ihm absolut ergebene Personen, die als Horchposten die Dahlemer Verhandlungen aus nächster Nähe verfolgten, abgerundet werden sollte.

Oskar von Hindenburg war bis dahin nicht gerade als entschiedener Anhänger einer Reichskanzlerschaft Hitlers hervorgetreten. Als Hitler Ende November 1932 schon einmal den Auftrag zur Regierungsbildung erhielt, hatte Hindenburgs Sohn in einem Vermerk seine Skepsis nicht verhehlt und fast schon prophetische Gaben erkennen lassen: »Gelingt es …, erst einmal Hitler in die Macht zu setzen, so wird auf die Dauer weder die erstmalige Ministerliste noch irgendwelche Abmachungen innegehalten werden, sondern eine Parteidiktatur wird erstehen.«[64] Indem Hindenburg seinen Sohn als Beobachter zu Verhandlungen über eine Reichskanzlerschaft Hitlers entsandte, hielt er sich die Möglichkeit eines Korrektivs offen, falls Papen zu sehr auf die Karte Hitlers setzen und den Reichspräsidenten möglicherweise einseitig informieren sollte. Vertrauensselig war Hindenburg in solch vitalen Fragen jedenfalls nicht.

Als Oskar von Hindenburg am 22. Januar 1933 in der Villa Ribbentrops eintraf, kam er in Begleitung Staatssekretär Meißners. Der Wunsch zur Hinzuziehung Meißners ging von Oskar von Hindenburg aus.[65] Die beiden bildeten eine politische Schicksalsgemeinschaft und waren bislang bei der Rechten nicht gut gelitten. Sollte Oskar von Hindenburg auf den Weg zur Kanzlerschaft Hitlers einschwenken, dann würde Meißner an seiner Seite sein: »Ich bin, als Vater im Jahre 25 sein Amt antrat, für Meißner eingetreten und heiße seitdem bei der Rechten ›der rote Hindenburg‹. Und jetzt habe ich gleichfalls die Bedingung gestellt: ich komme nur dann wieder zu euch, wenn ich Meißner mitbringen darf.«[66]

Oskar von Hindenburg wie Meißner erwarteten, daß Hitler sich erkenntlich zeigen würde, wenn sie umschwenkten. Meißner hatte im Falle des Abgangs von Hindenburg ein Auge auf die lukrative Position eines Generaldirektors der Reichsbahn geworfen[67] und war daher auf politische Protektion angewiesen. Das vor-

dringliche Interesse Oskar von Hindenburgs galt der Erhaltung des Gutes Neudeck, das zwar seinem Vater zum achtzigsten Geburtstag als Geschenk dargebracht, aber – weil man die Erbschaftssteuer sparen wollte – im Juli 1928 notariell
direkt auf Oskar überschrieben worden war.[68] Oskar kümmerte sich seither mit
großer Energie um alles, was mit dem Gut zusammenhing, und der Vater ließ ihm
dabei freie Hand. Neudeck bedeutete für Hindenburg ein Refugium, in dem er im
Frühjahr und Sommer viele Wochen lang fern der Hektik des politischen Berlin
ausspannen konnte. Eine emotionale Beziehung hat er zu dem Gut allerdings nie
entwickelt. Allein äußere Umstände bewogen ihn, dort nach dem Ende der Präsidentschaft seinen Lebensabend zu verbringen. Eigentlich hätte er es vorgezogen,
mit seinem »Lieblingskind« Irmengard und deren jüngstem Sohn nach Potsdam
oder in eine andere Stadt zu ziehen. Sein hohes Alter hielt ihn aber davon ab, solche
Pläne weiter zu verfolgen.[69] Letztlich blieb ihm als Alterssitz nur Neudeck, aber er
riet Irmengard ausdrücklich ab, dorthin überzusiedeln. Wenn der Familienmensch
Hindenburg, der seine Kinder und Enkelkinder soviel wie möglich um sich haben
wollte, seiner Tochter dieses Vorhaben ausredete, war das ein deutliches Indiz
dafür, daß er das abgelegene Neudeck nicht als Kristallisationskern der Großfamilie ansah: Denn »ich darf dort höchstens noch einige Jahre unter Euch weilen.
Dann bist Du wieder einsam in dem minderwertigen Ort, von dem aus Du nur mit
Auto oder Wagen weiteren Verkehr aufsuchen kannst.«[70]

Oskar von Hindenburg mußte hingegen davon ausgehen, daß Neudeck in absehbarer Zeit zum Lebensmittelpunkt für sich und seine Familie werden würde,
nämlich dann, wenn sein Vater aus dem Amt des Reichspräsidenten schied und er
seine Stellung als Adjutant des Reichspräsidenten aufgeben mußte. Da eine militärische Karriere für Oberst von Hindenburg kaum in Frage kam, war aus wirtschaftlichen Gründen der Rückzug nach Neudeck voraussehbar. Daher mußte ihn
als Besitzer von Neudeck bedrücken, daß immense Schulden auf dem Gut lasteten.
Es hatte sich nämlich herausgestellt, daß dessen Gebäude in einem so schlechten
Zustand waren, daß etwa 800 000 Reichsmark für dringend erforderliche Renovie-
rungen in das Gut hineingesteckt werden mußten. Wegen der angespannten Wirt-
schaftslage konnte die deutsche Industrie, die schon den Löwenanteil des Kauf-
preises von 1,2 Millionen Mark aufgebracht hatte, nicht einmal die Hälfte dieser
Investitionskosten übernehmen, so daß Oskar von Hindenburg Anfang 1933 auf
einem Schuldenberg von etwa 400 000 Reichsmark saß.[71] Solange sein Vater lebte,
würde man aus Rücksicht auf dessen geschichtlichen Namen von einer Eintrei-
bung der Schulden absehen. Aber was würde eintreten, wenn dieser Schutz wegfiel?
Es lag daher nahe, für diesen Fall Vorsorge zu treffen.

Als Oskar von Hindenburg am 22. Januar 1933 in Ribbentrops Villa erstmals mit Hitler ein Gespräch unter vier Augen führte, tat er dies aber in erster Linie als Gesandter seines Vaters. Die spärlichen Zeugnisse zu dieser Unterredung deuten darauf hin, daß Oskar seine grundsätzliche Skepsis gegen eine Reichskanzlerschaft des NS-Parteiführers nicht aufgab,[72] so daß Hindenburg von seiten seines Sohnes keine Ratschläge erhielt, die auf die Betrauung Hitlers mit dem Kanzleramt hinausliefen. Oskar von Hindenburg hielt sich wie gewöhnlich in solchen politischen Dingen zurück; aber sein Auftreten gemeinsam mit Meißner brachte zum Ausdruck, daß im Falle der Entscheidung des Reichspräsidenten für eine Reichskanzlerschaft Hitlers beide aus sehr partikularen Interessen bestrebt waren, Anschluß an die neue Entwicklung zu finden.

Es läßt sich also feststellen, daß Papen im Auftrag Hindenburgs eine politische Konstellation arrangierte, in der alle Kräfte der »nationalen Bewegung« in einer Regierungsmannschaft vereinigt waren. Erstmals wurde damit aus der Chimäre der »Harzburger Front« ein Regierungsbündnis, fanden sich Nationalsozialisten, Deutschnationale, Mitglieder des »Stahlhelm« und parteilose Konservative in dem Willen zu gemeinsamer Regierungsarbeit zusammen. Gewiß spielte dabei auch der Seitenblick auf Italien eine Rolle, da die Arbeitsteilung zwischen dem faschistischen Parteiführer Mussolini und dem italienischen König ein nachahmenswertes Vorbild abzugeben schien bei der Einigung einer zerrissenen Nation.[73] Man sollte auch nicht unterschätzen, wie sehr Mussolinis persönlicher Abgesandter in Berlin, Major Renzetti, im Hintergrund eifrig mitwirkte, die Einigung der »nationalen Kräfte« herbeizuführen.[74] Doch ohne die rastlose Tätigkeit Papens hätte Hindenburg am 29. Januar 1933 nicht das Angebot einer Regierung der »nationalen Konzentration« offeriert werden können. Welche Schlüsselstellung Papen einnahm, wurde am Morgen des 30. Januar 1933 sichtbar: Die Führungskräfte von NSDAP, DNVP und »Stahlhelm« versammelten sich in der Dienstwohnung Papens im Reichsinnenministerium, um von dort aus nach letzten Klärungen denselben Weg zu Hindenburg zu nehmen, den Papen in den Wochen zuvor so oft genommen hatte, nämlich durch die Ministergärten zum Hintereingang der Reichskanzlei.[75]

*Hitlers Kabinett, 30. Januar 1933: (v.l.n.r. stehend) Franz Seldte,
Günther Gereke, Lutz Graf Schwerin von Krosigk, Wilhelm Frick, Werner von Blomberg,
Alfred Hugenberg sowie (sitzend) Göring, Hitler und Papen*

KAPITEL 34

Die Logik des 30. Januar 1933

Papen hatte den Weg zur Kanzlerschaft Hitlers geebnet, doch Hindenburg blieb Herr über die Entscheidung, Hitler zum Reichskanzler eines Kabinetts der »nationalen Konzentration« zu ernennen. Der Reichspräsident hatte Papen ausdrücklich ermächtigt, in dieser Richtung zu verhandeln, nun war es an ihm, das Ergebnis dieser Absprachen zu bestätigen oder zu verwerfen. Niemand hat Hindenburg in diese Entscheidung hineingeredet; Einflüsterungen und Einflußnahmen haben nicht den Ausschlag gegeben bei dieser Aktion, die der Reichspräsident allein zu verantworten hatte und die er vor allen Dingen auch allein durchführen wollte. Hindenburg besaß ein starkes herrscherliches Selbstverständnis, mit dem es sich nicht vereinbaren ließ, ausgerechnet die Entscheidung über die Ernennung Hitlers zum Reichskanzler und damit eine politische Weichenstellung von größter Tragweite aus der Hand zu geben. Daß Hitler ihm von dritter Seite eingeredet wurde, wird zwar hier und da immer noch behauptet, entbehrt aber jeder quellenmäßig verbürgten Grundlage. Insbesondere die in diesem Zusammenhang kolportierte Behauptung, das Drängen der ostelbischen Großgrundbesitzer habe letztlich den Ausschlag für die Ernennung Hitlers zum Reichskanzler gegeben,[1] ist pure Spekulation.

Zwar ist unstrittig, daß Hindenburg für die Anliegen der ostdeutschen Agrarier stets ein offenes Ohr hatte; und es besteht auch kein Zweifel, daß deren Standesorganisation, der Reichslandbund, seinen Teil dazu beigetragen hat, die Regierung Schleicher zu schwächen.[2] Aber als der Reichslandbund dazu überging, den Reichspräsidenten für den Kampf gegen die Regierung Schleicher zu vereinnahmen, indem er dieser vorhielt, durch Passivität die Verelendung der Landwirtschaft hinzunehmen und damit gegen Vorgaben des Reichspräsidenten zu verstoßen, reagierte Hindenburg wie immer, wenn er sich überfahren fühlte. Hindenburg hatte sich auf Drängen des Reichslandbundes am 11. Januar 1933 bereit gefunden, dessen Vertreter zu einer Aussprache zu empfangen, aber kurz darauf erfahren, daß der Bund ungeachtet der Ergebnisse der Unterredung bereits eine Entschließung der

Presse zugeleitet hatte, die einen frontalen Angriff auf die Regierung Schleicher enthielt. Hindenburg wertete dies als Mißachtung seiner Person wie seines Amtes und autorisierte die Reichsregierung zur Herausgabe einer amtlichen Verlautbarung, in welcher der Vorstand des Reichslandbundes demagogischer Stimmungsmache beschuldigt wurde. Wie verärgert Hindenburg war, geht aus dem Umstand hervor, daß in dieser Presseerklärung der Abbruch der Beziehungen zwischen der Reichsregierung und dem Vorstand der agrarischen Standesorganisation mitgeteilt wurde.[3]

Von welchen Motiven ließ Hindenburg sich leiten, als er sich aus eigener Machtvollkommenheit und aus eigenem Entschluß am 29. Januar 1933[4] für die von Papen ausgehandelte Lösung entschied und als Konsequenz daraus am Mittag des 30. Januar 1933 die Vereidigung einer neuen Regierung mit Hitler an der Spitze vornahm? Die Antwort auf diese Kardinalfrage fällt leichter, wenn man zunächst einen Blick auf die qualitativen Unterschiede zwischen dem 30. Januar 1933 und dem 21. November 1932 wirft, als Hindenburg Hitler schon einmal einen Regierungsauftrag erteilte, auf dessen Bedingungen dieser sich aber nicht einlassen wollte.

Hitler hatte zwei Monate zuvor den Regierungsauftrag abgelehnt, weil Hindenburg ihm den Zugriff auf sämtliche präsidiale Vollmachten verweigert hatte, auf die sich alle Reichskanzler seit Brüning hatten stützen können, insbesondere den Rückgriff auf die Notverordnungsvollmachten und die Auflösungsbefugnis. Aber bedeutet dies im Umkehrschluß, daß Hitler im Januar 1933 einem Präsidialkabinett vorstand, das dem Muster der beiden Vorgängerregierungen entsprach und sich beim Regieren durch die Aktivierung präsidialer Befugnisse absicherte? Zur Grundausstattung eines klassischen Präsidialkabinetts gehörte die Aktivierung der präsidialen Befugnis zur Auflösung des Reichstags. Indem Hitler mit Nachdruck auf eine derartige Befugnis pochte und noch am 29. Januar auf einer entsprechenden Zusage beharrte,[5] schien er auf den ersten Blick nur dieselben Vollmachten zu verlangen wie seine Amtsvorgänger. Der entscheidende Unterschied lag darin, daß Hitler mit der Auflösung des Reichstags und der anschließenden Neuwahl ein konkretes politisches Ziel verfolgte, für das sich auch Hindenburg zu erwärmen vermochte: Hitler hoffte auf eine Veränderung der Mehrheitsverhältnisse im neugewählten Reichstag zugunsten der die Regierung tragenden Parteien, so daß die neue Regierung politisch auf eigenen Füßen stehen konnte und zum Überleben nicht mehr auf präsidiale Vollmachten angewiesen war. Der legale Weg hierzu war die Verabschiedung eines Ermächtigungsgesetzes, das die Regierung autorisierte, unter befristeter Ausschaltung des Reichstags Gesetze zu verabschieden. Ein Ermächtigungsgesetz lief also darauf hinaus, daß sich der Schwerpunkt des politischen Handelns zumindest für eine bestimmte Zeit vom Reichspräsidenten auf die Reichsregierung verlagerte. Gestand Hindenburg der Regierung Hitler die Auflösung des Reichstags mit der Maßgabe zu, auf diese Weise die Voraussetzungen für ein Ermächtigungsgesetz zu verbessern, brachte er unmißverständlich zum Ausdruck, daß er aus freien Stücken die Präsidialgewalt zurücknehmen und sich als Reichspräsident aus der operativen Politik zurückziehen wollte.

Die Idee, nach Stresemanns Vorbild von 1923 mit Hilfe eines Ermächtigungsgesetzes der Regierung umfassende Vollmachten für die Regelung von Finanz- und Wirtschaftsfragen einzuräumen, war bereits unter der Regierung Brüning aufgetaucht und bis in die Reihen der Sozialdemokraten auf Aufgeschlossenheit gestoßen. Mit Hilfe eines solchen befristeten Ermächtigungsgesetzes sollten – wie es Reichskanzler Stresemann im Herbst 1923 praktiziert hatte – die Finanz- und Wirtschaftspolitik des Reiches auf eine neue Basis gestellt, aber keineswegs das Parlament auf Dauer entmachtet und die Weichen in Richtung Diktatur gestellt werden.[6] Schon damals hatte Hindenburg seine Sympathien für ein solches Ermächtigungsgesetz erkennen lassen, weil es dem Reichspräsidenten gestattete, sich politisch im Hintergrund zu halten.[7] Doch die Verwirklichung solcher Vorstellungen war im Herbst 1930 vor allem daran gescheitert, daß die dafür erforderliche Zweidrittelmehrheit im Reichstag nicht zuletzt durch die Verweigerung der DNVP nicht zu erreichen war.

In der verfassungspolitisch verfahrenen Situation des Januar 1933 tauchte die Idee eines Ermächtigungsgesetzes erneut auf.[8] So wurde im politischen Katholizismus öffentlich darüber debattiert, ob mit Hilfe eines solchen Gesetzes die Reichsregierung nicht zur »Durchführung eines umfassenden Sanierungswerkes«[9] ermächtigt werden sollte. Im Hintergrund stand dabei die Überlegung, daß auf diese Weise den von der Zentrumspartei mißbilligten Staatsnotstandsplänen der Boden entzogen und der Reichsregierung mit Hilfe eines Ermächtigungsgesetzes ein völlig legales Mittel an die Hand gegeben wurde, sich gegenüber dem Reichstag zu behaupten. Dabei dachte der politische Katholizismus zunächst allerdings nicht daran, einer von Hitler geführten Regierung solche Vollmachten einzuräumen. Nachdem aber ohne Zutun der Zentrumspartei die Regierung Hitler/Papen/Hugenberg gebildet worden war, zeigte sich die Zentrumsführung nicht abgeneigt, mit der neuen Regierung in ein gedeihliches Verhältnis zu treten.

Immerhin war in dieser Regierung der Posten des Justizministers für eine mögliche Verbreiterung der Parteienbasis durch einen Vertreter des Zentrums freigehalten worden; und auch in Preußen bestand zumindest die Möglichkeit einer

Beteiligung des politischen Katholizismus an der Regierungsmacht. Deshalb trat die Zentrumspartei mit dem neuen Reichskanzler Hitler am 31. Januar 1933 in Sondierungsgespräche ein, die allerdings ergebnislos endeten, nachdem die Zentrumsführung zu erkennen gegeben hatte, daß sie als Gegenleistung für eine Regierungsbeteiligung allerhöchstens eine mit den Stimmen der Zentrumsfraktion herbeigeführte längere Vertagung des Reichstags in Erwägung zu ziehen bereit war. Die neue Regierung – und hier vor allem Hugenberg – wollte sich aber grundsätzlich vom Einfluß des Parlaments freimachen, weshalb ein Eingehen auf die Verhandlungsofferte des Zentrums, das auf der prinzipiellen Erhaltung des Reichstags als legislativem Organ bestand, abgelehnt wurde.[10]

Ein ernsthafter Vorstoß zur Einbringung eines Ermächtigungsgesetzes wurde im Januar 1933 mit einer strikt antiparlamentarischen Stoßrichtung verbunden. Die treibende Kraft war dabei kein Geringerer als Papen, für den die Ratio der Bildung eines Kabinetts der »nationalen Konzentration« unter einem Kanzler Hitler auch darin bestand, sich mit dieser Konstellation ernsthafte Aussichten auf ein Ermächtigungsgesetz zu verschaffen. Kam das Gesetz erst einmal auf legale Weise zustande, bescherte es der neuen Regierung »ungestörte politische Arbeit«.[11] Die innerhalb der neuen Regierung höchst umstrittene Kardinalfrage lautete allerdings, ob der am 6. November 1932 gewählte Reichstag der neuen Regierung ein derartiges Ermächtigungsgesetz an die Hand geben würde oder die dazu erforderliche Zweidrittelmehrheit nur durch eine Neuwahl zu erlangen sei. Für Hugenberg war das Ermächtigungsgesetz ein Herzensanliegen, weil es mit dem ihm verhaßten Parlamentarismus endgültig aufräumte. Allerdings zögerte er, dafür einen solch hohen Preis wie die Neuwahl zum Reichstag zu entrichten, da dies eine Gewichtsverschiebung zugunsten des großen Regierungspartners NSDAP mit sich bringen würde und mit Recht zu befürchten war, daß seine DNVP dann erdrückt werden könnte.

Wie aber ließ sich in dem am 6. November 1932 gewählten Reichstag eine Zweidrittelmehrheit für ein Ermächtigungsgesetz finden, in dem die beiden Linksparteien SPD und KPD, die niemals einer von Hitler geführten Regierung ein solches Gesetz zur Verfügung stellen würden, über knapp 38 Prozent der Mandate verfügten? Die Frage wurde auf der ersten Sitzung des neuen Kabinetts am Nachmittag des 30. Januar 1933 ausführlich erörtert. Erwogen wurde ein Verbot der KPD mit anschließender Annullierung ihrer Reichstagsmandate. Auf diese Weise wären neue Mehrheitsverhältnisse geschaffen worden, welche es den beiden Regierungsparteien NSDAP und DNVP ermöglicht hätten, rein rechnerisch zusammen mit den Mandaten von Zentrum und BVP ein Ermächtigungsgesetz durchzusetzen.

Hugenberg warb auf der Kabinettssitzung am 30. Januar vehement für ein solches Vorgehen, doch außer bei Papen erntete er im Kreise seiner Ministerkollegen dafür keine Unterstützung.[12]

Bis auf Papen und Hugenberg pflichtete das Kabinett geschlossen der Auffassung des neuen Reichskanzlers bei, wonach ein Verbot der KPD mit erheblichen innenpolitischen Risiken (Generalstreik) behaftet sei und sich daher die Auflösung des Reichstags empfehle. Mit dieser Vorentscheidung hatte sich Hitler zugleich eine zugkräftige Wahlparole für die anstehende Wahl reserviert: der Kampf gegen den »Marxismus« vor allem in Gestalt des aufrührerischen Kommunismus.[13] Keine Parole war besser geeignet, große Teile der Deutschen hinter die Regierung zu scharen, als die Beschwörung einer kommunistischen Gefahr, wobei die KPD durch ihren Verbalradikalismus der neuen Regierung geradezu in die Hände arbeitete. Am 31. Januar stellte Hitler im Kabinett endgültiges Einvernehmen darüber her, daß Neuwahlen angestrebt werden sollten. Er beruhigte den Skeptiker Hugenberg mit der Versicherung, daß die NSDAP aus einem Wahlerfolg keine Ansprüche auf eine Kabinettsumbildung ableiten würde, und sprach Hugenberg wie allen übrigen Kabinettsmitgliedern aus der Seele, wenn er ankündigte: »Die nun bevorstehende Wahl zum Reichstag solle die letzte Neuwahl sein. Die Rückkehr zum parlamentarischen System sei unbedingt zu vermeiden.«[14]

Die Entscheidung über die Auflösung des Reichstags lag allerdings immer noch beim Reichspräsidenten. Hindenburg war sich der Tragweite dieser Entscheidung bewußt. Wenn er das Parlament auflöste, würde von der Neuwahl vor allem die NSDAP profitieren, nicht zuletzt weil sie nun erstmals unter Berufung auf seinen Namen und seinen Mythos in den Wahlkampf ziehen konnte. Man mußte kein Prophet sein, um vorherzusehen, daß die Hitlerpartei durch diese Konstellation enorm gestärkt werden würde.[15] Hindenburgs juristischer Berater Meißner dürfte eben aus diesem Grund einer Auflösung reserviert gegenübergestanden haben. Er liebäugelte vielmehr mit dem Hugenberg-Vorschlag eines Verbots der KPD und Kassierung der kommunistischen Mandate, um den bestehenden Reichstag in die Lage zu versetzen, ein Ermächtigungsgesetz durchzubringen.[16] In der ersten Sitzung des neuen Kabinetts Hitler/Papen/Hugenberg gab Meißner daher zu bedenken, ob man das angestrebte Ermächtigungsgesetz nicht so zuschneiden könne – durch Beschränkung auf Maßnahmen zur Bekämpfung der Arbeitslosigkeit –, daß für seine Annahme nur eine einfache Mehrheit erforderlich sei.[17] Damit hätte man auch ohne das Verbot der KPD und ohne Reichstagsauflösung ein entsprechend reduziertes Ermächtigungsgesetz erlangen können.

Als Hitler in seiner neuen Eigenschaft als Reichskanzler am Abend des 31. Januar 1933 seinen allerersten Vortrag beim Reichspräsidenten hielt – in Anwesenheit seines »Aufpassers« Papen – und dabei die Auflösung des Reichstags erbat, schlug die Stunde der Wahrheit für den Reichspräsidenten. Hindenburg bestimmte mit seiner Entscheidung darüber, wieviel politische Macht er seinem neuen Reichskanzler anzuvertrauen bereit war. Gewiß mußte den Reichspräsidenten beeindrucken, daß die neue Regierung einmütig für die Auflösung des Reichstags eintrat, da selbst Papen sich am 31. Januar in diesem Sinne aussprach.[18] Aber Hindenburg vollzog nicht einfach nur nach, was seine neue Regierung ihm nahelegte, da er selbst der Auflösung grundsätzlich positive Seiten abgewinnen konnte. Schließlich wurden dadurch die Chancen erhöht, auf formal legale Weise den Parlamentarismus zu liquidieren und die Präsidialgewalt dabei in den Hintergrund treten zu lassen. Ohne die Präsidialgewalt politisch auszureizen und das Präsidentenamt in die Nähe eines Verfassungsbruchs zu rücken, eröffnete die Neuwahl des Reichstags die Aussicht auf ein Ermächtigungsgesetz, das der Reichspräsident als politische Entlastung auffaßte.

Schon bei den ersten ernsthaften Verhandlungen über eine Kanzlerschaft Hitlers im November 1932 hatte der NS-Parteichef damit geworben, daß nur er als Anführer der weitaus stärksten politischen Kraft im Reichstag die erforderliche Mehrheit für ein Ermächtigungsgesetz zustande bringen könne.[19] Bereits damals hatte Hitler herausgestrichen, daß auf diese Weise der Reichspräsident von einer politisch bedenklichen Ausweitung des Artikels 48 entlastet werde.[20] Hitler reklamierte also für eine von ihm geführte Regierung nur übergangsweise präsidiale Vollmachten – insbesondere die Auflösung des Reichstags – mit dem Ziel, sich mittels dieser präsidialen Anschubhilfe eine eigenständige Regierungsbasis in Form eines Ermächtigungsgesetzes zu verschaffen.[21] Es war daher für Hindenburg höchst verlockend, einem Reichskanzler Hitler einen dosierten Einsatz der Präsidialgewalt zuzugestehen, wenn damit autoritäres Regieren, das zugleich im Zeichen der Sammlung aller nationalen Kräfte stand, ohne den Verschleiß der Präsidialgewalt ermöglicht wurde. Da Hitler nie vorhatte, nach dem Muster seiner beiden Vorgänger nur mit präsidialen Vollmachten zu regieren,[22] kamen die Interessen von Reichspräsident und Reichskanzler hier zur Deckung: Hindenburg konnte seine Reichspräsidentschaft aus dem politischen Tagesgeschäft heraushalten; Hitler gewann im Gegenzug eine von der Präsidialgewalt unabhängige Machtbasis.

Die von Hindenburg am 1. Februar 1933 vollzogene Auflösung des Reichstags ist zugleich ein untrüglicher Indikator dafür, daß sich das latente Spannungsverhältnis zwischen legaler und charismatischer Herrschaft aufzulösen begann, mit dem Hindenburg sich während seiner bisherigen Reichspräsidentschaft herumgeplagt hatte. Er entschied sich mit der Einleitung von Neuwahlen bewußt und gezielt für eine freiwillige Rücknahme der Präsidialgewalt. Der Reichspräsident beendete damit das Experiment der Präsidialkabinette, das er knapp zwei Jahre zuvor eingeleitet hatte.[23] Er konnte dies tun, weil damit kein »Rückfall« in die bis März 1930 praktizierte Form parlamentarischen Regierens verbunden war. Denn das in Aussicht genommene Ermächtigungsgesetz stellte sicher, daß weiterhin autoritär regiert wurde und das Parlament keinen Einfluß auf die Regierungsbildung erhielt. Der eigentliche Reiz dieser Lösung bestand darin, daß Hindenburg eine Garantie für die konsequente Weiterverfolgung des von ihm im Frühjahr 1930 eingeschlagenen Kurses erhielt, ohne daß er die Befugnisse seines Amtes in verfassungsrechtlich bedenklicher Weise überschritt und ohne daß er das Ansehen seiner Person und damit sein symbolisches Kapital aufs Spiel setzte. Sein gelegentliches Liebäugeln mit den Staatsnotstandsplänen war immer aus der vermeintlichen Zwangslage heraus erfolgt, nur so das als anmaßend empfundene Begehren der Parteien, nach eigenem Gutdünken die Regierung zu bilden, zurückweisen zu können. Solange er Hitlers Ansprüche auf das Reichskanzleramt als Ausdruck parteipolitischen Kalküls auffaßte, hatte er aus diesem Grund auch dem NS-Parteiführer eine politische Abfuhr erteilt.

Nachdem nun die Zusammenfassung aller »nationalen Kräfte« in einer Regierung gelungen war, worauf Hindenburg seit Herbst 1931 hingearbeitet hatte, sah sich der Reichspräsident von der Notwendigkeit entbunden, wie bisher sein Amt zur Abschirmung autoritären Regierens einzusetzen. Hindenburg hatte der ausufernde Gebrauch der Präsidialgewalt ohnehin nicht behagt;[24] er fand seine politische Erfüllung nicht in der schleichenden Errichtung einer autoritären Präsidialherrschaft. Daher war das Konzept Schleichers, Hindenburg zur Ausreizung seiner präsidialen Befugnisse zu bringen und auf diese Weise eine Transformation der Weimarer Republik in eine auf das Militär gestützte Präsidialherrschaft zu erreichen,[25] auf Sand gebaut. Hindenburgs Verständnis von Herrschaft war nicht vereinbar mit einer bis an die Grenze des Möglichen gehenden Aktivierung der Amtsautorität. Das ungläubige Staunen der Anhänger dieser Lösung beim Zerplatzen ihrer Hoffnungen, für das eine im Tagebuch Carl Schmitts überlieferte Äußerung vom 27. Januar 1933 charakteristisch ist (»Der Hindenburg-Mythos ist zu Ende ... Der alte Herr ist verrückt geworden«),[26] offenbart, wie sehr Schleicher und Schmitt Hindenburgs Auffassung von Herrschaft mißverstanden hatten. Gerade weil die Pflege und das ungeschmälerte Fortleben seines Mythos im Zweifelsfall vor der Ausschöpfung seiner Befugnisse als Reichspräsident rangierten, enttäuschte Hindenburg die Erwartungen der Anwälte einer starken Präsidialgewalt.

Hätte Hindenburg andere Prioritäten gesetzt, wäre die von Schleicher vorgebrachte Lösung allerdings am besten geeignet gewesen, Deutschland und der Welt den Reichskanzler Hitler zu ersparen. Der Reichspräsident hätte dabei den Rahmen der Legalität unter Umständen verlassen müssen, er hätte aber die Legitimität – um der Bewahrung des Rechtsstaates willen eine Auslieferung der Regierungsgewalt an die Nationalsozialisten zu verhindern – auf seiner Seite gehabt.[27] Ohne Zweifel befand sich der Reichspräsident dabei in einer schwierigen Lage, da allein die Hitler-Lösung ihm einen formal legalen Ausweg aus der Staatskrise verhieß. Solange die Wähler die NSDAP zur weitaus stärksten politischen Kraft im Reichstag machten, stand Hindenburg vor der Wahl, entweder im formalen Einklang mit der Verfassung Hitler zum Reichskanzler zu ernennen oder den risikoreicheren Weg zu gehen und die Regierungsgewalt allein auf die Präsidialgewalt auszurichten. Hitler warb geschickt damit, daß nur die Überlassung des Kanzleramtes an ihn es dem Reichspräsidenten möglich machte, einer Konfrontation der Präsidialgewalt mit dem Parlament auszuweichen, ohne im Gegenzug den Parlamentarismus wieder einzuführen. Indem Hindenburg Hitler zum Reichskanzler ernannte, legte er ein weiteres und besonders nachdrückliches Zeugnis dafür ab, daß sein Denken nicht staatsfixiert war – denn dann hätte er die Autorität seines Amtes ausgereizt –, sondern um die Einheit der Nation als oberstem Gut kreiste, die nicht mit autoritären Mitteln allein gestiftet werden konnte.

In der Konsequenz dieser Einstellung, die sich am 30. Januar 1933 wie in einem Brennglas verdichtete, lag es denn auch, daß Hindenburg die Reichswehr entpolitisierte und ihr jede über die reine Landesverteidigung hinausreichende Aufgabe entzog. Der politische General Schleicher hatte so lange Konjunktur, wie die Präsidialgewalt die bewaffnete Macht zu politischen Zwecken in Reserve hielt. Mit dem Scheitern des Kanzlers Schleicher und seiner Ersetzung durch ein Kabinett der »nationalen Konzentration« mußte der Oberbefehlshaber der Reichswehr zwangsläufig die bewaffnete Macht als innenpolitischen Machtfaktor neutralisieren und auf ihre Kernaufgabe beschränken. Daher achtete Hindenburg bei der Nachfolge Schleichers darauf, daß der neue Wehrminister zwar Generalsuniform trug, aber als unpolitisch galt. Die Auswahl eines geeigneten Kandidaten war allein Sache Hindenburgs, der dazu weder seinen politischen Mittelsmann Papen noch den überdies gerade im Urlaub weilenden ranghöchsten Militär, den Chef der Heeresleitung Generaloberst von Hammerstein, heranzog. Und auch der neue Reichskanzler hatte gemäß den Abmachungen diese Personalentscheidung des Reichspräsidenten hinzunehmen, der seit der Ernennung Groeners im Januar 1928 die Besetzung dieses Ministeramtes als präsidiale Prärogative empfand.

Hindenburgs Wahl fiel auf den Kommandanten des Wehrkreises I in Ostpreußen, den General der Infanterie Werner von Blomberg, der im Ruf eines unpolitischen Fachmannes stand. Da Blomberg einige Monate lang als Berater der deutschen Delegation an der internationalen Abrüstungskonferenz in Genf teilgenommen hatte, wurde er in dieser Eigenschaft von Hindenburg vermutlich häufiger in Berlin zur Berichterstattung empfangen, so daß der Reichspräsident ihn bei dieser Gelegenheit näher kennenlernen konnte. Am 28. Januar teilte Hindenburg Papen seinen Personalwunsch mit, am Tag darauf wurde Blomberg telegraphisch nach Berlin beordert, wo er am Morgen des 30. Januar 1933 eintraf. In aller Hast wurde der General von Hindenburgs Erstem Adjutanten, also seinem Sohn Oskar, vom Anhalter Bahnhof in die Wilhelmstraße gebracht und dort vom Reichspräsidenten unverzüglich zum Wehrminister ernannt, noch bevor das übrige Kabinett zur Vereidigung eintraf.[28]

Weshalb erfolgte diese überstürzte Ernennung Blombergs, die verfassungsrechtlich durchaus anstößig war? Denn gemäß Artikel 53 der Verfassung wurde ein Reichsminister auf Vorschlag des Reichskanzlers vom Reichspräsidenten ernannt; die Ernennung Blombergs geschah aber ohne die Mitwirkung des Kanzlers.[29] Die erstaunliche Hast erklärt sich aus einer dramatischen Zuspitzung der Lage am Tag zuvor. Denn wie ein Lauffeuer hatte im politischen Berlin das Gerücht die Runde gemacht, Schleicher wolle das Wehrministerium nicht kampflos räumen, sondern seine noch existierende Kommandogewalt dazu nutzen, die in Potsdam stationierte Garnison ins Regierungsviertel zu entsenden, den Reichspräsidenten festzusetzen und eine Militärdiktatur einzuläuten. Diese Meldungen entbehrten jeder Grundlage, da Schleicher gar nicht imstande gewesen wäre, gegen den Oberbefehlshaber der Reichswehr und den Feldmarschall des Weltkrieges mit Gewalt vorzugehen.[30] Schleicher hat nach seinem Rücktritt am 28. Januar dem Reichspräsidenten vielmehr geraten, auf keinen Fall Papen erneut als Kanzler zu berufen – dann schon lieber Hitler –, damit der Reichswehr die im Planspiel Ott skizzierte bürgerkriegsähnliche Situation erspart bleibe.[31]

Für die Geschichtsmächtigkeit von Falschmeldungen ist jedoch entscheidend, ob sie geglaubt werden und das Handeln der politischen Akteure beeinflussen. So war es in diesem Fall. Hindenburg fühlte sich durch die umlaufenden Gerüchte in seinem Argwohn gegen Schleicher bestätigt, der so ausgeprägt war, daß er ihm sogar ein Komplott gegen den Reichspräsidenten zutraute. Er war der Auffassung, daß schnell gehandelt und diesem politisch unberechenbaren General, der es an Gehorsam fehlen ließ, die Verfügungsgewalt über die Reichswehr entzogen werden müsse durch die vorzeitige Ernennung eines Nachfolgers.[32] Die Gleichgültigkeit, mit der Hindenburg anderthalb Jahre später die Ermordung Schleichers hinnahm, wird nur durch diese Vorfälle verständlich. Schleicher verkörperte für Hindenburg einen ehrgeizigen Militär, der seinen Gehorsamspflichten nicht nachkam und sich ungefragt in politische Angelegenheiten einmischte.

Trotz alledem ist die Berufung Hitlers zum Reichskanzler nicht durch Gerüchte, falsche Nachrichten oder sinistre Intrigen herbeigeführt worden. Die Ernennung des »Führers« der weitaus stärksten politischen Partei zum Reichskanzler einer Regierung, in der sich erstmals alle aus Hindenburgs Sicht »nationalen Kräfte« zusammengefunden hatten, nahm der Reichspräsident vor, weil das der Gesamtanlage seiner Politik entsprach. Hindenburgs politisches Lebensziel – die Wiederbelebung des »Geistes von 1914« – ließ sich mit den Mitteln seines Präsidentenamtes allein nicht erreichen. Der Reichspräsident Hindenburg trat zwar seit 1930 immer stärker politisch in Erscheinung; er beschränkte sich nicht auf die Funktion des bloßen Mahners und unparteilichen Sachwalters, sondern geißelte die Zerrissenheit der Parteien – auch der »vaterländischen«, die er zur Unterordnung unter nationale Interessen aufrief. Die seit 1930 um sich greifende Entparlamentarisierung des politischen Systems hat er gezielt forciert und das Schwergewicht auf das Präsidentenamt verlagert, weil er im Reichstag das Spiegelbild der politischen Fragmentierung erblickte, weshalb er dieses Verfassungsorgan bei der Regierungsbildung möglichst ausgeschaltet wissen wollte. Damit hat sich Hindenburg als eminent politischer Reichspräsident profiliert, der aber 1932 die Erfahrung machen mußte, daß sich vom Präsidentenamt aus die nationale Integration nicht erzwingen ließ, solange die nationalsozialistische Bewegung nicht eingebunden wurde. Wenn Hindenburg unbeirrt an der Verwirklichung seines Projekts festhalten wollte, konnte er sich dem Drängen Hitlers nach der Kanzlerschaft nicht entziehen, falls dieser sich nicht mehr als Parteiführer aufführte, sondern als Chef einer Regierung der vereinigten »nationalen Front«, die im Kern die Politik Hindenburgs verfolgte.

Im Winter 1932/33 zeigte sich Hindenburg noch immer beseelt und durchdrungen von seiner Kernbotschaft. Am 21. Dezember 1932 empfing er den Journalisten Rolf Brandt, der ihm als Kriegsberichterstatter bereits aus dem Weltkrieg vertraut war, und kam im Gespräch auf seine politische Grundüberzeugung zu sprechen: »Sehen Sie, ich kann nichts anderes, als dies immer wieder sagen …: Seid einig, einig! Es ist, zum Teufel, doch besser, wenn sich Männer, die ernsthaft sind, die Hände reichen, als wenn sie sich die Fäuste unter die Nase halten … Man muß das Vaterland so hochstellen, hoch, hochstellen, daß man sich selbst darüber vergißt.«[33] Die von Papen zustande gebrachte Regierungskonstellation faßte er daher als politischen Durchbruch auf: Endlich hatten nach vielen Irrungen und Wirrungen die bislang verfeindeten Brüder des »nationalen Lagers« ihre Streitigkeiten begraben und sich der politischen Regie und der Autorität Hindenburgs untergeordnet.

Als sich am Mittag des 30. Januar 1933 die designierten Minister erstmals beim Reichspräsidenten versammelten, verlieh dieser in einer kurzen Ansprache »seiner Genugtuung über die endlich erzielte Einigung der Nationalen Rechten Ausdruck«, wobei er seine Rührung nicht verbarg.[34] Gleich die erste Proklamation der neuen Regierung sprach Hindenburg aus der Seele. Am 1. Februar 1933 verabschiedete das Kabinett den auf einem Entwurf des Reichskanzlers[35] fußenden »Aufruf an das deutsche Volk«,[36] dessen Botschaft nichts anderes war als eine Variation des von Hindenburg unablässig vorgetragenen Bekenntnisses zur nationalen Einheit: »So wird es die nationale Regierung als ihre oberste und erste Aufgabe ansehen, die geistige und willensmäßige Einheit unseres Volkes wiederherzustellen.« Ausdrücklich wurde in dem Aufruf darauf verwiesen, daß es Hindenburg gewesen sei, der die »Männer nationaler Parteien und Verbände« in die Pflicht genommen und deren »Hände zum gemeinsamen Bund« geschlossen habe: »Der Reichspräsident, Generalfeldmarschall v. Hindenburg, hat uns berufen mit dem Befehl, durch unsere Einmütigkeit der Nation die Möglichkeit des Wiederaufstiegs zu bringen.«

Der Aufruf vom 1. Februar 1933 stellte das Programm der »Regierung der nationalen Erhebung« dar, das eins zu eins Hindenburgs Lesart der deutschen Geschichte übernahm. Wie Hindenburg machte es die Novemberrevolution 1918 und die dahinter stehenden politischen Kräfte dafür verantwortlich, daß in Deutschland die Einheit der Nation aufgelöst worden war »in ein Gewirr politisch-egoistischer Meinungen, wirtschaftlicher Interessen und weltanschaulicher Gegensätze«. Damit war zugleich der Hauptverantwortliche für diesen Zustand benannt: »14 Jahre Marxismus haben Deutschland ruiniert.« Nach der Logik der »Regierung der nationalen Erhebung« war danach die Ausschaltung der »marxistischen« Parteien und Organisationen eine zentrale Voraussetzung für die Wiedergeburt der deutschen Nation – eine Ansicht, die Hindenburg teilte. Zumindest die sozialistischen und kommunistischen Organisationen hatten nun damit zu rechnen, daß die neue Regierung mit staatlichen Machtmitteln rigoros gegen sie vorgehen würde, um die Arbeiterschaft aus ihrem »Würgegriff« zu befreien und wieder der Nation zuzuführen.

Darüber hinaus verschrieb sich die Regierung dem Kampf gegen die Arbeitslosigkeit und griff damit ein weiteres zentrales Anliegen des Reichspräsidenten auf. Die »Rettung des deutschen Arbeiters durch einen gewaltigen und umfassenden Angriff gegen die Arbeitslosigkeit« sollte ebenfalls dazu beitragen, die vom Marxismus »verführte« Arbeiterschaft wieder in den Schoß der Nation zurückzuführen.

Was die Ausführungen zur Außenpolitik betraf, hätte der Aufruf ebenfalls von Hindenburg stammen können. Daß Deutschland die drückenden Lasten des verlorenen Krieges tragen mußte, ohne aufbegehren zu können, sei letztlich darauf zurückzuführen, daß das deutsche Volk im Innern viel zu zerrissen gewesen sei, um nach außen machtvoll auftrumpfen zu können. Dies entsprach voll und ganz der Ansicht Hindenburgs, und so schwang in dem Aufruf nicht einmal eine leise Kritik an der Außenpolitik des Weimarer Staates mit, die schließlich von Hindenburg mitgetragen worden war. Es ist bemerkenswert, daß der frischgebackene Reichskanzler Hitler sich jeder Kritik an der »Erfüllungspolitik« enthielt, die sonst im Zentrum der Attacken der NSDAP gestanden hatte, und auf eine Position einschwenkte, die Hindenburg den Kritikern des Young-Plans stets entgegengehalten hatte: Solange das deutsche Volk im Innern uneins sei, müsse es sich notgedrungen dem Willen der Siegermächte beugen.

Der ganz auf Hindenburgs Denken zugeschnittene Aufruf vom 1. Februar 1933 ließ bereits erkennen, wie groß die politische Schnittmenge zwischen dem Reichspräsidenten und seinem neuen Regierungschef war. Es war jedoch zu diesem Zeitpunkt noch keineswegs entschieden, ob Hindenburg und Hitler bei der Verwirklichung des Projekts »nationale Einigung« als harmonische Partner mit aufeinander abgestimmten Rollen auftreten würden. Noch hatte der Reichspräsident keinen persönlichen Draht zu Hitler gefunden, den er bis zum Antritt der Kanzlerschaft ganze fünfmal gesprochen hatte – und dabei nur einmal unter vier Augen. Ob Hindenburg den Eindruck gewann, daß die Realisierung seines Herzenswunsches bei einem Kanzler Hitler in den besten Händen lag, hing davon ab, wie sich dieser Kanzler unter den wachsamen Augen Hindenburgs entwickelte und wie er die gestellte Aufgabe meisterte.

Die Chancen dafür, daß Hitler das Herz des Reichspräsidenten gewann, waren zu Beginn seiner Kanzlerschaft ausgeglichen. An dem Absolutheitsanspruch des NS-Parteiführers hatte Hindenburg stets Anstoß genommen, wenngleich er von dessen aufrichtiger »nationaler Gesinnung« angetan war. Hitlers österreichische Herkunft machte Hindenburg überdies mißtrauisch: Nach den schlechten Erfahrungen mit den österreichischen »Waffenbrüdern« im Weltkriege hielt Hindenburg alle Österreicher im Grunde für notorisch unzuverlässig und großspurig. Zum Makel der Herkunft gesellte sich noch der für einen Generalfeldmarschall erhebliche Umstand, daß der Anwärter auf den Reichskanzlerposten es in vier Jahren

Kriegsdienst nur bis zum Gefreiten gebracht hatte.[37] Hindenburg taxierte ehemalige Soldaten nicht zuletzt nach ihrem Dienstgrad, weshalb ehemalige Offiziere wie der vormalige Leutnant Brüning und der ehemalige Major Papen bei ihm einen Bonus besaßen. Die Bedenken Hindenburgs gegen Hitler verdichteten sich in einem immer wieder zitierten Ausspruch, dessen Authentizität zwar nicht restlos verbürgt ist, der aber vermutlich in dieser oder einer ähnlichen Weise um den 26. Januar 1933 herum gefallen ist: Gegenüber dem Chef der Heeresleitung, Generaloberst Kurt von Hammerstein, soll Hindenburg die Versicherung abgegeben haben, »er dächte gar nicht daran, den österreichischen Gefreiten zum Wehrminister oder Reichskanzler zu machen«.[38] Allerdings relativierte schon der Adressat dieser Aussage: Hindenburg hatte empfindlich auf eine als ungebetene Einmischung gedeutete Warnung Hammersteins reagiert und diese mit dem zitierten Hinweis beiseitegeschoben.

Hat Hindenburg den präsumtiven Reichskanzler am 30. Januar 1933 immer noch von der Warte des Feldmarschalls aus fixiert und auf der militärischen Rangliste positioniert? Dagegen spricht der Umstand, daß der Reichspräsident am 30. Januar 1933 eine rein politische Entscheidung traf, die auf eine Entpolitisierung des Militärischen hinauslief. Mit der Absage an Schleicher und der Wahl Hitlers brachte Hindenburg zum Ausdruck, wie sehr er sich an politischen Leitvorstellungen orientierte. Insofern war die Ernennung Hitlers zum Reichskanzler für ihn ein genuin politischer Akt, bei dem er sich über Restbestände militärischen Denkens hinwegsetzte und kleinliche, sich aus militärischen Wertvorstellungen speisende Bedenken gegen Hitler überwand. Unter diesen Umständen standen die Chancen Hitlers gar nicht schlecht, durch Bewährung im Amt des Reichskanzlers auch in der persönlichen Gunst Hindenburgs aufzurücken. Auch Papen war bis zu seiner Ernennung zum Reichskanzler ein unbeschriebenes Blatt für den Reichspräsidenten gewesen und hatte es dennoch vermocht, innerhalb weniger Monate das Herz Hindenburgs zu erobern und sogar seinen einstigen Mentor Schleicher zu verdrängen. Warum sollte Hitler nicht Vergleichbares gelingen und der als Aufpasser vorgesehene Papen die bittere Erfahrung machen, wie flüchtig die Gunstbeweise Hindenburgs waren?

Bereits Anfang Februar 1933 zeichneten sich die Konturen einer Arbeitsteilung zwischen Hitler und Hindenburg ab, die auf eine Art Kondominium hinausliefen. Hitler trat als Inhaber der legalen Herrschaft auf, der vom Amt des Regierungschefs aus die politische Arbeit verrichtete, während Hindenburg sein Amt als Reichspräsident weitgehend ruhen ließ und sich auf die charismatischen Grundlagen seiner Herrschaft zurückzog – allerdings jederzeit bereit, in die Befugnisse

seines Amtes einzutreten, wenn der Reichskanzler gegen seine Direktiven verstoßen sollte. Wenn sich allerdings ein ungetrübtes Einvernehmen zwischen Hindenburg und seinem Reichskanzler einstellte, dann war Hitlers Position gleich in
zweifacher Weise legitimiert: Zum einen durch sein Amt und die hinter ihm stehende Partei, die aber immer nur einen Teil der Deutschen erreichen konnte; zum
anderen dadurch, daß der Hindenburg-Mythos als Rechtfertigungsinstanz für die
Politik des vom Reichspräsidenten berufenen Reichskanzlers jederzeit herangezogen und damit eine Legitimationsquelle angezapft werden konnte, die weit über
den Kreis der NSDAP-Wähler hinausreichte.[39]

Hitler zog damit den größeren Nutzen aus der Partnerschaft mit Hindenburg.
Denn wer sollte ihm ernsthaft die Anwartschaft auf die Nachfolge Hindenburgs als
Reichspräsident streitig machen, wenn schon im Frühjahr 1932 nur Hindenburg
imstande gewesen war, Hitler bei Wahlen zu besiegen? Und nun hatte Hindenburg
seinen vormaligen Konkurrenten zum Reichskanzler ernannt und ihm auf diese
Weise einen Teil seiner eigenen Autorität geliehen. Bereits vor der Berufung Hitlers wurden in konservativen Kreisen Befürchtungen laut, daß ein mit Hindenburgs Segen ins Kanzleramt gelangter Hitler sich ein Anrecht auf die Nachfolge im
Reichspräsidentenamt erwerbe.[40] Wenn Hitler sich geschickt anstellte und die
günstige Ausgangslage nutzte, dann konnte er die Zeit, in der er und der Reichspräsident noch als politisches Gespann mit verteilten Rollen auftraten, nutzen, um
sich als einziger politischer Erbe Hindenburgs zu empfehlen. Letztlich winkte ihm
sogar mehr als nur die Übernahme des wichtigsten Staatsamtes. Denn Hitler
konnte auch als Charismatiker in die Fußstapfen Hindenburgs treten, wenn er
während der Phase des gemeinsamen politischen Agierens immer stärker in die
Rolle des symbolischen Repräsentanten einer geeinten Nation hineinwuchs. Wenn
Charisma darauf beruht, daß sich eine kulturelle Leitvorstellung von enormer gemeinschaftsbildender Kraft einen passenden Repräsentanten sucht,[41] dann war
das auf der Idee der nationalen Einheit fußende Charisma von Hindenburg auf
Hitler transferierbar. Insofern besaß Hitler alle Aussichten, Hindenburg gleich in
doppelter Hinsicht zu beerben: als Reichspräsident und als Symbol einer geeinten
Nation.

Auch Hindenburg profitierte in einem solchen Fall von der Partnerschaft mit
Hitler. Denn sein doppelter Nachfolger würde nicht zum symbolischen Denkmal-
stürzer werden, sondern aus wohlkalkuliertem Eigeninteresse Hindenburgs geschichtliches Ansehen hoch in Ehren halten und ihn preisen als unentbehrlichen
Wegbereiter für die innere Einheit der Nation, die von ihm zum krönenden Abschluß gebracht werde. Hindenburg konnte davon ausgehen, daß sein geschichtli-

cher Name in einem von ihm gewünschten Sinne unter einem Nachfolger Hitler weiterleben würde – keine geringe Verlockung für einen geschichtspolitisch so sensiblen Akteur.

Eine nüchterne Bestandsaufnahme der Situation Anfang Februar 1933 macht deutlich, wie sehr sich die Interessen Hindenburgs und Hitlers annäherten. Bereits zu diesem Zeitpunkt schälten sich die Strukturen einer symbiotisch zu nennenden Beziehung zwischen beiden heraus, die dem konservativen Konzept der Zähmung Hitlers durch eine Reaktivierung des Einsatzes der Präsidialgewalt das Fundament entzogen. Denn wenn ein Reichskanzler Hitler im Sinne Hindenburgs wirkte, bestand für den Reichspräsidenten nicht der geringste Anlaß, diesem in den Arm zu fallen. Doch ob Hindenburg und Hitler wirklich einen Bund eingingen, der die legalen wie die symbolischen Ressourcen ihrer Herrschaft gleichermaßen einschloß, war zu diesem Zeitpunkt noch nicht entschieden – dafür war die politische Situation zu labil, die politische Konjunktur zu unwägbar.

Am Abend des 30. Januar 1933 vor der alten Reichskanzlei, dem Domizil
des Reichspräsidenten: am Fenster links Hindenburg, rechts seine Enkelkinder

KAPITEL 35

Nationale Aufbruchstimmung

In den ersten Tagen nach dem 30. Januar 1933 herrschte im Verhältnis zwischen Hindenburg und seinem neuen Reichskanzler noch eine gewisse Befangenheit und Unsicherheit. Beide Protagonisten mußten sich erst aneinander gewöhnen; und Hitler sollte unter den wachsamen Augen des Reichspräsidenten durch Taten und Worte unter Beweis stellen, daß er die in ihn gesetzten Erwartungen erfüllte. Der 30. Januar 1933 war ein Vertrauensvorschuß für Hitler gewesen; jetzt hatte er ihn zurückzuzahlen. Solange für Hindenburg nicht abzusehen war, ob dies gelang, bewahrte er sich gegenüber dem neuen Kanzler die Distanz und Überlegenheit des Ranghöheren.[1]

Hitler verhielt sich in dieser schwierigen Eingewöhnungsphase so, daß es keinerlei Anlaß zu Beanstandung oder Tadel gab. Konsequent hielt er sich an die im gemeinsamen Aufruf der Reichsregierung abgesteckten Leitlinien. Sein erster öffentlicher Auftritt nach dem 30. Januar 1933 knüpfte nahtlos daran an. Gleichzeitig eröffnete er mit dieser Rede am 10. Februar 1933[2] im Berliner Sportpalast den Wahlkampf für die NSDAP und verfolgte damit auch das Ziel, Wähler für seine Bewegung zu mobilisieren. Er tat das mit einer Parole, der Hindenburg von ganzem Herzen zustimmen konnte. Denn seine Ausführungen waren ausgerichtet auf das Motto »Wiedergewinnung einer neuen deutschen Einheit« und liefen letztlich auf einen leidenschaftlichen Appell hinaus, aus den »Klassen, Ständen und Berufen ... wieder ein einheitliches deutsches Volk zu machen«. Daß Hitler die »Novemberbrecher« und damit den »Marxismus« für diese »Zerreißung der Nation« verantwortlich machte und daraus seine Aufgabe ableitete, »den Marxismus und seine Begleiterscheinungen aus Deutschland auszurotten«, entsprach dem Tenor des Aufrufs vom 1. Februar und dürfte ebenfalls Hindenburgs Beifall gefunden haben.

Zudem hatte die erste öffentliche Reaktion auf die Ernennung Hitlers zum Reichskanzler Erinnerungen an die nationale Aufbruchstimmung des August 1914 aufkommen lassen. Am Abend des 30. Januar 1933 zogen von 20.45 Uhr an bis nach Mitternacht nicht nur SA- und »Stahlhelm«-Verbände in einem kilometerlangen

Fackelzug über die Wilhelmstraße und marschierten zuerst an Hindenburg und dann an dem etwa hundert Meter weiter auf dem Balkon der neuen Reichskanzlei stehenden Hitler vorbei. Dahinter schlossen sich unzählige Zivilisten an, die nicht abkommandiert waren, Hindenburg und Hitler Ovationen darzubringen, sondern dies spontan taten, um ihrer Begeisterung über die vollzogene Regierungsbildung Ausdruck zu verleihen. Man schätzt, daß nahezu eine Million Menschen bis nach Mitternacht durch die in ein Meer von schwarz-weiß-roten Fahnen getauchte Wilhelmstraße zogen oder sie als Zuschauer säumten und damit ein demonstratives Bekenntnis zu der von Hindenburg vollzogenen Entscheidung ablegten.[3] Noch kurz zuvor hätte es der Reichspräsident kaum für möglich gehalten, daß ausgerechnet im »roten Berlin« mit seiner revolutionären Vergangenheit, das er gerade deswegen in der Zeit vom Ende der Monarchie 1918 bis zur Übernahme der Reichspräsidentschaft 1925 nach Möglichkeit gemieden hatte, eine solche Demonstration nationaler Geschlossenheit stattfinden würde, die den »Geist von 1914« aufleben ließ.

Zum ersten Mal fanden sich am Abend des 30. Januar die bis dahin rivalisierenden Verbände des »nationalen Lagers« zusammen, um ein Ereignis gemeinsam zu feiern. Nie zuvor hatte bis dahin die SA Hindenburg ihre Reverenz erwiesen – jetzt intonierten ihre zahlreichen Kapellen zwar weiterhin das Horst-Wessel-Lied, aber vor dem Fenster der alten Reichskanzlei, von dem aus der Reichspräsident stundenlang den Vorbeimarsch abnahm, ehrten sie Hindenburg mit dem Parademarsch »Alter Dessauer«, dem traditionellen Gruß preußischer Soldaten an ihre Feldmarschälle. Das Repertoire der Märsche und Lieder an diesem Abend stand ganz im Zeichen vaterländischen Musik- und Liedgutes: »Preußens Gloria« und »Fridericus Rex« gaben die Kapellen zum besten; das Deutschlandlied und die »Wacht am Rhein« erscholl aus den Kehlen der begeisterten Patrioten, die den Uniformierten folgten oder einfach nur Spalier standen.[4] Die im Zeichen der nationalen Integration stehende Aufbruchstimmung nach dem 30. Januar 1933 imponierte Hindenburg und bestätigte ihn darin, daß er an diesem Tag die richtige Entscheidung getroffen hatte: »Patriotischer Aufschwung sehr erfreulich; Gott erhalte uns die Einigkeit!«[5]

Der Reichspräsident hatte daher auch keine Bedenken, seinem neuen Reichskanzler größere Freiheiten einzuräumen als den Vorgängern, nämlich einen Auftritt vor den Spitzen der Reichswehr. Bei Schleicher war dies nicht nötig gewesen, da dieser als Reichswehrminister ohnehin mit der Führung der Reichswehr regelmäßig konferiert hatte; Papen und Brüning war jedoch nicht die Ehre zuteil geworden, ihre außenpolitischen Vorstellungen einem solchen Forum zu unterbreiten. Genau dies tat Hitler unter ausdrücklicher Berufung auf die Autorisierung durch den Reichspräsidenten, als er anläßlich einer Abendeinladung im Hause des Chefs der Heeresleitung am 3. Februar 1933 eine Ansprache an das bei dieser Gelegenheit versammelte Führungskorps der Reichswehr richtete und dabei an seinen expansiven außenpolitischen Zielen keinen Zweifel ließ.[6] Hindenburg führte Hitler damit bei der Reichswehrführung ein und ließ durch die Ermächtigung seines Reichskanzlers zu diesem Auftritt keinen Zweifel daran, daß die Reichswehr sich den Direktiven der Politik zu beugen habe, was ihr in diesem Fall ohnehin nicht schwerfiel, da sich Hitlers außenpolitische Bekundungen mit denen der militärischen Spitze weitgehend deckten.

Den nächsten Vertrauensbeweis erteilte Hindenburg dem neuen Reichskanzler in der Preußenfrage. Bekanntlich war es nicht zu der von der NSDAP gewünschten Paketlösung gekommen, mit dem Reichskanzlerposten auch das Reichskommissariat für Preußen zu erlangen, das an Papen gegangen war. Der Zugriff auf Preußen mit Hilfe der Präsidialgewalt ließ sich jedoch nur so lange garantieren, wie der preußische Landtag keinen Ministerpräsidenten wählte. Es war daher nur folgerichtig, daß die Nationalsozialisten auf die Auflösung des preußischen Landtags hinwirkten, um dann unter den für die vermutlich günstigeren Mehrheitsverhältnissen einen der Ihren formal verfassungsgemäß zum preußischen Ministerpräsidenten zu wählen und damit zugleich die von der präsidialen Notverordnungsvollmacht abhängende preußische Kommissariatsregierung überflüssig zu machen.[7]

Dazu aber bedurfte es ein letztes Mal des reichspräsidialen Eingriffs mittels Artikel 48. Denn die Entscheidung über die Auflösung des preußischen Landtags lag bei dem »Dreimännerkollegium«, in dem so lange eine auflösungsfeindliche Mehrheit vorhanden war, wie Otto Braun gemäß dem Beschluß des Staatsgerichtshofes die preußische Regierung in diesem Gremium vertrat. Braun konnte zusammen mit dem Präsidenten des preußischen Staatsrats, dem Kölner Oberbürgermeister Adenauer (Zentrum), das vom preußischen Landtagspräsidenten Kerrl (NSDAP) favorisierte Auflösungsbegehren abschmettern, was am 4. Februar 1933 auch geschah. Doch zwei Tage später, am 6. Februar, erließ Hindenburg eine Notverordnung, welche die Übertragung der dem preußischen Staatsministerium noch verbliebenen Befugnisse auf Reichskommissar Papen verfügte. Damit erhielt Papen anstelle von Otto Braun Zutritt zum Dreimännerkollegium, das am selben 6. Februar mit den Stimmen Papens und Kerrls (Adenauer verweigerte weiterhin seine Zustimmung) den preußischen Landtag auflöste und damit den Weg für Neuwahlen freimachte, die – wie die Reichstagswahl – ebenfalls am 5. März 1933 stattfinden sollten.[8]

Durch das »Reichsstatthaltergesetz« vom 7. April 1933 wurde allerdings die Wahl eines Nationalsozialisten durch den preußischen Landtag überflüssig, obgleich der Wahlausgang in Preußen NSDAP und DNVP gemeinsam dazu in die Lage versetzt hätte. In seiner neuen Eigenschaft als Reichsstatthalter für Preußen ernannte Hitler Hermann Göring zum preußischen Ministerpräsidenten, der aber sonst durch Wahl in dieses Amt gelangt wäre.[9] In jedem Fall verlor die preußische Kommissariatsregierung ihre Existenzberechtigung, und damit zog sich die Präsidialgewalt freiwillig aus einer ihrer wichtigsten Machtbastionen zurück. Zwar hatte Papen einen schüchternen Versuch unternommen, den Reichspräsidenten in der preußischen Angelegenheit in eine Schlüsselrolle zu hieven, indem er den während seiner Reichskanzlerschaft aufgekommenen Vorschlag aufwärmte, den Reichspräsidenten zum preußischen Staatspräsidenten zu erklären. Doch mit diesem Vorstoß stand er so isoliert da, daß er ihn nicht weiter verfolgte, zumal Meißner ihm in den Rücken fiel und am 3. Februar 1933 im Kabinett erklärte, daß Hindenburg gar kein Interesse an der Übernahme einer solchen Position zeige.[10] Langsam dämmerte Papen, daß Hindenburg die Befugnisse seines Amtes ruhen ließ, womit die in die Präsidialgewalt gesetzten Hoffnungen wie ein Kartenhaus einstürzten.

Wenn Hindenburg in der Folgezeit noch Notverordnungen unterzeichnete, dann nur, um der Regierung neue Machtmittel an die Hand zu geben, die es ihr gestatteten, eine von der Präsidialgewalt unabhängige Basis aufzubauen. Am 4. Februar 1933 erließ er die »Verordnung des Reichspräsidenten zum Schutze des deutschen Volkes«, die massive Eingriffe in Presse- und Versammlungsfreiheit ermöglichte und damit die Betätigungsfreiheit der Oppositionsparteien einschränkte. Nicht nur der Wahlkampf der Linksparteien KPD und SPD, auch die politische Betätigung von Zentrum und BVP konnte seitdem unter Berufung auf Hindenburgs Verordnung behindert werden. Auf diese Weise erhöhten sich die Chancen, daß die anstehende Reichstagswahl die erhoffte Bestätigung der neuen Regierung bringen und den Weg zu einem Ermächtigungsgesetz ebnen würde. Wohl schon deswegen hat Hindenburg dieser Notverordnung keine Steine in den Weg gelegt und mit seiner Unterschrift das Seinige zu dieser Entwicklung beigetragen.[11]

Hindenburg machte kein Hehl daraus, daß er das am 30. Januar 1933 begonnene Werk konsequent zu Ende führen und dem neuen Reichskanzler alle erforderlichen Instrumente zur Verfügung stellen wollte. Alle Versuche, seine ursprünglichen Bedenken gegen eine Reichskanzlerschaft Hitlers wiederzubeleben, prallten an einer Mauer ab. Wohl nur ein einziges Mal hat Hindenburg einen Politiker aus den Reihen der in Opposition zur neuen Regierung stehenden Parteien empfangen und sich von diesem an alte Positionen erinnern lassen. Den Vorsitzenden der BVP,

Fritz Schäffer, empfing er am 17. Februar 1933 vermutlich aber nur, weil die BVP bereit gewesen war, einer von Hitler geführten Reichsregierung beizutreten, sich aber
von Papen übergangen fühlte und daher Oppositionspartei wider Willen war. Hindenburg hatte zudem während seiner vielen Aufenthalte in Dietramszell Bayern
und auch die von der BVP geführte bayerische Staatsregierung schätzen gelernt
und war wohl auch aus diesem Grund bereit, eine Ausnahme zu machen und
Schäffer zu empfangen.[12]

Schäffer nutzte die Gelegenheit, Argumente vorzutragen, die lange Zeit bei
Hindenburg und auch bei Papen, der dem Gespräch beiwohnte, auf fruchtbaren
Boden gefallen waren. Er warnte davor, der NSDAP die Kontrolle über die Regierungsmacht auszuliefern, da diese Partei aus ihrer Natur heraus »nach der alleinigen Macht« strebe. In diesem Zusammenhang erhob er schwere Bedenken gegen
einen Eingriff in die Staatshoheit der Länder, wie er durch die Notverordnung vom
6. Februar 1933 in bezug auf Preußen erfolgt sei, und befürchtete, daß dieses Beispiel Schule machen und zur »parteipolitischen Vergewaltigung« auch Bayerns
führen könne. Schließlich machte er sich zum Sprachrohr der knapp zwanzig Millionen Deutschen, die am 10. April 1932 Hindenburg gegen Hitler erneut ins Amt
des Reichspräsidenten gewählt hatten. Schäffer trat nicht nur als Anwalt des politischen Katholizismus auf, sondern setzte sich auch entschieden für die Sozialdemokraten ein, die ebenfalls Hindenburg gewählt hatten. Sein Auftritt lief im Kern auf
einen Appell an den Reichspräsidenten hinaus, den Begriff der »Nation« nicht einseitig zu verengen auf die der Regierung angehörenden Kräfte und den Außenste-
henden die nationale Gesinnung abzusprechen: »Wir würden uns auch dagegen
verwehren, daß man Millionen Deutscher als nicht national bezeichne. Die Sozialisten seien auch im Schützengraben gestanden und würden wieder im Schützengraben stehen. Sie hätten auch unter der Parole Hindenburg gewählt.«[13]

Mit seinen gutgemeinten Anregungen stieß Schäffer bei Hindenburg jedoch
auf taube Ohren. Der Reichspräsident wies nicht nur alle Vorwürfe gegen die diktatorischen Neigungen Hitlers – im Kern dieselben Bedenken, die er einst selbst gehegt hatte – als »Unterstellung« zurück, sondern solidarisierte sich eindeutig mit
seinem Reichskanzler: Er »habe Herrn Hitler – nach anfänglichem Zögern – als
einen Mann von ehrlichstem nationalen Wollen kennengelernt und sei nun froh,
daß der Führer dieser großen Bewegung mit ihm und anderen Gruppen der Rechten zusammenarbeite«.[14] Hindenburgs Denken stand so sehr unter dem Eindruck
der am 30. Januar 1933 zustande gebrachten nationalen Einigung, daß er alle Einwände gegen die Regierungspolitik als kleinliche Bedenken derer abtat, die nicht
erfaßt hatten, welch großes Werk derzeit auf dem besten Wege zur Vollendung sei.

Folgerichtig endete seine Unterredung mit Schäffer mit einer Mahnung zur »Notwendigkeit der deutschen Einigkeit«.[15]

Die politische Entwicklung in Berlin löste aber in Bayern eine derartige Beunruhigung aus, daß einflußreiche Kreise dort erwogen, die monarchische Karte auszuspielen und den in Wartestellung verharrenden Kronprinzen Rupprecht zum bayerischen König auszurufen. Ein solcher Schritt, der bis hin zu Teilen der bayerischen Sozialdemokatie auf Unterstützung stieß, war gedacht als Schutzmaßnahme gegen den zu erwartenden diktatorischen Griff Hitlers nach Bayern. Zugleich sollte dieser Schritt das Signal sein, die gesamte monarchische Frage aufzurollen; nicht zuletzt deswegen versprachen sich die dahinter stehenden Kreise eine wohlwollende Unterstützung ihrer Aktion durch Hindenburg. Doch sie mußten wie Brüning und viele andere die Erfahrung machen, daß Hindenburg an der Restauration der Monarchie im Grunde kein Interesse hatte und der Verwirklichung solcher Pläne den Boden entzog, indem er seine Unterstützung verweigerte.

Dabei hatten die Anhänger der Wittelsbacher, die sich in Bayern einer breiten gesellschaftlichen Verankerung erfreuten, einen Weg vor Augen, der in verfassungsrechtlicher Hinsicht durchaus gangbar erschien, weil er auf den Institutionen des bayerischen Staates aufbaute. Der Königsweg war die Ernennung des Kronprinzen zum Generalstaatskommissar, womit ihm ein Amt übertragen wurde, das über besondere exekutive Vollmachten verfügte. Im Herbst 1923 hatte es bereits einen Präzedenzfall gegeben, als Gustav von Kahr diese Befugnisse erhalten hatte. Nun sollte eine Wiederholung dieses Vorgangs den Kronprinzen mit einer staatlichen Autorität ausstatten, von der aus es bis zur Wiedererrichtung der Königsmacht nur noch ein kleiner Schritt zu sein schien.[16] Derartige Pläne erfreuten sich bis weit in die regierende Bayerische Volkspartei hinein großer Sympathie, insbesondere beim BVP-Vorsitzenden Fritz Schäffer, der noch unter dem traumatischen Eindruck des Gesprächs mit Hindenburg stand und energisch Vorkehrungen gegen die zu erwartende Gleichschaltung Bayerns verlangte. Doch der bayerische Ministerpräsident Held scheute vor der Einsetzung des Kronprinzen zum Generalstaatskommissar zurück, und damit war solchen Plänen die entscheidende Voraussetzung zur Verwirklichung entzogen.[17]

In dieser verfahrenen Situation entschied sich Kronprinz Rupprecht zur Flucht nach vorn und entsandte zwei seiner Getreuen mit einem persönlichen Schreiben an Hindenburg nach Berlin. Einer der beiden, Eugen Fürst zu Öttingen-Wallerstein, wurde in der Tat am 24. Februar 1933 von Hindenburg empfangen und konnte das Schreiben überreichen.[18] Der Kronprinz setzte darin seine Hoffnung auf Hindenburg, der die zögernde bayerische Staatsregierung mitreißen sollte. Er informierte ihn darüber, daß er selbst sowohl die Regierungsgeschäfte in Bayern übernehmen als auch in seine königlichen Rechte eintreten wolle, aber nicht vorhabe, sich in Gegensatz zum Reichsoberhaupt zu begeben und sich daher Hindenburg unterstelle. Diesem paßte eine solche Aktion allerdings überhaupt nicht ins Konzept. Er war ein strikter Unitarier, der in einem bayerischen Sonderweg nur eine Gefahr für die Reichseinheit erblicken konnte, was er auch am 8. März gegenüber dem bayerischen Gesandten beim Reich, Sperr, unmißverständlich kundtat.[19] Darüber hinaus stand für ihn die monarchische Frage nicht auf der politischen Tagesordnung und war nur dazu angetan, das gerade erst begonnene Werk der nationalen Einheitsstiftung empfindlich zu stören. Öttingen holte sich daher eine Abfuhr. Damit war dieser nicht ganz aussichtslose Versuch eines bayerischen Alleingangs zur Monarchie gescheitert.

Hindenburgs Erwartung war Ende Februar 1933 ganz auf die am 5. März stattfindende Reichstagswahl ausgerichtet; diese sollte eine plebiszitäre Bestätigung des von ihm eingeschlagenen Kurses erbringen. Da kam es am Abend des 27. Februar 1933 zu einem Ereignis, über dessen Urheberschaft bis heute keine endgültige Klarheit herrscht: Der Reichstag ging durch Brandstiftung in Flammen auf. Unbestritten ist allerdings, daß die Reichsregierung sich sehr schnell auf die Situation einstellte, die KPD für diese Aktion verantwortlich machte und bereits am nächsten Tag mit einem Notverordnungsentwurf an den Reichspräsidenten herantrat, der gravierende Einschnitte in die Verfaßtheit des Reiches als Rechtsstaat wie als föderativer Staat enthielt.[20] Denn Paragraph 1 dieses Entwurfs erlaubte die Suspendierung sämtlicher bürgerlicher Grundrechte und öffnete damit Tür und Tor für eine rücksichtslose Verfolgung politisch Andersdenkender. Paragraph 2 autorisierte die Reichsregierung zur Übernahme der Regierungsgewalt in den Ländern, sofern dort die zur Wiederherstellung der öffentlichen Sicherheit und Ordnung nötigen Maßnahmen nicht getroffen wurden. Dadurch wurde der Reichsregierung eine Rechtsgrundlage an die Hand gegeben, mit der sie sämtliche Länder, die sich ihrem Kurs verweigerten, gleichschalten konnte – und zwar ohne daß der Reichspräsident wie noch beim »Preußenschlag« einen Reichskommissar bestellte.

Genau aus diesem Grund hatte Papen – allerdings vergeblich – darauf gedrungen, dem Präsidenten die Entscheidungsgewalt über eine vermeintliche Pflichtverletzung der Länder einzuräumen und ihn für diesen Fall zur Einsetzung von Reichskommissaren zu ermächtigen.[21] Papen führte als selbsternannter Anwalt der Präsidialgewalt allerdings einen aussichtslosen Kampf im Kabinett, weil die von ihm angerufene Präsidialgewalt in Gestalt von Staatssekretär Meißner stumm blieb und auch aus Hindenburgs Mund kein Wort des Bedenkens zu vernehmen war, daß er mit der Unterzeichnung der »Reichstagsbrandnotverordnung« einen entscheidenden Beitrag dazu leistete, die Exekutivgewalt vom Reichspräsidenten hin zur Reichsregierung zu verschieben.

Hindenburg selbst hatte den Reichstag brennen sehen, weil er am Abend des 27. Februar im Herrenklub in der Voßstraße zusammen mit Papen am Jahrestreffen der Gardekavallerie-Offiziere teilnahm und von dort verfolgen konnte, wie die Flammen die Kuppel des Wallotbaus umloderten. Papen war sofort in den Reichstag geeilt, hatte sich dort über die Umstände informiert und danach dem Reichspräsidenten Bericht erstattet.[22] Hindenburg leuchtete es ein, daß die Brandstiftung nicht das Werk eines Einzeltäters sein könne, sondern die KPD dahinter stecke und das Fanal für einen Aufstand zünden wollte. Er hegte daher keine Bedenken gegen die Unterzeichnung der ihm am nächsten Tag vorgelegten Notverordnung, insofern diese als »Sonderverordnung zur Bekämpfung kommunistischer Gewaltakte«[23] gedacht sei. Vor allen Dingen lag ihm am Herzen, die Reichswehr herauszuhalten, wenn der innenpolitische Hauptfeind ausgeschaltet wurde. Mit der Trennung von Schleicher hatte Hindenburg die Grundsatzentscheidung getroffen, die bewaffnete Macht nicht als innenpolitischen Ordnungsfaktor zur Niederhaltung von Unruhen einzusetzen. Es entsprach dieser Generallinie, daß die »Reichstagsbrandnotverordnung« auf die Verhängung des militärischen Ausnahmezustands verzichtete und die zivile Reichsregierung mit diktatorischer Machtfülle ausstattete. Am 20. Juli 1932 hatte der Reichspräsident noch zur Absicherung des »Preußenschlages« den militärischen Ausnahmezustand über Groß-Berlin und die Provinz Brandenburg verhängt und dazu die vollziehende Gewalt auf den Reichswehrminister übertragen. Sieben Monate später nahm sich die Präsidialgewalt völlig zurück und trat der Reichsregierung die Exekutivgewalt ab.

Mit der bewußten Rücknahme als Reichspräsident rückt die Pflege des Hindenburg-Mythos stärker ins Gesichtsfeld Hindenburgs. Je weiter der Reichspräsident Hindenburg in den Hintergrund trat, desto entschiedener trat der Geschichtspolitiker auf den Plan. Je mehr Hindenburg die Befugnisse seines Präsidentenamtes ruhen ließ, desto stärker zog er sich auf jene Kernkompetenz zurück, die ihm selbst am meisten am Herz lag: die Feldherrneigenschaft. Die Attacken Ludendorffs, aber auch der Nationalsozialisten auf seine Feldherrnqualitäten hatten sichtbare Spuren hinterlasssen. Hindenburg wähnte seine geschichtlichen Anrechte auf einen herausragenden Platz in der preußisch-deutschen Militärgeschichte in Gefahr und damit jene Verdienste, die ihm nach Abzug der Reichspräsidentschaft in jedem Fall von der Geschichte gutgeschrieben werden sollten.

Wie sehr der Respekt vor den Hindenburg zugeschriebenen militärischen Leistungen im Schwinden begriffen war, war ausgerechnet anläßlich der Eröffnung des Reichstags am 6. Dezember 1932 deutlich geworden. Die NSDAP hatte den ehemaligen General Karl Litzmann auf einen aussichtsreichen Listenplatz gesetzt, so daß dieser als Alterspräsident die Reichstagssession eröffnen und die damit verbundene Eröffnungsrede propagandistisch nutzen konnte. Litzmann tat dies mit einer Attacke auf die militärischen Verdienste Hindenburgs, die alles bisher Dagewesene überstieg.[24] Er behauptete, daß Hindenburg seine Ernennung zum Generalfeldmarschall am 27. November 1914 einer von Litzmann befehligten Aktion der 3. Gardeinfanteriedivision zu verdanken habe. Dieser sei es nämlich gelungen, für die fast schon von russischen Truppen bei Lodz eingekesselte deutsche 9. Armee am 23. November 1914 bei Brzeziny eine Bresche zu schlagen, ihr damit den geordneten Rückzug zu ermöglichen und eine militärische Katastrophe zu vermeiden.

Natürlich schien in der Rede Litzmanns der pure Neid eines Generals auf den hochdekorierten Feldmarschall auf, der es dem Ranghöheren heimzahlen wollte. Aber Litzmann hatte auch einen wunden Punkt angesprochen, weil die unter dem Oberbefehl Hindenburgs stehende 9. Armee im Herbst 1914 tatsächlich in dem verbissenen Bestreben, den Russen bei Lodz ein zweites Tannenberg zu bereiten, um ein Haar selbst eingekesselt und vernichtet worden wäre.[25] Hindenburg mußte es als Warnzeichen empfinden, daß die Nationalsozialisten mit ihrer Kritik nicht mehr nur auf den Reichspräsidenten Hindenburg zielten und ihm vorhielten, mit der Absage an eine Reichskanzlerschaft Hitlers Deutschland ins Verderben zu treiben. Sie zielten auch auf den Feldmarschall, und die Angriffe waren angetan, Hindenburgs geschichtlichen Namen zu beschädigen, etwa wenn es hieß: »Es handelt sich darum, daß er dem historischen Fluch entgeht, unser zur Verzweiflung getriebenes Volk dem Bolschewismus in die Arme geführt zu haben, obwohl der Retter bereitstand.«[26] Wie sehr Litzmann Hindenburg getroffen hatte, wird auch daran ersichtlich, daß Reichskanzler Schleicher es wohl in Absprache mit Hindenburg für nötig hielt, bei der Verlesung seines Regierungsprogramms am 15. Dezember 1932 über den Rundfunk die Bemerkungen Litzmanns zurückzuweisen.[27] Ob allerdings ausgerechnet das Wort eines »Bürogenerals« wie Schleicher, der sich im Ersten Weltkrieg als Major keine besonderen militärischen Verdienste erworben hatte, geeignet war, die Feldherrnehre Hindenburgs zu verteidigen, war äußerst fraglich.[28] Mit der Diskussion über die militärische Leistung Hindenburgs im Weltkriege erhielt zugleich die unangenehme Frage nach dem Verhalten Hindenburgs am 9. November 1918 neue Nahrung.[29]

Hindenburg war nicht zu Unrecht besorgt, »daß manche ihn nicht mehr als großen Soldaten gelten lassen wollen«.[30] Daher bemühte er sich verstärkt um die Sicherung seiner historischen Ansprüche auf die Feldherrnschaft. Die dafür notwendige Zeit und Energie konnte er erübrigen, weil er der Regierung immer mehr politische Verantwortung übertrug. Der Reichstagsbrand am Abend des 27. Februar geriet für ihn in den Rang einer Nebensache, weil am Mittag des 28. Februar die große Feier zu Ehren des hundertsten Geburtstages des von ihm so verehrten Feldmarschalls Graf Schlieffen stattfand, als dessen militärischer Erbe er sich bekanntlich sah. Die Festrede hielt Generalmajor Friedrich von Boetticher, der vier Tage zuvor von Hindenburg über dessen geschichtspolitische Sorgen informiert worden war.[31] Boetticher versäumte es daher nicht, die militärischen Qualitäten Hindenburgs in seiner Rede gebührend herauszustreichen. Der Feldmarschall habe schon als Kommandierender General zu Magdeburger Zeiten Kaisermanöver im Geiste Schlieffens durchgeführt und mit diesem Erfolgsrezept elf Jahre später die Schlacht bei Tannenberg ganz im Sinne des großen Vorbilds vollendet.[32] Am Abend des 28. Februar präsidierte Hindenburg als Ehrenvorsitzender dem Fest der Schlieffenvereinigung und lud am nächsten Tag sämtliche Kommandeure der Reichswehr zu einem Mittagessen zu Ehren Schlieffens ein, wobei man sich über das Heldentum ausließ.[33] Es zeichnete sich also ein allmählicher Rückzug Hindenburgs auf seine Rolle als Feldherr ab, was politisch höchst bedeutsam war: Hindenburg hinterließ nämlich nicht nur ein verwaistes Präsidentenamt, sondern ermöglichte es Hitler, zunehmend in die Funktion des Symbols nationaler Einheit aufzurücken, die Hindenburg immer weniger ausfüllte.

Bevor Hindenburg sich der Bürde seines Amtes entledigen konnte, mußte allerdings noch die Hürde der Reichstagswahl genommen werden. Der Reichspräsident erhoffte sich von dieser Wahl eine klare Mehrheit für die Parteien, welche die Regierung trugen. Denn dann konnte der Weg für ein Ermächtigungsgesetz und damit die legale Abschaffung des Parlamentarismus geebnet werden. Der Wahl sah er mit einem gewissen Bangen entgegen, weil nicht nur die Politik der Regierung Hitler, sondern auch seine Grundsatzentscheidung vom 30. Januar dem Wähler unterbreitet wurde. Besorgt fragte er seinen Kanzler: »Was machen wir nur, wenn Sie die Mehrheit nicht bekommen, dann haben wir wieder die alte Geschichte!«[34] Zur Beunruhigung bestand allerdings wenig Grund, da eine bessere Ausgangssituation für die Regierungsparteien kaum vorstellbar war. Erstmals lieh Hindenburg seinen Nimbus der Partei seines Reichskanzlers und ermöglichte es damit der NSDAP, diese Wahlhilfe nach allen Regeln propagandistischer Kunst auszuschlachten. Hindenburg tauchte zusammen mit Hitler auf Wahlplakaten der NSDAP auf; diese verkündeten die Kernbotschaft Hindenburgs, deren Erfüllung sich die von Hitler geführte Regierung verschrieben hatte: »Nimmer wird das Reich zerstöret – wenn ihr einig seid und treu.«[35]

Nun zahlte sich auf ganzer Linie aus, daß die Nationalsozialisten trotz gelegentlicher Attacken davor zurückgeschreckt waren, den Hindenburg-Mythos zu demontieren. Hitler selbst hatte nach dem Rückschlag vom 13. August 1932 erkannt, wie unbezahlbar das symbolische Kapital Hindenburgs war, wenn er es politisch zugunsten seiner Bewegung einsetzte.[36] Auch unparteiische Beobachter registrierten aufmerksam, daß der gute Name Hindenburgs immer noch in klingende politische Münze umzusetzen war: »Deshalb möchte man ihn auch möglichst lange haben, weil jeder das Ansehen Hindenburgs für seine eigene Machtstellung braucht.«[37] Bei der Reichstagswahl vom 5. März 1933 profitierte hauptsächlich die NSDAP davon. Da half es auch nichts, daß sich der Regierungspartner DNVP ein neues Erscheinungsbild verpaßte und ein Wahlbündnis mit dem »Stahlhelm« schloß, das sich unter dem Namen »Kampffront Schwarz-Weiß-Rot« als Hindenburgpartei zu präsentieren suchte. Als Spitzenkandidat dieser neuen Gruppierung trat immerhin Franz von Papen auf, der auf Wahlplakaten, die ihn und Hindenburg zeigten, als vermeintlicher Intimus des Reichspräsidenten auf Stimmenfang ging: »Wem Hindenburg vertraut, dem darf Deutschland vertrauen. Wählt seinen Vertrauensmann Vizekanzler Papen.«[38] Doch die neu entfachte nationale Begeisterung in weiten Kreisen der deutschen Wählerschaft kam nicht dem Vizekanzler zugute, sondern der Partei des vom Vertrauen des Reichspräsidenten getragenen Reichskanzlers Hitler. Während der Stimmenanteil des Regierungspartners leicht zurückging, nämlich von knapp neun auf acht Prozent, legte die NSDAP um mehr als zehn Prozent zu und erreichte mit 43,9 Prozent der abgegebenen Stimmen nahezu 45 Prozent der Mandate. Die sprunghaft gestiegene Wahlbeteiligung, die mit 88,8 Prozent den höchsten Wert erreichte, der je bei Reichstagswahlen gemessen wurde, gab am Ende den Ausschlag dafür, daß die Hitlerpartei gegenüber der Reichstagswahl zuvor fast 5,5 Millionen Stimmen hinzugewinnen konnte.[39]

Zweifellos profitierte die NSDAP von der Behinderung der Aktionsfreiheit der politischen Gegner. Durch die »Reichstagsbrandnotverordnung« waren die Kommunisten in Deutschland vogelfrei geworden und schutzlos den Zugriffen der Geheimen Staatspolizei und dem Straßenterror der SA ausgeliefert. Auch die SPD war Zielscheibe staatlicher Unterdrückung und der Attacken einer losgelassenen SA, die sich nach Herzenslust austoben konnte.[40] In geringerem Maße litt auch der politische Katholizismus unter derartigen Schikanen. Dennoch würde man es sich zu leicht machen, wenn man das Wahlergebnis vom 5. März 1933 hauptsächlich auf die Einschüchterung des politischen Gegners zurückführte. Denn die NSDAP war

Nutznießer einer gewaltigen Mobilisierungswelle, welche die durch den 30. Januar 1933 ausgelöste nationale Euphorie in weiten Teilen der deutschen Gesellschaft, insbesondere des protestantischen Bürgertums und der evangelischen Landbevölkerung, widerspiegelte. Der Wahlvorgang in der Wahlkabine war immer noch frei; man konnte unter einer Vielzahl von Parteien wählen, und auch die Auszählung der Stimmen war nicht zu beanstanden. Wenn der großen Mehrheit der Deutschen der Rechtsstaat, die parlamentarische Demokratie und die Erhaltung der Bürgerrechte wirklich am Herzen gelegen hätte, wäre in der Wahlkabine Gelegenheit gewesen, dies zu bekunden. Doch mehr als zwei Drittel der Wähler votierten für Parteien, die diese Güter ablehnten oder ihnen gleichgültig gegenüberstanden. Eine deutliche absolute Mehrheit der Wähler erteilte der von Hindenburg eingesetzten Regierung das gewünschte Mandat.[41]

Gewiß kam der stärksten Regierungspartei der Reichstagsbrand gelegen, weil er durch die Beschwörung einer kommunistischen Umsturzgefahr eine zündende Wahlparole lieferte.[42] Aber der Zuwachs von 5,5 Millionen Stimmen nicht zuletzt aus dem Lager ehemaliger Nichtwähler dürfte zum erheblichen Teil dem Hindenburg-Bonus zuzuschreiben sein. Es ist kein Zufall, daß die NSDAP nur bei dieser Reichstagswahl in Ostpreußen, der Heimat Hindenburgs, ihr bestes Wahlkreisergebnis überhaupt erzielte. Mit 56,5 Prozent der abgegebenen Stimmen errang sie dort, wo Hindenburg besonders stark verehrt wurde, überdies ihren zweithöchsten prozentualen Zuwachs. Selbst vormalige Wähler der beiden Linksparteien wanderten in Ostpreußen in nicht unbeträchtlicher Zahl zur Partei des Reichskanzlers ab. SPD und KPD büßten in der Provinz zusammen einen Stimmenanteil von 10,5 Prozent ein, was in absoluten Zahlen trotz einer um mehr als 11 Prozent gestiegenen Wahlbeteiligung immer noch einen Verlust von zusammen 71 000 Wählern ausmachte.[43]

Beträchtlich waren die Zuwächse der Hitlerpartei in den Regionen mit einem besonders hohen Katholikenanteil, wo die Partei bislang besonders schwach vertreten gewesen war. Zwar schnitt die NSDAP dort immer noch wesentlich schlechter ab als im Reichsdurchschnitt, wo das katholische Milieu intakt war; aber ihr gelangen erstmals insbesondere in Bayern beträchtliche Vorstöße bei der katholischen Landbevölkerung.[44] Das war auch auf das Verhaltens des politischen Katholizismus zurückzuführen, der durch seine selbst noch im Wahlkampf bekundete Bereitschaft zur Kooperation mit der neuen Regierung die von kirchlicher Seite weiterhin geäußerten weltanschaulich-religiösen Bedenken gegen die NSDAP teilweise entkräftete.[45] Aber vermutlich dürfte auch eine Rolle gespielt haben, daß Hitler nun mit der Empfehlung Hindenburgs ausstaffiert war, für den sich der politische

Katholizismus im Wahlkampf zur Reichspräsidentenwahl mit geradezu hymnischen Tönen eingesetzt hatte. Insofern schlug die einstmalige Propaganda für Hindenburg und das eifrige Mitwirken an der Aufrechterhaltung des Hindenburg-Mythos am 5. März 1933 ungünstig auf den politischen Katholizismus zurück.

Für Hindenburg war entscheidend, daß aus seiner Sicht die Wahl vom 5. März 1933 einer glanzvollen Bestätigung seiner Entscheidung vom 30. Januar 1933 gleichkam. Die von ihm ernannte Regierung hatte sich einen eigenen Wählerauftrag verschafft und konnte darauf gestützt darangehen, dem »Parlamentsrummel« ein Ende zu bereiten. Damit sollte auch das ewige Parteiengezänk aufhören, das die Betätigung politisch unterschiedlicher Kräfte für Hindenburg im Grunde immer gewesen war. Für ihn bedeutete die Wahl vom 5. März 1933 eine entscheidende Zäsur: Der Reichstag fiel als Gegengewicht zu der vom Reichspräsidenten eingesetzten Regierung faktisch aus und konnte damit die Regierungspolitik nicht mehr verwässern. Die Wähler hatten dem parlamentarischen System den Todesstoß versetzt; aufatmend konstatierte der Reichspräsident, daß »jetzt ein für allemal mit der Wählerei Schluß sei«.[46]

Es schien nun an der Zeit, die ungeliebte Weimarer Republik auch symbolpolitisch zu Grabe zu tragen und sich von der schwarz-rot-goldenen Flagge zu trennen. Im neuerwachten »nationalen Deutschland« konkurrierten das Hakenkreuz der Nationalsozialisten und das alte Schwarz-Weiß-Rot, die Farben des 1871 geschaffenen Deutschen Reiches, darum, die Farben der Revolution von 1848 zu ersetzen. Hindenburg ergriff in der Flaggenfrage die Initiative[47] mit einem Flaggenerlaß, der einen Kompromiß im Sinne der von Hindenburg beschworenen Einigkeit der »nationalen Kräfte« herbeiführte, indem er die vorläufige Koexistenz von Schwarz-Weiß-Rot und Hakenkreuzflagge auf den öffentlichen Gebäuden des Reiches vorsah. »Diese Flaggen verbinden die ruhmreiche Vergangenheit des Deutschen Reichs und die kraftvolle Wiedergeburt der Deutschen Nation.«[48] Allerdings bestand Hindenburg als Oberbefehlshaber der Armee darauf, daß in der Reichswehr allein die Reichskriegsflagge (Schwarz-Weiß-Rot mit Eisernem Kreuz) gehißt werden durfte und das Hakenkreuz somit keinen gleichberechtigten Status erhielt.[49] Hindenburg hatte damit symbolpolitisch zum Ausdruck gebracht, daß er seine Aufgabe in der Versöhnung der Anhänger von Schwarz-Weiß-Rot und der Befürworter des Hakenkreuzes erblickte; er hatte aber auch signalisiert, daß er seine Rechte als Oberbefehlshaber der Armee wahren und dort allein die Farben zur Geltung bringen wollte, unter denen er im Weltkrieg gekämpft hatte.

Die erste Bewährungsprobe für die Koexistenz von alten Reichsfarben und Hakenkreuzfahne war die zentrale Feier des Volkstrauertages am 12. März 1933 in

der Berliner Staatsoper. Die Spitzen des »nationalen Deutschland« wohnten dort
einer Kundgebung bei, welche die neugewonnene Einheit sowie die Arbeitsteilung
zwischen Hindenburg und seinem neuen Reichskanzler eindrucksvoll demonstrierte.[50] Nach der Trauerfeier begab sich Hindenburg zum Ehrenmal für die Gefallenen in der Neuen Wache und schritt auf dem Wege dorthin die Front der angetretenen Verbände ab, zu denen neben einer Ehrenkompanie der Reichswehr auch
Formationen von SA, SS und »Stahlhelm« zählten. Erstmalig durfte Hitler an der
Seite des in der Uniform des Generalfeldmarschalls auftretenden Hindenburg die
Front dieser Abordnungen des »nationalen Lagers« abschreiten. Der Feldmarschall
des Weltkriegs, der mit seinem Marschallstab grüßte, und der Repräsentant der
Frontkämpfergeneration hatten am 12. März ihren ersten gemeinsamen öffentli-
chen Auftritt, der als Probelauf für den ungleich symbolträchtigeren »Tag von
Potsdam« neun Tage später gelten kann.[51]

Am 21. März 1933 sollte die am 30. Januar 1933 zustande gebrachte Vereinigung
aller sich am »nationalen Aufbau« beteiligenden Kräfte symbolisch besiegelt werden. Der »Tag von Potsdam« war mithin keine nationalsozialistische Propaganda-
veranstaltung, sondern ein Gemeinschaftswerk, an dem alle politischen und gesellschaftlichen Kräfte beteiligt waren, die sich gemäß dem Leitmotiv Hindenburgs
der Stiftung nationaler Einheit verschrieben hatten. Neben dem Reichspräsidenten
und den zuständigen Ministerien fiel auch der Reichswehr in Gestalt der in Potsdam stationierten Garnison, dem Evangelischen Oberkirchenrat und dem bischöf-
lichen Ordinariat eine wichtige Rolle bei der Gestaltung einer Feier zu, auf der das
»nationale Deutschland« seinen Einheitswillen nachhaltig kundtun sollte.[52] Davon
zeugt auch die Anlage der Feier,[53] die zwei Elemente enthielt, die eindeutig in diese
Richtung wiesen: Vor dem eigentlichen Festakt in der traditionsreichen Potsdamer
Garnisonkirche sollten Gottesdienste für die Mitglieder der beiden großen christlichen Konfessionen stattfinden, wobei man an eine Tradition anknüpfte, die anläßlich der Reichstagseröffnungen im Kaiserreich üblich gewesen war. Darüber hinaus
atmete der »Tag von Potsdam« den Geist traditioneller Militärfeiern: Nach dem
Festakt wollte der Reichspräsident den Vorbeimarsch der vor der Garnisonkirche
aufgestellten Ehrenkompanie abnehmen. Hitler, der seine Regierungserklärung
in der Garnisonkirche zu einer großen Huldigungsgeste an Hindenburg nutzen
wollte, war gleichwohl entschlossen, an einer Stelle einen symbolpolitischen Kon-
trapunkt zu setzen.[54] Statt am Gottesdienst in der katholischen Stadtpfarrkirche
Sankt Peter und Paul teilzunehmen, besuchte er mit dem ebenfalls nominell zur
katholischen Kirche zählenden Goebbels während dieser Zeit die Gräber gefallener
SA-Leute auf dem nahen Luisenstädtischen Friedhof in Berlin. Dies war zum einen

eine gezielte Warnung an die Adresse der katholischen Kirche, die immer noch aktive Nationalsozialisten mit Kirchenstrafen belegte; zum anderen brachte dieses demonstrative Fernbleiben aber auch zum Ausdruck, daß der »Tag von Potsdam« nationalkonservative Stilelemente enthielt, die Hitler nicht passen konnten.

Entscheidend aber war, daß – abgesehen von dieser Demonstration – am 21. März 1933 die Wiedergeburt des »Geistes von 1914« zelebriert und damit Hindenburg aus der Seele gesprochen wurde. Der Reichspräsident war tief bewegt angesichts der anscheinend wiedergewonnenen nationalen Einheit. Bereits der Gottesdienst in der evangelischen Nikolaikirche gab das Motto des Tages vor: Der Generalsuperintendent der Kurmark, Otto Dibelius, nahm in seiner Predigt[55] ganz gezielt Bezug auf das »Augusterlebnis« von 1914, das sich markant in den Worten des Hofpredigers Dryander anläßlich der Reichstagseröffnung vom 4. August 1914 niedergeschlagen hatte. Hindenburg selbst nutzte seine Begrüßungsansprache in der Garnisonkirche vor den erschienenen Reichstagsmitgliedern (die SPD-Abgeordneten waren dem Festakt ferngeblieben, die KPD-Parlamentarier wurden verfolgt und konnten ihre Mandate nicht ausüben), um sein politisches Vermächtnis noch einmal auszubreiten. Er erinnerte an den vom alten Preußen ausgehenden Geist: »Möge er uns frei machen von Eigensucht und Parteizank und uns in nationaler Selbstbestimmung und seelischer Erneuerung zusammenführen zum Segen eines in sich geeinten, freien, stolzen Deutschlands!«[56]

Hindenburg ließ in seiner knappen Ansprache auch anklingen, daß er sich in seiner Eigenschaft als Reichspräsident aus der ersten Reihe der Politik auf einen Beobachterposten zurückziehen wolle. Denn er deutete das Ergebnis der Reichstagswahl vom 5. März als einen gewaltigen Vertrauensbeweis für die neue Regierung, der diese in die Lage versetze, sich eine vom Präsidentenamt unabhängige Legitimation zu verschaffen. Obgleich Hindenburg nicht ausdrücklich von einem Ermächtigungsgesetz sprach, war allen Anwesenden doch klar, daß der Reichspräsident an die versammelten Reichstagsabgeordneten appellierte, der von ihm berufenen Regierung die von dieser verlangten umfassenden Vollmachten in Gestalt eines solchen Gesetzes zur Verfügung zu stellen: »Ich hoffe von Ihnen, den Mitgliedern des neugebildeten Reichstags, daß Sie … sich hinter die Regierung stellen und auch Ihrerseits alles tun werden, um diese in ihrem schweren Werk zu unterstützen.«[57] Hier wurde unmißverständlich deutlich, daß Hindenburg aus freien Stücken die Befugnisse seines Amtes ruhen lassen wollte. Hindenburg verzichtete freiwillig auf die Ausübung seiner legalen Herrschaft als Reichspräsident, begünstigte sogar die Schmälerung der Befugnisse dieses Amtes, weil er sich darin eingerichtet hatte, nur noch seine symbolische Funktion als Mahner und Verkörperer des nationalen Einheitswillens zu behaupten und seine militärische Rolle zu pflegen.

Es war daher kein Zufall, daß Hindenburg beim Staatsakt in der Uniform des preußischen Generalfeldmarschalls erschien. Insofern war auch die sich an den Staatsakt anschließende Militärparade ein Vorgeschmack auf das Aufgabengebiet, das er fürderhin noch auszufüllen gedachte. Hindenburg kehrte zurück zu seinen soldatischen Wurzeln, nachdem er mit der Bildung der »Regierung der nationalen Konzentration« eine Grundsatzentscheidung getroffen hatte, die aus seiner Sicht das Pochen auf seine Amtsbefugnisse überflüssig machte. Er genoß den Vorbeimarsch der Potsdamer Garnison sowie von Abordnungen der preußischen Schutzpolizei und nahm es mehr als gelassen hin, daß sich entgegen der Planung SA- und »Stahlhelm«-Abordnungen sowie Kriegervereine der Parade anschlossen, so daß sich die Militärfeier wider Erwarten in die Länge zog und etwa eine Stunde beanspruchte.[58] Selbst der NS-Mädchenbund BDM nahm die Gelegenheit zum Vorbeimarsch wahr.[59]

Hindenburg nutzte den Auftritt in der Garnisonkirche zudem, um sich in der monarchischen Frage eine Entlastung zu verschaffen. Dafür war kaum ein Ort geeigneter als dieses Gotteshaus, in dem die Särge des »Soldatenkönigs« Friedrich Wilhelm I. und seines Sohnes Friedrich des Großen ruhten. An diesem geschichtsträchtigen Ort wollte Hindenburg durch eine Serie wohlkalkulierter Gesten seine emotionale Treue zum angestammten preußischen Königshaus untermauern und sich zugleich gegen die Anwürfe verwahren, die gerade von monarchistischer Seite aus gegen ihn wegen seines Verhaltens am 9. November 1918 laut geworden waren.[60] Zu diesem Zweck sollte in der Garnisonkirche erstmals seit dem Ende der Monarchie ein Zusammentreffen zwischen Hindenburg und dem Kronprinzen stattfinden. Der arrangierte öffentliche Auftritt sollte über das irreparabel gestörte Verhältnis zwischen dem Generalfeldmarschall und den Spitzen des Hauses Hohenzollern hinwegtäuschen. Der für den Reichspräsidenten reservierte Sessel im Altarraum der Kirche befand sich unmittelbar vor der Kaiserloge, in der sich der Kronprinz auf seinem angestammten Platz eingefunden hatte. Als Hindenburg seinen Platz einnahm, grüßte er den Kronprinzen mit erhobenem Marschallstab.[61] Diese Geste sollte signalisieren, wie sehr Hindenburg in harmonischer Eintracht mit den Hohenzollern verbunden war; der Kronprinz ließ sich auf dieses Spiel ein, weil er weiterhin politische Ambitionen hegte und auf die Reichsverweserschaft nach dem Abtritt Hindenburgs als Staatsoberhaupt spekulierte, worin er sich zu diesem Zeitpunkt auch durch Hitler bestärkt fühlte.[62]

Den größten Eindruck erzielte aber Hindenburgs Aktion nach der Entgegen-

nahme der Regierungserklärung des Reichskanzlers. Der Reichspräsident begab
sich zur Gruft der beiden in der Kirche ruhenden preußischen Könige und legte
dort jeweils einen Kranz nieder, während die Orgel im Hintergrund das Niederländische Dankgebet intonierte und damit das segensreiche Wirken Gottes in der
preußischen Geschichte anklingen ließ. Diese Hommage an die wohl bedeutendsten preußischen Monarchen war der Höhepunkt der emotionalen Beschwörung
des alten preußischen Geistes, die es Hindenburg erleichterte, mit sich selbst ins
reine zu kommen: Er hatte seine tiefsten Grundüberzeugungen kundgetan,[63] es zugleich aber bei einer feierlichen Geste belassen, die ihn nicht zu einer gezielten
Restaurationspolitik verpflichtete. Bei eingefleischten Monarchisten erweckte die
Kranzniederlegung aber die Illusion, die Idee der Monarchie werde beim nationalen Aufbruch benötigt und könne bei der »nationalen Wiedergeburt« des Reiches
eine zentrale Rolle spielen. Es war daher insbesondere diese Szene, die Konservative in der Hoffnung bestärkte, es könnten »die Ideale einer ruhmvollen Vergangenheit den Kämpfern einer jungen Generation voranleuchten«.[64]

Zweifellos war es gerade diese Indienstnahme der preußischen Geschichte für
die »nationale Erhebung«, die die Skepsis so mancher Konservativer gegenüber
dem Nationalsozialismus ausräumte und ihnen den von Hindenburg vorgelebten
Anschluß an die neue Zeit erleichterte. Symptomatisch hierfür ist die Haltung von
Hindenburgs Feldmarschallkollegen Mackensen, für den der »Tag von Potsdam«
der Durchbruch zu einer aufrichtigen Bejahung der neuen Verhältnisse war.[65] Politisch liegt die zentrale Bedeutung des 21. März 1933 darin, daß an diesem Tag das
am 30. Januar 1933 geschlossene Aktionsbündnis Hindenburg/Hitler vertieft wurde
und eine symbiotische Beziehung zwischen den beiden Führungsfiguren des »nationalen Deutschland« entstand. In der Potsdamer Garnisonkirche wurde die neue
Aufgabenverteilung zwischen beiden besiegelt – und es war die ganz auf Hindenburg zugeschnittene Regierungserklärung Hitlers an diesem Ort, die dem Reichspräsidenten eine neue Rolle im neuen Staat offerierte, mit der sich dieser vorbehaltlos identifizieren konnte.

Hitlers Rede[66] ist nicht nur deswegen bemerkenswert, weil sie – ganz im Tenor
des Aufrufs der Regierung vom 1. Februar 1933 – die Formung einer neuen nationalen Gemeinschaft zum Kernziel der Regierung erhob. Noch wichtiger ist die
Aufgabe, die Hindenburg dabei zugedacht war. Als Reichspräsident, welcher der
Regierung mit seinen verfassungsmäßigen Befugnissen zur Seite sprang, kam Hindenburg in der Rede Hitlers nicht mehr vor; aber gerade diese einer Amtsenthebung gleichende Reduzierung seiner amtlichen Funktion bot die Chance, daß jede
Verbindung Hindenburgs mit der überwundenen Weimarer Republik ausgelöscht

wurde. Die Tilgung der Reichspräsidentschaft aus seinem politischen Leben ermöglichte eine Konzentration auf die beiden Kernkompetenzen, an denen Hindenburg zumindest noch eine Zeitlang festhalten wollte: die militärische Leistung
als Generalfeldmarschall und die symbolische Funktion als Einiger der Nation.
Hitler sprach Hindenburg am Schluß seiner Rede direkt an und führte der Festver-
sammlung dessen militärische Verdienste vor Augen. Zugleich strich er die Symbolkraft des Angesprochenen heraus: »Dieses, Ihr wundersames Leben ist für uns
alle ein Symbol der unzerstörbaren Lebenskraft der deutschen Nation.«[67] Damit
hatte Hitler Hindenburg symbolisch veredelt und ihm jene Funktion zugestanden,
die er selbst als Repräsentant der Frontkämpfergeneration lange Zeit allein für sich
reklamiert hatte. Insofern bedeutete der 21. März 1933 das Ende der symbolischen
Konkurrenz zwischen Marschall und Gefreitem und die symbolische Vermählung
beider zugunsten des Werkes der nationalen Einigung – zumindest so lange, bis
Hitler soviel symbolisches Kapital angesammelt hatte, daß Hindenburg ganz auf
die militärische Funktion reduziert werden konnte.

Hitler hat mit dieser Rede das Innerste Hindenburgs tief aufgewühlt. Den sich
abzeichnenden Verlust seiner legalen Herrschaft empfand Hindenburg als Erleichterung, weil er nach dieser Rede seines Reichskanzlers der festen Überzeugung war,
den Stab an den Richtigen weitergegeben zu haben. Daher zeigte er nach der Rede,
als Hitler ihm ein Stück entgegentrat, sein tiefes Einverständnis mit den Worten
des Reichskanzlers durch einen festen Händedruck, der wie ein persönliches und
politisches Treuegelöbnis wirkte.[68] Wie sehr die Rede Hitlers ihn ergriffen hat, geht
aus den Tagebucheintragungen des Hamburger Bürgermeisters Krogmann hervor,
der als Vertreter der Hansestadt diese Szene aus unmittelbarer Nähe beobachtete
und am 21. März 1933 notierte: »Die Rede des Reichskanzlers gewaltig, besonders
der Schluß. Der Reichspräsident konnte seine Rührung kaum unterdrücken, Tränen traten ihm in die Augen.«[69]

Der »Tag von Potsdam« markierte den endgültigen Durchbruch im persönlichen Verhältnis Hindenburgs zu seinem neuen Reichskanzler. Der 30. Januar 1933
war für Hindenburg noch ein politisches Experiment gewesen, bei dem er sich auf
Hitler mit der Maßgabe eingelassen hatte, notfalls seine präsidialen Befugnisse zu
aktivieren und den Reichskanzler in die Schranken zu weisen, falls dieser sich als
engstirniger Parteipolitiker aufführte. Er hatte jedoch keinen Anlaß, aus seiner Reserve herauszutreten, weil sein neuer Reichskanzler sich aus seiner Sicht als optimale Besetzung für die Leitung einer Regierung der »nationalen Konzentration«
erwies und nichts anderes zu tun schien, als Hindenburgs Lebensziel in die Tat umzusetzen und diesen von der Bürde des Reichspräsidentenamtes zu entlasten. Drei

Tage nach den denkwürdigen Stunden von Potsdam teilte Hindenburg Hamburgs
Bürgermeister Krogmann in aller Offenheit mit,»daß er den Herrn Reichskanzler
erst nach seiner Ernennung voll kennen und schätzen gelernt habe und daß er, wie
allgemein bekannt sei, ursprünglich gewisse Bedenken gehabt habe, da der Herr
Reichskanzler damals die alleinige Macht gefordert habe. Er erkenne aber heute die
großen Gaben und Fähigkeiten des Herrn Reichskanzlers unbedingt an.«[70]

Hindenburg hatte bereits in seiner Begrüßungsansprache in der Potsdamer
Garnisonkirche durchblicken lassen, wie sehr er den Tag herbeisehnte, an dem die
Reichsregierung machtpolitisch auf eigenen Füßen stehen und mittels eines Ermächtigungsgesetzes sich entsprechende Vollmachten auf formal verfassungsmäßigem Wege verschaffen könne. Er legte entsprechenden Plänen Hitlers daher
keine Steine in den Weg, solange in formaler Hinsicht dem Buchstaben der Verfassung Genüge getan war und das Ermächtigungsgesetz die erforderliche Zweidrittelmehrheit im Reichstag erhielt.[71] Damit zerplatzten die Hoffnungen der deutschnationalen Kabinettsmitglieder, daß eine intakte Präsidialgewalt Hitler in den Arm
fallen werde, wenn dieser seine Regierungspartner auszuschalten suche. Vergeblich
bemühten sich Hugenberg und Papen, die Präsidialgewalt dafür zu interessieren,
daß das Ermächtigungsgesetz in seiner vorgesehenen Form den Reichspräsidenten
seines bisherigen Einflusses beraubte, und fragten an, ob nicht der Reichspräsident
in irgendeiner Weise bei dem Zustandekommen der Gesetze mitwirken wolle, welche die Reichsregierung fortan ohne Mitwirkung des Parlaments erlassen könne.
Doch sie wurden von Meißner, der im Auftrag Hindenburgs die Kabinettssitzun-
gen aufmerksam verfolgte, beschieden,»daß die Mitwirkung des Reichspräsidenten nicht erforderlich sei. Der Herr Reichspräsident werde die Mitwirkung auch
nicht verlangen.«[72] Hindenburg war erleichtert, daß er fortan die Gesetze nicht
mehr ausfertigen mußte.[73]

Aber nicht nur die Deutschnationalen hielten vergeblich nach Hindenburgs
Schützenhilfe bei einer Abschwächung des Ermächtigungsgesetzes Ausschau. Auch
die Zentrumsfraktion mußte bei ihren Verhandlungen mit der Reichsregierung die
Erfahrung machen, daß sie ohne präsidiale Rückendeckung für eine Einschaltung
des Reichspräsidenten in die Gesetzgebung stritt. Das Schwinden der vor allem von
Brüning gehegten Hoffnungen auf eine Aktivierung der präsidialen Befugnisse
trug nicht unerheblich dazu bei, daß die von diesem angeführte Minderheit in der
Zentrumsfraktion, die an und für sich aus rechtsstaatlicher Prinzipientreue der
Regierung keine unbegrenzten diktatorischen Vollmachten übertragen wollte, sich
fügte und am 23. März im Reichstag zusammen mit den übrigen Abgeordneten
von Zentrum und BVP geschlossen für die Annahme des Ermächtigungsgesetzes

stimmte und damit diesem Gesetz erst zur verfassungsmäßig erforderlichen Zweidrittelmehrheit verhalf. Insofern erklärt sich die Unterordnung dieser Fraktions-
minorität unter die zur Zustimmung entschlossene Mehrheit auch damit, daß sie
sich vom Reichspräsidenten allein gelassen fühlte.[74]

Mit dem Inkrafttreten des Ermächtigungsgesetzes am 24. März 1933 war nicht
nur der Reichstag zu einem bloßen Akklamationsorgan herabgesunken, weil er
seine legislative Kernkompetenz an die Reichsregierung abgetreten hatte. Auch die
Notverordnungsvollmachten des Reichspräsidenten waren wertlos geworden, da
die Regierung Hitler der Präsidialgewalt nicht mehr bedurfte, um die gewünschten
Maßnahmen zur Gleichschaltung durchzuführen. Damit hatte Hindenburg aus
eigenem Antrieb die Präsidialgewalt entwertet und sich auf die Position eines
Schirmherrn der Regierung zurückgezogen, der seine Amtsautorität an Hitler
abgetreten hatte, aber als eine Art »Ehrenprotektor«[75] seine intakte symbolische
Autorität der Regierung seines Vertrauens weiterhin bereitwillig zur Verfügung
stellte.

Hindenburg hielt sich aus der politischen Tagesarbeit völlig heraus und überließ Hitler das Regieren. In der Öffentlichkeit machte er sich rar und trat nur noch
dann in Erscheinung, wenn es seinem Kanzler ratsam erschien, das symbolische
Kapital des Reichspräsidenten einzusetzen und damit zugleich sich selbst vom
Parteiführer zum Staatsmann aufzuwerten. Hitler reiste zwar seit April 1933 rastlos
durch die Lande, um den »nationalen Aufbruch« mit seiner Person zu verbinden
und Hindenburg auf diese Weise in den Hintergrund zu drängen. Aber bei bestimmten Anlässen schien es ihm ratsam, an der Seite Hindenburgs aufzutreten
und auf diese Weise den Prozeß der Charismaübertragung voranzutreiben. Dazu
bot sich der 1. Mai 1933 an, den die Reichsregierung mit Gesetz vom 10. April zum
»Feiertag der nationalen Arbeit« deklariert hatte, um der marxistischen Arbeiterbewegung einen symbolträchtigen Tag zu entwinden, der nun für ein Bekenntnis
zur nationalen Einheit über Standes- und Klassengrenzen hinweg genutzt werden
sollte.

Die Stiftung der Volksgemeinschaft und die Integration der Arbeiterschaft in
die »erwachende Nation« bildete das Fundament der gemeinsamen Grundüberzeugung, die Hindenburg und Hitler einte. Insofern lag es nahe, Hindenburg an
diesem 1. Mai Gelegenheit zu geben, in seine bewährte Rolle als Mahner zur nationalen Eintracht zu schlüpfen. Auch wenn bei den Vorbereitungen nicht alles reibungslos lief und Hindenburg sich zunächst überrumpelt fühlte von dem Plan, am
1. Mai einen öffentlichen Aufruf zu verlesen,[76] verweigerte er sich diesem Ansinnen
am Ende nicht. Daß sich die Gewichte zwischen Hindenburg und Hitler mittler-

weile verschoben hatten, zeigte sich daran, daß Hitler und nicht Hindenburg am Abend des 1. Mai die zentrale Rede hielt, in der er um die Arbeiterschaft warb und den 1. Mai als »Symbol der großen Einigung und Erhebung der Nation« feierte.[77] Für Hindenburgs Auftritt wurde eigens eine Kundgebung an die deutsche Jugend inszeniert, die am Vormittag im Berliner Lustgarten stattfand. Hindenburg erhielt Gelegenheit, vor mehr als hunderttausend jungen Menschen die Jugend »zur pflichttreuen Hingabe an die Nation und zur Achtung vor der schaffenden Arbeit«[78] aufzurufen, während Hitler sich am Abend auf dem Tempelhofer Feld vor etwa einer Million Zuhörer zum eigentlichen Verkünder der zu schaffenden Gemeinschaft der »Arbeiter der Stirn und der Faust« aufschwang. Hindenburgs Auftritt vor den Jugendlichen entsprach gleichwohl einem Herzensbedürfnis des Feldmarschalls. Denn er hatte immer in der jungen Generation den Träger des nationalen Gedankens erblickt und dies in seinen Erinnerungen nachdrücklich betont, indem er seine Memoiren mit einem hoffnungsvollen Ausblick schloß, daß diese Generation sein Werk fortsetzen werde: »In dieser Zuversicht lege ich die Feder aus der Hand und baue fest auf Dich – Du deutsche Jugend!«[79] Daher hatte er besonderen Wert darauf gelegt, daß sein öffentlicher Auftritt an einem eigentlich der »nationalen Arbeit« geweihten Tag vor jungen Menschen – überwiegend Schulkindern – stattfand,[80] die noch gar nicht in den Arbeitsprozeß eingegliedert waren. Diesen rief er aus innerster Überzeugung zu: »Ihr seid unsere Zukunft!«[81]

Erstmals zeigte sich Hindenburg bei einem solchen Anlaß Seite an Seite mit seinem Reichskanzler und fuhr mit ihm im selben Auto zur Kundgebung in den Lustgarten im Herzen Berlins.[82] Dort sollte alles den Eindruck vermitteln, daß das deutsche Volk und speziell die Jugend in bislang nicht gekannter Harmonie zusammenlebte. Daß ausgerechnet im einstmals »roten Berlin«, das traditionell den Lustgarten zum Schauplatz seiner Kundgebungen erkoren hatte, eine Welle nationaler Begeisterung zu verspüren war, hinterließ bei Hindenburg einen tiefen Eindruck. Als ihm dann noch ein zehnjähriger HJ-Junge, der Sohn von Magda Goebbels aus erster Ehe, einen Blumenstrauß überreichte, liefen Hindenburg Tränen der Rührung über die Wangen. Der daneben stehende Adjutant von Goebbels »sah sehr genau, wie glücklich er war und wie der Dank, den er Hitler sagte, ihm ganz gewiß aus tiefstem Herzen kam«.[83]

Die Überzeugung, daß sein Lebenswerk der Vollendung entgegenstrebte und daß er selbst noch miterleben konnte, wie sich die ersehnte Volksgemeinschaft heranbildete, mag wesentlich dazu beigetragen haben, daß Hindenburg gleichmütig zusah, wie Hitler ihm zunehmend die Rolle des Verkünders der nationalen Einheit streitig machte. Am 1. Mai 1933 schlüpfte Hindenburg zum letzten Mal in

seine alte Funktion als Treuhänder der Einigkeit. Fortan trat er öffentlich nicht
mehr als solcher auf und zog sich immer mehr auf die Rolle eines militärischen
Traditionswahrers zurück, der zwar noch als Oberbefehlshaber der Reichswehr in
Erscheinung trat, dessen Hauptaugenmerk aber der Perpetuierung seines Feldherrnruhms aus Weltkriegstagen galt. Hitler hatte Hindenburg diesen Platz zugedacht und höchst bezeichnend am Ende von dessen Ansprache zum 1. Mai 1933 den
Versammelten zugerufen: »Unser Reichspräsident Generalfeldmarschall von Hindenburg, der große Soldat und Führer des Weltkrieges, er lebe Hoch! Hoch!
Hoch!«[84] Und Hindenburg sträubte sich nicht gegen die Übernahme einer Funktion, die ganz der Vergangenheit verhaftet war.

Opfer im Zuge des »Röhm-Putsches«:
General Schleicher und seine Ehefrau, Berlin 1932

KAPITEL 36

Rückkehr zu den Ursprüngen

Seit dem Frühjahr 1933 richtete sich Hindenburg immer mehr in seiner Position als Veteran des Weltkriegs ein und schrumpfte damit zu einer verehrungswürdigen und ruhmbekränzten Gestalt der Vergangenheit. Der Abschied von der gestaltenden Politik fiel ihm nicht sonderlich schwer, weil er ohnehin seit zwei Jahren seines Präsidentenamtes überdrüssig war und in Hitler jenen politischen Erben gefunden zu haben glaubte, in dessen Hände er sein politisches Lebenswerk beruhigt legen konnte. Diese Abdankung Hindenburgs als Reichspräsident wird verständlich, wenn man die Entwicklung des persönlichen Verhältnisses zwischen Hindenburg und Hitler seit der Übernahme der Reichskanzlerschaft und dem »Tag von Potsdam« betrachtet.

Hindenburgs anfängliche Skepsis gegenüber Hitler wich in dem Maße, wie sich Hitler zum Herold der nationalen Einigung aufschwang, der in der Potsdamer Garnisonkirche in einer bestrickenden Rede das Loblied auf Hindenburg angestimmt hatte. Kurze Zeit später hatte er in einem persönlichen Schreiben seine Ergebenheit noch einmal zum Ausdruck gebracht, und Hindenburg hatte dem Reichskanzler in einer telegraphischen Antwort seines vollen Vertrauens versichert.[1] Allerdings hatte Hitler bis dahin Hindenburg nicht unter vier Augen Vortrag halten können, weil am 30. Januar 1933 Vizekanzler Papen die Anwesenheit beim Vortrag zugestanden worden war. Papen wurde aber im Verlauf des Frühjahrs 1933 zum politischen Statisten: Je mehr Hindenburg auf seine präsidialen Befugnisse verzichtete, desto schneller sank der Stern Papens, der seine politische Macht nur aus dem Präsidentenamt ableiten konnte. Zudem war Papen nicht der Mann, der beharrlich an einer einmal erworbenen Position festhielt. Er pflegte weiterhin den Lebensstil eines adligen Grandseigneurs und verbrachte einen erheblichen Teil seiner Zeit auf gesellschaftlich bedingten Reisen, statt in Berlin Präsenz zu zeigen und die kostbare Beziehung zu Hindenburg zu pflegen.[2]

So fügte es sich, daß Hitler seit April 1933 immer häufiger unter vier Augen dienstlich mit Hindenburg verkehrte und diesen im Laufe der Zeit für sich einnahm.[3] Hitler verdrängte Papen binnen kurzem aus der bevorzugten Position des Vertrauensmannes, was wieder einmal zeigte, wie flüchtig Hindenburgs Gunst war. Papen, der praktisch aus dem Nichts nach seiner Ernennung zum Reichskanzler innerhalb kurzer Zeit zum Lieblingskanzler Hindenburgs aufgestiegen war, mußte nun die bittere Erfahrung machen, daß der neue Kanzler ihn umgehend verdrängte. Hitler nutzte die ungeteilte Aufmerksamkeit Hindenburgs und spielte seine politischen Stärken aus; und Hindenburg gewann zunehmend Gefallen an diesem Kanzler, der das zu verwirklichen schien, was keiner vor ihm geschafft hatte: die nationale Einigung. Daß im Verlaufe des Sommers 1933 alle Parteien bis auf die NSDAP von der politischen Bildfläche verschwanden und Hitler die nationale Sammlung weit über den Kreis der vormaligen Anhänger der NSDAP hinaus gelang, stellte diesem aus Sicht des Reichspräsidenten ein glänzendes Zeugnis aus: »Es war ja immer meine Meinung, daß das Heil für Deutschland nur im Zusammenschluß aller Parteien zu einer gemeinsamen Vaterlandspartei liege. Das ist Hitler nun gelungen.«[4] Er ließ sogar fürsorgliche Gefühle für Hitler erkennen, den er als »mein lieber Kanzler« zu titulieren pflegte.[5]

Hindenburg gelangte schließlich zu der Überzeugung, seine historische Mission mit dem Stabwechsel an Hitler erfüllt zu haben, bei dem sein politisches Vermächtnis gut aufgehoben schien. Sein Rückzug auf die Rolle des Feldherrn war daher die logische Konsequenz einer Entwicklung, die Hindenburg als Reichspräsident wie als integratives Symbol zunehmend entbehrlich machte. Bei seinen nur noch sporadischen Interventionen in politische Angelegenheiten ließ er sich fast ausschließlich von militärischen Maßstäben leiten – etwa in der Frage der Diskriminierung jüdischer Deutscher, die nach dem »Gesetz zur Wiederherstellung des Berufsbeamtentums« aus dem Staatsdienst entlassen werden sollten. Hindenburg protestierte nicht generell gegen diese fundamentale Attacke auf die staatsbürgerliche Gleichheit Deutscher jüdischen Glaubens, sondern verwandte sich lediglich in seiner Eigenschaft als Feldmarschall des Weltkriegs für seine ehemaligen Frontkameraden jüdischen Bekenntnisses: »Wenn sie es wert waren, für Deutschland zu kämpfen und zu bluten, sollen sie auch als würdig angesehen werden, dem Vaterlande in ihrem Beruf weiter zu dienen.«[6] Seine Intervention trug insofern Früchte, als jüdische Frontsoldaten beziehungsweise deren Hinterbliebene vom Ausschluß aus dem Staatsdienst vorläufig verschont blieben.

Hindenburgs Rückzug auf die Feldherrnrolle fand im August 1933 symbolträchtigen Niederschlag. Denn am 27. August 1933, dem Jahrestag der Schlacht von Tannenberg, machte der preußische Staat die an Neudeck grenzende Domäne Langenau dem Reichspräsidenten zum Geschenk, wodurch zusammen mit dem zwischen Neudeck und Langenau gelegenen Waldstück ein arrondierter Grundbesitz von 11 000 Morgen entstand. Darüber hinaus sicherte die Regierung durch eine »lex Hindenburg« diesem neu gebildeten Rittergut Steuerfreiheit zu, sofern es im Besitz eines männlichen Angehörigen der Familie Hindenburg verblieb. Die Großzügigkeit des Staates wurde dadurch gekrönt, daß Hitler und der neue preußische Ministerpräsident Göring bei einem Besuch in Neudeck zusätzliche Staatsgelder für die Instandsetzung der ziemlich heruntergekommenen Domäne Langenau von gut einer Million Reichsmark zur Verfügung stellten, die zur einen Hälfte vom Reich, zur anderen von Preußen aufgebracht wurde.[7]

Es fällt auf, daß Hindenburg persönlich auf die schriftliche Fixierung zunächst nur mündlich gegebener Zusagen drängte,[8] da ihm daran lag, seinem Sohn ein schuldenfreies und rentables Rittergut zu hinterlassen. Für sein Selbstverständnis spricht es Bände, daß er eine solche Schenkung, die in anderen Zusammenhängen den Verdacht der Vorteilnahme hätte erwecken können, als eine durchaus angemessene Belohnung für seine Feldherrndienste ansah. Schließlich gab es in der preußischen Geschichte genügend Beispiele für derartige Gesten der Anerkennung.[9] Daß die Obrigkeit herausragende Militärs mit Dotationen bedachte, war Tradition seit Friedrich dem Großen bis zu Wilhelm I. und verbunden mit klangvollen Namen wie Blücher, Yorck, dem älteren Moltke und Roon. Hindenburg faßte die ihm gewährte Schenkung als eine eher selbstverständliche Anknüpfung an diese Tradition und als eine Art Wiedergutmachung dafür auf, daß er nach dem Ersten Weltkrieg um seinen verdienten Lohn geprellt worden sei. Denn Wilhelm II. hatte die Absicht gehabt, den Feldmarschall mit der Herrschaft Sagan in Schlesien zu bedenken. Die Rückkehr zu seinen militärischen Wurzeln bedeutete für Hindenburg einen Wiedereintritt in aus seiner Sicht berechtigte Ansprüche, die er nur als Feldmarschall, aber nicht als aktiver Reichspräsident geltend machen konnte und wollte. Zudem stellte er damit sicher, daß seine Familie künftig in der alten Heimat begütert sein würde.[10]

Ganz dem Feldherrn Hindenburg gewidmet war denn auch der feierliche Staatsakt im Ehrenhof des Tannenberg-Denkmals, bei dem Hindenburg die Schenkungsurkunde überreicht und die Steuerbefreiung verkündet wurde. Ostpreußens Oberpräsident Koch, Preußens Ministerpräsident Göring und Hitler selbst hielten Reden, in denen sie diesen Akt als eine selbstverständliche Abtragung der Dankesschuld des deutschen Volkes gegenüber seinem ruhmbekränzten Feldherrn aus Weltkriegstagen darstellten. Gauleiter Koch strich den militärischen Genius Hindenburgs heraus, der sich mit der Tannenberg-Schlacht den »Ruhm der Unsterblichkeit« gesichert habe. Hitler betonte gleichfalls die militärische Bedeutung dieser Schlacht: »Denn nicht eine Schlacht wurde hier geschlagen, sondern das deutsche Schicksal gewendet.«[11] Hindenburg paßte sich mit seiner Rede ganz diesem Tenor an. Er schlüpfte noch einmal in die Rolle des obersten Soldaten des Weltkrieges, indem er eine Totenehrung vornahm und am Ehrenkreuz des Tannenberg-Denkmals einen Kranz niederlegte, woran sich ein stilles Totengedenken anschloß. Danach bedankte er sich für die ihm dargebrachte Schenkung und ließ seine kurze Ansprache ausklingen mit dem »alten Soldatenruf, der einst auch über dieses Schlachtfeld brauste: Deutschland hurra! hurra! hurra!«[12]

Daß Hindenburg sich mit der ihm zugedachten Feldherrnrolle begnügte, hing nicht zuletzt mit der Gewißheit zusammen, daß dadurch seine Monopolansprüche auf die Urheberschaft des Sieges von Tannenberg nicht angetastet wurden. Dies war nicht selbstverständlich, da Hindenburgs Konkurrent Ludendorff ein politischer Lehrmeister Hitlers gewesen war und Hitler die Feldherrnkunst Ludendorffs trotz späterer politischer Zerwürfnisse immer anerkannt hatte. Aber die Allianz Hitler/Hindenburg gebot eine geschichtspolitisch begründete Kaltstellung Ludendorffs. Deswegen trug Hitler dafür Sorge, daß Ludendorff seine publizistischen Angriffe auf Hindenburgs Monopolisierung von Tannenberg im »Dritten Reich« nicht wie zuvor durchführen konnte. Selbst Hitlers Versuch, sich nach dem Tod Hindenburgs mit Ludendorff zu versöhnen und diesen als Feldherrngestalt zu würdigen, stand unter der Auflage, den Mythos des Feldherrn Hindenburg zu schonen: »Der Mythus Hindenburg ist für unsere Zeit eine Tatsache. An ihm zu rütteln verbietet sich im außen- wie im innenpolitischen Interesse.«[13]

Hindenburg fiel eine Beschränkung auf seine militärische Funktion auch deshalb leicht, weil ihm dies immer noch den Oberbefehl über die Armee ließ – die einzige präsidiale Amtsbefugnis, an der Hindenburg bis zu seinem Ableben festhielt und an der er keineswegs rütteln lassen wollte. Hitler respektierte, daß insbesondere Personalfragen der Armee ein Reservat des Feldmarschall-Präsidenten blieben – zumal sich hier im großen und ganzen keine Differenzen mit der Regierung ergaben. Der Reichspräsident war immerhin so entgegenkommend, Wehrminister Blomberg im August 1933 zum Generaloberst zu ernennen und ihm damit den in Friedenszeiten höchsten militärischen Rang zu verleihen. Gleichzeitig übersprang der preußische Ministerpräsident, der eitle und ordensverliebte Hauptmann a.D. Göring, mehrere militärische Rangstufen, indem Hindenburg ihm den Charakter eines Generals der Infanterie verlieh. Hindenburg dürfte dieser Schritt nicht sonderlich schwergefallen sein, da Göring der militärisch ranghöchste Nationalsozialist des engsten Führungskreises um Hitler war und sich immerhin als Jagdflieger den »Pour le mérite«-Orden im Weltkriege erworben hatte.[14]

Als allerdings Wehrminister Blomberg seinen engsten Mitarbeiter, den Obersten Reichenau, nach dem Freiwerden der Position eines Chefs der Heeresleitung mit diesem wichtigsten Posten des Heeres betrauen wollte, stieß er bei Hindenburg auf Widerstand. Es vertrug sich nicht mit Hindenburgs ausgeprägten Vorstellungen von militärischem Avancement, wenn ein Oberst Generalen vorgezogen und diesen vorgesetzt wurde. Hindenburg scheute die Kraftprobe mit Blomberg nicht, verwies diesen in seine Schranken und setzte am 1. Februar 1934 seinen Kandidaten, den General der Artillerie Fritsch, durch.[15] Hitler vermied es, sich in dieser Personalfrage zu exponieren, weil er die schlummernde Präsidialgewalt nicht wecken wollte, wo sie Hitlers Machtanspruch auch 1934 noch hätte beeinträchtigen können: bei der politischen Aktivierung der Reichswehr. Der Reichskanzler überließ dem Feldmarschall die Personalpolitik innerhalb der Reichswehr als Spielwiese, auf der Hindenburg sich in einer für den Ausbau der Stellung Hitlers ungefährlichen Weise betätigen konnte. Besonderen Gefallen fand der Generalfeldmarschall noch immer an den alljährlich stattfindenden Herbstmanövern. So ließ er es sich im Oktober 1933 nicht nehmen, mehrere Tage lang die Herbstübungen der in Ostpreußen stationierten 1. Division aus nächster Nähe zu verfolgen.[16]

Hindenburgs gesundheitliche Verfassung war im Oktober 1933 noch so gut, daß er etwa anderthalb Stunden in disziplinierter und aufrechter Haltung den Vorbeimarsch dieser Einheit zum Abschluß des Manövers abnehmen konnte.[17] Für einen älteren Herrn, der gerade das 86. Lebensjahr vollendet hatte, stellte dies eine bemerkenswerte Leistung dar. Hindenburgs Physis war abgesehen von einigen altersbedingten Beeinträchtigungen durchaus intakt. Im Laufe seines langen Lebens war er niemals ernsthaft krank gewesen; allerdings fiel ihm das Gehen immer schwerer, weil die Kniegelenke steif waren und auch die Sehkraft nachließ.[18] Auf die ihm Nahestehenden wirkte er im Frühjahr 1934 sichtlich gealtert[19] – und auch er selbst realisierte das Nachlassen seiner körperlichen Kräfte: »Das hohe Alter fängt an, sich recht bemerkbar zu machen.«[20]

Die altersbedingten Beschwerden schränkten ihn jedoch bis zum Sommer in der Ausübung seines Amtes kaum ein, zumal seine geistige Frische bis kurz vor dem Tod ungetrübt war. Bei gesellschaftlichen Terminen war er bis zum Frühjahr 1934 in gewohnter Weise präsent. Marie Freifrau von Tiele-Winckler, die in Berlin einen politischen Salon unterhielt, berichtete dem Fürsten von Donnersmarck am 16. März 1934: »Vorgestern war ich bei einer reizenden Soirée bei dem Feldmarschall v. Hindenburg. Der Feldmarschall war erstaunlich mobil, er hat bis ein Uhr nachts herumgestanden und gesprochen.«[21] Da Hindenburg sich bislang keinerlei Einschränkungen beim Essen und Trinken hatte auferlegen müssen, wurde nun der Verzicht auf das eine oder andere Glas Wein beim Essen bedauert. Hindenburg führte im Familienkreis Klage darüber, daß er beim Mittagessen nicht mehr in gewohnter Menge die ihm als Geschenk überreichten Weinvorräte genießen konnte, weil er nur noch ein Glas Wein von jeder bei dieser Gelegenheit dargereichten Sorte kosten könne.[22]

Insofern bedeutete es eine scharfe Zäsur, daß Hindenburg Ende März 1934 zum ersten Mal in seinem Leben ernsthaft erkrankte. Die Ärzte konstatierten eine Blasenentzündung, die sich schließlich zu einer Urämie ausweitete und den Tod herbeiführte. Hindenburgs Hausarzt hielt die Diagnose für höchst besorgniserregend, denn er zog die herausragende medizinische Kapazität des Landes, den Chef der Berliner Charité Friedrich Sauerbruch, hinzu. Die Krankheit verursachte Hindenburg zeitweise heftige Schmerzen und schränkte seine Bewegungsfähigkeit derart ein, daß Sauerbruch eine bewährte Pflegekraft abordnete, die Hindenburg beim An- und Ausziehen half. Im Juni 1934 verlagerte Hindenburg seinen Wohnsitz ganz nach Neudeck, wo ihn Pfleger Joseph Schmid morgens um 7.30 Uhr weckte und abends um 21 Uhr zu Bett brachte.[23] Sauerbruch hatte zudem seinen Assistenzarzt nach Neudeck entsandt, der die tägliche medizinische Betreuung des prominenten Patienten übernahm, während der vielbeschäftigte Sauerbruch hin und wieder in Neudeck erschien und den Patienten in Augenschein nahm. Sauerbruch war jedenfalls – anders als es seine notorisch unzuverlässigen Erinnerungen suggerieren[24] – nicht Tag und Nacht an der Seite Hindenburgs, der den ihm Unbekannten auch nicht politisch ins Vertrauen zog. Trotz voranschreitender Krankheit blieb Hindenburg bis Ende Juli 1934 arbeitsfähig und seine geistige Aufnahmebereitschaft bis fast zum Schluß völlig ungetrübt.[25] Noch am 5. Juli 1934 ging er in Neudeck seinen Dienstaufgaben als Staatsoberhaupt nach und hielt sich beim Besuch des siamesischen Königspaars »fabelhaft«, wenngleich ihm wegen des mittlerweile erforderlichen Katheters das Gehen noch schwerer fiel.[26] Seine letzten repräsentativen Pflichten erfüllte er Ende Juli, als er eine Abteilung japanischer Generale empfing und mit ihnen bei Tisch fachsimpelte.[27]

Der Reichspräsident Hindenburg fiel also nicht wegen vermeintlicher Senilität oder körperlicher Gebrechen als gestaltender politischer Faktor aus, sondern einzig und allein wegen der selbstauferlegten politischen Abstinenz. Nur ein einziges Mal schaltete er sich seit Sommer 1933 in politische Angelegenheiten ein, nämlich als ihm der Zustand seiner evangelischen Kirche dazu Anlaß bot. Allerdings begab er sich in dieser Frage nicht in Opposition zum Reichskanzler, sondern ersuchte diesen vielmehr, im innerprotestantischen Kirchenstreit als Vermittler aufzutreten. In einem Schreiben vom 30. Juni 1933, dem eine persönliche Aussprache vorausge-

gangen war, erteilte der Reichspräsident Hitler den Auftrag, »durch Verhandlungen
… den Frieden in der evangelischen Kirche wiederherzustellen und auf dieser
Grundlage die angestrebte Einigung der verschiedenen Landeskirchen herbeizuführen«.[28] Hindenburg hatte mit großer Sympathie die Entwicklung innerhalb der
29 existierenden evangelischen Landeskirchen verfolgt, im Sog der »nationalen
Aufbruchstimmung« in der Politik eine Reichskirche zu gründen, deren Bildung
bislang an Partikularinteressen wie an den konfessionellen Differenzen zwischen
lutherischen, reformierten und unierten Landeskirchen gescheitert war. Sollte
Hindenburgs Appell zur nationalen Einigung auch innerhalb der so heterogenen
evangelischen Landeskirchen das Startsignal für ein Einigungswerk werden, dann
stellte dies eine logische Verlängerung seines Hauptanliegens in den kirchlichen
Bereich hinein dar.

Allerdings geriet das Projekt »Reichskirche« zwischen die kirchenpolitischen
Fronten und drohte an der leidigen Bekenntnisfrage zu scheitern, da die strikt lutherischen Kirchen dem von den meisten Kirchenleitungen unterstützten ersten
Reichsbischof Bodelschwingh die Gefolgschaft verweigerten. Zugleich hatte die
mit der NSDAP sympathisierende Kirchenpartei der »Deutschen Christen«, deren
Theologie auf eine Verformung des Evangeliums im völkischen Sinne hinauslief,
durch den politischen Umschwung gehörigen Auftrieb erhalten und suchte mit
Hilfe staatlicher Eingriffe die größte Landeskirche, die unierte »Evangelische Landeskirche der Altpreußischen Union«, unter ihre Kontrolle zu bringen. Der dazu
bestellte preußische Staatskommissar Jäger bemühte sich, gemäß dem Vorbild der
Gleichschaltung der Parteien auch die Leitung dieser Kirche unter die Botmäßigkeit einer theologisch radikalen Kirchenpartei zu bringen, die selbst führende Nationalsozialisten wie Reichsinnenminister Frick ablehnten.[29]

Hindenburg schlüpfte Ende Juni 1933 für kurze Zeit noch einmal in seine Lieblingsrolle als Anwalt der Einheit und ersuchte den Reichskanzler, durch Intervention die divergierenden Interessen auszugleichen. Er erteilte Hitler einen Vermitt-
lungsauftrag, weil die innerkirchlichen Streitigkeiten die Realisierung des Projekts
»Reichskirche« nach seiner Auffassung so sehr gefährdeten, daß es der ausgleichenden Bemühungen durch die Politik bedurfte. Diese war ohnehin mit dem Projekt
befaßt, weil die Verfassung einer solchen Reichskirche vom Staat gebilligt werden
mußte, wenn diese ebenso wie die Landeskirchen den begehrten Status einer Kör-
perschaft des öffentlichen Rechts erhalten sollte. Daß Hindenburg mit dieser Aufgabe den Reichskanzler beauftragte, zeugt von der hohen Meinung, die er mittlerweile von diesem gewonnen hatte: Der nominelle Katholik Hitler, der am 21. März
1933 noch demonstrativ der Meßfeier in Potsdam ferngeblieben war, sollte nun in

innerevangelische Angelegenheiten Ordnung bringen – ein Auftrag, der seinen katholischen Vorgängern Papen oder Brüning niemals erteilt worden wäre. Hitler war in den Augen Hindenburgs nicht nur mit »staatsmännischer Weitsicht«[30] ausgestattet, die ihn für eine solch heikle Aufgabe prädestinierte, sondern hatte sich nach der Einschätzung des Reichspräsidenten auch so weit von allem Katholischen gelöst, daß er aus lauterer nationaler Gesinnung handelte und nicht von konfessionellen Nebenabsichten geleitet war, die Hindenburg zumindest Brüning unterstellt hätte.

Hitler hatte sich – taktisch gut beraten – bislang aus allen theologischen Streitigkeiten herausgehalten und sich niemals mit den radikalen theologischen Positionen der »Deutschen Christen« identifiziert. Daher war er für alle Beteiligten ein akzeptabler Vermittler. Nicht zuletzt durch sein Einwirken kam es im Juli 1933 zu einer Regelung, die alle Kirchenparteien zunächst zufriedenstellte: Es wurde die Verfassung einer Reichskirche verabschiedet, die den Landeskirchen die Selbständigkeit beließ, aber das Amt eines Reichsbischofs einführte und damit einen wichtigen Schritt in die von Hindenburg wie Hitler gewünschte Richtung darstellte. Die staatliche Bestätigung der »Verfassung der Deutschen Evangelischen Kirche« erfolgte durch Reichsgesetz vom 15. Juli 1933.[31]

Die tiefen theologischen Risse innerhalb des deutschen Protestantismus wurden indes nur eine Zeitlang übertüncht. Als die »Deutschen Christen« nach ihrem triumphalen Sieg bei den Kirchenwahlen vom 23. Juli 1933 sämtliche Kirchenleitungen – bis auf die der lutherischen Landeskirchen in Hannover, Bayern und Württemberg – eroberten und auch den am 27. September 1933 von der Nationalsynode gewählten Reichsbischof Ludwig Müller aus ihren Reihen rekrutierten, setzte eine neue Welle heftiger innerkirchlicher Auseinandersetzungen ein. Diese erwuchsen zum einen aus den unüberbrückbaren theologischen Differenzen zwischen dem radikalen Flügel der »Deutschen Christen«, der eine »Reinigung« der Heiligen Schrift von allen jüdischen Einflüssen und letztlich eine völkische Religion propagierte, und der strikt an Bibel und Bekenntnis festhaltenden Opposition, die sich außerhalb der von den »Deutschen Christen« beherrschten Kirchenstrukturen zu formieren begann. Überdies versuchte Reichsbischof Müller seinen Machtanspruch mit einer Brutalität ohnegleichen durchzusetzen und per Ausnahmegesetzgebung ein staatliches Kirchenregiment zu errichten, das die rechtliche Unabhängigkeit der Landeskirchen aufheben sollte.[32] Diese an die Substanz des Protestantismus gehende Zerreißprobe rief wiederum den Reichspräsidenten auf den Plan.

Hindenburg hatte mit Unmut die innere Entwicklung im Protestantismus verfolgt: Ausgerechnet zu einer Zeit, als er sich der Herstellung der inneren Einheit so nahe wie nie zuvor glaubte, tat sich eine tiefe Kluft in den evangelischen Kirchen auf und gefährdete die Realisierung des von ihm begrüßten Projekts der Reichskirche. Das diktatorische Auftreten des Reichsbischofs hatte der Idee der Reichskirche bereits so schweren Schaden zugefügt, daß die süddeutschen Landeskirchen vor dem Austritt aus der Reichskirche standen, womit für Hindenburg ein Rückfall in den zu überwindenden landeskirchlichen Partikularismus drohte. Daher bestellte er den Reichsbischof am 11. Januar 1934 zu einem Gespräch, um diesem die Folgen seines Tuns vor Augen zu führen und ihn zur Zurückhaltung zu ermahnen. Für das staatliche Aufsichtsrecht über die Kirche konnte Hindenburg sich ohnehin nicht erwärmen, weil es deutliche Anklänge an die frühere Stellung des Monarchen als Summus Episcopus enthielt. Zweifellos hatten die bis zum Sturz der Monarchien geltenden Kirchenordnungen dem jeweiligen Fürsten die Rolle eines Kirchenoberhauptes zugedacht, aber gerade weil diese Position an eine monarchische Verfaßtheit des Staates gebunden war, konnte es Hindenburg nur als Anmaßung empfinden, das staatliche Kirchenregiment zu kopieren und auf eine Reichskirche in einem nicht monarchisch verfaßten Reich zu übertragen. Hindenburg strebte keine Erweiterung der Befugnisse des Staatsoberhauptes in dem Sinne an, daß dieses auch an der Spitze der Reichskirche stehen sollte – und schon gar nicht wollte er hier die Stellung eines Ersatzkaisers einnehmen.

Der Reichspräsident ersuchte wie ein gutes halbes Jahr zuvor den Reichskanzler, die Schiedsrichterrolle im innerevangelischen Kirchenstreit zu übernehmen.[33] Hitler empfing daraufhin am 25. Januar 1934 zum ersten und einzigen Mal Vertreter der streitenden Kirchenparteien. Er ermahnte sie zur Einigkeit, ohne den Führungsanspruch des Reichsbischofs in Frage zu stellen, und stellte den Rückzug des Staates aus den innerkirchlichen Angelegenheiten in Aussicht. Hitler hielt sich damit zumindest die Option eines Abrückens vom Reichsbischof offen, falls es diesem nicht gelang, die Landeskirchen wie die theologisch motivierte innerkirchliche Opposition zu unterwerfen. Der raffinierte Taktiker erweckte damit bei Hindenburg den Anschein, als habe er sich ehrlich um einen Ausgleich zwischen den Streitenden bemüht, sei aber an der Unnachgiebigkeit der Konfliktparteien gescheitert. Hindenburg gab sich damit zufrieden[34] und intervenierte fortan nicht mehr in dem sich zu einem veritablen innerkirchlichen Kampf auswachsenden Konflikt, obgleich ihn diese Entwicklung schmerzte.[35]

Die größten Erwartungen an den Feldmarschall-Reichspräsidenten betrafen von konservativer Seite jene politische Frage, die Hindenburg seit dem November 1918 unablässig verfolgte: die Restauration der Monarchie. Hindenburg hatte zwar stets bekundet, daß er mit dem Herzen weiterhin an der Monarchie hing, doch als Realpolitiker jede Initiative in Richtung Restauration gescheut. Zweifellos war unter den verfassungsrechtlichen Bedingungen des Staates von Weimar jeder Schritt in diese Richtung höchst riskant. Aber hatten sich nicht mit dem Übergang zu einem »nationalen Einheitsstaat« die Bedingungen für eine Wiederherstellung der Monarchie grundlegend verbessert, da nun die politische Linke und sonstige Widersacher einer Restauration mundtot gemacht worden waren? Jedenfalls nahm von monarchisch-konservativer Seite das Drängen zu, die sich eventuell neu eröffnenden Handlungsspielräume in dieser Causa auszuloten und endlich entsprechende Schritte einzuleiten.

Zunächst suchte man sich in zutreffender Einschätzung der machtpolitischen Lage zu versichern, daß der zweite entscheidende Politiker – also Reichskanzler Hitler – der Wiederherstellung der Monarchie aufgeschlossen gegenüberstand, was man aufgrund früherer Äußerungen Hitlers im kleinen Kreis meinte hoffen zu dürfen.[36] Auf Vermittlung Hindenburgs sprach Friedrich von Berg, der ehemalige Hausminister der Hohenzollern, am 9. Mai 1933 bei Hitler in dieser Angelegenheit vor, erhielt von diesem aber nur eine mäßig befriedigende Antwort. Zwar bekannte sich der Reichskanzler zur Wiedererrichtung der Monarchie als Abschluß seines politischen Wirkens, doch sah er die Zeit dafür erst gekommen, wenn Deutschland innenpolitisch und außenpolitisch stabilisiert sei.[37] Immerhin schloß diese Aussage Hitlers weitgehend aus, daß er sich Schritten zur Restauration widersetzte, falls Reichspräsident Hindenburg in diese Richtung drängte. Daher galt das Hauptaugenmerk nun der Gewinnung Hindenburgs für eine solche Initiative.

Doch die Emissäre Wilhelms II. erhielten von Hindenburg keine andere Antwort als von Hitler. Als Hausminister Dommes den Reichspräsidenten am 25. September 1933 in dieser Angelegenheit in Neudeck aufsuchte, bekundete dieser zwar seine Sympathie für eine Rückkehr des Ex-Kaisers auf den Thron, »aber weder das deutsche Volk noch die ganzen Verhältnisse in der Heimat seien so weit, daß der Kaiser den Thron wieder besteigen könne«.[38] Indem sich Hindenburg auf die legitimistische Variante der Restauration festlegte, teilte er zwar die Position von Doorn. Aber er schmälerte in der Konsequenz die ohnehin geringen Erfolgschancen der Restaurationsbestrebungen, weil viele Anhänger der Monarchie sich beim besten Willen nicht vorstellen konnten, einen bald 75jährigen in seine alten Rechte einzusetzen, wo doch andere Mitglieder des Hauses Hohenzollern nur darauf warteten, daß ein entsprechender Ruf an sie erging. Insofern blieb Hindenburgs legitimistisches Bekenntnis nicht nur politisch folgenlos, sondern verengte jede ernsthafte Bemühung in diese Richtung, zumal Hitler durchblicken ließ, daß er »Monarchist, aber nicht Legitimist«[39] sei.

Einen letzten, allerdings ebenfalls vergeblichen Anlauf unternahmen die Legitimisten kurz nach der enttäuschend verlaufenen Mission von Dommes. Über General August von Cramon, der Hindenburg persönlich immer noch näher stand als alle anderen Militärs, ließen sie dem Reichspräsidenten eine Denkschrift[40] zukommen, die systematisch die Argumente für eine Wiedereinsetzung Wilhelms II. in seine alten Rechte zusammenführte. Diese Denkschrift zielte ganz konkret auf den Generalfeldmarschall Hindenburg, der in die Pflicht genommen werden sollte, wie »ein rechter Reichsverweser zu handeln« und in dieser Eigenschaft den Ex-Kaiser zurückzurufen. Ganz unumwunden wurde in dem vierseitigen Papier zum Ausdruck gebracht, daß nur Hindenburg kraft seiner charismatischen Autorität zu einem solchen Schritt legitimiert sei, der die Grenzen des positiven Rechts sprenge: »Selten in der Geschichte hat eine Persönlichkeit ein solches Maß von Verehrung und Vertrauen ... genossen wie der Generalfeldmarschall Reichspräsident von Hindenburg.« Die Denkschrift appellierte an Hindenburg, sein ungebrochenes Charisma ein letztes Mal politisch einzusetzen, und zwar für die Wiederherstellung der Monarchie, und damit seinem »Lebenswerk ... seine unsterbliche Krönung« zu verleihen.

Die Reaktion Hindenburgs auf dieses Ansinnen spiegelt noch einmal dessen politisches Selbstverständnis wider. Er war nämlich nicht gewillt, sein Charisma zu bemühen, weil er seine Herrschaft längst an den Reichskanzler abgetreten hatte, mit dem er in den großen Linien der Politik völlig übereinstimmte. Es verwundert daher nicht, daß er Cramons Ersuchen mit denselben Argumenten abwies, die Hitler wenige Wochen zuvor gegenüber Dommes angeführt hatte. Das innere Aufbauwerk sei noch nicht vollendet – und hinter der Vollendung der Einigung der Nation müsse die Frage der Staatsform zurückstehen. Zudem müsse man bedenken, daß die Deutschland feindselig gesinnten ausländischen Mächte eine Restauration der Monarchie zum wohlfeilen Vorwand für eine Intervention nehmen könnten, die den machtpolitischen Aufstieg des Reiches jäh beenden würde. Verfrühte Schritte zur Wiederherstellung der Monarchie würden alles gefährden, was seit dem 30. Januar 1933 aufgebaut worden sei: »Daß im Vaterlande ein Aufschwung zum Besseren eingetreten ist, hat die Feier in der Potsdamer Garnisonkirche gezeigt. Ich danke Gott, daß wir nach langjähriger, nicht leichter Arbeit so weit gekommen sind. Aber die innere Krisis ist noch nicht völlig überwunden, und das Ausland wird jetzt schwerlich mir zu Liebe einer Wiederherstellung der Monarchie untätig zusehen.«[41]

Hindenburg wollte seine charismatische Autorität – wenn überhaupt – nur für ein politisches Ziel einsetzen, das dem Volkswillen entsprach. Wie jeder Charismatiker griff er auf eine plebiszitäre Legitimationsbasis zurück; dem unsentimentalen Realisten war aber nicht entgangen, daß der politische Wille des Volkes nicht darauf gerichtet war, ausgerechnet einen schon zu seinen Herrschaftszeiten umstrittenen Monarchen auf seine alten Tage wieder in die dynastischen Rechte einzusetzen. Hier standen also Herzensneigung und politische Einsicht in einem Spannungsverhältnis, an dem Hindenburg sichtlich litt,[42] in dem er sich aber eindeutig im Sinne der nüchternen politischen Analyse entschied. Einige Monate zuvor hatte er letztmals ein Mitglied des Hauses Hohenzollern, nämlich den zweitältesten Sohn des Kronprinzen, Louis Ferdinand, empfangen und sein Herrschaftsverständnis bei dieser Gelegenheit dargelegt: »Glauben Sie mir, ich bin Monarchist und weiß, was ich Ihrem Hause schuldig bin. Zugleich aber fühle ich mich dem deutschen Volke verpflichtet, das mir schon zweimal sein Vertrauen geschenkt hat.«[43]

Nach dieser Absage verweigerte sich Hindenburg sogar einer von den Legitimisten ins Auge gefaßten Zwischenlösung. Diese ging dahin, Wilhelm II. als Privatperson anläßlich seines 75. Geburtstages eine Rückkehr nach Deutschland zu gestatten und ihn beispielsweise in dem seiner Familie gehörenden Schloß in Bad Homburg wohnen zu lassen. Feldmarschall Mackensen suchte Hindenburg für ein solches Entgegenkommen zu erwärmen,[44] doch Hindenburg blieb hart, weil er die damit verbundenen politischen Implikationen als Störfaktor für das von Hitler vorangetriebene Werk der nationalen Einheit ansah. Als Hindenburg Ende 1933 Wilhelm II. wie jedes Jahr »tief empfundene Neujahrswünsche alleruntertänigst zu Füßen« legte und den Ex-Kaiser seiner »alten Treue, Ehrfurcht und Dankbarkeit« versicherte,[45] waren dies Treueschwüre ohne jeden politischen Wert.

Vor diesem Hintergrund distanzierte sich auch Hitler immer mehr von der Idee einer möglichen Restauration der Monarchie, die bis dahin durchaus zu seinen politischen Optionen gehört hatte. Wenn er eine solche Vorstellung überhaupt für erwägenswert hielt, dann nur in dem Zusammenhang, daß der künftige Kaiser ein überzeugter Nationalsozialist zu sein hatte, wozu sich nach Lage der Dinge nur Alexander Prinz von Preußen, der Sohn des SA-Führers, Reichstagsabgeordneten und Kaisersohnes August Wilhelm, eignete.[46] Als Dommes am 24. Oktober 1933 bei Hitler vorsprach, vermied dieser jedes Bekenntnis zum monarchischen Gedanken und ließ vielmehr durchblicken, daß nach dem Ableben Hindenburgs nicht die Stunde für eine Wiederkehr der Hohenzollern gekommen sei, sondern er selbst die Funktion des Staatsoberhauptes übernehmen werde.[47] Wie sehr sich die Gewichte verschoben hatten, brachte der NS-Staat zum Ausdruck, als er am 3. Februar 1934 Verbände mit dezidiert monarchistischer Einstellung verbot, ironischerweise unter Berufung auf die von Hindenburg unterzeichnete »Reichstagsbrandnotverordnung« vom 28. Februar 1933.[48] Daß Hitler diesen Schritt noch zu Lebzeiten Hindenburgs unternahm, spricht Bände und zeugt davon, wie sicher er sein konnte, daß Hindenburg nicht als Schutzherr dieser politisch marginalisierten monarchischen Gesinnungsgemeinschaften auftreten würde. Und er täuschte sich nicht: Obgleich Hindenburg von seiten seiner alten Kameraden, darunter auch Mackensen, bestürmt wurde, gegen die Unterdrückung monarchischer Propaganda einzuschreiten, raffte er sich nur zu einem lauen Protest auf gegen Ausschreitungen, die SA-Leute am 26. Januar 1934 angezettelt hatten, um eine von den Vereinigten Vaterländischen Verbänden veranstaltete Kaisergeburtstagsfeier in Berlin zu sprengen.[49]

Wie sehr Hindenburg auf alle Herrschaftsansprüche verzichtet hatte, offenbart sein Verhalten vor und während des »Röhm-Putsches« im Juni 1934. Die strengen Monarchisten hatten ihn im Herbst 1933 vergebens gebeten, die Wiederherstellung der Monarchie in die Wege zu leiten. Im Sommer 1934 mußten die ehemaligen Bündnispartner Hitlers aus dem nationalkonservativen Lager eine vergleichbare Erfahrung machen: Sie wollten eine Situation provozieren, in welcher der Reichspräsident seine schlummernden Befugnisse als Oberbefehlshaber der Armee aktivierte, in die deutsche Politik machtvoll eingriff und auf diese Weise den totalen Machtanspruch Hitlers begrenzte. Doch sie mußten erfahren, daß Hitler ihr Kalkül mit einer taktischen Raffinesse ohnegleichen durchkreuzte und Hindenburg keinen Finger krümmte, um als Reichspräsident und Befehlshaber der Armee in Erscheinung zu treten.

Als Signal zur Aufrüttelung von Reichspräsident und Reichswehr sollte eine Rede des Vizekanzlers Papen am 17. Juni 1934 in der Marburger Universität dienen. Papen wollte sich an die Spitze einer allgemein verbreiteten Unzufriedenheit mit der SA setzen, die durch ihr Bestreben nach einer zweiten, sozialistischen Revolution das konservative Bürgertum verschreckte und die Reichswehr immer massiver herausforderte, indem sie deren Gewaltmonopol in Frage stellte und für sich selbst eine eigenständige militärische Rolle reklamierte. In dieser Eigenmächtigkeit der SA witterten Papen und die Mitarbeiter des Vizekanzlers einen Grund, den Reichspräsidenten als politischen Faktor ins Spiel zu bringen: Hindenburg sollte veranlaßt werden, die SA in die Schranken zu weisen, indem er als Oberbefehlshaber der Armee in Erscheinung trat und in dieser Eigenschaft die Reichswehr anwies, die SA zu entmachten. Auf diese Weise wäre Hitler ein wichtiges politisches Machtinstrument – nämlich die NS-Parteiarmee – zerschlagen worden, und die Reichswehr wäre durch die Aktivierung der Präsidialgewalt wieder zu einem eigenständigen Machtfaktor aufgestiegen mit der Aussicht, den Konservativen mehr Gewicht zu verleihen und so an den Zustand vom 30. Januar 1933 anzuknüpfen.[50]

Die Aussichten auf eine Reaktivierung Hindenburgs waren nicht ganz unberechtigt, da Hindenburg aus seiner Abneigung gegen die SA nie ein Hehl gemacht hatte. Die SA verkörperte für ihn eine rein nationalsozialistische Parteiarmee, die das Projekt der nationalen Einheit behinderte, da sie mit ihren Landsknechtsmanieren auch vor dem nationalgesinnten Bürgertum nicht haltmachte. Wenn sich diese auf Konflikt gedrillte Truppe darüber hinaus erdreistete, sich militärische Befugnisse im Bereich der Landesverteidigung anzueignen, war nicht ausgeschlossen, daß der Reichspräsident intervenierte.[51] Hinzu gesellte sich noch der ganz persönliche Widerwille Hindenburgs gegen den Stabschef der SA, Ernst Röhm. Hindenburg stieß nicht nur ab, daß sich hier ein Hauptmann wie ein Feldmarschall gebärdete und für seinen wilden Haufen militärische Gleichberechtigung mit der Reichswehr proklamierte; vor allen Dingen störte er sich daran, daß hier ein Homosexueller, der seine Neigung auch gar nicht bestritt, Einfluß auf die wehrfähige deutsche Jugend erlangen wollte.[52]

Unter diesen Umständen erlaubte sich Papen in seiner von dem konservativen Intellektuellen Edgar Julius Jung verfaßten Marburger Rede außergewöhnlich offene Worte, wie man sie in der deutschen Öffentlichkeit schon seit Monaten nicht mehr vernommen hatte. Die von Papen geäußerte Kritik zielte nicht nur allgemein auf den Totalitätsanspruch des Nationalsozialismus, sondern machte einen ziemlich eindeutigen Adressaten für die Gravamina aus: die SA, die durch ihr Gerede von einer zweiten Revolution innere Unruhe schüre.[53] Doch die vom Vizekanzler vorgetragene Kritik lief ins Leere, und dies lag vor allem daran, daß Papen in persönlicher Hinsicht für die ihm zugedachte Rolle denkbar schlecht gerüstet war. Er scheute nämlich die erforderliche Machtprobe mit Hitler und nahm es hin, daß dieser die Verbreitung der Rede verbieten ließ. Papen fehlte es an persönlicher Courage und an moralischer Standfestigkeit, um einen Konflikt mit dem Reichskanzler erfolgreich auszufechten und Hitler in die Schranken zu weisen. Da Papen sich nach dem Auftritt in Marburg nicht weiter für die Sache einsetzte und sich schließlich von Hitler vereinnahmen ließ,[54] fehlte der sich erstmals regenden konservativen Opposition der politische Kopf.[55]

Papen wich der Konfrontation mit dem Reichskanzler aber auch aus, weil er ziemlich genau einschätzen konnte, daß der Reichspräsident sich nicht auf seine, sondern auf die Seite Hitlers schlagen würde. Daher hatte er Hindenburg auch nicht vorab über die Marburger Rede unterrichtet;[56] er wollte den Reichspräsidenten vor vollendete Tatsachen stellen in der Hoffnung, ihn auf diese Weise mitziehen zu können. Doch diese Hoffnung trog, da Hindenburg sich überrumpelt fühlte und überhaupt keinen Anlaß sah, sich von Papen aufgrund der Marburger Rede die politische Agenda vorschreiben zu lassen und Hitler unter Zugzwang zu setzen. Als Hindenburg von Reichspressechef Funk in Neudeck um den 18. Juni herum über den Konflikt zwischen Reichskanzler und Vizekanzler wegen der Rede Papens informiert wurde und dabei auch das Verbot von deren Verbreitung zur Sprache kam, rückte Hindenburg die Machtverhältnisse zwischen dem jetzigen Kanzler seines Vertrauens und seinem einstmaligen Favoriten unmißverständlich zurecht: Wenn Papen »keine Disziplin hält, dann muß er eben die Konsequenzen daraus ziehen«.[57] Hitler, der Hindenburg am 21. Juni besuchte, wurde in Neudeck mit offenen Armen empfangen, nicht die geringste politische Meinungsverschiedenheit trübte die Beziehung zwischen dem Reichspräsidenten und seinem Kanzler, der gerade von seiner ersten Auslandsreise aus Venedig zurückgekehrt war. Noch nie war »der Alte Herr so freundlich gewesen wie beim letzten Besuch«.[58] Gegen die Allianz Hindenburg/Hitler vermochte der ins Abseits gedrängte Papen ebensowenig auszurichten wie der mit dem Papenkurs sympathisierende Chef der Heeresleitung Fritsch, der Hindenburg am 26. Juni 1934 aufsuchte.[59] In einem Punkte aber stimmten Fritsch und Papen mit Hindenburg überein: Dem als anmaßend empfundenen Auftreten der SA sollte ein Ende bereitet werden.

Hindenburg hielt sich in der Angelegenheit Röhm jedoch nicht für zuständig und übertrug diese Aufgabe Hitler, womit dieser zum Herrn des Verfahrens wurde und in einem raffinierten Doppelschlag zwei Angelegenheiten auf seine Weise erledigen konnte: Am 30. Juni ging Hitler persönlich gegen Röhm und die SA-Führung vor und erfüllte damit die von Hindenburg formulierte Auflage aus eigener Kraft, ohne auf präsidiale Machtmittel zurückzugreifen. Parallel dazu ermächtigte er die Geheime Staatspolizei und die SS, zu einem »Enthauptungsschlag« gegen tatsächliche und vermeintliche Angehörige der konservativen Opposition auszuholen: Zwei enge Mitarbeiter Papens wurden umgebracht, dieser selbst unter Hausarrest gestellt; zudem gehörten alte Widersacher Hitlers wie Ex-Reichskanzler Schleicher und dessen ehemalige rechte Hand General von Bredow zu den Opfern der Mordkommandos. Hitler hatte ein politisches Anliegen der Reichswehr und konservativer Kräfte aufgegriffen, indem er den Machtanspruch der SA auf blutige Weise beseitigte und dabei nicht einmal seinen Duzfreund Röhm verschonte. Im selben Atemzug erstickte er alle oppositionellen Regungen, die der Illusion entsprangen, durch eine Mobilisierung der Präsidialgewalt Hitlers Herrschaft Grenzen setzen und gar die monarchische Frage aufwerfen zu können.[60]

Warum aber glückte Hitler dieser Coup? Die Ausschaltung seiner Widersacher im Sommer 1934 wäre nicht möglich gewesen ohne das stillschweigende Einverständnis Hindenburgs, und insofern ist auch der 30. Juni 1934, der vermeintliche »Röhm-Putsch«, nur angemessen zu begreifen, wenn er als markanter Ausdruck einer Übereinkunft zwischen Hindenburg und Hitler verstanden wird. Zunächst einmal muß geklärt werden, warum Hitler nach schweren inneren Kämpfen die SA opferte und damit ein auf ihn eingeschworenes militärisch nutzbares Machtinstrument aus der Hand gab. Geriet Hitler damit nicht in eine politische Abhängigkeit von der Reichswehr als nunmehr einzig legitimiertem »Waffenträger der Nation«? Denn über diese Institution konnte er solange nicht verfügen, wie Hindenburg deren Oberbefehlshaber war. Warum also zerschlug Hitler eine politische Waffe, die ihm gerade bei der Sicherung der Anwartschaft auf die Nachfolge Hindenburgs gute Dienste leisten konnte?[61]

Daß Hitler mit aller Macht die Nachfolge Hindenburgs als Reichspräsident anstrebte, ist seit Sommer 1933 bezeugt.[62] War es vor diesem Hintergrund ratsam, das Risiko einzugehen, daß die Reichswehr wieder auf das Schleicher-Konzept zurückgriff, sich als innenpolitischer Ordnungsfaktor ins Spiel brachte und daraus ein Mitspracherecht[63] bei der Bestimmung eines neuen Reichspräsidenten ableitete? Die Antwort auf diese Frage erschließt sich, wenn man sich vor Augen hält, daß die schwelende Nachfolgedebatte im April 1934 eine entscheidende Wendung genommen hatte: Hindenburg hatte auch wohl unter dem Eindruck seiner Krankheit die Initiative ergriffen und ein politisches Testament aufsetzen lassen, dessen endgültige Fassung er am 11. Mai 1934 genehmigte. Was die Erstellung eines solchen politischen Vermächtnisses für das Herrschaftsverständnis Hindenburgs bedeutete, interessiert an dieser Stelle weniger als die Frage, welche Auswirkungen die Existenz dieses politischen Testaments auf Hitlers Kalkül[64] hatte, sich nach Hindenburgs Tod unter allen Umständen die präsidialen Befugnisse – und damit in erster Linie die Verfügungsgewalt über die Reichswehr – zu sichern. Denn mit dem Testament hatte Hindenburg die ursprüngliche Absicht Hitlers durchkreuzt, auf die »biologische Lösung« – das heißt auf das von ihm noch für das Jahr 1934 erwartete Ableben Hindenburgs – zu setzen in der Annahme, daß ihm die Nachfolge Hindenburgs wie eine reife Frucht in den Schoß fallen werde.[65]

Hitler konnte sich aufgrund des mittlerweile gewachsenen Vertrauens des Reichspräsidenten berechtigte Hoffnungen machen, daß dessen politisches Testament für seine Nachfolgeambitionen günstig ausfallen würde. Allerdings kannte er den Inhalt nicht; er wußte nur von Papen, der einen Testamentsentwurf angefertigt hatte, daß der Reichspräsident am 11. Mai 1934 sein endgültiges politisches Vermächtnis niedergeschrieben hatte.[66] Auch Papen war über den genauen Wortlaut des Testaments nicht informiert,[67] in den nur Hindenburgs Adjutanten, also sein Sohn Oskar und Wedige von der Schulenburg, eingeweiht waren.[68] Auf diese Weise erreichte Hindenburg eine politische Disziplinierung seines Reichskanzlers. Obgleich Hitler die Veröffentlichung eines für ihn wider Erwarten ungünstig ausgefallenen Testamentes jederzeit hätte verhindern können,[69] schien es ihm im Sinne seiner Herrschaftsstabilisierung ratsam, mit dem testamentarischen Segen Hindenburgs dessen Stellung als Staatsoberhaupt zu übernehmen und damit zugleich dessen charismatisches Erbe anzutreten.[70] Die politische Ausbeutung des Hindenburg-Mythos hielt Hitler angesichts der testamentarischen Verfügung Hindenburgs zu politischer Rücksichtnahme auf dessen Zielsetzungen an. Und da Hitler und Hindenburg in der zentralen Frage der inneren Einigung der Nation vollständig übereinstimmten, mußte Hitler nur verhindern, daß er gegen Hindenburgs Selbstverständnis als Garant der politischen Unabhängigkeit der Armee verstieß. Vor allem deshalb erschien es Hitler ratsam, ein eindeutiges Signal an die Adresse des Reichspräsidenten auszusenden und die unberechenbare SA politisch zu entmachten. Damit war die allerletzte potentielle Reibungsfläche zwischen ihm und dem Reichspräsidenten verschwunden, und einer testamentarischen Legitimation Hitlers durch Hindenburg stand nichts mehr im Wege.

Die Ermordung des Stabschefs der SA, Ernst Röhm, besaß noch eine weitere Facette, die ebenfalls aufs engste mit der Nachfolge Hindenburgs verknüpft war. Mit der Ausschaltung Röhms kam Hitler nicht nur einer stillschweigenden Auflage Hindenburgs nach, sondern beseitigte auch einen politischen Konkurrenten, der bei der Nachfolge Hindenburgs sein eigenes Spiel spielte. Röhm scheint ernsthaft mit der verblüffenden Vorstellung geliebäugelt zu haben, nach dem Ableben Hindenburgs einen politischen Trumpf aus dem Ärmel zu ziehen und den Kaisersohn August Wilhelm als Reichsverweser zu installieren. Dies wäre eine durchaus im Sinne der Monarchisten liegende Lösung gewesen, da August Wilhelm sich als Treuhänder der momentan verwaisten Monarchie verstand. Und Röhm, der sich als alter königlich-bayerischer Offizier immer eine Anhänglichkeit an die Monarchie bewahrt hatte, konnte mit dieser Lösung deswegen gut leben, weil der Kaisersohn als SA-Gruppenführer dem SA-Stabschef eng verbunden war.[71] In jedem Fall hätte Röhm das Kalkül Hitlers durchkreuzt – und dies war ein weiterer Grund dafür, daß Röhm am 2. Juli 1934 sein Leben verlor und August Wilhelm kaltgestellt wurde.

Für Hitler lag es nahe, im Zuge der Abrechnung mit der SA-Führung auch jene Kräfte politisch mundtot zu machen, die bei der anstehenden Nachfolge Hindenburgs die Wiederherstellung der Monarchie ins Spiel zu bringen hofften. Auch deshalb ließ er die Vizekanzlei Papens ausheben und zwei von dessen Mitarbeitern ermorden; auch aus diesem Grunde wurden die Hohenzollernprinzen eingeschüchtert. Am 30. Juni 1934 holte Hitler nicht nur zu einem Vernichtungsschlag gegen die SA-Führung aus und sicherte sich damit insbesondere den Beifall aus militärischen und konservativen Kreisen, er zerschlug auch die Opposition von rechts, die sich um die Wiedererrichtung der Monarchie bemühte. Damit drängt sich die Frage auf, warum Hitler ungestraft gegen Personen und Einstellungen vorgehen konnte, von denen man bei oberflächlicher Betrachtung mutmaßen mußte, daß sie unter dem besonderen Schutz Hindenburgs standen.

Hitler konnte einen solchen Schritt nur wagen, weil er sich der Rückendeckung Hindenburgs gewiß war. Der Reichspräsident hatte ihm seit dem Sommer 1933 immer wieder versichert, wie gut er die Vollendung seines politischen Lebenswerkes – die Errichtung eines machtvollen Deutschland auf der Basis einer geeinten Nation – bei seinem Kanzler aufgehoben wußte. Am 30. Januar 1934, dem Jahrestag der Ernennung Hitlers zum Reichskanzler, hatte Hindenburg diesen harmonischen Gleichklang in einem Handschreiben an Hitler in folgende Worte gekleidet: »Ich vertraue auf Sie und Ihre Mitarbeiter, daß Sie das so tatkräftig begonnene große Werk des deutschen Wiederaufbaues auf der Grundlage der nun glücklich erreichten nationalen Einheit des deutschen Volkes im kommenden Jahr erfolgreich fortsetzen und mit Gottes Hilfe vollenden werden!«[72] Hitler konnte also von der nachträglichen Billigung des Reichspräsidenten für alle politischen Aktionen ausgehen, die auf dieser gemeinsamen Linie lagen – und dazu zählte in jedem Fall die Ausschaltung der SA, zu der dieser ihn geradezu drängte.

Hindenburg hatte die Grundzüge des Verfahrens abgesteckt, nachdem ihn der Chef der Heeresleitung, Fritsch, am 26. Juni 1934 in Neudeck aufgesucht und ihm seine Besorgnisse über die Eigenmächtigkeiten und Anmaßungen der SA geschildert hatte.[73] Die Entmachtung der SA sollte demnach von Polizei und SS durchgeführt werden, während die Reichswehr in Wartestellung verharren und nur dann in Aktion treten sollte, wenn die Kräfte von Polizei und SS der Lage nicht Herr werden würden.[74] Indem Hindenburg im Einvernehmen mit Fritsch die Reichswehr aus der Aktion gegen die SA heraushielt, entzog er zugleich den Plänen aus der Vizekanzlei den Boden, wo man die Reichswehr mit der Ausschaltung der SA beauftragen wollte, um auf diese Weise Hindenburgs Position als Oberbefehlshaber zu aktivieren. Damit sollte erreicht werden, daß die Präsidialgewalt unter Rückgriff auf die Reichswehr Hitlers Machtanspruch in die Schranken wies.[75] Aber diesen Überlegungen fehlte die reale Grundlage, da weder Reichspräsident noch Reichswehrführung die Armee als innenpolitischen Machtfaktor ins Spiel bringen wollten. Hindenburg ließ daher alle Versuche Papens abweisen, in Neudeck persönlich vorzusprechen und seine Pläne zu unterbreiten. Statt dessen entsandte er seinen Sohn Oskar am 27. Juni nach Berlin, der Papen beschwichtigte und den in Berlin weilenden Blomberg darüber in Kenntnis setzte, daß die Aktion gegen die SA-Führung ohne direkte Beteiligung der Reichswehr ablaufen solle.[76]

Als am Vormittag des 30. Juni der diensthabende Adjutant in Neudeck Hindenburg die ersten Nachrichten aus Berlin übermittelte, wonach Hitler persönlich Röhm und andere SA-Führer verhaftet habe, zeigte sich Hindenburg keineswegs überrascht über den Termin und die Art des Vorgehens.[77] Für den Reichspräsidenten handelte es sich um eine mit seiner Billigung von Hitler vollzogene Niederschlagung einer Rebellion, bei der man einkalkulieren mußte, daß Blut floß. Hier dachte Hindenburg durchaus in soldatischen Kategorien: Röhm und die SA-Führung waren für ihn Meuterer, gegen die man nicht mit Hilfe des Strafprozeßrechts vorging, sondern per Standgericht das Urteil vollzog. Als der Reichskanzler ihn am 3. Juli in Neudeck zur Berichterstattung aufsuchte, zeigte er sich mit dessen Vorgehen gegen die SA-Führung rundherum einverstanden: »Das ist richtig so, ohne Blutvergießen geht es nicht.«[78]

Doch am 30. Juni 1934 rechnete Hitler nicht nur mit der SA-Führung ab. An diesem Tag mußten noch andere ihr Leben lassen, die Hitlers Machtanspruch im Wege gestanden hatten, allen voran der ehemalige zweite Mann der NSDAP, Gregor Straßer, und nicht zuletzt Kurt von Schleicher, der zusammen mit seiner Frau in seiner Villa in Potsdam-Neubabelsberg erschossen wurde. Hitler und Göring mußten sich ziemlich sicher sein, daß die Ermordung Schleichers Hindenburg keinen Grund für eine Intervention lieferte, denn sonst hätten sie es nicht gewagt, einen Mann aus dem Weg zu räumen, der noch anderthalb Jahre zuvor der von Hindenburg bestellte Reichskanzler und Reichswehrminister gewesen war. Hindenburg erhielt am Nachmittag des 30. Juni 1934 die Nachricht, daß Schleicher und seine Frau erschossen worden seien, weil der General sich angeblich der geplanten Verhaftung mit Waffengewalt widersetzt habe. Nach der aus Berlin im Laufe des 30. Juni übermittelten Version hatte Schleicher landesverräterische Beziehungen zum französischen Botschafter in Berlin unterhalten und hätte in Gewahrsam genommen werden sollen. Der Reichspräsident sah daher keinen Anlaß, die für die Ermordung Schleichers Verantwortlichen zur Rechenschaft zu ziehen, und gab lediglich Anweisung, ihn in dieser Angelegenheit auf dem laufenden zu halten.[79] Auch wenn nicht verbürgt ist, ob Hindenburg seinem ehemaligen Kanzler wirklich eine landesverräterische Betätigung zutraute, so fällt doch ins Gewicht, daß der

Reichspräsident Hitler und Göring wegen der Ermordung Schleichers keine Vorhaltungen machte. Noch bevor Hitler ihn persönlich über den Vorfall unterrichtete, war er von Reichspressechef Funk über die Ereignisse am 30. Juni ins Bild gesetzt worden: »Der alte Herr hat sich fabelhaft benommen. Selbst im Fall Schleicher ... Ein richtiger Soldat!«[80]

Schleicher hatte eine Auffassung von der Rolle der bewaffneten Macht als innenpolitischem Ordnungsfaktor unter der Aufsicht des Reichspräsidenten repräsentiert, der Hindenburg endgültig mit der Ernennung Hitlers zum Reichskanzler abgeschworen hatte. Insofern bestand für den Reichspräsidenten keine Veranlassung, sich politisch für Schleicher zu verwenden, dessen Pläne einer präsidial gestützten Militärherrschaft in diametralem Gegensatz zu der Weichenstellung standen, die er am 30. Januar 1933 vorgenommen hatte. Aber auch als Kamerad zählte Schleicher im Hause Hindenburgs nicht mehr, ein Schicksal, das viele ehemalige Mitstreiter Hindenburgs teilten.

Als neuen Kameraden hatte Hindenburg nun den von ihm im August des Jahres 1933 zum General der Infanterie beförderten Hermann Göring entdeckt. Am 2. Juli richtete er ein Telegramm an Göring und sprach ihm darin Dank und Anerkennung für die vom preußischen Ministerpräsidenten in Berlin vollzogene Niederwerfung der Rebellion aus, der auch Schleicher zum Opfer gefallen war. Gleichzeitig ging von Neudeck ein Glückwunschtelegramm an den Reichskanzler, das Hitlers Vorgehen vor der Weltöffentlichkeit rechtfertigte: »Sie haben das deutsche Volk aus einer schweren Gefahr gerettet.«[81] Die Initiative für das Telegramm an den Reichskanzler war zwar nicht von Hindenburg, sondern von der Reichsregierung ausgegangen, die auf diese Weise das internationale Ansehen Hindenburgs nutzen wollte, um die im Ausland aufkommende Kritik an der Liquidierung politisch Mißliebiger abzuschwächen. Doch Hitler konnte sicher sein, daß Hindenburg sich nicht weigern würde, ein solches Telegramm zu versenden. Hitler hatte nämlich durch Reichspressechef Funk, der Hindenburg am 1. Juli in Neudeck aufgesucht hatte,[82] erfahren, daß der Reichspräsident sein Vorgehen billigte, und insofern lag kein Wagnis darin, daß Funk über Staatssekretär Meißner am 2. Juli den Entwurf eines solchen Glückwunschtelegramms an den Reichspräsidenten nach Neudeck weiterleitete. Hindenburg enttäuschte die in ihn gesetzten Erwartungen nicht und segnete den Entwurf ab.[83]

Der Feldmarschall tat sogar noch mehr als verlangt, indem er auch Göring seine Anerkennung aussprach. Es löst ein gewisses Befremden aus, daß Hindenburg Göring »mit kameradschaftlichen Grüßen« dessen »energisches und erfolgreiches Vorgehen« honorierte[84] und damit den erst im August 1933 zum General der Infanterie Beförderten als militärisch gleichrangigen Kameraden ansprach, während er andererseits tatenlos hinnahm, daß mit Schleicher ein echter General, der ordnungsgemäß die militärische Laufbahn absolviert hatte, sein Leben verloren hatte. Hindenburg hatte Schleicher offensichtlich aus der Gemeinschaft militärischer Kameraden ausgestoßen und an seiner Stelle Göring aufgenommen. Der Reichspräsident wollte aber nicht so weit gehen, seinen ehemaligen Kanzler und Vertrauten offiziell zum Landesverräter abzustempeln. Daher vermied er in den Telegrammen an Hitler und Göring die Bezeichnung »Landesverrat« und sprach lediglich von Hochverrat beziehungsweise »hochverräterischen Umtrieben«, die dank des tapferen Einsatzes von Hitler »im Keim erstickt« worden seien.[85] Eine Konspiration gegen die Staatsführung im Verein mit der Spitze der SA traute Hindenburg Schleicher allemal zu, aber den Vorwurf des »Landesverrats« an die Adresse des ehemaligen Reichswehrministers wollte er sich nicht ungeprüft zu eigen machen. Auszusetzen hatte Hindenburg an dem Vorgehen seines Kanzlers jedoch nicht das Geringste. Als Hitler ihn am Nachmittag des 3. Juli in Neudeck aufsuchte und ihm etwa eine halbe Stunde lang unter vier Augen über die vermeintliche »Röhm-Revolte« und deren Nachwehen Vortrag hielt, stellte sich Hindenburg nach der Besprechung ganz auf Hitlers Seite, indem er vor den in Neudeck Versammelten – Hitlers Stab sowie seinen beiden Adjutanten – dem Kanzler demonstrativ dafür dankte, daß dieser »das Vaterland vor schwerem Schaden bewahrt« habe.[86]

Auch Hitlers Abrechnung mit der konservativen Opposition, die im Windschatten der Niederwerfung des »Röhm-Putsches« vorgenommen worden war, fand die stillschweigende Billigung des Reichspräsidenten. SS-Leute hatten am 30. Juni 1934 die Vizekanzlei Papens ausgehoben, dessen Presserefenten von Bose erschossen, enge Mitarbeiter Papens in Schutzhaft genommen und sogar Papen selbst nicht verschont, der unter Hausarrest gestellt wurde. Hindenburg erfuhr erst am 2. Juli von diesen Vorgängen, nachdem sich von Ketteler, ein enger Mitarbeiter Papens, unter abenteuerlichen Umständen nach Ostpreußen durchgeschlagen hatte bis zu Hindenburgs Gutsnachbarn Oldenburg, von wo er telefonischen Kontakt nach Neudeck herstellte. Hindenburg entsandte seinen Zweiten Adjutanten Schulenburg nach Januschau, der dort von Ketteler über die Vorfälle in Berlin unterrichtet wurde. Danach entschloß sich Hindenburg, das erste und einzige Mal von seiner Position als Oberbefehlshaber der Reichswehr Gebrauch zu machen: Er erteilte Reichskriegsminister Blomberg den Befehl, für die Freilassung Papens Sorge zu tragen, was unverzüglich geschah.[87] Auch im Falle des inhaftierten Stahlhelmführers Duesterberg schaltete sich Hindenburg persönlich über Blomberg ein und erreichte zumindest eine Hafterleichterung.[88] In beiden Fällen beschränkte sich die Intervention Hindenburgs jedoch darauf, alte Weggefährten unter seinen persönlichen Schutz zu nehmen.

In keinem Fall verwandte Hindenburg sich für die politischen Ziele der Verhafteten, und für die Wiederherstellung der Monarchie, die sich insbesondere Papen zu eigen gemacht und für die er den Reichspräsidenten zu gewinnen versucht hatte,[89] trat der Reichspräsident schon gar nicht ein. Für ihn war dies kein politisches Gegenwartsthema, und darin wußte er sich mit seinem Reichskanzler einig: »Wie ich über die monarchistische Bewegung denke, ist Ihnen bekannt.«[90] Hindenburg war also nur daran gelegen, daß Papen und Duesterberg kein Haar gekrümmt wurde; daß am 30. Juni 1934 die von diesen repräsentierten konservativen Staatsvorstellungen endgültig verabschiedet wurden, war dem Reichspräsidenten dagegen nicht unlieb. Hindenburg sah also keinen Anlaß, Hitler auch nur ansatzweise zu kritisieren, als dieser ihm am 3. Juli in Neudeck Vortrag hielt. Goebbels hielt am 6. Juli als Eindruck dieser Besprechung in seinem Tagebuch fest: »Hindenburg war knorke. Der alte Herr hat Format.«[91]

Der »alte Herr« stand mit seiner Haltung aber nicht allein. Auch die Reichswehrführung verharrte in Passivität und sah ungerührt zu, wie Hitler nicht nur den Konkurrenten SA ausschaltete, sondern dabei zugleich in einer jedem Rechtsstaat Hohn sprechenden Weise mit alten Widersachern aufräumte. Daß der ehemalige Reichswehrminister Schleicher den Säuberungen zum Opfer fiel, war keinem einzigen General an der Spitze der bewaffneten Macht eine Intervention wert. Auch Feldmarschall Mackensen stellte sich taub, als der pommersche Stahlhelmführer Oskar von Dewitz nach der Ermordung Schleichers darauf drängte, sich für eine Rehabilitierung Schleichers einzusetzen.[92] Und das Verhalten Papens stellt eine moralische Bankrotterklärung auf ganzer Linie dar: Papen beließ es bei zaghaften Protesten gegen seine Behandlung und diente sich nach einer kurzen Übergangszeit Hitler wieder an, obwohl seine ermordeten oder verhafteten Mitarbeiter nicht rehabilitiert worden waren. Da mit dem 30. Juni 1934 seine Position als konservativer Widerpart Hitlers in der Reichsregierung hinfällig geworden war, suchte er um eine Verwendung im diplomatischen Dienst nach. Auch Hindenburg besaß ein Interesse daran, daß sein ehemaliger Günstling in der Öffentlichkeit nicht mit der »Röhm-Revolte« in Verbindung gebracht wurde[93] und seine Fähigkeiten weiterhin dem Reich zur Verfügung stellen konnte, wobei der Posten eines Botschafters beim Vatikan für Papen maßgeschneidert zu sein schien.[94] Hitler baute Papen nicht zuletzt auf Geheiß Hindenburgs eine Brücke, indem er in seiner Reichstagsrede vom 13. Juli 1934, in der er die volle Verantwortung für das Geschehen am 30. Juni 1934 übernahm, eine Ehrenerklärung für Papen abgab. Schleicher hingegen stellte er vor der Weltöffentlichkeit als Landesverräter dar. Das konnte er auch deshalb tun, weil Hindenburg sich nicht für seinen Amtsvorgänger verwandt hatte. Bei der Rehabilitierung des Vizekanzlers von Papen, hinter den er sich demonstrativ stellte, schreckte er nicht vor der Lüge zurück, daß die Verschwörer, Schleicher eingeschlossen, es auf das Leben Papens abgesehen hätten.[95] So konnte Papen zu den Konditionen Hitlers und unter Verzicht auf genuin konservative Ambitionen nach einer kurzen Schamfrist wieder in den Dienst des »Führers« treten.[96]

*Totenfeier für Hindenburg im Tannenberg-Denkmal, August 1934, neben Hitler
(in der ersten Reihe rechts sitzend) Oskar von Hindenburg und die Familie*

KAPITEL 37

Hindenburgs politisches Testament

Am 31. Juli 1934 verschlechterte sich der Gesundheitszustand Hindenburgs rapide. Bis dahin hatte der Reichspräsident noch eisern Dienstpflichten wahrgenommen und im Juli sogar diplomatischen Besuch empfangen.[1] Trotz der sich verschlimmernden Blasenerkrankung hatte er täglich seine gewohnten Spaziergänge unternommen.[2] Selbst als die Krankheit ihr Endstadium erreichte, blieb Hindenburg im Vollbesitz seiner geistigen Kräfte.[3] Erst zwanzig Stunden vor dem Ableben fiel er in Bewußtseinstrübungen, erkannte aber Hitler, als dieser den Sterbenden am Nachmittag des 1. August aufsuchte.[4] Am Morgen des 2. August 1934 um 9 Uhr starb Hindenburg.

Hindenburg schied jedoch nicht aus dieser Welt, ohne ein politisches Dokument zu hinterlassen, in dem sich seine politische Vorstellungswelt so verdichtete, daß man es ohne Abstriche als Schlüsseldokument einstufen kann. Dieses auf den 11. Mai 1934 datierte politische Testament war ein Rechenschaftsbericht über sein politisches Wirken seit dem Untergang der Monarchie; es enthielt darüber hinaus in komprimierter Form seine politischen Anschauungen. Nicht zuletzt ist dieses politische Testament geeignet, eine eindeutige Antwort auf die Frage nach seinem spezifischen Herrschaftsverständnis zu geben. Das politische Testament rundet seinen politischen Lebensweg ab, der am 2. August 1934 an fast derselben Stelle endete, wo er Ende August 1914 begonnen hatte.

Politische Testamente haben in der preußisch-deutschen Geschichte Tradition; die wichtigsten preußischen Könige hinterließen derartige Verfügungen.[5] Wenn Hindenburg daran anknüpfte, verrät dies einmal mehr sein herrschaftliches Selbstverständnis. Bei seiner geschichtspolitischen Sensibilität konnte man überdies erwarten, daß er die Gelegenheit ergreifen würde, der Nachwelt in einer schriftlichen Verfügung die Grundzüge seiner Politik zu erläutern. Es gab für ihn gerade gegenüber alten Weggefährten reichlich Rechtfertigungsbedarf, so daß er diese letzte Chance nutzte, das eigene Geschichtsbild nach seinen Vorstellungen mitzugestalten. Bei Hindenburg schwang aber auch die Absicht mit, durch eine solche testamentarische Verfügung seinen Nachfolger mitzubestimmen. Die Designation eines Nachfolgers durch einen solchen testamentarischen Akt unterstreicht nachhaltig die charismatische Qualität der Herrschaft Hindenburgs. Max Weber benennt als ein untrügliches Indiz charismatischer Herrschaft die Nachfolgedesignation »durch den Charismaträger selbst«.[6] Bei Hindenburg liegt der Akt eines solchen Legitimationstransfers in besonders reiner Form vor.

Viele Indizien deuten darauf hin, daß das am 11. Mai 1934 ausgefertigte politische Testament nicht der erste und einzige Versuch Hindenburgs war, politisch Rechenschaft abzulegen und dem deutschen Volk einen Wunschnachfolger zu präsentieren. Bereits das Abschlußkapitel seiner 1919 entstandenen und 1920 erschienenen Erinnerungen, der einzige von Hindenburg ohne Mithilfe anderer verfaßte Teil seiner Memoiren, liest sich wie ein politisches Vermächtnis und wurde auch von Hindenburg so aufgefaßt.[7] Denn genau dieses Kapitel hat Hindenburg mit wenigen Auslassungen wortwörtlich in das politische Testament übernommen, das er am 11. Mai 1934 abschloß.[8] Mit der Übernahme der Reichspräsidentschaft änderten sich die Rahmenbedingungen für seine letzte politische Willensbekundung jedoch. Hindenburg wollte nun nicht mehr nur inhaltliche Empfehlungen im Sinne seiner politischen Kernüberzeugung – Stiftung innerer Einheit – aussprechen, sondern dem deutschen Volk auch einen würdigen Nachfolger im Amt des Reichspräsidenten ans Herz legen, der sich die Bewahrung dieses Vermächtnisses auf seine politischen Fahnen geschrieben hatte.

Hindenburg konnte eine solche Designation nur vornehmen, weil er über einen charismatischen Führungsanspruch verfügte, der die Grenzen seiner legalen Autorität als Reichspräsident sprengte. Daher favorisierte er als Amtsnachfolger einen Mann, der ebenfalls so viel Charisma besaß, daß er über das Präsidentenamt hinaus Gefolgschaftsansprüche anmelden konnte. Es war daher kein Zufall, daß Hindenburgs Wahl zunächst auf den einzigen Kriegshelden des Ersten Weltkriegs fiel, der die politischen Grundüberzeugungen mit ihm zu teilen schien, sich also für eine Übergangzeit zur Mitarbeit in den Institutionen der Weimarer Republik bereit fand, ohne das überragende Ziel – die Verwirklichung der »Volksgemeinschaft« – aus den Augen zu verlieren: Admiral Reinhard Scheer, den Sieger der Skagerrak-Schlacht und ein »Hindenburg zur See«. 1928 hatte Hindenburg für den Fall seines Ablebens Vorsorge getroffen und ein politisches Testament verfaßt, in dem er dem deutschen Volk Scheer als seinen Nachfolger empfahl.[9] Doch der plötzliche Tod Scheers im November 1928 hatte diese Empfehlung hinfällig gemacht und aus Hindenburgs Sicht eine schmerzliche Lücke hinterlassen. Denn es bereitete ihm erhebliche Probleme, einen gleichwertigen Ersatz für Scheer zu finden.

1932 mußte Hindenburg entgegen seiner Lebensplanung ein zweites Mal für das Präsidentenamt kandidieren, weil er sein Lebenswerk noch nicht in die Hände eines Wunschnachfolgers legen konnte. Nach der erfolgreichen Wahl wurde die Testamentsfrage schon aus biologischen Gründen erneut aktuell, da dem fast 85jährigen keine volle siebenjährige Amtsperiode zuzutrauen war. Deshalb mußten Vorkehrungen für den Fall eines wie auch immer begründeten vorzeitigen Ausscheidens aus dem Amt getroffen werden. Die um sich greifende Lähmung der Verfassungsorgane erhöhte zudem die Akzeptanz einer durch Hindenburg vollzogenen Designation eines neuen Reichspräsidenten. Bei intakten institutionellen Strukturen wäre ein solcher Versuch von vornherein als aussichtslos verworfen worden; aber in der sich verschärfenden Staatskrise seit dem Sommer 1932 war vieles denkbar, was noch Jahre zuvor als Phantasterei gegolten hätte. Insofern mehrten sich speziell im konservativen Lager die Stimmen derer, die Hindenburg schon so sehr dem Boden des positiven Verfassungsrechts entrückt sahen, daß sie ihm eine derartige Kompetenz zubilligten.[10] Dort herrschte die Erwartung, daß »Hindenburg wohl ein politisches Testament hinterlassen werde, in welchem auch ein Nachfolger genannt werde«.[11] Politisch gipfelte dieses Bestreben im Antrag der Reichstagsfraktion der DNVP vom Dezember 1932, Hindenburg das Recht zur Bestimmung seines Vertreters für den Fall seines vorzeitigen Ausscheidens aus dem Amt einzuräumen – und zwar mit dem ausdrücklichen Hinweis, daß dies »durch politisches Testament« erfolgen solle.[12]

Die vorhandenen Zeugnisse deuten jedoch darauf hin, daß Hindenburg *zu diesem Zeitpunkt* kein politisches Testament mit einer entsprechenden Bestimmung verfaßt hatte. Wen hätte er denn zu seinem Nachfolger bestimmen sollen? Ende 1932 hatten sich die Nebel noch nicht gelichtet, und es ließ sich überhaupt nicht erkennen, welchen politischen Weg Deutschland einschlagen würde. Nur wenn Hindenburg die von Schleicher erwogene Alternative einer auf die bewaffnete Macht gestützten Präsidialherrschaft gewählt hätte, wäre ein Testament, das Hindenburg das die Verfassung transzendierende Recht auf Designation eines Nachfolgers zusprach, politisch sinnvoll gewesen. Denn eine solche die Grenzen legaler Herrschaft übersteigende Lösung war auf den energischen Einsatz der charismatischen Autorität Hindenburgs unbedingt angewiesen. Daher verwundert es nicht, daß speziell im Umkreis der Reichswehr solche Überlegungen angestellt wurden.[13] Da Hindenburg sich jedoch nicht für diesen Ausweg aus der Staatskrise zu erwärmen vermochte, konnte die Testamentsfrage erst wieder aktuell werden, wenn eine politische Grundsatzentscheidung gefallen war. Erst mußte Hindenburg mit seiner Reichspräsidentschaft politisch abgeschlossen haben, auch wenn er formell immer noch als Reichspräsident amtierte. Nur wenn seine Präsidentschaft für ihn ein definitiv beendetes Kapitel war, konnte er Bilanz ziehen und seinem politischen Testament den Charakter eines Rechenschaftsberichts über seine Amtszeit verleihen.

In jedem Fall avancierte die in eingeweihten Kreisen lebhaft erörterte Testamentsfrage zu einem Politikum ersten Ranges. Nicht nur die Reichswehr um Schleicher wollte davon profitieren und hoffte – allerdings vergeblich – darauf, testamentarisch zum politischen Erben Hindenburgs bestellt zu werden. Die monarchistischen Zirkel versuchten Hindenburg zu bewegen, dem deutschen Volk ein politisches Vermächtnis zu hinterlassen, welches die Restauration der Monarchie vorsah. Die treibende Kraft hinter diesen Plänen war jener Monarchist, der relativ ungehinderten Zugang zu Hindenburg besaß: Franz von Papen. Die Taktik des Vizekanzlers ging dahin, Hindenburgs Bedenken gegen einen solchen Schritt aus dem Weg zu räumen. Ein zentraler Einwand gegen die Restaurationspläne war der, daß das Deutsche Reich in der derzeitigen Phase seiner außenpolitischen Schwäche mit Rücksicht auf die Siegermächte des Ersten Weltkriegs die Rückkehr eines Hohenzollern auf den Thron unmöglich zulassen könne, wenn es die mühsam geernteten Früchte der Revisionspolitik nicht preisgeben wolle. Gerade Hindenburg, der gegen alle Anfeindungen von rechts den Young-Plan unterzeichnet hatte, weil er sich von einer schrittweisen Aufweichung der Bestimmungen des Versailler Vertrags einen kontinuierlichen Aufstieg Deutschlands zur Großmacht versprach, legte großen Wert darauf, daß diese unter erheblichen persönlichen Opfern durchgeführte Außenpolitik nicht mit einem Schlag dadurch entwertet wurde, daß Deutschland durch voreilige restaurative Schritte die Siegermächte des Ersten Weltkriegs zu einer geschlossenen Front zusammenschweißte.

Gerade weil Papen ein ambitionierter Außenpolitiker war, nahm er diese Einwände ernst. Daher ließ er einen politischen Versuchsballon steigen, um zu sondieren, ob die Siegermächte des Weltkriegs Deutschland tatsächlich unter politische Quarantäne stellen würden, falls Hindenburg sich in restaurativem Sinne exponierte. Er streute im August 1933 unter ihm nahestehenden ausländischen Journalisten und Diplomaten die Information, daß Hindenburg in einem politischen Testament die Rückkehr eines Hohenzollern auf den Thron empfohlen habe. Als Ansprechpartner für die anglo-amerikanische Presse diente ihm sein alter Bekannter Karl von Wiegand. Wiegand war Generaldirektor für Europa und Chefkorrespondent für das Ausland im einflußreichen Hearst-Pressekonzern und machte aus seiner Sympathie für die Monarchie kein Hehl.[14] Nicht zuletzt deswegen hat Papen ihn während seiner Zeit als Reichskanzler bevorzugt mit Exklusivinformationen beliefert.[15] Als Vizekanzler der Regierung Hitler knüpfte Papen daran an. Zwischen beiden hatte sich ein Vertrauensverhältnis herausgebildet, das auf folgender Geschäftsgrundlage funktionierte: Wiegand erhielt von Papen vertrauliche Informationen aus dem innersten Bereich der Macht; Papen seinerseits konnte sich hundertprozentig darauf verlassen, daß Wiegand von solchen Informationen nur in Absprache mit ihm Gebrauch machte.[16] Ende August 1933 vertraute Papen seinem journalistischen Verbindungsmann in die USA an, daß Hindenburg angeblich ein politisches Testament mit einer Restaurationsempfehlung hinterlassen habe, und stellte es Wiegand frei, diese Information gezielt zu verbreiten. Wiegand unterrichtete nicht nur seinen Arbeitgeber, sondern leitete die Information auch ganz im Sinne Papens an den US-Botschafter in Berlin, William Dodd, weiter.[17] Parallel dazu aktivierte der frankophile Papen auch seine guten Kontakte zum französischen Botschafter in Berlin, André François-Poncet, und unterrichtete diesen ebenfalls über die angebliche Verfügung des Reichspräsidenten.[18] Doch Papens Hoffnungen erfüllten sich nicht, über diese Kanäle die Regierungen in den USA und in Frankreich für das Restaurationsthema politisch zu interessieren. Dodd und François-Poncet behielten die Informationen nämlich für sich und leiteten sie nicht an ihre Außenministerien weiter. Damit ging der außenpolitische Testlauf ins Leere, so daß Papen seinen erneuten Vorstoß bei Hindenburg im März 1934 ohne eine solche argumentative Wappnung unternehmen mußte.

Am 9. oder 10. März 1934 wurde Papen in dieser Frage bei Hindenburg vorstellig.[19] Seine Absicht war es, den Reichspräsidenten zu veranlassen, in die allseits erwartete testamentarische Verfügung eine klare Weisung zur Wiederherstellung der Monarchie aufzunehmen. Mit diesem Vorhaben entsprach Papen allerdings nicht den Forderungen der entschiedenen Legitimisten, die in einer Hindenburg im Oktober 1933 überreichten Denkschrift dafür plädierten, daß der Reichspräsident noch zu Lebzeiten kraft seiner charismatischen Autorität Wilhelm II. zurückrufen und dies nicht einer testamentarischen Verfügung überlassen solle.[20] Die Legitimisten bezweifelten nämlich, daß der Wille des toten Hindenburg ausreichen würde, Hitler zu einem solch gravierenden Schritt zu veranlassen. Der politisch versierte Papen hatte jedoch längst erkannt, daß Hindenburg für eine solche Aktion zu Lebzeiten nicht zu gewinnen war. Insofern erschien ihm das Maximum des Durchsetzbaren, daß der Reichspräsident wenigstens in seinem politischen Testament eine monarchische Willensbekundung erließ. Hoffnung konnte Papen dabei aus dem Schlußkapitel von Hindenburgs Erinnerungen schöpfen. Darin hatte der Reichspräsident seiner Zuversicht Ausdruck verliehen, daß nach Wiedererstarkung des

»nationalen Gedankens« das Deutsche Reich zu seiner bewährten Staatsform zurückkehren werde: »Dann wird aus dem ewig bewegten Meere völkischen Lebens jener Felsen wieder auftauchen, an dem sich einst die Hoffnung unserer Väter geklammert hat, und auf dem vor fast einem halben Jahrhundert durch unsere Kraft des Vaterlandes Zukunft vertrauensvoll begründet wurde: Das deutsche Kaisertum!«[21]

In der Tat waren diese Zeilen nicht nur aus Sicht entschiedener Monarchisten ein Beleg für eine vermeintlich monarchische Grundeinstellung Hindenburgs.[22] Auch Hindenburg selbst sah in den letzten dreieinhalb Seiten seiner Erinnerungen durchaus ein Dokument, das den Kern seiner politischen Vorstellungswelt enthielt.[23] Doch bisher hatten sich alle monarchischen Bekenntnisse Hindenburgs als rein verbale Bekundungen erwiesen, denen keine entsprechenden politischen Taten gefolgt waren. Und auch Papen sollte die Erfahrung nicht erspart bleiben, daß Hindenburg sich in der Frage der Restauration der Monarchie politisch nicht festlegen ließ, als er sich im März 1934 daranmachte, seinen Letzten Willen zu formulieren.

Hindenburg stand der Testamentsinitiative Papens durchaus aufgeschlossen gegenüber, da sich im Frühjahr 1934 die politische Lage geklärt hatte und er nun eine Bilanz seines politischen Lebens ziehen konnte. Sein politisches Testament sollte Rechenschaftsbericht und Vermächtnis zugleich sein. Da es hierbei auf jede Formulierung ankam, konnte und wollte Hindenburg die redaktionelle Arbeit an einem solch wichtigen persönlichen Dokument nicht aus der Hand geben. Er ließ sich aber von Papen zuarbeiten, den er mit der Erstellung eines ersten Entwurfes beauftragte, wobei er den Vizekanzler mit eindeutigen Textvorgaben ausstattete,[24] die dieser zu einem einheitlichen Ganzen zusammenfügen sollte. Als Ausgangspunkt wählte Hindenburg das Schlußkapitel seiner Erinnerungen, das mit geringen Auslassungen den Anfang des endgültigen Testaments bildet. Hindenburg wollte damit zum Ausdruck bringen, daß sich seine Hoffnung – nämlich der feste Glaube in die unerschütterliche Kraft der nationalen Idee und damit die Wiedergeburt eines starken, national geeinten Reiches – im Jahre 1934 bewahrheitet habe. Er habe schon 1919 eine völkisch-nationale Renaissance vorausgesagt, die seit Februar 1933 mit aller Macht spürbar geworden sei. Dies implizierte zugleich ein klares Urteil über die Politik seines Reichskanzlers, der nach seiner Auffassung mit ihm gemeinsam dieses »nationale Aufbauwerk« geschaffen hatte.

Zugleich kam es Hindenburg aber darauf an, seine Reichspräsidentschaft nicht zu entwerten, sondern als wichtige Etappe auf dem Weg zur Realisierung seines politischen Lebensziels auszugeben. Daher gab er Papen einen Schriftsatz vor, der in unveränderter Form als zweiter Sinnabschnitt in die endgültige Fassung des politischen Testaments eingeflossen ist.[25] Nicht erst mit dem 30. Januar 1933 setzte demnach die »nationale Wiedergeburt« Deutschlands ein; auch die »Weimarer Jahre« seiner Reichspräsidentschaft von 1925 bis 1933 waren nach dieser Lesart keine verlorenen Jahre, sondern eine aktive Vorbereitungszeit auf den danach einsetzenden nationalen Aufbruch. Der zweite Teil des politischen Testaments trägt daher den Charakter eines Rechenschaftsberichts über die Reichspräsidentschaft, der darauf abzielt, das Handeln des Reichspräsidenten Hindenburg nicht in Verbindung zu bringen mit der gescheiterten Weimarer Republik. Er gipfelt in der Aussage, daß Hindenburg als Reichspräsident eine Entwicklung forciert habe, die am 30. Januar 1933 zum Durchbruch gekommen sei. Hindenburg stilisierte sich hierin als politischer Akteur, der sich auch als Reichspräsident von seinem politischen Grundsatz der Stiftung nationaler Einheit habe leiten lassen. Diese Maxime habe er durch die Fehlkonstruktion der Weimarer Demokratie hindurch gerettet und im Jahre 1933 endlich die nationale Erneuerung eingeleitet.

Diese Zeilen verdienen es, vollständig zitiert zu werden, weil sie Hindenburgs politisches Selbstverständnis in unmißverständlicher Klarheit offenbaren: »Von der Osterbotschaft des Jahres 1925 an, in der ich die Nation zu Gottesfurcht und sozialer Gerechtigkeit, zu innerem Frieden und zu politischer Sauberkeit aufrief, bin ich nicht müde geworden, die innere Einheit des Volkes und die Selbstbesinnung auf seine besten Eigenschaften zu fördern. Dabei war mir bewußt, daß das Staatsgrundgesetz und die Regierungsform, welche die Nation sich in der Stunde großer Not und innerer Schwäche gegeben, nicht den wahren Bedürfnissen und Eigenschaften unseres Volkes entsprachen. Die Stunde mußte reifen, wo diese Erkenntnis Allgemeingut wurde. Daher erschien es mir Pflicht, das Land durch das Tal äußerer Bedrückung und Entwürdigung, innerer Not und Selbstzerfleischung ohne Gefährdung seiner Existenz hindurchzuführen, bis diese Stunde anbrach.«[26]

In sehr persönlichen Worten gestand Hindenburg ein, daß viele seiner alten Weggefährten die Stetigkeit seines Kurses nicht erkannt hätten und an ihm irre geworden seien: »Viele haben mich in diesen wirren Zeiten nicht verstanden und nicht begriffen, daß meine einzige Sorge die war, das zerrissene und entmutigte deutsche Volk zur selbstbewußten Einigkeit zurückzuführen.«[27] Ohne konkret zu werden, spielte er dabei auf die ersten Jahre seiner Präsidentschaft an, als ihn die republikanischen Kräfte lobten ob seiner stabilisierenden Wirkung auf die Republik; und auch der zweite Wahlgang zur Reichspräsidentschaft 1932, als er seine Wiederwahl den Stimmen der Sozialdemokratie und des politischen Katholizismus verdankte, hatte bekanntlich bei den »nationalen Kräften« heftige Irritationen ausgelöst. Hindenburg bekundete in seinem politischen Testament, daß er sich trotz solcher vermeintlicher Abweichungen, die aber nur den besonderen politischen Umständen geschuldet gewesen seien, immer treu geblieben sei und unbeirrt an seinem Ziel festgehalten habe. Damit glättete er zwar den einen oder anderen Bruch in seiner Reichspräsidentschaft, brachte aber den Kern seiner politischen Vorstellungswelt und seine eigentliche politische Antriebskraft zutreffend zum Ausdruck.

Dies wird insbesondere ersichtlich in den Passagen, in denen er die von ihm gebilligte und mit den Namen Stresemann und Brüning untrennbar verbundene Außenpolitik rechtfertigt; diese hatte schließlich zur Unterzeichnung des Young-Plans geführt, wofür er von seiten der »nationalen Opposition« bekanntlich heftigsten Anfeindungen ausgesetzt war. Ohne Personen und Verträge zu erwähnen, verteidigte Hindenburg, daß er sich hinter die von Stresemann und Brüning verkörperte Revisionspolitik gestellt hatte, was ihn nicht zuletzt bei den Nationalsozialisten zur Zielscheibe persönlicher Verunglimpfungen gemacht hatte: »Nur schrittweise, ohne einen übermächtigen Widerstand zu erwecken, waren daher die Fesseln, die uns umgaben, zu lockern. Wenn manche meiner alten Kameraden die Zwangsläufigkeit dieses Weges damals nicht begriffen, so wird doch die Geschichte gerechter beurteilen, wie bitter, aber auch wie notwendig im Interesse der Aufrechterhaltung deutschen Lebens mancher von mir gezeichnete Staatsakt gewesen ist.«[28] Hindenburg fiel das Festhalten an der Richtigkeit der von ihm mitgetragenen Weimarer Außenpolitik auch deswegen leicht, weil die Regierung Hitler die Früchte dieser Politik erntete und sich unter dem Deckmantel revisionspolitischer Kontinuität einen festen Platz im Mächtesystem sicherte.

Besonders aufschlußreich sind in dem späteren Mittelteil des politischen Testaments jene Passagen, in denen Hindenburg in die Rolle des Oberbefehlshabers der Reichswehr schlüpft und zugleich die Aufgaben der bewaffneten Macht festlegt. Er plädiert darin vehement für eine Entpolitisierung der Reichswehr: Sie habe sich nicht in die Innenpolitik einzumischen, sondern sich ganz auf die Aufgabe der Landesverteidigung zu konzentrieren, wo ihr allerdings das alleinige Vertretungsrecht zustehe. Hindenburgs Plädoyer stellt eine nochmalige und höchst nachdrückliche Absage an die Konzeption Schleichers dar; dieser hatte in der Reichswehr immer auch einen innenpolitischen Ordnungsfaktor erblickt, der die stärkste machtpolitische Stütze eines autoritären Präsidialregimes bilden sollte. Indem Hindenburg in seinem politischen Testament die Reichswehr auf eine rein soldatische Funktion im Dienst der politischen Führung reduzierte (»Immer und zu allen Zeiten muß die Wehrmacht ein Instrument der obersten Staatsführung bleiben, das, unberührt von allen innenpolitischen Entwicklungen, seiner hohen Aufgabe der Verteidigung des Landes gerecht zu werden trachtet«[29]), trug er die Hoffnungen all jener zu Grabe, die insgeheim darauf vertraut hatten, daß die Armee als einziger von Hitler noch nicht kontrollierter Machtfaktor den diktatorischen Anspruch des »Führers« in die Schranken weisen würde.[30] Aber dazu bedurfte es eines politischen Selbstverständnisses der bewaffneten Macht und eines Reichspräsidenten, der das Heer zur Erledigung innenpolitischer Ordnungsaufgaben einzusetzen gewillt war. Die Vorkommnisse beim »Röhm-Putsch« stellten unter Beweis, daß sich die Armee an die Direktiven ihres Oberbefehlshabers hielt und sich dementsprechend auf eine rein soldatische Funktion beschränkte.[31]

Insgesamt hatte Papen damit ein Textkorpus von Hindenburg erhalten, das keinen Zweifel an der Grundausrichtung des politischen Testaments aufkommen ließ. Die eigentliche Aufgabe bestand für Papen nun darin, den politischen Bogen über den 30. Januar 1933 hinaus bis zur Gegenwart zu spannen und Formulierungen zu finden, die Hindenburgs Rolle nach dem faktischen Rückzug aus der ersten Reihe der Politik gerecht wurden. Dafür war Papen durchaus geeignet, da er selbst diesen Prozeß aktiv begleitet hatte. Und Hindenburgs Vorgaben ließen klar erkennen, daß der Tenor dieser Ausführungen dahin zu gehen hatte, daß durch die Politik Hitlers das politische Lebenswerk Hindenburgs gekrönt werde.

Papen mußte sich nicht überwinden, dieser Forderung gerecht zu werden. Er hatte es in der ganzen Testamentsangelegenheit ohnehin darauf angelegt, Hitler frühzeitig zu informieren. Zwar war die Einbindung Hitlers hauptsächlich von der Absicht getragen, diesen für eine testamentarische Empfehlung Hindenburgs zugunsten der Wiederherstellung der Monarchie geneigt zu stimmen.[32] Aber auch so teilte Papen voll und ganz die Auffassung, daß der von ihm selbst maßgeblich herbeigeführte 30. Januar 1933 sich reibungslos in ein harmonisches Gesamtbild von Hindenburgs politischem Leben einfügen ließ. Insofern fiel es ihm nicht schwer, Formulierungen zu finden, welche die inhaltliche Brücke zwischen Hindenburgs »Vermächtnis« aus dem Jahre 1919 und dem erreichten Zustand schlugen. Sie wurden nahezu wörtlich in die endgültige Fassung des Testaments übernommen: »Mein Kanzler Adolf Hitler und seine Bewegung haben zu dem großen Ziele, das deutsche Volk über alle Standes- und Klassenunterschiede zu innerer Einheit zusammenzuführen, einen entscheidenden Schritt von historischer Tragweite getan … Ich scheide von meinem deutschen Volk in der festen Hoffnung, daß das, was ich im Jahre 1919 ersehnte und was in langsamer Reife zu dem 30. Januar 1933 führte, zu voller Erfüllung und Vollendung der geschichtlichen Sendung unseres Volkes reifen wird.«[33]

Doch mit diesem Passus wollte Papen sich nicht begnügen; er wollte seine redaktionelle Tätigkeit nutzen, um Hindenburg ein klares Bekenntnis zur Restauration der Monarchie unterzuschieben. Auf diese Weise wollte er verhindern, daß Hitler die Rechte Hindenburgs als Präsident übernahm; der Reichskanzler sollte neben sich ein unabhängiges Machtzentrum in Gestalt eines konstitutionellen Monarchen dulden, der entscheidenden Einfluß auf das Regierungshandeln nehmen konnte.[34] Ähnlich wie im faschistischen Italien sollte der plebiszitär legitimierte »Führer« nicht sämtliche Macht in Händen halten, sondern sich diese mit den vom Monarchen verkörperten traditionellen Eliten teilen.[35]

Hindenburg war aber nicht gewillt, Papen ein entscheidendes Mitspracherecht bei der inhaltlichen Ausrichtung seines Testaments einzuräumen. Daher übernahm er zwar jene Passagen des Papenschen Entwurfes, in denen die Kanzlerschaft Hitlers als Durchbruch zur Verwirklichung seines eigenen Lebensziels gerühmt wurde. Die politischen Sprengstoff enthaltenden Empfehlungen zugunsten einer Wiederherstellung der Monarchie und damit einer Machtteilung zwischen Hitler und einem künftigen Kaiser lagerte er allerdings aus und machte sie damit wirkungslos. Am 28. April 1934 eröffnete er Papen, daß er sich für eine Zweiteilung seines politischen Vermächtnisses entschlossen habe. Das eigentliche politische Testament, das für die deutsche Öffentlichkeit bestimmt war, sollte aus den von ihm selbst formulierten beiden Teilen – dem Auszug aus seinen Erinnerungen und dem Rechenschaftsbericht über seine Präsidentschaft – sowie dem leicht überarbeiteten Zusatz Papens über Hindenburgs Rolle im »Dritten Reich« bestehen. Papens Restaurationsempfehlung entwertete Hindenburg, indem er sie vom offiziellen Dokument abtrennte und in die Form eines persönlichen Schreibens an Hitler kleidete,[36] womit Hitler ganz nach Belieben mit dieser Empfehlung verfahren konnte. Hindenburg nahm dieser Bekundung überdies die Dringlichkeit, indem er die Rückkehr zur monarchischen Staatsform an die Voraussetzung knüpfte, daß die innenpolitische Lage dies erlauben müsse.[37]

Wieder einmal zeigte sich, daß für Hindenburg ausschließlich die Nation den Referenzpunkt seines politischen Handelns bildete. Allein der Kräftigung und Festigung der nationalen Stärke galt sein Trachten; die Frage der Staatsform war demgegenüber sekundär. Deutschland konnte sich nach Auffassung Hindenburgs nur dann wieder eine Monarchie leisten, wenn es zu einer geschlossenen politischen Willenseinheit gefunden hatte. Daß Hindenburg bei Eintreten solcher Zustände die Wiedereinführung der Monarchie wünschte, steht außer Frage. Aber sie stand für ihn nicht auf der Tagesordnung, sondern war eine politische Vision, deren Schicksal er ganz in die Hände Hitlers legte. Mit der Verbannung seiner monarchischen Empfehlung in ein an Hitler adressiertes Schreiben machte Hindenburg gezielt und ausdrücklich Hitler zum Vollstrecker seines monarchischen Vermächtnisses. Das war ein untrügliches Zeichen dafür, daß diese Ausführungen mehr der eigenen Gewissenserleichterung dienten als politische Handlungsanweisungen darstellten.

Hindenburgs Zweiter Adjutant Wedige von der Schulenburg erhielt Anfang Mai 1934 den Auftrag, den von Hindenburg bearbeiteten Entwurf Papens handschriftlich in die beiden vorgesehenen Teile zu bringen. Daß Hindenburg sich nicht mehr der Mühe der eigenhändigen Niederschrift unterzog, war auf die voranschreitende Gicht in seinen Fingern zurückzuführen;[38] überdies machte die Blasenerkrankung sich immer stärker bemerkbar. Schulenburg fertigte eine Reinschrift an, die Hindenburg am 11. Mai 1934 im Beisein seines Sohnes und seines Zweiten Adjutanten unterschrieb. Von den beiden Schriftstücken kam das eigentliche Testament in einen großen Umschlag, der versiegelt und mit der Aufschrift versehen wurde: »Dem deutschen Volke und seinem Kanzler mein Testament. Dieser Brief ist durch meinen Sohn dem Herrn Reichskanzler zu übergeben«; das an Hitler persönlich gerichtete Schreiben erhielt die Aufschrift »An den Herrn Reichskanzler. Durch meinen Sohn zu übergeben«. Beide Dokumente traten am 4. Juni 1934 die Reise nach Neudeck an, von der Hindenburg nicht zurückkehren sollte, und wurden dort dem Panzerschrank anvertraut.[39]

Papen erhielt unmittelbar nach dem 11. Mai 1934 Kenntnis von der Ausfertigung der beiden Schriftstücke, womit sein politisches Nahziel – die monarchische Anwartschaft auf die Nachfolge Hindenburgs als Staatsoberhaupt – in weite Ferne gerückt war. Daher entschloß er sich zu einem Verzweiflungsschritt, um ein letztes Mal die monarchische Karte ins Spiel zu bringen. Wenn schon Hindenburg sich untätig zeigte, sollte der »Duce« Benito Mussolini nachhelfen, mit dem Hitler bei seinem ersten Auslandsbesuch als Reichskanzler Mitte Juni 1934 in Venedig zusammentreffen sollte. Mussolini sollte Hitler die Vorzüge der italienischen Lösung nahebringen, also einer Arbeitsteilung zwischen dem Faschistenführer und Ministerpräsidenten Mussolini und dem italienischen König. Zu diesem Zweck sandte Papen seinen Vertrauten Lersner nach Rom, der allerdings nicht bis zu Mussolini vordringen konnte.[40] Damit war die letzte Aktion der Monarchisten gescheitert, auf die Nachfolge Hindenburgs Einfluß zu nehmen.

Daß Hindenburg ein politisches Testament hinterlassen hatte, war im politischen Berlin kein Geheimnis geblieben, und so herrschte Rätselraten, als dieses Testament nach Hindenburgs Ableben und Beisetzung nicht auftauchte.[41] Um das Brodeln der Gerüchte einzudämmen, beauftragte Hitler Papen am 8. August 1934, ihn in den Besitz des Testaments zu setzen, von dessen Existenz er durch Papen bereits im Mai Kenntnis erhalten hatte.[42] Papen ließ sich das Testament aus Neudeck beschaffen, wo es Oskar von Hindenburg seinem Emissär aushändigte, und überreichte Hitler am 14. August beide Schriftstücke: das eigentliche politische Vermächtnis sowie den an Hitler adressierten persönlichen Brief mit der monarchischen Empfehlung. Hitler öffnete beide Dokumente in Gegenwart der Anwesenden und studierte den Inhalt aufmerksam. Anschließend schlüpfte er in die Rolle des Testamentsvollstreckers, indem er darüber befand, ob und in welcher Weise die Dokumente der deutschen Öffentlichkeit zugänglich gemacht werden sollten.[43] Am 15. August autorisierte er die Veröffentlichung des politischen Vermächtnisses,[44] das am 16. August in der deutschen Presse in vollem Wortlaut erschien.[45] Den Inhalt des an ihn persönlich adressierten Schreibens behielt er für sich; dieses Schreiben ist bis heute nicht aufgetaucht.

Hitler verfälschte damit den Letzten Willen des Verstorbenen nicht; denn er maßte sich keine Funktion an, in die Hindenburg ihn nicht eingesetzt hatte. Dieser hatte durch seine Autorisierung ganz bewußt Hitler ermächtigt, mit seinen letzten politischen Willensbekundungen nach eigenem Ermessen zu verfahren. Dabei hatte er die Publikation seines politischen Rechenschaftsberichts insofern präjudiziert, als er diesen nicht nur an den Kanzler, sondern ausdrücklich an das »deutsche Volk« gerichtet hatte. Durch die Veröffentlichung des politischen Testaments kam Hitler zweifellos einem zentralen Anliegen Hindenburgs nach, der sich vor der Geschichte mit diesem Dokument verantworten wollte.

Für Hitlers Kalkül, das Testament der Öffentlichkeit zu übergeben, war der Inhalt des dritten Teils ausschlaggebend. Der Rechenschaftsbericht Hindenburgs über seine politische Grundeinstellung und über seine Tätigkeit als Reichspräsident warf für den Testamentsvollstrecker weniger politischen Nutzen ab als der letzte Teil, der im wesentlichen auf den von Hindenburg erbetenen Entwurf Papens zurückging. Dieser enthielt aber keine ausdrückliche Aufforderung Hindenburgs an das deutsche Volk, die Nachfolge im Amt des Reichspräsidenten an Hitler zu übertragen.[46] Vielmehr war in diesem letzten Abschnitt nirgends von einem staatlichen Amt, ja noch nicht einmal vom Staat selbst die Rede. Damit zog Hindenburg nur die Konsequenz aus seinem Politikverständnis, daß der Staat gegenüber dem Volk eine nachgeordnete Größe sei. Als Reichspräsident beanspruchte Hindenburg für sich und vor der Geschichte, »das Land durch das Tal äußerer Bedrückung und Entwürdigung, innerer Not und Selbstzerfleischung ohne Gefährdung seiner Existenz«[47] hindurchgeführt zu haben. Doch er hatte im Laufe seiner Reichspräsidentschaft einsehen müssen, daß sein politisches Lebensziel – die Zusammenschweißung des deutschen Volkes zu einer homogenen politischen Willenseinheit – mit den Mitteln legaler Herrschaft nicht zu erreichen war. Infolge dieses Erkenntnis- und Lernprozesses hatte er nach langem Zögern am 30. Januar 1933 Hitler die Regierungsgewalt übergeben mit der Maßgabe, daß nur der »Führer« der stärksten »nationalen Bewegung« auf diesem Wege weiter voranschreiten könne. Hitler hatte ihn hierin nicht enttäuscht, sich nicht als engstirniger Parteiführer aufgeführt, sondern aus Hindenburgs Sicht vielmehr eine große nationale Kraftanstrengung vollführt und damit Hindenburgs Projekt entscheidend vorangetrieben.

In seinem politischen Testament brachte Hindenburg unmißverständlich sein Wohlgefallen über die seit dem 30. Januar 1933 eingeleitete Entwicklung zum Ausdruck und bestätigte damit zugleich die Richtigkeit der nach langem inneren Ringen getroffenen Entscheidung: »Mein Kanzler Adolf Hitler und seine Bewegung haben zu dem großen Ziele, das deutsche Volk über alle Standes- und Klassenunterschiede zu innerer Einheit zusammenzuführen, einen entscheidenden Schritt von historischer Tragweite getan.«[48] Hindenburg verabschiedete sich vom deutschen Volk als seinem eigentlichen politischen Ansprechpartner mit der fast zur Gewißheit gewordenen Aussicht, daß sich die 1919 in seinen Erinnerungen niedergeschriebene Hoffnung auf eine nationale Wiedergeburt erfüllt hatte. Hindenburg war bei der Niederlegung seines politischen Vermächtnisses mit sich vollkommen im reinen, weil sich der Kreis zu schließen und sein politisches Lebenswerk der Krönung entgegenzugehen schien: »Ich scheide von meinem deutschen Volk in der festen Hoffnung, daß das, was ich im Jahre 1919 ersehnte und was in langsamer Reife zu dem 30. Januar 1933 führte, zu voller Erfüllung und Vollendung der geschichtlichen Sendung unseres Volkes reifen wird.«[49]

Damit stellte sich die Frage der Nachfolge im Amt des Reichspräsidenten für Hindenburg in einem ganz besonderen Licht. Da er die Vollendung seiner politischen Lebensleistung nicht an die Übernahme eines staatlichen Amtes knüpfte, mithin die Ausstattung mit den Mitteln rein legaler Herrschaft dafür unzureichend war, spielte die Fortführung der Reichspräsidentschaft in seinen weiterführenden Überlegungen keine Rolle mehr. Und aus diesem Grund sah Hindenburg davon ab, die Neuvergabe dieses Amtes testamentarisch zu regeln. Dennoch enthält sein politisches Vermächtnis eine klare Aussage darüber, wen er für berufen hielt, sein politisches Erbe anzutreten. Kein anderer als sein Kanzler Adolf Hitler kam dafür in Betracht, und zwar ohne daß er dafür der Reichspräsidentschaft bedurfte, die historisch in dem Moment überholt war, in dem die staatliche Ordnung der Weimarer Republik überwunden war und nur als Fassade weiter existierte. Insofern mündete Hindenburgs politisches Testament zwar nicht in die Bestimmung eines Nachfolgers als Reichspräsident, wohl aber in die Designation Hitlers als eines charismatisch Qualifizierten, der aus derselben Legitimationsquelle wie Hindenburg schöpfte.

Hitler sah deswegen auch davon ab, den Titel »Reichspräsident« zu führen,[50] obgleich die Reichsregierung noch am 1. August 1934 ein Gesetz erlassen hatte, das die präsidialen Befugnisse auf den Reichskanzler übertrug. Hitler benötigte eine solche reibungslose Übernahme der Kompetenzen Hindenburgs in erster Linie, um eine legale Verfügungsgewalt über jenes Herrschaftsinstrument zu erhalten, auf das er bislang keinen verbrieften Anspruch erheben konnte: die mittlerweile in »Wehrmacht« umbenannte Reichswehr. Indem Hitler in die für den Reichspräsidenten reservierten Rechte des Oberbefehlshabers über die bewaffnete Macht eintrat, hatte er die letzte staatliche Einrichtung unter seine Kontrolle gebracht. Er benötigte die aus der Reichspräsidentschaft abgeleiteten legalen Kompetenzen aber auch, weil er ein Fehlen dieser Befugnisse nicht durch einen charismatischen Führungsanspruch über das Militär kompensieren konnte. Der Gefreite des Ersten Weltkriegs konnte gegenüber der Generalität der Wehrmacht noch nicht wie ein Feldmarschall auftreten.

Bei der Legitimierung seiner Befehlsgewalt über die Wehrmacht kam Hitler das politische Testament Hindenburgs zugute. Denn indem der verstorbene Feldmarschall-Reichspräsident in seinem Vermächtnis die Reichswehr als »Instrument der obersten Staatsführung«[51] definierte und damit die in der Tradition Schleichers liegende politische Verselbständigung der bewaffneten Macht untersagte, forderte er die Reichswehrführung auf, sich der Kommandogewalt des »einfachen Gefreiten« unterzuordnen. Im Gegenzug versicherte Hitler – ebenfalls unter Berufung auf diese testamentarische Verfügung – dem Reichswehrminister schriftlich, daß er »in Erfüllung des Testamentes« jederzeit eintreten werde »für den Bestand und die Unantastbarkeit der Wehrmacht«.[52] Mit der Zerschlagung der SA hatte er eine entsprechende politische Vorleistung bereits erbracht.

Hitler schlachtete das politische Vermächtnis Hindenburgs auch aus im Vorfeld der am 19. August 1934 stattfindenden Volksabstimmung über die am 1. August 1934 von der Reichsregierung beschlossene Übertragung der präsidialen Befugnisse auf den Reichskanzler. Hier lag ebenfalls keine Vergewaltigung der Verfügung des Verstorbenen vor; Hitler bediente sich des Testaments vielmehr in einer dem Willen Hindenburgs durchaus entsprechenden Weise, der seinem Kanzler unumschränkte Verfügungsgewalt über seinen Letzten Willen eingeräumt hatte. Daß Hitler überhaupt um eine plebiszitäre Legitimation bei der Übernahme der bisherigen Befugnisse des Reichspräsidenten nachsuchte, obgleich das am 1. August von der Reichsregierung beschlossene Gesetz aus formal-legalen Gründen völlig genügte, wirft ein Schlaglicht auf sein Herrschaftsverständnis, das Legitimation durch Rückbindung an einen vermeintlichen Volkswillen zu erheischen suchte. Solche aus einer charismatischen Herrschaft resultierende Formen der formalisierten Zustimmung waren durch das »Gesetz über Volksabstimmung« vom 14. Juli 1933 geschaffen worden, das es ins Ermessen der Reichsregierung stellte, das Volk zu »Maßnahmen« oder Gesetzen zu befragen. Damit wurde ein neues Instrument der formalisierten Akklamation geschaffen,[53] das dem charismatischen Grundzug der Herrschaft Hitlers Rechnung trug und zugleich ein weiterer Ausdruck der schleichenden Aushöhlung aller amtsmäßig verliehenen Herrschaft war.

Daß Hitler diese Bestimmung im August 1934 zur Anwendung brachte, war durchaus folgerichtig. Denn wenn er in die ihm per Designation verliehene Nachfolge Hindenburgs als charismatischer Herrscher einrücken wollte, benötigte er nach seinem Herrschaftsverständnis mehr als eine rein legale Legitimation. Weil Hitler Hindenburg nicht in erster Linie als Reichspräsident beerben, sondern in dessen charismatische Fußstapfen treten wollte, war aus seiner Sicht ein Appell an das »deutsche Volk« als Legitimationsinstanz angebracht. In diesem Zusammenhang gewann auch das ihm fünf Tage vor der Volksabstimmung überreichte Testament Hindenburgs eine nicht unbeträchtliche Bedeutung. Hitler benötigte dieses Schriftstück nicht als unerläßliche Empfehlung, um bei der Volksabstimmung eine überwältigende Zustimmung für die Übernahme der Funktionen Hindenburgs zu erzielen; dazu war seine Herrschaft bereits plebiszitär genügend abgesichert.[54] Obgleich er den Appell an ein Volk, das in der Wahlkabine immer noch die Freiheit zum Neinsagen besaß, nicht zu fürchten hatte, lag ihm nicht wenig daran, am 19. August eine eindrucksvolle Bestätigung zu erlangen, und zwar nicht allein für die Verschmelzung der Ämter des Reichskanzlers und Reichspräsidenten in seiner Person, sondern vor allem für die innere Einigung der Nation zur Volksgemeinschaft, deren Fortgang unter seiner Regierung sich Hitler bei der Volksabstimmung politisch gutschreiben lassen wollte.[55] Daher bot es sich an, das politische Testament Hindenburgs auch für diesen Zweck einzusetzen und keinen anderen als den Erben des Namens Hindenburg zu einer entsprechenden Proklamation zu veranlassen.

Am 18. August 1934, also einen Tag vor der Volksabstimmung, sprach Hindenburgs Sohn Oskar im deutschen Rundfunk eine an Eindeutigkeit nicht zu übertreffende Empfehlung aus, die sich völlig mit dem Geist der testamentarischen Verfügung seines Vaters deckte.[56] Zum einen forderte er die Abstimmungsberechtigten auf, der »Übertragung des bisher von meinem Vater innegehabten Amtes auf den Führer und Reichskanzler zuzustimmen«.[57] Dieser Transfer legaler Herrschaft war jedoch nur die eine Seite des Appells. Vor allen Dingen verlangte Oskar von Hindenburg unter Berufung auf seinen Vater vom deutschen Volk ein Treuebekenntnis zu Hitler als charismatischem Führer, weil dieser die Nationswerdung und damit das politische Lebenswerk Paul von Hindenburgs zum Abschluß gebracht habe: »Mein verewigter Vater ist niemals müde geworden, dem deutschen Volke zuzurufen: ›Seid einig!‹ Und es war das letzte Glück seines reichen Lebens, daß er den Zusammenschluß und die Einigung des deutschen Volkes zur einheitlichen Nation noch gesehen hat. So dringt vom Marschallturm zu Tannenberg auch in diesen Tagen noch sein Ruf: Schart Euch zusammen und steht fest geschlossen hinter Deutschlands Führer. Zeigt nach außen und innen, daß ein unzerreißbares Band das deutsche Volk in einem Willen fest umspannt!«[58]

Der Duktus der Ausführungen des Hindenburg-Sohnes lehnte sich stark an die letzte Rundfunkansprache des Vaters an, die dieser am 11. November 1933 anläßlich der am folgenden Tag stattfindenden und mit einer Reichstagswahl verbundenen Volksabstimmung – Gegenstand war der von Hitler verkündete Austritt Deutschlands aus dem Völkerbund – an das deutsche Volk gerichtet hatte. Darin hatte der Reichspräsident die »mutige, zielbewußte und kraftvolle Führung des am 30. Januar dieses Jahres von mir berufenen Reichskanzlers Hitler« gerühmt und »die deutsche Einigkeit« als die kostbarste Errungenschaft dieser Regierung gepriesen.[59] Oskar von Hindenburg mußte also nicht das Vermächtnis seines Vaters verfälschen, als er unter Berufung auf den Verstorbenen über das Radio eine eindeutige Wahlempfehlung für Hitler aussprach. Fast neunzig Prozent der abgegebenen gültigen Stimmen bei einer Beteiligung von weit über neunzig Prozent der Stimmberechtigten lauteten am 19. August 1934 auf Ja, und damit hatte diese Volksabstimmung ihren Zweck erfüllt.

Mit dem Charismatransfer von Hindenburg auf Hitler war zugleich der geschichtspolitische Umgang mit dem Verstorbenen vorgezeichnet. Indem Hindenburg durch seine testamentarische Verfügung die Vollendung der nationalen Einigung hoffnungsfroh Hitler anvertraute, zog er sich auf jene Position zurück, die der Gefreite Hitler ihm nicht streitig machen konnte und wollte: die des ruhmvollen Weltkriegshelden. Bereits die Kundgebung der Reichsregierung am Tag seines Todes gab diese Richtung vor: Darin wurde Hindenburg für seine richtungweisende Entscheidung vom 30. Januar 1933 gedankt, mit der er aber zugleich seine politische Mission seinem Nachfolger überantwortete. In die historische Erinnerung sollte der »zur großen Armee« Heimgegangene aufgrund seiner Ruhmestaten

auf dem Schlachtfeld eingehen als »Generalfeldmarschall von Hindenburg«.[60] Hitler selbst verlieh dieser Deutung in den Schlußworten seiner Rede bei der feierlichen Beisetzung Hindenburgs am 7. August 1934 im Tannenberg-Denkmal bered-
ten Ausdruck: »Toter Feldherr, geh' nun ein in Walhall!«[61]

Diese gezielte Reduzierung Hindenburgs auf die Gestalt eines hünenhaften
Weltkriegsheros darf aber nicht darüber hinwegtäuschen, daß Hindenburg von
1914/15 bis 1933 als stärkste symbolische Expression des Dranges nach nationaler
Vergemeinschaftung gewirkt und aus dieser Zuschreibung politische Herrschaftsansprüche abgeleitet hat. Als er am 30. Januar 1933 aus freien Stücken seine legalen
Herrschaftsrechte als Reichspräsident verfallen ließ, räumte er auch Schritt für
Schritt seine privilegierte symbolische Position und richtete sich noch zu Lebzeiten
in der Rolle des überragenden Weltkriegshelden ein. Daß eine solche Stilisierung
als unpolitischer Nur-Soldat den Charakter von Hindenburgs Herrschaft verzerrt,
sollte deutlich geworden sein. Hindenburg verkörpert einen besonderen Typus
von Herrschaft, die aufs engste verwoben ist mit der politisch-kulturellen Befindlichkeit der Deutschen im ersten Drittel des 20. Jahrhunderts.

Dank

Dem Autor ist es ein Bedürfnis, nicht wenigen Personen und Institutionen aufrichtigen Dank zu sagen für vielfältige Unterstützung. Dieser gilt den besuchten Archiven, deren tatkräftige Mitarbeiter dafür gesorgt haben, daß der Verfasser in knapp acht Jahren als »Jäger und Sammler« kostbarer archivalischer Schätze nicht leer ausging. Und er gilt vor allem jenen Privatpersonen, die mir Einsicht in wichtige Dokumente ermöglichten, namentlich Hans-Hartmut von Brockhusen, Jürgen von Brockhusen, Jörn von Fabeck, Christian Haacke, Dr. Uta Treu-Neubourg, Florian von Schilcher, Dr. Guidotto Fürst Donnersmarck, Dr. Peter von Feldmann und Kees van der Sluijs. Dr. Karl J. Mayer, Hans Freiherr Hiller von Gaertringen (†) und Verena Gräfin von Zeppelin haben mich zudem in die Lage versetzt, den Westarp-Nachlaß umfassend durchzuarbeiten.

Das vorliegende Buch ist das Ergebnis klassischer Einzelforschung, die auch in den Geisteswissenschaften zunehmend unter Rechtfertigungsdruck gerät. Dennoch konnte der Autor selbstverständlich vom fachlichen Austausch mit Kollegen profitieren, auch wenn dieser nicht unter dem Dach großer Verbundprojekte erfolgte. Lothar Machtan, Rudolf Morsey und Dieter J. Weiß haben sich der Mühe unterzogen, einige Kapitel des Manuskriptes zu studieren und sie durch weiterführende Hinweise zu verbessern. Hans-Ulrich Wehler verdanke ich anregende Kommentare zur Anlage der Studie; Eberhard Kolb hat mich immer wieder in meinem Vorhaben bestärkt. John Röhl hat mir nicht nur sein Privatarchiv in Sussex geöffnet, sondern war ein wichtiger Gesprächspartner zum Verhältnis zwischen Hindenburg und Wilhelm II. Hagen Schulze gab mir Gelegenheit, in einem frühen Stadium erste Erkenntnisse der Studie vor dem Deutschen Historischen Institut in London zu präsentieren. Zur Verfeinerung meiner Fragestellung hat eine von Frank Möller veranstaltete Tagung über charismatisches Führertum in der deutschen Geschichte beigetragen.

Die Fritz Thyssen Stiftung hat meine Arbeit nachhaltig durch eine mehrjährige Projektförderung unterstützt und es mir ermöglicht, Dr. Jesko von Hoegen als wertvollen Projektmitarbeiter und Thomas Müller als engagierte studentische Hilfskraft zu gewinnen. Ohne die Mithilfe der Mitarbeiterinnen und Mitarbeiter an meinem Lehrstuhl hätte die Studie nicht in die vorliegende Form gebracht werden können. Bernhard Degen, Hendrik Hiß, Philipp Menger, Severin Mühleisen und Patrick Wegler haben sich im Rahmen ihrer Hilfskrafttätigkeit am Lehrstuhl intensiv dem Projekt gewidmet. Johannes Heuser führte Recherchen im Brüning-Nachlaß durch; Daniel Kirn und Christoph Raichle besorgten die Transkriptionen handschriftlicher Dokumente; Beate Essig wirkte zuverlässig an der Endredaktion mit. Meine Sekretärin Angela Hund begleitete das Projekt von Anfang an mit enormem Engagement. Dr. Carsten Kretschmann verdanke ich wichtige inhaltliche und konzeptionelle Hinweise. Dank gebührt nicht zuletzt dem Siedler Verlag für seine vorbildliche Betreuung und Lektorierung des Buches. Thomas Rathnow hat mit Tobias Winstel die Buchherstellung verlegerisch betreut, Ditta Ahmadi das Manuskript akribisch und vorausblickend lektoriert.

Widmen möchte ich diese Studie meiner Familie, die mir in all den Jahren ein fester Halt war, sowie dem Andenken meines Vaters, dem es nicht mehr vergönnt war, das fertige Buch in seinen Händen zu halten.

ANHANG

Anmerkungen

KAPITEL 1
Eine mehr als respektable Offizierskarriere

1 Bernhard von Hindenburg, *Paul von Hindenburg. Ein Lebensbild*, Berlin 1915; noch im Jahr 1915 vom Verfasser erweitert zu: *Feldmarschall von Hindenburg. Ein Lebensbild*, Berlin 1915.

2 Bernhard von Hindenburg, *Feldmarschall*, S. 52–67; Walter Görlitz, *Hindenburg*, Bonn 1953, S. 24–26.

3 Undatiertes Schreiben aus dem Jahr 1866, Bernhard von Hindenburg, *Feldmarschall*, S. 68.

4 Vgl. die Auszüge aus Schreiben an seine Eltern, ebenda, S. 69.

5 Brief an seine Eltern, 19. August 1870, ebenda, S. 71.

6 Vgl. Görlitz, *Hindenburg*, S. 28f.; Gerhard Schultze-Pfaelzer, *Hindenburg. Ein Leben für Deutschland*, Berlin 1934, S. 35f.

7 Brief vom August 1870 an seine Eltern, Bernhard von Hindenburg, *Feldmarschall*, S. 70.

8 Brief an seine Eltern, 18. Januar 1871, ebenda, S. 75.

9 Zitiert bei Görlitz, *Hindenburg*, S. 33.

10 Steven E. Clemente, *For King and Kaiser! The Making of the Prussian Army Officer, 1860–1914*, New York 1992, S. 193.

11 Mitgeteilt von Hindenburgs Schwester Ida, zitiert bei Karsten Brandt, *Hindenburg. Leben und Wirken eines deutschen Feldherrn*, Stuttgart 1917, S. 93.

12 Clemente, *Army Officer*, S. 171–198; Heiger Ostertag, *Bildung, Ausbildung und Erziehung des Offizierkorps im deutschen Kaiserreich 1871 bis 1918*, Frankfurt a.M. 1990, S. 153–163.

13 Grundlegend hierzu ist Frank Becker, *Bilder von Krieg und Nation*, München 2001, vor allem S. 347–359, 460–463 und S. 496–507.

14 Vgl. Bernhard Giesen, *Kollektive Identität*, Frankfurt a.M. 1999, S. 201–224; Ulrich Muhlack, *Historisierung und gesellschaftlicher Wandel in Deutschland im 19. Jahrhundert*, Berlin 2003; Thomas Nipperdey, *Deutsche Geschichte 1866–1918*, Bd. 1, München 1990, S. 637–647.

15 Seine Erfahrungen mit dem Geschichtsunterricht teilte Hindenburg 1910 dem national-liberalen Reichstagsabgeordneten Eugen Schiffer mit, vgl. das maschinenschriftliche Manuskript von dessen Memoiren »Ein Leben für den Liberalismus«, BA Koblenz, Nachlaß Eugen Schiffer, Nr. 5, Bl. 158.

16 Vgl. die entsprechende Mitteilung Hindenburgs in einem Vieraugengespräch vom 6. Juni 1932 mit dem Stuttgarter Juristen Dr. Wilhelm Kohlhaas, über das dieser ein ausführliches Gesprächsprotokoll anfertigte, Familienarchiv der Freiherrn Hiller von Gaertringen, Nachlaß Westarp, VN 15.

17 Dies attestierten ihm alle militärischen Weggefährten, vgl. etwa das Urteil von General

Groener in dessen Tagebucheintragung vom 19. Oktober 1916, abgedruckt in Wilhelm Groener, *Lebenserinnerungen*, Göttingen 1957, S. 554.

18 »Wie hat Holland zu seiner Zeit die Stellung einer Großmacht erlangen und geraume Zeit hindurch behaupten können«, 4. Februar 1873 (Privatbesitz).

19 Ebenda.

20 Vgl. die Rede des Hannoveraner Stadtdirektors Heinrich Tramm am 2. Oktober 1917, in: *Hannoverscher Kurier* Nr. 33365 vom 3. Oktober 1917.

21 Schultze-Pfaelzer, *Hindenburg*, 1934, S. 27; Otto von Moser, *Feldzugsaufzeichnungen als Brigade-Divisionskommandeur und als kommandierender General 1914–1918*, Stuttgart 1920, S. 178; Ernst von Eisenhart Rothe, »Hindenburg und Ludendorff«, in: *Hindenburg-Denkmal für das deutsche Volk. Eine Ehrengabe zum 75. Geburtstage des Generalfeldmarschalls*, hg. von Paul Lindenberg, Berlin 1922, S. 239–268, hier S. 242; Paul von Hindenburg, *Aus meinem Leben*, Leipzig 1920, S. 9f.; Manuskript der Erinnerungen von Eugen Schiffer, BA Koblenz, Nachlaß Schiffer, Nr. 5, Bl. 158f.

22 Vgl. die übereinstimmenden Angaben bei Sven Hedin, *Nach Osten!*, Leipzig 1916, S. 21; den Bericht seines Leibarztes Friedrich von Münter, »Vor zwanzig Jahren. Erinnerungen an Hindenburg«, in: *Deutsche Medizinische Wochenschrift* 61 (1935), S. 519–522, hier S. 520, und die Schilderung eines in Hindenburgs Hauptquartier eingesetzten Leutnants Holtzmann, mitgeteilt im Tagebuch des Heidelberger Historikers Karl Hampe vom 10. Mai 1916: *Karl Hampe. Kriegstagebuch 1914–1919*, hg. von Folker Reichert und Eike Wolgast, München 2004, S. 392.

23 So seine Äußerung zu seinem »Leibmaler« Hugo Vogel am 5. April 1915, überliefert im Schreiben Vogels an seine Frau vom selben Tag, in: Hugo Vogel, *Als ich Hindenburg malte*, Berlin 1927, S. 86; vgl. auch einen weiteren Brief Vogels vom 29. Januar 1915, ebenda, S. 17, sowie die Mitteilung des in Hindenburgs Hauptquartier residierenden Fürsten Ernst zu Hohenlohe-Langenburg an Cosima Wagner, 16. Dezember 1914, in: Cosima Wagner, *Briefwechsel zwischen Cosima Wagner und Fürst Ernst zu Hohenlohe-Langenburg*, Stuttgart 1937, S. 338.

24 Vgl. die von Hugo Vogel überlieferten Bemerkungen Hindenburgs vom 29. Januar und 5. April 1915, Vogel, *Als ich Hindenburg malte*, S. 17 und S. 86; siehe auch die unpublizierten Erinnerungen des Staatssekretärs im Reichsschatzamt, Roedern, BA Koblenz, Kleine Erwerbungen 317/2, Bl. 97.

25 Eine entsprechende Begebenheit aus dem Jahr 1913 schildert seine Nichte: Martha von Sperling Manstein, »Die Feldpostkarte. Eine persönliche Erinnerung an Hindenburg«, in: *Die Woche* 37 (1935), Nr. 31, S. 22.

26 Vgl. Theodor Lessing, *Hindenburg*, Berlin 1925, S. 21.

27 Andere Einschätzung bei Rudolf Olden, *Hindenburg oder Der Geist der preußischen Armee*, Paris 1935, vor allem S. 111f.

28 Vgl. seine Angaben zu Schiffer aus dem Jahr 1910, BA Koblenz, Nachlaß Schiffer, Nr. 5, Bl. 158; siehe auch Schultze-Pfaelzer, *Hindenburg*, 1934, S. 42.

29 Zu Treitschkes Wirken vgl. u.a. Georg Iggers, »Heinrich von Treitschke«, in: *Deutsche Historiker*, Bd. 2, hg. von Hans-Ulrich Wehler, Göttingen 1971, S. 66–80; Andreas Biefang, »Der Streit um Treitschkes ›Deutsche Geschichte‹ 1882/83«, in: *Historische Zeitschrift* 262 (1996), S. 391–422; Helmut Otto, *Schlieffen und der Generalstab*, Berlin 1966, S. 83.

30 Vgl. Paul Pochhammer, *Paul von Hindenburg*, Berlin 1914, S. 8; Görlitz, *Hindenburg*, S. 33 bis 35.

31 Vgl. F. von Cochenhausen, »Hindenburg und die Kriegswissenschaft«, in: *Geistige Arbeit. Zeitung aus der wissenschaftlichen Welt* Nr. 19 vom 5. Oktober 1934.

32 Darüber informiert eine einige Jahre später entstandene Aufzeichnung Dittmers: »Des Generalstäblers Brautwerbung« (Privatbesitz).

33 Hindenburg an Pauline von Sperling, 18. Januar 1879 (Privatbesitz).

34 Hans-Erich von Tzschirner-Tzschirne, »Erinnerungen an Frau von Hindenburg«, in: *Die Woche* 29 (1927), S. 1193–1195; Schultze-Pfaelzer, *Hindenburg*, 1934, S. 45.

35 Schon kurz nach ihrer Geburt verfaßte er ein fiktives Schreiben des jungen Erdenbürgers an die Großmutter Pauline, das er – durchaus ein begabter Zeichner – mit einer Skizze schmückte, die das Kleinkind abbilden sollte. Die nahezu komplett erhaltene Korrespondenz zwischen Hindenburg und Irmengard für den Zeitraum zwischen 1914 und 1933 zeugt von dieser besonderen Beziehung zu seinem ältesten Kind (Privatbesitz).

36 Vgl. Schultze-Pfaelzer, *Hindenburg*, 1934, S. 36.

37 Vgl. entsprechende Briefe an seine Eltern aus der Zeit der Feldzüge von 1866 und 1870/71, bei Bernhard von Hindenburg, *Feldmarschall*, S. 68 und S. 71.

38 Hindenburg an Pauline von Sperling, 18. Januar 1879 (Privatbesitz).

39 Vgl. den Beitrag des Geheimen Konsistorialrats Zierach, »Hindenburg als Mensch und Christ«, in: *Hindenburg. Was er uns Deutschen ist*, hg. von Friedrich Wilhelm von Loebell, Berlin 1927, S. 162–184, hier S. 181–183.

40 So Hindenburg in einer sehr persönlichen Stellungnahme über das Verhältnis des Feldherrn bzw. Politikers zur Religion, die für den ehemaligen sächsischen Kronprinzen Georg bestimmt war, 10. Oktober 1928, Sächsisches Hauptstaatsarchiv Dresden, Verein Haus Wettin.

41 Plastische Schilderung eines normalen sonntäglichen Gottesdienstbesuchs bei Hans-Otto Meißner, *Junge Jahre im Reichspräsidentenpalais*, Esslingen 1988, S. 263–267; vgl. auch Dieter von der Schulenburg, *Welt um Hindenburg. Hundert Gespräche mit Berufenen*, Berlin 1935, S. 107–114.

42 Hindenburg, *Aus meinem Leben*, S. 53f.; Otto, *Schlieffen*, S. 35–43.

43 Qualifikationsbericht über Hindenburg zum 1. Januar 1887, abgedruckt bei Walther Hubatsch, *Hindenburg und der Staat*, Göttingen 1966, S. 151.

44 Vgl. Hindenburg, *Aus meinem Leben*, S. 58; Schultze-Pfaelzer, *Hindenburg*, 1934, S. 50; Pochhammer, *Paul von Hindenburg*, S. 10.

45 Vgl. Hindenburg, *Aus meinem Leben*, S. 58.

46 Siehe John C. G. Röhl, *Wilhelm II. Der Aufbau der Persönlichen Monarchie 1888–1900*, München 2001, S. 206–209 und S. 464–480.

47 Hindenburg, *Aus meinem Leben*, S. 57.

48 Vgl. die Mitteilung Hindenburgs zum Kommandeur der Artillerieschule Jüterbog, General Friedrich von Boetticher, vom März 1933, Bundesarchiv-Militärarchiv Freiburg, Nachlaß Boetticher, Nr. 147, Bl. 294f.

49 Dies vertraute Freytag General Groener zu einem Zeitpunkt an, als Hindenburg bereits von der deutschen Öffentlichkeit zum größten Feldherrn des Weltkrieges stilisiert worden war, vgl. die Tagebucheintragung Groeners vom 21. Januar 1915, in: Groener, *Lebenserinnerungen*, S. 531; zwischen den Zeilen schimmert dieses Urteil über Hindenburg auch durch in Freytags 1923 veröffentlichten Erinnerungen: Hugo Freiherr von Freytag-Loringhoven, *Menschen und Dinge wie ich sie in meinem Leben sah*, Berlin 1923, S. 55f.

50 Überliefert in den 1914 entstandenen Darlegungen Ernst von Lieberts, der damals als Chef

des Generalstabs des X. Armeekorps, zu dem auch Hindenburgs Regiment zählte, Hindenburgs Arbeit aufmerksam registrierte, abgedruckt in: Paul Lindenberg, *Das Buch vom Feldmarschall Hindenburg*, Oldenburg 1920, S. 50.

51 So auch die verklausulierte Einschätzung von Liebert, ebenda, S. 52.

52 Einprägsame Schilderung seines Arbeitsstils durch seinen damaligen Adjutanten, den späteren Oberst Erich von Bartenwerffer: »Mit Hindenburg«, in: *Der Einundneunziger. Mitteilungen des Regimentsbundes ehemaliger 91er* 5 (1928), S. 130–138.

53 Schlieffen an den Chef der Zentralabteilung des Generalstabs, Generalmajor von Goßler, 20. Juni 1896, auszugsweise wiedergegeben im Manuskript von August Lindner, *Schlieffen – Hindenburg*, Büsum 1963, S. 52, BA Koblenz, Nachlaß Lindner, Nr. 52.

54 Vgl. die Mitteilung seines Oldenburger Adjutanten Bartenwerffer (wie Anm. 52), S. 137.

55 Vgl. Walther Peter Fuchs, *Studien zu Großherzog Friedrich I. von Baden*, Stuttgart 1995, S. 168–177.

56 Ernst Buchfinck, *Feldmarschall Graf von Haeseler*, Berlin 1929, S. 145.

57 Vgl. Görlitz, *Hindenburg*, S. 41.

58 Vgl. Emil von Lessel, *Böhmen, Frankreich, China 1866–1901. Erinnerungen eines preußischen Offiziers*, Köln 1981, S. 170f.

59 Görlitz, *Hindenburg*, S. 41.

60 Vgl. Fuchs, *Studien*, S. 178–180.

61 So auch Schultze-Pfaelzer, *Hindenburg*, 1934, S. 57.

62 Oskar Böer, *Generalfeldmarschall von Hindenburg*, Leipzig 1915, S. 17.

63 Hugo Vogel, *Erlebnisse und Gespräche mit Hindenburg*, Berlin 1935, S. 110; Vogel, *Als ich Hindenburg malte*, S. 3.

64 Eugen Schiffer, *Ein Leben für den Liberalismus*, Berlin 1951, S. 48.

65 Zu den Anlässen vgl. den ausführlichen Schriftwechsel im Geheimen Staatsarchiv Preußischer Kulturbesitz Berlin-Dahlem, I. Hauptabteilung, Rep. 77, Nr. 368, Bl. 19–91.

66 Bernhardi an Einem, 15. Dezember 1907, ebenda, Bl. 64–67.

67 Vgl. die Schreiben Hindenburgs an Innenminister Moltke, 20. und 24. Dezember 1907, ebenda, Bl. 68f.

68 Hindenburg an Hans-Joachim von Brockhusen, 3. November 1908 (Privatbesitz); vgl. auch Hindenburg an Innenminister Moltke, 20. Dezember 1907, Geheimes Staatsarchiv Preußischer Kulturbesitz Berlin-Dahlem, I. Hauptabteilung, Rep. 77, Nr. 368, Bl. 68.

69 Dazu ausführlich Ingrun Drechsler, *Die Magdeburger Sozialdemokratie vor dem Ersten Weltkrieg*, Oschersleben 1995, S. 207–213.

70 Hindenburg an seinen Schwiegersohn Hans-Joachim von Brockhusen, 19. März 1906 (Privatbesitz).

71 Vgl. das Schreiben Hindenburgs an den Staatsminister des Herzogtums Sachsen-Altenburg vom 3. März 1911, in Faksimile abgedruckt bei Wolfgang Ruge, *Hindenburg. Porträt eines Militaristen*, Ost-Berlin 1982, nach S. 32.

72 Vgl. die Schreiben Hindenburgs an Brockhusen, 5. Januar und 11. Oktober 1903 sowie Briefe Gertrud von Hindenburgs an Brockhusen, 18. März und 8. Juli 1903 (Privatbesitz).

73 Hindenburg an Brockhusen, 4. und 30. Januar 1910 (Privatbesitz).

74 Zu seiner Person vgl. Albert von Mutius, »Aus dem Nachlaß des ehemaligen Kaiserlichen Statthalters von Elsaß-Lothringen, früheren Preußischen Ministers des Innern von Dallwitz«, in: *Preußische Jahrbücher* 214 (1928), S. 1–9.

75 Zu diesem Vorgang siehe die Schreiben Hindenburgs an Brockhusen, 30. Januar, 16. Mai,

22. Juli, 12. August und 22. September 1910 sowie das Schreiben von Dallwitz an Hindenburg, 8. August 1910, sowie Schorlemer an Hindenburg, 19. September 1910 (Privatbesitz).

76 Siehe das Schreiben Hindenburgs an Brockhusen, 4. Februar 1911 (Privatbesitz); vgl. auch Hans-Joachim von Brockhusen-Justin, *Der Weltkrieg und ein schlichtes Menschenleben*, Greifswald 1928, S. 3f.

77 Vgl. Tzschirner-Tzschirne, *Erinnerungen* (wie Anm. 34), S. 1194.

78 Vgl. Hans F. Helmolt, *Hindenburg*, Karlsruhe 1926, S. 56; Schultze-Pfaelzer, *Hindenburg*, 1934, S. 57f.

79 Vgl. hierzu Röhl, *Aufbau*, S. 470f.; Robert Graf Zedlitz-Trützschler, *Zwölf Jahre am deutschen Kaiserhof*, Berlin 1923, S. 42f.; Friedrich von Bernhardi, *Denkwürdigkeiten aus meinem Leben*, Berlin 1927, S. 215f. ; Brief Moltkes an seine Frau, 29. Januar 1905, in: Helmuth von Moltke, *Erinnerungen, Briefe, Dokumente 1877–1916*, Stuttgart 1922, S. 308f.; Karl von Einem, *Erinnerungen eines Soldaten 1853–1933*, Leipzig 1933, S. 146f.

80 Vgl. die Mitteilung Hindenburgs als Postskriptum eines Schreibens seiner Tochter Irmengard an ihren Ehemann Hans-Joachim von Brockhusen, September 1903, und die handschriftliche Bemerkung Hindenburgs auf einer graphischen Aufstellung der Paradeaufstellung vom 4. September 1903 (beides in Privatbesitz); siehe auch Görlitz, *Hindenburg*, S. 42.

81 Vgl. seine Bemerkungen auf dem Schreiben seiner Tochter Irmengard an Brockhusen, September 1903, sowie Görlitz, *Hindenburg*, S. 42.

82 Vgl. ebenda, S. 41.

83 Hindenburg an Mudra, 6. April 1903, Bundesarchiv-Militärarchiv Freiburg, Nachlaß Mudra, Nr. 4, Bl. 2.

84 So auch die faire Würdigung von Wilhelm Groener, »Der Soldat und Feldherr«, in: Loebell, *Hindenburg*, S. 11–68, hier S. 16.

85 Colmar Freiherr von der Goltz, *Denkwürdigkeiten*, Berlin 1929, S. 251–254.

86 Zu den Neujahrsempfängen vgl. ebenda, S. 266; Zedlitz-Trützschler, *Zwölf Jahre*, S. 58f. und S. 207; Bernhardi, *Denkwürdigkeiten*, S. 272.

87 Vgl. das Schreiben Wilhelms II. an Schlieffen, 29. Dezember 1903, in: Alfred von Schlieffen, *Briefe*, hg. von Eberhard Kessel, Göttingen 1958, S. 303f., sowie das Schreiben Moltkes an seine Frau, 29. Januar 1905, in: Moltke, *Erinnerungen*, S. 304–313.

88 Einem, *Erinnerungen*, S. 148–150.

89 Bernhard von Bülow, *Denkwürdigkeiten*, Bd. 2, Berlin 1930, S. 183f.; Friedrich Freiherr Hiller von Gaertringen, *Fürst Bülows Denkwürdigkeiten*, Tübingen 1956, S. 84.

90 Vgl. Görlitz, *Hindenburg*, S. 42.

91 In diesem Sinne auch das Schreiben des Leiters der Presseabteilung der Reichsregierung, Erich Marcks junior, an den Staatssekretär im Büro des Reichspräsidenten, Otto Meißner, 22. Januar 1933, Bundesarchiv Berlin, Bestand Präsidialkanzlei, R 601/49.

92 Dieser Eindruck wird insinuiert von Friedrich von Boetticher, *Schlieffen*, Göttingen 1957, S. 71.

93 Vgl. Görlitz, *Hindenburg*, S. 45, sowie das Schreiben Meißners an Marcks, 24. Januar 1933, Bundesarchiv Berlin, Bestand Präsidialkanzlei, R 601/49.

94 Zu diesem Handicap siehe Görlitz, *Hindenburg*, S. 45; einen Brief des Generaloberst von Einem an seine Frau, 3. Februar 1916, in: *Ein Armeeführer erlebt den Weltkrieg. Persönliche Aufzeichnungen des Generalobersten v. Einem*, hg. von Junius Alter, Leipzig 1938, S. 262; Brandt, *Hindenburg*, S. 107; Münter, »Vor zwanzig Jahren«, S. 519.

95 Schulenburg, *Welt um Hindenburg*, S. 200; Brief Einems vom 21. Mai 1917, bei Alter, *Armeeführer*, S. 313.
96 Vgl. das Schreiben Hindenburgs an seinen Sohn Oskar, 18. März 1911, in Faksimile wiedergegeben bei Schultze-Pfaelzer, *Hindenburg*, 1934, S. 61.
97 Goltz, *Denkwürdigkeiten*, S. 257.
98 Ebenda, S. 299.
99 Ebenda, S. 88–299.
100 Vgl. dazu eine eidesstattliche Erklärung des Generals Bernhard Bronsart von Schellendorf über eine Unterredung mit Lyncker am 9. Februar 1924, abgedruckt in: Erich Ludendorff, *Vom Feldherrn zum Weltrevolutionär und Wegbereiter Deutscher Volksschöpfung*, Pähl 1955, S. 123.
101 Goltz, *Denkwürdigkeiten*, S. 311.
102 Vgl. das Manuskript Lindners »Schlieffen – Hindenburg«, BA Koblenz, Nachlaß Lindner, Nr. 52, Bl. 339.
103 Siehe Brandt, *Hindenburg*, S. 107; Helmolt, *Hindenburg*, S. 56f.
104 Auszüge aus seiner Korrespondenz mit seinem Sohn Oskar bei Schultze-Pfaelzer, *Hindenburg*, 1934, S. 60.
105 Hindenburg an Helldorff-Drossdorf, seinen letzten Generalstabschef, 30. Juli 1912, abgedruckt bei Schulenburg, *Welt um Hindenburg*, S. 18.
106 Vgl. dazu das Zeugnis seiner Frau Gertrud, überliefert bei Ludwig Hoppe-Lichterfelde, *Das Herz des Hauses Hindenburg. Dem Gedächtnis einer edlen deutschen Frau*, Berlin 1926, S. 7 und S. 11.
107 Zum Herrenklub vgl. die Bemerkungen eines der Mitglieder, des damaligen Landrats von Hannover Clemens Graf von Wedel: »Meine Erinnerungen an Hindenburg«, etwa 1925 entstanden, in: Universitätsarchiv Bonn, Nachlaß Walther Hubatsch sowie Walter Rauscher, *Hindenburg. Feldmarschall und Reichspräsident*, Wien 1997, S. 26.
108 Otto Krack, *Generalfeldmarschall von Bülow*, Berlin 1916.

KAPITEL 2
Märchenhafter Aufstieg eines Pensionärs

1 Überliefert bei Fritz Hartmann, »In Hannover«, in: Loebell, *Hindenburg*, S. 89–100, Zitat S. 92; auch aufgegriffen von Thomas R. Ybarra, *Hindenburg. Seine drei Leben*, Berlin 1931, S. 19.
2 Eine akribische Untersuchung über die Vorgeschichte der Ernennung Hindenburgs zum Oberbefehlshaber der 8. Armee stammt von dem ehemaligen Militär August Lindner: *Schlieffen – Hindenburg. Legenden und Märchen um zwei preußische Soldaten*, Büsum in Holstein 1964, BA Koblenz, Nachlaß August Lindner, Nr. 52, hier vor allem S. 320 bis 442.
3 So der Bericht von Hindenburgs Schwiegersohn Brockhusen gegenüber dem Hamburger Patrizier Cornelius von Berenberg-Goßler, der im Januar 1915 mit Brockhusen zusammengetroffen war, Staatsarchiv Hamburg, Familie Berenberg, Tagebuch Cornelius von Berenberg-Goßler, Eintragung vom 14. Januar 1915.
4 Postkarte Hindenburgs vom Stettiner Bahnhof in Berlin, 1. August 1914, 19 Uhr, an seine Tochter Irmengard von Brockhusen (Privatbesitz).

5 So Hindenburg zu seiner Nichte Martha von Sperling Manstein, überliefert in: Sperling Manstein,»Die Feldpostkarte«, S. 22. Hindenburg war über seine Frau Gertrud, geborene von Sperling, mit Martha von Sperling Manstein verwandt. Marthas Stiefbruder war im übrigen der bekannte Generalfeldmarschall des Zweiten Weltkriegs, Erich von Manstein, welcher der kinderreichen Ehe von Gertruds zweiter Schwester, Helene, mit dem General der Artillerie Eduard von Lewinski enstammte und nach seiner Geburt der kinderlosen Schwester Hedwig gewissermaßen »abgetreten« wurde, weswegen sein eigentlicher Name Erich von Lewinski genannt von Manstein lautete. Manstein war mithin ein Neffe Hindenburgs; siehe dazu auch Erich von Manstein, *Aus einem Soldatenleben 1887–1939*, Bonn 1958, S. 11f., und Marcel Stein, *Generalfeldmarschall Erich von Manstein*, Mainz 2000, S. 21 bis 23. Hindenburgs Zwischenaufenthalt in Berlin ist auch überliefert bei Emanuel Ginschel, *Generalfeldmarschall von Hindenburg. Sein Leben und seine Taten*, Posen 1917, S. 129; vgl. auch Görlitz, *Hindenburg*, Bonn 1953, S. 52, der allerdings von einem sonst nicht verbürgten Treffen Hindenburgs mit dem Generalquartiermeister von Stein spricht.

6 Hierzu die Tagebuchaufzeichnungen Karl von Fabecks, Kladde 1: 21. Juli 1914–14. November 1914 (Privatbesitz). Fabeck schreibt dort unter dem Datum des 3. August 1914: »Onkel Paul Hindenburg war bei … Moltke u. bat um Verwendung. Ich sagte ihm, daß diese sicher noch käme«; zur Person Fabecks siehe auch Dermot Bradley, Karl-Friedrich Hildebrand und Markus Rövekamp, *Die Generale des Heeres 1921–1945*, Bd. 3, Osnabrück 1994, S. 387f.; auf die Bedeutung Fabecks als Fürsprecher Hindenburgs gehen auch ein Görlitz, *Hindenburg*, S. 52, sowie Hubatsch, *Hindenburg und der Staat*, S. 13, allerdings mit falscher Angabe des militärischen Rangs (Fabeck wird als Oberst ausgegeben) und ohne Hinweis auf die verwandtschaftliche Beziehung zwischen beiden.

7 Das Schreiben Hindenburgs an Stein ist in Faksimile abgedruckt in: Hans Frentz, *Hindenburg und Ludendorff und ihr Weg durch das deutsche Schicksal*, Berlin 1937, neben S. 109; auszugsweise Wiedergabe bei Rauscher, *Hindenburg*, S. 28.

8 Hindenburg an seinen Schwiegersohn Hans-Joachim von Brockhusen, 10. August 1914 (Privatbesitz).

9 Hindenburg an Tochter Irmengard von Brockhusen, 14. August 1914 (Privatbesitz).

10 Vgl. auch Rauscher, *Hindenburg*, S. 28.

11 Hindenburg an Stein, bei Frentz, *Hindenburg und Ludendorff*, neben S. 109.

12 Diese Reihenfolge wird eindeutig in der quellenkritisch mit äußerster Akribie verfahrenden Untersuchung Lindners (wie Anm. 2) bestätigt, dort S. 365f.; siehe auch die in diesem Punkt zuverlässige Darstellung bei Erich Ludendorff, »Sie regen sich wieder«, in: *Am Heiligen Quell Deutscher Kraft* 6 (1935/36), Ausgabe vom 20. Januar 1936, S. 798–802.

13 Vgl. dazu Frentz, *Hindenburg und Ludendorff*, S. 104.

14 Auszugsweise ist dieses Schreiben Moltkes abgedruckt bei Ludendorff, »Sie regen sich wieder« (wie Anm. 12), S. 799; weitere Passagen finden sich bei Frentz, *Hindenburg und Ludendorff*, S. 105.

15 Zur zeitlichen Datierung vgl. die Ausführungen bei Lindner (wie Anm. 2), Bl. 378.

16 Walter Bloem, *Der Weltbrand. Deutschlands Tragödie 1914–1918*, Bd. 1, Berlin 1922, S. 126.

17 So der spätere enge Vertraute Hindenburgs, General Wilhelm Groener, der bei der förmlichen Bestätigung der Nominierung Hindenburgs durch den Kaiser am Abend des 22. August 1914 im Großen Hauptquartier in Koblenz anwesend war, in einem Schreiben an seinen Jugendfreund Laegler, 22. März 1935, abgedruckt in Dorothea Groener-Geyer, *General Groener*, Frankfurt a.M. 1955, S. 339; ähnlich äußerten sich auch der Chef des Mi-

litärkabinetts Lyncker und seine rechte Hand, Abteilungschef Oberst Freiherr von Marschall, vgl. Ludendorff, »Sie regen sich wieder« (wie Anm. 12), S. 800; siehe auch die zutref-
fende Darstellung von John W. Wheeler-Bennett, *Der hölzerne Titan – Paul von Hindenburg*, Tübingen 1969, S. 33f.

18 Angeblich zog Stein das Schreiben Hindenburgs an ihn vom 12. August 1914 zufällig aus
der Rocktasche hervor, als eine Ersatzlösung für Prittwitz anstand, vgl. dazu die Aufzeichnung Otto Wageners, der im Weltkrieg als Angehöriger des XIV. Reservekorps in dienstlicher Beziehung zum General von Stein stand, über ein Gespräch mit Stein aus dem Sommer 1916. Diese Aufzeichnung entstand in englischer Kriegsgefangenschaft 1946, ist von
Erinnerungsfehlern nicht frei, dürfte aber in diesem Punkt zutreffen; Archiv des Instituts
für Zeitgeschichte, München, Nachlaß Otto Wagener, Bd. 9, Bl. 123–127; zur Rolle Fabecks
vgl. Rauscher, *Hindenburg*, S. 31.

19 Vgl. Groeners Schreiben an seinen Freund Laegler, 22. März 1935, Groener-Geyer, *General
Groener*, S. 339; siehe auch Lindner (wie Anm. 2), Bl. 400f.

20 Der Telegrammwechsel des 22. August zwischen Koblenz und Hannover ist zu finden bei
Hubatsch, *Hindenburg und der Staat*, S. 14, dort Anmerkung 2.

21 Diese Äußerung Hindenburgs ist wiedergegeben bei Karl Ritter von Wenniger, *Die
Schlacht von Tannenberg*, München 1935, S. 18; vgl. auch Lindner (wie Anm. 2), Bl. 403f.

22 Hierzu siehe auch die Biographie des liberalen Publizisten Rudolf Olden, die nur im Pariser Exil erscheinen konnte: Olden, *Hindenburg*, ND Hildesheim 1982 (ursprünglich Paris
1935), S. 23.

23 Die Fülle von Zeugnissen hierüber wird ausgebreitet bei Lindner (wie Anm. 2), S. 341f.,
346 und S. 367–369.

24 »Gegen 3 Uhr nachts fuhr ich, in der Eile nur unfertig gerüstet, zum Bahnhof«: Paul von
Hindenburg, *Aus meinem Leben*, S. 75.

25 Hindenburg hatte noch am Abend des 23. August seiner Frau brieflich den tiefen Eindruck
geschildert, den der Aufenthalt in Marienburg bei ihm hinterlassen hatte, vgl. dazu die zuverlässigen Informationen von Hindenburgs Lieblingsmaler Hugo Vogel, der mit der Familie Hindenburg in engem persönlichen Kontakt stand: Vogel, *Erlebnisse*, S. 49.

26 Darüber sind wir durch den Briefwechsel Vogels mit seiner Frau bestens informiert, in
dem Vogel in Chronistenmanier sämtliche wichtigen Äußerungen und Aktivitäten Hindenburgs während ihrer gemeinsamen Arbeit festhielt: Vogel, *Als ich Hindenburg malte*,
S. 76 (Brief vom 1. März 1915).

27 Im Jahr 1330 hat ein Vorfahre Hindenburgs den damaligen Ordenshochmeister im Streit
erschlagen, ebenda.

28 Hindenburg rückblickend zu Hugo Vogel, als er diesen an der Jahreswende 1929/30 in dessen Atelier besuchte und dabei auch das von Vogel gemalte Bild »Hindenburg an der No-
gatbrücke vor der Marienburg, umgeben von der flüchtenden Bevölkerung bei Ausbruch
des Krieges« inspizierte: »Vor fünfhundert Jahren wurden die Ritter vom deutschen Haus
von den Slawen in Ostpreußen geschlagen und zurückgedrängt. Dies fiel mir ein, als ich
an der Brücke stand, und ich sagte mir, daß die Vorsehung vielleicht nun mich dazu ausersehen habe, diese Scharte auszuwetzen.« Vogel, *Erlebnisse*, S. 50.

29 Diese Äußerung ist überliefert von Hauptmann Max von List: Max von List, *Durch
Preußen und Polen. Eindrücke und Erinnerungen eines Frontoffiziers*, Breslau 1920, S. 93.

30 François an Max Hoffmann, 5. April 1925, Bundesarchiv-Militärarchiv Freiburg, Nachlaß
François, Nr. 15.

31 Vgl. dazu das militärgeschichtliche Standardwerk von Dennis E. Showalter, *Tannenberg. Clash of Empires*, Hamden 1991, S. 329f.

32 Dazu Wheeler-Bennett, *Titan*, S. 35, 38–40 und S. 45.

33 Vgl. dazu Görlitz, *Hindenburg*, S. 67.

34 Vgl. Hindenburgs Schilderung der Schlacht von Tannenberg gegenüber einem italienischen Kriegsberichterstatter, wiedergegeben in: *Berliner Abendpost* Nr. 89 vom 17. April 1915: »Hindenburg über Tannenberg«.

35 Auf Hindenburgs Posener Wurzeln weist mit Recht hin Ginschel, *Hindenburg*, vor allem S. 96–126.

36 Eingehendste Schilderung von Hindenburgs Beziehung zu Neudeck ist die Schrift seines Bruders Bernhard von Hindenburg, *Feldmarschall*, vor allem S. 60–64 und S. 84–86.

37 Zum militärischen Ergebnis vgl. Showalter, *Tannenberg*, S. 323, sowie Rauscher, *Hindenburg*, S. 39.

38 Ablauf dieses Vortrags gemäß der Schilderung eines Augenzeugen, der sowohl als Mitglied der Operationsabteilung von OberOst als auch als Angehöriger der 3. Obersten Heeresleitung enge dienstliche Beziehungen zu Hindenburg unterhalten hatte. Der ungenannte Zeuge, im Range eines Majors stehend, hatte sich an den späteren Reichspräsidenten Hindenburg brieflich am 19. Mai 1932 gewandt und dabei den Verlauf des Vortrags vom 28. August 1917 geschildert, wobei ihm als Gedächtnisstütze ein Brief an seine Eltern diente, den er noch unmittelbar unter dem Eindruck dieses Vortrags verfaßt hatte. Dieser Brief an Hindenburg vom 19. Mai 1932, auf den eine ausweichende Antwort durch Hindenburgs Sohn Oskar einging, ist abgedruckt in: Erich Ludendorff, »Reichspräsident und geschichtliche Wahrheit«, in: *Ludendorffs Volkswarte* 4 (1932), Folge 38 vom 25. September 1932.

39 Beim Vortrag Ludendorffs waren nur wenige Zuhörer aus dem inneren Zirkel der 3. Obersten Heeresleitung anwesend, u. a. der erwähnte Augenzeuge, vgl. ebenda.

40 Vgl. Showalter, *Tannenberg*, S. 347.

41 Hindenburg, *Aus meinem Leben*, S. 87.

42 So bekannte Ludendorff im November 1915 gegenüber Walther Rathenau: »Die Schacht bei Tannenberg würde ich heute nicht zum zweiten Male schlagen können«, in: Walther Rathenau, *Tagebuch 1907–1922*, Düsseldorf 1967, S. 195.

43 Darauf wies bereits hin Showalter, *Tannenberg*, S. 241, der allerdings noch eindeutige Belege hierfür vermißte. Mittlerweile sind entsprechende Quellenzeugnisse aufgetaucht; an dieser Stelle mag genügen ein Brief Elzes an den Militärhistoriker und Publizisten Hans Delbrück, 21. Oktober 1928, in dem es zu einer Unterredung am 15. Oktober 1928 zwischen Hindenburg und Elze heißt: Hindenburg »hat mir die Hauptgedanken meines Buches bestätigt« (Staatsbibliothek Berlin, Handschriftenabteilung, Nachlaß Hans Delbrück K 84, Bl. 10).

44 Walter Elze, *Tannenberg*, Breslau 1928, S. 369f.; vgl. auch ebenda., S. 132f.

45 Wheeler-Bennett hat Hindenburg ursprünglich in unkritischer Bewunderung verehrt, war aber seit 1932 davon abgerückt und hatte sich zum Ziel gesetzt, vermittels einer Hindenburg-Biographie der Person Hindenburg auf den Grund zu gehen, vgl. Wheeler-Bennett, *Titan*, S. 16.

46 »In der Bewältigung dieser Krise liegt Hindenburgs tatsächlicher Anspruch auf den Ruhm von Tannenberg«, ebenda, S. 43.

47 »So war es Hindenburg zu verdanken, daß das AOK 8 am Operationsplan festhielt«, Rauscher, *Hindenburg*, S. 38.

48 Erstmalig wird dieser Ausspruch zitiert bei Görlitz, *Hindenburg*, S. 78f., der zwar Zugang zum Hindenburg-Nachlaß besaß, aber auf Belege verzichtet. Für die Authentizität dieser Hindenburg-Äußerung spricht aber, daß sie in leicht variierter Form auch bei anderen Gewährsleuten überliefert ist, so bei Wheeler-Bennett, *Titan*, S. 50, und bei Vogel, *Erlebnisse*, S. 59, vgl. dazu auch Rauscher, *Hindenburg*, S. 324. Auch Showalter, *Tannenberg*, S. 330, zeigt sich von diesem Hindenburg-Ausspruch beeindruckt und hält ihn für die richtige Antwort Hindenburgs an die Adresse seiner wenigen Kritiker.

49 Überliefert in der immer noch ergiebigen Studie von Olden, *Hindenburg*, S. 133.

50 Dieser Aspekt ist eigentlich bisher nur gebührend von Emil Ludwig, *Hindenburg und die Sage von der deutschen Republik*, Amsterdam 1935, vor allem S. 71, 76 und S. 95 betont worden.

51 Am 30. August 1914 schrieb Hoffmann an seine Frau:»Seit Feldzugsausbruch habe ich noch nicht 2 Stunden hintereinander schlafen können, ohne geweckt zu werden.« Abgedruckt in: *Die Aufzeichnungen des Generalmajors Max Hoffmann*, Bd. 1, hg. von Karl Friedrich Nowak, Berlin 1929, S. 53.

52 Hermann von François,»Kommandierender General des IV. Armeekorps«, in: Lindenberg, *Hindenburg-Denkmal*, S. 49–56, Zitat S. 52.

53 Brief Einems an seine Frau, 20. Mai 1917, in dem Einem über einen Besuch Hindenburgs bei der 3. Armee berichtet, BA-MA Freiburg, Nachlaß Einem, Nr. 54, Bl. 67.

54 »Ich schlafe wie eine Kanone.‹ Wie Hindenburg zwischen den Schlachten plauderte«, in: *Völkischer Beobachter*. Ausgabe A, Nr. 238/1934, Beiblatt.

55 Vgl. die Belege bei Jesko von Hoegen, *Der Held von Tannenberg*, Köln 2007, S. 40.

56 Christoph Mick,»Kriegserfahrungen und die Konstruktion von Kontinuität. Schlachten und Kriege im ukrainischen und polnischen kollektiven Gedächtnis 1900–1930«, in: *Gründungszeichen, Genealogien, Memorialzeichen. Beiträge zur institutionellen Konstruktion von Kontinuität*, hg. von Gert Melville und Karl-Siegbert Rehberg, Köln 2004, S. 109 bis 132, hier S. 122f.

57 Dieses Schreiben Hindenburgs ist abgedruckt bei Hubatsch, *Hindenburg und der Staat*, S. 152.

58 Vogel, *Als ich Hindenburg malte*, S. 72.

59 Dieses Zitat aus dem Schreiben Hindenburgs an seine Frau, vermutlich vom 23. August 1914 datierend, ist wiedergegeben in einem Schreiben Hugo Vogels an seine Frau Maria, 11. Januar 1915, in: Vogel, *Als ich Hindenburg malte*, S. 5. Hugo Vogel hatte Hindenburgs Frau Gertrud im Januar 1915 einen Antrittsbesuch abgestattet, bei dem Gertrud von Hindenburg ihrem Besucher diesen ersten Brief ihres Mannes vom östlichen Kriegsschauplatz zu lesen gab.

EXKURS 1

Bedingungen symbolischer Politik

1 Hier ist an erster Stelle zu nennen: Bernhard Giesen, *Kollektive Identität*, Frankfurt a.M. 1999.

2 Souveräne Übersicht bei Hans-Ulrich Wehler, *Nationalismus. Geschichte – Formen – Folgen*, München 2001; vgl. auch die instruktive Einführung von: Jörg Echternkamp und Sven Oliver Müller,»Perspektiven einer politik- und kulturgeschichtlichen Nationalis-

musforschung«, in: *Die Politik der Nation. Deutscher Nationalismus in Krieg und Krisen 1760–1960*, hg. von Jörn Echternkamp und Sven Oliver Müller, München 2002, S. 1–24.

3 Giesen bezeichnet eine solche Radikalisierung des konstruktivistischen Ansatzes als »kulturellen Platonismus«: Giesen, *Kollektive Identität*, S. 19.

4 Wehler, *Nationalismus*, S. 38.

5 Vgl. Dieter Langewiesche, *Nation, Nationalismus, Nationalstaat in Deutschland und Europa*, München 2000, vor allem S. 49–54; siehe auch Wehler, *Nationalismus*, S. 40–44.

6 Vgl. Giesen, *Kollektive Identität*, S. 17f.

7 Vgl. den entsprechenden Abschnitt in Kants ästhetischem Hauptwerk »Kritik der Urteilskraft«, hier zitiert nach der Akademieausgabe: Immanuel Kant, *Kants Werke*, Bd. 5, Berlin 1968, S. 351ff.

8 Vgl. dazu auch Jürgen Straub, »Personale und kollektive Identität«, in: *Identitäten. Erinnerung, Geschichte, Identität*, hg. von Aleida Assmann und Heidrun Friese, Frankfurt a.M. 1997, S. 73–104, hier S. 97.

9 Gute Einführung in Cassirers Symboltheorie: Rainer Waßner, *Institution und Symbol. Ernst Cassirers Philosophie und ihre Bedeutung für eine Theorie sozialer und politischer Institutionen*, Münster 1999, vor allem S. 35 und S. 40; siehe auch John Michael Krois, »Problematik, Eigenart und Aktualität der Cassirerschen Philosophie der symbolischen Formen«, in: *Über Ernst Cassirers Philosophie der symbolischen Formen*, hg. von Hans-Jürgen Braun u.a., Frankfurt a.M. 1988, S. 15–44.

10 Brief Goethes an Schiller, 16. August 1797, in: *Goethes Briefe*. Bd. II: *1786–1805*, München 1986, S. 299.

11 Hans-Georg Soeffner, »Protosoziologische Überlegungen zur Soziologie des Symbols und des Rituals«, in: *Die Wirklichkeit der Symbole*, hg. von Rudolf Schlögl, Bernhard Giesen und Jürgen Osterhammel, Konstanz 2004, S. 41–72, hier S. 54.

12 In kulturtheoretischer Perspektive ist der Stellenwert von Symbolen besonders intensiv durchdacht bei Andreas Reckwitz, *Die Transformation der Kulturtheorien. Zur Entwicklung eines Theorieprogramms*, Weilerswist 2000, vor allem S. 529–532 und S. 574 bis 576.

13 Thomas Luckmann, »Die ›massenkulturelle‹ Sozialform der Religion«, in: *Kultur und Alltag*, hg. von Hans-Georg Soeffner, Göttingen 1988, S. 37–48, Zitat S. 38.

14 Vgl. dazu u.a. Echternkamp und Müller, *Perspektiven*, S. 17; auch die nach Ansicht des Verfassers berechtigte Kritik Hans-Ulrich Wehlers an einer Ausblendung zentraler historischer Dimensionen durch eine reduktionistische Kulturgeschichte kann im Umkehrschluß als Plädoyer für einen Brückenschlag zwischen einer kulturgeschichtlich sensiblen Politikgeschichte und einer sich nicht hermetisch abschließenden Kulturgeschichte verstanden werden, vgl. etwa Hans-Ulrich Wehler, »Kommentar«, in: *Geschichte zwischen Kultur und Gesellschaft*, hg. von Thomas Mergel und Thomas Welskopp, München 1997, S. 351–366, hier S. 353.

15 Systematisch entwickelt in der beeindruckenden Studie von Reckwitz, *Transformation*, vor allem S. 242, 346 und S. 542–581.

16 Vgl. dazu Giesen, *Kollektive Identität*, S. 18; vgl. auch Rudolf Schlögl, »Symbole in der Kommunikation«, in: *Die Wirklichkeit der Symbole*, hg. von Rudolf Schlögl, Bernhard Giesen und Jürgen Osterhammel, Konstanz 2004, S. 9–38.

17 Die kulturgeschichtliche Erweiterung des Politikbegriffs ist das Grundanliegen des Sammelbandes von Barbara Stollberg-Rilinger (Hg.), *Was heißt Kulturgeschichte des Politi-*

schen?, Berlin 2005; siehe ebenfalls Thomas Mergel, »Überlegungen zu einer Kulturge-schichte der Politik«, in: *Geschichte und Gesellschaft* 28 (2002), S. 574–606, vor allem S. 593f.

18 Rohes erste Annäherung war ein eher an abgelegener Stelle publizierter Beitrag für eine Festschrift: Karl Rohe, »Zur Typologie politischer Kulturen in westlichen Demokratien«, in: *Weltpolitik – Europagedanke – Regionalismus*, hg. von Heinz Dollinger u.a., Münster 1982, S. 581–596; erste systematische Ausbreitung bei Karl Rohe, »Politische Kultur und der kulturelle Aspekt von politischer Wirklichkeit«, in: *Politische Kultur in Deutschland*, hg. von Dirk Berg-Schlosser und Jakob Schissler, Opladen 1987, S. 39–48.

19 Vgl. dazu auch die Kritik von Hans-Ulrich Wehler, *Die Herausforderung der Kulturge-schichte*, München 1998, S. 151.

20 Vgl. die klassische Studie aus der Princeton-Schule: Gabriel A. Almond und Sidney Verba, *The Civic Culture. Political Attitudes and Democracy in Five Nations*, Princeton 1963; hier auf S. 9 auch eine individualpsychologisch ausgerichtete Definition von Politischer Kul-tur: »psychological orientations toward social objects«.

21 Zur Diversifizierung der Politischen Kulturforschung seit deren Anfängen vgl. die glän-zende Studie von Dietmar Schirmer, *Mythos – Heilshoffnung – Modernität. Politisch-kultu-relle Deutungscodes in der Weimarer Republik*, Opladen 1992, vor allem S. 18–35.

22 Karl Rohe, »Politische Kultur und ihre Analyse«, in: *Historische Zeitschrift* 250 (1990), S. 321–346, Zitat S. 337.

23 Zur Unterscheidung von politischer Soziokultur und politischer Deutungskultur vgl. Rohe, »Politische Kultur und der kulturelle Aspekt«, S. 41–43, sowie Karl Rohe, »Politische Kultur: Zum Verständnis eines theoretischen Konzepts«, in: *Politische Kultur in Ost- und Westdeutschland*, hg. von Oskar Niedermayer, Berlin 1994, S. 1–21, vor allem S. 8–11. Rohe hat diesen Aspekt auch im Rahmen einer eigenen Monographie ausgeführt: Karl Rohe, *Politik. Begriffe und Wirklichkeiten*, Stuttgart ²1994, S. 168–171.

24 Vgl. dazu auch die theoretische Grundlegung bei Rohe, *Politik*, S. 167f.

25 Grundlegend zur Begriffsbestimmung von »symbolischer Politik« sind die Arbeiten von Andreas Dörner; vgl. insbesondere: Andreas Dörner, *Politischer Mythos und symbolische Politik. Der Hermannmythos – zur Entstehung des Nationalbewußtseins der Deutschen*, Reinbek 1996, vor allem S. 26–35; ders., »Die Inszenierung politischer Mythen. Ein Beitrag zur Funktion der symbolischen Formen in der Politik am Beispiel des Hermannsmythos in Deutschland«, in: *Politische Vierteljahresschrift* 34 (1993), S. 199–218; siehe auch Schir-mer, *Mythos*, S. 56, sowie Ulrich Sarcinelli, »›Staatsrepräsentation‹ als Problem politischer Alltagskommunikation: Politische Symbolik und symbolische Politik«, in: *Staatsrepräsen-tation*, hg. von Jörg-Dieter Gauger und Justin Stagl, Berlin 1992, S. 159–174.

26 Soeffner hat diesen Begriff im Zusammenhang mit seinem Projekt einer transzendentalen Ästhetik der Politik geprägt, von dem eine grundlegende theoretische Vermessung des Verhältnisses von pragmatischer und ästhetischer Form der Politik zu erwarten ist. Seine souveräne Einführung in diesen Problemkreis läßt bereits erste Konturen durchscheinen: Hans-Georg Soeffner und Dirk Tänzler, »Figurative Politik. Prolegomena zu einer Kultur-soziologie politischen Handelns«, in: *Figurative Politik. Zur Performanz der Macht in der modernen Gesellschaft*, hg. von Hans-Georg Soeffner und Dirk Tänzler, Opladen 2002, S. 17–33, vor allem S. 27.

27 Zum Begriff der »Inszenierung« vgl. Erika Fischer-Lichte, »Performance, Inszenierung, Ritual. Zur Klärung kulturwissenschaftlicher Schlüsselbegriffe«, in: *Geschichtswissenschaft*

und »performative turn«, hg. von Jürgen Martschukat und Steffen Patzold, Köln 2003, S. 33–54.

28 Vgl. dazu auch die Ausführungen von Ronald Hitzler, »Inszenierung und Repräsentation. Bemerkungen zur Politikdarstellung in der Gegenwart«, in: *Figurative Politik. Zur Performanz der Macht in der modernen Gesellschaft*, hg. von Hans-Georg Soeffner und Dirk Tänzler, Opladen 2002, S. 35–49, hier S. 41f.

29 Analytische Trennung zwischen symbolischer Politikinszenierung und symbolisierender Politikrepräsentation bei Soeffner und Tänzler, »Figurative Politik«, S. 21.

30 Die Ergiebigkeit einer kultursoziologischen Erweiterung Max Webers wird herausgestellt bei Klaus Kraemer, »Charismatischer Habitus. Zur sozialen Konstruktion symbolischer Macht«, in: *Berliner Jahrbuch für Soziologie* 12 (2002), S. 173–187.

31 Tiefschürfende kultursoziologische Ausführungen hierzu bei Jürgen Raab und Dirk Tänzler, »Charisma der Macht und charismatische Herrschaft«, in: *Diesseitsreligion. Zur Deutung der Bedeutung moderner Kultur*, hg. von Anne Honer, Ronald Kurt und Jo Reichertz, Konstanz 1999, S. 59–77, vor allem S. 62f.

32 Hitzler, »Inszenierung«, S. 45; vgl. auch die bedenkenswerten Ausführungen bei Dörner, *Politischer Mythos*, S. 37.

33 Hier greift der Verfasser Anregungen des Konstanzer Sonderforschungsbereiches »Norm und Symbol« auf.

34 Zur gemeinschaftsstiftenden Funktion von Mythen vgl. insbesondere Bernhard Giesen, »Voraussetzung und Konstruktion. Überlegungen zum Begriff der kollektiven Identität«, in: *Sinngeneratoren: Fremd- und Selbstthematisierung in soziologisch-historischer Perspektive*, hg. von Cornelia Bohn und Herbert Willems, Konstanz 2001, S. 91–110; Dörner, *Politischer Mythos*, vor allem S. 43ff.; Yves Bizeul, »Theorien der politischen Mythen und Rituale«, in: *Politische Mythen und Rituale in Deutschland, Frankreich und Polen*, hg. von Yves Bizeul, Berlin 2000, S. 15–39, vor allem S. 21ff.; Heidi Hein-Kircher, »Überlegungen zu einer Typologisierung von politischen Mythen aus historiographischer Sicht – ein Versuch«, in: Politische *Mythen im 19. und 20. Jahrhundert in Mittel- und Osteuropa*, hg. von Heidi Hein-Kircher und Hans Henning Hahn, Marburg 2006, S. 407 bis 424.

35 Vgl. die Anregungen bei Hans-Georg Soeffner, *Gesellschaft ohne Baldachin. Kultur und Religion in der pluralistischen Gesellschaft*, Frankfurt a.M. 2000, S. 194f. und S. 201.

36 Siehe aus literaturwissenschaftlicher Sicht hierzu Wulf Wülfing, Karin Bruns und Rolf Parr, *Historische Mythologie der Deutschen 1798–1918*, München 1991, vor allem S. 4f.; v. Hoegen, *Held von Tannenberg*, S. 15–19.

37 Frank Becker, »Begriff und Bedeutung des politischen Mythos«, in: *Was heißt Kulturgeschichte des Politischen?*, hg. von Barbara Stollberg-Rilinger, Berlin 2005, S. 129–148, vor allem S. 137.

38 Vgl. u.a. Raina Zimmering, *Mythen in der Politik der DDR*. Opladen 2000, S. 25; Georg Kamphausen, »Charisma und Heroismus«, in: *Charisma*, hg. von Winfried Gebhardt, Berlin 1993, S. 221–246, der den Mythos-Begriff von Georges Sorel aufgreift; Becker, »Begriff«, S. 131f.

39 Dörner, *Politischer Mythos*, vor allem S. 42ff.; vgl. auch Rudolf Speth, »Der Mythos des Staates bei Carl Schmitt«, in: *Mythos Staat*, hg. von Rüdiger Voigt, Baden-Baden 2001, S. 119–140, hier S. 120.

40 Vgl. Speth, »Mythos des Staates«, sowie Ruth Groh, *Arbeit an der Heillosigkeit der Welt*.

Zur politisch-theologischen Mythologie und Anthropologie Carl Schmitts, Frankfurt a.M. 1998, S. 19–23, 86f. und S. 103–110.

41 Wolfram Pyta, »Schmitts Begriffsbestimmung im politischen Kontext«, in: *Carl Schmitt. Der Begriff des Politischen. Ein kooperativer Kommentar*, hg. von Reinhard Mehring, Berlin 2003, S. 219–235.

42 Zur Bedeutung einer intakten Grundgeschichte des Mythos vgl. Zimmering, *Mythen*, S. 30.

43 Wir folgen hier weitgehend den Ausführungen von Edgar Wolfrum, *Geschichtspolitik in der Bundesrepublik Deutschland*, Darmstadt 1999, S. 25ff.

44 Die Bezeichnung von Geschichte als »symbolische Form« erfolgt hier in Anlehnung an die kulturhistorisch bedeutsame »Philosophie der symbolischen Formen« des Kulturphilosophen Ernst Cassirer; die Leistungsfähigkeit Cassirers für die begriffliche Vermessung der symbolischen Dimension von Kultur hat unterstrichen André Brodocz, »Institution als symbolische Form«, in: *Berliner Jahrbuch für Soziologie* 12 (2002), S. 211–226, vor allem S. 220f.

KAPITEL 3

Die deutsche Nation auf der Suche nach symbolischer Repräsentation

1 Dazu Marita Krauss, *Herrschaftspraxis in Bayern und Preußen im 19. Jahrhundert*, Frankfurt a.M. 1997, vor allem S. 49, 58 und S. 384–392.

2 Grundlegend hierzu Jakob Vogel, *Nationen im Gleichschritt. Der Kult der »Nation in Waffen« in Deutschland und Frankreich, 1871–1914*, Göttingen 1997, vor allem S. 55f.

3 Vgl. dazu die glänzende Studie von Charlotte Tacke, *Denkmal im sozialen Raum. Nationale Symbole in Deutschland und Frankreich im 19. Jahrhundert*, Göttingen 1995, vor allem S. 26, 172 und S. 290f.

4 Auf diese Eigenständigkeit der Bundesstaaten hat vor allem Dieter Langewiesche aufmerksam gemacht und dabei mit Recht Interpretationen relativiert, welche Heimat, Region und Bundesstaat in harmonisierender Absicht als fließende Übergänge zur Nation darstellen: Dieter Langewiesche, »Föderativer Nationalismus als Erbe der deutschen Reichsnation. Über Föderalismus und Zentralismus in der deutschen Nationalgeschichte«, in: ders., *Nation, Nationalismus, Nationalstaat in Deutschland und Europa*, München 2000, S. 55–79.

5 Der theoretisch anspruchsvollste und zugleich empirisch gehaltvollste Zugriff auf die Milieus in der modernen deutschen Gesellschaftsgeschichte ist in der »Göttinger Schule« von Franz Walter und Peter Lösche entwickelt worden, die in vorbildlicher Weise politikwissenschaftliche Sensibilität für Begrifflichkeit mit der Gründlichkeit historischer Quellenanalyse verknüpft; als Fazit und Ausblick der Milieuforschung vgl. insbesondere folgende Beiträge: Peter Lösche und Franz Walter, »Katholiken, Konservative und Liberale: Milieus und Lebenswelten bürgerlicher Parteien in Deutschland während des 20. Jahrhunderts«, in: *Geschichte und Gesellschaft* 26 (2000), S. 471–492, sowie Franz Walter und Helge Matthiesen, »Milieus in der modernen deutschen Gesellschaftsgeschichte. Ergebnisse und Perspektiven der Forschung«, in: *Anpassung – Verweigerung – Widerstand*, hg. von Detlef Schmiechen-Ackermann, Berlin 1997, S. 46–75.

6 Für die deutsche Parteien- und Wahlgeschichte hat Karl Rohe mustergültig die Ergiebig-

keit des Milieuansatzes praktiziert: Karl Rohe, *Wahlen und Wählertraditionen in Deutsch-land*, Frankfurt a.M. 1992, hier S. 19 zum Milieuansatz.

7 Grundlegend dazu Thomas Welskopp, *Das Banner der Brüderlichkeit. Die deutsche Sozial-demokratie vom Vormärz bis zum Sozialistengesetz*, Bonn 2000, vor allem S. 53f. und S. 337 bis 383.

8 Zur symbolischen Artikulation der Milieuzugehörigkeit vgl. auch die Ausführungen in dem abwägenden Beitrag von Klaus Tenfelde, »Historische Milieus – Erblichkeit und Konsistenz«, in: *Nation und Gesellschaft in Deutschland*, hg. von Manfred Hettling und Paul Nolte, München 1996, S. 247–268, hier S. 261.

9 Zu den Lassalle-Feiern im Rheinland vgl. Ute Schneider, *Politische Festkultur im 19. Jahr-hundert*, Essen 1995, S. 263–276.

10 Zum katholischen Milieu grundlegend ist der Beitrag des interdisziplinär ausgerichteten Münsteraner Arbeitskreises für kirchliche Zeitgeschichte: »Katholiken zwischen Tradition und Moderne. Das katholische Milieu als Forschungsaufgabe«, in: *Westfälische Forschun-gen* 43 (1993), S. 588–654; vgl. auch die anregende Einleitung von Olaf Blaschke und Frank-Michael Kuhlemann, »Religion in Geschichte und Gesellschaft. Sozialhistorische Perspektiven für die vergleichende Erforschung religiöser Mentalitäten und Milieus«, in: *Religion im Kaiserreich*, hg. von Olaf Blaschke und Frank-Michael Kuhlemann, Gütersloh 1996, S. 7–56, vor allem S. 24–34.

11 In Anlehnung an den norwegischen Soziologen Stein Rokkan werden diese identitätsstif-tenden Hauptkonfliktlinien als »cleavages« bezeichnet – die Selbstbehauptung peripherer Regionen gegen die Steuerungsansprüche der Zentrale gehört zu diesen Faktoren; vgl. dazu grundsätzlich: Münsteraner Arbeitskreis für kirchliche Zeitgeschichte, »Konfession und cleavages im 19. Jahrhundert. Ein Erklärungsmodell zur regionalen Entstehung des katholischen Milieus in Deutschland«, in: *Historisches Jahrbuch* 120 (2000), S. 358–395.

12 Hierzu grundlegend Norbert Busch, »Frömmigkeit als Faktor des katholischen Milieus. Der Kult zum Herzen Jesu«, in: Blaschke und Kuhlemann, *Religion im Kaiserreich*, S. 136–165.

13 Die Deutung von Bonifatius als »katholischer Anti-Nationalheld« vermag nicht so recht zu überzeugen, da Bonifatius von katholischer Seite ja tendenziell als Vorläufer einer deut-schen Identität hingestellt wurde: Uta Rasche, »Geschichtsbilder im katholischen Milieu des Kaiserreichs: Konkurrenz und Parallelen zum nationalen Gedenken«, in: *Vom kollekti-ven Gedächtnis zur Individualisierung der Erinnerung*, hg. von Clemens Wischermann, Stuttgart 2002, S. 25–52, Zitat S. 42.

14 Zur symbolpolitischen Dimension des Kulturkampfes vgl. den Beitrag von Armin Hei-nen, »Umstrittene Moderne. Die Liberalen und der preußisch-deutsche Kulturkampf«, in: *Geschichte und Gesellschaft* 29 (2003), S. 138–156, vor allem S. 151ff.

15 Grundlegend dazu immer noch Rudolf Morsey, »Brünings politische Weltanschauung vor 1918«, in: *Gesellschaft, Parlament und Regierung*, hg. von Gerhard A. Ritter, Düsseldorf 1974, S. 317–335, vor allem S. 327f.

16 Vgl. Rudolf Morsey, »Die deutschen Katholiken und der Nationalstaat zwischen Kultur-kampf und Erstem Weltkrieg«, in: *Historisches Jahrbuch* 90 (1970), S. 31–64, und Barbara Stambolis, »Nationalisierung trotz Ultramontanisierung oder: ›Alles für Deutschland. Deutschland aber für Christus‹«, in: *Historische Zeitschrift* 269 (1999), S. 57–97; vgl. auch das Fazit der Studie von Smith, die die konfessionellen Trennlinien deutlich herausarbei-tet, aber nicht die integrative Wirkung der Nation auf Milieukatholiken in Abrede stellt: Helmut Walser Smith, *German Nationalism and Religious Conflict*, Princeton 1995, S. 238f.

17 Vgl. vor allem: Hans-Ulrich Wehler, *Deutsche Gesellschaftsgeschichte*, Bd. 3: *Von der »Deutschen Doppelrevolution« bis zum Beginn des Ersten Weltkrieges, 1849–1914*, München 1995, S. 944f.; ders., *Nationalismus*, S. 11; vgl. auch Echternkamp und Müller, *Perspektiven*, S. 8f.

18 Hierzu immer noch einschlägig Werner K. Blessing, »Der monarchische Kult, politische Loyalität und die Arbeiterbewegung im deutschen Kaiserreich«, in: *Arbeiterkultur*, hg. von Gerhard A. Ritter, Königstein 1979, S. 185–208.

19 Grundlegend hierzu Sven Oliver Müller, »Die umkämpfte Nation. Legitimationsprobleme im kriegführenden Kaiserreich«, in: *Die Politik der Nation*, hg. von Echternkamp und Müller, S. 149–171, vor allem S. 156f.; siehe auch seine Monographie: Sven Oliver Müller, *Die Nation als Waffe und Vorstellung. Nationalismus in Deutschland und Großbritannien im Ersten Weltkrieg*, Göttingen 2002, insbesondere S. 83, 95 und S. 357; in ähnliche Richtung argumentiert Peter Fritzsche, *Wie aus Deutschen Nazis wurden*, Zürich 1999, S. 38–40; zur SPD-Parteigeschichte vgl. Dieter Groh und Peter Brandt, »*Vaterlandslose Gesellen«. Sozialdemokratie und Nation 1860–1990*, München 1992, vor allem S. 159ff.

20 Hierbei stützt sich der Verfasser auf die grundlegenden kultursoziologischen Ausführungen von Giesen, *Kollektive Identität*, S. 17f.

21 Vgl. dazu den glänzenden Literaturüberblick von Dieter Langewiesche, »Nation, Nationalismus, Nationalstaat: Forschungsstand und Forschungsperspektiven«, in: *Neue Politische Literatur* 40 (1995), S. 190–236.

22 Zur Legitimation eines Nationalkriegs durch das deutsche Bürgertum vgl. insbesondere die einschlägige Studie von Andreas Biefang, *Politisches Bürgertum in Deutschland 1857–1868*, Düsseldorf 1994, vor allem S. 122ff., 154f. und S. 431f.

23 Hier wird auf eine Formulierung zurückgegriffen von Vogel, *Nationen im Gleichschritt*.

24 Vgl. die glänzende Studie von Frank Becker, die in methodischer wie sprachlicher Hinsicht ein Musterbeispiel für eine politikgeschichtlich anschlußfähige Kulturgeschichte des Nationalismus ist: Frank Becker, *Bilder von Krieg und Nation*, insbesondere S. 28–31 und S. 494–497.

25 Ebenda, vor allem S. 443ff. und S. 458–461.

26 Vgl. ebenda, S. 438; vgl. auch Christof Dipper, »Helden überkreuz oder das Kreuz mit den Helden. Wie Deutsche und Italiener die Heroen der nationalen Einigung (der anderen) wahrnahmen«, in: *Jahrbuch des Historischen Kollegs* 1999, S. 91–130, hier S. 124ff.

27 Zur Repräsentationskrise des Heldischen vgl. auch Bernhard Giesen, »Die Aura des Helden. Eine symbolgeschichtliche Skizze«, in: *Diesseitsreligion*, hg. von Anne Honer, Ronald Kurt und Jo Reichertz, Konstanz 1999, S. 437–444.

28 Vgl. auch die Anregungen bei Becker, *Bilder von Krieg und Nation*, S. 445.

29 Ebenda, S. 462.

30 Vgl. u.a. Lucian Hölscher, *Weltgericht oder Revolution. Protestantische und sozialistische Zukunftsvorstellungen im deutschen Kaiserreich*, Stuttgart 1989, beispielsweise S. 438.

31 Vgl. dazu Martin Raschke, *Der politisierende Generalstab. Die friderizianischen Kriege in der amtlichen deutschen Militärgeschichtsschreibung 1890–1914*, Freiburg 1993, vor allem S. 42–45, und Sven Lange, *Hans Delbrück und der »Strategiestreit«. Kriegführung und Kriegsgeschichte in der Kontroverse 1879–1914*, Freiburg 1995, S. 131–134.

32 Vgl. Gerd Krumeich, »Bilder vom Krieg vor 1914«, in: *Die letzten Tage der Menschheit. Bilder des Ersten Weltkrieges*, hg. von Rainer Rother, Berlin 1994, S. 37–46.

33 Siehe dazu auch Eric Dorn Brose, *The Kaiser's Army. The Politics of Military Technology in Germany during the Machine Age, 1870–1918*, Oxford 2001, S. 104f.

34 Der kulturelle Ausfluß der Aneignung von Technik ist bislang kaum erforscht; wertvolle Hinweise bei Joachim Radkau, »Die wilhelminische Ära als nervöses Zeitalter, oder: Die Nerven als Netz zwischen Tempo- und Körpergeschichte«, in: *Geschichte und Gesellschaft* 20 (1994), S. 211–241, hier S. 233f.

35 Joachim Radkau, *Das Zeitalter der Nervosität. Deutschland zwischen Bismarck und Hitler*, München 1998.

36 Vgl. die entsprechenden Äußerungen, die zusammengetragen sind bei: Joachim Radkau, »Nationalismus und Nervosität«, in: *Kulturgeschichte heute*, hg. von Wolfgang Hardtwig und Hans-Ulrich Wehler, Göttingen 1996, S. 284–315, insbesondere S. 288–291.

37 Parallel dazu erfuhren die Naturwissenschaften eine enorme öffentliche Wertschätzung, die keineswegs auf das liberale Bürgertum beschränkt blieb, sondern weit in christlich-konservative Kreise hineinreichte; dazu grundlegend: Andreas Daum, *Wissenschaftspopularisierung im 19. Jahrhundert. Bürgerliche Kultur, naturwissenschaftliche Bildung und die deutsche Öffentlichkeit 1848–1914*, München ²2002, vor allem S. 3ff. und S. 464–471.

38 Vgl. Radkau, *Zeitalter der Nervosität*, S. 300 und S. 394f.

39 Zur Repräsentationsleistung des Zeppelins vgl. ebenda, S. 202, sowie Peter Fritzsche, *A Nation of Fliers*, Cambridge/Mass. 1992.

40 Zum Bedarf an nationaler Symbolik vgl. Dörner, *Politischer Mythos*, S. 149.

41 Siehe Langewiesche, *Nation*, S. 98.

42 Grundlegend hierzu Lothar Gall, *Die Germania als Symbol nationaler Identität im 19. und 20. Jahrhundert*, Göttingen 1983.

43 Ebenda, S. 21.

44 Ebenda, S. 19.

45 Hierzu vgl. Rudy Koshar, *From Monuments to Traces. Artifacts of German Memory, 1870–1990*, Berkeley 2000, S. 71.

46 Vgl. dazu Friedrich Meinecke, »Deutsche Jahrhundertfeier und Kaiserfeier. Freiburger Universitätsfestrede 14. Juni 1913«, in: *Logos. Internationale Zeitschrift für Philosophie der Kultur* 4 (1913), S. 161–175, hier S. 171.

47 Grundlegend immer noch: Militärgeschichtliches Forschungsamt (Hg.), *Deutsche Militärgeschichte in sechs Bänden 1648–1939*, Bd. 3: *Von der Entlassung Bismarcks bis zum Ende des Ersten Weltkrieges*, München 1983, vor allem S. 59–78.

48 Vgl. Vogel, *Nationen im Gleichschritt*, vor allem S. 53ff.; vgl. auch Werner K. Blessing, »Der monarchische Kult«, S. 190.

49 Die emotionale Hinwendung Wilhelms II. zur Armee ist ein durchgängiger Zug der maßgeblichen Wilhelm-Biographie: John C. G. Röhl, *Wilhelm II. Die Jugend des Kaisers 1859–1888*, München 1993; vgl. auch Vogel, »Nationen im Gleichschritt«, S. 87ff.

50 Maßgeblich hierzu immer noch: Elisabeth Fehrenbach, *Wandlungen des deutschen Kaisergedankens 1871–1918*, München 1969, vor allem S. 89ff.

51 Ebenda, S. 99.

52 So ergriff Wilhelm II. beispielsweise bei der akademischen Feier der Universität Berlin im Januar 1913 zur Erinnerung an den hundertsten Jahrestag des Beginns der Befreiungskriege spontan das Wort, vgl. dazu Ludwig Bernhard, *Die politische Kultur der Deutschen. Festrede gehalten auf dem Bismarck-Kommers zu Berlin am 29. März 1913*, Berlin 1913, S. 12f.

53 Grundlegend hierzu Martin Kohlrausch, »Monarchische Repräsentation in der entstehenden Mediengesellschaft: Das deutsche und das englische Beispiel«, in: *Die Sinnlichkeit*

der Macht. Herrschaft und Repräsentation seit der Frühen Neuzeit, hg. von Jan Andres, Alexa Geisthövel und Matthias Schwengelbeck, Frankfurt a.M./New York 2005, S. 93–122; siehe auch Johannes Paulmann, *Pomp und Politik. Monarchenbegegnungen in Europa zwischen Ancien Régime und Erstem Weltkrieg,* Paderborn 2000, vor allem S. 386–400.

54 Vgl. u.a. Pierangelo Schiera, *Laboratorium der bürgerlichen Welt. Deutsche Wissenschaft im 19. Jahrhundert,* Frankfurt a.M. 1992, vor allem S. 252–256 und S. 272–277.

55 Vgl. Fehrenbach, *Wandlungen,* S. 171.

56 Siehe Vogel, *Nationen im Gleichschritt,* S. 55ff.

57 Typisch für die Verbeugung des Kaisers vor der Leistung der deutschen Bundesfürsten ist seine Rede anläßlich einer Parade zum Sedanfest am 2. September 1895 in Berlin, abgedruckt in: *Reden des Kaisers. Ansprachen, Predigten und Trinksprüche Wilhelms II.,* hg. von Ernst Johann, München ²1977, S. 66f.

58 Vgl. dazu entsprechende Stimmen in der dem 25. Thronjubiläum Wilhelms II. gewidmeten Ausgabe der Zeitschrift »Die Tat«: *Die Tat. Sozial-religiöse Monatsschrift für deutsche Kultur* 5 (1913/14), insbesondere S. 547 und S. 626.

59 Eine geradezu erdrückende Zahl von Belegen bei Röhl, *Aufbau der Persönlichen Monarchie,* u.a. S. 935–945.

60 Siehe auch die scharfsinnigen Überlegungen bei Martin Kohlrausch, »Die Flucht des Kaisers – Doppeltes Scheitern adlig-bürgerlicher Monarchiekonzepte«, in: *Adel und Bürgertum in Deutschland II,* hg. von Heinz Reif, Berlin 2001, S. 65–101, vor allem S. 91.

61 Ulrich Sieg, »Wilhelm II. – ein ›leutseliger Charismatiker‹«, in: *Charismatische Führer der deutschen Nation,* hg. von Frank Möller, München 2004, S. 85–108, hier S. 90f.

62 Vgl. dazu u.a. Isabell V. Hull, »Persönliches Regiment«, in: *Der Ort Kaiser Wilhelms II. in der deutschen Geschichte,* hg. von John C. G. Röhl, München 1991, S. 3–23, insbesondere S. 21f.

63 Ernst Freiherr von Wolzogen, in: *Die Tat. Sozial-religiöse Monatschrift für deutsche Kultur* 5 (1913/14), S. 635.

64 So der Schriftsteller Heinrich Driesmans, ebenda, S. 609.

65 Belege u.a. bei Bernd Sösemann, »Der Verfall des Kaisergedankens im Ersten Weltkrieg«, in: *Ort Kaiser Wilhelms II.,* hg. von Röhl, S. 145–170, vor allem S. 148ff.

66 Vgl. Sieg, »Wilhelm II.«, S. 85–88.

67 Zur performativen Seite der Monarchie vgl. Paulmann, *Pomp und Politik.*

68 Hier grenzt sich der Verfasser von der These ab, daß allein der Kaiser die Nation symbolisch zu repräsentieren vermochte: Wolfgang Hardtwig, »Bürgertum, Staatssymbolik und Staatsbewußtsein im Deutschen Kaiserreich 1871–1914«, in: *Geschichte und Gesellschaft* 16 (1990), S. 269–295, vor allem S. 275 und S. 285.

69 Vgl. dazu u.a. Rudolf Speth, *Nation und Revolution. Politische Mythen im 19. Jahrhundert,* Opladen 2000, S. 310f.

70 Siehe u.a. Gustav Seeber, »Bismarcks ›Gedanken und Erinnerungen‹ von 1898 in der Politik«, in: *Otto von Bismarck. Person – Politik – Mythos,* hg. von Jost Dülffer, Berlin 1993, S. 237–246; vgl. auch Johannes Burkhardt, »Kriegsgrund Geschichte?«, in: *Lange und kurze Wege in den Ersten Weltkrieg. Vier Augsburger Beiträge zur Kriegsursachenforschung,* hg. von Johannes Burkhardt, München 1996, S. 9–86, hier S. 30.

71 Das symbolische Ringen um den verstorbenen Bismarck ist ausführlich dargestellt bei Röhl, *Aufbau der Persönlichen Monarchie,* S. 960–966; siehe auch Lothar Machtan, *Bismarcks Tod und Deutschlands Tränen,* München 1998, vor allem S. 137–141.

72 Grundlegend hierzu ist Volker Plaggemann, »Bismarck-Denkmäler«, in: *Denkmäler im 19. Jahrhundert*, hg. von Hans-Erich Mittig und Volker Plaggemann, München 1972, S. 217 bis 252.

73 Vgl. ebenda, S. 235f., sowie Wulf Wülfing, Karin Bruns und Rolf Parr, *Historische Mythologie*, S. 197–200; siehe auch Burkhardt, *Kriegsgrund*, S. 24f.

74 Vgl. Lothar Machtan, »Bismarck-Kult und deutscher National-Mythos 1890 bis 1940«, in: *Bismarck und der deutsche National-Mythos*, hg. von Lothar Machtan, Bremen 1994, S. 15 bis 67, hier S. 24; Egmont Zechlin, »Das Bismarck-Bild 1915«, in: ders., *Krieg und Kriegsrisiko*, Düsseldorf 1979, S. 227–233; Wolfgang Hardtwig, »Der Bismarck-Mythos«, in: *Politische Kulturgeschichte der Zwischenkriegszeit 1918–1939*, hg. von Wolfgang Hardtwig, Göttingen 2005, S. 61–90, vor allem S. 64.

75 Siehe Jens Müller-Koppe, »Die deutsche Sozialdemokratie und der Bismarck-Mythos«, in: *Bismarck und der deutsche National-Mythos*, hg. von Lothar Machtan, Bremen 1994, S. 181 bis 207, vor allem S. 188.

76 Vgl. Speth, *Nation und Revolution*, S. 315.

77 Grundlegend dazu die eindrucksvolle Studie von Becker, *Bilder von Krieg und Nation*, vor allem S. 494ff.

78 Beste Skizze seiner Person und seines Wirkens: Eberhard Kolb, »Helmuth von Moltke in seiner Zeit. Aspekte und Probleme«, in: *Generalfeldmarschall von Moltke*, hg. von Roland G. Foerster, München 1991, S. 3–17.

79 Becker, *Bilder von Krieg und Nation*, S. 460.

80 Repräsentative Würdigung der Verdienste Moltkes im Artikel von Oberstleutnant Dr. Max Jähns, »Feldmarschall Moltke«, in: *Kölnische Zeitung* Nr. 297 vom 26. Oktober 1890, abgedruckt in: *Moltkes neunzigste Geburtstagsfeier am 26. Oktober 1890. Ein Erinnerungsblatt*, Berlin 1891, S. 112–119; vgl. auch Kolb, »Moltke«, S. 16.

81 »Die Bilanz des Jahrhunderts«, in: *Berliner Illustrirte Zeitung* Nr. 8 vom 10. Februar 1899. Bei der Frage nach dem größten Feldherrn des 19. Jahrhunderts belegte Moltke hinter Napoleon I. immerhin noch den zweiten Platz, vgl. ebenda, Nr. 10 vom 5. März 1899.

82 Becker, *Bilder von Krieg und Nation*, S. 461, unter Verweis auf das stilbildende Porträt Anton von Werners: Graf Moltke in seinem Arbeitszimmer in Versailles.

83 Ernst-Heinrich Schmidt, »Moltke in der bildlichen Darstellung«, in: *Generalfeldmarschall von Moltke*, hg. von Roland G. Foerster, München 1991, S. 177–200, Zitat S. 189.

84 Aktiven Militärs war die Ausübung eines parlamentarischen Wahlamtes ansonsten verwehrt; vgl. zur Würdigung seiner parlamentarischen Tätigkeit die Skizze von Max Jähns in der *Kölnischen Zeitung* (wie Anm. 80), S. 118.

85 Diese Würdigung findet sich abgedruckt in: *Moltkes neunzigste Geburtstagsfeier*, S. 96; dort S. 93–101 auch eine Sammlung repräsentativer Pressestimmen zu diesem Ereignis.

86 Jähns, »Feldmarschall Moltke« (wie Anm. 80), S. 119.

87 Zu Dahn vgl. die Skizze von Kurt Frech, »Felix Dahn. Die Verbreitung völkischen Gedankenguts durch den historischen Roman«, in: *Handbuch zur »Völkischen Bewegung« 1871–1918*, hg. von Uwe Puschner, Walter Schmitz und Justus H. Ulbricht, München 1999, S. 685–698.

88 Felix Dahn, *Moltke. Festspiel zur Feier des neunzigsten Geburtstages des Feldmarschalls Grafen Helmuth Moltke*, Leipzig 1890, vgl. dazu auch *Moltkes neunzigste Geburtstagsfeier*, S. 101f.

89 Verfaßt von August Julius Langbehn, war »Rembrandt als Erzieher« ein Verkaufserfolg, der es allein in den ersten drei Jahre nach Erscheinen (1890–1893) auf 43 Auflagen brachte,

vgl. Bernd Behrendt, »August Julius Langbehn, der ›Rembrandtdeutsche‹«, in: *Handbuch zur »Völkischen Bewegung«*, S. 94–113.

90 Felix Dahn, *Moltke als Erzieher. Allerlei Betrachtungen*, Breslau 1892, vor allem S. 1–6.

KAPITEL 4

Nur eine Durchgangsstation: der Kriegsheld

1 Wolfgang Schivelbusch, *Die Kultur der Niederlage*, Berlin 2001, vor allem S. 20–27.

2 Glänzende Analyse des Schmittschen Mythosbegriffs bei Henrique Ricardo Otten, »Wie Realpolitik in den Mythos umschlägt. Die ›Sachlichkeit‹ des Politischen bei Carl Schmitt«, in: *Mythos Staat*, hg. von Rüdiger Voigt, Baden-Baden 2001, S. 169–211, vor allem S. 202f.

3 Max Weber, *Wirtschaft und Gesellschaft*, Tübingen 1922, vor allem S. 141f.; hierzu siehe auch die tiefschürfenden Überlegungen von Stefan Breuer, *Bürokratie und Charisma. Zur politischen Soziologie Max Webers*, Darmstadt 1994, S. 141f.

4 Ernst Lissauer, »Führer«; zuerst erschienen in der *Vossischen Zeitung* vom 4. September 1914, abgedruckt in: *1914. Der Deutsche Krieg im Deutschen Gedicht*, hg. von Julius Bab, Berlin 1914, S. 46.

5 Vgl. Otto Hoetzsch, *Deutsche Heerführer im Weltkrieg*, Bielefeld 1915, S. 1f.

6 Zur Operation gegen Verdun vgl. Holger Afflerbach, *Falkenhayn. Politisches Denken und Handeln im Kaiserreich*, München ²1996, S. 360–375.

7 Sogar Hindenburg sah sich gezwungen, mit seiner Autorität den politisch angeschlagenen Thronfolger in Schutz zu nehmen:»Hindenburg hat sich leider veranlaßt sehen müssen, den Gerüchten energisch entgegenzutreten, die behaupten, der Kronprinz sei an den Verlusten von Verdun Schuld und auch sein Privatleben sei jetzt nicht einwandfrei. Dies ist recht bedauerlich für den zukünftigen Träger der Krone, der in diesem Kriege leider so wenig zur Geltung gekommen ist«: Tagebucheintragung vom 12. April 1917 des Obersten Karl von Fabeck, zu diesem Zeitpunkt Chef des Generalstabs des an der Westfront eingesetzten VIII. Armeekorps: Tagebücher Fabecks, Kladde Nr. 7; Privatbesitz.

8 Siehe dazu auch Showalter, *Tannenberg*, S. 334f.

9 Vgl. Detlef Lehnert, »Die geschichtlichen Schattenbilder von ›Tannenberg‹. Vom Hindenburg-Mythos im Ersten Weltkrieg zum ersatzmonarchischen Identifikationssymbol in der Weimarer Republik«, in: *Medien und Krieg – Krieg in den Medien*, hg. von Kurt Imhof und Peter Schulz, Zürich 1995, S. 37–71.

10 Die entsprechende Meldung mit der Überschrift »Großer Sieg des Generalobersten v. Hindenburg« ist zu finden in: *Tägliche Rundschau* Nr. 436 vom 13. September 1914.

11 Passagen aus diesen Artikeln sind abgedruckt bei: Wolfgang Ruge, *Hindenburg*, S. 55f.

12 *Bei Hindenburg. Von seinem Leben und seinem Wirken*, Berlin 1915, S. 137; vgl. auch Alfred Lanick, *Unser Hindenburg. Biographie und Würdigung seiner Charaktereigenschaften*, Leipzig 1914, S. 25; v. Hoegen, *Held von Tannenberg*, S. 48–53.

13 Abgedruckt u.a. in: *Kriegstagebuch aus Schwaben*, Bd. 1: *1914*, Stuttgart 1914, S. 141; neben »Russentod« wurde auch die Bezeichnung »Russenhammer« in Anlehnung an Karl Martell in Vorschlag gebracht, vgl. Eberhard Buchner, *Kriegsdokumente. Der Weltkrieg 1914/15 in der Darstellung der zeitgenössischen Presse*, Bd. 7, München 1916, S. 24.

14 Julius Bab, »Der Hindenburg-Mythos«, in: *Die Gegenwart* 44 (1915), S. 596–600.

15 Franz Josef Meier, »Hindenburg. Der Befreier von Ostpreußen«, in: *Allgäuer Kriegschronik über die Ereignisse des Weltkrieges 1914*, Lieferung 10, S. 180.

16 »Für die ›Idee‹ dieses Kampfplatzes hatte Hindenburg sich schon als jüngerer Offizier eingesetzt; sein ganzes Leben war diesem Problem gewidmet«: »Die Schlacht von Tannenberg«, in: *Kriegstagebuch aus Schwaben, 1914*, Heft 9: September 1914, S. 136; vgl. auch das in der populären Reihe »Der alte Geist lebt noch! Fromme und deutsche Züge aus dem Kriege 1914/15« erschienene Heft 11 und 12 »Unser Hindenburg«, dort S. 14f.

17 Vgl. beispielsweise den Artikel »Hindenburg und die masurischen Seen« aus der *Neuen Würzburger Zeitung*, September 1914, abgedruckt bei Erwin Rosen, *Der große Krieg*, Stuttgart 1914, S. 116ff.

18 Sie waren »eiserner Bestand der Hindenburgsage«: Julius Bab, »Der Hindenburg-Mythos«, in: *Die Gegenwart* 44 (1915), S. 599.

19 Aus der endlosen Zahl von Beispielen vgl. nur Ruge, *Hindenburg*, S. 56ff.; Rauscher, *Hindenburg*, S. 50f.

20 So die treffende Analyse des Dichters Wilhelm von Scholz, »Mythos Hindenburg«, in: *Die Woche* 29 (1927), S. 1180.

21 Auch in Süddeutschland erfuhr Hindenburg eine beispiellose Verehrung, obgleich die süddeutschen Soldaten im Regelfall an der Westfront standen und Ostpreußen dem Gesichtskreis der überwältigenden Mehrheit der Süddeutschen bis dahin entrückt war, vgl. die bezeichnende Kommentierung im *Kriegstagebuch aus Schwaben, 1914*, S. 135.

22 »Und nicht zu vielen Helden will das Volk gleichzeitig dankbar huldigen. Es will vereinfachte Geschichte erleben. Ein deutscher Sieg irgendwo – und schon hat einer ›gehört‹: Hindenburg soll dort sein! Hindenburg hier und überall. Hindenburg – wo gesiegt wird!«: so der mit »Heldenruhm« überschriebene Beitrag des Schriftstellers Rudolf Presber aus dem Juli 1916, abgedruckt in: Rudolf Presber, *Notizen am Rande des Weltkrieges*, Stuttgart/Berlin 1917, S. 124–130, Zitat S. 128.

23 Zur Popularisierung Blüchers im Vorfeld des Weltkrieges vgl. *Blücher-Anekdoten*, hg. von Adolf Saager, Stuttgart 1912; Eilhard Erich Pauls, *Blücher*, Hamburg 1910; Colmar Freiherr von der Goltz, *1813. Blücher und Bonaparte*, Stuttgart/Berlin 1913.

24 Vgl. Presber, *Notizen*, S. 128f.; v. Hoegen, *Held von Tannenberg*, S. 105. Repräsentativ ist das Gedicht: »Der Eckart im Osten« von Dr. Schaube-Brieg, das die Rangerhöhung Hindenburgs zum Generalfeldmarschall Ende November 1914 zum Anlaß nimmt, Hindenburg und Blücher miteinander zu verschränken: »Ein Kaiserwort klang überall: Hindenburg Generalfeldmarschall! Da ging ein Jubel durch's deutsche Land: Der Marschall Vorwärts uns auferstand!«, abgedruckt bei Joachim Francke, *Hindenburg-Schläge und Hindenburg-Anekdoten*, Stuttgart 1915, S. 116; vgl. auch ebenda, S. 131 (»Blücher von 1914«).

25 Vgl. die Schreiben Irmengard von Brockhusen an Hindenburg vom 30. September und vom 9. Oktober 1914 (Privatbesitz).

26 Als Antwort auf den Glückwunsch eines Stammtisches aus Frankfurt a.M. abgedruckt bei Francke, *Hindenburg-Schläge*, S. 46, sowie bei Hans Wohltmann, *Hindenburg-Worte. Briefe, Drahtungen, Reden und Gespräche des Generalfeldmarschalls von Hindenburg*, München 1918, S. 4f. Dieser Ausspruch avancierte in der Öffentlichkeit schnell »zum geflügelten Wort«: *Kriegstagebuch aus Schwaben, 1914*, S. 142.

27 So teilte er seinem alten Weggefährten und Freund Friedrich von Bernhardi am 15. September 1914 die gänzliche Vertreibung der russischen Verbände aus Ostpreußen mit den

Worten mit: »Heute wird nach mehrtägiger brutalster Verfolgung ... Halali geblasen«, Bernhardi, *Denkwürdigkeiten*, S. 397.

28 Vgl. Showalter, *Tannenberg*, S. 333.

29 Grundlegend zur symbolischen Funktion des Reichstags ist Andreas Biefang, »Der Reichstag als Symbol der politischen Nation«, in: *Politikstile im Kaiserreich*, hg. von Lothar Gall, Paderborn 2003, S. 23–42, vor allem S. 41.

30 Wortlaut seiner Ansprache in: *Verhandlungen des Reichstags, XIII. Legislaturperiode, II. Session*, Bd. 306: *Stenographische Berichte*, Berlin 1916, S. 1f.; vgl. auch Wilhelm Deist, »Kaiser Wilhelm II. als Oberster Kriegsherr«, in: *Ort Kaiser Wilhelms II.*, hg. von Röhl, S. 25–42, hier S. 40, und Fritzsche, *Wie aus Deutschen Nazis wurden*, S. 36ff.

31 Vogel, *Erlebnisse*, S. 54f.

32 Paul Lindenberg, *Es lohnte sich, gelebt zu haben*, Berlin 1941, S. 189.

33 So die Auskunft von Hindenburgs Schwester Ida gemäß einem Zeitungsbericht, wiedergegeben in *Kölnische Volkszeitung* Nr. 165 vom 25. Februar 1915.

34 Solange Napoleons »Heer die Zahl von soundso viel nicht überschritt, war seine Führung genial und glänzend, sobald aber das Heer größer wurde, versagte der Mann vollkommen«, so Hindenburg Anfang November 1913 zu seiner ob dieser offenen Worte mehr als verblüfften Nichte Martha von Sperling, mitgeteilt in: Martha von Sperling Manstein, »Die Feldpostkarte. Eine persönliche Erinnerung an Hindenburg«, in: *Die Woche* 37 (1935), Nr. 31, S. 22; ähnlich äußerte sich Hindenburg am 8. März 1915 in der abendlichen Tafelrunde seines Stabes im ostpreußischen Lötzen, überliefert von Vogel, *Als ich Hindenburg malte*, S. 80.

35 »Auch Kriegführung ist eine Kunst«, ebenda, S. 80; siehe auch Hindenburgs Äußerung gegenüber dem Maler Eugen Hersch, dem er Ende 1914 Modell saß: die Kriegskunst sei »gewiß ebenso schwer, vielleicht noch schwerer als alle anderen Künste«, abgedruckt in: *Bei Hindenburg*, S. 92.

36 Thomas Mann, »Gedanken im Kriege«, in: Thomas Mann, *Essays*. Bd. 1: *Frühlingssturm 1893–1918*, Frankfurt a.M. 1993, S. 188–205, vor allem S. 190f.

37 »Alle militärischen Kritiker ... sind sich darüber einig, daß Hindenburg einer der größten Künstler auf dem Gebiete des Schlachtfeldes ist«, *Bei Hindenburg*, S. 32.

38 Franz Josef Meier, »Die Ereignisse im Osten«, in: *Allgäuer Kriegschronik über die Ereignisse des Weltkrieges*, Lieferung 35, 1915, S. 750.

39 »Einer aus dem Holze, aus dem Luther und Bismarck geschnitzt waren – Eichenholz. Ein kluger Rechner, ein scharfer Denker, aber über dem allen ein fester Wille. Deutschland erkennt wieder einmal in *eines* Mannes Zügen sein eigenes Bild.« Sigismund Rauh, »Unser Generalfeldmarschall«, in: *Das neue Deutschland. Wochenschrift für konservativen Fortschritt* 3 (1914/15), Ausgabe vom 22. Dezember 1914, S. 68.

40 Vgl. Showalter, *Tannenberg*, S. 331f.

41 Vgl. die Notiz des Literaten Rudolf Binding vom 2. Januar 1915, der an der Westfront eine Kavallerieabteilung führte: »Einen Stil des modernen Krieges hat keine der kriegführenden Mächte und keiner ihrer Männer bislang gefunden – es sei denn Hindenburg«, abgedruckt in: Rudolf Binding, *Aus dem Kriege*, Potsdam 1937, S. 62.

42 Waldemar Müller-Eberhart, *Hindenburg. Eine Wertung seines Schaffens*, Berlin 1915, S. 21f.

43 Vgl. Rauscher, *Hindenburg*, S. 45ff.

44 Zum strategischen Vermächtnis Schlieffens vgl. u.a. Otto, *Schlieffen*; Wilhelm Groener,

Das Testament des Grafen Schlieffen, Berlin 1929; Boetticher, *Schlieffen*, Göttingen 1957; Jehuda Wallach, *Das Dogma von der Vernichtungsschlacht*, Frankfurt a.M. 1967.

45 Hindenburg am 30. Juli 1912 an Helldorff-Drossdorf, unter Hindenburg Generalstabschef des IV. Armeekorps in Magdeburg, abgedruckt in: Dieter von der Schulenburg, *Welt um Hindenburg*, Berlin 1935, S. 17f.

46 Überliefert in den tagebuchähnlichen Notizen vom 2. Dezember 1914 des Territorialdelegierten des Roten Kreuzes, Fürst Ernst zu Hohenlohe-Langenburg, der sich monatelang in der Umgebung Hindenburgs aufhielt: Hohenlohe-Zentralarchiv, Neuenstein, Taschenkalender Ernst zu Hohenlohe-Langenburg.

47 Gemäß der glaubhaften Auskunft von Hindenburgs späterem Privatsekretär von Kügelgen, vgl. Schulenburg, *Welt um Hindenburg*, S. 23.

48 Vgl. dazu die Rede des mit Hindenburg auf vertrautem Fuße verkehrenden Stadtdirektors von Hindenburgs Wohnsitz Hannover, Tramm, anläßlich des 75. Geburtstags Hindenburgs am 2. Oktober 1917, in: *Hannoverscher Kurier* Nr. 33365 vom 3. Oktober 1917.

49 In einem Schreiben an seinen Vertrauten Bernhardi vom 3. September 1914, abgedruckt bei Bernhardi, *Denkwürdigkeiten*, S. 397.

50 »Das Vernichtungs-Prinzip. Von unserm militärischen Mitarbeiter«, in: *Vossische Zeitung* Nr. 443 vom 1. September 1914.

51 So war der Kaiser am 1. September 1914 beim abendlichen Tischgespräch mit dem Abteilungschef im Stabe des Generalstabschefs, Karl von Fabeck, voll des Lobes über Schlieffen: »Er lobte den unvergeßlichen Grafen Schlieffen … Er sagte mir, man müsse ihm ein Denkmal nach dem Kriege setzen … Er hatte richtig erkannt, daß wir ihm den ganzen Feldzugsplan verdanken«: Tagebuch Fabeck, Kladde 1, Eintragung vom 2. September 1914. Noch Weihnachten 1915 bedachte die Kaiserin ihren Gemahl mit einer Marmorbüste Schlieffens, die im Arbeitszimmer des Kaisers Platz finden sollte, siehe die Tagebucheintragung Fabecks vom 29. Dezember 1915, Tagebuch Fabeck, Kladde 3 (beides Privatbesitz).

52 Vgl. die anregenden Überlegungen von Wilhelm von Scholz, »Mythos Hindenburg«, in: *Die Woche* 29, 1927, S. 1190; vgl. auch Böer, *Generalfeldmarschall von Hindenburg*, S. 46, der die »mathematische Genauigkeit« der Hindenburgschen Zangenoperation rühmt.

53 Vgl. die treffenden Bemerkungen bei Jakob Jung, *Max von Gallwitz (1852–1937)*, Osnabrück 1995, S. 65.

54 Siehe Showalter, *Tannenberg*, S. 326f., und Rauscher, *Hindenburg*, S. 44ff.

55 Hindenburg erhielt durch Vermittlung des seinem Stabe zugeordneten Grafen von Hutten-Czapski diese Jagdeinladung, vgl. Bogdan Graf von Hutten-Czapski, *Sechzig Jahre Politik und Gesellschaft*, Bd. 2, Berlin 1936, S. 163.

56 Wie bedrohlich die Führung der 9. Armee die eigene Lage einstufte, ist u.a. aus den Briefen des an dem Vorstoß gegen Warschau als Kommandierender General des XVII. Armeekorps maßgeblich beteiligten Generals Mackensen an seine Frau abzulesen, zu finden bei: Theo Schwarzmüller, *Zwischen Kaiser und »Führer«. Generalfeldmarschall August von Mackensen*, Paderborn 1995, S. 96f.; vgl. auch Wheeler-Bennett, *Titan*, S. 59f.; siehe auch die nüchterne Bestandsaufnahme in der zum 75. Geburtstag Hindenburgs erschienenen Festgabe: »So war die allgemeine Lage wieder die gleiche, wie einen Monat vorher«: Generalmajor Maercker, »Der Feldzug in Polen im Herbst 1914«, in: Lindenberg, *Hindenburg-Denkmal*, S. 159–178, hier S. 167.

57 Hindenburg an Irmengard von Brockhusen, 30. Oktober 1914 (Privatbesitz).

58 Schreiben Hindenburgs vom 10. November 1914 an den Bergwart Gustav Williger in Kattowitz (Privatbesitz; für die Überlassung dieses Schreibens gilt mein Dank Herrn Hans Christian Wieder, Stuttgart).

59 Tagebucheintragung von Oberst Max Hoffmann vom 24. Oktober 1914, in: Karl Friedrich Nowak (Hg.), *Die Aufzeichnungen des Generalmajors Max Hoffmann*, Bd. 1, Berlin 1929, S. 59.

60 Sigismund Rauh, »Der kunstvolle Aufbau«, in: Francke, *Hindenburg-Schläge*, S. 123–126, hier S. 125; vgl. auch die im Dezember 1914 entstandene Schrift von Alfred Lanick, *Unser Hindenburg*, S. 4. Auch der österreichisch-ungarische Geschäftsträger in Berlin, Haymerle, wies in einem scharfsinnigen Bericht an seinen Außenminister Berchtold am 11. November 1914 darauf hin, daß die deutsche Öffentlichkeit »keine Aktion Hindenburgs von der Erinnerung an seine berühmte Feldherrntat an den masurischen Seen« lösen könne und daher selbst den Rückzug in einen Erfolg umdeute; zitiert bei Rauscher, *Hindenburg*, S. 49.

61 Hindenburg an Irmengard von Brockhusen, 3. Oktober 1914 (Privatbesitz).

62 Dieses Schreiben ist abgedruckt bei Gerhard Schultze-Pfaelzer, *Hindenburg*, 1934, Anlage 2b nach S. 72.

63 Hindenburg an Irmengard von Brockhusen, 12. September 1914 (Privatbesitz).

64 Vgl. Hindenburg an Tochter Irmengard, 6. Oktober 1914 (Privatbesitz).

65 Die Urheberschaft dieses Plans liegt wohl bei Hindenburg, vgl. Görlitz, *Hindenburg*, S. 89f.

66 Vgl. Maercker, »Feldzug in Polen«, S. 174; Rauscher, *Hindenburg*, S. 59; vgl. auch das eindeutige Urteil des Chefs des Militärkabinetts: Hindenburgs »an sich glänzende Operation hat nicht die Erfolge gezeitigt, die er und wir alle erwarteten«, Schreiben des Chefs des Militärkabinetts, Generaloberst Moritz Freiherr von Lyncker, an seine Frau aus Posen, 29. November 1914, abgedruckt in: Holger Afflerbach (Bearb.), *Kaiser Wilhelm II. als Oberster Kriegsherr im Ersten Weltkrieg. Quellen aus der militärischen Umgebung des Kaisers 1914–1918*, München 2005, S. 204.

67 Tagebucheintragung von Oberst Max Hoffmann, 22. November 1914, in: Nowak, *Hoffmann*, S. 61; vgl. auch Hew Strachan, *The First World War*. Bd. 1: *To Arms*, Oxford 2001, S. 370.

68 Vgl. *Schmökel*, Hindenburg, S. 25f.

69 Walther Eggert Windegg (Hg.), *Briefe von Walter Flex*, München 1927, S. 98; vgl. auch Reinhard Bracht, *Unter Hindenburg von Tannenberg bis Warschau*, Berlin 1917, S. 80ff.

70 Hutten-Czapski, *Sechzig Jahre*, S. 174f.

71 Vgl. Rauscher, *Hindenburg*, S. 68.

72 Siehe dazu: *Der Weltkrieg 1914 bis 1918*, Bd. 7: *Die Operationen des Jahres 1915*, hg. vom Reichsarchiv, Berlin 1931, S. 172ff. und S. 257ff.; Wheeler-Bennett, *Titan*, S. 72; Rauscher, *Hindenburg*, S. 68f.

73 So General Georg von der Marwitz, Kommandant des XXXVIII. Reservekorps und in dieser Eigenschaft seit März 1915 der 8. Armee zugeordnet, in einem Brief an seine Frau, 2. März 1915, abgedruckt in: *General von der Marwitz. Weltkriegsbriefe*, hg. von E. von Tschischwitz, Berlin 1940, S. 92f.

74 So Reichskanzler Bethmann Hollweg am 12. März 1915 in einem Schreiben an den Chef des Zivilkabinetts, Rudolf von Valentini, über die Quintessenz dieser sechsstündigen Unterredung mit Hindenburg, abgedruckt in: Egmont Zechlin, »Friedensbestrebungen und Revolutionierungsversuche im Ersten Weltkrieg«, in: *Aus Politik und Zeitgeschichte* B 22 (1963), S. 3–47, Zitat S. 47; ähnlich auch das Schreiben Bethmann Hollwegs an den Vertreter des Auswärtigen Amtes beim Kaiser, Karl Georg von Treutler, 14. März 1915, zu finden

in: Karl-Heinz Janßen (Hg.), *Die graue Exzellenz. Zwischen Staatsräson und Vasallentreue. Aus den Papieren des kaiserlichen Gesandten Karl Georg von Treutler*, Frankfurt a.M. 1971, S. 225.

75 Erwin Rosen, »Deutschland im Kampf«, Vorwort zu: *Der große Krieg*, hg. von Erwin Rosen, Stuttgart 1914, S. 10.

76 Elisabeth Gnauck-Kühne, »Die Bedeutung unserer nationalen Nervenkraft«, in: *Der Tag* Nr. 240 vom 13. Oktober 1914.

77 Vgl. die klugen Beobachtungen bei Olden, *Hindenburg*, S. 131f., sowie Schultze-Pfaelzer, *Hindenburg*, 1934, S. 83f.

78 Diese treffende Formulierung verwandte der letzte Chef der Seekriegsleitung, Admiral Magnus von Levetzow, im März 1932 in einem Gespräch mit dem Historiker Karl Alexander von Müller, Bayerisches Hauptstaatsarchiv München, Nachlaß Karl Alexander von Müller 141, Bl. 32.

79 *Regierte der Kaiser? Kriegstagebücher, Aufzeichnungen und Briefe des Chefs des Marine-Kabinetts Admiral Georg Alexander von Müller 1914–1918*, hg. von Walter Görlitz, Göttingen 1959, S. 72 (Tagebucheintrag vom 29. November 1914).

80 Siehe etwa den Bericht des für militärische Fragen zuständigen Berichterstatters des *Berliner Tageblatts* Ernst Morath, der »die Kraft der klaren Ruhe« bei Hindenburg hervorhebt; »Generaloberst v. Hindenburg«, in: *Berliner Tageblatt* Nr. 467 vom 14. September 1914.

81 Goldmann publizierte das Gespräch wenig später als kleine Broschüre, die immerhin noch 26 Druckseiten zählt: Paul Goldmann, *Beim Generalfeldmarschall Hindenburg. Ein Abend im Hauptquartier*, Berlin 1914.

82 Ebenda, S. 17.

83 Eine Auswahl entsprechender Pressestimmen, alle vom 20. November 1914: »Unterredung mit Hindenburg«, *Berliner Tageblatt* Nr. 590; »Generaloberst v. Hindenburg über den Krieg mit Rußland«, *Kreuzzeitung* Nr. 561; »Hindenburg über die Russen«, *Hamburger Fremdenblatt* Nr. 288A; »Hindenburg über unsere Freunde und Feinde«, *Magdeburgische Zeitung* Nr. 861; »Hindenburgs Siegeszuversicht«, *Vorwärts* Nr. 317; »Hindenburg über die Russen«, *Kölnische Zeitung* Nr. 1264; »Hindenburg über die Russen und die Lage im Osten«, *Königsberger Allgemeine Zeitung* Nr. 544; »Generaloberst von Hindenburg über den Krieg mit Rußland«, *Hannoverscher Kurier* Nr. 31461, sowie »Eine interessante Unterhaltung mit Hindenburg«, *Germania* Nr. 533.

84 »Hindenburgs Tischgespräche«, *Vossische Zeitung* Nr. 591 vom 20. November 1914.

85 Beide Zitate im Beitrag: »Die stärkeren Nerven!«, *Vossische Zeitung* Nr. 649 vom 22. Dezember 1914.

86 Vgl. Müller-Eberhart, *Hindenburg* S. 16; Paul Lindenberg, »Unser Hindenburg!«, in: ders., *Hindenburg-Denkmal*, S. 17; auch jüdische Deutsche beriefen sich bevorzugt auf dieses Wort, vgl. etwa die Schrift des Feldgeistlichen bei der 5. Armee, Rabbiner Dr. Georg Salzberger, *Aus meinem Kriegstagebuch*, Frankfurt a.M. 1916, S. 122.

87 Vgl. einen bezeichnenden Brief Mackensens an seine Frau, 2. März 1915, zitiert bei Schwarzmüller, *Mackensen*, S. 98.

88 Überblick über kulturwissenschaftliche Zugriffe auf den Körper bei Erika Fischer-Lichte, »Verkörperung/Embodiment«, in: *Verkörperung*, hg. von ders., Tübingen 2001, S. 11–25, sowie bei Sven Reichardt, »Gewalt, Körper, Politik«, in: *Politische Kulturgeschichte der Zwischenkriegszeit 1918–1939*, hg. von Wolfgang Hardtwig, Göttingen 2005, S. 205–239.

89 Hindenburgs Körpergröße ist nicht selten überschätzt worden; die offiziellen Maße

(1,83 Meter ohne Stiefel) bei Harald Zaun, *Paul von Hindenburg und die deutsche Außenpolitik 1925–1934*, Köln 1999, S. 62.

90 Franz Schauwecker, »Hindenburg und der Frontsoldat«, in: Loebell, *Hindenburg*, S. 250.

91 Friedrich Georg Jünger, *Die Perfektion der Technik*, Frankfurt a.M. ⁴1953, S. 182.

92 Vgl. René Schilling, »*Kriegshelden*«. *Deutungsmuster heroischer Männlichkeit in Deutschland 1813–1945*, Paderborn 2002, vor allem S. 253ff. und S. 286ff.; Felix Philipp Ingold, *Literatur und Aviatik*, Basel 1978, S. 224f.

93 Wichtige Anregungen für eine kulturhistorisch ausgerichtete Technikbetrachtung des Weltkriegs bei: Stefan Kaufmann, »Kriegführung im Zeitalter technischer Systeme – Zur Maschinisierung militärischer Operationen im Ersten Weltkrieg«, in: *Militärgeschichtliche Zeitschrift* 61 (2002), S. 337–367, vor allem S. 348.

94 Vgl. die plastische Schilderung bei Hans-Otto Meißner, *Junge Jahre*, S. 225f.; Zaun, *Hindenburg*, S. 103.

95 Hindenburg wurde deswegen schon Ende 1914 mit dem älteren Moltke verglichen, vgl. etwa den Artikel von Generalleutnant z.D. Metzler, »Generalfeldmarschall v. Beneckendorff und v. Hindenburg«, in: *Reclams Universum Weltrundschau*, Heft 10, 1914, S. 593–596.

96 Erich Everth, »Der Feldherr«, in: ders., *Männer der Zeit*, Magdeburg 1915, S. 14. Es handelt sich dabei um einen Sonderabdruck eines Berichts von Everth, dem Leiter der Berliner Redaktion der *Magdeburgischen Zeitung*, vom 28. März 1915.

97 Die neuere Forschung unterstreicht einmütig diesen Befund, vgl. in der Reihenfolge des Erscheinens: Michael Jeismann, *Das Vaterland der Feinde. Studien zum nationalen Feindbegriff und Selbstverständnis in Deutschland und Frankreich, 1792–1918*, Stuttgart 1992, S. 312–318; Fritzsche, *Wie aus Deutschen*, S. 40–48; Müller, *Nation als Waffe*, S. 84–95; Jörn Leonhard, »Vom Nationalismus zum Kriegsnationalismus – Projektion und Grenze nationaler Integrationsvorstellungen in Deutschland, Großbritannien und den Vereinigten Staaten im Ersten Weltkrieg«, in: *Nationalismen in Europa*, hg. von Ulrike von Hirschhausen und Jörn Leonhard, Göttingen 2003, S. 204–240, vor allem S. 223f., sowie insbesondere Steffen Bruendel, *Volksgemeinschaft oder Volksstaat. Die »Ideen von 1914« und die Neuordnung Deutschlands im Ersten Weltkrieg*, Berlin 2003, vor allem S. 67–71; als repräsentative zeitgenössische Stimme siehe Ernst Rolffs, »Der Geist von 1914«, in: *Preußische Jahrbücher* 158 (1914), S. 377–391.

98 Grundlegend hierzu Müller, *Nation als Waffe*, vor allem S. 83 und S. 357f.; Müller, »*Umkämpfte Nation*«, S. 161–164; Bruendel, *Volksgemeinschaft*, insbesondere S. 116f., 140, 289 und S. 302.

99 Vgl. Bruendel, *Volksgemeinschaft*, S. 128.

100 Bezeichnenderweise griff die vor dem Spätherbst 1914 erschienene Publizistik bevorzugt auf die Ansprachen des Kaisers im August 1914 zurück: »Als erster hat er das Innerste und Edelste der Zeit ausgesprochen: den Einheitsgedanken«, Harry Schumann, *Deutschlands Erhebung 1914. Ein Stück Zeitgeschichte*, Berlin 1914, S. 32.

101 Dies beklagten unter anderem die Militärs, vgl. die Wiedergabe eines Gesprächs zwischen Fabeck und Falkenhayn am 30. September 1914 gemäß dem Tagebuch Fabeck, Kladde 1, Bl. 50f. (Privatbesitz).

102 Siehe Bruendel, *Volksgemeinschaft*, S. 119 und S. 127.

103 Vgl. hierzu die tiefschürfende Würdigung des Literaten Walter von Molo, »Hindenburg als Erzieher«, in: *Bühne und Welt. Monatsschrift für das deutsche Kunst und Geistesleben* 17 (1915), S. 212f.

104   Vgl. dazu die Schrift des diesen Zug ebenfalls begleitenden Pastors Cremer, *Mit dem Lie-besgabenzug der Frauenhülfe zur Hindenburg-Armee*, Potsdam 1915, vor allem S. 23; die Widmung an die Frauenhilfe findet sich in faksimilierter Form bei Hermann Schmökel, *Hindenburg. Ein Lebensbild*, Potsdam 1915, S. 31.

105   Eine Fülle derartiger Beispiele findet sich in den Unterlagen seines Schwiegersohns Christian von Pentz, der in der Adjutantur Hindenburgs unter anderem für Ehrungen zuständig war (Privatbesitz Christian Haacke).

106   Stadtrat Nossen an das Große Hauptquartier, 14. November 1916, ebenda, Ordner »Ehrenbürger«.

107   Abgedruckt bei Schmökel, *Hindenburg*, S. 32 sowie in Faksimile bei Bernhard von Hindenburg, *Feldmarschall*, nach S. 64.

108   Entsprechende Ansprachen Hindenburgs vom 17. Dezember 1914 und vom 27. Januar 1915 sind wiedergegeben bei Brandt, *Hindenburg*, S. 122f.

109   Zur analytischen Abgrenzung von symbolisierender Politikrepräsentation und symbolischer Politikinszenierung vgl. Soeffner und Tänzler, *Figurative Politik*, S. 21.

110   Vgl. Bruendel, *Volksgemeinschaft*, S. 308f.; die sich aus dem Aufleben des Nationalismus ergebende »Sehnsucht nach einem plebiszitär gestützten charismatischen Führertum« betont auch Hans-Ulrich Wehler, »Radikalnationalismus und Nationalsozialismus«, in: *Die Politik der Nation*, hg. von Echternkamp und Müller, S. 203–217, hier S. 210.

KAPITEL 5
Die mediale Selbstinszenierung Hindenburgs

1   Grundsätzlich hierzu Schlögl, »Symbole in der Kommunikation«.

2   Zu den kommunikativen Voraussetzungen der Konstruktion kollektiver Identität vgl. Giesen, »Voraussetzung und Konstruktion«, S. 99f.

3   Vgl. auch Dörner, *Politischer Mythos*, S. 32–35.

4   Vgl. zum Forschungsstand Jörg Requate, »Öffentlichkeit und Medien als Gegenstand historischer Analyse«, in: *Geschichte und Gesellschaft* 25 (1999), S. 5–32, sowie Karl Christian Führer, Knut Hickethier und Axel Schildt, »Öffentlichkeit – Medien – Geschichte«, in: *Archiv für Sozialgeschichte* 41 (2001), S. 1–38.

5   Siehe Martin Kohlrausch, »Die höfische Gesellschaft und ihre Feinde. Monarchie und Öffentlichkeit in Großbritannien und Deutschland um 1900«, in: *Neue Politische Literatur* 47 (2000), S. 450–466.

6   Wichtige Anregungen bei Bernd Weisbrod, »Medien als symbolische Form der Massengesellschaft. Die medialen Bedingungen von Öffentlichkeit im 20. Jahrhundert«, in: *Historische Anthropologie* 9 (2001), S. 270–283.

7   Wilhelm Deist, »Zensur und Propaganda in Deutschland während des Ersten Weltkrieges«, in: ders., *Militär, Staat und Gesellschaft*, München 1991, S. 153–163; Martin Creutz, *Die Pressepolitik der kaiserlichen Regierung während des Ersten Weltkrieges*, Frankfurt a.M. 1996; Rudolf Stöber, *Die erfolgverführte Nation. Deutschlands öffentliche Stimmungen 1866 bis 1945*, Stuttgart 1998, S. 160ff.

8   Vgl. dazu die Schilderung ihres Leiters: Walter Nicolai, *Nachrichtendienst, Presse und Volksstimmung im Weltkrieg*, Berlin 1920, S. 58–65.

9   Vgl. die Direktiven, die Bloem zu Beginn seiner Tätigkeit erhielt gemäß seiner Tagebuch-

eintragung vom 10. März 1916 (Stadtarchiv Wuppertal, Nachlaß Bloem, Karton 18, Kriegstagebuch Bd. 3, Bl. 333f.) sowie die Erinnerungen seines Mitstreiters Herzog: Rudolf Herzog, *Mann im Sattel*, Berlin 1935, S. 308f.

10 Bloem hatte sich vor allem durch eine Romantrilogie über den Krieg von 1870/71 einen Namen gemacht und sich damit in den Bestsellerlisten der Vorkriegszeit verewigt, vgl. Rodler F. Morris, *From Weimar Philosemite to Nazi Apologist. The Case of Walter Bloem*, Lewiston 1988, S. 8.

11 Vgl. Nicolai, *Nachrichtendienst*, S. 67f.

12 Kriegstagebuch Walter Bloem, Eintragung vom 4. Mai 1916 (Stadtarchiv Wuppertal, Nachlaß Walter Bloem, Karton 18, Kriegstagebuch Bd. 5, Bl. 440).

13 Wiedergabe einer Äußerung Nicolais gegenüber Bloem vom 1. März 1917, ebenda, Bl. 509.

14 So der treffende Ausdruck in der im September 1918 entstandenen Skizze »Nicolai und seine Mitarbeiter« von Robert Faber, dem Verleger der *Magdeburgischen Zeitung* und in der Kriegszeit zugleich Vorsitzender des Vereins deutscher Zeitungsverleger, Fundort: Stadtarchiv Magdeburg, Nachlaß Robert Faber, Rep. 30/391, Bd. 2, Bl. 91–94, Zitat Bl. 93.

15 Siehe das Schreiben Fabers an die Verleger der *Kölnischen Volkszeitung* und des *Liegnitzer Tageblatts*, 12. November 1915, ebenda, Rep. 30/382, Bl. 143f.

16 Vgl. die handschriftlichen Anlagen Fabers für eine Besprechung mit Ludendorff, September 1918, ebenda, Rep. 30/391, Bd. 2, Bl. 44ff.

17 Betrachtungen Robert Fabers über die Pressearbeit im Weltkrieg, 17. November 1921, ebenda, Rep. 30/337, Bl. 18 Rückseite.

18 Vgl. eine entsprechende Anregung Bloems vom 9. Januar 1917, Kriegstagebuch Bloem, Stadtarchiv Wuppertal, Nachlaß Bloem, Karton 18, Bd. 5, Bl. 477; siehe weiterhin seine Unterredung mit Prinz Max von Baden am 15. April 1917, ebenda, Bl. 548.

19 Tagebucheintragung vom 16. November 1917, ebenda, Bd. 6, Bl. 644.

20 »Merkwürdig, daß es so spät geschah!«: Hans Haldenwangen, »Eine Hindenburg-Biographie«, in: *Hamburger Fremdenblatt* Nr. 61A vom 2. März 1915.

21 So die Analyse Bloems vom 18. November 1916, Stadtarchiv Wuppertal, Nachlaß Bloem, Karton 18, Kriegstagebuch, Bd. 5, Bl. 462.

22 Grundlegend und vorbildlich hierzu Becker, *Bilder von Krieg und Nation*, S. 377–380, vgl. auch Dörner, *Politischer Mythos*, S. 49.

23 Erich Everth, »Der Feldherr«, in: ders., *Männer der Zeit*, Magdeburg 1915, S. 10 (Sonderabdruck des Berichtes aus der *Magdeburgischen Zeitung* vom 28. März 1915).

24 Thomas Noll, »Sinnbild und Erzählung. Zur Ikonographie des Krieges in den Zeitschriftenillustrationen 1914 bis 1918«, in: *Die letzten Tage der Menschheit. Bilder des Ersten Weltkrieges*, hg. von Rainer Rother, Berlin 1994, S. 259–272; vgl. auch Thomas Müller, *»daß die Bilder gut sind, die man von mir sieht.« Der Aufstieg Paul von Hindenburgs zum Volkshelden als Resultat medialer Selbstinszenierung im frühen Ersten Weltkrieg 1914–1916*, Magisterarbeit Stuttgart 2003, S. 34–38.

25 Vgl. dazu auch: »Generalfeldmarschall Hindenburg. Eine Bildbetrachtung durch ein Lehrgespräch von A. Böhm«, in: *Thüringer Lehrerzeitung* 4 (1915), S. 250f.

26 Hermann Ehrenberg, *Der Krieg und die Kunst*, Münster 1915, S. 3ff.

27 Vgl. dazu den Schriftwechsel des Graphikers Willi Münch mit Dr. Beringer, 19. April und 9. Juni 1915, in: Generallandesarchiv Karlsruhe, Nachlaß Beringer, N 297.

28 Vgl. das Schreiben des Berliner Kunsthändlers Zaeslein, der mit Schreiben vom 3. Dezember 1914 dem Hamburger Senat ein Originalölgemälde eines Berliner Künstlers anbot,

das Hindenburg als lebensgroßes Brustbild zeigte, Staatsarchiv Hamburg, Bestand Senat, Cl. VII, Lit. Rᶠ Nr. 411, Vol. 92.

29 Zur Bestellung von Kriegsmalern vgl. u.a. Ludwig Justi, *Werden – Wirken – Wissen*, Textband, Berlin 2001, S. 368f.; Hans Hildebrandt, *Krieg und Kunst*, München 1916, S. 271; Kai Artinger, *Agonie und Aufklärung. Krieg und Kunst in Großbritannien und Deutschland im 1. Weltkrieg*, Weimar 2000, S. 94–97.

30 Ernesto de Fiori, »Ich modelliere Hindenburg«, in: *Berliner Illustrirte Zeitung* 1928, Nr. 45, S. 1921.

31 Siehe Otto Heichert, »Bei Hindenburg«, in: *Berliner Illustrirte Zeitung* 23 (1914), S. 842.

32 In Posen und Breslau saß Hindenburg dem Maler Professor Karl Ziegler, dem Graphiker Siegfried Laboschin und dem Bildhauer Paul Schulz Modell; dazu: »Hindenburgbildnisse nach dem Leben«, in: *Die Werkstatt der Kunst. Vereinsorgan der Allgemeinen deutschen Kunstgenossenschaft* 14 (1915), S. 212.

33 Zuerst holte sich der Berliner Kunsthändler Zaeslein vom Senat der Hansestadt Hamburg eine Absage, vgl. sein Schreiben an den dortigen Senat vom 3. Dezember 1914, in: Stadtarchiv Hamburg Cl. VII Lit. Rᶠ Nr. 411 Vol. 92. Noch im März 1915 war er das Ölgemälde Zieglers nicht losgeworden, wie aus seinem Schreiben an den Oberbürgermeister der Stadt Magdeburg hervorgeht, Stadtarchiv Magdeburg, Rep. A III 59. 4a, Bd. 1, Bl. 31ff. Dieser Mißerfolg verwundert nicht, weil Ziegler Hindenburg u.a. mittels eines überdimensionierten Schnurrbarts verfremdete. Schließlich wurde dieses Gemälde von der Stadt Posen angekauft und dem dortigen Hindenburg-Museum geschenkt, vgl. hierzu mit Abbildung dieses Gemäldes: Emanuel Ginschel, »Unser Hindenburg«, in: *Aus dem Ostlande* 12 (1917), S. 334–341.

34 »Ein Hindenburg-Bildnis nach dem Leben«, ebenda, S. 211; vgl. auch »Hindenburg und die Kunst«, in: *Hannoverscher Kurier* Nr. 31544 vom 7. Januar 1915 und *Bei Hindenburg*, S. 92f.

35 Vgl. Justi, *Werden*, S. 349.

36 So dozierte er am 7. Oktober 1915 gegenüber Hugo Vogel: »Sehen Sie sich mal Velazquez an. Wie scharf und klar auf solchen Porträts alles gezeichnet ist. Der sogenannte Impressionismus scheint mir mit seiner meist flüchtigen Andeutung nicht die Höhe der Kunst, sondern vielleicht der Anfang eines Verfalls zu sein«, Vogel, *Als ich Hindenburg malte*, S. 183.

37 Vgl. Ines Katenhusen, *Kunst und Politik. Hannovers Auseinandersetzungen mit der Moderne in der Weimarer Republik*, Hannover 1998, vor allem S. 189–207; Heinrich Tramm, *Stadtdirektor von Hannover 1854–1932. Ein Lebensbild*, Hannover 1932.

38 Hindenburg an Stadtdirektor Tramm, 6. April 1915, Stadtarchiv Hannover, Nachlaß Tramm.

39 Zu Vogels künstlerischem Wirken vgl. u.a. Monika Wagner, *Allegorie und Geschichte. Ausstattungsprogramme öffentlicher Gebäude des 19. Jahrhunderts in Deutschland. Von der Cornelius-Schule zur Malerei der Wilhelminischen Ära*, Tübingen 1989, S. 267f.; »Hugo Vogel 75 Jahre alt«, in: *Magdeburgische Zeitung* Nr. 90 vom 15. Februar 1930.

40 Dies teilte Hindenburg ihm anläßlich der ersten Porträtsitzung am 29. Januar 1915 mit, Vogel, *Als ich Hindenburg malte*, S. 14; vgl. auch die Mitteilung von Hindenburgs Frau anläßlich von Vogels Besuch im Hause Hindenburg in Hannover am 11. Januar 1915, ebenda, S. 3.

41 So zutreffend Ludwig, *Hindenburg*, S. 90, der als einziger Hindenburg-Biograph Hindenburgs Gespür für mediale Inszenierung aufgreift.

42 Hindenburgs Frau Gertrud hatte dieses Schreiben Hugo Vogel am 11. Januar 1915 zu lesen gegeben, vgl. Vogel, *Als ich Hindenburg malte*, S. 5.

43 Ebenda, S. 19.

44 Hindenburg am 4. März 1915 zu Vogel: »Sie, mein lieber Professor, ernenne ich hiermit zu meinem Hof- und Leibmaler«, ebenda, S. 77.

45 Hierzu pointiert Ludwig, *Hindenburg*, S. 93: »Aus seinem Leibmaler machte der Feldmarschall aber zugleich einen kleinen Eckermann, dem er geheime Gedanken mitteilte.«

46 Fritz Hartmann, »Der Schöpfer der Hindenburg-Bilder«, in: *Hannoverscher Kurier* Nr. 32129 vom 24. November 1915.

47 Vgl. die Bemerkungen bei Hans-Otto Meißner, *Junge Jahre*, S. 217.

48 So versorgte sie ihren Mann beispielsweise mit einer der allerersten Hindenburg-Publikationen, der im Frühjahr 1915 erschienenen Schrift des Hauptmannes Waldemar Müller-Eberhart; siehe dazu Waldemar Müller-Eberhart, *Kopf und Herz des Weltkrieges*, Leipzig 1935, S. 84; auch Hindenburg gewidmete Soldatenlieder fanden über sie den Weg zum Feldmarschall, vgl. »Das Vertrauen zu Hindenburg. Ein Brief der Frau des Generalfeldmarschalls«, in: *Der Kamerad* 55 (1917), Beilage zu Nr. 5 vom 1. Februar 1917.

49 Vgl. das Schreiben Fabers an Hindenburgs Adjutanten Caemmerer, 11. September 1915, in: Stadtarchiv Magdeburg, Nachlaß Robert Faber, Rep. 30/391, Bd. 1, Bl. 138ff.

50 Vgl. ein Schreiben aus der Feldpressestelle an Kroeger, 13. September 1917, Bundesarchiv-Militärarchiv Freiburg, MSg 1/3217.

51 Hoppe-Lichterfelde, *Das Herz des Hauses Hindenburg*, S. 13.

52 Vgl. Vogels Brief an seine Frau vom 10. Januar 1915, Vogel, *Als ich Hindenburg malte*, S. 3ff.

53 Siehe Vogels Brief vom 4. März 1915, ebenda, S. 77.

54 Vogel an seine Frau, 7. September 1915, ebenda, S. 164.

55 Vgl. die Notiz Hindenburgs für seinen Adjutanten, 11. März 1916, Nachlaß Christian von Pentz, Ordner »Bilder« (Privatbesitz Christian Haacke).

56 Ludwig Manzel, »Hindenburg als Modell«, in: *Die Woche* 29 (1927), S. 1192.

57 Vgl. die Schreiben Hindenburgs an Irmengard von Brockhusen, 10. und 25. April 1915 sowie 30. März 1916 (Privatbesitz).

58 Es handelte sich dabei um das Porträt Hindenburgs auf der Treppe des Posener Schlosses, dessentwegen sich ein Verleger Ende Januar 1915 direkt an Hindenburg gewandt hatte, vgl. Vogel, *Als ich Hindenburg malte*, S. 20.

59 Vgl. ebenda, S. 82f., sowie *Ausstellungen von Werken der Mitglieder und Gäste der Akademie*, hg. von der Königlichen Akademie der Künste zu Berlin, Berlin 1915, S. 8 und S. 31.

60 Am 7. September 1915 zu Hugo Vogel, ebenda, S. 163; vgl. auch das Schreiben Hindenburgs an Tramm, 14. September 1915, Stadtarchiv Hannover, Nachlaß Tramm sowie Fritz Hartmann, »Der Schöpfer der Hindenburg-Bilder«, in: *Hannoverscher Kurier* Nr. 32129 vom 24. November 1915.

61 Vgl. Helmuth Plath, »Hindenburg und Ludendorff. Das Doppelporträt von Hugo Vogel«, in: *Niederdeutsche Beiträge zur Kunstgeschichte* 11 (1972), S. 275–283.

62 Walter Benjamin, »Das Kunstwerk im Zeitalter seiner technischen Reproduzierbarkeit. Erste und zweite Fassung«, in: ders., *Gesammelte Schriften. Erster Band. Erster Teil*, Frankfurt a.M. 1980, S. 431–508.

63 Vgl. hierzu Dorothea Peters, »›... die Theilnahme für Kunst im Publikum zu steigern und den Geschmack zu veredeln‹: Fotografische Kunstreproduktionen nach Werken der Berliner Nationalgalerie in der Ära Jordan (1874–1896)«, in: *Verwandlung durch Licht. Fotogra-*

fieren in Museen und Archiven und Bibliotheken, hg. von Wolfgang Hesse, Esslingen 2001, S. 163–195; siehe auch Müller, *Bilder,* S. 82ff. sowie Becker, *Bilder von Krieg und Nation,* S. 423ff.

64 Vgl. Peters,»... die Theilnahme«, S. 171ff.

65 Auf die Geschäftstüchtigkeit Vogels spielt auch an ein Schreiben Tramms an Hindenburgs Adjutanten Caemmerer, 16. September 1915, Stadtarchiv Hannover, HR 15, Nr. 1504.

66 Vogel an Tramm, 10. September 1915, in: Stadtarchiv Hannover, HR 15, Nr. 1504; Antwortscheiben Tramms an Vogel, 16. September 1915 sowie ein weiteres Schreiben Vogels an Tramm vom 18. September, alles ebenda.

67 Dieses Schreiben ist abgedruckt bei Vogel, *Als ich Hindenburg malte*, S. 158; vgl. auch Vogel an Tramm, 10. September 1915, der sich auf den ausdrücklichen Wunsch Hindenburgs nach einer möglichst weiten Verbreitung berief, sowie ein weiteres Schreiben Vogels an Tramm vom 24. November 1915, Stadtarchiv Hannover, HR 15, Nr. 1504.

68 So fragte Hindenburg schriftlich bei Vogel am 22. Juni 1915 wegen der Reproduktion des zweiten, von Vogel in Posen angefertigten Porträts (Hindenburg im Schnee vor dem Posener Schloß) an, vgl. Vogel, *Als ich Hindenburg malte*, S. 157. Die Reproduktionen wurden dann von Oktober an vom Leipziger Verlag E. A. Seemann vertrieben, vgl. den Bericht »Kunst und Wissenschaft« in der *Kreuzzeitung* Nr. 502 vom 2. Oktober 1915, der hervorhebt, daß Hindenburg »selbst die Vervielfältigung gewünscht hat«. Auch die Reproduktion des ersten Posener Bildes (Hindenburg auf der Treppe des Posener Schlosses) konnte mit massiver Rückendeckung Hindenburgs vertrieben werden, da Hindenburg selbst »den Druck für eine vorzügliche Wiedergabe des von anerkannter Meisterhand geschaffenen vortrefflichen Originals« anerkannte: Karl Anlauf, »Vor Hindenburgs Bildnis«, in: *Hannoverscher Kurier* Nr. 31969 vom 29. August 1915.

69 Vgl. das Schreiben seines stellvertretenden Adjutanten an den Berliner Kunstmäzen Eduard Arnhold, 27. Juni 1918, in: Nachlaß Christian von Pentz, Ordner »Bilder« (Privatbesitz Christian Haacke).

70 Im einzelnen waren dies: Photographische Gesellschaft, Berlin (für das erste Gemälde Vogels: Hindenburg auf der Treppe des Posener Schlosses): Verlag E.A. Seemann, Leipzig (Hindenburg im Schnee vor dem Posener Schloß); Vogel, *Als ich Hindenburg malte*, S. 15, S. 21

71 Vgl. die Schreiben Vogels an Tramm, 24. November und 17. Dezember 1915, Stadtarchiv Hannover, HR 15, Nr. 1504.

72 Schreiben der Abteilung Kunstverlag im Ullstein-Verlag an Tramm, 26. April 1916, ebenda; vgl. auch ein weiteres Schreiben an Tramm vom 2. Mai 1916, ebenda.

73 Vgl. etwa die entsprechende Annonce in der *Vossischen Zeitung* Nr. 91 vom 12. November 1916.

74 *Berliner Illustrirte Zeitung* 23 (1915), S. 547; dies geschah natürlich mit Zustimmung Hugo Vogels, vgl. Vogel, *Als ich Hindenburg malte*, S. 178.

75 Vgl. dazu das indignierte Schreiben Tramms an Vogel, 3. Oktober 1915, Stadtarchiv Hannover, HR 15, Nr. 1504.

76 Vgl. Vogel, *Als ich Hindenburg malte*, S. 217.

77 Ebenda, S. 133.

78 Vogel an Tramm, 25. März 1916, Stadtarchiv Hannover, HR 15, Nr. 1504.

79 Schreiben des Leipziger Verlages B.G. Teubner an den Rat der Stadt Hannover, 24. Februar 1916, ebenda.

80 *Börsenblatt für den Deutschen Buchhandel* Nr. 19 vom 15. Mai 1916; vgl. auch die Annonce des Ullstein-Verlages in der *Berliner Abendpost* Nr. 73 vom 7. April 1916, die ebenfalls auf das Aufsehen verwies, welches das Doppelporträt auf der Ausstellung der Akademie der Künste erregt habe.

81 Im Herbst 1916 war das Gemälde in Düsseldorf und Köln zu sehen(vgl. das Schreiben Vogels an Tramm, 27. August 1916, sowie die Antwort Tramms an Vogel, 30. August 1916, Stadtarchiv Hannover, HR 15, Nr. 1504), ab August 1918 für einige Wochen in Dresden und Leipzig (siehe Vogel an Tramm, 6. Juli 1918 und Tramm an Vogel, 25. Juli 1918, ebenda).

82 Entsprechende Stimmen sind gesammelt bei Müller, *Bilder*, S. 73–76; zwei repräsentative Meinungen:»Hugo Vogels Hindenburg-Bilder«, in: *Magdeburgische Zeitung* Nr. 289 vom 20. April 1915; Ferdinand Avenarius,»Hindenburg als Über-Barbar«, in: *Deutscher Wille des Kunstwarts* 30 (1917), S. 34f.

83 *Bei Hindenburg*, S. 114; eine Fülle gleichlautender Zeugnisse bei Müller, *Bilder*, S. 92–95; siehe auch Richard Hamann, *Krieg, Kunst und Gegenwart*, Marburg 1917, S. 26, sowie Gustav Frädrich, *Luther und Hindenburg*, Gotha 1915, S. 20.

84 Vgl. die Angaben in dem Schreiben von Cosima Wagner an Ernst zu Hohenlohe-Langenburg, 22. Dezember 1916, in: *Cosima Wagner. Das zweite Leben. Briefe und Aufzeichnungen 1883–1930*, hg. von Dietrich Mack, München 1980, S. 735.

85 »An Feldmarschall von Hindenburg«, in: *Kriegshefte der Süddeutschen Monatshefte April 1915 bis September 1915*, München 1915, S. 561.

86 So Houston Stewart Chamberlain an Prinz Max von Baden, 21. Februar 1915, in: Houston Stewart Chamberlain, *Briefe 1882–1924 und Briefwechsel mit Kaiser Wilhelm II.*, München 1927, S. 285.

87 Vgl. das Angebot der Hamburger Kunstanstalt August Schöning aus dem Jahre 1915, das für diese Preise Hindenburgbilder eines Schweriner Malers vertrieb, Staatsarchiv Hamburg, Bestand Senat, Cl. VII Lit. Rᶠ Nr. 411 Vol. 92.

88 Vgl. das diesbezügliche Inserat des Verlages E.A. Seemann im *Kunstgewerbeblatt* 26 (1914/15), Nr. 4, S. 4.

89 Siehe die Annonce des Ullstein-Verlags in: *Vossische Zeitung* Nr. 91 vom 12. November 1916.

90 So die Aussage Vogels in einem Interview: Karl Heinz Norweg,»Besuch bei dem Hindenburgmaler«, in: *Deutsche Tageszeitung* vom 17. Februar 1930.

91 So die Auskunft des Kaisers am 15. Oktober 1916 gegenüber Hugo Vogel in ders., *Als ich Hindenburg malte*, S. 196.

92 Vgl. Müller, *Bilder*, S. 92–97.

93 Dazu siehe Walter Petersen, *Vor großen Zeitgenossen. Erinnerungen eines Malers*, Berlin 1937, S. 175f.

94 Vgl. Vogel, *Als ich Hindenburg malte*, S. 156.

95 Vgl. Petersen, *Zeitgenossen*, S. 179.

96 Protokoll der Sitzung der Finanzkommission der Stadt Hannover, 24. März 1915, Stadtarchiv Hannover, HR 10, Nr. 1504.

97 Vgl. Petersen, *Zeitgenossen*, S. 278.

98 Dazu siehe die maschinenschriftlichen Erinnerungen Wedige von der Schulenburgs, des Zweiten Adjutanten des Reichspräsidenten Hindenburg, in: Bundesarchiv-Militärarchiv Freiburg, MSg 1, Nr. 2778, Bl. 119.

99 Hindenburg äußerte in seinem Absageschreiben an Tramm vom 6. April 1915 die Hoff-

nung, daß die beteiligten Hannoveraner Stellen »mir hoffentlich ebensowenig wie Sie wegen dieser freimüthigen, vertraulichen Aussagen zürnen werden«, Stadtarchiv Hannover, Nachlaß Tramm.

100 Hindenburg an Tramm, 18. Juli 1915, ebenda.

101 Hindenburg lag gerade dieser Auftrag am Herzen, weswegen er in seinem Schreiben an Tramm vom 18. Juli ausdrücklich von einem Porträt »für die Stadt« sprach, ebenda.

102 Vgl. das Protokoll der Sitzung der Finanzkommission der Stadt Hannover, 23. August 1915, Stadtarchiv Hannover, HR 10, Nr. 1504.

103 Die private Absprache zwischen Hindenburg und Tramm wird auch ersichtlich aus dem Schreiben Hindenburgs an Tramm vom 16. Oktober 1915, Stadtarchiv Hannover, Nachlaß Tramm; siehe weiterhin Tramm an Petersen, 8. November 1915 sowie das Protokoll der Sitzung der Finanzkommission vom 2. Januar 1916, Stadtarchiv Hannover, HR 10, Nr. 1504.

104 Siehe Petersen, *Zeitgenossen*, S. 209 und S. 228; am 24. Dezember 1915 beendete Petersen die Arbeit an dem für das Kestner-Museum bestimmten zweiten Hindenburg-Porträt und gab es als Eilgut nach Hannover auf, vgl. das Schreiben Petersens an Tramm, 25. Dezember 1915, Stadtarchiv Hannover, HR 10, Nr. 1504.

105 Von Petersen in einem Schreiben an Tramm vom 30. Dezember 1915 wörtlich wiedergegebene Äußerung Hindenburgs bei der Betrachtung seiner Porträts, ebenda.

106 Vgl. *Kriegsbilder-Ausstellung Februar–April 1916*, hg. von der Königlichen Akademie der Künste zu Berlin, Berlin 1916, insbesondere S. 5, sowie Justi, *Werden*, Bd. 2, S. 217.

107 Dazu siehe u.a. die Anfrage des Vorsitzenden der Kommission für die Große Berliner Kunstausstellung an Stadtdirektor Tramm, 6. März 1916, sowie die Absage Vogels in seinem Schreiben an Tramm, 25. März 1916, Stadtarchiv Hannover, HR 10, Nr. 1504.

108 Zu diesem bislang kaum erforschten Gegenstand vgl. Müller, *Bilder*, S. 70–81.

109 Vgl. die Zahlenangaben in: Archiv der Preußischen Akademie der Künste, 2.3/083, Bl. 4 und Bl. 8.

110 Vgl. die Eintragung im Tagebuch Fabecks vom 4. März 1916 (Fabeck hatte einen zehntägigen Heimaturlaub erhalten), Tagebuch Fabeck, Kladde 4, Bl. 40 (Privatbesitz).

111 Vgl. seine Tagebucheintragungen vom 23. Juni 1916, 18. September 1917 und 24. Oktober 1917, Nachlaß Ernst zu Hohenlohe-Langenburg, Hohenlohe-Zentralarchiv, Neuenstein.

112 Petersen, *Zeitgenossen*, S. 255.

113 Vgl. das diesbezügliche Schreiben Hindenburgs an Tramm, 18. Dezember 1915, Stadtarchiv Hannover, Nachlaß Tramm.

114 Vgl. die Schreiben Petersens an Tramm vom 22. und 30. Dezember 1915, Stadtarchiv Hannover, HR 10, Nr. 1504.

115 Petersen an Tramm, 1. Februar 1916, ebenda.

116 Vgl. hierzu Petersen an Tramm, 1. Februar und 30. August 1916; Magistrat der Stadt Hannover an Petersen, 31. August 1916, ebenda; Königliche Akademie, *Kriegsbilder-Ausstellung*, S. 33.

117 Vgl. hierzu Petersen an Tramm, 22. und 30. Dezember 1915, ebenda sowie die Angaben bei Petersen, *Zeitgenossen*, S. 224.

118 Dieser wörtliche Ausspruch Hindenburgs ist überliefert im Schreiben Petersens an Tramm, 30. Dezember 1915, Stadtarchiv Hannover, HR 10, Nr. 1504.

119 Das ziemlich vernichtende Urteil der Kunstkritik findet sich u.a. in Hildebrandt, *Krieg und Kunst*, S. 297f.

120 Diese Äußerung nach Schilderungen Manzels überliefert im Bericht des mit Hindenburg wie mit Manzel gut bekannten Schriftstellers Paul Lindenberg, »Ludwig Manzel zum Ge-

dächtnis«, in: *Berliner Zeitung* vom 20. November 1936; vgl. auch Manzels Rückblick: Ludwig Manzel, »Hindenburg als Modell«, in: *Die Woche* 29 (1927), S. 1192.

121 Vogel, *Als ich Hindenburg malte*, S. 84.

122 Vgl. dazu seinen kurzen Rückblick: Hugo Lederer, »Menschen und Modelle«, in: *Elbinger Zeitung* vom 1. November 1931.

123 Vortrag Petersen über Hindenburg, gehalten am 11. Dezember 1916 im Düsseldorfer Künstlerverein »Malkasten«, in: Archiv des Künstler-Vereins Malkasten, Düsseldorf. Dieser Vortrag ist teilweise wörtlich eingeflossen in die entsprechenden Passagen von Petersens Lebenserinnerungen: Petersen, *Zeitgenossen*, S. 222ff.

124 Ebenda.

125 Wilhelm Schlupp, »Franz Metzner in Kowno 1917 und sein ›Hindenburg‹«, in: *Deutsche Welt* 4 (1927), S. 461f.

126 Vgl. Friedebert Volk, »Zum 125. Geburtstage Franz Metzners«, in: *Jahrbuch Mies-Pilsen* 4 (1995), S. 77.

127 Hindenburgs Urteil über seine monumentale Büste zeugt von Deutlichkeit: »Sie haben mich ganz assyrisch aufgefaßt«, überliefert bei Petersen, *Zeitgenossen*, S. 222.

128 Diese Büste schmückte später das zum 70. Geburtstag Hindenburgs am 2. Oktober 1917 eröffnete Hindenburg-Museum in Posen, vgl. Ginschel, *Hindenburg*, S. 167.

129 Er äußerte bei Betrachtung dieses Werkes zu Manzel, daß er »so im Großen dargestellt werden« möchte: Lindenberg, »Ludwig Manzel zum Gedächtnis« (wie Anm. 120).

130 Noch in seinem zweiten Ruhestand im Januar 1921 erwähnte Hindenburg von sich aus gegenüber Hugo Vogel, daß er am liebsten von Manzel in Form eines Denkmals verewigt werden wollte, Vogel, *Als ich Hindenburg malte*, S. 236.

131 Hamann, *Krieg, Kunst und Gegenwart*, S. 26.

132 Vgl. dazu auch Ludwig, *Hindenburg*, S. 91f.

133 Die Briefe Vogels an seine Frau wimmeln geradezu von entsprechenden Belegen: Vogel, *Als ich Hindenburg malte*, S. 157, 166, 183, 187f., 198, 210 und S. 227f.

134 Ebenda, S. 202, Brief Vogels vom 23. Oktober 1916.

135 Am 6. Juli 1915 zu Walter Petersen, überliefert bei Petersen, *Zeitgenossen*, S. 179.

136 Vgl. dazu Vogel, *Als ich Hindenburg malte*, S. 23, 71 und S. 91.

137 Abbildung bei Emanuel Ginschel, »Unser Hindenburg«, in: *Aus dem Ostlande* 12 (1917), S. 340; darauf dürfte sich u.a. die Bemerkung des Breslauer Malers Siegfried Laboschin über die Verfremdung Hindenburgs durch derartige Bilder beziehen: Siegfried Laboschin, »Hindenburg-Bilder«, in: Francke, *Hindenburg-Schläge*, S. 27f.

138 Vogel, *Als ich Hindenburg malte*, S. 24.

139 Vgl. nur Karl Anlauf, »Vor Hindenburgs Bildnis«, in: *Hannoverscher Kurier* Nr. 31969 vom 29. August 1915.

140 »Hugo Vogels Hindenburg-Bilder«, in: *Magdeburgische Zeitung* Nr. 289 vom 20. April 1915.

141 Vgl. dazu Stanislaus Cauer, »Hindenburg und Ludendorff unter dem Gesichtswinkel des Künstlers«, in: *Der Tag* Nr. 179 vom 6. April 1916.; siehe auch Vogel, *Als ich Hindenburg malte*, S. 132.

142 Cauer, »Hindenburg und Ludendorff«, vgl. auch eine ähnlich lautende Wiedergabe von Cauers Absichten im Bericht: »Cauer bei Hindenburg und Ludendorff«, in: *Rheinisch-Westfälische Zeitung* Nr. 170 vom 1. März 1916.

143 Vgl. das Schreiben des Oberbürgermeisters von Königsberg, Körte, an Hindenburg, 2. Juli 1916, in: Nachlaß Christian von Pentz, Ordner »Bilder« (Privatbesitz Christian Haacke).

144 Paul Landau, »Wie ein Bildhauer Hindenburg und Ludendorff sieht«, in: *Königsberger Allgemeine Zeitung* Nr. 545 vom 21. November 1915.

145 Schreiben des Direktors des Kaiser Wilhelms-Museums, Prof. Dr. F. Fries, an Geheimrat Duisberg, den Generaldirektor der Farbenwerke Friedrich Bayer in Elberfeld, 7. August 1915, Archiv der Bayer-Werke, Leverkusen, Aktenordner Kunst: Büsten A–H.

146 Vgl. dazu: *Das Meisterwerk. Klimsch*, Berlin 1941, S. 5f.

147 Siehe die knappe Meldung im *Berliner Tageblatt* vom 5. Februar 1916 sowie Frentz, *Hindenburg und Ludendorff*, S. 154; Fritz Klimsch, *Erinnerungen und Gedanken eines Bildhauers*, Stollhamm 1952, S. 129f.; Gesa Hansen, *Fritz Klimsch*, Phil. Diss., Kiel 1994, S. 72f.

148 Auszug aus dem Schreiben Klimschs an Geheimrat Duisberg vom 30. Dezember 1916, Archiv der Bayer-Werke, Leverkusen, Aktenordner Kunst: Büsten A–H.

149 Bereits bei seiner ersten Begegnung mit Hugo Vogel am 17. Januar 1915, vgl. Vogel, *Als ich Hindenburg malte*, S. 10f.

150 Brief Vogels an seine Frau, 6. April 1915, ebenda, S. 87.

151 Vgl. dazu Helmuth Plath, »Hindenburg und Ludendorff. Das Doppelporträt von Hugo Vogel«, in: *Niederdeutsche Beiträge zur Kunstgeschichte* 11 (1972), S. 275–283; siehe auch die Angaben bei Vogel, *Als ich Hindenburg malte*, S. 132, 134 und S. 149.

152 Ebenda, S. 172; vgl. auch Ludendorffs nachträgliche Einschätzung: Erich Ludendorff, *»Dirne Kriegsgeschichte« vor dem Gericht des Weltkrieges*, München 1935, S. 14.

153 Das fertige Gemälde findet sich bei Vogel, *Als ich Hindenburg malte*, S. 169.

154 Ebenda, S. 172.

155 »Sie haben den Feldmarschall als Maßgebenden richtig hervorgehoben!«, so der Kaiser zu Hugo Vogel, 15. Oktober 1916, ebenda, S. 196.

156 Hamann, *Krieg, Kunst und Gegenwart*, S. 27; vgl. auch Hans Hackmann, *Der Krieg und die bildende Kunst*, Berlin 1919, S. 38, mit ausdrücklicher Berufung auf Vogels Doppelporträt.

157 Fritz Hartmann, »Hindenburg und Ludendorff am Arbeitstisch«, in: *Hannoverscher Kurier* vom 4. November 1915, Abendausgabe.

158 Vgl. den bezeichnenden Kommentar von Fritz Hartmann, »Hie Schwert des Herrn und Hindenburg!«, in: *Hannoverscher Kurier* Nr. 32639 vom 30. August 1916, Abendausgabe, in dem Hartmann ausdrücklich auf das Doppelporträt Bezug nimmt.

159 Vogel an seine Frau, 26. Februar 1915, in: Vogel, *Als ich Hindenburg malte*, S. 71.

160 Ebenda, S. 19. Vogel fiel sofort die Ähnlichkeit mit dem älteren Moltke auf, der ebenfalls gelegentlich zum Zeichenstift gegriffen hatte.

161 Vgl. ebenda, S. 24.

162 Ebenda, S. 37–55.

163 Ebenda, S. 56.

164 »Hindenburg ist furchtbar gut, aber er verlangt viel Arbeit von mir. Es geht aber immer nicht so schnell, wie er denkt«: Vogel an seine Frau, 26. Februar 1915, ebenda, S. 70.

165 Vogel an seine Frau, 10. März 1915, ebenda, S. 82.

166 Hindenburg zu Vogel, 26. Februar 1915, ebenda, S. 70.

167 Vgl. ebenda, S. 70–73.

168 Vgl. Vogels Briefe an seine Frau vom 1. März 1915, 15. Mai 1915, 19. Mai 1915 und 15. September 1915, ebenda, S. 76, 131, 135 und S. 171.

169 Vogel an seine Frau, 4. Oktober 1915, ebenda, S. 182.

170 Hindenburg hatte vor Beginn der Porträtsitzungen Petersen unmißverständlich zu verstehen gegeben, daß es sein ausdrücklicher Wunsch sei, so dargestellt zu werden, »wie ich mit

der Karte in der Hand die Schlacht beobachte und leite«: Dieses wörtliche Zitat überliefert Petersen in seinem Schreiben an Hannovers Stadtdirektor Tramm, 30. Dezember 1915, Stadtarchiv Hannover, HR 10, Nr. 1504; nahezu wortgleich auch die Überlieferung dieser Begebenheit in Petersens Memoiren: Petersen, *Zeitgenossen*, S. 220.

171 Jedenfalls gab Hannovers Stadtdirektor Tramm diesem Gemälde diese Interpretation, die dann von der Presse Hannovers übernommen wurde, vgl. das Protokoll der Sitzung der Finanzkommission der Stadt Hannover, 2. Januar 1916, ebenda, sowie den Bericht im *Hannoverschen Kurier* vom 1. Januar 1916, Morgenausgabe.

172 Tramm hatte sich insbesondere über das Verschwinden von Hindenburgs Stirn enttäuscht gezeigt, vgl. Petersen an Tramm, 30. Dezember 1915, Stadtarchiv Hannover, HR 10, Nr. 1504.

173 Vogel an seine Frau, 15. Oktober 1916, in: Vogel, *Als ich Hindenburg malte*, S. 196f.

174 Gegenüber Hugo Vogel am 16. Oktober 1916, ebenda, S. 197.

175 Ebenda, S. 210.

176 Ebenda, S. 214ff.

177 Vgl. dazu Vogel an Hindenburgs Adjutanten Pentz, 21. September 1917, sowie Wrede an Pentz, 22. September 1917, Nachlaß Christian von Pentz, Ordner »Bilder«, Privatbesitz.

178 Entwurf des Schreibens von Pentz an Vogel, 24. September 1917, ebenda.

179 Vgl. Vogel an Otto von Estorff, Flügeladjutant Wilhelms II., 28. September 1917, ebenda, sowie das Schreiben Hindenburgs an Wrede, 7. November 1917, in: Vogel, *Als ich Hindenburg malte*, S. 231.

180 Ebenda, S. 223ff.

181 Dieses Schreiben Hindenburgs an Vogel vom 9. Februar 1918 findet sich ebenda, S. 226f.

182 Ebenda, S. 226–228.

183 Vgl. Justi, *Werden*, Bd. 2, S. 228.

184 Näheres dazu bei Vogel, *Erlebnisse*, S. 76f.

185 Vgl. ebenda, S. 49f.; vgl. auch Vogel, *Als ich Hindenburg malte*, S. 5 und S. 76.

186 Vogel, *Als ich Hindenburg malte*, S. 224.

187 Siehe Vogel, *Erlebnisse*, S. 49 und S. 68.

188 Durch den Berichterstatter des *Hannoverschen Kuriers*, der Vogel in seinem Wannseer Atelier aufgesucht hatte: Fritz Hartmann, »Der Schöpfer der Hindenburg-Bilder«, in: *Hannoverscher Kurier* Nr. 32129 vom 24. November 1915.

189 Zu dem nahezu vergessenen Literaten Bernhard von Hindenburg vgl. die Würdigung von Walther Eggert, »Der Dichter Bernhard von Hindenburg«, in: *Ostdeutsche Monatshefte* 8 (1927), S. 476–478.

190 Die ersten Auflagen erschienen im Februar 1915 unter dem Titel »Paul von Hindenburg. Ein Lebensbild« im Berliner Verlag Schuster und Loeffler. Noch im selben Jahr kam eine leicht bearbeitete und erweiterte Neuauflage unter dem etwas abgewandelten Titel »Feldmarschall von Hindenburg. Ein Lebensbild« im Berliner Scherl-Verlag heraus; vgl. zur Auflagenzahl auch ebenda, S. 476.

191 »Aus dem Leben des Generalfeldmarschalls v. Hindenburg«, in: *Germania* Nr. 84 vom 20. Februar 1915; ähnlich im Tenor: »Aus Hindenburgs Werdezeit«, in: *Vossische Zeitung* Nr. 93 vom 20. Februar 1915; »Aus dem Leben Hindenburgs«, in: *Magdeburgische Zeitung* Nr. 137 vom 20. Februar 1915; »Eine Hindenburg-Biographie«, in: *Hamburger Fremdenblatt* Nr. 61 A vom 2. März 1915.

192 Vgl. den Bericht »Le Maréchal von Hindenburg d'après son frère«, in: *Illustration* Nr. 3790 vom 23. Oktober 1915.

193 Bernhard von Hindenburg erwähnt jedenfalls einen Besuch in Hindenburgs Wohnung in Hannover und sein dortiges Stöbern nach Material, was zwingend das Plazet der Hausherrin voraussetzte: Bernhard von Hindenburg, *Paul von Hindenburg*, Berlin 1915, S. 73.

194 Vgl. Nicolai, *Nachrichtendienst*, S. 58ff.

195 Vgl. Lindenberg, *Es lohnte sich*, S. 183f.

196 Ebenda, S. 180–183.

197 Paul Lindenberg, *Gegen die Russen mit der Armee Hindenburgs*, Leipzig 1914.

198 Lindenberg, *Es lohnte sich*, S. 185.

199 Lindenberg, *Hindenburg-Denkmal*.

200 Goldmann, *Beim Generalfeldmarschall*.

201 Walter Bloem, *Das Ganze – halt*, Leipzig 1934, S. 202.

202 Ludwig Ganghofer, *Bei den Heeresgruppen Hindenburg und Mackensen*, Stuttgart 1916, S. 7–29.

203 Vgl. hierzu Hedin, *Nach Osten*, S. 11–22; hierzu siehe auch ders., *Fünfzig Jahre Deutschland*, Leipzig 1938, S. 161–165; zu Hedins Fähigkeiten der Selbstvermarktung vgl. Detlef Brennecke, *Sven Hedin*, Reinbek 1986, S. 77–84.

204 Vgl. Ganghofer, *Bei den Heeresgruppen*, S. 21f., sowie Hedin, *Nach Osten*, S. 12.

205 Zu seiner Person vgl. Friedrich Kuebart, »Otto Hoetzsch – Historiker, Publizist, Politiker«, in: *Osteuropa. Zeitschrift für Gegenwartsfragen des Ostens* 25 (1975), S. 603–621, sowie Gerd Voigt, *Otto Hoetzsch 1876–1946*, Berlin 1978.

206 Dies gemäß den Angaben bei Hubatsch, *Hindenburg und der Staat*, S. 53, und Vogel, *Als ich Hindenburg malte*, S. 99.

207 Vgl. eine entsprechende Äußerung Hindenburgs, überliefert von Max Bewer, *Beim Kaiser und Hindenburg im Großen Hauptquartier*, Dresden 1917, S. 23.

208 Zu Hugo Vogel am 17. April 1915, vgl. Vogel, *Als ich Hindenburg malte*, S. 94, vgl. auch eine gleichlautende Äußerung zu Vogel am 28. Mai 1915, ebenda, S. 151.

209 Vgl. Schwarzmüller, *Mackensen*, S. 106 und S. 113f.

210 Insofern traf auf Hindenburg jene Kritik an der Führerausbildung im Weltkrieg zu, die der Major im Generalstab und spätere Chef des Generalstabes Ludwig Beck in einer Denkschrift aus dem Jahr 1920 als Fazit der Kriegserfahrungen formulierte, abgedruckt in: Ludwig Beck, *Studien*, Stuttgart 1955, S. 40–45.

211 So äußerte sich gegenüber dem Hindenburg-Vertrauten General von Cramon der General von Claer, der Hindenburg von früher sehr genau kannte, überliefert in einem Schreiben Cramons an Feldmarschall Mackensen, 17. April 1931, in: BA-MA Freiburg, Nachlaß Mackensen, Nr. 76, Bl. 2.

212 So die verwunderte Feststellung von Hugo Vogel gegenüber dem Berichterstatter des *Neuen Wiener Journals*, der den zur Kriegsbilderausstellung in Berlin weilenden Künstler in dessen Atelier aufgesucht hatte, wiedergegeben in: *Berliner Abendpost* Nr. 87 vom 15. April 1915.

213 Darauf hat bislang in der Forschungsliteratur praktisch nur Ludwig, *Hindenburg*, S. 76, aufmerksam gemacht.

214 Hedin, *Nach Osten*, S. 17.

215 So Vogels Angabe in: *Berliner Abendpost* Nr. 87 vom 15. April 1915.

216 Petersen weilte vom 5. Juli 1915 bis zum 8. August 1915 in Hindenburgs Hauptquartier in Lötzen und ein zweites Mal vom 24. Oktober 1915 bis zum 7. Dezember 1915 bei Hindenburg in Kowno, vgl. Müller, *Bilder*, S. 49.

217 So ein ungenannter früherer Mitarbeiter aus dem Stabe OberOst in einem Ende 1934 verfaßten Schreiben an Ludendorff, abgedruckt im Beitrag: »Nutzen wahrer Geschichtsschreibung«, in: *Am Heiligen Quell Deutscher Kraft* 5 (1934/35), S. 793.

218 Vgl. die Information bei Vogel unter dem 5. April 1915, Vogel, *Als ich Hindenburg malte*, S. 84.

219 In einigen seiner Briefe an Hannovers Stadtdirektor Tramm erwähnte Hindenburg voller Wehmut, wie sehr er diese Spaziergänge im Grün der Eilenriede vermißte, vgl. etwa seine Schreiben vom 25. Mai und 9. August 1915, Stadtarchiv Hannover, Nachlaß Tramm.

220 Vgl. die Schilderung derartiger Spaziergänge aus dem Frühjahr 1915, Vogel, *Als ich Hindenburg malte*, S. 97, 105, 110 und S. 132.

221 Vgl. ebenda, S. 79 und S. 84.

222 Vgl. Ludwig, *Hindenburg*, S. 95f.

223 Vgl. Hedin, *Nach Osten*, S. 18, sowie Vogel, *Als ich Hindenburg malte*, S. 68.

224 Vgl. dazu auch George Sylvester Viereck, *Schlagschatten*, Berlin 1955, S. 326.

225 Das Manuskript der Hindenburg-Memoiren befindet sich im BA-MA Freiburg, Nachlaß Hindenburg, hier Nr. 5, Bl. 19f. In den gedruckten Memoiren fand sich nur noch die allerdings vielsagende Passage, daß Hindenburg die Zugfahrt von Hannover nach Ostpreußen am 23. August 1914 gründlich genutzt habe, um auf seine Weise Kraft zu tanken: Hindenburg, *Aus meinem Leben*, S. 77.

226 Vgl. Vogel, *Als ich Hindenburg malte*, S. 184f.

227 Vgl. dazu die eingehenden Schilderungen ebenda, S. 82ff., 133 und S. 178–182.

228 Ebenda, S. 133.

229 Nur an seinem 50. Geburtstag am 9. April 1915 verlängerte Ludendorff seine Anwesenheit auf 22 Uhr, schritt aber danach mit seinem Stab wieder zur Arbeit, ebenda, S. 91.

230 Eine dieser typischen Abendgesellschaften im Hauptquartier in Lötzen hat Hugo Vogel als Skizze festgehalten, ebenda, S. 63.

231 Hindenburgs Tafelrunde ist u.a. beschrieben bei: Hedin, *Nach Osten*, S. 18; Ludwig, *Hindenburg*, S. 88f.; Ernst von Eisenhart Rothe, »Hindenburg und Ludendorff«, in: Lindenberg, *Hindenburg-Denkmal*, S. 243, und besonders lebendig bei ihrem häufigen Mitglied Hugo Vogel, *Als ich Hindenburg malte*, dort vor allem S. 24f., 56f., 60ff., 65f., 68, 88, 113f., 131, 164, 167 und S. 175.

232 Vgl. ebenda, S. 68, sowie die Reportage des deutsch-amerikanischen Journalisten Karl von Wiegand: »With Hindenburg in Pless«, Fundort: Hoover Institution Archives, Stanford, Collection Karl von Wiegand, Box 47, Folder Hindenburg, Nr. 9.

233 Vgl. Ludendorff, *Dirne*, S. 16, sowie »Nutzen wahrer Geschichtsschreibung«, in: *Am Heiligen Quell Deutscher Kraft* 5 (1934/35), S. 791.

234 Vogel an seine Frau, 24. Februar 1915, Vogel, *Als ich Hindenburg malte*, S. 68.

235 Einige zufällig durch Hugo Vogel überlieferte Namen aus der illustren Gästeschar: der Oberpräsident von Posen, der Oberpräsident von Ostpreußen, Fürst Dohna-Schlobitten, Geheimrat Dernburg, der Großherzog von Baden, vgl. ebenda, S. 24, 65, 110, 131 und S. 163.

KAPITEL 6
Erste politische Gehversuche

1 Hubatsch, *Hindenburg und der Staat*, S. 15 und S. 23; vgl. auch Görlitz, *Hindenburg*, S. 63f.

2 Grundlegend zur unterschiedlichen strategischen Lagebeurteilung von Bethmann Hollweg und Falkenhayn im Winter 1914/15 ist Afflerbach, *Falkenhayn*, S. 198–210.

3 Das Schreiben Ludendorffs an Moltke vom 2. Januar 1915 ist abgedruckt bei: Egmont
   Zechlin, »Ludendorff im Jahre 1915. Unveröffentlichte Briefe«, in: ders., *Krieg und Kriegsrisiko. Zur deutschen Politik im Ersten Weltkrieg*, Düsseldorf 1979, S. 192–226, hier S. 200;
   vgl. auch Afflerbach, *Falkenhayn*, S. 216f.

4 Überliefert in den Mitte der 1930er Jahre entstandenen Erinnerungen des in engem Kontakt zu Falkenhayn stehenden Oberst Hermann Ritter Mertz von Quirnheim, BA-MA
   Freiburg, Nachlaß Mertz von Quirnheim, Nr. 1, Bl. 80 Rückseite; zu diesen Erinnerungen
   vgl. auch die Bemerkungen bei Wilhelm Deist (Bearb.), *Militär und Innenpolitik im Weltkrieg 1914–1918*, Teil 2, Düsseldorf 1970, S. 651.

5 So die Wiedergabe der Reaktion des Kaisers gemäß einer Aufzeichnung Bethmann Hollwegs vom 7. Januar 1915, abgedruckt bei Egmont Zechlin, »Friedensbestrebungen und Revolutionierungsversuche«, in: *Aus Politik und Zeitgeschichte* B 20 (1963), S. 3–54, hier S. 49;
   vgl. weiterhin die Tagebuchaufzeichnungen des Generaladjutanten des Kaisers, Generaloberst Hans von Plessen, vom 2. Januar 1915, abgedruckt in: Afflerbach, *Kriegsherr*, S. 717.

6 Vgl. eine Aufzeichnung Bethmann Hollwegs vom 7. Januar 1915, bei Zechlin, »Friedensbestrebungen«, S. 50.

7 Siehe die entsprechenden Tagebuchaufzeichnungen Plessens aus dem Zeitraum vom
   30. Dezember 1914 bis zum 3. Januar 1915, Afflerbach, *Kriegsherr*, S. 714–718.

8 Vgl. die Antwort Moltkes vom 8. Januar auf eine diesbezügliche Anfrage Bethmann Hollwegs vom 5. Januar 1915, abgedruckt in: Moltke, *Erinnerungen*, S. 395–398.

9 Vgl. die Tagebucheintragung Plessens vom 3. Januar 1915, in: Afflerbach, *Kriegsherr*, S. 718.

10 Zu den im engeren Sinne militärischen Überlegungen vgl. die einschlägigen Ausführun-
    gen in: *Der Weltkrieg 1914 bis 1918*. Bd. 7, S. 6–10 und S. 74–82.

11 Vgl. dazu auch Afflerbach, *Falkenhayn*, S. 224, sowie Gerhard Ritter, *Staatskunst und
    Kriegshandwerk. Das Problem des »Militarismus« in Deutschland*, Bd. 3: *Die Tragödie der
    Staatskunst. Bethmann Hollweg als Kriegskanzler (1914–1917)*, München 1964, S. 67.

12 Hindenburg an Kaiser Wilhelm II., 9. Januar 1915, auszugsweise abgedruckt in: *Der Welt-
    krieg*, Bd. 7, S. 11.

13 Ludendorff »ist mir ein treuer, durch niemand zu ersetzender Gehilfe und Freund gewor-
    den, dem ich mein vollstes Vertrauen schenke«, ebenda, S. 12.

14 Vgl. das Schreiben Ludendorffs an Moltke, 9. Januar 1915, in: Zechlin, »Ludendorff«,
    S. 201–203.

15 Abgedruckt bei Zechlin, »Friedensbestrebungen«, S. 51.

16 Hindenburg an Bethmann Hollweg, 10. Januar 1915, abschriftlich überliefert in: BA-MA
    Freiburg, Nachlaß Haeften, Nr. 3, Bl. 9f.; vgl. auch Zechlin, »Friedensbestrebungen«, S. 51.

17 Darauf verweist mit Recht Ritter, *Staatskunst*, Bd. 3, S. 68.

18 Grundlegend hierzu ist eine Dokumentation, die auf den auf Tagebucheintragungen be-
    ruhenden Aufzeichnungen des Majors Hans von Haeften fußt. Haeften spielte die Rolle
    eines Verbindungsmanns zwischen OberOst und Moltke und war daher in die Schritte ge-
    gen Falkenhayn eingeweiht: Ekkehart P. Guth, »Der Gegensatz zwischen dem Oberbe-

fehlshaber Ost und dem Chef des Generalstabes des Feldheeres 1914/15. Die Rolle des Majors v. Haeften im Spannungsfeld zwischen Hindenburg, Ludendorff und Falkenhayn«, in: *Militärgeschichtliche Mitteilungen* 35 (1984), S. 75–111, hier S. 95.

19 Haeften galt Moltke als »mein Ludendorff«, so Moltke an Hindenburg, 23. Januar 1915, in: Moltke, *Erinnerungen*, S. 417.

20 Aufzeichnung Haeftens, bei Guth, »Der Gegensatz«, S. 96.

21 Vgl. die Bemerkung Haeftens am 12. Januar 1915 zu der Aktion Hindenburgs, ebenda, S. 97.

22 Vgl. ebenda, S. 110, Anmerkung 71 sowie eine Mitte der 1930er Jahre entstandene Aufzeichnung Haeftens, BA-MA Freiburg, Nachlaß Haeften, Nr. 2, Bl. 43.

23 Vgl. das eigenhändige Schreiben Hindenburgs an das Reichsarchiv, 10. Juni 1930, BA-MA Freiburg, W 10, Nr. 51441.

24 Vgl. Guth, »Der Gegensatz«, S. 97.

25 Oldenburg-Januschau erfüllte dazu wesentliche Voraussetzungen: Er kannte Hindenburg schon aus der Vorkriegszeit, weil sein Stammsitz Januschau in der Nähe Neudecks gelegen war; zudem hatte er in den ersten Wochen des Krieges im Stabe der vom Kronprinzen kommandierten Armee Dienst getan, vgl. Elard von Oldenburg-Januschau, *Erinnerungen*, Leipzig 1936, S. 130–132 sowie Guth, »Der Gegensatz«, S. 95 und S. 97.

26 Dieser Sachverhalt ist überliefert in dem Schreiben Plessens an Moltke, 18. Januar 1915, in: Afflerbach, *Kriegsherr*, S. 726f.; vgl. auch das vertrauliche Schreiben des damaligen Staatssekretärs des Auswärtigen Amtes, Gottlieb von Jagow, an Haeften, Januar 1931, BA-MA Freiburg, W 10, Nr. 50688, Bl. 10f.

27 So die Wiedergabe in der Aufzeichnung Haeftens, bei Guth, »Der Gegensatz«, S. 96.

28 Die erste Fassung enthielt die Formulierung: »Falls Eure Majestät meine Bitte nicht gewähren, bitte ich mich in Gnaden meines Postens entheben zu wollen.« Auf Anraten Ludendorffs wurde daraus: »Nachdem ich Euerer Majestät rückhaltlos meine Ansicht über die Unzulänglichkeit des Generals v. Falkenhayn ausgesprochen habe, werden Eure Majestät mir darin zustimmen, daß ein ferneres, gemeinsames Arbeiten von uns beiden im Dienste Euerer Majestät nicht möglich ist« – beides gemäß der Aufzeichnung Haeftens, ebenda, S. 96f.

29 So die Erinnerungen Haeftens, die auf dessen Tagebüchern beruhen: BA-MA Freiburg, Nachlaß Haeften, Nr. 2, Bl. 43; vgl. auch Guth, »Der Gegensatz«, S. 96.

30 Moltke an Hindenburg, 14. Januar 1915, abgedruckt in: Moltke, *Erinnerungen*, S. 409f.

31 Hindenburg an Moltke, 11. Januar 1915, BA-MA Freiburg, Nachlaß Moltke, Nr. 4, Bl. 2; auch abgedruckt in: *Helmuth von Moltke 1848–1916*, Bd. 1, hg. von Thomas Meyer, Basel 1993, S. 483, Anmerkung 104. Zwar hatte Luther selbst diese Formulierung so nicht gebraucht, aber seine Aussage ist in dieser Fassung den Zeitgenossen Hindenburgs überliefert worden.

32 Moltke an Hindenburg, 14. Januar 1915, in: Moltke, *Erinnerungen*, S. 410.

33 Bethmann Hollweg an Lyncker, 14. Januar 1915, abgedruckt bei Zechlin, »Friedensbestrebungen«, S. 52.

34 Hindenburg folgte damit einer Aufforderung des Reichskanzlers, vgl. die Abschrift vom Konzept eines Schreibens Bethmann Hollwegs an Hindenburg, 12. Januar 1915, BA-MA Freiburg, W 10, Nr. 50688, Bl. 52.

35 Hindenburg hatte in seinem zweiten Schreiben an den Kaiser Moltke als Nachfolger Falkenhayns vorgeschlagen. Seine Person hatte er bei den Diskussionen in seinem Haupt-

quartier am 11. Januar 1915 vor allem deswegen ausgeschlossen, weil er die Initiative zur Ablösung Falkenhayns ergriffen habe; vgl. die Aufzeichnung Haeftens, bei Guth, »Der Gegensatz«, S. 95f.

36 Hierzu griff Hindenburg sogar zum Telefonhörer: Mitschrift eines Telefonats Hindenburgs aus Posen am 14. Januar 1915 um 12.30 Uhr mit der Reichskanzlei in Berlin, Abschrift in: BA-MA Freiburg, Nachlaß Haeften, Nr. 3, Bl. 24; vgl. auch das an den Reichskanzler gerichtete Telegramm des Unterstaatssekretärs in der Reichskanzlei, Wahnschaffe, das um 18.53 Uhr von Berlin aus an den sich im Großen Hauptquartier aufhaltenden Kanzler gesandt wurde und in dem auf eine »soeben« aus Posen erhaltene telefonische Mitteilung Hindenburgs Bezug genommen wurde, in der Hindenburg seine Bereitschaft zur Übernahme des Postens zu seinen Bedingungen erneuerte, BA-MA Freiburg, W 10/50688, Bl. 54.

37 Hindenburg hat später gegenüber dem nunmehr zum Direktor des Reichsarchivs aufgestiegenen Hans von Haeften unterstrichen, daß er unter den besagten Umständen bereits im Januar 1915 für die Nachfolge Falkenhayns zur Verfügung gestanden habe, vgl. die protokollarische Niederschrift über eine Unterredung zwischen Hindenburg und v. Haeften am 10. April 1931, die von Hindenburg am 18. April 1931 unterzeichnet wurde, in: BA-MA Freiburg, W 10/50688, Bl. 66f., Zitat Bl. 67.

38 So auch die Aufzeichnungen Haeftens, BA-MA Freiburg, Nachlaß Haeften, Nr. 2, Bl. 52.

39 Zur gescheiterten Mission des Kronprinzen vgl. die Tagebuchaufzeichnungen Plessens vom 14. und 15. Januar 1915 und das Schreiben Plessens an Moltke, 18. Januar 1915, in: Afflerbach, *Kriegsherr*, S. 724–727, sowie die Aufzeichnung Haeftens, BA-MA Freiburg, Nachlaß Haeften, Nr. 2, Bl. 48.

40 Vgl. dazu die Aufzeichnungen Haeftens vom 18. und 19. Januar 1915, bei Guth, »Der Gegensatz«, S. 100–102; siehe auch die Tagebucheintragungen vom 18. und 19. Januar 1915 des Fürsten Hohenlohe-Langenburg in seinem Taschenkalender, in: Hohenlohe-Zentralarchiv, Schloß Neuenstein, Nachlaß Ernst zu Hohenlohe-Langenburg, Taschenkalender für 1915, sowie das Tagebuch Plessens vom 20. Januar 1915, Afflerbach, *Kriegsherr*, S. 727f.

41 Aufzeichnung Haeftens vom 18. Januar 1915, bei Guth, »Der Gegensatz«, S. 100.

42 Originalton der Kaiserin gegenüber Haeften, ebenda, S. 102.

43 Ebenda, S. 103; vgl. auch die Tagebucheintragung Plessens vom 20. Januar 1915, in: Afflerbach, *Kriegsherr*, S. 728.

44 Eigenhändiges Telegramm Wilhelms II. an Auguste Viktoria, 21. Januar 1915, Geheimes Staatsarchiv Preußischer Kulturbesitz Berlin-Dahlem, Brandenburgisch-Preußisches Hausarchiv, Rep. 53 J, Briefe an Auguste Viktoria, Bl. 4f. (hier nach Privatarchiv John Röhl).

45 Zum Handschreiben des Kaisers an Hindenburg vgl. die Tagebucheintragung Plessens vom 16. Januar 1915, in: Afflerbach, *Kriegsherr*, S. 725, sowie die Aufzeichnungen Haeftens, BA-MA Freiburg, Nachlaß Haeften, Nr. 2, Bl. 53 bzw. Nachlaß Haeften, Nr. 3, Bl. 50.

46 Aufzeichnung Haeftens vom 18. Januar 1915, bei Guth, »Der Gegensatz«, S. 100.

47 Haeften spricht davon, daß das Handschreiben des Kaisers dazu bestimmt gewesen sei, »den Feldmarschall einzuseifen«, Aufzeichnung Haeftens über seine Audienz beim Kaiser am 20. Januar 1915, abgedruckt bei Zechlin, »Friedensbestrebungen«, S 54.

48 *Der Weltkrieg*, Bd. 7, S. 13f.

49 Aufzeichnung Haeftens, bei Guth, »Der Gegensatz«, S. 103f.; die Wiedergabe der Reaktion des Kaisers ist authentisch, weil Haeften wenige Tage nach seiner Audienz beim Monar-

chen, am 25. Januar, den Inhalt dieses Gespräches schriftlich festhielt als Basis für seine späteren Ausarbeitungen, vgl. BA-MA Freiburg, Nachlaß Haeften, Nr. 3, Bl. 41.

50 So Hindenburg in einem Schreiben an seinen Mitstreiter Moltke vom 24. Januar 1915, das vom Verfasser als »vertraulichst« klassifiziert wurde und einen tiefen Blick in die Gemütsverfassung des Feldmarschalls erlaubt, BA-MA Freiburg, Nachlaß Moltke, Nr. 4, Bl. 4–6, Zitat Bl. 5f.

51 »Die wahre Freudigkeit an der Arbeit ist mir hierdurch genommen. Das Gefühl, … beobachtet zu werden, wirkt nicht erhebend«, ebenda.

52 Bezeichnend ist, wie sehr der Kaiser im Gespräch mit Haeften am 20. Januar 1915 Falkenhayn gegen alle Kritik in Schutz nahm, vgl. Guth, »Der Gegensatz«, S. 103–105; vgl. auch Afflerbach, *Falkenhayn*, S. 230–232.

53 So auch die Einschätzung von Hindenburgs Neffen Karl von Fabeck, der als Vertrauter Moltkes durch Haeften über die Operation gegen Falkenhayn informiert worden war: Tagebuch Karl von Fabeck, Kladde 2, Eintragung zum 16. Januar 1915 (Privatbesitz).

54 Zu den militärischen Operationen in Galizien vgl. *Der Weltkrieg*, Bd. 7, S. 345–443; Afflerbach, *Falkenhayn*, S. 286–299; Schwarzmüller, *Mackensen*, S. 107–110; Gerhard P. Groß, »Im Schatten des Westens. Die deutsche Kriegführung an der Ostfront bis Ende 1915«, in: *Die vergessene Front. Der Osten 1914/15*, hg. von Gerhard P. Groß, Paderborn 2006, S. 49 bis 64, hier S. 60f.

55 Vgl. Schwarzmüller, *Mackensen*, S. 110.

56 Beide Zitate aus einem Schreiben Seeckts an seinen Vertrauten v. Winterfeldt-Menkin, 16. Juni 1915, BA-MA Freiburg, Nachlaß Seeckt, Nr. 176, Bl. 57.

57 Vgl. dazu die Ausführungen seines Schwiegersohnes, der mit ihm im Lötzener Hauptquartier auch in enger dienstlicher Verbindung stand: Brockhusen, *Weltkrieg*, S 61f.

58 Vgl. u.a. die Schilderung Brockhusens, ebenda, S. 50–54, sowie Vogel, *Als ich Hindenburg malte*, S. 131–156.

59 Ludendorff an Moltke, 18. Juni 1915, bei Zechlin, »Ludendorff«, S. 218.

60 Vgl. die unmißverständlichen Aussagen schon bei Ritter, *Staatskunst*, Bd. 3, S. 86f., sowie Afflerbach, *Falkenhayn*, S. 305–313.

61 Vgl. Erich Ludendorff, *Meine Kriegserinnerungen 1914–1918*, Berlin 1919, S. 113f., sowie *Der Weltkrieg 1914 bis 1918*. Bd. 8: *Die Operationen des Jahres 1915*, hg. vom Reichsarchiv, Berlin 1932, S. 268–273.

62 Darüber informiert der Beitrag Ludendorffs, »Im Schloß zu Posen am 2.7.1915«, in: *Am Heiligen Quell Deutscher Kraft* 6 (1934/35), S. 217–223.

63 Vgl. zum Verlauf der Posener Besprechung neben dieser Darstellung Ludendorffs noch die der Tendenz nach ähnliche Ausarbeitung des Reichsarchivs: *Der Weltkrieg*, Bd. 8, S. 269–277; siehe auch die Tagebucheintragung Plessens vom 2. Juli 1915, in: Afflerbach, *Kriegsherr*, S. 795f.

64 »Ludendorff kam außer sich von Posen wieder«, so Oberst Max Hoffmann in einem Schreiben an seine Frau, 5. Juli 1915, in Nowak, *Hoffmann*, S. 72; Ludendorffs Verbitterung wird auch aus einem Schreiben an Generalleutnant Wenninger vom 16. Dezember 1915 ersichtlich, abgedruckt bei Wenninger, *Tannenberg*, S. 45.

65 So die wörtliche Wiedergabe im Schreiben Brockhusens vom 12. Juli 1915 an seine Frau, Hindenburgs Tochter Irmengard, Brockhusen, *Weltkrieg*, S. 69; vgl. auch das Schreiben Ludendorffs an Moltke, 15. August 1915: »Ich sage gleich Euer Exzellenz Vaterland, der Feldmarschall sagt noch Kaiser«, bei Zechlin, »Ludendorff«, S. 220.

66 In politischen Zirkeln Berlins kursierte im Sommer 1915 folgende Äußerung des Kaisers über Hindenburg: »Ich wünsche nicht, durch das Brandenburger Tor einzureiten und zu hören, daß das ganze Volk nur ›Hoch Hindenburg‹ schreit«; mitgeteilt in einer Unterredung des einflußreichen nationalliberalen Reichstagsabgeordneten Gustav Stresemann mit dem glänzend informierten parlamentarischen Führer der Zentrumspartei, Matthias Erzberger, vom 24. Juni 1915, Gesprächsaufzeichnung in: Politisches Archiv des Auswärtigen Amtes, Nachlaß Stresemann, Bd. 146; selbst die deutsche Zensur passierte die Meldung von im Ausland kursierenden Gerüchten über eine Kaltstellung Hindenburgs, vgl. dazu nur den Bericht: »Hindenburg und Mackensen brechen gleichzeitig vor!«, in: *Kölnische Volkszeitung* Nr. 578 vom 18. Juni 1915.

67 Zur Initiative Auguste Viktorias vgl. Erich Ludendorff, »Im Schloß zu Posen am 2.7.1915«, in: *Am Heiligen Quell Deutscher Kraft* 6 (1935/36), S. 217–223.

68 Wiedergabe dieser Photographie unter anderem in der Illustrierten Unterhaltungsbeilage von: *Der Tag* Nr. 166 vom 18. Juli 1915; vgl. auch den Bericht über die Posener Zusammenkunft in: *Kreuzzeitung* Nr. 360 vom 17. Juli 1915.

69 Vgl. hierzu auch das Schreiben des Reichskanzlers an den Chef des Geheimen Zivilkabinetts von Valentini, 22. August 1915: »Schon kursiert das Wort: Dem jungen Kaiser hat man schließlich die Entlassung Bismarcks verziehen, der gereifte würde Hindenburgs Entlassung nicht aushalten«, in: Bernhard Schwertfeger, *Kaiser und Kabinettschef. Nach eigenen Aufzeichnungen und dem Briefwechsel des Wirklichen Geheimen Rats Rudolf von Valentini*, Oldenburg 1931, S. 229.

70 Faire Würdigung dieser Erfolge bei Afflerbach, *Falkenhayn*, S. 311f.

71 Vgl. Jung, *Gallwitz*, S. 56–59.

72 Vgl. *Der Weltkrieg*, Bd. 8, S. 340–346; vgl. auch Brockhusen, *Weltkrieg*, S. 66.

73 *Der Weltkrieg*, Bd. 8, S. 375.

74 Vgl. Brockhusen, *Weltkrieg*, S. 73.

75 *Der Weltkrieg*, Bd. 8, S. 375–380.

76 Vgl. dazu den Brief des preußischen Kriegsministers Wild von Hohenborn an seine Frau, 27. August 1915, in: Gerhard Granier (Bearb.), *Adolf Wild von Hohenborn. Briefe und Tagebuchaufzeichnungen des preußischen Generals als Kriegsminister und Truppenführer im Ersten Weltkrieg*, Boppard 1986, S. 84, sowie die Tagebuchaufzeichnung des Chefs des Militärkabinetts, Admiral Müller, vom 20. August 1915, in: *Regierte der Kaiser? Kriegstagebücher, Aufzeichnungen und Briefe des Chefs des Marine-Kabinetts Admiral Georg Alexander von Müller 1914–1918*, hg. von Walter Görlitz, Berlin 1959, S. 124; siehe auch die Tagebucheintragung Plessens vom 21. August 1915, BA-MA Freiburg, W 10/50656, Bl. 136.

77 *Der Weltkrieg*, Bd. 8, S. 351; Brockhusen, *Weltkrieg*, S. 74.

78 So auch Afflerbach, *Falkenhayn*, S. 311.

79 Auszüge aus einem Schreiben Hindenburgs vom 25. August 1915 in: *Der Weltkrieg*, Bd. 8, S. 351; vgl. auch Brockhusen, *Weltkrieg*, S. 78f.; Nowak, *Hoffmann*, S. 83.

80 Vgl. das Schreiben von Tirpitz an seine Frau, 13. August 1915: Hindenburg »hat den Kaiser geradezu angefleht, den Ratschlägen von Falkenhayn nicht zu folgen«, in: Alfred von Tirpitz, *Erinnerungen*, Leipzig 1919, S. 494.

81 Vgl. auch sein lautes Wehklagen gegenüber Oldenburg-Januschau, der ihn Ende August 1915 in Kowno aufsuchte, Oldenburg-Januschau, *Erinnerungen*, S. 136.

82 Ausführlich zum Gang der militärischen Operationen: *Der Weltkrieg*, Bd. 8, S. 456–533.

KAPITEL 7
Abschiebung nach Kowno

1   Schreiben Wynekens an den Verleger der *Magdeburgischen Zeitung*, Robert Faber, 14. Dezember 1915, Stadtarchiv Magdeburg, Nachlaß Robert Faber, Rep. 30/391, Bd. 1, Bl. 150 und Bl. 153.

2   Vgl. den Bericht des Majors Kilburger an Robert Faber, 21. Dezember 1915, Stadtarchiv Magdeburg, Nachlaß Robert Faber, Rep. 30/391, Bd. 1, Bl. 164.

3   Ebenda, Bl. 164; vgl. auch einen vertraulichen Bericht Kilburgers an Bassermann, 19. Dezember 1915, ebenda, Bl. 68.

4   Vgl. etwa das entsprechende Schreiben Ludendorffs an den Verleger der *Königsberger Allgemeinen Zeitung*, Alexander Wyneken, vom 21. Dezember 1915, abgedruckt bei: Ludolf Gottschalk von dem Knesebeck, *Die Wahrheit über den Propagandafeldzug und Deutschlands Zusammenbruch*, München 1927, S. 151f.

5   In dieser Eigenschaft sollte Robert Faber nach Kowno gelangen; vgl. das Schreiben Kilburgers an Faber, 24. Januar 1916, Stadtarchiv Magdeburg, Nachlaß Robert Faber, Rep. 30/391, Bd. 1, Bl. 178.

6   Vgl. dazu einen vertraulichen Bericht des nach OberOst abgesandten Majors Kilburger an den nationalliberalen Parteiführer Ernst Bassermann, 19. Dezember 1915, ebenda, Bl. 68; vgl. auch Knesebeck, *Die Wahrheit*, S. 65.

7   Vgl. das Schreiben des Verlegers der *Magdeburgischen Zeitung*, Robert Faber, an mehrere deutsche Verleger, 3. August 1915, ebenda, Bl. 80.

8   Vgl. den streng vertraulichen Bericht Wynekens vom 8. Februar 1916 über zwei Besprechungen im Kriegspresseamt im Januar 1916, ebenda, Bl. 186f.

9   *Kreuzzeitung* Nr. 3 vom 3. Januar 1916, Abendausgabe, und *Frankfurter Zeitung* Nr. 3 vom 4. Januar 1916, erstes Morgenblatt, hier wiedergegeben nach den Abschriften, ebenda, Bl. 52f.

10 »So muß der Generalstabschef nicht nur Stratege, sondern oft noch mehr Politiker sein. Politik und Strategie werden aber in diesem Fall nur einheitlich arbeiten können, wenn die Fäden beider Gebiete während des Krieges durch die Hände des Generalstabschefs gehen«, *Kreuzzeitung* vom 3. Januar 1916, ebenda, Bl. 52.

11 Vgl. Ritter, *Staatskunst*, Bd. 3, S. 226f.

12 Der der *Magdeburgischen Zeitung* von ihrem Berliner Vertreter angebotene Artikel lautete: »Die Arbeit der Obersten Heeresleitung«, in: Stadtarchiv Magdeburg, Nachlaß Robert Faber, Rep. 30/391, Bd. 1, Bl. 55–57.

13 Vgl. die vertraulichen Schreiben Fabers vom 3., 5. und 7. Januar 1916, ebenda, Bl. 46–51 und Bl. 58.

14 Diese vieldeutige Aussage findet sich in einem Anfang der 1920er Jahre entstandenen Lebenslauf Nagels für die *Magdeburgische Zeitung*, ebenda, Rep. 30/112, Bl. 22.

15 Vgl. dazu den streng vertraulichen Bericht des Verlegers der *Königsberger Allgemeinen Zeitung*, Wyneken, über seine Verhandlungen in dieser Angelegenheit mit dem Kriegspresseamt am 10. und 24. Januar 1916, Rep. 30/391, Bd. 1, Bl. 182–187; vgl. auch Creutz, *Pressepolitik*, S. 100, und Knesebeck, *Die Wahrheit*, S. 70f.

16 Darüber berichtete Faber Hindenburgs Adjutanten Caemmerer mit Schreiben vom 11. September 1915, ebenda, Bl. 139.

17 So die Äußerung Fabers gegenüber Deutelmoser, wiedergegeben im Schreiben Fabers an Wyneken, 29. Dezember 1915, ebenda, Rep. 30/174, Bl. 202.

18 Mitgeteilt in einem Schreiben Seeckts an seine Frau, 4. August 1915, abgedruckt bei *Hans von Seeckt. Aus meinem Leben 1866–1917*, hg. von Friedrich von Rabenau, Leipzig 1938, S. 185; vgl. auch Schwarzmüller, *Mackensen*, S. 121.

19 Mitteilung des Ersten Adjutanten Falkenhayns, des Majors Hans Tieschowitz von Tieschowa, an den mit ihm bekannten Hans von Haeften über die Reaktion Falkenhayns auf eine entsprechende Siegesmeldung aus dem Herbst 1915, in: BA-MA Freiburg, Nachlaß Haeften, Nr. 2, Bl. 164.

20 Vgl. Afflerbach, *Falkenhayn*, S. 358–365.

21 Vgl. Hoetzsch, *Deutsche Heerführer*, S. 23f.

22 Eingeweihte Kreise betrachteten die Offensive gegen Verdun als Aktion »ad maiorem Kronprinz gloriam«, so jedenfalls die Tagebucheintragung vom 17. Februar 1916 des später in Verdun eingesetzten Generals Gallwitz, in: Jung, *Gallwitz*, S. 67; vgl. auch eine ungedruckte Ausarbeitung des Reichsarchivs aus dem Jahr 1930 »Das Ringen um den Schwerpunkt der Kriegsführung im Januar 1915«, dort S. 17, BA-MA Freiburg, W 10/501441.

23 Vgl. die Notizen Robert Fabers für eine Besprechung mit Ludendorff, September 1918, Stadtarchiv Magdeburg, Nachlaß Faber, Rep. 30/391, Bd. 2, Bl. 42.

24 Vgl. dazu Ernst Vollbehr, *Bunte leuchtende Welt. Die Lebensfahrt eines Malers*, Berlin 1935, S. 123f.

25 Ernst Vollbehr, *Der Maler im vordersten Kriegsgraben*, Oldenburg 1918, S. 48.

26 Vgl. ebenda, S. 50f.

27 Siehe dazu Vollbehr, *Welt*, S. 124ff.

28 Ebenda, S. 126ff.

29 Vgl. Vollbehr, *Maler*, S. 59–64.

30 Ebenda, S. 77.

31 Siehe Ritter, *Staatskunst*, Bd. 3, S. 220ff.

32 Vgl. die Tagebucheintragung Bloems vom 19. September 1917 über ein Gespräch mit Vollbehr, in: Stadtarchiv Wuppertal, Nachlaß Bloem, Karton 18: Kriegstagebuch, Bd. 6, S. 626.

33 Des Kronprinzen Hinneigung zum schönen Geschlecht wird auch aus den Tagebüchern Bloems ersichtlich, vgl. etwa die Eintragungen vom 15. und 18. März 1917, ebenda, Bd. 5, S. 526f. und S. 530.

34 Vgl. die Tagebucheintragung von Oberst Karl von Fabeck vom 12. April 1917, in: Tagebücher Fabeck, Kladde 7 (Privatbesitz).

35 Zur Verwaltungstätigkeit im Land OberOst siehe Vejas Gabriel Liulivicius, *War Land on the Eastern Front*, Cambridge 2000; *Das Land Ober Ost. Deutsche Arbeit in den Verwaltungsgebieten Kurland, Litauen und Bialystok-Grodno*, bearb. von der Presseabteilung OberOst, Stuttgart 1917; Brockhusen, *Weltkrieg*, S. 124ff.

36 Vgl. hierzu seine Dissertation, die sich dieser Tätigkeit widmete: Friedrich Bertkau, *Das amtliche Zeitungswesen im Verwaltungsgebiet Ober-Ost*, Phil. Diss., Leipzig 1928, vor allem S. 155–162; Liulivicius, *War Land*, S. 115.

37 Tagebucheintragung Bloems über den 1. Februar 1917, in: Stadtarchiv Wuppertal, Nachlaß Bloem, Karton 18: Kriegstagebuch, Bd. 5, Bl. 486.

38 Um dies zu unterstreichen, heiratete Frentz im Juli 1918 die Tochter des bekannten Literaten Hermann Sudermann; zu seiner Tätigkeit in der Presseabteilung vgl. vor allem: Hans Frentz, *Über den Zeiten. Künstler im Kriege*, Freiburg 1931; Herbert Eulenberg, *So war mein Leben*, Düsseldorf 1948, S. 234; Richard Dehmel, *Zwischen Volk und Menschheit. Kriegstagebuch*, Berlin 1919, S. 456.

39 Dieser Ausdruck nach Hans Frentz, *Der unbekannte Ludendorff*, Wiesbaden 1972, S. 203.

40 Vgl. dazu Frentz, *Über den Zeiten*, S. 6–15; Eulenberg, *So war mein Leben*, S. 237ff., und Friedrich von Wilpert, *Einer in fünf Zeitaltern*, Bonn 1977, S. 47.

41 Vgl. *Arnold Zweig 1887–1968. Werk und Leben in Dokumenten und Bildern*, hg. von Georg Wenzel, Berlin 1978, S. 75ff.

42 So der Zionist Sammy Gronemann, der durch seine intensive Begegnung mit dem Ostjudentum geradezu auflebte und darüber ein faszinierendes Buch verfaßte: Sammy Gronemann, *Hawdoloh und Zapfenstreich. Erinnerungen an die ostjüdische Etappe 1916–18*, Berlin 1925, S. 143f.; siehe zur Arbeit der Presseabteilung und zum enormen Ansehen speziell Hindenburgs in jüdischen Kreisen auch S. 20–37 und S. 105f.

43 Rangliste Ob.Ost, März 1916, S. 7.

44 Im Regelfall warfen die Feldbuchhandlungen gute Gewinne für ihre Betreiber ab, vgl. eine entsprechende Mitteilung des Leipziger Verlegers Hauschild an Walter Bloem, Tagebuch Bloem, 27. März 1916: Stadtarchiv Wuppertal, Nachlaß Bloem, Karton 18: Kriegstagebuch, Bd. 3, Bl. 342f.

45 Zu Stilke und seinem Verlag vgl. Frentz, *Über den Zeiten*, S. 142ff., sowie die maschinenschriftlichen Erinnerungen des mit Stilke befreundeten Forstrates Georg Escherich, Bayerisches Hauptstaatsarchiv München, Nachlaß Escherich 18, Bl. 95ff.

46 Vgl. Frentz, *Ludendorff*, S. 205 und S. 209f.

47 Vgl. einen Bericht des Kriegsberichterstatters Karl Strecker, abgedruckt bei Ernst von Eisenhart Rothe, *Im Banne der Persönlichkeit*, Berlin 1931, S. 152.

48 Vgl. Dehmel, *Volk*, S. 460.

49 Vgl. Bertkau, *Zeitungswesen*, S. 161f.

50 Vgl. ebenda, S. 109ff.; Presseabteilung Ober Ost, *Das Land Ober Ost*, S. 147.

51 Siehe Frentz, *Über den Zeiten*, S. 12f., und Eulenberg, *So war mein Leben*, S. 237.

52 Dazu ebenda, S. 218f., und Eisenhart Rothe, *Persönlichkeit*, S. 161f.

53 Dies räumte später auch Bertkau ganz unumwunden ein: Bertkau, *Zeitungswesen*, S. 110f.

54 Vgl. Liulivicius, *War Land*, S. 116f.

55 So jedenfalls das Urteil des Verlegers der *Königsberger Allgemeinen Zeitung*, Wyneken, in einem Schreiben an Robert Faber, 24. Dezember 1915, Stadtarchiv Magdeburg, Nachlaß Faber, Rep. 30/174, Bl. 212.

56 Tagebucheintragung vom 26. Oktober 1915, in: Groener, *Lebenserinnerungen*, S. 544.

57 Repräsentativ dafür ist der Eindruck, den Hindenburg auf den Initiator der »Fahrbaren Kriegsbüchereien«, einen Pfarrer namens Ludwig Hoppe, hinterließ. Hoppe hatte Hindenburg am 9. März 1916 aufgesucht, um ihm persönlich eine größere, von Hoppe gesammelte Summe zur Ausrüstung seiner Armeen mit diesen Kriegsbüchereien zu überbringen: Ludwig Hoppe, *Kleine Bilder aus großer Zeit*, Berlin 1939, S. 104–111.

58 Paul Goldmann, *Gespräche mit Hindenburg*, Berlin 1916, S. 38f.

59 Ein Beispiel dafür bei Eisenhart Rothe, *Persönlichkeit*, S. 157.

60 So urteilte Max Hoffmann über die Bemühungen der beiden Staatssekretäre Solf und Helfferich, Hindenburg in Kowno persönlich zu sprechen, in einer Tagebucheintragung vom 30. Juni 1916, in: Nowak, *Hoffmann*, S. 126.

61 In den acht Monaten Aufenthalt in Lötzen (Februar bis Oktober 1915) empfing Hindenburg ausweislich des dafür angelegten Gästebuchs annähernd 150 Gäste; eine entsprechende Gästeliste im Nachlaß Pentz, Schnellhefter »Ehrungen« (Privatbesitz).

62 Über den Besuch informiert ein in der Edition der Hoffmann-Tagebücher ausgelassener

Brief Hoffmanns vom 3. Mai 1916, der wie andere vom Editor Nowak unterdrückte Stellen abgedruckt ist in einem Zeitungsartikel aus der *Frankfurter Allgemeinen Zeitung* vom 10. Januar 1955:»»Ein armer alter Mann ...‹ General Hoffmann über den Feldmarschall von Hindenburg«; Original des Briefes in: BA-MA Freiburg, Nachlaß Hoffmann, Nr. 1, Bl. 37; zu Stinnes Werben um politische Verbündete für diese Position vgl. auch Gerald D. Feldman, *Hugo Stinnes*, München 1998, S. 406f.

63 Diese Begebenheit nach Wilhelm Breucker, *Die Tragik Ludendorffs*, Stollhamm 1953, S. 31f.

64 Rathenaus Bericht über diesen Besuch findet sich in: Rathenau, *Tagebuch*, S. 191–198.

65 Vgl. dazu den Brief Hoffmanns vom 8. Oktober 1915, der die bezeichnende Passage enthält:»Im übrigen ist nach wie vor jeden Tag Besuch hier«, Nowak, *Hoffmann*, S. 94; zu Dernburgs Verwertung seines Besuches vgl. die Tagebucheintragung des Chefredakteurs des *Berliner Tageblatts*, Theodor Wolff, vom 9. November 1915, in: *Theodor Wolff. Tagebücher 1914–1919*, bearb. von Bernd Sösemann, Boppard 1984, S. 308f.

66 Vgl. die Briefe Hoffmanns vom 29. und 30. Juni 1916, ebenda, S. 126.

67 Vgl. die Erinnerungen Haeftens, BA-MA Freiburg, Nachlaß Haeften, Nr. 2, Bl. 98.

68 So auch Brockhusen, *Weltkrieg*, S. 181.

69 Paul Michaelis, *Aus dem Deutschen Osten*, Berlin 1916, S. 105. Michaelis war Kriegsberichterstatter des liberalen *Berliner Tageblatts*; vgl. auch Fritz Hartmann, *Ob-Ost. Friedliche Kriegsfahrt eines Zeitungsmannes*, Hannover 1917, S. 22f. Hartmann war Redakteur des nationalliberal ausgerichteten *Hannoverschen Kuriers*.

70 Repräsentativ ist eine Artikelserie in der *Rheinisch-Westfälischen Zeitung* von Reinhold Wulle, die den bezeichnenden Titel trug»Im Lande Hindenburgs«, vgl. vor allem die erste Folge in Nr. 974 vom 12. Dezember 1916; zur deutschen Kulturmission im Osten vgl. auch die Berichte von Arthur Feiler, der für die liberale *Frankfurter Zeitung* über seine Eindrücke im Lande OberOst schrieb: Arthur Feiler, *Neuland. Eine Fahrt durch Ob. Ost*, Frankfurt a.M. 1917, vor allem S. 10f.

71 Karl Strecker, »Hindenburg als Organisator«, in: *Berliner Illustrirte Zeitung* 149 (1917), S. 452.

72 Vgl. dazu die Tagebuchnotizen Strucks aus dem Juli 1916, in: Hermann Struck, »Aus dem Tagebuch von Hermann Struck«, in: *Bulletin des Leo Baeck Instituts* 71 (1985), S. 57–59.

73 Im Juni 1916 zeichnete Busch auch den damaligen Leiter der Feldpressestelle Walter Bloem, vgl. dazu die Tagebucheintragungen Bloems, in: Stadtarchiv Wuppertal, Nachlaß Bloem, Karton 18: Kriegstagebuch, Bd. 3, Bl. 394.

74 Vgl. zur Produktivität von Arnold Busch: Königliche Akademie, *Kriegsbilder-Ausstellung*, S. 8f., sowie S. 4, 8 und S. 19 des Abbildungsteils; Königliche Akademie der Künste Berlin, *Ausstellung deutscher, österreichisch-ungarischer und bulgarischer Kriegsbilder Mai–Juni 1917*, Berlin 1917, S. 7ff.; Frentz, *Über den Zeiten*, S. 54.

75 Zum Lehnstuhl vgl. die Informationen bei Eisenhart Rothe, *Persönlichkeit*, S. 154.

76 Wiedergabe der am 9. März 1916 von Busch angefertigten Zeichnung in Lindenberg, *Hindenburg-Denkmal*, nach S. 224 (dort allerdings fälschlicherweise nach Lötzen verlegt); eine Vorstudie dieser Arbeit vom 24. Februar 1916 ist abgedruckt in: *Hindenburg-Kalender für Volk und Heer 1917*, hg. von Paul Lindenberg, Berlin 1917, S. 50. Daß sich diese Darstellung mit der vieler Besucher deckte, wird ersichtlich aus Hoppe, *Kleine Bilder*, S. 105.

77 Vgl. etwa die Annonce im *Börsenblatt für den Deutschen Buchhandel* 83 (1916), Ausgabe vom 1. April 1916.

78 Rathenau, *Tagebuch*, S. 194; auch der auf dem östlichen Kriegsschauplatz eingesetzte

Dichter Walter Flex verglich den realen Hindenburg, den er erstmals anläßlich einer Truppeninspektion im April 1916 sah, mit seiner durch die Bilder erzeugten Vorstellung, vgl. dessen Schreiben vom 3. April 1916 an seine Eltern, in: *Hindenburg. Briefe – Reden – Berichte*, hg. von Fritz Endres, Ebenhausen 1934, S. 43–45.

79 Bilder der Enthüllungsfeier u.a. in: *Zeitbilder* Nr. 72 vom 9. September 1915. Beilage zur *Vossischen Zeitung*.

80 Siehe Michael Diers, »Nagelmänner. Propaganda mit ephemeren Denkmälern im Ersten Weltkrieg«, in: *Mo(nu)mente. Formen und Funktionen ephemerer Denkmäler*, hg. von Michael Diers, Berlin 1993, S. 113–135, sowie Gerhard Schneider, »Über hannoversche Nagelfiguren im Ersten Weltkrieg«, in: *Hannoversche Geschichtsblätter* 49 (1995), S. 207–258, hier S. 215f.

81 Vgl. v. Hoegen, *Held von Tannenberg*, S. 143.

82 Vgl. Diers, »Nagelmänner«, S. 131.

83 Ebenda, S. 127.

84 Eine derartige Anzeige des Bekleidungsgeschäftes C&A findet sich u.a. im *Vorwärts* Nr. 277 vom 7. Oktober 1915.

85 Vgl. Schneider, »Nagelfiguren«.

86 Vogel, *Als ich Hindenburg malte*, S. 164.

87 Goldmann, *Gespräche*, S. 50.

88 Dazu auch v. Hoegen, *Held von Tannenberg*, S. 143–147.

89 Auf diese Funktion der Nagelfiguren weist hin Schneider, »Nagelfiguren«, S. 217 und S. 257.

90 »Vor unserem alten Siegesmale haben wir ein Bildnis aufgerichtet, bestimmt, die Dankbarkeit des Volkes zu werktätiger Liebe zu sammeln«: Ansprache Bethmann Hollwegs in: *Bethmann Hollwegs Kriegsreden*, hg. von Friedrich Thimme, Stuttgart 1919, S. 63; vgl. auch Karl-Heinz Janßen, *Der Kanzler und der General. Die Führungskrise um Bethmann Hollweg und Falkenhayn (1914–1916)*, Berlin 1967, S. 156; siehe auch das Schreiben des bayerischen Gesandten in Berlin, Lerchenfeld, an den bayerischen Ministerpräsidenten Hertling, 4. September 1915, in: *Briefwechsel Hertling – Lerchenfeld*, Bd. 1, hg. von Ernst Deuerlein, Boppard 1973, S. 534.

91 Er folgte daher auch nicht wohlgemeinten Ratschlägen, »bei der Durchfahrt durch Berlin einen Nagel zum eisernen Hindenburg« beizutragen, weil er Hindenburg nicht durch eine solch demonstrative Geste noch weiter aufwerten wollte; der Ratschlag stammte von Professor Theodor Schiemann, einem politisch einflußreichen Osteuropahistoriker an der Berliner Universität, in einem Schreiben an den kaiserlichen Gesandten Treutler, 6. Oktober 1915, in: Janßen, *Die graue Exzellenz*, S. 230.

92 Ein Vortrag des Gothaer Pfarrers Frädrich bei einer Lutherfeier am 10. November 1915 stellte Hindenburg mit Luther auf eine Stufe: beides seien »Urbilder deutscher Art«, die den Kern des deutschen Wesens verkörperten, »so schlicht und gemütstief, so treu und stahlhart, so ohne alles Scheinen und Prunken«, Frädrich, *Luther*, S. 7 und S. 30.

93 Einige repräsentative Glückwünsche zu seinem 68. Geburtstag am 2. Oktober 1915 finden sich in: *Magdeburgische Zeitung* Nr. 735 vom 2. Oktober 1915: »Hindenburg. Der Mensch«; »Unserm Hindenburg«, in: *Hannoverscher Kurier* Nr. 32032 vom 2. Oktober 1915.

94 »So ist der Name Hindenburg auch für unser Leben im Innern zu einem Symbol des Fortschrittes, der Zukunft, des Friedens und der Kultur geworden, und gerade diejenige Partei, die in diesen Friedenszielen ihre höchste Aufgabe sieht, wird ihm zu besonderem Dank

verpflichtet sein und seines Wesens Kern am besten verstehen und würdigen«, Max Grunwald, »Hindenburg«, in: *Die Glocke* 1 (1915/16), S. 217–220, hier S. 220.

95 Eggert Windegg, *Briefe von Walter Flex*, S. 199.

96 Erich Everth, »Hindenburgs Schicksal«, in: *Der Türmer* 17 (1915), S. 303.

97 Karl von Fabeck schrieb am 2. Oktober 1915 lapidar in sein Tagebuch: Hindenburg »ist doch nun mal der Nationalheld geworden«, Tagebuch Fabeck, Kladde 2 (Privatbesitz); vgl. auch die Einschätzung des Fürsten Ernst zu Hohenlohe-Langenburg, der festes Mitglied von Hindenburgs Tafelrunde war: Hindenburg »ist und bleibt nun einmal der Nationalheld dieses Krieges, nicht nur wegen seiner Siege, sondern ebensosehr wegen seiner Persönlichkeit, die diejenigen Eigenschaften verkörpert, welche der Deutsche am meisten liebt«: Hohenlohe an Cosima Wagner, 16. Dezember 1915, in: Wagner, *Briefwechsel*, S. 347.

98 Vgl. dazu Ludwig, *Hindenburg*, S. 79; vgl. auch Hindenburgs Äußerung zum Wiener Journalisten Goldmann im November 1915: »Der Krieg bekommt mir wie eine Badereise«, Goldmann, *Gespräche*, S. 39.

99 Dazu siehe Oberförster Hausendorff, »Hindenburg und die Jagd«, in: Loebell, *Hindenburg*, S. 269–279, hier S. 271; vgl. auch Ybarra, *Hindenburg*, S. 17f.

100 Am 26. September 1914 einen Vierzehnender und am Tage darauf einen Zwölfender, vgl. eine entsprechende Notiz vom 31. August 1934 für den Fürsten Donnersmarck aufgrund telefonischer Auskunft der Forstinspektion aus Neudeck in Oberschlesien, wo der Fürst begütert war (Privatarchiv des Fürsten Donnersmarck, Rottach-Egern, Privatkorrespondenz 1934, Buchstabe »H«).

101 Vgl. dazu Brockhusen, *Weltkrieg*, S. 53.

102 Vgl. das Schreiben Hindenburgs an Ernst zu Hohenlohe-Langenburg, 21. September 1915, in: Hohenlohe-Zentralarchiv Neuenstein, Nachlaß Ernst zu Hohenlohe-Langenburg, Korrespondenz mit Hindenburg.

103 Hindenburg an Schorlemer-Lieser, 28. August 1915, Landeshauptarchiv Koblenz, Bestand 700, 234, Nr. 1.

104 Vgl. dazu die Zuschrift eines namentlich nicht genannten früheren Mitarbeiters Ludendorffs, in: *Am Heiligen Quell Deutscher Kraft* 5 (1934/35), Folge 20 vom 20. Januar 1935, S. 794.

105 Am Vorabend der Elchjagd sprach er im Kreise seiner engsten Mitarbeiter von seinen Jagderlebnissen; »seine Augen leuchten ordentlich vor Vergnügen«, Vogel, *Als ich Hindenburg malte*, S. 167.

106 So berichtete sein Vertrauter Hugo Vogel am 13. September 1915, ebenda, S. 168.

107 Bericht Vogels vom 15. September 1915, ebenda, S. 171.

108 Abgedruckt ebenda, S. 173.

109 Abdruck dieses Lichtbildes in: *Am Heiligen Quell Deutscher Kraft* 5 (1934/35), S. 872.

110 Vgl. dazu Escherichs Erinnerungen »Auf den Wisent«, in: Bayerisches Hauptstaatsarchiv München, Nachlaß Escherich 21, Bl. 194ff.

111 Vgl. die Schreiben der Tochter Irmengard an Hindenburg, 12. und 26. November 1915 (Privatbesitz).

112 So entsprechende Erinnerungen Escherichs, Bayerisches Hauptstaatsarchiv München, Nachlaß Escherich 18, Bl. 191; eine ausführliche Beschreibung der Wisentjagd auch bei Georg Escherich, *Im Urwald*, Berlin 1927, S. 134–146.

113 Goldmann, *Gespräche*, S. 40.

114 Vgl. Vogel, *Als ich Hindenburg malte*, S. 200; zur fehlgeschlagenen Wolfsjagd äußerte sich

Hindenburg gelegentlich in Tischgesprächen, z.B. gegenüber dem katholischen Feldgeist-lichen im Allerhöchsten Hauptquartier, Ludwig Berg, am 11. Mai 1917; stichwortartige Wiedergabe dieses Gesprächs in: »*Pro Fide et Patria!*«. *Die Kriegstagebücher von Ludwig Berg 1914/18*, bearb. von Frank Betker und Almut Kriele, Köln 1998, S. 449f.; vgl. auch Fritz Skowronnek, »Hindenburg und das deutsche Weidwerk«, in: *Das Hindenburg-Jahrbuch 1926*, S. 65–69. Wie sehr ihn dieses Thema beschäftigte, wird auch ersichtlich aus seinen Briefen an Tochter Irmengard, 11. Februar 1916 und 30. März 1916 (Privatbesitz).

115 Vgl. Schulenburg, *Welt um Hindenburg*, S. 116.

116 Mitgeteilt bei Görlitz, *Hindenburg*, S. 109.

117 Im Juni 1916 fuhr Hindenburg zu diesem Zweck von Kowno nach Ostpreußen, wo sich seine Frau beim Grafen Dönhoff einquartiert hatte, vgl. den Brief Hoffmanns vom 8. Juni 1916, in: *Frankfurter Allgemeine Zeitung* (künftig abgekürzt als *FAZ*) vom 10. Januar 1955 (wie Anm. 62).

118 Ebenda; Original dieses Schreibens im BA-MA Freiburg, Nachlaß Hoffmann 1, Bl. 28.

119 Vgl. dazu verschiedene Zeugnisse des Fürsten Hohenlohe-Langenburg, der Hindenburg aus nächster Nähe beobachtete, so etwa die Eintragungen in seinen Tageskalender vom 7. Dezember 1915 und vom 25. April 1916, in: Hohenlohe-Zentralarchiv Neuenstein; siehe auch sein Schreiben an Cosima Wagner vom 16. Dezember 1915, in: Wagner, *Briefwechsel*, S. 346f., sowie die Mitteilung in den Erinnerungen des mit Hindenburg befreundeten Ge-nerals Bernhardi: Bernhardi, *Denkwürdigkeiten*, S. 416; siehe auch Hindenburgs Äußerun-gen gegenüber dem ihn in Kowno modellierenden Bildhauer Hugo Lederer: »Besuch bei Hugo Lederer«, in: *Die Neue Zeit* vom 20. April 1934.

120 Vgl. dazu Nowak, *Hoffmann*, S. 88f., und Görlitz, *Regierte der Kaiser?*, S. 131.

121 Überliefert bei Frentz, *Ludendorff*, S. 174.

122 Wiedergegeben ebenda, S. 178.

123 Vgl. Nowak, *Hoffmann*, S. 118f.

124 Ebenda; vgl. auch die Tagebucheintragung von Admiral Müller vom 29. Mai 1916, in: Gör-litz, *Regierte der Kaiser?*, S. 185f.

125 Wiedergabe gemäß der offiziösen Schrift von Bogdan Krieger, *Der Kaiser im Felde*, Berlin 1917, S. 415; diese Wiedergabe stimmt in den entscheidenden Passagen nahezu wörtlich überein mit dem Redetext, den der bei der Abendtafel anwesende Schwiegersohn Hinden-burgs und drei weitere Personen nach dem Gedächtnis rekonstruierten, abgedruckt in Brockhusen, *Weltkrieg*, S 187.

126 Wortlaut dieses Trinkspruchs überliefert bei Vogel, *Als ich Hindenburg malte*, S. 91; über-zeugende Interpretation dieses Trinkspruchs bei Ludwig, *Hindenburg*, S. 94.

127 Vogel, *Als ich Hindenburg malte*, S. 181.

128 Text der Rede Ludendorffs bei Eisenhart Rothe, »Hindenburg und Ludendorff«, S. 238f.; vgl. auch Frentz, *Ludendorff*, S. 188; Abbildung der Statuette bei Ginschel, *Hindenburg*, S. 176.

129 Frentz, *Über den Zeiten*, S. 63.

130 Repräsentativ für diese harmonisierende Sichtweise ist Hans von Haeften, *Hindenburg und Ludendorff als Feldherren*, Berlin 1937, vor allem S. 33–54.

131 Hindenburg, *Aus meinem Leben*, S. 78f. (dort alle Zitate).

132 Ludendorff, *Kriegserinnerungen*, S. 9.

133 Entwurf eines Schreibens von Hedin an Ludendorff, 25. Januar 1919, auszugsweise abge-druckt bei James Cavallie, *Ludendorff und Kapp in Schweden*, Frankfurt a.M. 1995, S. 81;

zur Überarbeitung des Manuskripts in einem Hindenburg freundlichen Sinne vgl. auch ebenda, S. 79–87; siehe auch die etwas verklausulierten Ausführungen bei Hedin, *Fünfzig Jahre*, S. 181ff.

134 Zitiert nach Cavallie, *Ludendorff*, S. 86.

135 Dieses Schreiben Ludendorffs an Wyneken vom 20. Februar 1916 ist abgedruckt bei Knesebeck, *Die Wahrheit*, S. 155.

136 Darüber informiert der bezeichnenderweise in der Edition nicht abgedruckte Brief Hoffmanns an seine Frau vom 4. Juni 1916, *FAZ* vom 10. Januar 1955 (wie Anm. 62); Original im BA-MA Freiburg, Nachlaß Max Hoffmann, Nr. 1, Bl. 40.

137 Darüber berichtet auch Wolfgang Foerster, *Der Feldherr Ludendorff im Unglück*, Wiesbaden 1952, S. 19.

138 Vogels Beobachtung datiert vom 16. September 1915, in: Vogel, *Als ich Hindenburg malte*, S. 175.

KAPITEL 8
Der Durchbruch: Ernennung zum Chef der OHL

1 Grundlegend zum Kalkül Bethmann Hollwegs ist Karl-Heinz Janßen, »Der Wechsel in der Obersten Heeresleitung 1916«, in: *Vierteljahrshefte für Zeitgeschichte* 7 (1959), S. 337–371, vor allem S. 339–344.

2 Zur Reisetätigkeit Ludendorffs und zu seinem unbändigen Tatendrang im Oktober/November 1915 vgl. die erhellenden Informationen bei Nowak, *Hoffmann*, S. 96ff.

3 Vgl. dazu das Schreiben des nationalliberalen Politikers Kilburger, der als Major im Osten engen Kontakt zu Ludendorff unterhielt, an den nationalliberalen Parteiführer Bassermann, 24. Januar 1916, Stadtarchiv Magdeburg, Rep. 30/361, Bd. 1, Bl. 179.

4 Über seine Unterredung mit dem Reichskanzler spricht sich Ludendorff in einem Schreiben vom 21. Dezember 1915 an seinen Bekannten Wyneken aus, abgedruckt bei Knesebeck, *Die Wahrheit*, S. 151 (dort auch das Zitat); auszugsweise wiedergegeben bei Ritter, *Staatskunst*, Bd. 3, S. 30f.; vgl. weiterhin das Schreiben Wynekens an seinen Vertrauten Robert Faber, 24. Dezember 1915, Stadtarchiv Magdeburg, Rep. 30/174, Bl. 211ff. Auch der Bassermann-Vertraute Major Kilburger wurde von Ludendorff persönlich über die Unterredung mit dem Reichskanzler unterrichtet, vgl. das vertrauliche Schreiben Kilburgers an Bassermann vom 19. Dezember 1915, ebenda, Rep. 30/391, Bd. 1, Bl. 64.

5 Bethmann Hollweg legte sich in seiner Reichstagsrede vom 9. Dezember 1915 inhaltlich nicht auf bestimmte Kriegsziele fest, ließ aber durchblicken, daß die militärischen Erfolge der letzten Zeit das Deutsche Reich in die Lage versetzten, territoriale Garantien für einen künftigen Frieden zu verlangen: Thimme, *Kriegsreden*, S. 79–88.

6 Zur Kriegszieldiskussion vgl. Wehler, *Gesellschaftsgeschichte*, Bd. 4, S. 30ff.; zum Diskussionsspielraum unter den Bedingungen militärischer Zensur siehe Creutz, *Pressepolitik*, S. 185ff.

7 Goldmann, *Gespräche*, S. 43.

8 Vgl. dazu das vertrauliche Schreiben Kilburgers an Bassermann, 19. Dezember 1915, Stadtarchiv Magdeburg, Rep. 30/391, Bd. 1, Bl. 68.

9 Verhandlungen des Reichstags, XIII. Legislaturperiode, II. Session, Bd. 306, Berlin 1916, S. 735.

10 Goldmann, *Gespräche.*

11 Vgl. die Rede des nationalliberalen Parteivorsitzenden Bassermann auf der Sitzung des Zentralvorstandes seiner Partei am 21. Mai 1916, in: *Von Bassermann zu Stresemann. Die Sitzungen des nationalliberalen Zentralvorstandes 1912–1917,* bearb. von Klaus-Peter Reiß, Düsseldorf 1967, S. 242.

12 Typisch ist der Kommentar von Georg Engel, der eine Chronik des Krieges herausgab: »Ich habe die große Freude, Hindenburgs Ausspruch zu einem Vertreter der Neuen Freien Presse zu lesen«: Georg Engel, *1914–1916. Ein Tagebuch,* Bd. 4, Braunschweig 1916, S. 1461.

13 Gegenüber dem einflußreichen Kriegsberichterstatter Rolf Brandt verglich Hindenburg den Krieg mit einem Schachspiel, bei dem man klaren Kopf behalten und kaltblütig zum entscheidenden Zeitpunkt den richtigen Zug machen müsse: Rolf Brandt, *Abschied von Hindenburg,* Berlin 1934, S. 13.; vgl. auch Hindenburgs Credo gegenüber Hugo Vogel am 13. April 1915: »Ruhe ist heute die Hauptsache. Den Krieg gewinnt, wer die besten Nerven behält«, Vogel, *Als ich Hindenburg malte,* S. 92.

14 Goldmann, *Gespräche,* Titelblatt.

15 So Max Hoffmann am 19. November 1915 brieflich an seine Frau, in: Nowak, *Hoffmann,* S. 99.

16 So der Festredner Freiherr von Vietinghoff-Scheel auf der Hindenburg-Geburtstagsfeier in Hannover nach dem Bericht im *Hannoverschen Kurier* Nr. 32034 vom 3. Oktober 1915.

17 Hindenburg an seine Frau, 21. Februar 1915, bei Hubatsch, *Hindenburg und der Staat,* S. 20; vgl. auch ein weiteres Schreiben an dieselbe, 31. Dezember 1916, ebenda, S. 21f.; siehe weiterhin sein Schreiben an den für einen Verständigungsfrieden eintretenden Hermann Fürst von Hatzfeldt-Trachenberg, 22. Mai 1915, Abschrift in: BA Koblenz, Nachlaß Valentini, Nr. 210, Bl. 21.

18 Ebenda, vgl. auch seine Äußerung zu Hugo Vogel am 22. Februar 1915, Vogel, *Als ich Hindenburg malte,* S. 66.

19 So legt es Hubatsch, *Hindenburg und der Staat,* S. 20f., nahe.

20 Hindenburg an Tramm, 9. August 1915, Stadtarchiv Hannover, Nachlaß Tramm.

21 Ebenda.

22 Zu Hindenburgs Verlangen nach einer militärstrategisch motivierten Grenzkorrektur im Osten vgl. auch Imanuel Geiss, *Der polnische Grenzstreifen 1914–1918,* Lübeck 1963, S. 99.

23 Hindenburg an Tramm, 16. Dezember 1915, Stadtarchiv Hannover, Nachlaß Tramm.

24 Hindenburg an Tramm, 20. Juni 1916, ebenda.

25 Ludendorff an Delbrück, 29. Dezember 1915, abgedruckt bei Zechlin, »Ludendorff«, S. 224ff.

26 »Meine unmaßgebliche Ansicht – denn ich will kein politischer General sein – ist die …«: Hindenburg an Tramm, 9. August 1915, Stadtarchiv Hannover, Nachlaß Tramm.

27 »Doch, ich fange an zu politisieren und das will ich eigentlich nicht« – so die bezeichnende Äußerung, nachdem er auf zwei Seiten detailliert zu den Kriegszielen Stellung bezogen hatte: Hindenburg an Tramm, 18. Dezember 1915, ebenda.

28 Brockhusen an seine Frau, 26. Juni 1915, Brockhusen, *Weltkrieg,* S. 68f.

29 Vgl. dazu auch Bruendel, *Volksgemeinschaft,* S. 192f.

30 »Möge uns der Geist von 1914/15 erhalten bleiben!«, in Faksimile abgedruckt in: *Der Weltkrieg im Bild.* Sammelbeilage zur *Bayerischen Krieger-Zeitung* Nr. 1 vom Juli 1924.

31 Vgl. dazu das Schreiben des Unterstaatssekretärs in der Reichskanzlei, Wahnschaffe, an Valentini, 29. Juni 1915, in: BA Koblenz, Nachlaß Valentini, Nr. 208, Bl. 14–18.

928 ANHANG

32 Goldmann, *Gespräche*, S. 51.
33 Vgl. dazu den Hintergrundbericht Everths für seinen Verleger Faber, 21. Juni 1916, Stadt-archiv Magdeburg, Rep. 30/212, Bl. 132, sowie den Bericht des württembergischen Gesand-ten in Berlin an Ministerpräsident Weizsäcker, 29. Mai 1916, in: Janßen, *Kanzler*, S. 291.
34 Zur Brussilow-Offensive vgl. Afflerbach, *Falkenhayn*, S. 410–417; Ritter, *Staatskunst*, Bd. 3, S. 223ff.; *Der Weltkrieg 1914–1918*. Bd. 10: *Die Operationen des Jahres 1916*, hg. vom Reichs-archiv, Berlin 1936, S. 439–523.
35 Vgl. sein entsprechendes Telegramm für General von Lyncker vom 23. Juni 1916, abge-druckt bei Janßen, *Graue Exzellenz*, S. 242f.; einige Tage zuvor hatte er sich auch bei dem in diesen Fragen allerdings nicht zuständigen Chef des Zivilkabinetts für Hindenburg als Oberbefehlshaber des gesamten Ostens verwandt: Bethmann Hollweg an Valentini, 14. Juni 1916, in Schwertfeger, *Kaiser*, S. 229f.
36 So auch die Darstellung in seinen Memoiren: Theobald von Bethmann Hollweg, *Betrach-tungen zum Weltkriege*, Berlin 1921, S. 175.
37 Vgl. sein resignierendes Eingeständnis: »Ich muß mir sagen, daß ich wahrscheinlich alles verderbe, wenn ich eingreife, muß die Hände in den Schoß legen!«, Bethmann Hollweg an Valentini, 10. Juli 1916, in: Schwertfeger, *Kaiser*, S. 235.
38 Tagebuch Müller, 3. Juli 1916, bei Görlitz, *Regierte der Kaiser?*, S. 200; vgl. auch Janßen, *Kanzler*, S. 218f., sowie die Aufzeichnungen des preußischen Kriegsministers Wild bei Gra-nier, *Wild*, S. 172–175; siehe ebenfalls Ritter, *Staatskunst*, Bd. 3, S. 234f., sowie die Tagebuch-aufzeichnung Valentinis vom 4. Juli 1916, in: BA Koblenz, Nachlaß Valentini, Nr. 214, Bl. 11 Rückseite.
39 Vgl. Janßen, *Kanzler*, S. 226f. und S. 296–301; Granier, *Wild*, S. 178f.; *Der Weltkrieg*, Bd. 10, S. 528f.
40 Zu den militärischen Entwicklungen vgl. *Der Weltkrieg*, Bd. 10, S. 516ff.
41 Ebenda, S. 529f.; Janßen, *Kanzler*, S. 225–231; Ritter, *Staatskunst*, Bd. 3, S. 240.
42 So Lyncker in einem Brief an seine Frau, 23. Juli 1916, bei Afflerbach, *Kriegsherr*, S. 401; vgl. auch die Tagebuchaufzeichnung Wilds vom 23. Juli 1916, in: Granier, *Wild*, S. 179.
43 Dies geht auch aus den Tagebuchaufzeichnungen von Admiral Müller hervor, in: Görlitz, *Regierte der Kaiser?*, S. 204f.
44 Hierzu Ritter, *Staatskunst*, Bd. 3, S. 239, und Janßen, *Kanzler*, S. 232f., sowie W. Solger, »Schilderung der Vorgänge, die zur Enthebung des Generals von Falkenhayn von seiner Stellung als Chef des Generalstabes des deutschen Feldheeres geführt haben«, eine Ende 1934 entstandene Forschungsarbeit für den Band 10 der Historischen Abteilung des Reichsarchivs, in: BA-MA Freiburg, W 10/50710, hier Bl. 170f.
45 So der Kanzler in seinem entscheidenden Vortrag beim Kaiser am 26. Juli 1916 in Pleß gemäß der Tagebucheintragung Admiral Müllers vom selben Tage, in: Görlitz, *Regierte der Kaiser?*, S. 206; vgl. auch die Tagebucheintragung Valentinis vom 26. Juli: »Kanzler in höchstem Zorn, spricht sehr erregt mit S.M., dem nichts geschenkt wird«, in: BA Koblenz, Nachlaß Valentini, Nr. 214, Bl. 12 Rückseite.
46 Daher hat Bethmann Hollweg bereits in Pleß durchblicken lassen, daß er demnächst in der Friedensfrage initiativ werden wolle, vgl. Janßen, *Kanzler*, S. 235f.
47 *Der Weltkrieg*, Bd. 10, S. 532f.; Ritter, *Staatskunst*, Bd. 3, S. 241.
48 So auch der Tenor der Ausarbeitung von Solger (wie Anm. 44), vor allem Bl. 178.
49 Brief Hoffmanns an seine Frau, 7. Juli 1916, bei Nowak, *Hoffmann*, S. 129.
50 Brief Hoffmanns, 26. Juli 1916, ebenda, S. 132.

51 Über den Verlauf dieser Unterredung sind wir nur spärlich informiert. Über den Inhalt drang immerhin einiges nach außen, da der Unterstaatssekretär des Auswärtigen Amtes Zimmermann, der wohl aufgrund seiner engen Kontakte zur Kaiserin ins Vertrauen gezogen worden war, vertrauliche Informationen an Robert Faber, mit dem er seit Kriegsbeginn einen vertrauensvollen Austausch pflegte, weitergeben konnte. Das Informationsgespräch vom 15. August 1916 enthielt unter anderem eine Darstellung der Unterredung von Pleß, in: Stadtarchiv Magdeburg, Nachlaß Faber, Rep. 30/211, Bl. 246. Der Chef des Marinekabinetts Müller erwähnt in seinem Tagebuch vom 27. Juli 1916 »scharfe Auseinandersetzungen zwischen den beiden Parteien Hindenburg und Falkenhayn ... mit Ludendorff und Falkenhayn als Wortführern«, in: Görlitz, *Regierte der Kaiser?*, S. 206; vgl. auch die Tagebucheintragung Plessens vom 27. Juli 1916, in: Afflerbach, *Kriegsherr*, S. 866f.

52 Tagebuchaufzeichnung Wilds vom 27. Juli 1916, *in:* Granier, *Wild*, S. 183.

53 Brief Hoffmanns vom 31. Juli 1916, bei Nowak, *Hoffmann*, S. 132.

54 So Hohenlohe-Langenburg in einem Brief an Cosima Wagner, 21. August 1916. Hohenlohe hatte den Abend mit Hindenburg nach dessen Rückkehr aus Pleß verbracht, in: Wagner, *Briefwechsel*, S. 353; zur Stimmungslage vgl. auch den Brief der Tochter Irmengard an Hindenburg, 2. August 1916 (Privatbesitz).

55 »Hindenburg«, in: *Hamburger Fremdenblatt* Nr. 213A vom 3. August 1916.

56 Hindenburg an Hans-Joachim von Brockhusen, 17. August 1916 (Privatbesitz).

57 Zu den Kämpfen am Isonzo und an der Somme vgl. *Der Weltkrieg*, Bd. 10, S. 325–389 und S. 591–595; Afflerbach, *Falkenhayn*, S. 417ff., Peter Graf Kielmansegg, *Deutschland und der Erste Weltkrieg*, Frankfurt a.M. 1968, S. 317ff.

58 So auch Janßen, *Kanzler*, S. 238f.

59 Vgl. dazu die Tagebucheintragung Wilds vom 6. August 1916, in: Granier, *Wild*, S. 188.

60 Vgl. die Briefe Hoffmanns vom 14., 15. und 16. August 1916, in: Nowak, *Hoffmann*, S. 134f.

61 Telegramm Hindenburgs an Wilhelm II., 12. August 1916, auszugsweise abgedruckt in: *Der Weltkrieg*, Bd. 10, S. 559; vgl. auch Janßen, *Kanzler*, S. 240f.

62 Vgl. den undatierten, aber aufgrund innerer Kriterien auf den 20. August 1916 zu datierenden Brief Hoffmanns an seine Frau, bei Nowak, *Hoffmann*, S. 136 (dort fälschlicherweise auf den 17. August datiert); vgl. zur richtigen Datierung auch Janßen, *Kanzler*, S. 245, Anm. 26; Original des Briefes in: BA-MA Freiburg, Nachlaß Hoffmann, Nr. 1, Bl. 50.

63 Hoffmann an seine Frau, 18. August 1916, abgedruckt in: *FAZ* vom 10. Januar 1955, auch auszugsweise zitiert bei Janßen, *Kanzler*, S. 245; vgl. auch einen weiteren Brief Hoffmanns an seine Frau vom 23. August 1916, bei Nowak, *Hoffmann*, S. 137.

64 Abschrift des Telegramms von Hindenburg an Lyncker vom 19. August 1916 in: BA-MA Freiburg, W 10/50692, Anlage 494; auszugsweise wiedergegeben in: *Der Weltkrieg*, Bd. 10, S. 636.

65 Abschrift dieses Telegramms von Wilhelm II. an Hindenburg in: BA-MA Freiburg, W 10/50692, Anlage 495; auszugsweise zitiert in: *Der Weltkrieg*, Bd. 10, S. 636f.

66 Im handschriftlichen Entwurf hatte Hindenburg ursprünglich formuliert: »mit tiefem Schmerz und schwerer Sorge für die Zukunft erfüllt hat«; in faksimilierter Form ist dieser Entwurf zu finden in Breucker, *Die Tragik Ludendorffs*, S. 43f., dort S. 41f. auch das endgültig abgegangene Schreiben Hindenburgs an den Kaiser.

67 Abschrift dieses Schreibens von Hindenburg an den Kaiser vom 20. August 1916 in: BA-MA Freiburg, W 10/50692, Anlage 500.

68 Brief Hoffmanns an seine Frau, 22. August 1916, in: *FAZ* vom 10. Januar 1955.

69 »Großen Eindruck wird er nicht machen«, Hoffmann an seine Frau, 21. August 1916, bei Nowak, *Hoffmann*, S. 136.

70 Vgl. die Marginalien Falkenhayns auf dem Schreiben Hindenburgs, in: BA-MA Freiburg, W 10/50692, Anlage 500.

71 Vgl. das Schreiben Hoffmanns an seine Frau, 24. August 1916, bei Nowak, *Hoffmann*, S. 137.

72 So das übereinstimmende Urteil bei: Schwertfeger, *Kaiser*, S. 138; Janßen, *Kanzler*, S. 248.

73 Vgl. dazu auch den resigniert klingenden Brief des Reichskanzlers an Staatssekretär Jagow, 23. August 1916, abgedruckt bei Janßen, *Kanzler*, S. 301.

74 Tagebucheintragung Admiral Müllers, 23. August 1916, in: Görlitz, *Regierte der Kaiser?*, S. 213.

75 Vgl. Janßen, *Kanzler*, S. 249.

76 Afflerbach, *Falkenhayn*, S. 447.

77 Tagebucheintragung des anwesenden Admirals Müller vom 27. August 1916, in: Görlitz, *Regierte der Kaiser?*, S. 216; vgl. auch die spätere Aufzeichnung Valentinis, bei Schwertfeger, *Kaiser*, S. 139.

78 Ähnlich argumentiert auch Janßen, *Kanzler*, S. 249f.

79 Lyncker an seine Frau, 29. August 1916, in: Afflerbach, *Kriegsherr*, S. 418.

80 Lyncker an seine Frau, 30. August 1916, ebenda, S. 419.

81 Der Verlauf der zum Rücktritt Falkenhayns führenden Ereignisse ist rekonstruiert nach: Tagebucheintragung Müllers vom 28. August 1916, in: Görlitz, *Regierte der Kaiser?*, S. 216; Tagebucheintragung Wilds vom selben Tag, in: Granier, *Wild*, S. 197ff.; Aufzeichnung Valentinis, in: Schwertfeger, *Kaiser*, S. 139f.; Tagebuch Plessens vom 28. und 29. August, in: Afflerbach, *Kriegsherr*, S. 872f., Ausarbeitung Solgers, in: BA-MA Freiburg, W 10/50710, Bl. 183–186; Janßen, *Kanzler*, S. 250ff., Afflerbach, *Falkenhayn*, S. 447–450.

82 Diese Äußerung Falkenhayns fiel bei einer Unterredung zwischen Falkenhayn, Bethmann Hollweg und dem Kaiser im Park von Pleß, überliefert ist sie in einem Schreiben des Grafen von Zech-Burkersroda, des Schwiegersohns und Adjutanten des Reichskanzlers, an Haeften vom 19. Dezember 1930: BA-MA Freiburg, W 10/50688, Bl. 42f.; sie wird zitiert auch bei Janßen, *Kanzler*, S. 235, der die Unterredung jedoch auf den Juli 1916 datiert. Eine Eintragung im Tagebuch Valentinis vom 22. August 1916 (»Zusammentreffen mit S.M. und Falkenhayn«) läßt jedoch den Schluß zu, daß diese Dreierrunde sich am Nachmittag des 22. August im Schloßpark von Pleß traf: BA Koblenz, Nachlaß Valentini, Nr. 214, Bl. 13.

83 Bei Görlitz, *Regierte der Kaiser?*, S. 217.

84 Ebenda.

85 Hindenburg an Hans-Joachim von Brockhusen, 27. August 1916 (Privatbesitz).

86 Vgl. den Brief Hoffmanns an seine Frau vom 31. August 1916, bei Nowak, *Hoffmann*, S. 138.

87 Hindenburg an seine Frau, 29. August 1916, abgedruckt bei Hubatsch, *Hindenburg und der Staat*, S. 164.

88 Ebenda, S. 162.

KAPITEL 9
Labiles Zweckbündnis: Hindenburg und Bethmann Hollweg

1 Beste Charakterisierung der Politik Bethmann Hollwegs bei Günter Wollstein, *Theobald von Bethmann Hollweg*, Göttingen 1995, S. 130ff. Insofern trifft die verbreitete Charakterisierung Bethmann Hollwegs als initiativloser Reichskanzler, dessen Politik sich in perspektivlosem Krisenmanagement erschöpft habe, nicht den Kern; diese Sicht u.a. bei Wilhelm Deist,»Voraussetzungen innenpolitischen Handelns des Militärs im Ersten Weltkrieg«, in: ders., *Militär, Staat und Gesellschaft*, München 1991, S. 103–152, hier S. 146f.

2 Vgl. Wehler, *Gesellschaftsgeschichte*, Bd. 4, S. 112f.; siehe auch Michael Geyer,»German Strategy in the Age of Machine Warfare, 1914–1945«, in: *Makers of Modern Strategy*, hg. von Peter Paret, Princeton 1986, S. 527–597, hier S. 538f.

3 Vgl. den Brief Hindenburgs an seine Frau, 29. August 1916, bei Hubatsch, *Hindenburg und der Staat*, S. 162ff.

4 Siehe hierzu Ritter, *Staatskunst*, Bd. 3, S. 124–142.

5 Vgl. Afflerbach, *Falkenhayn*, S. 294–305.

6 Vgl. den Bericht des bayerischen Gesandten in Berlin, Lerchenfeld, an den bayerischen Ministerpräsidenten Hertling über dessen Unterredung mit dem Reichskanzler, 21. Oktober 1916, in: Deuerlein, *Briefwechsel*, S. 760ff.

7 Vgl. Ludwig, *Hindenburg*, S. 119; insbesondere in nationalliberalen Kreisen galt Hindenburg als Ostexperte, vgl. dazu die Ausführungen Bassermanns auf der Sitzung des Zentralvorstands seiner Partei am 21. Mai 1916, bei Reiß, *Bassermann*, S. 239.

8 Vgl. Geiss, *Grenzstreifen*, S. 72f.

9 Ebenda, S. 99.

10 Vgl. Werner Conze, *Polnische Nation und deutsche Politik im Ersten Weltkrieg*, Köln 1958, S. 195.

11 Die Einlassungen Ludendorffs zur polnischen Frage sind eindeutig, vgl. nur seine Schreiben an Wyneken vom September 1915 und 23. Juli 1916, in: Knesebeck, *Die Wahrheit*, S. 150 und S. 158; siehe auch sein Schreiben an Delbrück vom 29. Dezember 1915, bei Zechlin, *Krieg*, S. 224f., sowie den Bericht des nationalliberalen Vertrauensmannes Kilburger an Bassermann über eine vertrauliche Unterredung mit Ludendorff, 19. Dezember 1915, Stadtarchiv Magdeburg, Rep. 30/391, Bd. 1, Bl. 67.; vgl. auch Brockhusen, *Weltkrieg*, S. 177, sowie Conze, *Polnische Nation*, S. 194f.

12 Eindeutig sind hierzu seine Aussagen in dem Schreiben an seine Frau vom 8. November 1916, zitiert nach: Hubatsch, *Hindenburg und der Staat*, S. 18.

13 Vgl. dazu sein Schreiben an den ehemaligen preußischen Kultusminister von Studt, 24. September 1917, ebenda, S. 154f.

14 Hindenburg, *Aus meinem Leben*, S. 203.

15 Conze, *Polnische Nation*, S. 195f.

16 Vgl. dazu das Protokoll einer vertraulichen Besprechung des Reichskanzlers mit Pressevertretern vom 26. Oktober 1916, Stadtarchiv Magdeburg, Nachlaß Robert Faber, Rep. 30/211, Bl. 249; siehe auch Conze, *Polnische Nation*, S. 196, sowie Ritter, *Staatskunst*, Bd. 3, S. 266ff.

17 Brockhusen, *Weltkrieg*, S. 179.

18 Vgl. Kuno Graf Westarp, *Konservative Politik im letzten Jahrzehnt des Kaiserreiches*, Bd. 2, Berlin 1935, S. 64ff.

19 Vgl. Conze, *Polnische Nation*, S. 204.

20 Vgl. dazu die ungedruckten Erinnerungen Loebells, BA Koblenz, Nachlaß Loebell, Nr. 27, Bl. 137f.; siehe auch Ludendorff, *Kriegserinnerungen*, S. 316.
21 Vgl. sein Hintergrundgespräch mit ausgewählten Pressevertretern am 26. Oktober 1916, Aufzeichnung in: Stadtarchiv Magdeburg, Rep. 30/211, Bl. 246–251; vgl. auch seine Besprechung mit Vertretern sämtlicher Berliner Zeitungen und einiger Provinzblätter vom 29. Oktober 1916, Niederschrift in: BA Koblenz, Nachlaß Bülow, Nr. 50, Bl. 204–211.
22 Vgl. die ausführlichen Darlegungen bei Ritter, *Staatskunst*, Bd. 3, S. 145–215.
23 Vgl. dazu die Tagebucheintragung Müllers vom 31. August 1916, in: Görlitz, *Regierte der Kaiser?*, S. 218; vgl. auch Ritter, *Staatskunst*, Bd. 3, S. 320f.
24 Vgl. Karl E. Birnbaum, *Peace Moves and U-Boat Warfare*, Stockholm 1958, S. 136.
25 Hindenburg an Tochter Irmengard, 23. Oktober 1916 (Privatbesitz); ein fast gleichlautender Ausspruch Hindenburgs (»Mit dem Herzen wünschte man sich den U-Bootkrieg, der Verstand rät aber davon ab«) ist wiedergegeben in einem Schreiben Groeners an Herzog Albrecht von Württemberg, 13. Dezember 1916, in: Archiv des Hauses Württemberg, Altshausen, G 331 Herzog Albrecht; er bezieht sich auf eine Äußerung vom 10. Oktober 1916 gegenüber Groener, vgl. dazu die Tagebucheintragung Groeners vom 11. Oktober 1916, in: Groener, *Lebenserinnerungen*, S. 554.
26 Vgl. dazu die Schriftwechsel zwischen Oberster Heeresleitung und Reichskanzler, 5. und 6. Oktober 1916, in: *Urkunden der Obersten Heeresleitung über ihre Tätigkeit 1916/18*, hg. von Erich Ludendorff, Berlin 1920, S. 306ff.; vgl. auch Ritter, *Staatskunst*, Bd. 3, S. 325ff.
27 Ein Beleg für das gute Einvernehmen zwischen Hindenburg und Bethmann Hollweg ist die Tagebucheintragung Müllers vom 9. Oktober 1916 über eine Unterredung bei der Mittagstafel mit Hindenburg: »Er sprach sehr nett über den Reichskanzler und verurteilte scharf die Fronde gegen ihn«, in: Görlitz, *Regierte der Kaiser?*, S. 227.
28 Siehe dazu auch Westarp, *Konservative Politik*, S. 132f.
29 Vgl. seine Reden im Hauptausschuß vom 30. September und 9. Oktober 1916, in: *Der Hauptausschuß des Deutschen Reichstags 1915–1918*, Bd. 2, bearb. von Reinhard Schiffers, Düsseldorf 1981, S. 757 und S. 865.
30 Vgl. dazu Klaus Epstein, *Matthias Erzberger und das Dilemma der deutschen Demokratie*, Berlin 1962, S. 179f.
31 Vgl. hierzu Ritter, *Staatskunst*, Bd. 3, S. 332–337.
32 Siehe Wolfgang Steglich, *Bündnissicherung oder Verständigungsfrieden. Untersuchungen zu dem Friedensangebot der Mittelmächte vom 12. Dezember 1916*, Göttingen 1958, S. 75ff.
33 Vgl. Ritter, *Staatskunst*, Bd. 3, S 342ff.
34 Vgl. dazu auch die Tagebucheintragungen von Admiral Müller vom 2. und 3. Dezember 1916, in: Görlitz, *Regierte der Kaiser?*, S. 238f.
35 Ultimativ gehaltenes Schreiben Hindenburgs an den Reichskanzler, 23. Dezember 1916, in: Ludendorff, *Urkunden*, S. 315, vgl. ebenda, S. 311–315, auch den Text des deutschen Friedensangebotes und der Wilson-Note; generell zum Scheitern der deutschen Friedensaktion Ritter, *Staatskunst*, Bd. 3, S. 355–368.
36 Als ihn seine Tochter Irmengard irritiert auf das Friedensangebot ansprach, legte Hindenburg ihr in einem Schreiben vom 15. Dezember 1916 dar, daß sie sich nicht durch den Wortlaut der Initiative irre machen lassen solle (Privatbesitz). Als Erläuterung verwies er auf den am 14. Dezember 1916 erschienenen Artikel »Unser Friedenswille« in der Hindenburg nahestehenden Zeitung *Hannoverscher Kurier*, in dem eine solche Argumentation im Kern entfaltet wird.

37 Dieses Motto vom 28. August 1916 ist in Faksimile abgedruckt in: *Ins dritte Kriegsjahr. Eine Rundfrage der »Kattowitzer Zeitung«. Beiträge führender Männer Deutschlands und seiner Verbündeten mit einem Motto von Exzellenz von Hindenburg General-Feldmarschall*, Kattowitz 1916.

38 Hindenburg an Bethmann Hollweg, 13. Dezember 1916, abgedruckt bei Wohltmann, *Hindenburg-Worte*, S. 53.

39 Bezeichnend ist, daß er im Gespräch mit dem konservativen Parteiführer Westarp am 14. November 1916 allein auf das militärisch unkalkulierbare Verhalten dieser beiden deutschen Nachbarstaaten als Hindernis für den uneingeschränkten U-Bootkrieg zu sprechen kam, mit keiner Silbe aber auf die USA einging, die offensichtlich für ihn nicht zählte; Niederschrift dieser Unterredung bei Westarp, *Konservative Politik*, S. 134; vgl. zum Faktor Niederlande auch Marc Frey, *Der Erste Weltkrieg und die Niederlande*, Berlin 1998, S. 78–87.

40 Zum Verlauf der militärischen Operation gegen Rumänien vgl. Afflerbach, *Falkenhayn*, S. 465ff.

41 Das Handschreiben des Kaisers findet sich bei Ernst Johann (Hg.), *Innenansicht eines Krieges*, Frankfurt a.M. 1968, S. 221.

42 Brief Mackensens an seine Frau vom 23. Dezember 1916, zitiert nach Schwarzmüller, *Mackensen*, S. 140.

43 Der Wortlaut des Gesprächs zwischen Wiegand und Hindenburg gemäß von Aufzeichnungen im Nachlaß Karl von Wiegand: Hoover Institution Archives, Stanford, Collection Karl von Wiegand, Box 47, Folder »Hindenburg«. Die Verbreitung dieses Interviews in der deutschen Presse geht nicht näher auf Hindenburgs Einschätzung der militärischen Bedeutung des Faktors USA ein; vgl. Johann, *Innenansicht*, S. 227f. Schon am 2. Oktober 1916 hatte sich Hindenburg gegenüber dem Vertreter des Auswärtigen Amtes im Großen Hauptquartier, von Treutler, ähnlich wie gegenüber Wiegand geäußert; Janßen, *Graue Exzellenz*, S. 210.

44 Vgl. die entsprechenden Notizen zum Vortrag Hindenburgs beim Kaiser, 8. Dezember 1916, in: Ludendorff, *Urkunden*, S. 310; vgl. auch Steglich, *Bündnissicherung*, S. 138f.

45 Vgl. Ritter, *Staatskunst*, Bd. 3, S. 348f.

46 Über diese Vorkommnisse informiert ein Schreiben Bethmann Hollwegs an Valentini, 31. Dezember 1916, in: Schwertfeger, *Kaiser*, S. 241–245; vgl. auch die Tagebucheintragung Admiral Müllers vom 30. Dezember 1916, in: Görlitz, *Regierte der Kaiser?*, S. 245.

47 Hierzu grundlegend Holger Afflerbach, »Wilhelm II as Supreme Warlord in the First World War«, in: *War in History* 5 (1998), S. 429–449.

48 In dieselbe Richtung argumentiert auch Wehler, *Gesellschaftsgeschichte*, Bd. 4, S. 108f. und S. 113.

49 Vgl. die Tagebucheintragungen Müllers vom 8. und 9. Januar 1917, in: Görlitz, *Regierte der Kaiser?*, S. 247ff.; Ritter, *Staatskunst*, Bd. 3, S. 370–379, sowie Birnbaum, *Peace Moves*, S. 315 bis 322.

50 Gemäß der Aufzeichnung des Majors Bartenwerffer, Chef der Politischen Abteilung der Obersten Heeresleitung, über eine Besprechung des Reichskanzlers mit Hindenburg und Ludendorff am Vormittag des 9. Januar 1917, in: Ludendorff, *Urkunden*, S. 323; ähnlich äußerte sich der Reichskanzler am frühen Abend während eines gemeinschaftlichen Vortrags aller beteiligten Stellen beim Kaiser gemäß dem Tagebuch Müllers, in: Görlitz, *Regierte der Kaiser?*, S. 248.

51 Am ausführlichsten hat Max Weber seine Herrschaftstypologie entwickelt in: Weber, *Wirtschaft und Gesellschaft*, S. 122–176.

KAPITEL 10

Hindenburg als politischer Herrscher

1 Weber, *Wirtschaft und Gesellschaft*, S. 122.

2 Der Klassiker hierzu ist Gerhard Ritters eindrucksvolle Studie »Staatskunst und Kriegshandwerk«, die eine unerschöpfliche Fülle von Belegen für die politische Aktivität des
preußisch-deutschen Militärs bereithält, aber durch die terminologische Verengung des
Politischen auf Haupt- und Staatsaktionen kein Gespür für die in Hindenburgs Agieren
zum Ausdruck gebrachte neue Qualität des Politischen besitzt und daher alle derartigen
Erscheinungen nur als gefährliche Überwucherung des Politischen darzustellen vermag:
Ritter, *Staatskunst*, vor allem Bd. 1–3.

3 Vgl. Wehler, *Gesellschaftsgeschichte*, Bd. 4, S. 47–57.

4 Vgl. die Argumente des bayerischen Kriegsministers Kreß von Kressenstein auf einer Sitzung des bayerischen Ministerrats, 9. Oktober 1916, abgedruckt in: Deist, *Militär und Innenpolitik*, Bd. 1, S. 492–497.

5 Hindenburgs Schreiben vom 31. August 1916 und vom 13. September 1916, in: Ludendorff,
Urkunden, S. 63–67.

6 Diese Formulierung gebrauchte der Generaldirektor der Bayer-Farbenfabriken, Duisberg,
bei der Besprechung des preußischen Kriegsministers mit Industriellen zur Durchführung des Hindenburg-Programms am 16. September 1916, in: Deist, *Militär und Innenpolitik*, Bd. 1, S. 489, Anm. 13.

7 Grundlegend zu den Zwangsdeportationen immer noch Ritter, *Staatskunst*, Bd. 3, S. 438
bis 450.

8 Hindenburg an Bissing, 3. März 1917, in: Ludendorff, *Urkunden*, S. 132–134.

9 Hertling an Lerchenfeld, 19. März 1917, in: Deuerlein, *Briefwechsel*, S. 821.

10 Vgl. Ritter, *Staatskunst*, Bd. 3, S. 417–433; *Karl Helfferich, Der Weltkrieg*, Berlin 1920, S. 276
bis 292; Wehler, *Gesellschaftsgeschichte*, Bd. 4, S. 114–118.

11 Er gipfelte in dem Satz: »Seit meinen ersten Anstrengungen sind Monate in der Hauptsache mit *Erwägungen* ausgefüllt worden, wonach unsere Gegner in vorbildlicher Weise
handeln«, in: Ludendorff, *Urkunden*, S. 85.

12 Schreiben des Sohnes des deutschen Generalgouverneurs in Belgien, von Bissing, an den
bayerischen Ministerpräsidenten Graf Hertling, 17. November 1916. Auch Generalgouver-
neur Bissing hat Hindenburg seine schweren Bedenken gegen die Vorhaltungen gegenüber dem Reichskanzler nicht verhehlt; das Schreiben des Sohnes Bissings in Auszügen in:
BA Koblenz, Nachlaß Ritter, Nr. 64; darauf nimmt auch Bezug Ritter, *Staatskunst*, Bd. 3,
S. 636, Anm. 10, der aber bezeichnenderweise das Schreiben entgegen dessen Aussage als
eine Kritik lediglich an Ludendorffs Machtanspruch deutet, was der generellen Linie der
Argumentation Ritters entspricht, alle Verantwortung für ein unstatthaftes Ausgreifen des
Militärs auf Ludendorff abzuwälzen und Hindenburg zu schonen.

13 Seine Ausführungen sind abgedruckt in: Deuerlein, *Briefwechsel*, S. 819.

14 Vgl. etwa den im September 1916 entstandenen Entwurf Bauers für das am 13. September
1916 abgeschickte Schreiben Hindenburgs an den Reichskanzler, in: Deist, *Militär und Innenpolitik*, Bd. 1, S. 482–485.

15 Tendenziell in diese Richtung argumentiert Ruge, *Hindenburg*, S. 83.

16 Vgl. auch v. Hoegen, *Held von Tannenberg*, S. 203–205.

17 Text dieses Schreibens in: Ludendorff, *Urkunden*, S. 64.

18 Die Rede Wild von Hohenborns vom 16. September 1916 findet sich in: Deist, *Militär und Innenpolitik*, S. 486–491, Zitat S. 487.

19 Vgl. den Brief des bayerischen Ministerpräsidenten Hertling an Professor Bissing, 28. November 1916, der konstatiert, das deutsche Volk höre auf Hindenburg »auch in Fragen, die zwar das heimische Wirtschaftsleben betreffen, aber doch mit der Kriegführung in innigem Zusammenhang stehen«, Anschrift dieses Schreibens in: BA Koblenz, Nachlaß Ritter, Nr. 64.

20 Zum Gegensatz zwischen Verbraucher- und Erzeugerinteressen im Kaiserreich vgl. Christoph Nonn, *Verbraucherprotest und Parteiensystem im Wilhelminischen Deutschland*, Düsseldorf 1996; zur Verschärfung dieses Konflikts durch den Krieg siehe vor allem Benjamin Ziemann, *Ländliche Kriegserfahrungen im südlichen Bayern 1914–1923*, Essen 1997, und Jürgen Kocka, *Klassengesellschaft im Krieg. Deutsche Sozialgeschichte 1914–1918*, Göttingen 1973, S. 96–103.

21 Wichtige Hinweise dazu bei Geyer, *Verkehrte Welt*, S. 43ff.

22 Dieses Schreiben findet sich u.a. in: Wohltmann, *Hindenburg-Worte*, S. 45–47.

23 Hindenburg erinnerte daran, daß die Sicherung der Ernährungsbasis für die Industriearbeiterschaft »ebenso vaterländische Pflicht ist, wie die Hingabe von Leib und Leben im Kampfe an der Front«, ebenda, S. 47.

24 Vgl. v. Hoegen, *Held von Tannenberg*, S. 129.

25 Vgl. ebenda, sowie Martin Schumacher, *Land und Politik. Eine Untersuchung über politische Parteien und agrarische Interessen 1914–1923*, Düsseldorf 1978, S. 72f.

26 Dieses Schreiben Hindenburgs an Bethmann Hollweg vom 19. November 1916 in: Wohltmann, *Hindenburg-Worte*, S. 47f.

27 Vgl. dazu das Dankschreiben Hindenburgs vom 31. Januar 1917, ebenda, S. 54, sowie die Angaben bei Paul Lindenberg, »Chef des Generalstabes des Feldheeres«, in: ders., *Hindenburg-Denkmal*, S. 269–290, hier S. 277.

28 Diese wörtliche Aussage Hindenburgs vom 15. Dezember 1917 ist überliefert bei: Adolf Damaschke, »Ein Besuch bei Hindenburg im Großen Hauptquartier«, in: *Ostdeutsche Monatshefte für deutsche Kultur und deutsche Geschichte* 13 (1932/33), S. 92–96, Zitat S. 95; zu Hindenburgs Eintreten für die Versorgung der heimkehrenden Soldaten mit billigem Siedlungsland vgl. auch Schumacher, *Land und Politik*, S. 216f.

29 Vgl. Kocka, *Klassengesellschaft*, S. 44f.

30 Wohltmann, *Hindenburg-Worte*, S. 48.

31 Anton Fendrich, »*Wir*«. *Ein Hindenburgbuch*, Stuttgart 1917, S. 27; auch abgedruckt in: *Königsberger Allgemeine Zeitung* Nr. 164 vom 8. April 1917; zu Fendrich siehe Helmut Bender, »Anton Fendrich«, in: *Badische Heimat* 60 (1980), S. 299–303.

32 Vgl. Helfferich, *Der Weltkrieg*, S. 222.

33 Hindenburg hatte in gewohnter Weise dieses Motto handschriftlich formuliert; ein faksimilierter Abdruck in Victor Ottmann, *Goldene Worte Hindenburgs*, Berlin 1918, S. 45; zum Besuch Roederns in Pleß vgl. die Tagebucheintragung Admiral Müllers vom 12. September 1916, in: Görlitz, *Regierte der Kaiser?*, S. 221.

34 Vgl. etwa den Kommentar unter dem 27. Mai 1917 bei Eduard Engel, *1914–1917. Ein Tagebuch*, Braunschweig 1917, S. 2014, sowie den Artikel des linksliberalen Reichstagsabgeordneten Georg Gothein: »Nerven!«, in: *Berliner Tageblatt* Nr. 544 vom 23. Oktober 1916.

35 Lyncker an seine Frau, 30. August 1916, in: Afflerbach, *Kriegsherr*, S. 13.

36 Vgl. Afflerbach, »Wilhelm II.«, S. 444f.

37 Einige repräsentative Urteile in der Reihenfolge der Entstehung der Schriften: Wheeler-Bennett, *Titan*, S. 99; Görlitz, *Hindenburg*, S. 112; Rauscher, *Hindenburg*, S. 51f.

38 Wohltmann, *Hindenburg-Worte*, S. 47.

39 Diese Denkschrift ist zitiert bei Hubatsch, *Hindenburg und der Staat*, S. 27; Abdruck der Denkschrift in: *Hannoverscher Kurier* vom 28. August 1919, Morgenausgabe.

40 Vgl. ebenda; siehe auch ein Schreiben Hindenburgs an seinen väterlichen Freund Graf Wartensleben vom 22. Mai 1917, in: Elisabeth Gräfin Wartensleben (Hg.), *Hermann Graf von Wartensleben-Carow. Königlich-preußischer General der Kavallerie. Ein Lebensbild 1826–1921*, Berlin 1923, S. 203.

41 So im Gespräch mit dem konservativen Abgeordneten Graf Westarp am 14. November 1916, in: Westarp, *Konservative Politik*, S. 335.

42 Niederschrift Valentinis vom Februar/März 1918, in: Schwertfeger, *Kaiser*, S. 146.

43 Eine Auswahl dieser Stimmen bei Klaus Hildebrand, *Bethmann Hollweg. Der Kanzler ohne Eigenschaften?*, Düsseldorf 1970, S. 16f., 20ff., 30 und S. 60f.; vgl. auch Wollstein, *Bethmann Hollweg*, vor allem S. 160–168, der um eine faire Würdigung Bethmann Hollwegs bemüht ist.

44 Zitiert bei Hubatsch, *Hindenburg und der Staat*, S. 27.

45 Hindenburg an Bethmann Hollweg, 27. September 1916, in: Wohltmann, *Hindenburg-Worte*, S. 47.

46 Gegenüber dem Kaiser führte er am 14. März 1917 aus, daß der Reichstag nicht die Volksmeinung repräsentiere, vgl. dazu ein Telegramm des Legationsrates von Grünau an den Reichskanzler über den Inhalt des Gesprächs zwischen Hindenburg und dem Kaiser, 14. März 1917, in: Deist, *Militär und Innenpolitik*, S. 671.

47 So die Bezeichnung des ehemaligen preußischen Kriegsministers Wild von Hohenborn in einem Schreiben an Prof. Zorn, 1. Januar 1917, in: Granier, *Wild*, S. 216.

48 Brief Einems an seine Frau, 30. September 1916, in: BA-MA Freiburg, Nachlaß Einem, Nr. 53, Bl. 151; vgl. auch ein weiteres Schreiben vom 4. November 1916, ebenda, Bl. 166.

49 Abgedruckt in: Bernhardi, *Denkwürdigkeiten*, S. 460.

50 Hindenburg kannte Bernhardi schon seit gemeinsamen Leutnantstagen; beide hatten 1870/71 den Krieg gegen Frankreich (allerdings in verschiedenen Einheiten) mitgemacht. 1873 besuchten sie einige Jahre gemeinsam die Kriegsakademie in Berlin, und knapp dreißig Jahre später kreuzten sich ihre beruflichen Laufbahnen erneut, als Bernhardi bis 1907 in Magdeburg Divionskommandeur unter dem Kommandierenden General des IV. Armeekorps Hindenburg war, vgl. Hindenburg, *Aus meinem Leben*, S. 43 und S. 49; Bernhardi, *Denkwürdigkeiten*, S. 256.

51 Vgl. ebenda, S. 463.

52 Dieses Spannungsverhältnis wird anschaulich geschildert bei Ludwig, *Hindenburg*, S. 108.

53 So sein Credo am 7. Mai 1915 gegenüber Hugo Vogel, in: Vogel, *Als ich Hindenburg malte*, S. 111.

54 So die am 16. September 1915 notierte Beobachtung seines »Leibmalers« Hugo Vogel, ebenda, S. 175.

55 Siehe hierzu insbesondere Oliver Lepsius, »Staatstheorie und Demokratiebegriff in der Weimarer Republik«, in: *Demokratisches Denken in der Weimarer Republik*, hg. von Christoph Gusy, Baden-Baden 2000, S. 366–414, vor allem S. 377–382, und Ulrich K. Preuß, »Carl Schmitt – Die Bändigung oder die Entfesselung des Politischen?«, in: *Mythos Staat*, hg. von Rüdiger Voigt, Baden-Baden 2001, S. 141–167, vor allem S. 148f.; siehe auch Pyta, »Begriffsbestimmung«.

56 Vgl. dazu Pyta, »Begriffsbestimmung«, S. 225f.
57 Vgl. ebenda, vor allem S. 222f.; siehe auch Preuß, »Carl Schmitt«, S. 158.
58 Grundlegend hierzu immer noch Ritter, *Staatskunst*, Bd. 3, vor allem S. 482–502; Wolfgang Steglich, *Die Friedenspolitik der Mittelmächte 1917/18*, Wiesbaden 1964, S. 59–69; Leo Haupts, »Die Reichsleitung und das Projekt der Friedenskonferenz der II. Internationale in Stockholm im Frühjahr und Sommer 1917«, in: *Gestaltungskraft des Politischen*, hg. von Wolfram Pyta und Ludwig Richter, Berlin 1998, S. 29–53.
59 So Hindenburg gegenüber dem Schriftsteller Rudolf Herzog, der in der Feldpressestelle gearbeitet hatte, im Herbst 1917 als Propagandaredner eingesetzt wurde und in dieser Eigenschaft von Hindenburg in dessen Hauptquartier empfangen wurde, in: Herzog, *Mann im Sattel*, S. 347.
60 Vgl. Ritter, *Staatskunst*, Bd. 3, S. 500f.; Wollstein, *Bethmann Hollweg*, S. 143ff.
61 So auch die treffende Beobachtung im Tagebuch Plessen vom 14. März 1917, in: Afflerbach, *Kriegsherr*, S. 892; vgl. auch Plessens Tagebucheintrag vom 8. April 1917, gemäß dem Hindenburg aufgrund der Nachricht von der preußischen Wahlrechtsreform »außer sich« gewesen sei, ebenda, S. 896; siehe weiterhin die Einschätzung in den im April 1919 entstandenen unveröffentlichten Ausführungen des Staatssekretärs des Reichsschatzamtes Roedern, in: BA Koblenz, Kleine Erwerbungen 317/1, Bl. 242.
62 Vgl. Wehler, *Gesellschaftsgeschichte*, Bd. 4, S. 35; Feldman, *Stinnes*, S. 387–393 und 466–470.
63 Hindenburg schrieb am 18. Februar 1917 dem Reichskanzler, daß er Duisbergs »Bemerkungen, soweit sie die Oberste Heeresleitung angehen, in keiner Weise für bedenklich halten« könne, Abschrift dieses Schreibens in: BA Koblenz, Nachlaß Valentini, Nr. 212, Bl. 17; ebenda, Bl. 8–18, auch weiteres Material zum Münchner Auftritt Duisbergs; siehe auch Hellmuth Weber, *Ludendorff und die Monopole*, Berlin 1966, S. 103.
64 Zur Adlon-Konferenz vgl. Weber, *Ludendorff*, S. 103f., Ritter, *Staatskunst*, Bd. 3, S. 565, sowie den Bericht eines Gewährsmannes, der Valentini zugeleitet wurde, in: BA Koblenz, Nachlaß Valentini, Nr. 212, Bl. 34.
65 Wilhelm II. an den Chef des Militärkabinetts, 27. Februar 1917, Abschrift in: BA Koblenz, Nachlaß Valentini, Nr. 212, Bl. 30.
66 Ebenda; vgl. zur Empörung des Kaisers über die »Kanzlerhetze« auch die Tagebucheintragung Müllers vom 28. Februar 1917, in: Görlitz, *Regiere der Kaiser?*, S. 262.
67 Hindenburgs Antwort, die nicht überliefert zu sein scheint, war am 5. März 1917 bei Lyncker eingetroffen, vgl. das Schreiben Lynckers an Valentini vom 5. März 1917, BA Koblenz, Nachlaß Valentini, Nr. 212, Bl. 33; vgl. auch die Tagebucheintragung Plessens vom 1. März 1917, in: Afflerbach, *Kriegsherr*, S. 891.
68 Die »Vaterlandspartei« sollte ursprünglich »Hindenburg-Partei« heißen, vgl. Heinz Hagenlücke, *Deutsche Vaterlandspartei*, Düsseldorf 1997, S. 145ff. und S. 276f.
69 Bereits Anfang Januar 1917 schrieb er seinem Freund Friedrich von Bernhardi, daß die eigentliche Schwierigkeit darin bestehe, einen personellen Ersatz für Bethmann Hollweg zu finden, den er bereits politisch abgeschrieben hatte, in: Bernhardi, *Denkwürdigkeiten*, S. 463.
70 Zu den von Hindenburg unterstützten Ambitionen von Tirpitz vgl. Raffael Scheck, *Alfred von Tirpitz and German Right-Wing Politics, 1914–1930*, New Jersey 1998, S. 57ff.; Bruno Thoß, »Nationale Rechte, militärische Führung und Diktaturfrage in Deutschland 1913–1923«, in: *Militärgeschichtliche Mitteilungen* 42 (1987), S. 27–77, hier S. 48; Hagenlücke, *Vaterlandspartei*, S. 134f.; Schwertfeger, *Kaiser*, S. 149f., sowie das Schreiben Admiral

von Müllers an Admiral von Holtzendorff vom 31. Januar 1917, in: Görlitz, *Regierte der Kaiser?*, S. 255f.

71 Tagebucheintragung Müllers vom 2. Februar 1917, ebenda, S. 257; vgl. auch die Tagebuchnotizen Plessens, in: Afflerbach, *Kriegsherr*, S. 890, und Valentinis, in: BA Koblenz, Nachlaß Valentini, Nr. 214, Bl. 15 Rückseite, beide vom 1. Februar 1917, sowie Schwertfeger, *Kaiser*, S. 150.

72 Thoß, »Nationale Rechte«, S. 50, und Scheck, *Tirpitz*, S. 60.

73 So in einem Schreiben an den ihm nahestehenden Major von Seel, 9. Dezember 1917, in: BA-MA Freiburg, Nachlaß Hindenburg, Nr. 4, Bl. 11; ähnlich fiel auch seine Reaktion aus, als am 8. Januar 1917 Admiral Holtzendorff erstmals die Idee einer Kanzlerschaft bei Hindenburg ventilierte, vgl. Görlitz, *Hindenburg*, S. 136.

74 Ein entsprechender Auszug aus einem Schreiben Hindenburgs an seine Frau vom 25. April 1917 ist zitiert bei Hubatsch, *Hindenburg und der Staat*, S. 25.

75 Vgl. dazu die immer noch aktuelle Darstellung von Hans Gangl, »Die Verfassungsentwicklung in Frankreich 1814–1830«, in: *Historische Zeitschrift* 202 (1966), S. 265–308, hier S. 290.

76 Der vom Legationsrat Grünau stammende und für den Reichskanzler bestimmte Bericht über diese Unterredung zwischen Hindenburg und dem Kaiser am 14. März 1917 ist abgedruckt in: Deist, *Militär und Innenpolitik*, S. 670ff.; vgl. dazu auch Schwertfeger, *Kaiser*, S. 150; Rauscher, *Hindenburg*, S. 123, und das Plessen-Tagebuch vom 14. März 1917, in: Afflerbach, *Kriegsherr*, S. 892.

77 Telegramm Bethmann Hollwegs an Hindenburg, 14. März 1917, in: Deist, *Militär und Innenpolitik*, S. 672f.

78 Dazu zählte der in der Provinz Sachsen begüterte Graf Wartensleben-Carow, ein militärischer Weggefährte Hindenburgs und väterlicher Ratgeber, der am 12. Mai 1917 ein entsprechendes Schreiben an Hindenburg gerichtet hatte, das dieser dem Kaiser vortrug, vgl. dazu die Erinnerungen des Staatssekretärs Roedern, in: BA Koblenz, Kleine Erwerbungen 317/2, Bl. 242, sowie Wartensleben, *Lebensbild*, S. 202f.

79 Vgl. dazu Susanne Miller, *Burgfrieden und Klassenkampf. Die deutsche Sozialdemokratie im Ersten Weltkrieg*, Düsseldorf 1974, S. 288, sowie den Protest Hindenburgs gegen diese Resolution vom 21. April 1917, abgedruckt bei Deist, *Militär und Innenpolitik*, S. 715.

80 Zum Vorstoß Hindenburgs vgl. Schwertfeger, *Kaiser*, S. 151; Tagebucheintragung Valentinis vom 21. April 1917, in: BA Koblenz, Nachlaß Valentini, Nr. 214, Bl. 18; Tagebuch Müller, 21. April 1917, in: Görlitz, *Regierte der Kaiser?*, S. 277f.

81 So gegenüber Plessen, Lyncker und Müller während eines abendlichen Spaziergangs in Bad Homburg am 26. Mai 1917, worüber sich Plessen geradezu entsetzt zeigte und darin »einen Beweis des Bethmann-Einflusses« zu erkennen meinte: Tagebuch Plessen vom 26. Mai 1917, in: Afflerbach, *Kriegsherr*, S. 900, vgl. auch die Tagebucheintragung Müllers vom selben Tag, in: Görlitz, *Regierte der Kaiser?*, S. 289.

82 Aufzeichnung über diese Besprechung in: Erich Otto Volkmann, *Die Ursachen des Deutschen Zusammenbruches im Jahre 1918. Zweite Abteilung: Der Innere Zusammenbruch*, Bd. 12, Berlin 1929, S. 200–202.

83 Über den Kriegsrat und Bethmanns Reaktion darauf siehe Ritter, *Staatskunst*, Bd. 3, S. 505ff.; Tagebucheintragung Müllers vom 23. April, der den ins Auge gefaßten Kriegszielen »völlige Maßlosigkeit« bescheinigte, in: Görlitz, *Regierte der Kaiser?*, S. 278f.; Tagebucheintragung Valentinis ebenfalls vom 23. April 1917, der die Bezeichnung »Kriegsziele«

bewußt in Anführungszeichen setzte, um deren illusionären Charakter zu unterstreichen, in: BA Koblenz, Nachlaß Valentini, Nr. 214, Bl. 18.

84 Am 11. Mai 1917 hatten sowohl Bethmann Hollweg als auch Hindenburg Gelegenheit, dem Kaiser in getrennten Vorträgen ihre Positionen darzulegen, wobei sich der Kaiser eindeutig zugunsten seines Kanzlers entschied, vgl. die Tagebucheintragung Plessens, in: Afflerbach, *Kriegsherr*, S. 898, und Valentinis, in: BA Koblenz, Nachlaß Valentini, Nr. 214, Bl. 19, jeweils vom 11. Mai 1917.

85 »Ihm liegt die neuliche Ansprache Seiner Majestät bezüglich der Politik in den Gliedern, welche im Sinne des Reichskanzlers lautete, also Hindenburg verdrießen musste«, Tagebuch Plessen vom 21. Mai 1917, ebenda, S. 899.

86 Vgl. dazu die Einleitung von Heinrich Potthoff in: Heinrich Potthoff (Bearb.), *Friedrich von Berg als Chef des Geheimen Zivilkabinetts 1918*, Düsseldorf 1971, S. 39.

87 Vgl. ebenda, S. 42, sowie Schulenburg, *Welt um Hindenburg*, S. 163.

88 Zum Vorstoß Bergs vgl. ebenda, S. 44, sowie eine Aufzeichnung Valentinis vom 30. Juni 1917, Nachlaß Valentini, Nr. 212, Bl. 55–57. Diese Aufzeichnung ist fast wörtlich eingeflossen in Valentinis später verfaßte Darlegungen, in: *Schwertfeger, Kaiser*, S 154ff. Parallel zu Bergs Vorstoß hatte auch der Prinz von Schönburg-Waldenburg versucht, auf den Kaiser in diesem Sinne einzuwirken, vgl. Heinrich Prinz zu Schönburg-Waldenburg, *Erinnerungen aus kaiserlicher Zeit*, Leipzig 1929, S. 286.

89 Dazu siehe die Tagebucheintragung Plessens vom 24. Juni 1917, in: Afflerbach, *Kriegsherr*, S. 903.

90 Man kann davon ausgehen, daß sich Wilhelm II. in seinen Randbemerkungen an die Vorlage hielt, die ihm Valentini am 27. Juni angefertigt hatte. Darin wurde Hindenburg ermahnt, »sich nicht durch plumpe, geradezu byzantinische Schmeicheleien, wie sie dieser Brief enthält, blenden« zu lassen: dieser Entwurf Valentinis in: BA Koblenz, Kleine Erwerbungen 341/2, Bl. 3. Vgl. zu diesem Vorgang auch das vertrauliche Schreiben Hindenburgs an Friedrich von Berg, 4. Juli 1917, in: Wojewodschaftsarchiv Allenstein, Familienarchiv Berg, Korrespondenz Hindenburg, Rep. 387/20, Bl. 5.

91 So die Schilderung des Verlaufes dieser Unterredung in einem Brief an seine Frau vom 10. Juli 1917, in: Hubatsch, *Hindenburg und der Staat*, S. 167; identisch in der Aussage damit sein Brief an Friedrich von Berg vom 4. Juli 1917, in: Wojewodschaftsarchiv Allenstein, Familienarchiv Berg, Korrespondenz Hindenburg, Rep. 387/20, Bl. 5; vgl. weiterhin Schwertfeger, *Kaiser*, S. 155f.

92 Hindenburg an Berg, 4. Juli 1917, ebenda.

93 Hindenburg an seine Frau, 10. Juli 1917, in: Hubatsch, *Hindenburg und der Staat*, S. 166.

94 Vgl. Ritter, *Staatskunst*, Bd. 3, S. 558.

95 Hierzu immer noch grundlegend Ritter, *Staatskunst*, Bd. 3, S. 551–584, sowie Epstein, *Erzberger*, S. 204–228; die Rede Erzbergers vom 6. Juli findet sich in: Schiffers, *Hauptausschuß*, Bd. 3, S. 1525–1529.

96 Vgl. die überzeugenden Ausführungen bei Ritter, *Staatskunst*, Bd. 3, S. 559, 561, 563–565 und S. 571–573.

97 Für das Zustandekommen dieser Einladung ist bezeichnend, daß Stein eine förmliche Einladung an Hindenburg in Abrede stellte, nachdem der Kaiser Steins Vorgehen kritisiert und die Herbeirufung des Chefs der Obersten Heeresleitung zu einer rein in seine Kompetenz fallenden Angelegenheit deklariert hatte, vgl. dazu die Tagebucheintragung Plessens vom 7. Juli 1917, in: Afflerbach, *Kriegsherr*, S. 904f.

98 Daß der politische Zweck der Reise nach Berlin allein der Kanzlersturz war, geht aus Aufzeichnungen des mitreisenden Generalmajors Mertz von Quirnheim hervor, abgedruckt in: Deist, *Militär und Innenpolitik*, S. 790ff.

99 Vgl. Epstein, *Erzberger*, S. 217f.; Ritter, *Staatskunst*, Bd. 3, S. 566f.; Jonathan Wright, *Gustav Stresemann*, Oxford 2002, S. 90.

100 Vgl. dazu das Schreiben Stresemanns an Westarp, 4. Juni 1917, in: Deist, *Militär und Innenpolitik*, S. 759f.

101 Epstein, *Erzberger*, S. 177.

102 Dazu siehe Wilfried Loth, *Katholiken im Kaiserreich*, Düsseldorf 1984, S. 309–312; vgl. auch Gerhard Kratzsch, *Engelbert Reichsfreiherr von Kerckerinck zur Borg*, Münster 2004, S. 120f.

103 Vgl. Eberts Rede im Hauptausschuß am 7. Juli 1917, in: Schiffers, *Hauptausschuß*, S. 1536.

104 Vgl. Ritter, *Staatskunst*, Bd. 3, S. 566.

105 Vgl. dazu das Schreiben Hindenburgs an seine Frau, 10. Juli 1917, in: Hubatsch, *Hindenburg und der Staat*, S. 167; Schwertfeger, *Kaiser*, S. 158; Tagebuch Müller vom 8. Juli 1917, in: Görlitz, *Regierte der Kaiser?*, S. 300f.

106 Tagebucheintragung des führenden SPD-Reichstagsabgeordneten Eduard David über die Sitzung des Interfraktionellen Ausschusses am 8. Juli 1917, bei Susanne Miller (Bearb.), *Das Kriegstagebuch des Reichstagsabgeordneten Eduard David 1914 bis 1918*, Düsseldorf 1966, S. 241.

107 Stresemanns Rede bei Schiffers, *Hauptausschuß*, S. 1575–1582; Bethmann Hollweg reagierte auf diese Vorwürfe, indem er die Entscheidungshoheit der Reichsleitung gegenüber der Obersten Heeresleitung betonte: »Ich würde doch außerordentlich davor warnen, die Oberste Heeresleitung unmittelbar zu einem Faktor des politischen Lebens zu machen«, ebenda, S. 1588; vgl. weiterhin Ritter, *Staatskunst*, Bd. 3, S. 565f.

108 Vgl. Wollstein, *Bethmann Hollweg*, S. 147f., und Helfferich, *Der Weltkrieg*, S. 436f.

109 Bethmann Hollweg und Valentini waren in dieser Frage am 11. Mai 1917 in Kreuznach heftig aufeinandergeprallt, vgl. Schwertfeger, *Kaiser*, S. 153.

110 Aufzeichnung Mertz vom 9. Juli 1917, in: Deist, *Militär und Innenpolitik*, S. 782.

111 Zur Wahlrechtsfrage vgl. immer noch Reinhard Patemann, *Der Kampf um die preußische Wahlreform im Ersten Weltkrieg*, Düsseldorf 1964, S. 9–63.

112 Vgl. ebenda, S. 79ff.

113 Abgedruckt bei Schwertfeger, *Kaiser*, S. 162; siehe ebenfalls Patemann, *Wahlreform*, S. 89 bis 93 sowie Reinhold Zilch (Bearb.), *Die Protokolle des Preußischen Staatsministeriums 1817–1934/38*, Bd. 10, Hildesheim 1999, S. 192–194.

114 Brief vom 12. Juli 1917 an seine Frau, in: Einem, *Erinnerungen*, S. 326f.

115 Haeften, der in der Militärischen Stelle des Auswärtigen Amtes saß und an die Oberste Heeresleitung alle diese interessierenden Nachrichten umgehend weiterleitete, berief sich dabei auf ein Telegramm des deutschen Botschafters in Wien vom 11. Juli; vgl. dazu die Aufstellung in: Ludendorff, *Urkunden*, S. 406.

116 Vgl. Ritter, *Staatskunst*, Bd. 3, S. 575.

117 Hindenburg an seine Frau, 11. Juli 1917, in: Hubatsch, *Hindenburg und der Staat*, S. 168.

118 Überliefert in einem Schreiben Hugo Vogels an seine Frau vom 2. November 1916, der ihr die genaue Wortwahl Hindenburgs »lieber mündlich sagen« wollte, in: Vogel, *Als ich Hindenburg malte*, S. 206.

119 Vgl. dazu Hindenburgs Schreiben an Seel, 9. Dezember 1917, in: BA-MA Freiburg, Nachlaß Hindenburg, Nr. 4, Nr. 11, siehe auch Zaun, *Hindenburg*, S. 193.

120 »Ich halte es nicht für unmöglich, daß unser nächster Krieg uns wieder gegen Österreich führt, wenn es nicht vorher zerfällt«, so Hindenburg an seinen alten Kommandanten Major von Seel, 8. Februar 1918, ebenda, Nr. 15; vgl. auch Hindenburgs Äußerung auf einer Kronratssitzung vom 5. November 1917, in der er davor warnte, »die Donaumonarchie nicht überstark werden zu lassen, denn wie lange man im Frieden mit ihr lebt, kann man nicht mit Gewißheit vorausbestimmen«; Protokoll dieser Sitzung bei Zilch, *Die Protokolle*, Bd. 10, S. 205.

121 Überliefert in der am 9. Juli 1917 entstandenen Aufzeichnung von Mertz von Quirnheim »Der Kampf gegen den Reichskanzler«, in: BA-MA Freiburg, Nachlaß Haeften, Nr. 3, Bl. 160; auch abgedruckt bei Deist, *Militär und Innenpolitik*, S. 785, Anm. 17.

122 »Im großen und ganzen dürfen wir aber die Leistungen Österreich-Ungarns in diesem gewaltigen Kampfe nicht unterschätzen und bitteren Gefühlen nachhängen, die manchmal unter dem Eindruck enttäuschter Erwartungen entstanden sind«, in: Hindenburg, *Aus meinem Leben*, S. 158.

123 So hatte Mertz von Quirnheim im Entwurf formuliert: »Über Österreich-Ungarn habe ich nur wenig zu sagen. Man kennt darüber meine Meinung von früher«, was Hindenburg zur charakteristischen Bemerkung am Rande des Manuskripts veranlaßte: »War die nicht zu scharf?«, in: BA-MA Freiburg, Nachlaß Hindenburg, Nr. 6, Bl. 171. Hindenburg bemühte sich mit Erfolg, alle Schärfen, die seine wirkliche Ansicht zum Ausdruck brachten, aus seinen Memoiren zu verbannen und ein harmonisch gereinigtes Bild der Nachwelt zu vermitteln – der von ihm bemängelte zweite Satz verschwand aus der endgültigen Fassung, vgl. Hindenburg, *Aus meinem Leben*, S. 283.

124 Das Rücktrittsgesuch Hindenburgs bei Hubatsch, *Hindenburg und der Staat*, S. 169.

125 Hindenburg an seine Frau, 12. Juli 1917, ebenda.

126 Ebenda.

127 Ebenda; insgesamt handelte es sich um die fünf Minister, für welche die Übertragung des Reichstagswahlrechts auf Preußen die preußische Identität beschädigte, vgl. Patemann, *Wahlreform*, S. 93.

128 Hindenburg hoffte, daß die nächste reguläre Reichstagssitzung Bethmann Hollweg »doch noch zu Fall bringen wird«, Brief an seine Frau, 12. Juli 1917, in: Hubatsch, *Hindenburg und der Staat*, S. 169.

129 Nach dem Sturz Bethmann Hollwegs sprach sich Hindenburg auch mit dem SPD-Vorsitzenden Scheidemann über politische Fragen aus, vgl. die Tagebucheintragung des Pressechefs von Staatssekretär Helfferich vom 18. Juli 1917, in: Magnus Freiherr von Braun, *Weg durch vier Zeitepochen*, Limburg 1964, S. 118.

130 Vgl. Schwertfeger, *Kaiser*, S. 160.

131 Die Kontakte zwischen den beiden werden ersichtlich aus den Briefen Hindenburgs an seine Frau vom 10. Juli und 12. Juli 1917, in: Hubatsch, *Hindenburg und der Staat*, S. 166 bis 169.

132 Er traf unter anderem den preußischen Landwirtschaftsminister von Schorlemer, einen entschiedenen Gegner der Reformpolitik Bethmanns, sowie den einflußreichen konservativen Landtagsabgeordneten Hans-Jaspar von Maltzahn, vgl. dazu ein Schreiben Schorlemers an seinen Ministerkollegen Loebell, 12. Juli 1917, in: BA Koblenz, Nachlaß Loebell, Nr. 20, Bl. 76.

133 Bei dieser Person handelte es sich um den Obersten Max Bauer, den Chef der Operationsabteilung II der Obersten Heeresleitung, einen umtriebigen und geltungssüchtigen Mit-

arbeiter Ludendorffs, der in maßloser Überschätzung seines tatsächlichen Einflusses hier und da als »graue Eminenz« der OHL und böser Geist Ludendorffs dargestellt wird, obgleich er ein bloßer Zuarbeiter war; vgl. zu ihm Adolf Vogt, *Oberst Max Bauer*, Osnabrück 1974, vor allem S. 46.

134   Geladen waren Graf Westarp für die Konservativen, Mertin für die Freikonservativen, Stresemann für die Nationalliberalen, Erzberger für das Zentrum, Payer für die Fortschrittliche Volkspartei und David für die SPD; Protokoll der Gespräche bei Ludendorff, *Urkunden*, S. 408–411. Das von Oberst Bauer angefertigte Protokoll hat die Gesprächsverläufe unverzerrt wiedergegeben, wie aus einer Gegenüberstellung mit der Eintragung im Tagebuch des anwesenden Eduard David hervorgeht, dazu Miller, *Das Kriegstagebuch*, S. 243f.

135   Zum Verhalten der befragten Parlamentarier siehe Epstein, *Erzberger*, S. 221; Miller, *Burgfrieden*, S. 314–316; Wright, *Stresemann*, S. 91f.; Ritter, *Staatskunst*, Bd. 3, S. 577f.

136   Abdruck der entsprechenden Fernschreiben bei Ludendorff, *Urkunden*, S. 407f.

137   So Bethmann Hollwegs Ausführungen gegenüber Valentini am Vormittag des 13. Juli 1917, in: Schwertfeger, *Kaiser*, S. 167; vgl. auch Ritter, *Staatskunst*, Bd. 3, S. 582.

138   Hindenburg und Ludendorff hätten »dem Kaiser die Pistole auf die Brust gesetzt mit ihrem Abschiedsgesuch«, so die Tagebucheintragung Müllers vom 13. Juli 1917, in: Görlitz, *Regierte der Kaiser?*, S. 303; ähnlich auch die Einschätzung Valentinis, in: Schwertfeger, *Kaiser*, S. 170; auch der Hindenburg-Intimus Haeften führte das Einknicken des Kaisers auf das ultimative Verlangen Hindenburgs zurück, vgl. seine Mitteilung gegenüber Karl von Fabeck, Tagebuch Fabeck (Privatbesitz), Kladde 9, Eintragung vom 7. November 1917, Bl. 41; siehe auch den wohlgefälligen Kommentar Karl von Einems in einem Brief an seine Frau vom 22. Juli 1917: »Ich habe immer gesagt: Hindenburgs Vorzug ist, daß er nicht abgesetzt werden kann!«, in: Einem, *Erinnerungen*, S. 329; der Kronprinz teilte Einem am 15. Juli 1917 telefonisch mit: »Es war ein harter Kampf, Bethmann Hollwegs sichere Position zu erschüttern. Dazu war es nötig, daß Hindenburg und Ludendorff ihren Abschied eingereicht haben« – zusätzlich hatte noch der Kronprinz mit der Niederlegung seines Kommandos gedroht; Brief Einems an seine Frau, 15.Juli 1917, in: BA-MA Freiburg, Nachlaß Einem, Nr. 54, Bl. 99.

139   So die Formulierung im Manuskript des einflußreichen nationalliberalen Reichstagsabgeordneten Eugen Schiffer, BA Koblenz, Nachlaß Schiffer, Nr. 5, Bl. 90; weitgehend übernommen in dessen gedruckten Memoiren: Eugen Schiffer, *Ein Leben für den Liberalismus*, Berlin 1951, S. 57.

140   Die Hektik bei der Regelung der Nachfolge Bethmann Hollwegs, die in den Verlegenheitskandidaten Michaelis einmündete, wird am besten sichtbar in den Aufzeichnungen Valentinis, in: Schwertfeger, *Kaiser*, S. 167–170, in den Tagebuchnotizen Plessens vom 13. Juli 1917, in: Afflerbach, *Kriegsherr*, S. 907f., und im Tagebuch Müllers vom 14. Juli 1917, in: Görlitz, *Regierte der Kaiser?*, S. 304.

EXKURS 2

Hindenburg als charismatischer Herrscher

1   Dieser Sichtweise ist verpflichtet Martin Kitchen, *The Silent Dictatorship. The Politics of the German High Command under Hindenburg and Ludendorff, 1916–1918*, London 1976, vor allem S. 9–23; vgl. auch die weit in die Weltkriegszeit zurückreichende einflußreiche Dar-

stellung von Arthur Rosenberg, *Entstehung und Geschichte der Weimarer Republik*, Frankfurt a.M. 1955, vor allem S. 101–133. Anklänge an diese Interpretation auch bei Gerhard Ritter, der zwar weniger auf das Interesse der gesellschaftlichen Funktionseliten an einer Militärdiktatur abhebt, aber unmißverständlich erklärt: »Tatsächlich ist er [Ludendorff, d. Verf.] ja auch zum Diktator geworden, sobald es ihm gelungen war, mit Beihilfe des Reichstags Bethmann Hollweg zu stürzen«, in: Ritter, *Staatskunst*, Bd. 3, S. 551.

2 Vgl. dazu die klassische Herangehensweise von Gerhard Ritter in der Einleitung seines monumentalen Alterswerkes: ders., *Staatskunst*, Bd. 1, München 1954, S. 13–24; zu Ritters Politikbegriff siehe Thomas Mergel, »Politikbegriffe in der Militärgeschichte«, in: *Was ist Militärgeschichte?*, hg. von Thomas Kühne und Benjamin Ziemann, Paderborn 2000, S. 141–156, hier S. 144ff.

3 Hierzu Ute Frevert, *Die kasernierte Nation. Militärdienst und Zivilgesellschaft in Deutschland*, München 2001; dies. (Hg.), *Militär und Gesellschaft im 19. und 20. Jahrhundert*, Stuttgart 1997; Marcus Funck, »Militär, Krieg und Gesellschaft. Soldaten und militärische Eliten in der Sozialgeschichte«, in: Kühne und Ziemann, *Militärgeschichte*, S. 157–174.

4 Prominente und in all ihrer Differenzierung dennoch klare Verfechtung dieser Position bei Wehler, *Gesellschaftsgeschichte*, Bd. 3, vor allem S. 880–885, 1121–1129 und S. 1285f.; vgl. dazu die kritischen Anmerkungen bei Benjamin Ziemann, »Sozialmilitarismus und militärische Sozialisation im deutschen Kaiserreich 1870–1914«, in: *Geschichte in Wissenschaft und Unterricht* 53 (2002), S. 148–164.

5 Vgl. Olden, *Hindenburg*, S. 134ff.; Ritter, *Staatskunst*, Bd. 2, vor allem S. 152–158; Ritter, *Staatskunst*, Bd. 3, vor allem S. 586f.

6 Roger Chickering, »Hindenburg«, in: *Enzyklopädie Erster Weltkrieg*, hg. von Gerhard Hirschfeld u.a., Paderborn 2003, S. 554–557, hier 557. Daß Hindenburg lediglich den ausufernden Machtanspruch Ludendorffs gedeckt habe und ansonsten als politischer Faktor weitgehend ausfiel, ist die Kernaussage Ritters, die sich wie ein roter Faden durch sein Opus magnum zieht: Ritter, *Staatskunst*, Bd. 3.

7 Vgl. Deist, »Voraussetzungen«, S. 150.

8 Besonders ausgeprägt ebenda, S. 142–145; vgl. auch Rauscher, *Hindenburg*, S. 102f.

9 Darüber berichtet Mertz von Quirnheim in seinen Erinnerungen, in: Deist, *Militär und Innenpolitik*, S. 651f.

10 Grundlegend dazu Thoß, »Nationale Rechte«, vor allem S. 37ff.

11 Zum Radikalnationalismus vgl. vor allem Wehler, *Gesellschaftsgeschichte*, Bd. 3, S. 1066 bis 1085; zur Neuen Rechten siehe auch Stephan Malinowski, *Vom König zum Führer. Sozialer Niedergang und politische Radikalisierung im deutschen Adel zwischen Kaiserreich und NS-Staat*, Berlin 2003, S. 175–179.

12 Dieses Argument gebrauchte Valentini bezeichnenderweise erstmals, nachdem Hindenburg zum ersten Mal die Ablösung des Reichskanzlers gefordert hatte, und zwar in einer Unterredung mit dem Feldmarschall am 11. Januar 1917: »Es muß dabei bleiben, daß jeder seine Sache vertritt, und daß S. M. entscheidet. Sonst wird der Kaiser ausgeschaltet und wir haben die Diktatur!«, in: BA Koblenz, Nachlaß Valentini, Nr. 212, Bl. 2; vgl. auch Bethmann Hollweg an Valentini, 31. Dezember 1916, in: Schwertfeger, *Kaiser*, S. 245.

13 Dies wird deutlich herausgestrichen bei Thoß, »Nationale Rechte«, vor allem S. 38f. und S. 48.

14 Brief Einems an seine Frau, 22. März 1915, in: Einem, *Erinnerungen*, S. 113.

15 So auch Wehler, *Gesellschaftsgeschichte*, Bd. 4, S. 108f. und S. 113.

16 Dazu zählt beispielsweise der Peronismus in Argentinien; nützliche Übersicht über den Stand der Diktaturforschung bei Detlef Schmiechen-Ackermann, *Diktaturen im Vergleich*, Darmstadt 2002, hier S. 7f.

17 In eine ähnliche Richtung argumentiert auch Mergel, »Überlegungen«.

18 Weber, *Wirtschaft und Gesellschaft*, S. 140–148; Max Weber, »Die drei reinen Typen der legitimen Herrschaft«, in: ders., *Gesammelte Aufsätze zur Wissenschaftslehre*, Tübingen 1968, S. 475–488.

19 Zu diesem Grundmotiv Webers vgl. Wolfgang J. Mommsen, »Politik im Vorfeld der ›Hörigkeit der Zukunft‹. Politische Aspekte der Herrschaftssoziologie Max Webers«, in: *Max Webers Herrschaftssoziologie*, hg. von Edith Hanke und Wolfgang J. Mommsen, Tübingen 2001, S. 303–319.

20 Repräsentativ hierfür ist der Sammelband von Wilfried Nippel (Hg.), *Virtuosen der Macht. Herrschaft und Charisma von Perikles bis Mao*, München 2000; bemerkenswerte Anwendung des Charisma-Konzepts auf die oranische Statthalterschaft in den Niederlanden bei Olaf Mörke, »Stadtholder« oder »Staetholder«? *Die Funktion des Hauses Oranien und seines Hofes in der politischen Kultur der Republik der Vereinigten Niederlande im 17. Jahrhundert*, Münster 1997.

21 Wehler, *Gesellschaftsgeschichte*, Bd. 3, vor allem S. 368–375.

22 Ebenda, S. 1284f.

23 Wehler, *Gesellschaftsgeschichte*, Bd. 4, insbesondere S. 675–679.

24 Weber spricht in diesem Zusammenhang vom Typ des »Kriegshelden« oder »Kriegsfürsten« als geradezu klassische Versionen charismatischer Herrschaft: Weber, *Wirtschaft und Gesellschaft*, S. 140–142; ders., »Typen der legitimen Herrschaft«, S. 481 und 483; auf die Bedeutung des Krieges als Geburtshelfer charismatischer Herrschaft weist eindringlich hin: Breuer, *Bürokratie und Charisma*, S. 139–143.

25 Frank Möller, »Zur Theorie des charismatischen Führers im modernen Nationalstaat«, in: *Charismatische Führer der deutschen Nation*, hg. von dems., München 2004, S. 1–18; vgl. auch Georg Kamphausen, »Charisma und Heroismus. Die Generation von 1890 und der Begriff des Politischen«, in: *Charisma. Theorie – Religion – Politik*, hg. von Winfried Gebhardt, Berlin 1993, S. 221–246.

26 Vgl. Weber, *Wirtschaft und Gesellschaft*, S. 140 und S. 156, wo er die Anerkennung der charismatischen Autorität durch die Beherrschten als Pflicht hinstellt.

27 Vgl. auch das Plädoyer für eine kulturgeschichtliche Blickfelderweiterung bei Kraemer, »Charismatischer Habitus«.

28 Siehe Frank Möller, »Theorie«, vor allem S. 10; vgl. auch den Beitrag von Jürgen Raab und Dirk Tänzler, »Charisma der Macht und charismatische Herrschaft«, in: *Diesseitsreligion. Zur Deutung der Bedeutung moderner Kultur*, hg. von Anne Honer, Konstanz 1999, S. 59 bis 77, vor allem S. 62: »Charisma ist aber nicht primär Charakterzug einer Person, sondern Muster einer sozialen Beziehung mit einer bestimmten Rollenverteilung.«

29 Hans-Ulrich Wehler hat hierfür die Bezeichnung »Fremdcharisma« gewählt, das diesen Prozeß der Zuschreibung markiert, ohne daß die charismatisch überhöhte Person »vorher durch ein außergewöhnliches Talent aufgefallen wäre«, in: Wehler, *Gesellschaftsgeschichte*, Bd. 3, S. 370.

30 So leicht abgewandelt die prägnante Bezeichnung von Soeffner: Hans-Georg Soeffner, »Geborgtes Charisma – Populistische Inszenierungen«, in: ders., *Die Ordnung der Rituale*, Frankfurt a.M. 1992, S. 177–203, Zitat S. 196. Der Soziologe Theodor Geiger hat bereits in

den 1920er Jahren in eine ähnliche Richtung gezielt, als er den Begriff des »Geltungstypus« einführte, der eine nicht auf eigener Leistung, sondern auf Zuschreibung beruhende Führungsqualität bezeichnet: Theodor Geiger, »Führer und Genie«, in: *Kölner Vierteljahreshefte für Soziologie* 6 (1926/27), S. 232–247, vor allem S. 243f.

31   Weber, *Wirtschaft und Gesellschaft*, S. 141.

32   Vgl. auch die instruktiven Ausführungen bei Malte Lenze, *Postmodernes Charisma. Marken und Stars statt Religion und Vernunft*, Wiesbaden 2002, S. 42ff.

33   Grundlegend dazu Giesen, *Kollektive Identität*, S. 18–23.

34   Ähnlich auch Ronald Hitzler, »Die Produktion von Charisma«, in: *Politisches Raisonnement in der Informationsgesellschaft*, hg. von Kurt Imhof und Peter Schulz, Zürich 1996, S. 265–288; vgl. auch Kraemer, »Charismatischer Habitus«, S. 182.

35   Zum Phänomen der Repräsentation aus kultussoziologischer Warte vgl. vor allem Johannes Weiß, *Handeln und handeln lassen. Über Stellvertretung*, Opladen 1998, vor allem S. 131f.

36   Dieser Aspekt charismatischer Herrschaft wird besonders klar herausgearbeitet bei Raab und Tänzler, »Charisma der Macht«, S. 64.

37   Der Verfasser stützt sich hierbei auf die luziden Ausführungen von Breuer, *Bürokratie und Charisma*, insbesondere S. 136–143.

38   Vgl. Isabel V. Hull, »Persönliches Regiment«, S. 22; Annelise Thimme, *Flucht in den Mythos*, Göttingen 1969, S. 87; Ludolf Herbst, »Der Fall Hitler – Inszenierungskunst und Charismapolitik«, in: *Virtuosen der Macht*, hg. von Wilfried Nippel, München 2000, S. 171–191, hier S. 184f.

39   Von dieser begrifflichen Unschärfe geprägt sind die meisten Beiträge des Sammelbandes von Walter Jacob (Hg.), *Charisma. Revolutionäre Macht im individuellen und kollektiven Erleben*, Zürich 1999; auch die ansonsten gehaltvolle Studie von Lenze, *Charisma*, neigt zu einer problematischen Ausweitung des Charismabegriffs. Vollends unscharf wird dieser Terminus bei Holger Daners, *Charisma in Organisationen. Die Perpetuierung charismatischer Führung*, Aachen 1999.

40   Für die außerdeutsche Geschichte etwa in der theoretisch anregenden Arbeit von Georg Eickhoff, *Das Charisma der Caudillos: Cárdenas, Franco, Péron*, Frankfurt a.M. 1999.

KAPITEL 11
Hoheit in Personalentscheidungen

1   So der Schriftsteller Max Bewer, *Beim Kaiser*, S. 18; vgl. auch Dr. Heyderhoff, »Hindenburg in der preußischen Geschichte«, in: *Der Feldgraue* 2 (1917), Nr. 16, S. 6, sowie die bei v. Hoegen, *Held von Tannenberg*, S. 156–166, aufgezählten Zeugnisse.

2   Abgebildet bei Jeffrey Verhey, *Der »Geist von 1914« und die Erfindung der Volksgemeinschaft*, Hamburg 2000, S. 253; auch auf Postkarten wurde Hindenburg zusammen mit Bismarck für solche Zwecke abgebildet, vgl. Otto May, *Deutsch sein heißt treu sein. Ansichtskarten als Spiegel von Mentalität und Untertanenerziehung in der Wilhelminischen Ära (1888–1918)*, Hildesheim 1998, S. 209.

3   *Germania* Nr. 455 vom 2. Oktober 1917, Morgenausgabe.

4   Darauf weist hin die Würdigung eines ungenannten deutschen Generals: »Generalfeldmarschall v. Hindenburg«, in: *Hannoverscher Kurier* Nr. 33363 vom 2. Oktober 1917.

5 Baron v. Ardenne, »Zum 70. Geburtstag des Generalfeldmarschalls v. Hindenburg«, in: *Berliner Tageblatt* Nr. 501 vom 1. Oktober 1917.

6 Vgl. hierzu »Die Hindenburg-Feier auf dem Königsplatz«, in: *Münchener Neueste Nachrichten* Nr. 499 vom 3. Oktober 1917 sowie Georg Hirschfeld, »Münchens Hindenburg«, in: *Der Tag. Illustrierter Teil*, Nr. 236 vom 9. Oktober 1917.

7 Eine Fülle entsprechender Belege bei v. Hoegen, *Held von Tannenberg*, S. 132–136.

8 Zum Meinungsstreit um einen »Hindenburg«- bzw. einen »Scheidemannfrieden« vgl. folgende Zeitungsartikel: »Mit Hindenburg oder mit Scheidemann?«, in: *Kölnische Volkszeitung* Nr. 318 vom 24. April 1917; »Eine Irreführung«, in: *Münchener Neueste Nachrichten* Nr. 261 vom 25. Mai 1917; »Der Scheidemannfrieden als Sicherungsfrieden«, in: *Vorwärts* Nr. 137 vom 21. Mai 1917; »Der sogenannte Hindenburgfrieden«, in: *Vossische Zeitung* Nr. 502 vom 2. Oktober 1917.

9 »Hindenburg«, in: *Vorwärts* Nr. 270 vom 2. Oktober 1917.

10 Vgl. Hagenlücke, *Vaterlandspartei*, S. 145–147 und S. 276f.

11 Abgedruckt bei Wohltmann, *Hindenburg-Worte*, S. 77.

12 Vgl. Hagenlücke, *Vaterlandspartei*, S. 163–165.

13 Ebenda, S. 161.

14 Hindenburg an Herzog Johann Albrecht zu Mecklenburg, 16. September 1917, abgedruckt bei Paul Dehn, *Hindenburg als Erzieher in seinen Aussprüchen*, Leipzig 1918, S. 77.

15 Hierzu vgl. vor allem Miller, *Burgfrieden*; Wolfgang Kruse, *Krieg und nationale Integration. Eine Neuinterpretation des sozialdemokratischen Burgfriedensschlusses 1914/15*, Essen 1993; Volker Ullrich, *Kriegsalltag. Hamburg im ersten Weltkrieg*, Köln 1982; Gunther Mai, »›Verteidigungskrieg‹ und ›Volksgemeinschaft‹. Staatliche Selbstbehauptung, nationale Solidarität und soziale Befreiung in Deutschland in der Zeit des Ersten Weltkrieges (1900–1925)«, in: *Der Erste Weltkrieg*, hg. von Wolfgang Michalka, München 1994, S. 583–602.

16 Colin Roß, »Der sogenannte ›Hindenburg-Frieden‹«, in: *Vossische Zeitung* Nr. 502 vom 2. Oktober 1917.

17 Dankschreiben zu den Geburtstagsglückwünschen des Elberfelder Kreiskriegerverbandes, 29. September 1917, abgedruckt bei Wohltmann, *Hindenburg-Worte*, S. 81. Auf dieses Dankschreiben nahm ausdrücklich der Festredner auf der vaterländischen Feier der Stadt Elberfeld zu Ehren des 70. Geburtstags von Hindenburg Bezug, Text dieser Rede in: »Die Hindenburg-Feier in Elberfeld«, in: *Täglicher Anzeiger für Berg und Mark* Nr. 272 vom 2. Oktober 1917.

18 Dies geht u.a. hervor aus dem Beitrag des völkischen Schriftstellers Max Bewer, »Bei Hindenburg und Ludendorff«, in: *Der Kamerad* 55 (1917), Ausgabe Nr. 36 vom 6. September 1917, S. 9f.

19 Ludendorff hatte anläßlich eines Abendessens für den engeren Stab in Hindenburgs Kreuznacher Villa eine treffende Rede gehalten, die Hindenburgs politische Entscheidungskompetenz rühmte und Hindenburgs Namen für einen Siegfrieden reklamierte – mit Lobhudeleien bezüglich der Feldherrnkunst Hindenburgs hielt sich Ludendorff zurück. Hindenburg antwortete darauf, indem er sich zu seinen Entscheidungen während des Krieges bekannte und Ludendorff als denjenigen pries, der ihn erst in die Lage dazu versetze, indem er ihn in militärischer Hinsicht entlaste. Diese Hommage an seinen »unvergleichlichen Gehilfen und Berater« gipfelte in dem Satz: »Wo mein Name genannt wird, da darf der Ihrige nicht fehlen, sonst bleibt das Bild unvollständig.« Wörtliche Wiedergabe dieser Ansprache Hindenburgs bei Brockhusen, *Weltkrieg*, S. 233, sowie bei Eisenhart

Rothe, *Persönlichkeit*, S. 210f. Dies räumte selbst der über Hindenburgs Verhalten verbitterte Ludendorff ein, als er nach seiner Entlassung Anfang November 1918 dem Publizisten Maximilian Harden sein Herz ausschüttete und sich dabei bitter über die Undankbarkeit Hindenburgs ihm gegenüber beklagte, vgl. Jacob, *Charisma*, S. 18. Auch in seinem ansonsten zurückhaltenden Beitrag für die 1922 erschienene Hindenburg-Festschrift hob Ludendorff hervor, daß Hindenburg am 2. Oktober 1917 seinen Dank »in besonders tief empfundene Worte« gekleidet habe, in: Erich Ludendorff, »Heer, Heimat, Hindenburg«, in: Lindenberg, *Hindenburg-Denkmal*, S. 313–322, hier S. 320.

20 Der Verlauf dieses Vortrags geht hervor aus einem Zeugnis eines dabei anwesenden Mitarbeiters der Operationsabteilung der 3. Obersten Heeresleitung, abgedruckt in: Erich Ludendorff, »Reichspräsident und geschichtliche Wahrheit«, in: *Ludendorffs Volkswarte* 4 (1932), Folge 38 vom 25. September 1932; vgl. auch die Tagebucheintragung Lynckers vom 31. August 1917, in: Afflerbach, *Kriegsherr*, S. 526.

21 Wiedergabe der kaiserlichen Rede bei Brockhusen, *Weltkrieg*, S. 229; siehe auch den Brief Mertz von Quirnheims an seine Frau vom 3. Oktober 1917, auszugsweise wiedergegeben in dessen Erinnerungen, in: BA-MA Freiburg, Nachlaß Mertz von Quirnheim, Nr. 3, Bl. 279f.

22 Siehe dazu die Angaben von Hindenburgs Privatsekretär, Wachtmeister Kempin, gegenüber dem katholischen Feldgeistlichen Ludwig Berg, in: Betker und Kriele, *Kriegstagebücher Berg*, S. 677.

23 Zur Zentralisierung der Kriegführung bei Ludendorff vgl. u.a. Breucker, *Tragik Ludendorffs*, S. 46; Jung, *Gallwitz*, S. 76f.

24 Darin übereinstimmend: Ernst von Eisenhart Rothe, »Hindenburg und Ludendorff und die Verwaltung Ober-Ost«, in: Lindenberg, *Hindenburg-Denkmal*, S. 239–268, hier S. 233; Kuno Graf von Westarp, *Das Ende der Monarchie am 9. November 1918*, Oldenburg 1952, S. 35; Jacob, *Charisma*, S. 18.

25 So gegenüber dem General Fritz von Loßberg im Februar 1918, der diese Äußerung Generaloberst von Einem mitteilte, welcher davon brieflich am 16. Februar 1918 seiner Frau berichtete, in: Einem, *Erinnerungen*, S. 368.

26 Vgl. dazu Vogel, *Als ich Hindenburg malte*, S. 198ff., sowie Betker und Kriele, *Kriegstagebücher Berg*, S. 449.

27 Deswegen schätzte Hindenburg den östlichen Kriegsschauplatz mehr als den westlichen, vgl. dazu sein Gespräch mit Anton Fendrich am 26. Dezember 1916, in: Fendrich, *Hindenburgbuch*, S. 24.

28 Brief Einems an seine Frau, 20./21. Mai 1917, in: Einem, *Erinnerungen*, S. 312. Der Zusatz »dick« fehlt in der publizierten Version, die von manchen zu deutlichen Beurteilungen Einems gereinigt ist; in solchen Fällen ist die Transkription der Briefe Einems heranzuziehen: BA-MA Freiburg, Nachlaß Einem, Nr. 54, Bl. 67.

29 Einem, *Erinnerungen*, S. 313.

30 Photographie über einen derartigen Besuch Hindenburgs am 18. August 1918 bei Lindenberg, *Hindenburg-Denkmal*, S. 369; zur besonderen Verbundenheit Hindenburgs mit seiner alten Einheit vgl. auch Lindenberg, *Buch*, S. 297.

31 Vgl. die Schilderung bei Brockhusen, *Weltkrieg*, S. 225; Görlitz, *Hindenburg*, S. 131, sowie die Schilderung seines Leibarztes Prof. Münter, der Hindenburg auf all seinen Ausflügen begleitete: Prof. Münter, »Vor zwanzig Jahren. Erinnerungen an Hindenburg«, in: *Deutsche medizinische Wochenschrift* 61 (1935), S. 519–522.

32 Vgl. dazu die Information bei Friedrich von Bernhardi, *Eine Weltreise 1911/1912 und der Zusammenbruch Deutschlands*, Leipzig 1920, S. 220.

33 Vgl. die entsprechende Schilderung von Hindenburgs Privatsekretär, Wachtmeister Kempin, gegenüber dem katholischen Feldgeistlichen Ludwig Berg, 2. Juli 1918, in: Betker und Kriele, *Kriegstagebücher Berg*, S. 677.

34 Vgl. Münter (Anm. 31), S. 520; siehe auch Lindenberg, *Buch*, S. 292f.

35 Detaillierte Schilderung dieser Begegnung im Tagebuch Berg, in: Betker und Kriele, *Kriegstagebücher Berg*, S. 448.

36 Mehrere dieser Begebenheiten bei Lindenberg, *Buch*, S. 293f.

37 Zum Gesundheitszustand vgl. Münter (Anm. 31).

38 Zur militärischen Entwicklung vgl. Kielmansegg, *Deutschland*, S. 353–356, 371–374 und S. 515f.

39 Schreiben an Reichskanzler Michaelis vom 21. August 1917, abgedruckt in Wohltmann, *Hindenburg-Worte*, S. 68; auch dieses in der Öffentlichkeit verbreitete Hindenburg-Wort wurde eifrig kommuniziert, so schmückte es den Rechenschaftsbericht Stresemanns auf der Sitzung des Zentralvorstandes der Nationalliberalen Partei am 23. September 1917, vgl. Reiß, *Bassermann*, S. 320.

40 Vgl. das Schreiben Ludendorffs an Wyneken vom 16. Dezember 1917: »Ich glaube, wir haben Deutschland den Sieg erkämpft«, abgedruckt bei Knesebeck, *Die Wahrheit*, S. 163.

41 Zu der Fixierung der Kriegsziele in bezug auf Belgien vgl. das Schreiben von Reichskanzler Michaelis an Hindenburg, 12. September 1917, sowie Hindenburgs Antwortschreiben vom 15. September 1917, abgedruckt in: *L' Allemagne et les problèmes de la paix pendant la première guerre mondiale*, Bd. 2, hg. von André Scherer und Jacques Grunewald, Paris 1966, S. 421f. und S. 429f.; siehe auch die Tagebuchaufzeichnung Admiral Müllers vom 11. September 1917, in: Görlitz, *Regierte der Kaiser?*, S. 319.

42 Mit Oberst Detlof von Winterfeldt hatte die Oberste Heeresleitung erstmals einen eigenen Vertreter beim Reichskanzler installiert, dessen Amtssitz sich in der Reichskanzlei befand, der aber häufig zur Berichterstattung im Großen Hauptquartier weilte. Zur Person Winterfeldts, von dem sich leider kein persönlicher Nachlaß erhalten hat, vgl. Erich Wentscher, *Geschichte des Geschlechts von Winterfeld(t)*, Bd. 5, Görlitz 1937, S. 253–272.

43 So seine Selbstbezeichnung in einer Unterredung mit dem konservativen Parteiführer Westarp am 28. Oktober 1917 gemäß der Aufzeichnung Westarps, in: Westarp, *Konservative Politik*, S. 492.

44 Siehe Epstein, *Erzberger*, S. 247–251.

45 Vgl. den Mitte Oktober 1917 entstandenen Entwurf eines Schreibens Hindenburgs an Michaelis mit Bemerkungen zur innenpolitischen Situation, abgedruckt bei Deist, *Militär und Innenpolitik*, S. 1082–1087.

46 Zu den heftigen innerparteilichen Widerständen gegen den Erzberger-Kurs vgl. Rudolf Morsey, *Die Deutsche Zentrumspartei 1917–1923*, Düsseldorf 1966, S. 64f.; Loth, *Katholiken im Kaiserreich*, vor allem S. 340–351; Ursula Mittmann, *Fraktion und Partei*, Düsseldorf 1976, vor allem S. 374–376.

47 So das Ergebnis einer vertraulichen Beratung Hindenburgs mit dem Intimus des Kronprinzen, Oldenburg-Januschau, am 31. Oktober 1917, von dem Oldenburg seiner Frau am 1. November 1917 brieflich Mitteilung machte, vgl. Oldenburg-Januschau, *Erinnerungen*, S. 184.

48 Vgl. den Verlauf einer Unterredung Westarps mit Hertling, 28. Oktober 1917, in: Westarp, *Konservative Politik*, S. 495.

49 Zu Hertlings politischer Einstellung vgl. Epstein, *Erzberger*, S. 249f.

50 Vgl. Friedrich von Payer, *Von Bethmann Hollweg bis Ebert. Erinnerungen und Bilder*, Frankfurt a.M. 1923, S. 47.

51 Vgl. Wright, *Stresemann*, S. 99f.

52 So die treffende Charakterisierung in einem Schreiben des Staatssekretärs des Reichskolonialamtes, Wilhelm Solf, an seine Frau, 10. Oktober 1917, in: BA Koblenz, Nachlaß Solf, Nr. 54, Bl. 177.

53 So das Ergebnis der Besprechung Hindenburgs mit Oldenburg-Januschau am 31. Oktober 1917, in: Oldenburg-Januschau, *Erinnerungen*, S. 184.

54 Aufzeichnung Westarps über diese Unterredung, in: Westarp, *Konservative Politik*, S. 516f.

55 Vgl. dazu Patemann, *Wahlreform*, vor allem S. 228, sowie Hartwin Spenkuch, *Das Preußische Herrenhaus*, Düsseldorf 1998, S. 136–139.

56 Die zum Teil bis 1919 währende Abneigung dieser Kreise gegen Helfferich, der 1918 zur DNVP stieß und sich dort als scharfer Gegner der Weimarer Republik profilierte, wird u.a. ersichtlich aus Kuno Graf Westarp, *Konservative Politik im Übergang vom Kaiserreich zur Weimarer Republik*, bearb. von Friedrich Freiherr Hiller von Gaertringen, Düsseldorf 2001, vor allem S. 84; siehe auch das Urteil des ehemaligen preußischen Kriegsministers Wild von Hohenborn vom 29. Juli 1917: Helfferich »bleibt doch so eine Sorte Bethmann Hollweg«, in: Deist, *Militär und Innenpolitik*, S. 994.

57 Vgl. dazu Helfferichs eigene Darstellung, die zwar aus Rücksichtnahme auf Hindenburg manche Ereignisse verschweigt, aber in diesem Punkt zuverlässig ist: Helfferich, *Der Weltkrieg*, vor allem S. 517f.; siehe auch die Tagebucheintragungen Müllers vom 1., 5. und 8. November 1917, in: Görlitz, *Regierte der Kaiser?*, S. 329–331.

58 Vgl. dazu u.a. Epstein, *Erzberger*, S. 248–255.

59 Vgl. eine entsprechende Aufzeichnung von Mertz von Quirnheim, abgedruckt bei Deist, *Militär und Innenpolitik*, S. 1087–1090; siehe auch Helfferich, *Der Weltkrieg*, S. 517ff.

60 Eindeutig sind diesbezüglich Valentinis 1918 und 1919 entstandene Aufzeichnungen, in: Schwertfeger, *Kaiser*, vor allem S. 152f. und S. 171.

61 So Hindenburg in dem Entwurf eines Schreibens an den Kaiser vom 16. Januar 1918, in dem er ultimativ auf die Entlassung Valentinis pochte, abgedruckt bei Deist, *Militär und Innenpolitik*, S. 1124–1127, Zitat S. 1125. Dieses Schreiben ist dem Kaiser in dieser Form auch zugeleitet worden, eine Abschrift findet sich im BA Koblenz, Nachlaß Valentini, Nr. 206, Bl. 46–48; siehe hierzu auch Potthoff, *Friedrich von Berg*, S. 46, Anm. 21.

62 Hindenburg an den Kaiser, 16. Januar 1918, bei Deist, *Militär und Innenpolitik*, S. 1125f.

63 Vgl. auch das Schreiben Hindenburgs an seinen ehemaligen militärischen Vorgesetzten Seel vom 21. Januar 1918, wo Valentini als »letzter Anhänger Bethmann'scher Theorien« fungiert, in: BA-MA Freiburg, Nachlaß Hindenburg, Nr. 4, Nr. 13.

64 Diese in der Diktion der Dolchstoßlegende nicht unähnliche Formulierung findet sich in einem nicht abgesandten Schreiben Valentinis an Hindenburg vom Januar 1918, in der Valentini keinen Geringeren als den Kaiser als Gewährsmann für diese Äußerung Hindenburgs heranzieht, in: BA Koblenz, Nachlaß Valentini, Nr. 206, Bl. 45.

65 Vgl. dazu die Ausführungen bei Potthoff, *Friedrich von Berg*, S. 46.

66 Vgl. dazu die Tagebucheintragung Plessens vom 10. November 1917, in: Afflerbach, *Kriegsherr*, S. 914f., sowie die Tagebuchnotiz Admiral Müllers vom selben Tage, in: Görlitz, *Regierte der Kaiser?*, S. 331f.; siehe auch die Aufzeichnungen Valentinis, in: Schwertfeger, *Kaiser*, S. 184f.

67 Abschrift dieses Schreibens Wilhelms II. vom 22. November 1917 in: BA Koblenz, Kleine Erwerbungen 341/2, Bl. 5f.; zur Genese dieses Schreibens siehe auch Tagebucheintragungen von Kabinettschef Müller vom 21. und 22. November 1917, in: Görlitz, *Regierte der Kaiser?*, S. 334f., sowie die Aufzeichnungen Valentinis, in: Schwertfeger, *Kaiser*, S. 187f.

68 Aufzeichnung Valentinis, ebenda, S. 186; vgl. auch die Tagebuchnotiz Valentinis vom 18. November 1917, in: BA Koblenz, Nachlaß Valentini, Nr. 214, Bl. 25 Rückseite.

69 »Er lasse sich so etwas nicht vorschreiben«: Äußerung des Kaisers zu Valentini und Lyncker am 18. November 1917 gemäß der Aufzeichnung Valentinis, ebenda, S. 186.

70 Datiert vom 16. Januar 1918, abgedruckt bei Deist, *Militär und Innenpolitik*, S. 1124–1127.

71 So die wörtliche Auskunft des Kronprinzen am 13. Januar 1918 gegenüber Valentini; der Kronprinz war eingeweiht in die Absichten der beiden Dioskuren. Diese Stelle aus den Aufzeichnungen Valentinis über sein Ausscheiden als Chef des Zivilkabinetts hat der Bearbeiter dieser Aufzeichnungen, der Hindenburg-Verehrer Schwertfeger, in seiner diesbezüglichen Publikation bezeichnenderweise weggelassen. Daher ist in diesem Fall das handschriftliche Original der Aufzeichnungen Valentinis heranzuziehen, in: BA Koblenz, Kleine Erwerbungen 341/1, Bl. 36.

72 Näheres hierzu bei Schwertfeger, *Kaiser*, S. 191–193, sowie S. 223–225; in den Tagebuchaufzeichnungen Valentinis vom 13. und 15. Januar 1918 in: BA Koblenz, Nachlaß Valentini, Nr. 214, Bl. 27, sowie dem Tagebucheintrag Admiral Müllers vom 16. Januar 1918 in: Görlitz, *Regierte der Kaiser?*, S. 344; vgl. auch das Schreiben des Obersten Detlof von Winterfeldt an Valentini, 16. Januar 1918, in: BA Koblenz, Nachlaß Valentini, Nr. 206, Bl. 44.

73 Wiedergabe gemäß einer am 10. Oktober 1918 entstandenen Niederschrift Valentinis in: BA Koblenz, Kleine Erwerbungen 341/1, Bl. 41.

74 Vgl. Potthoff, *Friedrich von Berg*, S. 48f.

75 Diese Begebenheit vom 16. Januar 1918 gemäß Bergs 1920 entstandenen Aufzeichnungen, ebenda, S. 93.

76 Dazu Kielmansegg, *Deutschland*, S. 579–581.

77 Generell dazu Klaus Hildebrand, »Das deutsche Ostimperium 1918«, in: *Gestaltungskraft des Politischen*, hg. von Wolfram Pyta und Ludwig Richter, Berlin 1998, S. 109–124.

78 Abdruck des Ergebnisprotokolls dieser Besprechung bei Werner Hahlweg (Bearb.), *Der Friede von Brest-Litowsk*, Düsseldorf 1971, S. 129–131; Verlaufsprotokolle dieser Besprechungen ebenda, S. 72–83.

79 Vgl. Brockhusen, *Weltkrieg*, S. 143, S. 155–159.

80 Siehe dazu ein entsprechendes Schreiben des Großherzogs von Mecklenburg-Schwerin, Friedrich Franz IV., an seinen Onkel Johann Albrecht, 4. Dezember 1917, Landeshauptarchiv Schwerin, Hausarchiv Mecklenburg-Schwerin, Briefnachlaß Johann Albrecht, Nr. 32.

81 Vgl. Epstein, *Erzberger*, S. 264–266.

82 Vgl. das Protokoll der Kreuznacher Besprechung, bei Hahlweg, *Brest-Litowsk*, S. 130.

83 Ebenda, S. 130; vgl. auch Tagebucheintragung Admiral Müllers vom 19. Dezember 1917, in: Görlitz, *Regierte der Kaiser?*, S. 339.

84 Zur Berufung Hoffmanns vgl. das Schreiben Hertlings an Grünau, 8. Dezember 1917, in: Hahlweg, *Brest-Litowsk*, S. 84f.

85 Vgl. hierzu Richard von Kühlmann, *Erinnerungen*, Heidelberg 1948, S. 525–529; dessen Erinnerungen decken sich mit Kühlmanns Telegramm an den Unterstaatssekretär im Auswärtigen Amt, Freiherr von dem Bussche, vom 7. Januar 1918, in: Scherer und Grunewald, *L'Allemagne*, Bd. 3, S. 216; vgl. weiter Geiss, *Grenzstreifen*, S. 128–131; siehe auch die Schil-

derung Hoffmanns in einem Schreiben an seine Frau vom 29. Januar 1918, in: BA-MA Freiburg, Nachlaß Hoffmann, Nr. 1, Bl. 77f.

86 Vgl. dazu das Schreiben Hoffmanns an seine Frau vom 10. Januar 1918, in: BA-MA Freiburg, Nachlaß Hoffmann, Nr. 1, Bl. 76, sowie Kitchen, *Dictatorship*, S. 168; zum Salonleben Hoffmanns siehe auch die Einleitung bei Nowak, *Hoffmann*, S. XXX.

87 Vgl. den streng vertraulichen Bericht des Leiters der Berliner Redaktion der *Königsberger Allgemeinen Zeitung*, Nagel, vom 5. Januar 1918, in: Stadtarchiv Magdeburg, Nachlaß Faber, Rep. 30/391, Bd. 1, Bl. 243; siehe auch die ungedruckten Erinnerungen des Forstrats Escherich, mit dem Hoffmann in häufigem telefonischen Kontakt stand, in: Hauptstaatsarchiv München, Nachlaß Escherich 18, Bl. 120.

88 Bericht Nagels vom 5. Januar 1918, ebenda.

89 Das Schreiben Hindenburgs an den Kaiser vom 7. Januar 1918 bei Ludendorff, *Urkunden*, S. 452–455. Dieses Schreiben gibt in abgeschwächter Form die Argumentation einer Denkschrift Hindenburgs wieder, die ausgewählten Personen wie dem Kronprinzen zugespielt wurde, um Stimmung gegen die einen Verständigungsfrieden befürwortenden Politiker zu machen; zu deren Inhalt vgl. den Bericht des Vertreters der bayerischen Regierung im Hauptquartier des bayerischen Kronprinzen Rupprecht, Krafft von Dellmensingen, an den bayerischen Ministerpräsidenten Dandl, 10. Januar 1918, Abschrift in: BA Koblenz, Nachlaß Ritter, Nr. 65.

90 Vgl. die Tagebucheintragungen Admiral Müllers vom 8. Januar und 13. Januar 1918, in: Görlitz, *Regierte der Kaiser?*, S. 342f., siehe auch die kaiserlichen Randbemerkungen auf einem Artikel der *Berliner Börsenzeitung* über »Herr v. Kühlmann« vom 8. Januar 1918 bei Hahlweg, *Brest-Litowsk*, S. 235–238.

91 Vgl. Kühlmann, *Erinnerungen*, S. 537 und S. 539.

92 Die von Kühlmann entworfene Antwort Hertlings ist als Anlage einem undatierten, nach dem 12. Januar 1918 abgesandten Handschreiben Wilhelms II. an Hindenburg beigefügt, Handschreiben samt Anlage in Ludendorff, *Urkunden*, S. 457–466, Zitat S. 459.

93 Ebenda, S. 459.

94 Vgl. eine Hindenburg am 12. Januar 1918 von Hertling übersandte Erklärung »über das Wesen der staatsrechtlichen Verantwortlichkeit«, ebenda, S. 455f.; zur Unterredung am 12. Januar siehe auch Kühlmann, *Erinnerungen*, S. 537.

95 Schreiben Hindenburgs an Reichskanzler Hertling, 14. Januar 1918, ebenda, S. 456f., Zitat S. 456.

96 Ebenda, S. 456f.

97 Vgl. die Tagebucheintragung Admiral Müllers vom 13. Februar 1918, in: Görlitz, *Regierte der Kaiser?*, S. 353–355; siehe auch die Aufzeichnung Ludendorffs für die Besprechung am 13. Februar 1918, in: Ludendorff, *Urkunden*, S. 470–472.

98 Grundlegend hierzu Winfried Baumgart, *Deutsche Ostpolitik 1918*, Wien 1966, vor allem S. 93–207; siehe auch Kielmansegg, *Deutschland*, S. 599–609, und Hildebrand, »Ostimperium«.

99 Siehe Baumgart, *Ostpolitik*, S. 60–92.

100 Vgl. Kühlmann, *Erinnerungen*, S. 563–565.

101 Das Schreiben Hindenburgs an den Kaiser bei Scherer und Grunewald, *L'Allemagne*, Bd. 4, S. 86f.; vgl. auch Rauscher, *Hindenburg*, S. 152, sowie Payer, *Von Bethmann Hollweg*, S. 67f. Dem Kaiser persönlich machte Hindenburg die Mitteilung, daß Kühlmann seine Zeit in Bukarest »mit einem amerikanischen Glücksspiel namens Poker« verbringe. Daran

war nur soviel richtig, daß Kühlmann sich der bei den östlichen Verbündeten Deutschlands herrschenden Landessitte angepaßt hatte, nach dem Essen Karten zu spielen – und Poker war das einzige Kartenspiel, das Kühlmann aufgrund seiner USA-Erfahrung zumindest ein wenig beherrschte, vgl. Kühlmann, *Erinnerungen*, S. 563.

102 Vgl. dazu den Bericht des Leiters der Presseabteilung des Admiralstabes an den Staatssekretär des Reichsmarineamtes vom 25. Juni 1918, bei Deist, *Militär und Innenpolitik*, S. 1227–1229.

103 Stresemann wurde zu dieser Rede von Ludendorff gratuliert, vgl. Wright, *Stresemann*, S. 106; zu Westarp siehe Kühlmann, *Erinnerungen*, S. 575.

104 Vgl. die Tagebucheintragung Admiral Müllers vom 25. Juni 1918, in: Görlitz, *Regierte der Kaiser?*, S. 387.

105 »Der Eindruck der Rede auf das Heer ist niederschmetternd«, Aufzeichnung der Besprechung bei Ludendorff, *Urkunden*, S. 491f.

106 Vizekanzler Payer von den Linksliberalen hatte sich in einem Schreiben an den Reichskanzler vom 6. Juli 1918 deswegen für Kühlmanns Verbleiben im Amt eingesetzt, abgedruckt bei Payer, *Von Bethmann Hollweg*, S. 69f.; zum kurzfristigen Schwanken des Kaisers vgl. die Aufzeichnungen Bergs, in: Potthoff, *Friedrich von Berg*, S. 149f.

KAPITEL 12
Enttäuschte Hoffnungen und gefährdeter Ruhm

1 Hoegen, *Held von Tannenberg*, S. 221–223.

2 Ebenda, S. 222.

3 Entsprechende Äußerungen machte er gegenüber dem ihm menschlich und politisch eng verbundenen General Friedrich von Bernhardi, der ihn am 24./25. Februar 1918 im Hauptquartier aufgesucht hatte: Bernhardi, *Weltreise*, S. 218f.

4 Vgl. Robert B. Asprey, *The German High Command at War*, London 1991, S. 363–389; Rauscher, *Hindenburg*, S. 154–156; Dieter Storz, »»Aber was hätte anders geschehen sollen?‹ Die deutschen Offensiven an der Westfront 1918«, in: *Kriegsende 1918. Ereignis, Wirkung, Nachwirkung*, hg. von Jörg Duppler und Gerhard P. Groß, München 1999, S. 51–95, vor allem S. 56–77.

5 Vgl. Asprey, *The German High Command*, S. 391–399 und S. 411–425.

6 Vgl. dazu die Erinnerungen Haeftens, der nach den ersten Erfolgsmeldungen bei der Chemin-des-Dames-Offensive von einer »Hochstimmung« spricht, die in Avesnes geherrscht habe, in: BA-MA Freiburg, Nachlaß Haeften, Nr. 4, Bl. 22.

7 So die Analyse im Schreiben des sozialdemokratisch und gewerkschaftlich organisierten Frontsoldaten Heinrich Aufderstrasse an den Verband der Bergarbeiter Deutschlands, 1. Mai 1918, abgedruckt bei Bernd Ulrich und Benjamin Ziemann (Hg.), *Frontalltag im Ersten Weltkrieg. Wahn und Wirklichkeit. Quellen und Dokumente*, Frankfurt a.M. 1994, S. 198f.; generell zur Stimmung im Frontheer vgl. Benjamin Ziemann, »Enttäuschte Erwartung und kollektive Erschöpfung. Die deutschen Soldaten an der Westfront 1918 auf dem Weg zur Revolution«, in: *Kriegsende 1918*, hg. von Duppler und Groß, S. 165–182.

8 Vgl. dazu Miller, *Burgfrieden*, S. 386.

9 Erich Ludendorff, »Im Schloß zu Posen am 2.7.1915«, in: *Am Heiligen Quell Deutscher Kraft* 6 (1935/36), S. 217–223, Zitat S. 221.

10 Dieses in vielerlei Hinsicht aufschlußreiche Schreiben des Kronprinzen ging am 23. Januar 1919 beim Kaiser in dessen niederländischem Exil ein, in: Privatarchiv John Röhl.

11 Tagebuchnotiz Fabecks vom 3. Juli 1918, in: Tagebuch Fabeck, Kladde 10 (Privatbesitz).

12 Antwort Hindenburgs vom 31. März 1918 auf eine Adresse des Bergbauvereins Essen, bei Wohltmann, *Hindenburg-Worte*, S. 110.

13 Aufzeichnungen Haeftens über »Meine Denkschrift vom 3. Juni 1918 und deren Schicksal«, in: BA-MA Freiburg, Nachlaß Haeften, Nr. 4, Bl. 27; Abdruck der Denkschrift Haeftens bei Ludendorff, *Urkunden*, S. 478–486.

14 Tagebuchaufzeichnung Thaers über seine Meldung bei Hindenburg, 2. Mai 1918, in: Albrecht von Thaer, *Generalstabsdienst an der Front und in der O.H.L. Aus Briefen und Tagebuchaufzeichnungen 1915–1919*, Göttingen 1958, S. 196.

15 Schilderung dieser Szene bei Lindenberg, *Buch*, S. 308f.

16 Harry Graf Kessler, *Das Tagebuch 1880–1937*, Bd. 6: *1916–1918*, hg. von Günter Riederer und Roland S. Kamzelak, Stuttgart 2006, S. 336, Tagebucheintragung vom 26. März 1918.

17 Lindenberg, *Buch*, S. 318–321.

18 Vgl. Asprey, *The German High Command*, S. 430–438; Thaer, *Generalstabsdienst*, S. 214f.; Storz, »Die deutschen Offensiven«, S. 92f.

19 Grundlegend dazu aufgrund von zum Teil durch Kriegseinwirkungen vernichtetem Material Foerster, *Der Feldherr Ludendorff*, S. 18–21.

20 Gemäß dem Protokoll der Besprechung vom 14. August 1918, abgedruckt bei Ludendorff, *Urkunden*, S. 499–502, Zitat S. 502.

21 Vgl. Ritter, *Staatskunst*, Bd. 4, S. 395–397.

22 Siehe Asprey, *The German High Command*, S. 459–463.

23 Darüber berichtet Generaloberst von Einem in seinem Tagebuch am 14. August 1918, in: BA-MA Freiburg, Nachlaß Einem, Nr. 55, Bl. 105f.

24 Vgl. dessen Brief an seine Frau vom 28. August 1918, ebenda, Bl. 113.

25 Vgl. Adalbert von Wallenberg, »Größe im Unglück«, in: Lindenberg, *Hindenburg-Denkmal*, S. 353–390, hier S. 360.

26 Hindenburgs Leibarzt vermittelte deshalb Anfang September 1918 eine ärztliche Behandlung durch einen angesehenen Nervenarzt, dem es binnen vier Wochen gelang, Ludendorff wieder körperliche Frische einzuimpfen; vgl. dazu die bei Foerster, *Feldherr Ludendorff*, S. 74–79, abgedruckten Briefe des Nervenarztes Dr. Hochheimer an seine Frau.

27 Brief Hochheimers vom 20. September 1918, ebenda, S. 78.

28 Levetzow trug diese Begebenheit anläßlich einer Abendeinladung beim Fürsten Henckel-Donnersmarck wohl im Jahre 1932 vor, bei der auch der Münchner Historiker Karl Alexander von Müller anwesend war, dem wir eine Gesprächsniederschrift verdanken, in: Bayerisches Hauptstaatsarchiv München, Nachlaß Karl Alexander von Müller 141, Bl. 30–34, Zitat Bl. 32.

29 Vgl. Wallenberg, »Größe im Unglück«, S. 369; vgl. auch das Schreiben der Tochter Irmengard an Hindenburg vom 18. September 1918 (Privatbesitz).

30 Vgl. einen entsprechenden Erlebnisbericht des Obersten Erich von Bartenwerffer, dem Bruder des Chefs der Politischen Abteilung der Obersten Heeresleitung, über seinen Besuch in Avesnes am 30. August 1918: Erich von Bartenwerffer, »Mit Hindenburg«, in: *Der Einundneunziger* 5 (1928), S. 169–173.

31 Dies teilte Generalleutnant von Kuhl, der Generalstabschef der Heeresgruppe Kronprinz Rupprecht, dem Kommandierenden General des II. bayerischen Armeekorps, Krafft von

Dellmensingen, als Kernaussage Hindenburgs am 13. September 1918 mit; Abschrift der Aufzeichnung Krafft von Dellmensingens vom 13. September 1918 in: BA-MA Freiburg, W 10/50717. Auch das Tagebuch Kuhls vom 6. September 1918 vermerkt einen solchen Ausspruch Hindenburgs, abgedruckt bei Foerster, *Feldherr Ludendorff*, S. 55f.

32 Vgl. die Tagebucheintragung Bernhardis über einen Besuch Hindenburgs am 19. September 1918 bei der von ihm kommandierten Armee, in: Bernhardi, *Weltreise*, S. 233.

33 Vgl. dazu Hindenburgs an Heer wie an Heimat gerichtete Kundgebung zum Sedanstag 1918, bei Lindenberg, *Buch*, S. 331f.

34 Vgl. den Stimmungsbericht des ehemaligen deutschen Botschafters in London, Metternich, an Staatssekretär Solf, 6. Juli 1918, in: Eberhard von Vietsch (Hg.), *Gegen die Unvernunft*, Bremen 1964, S. 116–119.

35 Vgl. den Bericht des Unterrichtsoffiziers des stellvertretenden Generalkommandos des XXXI. Armeekorps, 16. September 1918, sowie einen ähnlichen Bericht des Unterrichtsoffiziers der württembergischen 52. Infanteriebrigade, 29. August 1918 in: Hauptstaatsarchiv Stuttgart, M 77/1, Büschel 496.

36 Vgl. Kielmansegg, *Deutschland*, S. 647–649.

37 Zur Entstehung der Waffenstillstandsforderung der OHL vgl. eine Aufzeichnung Haeftens, bei Deist, *Militär und Innenpolitik*, S. 1282–1286; siehe auch Foerster, *Feldherr Ludendorff*, S. 86–89, sowie Siegfried A. Kaehler, »Vier quellenkritische Untersuchungen zum Kriegsende 1918«, in: ders., *Studien zur deutschen Geschichte des 19. und 20. Jahrhunderts. Aufsätze und Vorträge*, Göttingen 1961, S. 259–305, hier S. 259–266; zur Einschätzung Ludendorffs vgl. auch die Tagebucheintragung Thaers vom 1. Oktober 1918, Thaer, *Generalstabsdienst*, S. 234–236; zur Stimmung im Frontheer vgl. die wohltuend nüchterne und differenzierte Darstellung von Ziemann, »Enttäuschte Erwartung«.

38 Vgl. die Tagebuchaufzeichnung Müllers vom 29. September 1918, in: Görlitz, *Regierte der Kaiser?*, S. 420–422.

39 Darüber berichtete Generaloberst von Plessen am 6. Oktober 1918 Hindenburgs altem Bekannten Friedrich von Bernhardi, in: Bernhardi, *Denkwürdigkeiten*, S. 513.

40 Zum Kalkül der OHL bei der Nominierung des Prinzen Max vgl. die Tagebucheintragung Thaers vom 1. und 2. Oktober 1918, in: Thaer, *Generalstabsdienst*, S. 236–238.

41 Vgl. dazu Max von Baden, *Erinnerungen und Dokumente*, hg. von Golo Mann und Andreas Burckhardt, Stuttgart 1968, S. 326–337; Payer, *Von Bethmann Hollweg*, S. 106–111; Abdruck des Fragebogens in: Ludendorff, *Urkunden*, S. 540f.; zur Position Solfs vgl. dessen protokollarisch festgehaltene Unterredung mit dem Privatsekretär Max von Badens, Kurt Hahn, am 24. September 1922, in: BA Koblenz, Nachlaß Solf, Nr. 111, Bl. 19f.

42 Vgl. das Protokoll der Sitzung des Kriegskabinetts am 6. Oktober 1918, in: Erich Matthias und Rudolf Morsey (Bearb.), *Die Regierung des Prinzen Max von Baden*, Düsseldorf 1962, S. 87f., v. Baden, *Erinnerungen*, S. 362, sowie die Erinnerungen Haeftens, in: BA-MA Freiburg, Nachlaß Haeften, Nr. 4, Bl. 96.

43 Vgl. die Sitzung des Kriegskabinetts vom 10. Oktober 1918, in: Matthias und Morsey, *Regierung*, S. 127.

44 Abschrift in den Erinnerungen Haeftens, in: BA-MA Freiburg, Nachlaß Haeften, Nr. 4, Bl. 101f.

45 Telegramm Hindenburgs an Reichskanzler Max von Baden, 14. Oktober 1918, abgedruckt in: Ludendorff, *Urkunden*, S. 551f.

46 Der Text dieses Telegramms wurde hochrangigen Militärs zugespielt. Einer davon, der

stellvertretende Kommandierende General des II. Armeekorps in Stettin, Freiherr von Vietinghoff-Scheel, gab es durch Maueranschlag der Öffentlichkeit bekannt, wodurch sein Inhalt auch in die Presse gelangte, vgl. dazu Matthias und Morsey, *Regierung*, S. 342, Anm. 4 und 5.

47 Grundlegend dazu Gerd Krumeich, »Die Dolchstoß-Legende«, in: *Deutsche Erinnerungsorte*, Bd. 1, hg. von Etienne François und Hagen Schulze, München 2001, S. 585–599; vgl. auch Anne Lipp, *Meinungslenkung im Krieg. Kriegserfahrung deutscher Soldaten und ihre Deutung 1914–1918*, Göttingen 2003, S. 286–306.

48 Sitzungsprotokoll vom 16. Oktober 1918 bei Matthias und Morsey, *Regierung*, S. 206; Solf assistierten u.a. die Staatssekretäre Scheidemann (SPD) und Gröber (Zentrum) sowie Vizekanzler Payer, ebenda, S. 206 und S. 208f.

49 Vgl. die Sitzung des Kriegskabinetts vom 17. Oktober, ebenda, S. 217ff.; vgl. auch v. Baden, *Erinnerungen*, S. 395.

50 Vgl. das Wortprotokoll der Sitzung des Gesamtkabinetts vom 17. Oktober 1918, ebenda, S. 239.

51 Vgl. das Protokoll der Sitzung des Kriegskabinetts vom 17. Oktober 1918, ebenda, S. 218 bis 220; siehe auch v. Baden, *Erinnerungen*, S. 423.

52 Vgl. das Protokoll der Besprechung des Kaisers mit dem Reichskanzler, 20. Oktober 1918, ebenda, S. 284–288.

53 Vgl. das Protokoll der Sitzung des Kriegskabinetts vom 20. Oktober 1918, ebenda, S. 288 bis 291.

54 Tagebucheintragung Müllers vom 24. Oktober 1918, in: Görlitz, *Regierte der Kaiser?*, S. 435.

55 Vgl. das Protokoll der Sitzung des Kriegskabinetts vom 24. Oktober 1918, in: Matthias und Morsey, *Regierung*, S. 332–341, insbesondere die Stellungnahme Solfs, ebenda, S. 339.

56 Vgl. dazu eine Aufzeichnung Haeftens über die »Ereignisse am 24. Oktober«, ebenda, S. 325–328.

57 Zur Reaktion Hindenburgs vgl. die ungedruckten Lebenserinnerungen des damaligen Oberst Heye, abgedruckt bei Deist, *Militär und Innenpolitik*, S. 1334, Anm. 6.

58 Tagebucheintragung des dabei anwesenden Generals Erich von Gündell, der als vorgesehener Leiter der Waffenstillstandskommission nach Spa kommandiert worden war, in: Walther Obkircher (Bearb.), *General Erich von Gündell. Aus seinen Tagebüchern*, Hamburg 1939, S. 294.

59 Dieser Aufruf findet sich in: Ludendorff, *Urkunden*, S. 577f., Zitat S. 578.

60 Vgl. dazu die Aufzeichnung Haeftens über den Aufenthalt Hindenburgs und Ludendorffs in Berlin, in: Matthias und Morsey, *Regierung*, S. 361.

61 Gemäß der Tagebucheintragung des bei diesem Vortrag anwesenden Generaloberst Plessen, abgedruckt bei Foerster, *Feldherr Ludendorff*, S. 116.

62 Vgl. die Tagebuchaufzeichnung des kaiserlichen Flügeladjutanten Sigurd von Ilsemann vom 25. Oktober 1918, in: Sigurd von Ilsemann, *Der Kaiser in Holland*, Bd. 1: *Amerongen und Doorn 1918–1923*, München 1967, S. 25f., sowie eine im September 1922 protokollarisch festgehaltene Aussage Solfs über diesen Vortrag vor dem Kaiser, in: BA Koblenz, Nachlaß Solf, Nr. 111, Bl. 18.

63 Abgedruckt bei v. Baden, *Erinnerungen*, S. 446.

64 Der liberale Conrad Haußmann, Staatssekretär ohne Portefeuille, hielt die Ansprache für »sehr gut und liberal«, Brief an seine Tochter vom 21. Oktober 1918, abgedruckt in: Conrad Haußmann, *Schlaglichter. Reichstagsbriefe und Aufzeichnungen*, Frankfurt a.M. 1924,

S. 259; vgl. auch die Tagebucheintragung Ilsemanns vom 21. Oktober 1918 (fälschlich auf 22. Oktober datiert), wonach sich die Kabinettsmitglieder »begeistert über die Ansprache des Kaisers« geäußert hätten, in: Ilsemann, *Amerongen*, S. 24.

65 Handschriftlicher Entwurf eines Schreibens des Kronprinzen Rupprecht an König Ludwig III., 25. Oktober 1918, in: Bayerisches Hauptstaatsarchiv München, Geheimes Hausarchiv, Nachlaß Kronprinz Rupprecht 428; ähnlich im Tenor auch das Schreiben Rupprechts an Max von Baden, ebenfalls vom 25. Oktober 1918, abgedruckt in: v. Baden, *Erinnerungen*, S. 471.

66 Aufzeichnung des Chefs der Seekriegsleitung, Levetzow, über die Reise der Obersten Heeresleitung und der Seekriegsleitung nach Berlin, abgedruckt in: Deist, *Militär und Innenpolitik*, S. 1338–1340, Zitat S. 1339; siehe auch die Aufzeichnung Haeftens in: Matthias und Morsey, *Regierung*, S. 361.

67 Vgl. die Aufzeichnung des bei dieser Unterredung anwesenden Levetzow, ebenda, S. 1339f., sowie Payer, *Von Bethmann Hollweg*, S. 141–144.

68 Abgedruckt bei Matthias und Morsey, *Regierung*, S. 359f.

69 Das entsprechende Telegramm Hindenburgs an den Reichskanzler vom 12. Oktober 1918 abschriftlich in: BA-MA Freiburg, Nachlaß Haeften, Nr. 4, Bl. 107f.

70 Am 25. Oktober 1918 äußerte sich der neue Chef des Militärkabinetts, Ulrich Freiherr von Marschall, bei der Besprechung mit dem Kaiser wie folgt: »Ludendorff muß bleiben, Hindenburg wird ihn nie gehen lassen«, Tagebucheintragung Ilsemanns vom 25. Oktober 1918, in: Ilsemann, *Amerongen*, S. 26.

71 Vgl. die entsprechende Äußerung des Kaisers gegenüber seinem Flügeladjutanten Ilsemann, als Wilhelm II. am Morgen des 26. Oktober von seinem Potsdamer Palais mit dem Automobil nach Schloß Bellevue gebracht wurde, in: Tagebuch Ilsemann vom 26. Oktober, ebenda, S. 28.

72 Protokoll der Befragung Solfs durch Kurt Hahn am 24. September 1922, in: BA Koblenz, Nachlaß Solf, Nr. 111, Bl. 18. Solf betont darin, daß sich ihm diese Worte des Kaisers wörtlich in sein Gedächtnis eingeprägt hätten; nahezu wortgleiche Überlieferung auch im Schreiben Solfs an den Geheimen Legationsrat Friedrich Heilbron, 9. Oktober 1922, abgedruckt bei Eberhard von Vietsch, *Wilhelm Solf. Botschafter zwischen den Zeiten*, Tübingen 1961, S. 379.

73 Über diese Begegnung ist kein Protokoll abgefaßt worden; neben den drei Hauptbeteiligten wohnten ihr auch noch Plessen und der Chef des Militärkabinetts, Marschall, bei. Die Hauptbeteiligten haben kurz danach den Verlauf der Unterredung diversen Gesprächspartnern mitgeteilt, die diese Informationen festgehalten haben. Deren Aufzeichnungen stimmen zwar nicht in allen Einzelheiten überein, wohl aber in der Wiedergabe des Kerninhalts der besagten Unterredung. Insgesamt sind folgende Quellen einschlägig: eine sehr zeitnah entstandene Aufzeichnung Haeftens, abgedruckt bei Deist, *Militär und Innenpolitik*, S. 1342f.; eine darauf beruhende spätere Ausarbeitung Haeftens, abgedruckt in Matthias und Morsey, *Regierung*, S. 362–364; die Schilderung des OHL-Mitarbeiters und Ludendorff-Vertrauten Breucker, der Ludendorff noch am Nachmittag des 26. Oktober aufsuchte, in: Breucker, *Tragik Ludendorffs*, S. 61; Breucker gab diese Information am 27. Oktober an Major Hans Frentz, seinem alten Bekannten aus den Tagen von OberOst, weiter, der sich davon Notizen anfertigte, die eingeflossen sind in: ders., *Ludendorff*, S. 247–250; die Tagebuchaufzeichnung des Obersten Thaer vom 28. Oktober 1918, dem Ludendorff nach seiner Rückkehr nach Spa dort sein Herz ausgeschüttet hatte, in: ders.,

Generalstabsdienst, S. 247f.; Tagebucheintragung Plessens vom 26. Oktober, bei Foerster, *Feldherr Ludendorff*, S. 124; Tagebucheintragung Ilsemanns vom 26. Oktober 1918, in: Ilsemann, *Amerongen*, S. 28–30; Tagebucheintragung Gündells vom 27. Oktober über ein Gespräch mit Hindenburg, in: Obkircher, *Gündell*, S. 297–299; Tagebucheintragung von Mertz von Quirnheim vom 26. und 27. Oktober 1918, Auszüge davon in: BA-MA Freiburg, Nachlaß Groener, Nr. 63, Bl. 215; vgl. auch Ludendorffs spätere Schilderung, Berichtigung geschichtlicher »Erfindungen«, in: *Am Heiligen Quell Deutscher Kraft* 7 (1936/37), S. 575 bis 579; erheblich abweichend davon die Tagebucheintragung Admiral Müllers vom 26. Oktober 1918, in der die beiden Unterredungen des Kaisers mit Hindenburg/Ludendorff am 25. und 26. Oktober durcheinandergebracht werden, vgl. Görlitz, *Regierte der Kaiser?*, S. 437.

74 Zu Hindenburgs schüchternem Abschiedsgesuch vgl. die Aufzeichnung Haeftens, in: Matthias und Morsey, *Regierung*, S. 364, Erich Ludendorff, »Der Feldherr Ludendorff schreibt«, in: *Am Heiligen Quell Deutscher Kraft* 5 (1934/35), S. 921f.; siehe auch Wheeler-Bennett, *Titan*, S. 190f.

75 Vgl. das Schreiben des Chefs der Seekriegsleitung, Admiral Reinhard Scheer, an seine Frau, 28. Oktober 1918, abgedruckt in: Michael Epkenhans (Hg.), *Mein lieber Schatz! Briefe von Admiral Reinhard Scheer an seine Ehefrau August bis November 1918*, Bochum 2006, S. 151; siehe auch die Tagebucheintragung von Korvettenkapitän Ernst Freiherr von Weizsäcker, Verbindungsoffizier des Admiralstabs bei der OHL, vom 27. Oktober 1918, in: Leonidas E. Hill (Hg.), *Die Weizsäcker-Papiere 1900–1932*, Frankfurt a.M. 1982, S. 309.

76 Als die führenden Vertreter der neuen Regierung von Oberst v. Haeften die Nachricht erhalten hatten, daß Ludendorff entlassen sei, Hindenburg aber bleibe, war ihre einhellige Reaktion:»Gott sei Dank«, vgl. eine Aufzeichnung Haeftens, in: Matthias und Morsey, *Regierung*, S. 364, sowie v. Baden, *Erinnerungen*, S. 475.

77 Tagebuch Gündell vom 26. Oktober 1918, in: Obkircher, *Gündell*, S. 295; vgl. auch den Brief des Chef des Admiralstabs, Reinhard Scheer, an seine Frau vom 28. Oktober 1918 über die Stimmung im Großen Hauptquartier:»Man ist befremdet, daß der Feldmarschall Ludendorff nicht gedeckt hat«, in: Epkenhans, *Mein lieber Schatz*, S. 152; siehe auch die Tagebucheintragung Weizsäckers vom 27. Oktober 1918, in: Hill, *Weizsäcker-Papiere*, S. 309.

78 Aufzeichnung Haeftens, in: Matthias und Morsey, *Regierung*, S. 362f.

79 Vgl. die überzeugende Interpretation in: Frentz, *Ludendorff*, S. 246f.

80 Obkircher, *Gündell*, S. 298.

81 Groener, *Lebenserinnerungen*, S. 440.

82 Vgl. die Tagebucheintragung Thaers vom 28. Oktober, in: Thaer, *Generalstabsdienst*, S. 248, und die Tagebuchnotiz Mertz von Quirnheims vom 27. Oktober 1918, in: BA-MA Freiburg, Nachlaß Groener, Nr. 63, Bl. 215.

83 »General Ludendorffs Abschied genehmigt«, in: *Vorwärts* Nr. 296 vom 27. Oktober 1918, auch abgedruckt bei v. Hoegen, *Held von Tannenberg*, S. 227.

84 Davon berichtete Scheüch in der Sitzung des Kriegskabinetts am 26. Oktober 1918, in: Matthias und Morsey, *Regierung*, S. 374, Anm. 48.

85 Vgl. die Tagebucheintragung Gündells vom 28. Oktober 1918, in: Obkircher, *Gündell*, S. 303; siehe auch den Brief Scheers an seine Frau, 28. Oktober 1918, in: Epkenhans, *Mein lieber Schatz*, S. 151f.

86 Zur Nominierung Groeners durch Hindenburg vgl. Groener, *Lebenserinnerungen*, S. 440f.;

die Erinnerungen Bergs, in: Potthoff, *Friedrich von Berg*, S. 199, sowie die Tagebucheintragung Mertz von Quirnheims vom 29. Oktober 1918, in: BA-MA Freiburg, Nachlaß Groener, Nr. 63, Bl. 215.

87 Darüber informiert unter Auswertung des in Privathand befindlichen Tagebuchs von Gallwitz: Jung, *Gallwitz*, S. 103f.; daß der Kaiser die Ablösung Hindenburgs durch Gallwitz plante, erfuhr auch der stets bestens informierte Haeften, vgl. seine Aufzeichnung in: Matthias und Morsey, *Regierung*, S. 365.

88 Vgl. Jung, *Gallwitz*, S. 103–105.

89 Ebenda, S. 105f.; vgl. auch das Protokoll der Sitzung des Kriegskabinetts vom 28. Oktober 1918, in: Matthias und Morsey, *Regierung*, S. 397–411.

90 Vgl. die Tagebucheintragung Gündells vom 29. Oktober 1918, in: Obkircher, *Gündell*, S. 303.

91 Zitiert bei Jung, *Gallwitz*, S. 105.

92 Schreiben Hindenburgs an seine Frau, 29. Oktober 1918, zitiert bei: Hubatsch, *Hindenburg und der Staat*, S. 36, Anm. 14.

93 So Hindenburgs Antwort auf einen entsprechenden Vorstoß Admiral von Müllers gemäß dessen Tagebucheintragung vom 8. Januar 1917, in: Görlitz, *Regierte der Kaiser?*, S. 247.

94 Die persönliche Einwirkung Hindenburgs hat der Chef des Stabes der Seekriegsleitung Levetzow in einem vertraulichen Schreiben an die Generalverwaltung des Preußischen Königshauses vom 31. Oktober 1931 bezeugt; Abschrift in: Archiv des Fürsten Henckel-Donnersmarck, Rottach-Egern, Privatkorrespondenz Fürst Donnersmarck 1931, Buchstabe L; die Urheberschaft Hindenburgs geht auch eindeutig hervor aus dem Bericht des Vertreters des Auswärtigen Amtes im Großen Hauptquartier, Grünau, an das Auswärtige Amt, 15. Dezember 1918, abgedruckt in: Alfred Niemann, *Revolution von oben – Umsturz von unten*, Berlin 1928, S. 437–439. Weitere eindeutige Hinweise, daß Wilhelm II. auf Anraten Hindenburgs nach Spa ging, in: v. Baden, *Erinnerungen*, S. 498f., und im Tagebuch Müllers vom 30. Oktober 1918, in: Görlitz, *Regierte der Kaiser?*, S. 442; siehe auch Wolfgang Sauer, »Das Scheitern der parlamentarischen Monarchie«, in: *Vom Kaiserreich zur Weimarer Republik*, hg. von Eberhard Kolb, Köln 1972, S. 77–99, hier S. 82f.

95 So die Einschätzung des Staatssekretärs des Reichsschatzamtes Roedern in dessen ungedruckten Erinnerungen »Der deutsche Zusammenbruch von 1918«, entstanden im April 1919, in: BA Koblenz, Kleine Erwerbungen 317/1, Bl. 370; ähnlich auch die Einschätzung im Bericht des Geheimen Legationsrats Grünau an das Auswärtige Amt, 15. Dezember 1918, in: Niemann, *Revolution*, S. 438.

96 Vgl. dazu eine Aufzeichnung Hintzes von Anfang 1919, der zu dieser Zeit als Vertreter des Auswärtigen Amtes im Großen Hauptquartier weilte, sowie die dieser Aufzeichnung als Anlage 1 beigefügte Niederschrift über entsprechende Aussagen des Kaisers vom 2. November 1918, in: Niemann, *Revolution*, S. 366 und S. 377; siehe auch Sauer, »Das Scheitern«, S. 84ff., der allerdings die Stringenz der Absichten des Kaisers überzeichnet.

97 Die entsprechende These Sauers ebenda, S. 85f., entbehrt jeder Quellengrundlage.

98 Vgl. dazu eine 1922 entstandene Aufzeichnung von Drews, in: Matthias und Morsey, *Regierung*, S. 460–464, Zitat S. 462.

99 So die wörtliche Wiedergabe der Äußerung Hindenburgs in der Aufzeichnung von Drews, ebenda, S. 462.

100 Ebenda, S. 462f.; vgl. auch das Schreiben Groeners an seinen Landsmann, den Vizekanzler Payer, 1. November 1918, abgedruckt bei Groener, *Lebenserinnerungen*, S. 442f.

101 Brief Scheers an seine Frau vom 2. November 1918, in dem er Positionen erläutert, die er am Morgen des 2. November in einer Unterredung mit Hindenburg abgestimmt hatte, in: Epkenhans, *Mein lieber Schatz*, S. 161.

KAPITEL 13

Trauma und Chance: die Abdankung des Kaisers

1 Die unzuverlässigen Erinnerungen des weltberühmten Chirurgen Sauerbruch, der Hindenburg nur flüchtig kannte, aber als ärztliche Kapazität an das Krankenbett des dem Tode geweihten Hindenburg gerufen worden war, warten mit entsprechenden Behauptungen auf, vgl. Ferdinand Sauerbruch, *Das war mein Leben*, Bad Wörishofen 1951, S. 519f.
2 So auch der vorletzte Chef des Zivilkabinetts, Friedrich von Berg, in: Potthoff, *Friedrich von Berg*, S. 197.
3 Die politische Qualität von Hindenburgs Ratschlägen betont auch Graf Westarp in einer 1936/37 niedergeschriebenen Rekonstruktion der Ereignisse am 9. November 1918, die in punkto Faktizität bis heute unentbehrlich ist: ders., *Das Ende der Monarchie*, S. 157.
4 Vgl. Kohlrausch, »Die Flucht des Kaisers«, S. 81, sowie Malinowski, *Vom König zum Führer*, S. 229.
5 Besonders deutlich kommt dies in der zu seinem 85. Geburtstag erschienenen Festschrift zum Ausdruck, in welcher der Bismarck-Experte Erich Marcks gerade Hindenburgs Ausharrren auf seinem Posten im November 1918 als staatsmännische Tat preist: Erich Marcks, »Hindenburg als Mensch und Staatsmann«, in: *Paul von Hindenburg als Mensch, Staatsmann, Feldherr*, hg. von Oskar Karstedt, Berlin 1932, S. 39–76, hier S. 48; tendenziell ähnlich auch Hubatsch, *Hindenburg und der Staat*, S. 48.
6 Tagebucheintragung Pentz vom 9. November 1918, in: Hubatsch, *Hindenburg und der Staat*, S. 36.
7 Vgl. Groeners Argumentation auf der Sitzung des Gesamtkabinetts am 5. November sowie bei einer Besprechung mit Vertretern der SPD-Fraktion am 6. November 1918, in: Matthias und Morsey, *Regierung*, S. 532 und S. 560.
8 Vgl. hierzu die Sitzung des Gesamtkabinetts am 5. November 1918, hierin insbesondere die Stellungnahme des sozialdemokratischen Staatssekretärs Scheidemann, ebenda, S. 534, sowie die Sitzung des Kriegskabinetts vom 6. November, ebenda, S. 551–555; vgl. auch v. Baden, *Erinnerungen*, S. 557f., sowie Gerhard W. Rakenius, *Wilhelm Groener als Erster Generalquartiermeister. Die Politik der Obersten Heeresleitung 1918/19*, Boppard 1977, S. 42 bis 48.
9 Dies hielt Erzberger in seinen Erinnerungen fest: Matthias Erzberger, *Erlebnisse im Weltkrieg*, Stuttgart 1920, S. 327.
10 Vgl. seine Tagebucheintragung vom 7. November 1918, in: Obkircher, *Gündell*, S. 309.
11 Schreiben Wilhelms II. an Kaiserin Auguste Viktoria, 7. November 1918; von der Kaiserin selbst abgeschrieben und als Unterlage für den späteren Rechtsberater des Kaisers, Johannes Kriege, bestimmt: Politisches Archiv des Auswärtigen Amtes, Berlin, Nachlaß Johannes Kriege, Bd. 5; auszugsweise wiedergegeben bei Herzogin Viktoria Luise, *Ein Leben als Tochter des Kaisers*, Göttingen 1965, S. 205f. (die zitierten Passagen sind dort bezeichnenderweise ausgelassen).
12 Vgl. den Erlebnisbericht von Konteradmiral Levetzow, der im Großen Hauptquartier

Ohrenzeuge dieser Äußerung war, auf einer Einladung des Fürsten Henckel-Donnersmarck in Rottach-Egern im Frühjahr 1932, festgehalten von dem mit dem Fürsten befreundeten Geschichtsprofessors Karl Alexander von Müller, in: Bayerisches Hauptstaatsarchiv München, Nachlaß Karl Alexander von Müller 141, Bl. 34.

13 Vgl. die Aufzeichnung Karl Alexander von Müllers, ebenda; Erzberger, *Erlebnisse*, S. 327; siehe auch das Schreiben des anscheinend von Groener darüber informierten Brüning an Pruhs, 12. Mai 1950, in: Harvard University Library, HUG FP 93.10, Box 24, Folder: Praelat-Pusta.

14 Schon am 5. November hatte der Kaiser Hindenburg aufgefordert, einen deutschen Parlamentär zur Entgegennahme der Waffenstillstandsbedingungen zu Marschall Foch zu entsenden, was Groener an diesem Tag noch für verfrüht hielt, vgl. eine entsprechende Aufzeichnung Haeftens in: Matthias und Morsey, *Regierung*, S. 525; vgl. auch Groener, *Lebenserinnerungen*, S. 450. Am 7. November teilte Wilhelm II. seiner Gemahlin mit, daß die OHL zuverlässige Truppen »zur Niederwerfung von Aufständen und Eroberung von Berlin« bereitstelle, in: Politisches Archiv des Auswärtigen Amtes, Nachlaß Kriege, Bd. 5; diese Passage auch enthalten im auszugsweisen Abdruck dieses Schreibens bei Viktoria Luise, *Tochter des Kaisers*, S. 206.

15 So am Vormittag des 8. November gegenüber dem katholischen Feldgeistlichen Berg, in: Betker und Kriele, *Kriegstagebücher Berg*, S. 787; auch für den 8. November gleich zweimal bezeugt bei Ilsemann, *Amerongen*, S. 35f.

16 Groener, *Lebenserinnerungen*, S. 454.

17 »Ich lasse Truppen aus der Front zusammenziehen, um mit ihnen auf Berlin zu marschieren, sobald der Waffenstillstand geschlossen ist«, Wilhelm II. an seine Gemahlin, 8. November 1918, abschriftlich überliefert in: Politisches Archiv des Auswärtigen Amtes, Berlin, Nachlaß Kriege, Bd. 5; auch wiedergegeben bei Viktoria Luise, *Tochter des Kaisers*, S. 206.

18 Über diese Besprechung, an der auch noch Plessen teilnahm, gibt es übereinstimmende Zeugnisse, abgedruckt in: Niemann, *Revolution*, S. 328f., 335f. und S. 361f.; vgl. auch Groener, *Lebenserinnerungen*, S. 454f.

19 Zu finden u.a. bei Groener, *Lebenserinnerungen*, S. 458, und bei Ekkehart P. Guth, *Der Loyalitätskonflikt des deutschen Offizierskorps in der Revolution 1918–20*, Frankfurt a.M. 1983, S. 16.

20 Die Äußerungen Hindenburgs sind von zwei Generalstabsoffizieren der Heeresgruppe Kronprinz, Major Beck und Hauptmann Roedenbeck, bereits am 2. Dezember 1918 schriftlich festgehalten worden und General Schulenburg übergeben worden, der diese Aussagen in einer Denkschrift vom 26. August 1919 verwertete. Diese wichtige Quelle findet sich bei Niemann, *Revolution*, S. 345–360, Zitat S. 347f. Auch die seriöse Zusammenstellung des Grafen Westarp, der als Vermittler zwischen Schulenburg und Hindenburg stets um ein faires Urteil bemüht war, billigt den in der Denkschrift Schulenburgs enthaltenen Äußerungen Authentizität zu, vgl. Westarp, *Das Ende der Monarchie*, S. 64–66.

21 Die Wiedergabe der Ausführungen Hindenburgs gemäß einer Ausarbeitung von Major Beck vom 14. November 1919, die auf den von ihm und Hauptmann Roedenbeck am 2. Dezember 1918 angefertigten Aufzeichnungen über die Zusammenkunft der Truppenoffiziere basiert, abgedruckt in: Karl Rosner (Hg.), *Erinnerungen des Kronprinzen Wilhelm. Aus den Aufzeichnungen, Dokumenten, Tagebüchern und Gesprächen*, Stuttgart 1922, S. 294–302, Zitat S. 298.

22 Vgl. Guth, *Loyalitätskonflikt*, S. 17–19; Groener, *Lebenserinnerungen*, S. 458f.; siehe auch eine Denkschrift Schulenburgs vom 7. Dezember 1918, die deswegen von hohem Quellenwert ist, weil sie besonders zeitnah entstand, in: Niemann, *Revolution*, S. 321.

23 Tagebucheintragung des persönlichen Adjutanten Hindenburgs Pentz vom 9. November 1918, bei Hubatsch, *Hindenburg und der Staat*, S. 36. Pentz hatte Hintze zum Feldmarschall geführt und war anscheinend auch beim anschließenden Gespräch dabei.

24 Zum Verlauf und zu den Folgen der Unterredung Hindenburgs mit Hintze vgl. die Darstellung vom 2. August 1919 des damaligen Unterstaatssekretärs der Reichskanzlei Wahnschaffe, der den telefonischen Kontakt mit Spa hielt, abgedruckt bei Niemann, *Revolution*, S. 415–424, hier S. 420; siehe auch die eindeutige Aussage bei Groener, *Lebenserinnerungen*, S. 459, sowie v. Baden, *Erinnerungen*, S. 595ff. Akribische Rekonstruktion des Vorgangs bei Westarp, *Das Ende der Monarchie*, S. 81–83, der keinen Zweifel daran läßt, daß der Entschluß der Obersten Heeresleitung schon vor dem Kaiservortrag feststand und via Hintze nach Berlin weitergeleitet wurde.

25 Thaer, *Generalstabsdienst*, S. 258.

26 Dies geht unzweifelhaft aus der Tagebucheintragung seines Adjutanten Pentz vom 9. November 1918 hervor, in: Hubatsch, *Hindenburg und der Staat*, S. 36.

27 So die Formulierung in der gemeinschaftlichen Denkschrift der Generale Schulenburg, Plessen und Marschall vom 6. April 1919 über »Die Abdankung Seiner Majestät des Kaisers und Königs« (alle drei waren beim Kaiservortrag anwesend), abgedruckt bei Niemann, *Revolution*, S. 328–333, Zitat S. 329; vgl. auch die Denkschrift Schulenburgs vom 7. Dezember 1918, ebenda, S. 321, sowie Groener, *Lebenserinnerungen*, S. 459.

28 Vgl. eine im Dezember 1934 nach dem Tod Hindenburgs entstandene Aufzeichnung des Generals August von Cramon, mit der sich Hindenburg häufig über den 9. November 1918 ausgesprochen hatte, die den bezeichnenden Titel trägt: »Die tragische Schuld Hindenburgs«, in: BA-MA Freiburg, Nachlaß Cramon, Nr. 83, Bl. 6.

29 Vgl. die Denkschrift Schulenburgs vom 7. Dezember 1918, in: Niemann, *Revolution*, S. 321.

30 Vgl. Rosner, *Erinnerungen des Kronprinzen Wilhelm*, S. 271.

31 Über die Gründe für diese merkwürdige Verspätung schweigt sich der Kronprinz in seinen Erinnerungen aus, ebenda, S. 272. Ebenfalls geht er über die irritierende Tatsache hinweg, daß er sich nur geschlagene drei Stunden in Spa aufhielt und die Villa Fraineuse zu einem Zeitpunkt verließ, als noch nicht sämtliche Würfel gefallen waren, obgleich ihn Plessen zum Bleiben veranlassen wollte, vgl. dazu die Tagebucheintragung Ilsemanns vom 9. November 1918, in: Ilsemann, *Amerongen*, S. 38. Groener hat am 24. April 1932 Brüning eine Erklärung für dieses merkwürdige Verhalten des Kronprinzen gegeben, die bei der offensichtlichen und vom Kronprinzen auch eingestandenen Zuneigung zum anderen Geschlecht glaubhaft wirkt. Demnach habe Groener aus sicherer Quelle erfahren, daß Kronprinz Wilhelm an diesem 9. November »sofort zu derselben Dame zurückgekehrt sei, bei der man ihn schon am Morgen gefunden habe«, in: Heinrich Brüning, *Memoiren 1918–1934*, Stuttgart 1970, S. 552. Kronprinz Wilhelm räumte seine amourösen Eskapaden durchaus freimütig in einem Schreiben an seinen Vater vom Januar 1919 ein: »In der Frauenfrage wirst Du mir nie ganz folgen können ... Ein jeder hat seine Schwächen. Nicht jedem gelingt es, ihrer völlig Herr zu werden« (Privatarchiv John Röhl). In der Zeit seiner Verbannung auf der niederländischen Insel Wieringen änderte der Kronprinz seinen Lebensstil nicht und zog sich dabei auch Geschlechtskrankheiten zu, vgl. hierzu die aufschlußreichen Tagebuchaufzeichnungen des Leibarztes des Ex-Kaisers, Alfred Haehner,

der den Kronprinz medizinisch beriet, insbesondere die Tagebucheintragung vom 12. Oktober 1922, in: Historisches Archiv der Stadt Köln, Nachlaß Alfred Haehner, Bestand 1193a, Nr. 12.

32 Vgl. die Denkschrift Schulenburgs vom 7. Dezember 1918, in: Niemann, *Revolution*, S. 322.

33 Sie ist abgedruckt ebenda, S. 381; die dort zusammengetragenen Dokumente weichen nur in eher unwesentlichen Details voneinander ab und stimmen in den Hauptpunkten überein; vgl. vor allem ebenda, S. 322–325 (Zeugnis Schulenburgs), S. 329–331 (gemeinsame Erklärung Plessens, Marschalls und Schulenburgs) und S. 370–381 (Hintze); übereinstimmend damit Groener, *Lebenserinnerungen*, S. 460–462.

34 Die gemeinsam von Schulenburg, Plessen und Marschall verfaßte Denkschrift vom 6. April 1919 ist in diesem Punkt ebenso eindeutig wie die Denkschrift Schulenburgs vom 7. Dezember 1918, vgl. Niemann, *Revolution*, S. 323 und S. 330.

35 Überliefert bei Groener, *Lebenserinnerungen*, S. 460, sowie wortwörtlich fast ebenso in der Denkschrift Schulenburgs vom 7. Dezember 1918, in: Niemann, *Revolution*, S. 323.

36 Vgl. die Denkschrift Schulenburgs vom 7. Dezember 1918, ebenda, S. 324.

37 Vgl. Westarp, *Das Ende der Monarchie*, S. 91f.

38 Übereinstimmend hierin: Denkschrift Schulenburgs vom 7. Dezember 1918, Denkschrift Schulenburgs, Marschalls und Plessens, 6. April 1919, sowie Aufzeichnung Hintzes von Anfang 1919, in: Niemann, *Revolution*, S. 326, 332 und S. 374.

39 Diese Meldung Heyes gemäß einer am 27. Juli 1919 publizierten Denkschrift aller am 9. November 1918 beteiligten Militärs, die jene Sichtweise der Ereignisse festhält, auf die sich alle Beteiligten einigen konnten, in: Niemann, *Revolution*, S. 338, vgl. auch Groener, *Lebenserinnerungen*, S. 462.

40 Vgl. Westarp, *Das Ende der Monarchie*, S. 19 und S. 159; siehe auch die Tagebucheintragung des Flügeladjutanten Ilsemann vom 2. September 1921, der den Kaiser ins Exil begleitet hatte, in: Ilsemann, *Amerongen*, S. 189.

41 Vgl. Westarp, *Das Ende der Monarchie*, S. 94–97; siehe auch die Denkschrift Schulenburgs vom 7. Dezember 1918 sowie die gemeinschaftliche Denkschrift Schulenburgs, Plessens und Marschalls vom 6. April 1919, in: Niemann, *Revolution*, S. 326 und S. 332.

42 Obgleich Hindenburg später seinen Anteil an dem Übertritt des Kaisers abzustreiten suchte, kann angesichts der erdrückenden Fülle der Belege kein Zweifel daran bestehen, daß Hindenburg dem Kaiser an diesem Nachmittag eindringlich zur Abreise in die Niederlande riet. Grundlegend mit quellenkritischen Exkursen ist Westarp, *Das Ende der Monarchie*, S. 98–115; vgl. auch die bei Niemann, *Revolution*, S. 332, 343 und S. 375 abgedruckten Dokumente; ebenso eindeutig ist die Tagebuchaufzeichnung Plessens vom 9. November 1918, in: Afflerbach, *Kriegsherr*, S. 933.

43 Ausführlich hierzu Kohlrausch, »Die Flucht des Kaisers«, S. 81–85, sowie Malinowski, *Vom König zum Führer*, S. 230–239.

44 Vgl. Groener, *Lebenserinnerungen*, S. 444 und S. 451.

45 Dazu zählte etwa Oberst von Thaer, vgl. dessen Tagebucheintragung vom 5. November 1918, in: Thaer, *Generalstabsdienst*, S. 252; siehe auch Kohlrausch, »Die Flucht des Kaisers«, S. 87–89, sowie Kähler, »Quellenkritische Untersuchungen«, S. 280–302.

46 Vgl. Groener, *Lebenserinnerungen*, S. 444.

47 Text dieser Entschließung bei Niemann, *Revolution*, S. 381.

48 Vgl. dazu die gemeinsame Denkschrift Schulenburgs, Marschalls, Plessens und Hinden-

burgs vom 27. Juli 1919, ebenda, S. 341; siehe auch Guth, *Loyalitätskonflikt*, S. 42, sowie die Tagebucheintragung Einems vom 11. November 1918, in: Einem, *Erinnerungen*, S. 468.

49 Vgl. Groener, *Lebenserinnerungen*, S. 467f.

50 Abgedruckt bei Deist, *Militär und Innenpolitik*, S. 1400f.

51 Zum Auftrag der »Gruppe Winterfeldt« vgl. Auszüge aus dem Tagebuch des Generalleutnants von Winterfeldt vom 8. bis 10. November 1918; diese Auszüge finden sich in einem Schreiben seines Bruders, Detlof von Winterfeldt, an den Staatssekretär der Reichskanzlei Pünder, 11. März 1932, in: BA Koblenz, Nachlaß Pünder, Nr. 174, Bl. 63. Der spätere Reichskanzler Heinrich Brüning hat einer solchen Formation angehört und bedauerte sehr, daß ihm beim Vorgehen gegen den »revolutionären Mob« die Hände durch die OHL gebunden waren, vgl. Brüning, *Memoiren*, S. 26–34, Zitat S. 27.

52 Vgl. auch die Einschätzung des in Spa anwesenden Vertreters des Auswärtigen Amtes im Großen Hauptquartier, Freiherr von Grünau: »Wilhelm II. sei in absoluter Zwangslage gewesen. Hindenburg und Groener hätten ihn bei der Armee nicht mehr haben wollen«; gemäß einer Tagebuchaufzeichnung des persönlichen Referenten des Reichskanzlers Marx, Max von Stockhausen, vom 23. Juni 1926, in: Max von Stockhausen, *Sechs Jahre Reichskanzlei*, Bonn 1954, S. 225.

53 Überliefert in einer Erklärung, die Hofmarschall Hans von Gontard und Major Alfred Niemann, der Vertreter der Obersten Heeresleitung beim Kaiser, am 21. Februar 1920 abgaben, abgedruckt bei Niemann, *Revolution*, S. 343. Beide hatten den 9. November in unmittelbarer Nähe des Kaisers erlebt.

54 Tagebucheintragung Ilsemanns vom 9. November 1918, in: Ilsemann, *Amerongen*, S. 38.

55 Ebenda, S. 38f.

56 Entsprechende Zeugnisse finden sich bei Westarp, *Das Ende der Monarchie*, S. 123f.; Eisenhart Rothe, *Im Banne der Persönlichkeit*, S. 40, sowie in der Tagebuchaufzeichnung Ilsemanns vom 9. November 1918, in: Ilsemann, *Amerongen*, S. 40.

57 Vgl. eine im Frühjahr 1919 entstandene Aufzeichnung Plessens, in: Niemann, *Revolution*, S. 363, sowie die Tagebuchaufzeichnungen Plessens vom 8. und 9. November 1918, in: Afflerbach, *Kriegsherr*, S. 932f.

58 Plessen hat in seinen späteren Erklärungen diese Unterredung mit Hindenburg verschwiegen, weil sie nicht nur für Hindenburg unvorteilhaft war, sondern auch für sein eigenes Selbstverständnis als treuer Ekkehard des Kaisers. Schon dem unbestechlichen Westarp fiel auf, daß die nachträglich entstandenen Aufzeichnungen der am 9. November 1918 Beteiligten für den Zeitraum zwischen 17 Uhr (Ende des Nachmittagsvortrags) und 22 Uhr (endgültiger Entschluß zur Abreise nach Holland) lückenhaft und widersprüchlich waren, vgl. Westarp, *Das Ende der Monarchie*, S. 116–119. Daher ist der Aufenthalt Plessens bei Hindenburg nicht in den Darstellungen der beiden Gesprächspartner erwähnt, wohl aber in der wichtigen Aufzeichnung Hintzes aus dem Frühjahr 1919. Denn Hintze war im Generalstabsgebäude mit Plessen zusamengetroffen, und beide hatten sich anschließend auf den Weg zum Kaiser gemacht, um diesen angesichts der neuen Sachlage von der Unvermeidlichkeit eines Übertritts in die Niederlande zu überzeugen, vgl. Niemann, *Revolution*, S. 375f.

59 Vgl. dazu den ebenda, S. 425–427, abgedruckten Bericht des letzten Kommandeurs der 2. Gardedivision, Generalleutnant von Friedeburg, vom 1. August 1927.

60 Wilhelm II. hat Hindenburg wegen dieser Ausführungen 1921 zur Rede gestellt, nachdem er von Generalleutnant von Friedeburg erfahren hatte, daß die 2. Gardedivision am 9. No-

vember 1918 nichts von ihrer Kampfkraft eingebüßt hatte, vgl. die Tagebucheintragung Ilsemanns vom 2. September 1921, in: Ilsemann, *Amerongen*, S. 189. Hindenburg reagierte erst am 15. November 1921 mit einer langen Entgegnung, die aber den heiklen Fragen auswich und vom Kaiser entsprechend ungnädig kommentiert wurde: »Absolutes Blech! Und absolut nichts beantwortet, nichts bewiesen.« Abschrift des Schreibens von Hindenburg an den Kaiser mit den Randbemerkungen Wilhelms II. in: BA-MA Freiburg, Nachlaß Levetzow, Nr. 39, Bl. 7–11, Zitat Bl. 11.

61 Aufzeichnung Hintzes, in: Niemann, *Revolution*, S. 375.

62 Tagebuch Ilsemann vom 9. November 1918, in: Ilsemann, *Amerongen*, S. 40.

63 Ebenda, S. 39.

64 Vgl. die Erinnerungen des damaligen Adjutanten des Kommandanten des Sturmbataillons Rohr, Graf Eberhard von Schwerin, bei Niemann, *Revolution*, S. 428–436, Zitat S. 432.

65 Dies bekunden übereinstimmend eine Aufzeichnung Gontards und Niemanns vom 21. Februar 1920 und die Aufzeichnung Hintzes, ebenda, S. 344 und S. 376; vgl. auch Westarp, *Das Ende der Monarchie*, S. 122f.

66 Eindrucksvolle Schilderung im Tagebuch Ilsemanns vom 10. November 1918, in: Ilsemann, *Amerongen*, S. 43–45.

67 Dies geht auch aus der Tagebuchaufzeichnung Ilsemanns vom 10. November hervor, dem sein Kammerdiener berichtete, »daß der Kaiser noch bis zwei Uhr nachts geschrieben und sich dann hingelegt hätte«, ebenda, S. 43. Eine solche in der Nacht entstandene Aufzeichnung des Kaisers ist 1919 auch von Plessen bezeugt worden, vgl. Westarp, *Das Ende der Monarchie*, S. 111 und S. 115. Wilhelm II. las seine Aufzeichnung auf der Zugfahrt in sein niederländisches Exil am 10. November sowohl Plessen als auch Hofmarschall Gontard vor, welche die sachliche Richtigkeit seiner Dartellung bestätigten, siehe dazu das Schreiben Plessens an Wilhelm II., 16. März 1926, in: Archiv des Instituts für Zeitgeschichte, München, MA 144/5, Bl. 9494.

68 Eine Abschrift dieser kaiserlichen Aufzeichnung, betitelt »Spa, 9. XI. 18«, befindet sich im Politischen Archiv des Auswärtigen Amtes, Berlin, Nachlaß Johannes Kriege, Bd. 5; Auszüge davon sind abgedruckt bei Westarp, *Das Ende der Monarchie*, S. 128f. Ähnlich äußerte sich Wilhelm II. auch in einem Brief an seine Gemahlin, der am Nachmittag des 9. November entstand: »So verlasse ich auf seinen [Hindenburgs] Rath das Heer nach furchtbaren inneren Kämpfen«, Abschrift ebenda im Nachlaß Kriege, Bd. 5; auszugsweise abgedruckt bei Viktoria Luise, *Tochter des Kaisers*, S. 209.

69 Vgl. das Schreiben des Nachrichtenoffiziers der OHL beim Oberkommando der Heeresgruppe Kronprinz, Anker, an den Herausgeber der *Königsberger Allgemeinen Zeitung*, Wyneken, 7. Dezember 1918, in: Internationales Institut für Sozialgeschichte, Amsterdam, Nachlaß Wolfgang Harich Nr. 228. Anker war vom Grafen Schulenburg noch am Abend des 9. November 1918 über die Ereignisse in Spa informiert worden.

70 Diese Leitidee schimmerte schon in dem Schreiben Scheers an seine Frau vom 2. November 1918 durch, in welchem der Admiral auch über eine Unterredung mit Hindenburg berichtete, in: Epkenhans, *Mein lieber Schatz*, S. 163.

71 Vgl. die Mitteilungen des Kronprinzen an den Leibarzt Wilhelms II., Alfred Haehner, welche dieser unter dem 14. Dezember 1920 seinem Tagebuch anvertraute, in: Historisches Archiv der Stadt Köln, Nachlaß Alfred Haehner, Bestand 1193a, Nr. 8, Bl. 205f.

72 Kronprinz Wilhelm hatte Aufnahme im Oberkommando der 3. Armee gefunden, die mit Generaloberst Karl von Einem ein eingefleischter Hohenzollernverehrer kommandierte.

Am 10. und 11. November besprach er sich eingehend mit Einem über diese Frage, der diese Gespräche seinem Tagebuch anvertraute; vgl. Einem, *Armeeführer*, S. 466–469, sowie für die nicht dort abgedruckten Passagen dieses Tagebuchs BA-MA Freiburg, Nachlaß Einem, Nr. 55, Bl. 181f.

73 Vgl. dazu auch ein aus dem November 1918 stammendes Schreiben des Kronprinzen an Wilhelm II., verfaßt auf Schloß Hillenraadt bei Roermond in Niederländisch-Limburg (Privatarchiv John Röhl); siehe auch die den Erinnerungen des Kronprinzen beigefügten Dokumente, in: Rosner, *Erinnerungen des Kronprinzen Wilhelm*, S. 312–329.

KAPITEL 14

Symbolische Brücke des Übergangs in die Republik

1 Einen Einblick in diese Untergangsstimmung vermittelt die 1942 fertiggestellte Untersuchung Westarps, eines der konservativen Protagonisten der Zeit, der sich in der inneren Emigration des NS-Staates zum Historiker des Konservatismus entwickelte: ders., *Konservative Politik im Übergang*, S. 11f.

2 Vertrauliches Schreiben Hindenburgs an Körte, 17. Februar 1919, in: BA-MA Freiburg, Nachlaß Hindenburg, Nr. 1, Bl. 15. Der von Hindenburg zitierte Ausspruch besagt sinngemäß:»Aus unseren Knochen wird irgendein Rächer hervorgehen.«

3 So auch Ruge, *Hindenburg*, S. 141.

4 Vgl. Thomas Mergel,»Führer, Volksgemeinschaft und Maschine«, in: *Politische Kulturgeschichte der Zwischenkriegszeit 1918–1939*, hg. von Wolfgang Hardtwig, Göttingen 2006, S. 91–127, vor allem S. 98f.; Bruendel, *Volksgemeinschaft*, vor allem S. 289–299.

5 Hindenburg bezeichnete dies in seinen Memoiren als den Weg,»den mir der Wille meines Kaisers, meine Liebe zu Vaterland und Heer und mein Pflichtgefühl wiesen. Ich blieb auf meinem Posten«, Hindenburg, *Aus meinem Leben*, S. 402; kritikloses Nachbeten dieser Selbststilisierung bei Hubatsch, *Hindenburg und der Staat*, vor allem S. 48f. und S. 145–148.

6 Hindenburg an Brockhusen, 13. März 1919 (Privatbesitz).

7 Abgedruckt bei Max von Gallwitz, *Erleben im Westen 1916–1918*, Berlin 1932, S. 472.

8 Vgl. ebenda, S. 468; ähnlich auch das Verhalten des Generals Georg von der Marwitz, in: Tschischwitz, *Marwitz*, S. 344, und des Generals von Gündell, in: Obkircher, *Gündell*, S. 316.

9 Tagebucheintragung von Oberst Karl von Fabeck, 12. November 1918, in: Tagebuch Fabeck, Kladde 12 (Privatbesitz).

10 Wartensleben an Hindenburg, 29. November 1918, abgedruckt in: Wartensleben, *Lebensbild*, S. 206f.

11 Hindenburg an Wartensleben, 5. Dezember 1918, ebenda, S. 207f.

12 Ähnlich auch Guth, *Loyalitätskonflikt*, S. 49.

13 Scheidemann kleidete diesen Zustand auf der Kabinettssitzung vom 11. Dezember 1918 in folgende Worte:»Die Bewaffnung der Spartakus-Leute wird fortgesetzt; Gewehre werden gestohlen. Von uns verlangt man die Entwaffnung der Truppen und bewaffnet sich selber. Haben wir keine Exekutive, dann gehe ich sofort«, Protokoll der Sitzung in: Erich Matthias (Bearb.), *Die Regierung der Volksbeauftragten 1918/19*, Bd. 1, Düsseldorf 1969, hier S. 314.

14 Grundlegend zu den Absichten der OHL ist Rakenius, *Wilhelm Groener*, vor allem S. 136 bis 149, mit dem ältere Arbeiten, die der OHL eine gegenrevolutionäre Absicht unterstel-

len, überholt sind. Zentrale Quelle hierzu sind u.a. die Aufzeichnungen des Adjutanten im preußischen Kriegsministerium, Hauptmann Gustav Böhm: Heinz Hürten (Hg.), *Adjutant im preußischen Kriegsministerium Juni 1918 bis Oktober 1919. Aufzeichnungen des Hauptmanns Gustav Böhm*, Stuttgart 1977, hier S. 98–106; vgl. auch einen Bericht des damaligen Reichstagspräsidenten Fehrenbach, der am Abend des 7. Dezember 1918 eine vertrauliche Unterredung mit Groener in dieser Angelegenheit hatte, abgedruckt bei Matthias, *Regierung der Volksbeauftragten*, S. 387, sowie ein späteres Selbstzeugnis Groeners, abgedruckt in Gerhard A. Ritter und Susanne Miller (Hg.), *Die deutsche Revolution 1918–1919. Dokumente*, Hamburg ²1975, S. 136f.

15 Hindenburg an Wartensleben, 5. Dezember 1918, bei Wartensleben, *Lebensbild*, S. 208; vgl. auch ein Schreiben Hindenburgs an seinen Schwiegersohn Brockhusen, 18. Januar 1919 (Privatbesitz); zum Fiasko des geplanten Einsatzes der zehn Divisionen in der Reichshauptstadt vgl. auch Thaer, *Generalstabsdienst*, S. 273 und S. 281; Groener, *Lebenserinnerungen*, S. 472–475; bittere Einsicht in die Unmöglichkeit eines gegenrevolutionären Putsches bei Gallwitz, *Erleben*, S. 495; vgl. auch die Dokumentation von Erwin Könnemann, »Der Truppeneinmarsch am 10. Dezember 1918 in Berlin«, in: *Zeitschrift für Geschichtswissenschaft* 16 (1968), S. 1592–1609.

16 So Ebert in seiner Ansprache am 10. Dezember, abgedruckt in: Ritter und Miller, *Die deutsche Revolution*, S. 139; zwei Tage darauf begrüßte Scheidemann die heimkehrenden Soldaten, vermied dabei aber jeden Rückblick auf das Kriegsgeschehen; Text seiner Rede bei Lothar Berthold und Helmut Neef, *Militarismus und Opportunismus gegen die Novemberrevolution. Eine Dokumentation*, Berlin 1958, S. 174f.

17 Vgl. die Tagebucheintragung des katholischen Feldgeistlichen Berg über sein Gespräch mit Kardinal Hartmann, 1. Dezember 1918, in: Betker und Kriele, *Kriegstagebücher Berg*, S. 819.

18 Abgedruckt in: Berthold und Neef, *Militarismus*, S. 119.

19 Vgl. Gallwitz, *Erleben*, S. 487–489; Tschischwitz, *Marwitz*, S. 350.

20 Auf der Kabinettssitzung vom 20. November 1918 hatte dies der Volksbeauftragte Barth, der Repräsentant des linken USPD-Flügels, angeregt, was aber von Ebert entschieden zurückgewiesen wurde; vgl. das Protokoll dieser Sitzung bei Matthias, *Regierung der Volksbeauftragten*, S. 111.

21 Hindenburg an seine Frau, 18. März 1919, in: Hubatsch, *Hindenburg und der Staat*, S. 49.

22 Hindenburg an Ebert, 8. Dezember 1918, ebenda, S. 179–181, Zitat S. 180.

23 Diese »Hamburger Punkte« finden sich bei Matthias, *Regierung der Volksbeauftragten*, S. 393f.

24 Zur Reaktion Eberts auf die »Hamburger Punkte« und die Rücktrittsdrohung Hindenburgs vgl. das Protokoll der Kabinettssitzung vom 18. Dezember 1918, ebenda, S. 396, sowie das Protestschreiben der Offiziere des Großen Hauptquartiers vom 19. Dezember 1918, in: Berthold und Neef, *Militarismus*, S. 183f.; siehe auch Walter Oehme, *Damals in der Reichskanzlei*, Berlin 1958, S. 151–177; Groener, *Lebenserinnerungen*, S. 475f.; Eberhard Kolb, *Die Arbeiterräte in der deutschen Innenpolitik 1918–1919*, Frankfurt a.M. 1978, S. 209–212, sowie das Protokoll der Sitzung des Zentralrats mit dem Rat der Volksbeauftragten am 20. Dezember 1918, in: Eberhard Kolb (Bearb.), *Der Zentralrat der deutschen sozialistischen Republik*, Leiden 1968, vor allem S. 25–32.

25 Vgl. das Protokoll der Zentralratssitzung vom 20. Dezember 1918, in: Kolb, *Zentralrat*, S. 41–43.

26 Vgl. dazu die Aufzeichnungen von Hauptmann Böhm, in: Hürten, *Adjutant*, S. 116–118, sowie Rakenius, *Wilhelm Groener*, S. 150.

27 Hindenburg richtete gleichlautende Schreiben an mehrere deutschnationale Werber, hier ist das Schreiben an den deutschnationalen Spitzenpolitiker Graf Westarp vom 23. Dezember 1918 zitiert, abgedruckt in: Hubatsch, *Hindenburg und der Staat*, S. 56f.; fast wortgleiches Schreiben auch bei Groener, *Lebenserinnerungen*, S. 477; zum Werben der DNVP um Hindenburg vgl. auch Westarp, *Konservative Politik im Übergang*, S. 30.

28 Schreiben Hindenburgs an seinen Ansprechpartner auf konservativer Seite, Graf Westarp, 18. Dezember 1918, in: Familienarchiv der Freiherrn Hiller von Gaertringen, Nachlaß Westarp, Mappe »Briefwechsel mit Hindenburg«. Hindenburg drang mit seiner Anregung allerdings nicht durch, weil die neue DNVP viele der als politisch belastet geltenden Konservativen bei der Wahl zur Nationalversammlung nicht berücksichtigte und selbst der ehemalige Parteiführer der Deutsch-Konservativen, also Graf Westarp, kein Mandat erhielt.

29 So die Charakterisierung des ehemaligen Sozialdemokraten August Winnig, »Der Hort in der Zeit des Zusammenbruchs«, in: Loebell, *Hindenburg*, S. 79–88, Zitat S. 84f.; eine Auswahl zeitgenössischer Stimmen bei v. Hoegen, *Held von Tannenberg*, S. 231–235.

30 So Oberst Bernhard Schwertfeger in einer Würdigung Hindenburgs in der *Deutschen Allgemeinen Zeitung* vom 4. Mai 1919, abgedruckt in: Bernhard Schwertfeger, *Kriegsgeschichte und Wehrpolitik. Vorträge und Aufsätze aus drei Jahrzehnten*, Potsdam 1938, S. 185–187, Zitat S. 187.

31 Abgedruckt bei Endres, *Hindenburg*, S. 106.

32 Vgl. dazu die bei v. Hoegen, *Held von Tannenberg*, S. 231–235, versammelten Stimmen.

33 Hindenburg an Brockhusen, 13. März 1919 (Privatbesitz).

34 Siehe Rakenius, *Wilhelm Groener*, S. 167.

35 Vgl. Hagen Schulze, *Freikorps und Republik 1918–1920*, Boppard 1969, vor allem S. 101–111.

36 So Göhre auf der Sitzung des Zentralrats der deutschen sozialistischen Republik, 15. Januar 1919, in: Kolb, *Zentralrat*, S. 385f.

37 Eine entsprechende Parallele zog Hindenburg in einem Interview mit dem ihm aus dem Weltkrieg gut bekannten Journalisten Rolf Brandt Anfang März 1919, zitiert bei v. Hoegen, *Held von Tannenberg*, S. 239f.

38 Aufruf Hindenburgs zum Ostschutz, 14. Februar 1919, bei Endres, *Hindenburg*, S. 108.

39 Hindenburg an Brockhusen, 13. März 1919 (Privatbesitz).

40 Vgl. Horst Mühleisen, *Kurt Freiherr von Lersner. Diplomat im Umbruch der Zeiten 1918–1920*, Göttingen 1988, S. 95ff.

41 Vgl. das vertrauliche Schreiben, das Hindenburg einen Tag nach der Waffenstillstandsverlängerung, am 17. Februar 1919, an den Königsberger Oberbürgermeister Körte richtete, in: BA-MA Freiburg, Nachlaß Hindenburg, Nr. 1, Bl. 15f.

42 Vgl. Peter Grupp, *Deutsche Außenpolitik im Schatten von Versailles 1918–1920. Zur Politik des Auswärtigen Amts vom Ende des Ersten Weltkriegs und der Novemberrevolution bis zum Inkrafttreten des Versailler Vertrages*, Paderborn 1988, vor allem S. 76–81 und S. 112–125.

43 Zu Conger und seinem Besuch in Kolberg vgl. Groener, *Lebenserinnerungen*, S. 484–491, und Rakenius, *Wilhelm Groener*, S. 186–198.

44 Zu den parteiübergreifenden Protesten, die mit unterschiedlicher Intensität von rechts bis links reichten, vgl. u.a. Susanne Miller, *Die Bürde der Macht. Die deutsche Sozialdemokratie 1918–1920*, Düsseldorf 1978, S. 278ff., und Judith Voelker, »>Unerträglich, unerfüllbar und

deshalb unannehmbar‹ – Kollektiver Protest gegen Versailles im Rheinland in den Monaten Mai und Juni 1919«, in: *Der verlorene Frieden*, hg. von Jost Dülffer und Gerd Krumeich,
Essen 2002, S. 229–241.

45 Vgl. Miller, *Bürde der Macht*, S. 279f.

46 Vgl. Rakenius, *Wilhelm Groener*, S. 217.

47 Dies brachte Hindenburgs Mitstreiter Groener in einem Schreiben an die Reichsregierung
vom 30. Mai 1919 treffend zum Ausdruck:»Man kann es dem Herrn Generalfeldmarschall
nicht verdenken, wenn er sich nicht noch einmal den Vorwurf der Schwäche wie nach
dem 9. November machen lassen will«, abgedruckt in: *Akten der Reichskanzlei. Weimarer
Republik: Das Kabinett Scheidemann*, bearb. von Hagen Schulze, Boppard 1971, S. 401. Diesen Zusammenhang betont auch Andreas Dorpalen, *Hindenburg in der Geschichte der
Weimarer Republik*, Berlin 1966, S. 44f.

48 Handschriftliches Original dieser Stellungnahme Hindenburgs in: BA-MA Freiburg, MSg
101/221, Bl. 174; abgedruckt u.a. bei Groener, *Lebenserinnerungen*, S. 501.

49 Vertrauliches Schreiben Hindenburgs an Plessen, 19. Juni 1919, in: Afflerbach, *Kriegsherr*,
S. 945.

50 Groener, *Lebenserinnerungen*, S. 501.

51 Dabei handelte es sich um die Generale Loßberg, Otto von Below und Lüttwitz; akribische
Rekonstruktion des Verlaufs der Sitzung bei Wolfram Wette, *Gustav Noske. Eine politische
Biographie*, Düsseldorf 1987, S. 470–477; vgl. auch Rakenius, *Wilhelm Groener*, S. 219–222;
zum Verlauf der Sitzung siehe eine undatierte Aufzeichnung Groeners, in: *Akten der Reichskanzlei. Das Kabinett Scheidemann*, S. 476–492, sowie zwei Dokumentationen: Kurt
Schützle,»Der ›Kriegsrat‹ am 19. Juni 1919«, in: *Zeitschrift für Militärgeschichte* 5 (1966),
S. 584–594, und Horst Mühleisen,»Annehmen oder Ablehnen? Das Kabinett Scheidemann, die Oberste Heeresleitung und der Vertrag von Versailles im Juni 1919«, in: *Vierteljahrshefte für Zeitgeschichte* 35 (1987), S. 419–481.

52 Zu Belows Bezugnahme auf die Tat Yorck von Wartenburgs aus dem Jahre 1813 vgl. die
Aufzeichnung Groeners, in: *Akten der Reichskanzlei. Das Kabinett Scheidemann*, S. 479;
vgl. auch Schulze, *Freikorps*, S. 116f.

53 Ein Exemplar findet sich im BA-MA Freiburg, Nachlaß Hindenburg, Nr. 1, Bl. 12, vgl. zu
dieser Erklärung auch Hubatsch, *Hindenburg und der Staat*, S. 38.

54 Vgl. dazu Auszüge aus Briefen Hindenburgs an seine Frau aus dem Mai 1919, in: Hubatsch, *Hindenburg und der Staat*, S. 50.

55 Dazu siehe Groener, *Lebenserinnerungen*, S. 510; vgl. auch Schulze, *Freikorps*, S. 120f.

56 Die Erklärung Hindenburgs, abgegeben am 23. Juni um 2.15 Uhr morgens, findet sich im
Vortrag Groeners über die Entwicklung der Lage vom 21. bis zum 23. Juni, abgedruckt in:
Akten der Reichskanzlei. Weimarer Republik. Das Kabinett Bauer, bearb. von Anton Go-
lecki, Boppard 1980, S. 3–12, hier S. 5f.

57 So Noske auf der Sitzung der SPD-Fraktion am Vormittag des 23. Juni 1919, in: Heinrich
Potthoff (Bearb.), *Die SPD-Fraktion in der Nationalversammlung 1919–1920*, Düsseldorf
1986, S. 113.

58 Siehe dazu Morsey, *Zentrumspartei*, S. 189f.

59 Detaillierte Schilderung mit Abdruck der entsprechenden Dokumente im Vortrag Groeners, *Akten der Reichskanzlei. Regierung Bauer*, S. 7–12, Zitat S. 9; vgl. auch Groener,
Lebenserinnerungen, S. 506–508, sowie Morsey, *Zentrumspartei*, S. 191. Über die zur Annahme des Friedensvertrags führenden Gründe informiert eine am 6. Juli 1919 ent-

standene, von zwei Zentrumsabgeordneten sowie dem Demokraten Naumann verfaßte Aufzeichnung, abgedruckt in: Alma Luckau, »Unconditional Acceptance of the Treaty of Versailles by the German Government, June 22–28, 1919«, in: *The Journal of Modern History* 17 (1945), S. 215–220; vgl. auch die Mitteilung des Fraktionsvorsitzenden Löbe auf der Sitzung der SPD-Fraktion am Nachmittag des 23. Juni, in: Potthoff, *SPD-Fraktion*, S. 116.

60 Abgedruckt in Gustav Noske, *Von Kapp zu Kiel*, Berlin 1920, S. 154f.

61 Abgedruckt in: *Verhandlungen der Verfassunggebenden Deutschen Nationalversammlung. Stenographische Berichte*, Bd. 327, Berlin 1919, S. 1141f.

62 Dies berichtet Groener, der als einziger diesem Gespräch beiwohnte, in: Groener, *Lebenserinnerungen*, S. 507; für die Authentizität dieser Bemerkung spricht auch, daß Groener in einem nur einige Jahre nach dieser Begebenheit entstandenen Schreiben an den württembergischen General Moser einen fast wortgleichen Kommentar Hindenburgs anführte, Groener an Moser, 4. November 1925, in: BA-MA Freiburg, Nachlaß Groener, Nr. 77, Bl. 26.

63 Vgl. Hindenburgs Antwort auf die Ansprache Groeners anläßlich seiner Verabschiedung, 3. Juli 1919, in: BA-MA Freiburg, Nachlaß Groener, Nr. 79, Bl. 17, in der er in bezug auf seinen Lebensweg folgende Worte fand: »Er war lang, er war nicht immer eben, sondern führte auch über Steilheiten hinweg«; auch abgedruckt bei Groener, *Lebenserinnerungen*, S. 512.

64 Text dieser Ansprache Groeners in: BA-MA Freiburg, Nachlaß Groener, Nr. 79, Bl. 15f., sowie bei Groener, *Lebenserinnerungen*, S. 511f.; vgl. dazu auch Rauscher, *Hindenburg*, S 206f.

65 Hindenburg an Ebert, 1. Mai 1919, sowie Antwort Eberts, beides in: Endres, *Hindenburg*, S. 108f.

66 Hindenburgs Abschiedsgesuch war Anlaß für diese Tagebuchnotiz der Arztehefrau Antonia Helming aus Ahaus vom 4. Mai 1919, in: Stephanie Fredeweiß-Wenstrup (Bearb.), »*Mutters Kriegstagebuch.*« *Die Aufzeichnungen der Antonia Helming 1914–1922*, Münster 2005, S. 286.

67 Hier nach dem bei Berthold und Neef, *Militarismus*, S. 189, abgedruckten Text; leicht veränderte Textvariante in: Endres, *Hindenburg*, S. 109f.

68 Eine Sammlung ähnlicher Stimmen bei Boris Barth, *Dolchstoßlegenden und politische Desintegration. Das Trauma der deutschen Niederlage im Ersten Weltkrieg 1914–1933*, Düsseldorf 2003, S. 212–220.

69 Ebenda, S. 217f.

70 Hindenburgs Armeebefehl in: *Amtliche Kriegs-Depeschen*, Bd. 8, Berlin 1918, S. 2977f.; auch komplett zitiert bei Krumeich, »Dolchstoß-Legende«, S. 591f.

71 W. Scheibert, »Hindenburg«, in: *Neue Preußische Zeitung (Kreuzzeitung)* Nr. 289 vom 25. Juni 1919; auch zitiert bei v. Hoegen, *Held von Tannenberg*, S. 245.

72 Zum Bericht der *Deutschen Tageszeitung* vgl. Joachim Petzold, *Die Dolchstoßlegende*, Berlin 1963, S. 27f.

73 Zitiert nach Friedrich Freiherr Hiller von Gaertringen, »›Dolchstoß‹-Diskussion und ›Dolchstoß-Legende‹ im Wandel von vier Jahrzehnten«, in: *Geschichte und Gegenwartsbewußtsein*, hg. von Waldemar Besson, Göttingen 1963, S. 122–160, hier S. 127.

74 Grundlegend dazu der Aufsatz von Hiller von Gaertringen, ebenda, vor allem S. 125–127; zum Auseinanderklaffen der Wahrnehmung von Front und Heimat vgl. auch Ziemann, »Enttäuschte Erwartung«.

75 Vgl. Hiller von Gaertringen, »›Dolchstoß‹-Diskussion«, S. 130.

76 Ebenda, S. 134f.

77 Hierzu siehe vor allem: Ulrich Heinemann, *Die verdrängte Niederlage*, Göttingen 1983, S. 162–164; Dorpalen, *Hindenburg*, S. 54–58; Westarp, *Konservative Politik im Übergang*, S. 540f.

78 Vgl. John G. Williamson, *Karl Helfferich 1872–1924*, Princeton 1971, S. 308f.

79 Erich Ludendorff, *Vom Feldherrn zum Weltrevolutionär und Wegbereiter Deutscher Volks-schöpfung. Meine Lebenserinnerungen von 1919 bis 1925*, München 1940, S. 70f.

80 Siehe auch v. Hoegen, *Held von Tannenberg*, S. 249.

81 Vgl. Wheeler-Bennett, *Titan*, S. 244.

82 Siehe v. Hoegen, *Held von Tannenberg*, S. 247f., sowie Williamson, *Karl Helfferich*, S. 309.

83 Vgl. Wette, *Gustav Noske*, S. 591.

84 Siehe Wheeler-Bennett, *Titan*, S. 245, sowie v. Hoegen, *Held von Tannenberg*, S. 247.

85 Vgl. die dichte Schilderung eines Ausschußmitglieds: Moritz J. Bonn, *So macht man Geschichte*, München 1953, S. 238–241.

86 Siehe Dorpalen, *Hindenburg*, S. 55.

87 *Verfassunggebende deutsche Nationalversammlung. 15. Ausschuß, Stenographischer Bericht über die öffentlichen Verhandlungen des Untersuchungsausschusses*, Berlin 1919, S. 727–732, auch abgedruckt in: *Endres*, Hindenburg, S. 113–118.

88 Vgl. Williamson, *Karl Helfferich*, S. 309f.; Ludendorffs nachträgliche Behauptung, wonach Hindenburg lediglich eine allein von Ludendorff ausgearbeitete Erklärung verlesen habe, ist mit Skepsis zu betrachten, siehe Ludendorff, *Vom Feldherrn*, S. 74f.

89 Endres, *Hindenburg*, S. 115.

90 Ebenda, S. 118.

91 Ebenda.

92 So Hindenburg in einem Schreiben an den deutschnationalen Reichstagsabgeordneten Albrecht Philipp, der einen der Unterausschüsse des Reichstags zur Untersuchung der Kriegsniederlage geleitet hatte, 11. März 1924, in: BA-MA Freiburg, Nachlaß Hindenburg, Nr. 11, Bl. 4.

93 Hindenburg, *Aus meinem Leben*, S. 403.

94 Dazu Krumeich, »Dolchstoß-Legende«, S. 594f., sowie v. Hoegen, *Held von Tannenberg*, S. 34f.

KAPITEL 15

Hindenburg locutus, causa finita!

1 Vgl. Groener, *Lebenserinnerungen*, S. 511.

2 Hindenburg an seinen väterlichen Freund Graf Wartensleben, 26. Dezember 1919, zitiert nach Ruge, *Hindenburg*, S. 191.

3 Zur Definition vgl. die einschlägige Studie von Wolfrum, *Geschichtspolitik*, S. 26.

4 Der Text dieser Erklärung findet sich im BA-MA Freiburg, Nachlaß Hindenburg, Nr. 1, Bl. 14; vgl. auch Hubatsch, *Hindenburg und der Staat*, S. 38.

5 Hindenburg an Graf Westarp, 2. Februar 1919, in: Westarp, *Ende der Monarchie*, S. 15; fast wörtlich auch in Hindenburgs Schreiben an seine Tochter Irmengard, 29. Januar 1919 (Privatbesitz).

6 Brockhusen an Hindenburg, 11. Januar 1919 (Privatbesitz)

7 Hindenburg an Brockhusen, 13. März 1919 (Privatbesitz).

8 Vgl. Arne Hoffmann, »*Wir sind das alte Deutschland, das Deutschland, wie es war ...*«. *Der »Bund der Aufrechten« und der Monarchismus in der Weimarer Republik*, Frankfurt a.M. 1998, S. 46f.; leise Kritik an Hindenburg schimmert auch in Brockhusens Erinnerungen durch: Brockhusen, *Weltkrieg*, S. 280f.

9 Abgedruckt bei Niemann, *Revolution*, S. 321–327.

10 Vgl. dazu Westarp, *Ende der Monarchie*, S. 11–14.

11 Vgl. ebenda, S. 25; siehe auch ein Schreiben der Frau Westarps, Gräfin Ada, an ihre Tochter, 6. April 1919, in: Familienarchiv der Freiherrn Hiller von Gaertringen, Nachlaß Westarp.

12 Abgedruckt bei Westarp, *Ende der Monarchie*, S. 26.

13 Hindenburgs Zorn gegen Schulenburg war auch nach Jahren nicht verflogen. Noch fast ein Dezennium später bezeichnete er diese Denkschrift als »ein böses Phantasiestück aus krankhaft erregter Zeit« in einer eigenhändigen Eintragung vom 3. Juli 1928 in das Buch Niemanns, in dem diese Denkschrift im Dokumentenanhang abgedruckt war, siehe Hubatsch, *Hindenburg und der Staat*, S. 38; vgl. auch dort S. 46.

14 Westarp an Hindenburg, 5. Februar 1919, in Westarp, *Das Ende der Monarchie*, S. 16f.

15 Hindenburg an Westarp, 7. Februar 1919, Original im BA Berlin, Nachlaß Westarp, Nr. 190, Bl. 54–57; auszugsweise abgedruckt, allerdings ohne die Einladung Hindenburgs, bei Westarp, *Ende der Monarchie*, S. 17f.

16 Ebenda, S. 18.

17 In den auf den 16. April 1919 datierten »Bemerkungen zu der in der ›Freiheit‹ erschienenen und von dort in andere Zeitungen übernommenen Denkschrift des Generals Grafen Schulenburg«, BA Berlin, Nachlaß Westarp, Nr. 196, Bl. 164–166; auszugsweise wiedergegeben bei Westarp, *Ende der Monarchie*, S. 26f.

18 Zur inhaltlichen Bandbreite der frühen DNVP vgl. die Studie von Christian F. Trippe, *Konservative Verfassungspolitik 1918–1923. Die DNVP als Opposition in Reich und Ländern*, Düsseldorf 1995, vor allem S. 23–28.

19 Diese Grundüberzeugung schlägt sich auch massiv in seinen Mitte der 1930er Jahre entstandenen Betrachtungen nieder: Westarp, *Konservative Politik im Übergang*, vor allem S. 26–115.

20 Westarp, *Ende der Monarchie*, S. 159.

21 Abgedruckt bei Niemann, *Revolution*, S. 328–333.

22 Westarp, *Ende der Monarchie*, S. 20f.

23 Niemann, *Revolution*, S. 332.

24 So auch Malinowski, *Vom König zum Führer*, S. 233f.

25 Eigenhändiges Schreiben Westarps an seinen Schwiegersohn Berthold Freiherr Hiller von Gaertringen, 4. Mai 1919, Familienarchiv Hiller von Gaertringen (unverzeichnet).

26 Vgl. Auszüge aus deren Schreiben an Westarp in: Westarp, *Ende der Monarchie*, S. 28f.

27 Ebenda, S. 29.

28 Vgl. das gemeinsame Protokoll vom 27. Juli 1919, in: Niemann, *Revolution*, S. 337; zur Konzentration auf Prinz Max vgl. auch Westarp, *Ende der Monarchie*, S. 77.

29 Niemann, *Revolution*, S. 342.

30 Vgl. Westarp, *Ende der Monarchie*, S. 53.

31 Denkschrift Schulenburgs vom 26. August 1919, in: Niemann, *Revolution*, S. 345–360, Zitat S. 357.

32 Vgl. Westarp, *Ende der Monarchie*, S. 30f.

33 Vgl. das Schreiben Hindenburgs an Westarp, 23. Mai 1919, in: BA Berlin, Nachlaß Westarp, Nr. 190, Bl. 44f.

34 Siehe dazu das vertrauliche Schreiben Hindenburgs an Westarp, 24. Juni 1919, ebenda, Bl. 29.

35 Vgl. dazu die Tagebucheintragung Ilsemanns vom 2. Juni 1919, in: Ilsemann, *Amerongen*, S. 105. Hindenburg hatte via Westarp von der Verwunderung des Kaisers darüber erfahren, daß Hindenburg hartnäckig jede Verantwortung für dessen Abreise abstritt; vgl. Hindenburg an Westarp, 24. Juni 1919, in: BA-Berlin, Nachlaß Westarp, Nr. 190, Bl. 29; auch auszugsweise abgedruckt bei Westarp, *Ende der Monarchie*, S. 109f. Westarp wiederum hatte diese Information von Schulenburg erhalten, dem der Kaiser sogar schriftlich seine Bekümmerung darüber ausgedrückt hatte, daß die ganze Wahrheit über die Vorgänge am 9. November nicht bekannt sei, Auszüge aus einem diesbezüglichen Schreiben Schulenburgs an Westarp vom 1. Juni 1919 bei Westarp, *Ende der Monarchie*, S. 106.

36 Schulenburg an Plessen, Anfang Juni 1919, abgedruckt ebenda, S. 107; vgl. auch ebenda, S. 31.

37 So Westarp in einem Schreiben vom 30. Juni 1919 an seine Frau, abgedruckt ebenda, S. 31.

38 Ebenda, S. 105–108.

39 Ebenda, S. 111.

40 Zur Genese der endgültigen Formulierung vgl. ebenda, S. 112–114.

41 Ebenda, S. 32–34; vgl. auch die Darstellung bei Hubatsch, *Hindenburg und der Staat*, S. 42f.

42 Hindenburg an Plessen, 15. Juli 1919, ebenda, S. 207; ungekürztes Original bei Afflerbach, *Kriegsherr*, S. 946f.

43 So auch schon Dorpalen, *Hindenburg*, S. 40f.

44 Westarp, *Ende der Monarchie*, S. 207.

45 Original des Schreibens von Hindenburg an Plessen vom 15. Juli 1919 bei Afflerbach, *Kriegsherr*, S. 946; zu den gesundheitlichen Problemen Plessens vgl. Westarp, *Ende der Monarchie*, S. 33, sowie ein Schreibens von Westarps Frau Ada an die Tochter Gertraude Freifrau Hiller von Gaertingen, 3. April 1919 (Familienarchiv der Freiherrn Hiller von Gaertringen).

46 Abgedruckt bei Endres, *Hindenburg*, S. 111.

47 Westarp, *Ende der Monarchie*, S. 207.

48 Niemann, *Revolution*, S. 341.

49 Vgl. Westarp, *Ende der Monarchie*, S. 131; die Gemeinschaftsarbeit Hindenburgs mit Westarp findet sich im BA Berlin, Nachlaß Westarp, Nr. 193, in Gestalt von Bleistiftkorrekturen von der Hand Westarps auf dessen zweitem Protokollentwurf.

50 Westarp, *Ende der Monarchie*, S. 131.

51 Hindenburg an Westarp, 16. Juni 1919, nahezu wörtlich abgedruckt ebenda, S. 131; Original im BA Berlin, Nachlaß Westarp, Nr. 190, Bl. 39.

52 Niemann, *Revolution*, S. 342; zur Genese dieser Passage vgl. Westarp, *Ende der Monarchie*, S. 131f.

53 Niemann, *Revolution*, S. 342 für beide Zitate.

54 Ähnlich auch Barth, *Dolchstoßlegenden*, S. 309; selbst Hubatsch muß einräumen, daß das Protokoll vor allen Dingen der »Rechtfertigung des eigenen Verhaltens« diente, vgl. Hubatsch, *Hindenburg und der Staat*, S. 44.

55 Hindenburg an Plessen, 15. Juli 1919, bei Westarp, *Ende der Monarchie*, S. 207.

56 Der als Quellensammlung bis heute unersetzliche »Europäische Geschichtskalender« druckte bezeichnenderweise das Protokoll vom 27. Juli 1919 als dokumentarische Wiedergabe der Ereignisse des 9. November 1918 in Spa ab, vgl. *Schulthess' Europäischer Geschichtskalender. Neue Folge* 34 (1918), Teil 1, S. 433–441.

57 Vgl. die Tagebucheintragung Ilsemanns vom 21. April 1922, in: Ilsemann, *Amerongen*, S. 206.

58 Erschienen Berlin 1922.

59 Hindenburg an Eisenhart Rothe, 8. Februar 1922, in: BA Koblenz, Kleine Erwerbungen 556.

60 Abschrift dieser kaiserlichen Niederschrift im Politischen Archiv des Auswärtigen Amtes, Berlin, Nachlaß Johannes Kriege, Bd. 5.

61 Jedenfalls behauptete er dies in seinem Schreiben an Eisenhart Rothe vom 8. Februar 1922 und fügte als Bekräftigung noch hinzu: »Doch das bleibt unter uns! Ich schweige sonst grundsätzlich über diesen Punkt in der Hoffnung, dadurch meinem Kaiser etwa zu nutzen«, in: BA Koblenz, Kleine Erwerbungen 556, Bl. 2f.

62 Die Grundzüge dieser standardisierten Antwort tauchen schon in entsprechender Korrespondenz Hindenburgs aus dem Jahr 1920 auf, vgl. ein ähnlich gehaltenes Schreiben Hindenburgs an den kaisertreuen Apotheker Erich Grundies aus Rheinsberg vom 16. August 1920, das Anfang 1929 in einer Autographenaktion versteigert wurde, vgl. dazu den Bericht in der *Deutschen Allgemeinen Zeitung* vom 21. Januar 1929, Zeitungsausschnitt im BA Berlin, R 601/46, Bl. 15, sowie das Schreiben von Apotheker Grundies an das Büro des Reichspräsidenten vom 4. Februar 1929; Text dieses Schreibens auch bei Westarp, *Ende der Monarchie*, S. 132f.

63 Eisenhart Rothe an Plessen, 18. April 1922, Privatarchiv John Röhl.

64 Diesen Anspruch erhob ausdrücklich Eisenharts Broschüre: Ernst von Eisenhart Rothe, *Der Kaiser am 9. November*, Berlin 1922, S. 25.

65 Ebenda, S. 31–33.

66 Genau so wurde die Broschüre Eisenharts bei Hindenburg durchaus nahestehenden Konservativen aufgefaßt, zu denen auch die Frau des Grafen Westarp zählte, die ihren Lektüreindruck in einem Brief vom 23. Februar 1922 an ihre Tochter Gertraude formulierte (Familienarchiv der Freiherrn Hiller von Gaertringen, Nachlaß Westarp).

67 Hindenburg an Eisenhart Rothe, 10. April 1922, in: BA Koblenz, Kleine Erwerbungen 556, Bl. 9.

68 Ebenda, Bl. 9, Rückseite; vgl. auch sein Schreiben an Eisenhart vom 30. März 1922, ebenda, Bl. 8.

69 Randbemerkung Wilhelms II. auf das Schreiben Eisenharts an Plessen vom 18. April 1922, Privatarchiv John Röhl.

70 Vgl. Westarp, *Ende der Monarchie*, S. 19 f.; vgl. auch die Tagebucheintragung Ilsemanns vom 7. März 1919, in: Ilsemann, *Amerongen*, S. 93.

71 Siehe die Tagebucheintragung Ilsemanns vom 2. September 1921, ebenda, S. 189, sowie das Schreiben Friedeburgs an Gontard, 3. Juni 1921, und Plessens an Wilhelm II., 4. August 1921, Abschriften dieser beiden Schriftstücke in: Archiv des Instituts für Zeitgeschichte, München, MA 144/5, Bl. 9511–9514.

72 Hindenburg an Wilhelm II., 15. November 1921, ebenda, Bl. 9505–9509.

73 »Briefwechsel zwischen Kaiser Wilhelm II. und Generalfeldmarschall von Hindenburg«, in: *Kreuzzeitung* Nr. 583 vom 18. Dezember 1921.

74 Schreiben Wilhelms II. an Hindenburg, 5. April 1921, ebenda; auch abgedruckt in: Wilhelm II., *Ereignisse und Gestalten aus den Jahren 1878–1918*, Berlin 1922, S. 254.

75 Vgl. Katharina von Kardorff-Oheimb, *Politik und Lebensbeichte*, Tübingen 1965, S. 120 bis 125; siehe auch den Zeitungsartikel von Admiral Reinhard Scheer, »Die Wirkung des Kaiserbriefes«, in: *Kölnische Zeitung* vom 30. Dezember 1921, Abend-Ausgabe.

76 Tagebucheintragung Ilsemanns vom 15. Mai 1922, in: Ilsemann, *Amerongen*, S. 214f.

77 Dazu das Schreiben Wilhelms II. an Dommes, 21. August 1922, ebenda, S. 316f.

78 Entwurf dieser Erklärung, die vom Kaiser gutgeheißen wurde, im Privatarchiv John Röhl.

79 Hindenburg an Wilhelm II., 28. Juli 1922, in: Niemann, *Revolution*, S. 445.

80 Wilhelm II. an Hindenburg, 21. September 1922, ebenda, S. 446.

81 So auch das Urteil Ilsemanns in seiner Tagebucheintragung vom 4. August 1922, in: Ilsemann, *Amerongen*, S. 236; vgl. auch Kohlrausch, »Flucht«, S. 96, sowie Wencke Meteling, »Der deutsche Zusammenbruch 1918 in den Selbstzeugnissen adeliger preußischer Offiziere«, in: *Adel und Moderne*, hg. von Eckart Conze und Monika Wienfort, Köln 2004, S. 289–321, hier S. 302f.

82 Wilhelm II. an Dommes, 21. August 1922, in: Ilsemann, *Amerongen*, S. 317.

83 Vgl. ebenda, S. 316f.; abgedruckt ist das Schreiben Hindenburgs u.a. im legitimistischen Organ *Der Aufrechte. Ein Kämpfer für christlich-deutsche Erneuerung* 4 (1922), Nr. 42 vom 15. Oktober 1922, S. 310.

84 Hindenburg an Groener, 23. November 1919, in: BA-MA Freiburg, Nachlaß Groener, Nr. 37, Bl. 19.

85 Vgl. das Schreiben Hindenburgs an Groener, 11. Mai 1920, ebenda, Bl. 38.

86 Grundlegend hierzu Cavallie, *Ludendorff*, hier S. 38.

87 Ebenda, S. 80; Ludendorff, *Vom Feldherrn*, S. 44f.

88 Vgl. Cavallie, *Ludendorff*, S. 80–87; Ludendorff, *Vom Feldherrn*, S. 45ff.; Hedin, *Fünfzig Jahre*, S. 181–184.

89 Die öffentliche Attacke eröffnete Ludendorff mit einer Generalabrechnung gegen Hindenburg in seiner Wochenschrift *Ludendorffs Volkswarte* 2 (1930), Ausgabe vom 30. März 1930: »Herr Paul von Hindenburg«.

90 Schreiben Hindenburgs an Scheidemann vom 16. Februar 1919, in: *Schulthess' Europäischer Geschichtskalender. Neue Folge* 35 (1919), Teil 1, S. 71.

91 Abgedruckt ebenda, S. 372; vgl. weiterhin Dorpalen, *Hindenburg*, S. 38f., und Cavallie, *Ludendorff*, S. 97–105.

92 Hindenburg an Hauptmann Wilhelm Breucker, einen der engsten Ludendorff-Vertrauten, 23. November 1918, abgedruckt in: Breucker, *Tragik Ludendorffs*, S. 80.

93 Westarp, *Ende der Monarchie*, S. 16–18.

94 Ausführliche Schilderung dieser Begebenheit bei Breucker, *Tragik Ludendorffs*, S. 83–93.

95 Hindenburg an Ludendorff, 9. April 1919, in: Ludendorff, *Vom Feldherrn*, S. 50f.

96 Max Bauer, *Der große Krieg in Feld und Heimat. Erinnerungen und Betrachtungen*, Tübingen 1921, vor allem S. 107–109.

97 Ludendorff, *Vom Feldherrn*, S. 168; Hindenburg bezeichnete in seiner brieflichen Einladung an Ludendorff vom August 1921 die Kritik Bauers als »boshafte Verleumdungen, die mich geradezu krank gemacht haben«, abgedruckt in: Erich Ludendorff, »General von Hindenburg und ich«, in: *Ludendorffs Volkswarte* 4 (1932), Ausgabe vom 20. November 1932.

98 Vgl. Ludendorff, *Vom Feldherrn*, S. 361–363.

99 Siehe ebenda, S. 264–266; vgl. auch Hindenburgs Schreiben an Generalmajor Bartenwerffer vom 5. Oktober, 2. November und 14. November 1924, in: BA-MA Freiburg, MSg 1/288.
100 Hindenburg an Ludendorff, Dietramszell, 25. August 1925, in: BA-MA Freiburg, Nachlaß Ludendorff, Nr. 16; auch wiedergegeben in Ludendorffs Artikel: »General von Hindenburg und ich«, in: *Ludendorffs Volkswarte* 4 (1932), Ausgabe vom 20. November 1932; vgl. auch Breucker, *Tragik Ludendorffs*, S. 115f.
101 Abgedruckt im obigen Artikel Ludendorffs in der *Volkswarte* vom 20. November 1932.
102 Vgl. eine im Oktober 1944 entstandene Ausarbeitung der kriegsgeschichtlichen Forschungsanstalt des Heeres über die Entstehung des Weltkriegswerkes 1914/18, in: BA Koblenz, Kleine Erwerbungen 842/4, Bl. 1–4; vgl. auch Matthias Herrmann, *Das Reichsarchiv (1919–1945). Eine archivische Institution im Spannungsfeld der deutschen Politik*, Bd. 1, Phil. Diss., Berlin 1994, S. 55.
103 Zu seiner Person und seiner kriegsgeschichtlichen Befähigung vgl. eine von ihm selbst stammende Pressenotiz anläßlich seiner Pensionierung im Jahr 1931, in: BA Berlin, R 1506/121, Bl. 82f., sowie Reinhard Brühl, *Militärgeschichte und Kriegspolitik*, Berlin 1973, S. 245; zu den täglichen Begegnungen an der Mittagstafel vgl. die handschriftlichen Erinnerungen von Mertz, in: BA-MA Freiburg, Nachlaß Mertz von Quirnheim, Nr. 2, Bl. 4f.
104 Schreiben Mertz an Hindenburg, 29. März 1919, Abschrift in: BA-MA Freiburg, Nachlaß Groener, Nr. 39, Bl. 3–8.
105 Ebenda, Bl. 4 Rückseite.
106 Hindenburg an Ludendorff, 20. August 1919, abgedruckt in: Erich Ludendorff, »General von Hindenburg und ich« (wie Anm. 97).
107 Vgl. Brühl, *Militärgeschichte*, S. 244f.
108 Siehe auch Dorpalen, *Hindenburg*, S. 51f.
109 Hindenburg, *Aus meinem Leben*, S. V.
110 Exemplar des vom 10. Mai 1919 datierenden Verlagsvertrags im BA Berlin, Nachlaß Mertz von Quirnheim, Nr. 14, Bl. 2f.
111 Vgl. Hubatsch, *Hindenburg und der Staat*, S. 53.
112 Am 12. Dezember 1919 wurde eine vertragliche Zusatzvereinbarung wegen des Ausscheidens von Hoetzsch zwischen Hindenburg und Mertz getroffen, in: BA Berlin, Nachlaß Mertz von Quirnheim, Nr. 14, Bl. 1.
113 Vgl. Hubatsch, *Hindenburg und der Staat*, S. 53.
114 Vgl. Ludendorff, *Vom Feldherrn*, S. 55; vgl. auch Ludendorffs Artikel »Geschichtsfälschung«, in: *Ludendorffs Volkswarte* 2 (1930), Folge 18 vom 4. Mai 1930.
115 Vgl. seinen Artikel in der Volkswarte vom 4. Mai 1930 sowie seine Ausführungen »General von Hindenburg und ich« (wie Anm. 97).
116 Hindenburg bezeichnete gegenüber seiner Frau am 11. Mai 1919 als Hauptzweck dieses Buches, daß es »dem Volksgeiste nützen kann«, zitiert bei Hubatsch, *Hindenburg und der Staat*, S. 53.
117 Der von Hindenburg korrigierte Entwurf findet sich im BA-MA Freiburg, Nachlaß Hindenburg, Bd. 5 bis 8.
118 Vgl. den Taschenkalender von Mertz aus dem Jahre 1920, in: BA Berlin, Nachlaß Mertz von Quirnheim, Nr. 6.
119 Wortlaut seines politischen Testaments vom 11. Mai 1934 bei Hubatsch, *Hindenburg und der Staat*, S. 380–383, Zitat S. 380; die von Hubatsch geäußerte Vermutung einer Verfälschung der letzten vier Absätze des politischen Testaments entbehrt jeder Grundlage.

120 Hindenburg, *Aus meinem Leben*, S. 403.

121 Ebenda, S. 404.

122 Ebenda, S. 405.

123 Ebenda, S. 406.

124 W. Platzhoff, »Hindenburgs Selbstbiographie«, in: *Internationale Monatsschrift für Wissenschaft, Kunst und Technik* 15 (1921), Sp. 67–75, Zitat Sp. 68; zur Verbreitung des Buches vgl. auch Rauscher, *Hindenburg*, S. 217.

KAPITEL 16
Anwartschaft auf das höchste Staatsamt

1 Ansprache Hindenburgs am 3. Juli 1919 an die hannoversche Studentenschaft, abgedruckt bei Lindenberg, *Buch vom Feldmarschall*, S. 372; Lichtbilder des begeisterten Empfangs Hindenburgs in Hannover finden sich ebenda, S. 365–370; vgl. auch Sabine Guckel und Volker Seitz, »›Vergnügliche Vaterlandspflicht‹. Hindenburg-Kult am Zoo«, in: *Alltag zwischen Hindenburg und Haarmann. Ein anderer Stadtführer durch das Hannover der 20er Jahre*, hg. von der Geschichtswerkstatt Hannover, Hamburg 1987, S. 13–17.

2 Hindenburgs Ansprache an diesem 29. August 1919 ist wörtlich abgedruckt in: »Hindenburg-Huldigung der hannoverschen Jugend«, in: *Hannoverscher Kurier* Nr. 34598 vom 30. August 1919.

3 Vgl. das Schreiben Hindenburgs an Westarp, 19. August 1923: »Ich betrete Berlin grundsätzlich nicht mehr. Der Ort ist mir aus naheliegenden Gründen zu sehr zuwider«, in: Familienarchiv der Freiherrn Hiller von Gaertringen, Nachlaß Westarp, Mappe: Briefwechsel mit Hindenburg.

4 »Ankunft Hindenburgs in Berlin«, in: *Berliner Tageblatt* vom 12. November 1919, Abend-Ausgabe.

5 »Neue Hindenburg-Demonstrationen der deutschnationalen Studenten«, in: *Berliner Tageblatt* vom 14. November 1919, Abend-Ausgabe.

6 Erklärung Hindenburgs, abgedruckt in: *Deutsche Allgemeine Zeitung* vom 16. November 1919, Morgen-Ausgabe.

7 Paul Lindenberg, »Der getreue Ekkehardt«, in: ders., *Hindenburg-Denkmal*, S. 401–410, hier S. 403.

8 Vgl. Görlitz, *Hindenburg*, S. 233.

9 Grundlegend hierzu ist Eberhard Kolb, »Friedrich Ebert: Vom ›vorläufigen‹ zum definitiven Reichspräsidenten«, in: *Friedrich Ebert als Reichspräsident*, hg. von Eberhard Kolb, München 1997, S. 109–156.

10 Hierzu ausführlich Ludwig Richter, *Die Deutsche Volkspartei 1918–1933*, Düsseldorf 2002, S. 76–81.

11 Vgl. das Protokoll des Geschäftsführenden Ausschusses der DVP vom 24. August 1919, abgedruckt in: Eberhard Kolb und Ludwig Richter (Hg.), *Nationalliberalismus in der Weimarer Republik. Die Führungsgremien der Deutschen Volkspartei 1918–1933*, Düsseldorf 1999, S. 187; siehe auch Kolb, »Friedrich Ebert«, S. 120.

12 Vgl. die Rede des DNVP-Parteivorsitzenden Hergt auf dem ersten Parteitag der DNVP am 12. Juli 1919, in: *Gegenwart und Zukunft der Deutschnationalen Volkspartei*, Berlin 1919, S. 10.

13 Vgl. die entsprechenden Dokumente bei Kolb und Richter, *Nationalliberalismus*, S. 191 bis 193 und S. 198, sowie das Schreiben Hergts an Hindenburg, 8. November 1919, in: Geheimes Staatsarchiv Preußischer Kulturbesitz Berlin-Dahlem, XX. HA, Nachlaß Oskar Hergt Nr. 2; siehe weiterhin Kolb, »Friedrich Ebert«, S. 121f., und Dorpalen, *Hindenburg*, S. 58f.

14 Hierzu prägnant Ludwig Richter, »Der Reichspräsident bestimmt die Politik und der Reichskanzler deckt sie: Friedrich Ebert und die Bildung der Weimarer Koalition«, in: *Friedrich Ebert als Reichspräsident*, hg. von Eberhard Kolb, München 1997, S. 17–59, vor allem S. 20–22, sowie Walter Mühlhausen, *Friedrich Ebert 1871–1925*, Bonn 2006, S. 174 bis 183.

15 Vgl. vor allem das rechtshistorische Standardwerk von Christoph Gusy, *Die Weimarer Reichsverfassung*, Tübingen 1997, insbesondere S. 98–115, sowie Hans Boldt, »Die Stellung von Parlament und Parteien in der Weimarer Reichsverfassung«, in: *Demokratie in der Krise*, hg. von Eberhard Kolb und Walter Mühlhausen, München 1997, S. 19–58, vor allem S. 25–33.

16 Hindenburg an Friedrich von Berg, 5. Januar 1920, abgedruckt bei Hubatsch, *Hindenburg und der Staat*, S. 58.

17 Ebenda, S. 59.

18 Ebenda, vgl. auch den Bericht Stresemanns auf der Sitzung des Geschäftsführenden Ausschusses der DVP am 24. November 1919 über ein Gespräch mit Hindenburg, im dem dieser ihm zu verstehen gegeben hatte, es »werde ihm nicht möglich sein, etwa mit einem Reichskanzler Scheidemann und mit der heutigen Mehrheit zusammenzuarbeiten«, in: Kolb und Richter, *Nationalliberalismus*, S. 198.

19 Vgl. Richters Redebeitrag auf der Sitzung des Geschäftsführenden Ausschusses der DVP am 13. September 1919, ebenda, S. 192.

20 Siehe den Bericht Stresemanns auf der Sitzung des Geschäftsführenden Ausschusses der DVP am 24. November 1919, ebenda, S. 198; vgl. auch Dorpalen, *Hindenburg*, S. 59, sowie eine im Nachlaß Stresemanns aufbewahrte vertrauliche Mitteilung vom 17. Dezember 1919, abgedruckt bei Erwin Könnemann und Gerhard Schulze, *Der Kapp-Lüttwitz-Ludendorff-Putsch*, München 2002, S. 78.

21 Vgl. Hubatsch, *Hindenburg und der Staat*, S. 58f.

22 Hindenburg an Ernst zu Hohenlohe-Langenburg, 13. Oktober 1919, Hohenlohe-Zentralarchiv Neuenstein, Nachlaß Ernst zu Hohenlohe-Langenburg. Der Fürst nahm diese Stelle so wichtig, daß er sie Cosima Wagner mitteilte, mit der er in engem Briefkontakt stand: Hohenlohe an Cosima Wagner, 20. Oktober 1919, abgedruckt in Wagner, *Briefwechsel*, S. 384.

23 So Stresemann auf der Sitzung des Geschäftsführenden Ausschusses der DVP, 16. Oktober 1919, in: Kolb und Richter, *Nationalliberalismus*, S. 193; vgl. auch Stresemanns Ausführungen auf der nächsten Sitzung dieses Gremiums am 24. November 1919, ebenda, S. 198 sowie das Schreiben der »Nationalen Vereinigung« an Oberst Max Bauer, 19. November 1919, abgedruckt in: Könnemann und Schulze, *Kapp-Lüttwitz-Ludendorff-Putsch*, S. 67.

24 Vgl. den bei Hubatsch, *Hindenburg und der Staat*, S. 58, in Auszügen abgedruckten Briefwechsel; siehe auch den Bericht des DNVP-Vorsitzenden Hergt vor den Landesvorsitzenden seiner Partei, 20. Januar 1920, gemäß der Eintragung im Tagebuch des Sekretärs der DNVP-Fraktion, Ulrich Kahrstedt; transkribierte Tagebuchfassung im Familienarchiv Hiller von Gaertringen.

25 Vgl. ein entsprechendes Schreiben Friedrich von Bergs an Hindenburg vom 2. Februar 1920, das vieldeutig meinte: »Rom ist in Bewegung«, in: Hubatsch, *Hindenburg und der Staat*, S. 59.

26 Vgl. ebenda sowie den Bericht Hergts vor den DNVP-Landesverbänden am 20. Januar 1920 und die Einschätzung des konservativen schlesischen Adligen Yorck von Wartenburg gegenüber Kahrstedt am 21. Januar 1920, Tagebuch Kahrstedt, Familienarchiv Hiller von Gaertringen.

27 Hindenburg an Wilhelm II., 6. März 1920, wiedergegeben bei Hubatsch, *Hindenburg und der Staat*, S. 60.

28 Hierzu umfassend Kolb, »Friedrich Ebert«, S. 124–129.

29 Josef Buchhorn, *Hindenburg. Der Führer in unsere Zukunft*, Berlin 1920, vor allem S. 7, 9, 59, 74, 89, 92, 95, 103 und S. 108ff.

30 *Hannoverscher Kurier* Nr. 34915 vom 6. März 1920; *Neue Preußische Zeitung (Kreuzzeitung)* Nr. 122 vom 6. März 1920.

31 Wie sehr die Bekanntgabe von Hindenburgs Kandidatur mögliche andere Bewerber verdrängte, wird u.a. ersichtlich aus dem Artikel des hindenburgfreundlichen *Hannoverschen Kuriers* Nr. 34917 vom 8. März 1920: »Parole Hindenburg!«.

32 Zur Reaktion der Regierungsparteien und der ihr nahestehenden Presse vgl. Kolb, »Friedrich Ebert«, S. 130–134; Burkhard Asmus, *Republik ohne Chance? Akzeptanz und Legitimation der Weimarer Republik in der deutschen Tagespresse zwischen 1918 und 1923*, Berlin 1994, S. 257, 265–267 und S. 275–278; *Berliner Tageblatt* Nr. 130 vom 11. März 1920: »Die Wahl des Reichspräsidenten«, und Nr. 132 vom 12. März 1920: »Die Wahl des Reichspräsidenten«.

33 Zur bedeckten Haltung der Zentrumspartei vgl. den Bericht ihres publizistischen Zentralorgans, der *Germania* Nr. 121 vom 12. März 1920: »Die Präsidentenwahl«; Kritik am Vorstoß der SPD-Fraktion kam vom DDP-Abgeordneten Ludwig Quidde in einem am 11. März verfaßten, aber einige Wochen später veröffentlichten Zeitungsartikel: Ludwig Quidde, »Die Wahl des Reichspräsidenten«, in: *Magdeburgische Zeitung* Nr. 230 vom 31. März 1920.

34 Zur Haltung der DVP vgl. Richter, *Deutsche Volkspartei*, S. 90–106.

35 Hindenburg an den Fürsten Münster-Derneburg, Ende März 1920, abgedruckt bei Hubatsch, *Hindenburg und der Staat*, S. 64; zu Hindenburgs Rückzug vgl. auch Kolb, »Friedrich Ebert«, S. 138f.

36 Hindenburg an Bartenwerffer, 15. April 1920, in: BA-MA Freiburg, MSg 1/288.

37 Abgedruckt bei Könnemann und Schulze, *Kapp-Lüttwitz-Ludendorff-Putsch*, S. 238.

38 Dies war denn auch ein wichtiger Zweck des Telegramms von Groener, vgl. dazu das Schreiben des Frankfurter Industriellen Richard Merton an den Generaldirektor der HAPAG, Cuno, 15. März 1920, in: Staatsarchiv Hamburg, Bestand HAPAG-Reederei, 1481, Bd. 1, Bl. 255f. Merton war in die Hintergründe eingeweiht, weil sich Groener zum Zeitpunkt seiner Initiative bei ihm in Frankfurt am Main aufhielt.

39 Vgl. dazu die sehr erhellende kleine Schrift von Traugott von Jagow, *Verrückte Welt. Persönliches aus und nach der Kapperhebung*, Privatdruck für die Corpszeitung der Göttinger Sachsen, 1937, dort S. 7–9.

40 Hindenburg an von Studt, 16. Juli 1920, in: Hubatsch, *Hindenburg und der Staat*, S. 161; zum Einbruch vgl. Görlitz, *Hindenburg*, S. 237, sowie Hindenburgs Wiedergabe dieses Geschehens gegenüber Hugo Vogel, in: Vogel, *Als ich Hindenburg malte*, S. 235f.

41 Zum Verlauf der Krankheit vgl. die Schreiben Hindenburgs an Friedrich von Berg, 8. und
    20. November 1920, in: Wojewodschaftsarchiv Allenstein, Nachlaß Friedrich von Berg,
    Rep. 387/20, Bl. 26–29.

42 Zu Krankheit und Tod seiner Frau vgl. Hindenburgs Schreiben an Fürst Hohenlohe-
    Langenburg, 31. Dezember 1920, in: Hohenlohe-Zentralarchiv Neuenstein, Nachlaß Ernst
    zu Hohenlohe-Langenburg; Hoppe-Lichterfelde, *Herz des Hauses*, S. 25–28; Guckel und
    Seitz, »Vergnügliche Vaterlandspflicht«, S. 16f.; Görlitz, *Hindenburg*, S. 238; Lindenberg,
    »Ekkehardt«, S. 406f.

43 Hindenburg an Irmengard von Brockhusen, 10. November 1921 (Privatbesitz).

44 Hindenburg an Irmengard von Brockhusen, 29. Oktober 1923 (Privatbesitz).

45 Hindenburg an Irmengard von Brockhusen, 4. April 1922 und 27. Februar 1923 (Privatbe-
    sitz).

46 Ebenda.

47 Hindenburg an Irmengard von Brockhusen, 27. Februar und 2. Mai 1923 (Privatbesitz).

48 Hindenburg an Cramon, 28. September 1924, in: BA-MA Freiburg, Nachlaß Cramon,
    Nr. 23, Bl. 26, sowie Hindenburg an Frau von Schilcher, 24. Juli 1924 (Privatbesitz Florian
    von Schilcher).

49 Vgl. dazu die Erinnerungen von Hindenburgs Zweitem Adjutanten, Wedige von der Schu-
    lenburg, in: BA-MA Freiburg, MSg 1/2777, Bl. 75–77, sowie den Briefwechsel Hindenburgs
    mit der Familie Schilcher aus dieser Zeit (im Privatbesitz von Florian von Schilcher).

50 Vgl. dazu ein aus dem November 1921 stammendes Schreiben des Oldenburger Malers
    Bernhard Winter an den Oldenburger Oberbürgermeister Goerlitz, in dem Winter die In-
    neneinrichtung der Hindenburg-Villa detailliert beschreibt; Fundort: Niedersächsisches
    Staatsarchiv Oldenburg, Bestand 262-1 A Nr. 1534; das Neudecker Haus wurde später ähn-
    lich eingerichtet, siehe dazu die Erinnerung Wedige von der Schulenburgs, in: BA-MA
    Freiburg, MSg 1/2779, Bl. 8.

51 Siehe den Bericht Winters, ebenda, sowie Lindenberg, *Es lohnte sich*, S. 189, und Gerhard
    Schultze-Pfaelzer, *Wie Hindenburg Reichspräsident wurde*, Berlin 1925, S. 17f.; Abbildung
    des Zimmers mit dem Bildnis Moltkes bei Lindenberg, »Ekkehardt«, S. 404.

52 Hinweis darauf in seinem Schreiben an Frau von Schilcher, 13. Oktober 1924 (Privatbesitz
    Florian von Schilcher).

53 Vgl. Schulenburg, *Welt um Hindenburg*, S. 94f.

54 Wiedfeldt an den Magdeburger Generaldirektor Lauf, 4. Mai 1925, Abschrift im BA-MA
    Freiburg, Nachlaß Schleicher, Nr. 26, Bl. 312.

55 Harbou an Hindenburg, 26. Oktober 1923, in: BA Koblenz, Kleine Erwerbungen 849.

56 Über diese höchst vertrauliche Angelegenheit informieren folgende Schriftwechsel: Lud-
    wig Osius, Privatsekretär von Edmund Stinnes, an die Stinnes-Konzernzentrale in Mül-
    heim/Ruhr, 14. April 1921 (Archiv für Christlich-Demokratische Politik, Sankt Augustin,
    Nachlaß Stinnes 25/2), sowie zwei Schreiben Wiedfeldts an Harbou, 22. und 18. August
    1922, in: Historisches Archiv Krupp, Essen, FAH 4 C 24, Bl. 106 und Bl. 110; zur Tätigkeit
    Harbous vgl. Feldman, *Stinnes*, S. 418 und S. 510f.

57 Vgl. die Schreiben Hindenburgs an Harbou vom 2. August 1921, 7. Dezember 1921, 9. März
    1922, 7. November 1922, 28. April 1923, 30. August 1923 und 28. Oktober 1923, in: BA Ko-
    blenz, Kleine Erwerbungen 849.

58 Vertrauliches Schreiben Hindenburgs an Harbou, 9. März 1922, ebenda.

59 Zum Verhältnis Wiedfeldt–Hindenburg vgl. Ernst Schröder, »Otto Wiedfeldt als Politiker

und Botschafter der Weimarer Republik«, in: *Beiträge zur Geschichte von Stadt und Stift Essen* 86 (1971), S. 237f.

60 Hindenburg an Irmengard von Brockhusen, 29. Oktober 1923 (Privatbesitz).

61 Hindenburg an Harbou, 28. Oktober 1923, in: BA Koblenz, Kleine Erwerbungen 849.

62 Hindenburg an Irmengard von Brockhusen, 4. April 1922 (Privatbesitz).

63 Ansprache auf dem Regimentsfest des 91er Regiments in Oldenburg, das Hindenburg von 1893 an für einige Jahre als Oberst kommandiert hatte, 16. September 1921, bei Lindenberg, »Ekkehardt«, S. 409; dort, S. 407–410 weitere Ansprachen Hindenburgs bei ähnlichen Anlässen.

64 Ansprache des Oberprimaners Mahner »Hindenburg-Huldigung der hannoverschen Jugend«, in: *Hannoverscher Kurier* Nr. 34598 vom 30. August 1919.

65 Abgedruckt bei Lindenberg, »Ekkehardt«, S. 405.

66 Vgl. seine Dankesrede auf dem Festkommers der Studentenschaft der Tierärztlichen Hochschule Hannover am 8. Mai 1924: »Hindenburg-Kommers«, in: *Hannoverscher Anzeiger* Nr. 110 vom 10. Mai 1924.

67 Äußerung Hindenburgs zum Fürsten Hohenlohe-Langenburg auf dem Kapitel des Johanniterordens in Potsdam, 24. Juni 1921, mitgeteilt im Schreiben des Fürsten an Cosima Wagner, 4. Juli 1921, in: Wagner, *Briefwechsel*, S. 391; vgl. auch sein Schreiben an Irmengard von Brockhusen, 27. Februar 1923 (Privatbesitz).

68 Zur Reiseplanung Hindenburgs vgl. das Schreiben Gayls an den Landrat des westpreußischen Kreises Rosenberg, 13. Mai 1922, in: BA Koblenz, Nachlaß Friedensburg, Nr. 11, Bl. 21–23.

69 So der preußische Ministerpräsident Otto Braun bei einer Besprechung mit den Spitzen der Reichsregierung, 24. Mai 1922, Protokoll in: *Akten der Reichskanzlei. Die Kabinette Wirth I und II*, Bd. 2, bearb. von Ingrid Schulze-Bidlingmaier, Boppard 1973, S. 822.

70 Aktenvermerk des Rosenberger Landrats von Friedensburg vom 14. Mai 1922 über ein Gespräch mit Oldenburg am Tag zuvor, in: BA Koblenz, Nachlaß Friedensburg, Nr. 11, Bl. 13.

71 Mühlhausen, *Ebert*, S. 775–808.

72 Braun auf der Chefbesprechung am 24. Mai 1922, in: *Akten der Reichskanzlei. Die Kabinette Wirth*, S. 822.

73 Vgl. dazu einen Bericht des Vertreters der Reichsregierung in Bayern vom 23. August 1922, ebenda, S. 1030; siehe auch Karl Alexander von Müller, *Im Wandel einer Welt*, München 1966, S. 81.

74 Vgl. dazu sein Schreiben vom 22. Oktober 1922 an den Landeshauptmann von Ostpreußen, Graf Brünneck auf Groß-Bellschwitz im Kreis Rosenberg, abgedruckt in: Schulenburg, *Welt um Hindenburg*, S. 151.

75 Schon im Frühjahr 1922 scheinen Reichskanzler Wirth und der Chef der Heeresleitung, Generaloberst von Seeckt, eine Kandidatur Hindenburgs erörtert zu haben, vgl. Rabenau, *Seeckt*, S. 268f.

76 Vgl. Kolb, »Friedrich Ebert«, S. 149f.

77 Vgl. das Protokoll der Parteiführerbesprechung vom 16. Oktober 1922, in: *Akten der Reichskanzlei. Die Kabinette Wirth*, S. 1128–1130.

78 Vgl. Kolb, »Friedrich Ebert«, S. 151–155; Richter, *Deutsche Volkspartei*, S. 261.

KAPITEL 17
Wahl zum Reichspräsidenten

1 Zum Reichsbürgerrat siehe Hans-Joachim Bieber, *Bürgertum in der Revolution*, Hamburg 1992, vor allem S. 343–347.

2 Vgl. Noel D. Cary,»The Making of the Reich President, 1925: German Conservatism and the Nomination of Paul von Hindenburg«, in: *Central European History* 23 (1990), S. 179 bis 204.

3 Achtseitiges »streng vertrauliches« Protokoll dieser Sitzung vom 12. Februar 1925 im Staatsarchiv Hamburg, HAPAG-Reederei 1503; vgl. auch Cary,»The Making of«, S. 184, sowie Schultze-Pfaelzer, *Wie Hindenburg Reichspräsident wurde*, S. 10, und Hanns-Jochen Hauss, *Die erste Volkswahl des deutschen Reichspräsidenten*, Kallmünz 1965, S. 41f.

4 Vgl. das Schreiben Wincklers an Otto von Feldmann, 26. September 1926 (Privatbesitz). Der DNVP-Landesverbandsvorsitzende von Hannover, Feldmann, hatte bei den Beteiligten Material für eine Darstellung der Vorgeschichte der Hindenburg-Wahl gesammelt, die aber erst nach dem Tod Hindenburgs erscheinen sollte; viele dieser Informationen sind auch verwertet bei Schulenburg, *Welt um Hindenburg*, S. 58f., der ausführliche Gespräche mit Feldmann führte. Auch der ehemalige kaiserliche Flügeladjutant Dommes unterstützte eine Kandidatur Hindenburgs, vgl. Dommes an Westarp, 4. März 1925, in: Familienarchiv der Freiherrn Hiller von Gaertringen, Nachlaß Westarp, VN 56.

5 Vgl. das Schreiben des Landesältesten von Windheim an Graf Westarp, 28. Februar 1925, in: Familienarchiv der Freiherrn Hiller von Gaertringen, Nachlaß Westarp, VN 98; siehe auch Ruge, *Hindenburg*, S. 201.

6 So etwa das Kalkül des deutschnationalen Reichs- und Landtagsabgeordneten Hans Schlange aus dem pommerschen Schöningen, vgl. sein Schreiben an Feldmann, 7. September 1926, Privatbesitz.

7 Zur Geßler-Kandidatur grundlegend: Heiner Möllers, *Reichswehrminister Otto Geßler*, Frankfurt a.M. 1988, S. 289–296; Otto Geßler, *Reichswehrpolitik in der Weimarer Zeit*, Stuttgart 1958, S. 335; zur Haltung der Zentrumspartei Karsten Ruppert, *Im Dienst am Staat von Weimar. Das Zentrum als regierende Partei in der Weimarer Demokratie 1923–1930*, Düsseldorf 1992, S. 111; zur Haltung der DNVP siehe Manfred Dörr, *Die Deutschnationale Volkspartei 1925–1928*, Phil. Diss., Marburg 1964, S. 118f.; zur BVP vgl. das Schreiben des einflußreichen BVP-Politikers Angerpointner an Cuno, 17. März 1925, in: Staatsarchiv Hamburg, HAPAG-Reederei 1503.

8 Zu den Motiven Stresemanns vgl. das streng vertrauliche Schreiben des ehemaligen DVP-Reichstagsabgeordneten Hans Arthur von Kemnitz, der seit Dezember 1924 für die DNVP im Parlament saß, an Graf Westarp, 14. März 1925, in: Familienarchiv der Freiherrn Hiller von Gaertringen, Nachlaß Westarp, VN 97; siehe auch das Schreiben Stresemanns an Geßler, 11. März 1925, und dessen Tagesnotizen vom 12. März 1925, abgedruckt in: Gustav Stresemann, *Vermächtnis*, Bd. 2: *Locarno und Genf*, Berlin 1932, S. 43–45 sowie Cary,»The Making of«, S. 193f.; Möllers, *Geßler*, S. 296–303, und Richter, *Deutsche Volkspartei*, S. 372 bis 374.

9 Ergebnis des ersten Wahlgangs vom 29. März 1925 bei Kolb, *Weimarer Republik*, S. 311; die Vergleichswerte der Parteien bei der Reichstagswahl vom 7. Dezember 1924 ebenda, S. 308.

10 Vgl. Ruppert, *Im Dienst am Staat*, S. 114f.; Hauss, *Volkswahl*, S. 77–80, sowie Horst Möller, *Parlamentarismus in Preußen 1919–1932*, Düsseldorf 1985, S. 372f.

11 So der Tenor der Darstellung bei Hubatsch, *Hindenburg und der Staat,* S. 69f.

12 Vgl. zu den Hintergründen die beiden Schreiben Hindenburgs an Cramon vom 11. und 14. März 1925, in: BA-MA Freiburg, Nachlaß Cramon, Nr. 24, Bl. 9f.

13 Wiedergabe dieses Schreibens vom 21. März 1925 bei Hubatsch, *Hindenburg und der Staat,* S. 69.

14 Hindenburg an Cramon, 27. März 1925, in: BA-MA Freiburg, Nachlaß Cramon, Nr. 24, Bl. 14.

15 Noch vor dem ersten Wahlgang hatte Hindenburg auf dessen Wunsch hin den preußischen Landtagsabgeordneten von Ditfurth (DNVP) empfangen und dabei die Bemerkung fallengelassen, »daß bisher noch keiner an ihn herangetreten wäre«, Schreiben Ditfurths an Feldmann, 28. Juli 1926 (Privatbesitz).

16 Zum Besuch Ditfurths und Schlanges und dem dahinter stehenden Kalkül vgl. die sehr ausführlichen Darstellungen in den Schreiben Ditfurths, Schlanges und Wincklers an den zu dieser Frage recherchierenden Feldmann, 28. Juli, 7. September und 29. September 1926 (Privatbesitz Peter von Feldmann); zum Besuch der beiden Werber bei Hindenburg siehe auch Hindenburg an Cramon, 4. April 1925, in: BA-MA Freiburg, Nachlaß Cramon, Nr. 24, Bl. 25.

17 Vgl. eine »Aufzeichnung des Landrats Clemens Graf v. Wedel in Hannover über die Vorgänge vor der Reichspräsidentenwahl des Generalfeldmarschalls v. Hindenburg«, wohl 1926 entstanden (Privatbesitz); Ditfurth an Feldmann, 28. Juli 1926 (Privatbesitz); Schulenburg, *Welt um Hindenburg,* S. 61–63; Otto Schmidt-Hannover, *Umdenken oder Anarchie,* Göttingen 1959, S. 190f.

18 Vgl. Hauss, *Volkswahl,* S. 95.

19 Aufzeichnung Wedels (wie Anm. 17).

20 Zum deutschnationalen Kalkül bei der Zusammenstellung des neuen Werbeteams vgl. das Schreiben Wincklers an Feldmann, 29. September 1926 (Privatbesitz); Schmidt-Hannover, *Umdenken oder Anarchie,* S. 192; Schulenburg, *Welt um Hindenburg,* S. 66.

21 In diesem Punkt stimmen die ansonsten in Einzelheiten divergierenden Berichte zweier Teilnehmer überein – nämlich eine aus dem Jahr 1968 stammende Aufzeichnung Keudells »Mit Tirpitz in Hannover bei Hindenburg« mit falscher Datierung auf den 8. April 1925 (BA Koblenz, Nachlaß Keudell, Nr. 102) sowie Schmidt-Hannover, *Umdenken oder Anarchie,* S. 193f.

22 Aufzeichnung Westarps über den Zeitraum vom 20. März bis zum 9. April 1925, hier Eintragung zum 8. April 1925, in: Familienarchiv der Freiherrn Hiller von Gaertringen, Nachlaß Westarp.

23 Über den Verlauf der entscheidenden Sitzung des Loebell-Ausschusses am 8. April 1925 informieren: Schreiben Schlanges an Feldmann, 7. September 1926 (Privatbesitz); Friedrich Baltrusch (gehörte für die DNVP diesem Ausschuß an): »Geschichtliches zur Wahl Hindenburgs«, in: BA Koblenz, Kleine Erwerbungen 855/11, »Bericht über die Sitzungen des Loebell-Ausschusses, 31. März bis 7. Mai 1925«, abgedruckt in: Martin Schumacher (Bearb.), *Erinnerungen und Dokumente von Joh. Victor Bredt 1914 bis 1933,* Düsseldorf 1970, S. 349–351; parteiinterne Information Nr. 10 der Deutschen Volkspartei vom 9. April 1925, in: Politisches Archiv des Auswärtigen Amtes, Nachlaß Stresemann, Bd. 93; Tagebucheintragung vom 8. April des Vertreters der »Vaterländischen Verbände« im Loebell-Ausschuß, Wilhelm von Dommes, in: BA-MA Freiburg, Nachlaß Dommes, Nr. 4; Richter, *Deutsche Volkspartei,* S. 381–383.

24 Schreiben Wincklers an Feldmann, 29. September 1926, Privatbesitz.

25 Aufzeichnung Westarps, Eintrag vom 9. April 1925, in: Familienarchiv der Freiherrn Hiller von Gaertringen, Nachlaß Westarp; Schreiben Schlanges an Feldmann, 7. September 1926 (Privatbesitz).

26 Vgl. dazu eine undatierte Aufzeichnung Wedels »Meine Erinnerung an Hindenburg«, Abschrift im Universitätsarchiv Bonn, Nachlaß Hubatsch, Schuber 135; zur Tätigkeit Wedels vgl. auch seine Aufzeichnung über die Reichspräsidentschaftskandidatur Hindenburgs (Privatbesitz).

27 Zu Wallraf vgl. die glänzenden Ausführungen bei Hans-Peter Schwarz, *Adenauer. Der Aufstieg: 1876–1952*, Stuttgart 1986, S. 138–140; zur Rolle Wallrafs bei der Hindenburg-Kandidatur vgl. das Schreiben Schlanges an Feldmann, 7. September 1926 (Privatbesitz).

28 Vgl. die beiden Aufzeichnungen Wedels (wie Anm. 26).

29 Aufzeichnung Wedels »Meine Erinnerung an Hindenburg« (wie Anm. 26).

30 Ebenda; vgl. auch die Aufzeichnung Keudells über seinen Besuch bei Hindenburg, in: BA Koblenz, Nachlaß Keudell, Nr. 102, sowie Schmidt-Hannover, *Umdenken oder Anarchie*, S. 192f.

31 Vertrauliches Schreiben Hindenburgs an Cramon, 3. April 1925, in: BA-MA Freiburg, Nachlaß Cramon, Nr. 24, Bl. 25.

32 Aufzeichnung Keudells, in: BA Koblenz, Nachlaß Keudell, Nr. 102.

33 Ausführungen Feldmanns bei Schulenburg, *Welt um Hindenburg*, S. 59; wortgleich mit Feldmanns ungedruckten Erinnerungen, dort Bl. 139 (Privatbesitz).

34 Hindenburg an Irmengard von Brockhusen, 3. April 1925 (Privatbesitz).

35 Brief vom 9. April 1925 (Privatbesitz).

36 Hindenburg an v. Ditfurth, 2. April 1925, abgedruckt in: *Hindenburg*, Bielefeld 1934, S. 40.

37 So auch Schultze-Pfaelzer, *Wie Hindenburg Reichspräsident wurde*, S. 33.

38 Hindenburg an Friedrich von Berg, 3. Januar 1925, in: Wojewodschaftsarchiv Allenstein, Rep. 387/20, Bl. 55.

39 Vgl. das vertrauliche Schreiben Hindenburgs an Westarp, 10. Februar 1925, sowie die Antwort Westarps, 16. Februar 1925, in: Familienarchiv der Freiherrn Hiller von Gaertringen, Nachlaß Westarp, Mappe Hindenburg.

40 Hindenburg an Hans-Joachim von Brockhusen, 18. März 1925 (Privatbesitz).

41 Hindenburg hatte dies brieflich gegenüber Ditfurth am 2. April 1925 als Voraussetzung für seine Kandidatur formuliert, abgedruckt in *Hindenburg*, S. 40.

42 Entsprechend hatte auch Schmidt-Hannover bei seinem Besuch bei Hindenburg am 6. April 1925 argumentiert, vgl. die Aufzeichnung Wedels (wie Anm. 17).

43 Zur Entscheidungsfindung bei der BVP vgl. ausführlich Hauss, *Volkswahl*, S. 92–97 und S. 103–114; siehe auch ein Schreiben des Beraters des bayerischen Kronprinzen, Joseph-Maria Graf von Soden, an Kronprinz Rupprecht, 8. April 1925, in: Bayerisches Hauptstaatsarchiv, Geheimes Hausarchiv, Nachlaß Kronprinz Rupprecht 764.

44 Vgl. Ruppert, *Im Dienst am Staat*, S. 117f., und ein vertrauliches Schreiben Cunos, der von Teilen der BVP als Präsidentschaftskandidat gehandelt worden war, an Jarres, 15. April 1925, in: Staatsarchiv Hamburg, HAPAG-Reederei 1503.

45 So auch Görlitz, *Hindenburg*, S. 254.

46 Aufzeichnung Westarps über den Zeitraum vom 20. März 1925 bis zum 9. April 1925, in: Familienarchiv der Freiherrn Hiller von Gaertringen, Nachlaß Westarp.

47 Osterbotschaft Hindenburgs, abgedruckt bei Hubatsch, *Hindenburg und der Staat*, S. 187.

48 Abgedruckt bei Endres, *Hindenburg*, S. 144.

49 Ebenda, S. 144–147.

50 Ansprache auf dem separaten Presseempfang am Abend des 19. April, ebenda, S. 147; vgl. auch die Schilderung bei Schultze-Pfaelzer, *Wie Hindenburg Reichspräsident wurde*, S. 32f.

51 »Hindenburgs Fiasko«, in: *Vorwärts* Nr. 185 vom 20. April 1925; vgl. auch »Hindenburg, der Kandidat des monarchistischen Reaktionsklüngels«, in: Volks*wille. Organ für die Interessen der arbeitenden Bevölkerung der Provinz Hannover* Nr. 85 vom 10. April 1925.

52 Repräsentativ ist der in der *Kölnischen Volkszeitung* vom 25. April 1925 abgedruckte Wahlaufruf, zu finden in: Herbert Lepper, *Volk, Kirche und Vaterland. Wahlaufrufe, Aufrufe, Satzungen und Statuten des Zentrums 1870–1933*, Düsseldorf 1998, S. 460–462.

53 Vgl. dazu Ruppert, *Im Dienst am Staat*, S. 122.

54 Vgl. Dorpalen, *Hindenburg*, S. 82f.; siehe auch den Wahlaufruf im *Westfälischen Merkur* vom 26. April 1925, bei Lepper, *Volk*, S. 463f.

55 Vgl. Ruppert, *Im Dienst am Staat*, S. 127f., zur Relativierung des konfessionellen Faktors.

56 Dazu Peter Fritzsche, »Presidential Victory and Popular Festivity in Weimar Germany: Hindenburg's 1925 Election«, in: *Central European History* 23 (1990), S. 205–224; ders., *Rehearsals for Fascism. Populism and Political Mobilization in Weimar Germany*, New York/Oxford 1990, vor allem S. 154–160.

KAPITEL 18

Weichenstellung im neuen Amt

1 Weber, »Typen legitimer Herrschaft«, S. 475–478.

2 Grundlegend hierzu Gusy, *Weimarer Reichsverfassung*, S. 98–115.

3 Am 27. April und 9. Mai 1925 in Hannover, vgl. Görlitz, *Hindenburg*, S. 260f.

4 Zum Beharren Eberts auf die Reichskanzlerschaft des parteilosen Cuno vgl. Heinrich August Winkler, *Von der Revolution zur Stabilisierung*, Berlin/Bonn 1984, S. 553f., sowie Mühlhausen, *Ebert*, S. 578f.; zu den engen Kontakten Ebert – Cuno vgl. auch das Schreiben Cunos an Ebert vom 22. September 1920, in: Staatsarchiv Hamburg, HAPAG-Reederei, Nr. 1481, Bl. 1.

5 Undatierte dreiseitige Ausarbeitung Cunos, mit Brief vom 12. Mai 1925 an den Privatsekretär Hindenburgs, Otto von Feldmann, übersandt, in: Staatsarchiv Hamburg, Bestand HAPAG-Reederei, Nr. 1503.

6 Vgl. Klaus-Dieter Weber, *Das Büro des Reichspräsidenten 1919–1934*, Frankfurt a.M. 2001, S. 157.

7 Ebenda, S. 146.

8 Vgl. dazu zwei Schreiben von Dommes an Westarp, 11. und 12. Mai 1925, Familienarchiv der Freiherrn Hiller von Gaertringen, Nachlaß Westarp, VN 56.

9 Westarp war am 14. Mai 1925 von Hindenburg empfangen worden, vgl. das Schreiben der Gräfin Ada Westarp an ihre Tochter Gertraude, 15. Mai 1925, ebenda, Korrespondenz 1925/26.

10 Vgl. das Manuskript der ungedruckten Lebenserinnerungen Feldmanns, Bl. 74 und Bl. 148f. (Privatbesitz).

11 Vgl. das Schreiben Feldmanns an seine Frau, 16. Mai 1925 (Privatbesitz).

12 Hindenburg äußerte sich entsprechend gegenüber dem bayerischen Ministerpräsidenten

Held, dem er im August 1925 anläßlich seines Jagdaufenthaltes in Bayern einen Besuch abstattete, vgl. dazu das Schreiben von Joseph-Maria Graf von Soden an Kronprinz Rupprecht, 24. August 1925, in: Bayerisches Hauptstaatsarchiv München, Geheimes Hausarchiv der Wittelsbacher, Nachlaß Kronprinz Rupprecht 764.

13 Diese Enttäuschung zieht sich wie ein roter Faden durch die Bewertungen führender DNVP-Politiker im Frühsommer und Sommer 1925, vgl. etwa das Schreiben von Großadmiral Tirpitz an Kronprinz Rupprecht, 3. August 1925, ebenda, Nachlaß Kronprinz Rupprecht 776; zu Tirpitz vgl. auch Raffael Scheck, »Höfische Intrige als Machtstrategie in der Weimarer Republik«, in: *Adel und Moderne*, hg. von Eckart Conze und Monika Wienfort, Köln 2004, S. 107–118, hier S. 114f.; siehe weiterhin Dörr, *Deutschnationale Volkspartei*, S. 131f.

14 Feldmann an Cuno, 1. Juli 1925, in: Staatsarchiv Hamburg, HAPAG-Reederei Nr. 1503; zur Desillusionierung der Deutschnationalen vgl. auch Schmidt-Hannover, *Umdenken oder Anarchie*, S. 201.

15 Tagebucheintragung Escherichs vom 30. April 1925, in: BA Koblenz, Kleine Erwerbungen 846/6.

16 Erklärung Hindenburgs unmittelbar nach seiner Vereidigung am 12. Mai 1925, abgedruckt in: *Das Hindenburg-Jahrbuch 1926*, Berlin/Leipzig 1926, S. 88.

17 Kundgebung Hindenburgs anläßlich seiner Übernahme der Amtsgeschäfte, 12. Mai 1925, ebenda, S. 94.

18 Vgl. die atmosphärisch dichte Schilderung bei Schultze-Pfaelzer, *Wie Hindenburg Reichspräsident wurde*, S. 56ff.

19 So die Beschreibung Feldmanns, der die Reise mitgemacht hatte, in einem Schreiben an seine Frau, 13. Mai 1925 (Privatbesitz).

20 Ebenda.

21 Artikel 42 der Weimarer Reichsverfassung, hier abgedruckt bei Detlef Lehnert, *Die Weimarer Republik*, Stuttgart 1999, S. 337.

22 Vgl. Ernst Friesenhahn, *Der politische Eid*, Bonn 1928, vor allem S. 117ff.; zum Treueid der Beamten vgl. auch Sabine Mecking, »Demokratie – Diktatur – Demokratie: Beamte schwören Treue«, in: *Geschichte in Wissenschaft und Unterricht* 55 (2004), S. 140–150.

23 »Das Ringen um den Staat«, in: *Neue Preußische Zeitung* Nr. 222 vom 13. Mai 1925.

24 Text des preußischen Fahneneides bei Rudolf Absolon, *Die Wehrmacht im Dritten Reich*, Bd. 1, Boppard 1969, S. 163.

25 Vgl. die Ausführungen von Hans Boldt, »Stellung«, S. 19–58.

26 Dies teilte Hindenburg dem späteren Reichskanzler Marx mit, erwähnt bei Eugen Mayer, *Skizzen aus dem Leben der Weimarer Republik*, Berlin 1962, S. 76.

27 Entsprechend äußerte sich Hindenburg bei seinen Gesprächen mit dem bayerischen Ministerpräsidenten Held und dem bayerischen Kronprinzen Rupprecht, die er im Rahmen seines Sommerurlaubs 1925 getroffen hatte, mitgeteilt im Schreiben Sodens an Kronprinz Rupprecht, 24. August 1925, in: Bayerisches Hauptstaatsarchiv München, Geheimes Hausarchiv, Nachlaß Kronprinz Rupprecht 764.

28 Wortlaut der Eidesleistung in: *Verhandlungen des Deutschen Reichstags. III. Wahlperiode 1924*, Bd. 385, S. 1721; ein Abdruck der Eidesformel auch im BA Berlin, R 601/390, Bl. 119a.

29 Vgl. etwa die tagebuchartigen Aufzeichnungen von Dorothea Seeckt, der kunstsinnigen Frau des Chefs der Heeresleitung Hans von Seeckt, Mai 1925, in: BA-MA Freiburg, Nach-

laß Seeckt, Nr. 249, Bl. 2; siehe auch: »Hindenburgs Eid«, in: *Der Tag* Nr. 114 vom 13. Mai 1925.

30 Zu den besonders Hartnäckigen zählte Oldenburg-Januschau, der aber auch Hindenburg nicht für eine offen verfassungswidrige Politik gewinnen konnte, vgl. Oldenburg-Januschau, *Erinnerungen*, S. 219; vgl. auch Hindenburgs Schreiben an Cramon, 1. Dezember 1929, in: BA-MA Freiburg, Nachlaß Cramon, Nr. 22, Bl. 20.

KAPITEL 19
Ausloten von Möglichkeiten und Grenzen der Präsidentschaft

1 Gusy, *Weimarer Reichsverfassung*, S. 99; vgl. auch Boldt, »Stellung«.

2 Gusy, *Weimarer Reichsverfassung*, S. 181f. sowie die einschlägige Studie von Zaun, *Hindenburg*, S. 39–55.

3 Cuno sollte aufgrund seiner Geschäftsbeziehungen mit den USA dazu beitragen, in Amerika den Weg für eine auf deutscher Seite befriedigende Lösung der Reparationsfrage zu ebnen, vgl. dazu u.a. Hermann Josef Rupieper, *The Cuno Government and Reparations 1922–1923*, Den Haag 1979, u.a. S. 15, sowie Wolfram Pyta, »Die Präsidialgewalt in der Weimarer Republik«, in: *Parlamentarismus in Europa*, hg. von Marie-Luise Recker, München 2004, S. 65–95, hier S. 73, sowie Mühlhausen, *Ebert*, S. 577–581.

4 Walter Mühlhausen, »Das Büro des Reichspräsidenten in der politischen Auseinandersetzung«, in: *Friedrich Ebert als Reichspräsident*, hg. von Eberhard Kolb, München 1997, S. 61 bis 107, hier S. 83–85.

5 Diese ebenfalls von Ebert gepflegte Praxis empfahl Cuno Hindenburg nachdrücklich, vgl. Cunos »Handreichung« für Hindenburg, 12. Mai 1925, in: Staatsarchiv Hamburg, HAPAG-Reederei, Nr. 1503.

6 Vgl. Zaun, *Hindenburg*, S. 54f.

7 Ebenda, S. 150f.

8 Zur Anlage der Stresemannschen Außenpolitik und deren Resonanz vgl. Wright, *Stresemann*, vor allem S. 267–270; Eberhard Kolb, *Gustav Stresemann*, München 2003, S. 95–98; Peter Krüger, *Die Außenpolitik der Republik von Weimar*, Darmstadt 1985, S. 213–218.

9 Vgl. Zaun, *Hindenburg*, S. 188f.

10 Zu Sicherheitspakt und Völkerbundsbeitritt vgl. Krüger, *Außenpolitik*, S. 269–315.

11 So gab der bayerische Ministerpräsident Held (BVP) den Inhalt einer Unterredung mit Hindenburg vom 12. August 1925 wieder, mitgeteilt im Schreiben Sodens an Kronprinz Rupprecht, 24. August 1925, in: Bayerisches Hauptstaatsarchiv München, Geheimes Hausarchiv der Wittelsbacher, Nachlaß Kronprinz Rupprecht 764.

12 Vgl. auch Zaun, *Hindenburg*, S. 411f.

13 Programmatische Erklärung Hindenburgs auf der Ministerratssitzung vom 17. November 1925 gemäß dem Protokoll, in: *Akten der Reichskanzlei. Die Kabinette Luther I und II*, Bd. 2, bearb. von Karl-Heinz Minuth, Boppard 1977, S. 871.

14 »Wir wollen hoffen, daß durch diesen Vertrag Deutschland im Konzert der Völker wieder seinen ihm gebührenden Platz erhält und daß wir dann auch im Innern wieder mehr in Ordnung kommen«, ebenda.

15 Ansprache Hindenburgs auf einer Kundgebung in Essen, 17. September 1925, abgedruckt in: *Das Hindenburg-Jahrbuch 1927*, Berlin 1927, S. 32.

16 Rede Hindenburgs anläßlich der »Befreiungsfeier« in Köln am 21. März 1926, ebenda, S. 64.

17 Hindenburg auf der Sitzung des Ministerrats am 24. September 1925, in: *Akten der Reichskanzlei. Die Kabinette Luther*, Bd. 1, S. 571.

18 Hindenburg hatte diese Kritik am 2. November 1925 in einer vertraulichen Notiz zum auf der Konferenz von Locarno erzielten Zwischenergebnis formuliert, abgedruckt ebenda, Bd. 2, S. 826; ähnlich auch der Tenor in seinem etwa zur selben Zeit entstandenen Schreiben an Oldenburg-Januschau, in: Oldenburg-Januschau, *Erinnerungen*, S. 219.

19 Vgl. dazu auch die Ausführungen bei Zaun, *Hindenburg*, S. 418 und S. 421ff.

20 Siehe Krüger, *Außenpolitik*, S. 297f.

21 Schreiben Hindenburgs an Reichskanzler Luther vom 27. November 1925, bei Hubatsch, *Hindenburg und der Staat*, S. 220.

22 Vgl. das Protokoll der Ministerbesprechung vom 27. November 1925, in: *Akten der Reichskanzlei, Kabinette Luther*, Bd. 2, S. 905f.

23 Schreiben Hindenburgs an Reichskanzler Luther vom 4. Dezember 1925 und vom 3. Februar 1926, bei Hubatsch, *Hindenburg und der Staat*, S. 221–223; vgl. dazu auch Zaun, *Hindenburg*, S. 424–428.

24 Vgl. das Protokoll der Kabinettssitzung vom 8. Februar 1926, in: *Akten der Reichskanzlei, Kabinette Luther*, Bd. 2, S. 1089–1101.

25 Schreiben Hindenburgs an Reichskanzler Marx, 9. August 1926, abgedruckt bei Hubatsch, *Hindenburg und der Staat*, S. 240f.

26 Hindenburg an Luther, 27. Februar 1926, ebenda, S. 229f.

27 Deutlich herausgearbeitet bei Zaun, *Hindenburg*, S. 438f.

28 So in einer Unterredung mit Außenminister Stresemann und Reichskanzler Müller am 22. Mai 1929, Protokoll bei Henry Bernhard, »Gustav Stresemann. Tatsachen und Legenden«, in: *Aus Politik und Zeitgeschichte* 41 (1959), S. 529–546, hier S. 537.

29 Schreiben des Breslauer Regierungspräsidenten Jaenicke an Hindenburg, 5. März 1927, in: BA Koblenz, Nachlaß Jaenicke, Nr. 63.

30 Vgl. Zaun, *Hindenburg*, S. 441f., sowie Krüger, *Außenpolitik*, S. 356.

31 Besonders deutlich in seiner Notiz zur Locarno-Konferenz vom 2. November 1925, in: *Akten der Reichskanzlei, Die Kabinette Luther*, Bd. 2, S. 826: »Durch einseitige Westorientierung werden wir wirtschaftlich und politisch in Abhängigkeit der Westmächte und Amerikas gebracht.«

32 Vgl. Krüger, *Außenpolitik*, S. 291–295.

33 Siehe Zaun, *Hindenburg*, S. 426–429.

34 Ebenda, S. 437f.

35 Vgl. ebenda, S. 398.

36 Hindenburg an Mackensen, 1. Dezember 1925, in: BA-MA Freiburg, Nachlaß Mackensen, Nr. 59, Bl. 7; vgl. auch Gerhard Schultze-Pfaelzer, *Hindenburg. Drei Zeitalter deutscher Nation*, Leipzig 1930, S. 275.

37 Wie ungehalten Hindenburg auf das Schreiben Mackensens reagierte, geht hervor aus dem Schreiben Cramons an Mackensen, 16. November 1925, in: BA-MA Freiburg, Nachlaß Macksensen, Nr. 59, Bl. 5.

38 Daher wählte Cramon bei seiner Kritik am beabsichtigten Völkerbundsbeitritt einen indirekten Weg, indem er entsprechende Zeitungsausschnitte über den in dieser Frage mit Cramon sympathisierenden Meißner dem Reichspräsidenten vorlegen ließ, vgl. den

Schriftwechsel zwischen Cramon und Meißner, 17. und 18. März 1926, in: BA Berlin, R 601/332, Bl. 103ff.

39 Hindenburg an Irmengard von Brockhusen, 4. Dezember 1925 (Privatbesitz).

40 Beispiele bei Zaun, *Hindenburg*, S. 147f.

41 Ebenda, S. 309–338; vgl. auch eine Aufzeichnung Stresemanns vom 18. November 1928, in: Politisches Archiv des Auswärtigen Amtes Berlin, Nachlaß Stresemann, Bd. 291.

42 Zum Seelenzustand Hindenburgs in dieser Zeit vgl. die Mitteilungen seines Vertrauten Escherich gegenüber Stresemann, 4. Februar 1926, ebenda, Bd. 35.

43 Vgl. dazu Boldt, »Stellung«, vor allem S. 24–28; Bernd Hoppe, *Von der parlamentarischen Demokratie zum Präsidialstaat. Verfassungsentwicklung am Beispiel der Kabinettsbildung in der Weimarer Republik*, Berlin 1998; Pyta, »Präsidialgewalt«, S. 68ff.

44 Vgl. dazu ein Schreiben Meißners an Conrad Conradus, einen Redakteur des liberalen *Berliner Tageblatts*, 8. Februar 1927, in: BA Berlin, R 601/336, Bl. 143.

45 Vgl. Dorpalen, *Hindenburg*, S. 100.

46 Notizen Hindenburgs zu Locarno, 2. November 1925, in: *Akten der Reichskanzlei, Kabinette Luther*, Bd. 2, S. 827.

47 Vgl. Richter, *Deutsche Volkspartei*, S. 408–410.

48 Meißner lieferte mit einer Denkschrift vom 2. Dezember 1925 gewissermaßen das Drehbuch für die folgende Regierungsbildung, abgedruckt bei Michael Stürmer, *Koalition und Oposition in der Weimarer Republik 1924–1928*, Düsseldorf 1967, S. 288–290.

49 Zu den taktischen Manövern vgl. ebenda, S. 137–143, sowie Gerhard Papke, *Der liberale Politiker Erich Koch-Weser in der Weimarer Republik*, Baden-Baden 1989, S. 108–116.

50 Vgl. Stürmer, *Koalition*, S. 143; Wortlaut der Ansprache Hindenburgs in: *Schulthess' Europäischer Geschichtskalender. Neue Folge* 67 (1926), S. 6f.

51 Hindenburg an den DNVP-Vorsitzenden Hergt, 30. September 1923, in: Geheimes Staatsarchiv Preußischer Kulturbesitz Berlin-Dahlem, XX. HA, Nachlaß Hergt, Nr. 2.

52 Siehe Dorpalen, *Hindenburg*, S. 122f., sowie Stürmer, *Koalition*, S. 174–179.

53 Meißner führte in der Ministerbesprechung vom 16. Dezember 1926 aus, daß der Reichspräsident in den Attacken gegen den für die Reichswehr verantwortlichen Reichswehrminister »einen Anschlag gegen die Reichswehr erblicke«, in: *Akten der Reichskanzlei. Die Kabinette Marx III und IV*, Bd. 1, bearb. von Günter Abramowski, Boppard 1988, S. 460; siehe weiter die eindeutige Stellungnahme Hindenburgs in einer Besprechung mit Reichstagspräsident Löbe (SPD) vom 10. Januar 1927, in: Hubatsch, *Hindenburg und der Staat*, S. 256f.

54 Vgl. dazu Ruppert, *Im Dienst am Staat*, S. 240–249.

55 Hindenburg an Reichskanzler Marx, 20. Januar 1927, in: *Akten der Reichskanzlei. Die Kabinette Marx III und IV*, Bd. 1, S. 507; der Entwurf dieses Schreibens stammt von Meißner, enthält aber nicht die Hervorkehrung der Arbeiterinteressen, ebenda, S. 501f.

56 Vgl. Ruppert, *Im Dienst am Staat*, S. 243ff.

57 Vgl. eine Aktennotiz Meißners über eine Besprechung Hindenburgs mit dem DVP-Fraktionsvorsitzenden Scholz, 28. Januar 1927, in: Hubatsch, *Hindenburg und der Staat*, S. 265.

58 Zu den fraktionsinternen Auseinandersetzungen vgl. eine ausführliche Rechtfertigung Westarps vom 2. März 1927 (»Meine persönliche Einstellung zu dem Vorschlag v. Lindeiner als Reichsminister«) sowie die Replik Lindeiners vom 9. März 1927, alles in: Familienarchiv der Freiherrn Hiller von Gaertringen, Nachlaß Westarp, Mappe »Lindeiner-Briefwechsel«.

59 Vgl. die Tagebucheintragung Koch-Wesers vom 22. Januar 1927, in: *Akten der Reichskanzlei. Die Kabinette Marx III und IV*, Bd. 1, S. 497.

60 Zur Bildung des Kabinetts Marx III siehe Peter Haungs, *Reichspräsident und parlamentarische Kabinettsregierung*, Köln 1968, S. 113f.; Papke, *Koch-Weser*, S. 140ff.; Ruppert, *Im Dienst am Staat*, S. 202ff.; Richter, *Deutsche Volkspartei*, S. 415ff.

61 Vgl. Dorpalen, *Hindenburg*, S. 141.

62 Zum Verlauf der Regierungsbildung vgl. Eberhard Kolb, »Führungskrise in der DVP. Gustav Stresemann im Kampf um die ›Große Koalition‹ 1928/29«, in: *Demokratie in Deutschland*, hg. von Wolther von Kieseritzky und Klaus-Peter Sick, München 2000, S. 202–227; Richter, *Deutsche Volkspartei*, S. 492f.; Ruppert, *Im Dienst am Staat*, S. 358–361.

63 Vgl. dazu entsprechende Notizen Hindenburgs, die im Vorfeld der Regierungsbildung im Juni 1928 entstanden, in: Görlitz, *Hindenburg*, S. 302f.

64 Grundlegend ist Ulrich Schüren, *Der Volksentscheid zur Fürstenenteignung 1926*, Düsseldorf 1978, S. 21–55.

65 Hindenburg an Justizminister Marx, 15. März 1926, in: Hubatsch, *Hindenburg und der Staat*, S. 232f.

66 Vgl. Schüren, *Volksentscheid*, S. 44ff.

67 Vgl. dazu die Sitzung des Parteiausschusses der DDP vom 10. März 1926, in: Konstanze Wegner (Bearb.), *Linksliberalismus in der Weimarer Republik. Die Führungsgremien der Deutschen Demokratischen Partei und der Deutschen Staatspartei 1918–1933*, Düsseldorf 1980, S. 376–387, vor allem S. 382.

68 Siehe Schüren, *Volksentscheid*, S. 120–143 und 156–163.

69 Die Korrespondenz Loebell–Hindenburg bei Hubatsch, *Hindenburg und der Staat*, S. 236 bis 239; siehe auch Dorpalen, *Hindenburg*, S. 108–110, sowie die ungedruckten Erinnerungen Loebells in: BA Koblenz, Nachlaß Loebell, Nr. 27, Bl. 193.

70 Zu Hindenburgs Drängen gegenüber der DNVP vgl. die Briefe der Gräfin Ada Westarp vom 25., 26. und 29. Juni 1926, in: Familienarchiv der Freiherrn Hiller von Gaertringen, Nachlaß Westarp; siehe auch Dorpalen, *Hindenburg*, S. 110f.

71 Vgl. die Protokolle der Ministerbesprechung vom 1. und 2. Juli 1926, in: *Akten der Reichskanzlei, Die Kabinette Marx III und IV*, Bd. 1, S. 107–109; vgl. auch Richter, *Deutsche Volkspartei*, S. 427–429.

72 Vgl. Schüren, *Volksentscheid*, S. 252–256.

73 Dies sind die Schlüsselbegriffe in seinem Schreiben an Loebell vom 22. Mai 1926, in: Hubatsch, *Hindenburg und der Staat*, S. 238.

74 Grundlegend zu Eberts Symbolpolitik ist Bernd Buchner, *Um nationale und republikanische Identität. Die deutsche Sozialdemokratie und der Kampf um die politischen Symbole in der Weimarer Republik*, Bonn 2001, vor allem S. 86–88 und S. 134–139.

75 Vgl. dazu ein Schreiben Luthers an Stresemann, 20. April 1926, sowie das Protokoll der Ministerbesprechung vom 5. Mai 1926, in: *Akten der Reichskanzlei. Die Kabinette Luther*, Bd. 2, S. 1293–1295 sowie S. 1334f.; Buchner, *Identität*, S. 111; Dorpalen, *Hindenburg*, S. 105f.

76 Vgl. das Protokoll der Sitzung des DDP-Parteivorstands, 10. Mai 1926, in: Wegner, *Linksliberalismus*, S. 387–395.

77 Schreiben Hindenburgs an Luther vom 9. Mai 1926 bei Hubatsch, *Hindenburg und der Staat*, S. 235f.; Kritik daran übte Koch in einer Parteiführerbesprechung vom 10. Mai 1926, in: *Akten der Reichskanzlei. Die Kabinette Luther*, Bd. 2, S. 1350ff.

78 Vgl. die Aufzeichnung über eine Besprechung Meißners mit Koch, 7. Mai 1926, in: *Akten der Reichskanzlei. Die Kabinette Luther*, Bd. 2, S. 1343f.

79 Entsprechend äußerten sich der DVP-Fraktionsvorsitzende Scholz und der Zentrumsabgeordnete Stegerwald, ebenda, S. 1352 und S. 1354.

80 Vgl. die Stellungnahmen von Koch-Weser und seinem Fraktionskollegen Erkelenz, ebenda, S. 1352f. und S. 1356.

81 Siehe die Aussage des der DDP angehörenden Finanzministers Reinhold auf der Sitzung des Ministerrats vom 10. Mai 1926, ebenda, S. 1358; vgl. auch Papke, *Koch-Weser*, S. 139–142.

82 Vgl. Buchner, *Identität*, S. 115–123.

83 Vgl. Mühlhausen, *Ebert*, S. 358–367.

84 Zum gespannten Verhältnis Seeckt–Hindenburg vgl. Rabenau, *Seeckt*, Bd. 1, S. 151, 184f. und S. 617; Bd. 2, S. 421; Möllers, *Geßler*, S. 305ff.; Geßler, *Reichswehrpolitik*, S. 347; Hans Meier-Welcker, *Seeckt*, Frankfurt a.M. 1967, S. 521f.

85 Vgl. dazu eine eigenhändige Aufzeichnung Hindenburgs über die Gründe der Entlassung Seeckts, 13. Oktober 1926, bei Hubatsch, *Hindenburg und der Staat*, S. 241f.; eine eigenhändige Aufzeichnung Seeckts vom 14. Oktober 1926 über »Meine Verabschiedung«, in: BA-MA Freiburg, Nachlaß Seeckt, Nr. 120, Bl. 4–13; einen Bericht über ein Gespräch Hindenburgs mit Angehörigen vaterländischer Verbände vom 8. Oktober 1926, in: BA-MA Freiburg, Nachlaß Mackensen, Nr. 137, Bl. 9–11; Meier-Welcker, *Seeckt*, S. 501–507; Möllers, *Geßler*, S. 318–322.

86 Vgl. das Schreiben Seeckts an Mackensen, 6. Dezember 1926, in: BA-MA Freiburg, Nachlaß Mackensen, Nr. 75, Bl. 11–15.

87 Admiral von Schröder, der Vorsitzende des »Nationalverbandes Deutscher Offiziere«, war nach einer Besprechung mit Hindenburg am 8. Oktober 1926 wie vor den Kopf gestoßen, »weil der Herr Reichspräsident seinen besten militärischen Ratgeber und Schöpfer der Reichswehr entließ, anstatt die Demokraten des Reichskabinetts zum Teufel zu jagen«. Wilhelm II. notierte unter den am 11. Oktober 1926 verfaßten Bericht über dieses Treffen, der ihm zugeleitet wurde: »Der Sieger von Tannenberg eine Puppe in den Händen der Republicaner«, in: BA-MA Freiburg, Nachlaß Mackensen 137, Bl. 9–11; diese Randbemerkung auch bei Schwarzmüller, *Mackensen*, S. 214.

88 Hindenburgs Eintreten für Heye geht schon aus seiner Notiz über die Gründe der Entlassung Seeckts hervor, 13. Oktober 1926, in: Hubatsch, *Hindenburg und der Staat*, S. 242; vgl. auch den Brief der Gräfin Ada Westarp an ihre Tochter, 12. Oktober 1926, in: Familienarchiv der Freiherrn Hiller von Gaertringen, Nachlaß Westarp, sowie Dorpalen, *Hindenburg*, S. 113.

89 Vgl. das Schreiben Geßlers an Reichskanzler Marx, 4. Januar 1928, in: *Akten der Reichskanzlei. Die Kabinette Marx III und IV*, Bd. 2, S. 1211f.

90 Zur Selbstausschaltung der Regierungsparteien bei der Nachfolge Geßlers vgl. den Tagebuchvermerk Koch-Wesers vom 4. Februar 1928 sowie die Tagebuchnotizen von Marx vom 10. bis zum 19. Januar 1928, ebenda, S. 1213; siehe auch das Schreiben von Staatssekretär Meißner an Botschafter Nadolny, 24. Januar 1928, abgedruckt in: Dorothea Groener-Geyer, »Die Odyssee der Groener-Papiere«, in: *Die Welt als Geschichte* 19 (1959), S. 75–95, hier S. 90f.

91 Zur Empfehlung Geßlers vgl. das Schreiben der Wehrmachtabteilung an Schleicher, 5. Januar 1927, in: BA-MA Freiburg, Nachlaß Schleicher 39, Bl. 91; vgl. auch Johannes Hürter, *Wilhelm Groener*, München 1993, S. 16–21.

92 Ähnlich auch ebenda, S. 47.

93 Text dieses Gesetzes in: Rudolf Absolon, *Die Wehrmacht im Dritten Reich*, Bd. 2, Boppard
    1971, S. 509–558, hier S. 516.
94 Dieser Argumentationslinie folgt eine Denkschrift des Leiters der Rechtsabteilung im
    Reichswehrministerium vom 12. April 1928, in: BA-MA Freiburg, Nachlaß Groener 148,
    Bl. 1–7; vgl. dazu auch Hürter, *Groener*, S. 48f.
95 Vgl. ebenda, S. 47.
96 Vgl. dazu ein Schreiben Cramons an Mackensen, 16. Februar 1928, in: BA-MA Freiburg,
    Nachlaß Mackensen 334, Bl. 7; weitere derartige Zeugnisse sind überliefert im Tagebuch
    des gut informierten Journalisten des angesehenen *Berliner Tageblatts*, Ernst Feder, vom
    20. Januar 1928: Ernst Feder, *Heute sprach ich mit ... Tagebücher eines Berliner Publizisten
    1926–1932*, Stuttgart 1971, S. 152.
97 Vgl. Hindenburgs programmatische Rede anläßlich seines 60. Militärjubiläums am
    7. April 1926: »Sie werden es mir altem Soldaten nicht verdenken, daß ich heute ... in
    wehmütiger schmerzlicher Erinnerung an die stolze alte Armee zurückdenke«; diese Rede
    in: *Hindenburg-Jahrbuch 1927*, S. 70f.
98 Im September 1925 wohnte er beispielsweise einem Herbstmanöver in Mecklenburg bei,
    siehe *Hindenburg-Jahrbuch 1927*, S. 29, im Herbst 1927 Flottenübungen vor der pommer-
    schen Küste, siehe Hubatsch, *Hindenburg und der Staat*, S. 105.
99 Dazu die aufschlußreichen Tagebuchaufzeichnungen aus dem Zeitraum vom 11. bis 23. Ja-
    nuar 1933 von Friedrich von Boetticher, in: BA-MA Freiburg, Nachlaß Boetticher 124.
100 Schreiben Hindenburgs an Georg von Sachsen, 10. Oktober 1928, in: Sächsisches Haupt-
    staatsarchiv Dresden, Verein Haus Wettin.
101 Vgl. Clemens Brodkorb und Christoph Kentrup, *Georg von Sachsen. Kronprinz – Priester –
    Jesuit*, Heiligenstadt 2004.
102 Ansprache Hindenburgs in: *Hindenburg-Jahrbuch 1927*, S. 70f.; teilweise auch abgedruckt
    in: *Reichspräsident Hindenburg*, hg. von der Hindenburgspende, Berlin 1927, S. 28.
103 Danksagung Hindenburgs an die Adresse der Kriegervereine, 7. April 1926, ebenda, S. 28f.;
    vgl. auch *Hindenburg-Jahrbuch 1927*, S. 72.

KAPITEL 20
Sicherung historischer Anrechte auf die Feldherrnschaft

1 Vgl. Markus Pöhlmann, *Kriegsgeschichte und Geschichtspolitik: Der Erste Weltkrieg*, Paderborn 2002; Brühl, *Militärgeschichte*, vor allem S. 244–291; Walter Vogel, *Der Kampf um das
   geistige Erbe. Zur Geschichte der Reichsarchividee und des Reichsarchivs als »geistiger Tempel deutscher Einheit«*, Bonn 1994, S. 29–62; Herrmann, *Reichsarchiv*.
2 Vgl. Pöhlmann, *Kriegsgeschichte*, S. 256ff.
3 Der Anteil von Mertz an der Genese von Hindenburgs Memoiren wird ersichtlich aus
   seiner neunseitigen Aufzeichnung »Zur Entstehung der Lebenserinnerungen des Generalfeldmarschalls von Hindenburg«, 3. Januar 1936, in: BA Berlin, R 601/50; zu Mertz' beruf-
   lichem Werdegang siehe eine Aufzeichnung über eine Pressenotiz anläßlich seines Ausscheidens als Präsident am 31. Oktober 1931, in: BA Berlin, R 1506/121, Bl. 82f. sowie Vogel,
   Kampf, S. 31f.
4 Mertz an General Ludwig Beck, Chef des Generalstabes des Heeres, 15. Januar 1936, in: BA
   Berlin, R 601/50.

5 So der Archivrat Hans Thimme in einer Tagebucheintragung vom 29. Januar 1932, in: BA Koblenz, Kleine Erwerbungen 842/2, Bl. 28.

6 Vgl. Haeften, *Hindenburg und Ludendorff*, S. VI.

7 Am 6. November 1931 stand Band 8 des Weltkriegswerkes und damit die Sommeroffensive gegen Rußland im Zentrum des Vortrags Haeftens, vgl. dazu eine aus dem Jahr 1932 stammende Aufzeichnung Haeftens, in: BA-MA Freiburg, Nachlaß Haeften 3, Bl. 65. Hindenburg gab mit seiner Erläuterung des Verhaltens von Falkenhayn – »Dafür gibt es in Wirklichkeit nur einen Grund: Eifersucht!« – den Tenor dieses Bandes vor, siehe auch Pöhlmann, *Kriegsgeschichte*, S. 256.

8 Das Gutachten ist zusammengefaßt in einem 35seitigen »Bericht über die Forschungsarbeit »Erzberger, die Oberste Heeresleitung, die Reichsleitung und der Abschluß des Waffenstillstandes im Walde von Compiègne« des Bearbeiters Dr. Poll vom 28. Januar 1932, in: BA Koblenz, Kleine Erwerbungen 255, Bl. 1–35; siehe auch die Tagebucheintragungen Thimmes vom 9. und 29. Januar 1932, in: BA Koblenz, Kleine Erwerbungen 842/2, Bl. 27 bis 29, sowie Pöhlmann, *Kriegsgeschichte*, S. 258f.

9 Tagebuch Thimme, 6. April 1932, in: BA Koblenz, Kleine Erwerbungen 842/2, Bl. 34; zur Behinderung unvoreingenommener historischer Forschung vgl. auch Herrmann, *Reichsarchiv*, S. 104, sowie Helmut Otto, »Das ehemalige Reichsarchiv. Streiflichter seiner Geschichte und der wissenschaftlichen Aufarbeitung des Ersten Weltkrieges«, in: *Potsdam. Staat, Armee, Residenz in der preußisch-deutschen Militärgeschichte*, hg. von Bernhard R. Kroener, Frankfurt a.M. 1993, S. 421–434.

10 Wolfgang Foerster, »Hindenburg als Feldherr«, in: *Reichspräsident Hindenburg*, hg. von der Hindenburgspende, S. 79–92.

11 Ebenda, S. 92.

12 Vgl. die Protokolle der Sitzungen der Historischen Kommission für das Reichsarchiv vom 6. Februar und 31. Oktober 1928, in: BA Berlin, R 1506/352, Bl. 25–30, Bl. 136–151 und Bl. 176f.

13 Vgl. das Schreiben von Louis Müldner von Mülnheim, Adjutant des Kronprinzen, an Oskar von Hindenburg, 25. März 1931, in: BA-MA Freiburg, Nachlaß Schleicher 40, Bl. 23.

14 Siehe Foerster an Schleicher, 20. April 1931, ebenda, Bl. 24.

15 Müldner an Schleicher, 26. Mai 1931, ebenda, Bl. 26.

16 Jedenfalls teilte Haeften Thimme vertraulich mit, daß er die »Ernennung Foersters nur durch Hindenburg durchgesetzt« habe, Tagebucheintragung Thimmes vom 9. April 1932, in: BA Koblenz, Kleine Erwerbungen 842/2, Bl. 35.

17 Foerster wurde am 23. Dezember 1931 zum Nachfolger Haeftens bestellt, nachdem die außerordentliche Sitzung der Historischen Kommission am 21. Dezember 1931 einem entsprechenden Antrag des neuen Präsidenten Haeften zugestimmt hatte, Protokoll dieser Sitzung im BA Berlin, R 1506/352, Bl. 341–344.

18 Vgl. Hindenburgs eigenhändige Korrekturen des Kapitels »Das Ringen um den Schwerpunkt der Kriegführung im Januar 1915« von Bd. 7 des Weltkriegswerkes, die er mit Begleitbrief über seinen Sohn am 13. Januar 1930 an Mertz von Quirnheim sandte, in: BA-MA Freiburg, W 10/51441.

19 Vgl. dazu Kapitel 6 dieser Studie.

20 »Stellungnahme des Herrn Generalfeldmarschalls« zum in Anm. 18 erwähnten Kapitel von Bd. 7 des Weltkriegswerkes, in: BA-MA Freiburg, W 10/51441.

21 Kuno Graf Westarp, »Hindenburg als Reichspräsident«, in: *Neue Preußische Zeitung* Nr. 463 vom 1. Oktober 1927, vgl. auch v. Hoegen, *Held von Tannenberg*, S. 284–292.

22 Vgl. dazu die präzise Einschätzung des Hindenburg-Kritikers Levetzow in einem Schreiben an den Fürsten Donnersmarck, 7. November 1930, in: BA-MA Freiburg, Nachlaß Levetzow, Nr. 82, Bl. 264f.

23 Vgl. Otto, *Schlieffen*, S. 218f.; Brühl, *Militärgeschichte*, S. 291–297; Pöhlmann, *Kriegsgeschichte*, S. 143 und S. 299f.

24 Vgl. das undatierte Manuskript der ungedruckten Erinnerungen Boettichers »So war es«, in: BA-MA Freiburg, Nachlaß Boetticher 147, Bl. 292f.

25 Friedrich von Boetticher, *Graf Alfred Schlieffen. Rede am 28. Februar 1933, dem Tage der hundertsten Wiederkehr des Geburtstages des Generalfeldmarschalls Graf Schlieffen*, Berlin 1933, S. 34f.

26 Tagebucheintragung Boettichers vom 1. März 1933, in: BA-MA Freiburg, Nachlaß Boetticher 124; fast wortwörtlich übernommen in Boettichers ungedruckten Erinnerungen, in: BA-MA Freiburg, Nachlaß Boetticher 147, Bl. 310f.

27 Friedrich von Cochenhausen, »Hindenburg und die Kriegswissenschaft«, in: *Geistige Arbeit. Zeitung aus der wissenschaftlichen Welt* vom 5. Oktober 1934, S. 1f.

28 Elze, *Tannenberg*, S. 118. Bezeichnenderweise verzichtet Elze auf Nennung seiner Quelle für diese Behauptung, ebenda, S. 368.

29 Friedrich von Boetticher, *Schlieffen. Viel leisten, wenig hervortreten, mehr sein als scheinen*, Göttingen 1957, S. 71.

30 Anregende kulturtheoretische Überlegungen hierzu bei Bernd Hüppauf, »Das Schlachtfeld als Raum im Kopf«, in: *Schlachtfelder*, hg. von Steffen Martus, Marina Münkler und Werner Röcke, Berlin 2003, S. 207–233.

31 Vgl. Jürgen Tietz, »Denkmal zwischen den Zeiten. Das ostpreußische Tannenberg-Nationaldenkmal während der Weimarer Republik und des Nationalsozialismus«, in: *Nordost-Archiv* 6 (1997), S. 41–68; *Tannenberg. Deutsches Schicksal – Deutsche Aufgabe*, hg. vom Kuratorium für das Reichsehrenmal Tannenberg, Berlin 1936, S. 199–211.

32 Wiedergabe der Rede in: *Schulthess' Europäischer Geschichtskalender. Neue Folge* 43 (1927), S. 153.

33 Ruth Kartmann, »Beschreibung unserer Reise zur Einweihung des Tannenberg-Denkmals am 18. September 1927«, in: *Nordost-Archiv* 6 (1997), S. 71–73, Zitat S. 73.

34 *Schulthess' Europäischer Geschichtskalender. Neue Folge* 43 (1927), S. 153.

35 Vgl. Zaun, *Hindenburg*, S. 216–219.

36 Eine entsprechende Szene schildert Hugo Vogel in: Vogel, *Erlebnisse*, S. 71.

37 Über diese Begebenheit informiert ein Schreiben des Hauptmanns Wilhelm Breucker, der sich vergeblich um die Versöhnung zwischen den beiden Feldherren bemühte, an Hindenburg vom 11. Januar 1928 sowie die Antwort Hindenburgs vom 22. Januar 1928, alles abgedruckt bei Breucker, *Tragik Ludendorffs*, S. 117–126; vgl. auch Görlitz, *Hindenburg*, S. 288f.

38 Plastische Schilderung dieser Begebenheit in der Erinnerung des anwesenden Reichskanzlers Marx vom September 1934: »Die Einweihung des Tannenbergdenkmals am 18. September 1927«, in: Historisches Archiv der Stadt Köln, Nachlaß Wilhelm Marx, Nr. 283, Bl. 9–16; vgl. auch die Schilderung, die Hindenburg am 3. Oktober 1927 Reichsaußenminister Stresemann gab, in: Politisches Archiv des Auswärtigen Amtes, Nachlaß Stresemann, Bd. 60, Bl. 8900.

39 So die Wiedergabe durch den anwesenden Marx, ebenda, Bl. 14.

40 Hindenburg, *Aus meinem Leben*, S. 87.

41 Grundlegend ist eine Aufzeichnung von Mertz »Zur Entstehung der Lebenserinnerungen des Generalfeldmarschalls von Hindenburg«, welche dieser am 3. Januar 1936 Staatssekretär Meißner übersandte und die er sogar zu beeiden bereit war, in: Bundesarchiv Berlin, Büro des Reichspräsidenten, R 601/50.

42 Auszug aus einer Tagebucheintragung von Mertz aus dem Sommer 1919, zitiert ebenda.

43 Mertz an den Chef des Generalstabs des Heeres, Beck, 15. Januar 1936, ebenda.

44 Aufzeichnung Mertz zur Entstehung der Hindenburg-Erinnerungen, ebenda.

45 Hierzu vgl. die Korrespondenz des mit Elze befreundeten Historikers Siegfried Kaehler, vor allem dessen Schreiben an Meinecke, 22. Januar 1919, und an Elze, 27. November 1961, in: Walter Bußmann und Günther Grünthal (Hg.), *Siegfried A. Kaehler. Briefe 1900–1963*, Boppard 1993, S. 152 und S. 419f.

46 Auszüge aus dem Schriftwechsel zwischen Fabeck und Elze aus dem März 1927 im BA-MA Freiburg, W 10/50709, Bl. 72f.

47 Vgl. eine Erklärung Elzes vom 6. Dezember 1934, abgedruckt bei Ludendorff, *Vom Feldherrn*, S. 111; inhaltlich stimmt dieser Abdruck vollkommen überein mit zwei Abschriften dieser Erklärung im BA-MA Freiburg, Nachlaß Foerster, Nr. 7, sowie in: Elzes Personalakte, Archiv der Humboldt-Universität Berlin, Bestand Universitätskurator, Personalakte E 54. Der Taschenkalender von Mertz überliefert für den 4. Januar und 24. Oktober 1927 Unterredungen zwischen Mertz und Elze, in: Bundesarchiv Berlin, Nachlaß Mertz von Quirnheim, Nr. 6.

48 Elze, *Tannenberg*, S. 369, vgl. auch ebenda, S. 132f.

49 Die diesbezügliche Erklärung Elzes vom 6. Dezember 1934 (vgl. Anm. 47) deckt sich mit der Aussage eines Schreibens Elzes an Hans Delbrück, 21. Oktober 1928, in: Staatsbibliothek Berlin, Handschriftenabteilung, Nachlaß Delbrück, K 84.

50 Dazu siehe Michael Gollbach, *Die Wiederkehr des Weltkriegs in der Literatur*, Kronberg 1978; Hans-Harald Müller, *Der Krieg und die Schriftsteller*, Stuttgart 1986; Ulrich Fröschle, »›Radikal im Denken, aber schlapp im Handeln?‹ Franz Schauwecker: Aufbruch der Nation (1929)«, in: *Von Richthofen bis Remarque. Deutschsprachige Prosa zum I. Weltkrieg*, hg. von Thomas F. Schneider, Amsterdam 2003, S. 261–298.

51 Vgl. hierzu folgende Korrespondenz: Stalling an Meißner, 3. August 1929; Meißner an Stalling, 7. August 1929; Stalling an Meißner, 13. August 1929, alles in: Bundesarchiv Berlin, Büro des Reichspräsidenten, R 601/46.

52 Diese neue Fassung ist als Anlage beigefügt einem Schreiben des Meißner-Stellvertreters Doehle an Stalling, 27. August 1929, ebenda; wortgleich übernommen bei Werner Beumelburg, *Die stählernen Jahre*, München 1930, S. 63, beziehungsweise Werner Beumelburg, *Sperrfeuer um Deutschland*, Oldenburg 1929, S. 51.

53 Vgl. die Schreiben des Generals Friedrich Bronsart von Schellendorff an Beumelburg beziehungsweise den Stalling-Verlag, 22. März und 11. April 1930, abschriftlich ebenda.

54 Meißner an Stalling, 28. März und 11. April 1930, ebenda.

55 In einer 1939 erschienenen Auflage von *Sperrfeuer um Deutschland* wurde daraus auf S. 51 der Satz: »Die Lage ist auf das äußerste gespannt und es gehören eiserne Nerven dazu, an dem ursprünglichen Plan der Schlacht festzuhalten.«

56 Vgl. die Stellungnahme Haeftens zur Genese seiner Unterredung mit Hindenburg, 15. Januar 1935, in: Bundesarchiv Berlin, R 601/50.

57 So die vertrauliche Mitteilung Meißners in einem Schreiben an General Kahns, 27. November 1934, in: Bundesarchiv Berlin, R 601/46.

58 Eine vom Reichsarchiv beglaubigte Abschrift dieser Aufzeichnung Haeftens samt der Einverständniserklärung Hindenburgs findet sich ebenda.

59 Vgl. zur Behandlung der Aufzeichnung die Schreiben Meißners an Haften, 11. und 18. Dezember 1935, in: Bundesarchiv Berlin, R 601/50.

60 Erich Ludendorff, »Geschichtsfälschung«, in: *Ludendorffs Volkswarte* Nr. 16 vom 20. April 1930.

61 Erich Ludendorff, »Geschichtsfälschung (Fortsetzung)«, in: *Ludendorffs Volkswarte* Nr. 18 vom 4. Mai 1930.

62 Erich Ludendorff, »Die Wahrheit über die Schlacht von Tannenberg«, in: *Ludendorffs Volkswarte* Nr. 34 vom 28. August 1932; Erich Ludendorff, »Reichspräsident und geschichtliche Wahrheit«, in: *Ludendorffs Volkswarte* Nr. 38 vom 25. September 1932.

63 Anklageschrift vom 17. Februar 1935, in: BA-MA Freiburg, Nachlaß Ludendorff, Nr. 11.

64 Vgl. die durch viel dokumentarisches Material untermauerte Schilderung bei Ludendorff, *Vom Feldherrn*, vor allem S. 103–121 und S. 164–169.

65 Text seiner Ansprache in: *Schulthess' Europäischer Geschichtskalender. Neue Folge* 47 (1931), S. 274f.

KAPITEL 21
Im Zenit des Ansehens

1 Das Presseecho auf den runden Geburtstag Hindenburgs bei Dorpalen, *Hindenburg*, S. 132 bis 134, sowie v. Hoegen, *Held von Tannenberg*, S. 288–292.

2 Ein Exemplar dieser Einladung im Bundesarchiv Berlin, R 601/56.

3 Vgl. hierzu folgende Korrespondenz Meißners: an General von Horn, 13. Mai 1927; an den Oberpräsidenten der Provinz Brandenburg, 25. Mai 1927; an Staatssekretär Weismann vom preußischen Staatsministerium, 21. Juni 1927; an das Kommando der Schutzpolizei, 25. August 1927, BA Berlin, R 601/55.

4 »Verzeichnis über die Aufstellung der spalierbildenden Vereine«, BA Berlin, R 601/56.

5 Meißner an Pünder, Staatssekretär der Reichskanzlei, 12. September 1927, ebenda, Bl. 132ff.

6 »Programm für die Empfänge anläßlich des 80. Geburtstages des Herrn Reichspräsidenten«, BA Berlin, R 601/56.

7 Ebenda.

8 Vgl. das Schreiben des Ministerialdirektors in der Reichskanzlei, v. Hagenow, an Meißner, 15. September 1927, BA Berlin, R 601/55, Bl. 156.

9 Text der Ansprache von Marx in: *Schulthess' Europäischer Geschichtskalender. Neue Folge* 43 (1927), S. 161.

10 Text der Erwiderungsansprache Hindenburgs, ebenda, S. 162.

11 Wortlaut des Erlasses gemäß einer Meldung von WTB vom 3. Oktober 1927, ebenda.

12 Vgl. Müller, *Nation als Waffe*, S. 361; Mergel, »Führer«, vor allem S. 98f.; Manfred Hettling, »Erlösung durch Gemeinschaft«, in: *Politische Kollektive*, hg. von Ulrike Jureit, Münster 2001, S. 199–225; Barth, *Dolchstoßlegenden*, S. 432ff.

13 Vgl. Zaun, *Hindenburg*, S. 462ff.; Dorpalen, *Hindenburg*, S. 151ff.; Krüger, *Außenpolitik*, S. 483–486.

14 Vgl. Dorpalen, *Hindenburg*, S. 153–155; Görlitz, *Hindenburg*, S. 308–311; Heinrich August Winkler, *Weimar 1918–1933. Die Geschichte der ersten deutschen Demokratie*, München 1993, S. 354f.

15 Hindenburg an Admiral von Schröder, 4. November 1929, bei Hubatsch, *Hindenburg und der Staat*, S. 294–299, Zitat S. 298.

16 Inhaltliche Wiedergabe des Briefwechsels zwischen Oldenburg und Hindenburg von Oktober 1929 bei Görlitz, *Hindenburg*, S. 311f.

17 Hindenburg an Brünneck, 1. Januar 1930, abgedruckt bei Schulenburg, *Welt um Hindenburg*, S. 159.

18 Hindenburg an seine Tochter Irmengard von Brockhusen, 23. Februar 1930 (Privatbesitz).

19 Ebenda; siehe auch ein Schreiben an Irmengard vom 31. Dezember 1929 (Privatbesitz) sowie sein Schreiben an Brünneck vom 1. Januar 1930, bei Schulenburg, *Welt um Hindenburg*, S. 159.

20 Hindenburg, *Aus meinem Leben*, S. 405f.

21 Randbemerkung Hindenburgs auf einem Brief eines Verwandten, der sich gegen den Young-Plan ausgesprochen hatte, wiedergegeben im Tagebuch Hoyningen-Huene, 11. Oktober 1929 (Privatbesitz). Der Tagebuchschreiber, Oswald Baron von Hoyningen-Huene, gehörte als Ministerialrat im Büro des Reichspräsidenten der engsten Umgebung Hindenburgs an und war dort vor allem für die protokollarische Gestaltung von Empfängen zuständig. Durch seinen intensiven Umgang mit dem Reichspräsidenten selbst, aber auch mit Staatssekretär Meißner und Oskar von Hindenburg, zählte er zu den bestinformierten Mitarbeitern des Reichspräsidenten, wodurch sein Tagebuch einen hohen Quellenwert besitzt.

22 Vgl. Volker R. Berghahn, *Der Stahlhelm*, Düsseldorf 1966, S. 122–131.

23 Die NSDAP-Führung hielt sich mit öffentlichen Angriffen gegen Hindenburg bis zur Unterzeichnung des Young-Plans peinlich genau zurück, vgl. dazu eine Rede Hitlers auf einer NSDAP-Versammlung in München vom 6. November 1929, in: Adolf Hitler, *Reden, Schriften, Anordnungen*, Bd. 3, hg. vom Institut für Zeitgeschichte, München 1994, S. 434f.

24 Vgl. Larry Eugene Jones, »Kuno Graf von Westarp und die Krise des deutschen Konservatismus in der Weimarer Republik«, in: »*Ich bin der letzte Preuße.« Der politische Lebensweg des konservativen Politikers Kuno Graf von Westarp (1864–1945)*, hg. von Larry Eugene Jones und Wolfram Pyta, Köln 2006, S. 109–146; Erasmus Jonas, *Die Volkskonservativen 1928–1933. Entwicklung, Struktur, Standort und staatspolitische Zielsetzung*, Düsseldorf 1965, S. 47–57.

25 Vgl. Heidrun Holzbach, *Das »System Hugenberg«*, München 1981; Dankwart Guratzsch, *Macht durch Organisation*, Düsseldorf 1974.

26 Vgl. Zaun, *Hindenburg*, S. 469–471, sowie das die Grenze zur Unhöflichkeit streifende Schreiben Hindenburgs an Hugenberg, 8. März 1930, BA Berlin R 601/146, Bl. 33.

27 So Hindenburg am 20. Oktober 1929 gegenüber seinem Zweiten Adjutanten von der Schulenburg, der ihn regelmäßig zum Jagen in die Schorfheide begleitete, überliefert im Tagebuch Hoyningen-Huene, 24. Oktober 1929 (Privatbesitz).

28 Vgl. Zaun, *Hindenburg*, S. 471f.; siehe auch Hindenburgs ausführliches Schreiben an Admiral von Schröder, 3. März 1930, BA-MA Freiburg, Nachlaß Mackensen, Nr. 270, Bl. 27–49.

29 Hindenburg an seine Tochter Irmengard von Brockhusen, 23. Februar 1930 (Privatbesitz).

30 Vgl. v. Hoegen, *Held von Tannenberg*, S. 293.

31 Ebenda, S. 312–316; Dorpalen, *Hindenburg*, S. 159.
32 Joseph Goebbels, »Der Retter«, in: *Der Angriff* Nr. 23 vom 20. März 1930; Alfred Rosenberg, »Hindenburgs Abschied von Deutschland«, in: *Völkischer Beobachter* Nr. 63 vom 16./17. März 1930.
33 Tagebuchartige Aufzeichnungen Fabecks, Januar bis März 1930, in: »Aus meinem Leben II. 1. Januar 1928–30. September 1933« (Privatbesitz).
34 Hindenburg an Irmengard von Brockhusen, 23. Februar 1930 (Privatbesitz).
35 Vertrauliches Schreiben Hindenburgs an Neurath, 30. April 1930, BA Koblenz, Nachlaß Neurath, Nr. 171; teilweise zitiert bei Zaun, *Hindenburg*, S. 485.
36 Vgl. die interessanten Überlegungen Luthers im Gespräch mit dem Verleger Jänecke, 9. März 1930, in: Ilse Maurer (Bearb.), *Politik und Wirtschaft in der Krise: 1930–1932*, Teil 1, Düsseldorf 1980, S. 8of.

KAPITEL 22
Der Übergang zum präsidialen Regieren

1 Hindenburg an Reichskanzler Müller, 13. März 1930, in: *Akten der Reichskanzlei. Das Kabinett Müller II*, bearb. von Martin Vogt, Boppard 1970, S. 1568f.
2 »Es muß jetzt die erste und dringlichste Aufgabe der Reichsregierung sein, die Finanzen des Reiches ... in Ordnung zu bringen«, ebenda.
3 Zum Zerbrechen der Großen Koalition vgl. u.a. Winkler, *Weimar*, S. 362–374; Ruppert, *Im Dienst am Staat*, S. 392–408; Ilse Maurer, *Reichsfinanzen und Große Koalition*, Frankfurt a.M. 1973; Richter, *Deutsche Volkspartei*, S. 595–629.
4 Vgl.Richter, *Deutsche Volkspartei*, S. 610–613.
5 Siehe das Protokoll der Parteiführerbesprechung vom 11. März 1930, in: *Akten der Reichskanzlei. Das Kabinett Müller II*, S. 1561–1565, sowie Winkler, *Weimar*, S. 368.
6 Ähnlich auch Winkler, *Weimar*, S. 372ff.
7 Vgl. Gusy, *Weimarer Reichsverfassung*, vor allem S. 114f. und S. 131–135; Boldt, »Stellung«, vor allem S. 40–49.
8 Vgl. dazu Winkler, *Weimar*, S. 368, sowie Michael Grübler, *Die Spitzenverbände der Wirtschaft und das erste Kabinett Brüning*, Düsseldorf 1982, vor allem S. 100f.
9 Vgl. Richter, *Deutsche Volkspartei*, S. 605–629.
10 Vgl. Dieter Gessner, *Agrarverbände in der Weimarer Republik*, Düsseldorf 1976.
11 Vgl. Martin Schumacher, *Mittelstandsfront und Republik 1919–1933*, Düsseldorf 1972, vor allem S. 128–137.
12 Vgl. Klaus Schönhoven, *Die Bayerische Volkspartei 1924–1932*, Düsseldorf 1972, S. 244.
13 Vgl. Ruppert, *Im Dienst am Staat*, vor allem S. 334f., 373 und S. 407f.
14 Vgl. die Sitzung des Parteiausschusses der DDP vom 25. Mai 1930 in: Albertin und Wegner, *Linksliberalismus*, S. 533–553, sowie Larry Eugene Jones, *German Liberalism and the Dissolution of the Weimar Party System, 1918–1933*, Chapel Hill 1988.
15 Hindenburgs Nutzung der Notizbücher wird von einer Fülle unterschiedlicher Gewährsmänner berichtet; dazu folgende Zeugnisse: Erinnerungen von Hindenburgs Zweitem Adjutanten, Wedige von der Schulenburg, BA-MA Freiburg, MSg 1/2778, Bl. 51 und Bl. 97; Schreiben Levetzows an Fürst Donnersmarck, 15. Dezember 1931, in: Granier, *Levetzow*, S. 327; Schreiben Hindenburgs an Irmengard von Brockhusen, 3. Juni 1929 (Privatbesitz);

Tagebucheintragung Feders vom 20. Januar 1928, in: Feder, *Heute sprach ich mit*, S. 152; Schulenburg, *Welt um Hindenburg*, S. 178; Hans-Otto Meißner, *Junge Jahre*, S. 280f.; Geßler, *Reichswehrpolitik*, S. 347; Brüning, *Memoiren*, S. 422. Die Forschung ist mit Ausnahme von Zaun, *Hindenburg*, S. 106f., nicht näher auf die Bedeutung der Notizbücher für den Arbeitsstil Hindenburgs eingegangen.

16 So hat Hindenburg das Manuskript des 1927 erschienenen Buches seines »Hofmalers« Hugo Vogel, *Als ich Hindenburg malte*, intensiv durchgearbeitet und in einer zweistündigen »Redaktionskonferenz« neben der Ausmerzung einiger sachlicher Unrichtigkeiten auch die Streichung einiger allzu deutlicher Bemerkungen über bestimmte Personen durchgesetzt: Vogel, *Erlebnisse*, S. 53–56. Der Vorstandsvorsitzende der IG Farben, Carl Duisberg, legte Hindenburg ebenfalls die Druckfahnen der unter seinem Namen im Jahre 1933 erschienenen Erinnerungen vor, die Hindenburg penibel durchsah. Daraufhin verzichtete Duisberg auf die Wiedergabe einer Unterredung zwischen ihm und Hindenburg vom Januar 1917, von der Hindenburg nicht wollte, daß sie zum damaligen Zeitpunkt der Öffentlichkeit zur Kenntnis gelangte, vgl. das Schreiben Duisbergs an Meißner vom 18. August 1933, Archiv der Bayer-AG, Autographensammlung Duisberg, Bestand Meißner.

17 Vgl. Zaun, *Hindenburg*, S. 103f., sowie Hans-Otto Meißner, *Junge Jahre*, S. 279f.

18 Persönliches Schreiben Meißners an Generaloberst von Einem, 25. Januar 1932, BA-MA Freiburg, Nachlaß Einem, Nr. 29, Bl. 16. Einem hatte in einem Schreiben an Meißner vom 20. Januar diesem nahegelegt, seine bisherige Zurückhaltung aufzugeben und »aus dieser Reserve herauszutreten«, ebenda, Bl. 14.

19 So auch Ruge, *Hindenburg*, S. 226f.

20 Zum gesellschaftlichen Ehrgeiz von Hilde Meißner liefern die Tagebücher Hoyningen-Huenes eine Fülle von Eindrücken, vgl. nur den Eintrag vom 13. Dezember 1933 (Privatbesitz); vgl. auch die Tagebucheintragung des bestens informierten Journalisten Ernst Feder vom 6. Oktober 1932 in: Feder, *Heute sprach ich mit*, S. 318.

21 Vgl. Zaun, *Hindenburg*, S. 122, der auch auf die ungeklärte Genese dieses Diktums eingeht.

22 Brünneck an Brüning, 31. Oktober 1949, Harvard University Library, Brüning-Papers, HUG FP 93.10, Box 5, Folder Manfred von Brünneck; siehe auch ein Gespräch mit Adolf von Carlowitz, einem engen Mitarbeiter Schleichers, vom 7. Februar 1949, abgedruckt bei Werner Conze, »Zum Sturz Brünings«, in: *Vierteljahrshefte für Zeitgeschichte* 1 (1953), S. 261–288, hier S. 270f., sowie Zaun, *Hindenburg*, S. 125.

23 So treffend Zaun, *Hindenburg*, S. 125.

24 Wörtliche Wiedergabe einer längeren Unterhaltung Oskar von Hindenburgs mit Baron Hoyningen-Huene, in der Oskar mehr als sonst aus sich herausging und deren Verlauf Hoyningen am 2. März 1930 seinem Tagebuch anvertraute (Privatbesitz).

25 Ebenda.

26 Zum beruflichen Werdegang Oskar von Hindenburgs vgl. die Angaben in: *Rangliste des Deutschen Reichsheeres. Nach dem Stande vom 1. Mai 1925*, bearb. vom Reichswehrministerium, Berlin 1925, S. 96; *Nach dem Stande vom 1. Mai 1929*, S. 9; *Nach dem Stande vom 1. Mai 1932*, S. 9.

27 In diese Richtung argumentieren Ruge, *Hindenburg*, vor allem S. 250–252 und S. 356–358; Winkler, *Weimar*, vor allem S. 473.

28 Vgl. sein drängendes Schreiben an Reichskanzler Müller, 18. März 1930, in: *Akten der Reichskanzlei. Das Kabinett Müller II*, S. 1580–1582.

29 »Geschieht dies nicht, dann ist der Zusammenbruch vieler Landwirte und die Abwanderung zahlreicher Menschen aus dem Osten unaufhaltsam«, ebenda, S. 1581.

30 Einen tiefen Einblick in seine Persönlichkeit gewähren seine Memoiren: Oldenburg-
Januschau, *Erinnerungen*.

31 Vgl. die Schreiben Hindenburgs an Irmengard von Brockhusen, 3. August 1928 und 11. Juli
1929 (Privatbesitz).

32 Vgl. die Erinnerungen von Hindenburgs Zweitem Adjutanten Wedige von der Schulenburg, BA-MA Freiburg, MSg 1/2778, Bl. 75.

33 Ebenda, Bl. 76.

34 Oldenburg-Januschau, *Erinnerungen*, S. 218.

35 Ebenda, S. 219, sowie Erinnerungen Wedige von der Schulenburgs, BA-MA Freiburg, MSg
1/2777, Bl. 125.

36 Vgl. die vielsagenden Ausführungen bei Schulenburg, *Welt um Hindenburg*, S. 165.

37 Oldenburg hatte in einem Vortrag vor dem konservativen »Hamburger Nationalklub von
1919« am 18. Januar 1935 kein gutes Haar an Hindenburg gelassen, was im konservativen
Hamburger Bürgertum für erheblichen Wirbel sorgte, vgl. dazu die Tagebucheintragung
des Hamburger Bürgermeisters Krogmann vom 19. Januar 1935, Forschungsstelle für Zeitgeschichte in Hamburg, 11/K 5, Krogmann-Tagebücher 1934–1935; siehe auch den Hinweis
bei Werner Jochmann, *Im Kampf um die Macht*, Frankfurt a.M. 1960, S. 43f.

38 Vgl. nur die Schreiben Hindenburgs an Mackensen vom 4. Dezember 1929, BA-MA Freiburg, Nachlaß Mackensen, Nr. 59, Bl. 23, und vom 4. Dezember 1930, ebenda, Nr. 58, Bl. 8;
siehe auch Schwarzmüller, *Mackensen*, S. 230–236.

39 Hürter, *Groener*, S. 245–260; William Patch, *Heinrich Brüning and the Dissolution of the
Weimar Republic*, Cambridge 1998, S. 60ff.

40 Zum Verhältnis Groener–Schleicher siehe Theodor Eschenburg, *Die Republik von Weimar*, München 1984, S. 258–264.

41 Vgl. Christoph Gusy, »Kurt von Schleicher«, in: *Die Weimarer Republik. Portrait einer Epoche in Biographien*, hg. von Michael Fröhlich, Darmstadt 2002, S. 269–281; Thilo Vogelsang, *Kurt von Schleicher*, Göttingen 1965.

42 Vgl. die Notizen Hindenburgs auf zwei an ihn gerichtete Anfragen vom 7. Mai 1919, in:
Nachlaß Christian von Pentz, Ordner »Persönliche Post an den Generalfeldmarschall«
(Privatbesitz).

43 Vgl. das Schreiben Hindenburgs an Groener, 16. Januar 1920, BA-MA Freiburg, Nachlaß
Groener, Nr. 37, Bl. 26.

44 Dazu siehe Wolfram Pyta, »Verfassungsumbau, Staatsnotstand und Querfront: Schleichers Versuche zur Fernhaltung Hitlers von der Reichskanzlerschaft August 1932 bis Januar 1933«, in: *Gestaltungskraft des Politischen*, hg. von Wolfram Pyta und Ludwig Richter,
Berlin 1998, S. 173–197; Wolfram Pyta, »Konstitutionelle Demokratie statt monarchischer
Restauration«, in: *Vierteljahrshefte für Zeitgeschichte* 47 (1999), S. 417–441.

45 Diese Gefahr haben Schleicher nahestehende Kreise schon im März 1930 betont, vgl. etwa
das Schreiben des umtriebigen Werner von Alvensleben an Schleicher, 12. März 1930, in:
Maurer, *Politik und Wirtschaft in der Krise*, S. 84f.

46 Text seines Aufrufs vom 18. März 1930 bei Hubatsch, *Hindenburg und der Staat*, S. 300f.

47 Über die Berufung Brünings durch Hindenburg am 28. März 1930 gibt es nur das von Brüning selbst überlieferte Zeugnis: Brüning, *Memoiren*, S. 161f. Diese Memoiren besitzen
einen im Vergleich zu sonstigen Erinnerungen überaus hohen Quellenwert, da wesentli-

che Aussagen durch Parallelüberlieferungen abgesichert sind – auf diesen Aspekt wird im folgenden immer wieder eingegangen. Davon unberührt bleibt der bei Memoiren unvermeidliche Umstand, daß auch in Brünings Darstellung auf die eine oder andere Weise der Wissensvorsprung des Memoirenschreibers gegenüber dem zeitgenössischen Akteur eingeflossen ist und die Wahrnehmung des vergangenen Geschehens geprägt hat; vgl. dazu die tiefschürfenden Ausführungen von Rudolf Morsey, *Zur Entstehung, Authentizität und Kritik von Brünings »Memoiren 1918–1934«*, Opladen 1975; William Patch, »Heinrich Brüning's Recollections of Monarchism: The Birth of a Red Hering«, in: *The Journal of Modern History* 70 (1998), S. 340–370.

48 So die prägnante Wiedergabe der Absichten Hindenburgs durch Westarp, der am 15. Januar 1930 ein Gespräch mit Hindenburg hatte, in dem dieser die Möglichkeiten einer Regierungsbildung seiner Wahl auslotete; Gesprächsaufzeichnung Westarps in: Maurer, *Politik und Wirtschaft in der Krise*, S. 15–18, Zitat S. 18.

49 Brüning, *Memoiren*, S. 161.

50 Immer noch grundlegend Karl Dietrich Bracher, *Die Auflösung der Weimarer Republik*, Villingen 1955, vor allem S. 51–57.

51 Vgl. Eberhard Kolb, *Die Weimarer Republik*, München ⁶2002, S. 132f.

52 Dies betont mit Recht Patch, *Dissolution*, S. 72–83; andere Akzentsetzung, aber durchaus damit kompatibel ist Winkler, *Weimar*, S. 378.

53 Niederschrift Westarps über seine Besprechung mit Hindenburg, 19. März 1929, bei Jonas, *Die Volkskonservativen*, S. 187.

54 Vgl. einen Vermerk von Staatssekretär Pünder, 15. Februar 1930, in: *Akten der Reichskanzlei. Kabinett Müller II*, S. 1458; siehe auch Herbert Hömig, *Brüning*, Paderborn 2000, S. 138.

55 Vgl. Hömig, *Brüning*, S. 53–60.

56 Dies betont zu Recht Patch, *Dissolution*, vor allem S. 24–38 und S. 325–327.

57 Vgl. Hömig, *Brüning*, S. 96–112.

58 Gründlichste Untersuchung dazu von Rudolf Morsey, »Neue Quellen zur Vorgeschichte der Reichskanzlerschaft Brünings«, in: *Staat, Wirtschaft und Politik in der Weimarer Republik*, hg. von Ferdinand A. Hermens und Theodor Schieder, Berlin 1967, S. 207–231; vgl. auch Brüning, *Memoiren*, S. 150–152; Hömig, *Brüning*, S. 134; siehe auch ein Schreiben vom 13. April 1930 von Gottfried Treviranus, einem politischen Freund Brünings, an den Freiherrn von Willisen, in dessen Haus besagte Zusammenkunft am zweiten Weihnachtstag des Jahres 1929 stattgefunden hat (Privatbesitz Marie Gräfin Stolberg).

59 Vgl. Brüning, *Memoiren*, S. 162.

60 Siehe das Schreiben Schieles an Brüning, 29. März 1930, in: *Akten der Reichskanzlei. Die Kabinette Brüning I und II*, Bd. 1, bearb. von Tilman Koops, Boppard 1982, S. 1–4.

61 Vgl. dazu das Protokoll der Fraktionsführerbesprechung vom 9. April 1930, ebenda, S. 43 bis 45, sowie Schumacher, *Joh. Victor Bredt*, S. 43, 222–224 und S. 257.

62 Vgl. Schönhoven, *Bayerische Volkspartei*, S. 246–248.

63 So auch Patch, *Dissolution*, S. 79.

64 Vgl. Richter, *Deutsche Volkspartei*, S. 630f.

65 Hierzu Brüning, *Memoiren*, S. 162; Hömig, *Brüning*, S. 154; Morsey, »Neue Quellen«, S. 229; Heinrich Küppers, *Joseph Wirth*, Stuttgart 1997, S. 277ff.

66 Siehe Dorpalen, *Hindenburg*, S. 173.

67 Vgl. die Ausführungen des DDP-Fraktionsvorsitzenden Koch-Weser, der auf der Sitzung

des DDP-Parteiausschusses am 25. Mai 1930 konsequent von einer »neuen Koalition« sprach, Albertin und Wegner, *Linksliberalismus*, S. 535f.

68 So auch Brüning am 27. März 1930 auf der Vorstandssitzung der Reichstagsfraktion des Zentrums, bei Morsey, »Neue Quellen«, S. 225.

KAPITEL 23
Hindenburg und die Regierung Brüning bis zum Sommer 1931

1 Vgl. hierzu eine Vortragsnotiz Schleichers für Wehrminister Groener, Anfang März 1930, abgedruckt bei Thilo Vogelsang, *Reichswehr, Staat und NSDAP. Beiträge zur deutschen Geschichte 1930–1932*, Stuttgart 1962, S. 414f.

2 Siehe seine Unterredung mit Graf Westarp vom 15. Januar 1930, Gesprächsaufzeichnung in: Maurer, *Politik und Wirtschaft in der Krise*, S. 17.

3 Vgl. Hömig, *Brüning*, S. 167–179; Winkler, *Weimar*, S. 378–380.

4 Siehe Thomas Wisser, »Die Diktaturmaßnahmen im Juli 1930 – Autoritäre Umwandlung der Demokratie?«, in: *Offene Staatlichkeit*, hg. von Rolf Grawert u.a., Berlin 1995, S. 415–434.

5 Ihre Argumente finden sich in der Niederschrift über die beiden am 17. Juli 1930 abgehaltenen Fraktionssitzungen der DNVP, abgedruckt in: Maurer, *Politik und Wirtschaft in der Krise*, S. 286–299.

6 Vgl. Heinrich August Winkler, *Der Weg in die Katastrophe*, Berlin 1987, S. 172f.

7 Vgl. Achim Kurz, »Zur Interpretation des Artikels 48 Abs. 2 WRV 1930–33«, in: Grawert, *Offene Staatlichkeit*, S. 395–413, hier S. 401.

8 Ähnlich auch Winkler, *Weimar*, S. 381.

9 Siehe Jonas, *Die Volkskonservativen*, S. 76–89.

10 So Lettow-Vorbeck auf der Fraktionssitzung der DNVP-Reichstagsfraktion, 17. Juli 1930, bei Maurer, *Politik und Wirtschaft in der Krise*, S. 296.

11 Vgl. die Äußerung des brandenburgischen Rittergutsbesitzers Stubbendorff auf derselben Fraktionssitzung, ebenda, S. 295.

12 Siehe dazu folgende programmatische Äußerungen Hitlers: Rede vor dem Hamburger Nationalklub von 1919, 28. Februar 1926, abgedruckt in: *Hitler. Reden, Schriften, Anordnungen*, Bd. 1, S. 318; Rede am 2. Mai 1928 in München, ebenda, Bd. 2, Teil 2, S. 826; Rede am 24. Februar 1930 in München, ebenda, Bd. 3, Teil 3, S. 108.

13 Vgl. u.a. seine Rede in Eisenach, 13. Januar 1927, ebenda, Bd. 2, Teil 1, S. 121, und in München vom 6. März 1929, ebenda, Bd. 3, Teil 2, S. 23f.

14 Vgl. die Rede Hitlers vom 24. Februar 1930 in München, ebenda, Bd. 3, Teil 3, S. 106, sowie sein Schreiben an die Bundesleitung des »Stahlhelm«, 24. April 1929, Bd. 3, Teil 2, S. 227.

15 Wolfram Pyta, *Dorfgemeinschaft und Parteipolitik 1918–1933. Die Verschränkung von Milieu und Parteien in den protestantischen Landgebieten Deutschlands in der Weimarer Republik*, Düsseldorf 1996, vor allem S. 470–478.

16 Glänzende Übersicht hierzu bei Fritzsche, *Wie aus Deutschen Nazis wurden*, vor allem S. 180f. und S. 194–201; siehe auch Wolfram Pyta, »Politische Kultur und Wahlen in der Weimarer Republik«, in: *Wahlen und Wahlkämpfe in Deutschland*, hg. von Gerhard A. Ritter, Düsseldorf 1997, S. 197–239; Helge Matthiesen, *Greifswald in Vorpommern. Konservatives Milieu im Kaiserreich, in Demokratie und Diktatur 1900–1990*, Düsseldorf 2000, vor allem S. 75–301.

17 Vgl. Benjamin Ziemann, »Die Erinnerung an den Ersten Weltkrieg in den Milieukulturen der Weimarer Republik«, in: *Kriegserlebnis und Legendenbildung*, hg. von Thomas F. Schneider, Osnabrück 1999, S. 249–270.

18 Patrick Krassnitzer, »Die Geburt des Nationalsozialismus im Schützengraben«, in: *Der verlorene Frieden. Politik und Kriegskultur nach 1918*, hg. von Jost Dülffer und Gerd Krumeich, Essen 2002, S. 119–148, vor allem S. 144; Mergel, »Führer«, S. 98f. und S. 116f.

19 Dazu Ulrich Fröschle, »Radikal im Denken«; Ann P. Linder, *Princes of the Trenches. Narrating the German Experience of the First World War*, Columbia 1996, vor allem S. 74–85.

20 Siehe auch Sven Reichardt, *Faschistische Kampfbünde*, Köln 2002, S. 504f. und S. 722.

21 In einem Schreiben vom 21. Dezember 1916 an Houston Stewart Chamberlain, zitiert bei Karina Urbach, »Diplomat, Höfling und Verbandsfunktionär: Süddeutsche Standesherren 1880–1945«, in: *Deutscher Adel im 19. und 20. Jahrhundert*, hg. von Günther Schulz und Markus A. Denzel, Sankt Katharinen 2004, S. 353–375, hier S. 373.

22 Stephan Malinowski, »›Wer schenkt uns wieder Kartoffeln?‹ Deutscher Adel nach 1918 – eine Elite?«, in: *Deutscher Adel im 19. und 20. Jahrhundert*, hg. von Günther Schulz und Markus A. Denzel, Sankt Katharinen 2004, S. 503–537, vor allem S. 536f.; Malinowski, *Vom König zum Führer*, S. 114–117, 297–320 und S. 474f.

23 Entsprechende Stimmen führt auf Klaus Schreiner, »›Wann kommt der Retter Deutschlands?‹ Formen und Funktionen von politischem Messianismus in der Weimarer Republik«, in: *Saeculum* 48 (1997), S. 107–160.

24 Ulrich Fröschle, »Oszillationen zwischen Literatur und Politik. Ernst Jünger und ›das Wort vom politischen Dichter‹«, in: *Ernst Jünger. Politik – Mythos – Kunst*, hg. von Lutz Hagestedt, Berlin 2004, S. 101–143, hier S. 131.

25 Vgl. nur Hitlers Reden auf der Generalmitgliederversammlung der NSDAP in München, 22. Mai 1926 (*Hitler. Reden, Schriften, Anordnungen*, Bd. 1, S. 438), einer NSDAP-Versammlung im thüringischen Schleiz, 18. Januar 1927 (ebenda, Bd. 2, S. 129), einer NS-Versammlung in München, 13. April 1927 (ebenda, S. 258f. und S. 271) und am 7. Dezember 1929 (ebenda, Bd. 3, Teil 2, S. 527f.).

26 Vgl. die programmatische Rede Hitlers am 9. November 1928 auf einer NSDAP-Versammlung in München, ebenda, Bd. 3, Teil 1, S. 219–223;

27 Rede Hitlers auf einer NSDAP-Versammlung in Plauen, 11. Juni 1925, ebenda, Bd. 1, Teil 1, S. 89.

28 So auch der Tenor eines Vortrags des Stahlhelmführers Georg von Neufville im Adelskapitel der Deutschen Adelsgenossenschaft im Juli 1930 in Stuttgart, in: *Deutsches Adelsblatt* 48 (1930), S. 604.

29 Vgl. die Reden Hitlers auf einer SA-Versammlung in München, 11. September 1926, und am 26. November 1926 in Hattingen, in: *Hitler. Reden, Schriften, Anordnungen*, Bd. 2, Teil 1, S. 57 und S. 97f.

30 Vgl. das Schreiben Hitlers an die Bundesleitung des »Stahlhelm«, 24. April 1929, ebenda, Bd. 3, Teil 2, S. 224f.

31 Vgl. Hitlers Rede vom 24. Februar 1930 in München, Bd. 3, Teil 3, S. 106.

32 Rede Hitlers vom 2. August 1929, ebenda, Bd. 3, Teil 2, S. 320; vgl. auch Mergel, »Führer«, S. 121, sowie Linder, *Princes*, S. 85.

33 Siehe auch Gerhard Schulz, *Von Brüning zu Hitler. Der Wandel des politischen Systems in Deutschland 1930–1933*, Berlin 1992, S. 116.

34 Hindenburg, *Mein Leben*, 405f.

35 Schilderung dieser Unterredung bei Brüning, *Memoiren*, S. 188; zu Hindenburgs Pochen auf die Einhaltung verfassungsmäßiger Grundsätze vgl. auch das Schreiben Hugenbergs an Oldenburg-Januschau, 16. Februar 1931, BA Koblenz, Nachlaß Hugenberg, Nr. 72, Bl. 65.

36 Entsprechende Äußerungen Hindenburgs gegenüber Brüning übermittelte Brünings Vertrauter Pünder, der Staatssekretär der Reichskanzlei, am 18. September 1930 dem bayerischen Gesandten bei der Reichsregierung Ritter von Preger, vgl. dessen Bericht an den bayerischen Ministerpräsidenten Held vom 19. September 1930, abgedruckt in: Maurer, *Politik und Wirtschaft in der Krise*, S. 389; vgl. auch Patch, *Dissolution*, S. 136.

37 Vgl. Ludwig Richter, »Das präsidiale Notverordnungsrecht in den ersten Jahren der Weimarer Republik«, in: *Friedrich Ebert als Reichspräsident*, hg. von Eberhard Kolb, München 1997, S. 207–257, vor allem S. 248–250.

38 Vgl. Brüning, *Memoiren*, S. 192.

39 Vgl. die Ausführungen Brünings auf der Ministerbesprechung vom 16. September 1930, in: *Akten der Reichskanzlei. Kabinette Brüning I und II*, S. 429.

40 Vgl. die Ausführungen von Staatssekretär Meißner in der Kabinettssitzung vom 30. November 1930, ebenda, S. 670.

41 Zur Logik der sozialdemokratischen Tolerierungspolitik vgl. Winkler, *Weg in die Katastrophe*, S. 250f.; Wolfram Pyta, *Gegen Hitler und für die Republik. Die Auseinandersetzung der deutschen Sozialdemokratie mit der NSDAP in der Weimarer Republik*, Düsseldorf 1989, S. 203–220.

42 Bericht Westarps über seine Unterredung mit Hindenburg vom 15. Januar 1930, in: Maurer, *Politik und Wirtschaft in der Krise*, S. 18.

43 Siehe Hagen Schulze, *Otto Braun oder Preußens demokratische Sendung*, Frankfurt a.M. 1977, S. 489–492.

44 Vgl. Brüning, *Memoiren*, S. 199.

45 So die Mitteilung Cramons in einem Schreiben an Mackensen, 17. April 1931, BA-MA Freiburg, Nachlaß Mackensen, Nr. 76, Bl. 1; Kritik an Hugenberg durchzieht auch Hindenburgs Schreiben an Oldenburg-Januschau, 29. November 1930, Auszüge davon bei Görlitz, *Hindenburg*, S. 331; vgl. auch das Schreiben Hugenbergs an Oldenburg-Januschau, 16. Februar 1931, BA Koblenz, Nachlaß Hugenberg, Nr. 72, Bl. 62–67, sowie Ulrich von Hassell, *Römische Tagebücher und Briefe 1932–1938*, München 2004, S. 230.

46 Hindenburg an Irmengard von Brockhusen, 29. Oktober 1930 (Privatbesitz).

47 Diese Kundgebung bei Hubatsch, *Hindenburg und der Staat*, S. 303f.

48 Tendenziell ähnlich Zaun, *Hindenburg*, S. 497–503 und S. 515.

49 Text des Telegramms an Hoover bei Hubatsch, *Hindenburg und der Staat*, S. 304; zu dessen Genese vgl. Zaun, *Hindenburg*, S. 503–511.

50 Zur Rolle der USA in Brünings Kalkül vgl. Patch, *Dissolution*, S. 151f.

51 Vgl. Andreas Rödder, *Stresemanns Erbe. Julius Curtius und die deutsche Außenpolitik 1929–1931*, Paderborn 1996, S. 244–252.

52 Aufzeichnung dieser Besprechung in: *Akten zur deutschen auswärtigen Politik 1918–1945*. Serie B, Bd. 18, hg. von Christian Baechler, Göttingen 1982, S. 154–156.

53 Am 8. Oktober 1930 berichtete Brüning dem Reichspräsidenten über das Ergebnis seiner Unterredung mit Hitler zwei Tage zuvor, wobei er die unterschiedlichen außenpolitischen Auffassungen als Haupthindernis für eine mögliche Zusammenarbeit mit der Hitlerpartei hinstellte; Vermerk über diesen Vortrag Brünings in: *Akten der Reichskanzlei. Kabinette Brüning I und II*, S. 510–512.

54 Vertrauliches Schreiben Hindenburgs an Friedrich von Berg, 25. Juli 1931, Wojewodschaftsarchiv Allenstein, Nachlaß Friedrich von Berg, Nr. 20, Bl. 69.

55 Dieser Vergleich bei Hans Schlange-Schöningen, *Am Tage danach*, Hamburg 1946, S. 65f.

56 Über die Vorträge Brünings beim Reichspräsidenten, die unter vier Augen stattfanden, sind keine Protokolle angefertigt worden, so daß man auf die insgesamt sehr zuverlässigen Angaben in den Memoiren Brünings angewiesen ist. Dieser verzeichnet für den Zeitraum von Ende März 1931 bis Anfang August 1931 lediglich fünf Zusammenkünfte zwischen Reichspräsident und Reichskanzler, vgl. Brüning, *Memoiren*, S. 262f., 272f., 286, 343 und S. 362.

57 Ebenda, S. 273.

58 Ebenda, S 362.

KAPITEL 24

Rückzug auf Raten

1 Hindenburg an Irmengard von Brockhusen, 23. Februar 1930 (Privatbesitz).

2 Vgl. Ulrich Höver, *Joseph Goebbels – ein nationaler Sozialist*, Bonn 1992, S. 313.

3 Dieser Artikel ist auszugsweise wiedergegeben bei Dorpalen, *Hindenburg*, S. 217.

4 Vgl. Hitlers Rede vom 24. Februar 1931 auf einer NSDAP-Versammlung in München, in: *Hitler. Reden, Schriften, Anordnungen*, Bd. 4, Teil 1, München 1994, S. 225.

5 Abdruck dieser Erklärung in: *Schulthess' Europäischer Geschichtskalender. Neue Folge* 47 (1931), S. 109.

6 Tagebuchartige Aufzeichnung Fabecks: Aus meinem Leben II (1.1.1928–20.9.1933) (Privatbesitz).

7 Cramon an Mackensen, 17. April 1931, BA-MA Freiburg, Nachlaß Mackensen, Nr. 76, Bl. 2.

8 Aufzeichnung Fabecks aus dem April 1931 (wie Anm. 6).

9 Ebenda; vgl. auch Cramon in seinem Schreiben an Mackensen, 17. April 1931 (wie Anm. 7).

10 Dazu Heinz Duchhardt, »Die Stein-Jubiläen des 20. Jahrhunderts«, in: *Karl vom und zum Stein: der Akteur, der Autor, seine Wirkungs- und Rezeptionsgeschichte*, hg. von Heinz Duchhardt und Karl Teppe, Mainz 2003, S. 179–191.

11 Knappe Wiedergabe des Verlaufs dieser Feier in: *Schulthess' Europäischer Geschichtskalender. Neue Folge* 47 (1931), S. 150f.

12 Ebenda, S. 90.

13 Ebenda, S. 70f., 79f. und S. 210–213.

14 Vgl. Brüning, *Memoiren*, S. 272f.

15 Vgl. *Schulthess' Europäischer Geschichtskalender. Neue Folge* 47 (1931), S. 139.

16 Vgl. den Bericht in der *Lycker Zeitung* Nr. 149 vom 29. Juni 1931: »Der Regimentsappell unserer Hindenburger in Lyck«.

17 Vgl. den Bericht im Osteroder *General-Anzeiger. Tageszeitung für das südliche Ost- und Westpreußen*, Nr. 151 vom 1. Juli 1931: »Hindenburg in Osterode«.

18 Hindenburg an Irmengard von Brockhusen, 10. Juni 1931 (Privatbesitz).

19 Näheres bei Hömig, *Brüning*, S. 249f.

20 Überliefert in der Tagebucheintragung des Staatssekretärs der Reichskanzlei, Hermann Pünder, vom 2. Dezember 1930, in: Hermann Pünder, *Politik in der Reichskanzlei*, Stuttgart 1961, S. 77.

21 Bedenken gegen diese Notverordnung von der bislang die Regierung stützenden Wirt-schaftspartei und Deutsch-Hannoverschen Partei in: *Akten der Reichskanzlei, Die Kabinette Brüning I und II*, S. 685–688.

22 So auch Dorpalen, *Hindenburg*, S. 208.

23 Mitgeteilt im Schreiben des bestens informierten bayerischen Gesandten Ritter von Preger an Ministerpräsident Held, 19. September 1930, in: Maurer, *Politik und Wirtschaft in der Krise*, S. 391.

24 Vgl. Hömig, *Brüning*, S. 274–277.

25 Vgl. die entsprechende Passage der Rede Oldenburgs in: *Verhandlungen des Reichstags. V. Wahlperiode 1930*, Bd. 444, Stenographische Berichte, S. 167.

26 Ebenda, S. 143.

27 Ebenda, S. 174; vgl. auch Brüning, *Memoiren*, S. 200f.

28 Rekonstruktion nach folgenden Angaben, die nur in einigen Details nicht übereinstimmen: Zaun, *Hindenburg*, S. 109–115; Kurt von Reibnitz, *Gestalten rings um Hindenburg*, Dresden 1929, S. 7–19; Walter Zechlin, *Pressechef bei Ebert, Hindenburg und Kopf*, Hannover 1956, S. 105–110; Hubatsch, *Hindenburg und der Staat*, S. 86f.; Erinnerungen Wedige von der Schulenburgs, BA-MA Freiburg, MSg 1/2777, Bl. 34.

29 Vgl. die Schreiben Hindenburgs an Irmengard von Brockhusen, 6., 17. und 26. April 1931 (Privatbesitz).

30 Hans-Otto Meißner, *Junge Jahre*, S. 213f.; Schulenburg, *Welt um Hindenburg*, S. 132.

31 Vgl. das Schreiben Hindenburgs an Irmengard von Brockhusen, 24. Januar 1931 (Privatbesitz).

32 Vgl. Petersen, *Vor großen Zeitgenossen*, dort nach S. 200 eine Abbildung dieses Gemäldes, das die Folgen von Flucht und Vertreibung 1945 nicht überstand.

33 Abbildung auf dem Titelbild von Vogel, *Als ich Hindenburg malte*; vgl. auch ebenda, S. 210–212.

34 Alle Angaben zur Inneneinrichtung des Neudecker Herrenhauses nach Dieter von der Schulenburg, *Welt um Hindenburg*, S. 128–141, sowie den Erinnerungen von Hindenburgs Zweitem Adjutanten Wedige von der Schulenburg, BA-MA Freiburg, MSg 1/2778, Bl. 119 sowie MSg 1/2779, Bl. 3–8.

35 Vgl. Hindenburgs Schreiben an Frau von Schilcher, 5. Juli 1930 (Privatbesitz).

36 Vgl. *Deutscher Geschichtskalender* 47 (1931), S. 183 und S. 297.

37 Dies fiel seinem Neffen Karl von Fabeck auf, der ihm am 7. und 8. Juli 1931 einen Besuch in Neudeck abstattete; Tagebuchaufzeichnung Karl von Fabeck (Privatbesitz).

38 Vgl. Hindenburg an Irmengard von Brockhusen, 4. Juli 1931 (Privatbesitz).

39 Vgl. die Schreiben Hindenburgs an Frau von Schilcher vom 28. Dezember 1929, 25. Februar 1930, 5. Juli 1930, 12. September 1930, 27. März 1931 und 5. August 1932 (Privatbesitz).

40 Der aus Niederländisch-Limburg stammende Graf Limburg Stirum war dem deutschen Hochadel auf vielfältige Weise verwandtschaftlich verbunden, zu seiner Beziehung mit der hauptsächlich in Schlesien angesiedelten Familie von Tschirschky vgl. Fritz Günther von Tschirschky, *Erinnerungen eines Hochverräters*, Stuttgart 1972, S. 95 und S. 200. Am 8. Juli 1931 besuchte van Limburg Stirum Hindenburg in Neudeck, siehe die Tagebuchaufzeichnung Fabecks (Privatbesitz) sowie das Schreiben Hindenburgs an Irmengard von Brockhusen, 4. Juli 1931 (Privatbesitz).

41 Vgl. Hindenburgs Schreiben an Frau von Schilcher, 5. August bzw. 10. September 1927 und 6. August bzw. 13. September 1931 (Privatbesitz).

42 Zu Hindenburgs Aufenthalt in Dietramszell vgl. u.a. die Erinnerungen seines Zweiten Adjutanten Wedige von der Schulenburg, BA-MA Freiburg, MSg 1/2777, Bl. 75–77; Georg Escherich, »Hindenburg als Jäger«, in: *Die Woche* 29 (1927), S. 1207; mit Einschränkungen zuverlässig auch Zaun, *Hindenburg*, S. 127f.

43 Fotografien des Blockhauses in: *Reichspräsident Hindenburg*, hg. von der Hindenburg-spende, S. 27, 29 und S. 30.

44 Beste Schilderung der Ausflüge in die Schorfheide in den Erinnerungen von der Schulenburgs, BA-MA Freiburg, MSg 1/2777, Bl. 101–105; vgl. auch: »Procul negotiis«, in: *Die Woche* 29 (1927), S. 1208; Friedrich von Zglinicki, »Hindenburg als Jäger«, in: *Das Hindenburg-Jahrbuch 1927*, Berlin 1927, S. 99–104.

45 Hindenburg an Irmengard von Brockhusen, 19. Mai 1925 (Privatbesitz).

46 Vgl. Hindenburgs Schreiben an Tochter Irmengard, 22., 24. und 26. September 1925 (Privatbesitz).

47 Vgl. dazu Otto Braun, *Von Weimar zu Hitler*, New York 1940, S. 172–174; Schulze, *Otto Braun*, S. 489–491; Reibnitz, *Gestalten*, S. 14.

48 Vgl. die Unterlagen zu diesem Vorgang im BA Berlin, R 601/47.

49 Detaillierte Auflistung der von 1925 bis 1930 fällig gewordenen Geldbeträge ebenda.

50 Zurückweisung derartiger Behauptungen auch bei Zaun, *Hindenburg*, S. 79–84.

51 Hindenburg an Irmengard von Brockhusen, 7. August 1931 (Privatbesitz).

52 Entsprechende Zeugnisse bei Hubatsch, *Hindenburg und der Staat*, S. 129f.; vgl. auch Zaun, *Hindenburg*, S. 80–84.

53 Schulenburg, *Welt um Hindenburg*, S. 204f.

54 Hindenburg an Frau von Schilcher, 5. August 1932 (Privatbesitz).

55 Vgl. den Bericht des in der Schorfheide tätigen Hegemeisters Scholz bei Schulenburg, *Welt um Hindenburg*, S. 123f.

56 Vgl. die Angaben seines angeheirateten Neffen Erich von Manstein: Manstein, *Soldatenleben*, S. 212.

57 Vgl. die ungedruckten Erinnerungen Escherichs, in: Bayerisches Hauptstaatsarchiv München, Nachlaß Escherich 18, Bl. 203f.

58 Vgl. Schulenburg, *Welt um Hindenburg*, S. 116f.

59 Aufzeichnungen der Frau des Berliner Oberbürgermeisters, Dora Sahm, »Berlin 1931–1936«, in: BA Koblenz, Nachlaß Ulrich Sahm, Nr. 5.

60 Vgl. die Erinnerungen seines Zweiten Adjutanten Wedige von der Schulenburg, BA-MA Freiburg, MSg 1/2777, Bl. 104.

61 Hedin, *Fünfzig Jahre*, S. 167.

62 Vgl. einen entsprechenden Vorgang aus dem Sommer 1931 im BA Berlin, R 601/47, Bl. 45 bis 47.

63 Vgl. dazu die Schreiben Hindenburgs an Tochter Irmengard vom 2. Mai 1926, 17. Januar, 6. April und 17. April 1931 (Privatbesitz).

64 Vgl. die Schreiben Hindenburgs an Tochter Irmengard, 2. und 11. Mai 1928 sowie 14. Mai 1931 (Privatbesitz).

65 Hindenburg an Tochter Irmengard, 15. Dezember 1930 (Privatbesitz).

66 Vgl. dazu die ungedruckten Erinnerungen Escherichs, in: Bayerisches Hauptstaatsarchiv München, Nachlaß Escherich 18, Bl. 202.

67 Vgl. Schwarzmüller, *Mackensen*, S. 230.

68 Hindenburg an Mackensen, 29. Dezember 1931, BA-MA Freiburg, Nachlaß Mackensen,

Nr. 59, Bl. 35; vgl. auch Hindenburgs Schreiben an Mackensen vom 29. Dezember 1930, ebenda, Bl. 31; siehe auch Schwarzmüller, *Mackensen*, S. 235f.

69 Vgl. Hindenburgs Schreiben an Cramon aus den Jahren 1925 bis 1931, BA-MA Freiburg, Nachlaß Cramon, Nr. 22 und Nr. 37.

70 Vgl. dazu nur den Briefwechsel zwischen beiden aus dem Jahre 1924, BA-MA Freiburg, Nachlaß Cramon, Nr. 23.

71 Vgl. Cramons Aufzeichnung vom Dezember 1934 »Die tragische Schuld Hindenburgs«, BA-MA Freiburg, Nachlaß Cramon, Nr. 83, Zitat Bl. 10.

72 Ebenda, Bl. 17f.; vgl. auch das Schreiben Cramons an Mackensen, 20. Dezember 1928, BA-MA Freiburg, Nachlaß Mackensen, Nr. 334, Bl. 106.

73 Darüber gewähren die Tagebücher Ilsemanns Einblick: Sigurd von Ilsemann, *Der Kaiser in Holland.* Bd. 2: *Monarchie und Nationalsozialismus 1924–1941*, München 1968, vor allem S. 70, 77 und S. 85f.

74 Eindrückliche Beispiele in der Aufzeichnung Cramons über »Die tragische Schuld Hindenburgs« (wie Anm. 71), Bl. 13–18.

75 Ebenda, Bl. 14.

76 Vgl. das Schreiben Cramons an Mackensen, 17. April 1931, BA-MA Freiburg, Nachlaß Mackensen, Nr. 76, Bl. 1f.

77 »Wie oft habe ich versucht, die Dinge zum Guten zu wenden und wie oft bin ich ebenso einfach abgewiesen worden«, ebenda.

78 Hindenburg an Tochter Irmengard, 7. Juni 1929 sowie 16. Februar und 10. Juni 1931 (Privatbesitz).

79 Vgl. die Tagebucheintragung des deutschnationalen Reichstagsabgeordneten Quaatz vom 1. Mai 1931, in: Hermann Weiß und Paul Hoser (Hg.), *Die Deutschnationalen und die Zerstörung der Weimarer Republik. Aus dem Tagebuch von Reinhold Quaatz 1928–1933*, München 1989, S. 133; siehe auch Berghahn, *Stahlhelm*, S. 181.

80 Derartige Rücktrittsgedanken ventilierte er in einem Gespräch mit Escherich am 16. April 1931, der diese Überlegungen aber »als völlig unmöglich hinstellte«: Tagebucheintragung Escherichs vom 16. April 1931, in: BA Koblenz, Kleine Erwerbungen 846, Nr. 12.

81 So Hindenburg im Jahre 1931 zu Hugo Vogel und dem ihm aus seiner Magdeburger Zeit vertrauten Bankier Hermann Zuckschwerdt, überliefert bei Vogel, *Erlebnisse*, S. 110.

82 Weber, »Typen der legitimen Herrschaft«, S. 485f.

KAPITEL 25

Fehlschläge bei der Kür eines Nachfolgers

1 Vgl. die Argumentation Hugenbergs in seinem Schreiben an Oldenburg-Januschau, 16. Februar 1931, BA Koblenz, Nachlaß Schmidt-Hannover, Nr. 72, Bl. 62–67.

2 Grundlegend hierzu Gerhard Granier, *Magnus von Levetzow*, Boppard 1982, S. 126–129; siehe auch Willibald Gutsche, *Ein Kaiser im Exil*, Marburg 1991, S. 109–111.

3 Vgl. Granier, *Levetzow*, vor allem S. 130–133; Gerhard Schulz, »Der ›Nationale Klub von 1919‹ zu Berlin«, in: Gerhard Schulz, *Das Zeitalter der Gesellschaft*, München 1969, S. 299 bis 322; Malinowski, *Vom König zum Führer*, S. 422–459.

4 Vgl. Granier, *Levetzow*, S. 134.

5 Vgl. das Schreiben von Ulrich Freiherr von Sell, kaiserlicher Flügeladjutant und Referent

in der Generalverwaltung des preußischen Königshauses, an Levetzow, 6. Mai 1929, BA-MA Freiburg, Nachlaß Levetzow, Nr. 52, Bl. 274–276.

6   Granier, *Levetzow*, S. 145–149, sowie Manfred Asendorf, »Hamburger Nationalklub, Keppler-Kreis, Arbeitsstelle Schacht und der Aufstieg Hitlers«, in: *1999. Zeitschrift für Sozialgeschichte des 20. und 21. Jahrhunderts* 2 (1987), S. 106–150, hier S. 107–109.

7   Granier, *Levetzow*, S. 158 und S. 292; Jack Sweetman, *The Unforgotten Crowns: The German Monarchist Movements, 1918–1945*, Phil. Diss., Ann Arbor 1973, S. 284.

8   Vgl. Granier, *Levetzow*, S. 149, 153f., 157–159 und S. 161–163.

9   Vgl. dazu die Niederschrift Levetzows über seine politischen Besprechungen in Berlin im November und Dezember 1930, 18. 12. 1930, abgedruckt ebenda, S. 289–297.

10 Vgl. Berghahn, *Stahlhelm*, S. 172–178.

11 Belows Kandidatur wurde vor allem von der DNVP favorisiert, vgl. Schmidt-Hannover, *Umdenken oder Anarchie*, S. 273–275; Levetzow schätzte dessen Kandidatur als aussichtslos ein, Levetzow an Fürst Donnersmarck, 11. Mai 1930, bei Granier, *Levetzow*, S. 268.

12 Scheer hatte diese Designation zweimal alten militärischen Weggefährten mitgeteilt, nämlich Levetzow, seinem einstigen Chef des Stabes aus gemeinsamen Tagen beim Kommando der deutschen Hochseeflotte, und dem vormaligen Militärattaché an der deutschen Botschaft in London, Wilhelm Widenmann; vgl. dazu das Schreiben Levetzows an Bidlingmaier, 7. April 1936, abgedruckt bei Granier, *Levetzow*, S. 353–356, sowie Wilhelm Widenmann, *Marine-Attaché an der kaiserlich-deutschen Botschaft in London*, Göttingen 1952, S. 301.

13 Vgl. Eberhard von Mantey, »Die Tätigkeit der Marine und Feldmarschall von Hindenburg«, in: Lindenberg, *Hindenburg-Denkmal*, S. 299–312.

14 Reinhard Scheer, »Die Wirkung des Kaiserbriefes«, in: *Kölnische Zeitung* vom 30. Dezember 1921, Abendausgabe; dort auch das nachfolgende Zitat.

15 Vgl. Granier, *Levetzow*, S. 118; siehe auch das Schreiben Raeders an Levetzow, 26. November 1921, BA-MA Freiburg, Nachlaß Levetzow, Nr. 98, Bl. 18.

16 Vgl. Richter, *Deutsche Volkspartei*, S. 255–257.

17 Siehe Kolb, »Friedrich Ebert«, S. 147–155.

18 Vgl. das Schreiben Levetzows an Fürst Donnersmarck, 20. Oktober 1928, Privatarchiv des Fürsten Donnersmarck, Rottach-Egern, Schriftwechsel Levetzow.

19 Reinhard Scheer, »Hindenburg, unserem Führer, zum 80. Geburtstag«, in: *Ernte. Deutschlands bedeutendste Halbmonatsschrift für Politik, Literatur und Allgemeines* 8 (1927), Heft 18/19, S. 1–3, Zitat S. 2.

20 Ebenda.

21 Zur Problematik der Kandidatensuche vgl. auch das Schreiben von William von Levetzow an seinen Vetter Magnus, 25. Februar 1930, BA-MA Freiburg, Nachlaß Levetzow, Nr. 92, Bl. 20f.

22 Zum Informationsstand der politischen Insider vgl. folgende Schriftwechsel: Magnus Levetzow an Oberst Friedrichs, Vereinigte Vaterländische Verbände, 7. Januar 1931, BA-MA Freiburg, Nachlaß Levetzow, Nr. 55, Bl. 10; William Levetzow an seinen Vetter Magnus, 6. März 1931, Nachlaß Levetzow, Nr. 92, Bl. 22–24; Leo Wegener an Schmidt-Hannover, 22. März 1931, BA Koblenz, Nachlaß Wegener, Nr. 31, Bl. 69.

23 Rudolf Junack, *Adolf Friedrich Herzog zu Mecklenburg*, Hamburg 1963, S. 21–23.

24 Werner Pade, »Zwischen Wissenschaft, Abenteurertum und Kolonialpolitik: Adolf Friedrich Herzog zu Mecklenburg«, in: *Mecklenburger im Ausland*, hg. von Martin Guntau, Bremen 2001, S. 201–212.

25 Vgl. Malinowski, *Vom König zum Führer*, S. 129f.

26 Siehe Junack, *Adolf Friedrich*, S. 24.

27 Swantje Scharenberg, »Autorennen in den ›Roaring Twenties‹«, in: *Sozial- und Zeitgeschichte des Sports* 12 (1998), S. 29–47.

28 Vgl. Adelheid von Saldern, »Cultural Conflicts, Popular Mass Culture and the Question of Nazi Success: The Eilenriede Motorcycle Races, 1924–39«, in: *German Studies Review* 15 (1992), S. 317–338.

29 Vgl. Malinowski, *Vom König zum Führer*, S. 211.

30 Dazu siehe das Schreiben William von Levetzows an seinen Vetter Magnus, 19. März 1931, BA-MA Freiburg, Nachlaß Levetzow, Nr. 92, Bl. 28.

31 Vertrauliches Schreiben Kurt von Lersners an Carl Bosch, 19. Mai 1931, BA Koblenz, Kleine Erwerbungen 591/8, Nr. 7, Bl. 37f. Kurt von Lersner gehörte zu der Kategorie politischer Insider, die dank alter beruflicher und herausragender gesellschaftlicher Verbindungen an vertrauliche Informationen herankamen. Er hatte zunächst die diplomatische Laufbahn eingeschlagen, war bei Kriegsausbruch von der Obersten Heeresleitung angefordert worden und fungierte von da an in verschiedenen Positionen als Verbindungsoffizier zwischen OHL und Auswärtigem Amt; in dieser Funktion kam er auch in Berührung mit Hindenburg, vgl. dazu die gründliche Untersuchung von Horst Mühleisen, *Kurt Freiherr v. Lersner. Diplomat im Umbruch der Zeiten 1918–1920*, Göttingen 1988. 1920 quittierte er den diplomatischen Dienst und machte kurzzeitig Karriere als DVP-Reichstagsabgeordneter; er überwarf sich jedoch mit Stresemann und schied 1924 aus dem Reichstag aus, siehe Richter, *Deutsche Volkspartei*, S. 319f. Lersner hielt seine guten Verbindungen zur Politik aufrecht, die sich für ihn auch pekuniär auszahlten, da er 1929 gegen eine ansehnliche Vergütung politischer Vertrauensmann der IG-Farbenindustrie wurde und Carl Bosch, den Vorstandsvorsitzenden der IG Farben, über vertrauliche politische Vorgänge auf dem laufenden hielt, wovon der im Bundesarchiv Koblenz verwahrte Teilnachlaß (Kleine Erwerbungen 591-8) beredtes Zeugnis ablegt.

32 Vgl. das Schreiben Lersners an Bosch, 19. Mai 1931, ebenda, Bl. 38.

33 Vgl. Gusy, *Weimarer Reichsverfassung*, S. 99f.

34 Vgl. Ernst Heinrich von Sachsen, *Mein Lebensweg vom Königsschloß zum Bauernhof*, München 1968, S.198–200.

35 Näheres hierzu in einem als Konzept erhaltenen Schreiben Lersners an Ferdinand von Coburg, 20. April 1948, BA Koblenz, Kleine Erwerbungen 591, Bd. 9/5, Bl. 11. Lersner war im Auftrag der Mehrheitsparteien mit der Mission beauftragt worden, entsprechende Sondierungen bei Ferdinand vorzunehmen.

36 Vgl. Hans Roger Madol, *Ferdinand von Bulgarien*, Berlin 1931, S. 258–270; Stephen Constant, *Foxy Ferdinand*, London 1979, S. 314–321.

37 Vgl. Max von Baden, *Erinnerungen*, S. 608; Ernst Rudolf Huber, *Deutsche Verfassungsgeschichte seit 1789*, Bd. 5, Stuttgart 1978, S. 688f.

38 Vgl. die Tagebucheintragung seiner Frau Dorothea Seeckt vom 24. Juli 1925, BA-MA Freiburg, Nachlaß Seeckt, Nr. 249, Bl. 4 Rückseite.

39 Dazu siehe einen Bericht des Dezernenten für Staats- und Verfassungsschutz im Berliner Polizeipräsidium vom 12. Mai 1926 (Privatarchiv der Freiherrn Hiller von Gaertringen, Nachlaß Westarp, VN 124) sowie einen vertraulichen Brief des Privatsekretärs von Stresemann an die Wahlkreisleitung Chemnitz der DVP, 5. Mai 1928, Politisches Archiv des Auswärtigen Amtes, Berlin, Nachlaß Stresemann, Bd. 100.

40 Vgl. Stürmer, *Koalition*, S. 191f.

41 Vgl. die Einschätzung des Verfassungsrechtlers Fritz Poetzsch-Heffter, »Vom Staatsleben der Weimarer Verfassung«, in: *Jahrbuch des öffentlichen Rechts der Gegenwart* 17 (1929), S. 1–141, hier S. 103; vgl. auch Dörr, *Deutschnationale Volkspartei*, S. 309f.

42 Von einer entsprechenden Mitteilung Stresemanns gegenüber Brüning berichtet Hans Staudinger, *Wirtschaftspolitik im Weimarer Staat*, Bonn 1982, S. 91.

43 Levetzow an Sell, 16. April 1929, BA-MA Freiburg, Nachlaß Levetzow, Nr. 52, Bl. 193f.

44 Hierzu siehe Karl Schwend, *Bayern zwischen Monarchie und Diktatur*, München 1954, S. 216ff.; Kurt Sendtner, *Rupprecht von Wittelsbach*, München 1954, S. 521–526; Ernst Heinrich von Sachsen, *Lebensweg*, S. 172–174.

45 Vgl. dazu das Schreiben des letzten regierenden Großherzogs von Mecklenburg-Schwerin, Friedrich Franz IV., an Rupprecht von Bayern, 18. September 1930, Bayerisches Hauptstaatsarchiv München, Geheimes Hausarchiv, Nachlaß Kronprinz Rupprecht 882; Hinweise in diese Richtung auch bei Gottfried Reinhold Treviranus, *Das Ende von Weimar*, Düsseldorf 1968, S. 296. Treviranus bezog seine Kenntnisse allerdings aus zweiter Hand und hat auch hier einiges durcheinandergebracht.

46 Vgl. Westarp, *Konservative Politik im Übergang*, S. 234f.; Hoffmann, *Wir sind das alte Deutschland*, vor allem S. 46f.

47 Dazu zählte unter anderem Kurt von Lersner, vgl. dessen Tagebucheintragung vom 15. Mai 1931, BA Koblenz, Kleine Erwerbungen 591, 8/1, Bl. 12. Anläßlich eines Besuches beim einflußreichen Fürsten Guidotto von Donnersmarck in Rottach-Egern am Tegernsee brachte Jagow Adolf Friedrich ebenfalls ins Spiel, vgl. das Schreiben des Fürsten Donnersmarck an den befreundeten Magnus von Levetzow, 15. August 1931, BA-MA Freiburg, Nachlaß Levetzow, Nr. 83, Bl. 62.

48 Er ist von der historischen Forschung bislang übersehen worden; einen kurzen Abriß seines Lebenswegs verfaßte im Jahre 1994 sein Enkel Victor von Brandenstein: »Mein Großvater« (Privatbesitz Victor von Brandenstein).

49 Die Gesellschaftskolumnistin der liberalen *Vossischen Zeitung*, Bella Fromm, begegnete ihm häufig bei entsprechenden Tees und Abendeinladungen, vgl. ihre Tagebucheintragungen vom 15. März 1932 und 30. März 1933, in: Bella Fromm, *Blood and Banquets. A Berlin Social Diary*, London 1944, S. 48 und 92.

50 Am 15. Mai 1931 weihte er Kurt von Lersner ein, der für seine rege Einladungstätigkeit bekannt war, Tagebucheintragung Lersners, BA Koblenz, Kleine Erwerbungen 591, 8/1, Bl. 12.

51 Lersner an Carl Bosch, 13. Juli 1931, ebenda, Bl. 37.

52 Vgl. die Aufzeichnung des Berliner Verbindungsmanns von Daimler-Benz, Allmers, an den Vorstandsvorsitzenden Kissel, 5. Oktober 1931, Konzernarchiv Daimler, Stuttgart, Vorstandsakten Kissel, 9.17.

53 Vgl. die Tagebuchaufzeichnungen Lersners vom 17. Juli, 1. August und 16. November 1931, BA Koblenz, Kleine Erwerbungen 591, 8/1, Bl. 40f., 57, 137 und S. 140; die Hydrierung von Benzin wurde im Werk Leuna der IG Farbenindustrie betrieben, dazu siehe Helmuth Tammen, *Die I.G. Farbenindustrie Aktiengesellschaft (1925–1933)*, Berlin 1978, vor allem S. 94–112 und S. 281–283; Gottfried Plumpe, *Die I.G. Farbenindustrie AG*, Berlin 1990, insbesondere S. 255–269.

54 Vgl. sein Schreiben an Schleicher vom 15. August 1932, BA-MA Freiburg, Nachlaß Schleicher, Nr. 22, Bl. 129; im feinen »Club von Helgoland« gab Brandenstein anläßlich des Clubessens am 4. Februar 1933 einige persönliche Geschichten über Schleicher preis,

vgl. dazu das Schreiben des Clubmitglieds Jaenicke an seinen Sohn, 7. Februar 1933, BA Koblenz, Nachlaß Jaenicke, Nr. 60.

55 Vgl. die Schreiben des regierenden Großherzogs von Mecklenburg-Schwerin, Friedrich Franz IV., an seinen Onkel Johann Albrecht, 16. August, 23. September und 4. Dezember 1917, Mecklenburgisches Landeshauptarchiv Schwerin, Hausarchiv Mecklenburg-Schwerin, Briefnachlaß Johann Albrecht, Nr. 32.

56 Zu deren Tätigkeit vgl. Schüren, *Volksentscheid*, vor allem S. 178f., wobei Schüren allerdings Rudolf von Brandenstein mit seinem älteren Bruder Joachim, der zu dieser Zeit als Ministerpräsident von Mecklenburg-Schwerin amtierte, verwechselt.

57 Brandenstein erhielt für seine erfolgreiche Tätigkeit von den Fürsten eine Dotation, vgl. hierzu und zur Würdigung seines Einsatzes das Schreiben von Friedrich Franz IV. von Mecklenburg an den bayerischen Kronprinzen Rupprecht, 22. Juli 1926, Bayerisches Hauptstaatsarchiv München, Geheimes Hausarchiv, Nachlaß Kronprinz Rupprecht 746.

58 Vgl. die Mitteilung Meißners an Lersner, 14. Mai 1931, in: Tagebuch Lersner, BA Koblenz, Kleine Erwerbungen 591, 8/1, Bl. 12; siehe auch den Aktenvermerk des glänzend informierten Fürsten Donnersmarck, 29. August 1931, BA-MA Freiburg, Nachlaß Levetzow, Nr. 83, Bl. 72.

59 So mehrfach gegenüber August von Cramon, vgl. dessen im Dezember 1934 entstandene Aufzeichnung »Die tragische Schuld Hindenburgs«, BA-MA Freiburg, Nachlaß Cramon, Nr. 83, Bl. 14.

60 Ebenda, Bl. 18.

61 So auch das Fazit Cramons, ebenda, vor allem Bl. 15 und Bl. 18.

62 Vgl. Werner von der Schulenburg, *Zaungast der Weltgeschichte*, Leipzig 1936, S. 45–48; Werner von der Schulenburg, *Tre Fontane*, Schmiden 1961, S. 125–130.

63 Werner von der Schulenburg, *Jesuiten des Königs*, Stuttgart 1928, vor allem S. 228–233.

64 Ebenda, S. 235 und S. 254f.

65 Vgl. die Tagebucheintragung vom 13. Mai 1932 des Ministerialrats im Büro des Reichspräsidenten Hoyningen-Huene, dem Oskar von Hindenburg das von Hindenburg durchgelesene und mit Anmerkungen versehene Familienexemplar dieses Buches überlassen hatte, Tagebuch Hoyningen-Huene, Kladde 18, Privatbesitz.

66 So etwa gegenüber dem Schwiegersohn von Tirpitz, Ulrich von Hassell: Hassell, *Römische Tagebücher*, S. 230.

67 Vgl. das Schreiben Sells an Levetzow, 6. Mai 1929, BA-MA Freiburg, Nachlaß Levetzow, Nr. 52, Bl. 274–276.

68 Vgl. die Tagebucheintragung Ilsemanns vom 19. September 1930 in: Ilsemann, *Monarchie und Nationalsozialismus*, S. 146.

69 Dies konstatierte auch Brüning, dessen in der Zielsetzung ähnliche Absichten daran abprallten, daß Hindenburg einen uneinholbaren Informationsvorsprung besaß, an dem er Brüning nicht partizipieren lassen wollte; vgl. Brüning, *Memoiren*, S. 512.

70 Vgl. die Tagebucheintragung Lersners vom 17. Juli 1931, BA Koblenz, Kleine Erwerbungen 591, 8/1, Bl. 41; Donnersmarck an Levetzow, 29. August 1931, BA-MA Freiburg, Nachlaß Levetzow, Nr. 83, Bl. 72.

71 Vgl. Gutsche, *Kaiser im Exil*, S. 130–137; Friedrich Wilhelm Prinz von Preußen, *Das Haus Hohenzollern 1918–1945*, München 1985, S. 85–87.

72 Zu seinen Ambitionen vgl. Tagebucheintragung Lersners vom 1. Oktober 1931, BA Koblenz, Kleine Erwerbungen 591, 8/1, Bl. 72; Brüning, *Memoiren*, S. 376 und S. 423; auch der zweite

Mann der NSDAP, Gregor Straßer, zog eine Kandidatur von Adolf Friedrich in sein Kalkül ein, vgl. die Aufzeichnungen Otto Wageners, Archiv des Instituts für Zeitgeschichte, München, ED 60/8, Bl. 2145.

KAPITEL 26

Moderator des Übergangs

1 Hindenburgs Motive sind faßbar in einer nach der Entlassung Brünings angefertigten Denkschrift »über die Entwickelung der Krise und Demission des Kabinetts Brüning«, die Hindenburg am 10. Juni 1932 unterzeichnete, abgedruckt in: Hubatsch, *Hindenburg und der Staat*, S. 323–331, hier vor allem S. 323f.

2 Ähnlich auch Schulz, *Von Brüning zu Hitler*, S. 470.

3 Levetzow an Fürst Donnersmarck, 14. Oktober 1931, BA-MA Freiburg, Nachlaß Levetzow, Nr. 55, Bl. 228 Rückseite.

4 Zu diesem Gespräch vgl. die Aufzeichnung Meißners vom 1. August 1931, bei Hubatsch, *Hindenburg und der Staat*, S. 305–307.

5 Vgl. Schulz, *Von Brüning zu Hitler*, S. 467f.; vgl. auch die Tagebucheintragungen von Quaatz vom 23. und 31. Juli 1931, in: Weiß und Hoser, *Die Deutschnationalen*, S. 140f.

6 Vgl. William Patch, »Heinrich Brüning's Recollections of Monarchism: The Birth of a Red Hering«, in: *The Journal of Modern History* 70 (1998), S. 340–370, hier S. 361; vgl. auch die Notiz Schleichers für einen Vortrag vor Hindenburg, 29. August 1932, bei Vogelsang, *Reichswehr*, S. 480.

7 Levetzow an Donnersmarck, 14. Oktober 1931, BA-MA Freiburg, Nachlaß Levetzow, Nr. 55, Bl. 228f.

8 Die Vermittlung übernahm dabei der deutschnationale Abgeordnete Reinhold Quaatz, vgl. dessen Tagebuchaufzeichnungen vom 9. bis 21. August 1931, in: Weiß und Hoser, *Die Deutschnationalen*, S. 142f.

9 Tendenziell ähnliche Wiedergabe des Gesprächs ebenda, S. 143–145, und bei Brüning, *Memoiren*, S. 375–379; vgl. auch Patch, *Dissolution*, S. 188f.

10 Vgl. die Tagebuchaufzeichnung Pünders vom 5. und 7. Oktober 1930, in: Pünder, *Politik in der Reichskanzlei*, S. 64f.

11 Zu Görings Rolle vgl. Brüning, *Memoiren*, S. 275 und S. 390; Levetzow an Göring, 7. Oktober 1931, BA-MA Freiburg, Nachlaß Levetzow, Nr. 55, Bl. 212, sowie die Schreiben Levetzows an Donnersmarck, 18. August und 15. Dezember 1931, bei Granier, *Levetzow*, S. 298f., 305, 323–325 und S. 330f.

12 Vgl. Brüning, *Memoiren*, S. 391; Hömig, *Brüning*, S. 397f.

13 *Verhandlungen des Reichstags. V. Wahlperiode 1930*, Bd. 446, S. 2193–2196.

14 Siehe Hömig, *Brüning*, S. 399–416; Richter, *Deutsche Volkspartei*, S. 721–726.

15 Erklärung Hitlers vom 14. Oktober 1931, in: *Hitler. Reden, Schriften, Anordnungen*, Bd. 4, Teil 2, S. 159.

16 Prägnante Zusammenfassung dieser Option im Schreiben Levetzows an Donnersmarck, 20. November 1931, bei Granier, *Levetzow*, S. 316f.

17 »Man kann aber nicht nach außen hin eine nationale Politik betreiben, wenn man als einzige Kraftreserve hinter sich Marxisten, Pazifisten und Demokraten besitzt«, so Hitler in seinem offenen Brief an Reichskanzler Brüning vom 14. Oktober 1931, in: *Hitler. Reden,*

Schriften, Anordnungen, Bd. 4, Teil 2, S. 134–158, hier S. 148.

18 Vorträge des Reichskanzlers beim Reichspräsidenten fanden statt am 13. September, 29. September und 5. Oktober 1931, vgl. Brüning, *Memoiren*, S. 385–389, 417f. und S. 421 bis 423; Hömig, *Brüning*, S. 384–389.

19 Vgl. Hömig, *Brüning*, S. 385; Brüning, *Memoiren*, S. 417; wie diese Kampagne eingefädelt wurde, geht u.a. aus einem Schreiben des Fregattenkapitäns Scheibe an den Hamburger Fabrikanten Rudolf Blohm hervor, 25. September 1931, in: Staatsarchiv Hamburg, Bestand Firma Blohm und Voss, Nr. 1221.

20 Hindenburg an seine Tochter Irmengard von Brockhusen, 23. Februar 1930 (Privatbesitz).

21 Scheibe an Rudolf Blohm, 25. September 1931, Staatsarchiv Hamburg, Bestand Firma Blohm und Voß, Nr. 1221; vgl. auch die ausführliche Darstellung bei Ruge, *Hindenburg*, S. 312–314.

22 Dies ließ er auch in der Unterredung mit Brüning am 13. September 1931 durchblicken, vgl. Brüning, *Memoiren*, S. 387.

23 So Tilo Freiherr von Wilmowsky, *Rückblickend möchte ich sagen ...*, Oldenburg 1961, S. 23, über eine Äußerung Hindenburgs ihm gegenüber aus dem Herbst 1931; ähnliche Äußerungen Hindenburgs sind überliefert bei Brüning, *Memoiren*, S. 455f.; siehe auch dessen Schreiben an Schwertfeger, 6. Mai 1948, in: Harvard University Library, HUG FP 93.10, Box 31, Folder: Bernhard Schwertfeger; siehe auch Hömig, *Brüning*, S. 489.

24 Vgl. Zaun, *Hindenburg*, S. 512–515; Brüning, *Memoiren*, S. 455f.

25 Vgl. Hömig, *Brüning*, S. 394f.

26 So die Mitteilung Meißners an Quaatz, 15. Oktober 1931; in: Weiß und Hoser, *Die Deutschnationalen*, S. 156.

27 Vgl. die Tagebucheintragung von Quaatz, 19. Oktober 1931, ebenda, S. 157; siehe auch das Schreiben Levetzows an Fürst Donnersmarck, 14. Oktober 1931, BA-MA Freiburg, Nachlaß Levetzow, Nr. 55, Bl. 227f.; zur Zerstrittenheit vgl. auch das Schreiben des Hugenberg-Vertrauten Wegener an Fürst Donnersmarck, 26. Dezember 1931, Privatarchiv des Fürsten Donnersmarck, Rottach-Egern.

28 Vgl. das Schreiben Hindenburgs an den Fürsten von Salm-Horstmar, 24. Oktober 1931, auszugsweise wiedergegeben im Tagebuch Quaatz, bei Weiß und Hoser, *Die Deutschnationalen*, S. 159.

29 Hindenburg an Irmengard von Brockhusen, 14. Oktober 1931 (Privatbesitz).

30 Zu Hitlers Kalkül vgl. dessen Äußerungen gegenüber Levetzow am 18. November 1931, wiedergegeben in einem Schreiben Levetzows an Donnersmarck, 20. November 1931, bei Granier, *Levetzow*, S. 313; siehe auch das Schreiben Levetzows an Donnersmarck vom 14. Oktober 1931, BA-MA Freiburg, Nachlaß Levetzow, Nr. 55, Bl. 227f.

31 Vermerk von Brünings Staatssekretär Pünder, 9. Oktober 1931, in: *Akten der Reichskanzlei, Kabinette Brüning I und II*, Bd. 2, S. 1818.

32 Vgl. das Schreiben Levetzows an Donnersmarck, 14. Oktober 1931, BA-MA Freiburg, Nachlaß Levetzow, Nr. 55, Bl. 228f.

33 Hugenberg hatte darin der Regierung Brüning vorgehalten, sie würde in verfassungswidriger Weise der Rechten den Weg an die Macht versperren, und in diesem Zusammenhang den Reichspräsidenten ermahnt, »an dem Schwure, den er geleistet hat«, festzuhalten: *Hugenbergs innenpolitisches Programm. Rede, gehalten auf dem 10. Reichsparteitag der Deutschnationalen Volkspartei am 20. September 1931 in der Messehalle Stettin*, Berlin 1931, hier S. 13.

34 Hindenburg an Irmengard von Brockhusen, 2. Oktober 1931 (Privatbesitz).

35 Vgl. die Tagebucheintragung von Quaatz vom 23. September 1931, in: Weiß und Hoser, *Die Deutschnationalen*, S. 155; siehe auch Brünings Ausführungen vor dem Vorstand der Zentrumsfraktion, 12. Oktober 1931, in: Rudolf Morsey (Hg.), *Die Protokolle der Reichstagsfraktion und des Fraktionsvorstands der Deutschen Zentrumspartei 1926–1933*, Mainz 1969, S. 543.

36 Zu Hindenburgs öffentlichen Auftritten in Lyck und Osterode am 28. und 30. Juni 1931 vgl. die dezente, aber eindeutige Berichterstattung in: *Lycker Zeitung* Nr. 149 vom 29. Juni 1931 und *General-Anzeiger. Tageszeitung für das südliche Ost- und Westpreußen* Nr. 151 vom 1. Juli 1931.

37 Hindenburg konnte das »Deutschland, erwache!« eindeutig als nationalsozialistischen Parteiruf identifizieren, da ein NS-Parteigänger seine Tochter Annemarie, als sie im Spätherbst 1930 in Berlin mit dem Auto unterwegs war, mit einem »Deutschland, erwache!« bedacht hatte, weil er sie für eine reiche Jüdin hielt, vgl. das Schreiben Hindenburgs an Irmengard von Brockhusen, 15. Dezember 1930 (Privatbesitz).

38 Zu diesem Vorfall vgl. Dorpalen, *Hindenburg*, S. 219, sowie die Materialien im BA Berlin, Bestand R 601/47, Bl. 39ff.; gemäß einem Zeitungsbericht in der Zeitung *Der Vorpommer. Volksblatt für Vorpommern und Rügensche Tageszeitung* Nr. 181 vom 6. August 1931 soll sich Hindenburg sogar noch drastischer geäußert haben und statt »Lümmel« den Ausdruck »Scheißkerle« benutzt haben, ebenda.

39 Hindenburg an Irmengard von Brockhusen, 19. Juli 1931 (Privatbesitz); weitere Reaktionen Hindenburgs auf diese Vorfälle in seinem Gespräch mit Hugenberg am 1. August 1931, vgl. die Gesprächsaufzeichnung Meißners, bei Hubatsch, *Hindenburg und der Staat*, S. 306. Auch anläßlich eines Besuchs beim Fürsten Donnersmarck in Rottach-Egern am Tegernsee am 3. September 1931 brachte Hindenburg sein Mißfallen über diese Vorkommnisse zum Ausdruck, siehe dazu das Schreiben des Fürsten Donnersmarck an Levetzow, 22. Oktober 1931, BA-MA Freiburg, Nachlaß Levetzow, Nr. 83, Bl. 139.

40 Eingehendste Schilderung des Zusammentreffens von Hindenburg und Hitler im Schreiben Levetzows an Donnersmarck, 14. Oktober 1931, bei Granier, *Levetzow*, S. 311.

41 Ebenda, S. 310.

42 Diesen Vergleich benutzte Staatssekretär Meißner, der unmittelbar nach diesem Gespräch den Direktor der wichtigsten zum Hugenberg-Konzern gehörenden Nachrichtenagentur, der Telegraphen-Union, über den Verlauf der Unterredung in Kenntnis setzte, vgl. das Schreiben Levetzows an Donnersmarck, 15. Dezember 1931, in: Granier, *Levetzow*, S. 323.

43 So die Mitteilung Hindenburgs gegenüber Generaloberst Karl von Einem, mit dem ihn ein altes Vertrauensverhältnis verband und der ihn am 24. November 1931 aufgesucht hatte, vgl. einen ausführlichen Bericht Einems vom 1. Dezember 1931 über dieses Gespräch, in: BA-MA Freiburg, Nachlaß Einem, Nr. 8, Bl. 115; vgl. auch die wörtliche Wiedergabe eines weiteren Gesprächs zwischen Einem und Hindenburg am 12. Januar 1932, in dem Hindenburg erklärte: »Hitler hat mir sehr gefallen«, ebenda, Nachlaß Einem, Nr. 29, Bl. 2.

44 So die Wiedergabe in dem Bericht Lersners für Carl Bosch, 18. Oktober 1931, BA Koblenz, Kleine Erwerbungen 591, 8/1, Bl. 83.

45 Vgl. dazu das Schreiben der Gräfin Ada Westarp an ihre Tochter, 25. Februar 1932, in dem sie ein Gespräch zwischen ihrem Mann Kuno Graf Westarp und Hindenburg vom selben Tage wiedergibt, Familienarchiv der Freiherrn Hiller von Gaertringen, Nachlaß Westarp.

46 Vgl. Brüning, *Memoiren*, S. 273f.

47 Dazu siehe die Ausführungen Brünings vor der Reichstagsfraktion des Zentrums, 12. Oktober 1931, bei Morsey, *Protokolle*, S. 544f.; vgl. auch Brüning, *Memoiren*, S. 424, und Schulz, *Von Brüning zu Hitler*, S. 554.

48 Vgl. Brüning, *Memoiren*, S. 426; Geßler, *Reichswehrpolitik*, S. 509.

49 Vgl. Brüning, *Memoiren*, S. 426.

50 Vgl. Hürter, *Groener*, S. 280–282.

51 Exponent dieser Konzeption war General Schleicher; dazu Pyta, »Konstitutionelle Demokratie«.

52 Vgl. die Ausführungen Brünings auf der Fraktionssitzung des Zentrums, 12. Oktober 1931, bei Morsey, *Protokolle*, S. 545.

53 In einer ausführlichen Unterredung am 24. November 1931, die Einem am 1. Dezember 1931 als Bericht zusammenfaßte, BA-MA Freiburg, Nachlaß Einem, Nr. 28, Bl. 112.

54 So auch der später als Reichskommissar für Arbeitsbeschaffung tätige Günther Gereke, *Ich war königlich-preußischer Landrat*, Berlin 1970, S. 191 und S. 205.

55 Vgl. Ruge, *Hindenburg*, S. 318f.; siehe auch Fritz Klein, »Zur Vorbereitung der faschistischen Diktatur durch die deutsche Großbourgeoisie (1929–1932)«, in: *Zeitschrift für Geschichtswissenschaft* 1 (1953), S. 872–904, hier S. 897.

56 Vgl. Brüning, *Memoiren*, S. 425f.; Patch, *Dissolution*, S. 196, sowie das Schreiben Silverbergs an Krupp von Bohlen und Halbach, 12. Oktober 1931, in: Maurer, *Politik und Wirtschaft in der Krise*, Teil 2, S. 1035–1038.

57 Zu Warmbold siehe: »Wirtschaftspolitiker oder Sachverständiger«, in: *Der Ring* 4 (1931), S. 871.

58 Tagebucheintragung Pünders vom 23. November 1931, in: Pünder, *Politik in der Reichskanzlei*, S. 108; vgl. auch die Bemerkung Meißners auf der Kabinettssitzung vom 17. Oktober 1931, die Finanzstaatssekretär Schäffer in seinem Tagebuch festhielt, in: BA Koblenz, Kleine Erwerbungen 614/10, Bl. 200.

59 Vgl. Klein, »Zur Vorbereitung«, S. 899.

60 Text der Ansprache in: *Akten der Reichskanzlei, Die Kabinette Brüning I und II*, Bd. 3, S. 1861.

61 So auch die Beobachtung Lersners in seinem Schreiben an Bosch, 18. Oktober 1931, BA Koblenz, Kleine Erwerbungen 591, 8/1, Bl. 82.

62 Schreiben Hindenburgs an Brüning, 13. Oktober 1931, in: *Schulthess' Europäischer Geschichtskalender. Neue Folge* 47 (1931), S. 230.

63 Zu Brünings Taktik vgl. das Protokoll der Ministerbesprechung vom 28. Oktober 1931, in: *Akten der Reichskanzlei. Die Kabinette Brüning I und II*, S. 1851. und die Protokolle der ersten Sitzung des Wirtschaftsbeirats am 29. und 30. Oktober 1931, ebenda, S. 1861–1872 und S. 1881–1890, vor allem S. 1862, 1872 und S. 1890.

64 Vgl. Carl-Ludwig Holtfrerich, »Alternativen zu Brünings Wirtschaftspolitik in der Weltwirtschaftskrise?«, in: *Historische Zeitschrift* 235 (1982), S. 605–631.

65 Vgl. Schulz, *Von Brüning zu Hitler*, S. 627f.

66 Hindenburg an Irmengard von Brockhusen, 10. Dezember 1931 (Privatbesitz).

67 Vgl. Brünings Rede auf der Schlußsitzung des Wirtschaftsbeirats, 23. November 1931, in: *Akten der Reichskanzlei, Die Kabinette Brüning I und II*, S. 1993.

68 Im ursprünglichen Entwurf der abschließenden Ausführungen Hindenburgs anläßlich der Schlußsitzung des Wirtschaftsbeirats, datiert vom 21. November, klang dies an; Auszüge ebenda, S. 1998, dort Anm. 11.

69   Warmbold hatte sich auf den Ministerbesprechungen am 6. und 7. Dezember 1931 vergeblich für außerordentliche Maßnahmen des Staates zur Geldschöpfung eingesetzt, ebenda, S. 2069–2075; daher bestand er darauf, daß der Wirtschaftsminister entgegen den Gepflogenheiten die neue Notverordnung nicht mit unterzeichnete, vgl. ebenda, S. 2087, Anm. 8.

70   So Schleicher zu Lersner am 23. November 1931, BA Koblenz, Kleine Erwerbungen 591, 8/1, Bl. 150.

71   Vgl. Brüning, *Memoiren*, S. 456f.

KAPITEL 27
Zwischenlösung: erneute Präsidentschaftskandidatur

1   Abgedruckt bei Hubatsch, *Hindenburg und der Staat*, S. 308.

2   Zur Konzeption dieser Ansprache vgl. sein Schreiben an Irmengard von Brockhusen, 28. Dezember 1931 (Privatbesitz).

3   Grundlegend hierzu Kolb, »Friedrich Ebert«.

4   Hindenburg selbst bezeichnete die Denkschrift Schulenburgs in einer eigenhändigen Eintragung vom 3. Juli 1928 in seinem Exemplar des Niemann-Buches als »böses Phantasiestück aus krankhaft erregter Zeit«, abgedruckt bei Hubatsch, *Hindenburg und der Staat*, S. 38.

5   Vgl. das Schreiben Schulenburgs an Westarp, 16. Januar 1928, Familienarchiv der Freiherrn Hiller von Gaertringen, Nachlaß Westarp, VN 110.

6   Entsprechende Überlegungen tauchten in seinen beiden Besprechungen mit Brüning am 13. September und 11. November 1931 auf, vgl. Brüning, *Memoiren*, S. 387 und S. 454; siehe auch Wheeler-Bennett, *Titan*, S. 365, und Hömig, *Brüning*, S. 411.

7   So das Ergebnis seiner Besprechung mit Brüning am 5. Januar 1932 gemäß einem Vermerk Pünders, abgedruckt in: *Akten der Reichskanzlei. Die Kabinette Brüning I und II*, S. 2140.

8   Diese korrekte Angabe wird auch genannt im Redebeitrag der KPD-Abgeordneten Arendsee: *Verhandlungen des Reichstags. III. Wahlperiode 1924*, Bd. 385, Sitzung vom 16. Mai 1925, S. 1819.

9   Vgl. die offiziellen Angaben für die Rechnungsjahre 1926 bis 1933, die dem Haushaltsausschuß des Reichstags von seiten des Reichsfinanzministeriums zugingen: BA Berlin, R 101/2285, Bl. 297–360 und BA Berlin, R 2/4450, Bl. 35–123; siehe auch das Schreiben Hindenburgs an den Reichskanzler, 25. Oktober 1930, ebenda, Bl. 35.

10   Diese Angaben gemäß der Korrespondenz Hindenburgs mit Tochter Irmengard, 31. Oktober 1925, 1. Februar 1930, 18. und 24. November 1931 (Privatbesitz).

11   Vgl. *Statistisches Jahrbuch für das Deutsche Reich* 52 (1933), S. 265.

12   Vgl. seine Schreiben an Irmengard vom 15. Dezember 1929, 7. Februar 1931 und 18. Oktober 1931 (Privatbesitz).

13   So Hindenburg zu seinem Kameraden Generaloberst von Einem, 24. November 1931, gemäß dessen Gesprächsaufzeichnung, BA-MA Freiburg, Nachlaß Einem, Nr. 28, Bl. 116; vgl. auch die Tagebucheintragung von Quaatz, 14. Januar 1932, bei Weiß und Hoser, *Die Deutschnationalen*, S. 169.

14   Hindenburg an Irmengard von Brockhusen, 24. November 1931 (Privatbesitz).

15 Gesetz über das Ruhegehalt des Reichspräsidenten vom 31. Dezember 1922, in: *Reichsgesetzblatt Teil I*, Jahrgang 1923, Berlin 1923, S. 53f.

16 Hindenburg an Tochter Irmengard, 10. Januar 1932 (Privatbesitz).

17 Vgl. dazu die Mitteilung Meißners an Quaatz, 10. Januar 1932, bei Weiß und Hoser, *Die Deutschnationalen*, S. 171; diese Bedingungen hatte Hindenburg auch im Gespräch mit Brüning am 5. Januar 1932 formuliert, vgl. den Vermerk Pünders vom 5. Januar 1932, in: *Akten der Reichskanzlei. Die Kabinette Brüning I und II*, S. 2139f.

18 Ebenda, S. 2139f.

19 Er bestand darauf, daß es »keine Schachergeschäfte« zwischen den Parteien in bezug auf die Verlängerung seiner Amtszeit geben dürfe, ebenda, S. 2140.

20 Hindenburg zu Einem, 12. Januar 1932, gemäß der von Einem angefertigten wörtlichen Wiedergabe dieses Gesprächs, in: BA-MA Freiburg, Nachlaß Einem, Nr. 29, Bl. 2; auch Staatssekretär Meißner wies gegenüber dem deutschnationalen Abgeordneten Quaatz am 10. Januar 1932 vertraulich darauf hin, daß sich der Reichspräsident von Brüning nach dessen Rückkehr aus Lausanne trennen wolle, vgl. eine entsprechende Niederschrift von Quaatz, 14. Januar 1932, bei Weiß und Hoser, *Die Deutschnationalen*, S. 171.

21 Gesprächsvermerk Meißners vom 11. Dezember 1931 in: *Akten der Reichskanzlei. Die Kabinette Brüning I und II*, S. 2091–2093.

22 Ebenda, S. 2093.

23 So appellierte Hindenburg an Göring nach dessen Auskunft gegenüber Levetzow, vgl. das Schreiben Levetzows an Donnersmarck, 15. Dezember 1931, in: Granier, *Levetzow*, S. 330; siehe auch das Schreiben Levetzows an Oberst Friedrichs (Vereinigte Vaterländische Verbände Deutschlands), 18. Dezember 1931 (Privatarchiv des Fürsten Donnersmarck, Rottach-Egern).

24 Brüning war die Kontaktaufnahme Hindenburgs mit Göring nicht verborgen geblieben, vgl. Brüning, *Memoiren*, S. 467.

25 Vgl. dazu eine auf den 16. Januar 1932 datierte Aufzeichnung des innenpolitischen Redakteurs der hervorragend informierten *Deutschen Allgemeinen Zeitung*, Wendt (Privatarchiv Fritz Klein, Berlin).

26 Vgl. Brüning, *Memoiren*, vor allem S. 495f.

27 Ebenda, S. 501f.

28 Ebenda, S. 501; vgl. auch Brünings Gespräch mit Staatssekretär Schäffer vom 20. November 1931, abgedruckt bei Eckhard Wandel, *Hans Schäffer. Steuermann in wirtschaftlichen und politischen Krisen*, Stuttgart 1974, S. 321.

29 Brüning, *Memoiren*, S. 473.

30 Vgl. Morsey, *Zur Entstehung*, S. 51.

31 Brüning erörterte derartige Pläne im April 1933 mit zwei überzeugten Monarchisten, dem Grafen Westarp und dem Berater Wilhelms II. in völkerrechtlichen Fragen, dem ehemaligen Leiter der Rechtsabteilung des Auswärtigen Amtes Johannes Kriege, vgl. dazu das Schreiben von Gräfin Ada Westarp an ihre Tochter Gertraude, 27. April 1933 (Familienarchiv der Freiherrn Hiller von Gaertringen, Nachlaß Westarp). Kriege hat entsprechende Absichten Brünings auch der Gemahlin Wilhelms II. mitgeteilt, so daß sie auf diesem Wege (wenngleich leicht entstellt) auch bis zum Ex-Kaiser selbst vordrangen, vgl. die Tagebucheintragung Ilsemanns vom 2. Juni 1933, in: Ilsemann, *Monarchie und Nationalsozialismus*, S. 223. Im Juni 1933 teilte Brüning seine Pläne dem britischen Botschafter in Berlin mit, vgl. Patch, »Brüning's Recollections«, S. 363f.

32 Vgl. ebenda, S. 363; Frank Müller, *Die »Brüning Papers«*, Frankfurt a.M. 1993, S. 73; Andreas Rödder, »Dichtung und Wahrheit. Der Quellenwert von Heinrich Brünings Memoiren und seine Kanzlerschaft«, in: *Historische Zeitschrift* 265 (1997), S. 77–116.

33 Vgl. Müller, *Die »Brüning Papers«*, vor allem S. 133, 152 und S. 163f.; etwas skeptischer, wenngleich ebenfalls vom »hohen Quellenwert« überzeugt, ist Morsey, *Zur Entstehung*, S. 12.

34 Das erste dieser Gespräche datiert vom November 1931, das zweite vom 14. Januar 1932; vgl. Brüning, *Memoiren*, S. 453 und S. 512.

35 Ebenda, S. 453.

36 Hitler hatte in einer Besprechung mit Brüning am 9. Januar 1932 die Idee einer Reichsverweserschaft ins Spiel gebracht, ebenda, S. 505; ähnlich äußerte er sich am 18. November 1931 bei einer Einladung im politischen Salon der Baronin Tiele-Winckler, vgl. darüber den Bericht des anwesenden Levetzow an den Fürsten Donnersmarck, 20. November 1931, bei Granier, *Levetzow*, S. 313.

37 Rundfunkrede Hindenburgs vom 10. März 1932, bei Hubatsch, *Hindenburg und der Staat*, S. 317.

38 Cramon, »Die tragische Schuld Hindenburgs«, BA-MA Freiburg, Nachlaß Cramon, Nr. 83, Bl. 14.

39 Vgl. Brüning, *Memoiren*, S. 453f. und S. 512f.

40 Vgl. den Vermerk Pünders über diese Verhandlungen, 13. Januar 1932, in: *Akten der Reichskanzlei. Die Kabinette Brüning I und II*, S. 2159–2167.

41 Vgl. die Schreiben Hugenbergs und Hitlers an Brüning, 11. und 12. Januar 1932, ebenda, S. 2153–2155.

42 Das politische Ränkespiel zwischen NSDAP und DNVP wird besonders deutlich in den Tagebuchaufzeichnungen von Quaatz vom 14. Januar 1932 samt Anlagen, bei Weiß und Hoser, *Die Deutschnationalen*, S. 168–173.

43 Vgl. die Aufzeichnung des DAZ-Korrespondenten Wendt, 16. Januar 1932, Bl. 5 (Privatarchiv Fritz Klein).

44 Vgl. Brüning, *Memoiren*, S. 508f.; Hürter, *Groener*, S. 324f.

45 So Meißner zu Quaatz gemäß einem Anfang Januar 1932 entstandenen Aide-mémoire, das sich im Tagebuch Quaatz findet, bei Weiß und Hoser, *Die Deutschnationalen*, S. 172; gleichlautend äußerte sich Hindenburg in seiner Unterredung mit Generaloberst von Einem, die am selben Tag wie der Vortrag Brünings, also am 12. Januar 1932, stattfand, vgl. die Aufzeichnung Einems, BA-MA Freiburg, Nachlaß Einem, Nr. 29, Bl. 2.

46 Vgl. die entsprechenden Äußerungen Brünings anläßlich einer Besprechung mit Groener, Schleicher und Meißner, 26. Januar 1932, gemäß einer Aufzeichnung Pünders vom 27. Januar 1932, in: *Akten der Reichskanzlei. Die Kabinette Brüning I und II*, S. 2228f.

47 Zu den Auflagen Hindenburgs für eine erneute Kandidatur bei einer Volkswahl vgl. die Aufzeichnung Pünders vom 27. Januar 1932, ebenda, S. 2227–2230; das Schreiben Westarps an seinen Schwiegersohn Berthold Hiller von Gaertringen, 14. Januar 1932, bei Maurer, *Politik und Wirtschaft in der Krise*, S. 1219f., sowie die Aufzeichnung des Berliner Oberbürgermeisters Sahm, abgedruckt bei Vogelsang, *Reichswehr*, S. 432f.

48 Vgl. Aufzeichnung Pünders in: *Akten der Reichskanzlei. Die Kabinette Brüning I und II*, S. 2227; Aufzeichnung Sahms, in: Vogelsang, *Reichswehr*, S. 432–435; Tagebucheintragung Quaatz vom 14. Januar 1932, bei Weiß und Hoser, *Die Deutschnationalen*, S. 174; Berghahn, *Stahlhelm*, S. 197f.; Aufzeichnungen des Kyffhäuserbundes zur Reichspräsidentenwahl 1932, in: Maurer, *Politik und Wirtschaft in der Krise*, S. 1278f.

49 Siehe Berghahn, *Stahlhelm*, S. 199f.

50 Vgl. eine von Hugenberg autorisierte Aufzeichnung Schleichers von Ende Februar 1932, in: Maurer, *Politik und Wirtschaft in der Krise*, S. 1299–1302, Zitat S. 1300.

51 Ebenda, S. 1299f.; vgl. auch Schulz, *Von Brüning zu Hitler*, S. 728f.

52 Vgl. die Tagebucheintragung von Quaatz, 8. Februar 1932, in: Weiß und Hoser, *Die Deutschnationalen*, S. 176.

53 Schmidt-Hannover, *Umdenken oder Anarchie*, S. 294.

54 Eindrückliche Schilderung der beiden Vorträge bei Brüning, *Memoiren*, S. 516–518 und 523f.; Brünings Taktik ist auch zu entnehmen den beiden Aufzeichnungen seines Staatssekretärs Pünder vom 27. Januar und 6. Februar 1932, in: *Akten der Reichskanzlei. Die Kabinette Brüning I und II*, S. 2227–2232 und S. 2278–2281.

55 Schreiben Hindenburgs an Brüning, 28. Januar 1932, abgedruckt in: Brüning, *Memoiren*, S. 518f.

56 In diesem Sinne äußerte sich Schleicher zu Lersner, vgl. den Entwurf eines Schreibens Lersners an Hugenberg, 4. Februar 1932, BA Koblenz, Kleine Erwerbungen 591, 8/2, Bl. 17.

57 Ergebnis einer Besprechung zwischen Brüning, Groener, Schleicher und Meißner, 27. Januar 1932, gemäß dem Vermerk Pünders vom selben Tag, in: *Akten der Reichskanzlei. Die Kabinette Brüning I und II*, S. 2231.

58 Zur Presseaktion vgl. den Vermerk Pünders, ebenda, S. 2230; die Aufzeichnung Sahms, bei Vogelsang, *Reichswehr*, S. 434f.; Paul Hoser, *Die politischen, wirtschaftlichen und sozialen Hintergründe der Münchner Tagespresse zwischen 1914 und 1934*, Teil 1, Frankfurt a.M. 1990, S. 331, sowie ein vertrauliches Rundschreiben der *Kölnischen Zeitung* vom Januar 1932, BA Berlin, R 601/373, Bl. 86–89.

59 Aufzeichnung Sahms, in: Vogelsang, *Reichswehr*, S. 432; vgl. auch Heinrich Sprenger, *Heinrich Sahm. Kommunalpolitiker und Staatsmann*, Köln 1969, S. 236–239.

60 Die treibende Kraft hinter der bayerischen Initiative war der ehemalige Leiter der bayerischen Landespolizei Hans Ritter von Seißer, der sich für die Volkskonservativen politisch betätigte; siehe dazu die Aufzeichnung Sahms, ebenda, S. 433; Hoser, *Münchner Tagespresse*, S. 330f., sowie das Schreiben Seißers an Sahm, 23. Januar 1932, abschriftlich in: BA Koblenz, Nachlaß Pünder, Nr. 97, Bl. 215f.

61 Vgl. das Schreiben Seißers an Sahm, 23. Januar 1932, ebenda; über die 54 Mitglieder des bayerischen Hindenburg-Komitees existiert sogar eine Übersicht, welche diese Personen weltanschaulich taxiert, ebenda, Bl. 189–192.

62 Aufruf des Sahm-Ausschusses, 1. Februar 1932, abgedruckt in: *Schulthess' Europäischer Geschichtskalender. Neue Folge* 48 (1932), S. 21f.; siehe auch den Text des Münchner Aufrufes vom 27. Januar 1932: »Wir rufen auf zur Wiederwahl des Mannes, der wie kein zweiter Deutschland verkörpert«, *Wolffs-Telegraphen-Büro* Nr. 194 vom 27. Januar 1932, BA Berlin, R 601/373, Bl. 10.

63 Aufruf hannoverscher Persönlichkeiten für Hindenburg, 6. Februar 1932, in: *Hannoverscher Kurier* vom 7. Februar 1932.

64 Text des Leipziger Aufrufs in: BA Berlin, R 601/373, Bl. 110: dort findet sich auch ein Sonderappell der »Arbeitsgemeinschaft für Westpreußen«, die Hindenburg als »Befreier unseres Ostens« pries, ebenda, Bl. 124.

65 Vgl. dazu die Einschätzung von Finanzminister Dietrich und Staatssekretär Schäffer, 4. Februar 1932, gemäß dem Tagebuch Schäffers, BA Koblenz, Kleine Erwerbungen 614/14, Bl. 18.

66 Vgl. das Schreiben Sahms an die Redaktionen der beteiligten Zeitungen, 30. Januar 1932, BA Berlin, R 601/373, Bl. 91–93, Zitat Bl. 93.

67 Vgl. die Aufzeichnung Sahms, in: Vogelsang, *Reichswehr*, S. 437; insgesamt betrug die Zahl der Eintragungen 3,63 Millionen, wovon der weitaus größte Teil durch Auslegung in den Zeitungshäusern erzielt wurde, vgl. die WTB-Meldung Nr. 413 vom 24. Februar 1932.

68 Hindenburg an Mackensen, 9. Februar 1932, BA Berlin, R 601/373, Bl. 6f.

69 Vgl. die Aufzeichnung Sahms über ein Gespräch mit Meißner am 14. Februar 1932, der diesem berichtete, Hindenburg habe erklärt, ohne die Zustimmung der Kameradschaftsverbände »könne er es nicht aushalten, er ginge sonst daran zu Grunde«, bei Vogelsang, *Reichswehr*, S. 437.

70 Vgl. die Aufzeichnung Schleichers, Mitte Februar 1932, in: Maurer, *Politik und Wirtschaft in der Krise*, S. 1299–1302.

71 So der Zweite Bundesführer Duesterberg am 10. Februar 1932 zu Hugenberg gemäß einer Aufzeichnung des anwesenden Vorsitzenden des »Kyffhäuserbundes«, General von Horn, in: Maurer, *Politik und Wirtschaft in der Krise*, S. 1278–1286, Zitat S. 1283.

72 Ebenda, S. 1281; vgl. auch Berghahn, *Stahlhelm*, S. 201.

73 Levetzow an Fürst Donnersmarck, 8. Dezember 1931, BA-MA Freiburg, Nachlaß Levetzow, Nr. 83, Bl. 183 Rückseite.

74 Vgl. das Schreiben Duesterbergs an Hindenburg, 11. Februar 1932, und Hindenburgs Antwort vom 12. Februar, BA Berlin, R 601/372, Bl. 58–62.

75 Hindenburg an Mackensen, 15. Februar 1932, BA Berlin, R 601/ 375, Bl. 10; vgl. auch die Aufzeichnung des Kyffhäuserbundes, in: Maurer, *Politik und Wirtschaft in der Krise*, S. 1281.

76 Hindenburg an Duesterberg, 11. Februar 1932, BA Berlin, R 601/ 372, Bl. 62.

77 Volker Berghahn, »Die Harzburger Front und die Kandidatur Hindenburgs für die Präsidentschaftswahlen 1932«, in: *Vierteljahrshefte für Zeitgeschichte* 13 (1965), S. 64–82, hier S. 82.

78 Als erste Orientierung nützlich, wenngleich zu sehr den vermeintlichen Gesinnungsmilitarismus der Kriegervereine betonend: Karl Führer, »Der Deutsche Reichskriegerbund Kyffhäuser 1930–1934«, in: *Militärgeschichtliche Mitteilungen* 35 (1984), S. 57–76.

79 Vgl. die Aufzeichnung des zweiten Präsidenten des Preußischen Landeskriegerverbandes, von Enckevort, 18. April 1932, in: Maurer, *Politik und Wirtschaft in der Krise*, S. 1386–1389.

80 Vgl. die Tagebucheintragung Karl von Fabecks, der im Vorstand des preußischen Landeskriegerverbandes saß, Februar 1932, Privatbesitz.

81 Vgl. das Tagebuch Fabecks, ebenda, sowie die Aufzeichnung Sahms, in: Vogelsang, *Reichswehr*, S. 436, und ein Schreiben Walter von Keudells an Mackensen, 13. Februar 1932, BA-MA Freiburg, Nachlaß Mackensen, Nr. 272, Bl. 62.

82 Vgl. die Aufzeichnung des Kyfhäuserbundes, Mitte Februar 1932, in: Maurer, *Politik und Wirtschaft in der Krise*, S. 1285.

83 Erklärung Horns zur Reichspräsidentenfrage, in: *Kyffhäuser. Zeitschrift für das deutsche Haus* 56 (1932), Nr. 8 vom 21. Februar 1932.

84 Hindenburg an General Horn, 23. Februar 1932, BA Berlin, R 601/375, Bl. 66.

85 Abgedruckt im *Deutschen Adelsblatt* vom 6. Februar 1932, hier nach der Abschrift im BA Berlin, R 601/378, Bl. 81.

86 Vgl. die Aufzeichnung Sahms vom 12. Februar 1932, in: Vogelsang, *Reichswehr*, S. 436, sowie Brüning, *Memoiren*, S. 527.

87 Vgl. Malinowski, *Vom König zum Führer*, S. 520–593.

88 So Graf Goltz von den Vereinigten Vaterländischen Verbänden zu General Horn, 14. Februar 1932, gemäß der Aufzeichnung Horns über die Verhandlungen zur Aufstellung Hindenburgs, in: Maurer, *Politik und Wirtschaft in der Krise*, S. 1284.

89 Abgedruckt bei Hubatsch, *Hindenburg und der Staat*, S. 312–316, sowie bei Erich Matthias, »Hindenburg zwischen den Fronten. Zur Vorgeschichte der Reichspräsidentenwahlen von 1932«, in: *Vierteljahrshefte für Zeitgeschichte* 8 (1960), S. 78–82.

90 Der von Hindenburg korrigierte Entwurf im BA Berlin, R 601/375, Bl. 78–91; zur Beteiligung Meißners und Oskar von Hindenburgs vgl. die Notiz Pünders vom 29. Februar 1932 auf dem ihm zugegangenen Exemplar der Darlegung, BA Koblenz, Nachlaß Pünder, Nr. 97, Bl. 103.

91 Vgl. Matthias, »Hindenburg zwischen den Fronten«, S. 76f., sowie Vogelsang, *Reichswehr*, S. 153.

92 Rundfunkansprache Hindenburgs, 10. März 1932, bei Hubatsch, *Hindenburg und der Staat*, S. 316–319, Zitat S. 317; vgl. auch seine Darlegung bei Matthias, »Hindenburg zwischen den Fronten«, S. 80, in der er davon spricht, daß er »lieber den Passionsweg persönlicher Angriffe« gehen wolle, als Deutschland dem Parteigeist auszuliefern.

93 Hindenburg an Oldenburg-Januschau, 22. Februar 1932, bei Hubatsch, *Hindenburg und der Staat*, S. 311.

94 Horst Michael, »Hindenburg und die Nation«, in: *Der Ring* 5 (1932), S. 160. Der Historiker Horst Michael hatte mit diesem durch den Hindenburg-Ausschuß massiv verbreiteten Aufruf dem Reichspräsidenten aus der Seele gesprochen, vgl. dazu die Schreiben Hindenburgs und Meißners an Michael, 2. März 1932, BA Berlin, R 601/376, Bl. 129 und Bl. 132. Michael führte danach im Auftrag des Präsidentenbüros Sondierungsgespräche mit dem Evangelischen Oberkirchenrat in Berlin, um von dort Wahlkampfhilfe zu erhalten, vgl. das vertrauliche Schreiben Michaels an Meißner, 9. März 1932, ebenda, Bl. 139f.

95 Darlegung Hindenburgs bei Matthias, »Hindenburg zwischen den Fronten«, S. 80.

96 Handschriftlicher Zusatz auf demjenigen Exemplar der »Darlegung« Hindenburgs, die dieser über seinen Sohn am 27. Februar 1932 seiner Tochter Irmengard zustellen ließ (Privatbesitz).

97 Darlegung Hindenburgs bei Matthias, »Hindenburg zwischen den Fronten«, S. 79.

98 Ebenda, S. 80.

99 Ebenda, S. 80.

100 Ebenda, S. 79.

101 Ebenda, S. 79.

102 Rundfunkansprache Hindenburgs vom 10. März 1932, bei Hubatsch, *Hindenburg und der Staat*, S. 318f.; vgl. auch Hindenburgs programmatische Erklärung vom 15. Februar 1932 anläßlich seiner Wiederkandidatur in: *Akten der Reichskanzlei. Die Kabinette Brüning I und II*, S. 2295.

103 Hindenburg an Irmengard von Brockhusen, 16. Februar 1932 (Privatbesitz).

104 Darlegung Hindenburgs, in: Matthias, »Hindenburg zwischen den Fronten«, S. 81.

105 Vgl. das Schreiben Westarps an Hindenburg, 22. Februar 1932, mitsamt dem Text des Aufrufs und einer Liste der Unterzeichner, in: BA Berlin, R 601/375, Bl. 53–57; zu Hindenburgs Reaktion siehe dessen Antwort an Westarp, 23. Februar 1932, ebenda, Bl. 58, sowie seine Darlegung bei Matthias, »Hindenburg zwischen den Fronten«, S. 81.

106 Darlegung Hindenburgs bei Matthias, »Hindenburg zwischen den Fronten«, S. 79.

107 So auch schon der Tenor bei Bracher, *Auflösung der Weimarer Republik*, S. 453f.

KAPITEL 28
Hitler gegen Hindenburg

1   Vgl. die Tagebucheintragung von Goebbels vom 3. Februar 1932, in: *Die Tagebücher von Joseph Goebbels*, Teil 1: *Aufzeichnungen 1923–1941*, Bd. 2/II, München 2004, S. 209.

2   Zur Notwendigkeit der Herstellung eines solchen Verhältnisses bekannte sich Hitler im Januar 1932 gegenüber dem DVP-Vorsitzenden Dingeldey, vgl. dessen Erklärung vom 15. Dezember 1932 über seine Begegnung mit Hitler zu Jahresanfang 1932, in: Vogelsang, *Reichswehr*, S. 440–442.

3   Rede Hitlers am 7. März 1932 in Nürnberg, in: *Hitler. Reden, Schriften, Anordnungen*, Bd. 4, 3, S. 191; vgl. auch seine Reden in Köln am 9. März und in Hannover am 11. März 1932, ebenda, S. 199 und S. 214.

4   Vgl. hierzu: *Verhandlungen des Deutschen Reichstags, V. Wahlperiode 1930*, Bd. 446, S. 2250, 2252 und S. 2270.

5   Ein entsprechender Textentwurf von Kurt Hahn, dem ehemaligen Mitarbeiter des Prinzen Max von Baden, fand daher keine Verwendung; Textentwurf in: BA Berlin, R 601/372, Bl. 209–211.

6   Vgl. Patch, *Dissolution*, S. 238f.

7   *Kreuzzeitung* vom 11. März 1932.

8   Hindenburg an Otto von Below, 12. März 1932, BA Berlin, R 601/375, Bl. 161f.

9   Vgl. das Tagebuch von Quaatz, 24. Januar 1930 und 30. August 1931, bei Weiß und Hoser, *Die Deutschnationalen*, S. 99 und 148f.

10 Siehe Lothar Machtan, *Der Kaisersohn bei Hitler*, Hamburg 2006, S. 243; Sweetman, *Unforgotten Crowns*, S. 307–309.

11 Vgl. das Schreiben des vierten Kaisersohns August Wilhelm an seine Schwester Viktoria Luise vom April 1932, auszugsweise abgedruckt in: Viktoria Luise, *Tochter des Kaisers*, S. 269.

12 Vgl. das Schreiben Oskars von Preußen an den Schriftsteller Franz Sontag, der seine Kandidatur schon seit längerem publizistisch zu fördern suchte, 26. Juni 1931, in: BA Koblenz, Nachlaß Junius Alter (= Franz Sontag), Nr. 17.

13 Zu diesem Kalkül vgl. die Tagebucheintragung von Wilhelm von Oertzen, 21. Februar 1932 (Privatbesitz). Der Gutsbesitzer von Oertzen aus dem mecklenburgischen Roggow war ein führender Repräsentant der DNVP und zugleich Vorsitzender der »Herrengesellschaft Mecklenburg«, über ihn siehe Lothar Elsner, *Die Herrengesellschaft. Leben und Wandlungen des Wilhelm von Oertzen*, Rostock 1998.

14 Dies wußte der wohlunterrichtete konservative *Ring* schon am 19. Februar 1932 zu berichten: *Der Ring. Konservative Wochenschrift* 5 (1932), S. 129: »Wer wird Reichspräsident?«.

15 Zu den Absichten Hitlers mit August Wilhelm vgl. Machtan, *Kaisersohn*, S. 231; Fritz Wiedemann, *Der Mann, der Feldherr werden wollte*, Dortmund 1964, S. 199.

16 August Wilhelm an seine Schwester Luise, April 1932, in: Viktoria Luise, *Tochter des Kaisers*, S. 269; vgl. auch die Tagebucheintragung von Quaatz, 13. Februar 1932, bei Weiß und Hoser, *Die Deutschnationalen*, S. 178.

17 Vgl. das Schreiben des glänzend infomierten Lersner an die Spitze der IG Farben, 15. März 1932: »Ich höre, daß eine größere Anzahl der Besiegten sich nicht mit der Niederlage abfinden, sondern durch Aufstellung des Kronprinzen Wilhelm dem Feldmarschall ein Paroli bieten will«, BA Koblenz, Kleine Erwerbungen 591, 8/2, Bl. 100f.

18 Vgl. seine Unterhaltung mit dem Historiker Hans Delbrück vom Januar 1928, über die Delbrück eine zehnseitige Gesprächsnotiz verfaßte: »Unterhaltung mit dem Kronprinzen«, BA Koblenz, Nachlaß Delbrück, Nr. 57.

19 So der Kronprinz anläßlich einer Einladung bei Göring am 16. April 1932, wiedergegeben in einem Schreiben Levetzows an Baronin Tiele-Winckler, 17. April 1932, abgedruckt in: Granier, *Levetzow*, S. 339.

20 Eine entsprechende Anregung stammte von Lersner, vgl. die Tagebucheintragung Ilsemanns vom 18. März 1928, in: Ilsemann, *Monarchie und Nationalsozialismus*, S. 91.

21 Vgl. die Angaben bei Brüning, *Memoiren*, S. 520; deckungsgleich damit Brünings Schreiben an Norman Ebbutt, 11. Juni 1946, bei Müller, *Die »Brüning-Papers«*, S. 181; siehe auch Brünings Tageszettel vom 2. Februar 1932, BA Koblenz, Nachlaß Pünder, Nr. 44, Bl. 120.

22 Entsprechende Äußerungen Hitlers im vertrauten Kreis sind überliefert im Schreiben Baron Sells an Levetzow, 5. März 1932 (Privatarchiv des Fürsten Donnersmarck, Rottach-Egern); siehe auch die Äußerungen des hohenzollernschen Hausministers Leopold von Kleist bei seinem Besuch in Doorn gemäß dem Tagebuch Ilsemanns vom 13. Februar 1932, in: Ilsemann, *Monarchie und Nationalsozialismus*, S. 183.

23 Zum Vorbild des faschistischen Italien vgl. die Ansichten des Kronprinzen in einer Unterredung mit seinem Vater, überliefert im Tagebuch Ilsemanns vom 26. Mai 1931, ebenda, S. 170; vgl. auch Gustav Hillard, *Herrn und Narren der Welt*, München 1955, S. 102.

24 Vgl. die auf den persönlichen Erlebnissen eines Insiders beruhende Schrift: Julius Friedrich, *Wer spielte falsch? Ein Tatsachenbericht aus Deutschlands jüngster Vergangenheit nach authentischem Material*, Hamburg 1949, S. 12; möglicherweise ist dieses Treffen identisch mit dem Besuch Hitlers, erwähnt bei Wiedemann, *Feldherr*, S. 199, und (in apologetischer Verzerrung) bei Cecilie von Preußen, *Erinnerungen an den Deutschen Kronprinzen*, Biberach 1952, S. 133f.; siehe auch Machtan, *Kaisersohn*, S. 241f.

25 Eine Einzeichnungsliste und ein Werbeschreiben der »Reichsbewegung für Kronprinzen-Kandidatur« im BA-MA Freiburg, Nachlaß Mackensen, Nr. 272, Bl. 38f.

26 Vgl. die Berichte des Mussolini-Vertrauten Major Renzetti vom 15. und 18. März 1932, der engen Kontakt zur NS-Führungsspitze unterhielt und bei dem vom Kronprinzen arrangierten Treffen anwesend war, BA Koblenz, Nachlaß Renzetti, Nr. 11.

27 Die drei Initiatoren der Aktion haben eigene Aufzeichnungen hinterlassen, so daß diese sehr genau rekonstruiert werden kann. Der Hauptwerber war der mit dem Kronprinzen befreundete Ex-Major Eberhard von Selasinsky, der beruflich in Bochum tätig war; von ihm stammt die unmittelbar danach entstandene »Niederschrift über die Ereignisse einer Kronprinzen-Reichspräsidentschaftskandidatur« (Privatbesitz Kees van der Sluijs). Ihm assistierte der mit ihm befreundete Günther von Einem, der in Mülheim/Ruhr wohnhafte Sohn des Generalobersten Karl von Einem, der am 1. April 1932 eine Aufzeichnung anfertigte, in: BA-MA Freiburg, Nachlaß Einem, Nr. 29, Bl. 123–131. Dritter im Bunde war der NS-Gaupropagandaleiter Westfalen-Nord, der Gronauer Textilindustrielle Joachim von Ostau, der am 4. April 1932 in einem Schreiben an den Kronprinzen (Privatbesitz) die Ereignisse Revue passieren ließ. Ostau ist mit hoher Wahrscheinlichkeit auch der Verfasser einer 1949 erschienenen Schrift, die auch auf die Kronprinzenkandidatur eingeht und Kenntnisse aus dem innersten Kreis verrät: Friedrich, *Wer spielte falsch?*, hier S. 5–17.

28 Dazu die vorzügliche Darstellung von Wolfgang Stribrny, »Der Versuch einer Kandidatur des Kronprinzen Wilhelm bei der Reichspräsidentenwahl 1932«, in: *Geschichte in der Ge-*

genwart. Festschrift für Kurt Kluxen, hg. von Ernst Heinen und Hans Julius Schoeps, Paderborn 1972, S. 199–210; siehe auch Klaus W. Jonas, *Der Kronprinz Wilhelm*, Frankfurt a.M. 1962, S. 225–231 (mit Abdruck dokumentarischen Materials).

29 »Niederschrift« Selasinskys, S. 3f. (Privatbesitz); vgl. auch eine spätere, bei Jonas, *Kronprinz Wilhelm*, dort S. 227, abgedruckte Darstellung Selasinskys.

30 Kronprinz Wilhelm an Hitler, 29. März 1932, abgedruckt bei Jonas, *Kronprinz Wilhelm*, S. 226.

31 »Niederschrift« Selasinskys, S. 7 (Privatbesitz).

32 Zu dessen bewegtem politischen Leben vgl. Friedrich Wiltfang, *Hakenkreuzfahnen über Gronau/Epe*, Gronau 1998, S. 94–127.

33 Vgl. auch die Tagebucheintragung von Goebbels unter dem 31. März 1932. Goebbels hielt sich zu dieser Zeit bei Hitler in Bayern auf und war nicht zuletzt wegen seiner tiefen Ablehnung der alten Eliten nicht von dieser Idee begeistert, doch »Hitler sieht die Sache günstig an«, Goebbels, *Tagebücher*, Bd. 2/II, S. 252.

34 Hitler legte seine Motive im Gespräch mit Ostau am 30. März dar, vgl. dazu das ausführliche Schreiben Ostaus an den Kronprinzen, 4. April 1932 (Privatbesitz); siehe auch Friedrich, *Wer spielte falsch?*, S. 15, und Stribrny, »Versuch einer Kandidatur«, S. 206.

35 »Niederschrift« Selasinskys, S. 1 (Privatbesitz); auszugsweise abgedruckt bei Jonas, *Kronprinz Wilhelm*, S. 225.

36 Aufzeichnung Günther von Einems, 1. April 1932, BA-MA Freiburg, Nachlaß Einem, Nr. 29, Bl. 125f.

37 Vgl. das Schreiben Ostaus an den Kronprinzen, 4. April 1932 (Privatbesitz).

38 Kronprinz Wilhelm an Günther von Einem, 1. April 1932, abgedruckt bei Stribrny, »Versuch einer Kandidatur«, S. 208.

39 Abgedruckt bei Jonas, *Kronprinz Wilhelm*, S. 230f.

40 Vgl. das Schreiben Levetzows an Baronin Tiele-Winckler, 17. April 1932, bei Granier, *Levetzow*, S. 339f.

41 Vgl. die Berichte Renzettis für Mussolini vom 11. und 17. April 1932, der den Kronprinzen in diesem Vorhaben bestärkte, BA Koblenz, Nachlaß Renzetti, Nr. 11.

42 Dieses Angebot machte der Kronprinz am 13. April 1932 gegenüber Göring, der davon Levetzow unterrichtete, vgl. die Schreiben Levetzows an Hausminister Leopold von Kleist, 15. April 1932, BA-MA Freiburg, Nachlaß Levetzow, Nr. 56, Bl. 107, sowie an Baronin Tiele-Winckler, 17. April 1932, bei Granier, *Levetzow*, S. 339f.

43 August Wilhelm an seine Schwester Viktoria Luise, April 1932, in: Viktoria Luise, *Tochter des Kaisers*, S. 269.

44 Vgl. die Aufzeichnungen Sahms, in: Vogelsang, *Reichswehr*, S. 438f.

45 Vgl. das Schreiben Hindenburgs an Mackensen, 9. Februar 1932, BA Berlin, R 601/375, Bl. 6, in dem er sich ausdrücklich auf die ihm unangenehme Propaganda der »Ullstein-Blätter« für seine Person bezieht.

46 Staatssekretär Kempner an Meißner, 16. Februar 1932, BA Berlin, R 601/373, Bl. 126.

47 Vgl. Larry Eugene Jones, »Hindenburg and the Conservative Dilemma in the 1932 Presidential Elections«, in: *German Studies Review* 20 (1997), S. 235–259, hier S. 237; Dorpalen, *Hindenburg*, S. 268.

48 Vgl. das Protokoll der konstituierenden Sitzung der Hindenburg-Ausschüsse, 22. Februar 1932, in: Maurer, *Politik und Wirtschaft in der Krise*, S. 1291–1294.

49 Vgl. Jones, »Hindenburg«, S. 241.

50 Dazu gehörte etwa Robert Bosch. Er unterstützte massiv die württembergische Hindenburg-Kampagne, vgl. dazu sein Schreiben an Duisberg, 31. März 1932, Archiv der Bayer AG, Leverkusen, Autographensammlung Duisberg, Carl und Robert Bosch.

51 Dazu siehe Winkler, *Weg in die Katastrophe*, S. 511–532.

52 Brüning, *Memoiren*, S. 537, vgl. auch ebenda, S. 532f.

53 Entwurftext im BA Berlin, R 601/372, Bl. 106–112; vgl. auch das Schreiben Meißners an Pünder, 22. Februar 1932, ebenda, Bl. 105.

54 Reichstagsrede Brünings in: *Verhandlungen des Reichstags. V. Wahlperiode 1930*, Bd. 446, Zitat S. 2332; wie sehr sich Brüning seines bevorstehenden Schicksals bewußt war, geht auch aus seinen Memoiren hervor: Brüning, *Memoiren*, S. 529.

55 Diese Bedingung hatte Hindenburg am 28. Januar 1932 schriftlich formuliert, Abdruck dieses Schreibens ebenda, S. 518f.

56 Vgl. die Aufzeichnung Sahms über Hindenburgs Unterredung mit den Mitgliedern des Sahm-Ausschusses am 16. Februar 1932, in: Vogelsang, *Reichswehr*, S. 438.

57 Vgl. Gereke, *Landrat*, S. 182f.

58 Als Gereke im Juni 1933 wegen angeblicher Veruntreuung von Wahlkampfgeldern für die Reichspräsidentenwahl der Prozeß gemacht wurde, wollte Hindenburg davon allerdings nichts mehr wissen; vgl. hierzu eine Aufzeichnung Westarps über seine Vernehmung im zweiten Gereke-Prozeß am 12. Juni 1934, Familienarchiv der Freiherrn Hiller von Gaertringen, Nachlaß Westarp. Westarp hatte als Mitglied des Arbeitsausschusses eng mit Gereke kooperiert.

59 Vgl. Brüning, *Memoiren*, S. 533.

60 Vgl. seine persönlichen Darlegungen vom 25. Februar 1932, in: Matthias, »Hindenburg zwischen den Fronten«, S. 80.

61 Hindenburg an seine Tochter Irmengard von Brockhusen, 8. April 1932 (Privatbesitz).

62 Zum Zustandekommen des Dietramszeller Wahlergebnisses vgl. den umfangreichen Schriftwechsel im BA Berlin, R 601/376, Bl. 241–263; vgl. auch Brüning, *Memoiren*, S. 533.

63 Das ostpreußische Ergebnis nach Jürgen Falter, *Wahlen und Abstimmungen in der Weimarer Republik*, München 1986, S. 78f.

64 Vgl. auch sein Schreiben an Tochter Irmengard von Brockhusen, 8. April 1932 (Privatbesitz).

65 Vgl. dazu den Brief der Gräfin Westarp an Gertraude Freifrau Hiller von Gaertringen, 12. April 1932 (Familienarchiv der Freiherrn Hiller von Gaertringen, Nachlaß Westarp); siehe auch das Schreiben Hindenburgs an den Fürsten zu Dohna-Schlobitten, 12. April 1932, BA Berlin, R 601/375, Bl. 191.

66 Vgl. die Analyse bei Winkler, *Weg in die Katastrophe*, S. 528–531.

67 Vgl. Falter, *Wahlen und Abstimmungen*, S. 79.

68 Meißner, der sich zur Berichterstattung Ende Mai 1932 in Neudeck aufgehalten hatte, teilte diesen Ausbruch seinem Mitarbeiter Hoyningen-Huene mit, der dies am 28. Mai 1932 seinem Tagebuch anvertraute (Privatbesitz).

KAPITEL 29
Erste Etappe: die Entlassung Brünings

1 Vgl. die Darstellung bei Brüning, *Memoiren*, S. 541f.; siehe auch sein Schreiben an den Grafen Brünneck, 12. Oktober 1948, BA Koblenz, Kleine Erwerbungen 242/5, Bl. 31, sowie Hömig, *Brüning*, S. 525, und Wheeler-Bennett, *Titan*, S. 380f.

2 Abgedruckt in *Schulthess' Europäischer Geschichtskalender. Neue Folge* 48 (1932), S. 66.

3 Schreiben an den Grafen Stolberg-Wernigerode, auszugsweise zitiert in der Tagebucheintragung Hoyningen-Huenes vom 19. April 1932, Privatbesitz.

4 Hitlers Einschätzung des SA-Verbots gemäß einer Mitteilung des amerikanischen Zeitungskorrespondenten Mowrer, der am 14. April mit Hitler gesprochen hatte, an Staatssekretär Hans Schäffer, Tagebuch Schäffer, 15. April 1932, BA Koblenz, Kleine Erwerbungen 614/16, Bl. 34.

5 Vgl. Hürter, *Groener*, vor allem S. 335–343; Hömig, *Brüning*, S. 527.

6 *Akten der Reichskanzlei, Die Kabinette Brüning I und II*, S. 2434.

7 Vgl. das Schreiben Groeners an seinen Freund Gleich, 24. April 1932, in: Maurer, *Politik und Wirtschaft in der Krise*, S. 1407f., sowie eine aus dem Oktober 1932 stammende Aufzeichnung Groeners, abgedruckt bei Vogelsang, *Reichswehr*, S. 449–457; siehe auch Brüning, *Memoiren*, S. 543f.

8 Brüning, *Memoiren*, S. 544.

9 Vgl. dazu die Niederschrift Meißners zur Demission des Kabinetts Brüning, 14. Juni 1932, bei Hubatsch, *Hindenburg und der Staat*, S. 325, sowie die Einschätzung Groeners in seinem Schreiben an Gleich, 25. April 1932, in: Maurer, *Politik und Wirtschaft in der Krise*, S. 1408.

10 Zu diesem Kalkül vgl. Hindenburgs Schreiben an seine Tochter Irmengard von Brockhusen, 14. April 1932 (Privatbesitz).

11 Groener erklärte in der Besprechung mit Hindenburg am 12. April 1932 seine »volle Bereitschaft, die Verantwortung vor Parlament und Öffentlichkeit zu übernehmen«, Aufzeichnung Groeners, in: Vogelsang, *Reichswehr*, S. 453.

12 Vgl. auch die Einschätzung von Erwin Planck, dem Nachfolger Pünders als Staatssekretär der Reichskanzlei, in einem Hintergrundgespräch mit Hans Schäffer, 6. Juli 1932: »Hindenburg hat so viele Dynastien und Kabinette stürzen sehen, daß ihn diese Vorgänge innerlich gar nicht berühren«, Tagebuch Schäffer, Archiv des Instituts für Zeitgeschichte, München, ED 93/21, Bl. 647.

13 Vgl. Brüning, *Memoiren*, S. 550f.

14 Ebenda, S. 552.

15 Vgl. von der Schulenburg, *Welt um Hindenburg*, S. 129.

16 So die Auskunft Meißners vom 17. September 1934 auf eine entsprechende Anfrage, BA Berlin, R 601/145.

17 Abgedruckt in: Maurer, *Politik und Wirtschaft in der Krise*, S. 1383.

18 Näheres bei Hürter, *Groener*, S. 345–347; Ruge, *Hindenburg*, S. 352–354; Hömig, *Brüning*, S. 533–535.

19 Vgl. die Aufzeichnung Groeners über die Hintergründe seiner Demission, in: Vogelsang, *Reichswehr*, S. 455; Meißner beschrieb den Sachverhalt in seinem Schreiben an Groener vom 21. April 1932 zutreffend, dem Reichspräsidenten sei dieses Material von militärischer Seite aus »auf Anforderung« zugegangen, auszugsweise zitiert in: Maurer, *Politik und Wirtschaft in der Krise*, S. 1383, Anm. 5.

20 Zu seinem Profil vgl. Vogelsang, *Kurt von Schleicher*, sowie Gusy, »Kurt von Schleicher«.

21 Vgl. die Aufzeichnung Schleichers von Ende Februar 1932, in: Maurer, *Politik und Wirtschaft in der Krise*, S. 1299–1302; siehe auch Schleichers vertrauliche Äußerung zu Lersner am 10. März 1932, wonach die Rechte ihren »Eintritt in die Regierung mit einer beträchtlichen Zahl von Ministern durch Uneinigkeit und gegenseitiges Mißtrauen zum Scheitern gebracht« habe, mitgeteilt in Lersners Schreiben an Carl Bosch, 12. März 1932, BA Koblenz, Kleine Erwerbungen 591/8, Nr. 2, Bl. 93.

22 Schleicher zu Lersner, 10. März 1932, ebenda.

23 So auch Schulz, *Von Brüning zu Hitler*, S. 768.

24 Zur Bedeutung der Preußenwahl vgl. die persönlichen Darlegungen Hindenburgs vom 25. Februar 1932, bei Matthias, »Hindenburg zwischen den Fronten«, S. 80.

25 Siehe Falter, *Wahlen und Abstimmungen*, S. 101.

26 Vgl. die Tagebucheintragung Hoyningen-Huenes vom 23. April 1932, Privatbesitz.

27 Ausführungen Brünings auf der Sitzung des Reichsparteivorstands der Zentrumspartei, 8. Juni 1932, abgedruckt bei: Martin Schumacher, »Zwischen ›Einschaltung‹ und ›Gleichschaltung‹. Zum Untergang der Deutschen Zentrumspartei 1932/33«, in: *Historisches Jahrbuch* 99 (1979), S. 268–303, hier S. 294.

28 Ebenda, S. 293; vgl. zu den mehrfachen Bekundungen dieser Absicht auch die Aufzeichnung Meißners über die Hintergründe der Demission Brünings, 14. Juni 1932, bei Hubatsch, *Hindenburg und der Staat*, S. 324, sowie Brüning, *Memoiren*, S. 581.

29 Vgl. Brüning, *Memoiren*, S. 570f.; Rudolf Morsey, *Der Untergang des politischen Katholizismus*, Stuttgart 1977, S. 51; Schulz, *Von Brüning zu Hitler*, S. 776f.

30 Zu Hindenburgs Junktim zwischen der Regierungsbildung in Preußen und der Kabinettsumbildung im Reich vgl. seine Äußerung zu Brüning am 11. April 1932, mitgeteilt im Tagebuch Pünder, in: Pünder, *Politik in der Reichskanzlei*, S. 118; zum Gleichklang von Reich und Preußen vgl. auch die Tagebucheintragung von Quaatz, 6. Mai 1932, der darin über ein Gespräch mit Meißner berichtet, bei Hoser und Weiß, *Die Deutschnationalen*, S. 189.

31 Dazu die ausführliche Wiedergabe bei Brüning, *Memoiren*, S. 575–580.

32 So Brünings Ausführungen auf der Sitzung des Parteivorstands der Zentrumspartei, 8. Juni 1932, bei Schumacher, »Zwischen ›Einschaltung‹«, S. 294.

33 Vgl. Schulz, *Von Brüning zu Hitler*, S. 827–831.

34 Vgl. Brüning, *Memoiren*, S. 552 und S. 582.

35 Ebenda, S. 567.

36 Wichtigste Quelle hierzu sind Goebbels' Tagebucheintragungen vom 9. und 10. Mai 1932, in: Goebbels, *Tagebücher*, Bd. 2/II, S. 276–278.

37 Aktennotiz Meißners über den Empfang Brünings bei Hindenburg, 9. Mai 1932, bei Hubatsch, *Hindenburg und der Staat*, S. 319f.; zu dieser einschneidenden Begegnung am 9. Mai siehe auch die Niederschrift Meißners vom 14. Juni 1932, ebenda, S. 326, sowie das Tagebuch Pünders vom 9. Mai 1932, in: Pünder, *Politik in der Reichskanzlei*, S. 118f.

38 Brüning, *Memoiren*, S. 586.

39 Vgl. die Tagebucheintragung von Goebbels, 10. Mai 1932, in: Goebbels, *Tagebücher*, Bd. 2/II, S. 277.

40 Daher unterstrich Brüning in seiner Unterredung mit Hindenburg am 9. Mai 1932, daß er es begrüße, »wenn der Herr Reichspräsident die Initiative ergriffe und einen Appell an die Parteien zum Zusammenschluß der Gruppen vom Zentrum bis zu den Nationalsozialisten richten würde«, Aktennotiz Meißners, bei Hubatsch, *Hindenburg und der Staat*, S. 319.

41 Vgl. Brünings Ausführungen auf der Sitzung des Vorstands seiner Reichstagsfraktion, 9. Mai 1932, in: Morsey, *Protokolle*, S. 567.

42 Vgl. die deutlichen Worte in seiner persönlichen Darlegung vom 25. Februar 1932, bei Matthias, »Hindenburg zwischen den Fronten«, S. 81.

43 Vgl. Schulz, *Von Brüning zu Hitler*, S. 737f. und S. 752.

44 Warmbold an Hindenburg, 28. April 1932, in: *Akten der Reichskanzlei. Die Kabinette Brüning I und II*, S. 2475.

45 Vgl. hierzu die vertraulichen Mitteilungen Hammersteins an Lersner, mitgeteilt im Bericht Lersners an Carl Bosch, 7. Juni 1932, BA Koblenz, Kleine Erwerbungen 591/8, Nr. 3, Bl. 49f.; siehe auch die Einschätzung der Wehrmachtsabteilung vom 14. Juni 1932, abgedruckt in: Vogelsang, *Reichswehr*, S. 471.

46 Vgl. das Schreiben Levetzows an Göring, 5. Mai 1932, BA-MA Freiburg, Nachlaß Levetzow, Nr. 56, Bl. 129f.; vgl. auch Brüning, *Memoiren*, S. 587.

47 Vgl. Hürter, *Groener*, S. 348–350.

48 Zum Drängen Hindenburgs auf die Demission Groeners vgl. die Aufzeichnung Meißners vom 14. Juni 1932, bei Hubatsch, *Hindenburg und der Staat*, S. 327, sowie die Aufzeichnung Westarps vom 1. Juni 1932, der am 11. Mai ein Gespräch mit Hindenburg geführt hatte, in: Maurer, *Politik und Wirtschaft in der Krise*, S. 1514.

49 Groener an Gleich, 22. Mai 1932, in: Maurer, *Politik und Wirtschaft in der Krise*, S. 1470.

50 Vgl. die Niederschrift Meißners, 14. Juni 1932, bei Hubatsch, *Hindenburg und der Staat*, S. 327.

51 Vgl. die Aufzeichnung Groeners in: Vogelsang, *Reichswehr*, S. 456.

52 Vgl. Brüning, *Memoiren*, S. 588.

53 »Die Darstellung über Hintertreppeneinflüsse, Camarilla, Generalsforderungen und dergl. sind Presse- und Parteimärchen«, so die treffende Einschätzung in einer Orientierung der Wehrmachtsabteilung vom 14. Juni 1932, bei Vogelsang, *Reichswehr*, S. 471.

54 Ruge, der eifrig an der Legende vom maßgeblichen Einfluß der ostelbischen Junker auf Hindenburg strickt, dichtet Oldenburg hingegen ein »Skatspiel im Neudeckschen Herrenzimmer« an, vgl. Ruge, *Hindenburg*, S. 358.

55 Vgl. das Schreiben Oldenburgs an Gayl, 21. Mai 1932, in: Maurer, *Politik und Wirtschaft in der Krise*, S. 1469f., sowie Hömig, *Brüning*, S. 552f.

56 So die Auskunft im Schreiben Brünnecks an Brüning, 8. Juli 1948, BA Koblenz, Kleine Erwerbungen 242/5, Bl. 20–26, die sich mit den Angaben in der Niederschrift Meißners vom 10. Juni 1932 deckt, vgl. Hubatsch, *Hindenburg und der Staat*, S. 327; siehe auch die Angaben in einer Notiz Gayls vom 7. September 1936, abgedruckt in: Werner Conze, »Zum Sturz Brünings«, S. 278f. Auch im Schreiben an seine Tochter Irmengard vom 21. Mai 1932 (Privatbesitz) erwähnt Hindenburg allein einen Besuch Brünnecks in Neudeck.

57 Vgl. Hömig, *Brüning*, S. 554f.

58 Niederschrift Meißners, in: Hubatsch, *Hindenburg und der Staat*, S. 328; vgl. auch das Schreiben Meißners an den zuständigen Reichsminister Schlange-Schöningen, 26. Mai 1932, in: *Akten der Reichskanzlei. Die Kabinette Brüning I und II*, S. 2574f.

59 Hindenburg zu Meißner anläßlich von dessen Vortrag am 25. Mai gemäß einer Niederschrift Meißners vom 10. Juni 1932, in: Hubatsch, *Hindenburg und der Staat*, S. 328; diese Bedenken Hindenburgs waren bereits in einer Ministerbesprechung vom 21. Mai 1932 zur Sprache gebracht worden, vgl. das Sitzungsprotokoll in: *Akten der Reichskanzlei. Die Kabinette Brüning I und II*, S. 2553.

60 Dazu das Schreiben Groeners an Gleich, 25. April 1932, in: Maurer, *Politik und Wirtschaft in der Krise*, S. 1408; die Ausführungen des stellvertretenden Fraktionsvorsitzenden Joos auf der Fraktionssitzung des Zentrums, 1. Juni 1932, bei Morsey, *Protokolle*, S. 574; Brünings Ausführungen auf der Sitzung des Parteivorstandes der Zentrumspartei, 8. Juni 1932, bei Schumacher, »Zwischen ›Einschaltung‹«, S. 295; Brüning an Franz Mariaux, 8. November 1950, Harvard University Library, HUG FP 93.10, Box 22 – Folder Franz Mariaux; Brüning an Bernhard Schwertfeger, 6. Mai 1948, ebenda, Box 31 – Folder Bernhard Schwertfeger.

61 Hindenburg hat nach glaubhaften Zeugnissen Brüning Dritten gegenüber mehrfach als »Jesuit« bezeichnet, vgl. dazu die Briefe der Gräfin Ada Westarp an ihre Tochter Gertraude, 6. und 12. Dezember 1932, Familienarchiv der Freiherrn Hiller von Gaertringen, Nachlaß Westarp, Korrespondenz.

62 Niederschrift Meißners über die Demission des Kabinetts Brüning, 10. Juni 1932, bei Hubatsch, *Hindenburg und der Staat*, S. 328; vgl. auch Winkler, *Weg in die Katastrophe*, S. 571.

63 Über Brünings Unterredung mit Hindenburg existieren mehrere zeitgenössische Zeugnisse, die in der Tendenz übereinstimmen; besonders wichtig ist die Niederschrift Meißners über die Demission Brünings, 10. Juni 1932, bei Hubatsch, *Hindenburg und der Staat*, S. 329 (daraus auch die Zitate); vgl. weiterhin die Darstellung Brünings auf der Ministerbesprechung am 30. Mai 1932, in: *Akten der Reichskanzlei. Die Kabinette Brüning I und II*, S. 2585; die Rede des DVP-Vorsitzenden Dingeldey auf einer Sitzung seiner Reichstagsfraktion, 31. Mai 1932, in: Maurer, *Politik und Wirtschaft in der Krise*, S. 1511; die Ausführungen von Joos auf der Fraktionssitzung des Zentrums, 1. Juni 1932, in: Morsey, *Protokolle*, S. 573, sowie den vertraulichen Bericht des politischen Beauftragten des bayerischen Kronprinzen Rupprecht, Graf Oettingen, an den Kronprinzen, 12. Juni 1932, Hauptstaatsarchiv München, Geheimes Hausarchiv, Nachlaß Kronprinz Rupprecht 763.

64 Vgl. die Niederschrift Meißners, bei Hubatsch, *Hindenburg und der Staat*, S. 328.

65 So auch Vogelsang, *Reichswehr*, S. 200.

66 Brüning am 29. Mai zu Hindenburg gemäß seinen Ausführungen vor dem Parteivorstand des Zentrums, 8. Juni 1932, bei Schumacher, »Zwischen ›Einschaltung‹«, S. 295.

67 Ebenda, S. 294; vgl. auch die Tagebucheintragung Pünders vom 29. Mai 1932 über seine Unterredung mit Brüning, wonach Brüning Hindenburg darauf hingewiesen habe, »die Treue und Dankbarkeit gegen diese Wählerschaften dürfe sich nicht schon nach wenigen Wochen in dieser Weise zeigen«, in: Pünder, *Politik in der Reichskanzlei*, S. 129.

68 Ebenda, S. 294f.; vgl. auch Brünings Mitteilung an Hans Schäffer, 7. Juni 1932, gemäß dem Tagebuch Schäffer, BA Koblenz, Kleine Erwerbungen 614/17, Bl. 24.

69 Zur Reaktion Hindenburgs vgl. die Niederschrift Meißners, bei Hubatsch, *Hindenburg und der Staat*, S. 329; Pünder, *Politik in der Reichskanzlei*, S. 128f.; Brüning, *Memoiren*, S. 598f.; Protokoll der Ministerbesprechung vom 30. Mai, in: *Akten der Reichskanzlei. Die Kabinette Brüning I und II*, S. 2585.

70 Abgedruckt in: *Akten der Reichskanzlei. Die Kabinette Brüning I und II*, S. 2586.

71 Gemäß den Tagesnotizen Pünders vom 30. Mai 1932, abgedruckt ebenda, S. 2586, Anm. 4.

72 Schilderung dieser letzten persönlichen Begegnung mit Brüning in: Brüning, *Memoiren*, S. 601f.; fotografische Abbildung des Aufziehens der Skagerrakwache in: *Hindenburg als Mensch, Staatsmann, Feldherr*, hg. von Oskar Karstedt, Berlin 1932, S. 151.

KAPITEL 30
Verlegenheitslösung: die Berufung Papens

1 Auflage Hindenburgs gemäß der Aufzeichnung Schleichers, Ende Februar 1932, in: Maurer, *Politik und Wirtschaft in der Krise*, S. 1300.
2 Vgl. seine diesbezügliche Äußerung zu Einem am 12. Januar 1932 gemäß der Gesprächsniederschrift Einems, BA-MA Freiburg, Nachlaß Einem, Nr. 29, Bl. 2.
3 Siehe Brünings Äußerungen im Gespräch mit Hans Schäffer am 7. Juni 1932 gemäß dem Tagebuch Schäffers: als »im Innern rechtsgerichteter Mann« wäre er durchaus bereit gewesen, »mit den Nazis zusammenzugehen«, BA Koblenz, Kleine Erwerbungen 614/17, Bl. 28.
4 Vgl. zu seiner Person Hans Mommsen, »Carl Friedrich Goerdeler im Widerstand gegen Hitler«, in: *Politische Schriften und Briefe Carl Friedrich Goerdelers*, hg. von Sabine Gillmann und Hans Mommsen, Bd. 1, München 2003, S. XXXVII–LXV.
5 Vgl. dazu Brüning, *Memoiren*, S. 600; Tagebucheintragung Pünders vom 30. Mai 1932, Pünder, *Politik in der Reichskanzlei*, S. 129f.; Hömig, *Brüning*, S. 565f.; Vogelsang, *Reichswehr*, S. 199.
6 Goerdeler hatte im April 1932 Hindenburg seine diesbezüglichen Vorschläge in Gestalt einer Denkschrift zukommen lassen, abgedruckt bei Gillmann und Mommsen, *Politische Schriften*, S. 314–330.
7 Vgl. die Tagebucheintragung von Goebbels, 10. Mai 1932, in: Goebbels, *Tagebücher*, Bd. 2/II, S. 277.
8 Vgl. dazu die Aufzeichnung Westarps vom 1. Juni 1932, in: Maurer, *Politik und Wirtschaft in der Krise*, S. 1519, die bestätigt wird durch den Brief der Gräfin Westarp an ihre Tochter Gertraude, 31. Mai 1932, Familienarchiv der Freiherrn Hiller von Gaertringen, Nachlaß Westarp.
9 Vgl. die Aufzeichnung Westarps vom 1. Juni 1932, ebenda, S. 1516.
10 Vgl. auch Vogelsang, *Reichswehr*, S. 202.
11 Aufzeichnung Westarps vom 1. Juni 1932, in: Maurer, *Politik und Wirtschaft in der Krise*, S. 1516.
12 Tagebucheintragung Goebbels' vom 10. Mai 1932, in: Goebbels, *Tagebücher*, Bd. 2/II, S. 277; vgl. auch die Einschätzung der NS-Taktik in der Aufzeichnung Westarps, in: Maurer, *Politik und Wirtschaft in der Krise*, S. 1516, sowie im Brief der Gräfin Westarp an ihre Tochter Gertraude, 30. Mai 1932, Familienarchiv der Freiherrn Hiller von Gaertringen, Nachlaß Westarp.
13 Vgl. Brüning, *Memoiren*, S. 602, sowie die Tagebucheintragung Pünders vom 30. Mai 1932, in: Pünder, *Politik in der Reichskanzlei*, S. 130.
14 Zu dieser Absicht Hindenburgs vgl. auch die Mitteilung Meißners, mitgeteilt im Tagebuch Pünders vom 31. Mai 1932, ebenda, S. 131.
15 Aufzeichnung Westarps vom 1. Juni 1932, in: Maurer, *Politik und Wirtschaft in der Krise*, S. 1521; fast wortgleich die Angabe im Schreiben der Gräfin Westarp an ihre Tochter Gertraude, 31. Mai 1932: »Ich bin in einer furchtbaren Lage, wer soll nun Kanzler werden?« (Familienarchiv der Freiherrn Hiller von Gaertringen, Nachlaß Westarp); zur Lage Hindenburgs auch Vogelsang, *Reichswehr*, S. 204.
16 Vgl. zu Papen Joachim Petzold, *Franz von Papen*, München 1995, vor allem S. 15–31, sowie Wolfram Pyta, »Franz von Papen – Grenzgänger zwischen Unternehmertum und Poli-

tik«, in: *Adel als Unternehmer im bürgerlichen Zeitalter*, hg. von Manfred Rasch, Münster 2006, S. 289–307.

17 Vgl. das Schreiben Levetzows an Fürst Donnersmarck, 15. Dezember 1931, bei Granier, *Levetzow*, S. 324f.

18 So Kaas zu Pünder gemäß der Tagebucheintragung Pünders, 31. Mai 1932, in: Pünder, *Politik in der Reichskanzlei*, S. 132.

19 Vgl. dazu etwa den mit »freundschaftlichen Grüßen« schließenden Brief von Kaas an Papen, 20. Juni 1929, Sonderarchiv Moskau, Fonds 703 (Papen), Opis 1, Dela 54, Bl. 12f.

20 Franz von Papen, *Der Wahrheit eine Gasse*, München 1952, S. 134.

21 Am 28. Mai 1932 war sein Name auch in deutschnationale Kreise durchgesickert, die ansonsten bei der Regierungsbildung ausgeschaltet waren, vgl. die Tagebucheintragung von Quaatz, 28. Mai 1932, bei Weiß und Hoser, *Die Deutschnationalen*, S. 191.

22 Vgl. das Schreiben Papens an Schleicher, 21. Mai 1932, abgedruckt bei Vogelsang, *Reichswehr*, S. 457f.

23 Protokoll Meißners über den Empfang von Kaas bei Hindenburg, 31. Mai 1932, bei Hubatsch, *Hindenburg und der Staat*, S. 321, vgl. auch die Tagebucheintragung Pünders, den Kaas am 31. Mai über den Inhalt seines Gesprächs mit Hindenburg informierte, in: Pünder, *Politik in der Reichskanzlei*, S. 132f.

24 Vgl. den Entwurf eines Lageberichtes von Quaatz für Hugenberg, 1. Juni 1932, bei Weiß und Hoser, *Die Deutschnationalen*, S. 192f.

25 Vgl. Morsey, *Untergang*, S. 46; Papen, *Wahrheit*, S. 188; Ausführungen von Kaas auf der Sitzung des Reichsparteivorstandes, 8. Juni 1932, bei Schumacher, »Zwischen ›Einschaltung‹«, S. 295.

26 Vgl. die Ausführungen von Kaas, ebenda, S. 295; Papen, *Wahrheit*, S. 189, sowie die Niederschrift Meißners über die Demission Brünings, 10. Juni 1932, bei Hubatsch, *Hindenburg und der Staat*, S. 330.

27 Vgl. das Protokoll Meißners über diese Besprechung, ebenda, S. 321, sowie die Tagebucheintragungen von Goebbels, 31. Mai und 1. Juni 1932, in: Goebbels, *Tagebücher*, Bd. 2/II, S. 293f.

28 Führende Zentrumspolitiker haben dies klar erkannt, vgl. u.a. die Einschätzung Brünings gemäß der Aufzeichnung Westarps vom 1. Juni 1932, in: Maurer, *Politik und Wirtschaft in der Krise*, S. 1515f.; siehe auch die Sitzung des Fraktionsvorstands des Zentrums, 1. Juni 1932, bei Morsey, *Protokolle*, S. 572.

29 Vgl. Papen, *Wahrheit*, S. 190, sowie die Ausführungen des ungedienten Kaas auf der Sitzung des Reichsparteivorstands am 8. Juni 1932, der das Verhalten Papens mit dem eines »Offiziersburschen« verglich, bei Schumacher, »Zwischen ›Einschaltung‹«, S. 296.

30 Vgl. die Niederschrift Meißners über die Demission Brünings, 10. Juni 1932, bei Hubatsch, *Hindenburg und der Staat*, S. 331; Papen selbst spricht treffend von einem »von Schleicher vorbereiteten und nach den Wünschen Hindenburgs zusammengestellten Reichskabinett«, vgl. Franz von Papen, *Vom Scheitern einer Demokratie 1930–1933*, Mainz 1968, S. 205.

31 Undatiertes Memorandum Gayls, zitiert nach Dorpalen, *Hindenburg*, S. 316.

32 Zu Gayls Bedenken vgl. den Rückblick Goerdelers über seine Mitarbeit in der Reichspolitik 1931–1935, 9. Juli 1937, abgedruckt bei Gillmann und Mommsen, *Politische Schriften*, S. 249f.

33 Brauns Vorbehalte gegen die Übernahme des Ministerpostens im Rückblick Goerdelers,

ebenda, S. 249f.; zur Beziehung zwischen Braun und Hindenburg vgl. Braun, *Weg durch vier Zeitepochen*, S. 114–117.

34 Lutz Graf Schwerin von Krosigk, *Memoiren*, Stuttgart 1977, S. 139f.; vgl. auch die Tagebucheintragung Schäffers vom 4. Juni 1932, BA Koblenz, Kleine Erwerbungen 614/17, Bl. 9.

35 Vgl. Vogelsang, *Reichswehr*, S. 207, und Papen, *Wahrheit*, S. 192.

36 Siehe Papen, *Wahrheit*, S. 192.

37 Vgl. den Rückblick Goerdelers, bei Gillmann und Mommsen, *Politische Schriften*, S. 249f.

38 Zum Verhältnis zwischen Neurath und Hindenburg vgl. Zaun, *Hindenburg*, S. 369–371.

39 Zu diesen Hintergründen vgl. die Mitteilung von Staatssekretär Planck an Hans Schäffer, Tagebuch Schäffer, 12. August 1932, BA Koblenz, Kleine Erwerbungen 614/17a, Bl. 36f.

40 Zur komplizierten Entstehungsgeschichte dieses Kabinetts auch Vogelsang, *Reichswehr*, S. 208.

41 Vgl. das Protokoll der Ministerbesprechung vom 2. Juni 1932, in: *Akten der Reichskanzlei. Das Kabinett von Papen*, Bd. 1, bearb. von Karl-Heinz Minuth, Boppard 1989, S. 3–6; siehe auch Vogelsang, *Reichswehr*, S. 209.

42 Diese Auflösungsverordnung in: *Reichsgesetzblatt* 1932 I, S. 255.

43 Vgl. auch Geßler, *Reichswehrpolitik*, S. 352 und S. 510.

44 Vgl. die Aufzeichnung Meißners über Hindenburgs Besprechung mit den Staats- und Ministerpräsidenten Bayerns, Württembergs und Badens, 12. Juni 1932, in: *Akten der Reichskanzlei. Kabinett von Papen*, Bd. 1, S. 63–69.

45 Replik Hindenburgs auf die Kritik der süddeutschen Regierungschefs, ebenda, S. 67f.; vgl. hierzu auch Dirk Blasius, *Weimars Ende. Bürgerkrieg und Politik 1930–1933*, Göttingen 2005, S. 50f.

46 So Hindenburg auf der Besprechung vom 12. Juni 1932 gemäß einer Aufzeichnung des bayerischen Ministerpräsidenten Held vom 14. Juni, auszugsweise abgedruckt ebenda, S. 68, Anmerkung 19.

47 Vgl. Hitlers Bemerkungen anläßlich einer Tagung der NS-Presse- und Propagandaobleute am 31. März 1932 in Berlin gemäß dem Bericht eines Teilnehmers, des Hamburger Presseobmanns Albert Krebs, in: Albert Krebs, *Tendenzen und Gestalten der NSDAP*, Stuttgart 1959, S. 153.

48 Dieses Kalkül ist eindeutig ablesbar in den Tagebuchaufzeichnungen von Goebbels vom 3. bis 6. Juni 1932, in: Goebbels, *Tagebücher*, Bd. 2/II, S. 295–297; vgl. auch Blasius, *Weimars Ende*, S. 53–55.

49 Hindenburg »ist in seinem Wesen nicht treu«, so Groener am 17. Juni 1932 zu Hans Schäffer, BA Koblenz, Kleine Erwerbungen 614/17, Bl. 50.

50 Schreiben des bayerischen Generals Konrad Krafft von Dellmensingen an Herzog Albrecht von Württemberg, Anfang Dezember 1932, in: Archiv des Hauses Württemberg, Altshausen, G 331/873.

51 So die Einschätzung des neuen Leiters der Reichskanzlei, Erwin Planck, der als Nachfolger Pünders regelmäßigen Kontakt zu Hindenburg pflegte, in einem vertraulichen Gespräch mit Hans Schäffer, 6. Juli 1932, Tagebuch Schäffer, Archiv des Instituts für Zeitgeschichte, München, ED 93/21, Bl. 647.

52 Hitlers Einschätzung gemäß einer Tagebucheintragung von Goebbels am 3. Juni 1932, in: Goebbels, *Tagebücher*, Bd. 2/II, S. 296.

53 »Frage Preußen noch unentschieden«, so die Tagebucheintragung von Goebbels am 5. Juni 1932, ebenda, S. 297.

54 Vgl. seine bezeichnenden Tagebucheintragungen aus dem Zeitraum vom 8. Juli bis zum
    19. Juli 1932, ebenda, S. 316–323.
55 Zu solchen von Brüning und Braun unterstützten Reichsreformplänen vgl. Schulze, *Otto
    Braun*, vor allem S. 704f., 714–716 und S. 731f.; Gabriel Seiberth, *Anwalt des Reiches.
    Carl Schmitt und der Prozeß »Preußen contra Reich« vor dem Staatsgerichtshof*, Berlin 2001,
    S. 54–58.
56 Vgl. einen undatierten, wohl Ende Juli 1932 angefertigten Aktenvermerk Gayls, abgedruckt
    bei: Thomas Trumpp, *Franz von Papen, der preußisch-deutsche Dualismus und die NSDAP
    in Preußen*, Phil. Diss., Tübingen 1963, S. 210–212; siehe auch Schulz, *Von Brüning zu
    Hitler*, S. 918f.
57 Vgl. das Protokoll der Ministerbesprechung vom 11. Juli 1932, in: *Akten der Reichskanzlei.
    Kabinett von Papen*, Bd. 1, S. 204–208.
58 Nach den etwa 1936 entstandenen Erinnerungen Gayls, abgedruckt bei Trumpp, *Franz von
    Papen*, S. 214.
59 Diese zuverlässige Information teilte der Staatssekretär der Reichskanzlei, Planck, Hans
    Schäffer in einem vertraulichen Hintergrundgespräch am 28. Juli 1932 mit, in: Tagebuch
    Schäffer, BA Koblenz, Kleine Erwerbungen 614/17, Bl. 159.
60 Vgl. Vogelsang, *Reichswehr*, S. 243f.
61 Dieser Punkt wird herausgearbeitet bei Seiberth, *Anwalt des Reiches*, vor allem S. 157–160,
    S. 170–179.
62 So auch Irene Strenge, *Machtübernahme 1933 – Alles auf legalem Weg?*, Berlin 2002, S. 100f.
63 Vgl. hierzu auch Seiberth, *Anwalt des Reiches*, S. 130–136.
64 Ergebnis bei Falter, *Wahlen und Abstimmungen*, S. 73.
65 So der Bericht Schleichers auf der Kabinettssitzung vom 10. August 1932 über seine Ver-
    handlungen mit Hitler gemäß einer Aufzeichnung Meißners vom 11. August, bei Hubatsch,
    Hindenburg und der Staat, S. 337; vgl. auch Goebbels' Tagebucheintragung vom 7. August
    1932, in: Goebbels, *Tagebücher*, Bd. 2/II, S 334, sowie Vogelsang, *Reichswehr*, S. 256f., und
    Schulz, *Von Brüning zu Hitler*, S. 949f.
66 Hindenburg zu Papen am 10. August 1932 gemäß einer Aufzeichnung Meißners vom
    11. August, bei Hubatsch, *Hindenburg und der Staat*, S. 336.
67 So Hindenburg in einer Unterredung mit dem alldeutschen Fürsten Salm-Horstmar
    Anfang September 1932, wiedergegeben in einem Schreiben Salm-Horstmars an Claß,
    23. September 1932, abgedruckt bei Dirk Stegmann, »Zum Verhältnis von Großindustrie
    und Nationalsozialismus 1930–1933«, in: *Archiv für Sozialgeschichte* 13 (1973), S. 468.
68 Rundschreiben des »Stahlhelm«, 24. Februar 1932, in: Maurer, *Politik und Wirtschaft in der
    Krise*, S. 1305.
69 Gemäß der Aufzeichnung Meißners vom 11. August, bei Hubatsch, *Hindenburg und der
    Staat*, S. 337.
70 Vgl. Winkler, *Weg in die Katastrophe*, S. 698f.
71 So Hindenburg zu Papen am 10. August 1932 gemäß der Niederschrift Meißners vom
    11. August, bei Hubatsch, *Hindenburg und der Staat*, S. 336.
72 Vgl. dazu Brüning, *Memoiren*, S. 192 und S. 209f.; Hömig, *Brüning*, S. 178, sowie die Tage-
    bucheintragung Pünders vom 19. November 1930, in: Pünder, *Politik in der Reichskanzlei*,
    S. 75f.
73 Vgl. Jörg Biesemann, *Das Ermächtigungsgesetz als Grundlage der Gesetzgebung im natio-
    nalsozialistischen Staat*, Münster 1985, S. 29–37.

74 Siehe die Tagebucheintragung von Goebbels am 7. August 1932, in: Goebbels, *Tagebücher*, Bd. 2/II, S. 334.

75 So Hindenburg in der Unterredung mit Papen am 10. August 1932 gemäß der Niederschrift Meißners, bei Hubatsch, *Hindenburg und der Staat*, S. 336.

76 Wörtliche Äußerung gegenüber seinem Zweiten Adjutanten Wedige von der Schulenburg am 14. August 1932, überliefert im (verlorengegangenen) Tagebuch Schulenburgs und von dort übernommen in dessen Erinnerungen, BA-MA Freiburg, MSg 1/2779, Bl. 140; vgl. auch die August Wilhelm von Preußen zugetragene Äußerung Hindenburgs aus dem August 1932 gegenüber ostpreußischen Deutschnationalen: »Was will der kleine Gefreite gegen mich?«, wiedergegeben in einem Schreiben August Wilhelms an Hermine, der zweiten Gemahlin Wilhelms II., vom 7. September 1932, abgedruckt in: Willibald Gutsche und Joachim Petzold, »Das Verhältnis der Hohenzollern zum Faschismus«, in: *Zeitschrift für Geschichtswissenschaft* 29 (1981), S. 930.

77 Niederschrift Meißners, bei Hubatsch, *Hindenburg und der Staat*, S. 336.

78 Gürtner auf der Ministerbesprechung am Nachmittag des 10. August 1932, Protokoll in: *Akten der Reichskanzlei. Kabinett von Papen*, S. 385; in der Aussage identisch ist auch die Niederschrift des bei dieser Besprechung anwesenden Meißner vom 11. August, bei Hubatsch, *Hindenburg und der Staat*, S. 337.

79 Vgl. die Tagebucheintragungen von Goebbels, 12. und 13. August 1932, in: Goebbels, *Tagebücher*, Bd. 2/II, S. 337–340.

80 Zu dieser Offerte vgl. Tagebucheintragung Fabecks nach dem 13. August 1932 (Aufzeichnung Fabecks »Aus unserem Leben«, Bd. II, Privatbesitz); Mitteilung Plancks an Pünder gemäß der Tagebucheintragung Pünders vom 18. August 1932, in: Pünder, *Politik in der Reichskanzlei*, S. 141; Ausführungen Papens auf der Ministerbesprechung vom 15. August 1932, in: *Akten der Reichskanzlei. Kabinett von Papen*, S. 399; Schreiben Kronprinz Wilhelms an Hitler, 25. September 1932, in: Friedrich Wilhelm Prinz von Preußen, *Haus Hohenzollern*, S. 103.

81 Über die Unterredung vom 13. August 1932 existiert ein von Meißner verfaßtes Protokoll sowie eine von Hitler aufgesetzte Niederschrift, die in dem hier herangezogenen Punkt sachlich nicht voneinander abweichen; beide Protokolle in: *Akten der Reichskanzlei. Kabinett von Papen*, S. 391–396, Zitat S. 394.

82 Protokoll Meißners, ebenda, S. 391.

83 Hindenburg sprach Hitler ausdrücklich Vaterlandsliebe zu, Protokoll Hitlers, ebenda, S. 394.

84 Protokoll Meißners, ebenda, S. 391f.

85 Vgl. die Tagebucheintragung von Goebbels, 14. August 1932, in: Goebbels, *Tagebücher*, Bd. 2/II, S. 340.

86 Ebenda; vgl. auch die Mitteilung Plancks zu Pünder, mitgeteilt im Tagebuch Pünders vom 18. August 1932, in: Pünder, *Politik in der Reichskanzlei*, S. 141.

87 Protokoll Hitlers über die Besprechung am 13. August 1932, in: *Akten der Reichskanzlei. Kabinett von Papen*, S. 395.

KAPITEL 31
Präsidialregierung auf Konfrontationskurs

1 Kurzbericht über die Besprechung zwischen Hindenburg und Papen am 13. August 1932, in: *Schulthess' Europäischer Geschichtskalender. Neue Folge 48* (1932), S. 140.

2 Vgl. das Protokoll der Ministerbesprechung vom 15. August 1932, in: *Akten der Reichskanzlei. Kabinett von Papen*, S. 398–404.

3 Überblick über diese Maßnahmen bei Ulrike Hörster-Philipps, *Konservative Politik in der Endphase der Weimarer Republik. Die Regierung Franz von Papen*, Köln 1982, S. 302 bis 310.

4 Vgl. das Protokoll der Ministerbesprechung vom 26. August 1932, in: *Akten der Reichskanzlei. Kabinett von Papen*, S. 445–447.

5 Vgl. das Protokoll der Ministerbesprechung vom 27. August 1932, ebenda, S. 459–461.

6 Protokoll der Besprechung Hindenburgs mit Papen, Schleicher und Gayl in Neudeck, 30. August 1932, ebenda, S. 474.

7 Vgl. Winkler, *Weg in die Katastrophe*, S. 638f.

8 Rede Hitlers auf einer NS-Versammlung in München, 7. September 1932, in: *Hitler. Reden, Schriften, Anordnungen*, Bd. 5, 1, S. 349; vgl. auch Ruge, *Hindenburg*, S. 375f.

9 Hierzu Paul Kluke, »Der Fall Potempa«, in: *Vierteljahrshefte für Zeitgeschichte* 5 (1957), S. 279–297; Blasius, *Weimars Ende*, S. 89–94.

10 Vgl. dazu eine Mitteilung von Staatssekretär Planck gegenüber Hans Schäffer, 22. August 1932, Tagebuch Schäffer, BA Koblenz, Kleine Erwerbungen 614/17a, Bl. 76.

11 Vgl. hierzu die Tagebucheintragungen von Goebbels vom 26. bis 30. August 1932, in: Goebbels, *Tagebücher*, Bd. 2/II, S. 347–352; Brüning, *Memoiren*, S. 622–624; Schulz, *Von Brüning zu Hitler*, S. 968–971; Morsey, *Untergang*, S. 61–63.

12 Dazu eingehend Winkler, *Weimar*, insbesondere S. 520, 549f. und S. 581ff.; Pyta, »Konstitutionelle Demokratie«; Ernst Rudolf Huber, *Deutsche Verfassungsgeschichte seit 1789*, Bd. 7: *Ausbau, Schutz und Untergang der Weimarer Republik*, Stuttgart 1984, S. 1076–1079.

13 Für eine solche Lösung hatte sich Gayl schon in der Ministerbesprechung vom 10. August 1932 eingesetzt, vgl. *Akten der Reichskanzlei. Kabinett von Papen*, S. 382, vgl. auch die bei Trumpp, *Papen*, S. 217, abgedruckte Niederschrift Gayls.

14 Zu dieser Unterredung vgl. das Schreiben Levetzows an Donnersmarck, 6. September 1932, BA-MA Freiburg, Nachlaß Levetzow, Nr. 83, Bl. 300–302; Tagebucheintragungen von Goebbels, 29. und 30. August 1932, in: Goebbels, *Tagebücher*, Bd. 2/II, S. 351f.

15 Dazu auch Volker Hentschel, *So kam Hitler*, Düsseldorf 1980, S. 71f.

16 Dazu eingehend Pyta, »Verfassungsumbau«.

17 Tagebucheintragungen von Goebbels vom 26. bis zum 31. August 1932, in: Goebbels, *Tagebücher*, Bd. 2/II, S. 347–353.

18 Reichstagsrede Görings vom 30. August 1932, in: *Verhandlungen des Reichstags. VI. Wahlperiode 1932*, Bd. 454, S. 10.

19 Morsey, *Untergang*, S. 61–63.

20 Vgl. dazu die Niederschrift Meißners, 30. August 1932, in: *Akten der Reichskanzlei. Kabinett von Papen*, Bd. 1, S. 474–477.

21 In der Presse war bereits eine Ministerliste aufgetaucht, die Hindenburg nur noch abzusegnen hätte, vgl. den Hintergrundbericht im bestens informierten *Berliner Börsen-Courier* Nr. 401 vom 28. August 1932: Josef Adolf Bondy, »Kritische Tage«.

22 Göring hatte dies in eine höfliche, aber eindeutige Form gekleidet: Er sei »fest davon überzeugt, daß der Herr Reichspräsident nur gemäß der von ihm an dieser Stelle beschworenen Verfassung verfahren wird«: *Verhandlungen des Reichstags, VI. Wahlperiode 1932,*
Bd. 454, S. 10.

23 Rede Görings, ebenda, S. 10.

24 Zur Reaktion Hindenburgs vgl. die Bemerkungen des Augenzeugen Gayl gegenüber dem
deutschnationalen Reichstagsabgeordneten Freytagh-Loringhoven, 1. September 1932,
gemäß einer vertraulichen Gesprächsaufzeichnung Freytaghs, BA Koblenz, Nachlaß Hugenberg, Nr. 36, Bl. 191; siehe auch: »Hindenburg kommt erst nächste Woche«, in: *Berliner
Börsen-Courier* Nr. 406 vom 31. August 1932.

25 Zum Verlauf der Unterredung vgl. die Aufzeichnung Meißners, in: *Akten der Reichskanzlei. Kabinett von Papen,* Bd. 2, S. 527–529.

26 Schon am 1. September 1932 hatte die DNVP sich der Reichsregierung hierzu angeboten,
vgl. die Unterredung Freytagh-Loringhovens mit Gayl, BA Koblenz, Nachlaß Hugenberg,
Nr. 36, Bl. 191, sowie die »vertraulichen Bemerkungen zur Lage« vom 1. September 1932,
mit denen der Geschäftsführer des Arbeitsausschusses Deutschnationaler Industrieller,
Scheibe, den Mitgliedern seines Kreises Hintergrundinformationen zuleitete, in: Staatsarchiv Hamburg, Bestand Firma Blohm und Voss 1221.

27 Unterredung Hindenburgs mit dem Reichstagspräsidium, 9. September 1932, in: *Akten der
Reichskanzlei. Kabinett von Papen,* Bd. 2, S. 529.

28 Vgl. das Protokoll der Neudecker Besprechung, ebenda, Bd. 1, S. 478.

29 Näheres dazu bei Wolfram Pyta und Gabriel Seiberth, »Die Staatskrise der Weimarer Republik im Spiegel des Tagebuchs von Carl Schmitt«, in: *Der Staat* 38 (1999), S. 423–448
und S. 594–610, hier S. 598f.

30 Vgl. dazu Eberhard Kolb und Wolfram Pyta, »Die Staatsnotstandsplanung unter den
Regierungen Papen und Schleicher«, in: Eberhard Kolb, *Umbrüche deutscher Geschichte
1866/71 – 1918/19 – 1929/33,* München 1993, S. 331–358.

31 So Papen auf der Neudecker Besprechung, in: *Akten der Reichskanzlei. Kabinett von Papen,*
Bd. 1, S. 477.

32 Vgl. die Ausführungen Papens und Gayls, ebenda, S. 477f.

33 Vgl. die verfassungshistorische Einordnung bei Gusy, *Reichsverfassung,* S. 454; Hans-Ernst
Folz, *Staatsnotstand und Notstandsrecht,* Köln 1962, vor allem S. 81–83, und insbesondere
Peter Blomeyer, *Der Notstand in den letzten Jahren von Weimar,* Berlin 1999, insbesondere
S. 248–358.

34 Blomeyer, *Notstand,* S. 276–288; Lutz Berthold, *Carl Schmitt und der Staatsnotstandsplan
am Ende der Weimarer Republik,* Berlin 1999, S. 33f.; Winkler, *Weg in die Katastrophe,* S. 713.

35 Zu Schmitts Demokratiekonzeption vgl. die glänzenden Ausführungen von Oliver Lepsius, »Staatstheorie«, vor allem S. 377–382.

36 Carl Schmitt, *Legalität und Legitimität,* München/Leipzig 1932, S. 93.

37 Diesen Ausdruck gebrauchte gemäß dem von Meißner verfaßten Protokoll der Neudecker
Besprechung Reichsinnenminister Gayl; insgesamt vier Mal beriefen sich Papen und Gayl
auf den vermeintlichen Willen des »Volkes«: *Akten der Reichskanzlei. Kabinett von Papen,*
Bd. 1, S. 477f.

38 Darauf berief sich ausdrücklich Papen bei seinem Werben um Hindenburgs Zustimmung, ebenda, S. 477.

39 Zu Michaels Rolle vgl. Pyta, »Verfassungsumbau«, S. 178–182.

40 Horst Michael und Karl Lohmann, *Der Reichspräsident ist Obrigkeit!*, Hamburg 1932, vor allem S. 71–77.

41 Zu diesbezüglichen Plänen vgl. die Tagebuchaufzeichnung Hans Schäffers, 22. August 1932, Archiv des Instituts für Zeitgeschichte, ED 93/22, Bl. 775.

42 »Präsidial-Kabinett«, in: *Vossische Zeitung* vom 17. August 1932, Abendausgabe; zur Inspiration dieses Artikels durch Meißner vgl. die Information des Chefredakteurs der *Vossischen Zeitung*, Reiner, auf der Ullstein-Redaktionskonferenz vom 22. August 1932, Tagebucheintragung von Hans Schäffer, Archiv des Instituts für Zeitgeschichte, ED 93/22, Bl. 777.

43 Vgl. das Dankschreiben Hindenburgs an Michael, 27. August 1932 (Privatbesitz Erna Michael).

44 Vgl. vor allem ein Schreiben Meißners an Michael, 2. März 1932, und einen Brief Michaels an Meißner, 9. März 1932, BA Berlin, R 601/376, Bl. 132 und Bl. 139f.

45 Horst Michael, »›Legal‹ und ›legitim‹«, in: *Berliner Börsen-Courier* Nr. 403 vom 30. August 1932.

46 »Um Nachteil vom deutschen Volke abzuwenden«, erklärte sich Hindenburg gemäß dem Protokoll Meißners zur verfassungswidrigen Verschiebung von Neuwahlen bereit, siehe *Akten der Reichskanzlei. Kabinett von Papen*, Bd. 1, S. 478.

47 Vgl. die entsprechenden Reden der Fraktionsvorsitzenden des Zentrums (Lauscher) und der NSDAP (Kube), in: *Sitzungsberichte des Preußischen Landtags. 4. Wahlperiode.* Bd. 1, Sp. 1408–1417.

48 Vgl. dazu das Protokoll der Neudecker Besprechung, in: *Akten der Reichskanzlei. Kabinett von Papen*, Bd. 1, S. 478f.

49 So auch Huber, *Deutsche Verfassungsgeschichte*, Bd. 7, S. 1108.

50 Dazu siehe das streng geheime Protokoll einer Besprechung zu Fragen der Reichsreform vom 28. September 1932, in: *Akten der Reichskanzlei. Kabinett von Papen*, Bd. 2, S. 716–719.

51 *Sitzungsberichte des Preußischen Landtags. 4. Wahlperiode*, Bd. 1, Sp. 1418.

52 Vgl. die Reden der Abgeordneten Stendel (DVP) und Nuschke (Staatspartei), ebenda, Sp. 1442 und Sp. 1448.

53 Ebenda, Sp. 1443.

54 Die tiefe Abneigung August Wilhelms gegen Hindenburg wird deutlich bei Machtan, *Kaisersohn*, vor allem S. 258–263.

55 NSDAP, KPD, Zentrum und BVP verfügten nach der Reichstagswahl vom 31. Juli 1932 über 416 der insgesamt 608 Reichstagsmandate.

56 Vgl. die eindeutigen Tagebuchaufzeichnungen von Goebbels in der Zeit vom 31. August bis zum 11. September 1932, in: Goebbels, *Tagebücher*, Bd. 2/II, S. 354–361.

57 Vgl. die Tagebucheintragungen von Goebbels vom 9. und 11. September 1932, ebenda, S. 359 und S. 361; siehe weiterhin Morsey, *Untergang*, S. 65f.

58 Vgl. Brüning, *Memoiren*, S. 625f., sowie das Protokoll der Vorstandssitzung der Zentrumsfraktion, 12. September 1932, bei Morsey, *Protokolle*, S. 585–589.

59 Vgl. die Vorstandssitzung der Zentrumsfraktion, ebenda, S. 587, sowie die Tagebucheintragung von Goebbels vom 9. September 1932, in: Goebbels, *Tagebücher*, Bd. 2/II, S. 359.

60 Vgl. hierzu Schulz, *Von Brüning zu Hitler*, S. 993f.; Huber, *Verfassungsgeschichte*, Bd. 7, S. 1092–1100.

61 Fotografische Wiedergabe dieses Dokuments bei Hentschel, *So kam Hitler*, S. 77.

62 Vgl. den Bericht Meißners in der Ministerbesprechung vom 12. September 1932, in: *Akten*

der Reichskanzlei. Kabinett von Papen, Bd. 2, S. 544; siehe auch Meißners Bericht über die Genese eines Briefwechsels zwischen Hindenburg und Göring vom 13. September, ebenda, S. 576–578, sowie Huber, *Verfassungsgeschichte*, Bd. 7, S. 1103–1106.

63 So konnte der DVP-Parteivorsitzende Dingeldey in einer Rede vor dem Zentralvorstand seiner Partei am 9. Oktober 1932 ausdrücklich auf solche Pläne Bezug nehmen, siehe Kolb und Richter, *Nationalliberalismus*, S. 1221.

64 Vgl. das Protokoll der Ministerbesprechung vom 14. September 1932, in: *Akten der Reichskanzlei. Kabinett von Papen*, Bd. 2, S. 581–583, sowie Brüning, *Memoiren*, S. 625f., und Jörg-Detlef Kühne, »Verfassungsanklagen gegen Gubernativspitzen – rechtstatsächliche und vergleichende Brauchbarkeitserwägungen«, in: *Festschrift für Dimitris Th. Tsatsos*, hg. von Peter Häberle u.a., Baden-Baden 2003, S. 279–302.

65 Vgl. Seiberth, *Anwalt des Reiches*, S. 145–173.

66 Vgl. dazu die treffende Bemerkung von Carl Bilfinger, einem der Prozeßvertreter des Reiches, in einem Schreiben an Carl Schmitt, 21. Oktober 1932, in: Hauptstaatsarchiv Düsseldorf, Nachlaß Carl Schmitt, RW 265–1372.

67 So Carl Schmitt in einem Interview für den Südwestfunk am 6. Februar 1972, abgedruckt in: Piet Tommissen, »Over en in zake Carl Schmitt«, in: *Eclectica* 5 (1975), S. 89–109, hier S. 97.

68 Vgl. Seiberth, *Anwalt des Reiches*, S. 173–179.

69 Vgl. das Interview Schmitts vom 6. Februar 1972, bei Tommissen, »Over en«; siehe auch eine von Schmitts Mitarbeiter Ernst Rudolf Huber übermittelte Stellungnahme Hindenburgs zum Leipziger Urteilsspruch in Hubers Schreiben an Karl Thieme, 9. Januar 1933, in: Archiv des Instituts für Zeitgeschichte, München, Nachlaß Thieme, ED 163/38.

KAPITEL 32
Auf dem Weg zu Hitlers Kanzlerschaft

1 Vgl. v. Hoegen, *Held von Tannenberg*, S. 351f.

2 Abbildung bei Willy Stiewe, *So sieht uns die Welt. Deutschland im Bild der Auslandspresse*, Berlin 1933, S. 15.

3 Joseph Goebbels, »Zum 85. Geburtstag«, in: *Der Angriff* Nr. 199 vom 1. Oktober 1932; vgl. auch seine Tagebucheintragung vom 1. Oktober 1932, in: Goebbels, *Tagebücher*, Bd. 2/III, München 2006, S. 29.

4 Oskar Karstedt (Hg.), *Paul von Hindenburg als Mensch, Staatsmann, Feldherr*, Berlin 1932; vgl. vor allem das Geleitwort des Herausgebers, ebenda, S. 10.

5 Ernst von Eisenhart Rothe, »Hindenburg als Feldherr«, ebenda, S. 11–38.

6 Wie zufrieden Meißner mit diesem Beitrag war, geht aus einer Notiz für Reichspressechef Marcks vom 19. Januar 1933 hervor, in: Bundesarchiv Berlin, R 601/49.

7 Erich Marcks, »Hindenburg«, in: *Süddeutsche Monatshefte* 29 (1932), S. 451–455.

8 Marcks an Hindenburg, 5. März 1932, in: Bundesarchiv Berlin, R 601/375.

9 Vgl. seine Schreiben an Tochter Irmengard vom 16. Februar und 8. April 1932 (Privatbesitz).

10 Erich Marcks, »Hindenburg als Mensch und Staatsmann«, in: *Paul von Hindenburg als Mensch, Staatsmann, Feldherr*, hg. von Oskar Karstedt, Berlin 1932, S. 39–76.

11 Ebenda, S. 58.

12 Dazu paßt die Aussage Hindenburgs in einem Schreiben an seine Tochter Irmengard vom 8. April 1932: »Selbst ein Bismarck hat einst den pommerschen Granden nicht genügt; sie glaubten viel klüger zu sein« (Privatbesitz).

13 Marcks, »Hindenburg als Mensch«, S. 75.

14 Zu solchen Verfassungsplänen vgl. Kolb und Pyta, »Staatsnotstandsplanung«, S. 336f.

15 Vgl. Winkler, *Weimar*, S. 524f.

16 Abdruck der Papen-Rede in: *Akten der Reichskanzlei. Kabinett von Papen*, Bd. 2, S. 754–764, Zitate S. 761f. und S. 764.

17 Vgl. das Protokoll der Ministerbesprechung vom 9. November 1932, ebenda, S. 901–907.

18 Vgl. dazu einen Vermerk des bayerischen Bevollmächtigten Sperr über ein Gespräch mit Papen, 1. Dezember 1932, abgedruckt bei Vogelsang, *Reichswehr*, S. 483.

19 Tagebucheintragung von Quaatz vom 15. November 1932 über ein Gespräch mit Meißner, bei Weiß und Hoser, *Die Deutschnationalen*, S. 210.

20 Vgl. die »Autobiographischen Aufzeichnungen« des Kronprinzen Rupprecht, ausgewertet bei: Dieter J. Weiß, *Kronprinz Rupprecht von Bayern (1869–1955). Eine politische Biographie*, Regensburg 2007, S. 262; inhaltlich decken sich damit auch die Ausführungen Papens in: Papen, *Vom Scheitern*, S. 272–274.

21 Vgl. dazu Machtan, *Kaisersohn*, S. 221–279.

22 Vgl. Erwein von Aretin, *Krone und Ketten*, München 1955, S. 112–115.

23 Entsprechend äußerte sich Papen am 12. Oktober 1932 bei seinem Münchner Besuch gegenüber Forstrat Escherich, einem Vertrauten des Kronprinzen, vgl. das Schreiben Escherichs an Fromm, 13. Oktober 1932, in: Bayerisches Hauptstaatsarchiv München, Nachlaß Escherich 37; vgl. auch eine Unterredung zwischen Escherich und Kronprinz Rupprecht am 7. November 1932 gemäß der Tagebuchaufzeichnung Escherichs vom 7. November, in: BA Koblenz, Kleine Erwerbungen 846/13.

24 Tagebucheintragung Schmitts vom 1. April 1933, in: Hauptstaatsarchiv Düsseldorf, Nachlaß Carl Schmitt, RW 265/21640.

25 Vgl. dazu das Schreiben Magnus von Levetzows an seinen Vetter William, 22. Dezember 1932, BA-MA Freiburg, Nachlaß Levetzow, Nr. 92, Bl. 34.

26 Vgl. Michael und Lohmann, *Reichspräsident ist Obrigkeit*, S. 12; Horst Michael, »Reichspräsident und Reichswehr«, in: *Der Ring* 5 (1932), S. 211f.; Gerhard Günther, *Das werdende Reich*, Hamburg 1932, S. 179; Rundschreiben 2 (1932) des »Deutschen Herrenclubs«, 15. März 1932, in: Landeshauptarchiv Schwerin, Bestand Herrengesellschaft Mecklenburg, Nr. 10.

27 Vgl. das Schreiben des Vorsitzenden der Herrengesellschaft Mecklenburg, von Oertzen, an Klüchzner, 17. November 1932, ebenda, Nr. 11.

28 Im Gespräch mit Papen am 12. Oktober 1932, vgl. Weiß, *Kronprinz Rupprecht*, S. 262.

29 Ebenda; vgl. auch Papen, *Vom Scheitern*, S. 273.

30 Vgl. Machtan, *Kaisersohn*, S. 243f.; vgl. auch die auf Brüning zurückgehende Information in einem Schreiben der Gräfin Westarp an ihre Tochter Gertraude, 29. Januar 1933, Familienarchiv der Freiherrn Hiller von Gaertringen, Nachlaß Westarp.

31 Vgl. den Bericht »Umtriebe des Exkronprinzen«, in: *Vorwärts* Nr. 480 vom 11. Oktober 1932; dieser Bericht ging auf vertrauliche Informationen zurück, die dem SPD-Fraktionsvorsitzenden im Reichstag, Breitscheid, zugespielt worden waren; vgl. dazu drei Niederschriften Breitscheids vom 8., 11. und 14. Oktober 1932, in: Archiv der Sozialen Demokratie, Bonn, Bestand ADGB, Mappe 9; siehe auch die Tagebuchnotiz des Potsdamer Regie-

rungspräsidenten Jaenicke über ein Gespräch mit dem Stellvertreter Meißners, Doehle, 17. November 1932, in: BA Koblenz, Nachlaß Jaenicke, Nr. 59.

32 Vgl. die Tagebucheintragung Ilsemanns vom 18. Juli 1932, in: Ilsemann, *Monarchie und Nationalsozialismus*, S. 199.

33 Dazu vgl. einen Brief Mackensens an seinen Sohn Hans Georg, 18. November 1932 (Privatbesitz); siehe auch Schwarzmüller, *Mackensen*, S. 258f.

34 Vgl. dazu auch einen vertraulichen Bericht eines Gewährsmanns des Ullstein-Verlags, 21. Oktober 1932, Archiv des Instituts für Zeitgeschichte, Nachlaß Hans Schäffer, ED 93/38.

35 Mackensen an seinen Sohn Hans Georg, 18. November 1932 (Privatbesitz).

36 Vgl. Hitlers Schreiben an Oberst Walter von Reichenau, 4. Dezember 1932, in: *Hitler. Reden, Schriften, Anordnungen*, Bd. 5, Teil 2, S. 236–247.

37 Vgl. Pyta, »Franz von Papen«.

38 Zur Eingabe und deren Bewertung vgl. Manfred Asendorf, »Hamburger Nationalklub«; Henry Ashby Turner, *Die Großunternehmer und der Aufstieg Hitlers*, Berlin 1985, S. 364 bis 366; Petzold, *Franz von Papen*, S. 119–134.

39 Abdruck der Bittschrift bei Eberhard Czichon, *Wer verhalf Hitler zur Macht?*, Köln 1967, S. 69–71; hier auch die weiteren Zitate.

40 Vgl. hierzu das Schreiben des Hamburger Reeders Krogmann, der in Hamburg für die Unterzeichnung der Petition warb, an den Hamburger Kaufmann Sloman, 10. November 1932, in: Staatsarchiv Hamburg, Familie Krogmann I, Carl Vincent Krogmann, C 8.

41 Vgl. etwa Hindenburgs Äußerungen in seiner Unterredung mit Hugenberg, 18. November 1932, in: *Akten der Reichskanzlei. Kabinett von Papen*, Bd. 2, S. 973f.

42 So der Hamburger Chinakaufmann Erwin Merck, ebenfalls ein Unterzeichner, an Krogmann, 14. November 1932, in: Staatsarchiv Hamburg, Familie Krogmann I, Carl Vincent Krogmann, C 8.

43 Krogmann an Wilhelm Keppler, 5. November 1932, ebenda, Akte C 7/2.

44 Hierzu ausführlich Pyta, »Dorfgemeinschaft«, vor allem S. 324–432.

45 Vgl. das Schreiben Meißners an Reinhart, 19. November 1932, abgedruckt bei Czichon, *Wer verhalf Hitler zur Macht?*, S. 71.

46 Protokoll dieses Gesprächs vom 19. November 1932 in: *Akten der Reichskanzlei. Kabinett von Papen*, Bd. 2, S. 984–986.

47 Ebenda, S. 986.

48 Ebenda, S. 985.

49 Ebenda, S. 984; siehe auch die Mitteilung des glänzend informierten Chefredakteurs der *Vossischen Zeitung*, Reiner, auf der Redaktionskonferenz des Ullstein-Verlags am 19. November, in: Tagebuch Schäffer, BA Koblenz, Kleine Erwerbungen 614/17b, Bl. 119.

50 Das Kabinett Papen verknüpfte seine Gesamtdemission von Anfang an mit der Hoffnung, nach den Gesprächen Hindenburgs mit den Parteiführern, von deren Mißlingen man ausging, erneut mit der Regierung beauftragt zu werden, vgl. dazu die Protokolle der Ministerbesprechungen vom 17. und 18. November 1932, in: *Akten der Reichskanzlei. Kabinett von Papen*, Bd. 2, S. 956–964.

51 Protokoll Meißners, ebenda, S. 986; vgl. auch die Mitteilung Reiners auf der Redaktionskonferenz des Ullstein-Verlags gemäß dem Tagebuch Schäffers vom 19. November 1932, BA Koblenz, Kleine Erwerbungen 614/17b, Bl. 119.

52 Hitler zu Hindenburg in der Unterredung am 19. November 1932, in: *Akten der Reichskanzlei. Kabinett von Papen*, Bd. 2, S. 986.

53 Protokoll dieser Unterredung ebenda, S. 973f.
54 Protokoll der Besprechung Hindenburgs mit Kaas, ebenda, S. 976; vgl. hierzu auch Morsey, *Untergang*, S. 74f.
55 So Hindenburg im Gespräch mit Dingeldey am 18. November gemäß den Ausführungen Dingeldeys auf einer Fraktionssitzung der DVP am Tag darauf, ebenda, S. 979, Anm. 4.
56 So die treffende Einschätzung Meißners gegenüber Pünder, 15. Oktober 1932, in: Pünder, *Politik in der Reichskanzlei*, S. 153.
57 Vgl. die Unterredung Hindenburgs mit Hugenberg, 18. November 1932, in: *Akten der Reichskanzlei. Kabinett von Papen*, Bd. 2, S. 973f.
58 Vgl. dazu das Schreiben Kepplers an Helfferich und Krogmann, 12. November 1932, in: Staatsarchiv Hamburg, Familie Krogmann I, Carl Vincent Krogmann, Unterakte C 7/2; so auch die Einschätzung von Petzold, *Franz von Papen*, S. 123.
59 Diese Äußerung machte Meißner in einem Gespräch mit Quaatz, bei Weiß und Hoser, *Die Deutschnationalen*, S. 211; ähnlich auch die Aussage des der DNVP-Fraktion angehörenden Landwirtes Franz Schenk Freiherr von Stauffenberg in der Sitzung seiner Fraktion am 5. Dezember 1932 gemäß stenographischen Aufzeichnungen seines Fraktionskollegen Spahn, BA Koblenz, Nachlaß Spahn, Nr. 175.
60 Vgl. die Mitteilung Meißners an Quaatz, ebenda, S. 212; vgl. auch die Tagebucheintragung von Hans Schäffer, 20. November 1932, BA Koblenz, Kleine Erwerbungen 614/17b, Bl. 121.
61 So der schriftlich formulierte Kernsatz einer »Darlegung«, die Hindenburg Hitler am 21. November 1932 übergab, in: *Akten der Reichskanzlei. Kabinett von Papen*, Bd. 2, S. 988.
62 Vgl. ebenda, S. 991.
63 Deswegen verglich Hitler seinen Auftrag auch mit der Lage des zweiten Brüning-Kabinetts, vgl. Hitlers Schreiben vom 21. November an Meißner, ebenda, S. 991, Anm. 6.
64 Vgl. ebenda, S. 991; Tagebuch Quaatz, 20. November 1932, bei Weiß und Hoser, *Die Deutschnationalen*, S. 213; Tagebuch Schäffer, 20. November 1932, BA Koblenz, Kleine Erwerbungen 614/17b, Bl. 121f.
65 Meißner an Hitler, 22. November 1932, in: *Akten der Reichskanzlei. Kabinett von Papen*, Bd. 2, S. 993; vgl. auch die Äußerung Hindenburgs zu dem von ihm sehr geschätzten Militärschriftsteller Stegemann, der ihn am 5. November 1932 aufgesucht hatte, gemäß einer Ende November 1932 verfaßten Aufzeichnung Stegemanns über seine politischen Gespräche in Berlin, in: BA Koblenz, Nachlaß Stegemann, Nr. 43.
66 Meißner an Hitler, 24. November 1932, ebenda, S. 999.
67 Ebenda.
68 Hindenburg zu Admiral Raeder, den er unmittelbar nach der Unterredung mit Hitler am 21. November 1932 gesprochen hatte, überliefert bei Karl von Luxburg, *Nachdenkliche Erinnerung*, Schloß Aschasch/Saale 1953, S. 140.
69 Vgl. die Berichterstattung Schleichers über diese Unterredung auf der Ministerbesprechung am 25. November 1932, in: *Akten der Reichskanzlei. Kabinett von Papen*, Bd. 2, S. 1013; siehe auch den Bericht Stegemanns über seine politischen Gespräche in Berlin, in: BA Koblenz, Nachlaß Stegemann, Nr. 43.
70 Gesprächsnotizen eines Vortrags von Schleichers Staatssekretär von Bredow vor den Amtschefs des Reichswehrministeriums, 26. November 1932, abgedruckt bei: Wolfram Pyta, »Vorbereitungen für den militärischen Ausnahmezustand unter Papen/Schleicher«, in: *Militärgeschichtliche Mitteilungen* 51 (1992), S. 386–428, Zitat S. 409.

71 Hitler an Meißner, 23. November 1932, in: *Akten der Reichskanzlei. Kabinett von Papen*, Bd. 2, S. 994.

72 Vgl. das Schreiben Hitlers an Meißner, 24. November 1932, in: *Hitler. Reden, Schriften, Anordnungen*, Bd. 5, Teil 2, S. 205–207.

73 Vgl. hierzu auch das ungedruckte, 1946 entstandene Manuskript des Papen-Mitarbeiters Schotte über »Adolf Hitlers unermeßliche Schuld«, Bl. 45 (Privatbesitz).

74 So die Einschätzung des glänzend informierten Redakteurs der Nachrichtenkorrespondenz Dienatag, Falk, in seinem streng vertraulichen Informationsbericht vom 16. November 1932, in: *Akten der Reichskanzlei. Kabinett von Papen*, Bd. 2, S. 949.

75 Vgl. eine entsprechende Niederschrift Gayls aus dem Jahre 1935, bei Trumpp, *Papen*, S. 217.

76 So die Ausführungen Hugenbergs, der mit solchen Plänen sympathisierte, auf der Fraktionssitzung der DNVP am 5. Dezember 1932 gemäß den stenographischen Notizen Spahns, in: BA Koblenz, Nachlaß Spahn, Nr. 175.

77 Vgl. Pyta, »Vorbereitungen«; Tagebuch Schäffer, 25. November 1932, Archiv des Instituts für Zeitgeschichte, ED 93/23, Bl. 1005f., sowie den Vermerk Sperrs über seine Unterredung mit Papen, 1. Dezember 1932, abgedruckt bei Vogelsang, *Reichswehr*, S. 483.

78 Vgl. Vogelsang, *Reichswehr*, S. 329–332.

79 Aktennotiz Meißners über eine Besprechung beim Reichspräsidenten am 1. Dezember 1932, abgedruckt bei Hubatsch, *Hindenburg und der Staat*, S. 367.

80 Text dieses Entwurfs vom 4. Dezember 1932 bei Pyta, »Konstitutionelle Demokratie«, S. 432f.; vgl. auch die Tagebuchaufzeichnung von Quaatz über ein Gespräch mit Meißner, 29. November 1932, bei Weiß und Hoser, *Die Deutschnationalen*, S. 215.

81 Vgl. Huber, *Verfassungsgeschichte*, Bd. 7, S. 1108.

82 So Hindenburg gegenüber Kaas in einer Besprechung vom 24. November 1932, in: *Akten der Reichskanzlei. Kabinett von Papen*, Bd. 2, S. 1003.

83 Hindenburg zu Kaas in einer Besprechung am 25. November 1932, ebenda, S. 1025.

84 Vgl. den Appell Papens in der Ministerbesprechung vom 25. November 1932, ebenda, S. 1017; vgl. auch das Schreiben Kepplers an Krogmann, 26. November 1932, in: Staatsarchiv Hamburg, Familie Krogmann I. Carl Vincent Krogmann, Unterakte C 7/2.

85 Zu den Dissidenten und ihren Gründen vgl. die Tagebucheintragungen Schwerin von Krosigks, 24. November bis 1. Dezember 1932, in: Archiv des Instituts für Zeitgeschichte, ZS/ A–20, Bd. 4, Bl. 5–9; Tagebucheintragung Quaatz vom 30. November 1932, bei Weiß und Hoser, *Die Deutschnationalen*, S. 215; Vermerk Leo Wegeners vom 27. November 1932, BA Koblenz, Nachlaß Hugenberg, Nr. 39, Bl. 134; Vogelsang, *Reichswehr*, S. 330f.

86 Gemäß der Tagebuchaufzeichnung Schwerin von Krosigks über den 2. Dezember 1932, abgedruckt in: *Akten der Reichskanzlei. Kabinett von Papen*, Bd. 2, S. 1037.

87 Ebenda.

88 Vgl. die Erinnerungen Gayls, bei Trumpp, *Papen*, S. 217f.

89 Äußerung Meißners gemäß der Tagebucheintragung Schwerins über den 2. Dezember 1932, in: *Akten der Reichskanzlei. Kabinett von Papen*, Bd. 2, S. 1037.

90 Vgl. Pyta, »Verfassungsumbau«, S. 183–189.

91 Alle relevanten Dokumente über diese Planübung vom 25. und 26. November 1932 sind abgedruckt bei Pyta, »Vorbereitungen«.

92 Vgl. hierzu auch die Tagebuchaufzeichnung von Quaatz, 2. Dezember 1932, in: Weiß und Hoser, *Die Deutschnationalen*, S. 216.

93 So auch die Einschätzung bei Hans Otto Meißner und Harry Wilde, *Die Machtergreifung*, Stuttgart 1958, S. 128f.

94 So Hindenburg zu Papen am 2. Dezember 1932 gemäß der Darstellung Papens in: Papen, *Vom Scheitern*, S. 313.

95 Vgl. die Notiz auf dem nur für seine Tochter Irmengard bestimmten Exemplar der anläßlich seiner erneuten Kandidatur für das Präsidentenamt verfaßten »Darlegungen«, die Oskar von Hindenburg am 27. Februar 1932 an seine Schwester übersandte (Privatbesitz).

96 Vgl. dazu die Dokumente 14 und 18, bei Pyta, »Vorbereitungen«, S. 407f. und 411f.

97 So auch Irene Strenge, *Kurt von Schleicher. Politik im Reichswehrministerium am Ende der Weimarer Republik*, Berlin 2006, S. 194.

98 Brief der Gräfin Ada Westarp an ihre Tochter Gertraude, 2. Dezember 1932; vgl. auch einen weiteren Brief der Gräfin vom 6. Dezember 1932 an ihre Tochter, der sich auf Mitteilungen von Oskar von Hindenburg beruft, alles in: Familienarchiv der Freiherrn Hiller von Gaertringen, Nachlaß Westarp, Korrespondenz Ada Westarp.

KAPITEL 33
Das Intermezzo des Generals Schleicher

1 Vgl. Huber, *Verfassungsgeschichte*, Bd. 7, S. 1161; Vogelsang, *Reichswehr*, S. 337–339; Blasius, *Weimars Ende*, S. 144f.; Schleicher auf der Ministerbesprechung vom 7. Dezember 1932, in: *Akten der Reichskanzlei. Das Kabinett von Schleicher*, bearb. von Anton Golecki, Boppard 1986, S. 22.

2 Vgl. auch Johann Rudolf Nowak, *Kurt von Schleicher – Soldat zwischen den Fronten*, Würzburg 1969, S. 1133.

3 Dazu die Erinnerungen Wedige von der Schulenburgs, BA-MA Freiburg, MSg 1/2780, Bl. 8–11.

4 Übermittelt in den Erinnerungen von Hammersteins Sohn: Kunrat Freiherr von Hammerstein, *Spähtrupp*, Stuttgart 1963, S. 41; vgl. auch eine Notiz vom Sommer 1945 aus dem Tagebuch des mit Hammerstein befreundeten späteren Generalfeldmarschalls Ewald von Kleist, abgedruckt in: *Welt am Sonntag* Nr. 13 vom 29. März 1992.

5 Hierzu übereinstimmend: Tagebuch Ewald von Kleist, ebenda; Schwerin von Krosigk, *Memoiren*, S. 156; Informationen Groeners an Schäffer, Tagebuch Schäffer, 5. Dezember 1932, BA Koblenz, Kleine Erwerbungen 614/17b, Bl. 152; Vogelsang, *Reichswehr*, S. 335f.; Henry Ashby Turner, *Hitlers Weg zur Macht*, München 1996, S. 152f. und S. 254; Vincenz Müller, *Ich fand das wahre Vaterland*, Berlin 1963, S. 347.

6 Grundlegend hierzu Turner, *Hitlers Weg zur Macht*, S. 116–119.

7 Ebenda, S. 116.

8 Ebenda, S. 44–46; Udo Kissenkoetter, *Gregor Straßer und die NSDAP*, Stuttgart 1978, S. 170–177.

9 Vgl. das Protokoll der Ministerbesprechung vom 16. Januar 1933, *Akten der Reichskanzlei. Kabinett Schleicher*, S. 230–236.

10 Zur Einschätzung von Schleichers Verfassungsplänen vgl. Kolb und Pyta, »Staatsnotstandsplanung«, S. 354–358; Pyta, »Verfassungsumbau«, S. 195f.

11 Die auf den 20. Januar 1933 datierte Zusammenstellung ist abgedruckt in den *Akten der Reichskanzlei. Kabinett Schleicher*, S. 241–243; verfassungsrechtliche Interpretation bei

Helga Worm, »Legalität und Legitimität – eine fast vergessene ›Vortragsnotiz‹ aus dem Reichswehrministerium«, in: *Der Staat* 27 (1988), S. 75–92.

12 Dazu ausführlich Pyta, »Konstitutionelle Demokratie«; vgl. auch Berthold, *Carl Schmitt*, S. 38–42 und S. 58–65; Turner, *Hitlers Weg zur Macht*, S. 160f.

13 Vgl. dazu den Bericht eines journalistischen Insiders über ein Hintergrundgespräch Schleichers am 13. Januar 1933, abgedruckt bei Turner, *Hitlers Weg zur Macht*, S. 252.

14 Vgl. Pyta, »Verfassungsumbau«, S. 196; Friedrich-Karl von Plehwe, *Reichskanzler Kurt von Schleicher*, Esslingen 1983, S. 277.

15 Vgl. Braun, *Von Weimar zu Hitler*, S. 437f.

16 Vgl. den Bericht »Schleichers wankende Gefolgschaft«, in: *Völkischer Beobachter* Nr. 25 vom 25. Januar 1933; bereits Ende November 1932 hatte sich die NS- Presse dezidiert gegen entsprechende Notstandspläne gewandt, siehe die Berichterstattung im *Völkischen Beobachter* vom 30. November 1932, S. 1, sowie im *Angriff* vom 29. November 1932, S. 1.

17 Wie sehr Hitler die Pläne Schleichers fürchtete, wird u.a. aus einer Unterredung mit Otto Wagener vom 13. Januar 1933 ersichtlich gemäß Wageners späterer Niederschrift »Die Machtergreifung Adolf Hitlers am 30.1.1933«, in: Archiv des Instituts für Zeitgeschichte, München, Nachlaß Wagener, ED 60/ Bd. 9, Bl. 1f.; inhaltlich gleichlautend auch Hitlers Ausführungen gegenüber den Vorsitzenden von Zentrumspartei und -fraktion, Kaas und Perlitius, am 31. Januar 1933 gemäß dem Protokoll dieser Besprechung, abgedruckt bei Rudolf Morsey, »Hitlers Verhandlungen mit der Zentrumsführung am 31. Januar 1933«, in: *Vierteljahrshefte für Zeitgeschichte* 9 (1961), S. 184–194, hier S. 186.

18 Entsprechend argumentieren: Kolb und Pyta, »Staatsnotstandsplanung«, S. 357f.; Detlef Junker, »Die letzte Alternative zu Hitler: Verfassungsbruch und Militärdiktatur«, in: *Das Ende der Weimarer Republik und die nationalsozialistische Machtergreifung*, hg. von Christoph Gradmann und Oliver von Mengersen, Heidelberg 1994, S. 67–86; Huber, *Verfassungsgeschichte*, Bd. 7, S. 1243.

19 Vgl. die vermutlich am 28. Januar 1933 entstandene Niederschrift über die Unterredung zwischen Schleicher und Hindenburg, in: *Akten der Reichskanzlei. Kabinett Schleicher*, S. 284f.; siehe auch Turner, *Hitlers Weg zur Macht*, S. 165.

20 So die Mitteilung Groeners gegenüber Friedrich von Boetticher anläßlich eines Treffens am 26. Januar 1933 in Berlin gemäß der Tagebucheintragung Boettichers vom 26. Januar 1933, BA-MA Freiburg, Nachlaß Boetticher, Nr. 124.

21 Niederschrift über den Empfang Schleichers bei Hindenburg, 28. Januar 1933, in: *Akten der Reichskanzlei. Kabinett Schleicher*, S. 310.

22 Aus authentischer Quelle überliefert bei Werner Freiherr von Rheinbaben, *Kaiser, Kanzler, Präsidenten*, Mainz 1968, S. 284.

23 Vgl. Brüning, *Memoiren*, S. 645, sowie die Tagebuchaufzeichnung Schwerin von Krosigks vom 29. Januar 1933, in: *Akten der Reichskanzlei. Kabinett Schleicher*, S. 317.

24 Gemäß einer Mitteilung Schleichers an seine Schwester Thusnelda von Gaudecker, mitgeteilt in einer Aufzeichnung von ihr aus dem Jahre 1945, in: BA-MA Freiburg Nachlaß Schleicher, Nr. 94, Bl. 17; auch zitiert bei Vogelsang, *Reichswehr*, S. 384, Anm. 1863.

25 Vgl. das Protokoll der Vorstandssitzung der Zentrumsfraktion, 12. September 1932, bei Morsey, *Protokolle*, S. 587; Information Brünings an Schäffer, Tagebuch Schäffer vom 17. November 1932, Archiv des Instituts für Zeitgeschichte, Nachlaß Schäffer, ED 93/23, Bl. 984; Tagebucheintragung von Goebbels, 9. September 1932, in: Goebbels, *Tagebücher*, Bd. 2/II, S. 359.

26 Vgl. die Äußerung Meißners zu Quaatz, 19. November 1932, bei Weiß und Hoser, *Die Deutschnationalen*, S. 212.

27 *Verhandlungen des Reichstags. VII. Wahlperiode 1932*, Bd. 455, S. 58.

28 Hugenberg selbst hatte eine Neuregelung der Stellvertretung sogar als Bedingung für einen möglichen Eintritt der DNVP in die Reichsregierung genannt, Tagebuch Quaatz vom 20. November 1932, in: Hoser und Weiß, *Die Deutschnationalen*, S. 213.

29 Vgl. die Rede des deutschnationalen Abgeordneten von Freytagh-Loringhoven am 7. Dezember 1932, *Verhandlungen des Reichstags. VII. Wahlperiode 1932*, Bd. 455, S. 26f.

30 Siehe die Rede des SPD-Fraktionsvorsitzenden Breitscheid, ebenda, S. 27–29.

31 Auch Reichskanzler Schleicher erkannte darin den eigentlichen Kern des Stellvertretungsgesetzes, als er am 20. Dezember 1932 zu den Befehlshabern der Reichswehr sprach; zu diesen Ausführungen existiert eine Aufzeichnung des Generalleutnants Liebmann, abgedruckt bei: Thilo Vogelsang, »Neue Dokumente zur Geschichte der Reichswehr 1930–1933«, in: *Vierteljahrshefte für Zeitgeschichte* 2 (1954), S. 397–436, hier S. 428, und eine Mitschrift des ebenfalls anwesenden Boetticher vom 20. Dezember 1932, in: BA-MA Freiburg, Nachlaß Boetticher, Nr. 124.

32 Noch am 18. November 1932 hatte Hugenberg diese Position in einer Unterredung mit dem Reichspräsidenten deutlich gemacht; Aufzeichnung darüber in: *Akten der Reichskanzlei. Kabinett von Papen*, S. 973f.; unverzichtbar weiterhin Friedrich Freiherr Hiller von Gaertringen, »Die Deutschnationale Volkspartei«, in: *Das Ende der Parteien 1933*, hg. von Erich Matthias und Rudolf Morsey, Düsseldorf 1960, S. 543–652, vor allem S. 564–569.

33 Schreiben der beiden Stahlhelmbundesführer Seldte und Duesterberg an Hindenburg, 18. November 1932, in: *Akten der Reichskanzlei. Kabinett von Papen*, Bd. 2, S. 983.

34 Grundlegend hierzu Morsey, *Untergang*, S. 74–85.

35 Hugenberg warnte sogar Hitler brieflich am 28. Dezember 1932 vor einer Einbeziehung des Zentrums in eine neue Regierungsbildung, auszugsweise abgedruckt in: *Akten der Reichskanzlei. Kabinett Schleicher*, S. 232, Anm. 9.

36 Vgl. Petzold, *Franz von Papen*, S. 117.

37 Abgedruckt bei Papen, *Wahrheit*, S. 251.

38 Eine Fotografie einer Begegnung Hindenburgs und Papens an einer solchen Gartentür ist abgedruckt bei Hans-Otto Meißner, *Junge Jahre*, S. 325.

39 Vgl. Ruge, *Hindenburg*, S. 395.

40 Beste Analyse bei Heinrich Muth, »Das ›Kölner Gespräch‹ am 4. Januar 1933«, in: *Geschichte in Wissenschaft und Unterricht* 37 (1986), S. 463–480 und S. 529–541; siehe auch die bei Czichon, *Wer verhalf Hitler zur Macht?*, S. 74–80, abgedruckten Dokumente.

41 Papen, *Vom Scheitern*, S. 348.

42 Vgl. Ruge, *Hindenburg*, S. 394; Turner, *Hitlers Weg zur Macht*, S. 61, und Petzold, *Franz von Papen*, S. 150.

43 Grundsätzlich hierzu Larry Eugene Jones, »›The Greatest Stupidity of My Life‹: Alfred Hugenberg and the Formation of the Hitler Cabinet, January 1933«, in: *Journal of Contemporary History* 27 (1992), S. 63–87.

44 Ebenda, S. 73; vgl. auch die Aufzeichnungen des Adjutanten des deutschnationalen Reichstagsabgeordneten Otto Schmidt-Hannover, Bose, vom 27. Januar 1933, in: Schmidt-Hannover, *Umdenken oder Anarchie*, S. 332f. Schmidt-Hannover war neben Hugenberg der Verhandlungsführer der DNVP bei der Unterredung mit der NS-Spitze.

45 Vgl. die Tagebucheintragungen von Quaatz vom 25. und 28. Januar 1933, bei Weiß und

Hoser, *Die Deutschnationalen*, S. 226 und S. 228. Quaatz fungierte als Verbindungsmann Hugenbergs zu Meißner.

46 Tagebucheintragung von Quaatz, 29. Januar 1933, ebenda, S. 229.

47 Papen, *Wahrheit*, S. 271.

48 Ebenda, S. 272; Jones, »Stupidity«, S. 73; Turner, *Hitlers Weg zur Macht*, S. 194f.; Schmidt-Hannover, *Umdenken oder Anarchie*, S. 334f.; Tagebucheintragung Quaatz, 28. Januar 1933, bei Weiß und Hoser, *Die Deutschnationalen*, S. 228.

49 So Meißner zu Quaatz, Tagebucheintragung Quaatz vom 21. Januar 1933, ebenda, S. 225.

50 Abgedruckt in Hubatsch, *Hindenburg und der Staat*, S. 312–316, hier S. 313, sowie S. 316 (zum Verhalten des »Stahlhelm«).

51 Vgl. Berghahn, *Stahlhelm*, S. 245–250; Schmidt-Hannover, *Umdenken oder Anarchie*, S. 328–334; Papen, *Wahrheit*, S. 272; Turner, *Hitlers Weg zur Macht*, S. 194f.

52 Vgl. die Tagebuchaufzeichnung Schwerins vom 29. Januar 1933, abgedruckt in: *Akten der Reichskanzlei. Kabinett Schleicher*, S. 318.

53 Vgl. die Tagebucheintragung Schwerins vom 5. Februar 1933, ebenda, S. 321f.

54 Gereke, *Landrat*, S. 233.

55 »Papen will jetzt Kanzlerschaft Hitlers durchsetzen«, so die Tagebuchaufzeichnung Ribbentrops vom 22. Januar 1933 über eine im Hause Ribbentrop abgehaltene Zusammenkunft, an der auch Hitler und Papen teilnahmen, in: Joachim von Ribbentrop, *Zwischen London und Moskau*, Leoni 1954, S. 39.

56 Papen, *Vom Scheitern*, S. 378f.

57 Ebenda, S. 381.

58 Vgl. Schulze, *Otto Braun*, S. 778.

59 Vgl. Jones, »Stupidity«, S. 72–75.

60 Dies hatte bereits Wilhelm Keppler, der Mittelsmann Hitlers zu Baron Schröder, hellsichtig erkannt, vgl. dessen Schreiben an Schröder, 26. Dezember 1932, bei Czichon, *Wer verhalf Hitler zur Macht*, S. 76.

61 Vgl. Jones, »Stupidity«, S. 75f.

62 Papen, *Vom Scheitern*, S. 369.

63 Vgl. die Tagebucheintragung Ribbentrops vom 20. Januar 1933, in: Ribbentrop, *Zwischen London*, S. 39.

64 Dieser auf den 21. November 1932 datierte Vermerk wurde vorgelegt beim Entnazifizierungsverfahren gegen Oskar von Hindenburg, das vom 14. bis zum 17. März 1949 in Uelzen stattfand, Protokoll in: Niedersächsisches Hauptstaatsarchiv Hannover, Nds. 171 Lüneburg Nr. 1691, dort Bl. 25a und b; siehe hierzu auch Turner, *Hitlers Weg zur Macht*, S. 154.

65 Aussage Oskar von Hindenburgs, ebenda, Bl. 26.

66 Oskar von Hindenburg zu Hoyningen-Huene, 13. April 1933 gemäß der Tagebuchaufzeichnung Hoyningen-Huenes vom 14. April 1933, in: Tagebücher Hoyningen-Huene, Kladde 19 (Privatbesitz).

67 Vgl. die Tagebucheintragung des gut informierten Berliner Journalisten Ernst Feder vom 6. Oktober 1932, in: Feder, *Heute sprach ich mit*, S. 318.

68 Grundlegend ist Wolfgang Weßling, »Hindenburg, Neudeck und die deutsche Wirtschaft«, in: *Vierteljahrschrift für Sozial- und Wirtschaftsgeschichte* 64 (1977), S. 41–73, hier S. 54.

69 Hindenburg an Irmengard von Brockhusen, 16. Februar 1931 (Privatbesitz).

70 Hindenburg an Irmengard von Brockhusen, 7. Juli 1929 (Privatbesitz).

71 Vgl. Weßling, »Hindenburg«, S. 55–65.

72 Vgl. die Aussage Meißners bei der Verhandlung gegen Mitarbeiter des Reichsaußenministeriums vor dem US-Militärtribunal in Nürnberg, Fall XI, 4. Mai 1948, Protokoll der Vernehmung Meißners in: Archiv der sozialen Demokratie, Bonn, Nachlaß Otto Meißner, Box 3, S. 4615f. des Protokolls; vgl. auch Turner, *Hitlers Weg zur Macht*, S. 155.

73 Grundlegend hierzu: Wolfgang Schieder, »Das italienische Experiment. Der Faschismus als Vorbild in der Krise der Weimarer Republik«, in: *Historische Zeitschrift* 262 (1996), S. 73–125.

74 Vgl. dazu den Bericht Renzettis an Mussolini, 31. Januar 1933, BA Koblenz, Nachlaß Renzetti, Nr. 12; siehe auch Schieder, »Das italienische Experiment«, S. 106.

75 Vgl. Papen, *Wahrheit*, S. 275; Turner, *Hitlers Weg zur Macht*, S. 206; Schmidt-Hannover, *Umdenken oder Anarchie*, S 338f.

KAPITEL 34
Die Logik des 30. Januar 1933

1 Vgl. etwa Ruge, *Hindenburg*, S. 397–399.

2 Vgl. Bert Hoppe, »Von Schleicher zu Hitler. Dokumente zum Konflikt zwischen dem Reichslandbund und der Regierung Schleicher in den letzten Wochen der Weimarer Republik«, in: *Vierteljahrshefte für Zeitgeschichte* 45 (1997), S. 629–657.

3 Zur Reaktion Hindenburgs vgl. eine Aufzeichnung von Ministerialdirigent Doehle, dem stellvertretenden Leiter des Büros des Reichspräsidenten, vom 12. Januar 1933, ebenda, S. 651f; zur Pressefehde vgl. auch *Akten der Reichskanzlei. Kabinett Schleicher*, S. 214, dort Anm. 16.

4 Vgl. die Tagebuchaufzeichnung Ribbentrops vom 29. Januar 1933, in: Ribbentrop, *Zwischen London*, S. 42.

5 Ebenda.

6 Vgl. zur Praxis der Regierung Stresemann Michael Frehse, *Ermächtigungsgesetzgebung im Deutschen Reich 1914–1933*, Pfaffenweiler 1985, S. 91–113; zu den Plänen Reichskanzler Brünings und des preußischen Ministerpräsidenten Braun für ein solches Ermächtigungsgesetz vgl. Hömig, *Brüning*, S. 178; Tagebuch Pünder vom 19. November 1930, in: Pünder, *Politik in der Reichskanzlei*, S. 75; Schulze, *Otto Braun*, S. 634.

7 Vgl. Brüning, *Memoiren*, S. 192.

8 Vgl. auch Hans Schneider, »Das Ermächtigungsgesetz vom 24. März 1933«, in: *Von Weimar zu Hitler*, hg. von Gotthard Jasper, Köln 1968, S. 405–442, hier S. 406f.

9 So der Leitartikel des Zentrumsorgans *Kölnische Volkszeitung* vom 19. Januar 1933, wiedergegeben in: Klaus Giesebrecht, *Die politische Entwicklung in Deutschland seit der Kanzlerschaft Papens bis März 1933 am Beispiel der maßgebenden Zentrumsblätter »Germania« und »Kölnische Volkszeitung«*, Phil. Diss., Bochum 1970, S. 110; vgl. auch Morsey, *Untergang*, S. 82.

10 Vgl. hierzu Morsey, *Untergang*, S. 88–95; Bericht von Kaas über seine Verhandlungen mit Hitler, 31. Januar 1933, in: Morsey, *Protokolle*, S. 612f.; Protokoll Perlitius über diese Verhandlungen, bei Morsey, »Hitlers Verhandlungen«, S. 184–190; Protokoll der Ministerbesprechung vom 31. Januar 1933, in: *Akten der Reichskanzlei. Die Regierung Hitler*, Teil I: 1933/34, bearb. von Karl-Heinz Minuth, Boppard 1983, S. 5–8.

11 Papen an den Industriellen Fritz Springorum, 21. Januar 1933, auszugsweise zitiert bei Muth,»Kölner Gespräch«, S. 539, sowie Petzold, *Franz von Papen*, S. 154.

12 Vgl. das Protokoll der Ministerbesprechung vom 30. Januar 1933, in: *Akten der Reichskanzlei. Regierung Hitler*, S. 1–4.

13 Vgl. Konrad Repgen,»Ein KPD-Verbot im Jahre 1933?«, in: *Historische Zeitschrift* 240 (1985), S. 67–99, hier S. 82f.

14 Protokoll der Ministerbesprechung vom 31. Januar 1933, in: *Akten der Reichskanzlei. Regierung Hitler*, S. 6.

15 Dies hatte bereits im November/Dezember 1932 Wilhelm Keppler vorhergesehen, vgl. seine Schreiben an Kurt von Schröder, 13. November und 26. Dezember 1932, bei Czichon, *Wer verhalf Hitler zur Macht*, S.65 und S. 76.

16 Vgl. Meißners Äußerung gegenüber Quaatz am 28. Januar 1933, bei Weiß und Hoser, *Die Deutschnationalen*, S. 228.

17 Protokoll der Ministerbesprechung vom 30. Januar 1933, in: *Akten der Reichskanzlei. Regierung Hitler*, S. 4.

18 Vgl. dazu Otto Meißner, *Staatssekretär unter Ebert, Hindenburg, Hitler*, Hamburg 1950, S. 279.

19 Protokoll der Besprechung Hindenburgs mit Hitler am 19. November 1932, in: *Akten der Reichskanzlei. Kabinett von Papen*, Bd. 2, S. 986.

20 Hitler an Meißner, 23. November 1932, ebenda, S. 994f.

21 So auch die scharfsinnige Analyse von Strenge, *Machtübernahme 1933*, S. 86–91.

22 Dies übersieht Turner, der deswegen auch zum Konstrukt greift, Papen hätte Hindenburg arglistig getäuscht und ihm vorgespiegelt, die Hitler-Regierung würde sich auf eine parlamentarische Mehrheit stützen können, siehe: Turner, *Hitlers Weg zur Macht*, S. 199f.

23 So tendenziell auch Meißner, *Staatssekretär*, S. 272.

24 Vgl. auch Strenge, *Machtübernahme 1933*, S. 139 und S. 143.

25 Dazu ausführlich Pyta,»Konstitutionelle Demokratie«.

26 Wiedergegeben in Pyta und Seiberth,»Staatskrise«, S. 610.

27 Vgl. dazu Winkler, *Weimar*, S. 594; Pyta,»Konstitutionelle Demokratie«, S. 417f.; aus verfassungsrechtlicher Sicht nachdrücklich Dieter Grimm,»Die Weimarer Reichsverfassung im Widerstreit«, in: *Weimar im Widerstreit*, hg. von Heinrich August Winkler, München 2002, S. 151–161, hier S. 159.

28 Vgl. hierzu Turner, *Hitlers Weg zur Macht*, S. 202f.; Kirstin A. Schäfer, *Werner von Blomberg – Hitlers erster Feldmarschall*, Paderborn 2006, S. 100–103; Papen, *Vom Scheitern*, S. 380; Schmidt-Hannover, *Umdenken oder Anarchie*, S. 337–340; beim stets gut informierten Renzetti tauchte Blomberg bereits am 23. Januar auf einer Ministerliste eines Kabinetts Hitler mit dem Attribut»unpolitisch« auf, vgl. den Bericht Renzettis an Mussolini, 23. Januar 1933, BA Koblenz, Nachlaß Renzetti, Nr. 12.

29 Vgl. Huber, *Verfassungsgeschichte*, Bd. 7, S. 1261f.

30 Siehe Turner, *Hitlers Weg zur Macht*, S. 201; Hammerstein, *Spähtrupp*, S. 53–58.

31 Siehe hierzu eine Niederschrift Hammersteins vom 28. Januar 1935, abgedruckt bei Bracher, *Auflösung der Weimarer Republik*, S. 733f., sowie Vogelsang, *Reichswehr*, S. 388f.

32 Vgl. Vogelsang, *Reichswehr*, S. 394f., sowie Hammerstein, *Spähtrupp*, S. 58f.

33 So die wörtlichen Zitate aus dieser Unterredung in: Rolf Brandt,»Hindenburg: Wir werden durchkommen! Begegnung mit dem Reichspräsidenten«, in: *Berliner Lokal-Anzeiger*

Nr. 1 vom 1. Januar 1933; mit geringen Auslassungen auch wiederabgedruckt in: Brandt, *Abschied*, S. 16f.

34 Gemäß der Tagebuchaufzeichnung des anwesenden alten und neuen Finanzministers Schwerin von Krosigk, in: *Akten der Reichskanzlei. Kabinett Schleicher*, S. 323; vgl. auch die Tagebucheintragung von Goebbels, 31. Januar 1933, in: Goebbels, *Tagebücher*, Bd. 2/III, S. 120.

35 Vgl. das Protokoll der Ministerbesprechung vom 1. Februar 1933, in: *Akten der Reichskanzlei. Regierung Hitler*, S. 15; vgl. auch Papen, *Wahrheit*, S. 298.

36 Abgedruckt u.a. in: Wieland Eschenhagen (Hg.), *Die»Machtergreifung«*, Darmstadt 1982, S. 198–202, hieraus alle folgenden Zitate.

37 Auf Groener gehen Informationen zurück, wonach Hindenburg bis in den Januar 1933 Hitlers Anspruch auf die Kanzlerschaft mit den Worten»Niemals dieser Gefreite!« abgelehnt habe; Äußerungen Groeners zu Boetticher, 26. Januar und Mitte Februar 1933 gemäß den zuverlässigen, aus Tagebuchaufzeichnungen schöpfenden Erinnerungen Boettichers, BA-MA Freiburg, Nachlaß Boetticher, Nr. 147, Bl. 304 und Bl. 307.

38 Gemäß einer Niederschrift Hammersteins vom 28. Januar 1935, bei Bracher, *Auflösung*, S. 733; es gibt bezeichnenderweise kein aus dem Januar 1933 selbst stammendes Dokument, das eine solche oder ähnliche Äußerung Hindenburgs überliefert, vgl. auch Dorpalen, *Hindenburg*, S. 405.

39 Vgl. hierzu Raimund von dem Bussche, *Konservatismus in der Weimarer Republik. Die Politisierung des Unpolitischen*, Heidelberg 1998, S. 356.

40 Vgl. entsprechende Befürchtungen Hugenbergs, mitgeteilt im Tagebuch Quaatz vom 21. Januar 1933, bei Weiß und Hoser, *Die Deutschnationalen*, S. 224.

41 Vgl. Raab und Tänzler,»Charisma der Macht«, S. 63f.

KAPITEL 35
Nationale Aufbruchstimmung

1 Vgl. hierzu die glaubhaften Äußerungen Hitlers am 21. Mai 1942, in: Henry Picker, *Hitlers Tischgespräche im Führerhauptquartier 1941–1942*, Stuttgart 1965, S. 368f.; Tagebucheintragung Goebbels vom 31. Januar 1933, in: Goebbels, *Tagebücher*, Bd. 2/III, S. 120; Hans Frank, *Im Angesicht des Galgens*, München 1953, S. 129, sowie die Aussage des neuen Pressechefs der Reichsregierung, Walther Funk, der Hindenburg täglich Pressevortrag hielt, in: Schulenburg, *Welt um Hindenburg*, S. 194.

2 Abgedruckt in Axel Friedrichs (Hg.), *Die nationalsozialistische Revolution 1933*, Berlin 1935, S. 6–12, hieraus alle weiteren Zitate.

3 Grundlegend hierzu Fritzsche, *Wie aus Deutschen Nazis wurden*, S. 151–154; vgl. auch den Bericht über den Fackelzug in der größten Berliner Lokalzeitung, dem *Berliner Lokalanzeiger* Nr. 51 vom 31. Januar 1933, sowie in der Berliner Ausgabe der *Deutschen Allgemeinen Zeitung* Nr. 51 vom 31. Januar 1933.

4 Vgl. Schmidt-Hannover, *Umdenken oder Anarchie*, S. 343; Wagener,»Die Machtergreifung Adolf Hitlers«, Archiv des Instituts für Zeitgeschichte, Nachlaß Wagener, Bd. 9, Bl. 7–9; Walter Horn,»Der deutsche Mythos: zum Tode Paul von Hindenburgs«, in: *Die deutsche Fischwirtschaft* 1 (1934), S. 253f.; Papen, *Wahrheit*, S. 297.

5 Hindenburg an seine Tochter Irmengard von Brockhusen, 12. Februar 1933 (Privatbesitz).

6 Grundlegend hierzu Andreas Wirsching,»»Man kann nur Boden gewinnen.‹ Eine neue
    Quelle zu Hitlers Rede vor den Spitzen der Reichswehr am 3. Februar 1933«, in: *Viertel-
    jahrshefte für Zeitgeschichte* 49 (2001), S. 517–550, vor allem S. 549.

7 Vgl. Sabine Höner, *Der nationalsozialistische Zugriff auf Preußen. Preußischer Staat und
    nationalsozialistische Machteroberungsstrategie, 1928–1934*, Bochum 1984, S. 450–458.

8 Maßgeblich hierzu ist Rudolf Morsey,»Der Beginn der ›Gleichschaltung‹ in Preußen«, in:
    Vierteljahrshefte für Zeitgeschichte 11 (1963), S. 85–97; siehe auch Schulze, *Otto Braun*,
    S. 778–781.

9 Vgl. Höner, *Der nationalsozialistische Zugriff*, S. 458–463.

10 Vgl. das Protokoll der Ministerbesprechung vom 3. Februar 1933, in: *Akten der Reichskanz-
    lei. Regierung Hitler*, S. 35f.

11 Vgl. dazu auch Wolfgang Kalischer, *Hindenburg und das Reichspräsidentenamt im »natio-
    nalen Umbruch« (1932–1934)*, Phil. Diss., Berlin 1957, S. 142.

12 Vgl. das von Meißner stammende Protokoll dieses Empfangs, in: *Akten der Reichskanzlei.
    Regierung Hitler*, S. 87–90.

13 Vgl. hierzu die von Schäffer stammende Aufzeichnung über seine Unterredung mit
    Hindenburg, 17. Februar 1933, in: Archiv für Christlich-Soziale Politik, München, Nach-
    laß Josef Müller, Akte »Ermächtigungsgesetz – Machtergreifung«, dort befinden sich
    auch alle Zitate.

14 Hindenburg in der Unterredung mit Schäffer gemäß dem Protokoll Meißners, in: *Akten
    der Reichskanzlei. Regierung Hitler*, S. 89. Vieles spricht dafür, daß Schäffer wegen seiner
    offenen Worte über Hitler zu einer Persona non grata bei Hindenburg wurde, vgl. eine
    entsprechende Äußerung Hitlers in einer Unterredung mit dem BVP-Reichstagsabge-
    ordneten Hans Ritter von Lex am 14. März 1933; die von Lex angefertigte Gesprächsauf-
    zeichnung bei: Wolfgang Dierker,»»Ich will keine Nullen, sondern Bullen.‹ Hitlers Koali-
    tionsverhandlungen mit der Bayerischen Volkspartei im März 1933«, in: *Vierteljahrshefte
    für Zeitgeschichte* 50 (2002), S. 111–148, hier S. 147.

15 Aufzeichnung Schäffers (wie Anm. 13), S. 6 der Aufzeichnung; vgl. auch das Protokoll
    Meißners, in: *Akten der Reichskanzlei. Regierung Hitler*, S. 89f.

16 Vgl. hierzu Falk Wiesemann, *Die Vorgeschichte der nationalsozialistischen Machtüber-
    nahme in Bayern 1932/1933*, Berlin 1975, S. 222–224; Aretin, *Krone und Ketten*, S. 144–147;
    Karl Otmar Freiherr von Aretin,»Die Bayerische Regierung und die Politik der bayeri-
    schen Monarchisten in der Krise der Weimarer Republik 1930–1933«, in: *Festschrift für
    Hermann Heimpel. Zum 70. Geburtstag am 19. September 1971*, hg. von den Mitarbeitern
    des Max-Planck-Instituts für Geschichte, Göttingen 1971, S. 205–237; Schwend, *Bayern*,
    S. 514–522.

17 Vgl. Wiesemann, *Vorgeschichte*, S. 225–227; Aretin, *Krone und Ketten*, S. 146f.; Weiß, *Kron-
    prinz Rupprecht*, S. 266–268.

18 Zur Mission Öttingen vgl. die Erinnerungen seines Begleiters Alfons Freiherr von
    Redwitz, in: Bayerisches Hauptstaatsarchiv München, Geheimes Hausarchiv, Tafeln 769,
    Bl. 192f.; Aretin, *Krone und Ketten*, S. 149f.; Schwend, *Bayern*, S. 523; Wiesemann, *Vorge-
    schichte*, S. 229; Weiß, *Kronprinz Rupprecht*, S. 269.

19 Vgl. dazu die undatierte Aufzeichnung »Monarchistische Bestrebungen«, in: Archiv für
    Christlich-Soziale Politik, München, Nachlaß Josef Müller, Bestand »Ermächtigungsge-
    setz – Machtergreifung«.

20 Gründlichste Studie hierzu ist Thomas Raithel und Irene Strenge,»Die Reichstagsbrand-

notverordnung. Grundlegung der Diktatur mit den Instrumenten des Weimarer Ausnahmezustandes«, in: *Vierteljahrshefte für Zeitgeschichte* 48 (2000), S. 413–460.

21 Vgl. das Protokoll der Ministerbesprechung vom 28. Februar 1933, in: *Akten der Reichskanzlei. Regierung Hitler*, S. 132f.; vgl. auch Raithel und Strenge, »Reichstagsbrandnotverordnung«, S. 432f.

22 Vgl. Papen, *Wahrheit*, S. 302; Schwarzmüller, *Mackensen*, S. 265; Sefton Delmer, *Die Deutschen und ich*, Hamburg 1962, S. 191f.

23 Antwort Hindenburgs auf ein Protesttelegramm des bayerischen Ministerpräsidenten Held, 28. Februar 1933, in: Winfried Becker, »Die nationalsozialistische Machtergreifung in Bayern«, in: *Historisches Jahrbuch* 112 (1992), S. 412–435, hier S. 426.

24 Eröffnungsrede Litzmanns in: *Verhandlungen des Reichstags. VII. Wahlperiode 1932*, Bd. 455, S. 1f.

25 Vgl. dazu Rauscher, *Hindenburg*, S. 58f.

26 Rede Litzmanns (wie Anm. 24), S. 2.

27 *Akten der Reichskanzlei. Kabinett Schleicher*, S. 102.

28 So nahm sich der Fraktionsvorsitzende der NSDAP im preußischen Landtag Kube in einer Landtagsrede vom 16. Dezember 1932 die Aktivitäten Schleichers vor, in: *Sitzungsberichte des Preußischen Landtags. 4. Wahlperiode*, Bd. 2, Spalten 2150f.; Litzmann selbst hielt auch noch Ende Januar 1933 an seinen Vorwürfen gegen Hindenburg fest: »General Litzmann über seine Hindenburgrede«, in: *Völkischer Beobachter*, Ausgabe A, Nr. 27 vom 27. Januar 1933.

29 In dieser Wunde hatte ebenfalls General Litzmann bei öffentlichen Auftritten im Januar 1933 gebohrt, vgl. dazu »Hände weg von Hindenburg!«, in: *Kreuzzeitung* Nr. 18 vom 18. Januar 1933.

30 Hindenburg in einer Unterredung mit Boetticher, 24. Februar 1933, gemäß der Tagebucheintragung Boettichers vom 1. März 1933, BA-MA Freiburg, Nachlaß Boetticher, Nr. 124.

31 Ebenda.

32 Boetticher, *Graf Alfred Schlieffen*, S. 34f.

33 Tagebucheintragung Boettichers vom 28. Februar und 1. März 1933, in: BA-MA Freiburg, Nachlaß Boetticher, Nr. 124; vgl. auch Schwarzmüller, *Mackensen*, S. 265f.

34 Wörtliche Wiedergabe durch Hitler in einem Tischgespräch am 21. Mai 1942, bei Picker, *Hitlers Tischgespräche*, S. 369.

35 Abdruck dieses Plakats bei Ruth Malhorta (Bearb.), *Politische Plakate 1914–1945*, Hamburg 1988, S. 93; zur Wirkung dieses Plakats vgl. die Eintragung im Tagebuch Hoyningen-Huenes vom 3. März 1933 (Privatbesitz).

36 Vgl. seine Äußerungen gegenüber Kurt Lüdecke am 12. September 1932, berichtet von Kurt Ludecke, *I Knew Hitler*, London 1938, S. 413.

37 So die treffende Beobachtung Boettichers in seinem Tagebuch vom 22. Dezember 1932, in: BA-MA Freiburg, Nachlaß Boetticher, Nr. 124.

38 Vgl. v. Hoegen, *Held von Tannenberg*, S. 382.

39 Zahlen bei Falter, *Wahlen und Abstimmungen*, S. 74f.

40 Zum Terror gegen die beiden Linksparteien vgl. Winkler, *Weg in die Katastrophe*, S. 876 bis 883.

41 Vgl. Fritzsche, *Wie aus Deutschen Nazis wurden*, S. 157–159; Jürgen Falter, *Hitlers Wähler*, München 1991, S. 38f.

42 Zur Wirkung dieser Parole vgl. den Briefwechsel der dem Braunschweiger Bürgertum zugehörigen Elisabeth Gebensleben an ihre Tochter Irmgard vom 2. März 1933 in: Hedda Kalshoven, *Ich denk so viel an Euch*, München 1995, S. 167f.

43 Vgl. Falter, *Wahlen und Abstimmungen*, S. 74f., sowie Winkler, *Weg in die Katastrophe*, S. 885.

44 Vgl. Falter, *Hitlers Wähler*, S. 188; Falter, *Wahlen und Abstimmungen*, S. 75; Karl Dietrich Bracher, *Stufen der Machtergreifung*, Frankfurt a.M. 1974, S. 171.

45 Vgl. Morsey, *Untergang*, S. 102–115.

46 Diese Reaktion gemäß der Wiedergabe in Hitlers Tischgespräch vom 21. Mai 1942, bei Picker, *Hitlers Tischgespräche*, S. 369 (dort auch das erste Zitat).

47 Vgl. das Protokoll der Ministerbesprechung vom 11. März 1933, in: *Akten der Reichskanzlei. Regierung Hitler*, S. 195f.

48 *Reichsgesetzblatt*. Teil I, Jahrgang 1933, S. 103.

49 Vgl. die Verordnung Hindenburgs über die Hoheitsabzeichen der deutschen Wehrmacht vom 14. März 1933, ebenda, S. 133; siehe auch das Protokoll einer Besprechung über die Flaggenfrage am 15. März 1933, in: *Akten der Reichskanzlei. Regierung Hitler*, S. 208–211.

50 Vgl. hierzu die lebendige Schilderung im Tagebuch Hoyningen-Huene vom 19. März 1933 (Privatbesitz) sowie die Tagebucheintragung von Hindenburgs Neffen Karl von Fabeck (Fabeck, Aus meinem Leben, 1.1.1928–30.9.1933, Privatbesitz) sowie »Den Toten des großen Krieges«, in: *Deutsche Allgemeine Zeitung* Nr. 122 vom 13. März 1933.

51 Vgl. hierzu auch Günter Kaufmann, »Der Händedruck von Potsdam – die Karriere eines Bildes«, in: *Geschichte in Wissenschaft und Unterricht* 48 (1997), S. 295–315, hier S. 313.

52 Dazu Klaus Scheel, *Der Tag von Potsdam*, Berlin 1996, S. 33.

53 Festgelegt auf einer Besprechung am 7. März 1933, an der Hindenburg, Hitler, Frick, Papen, Blomberg, Göring und Meißner teilnahmen, Vermerk in: *Akten der Reichskanzlei. Regierung Hitler*, S. 157–159.

54 Gründlichste Untersuchung bei Christoph Raichle, *Der Tag von Potsdam (21. März 1933) – symbolpolitische Etappe der nationalsozialistischen »Machtergreifung« 1933–34*, Magisterarbeit, Stuttgart 2003, S. 100–102.

55 Auszüge bei Josef und Ruth Becker (Hg.), *Hitlers Machtergreifung*, München 1983, S. 156f.

56 Text der Ansprache Hindenburgs in: »Staatsakt zur Feier der Eröffnung des Reichstags in der Garnisonkirche zu Potsdam am 21. März 1933«, in: *Verhandlungen des Reichstags. VIII. Wahlperiode 1933*, Bd. 457, S. 5; ähnlich im Tenor auch Hindenburgs Geleitwort zum 21. März in der *Deutschen Zeitung*, abgedruckt bei Endres, *Hindenburg*, S. 182.

57 Ansprache Hindenburgs, ebenda.

58 Zu Verlauf der Parade vgl. Hans Hupfeld (Hg.), *Reichstags-Eröffnungsfeier in Potsdam*, Potsdam 1933, S. 54; vgl. auch die Erinnerungen des für die Vorbereitung des militärischen Teils der Feierlichkeiten verantwortlichen Infanterieführers Oberst Maximilian von Weichs, abgedruckt bei Scheel, *Tag von Potsdam*, S. 122f.

59 Vgl. die Erinnerungen des Kommandeurs des Reiterrregiments 4 Potsdam, Moritz Faber du Faur, abgedruckt ebenda, S. 125.

60 Vgl. Machtan, *Kaisersohn*, S. 290.

61 Vgl. dazu den Bericht in der konservativen *Kreuzzeitung* Nr. 81 vom 22. März 1933 sowie im *Berliner Lokalanzeiger* Nr. 136 vom 21. März 1933.

62 Vgl. Machtan, *Kaisersohn*, S. 286–291, und Reinhold Schneider, *Verhüllter Tag*, Köln 1954, S. 102.

63 Dazu auch der diese Szene aufmerksam beobachtende Hugo Vogel, der Gast des Staatsaktes in der Garnisonkirche war, in: Vogel, *Erlebnisse*, S. 118.

64 So Ernst zu Hohenlohe-Langenburg in einem Schreiben zu Hindenburgs Geburtstag am 2. Oktober 1933 unter ausdrücklicher Berufung auf die Kranzniederlegung, in: Hohenlohe-Zentralarchiv Neuenstein, Nachlaß Ernst zu Hohenlohe-Langenburg, Korrespondenz Hindenburg.

65 Vgl. das Schreiben Mackensens an Hindenburg, 3. Februar 1934, in: BA-MA Freiburg, Nachlaß Mackensen, Nr. 265, Bl. 37; vgl. auch Schwarzmüller, *Mackensen*, S. 267f.

66 Abgedruckt in: »Staatsakt zur Feier der Eröffnung des Reichstags« (wie Anm. 56), S. 6–10.

67 Ebenda, S. 9.

68 Vgl. Raichle, *Tag von Potsdam*, S. 119; Vogel, *Erlebnisse*, S. 119; Werner Beumelburg, *Deutschland erwacht*, Bielefeld 1933, S. 22f.; Tagebucheintragung Fabecks (Aus meinem Leben, 1.1.1928–30.9.1933, Privatbesitz).

69 Maschinenschriftliche Transkription des Tagebuchs in: Staatsarchiv Hamburg, Familienarchiv Krogmann I, C 14, Bd. 1, Bl. 54; dieses Tagebuch bildete auch die Grundlage für Krogmanns Erinnerungen: Carl Vincent Krogmann, *Es ging um Deutschlands Zukunft 1932–1939*, Leoni 1976, hier S. 55f.; daß bei Hindenburg Tränen flossen, hatte auch der anwesende Brüning bemerkt, vgl. Brüning, *Memoiren*, S. 657.

70 Protokoll des hamburgischen Gesandten beim Reichspräsidenten, Eiffe, über den Empfang Krogmanns bei Hindenburg, 24. März 1933, als Anlage dem Tagebuch Krogmanns beigefügt, Staatsarchiv Hamburg, Familienarchiv Krogmann I, C 14, Bd. 1, Bl. 61f.; vgl. auch Krogmann, *Deutschlands Zukunft*, S. 57.

71 Vgl. auch Strenge, *Machtübernahme*, S. 185.

72 Antwort Meißners auf einen entsprechenden Vorstoß Hugenbergs in der Ministerbesprechung vom 15. März 1933, in: *Akten der Reichskanzlei. Regierung Hitler*, Teil I, S. 216.

73 So eine Information Papens, die über Treviranus an Hans Schäffer gelangte, der diese am 23. März 1933 seinem Tagebuch anvertraute: BA Koblenz, Kleine Erwerbungen 614/17c, Bl. 25.

74 Vgl. dazu die Protokolle der Sitzungen der Zentrumsfraktion am 22. und 23. März 1933, bei Rudolf Morsey, *Das »Ermächtigungsgesetz« vom 24. März 1933*, Düsseldorf 1992, S. 44–48.

75 Dieser treffende Ausdruck bei Hans Frank, *Im Angesicht*, S. 143.

76 Vgl. Hindenburgs Schreiben an seine Tochter Irmengard vom 10. April 1993 (Privatbesitz) sowie eine Tagebucheintragung Hoyningen-Huenes vom 14. April 1933 (Privatbesitz); siehe auch die Tagebucheintragung von Goebbels, 14. April 1933, in: Goebbels, *Tagebücher*, Bd. 2/III, S. 169.

77 Seine Rede bei Max Domarus, *Hitler. Reden und Proklamationen 1932–1945*, Bd. 1, Erster Halbband 1932–1934, Wiesbaden 1965, S. 259–264, Zitat S. 259; zur symbolischen Bedeutung der Maifeier auf dem Tempelhofer Feld vgl. Fritzsche, *Wie aus Deutschen Nazis wurden*, S. 229–241.

78 Abgedruckt (mit falschem Datum) bei Hubatsch, *Hindenburg und der Staat*, S. 378.

79 Hindenburg, *Aus meinem Leben*, S. 406.

80 Vgl. dazu die Rede, die Goebbels vor dem Auftritt Hindenburgs an die versammelten Jugendlichen richtete, abgedruckt u.a. in: *Kreuzzeitung* Nr. 120 vom 2. Mai 1933, Beiblatt.

81 Rede Hindenburgs am 1. Mai 1933, bei Hubatsch, *Hindenburg und der Staat*, S. 378.

82 Fotografische Abbildung bei Claudia Schmölders, *Hitlers Gesicht*, München 2000, S. 162.

83 Friedrich Christian Prinz zu Schaumburg-Lippe, *Zwischen Krone und Kerker*, Wiesbaden

1952, S. 139; vgl. auch die Tagebucheintragung von Goebbels, 2. Mai 1933, in: Goebbels, *Tagebücher*, Bd. 2/III, S. 179.

84   Zitiert bei Domarus, *Hitler*, S. 258.

KAPITEL 36
Rückkehr zu den Ursprüngen

1   Das Schreiben Hitlers vom 27. März 1933 und die Antwort Hindenburgs ist wiedergegeben im Tagebuch Hoyningen-Huene, 1. April 1933 (Privatbesitz).

2   Seine geringe Präsenz im politischen Zentrum wird schon durch eine kursorische Durchsicht der in seiner Vizekanzlei entstandenen Akten ersichtlich: BA Berlin, R 53, vor allem Nr. 162–164. Sein persönlicher Referent Fritz Günther von Tschirschky, der seinen Terminkalender führte, sprach nachträglich davon, Papen habe »seine Position bei Hindenburg verschludern lassen«, so in einer Unterredung mit Dr. Krausnick vom Institut für Zeitgeschichte am 3. Oktober 1954, in: Archiv des Instituts für Zeitgeschichte, ZS 568/I: v. Tschirschky, Bl. 2.

3   So die Beobachtung von Hindenburgs Zweitem Adjutanten Schulenburg gemäß dessen Erinnerungen, BA-MA Freiburg, MSg 1/2781, Bl. 59–61 und Bl. 90f.

4   So Hindenburg am Jahresende 1933 zu Hugo Vogel, in: Vogel, *Erlebnisse*, S. 123.

5   Hierzu vgl. Hitlers Tischgespräch vom 21. Mai 1942, bei Picker, *Hitlers Tischgespräche*, S. 371; Friedrich Hoßbach, *Zwischen Wehrmacht und Hitler 1934–1938*, Wolfenbüttel 1949, S. 12; Tagebucheintragung von Goebbels, 21. April 1933, in: Goebbels, *Tagebücher*, Bd. 2/III, S. 172.

6   Hindenburg an Hitler, 4. April 1933, bei Hubatsch, *Hindenburg und der Staat*, S. 376.

7   Vgl. hierzu Kalischer, *Hindenburg*, S. 221–227; Weßling, »Hindenburg«, S. 67f.; Protokoll der Kabinettssitzung vom 14. Juli 1933 sowie der Ministerbesprechung vom 26. September 1933, in: *Akten der Reichskanzlei. Regierung Hitler*, S. 665f. und S. 828f.

8   Vgl. dazu den Vermerk des Ministerialrats Wienstein vom 18. September 1933, auszugsweise abgedruckt in: *Akten der Reichskanzlei. Regierung Hitler*, S. 828f., Anm. 4.

9   Hierzu grundlegend die Erinnerungen seines Zweiten Adjutanten Schulenburg, BA-MA Freiburg, MSg 1/2781, Bl. 75–79.

10   Hindenburg an Hitler, 30. August 1933, BA Berlin, R 601/58.

11   Wortlaut der Reden hier überliefert nach dem Abdruck in: *Kreuzzeitung* Nr. 219A vom 28. August 1933.

12   Vgl. ebenda.

13   Erklärung des Reichswehrministers im Auftrag Hitlers, 6. Januar 1935, in: Ludendorff, *Vom Feldherrn zum Weltrevolutionär*, S. 104–107, Zitat S. 106.

14   Vgl. Kalischer, *Hindenburg*, S.192f., sowie Hans-Otto Meißner, *Junge Jahre*, S. 340f.

15   Vgl. hierzu Kalischer, *Hindenburg*, S. 195f.; Erinnerungen Schulenburgs, BA-MA Freiburg, MSg 1/2781, Bl. 110f.; Tschirschky, *Erinnerungen*, S. 105; Papen, *Wahrheit*, S. 324f.

16   Harald Spervogel, »Erinnerungen eines jungen Soldaten an Hindenburg«, in: *Köhlers Illustrierter Heeres-Kalender* 4 (1939), S. 184–187.

17   Ebenda, S. 187.

18   Hierzu die Tagebuchaufzeichnungen seines Neffen Karl von Fabeck vom 28. Februar 1933, 12. November 1933 und 16. März 1934 (Privatbesitz) sowie die Erinnerungen des Medizi-

ners Gustav von Bergemann, der Hindenburg seit 1934 zu seinem Patientenkreis zählte: Gustav von Bergemann, *Rückschau*, München 1953, S. 220f.

19 Tagebucheintragung Fabecks vom 16. März 1934 (Privatbesitz).

20 Hindenburg an Frau von Schilcher, 5. August 1932 (Privatbesitz).

21 Privatarchiv des Fürsten von Donnersmarck, Rottach-Egern, Privatkorrespondenz 1934, Buchstabe T; vgl. auch die Schilderung eines Diners beim Reichspräsidenten aus dem Winter 1933/34 durch den Sohn von Staatssekretär Meißner: Hans-Otto Meißner, »Der große alte Mann«, in: *Heimatkalender für Pommern*, Stettin 1936, S. 48–53.

22 Vgl. dazu die Mitteilungen seines Sohnes aus dem Frühjahr 1934 an Dora Sahm, die Fau des Berliner Oberbürgermeisters, enthalten in deren handschriftlichen Aufzeichnung »Letzte Begegnung mit Hindenburg«, in: BA Koblenz, Nachlaß Sahm, Nr. 5, Kladde »Berlin 1931–1936«.

23 Zum Krankheitsverlauf vgl. die Erinnerungen Schulenburgs, BA-MA Freiburg, MSg 1/2781, Bl. 122–126; Tagebuchaufzeichnungen Hoyningen-Huenes vom 13. und 26. April 1934, Kladde 21 (Privatbesitz); Aussagen des Pflegers Schmid bei Dieter von der Schulenburg, *Welt um Hindenburg*, S, 197–202; Sauerbruch, *Das war mein Leben*, S. 511 bis 515.

24 In dichterischer Freiheit versteigt sich Sauerbruch etwa zu der Schilderung einer persönlichen Aussprache zwischen Hindenburg und Ludendorff im Frühjahr 1934, zu der ausgerechnet Sauerbruch hinzugezogen worden sei, ebenda, S. 513f.

25 Vgl. auch die Auskünfte von Hindenburgs Hausarzt Hugo Adam, bei Hubatsch, *Hindenburg und der Staat*, S. 130; siehe weiterhin die tagebuchartigen Aufzeichnungen Fabecks, der ihn noch am 8./9. Juli 1934 aufgesucht hatte (Fabeck, Aus meinem Leben III, Privatbesitz).

26 Tagebuchaufzeichnung Hoyningen-Huenes vom 11. Juli 1934, Kladde 21 (Privatbesitz).

27 Hans-Otto Meißner, *Junge Jahre*, S. 278f.

28 Hindenburg an Hitler, 30. Juni 1933, abgedruckt bei Endres, *Hindenburg*, S. 184.

29 Immer noch grundlegend Klaus Scholder, *Die Kirchen und das Dritte Reich*. Bd. 1: *Vorgeschichte und Zeit der Illusionen 1918–1934*, Frankfurt a.M. 1977, vor allem S. 288–299, 355 bis 387 und S. 422–463.

30 Hindenburg an Hitler, 30. Juni 1933, bei Endres, *Hindenburg*, S. 184.

31 Vgl. Scholder, *Kirchen*, Bd. 1, S. 465–481.

32 Dazu ausführlich Klaus Scholder, *Die Kirchen und das Dritte Reich*, Bd. 2: *Das Jahr der Ernüchterung*, Frankfurt a.M. 1985, S. 11–49.

33 Vgl. ebenda, S. 48–53; Jørgen Glenthoj, »Hindenburg, Göring und die evangelischen Kirchenführer«, in: *Zur Geschichte des Kirchenkampfes. Gesammelte Aufsätze*, hg. von Heinz Brunotte, Göttingen 1965, S. 45–69; Carsten Nicolaisen (Bearb.), *Dokumente zur Kirchenpolitik des Dritten Reiches*, Bd. 2, München 1975, S. 6–10.

34 Siehe die bei Nicolaisen abgedruckten Dokumente, ebenda, S. 20–32, sowie Meißner, *Staatssekretär*, S. 324.

35 Vgl. sein Schreiben an den Grafen Brünneck vom 4. Mai 1934, auszugsweise bei Schulenburg, *Welt um Hindenburg*, S. 114.

36 Entsprechende Äußerungen Hitlers sind überliefert bei Schaumburg-Lippe, *Zwischen Krone und Kerker*, S. 149; Schneider, *Verhüllter Tag*, S. 102; Sweetman, *Unforgotten Crowns*, S. 288f., 323 und S. 424f.; Ribbentrop, *Zwischen London*, S. 23; Delmer, *Die Deutschen und ich*, S. 176f.; Ernst Hanfstaengl, *Zwischen Weißem und Braunem Haus. Memoiren eines poli-*

tischen Außenseiters, München 1970, S. 228f.; grundlegend ist Machtan, *Kaisersohn*, S. 285 bis 289.

37 Aufzeichnung Dommes vom 15. Mai 1933, abgedruckt bei Gutsche und Petzold, »Das Verhältnis«, S. 935f.; sie deckt sich weitgehend mit einem späteren Bericht Bergs über diese Unterredung gegenüber Ilsemann am 24. Mai 1935, in: Ilsemann, *Monarchie und Nationalsozialismus*, S. 281. Auch in Gesprächen mit Hindenburg hielt Hitler an dieser Position fest, vgl. die Erinnerungen von der Schulenburgs, BA-MA Freiburg, MSg 1/2781, Bl. 61.

38 So der Bericht von Dommes gemäß dem Tagebuch Ilsemanns vom 1. Oktober 1933, in: Ilsemann, *Monarchie und Nationalsozialismus*, S. 232.

39 So die Auskunft, die Dommes am 26. September 1933 vom Staatssekretär der Reichskanzlei, Lammers, erhielt, vgl. eine entsprechende Aufzeichnung von Dommes, in: Geheimes Staatsarchiv Berlin-Dahlem, BPH, Rep. 53, Nr. 167,1; der Inhalt dieser Aufzeichnung ist auch der Tagebuchaufzeichnung Ilsemanns vom 1. Oktober 1933 zu entnehmen, in: Ilsemann, *Monarchie und Nationalsozialismus*, S. 233.

40 Diese vermutlich vom DNVP-Reichstagsabgeordneten und strengen Legitimisten Friedrich Everling verfaßte Denkschrift findet sich im Geheimen Staatsarchiv Berlin-Dahlem, BPH, Rep. 192 Dommes, Nr. 17, daraus auch alle folgenden Zitate; vgl. weiter Sweetman, *Unforgotten Crowns*, S. 440–442.

41 Hindenburg an Cramon, 23. Oktober 1933, BA-MA Freiburg, Nachlaß Cramon, Nr. 35, Bl. 1.

42 »Dies auszusprechen fällt mir unendlich schwer«, ebenda.

43 Überliefert bei Louis Ferdinand Prinz von Preußen, *Im Strom der Geschichte*, München 1983, S. 192f.

44 Vgl. Mackensen an Cramon, 29. Oktober 1933, BA-MA Freiburg, Nachlaß Cramon, Nr. 15, Bl. 6; Oscar von Dewitz an Mackensen, 11. Dezember 1933, BA-MA Freiburg, Nachlaß Mackensen, Nr. 103, Bl. 26f.; Schwarzmüller, *Mackensen*, S. 282f.

45 Hindenburg an Wilhelm II., 25. Dezember 1933, Staatsarchiv Utrecht, Archiv Ex-Kaiser Wilhelm II., Nr. 50.

46 Dazu Machtan, *Kaisersohn*, insbesondere S. 285 und 293.

47 Niederschrift von Dommes vom 26. Oktober 1933 über den Empfang bei Hitler, abgedruckt bei Gutsche und Petzold, »Das Verhältnis«, S. 937–939; vgl. auch Hitlers freimütige Äußerung gegenüber Mussolinis Statthalter in Berlin, Renzetti, am 10. November 1933 gemäß dem vertraulichen Bericht Renzettis vom 10. November 1933, in: BA Koblenz, Nachlaß Renzetti, Nr. 12.

48 Vgl. Dorpalen, *Hindenburg*, S. 449.

49 Vgl. dazu die beiden Schreiben Meißners an Lammers, 9. Februar bzw. 10. April 1934, in: *Akten der Reichskanzlei. Regierung Hitler*, Teil I, S. 1122 und S. 1232; Mackensen an Hindenburg, 3. Februar 1934, BA-MA Freiburg, Nachlaß Mackensen, Nr. 265, Bl. 35–38; Schwarzmüller, *Mackensen*, S. 285f.

50 Vgl. zu diesem Kalkül der Konservativen Larry Eugene Jones, »The Limits of Collaboration. Edgar Jung, Herbert von Bose and the Origins of the Conservative Resistance to Hitler 1933–34«, in: *Between Reform, Reaction, and Resistance*, hg. von Larry Eugene Jones und James Retallack, Providence/Oxford 1993, S. 465–501; Tschirschky, *Erinnerungen*, S. 154–172; Norbert Frei, *Der Führerstaat*, München 2001, S. 25–29.

51 Vgl. Immo von Fallois, *Kalkül und Illusion. Der Machtkampf zwischen Reichswehr und SA während der Röhm-Krise 1934*, Berlin 1994, S. 85.

52 Vgl. Frank, *Im Angesicht*, S. 160.
53 Text der Rede Papens in: Herbert Michaelis und Ernst Schraepler (Hg.), *Ursachen und Folgen. Vom deutschen Zusammenbruch 1918 und 1945 bis zur staatlichen Neuordnung Deutschlands in der Gegenwart*, Bd. 10, Berlin 1965, S. 157–163; zum Adressaten der Rede siehe auch Peter Longerich, *Die braunen Bataillone*, München 1989, S. 211f.
54 Eingeweihte Zirkel berichteten sogar von einem »Abkommen« zwischen Hitler und Papen, mit dem Papen ruhiggestellt wurde, vgl. das Schreiben Otto von Feldmanns an Mackensen, 27. Juni 1934, in: BA-MA Freiburg, Nachlaß Mackensen, Nr. 277, Bl. 3.
55 Ausführlich zum Versagen Papens vgl. Petzold, *Franz von Papen*, S. 206–223; siehe auch Jones, »Limits«, S. 489, und Tschirschky, *Erinnerungen*, S. 172–175.
56 Dies geht einwandfrei aus einem Schreiben hervor, das Papen am 18. Juni 1934 an Hitler richtete, auszugsweise zitiert bei Petzold, *Franz von Papen*, S. 220.
57 Aussage Funks vor dem Nürnberger Kriegsverbrecherprozeß, 6. Mai 1946, in: *Der Prozeß gegen die Hauptkriegsverbrecher vor dem Internationalen Militärgerichtshof*, Bd. 13, hg. vom International Military Tribunal, Nürnberg 1948, S. 155; vgl. auch Machtan, *Kaisersohn*, S. 336.
58 So die Eintragung im Tagebuch von Alfred Rosenberg: Hans-Günther Seraphim (Hg.), *Das politische Tagebuch Alfred Rosenbergs aus den Jahren 1934/35 und 1939/40*, Göttingen 1956, S. 31.
59 Zu Fritschs Besuch vgl. die Erinnerungen Schulenburgs, BA-MA Freiburg, MSg 1/2781, Bl. 134f.; vgl. zur Rolle von Fritsch auch das Schreiben Feldmanns an Mackensen, 27. Juni 1934, BA-MA Freiburg, Nachlaß Mackensen, Nr. 277, Bl. 3.
60 Zu Hitlers Kalkül vgl. Frei, *Führerstaat*, S. 29–35, und Fallois, *Kalkül*, S. 150.
61 Vgl. die maschinenschriftlichen Erinnerungen aus dem Jahre 1949 des SA-Führers Günther Hayo Hoffmann-Koepping, »Ich überlebte die Röhm-Revolte«, Archiv des Instituts für Zeitgeschichte, München, Ms 594, dort Bl. 157.
62 Vgl. Hitlers Absichtserklärung im Gespräch mit Dommes am 24. Oktober 1933, bei Gutsche und Petzold, »Das Verhältnis«, S. 938; siehe auch die Tagebucheintragungen von Goebbels, 2. Juni, 19. Juli und 25. August 1933, in: Goebbels, *Tagebücher*, Bd. 2/III, S. 199, 230 und 253.
63 Vgl. dazu Goebbels, *Tagebücher*, Bd. 2/III, Eintrag vom 2. Juni 1933, S. 199.
64 Vgl. dazu auch Ludecke, *I knew Hitler*, S. 673, sowie Hermann Mau, »Die ›zweite Revolution‹ – der 30. Juni 1934«, in: *Vierteljahrshefte für Zeitgeschichte* 1 (1953), S. 119–137.
65 Vgl. Hitlers Äußerung vom 4. Mai 1934, überliefert im Tagebuch Rosenbergs, bei Seraphim, *Tagebuch Alfred Rosenbergs*, S. 18; ähnlich auch die Äußerungen Hitlers gemäß den Tagebucheintragungen von Goebbels, 2. Juni und 25. August 1933, in: Goebbels, *Tagebücher*, Bd. 2/III, S. 199 und 253.
66 Dies ergibt sich eindeutig aus der Tagebuchaufzeichnung von Goebbels vom 15. Mai 1934, in: Goebbels, *Tagebücher*, Bd. 3/I, S. 49; zu den Kontakten zwischen Papen und Hitler in der Testamentsfrage vgl. auch Papen, *Wahrheit*, S. 369–371; Tschirschky, *Erinnerungen*, S. 148–150, sowie Horst Mühleisen, »Das Testament Hindenburgs vom 11. Mai 1934«, in: *Vierteljahrshefte für Zeitgeschichte* 44 (1996), S. 356–371, hier S. 359.
67 Papen, *Wahrheit*, S. 371; vgl. auch undatierte handschriftliche Aufzeichnungen von Papens Adjutanten Hans Graf von Kageneck (Privatbesitz).
68 Dazu ausführlich eine Aufzeichnung Schulenburgs, BA-MA Freiburg, MSg 1/2090.
69 Vgl. die Tagebucheintragungen von Goebbels vom 15. Mai und vom 16. August 1934, in: Goebbels, *Tagebücher*, Bd. 3/I, S. 49 und S. 93.

70 Entsprechende Überlegungen Hitlers lassen sich schon auf den September 1932 datieren, vgl. Ludecke, *I knew Hitler*, S. 413f.

71 Grundlegend hierzu Machtan, *Kaisersohn*, S. 316–318, und Martin H. Sommerfeldt, *Ich war dabei*, Darmstadt 1949, S. 56–73.

72 Hindenburg an Hitler, 30. Januar 1934, abgedruckt bei Endres, *Hindenburg*, S. 186.

73 Vgl. Schulenburgs Erinnerungen, BA-MA Freiburg, MSg 1/2781, Bl. 134f.

74 Dokumentarischen Niederschlag findet diese Haltung der Reichswehrführung in Besprechungsaufzeichnungen des Abteilungsleiters im Heeresamt, Heinrici, bei Hermann Foertsch, *Schuld und Verhängnis*, Stuttgart 1951, S. 51f., sowie in Aufzeichnungen des Majors Rupp, abgedruckt in: Klaus-Jürgen Müller, »Reichswehr und ›Röhm-Affäre‹«, in: *Militärgeschichtliche Mitteilungen* 1 (1968), S. 107–144, hier S. 124f.

75 Ausführlich zu diesen Plänen vgl. Tschirschky, *Erinnerungen*, S. 176–179.

76 Vgl. ebenda, S. 186–188.

77 Erinnerungen Schulenburgs, BA-MA Freiburg, MSg 1/2781, Bl. 138; Kalischer, *Hindenburg*, S. 249.

78 Gemäß der Mitteilung Hitlers an den Hamburger Bürgermeister Krogmann am 18. August 1934, Tagebuch Krogmann, Staatsarchiv Hamburg, Familie Krogmann I, Carl Vincent Krogmann, C 14 II 1934, Bl. 412; auch abgedruckt bei Krogmann, *Deutschlands Zukunft*, S. 159; vgl. auch eine ähnliche von Hitler überlieferte Äußerung Hindenburgs, zitiert bei Albert Speer, *Erinnerungen*, Berlin 1969, S. 64; im Tenor gleichlautend auch eine Äußerung Hindenburgs gegenüber Funk, bei Frank, *Im Angesicht*, S. 152.

79 Zum Verhalten Hindenburgs vgl. die Erinnerungen Schulenburgs, BA-MA Freiburg, MSg 1/2781, Bl. 138–142; siehe auch einen Vermerk von Prof. Günther Franz über eine Unterredung mit Schulenburg, August 1960, in: BA Koblenz, Kleine Erwerbungen 940.

80 Vgl. die Tagebucheintragung von Goebbels unter dem 4. Juli 1934 über einen Bericht Funks, der am 1. Juli 1934 Hindenburg persönlich in Neudeck unterrichtet hatte und dann nach Berlin zurückgekehrt war, in: Goebbels, *Tagebücher*, Bd. 3/I, S. 74; siehe auch Hoßbach, *Zwischen Wehrmacht und Hitler*, S. 57.

81 Abdruck des Telegramms u.a. in: *Völkischer Beobachter* Ausgabe A vom 3. Juli 1934.

82 Vgl. Kalischer, *Hindenburg*, S. 250.

83 Vgl. die Eintragung vom 4. Juli 1934 bei Goebbels, *Tagebücher*, Bd. 3/I, S. 73f.; Meißner, *Staatssekretär*, S. 369; Erinnerungen Schulenburgs, BA-MA Freiburg, MSg 1/2781, Bl. 143f.

84 Abdruck des Telegramms an Göring u.a. in: *Völkischer Beobachter* Ausgabe A vom 3. Juli 1934.

85 Ebenda.

86 Erinnerungen Schulenburgs, BA-MA Freiburg, MSg 1/2781, Bl. 152–156, Zitat Bl. 155; vgl. auch den Vermerk von Prof. Franz über eine Begegnung mit Schulenburg aus dem August 1960, BA Koblenz, Kleine Erwerbungen 940.

87 Erinnerungen Schulenburgs, ebenda, Bl. 147–151; vgl. auch Kalischer, *Hindenburg*, S. 257f.; Tschirschky, *Erinnerungen*, S. 207–209.

88 Vgl. Theodor Duesterberg, *Der Stahlhelm und Hitler*, Wolfenbüttel 1949, S. 83; Kalischer, *Hindenburg*, S. 258.

89 Vgl. Papen, *Wahrheit*, S. 368–371.

90 Hindenburg an Hitler, 6. Februar 1934, abschriftlich in: BA-MA Freiburg, Nachlaß Macksensen, Nr. 265, Bl. 40.

91 Gemäß einer Schilderung Hitlers über den Verlauf dieses Vortrags, in: Goebbels, *Tagebücher*, Bd. 3/I, S. 76.

92 Vgl. Schwarzmüller, *Mackensen*, S. 290–293; Aussage Dewitz' am 14. Juli 1954, in: Archiv des Instituts für Zeitgeschichte, ZS 569: Oscar von Dewitz.

93 Hindenburg und Hitler hatten sich bei ihrer Besprechung am 3. Juli dementsprechend verständigt: Papen »soll nicht in den Verdacht geraten, zu Röhm zu gehören«, siehe dazu die Tagebucheintragung von Goebbels vom 6. Juli 1934, in: Goebbels, *Tagebücher*, Bd. 3/1, S. 76.

94 Petzold, *Franz von Papen*, S. 227.

95 Reichstagsrede Hitlers vom 13. Juli 1934 bei Domarus, *Hitler*, S. 410–424.

96 Zu Papens Verhalten vgl. Petzold, *Franz von Papen*, S. 225–230.

KAPITEL 37
Hindenburgs politisches Testament

1 Am 5. Juli 1934 hatte er das siamesische Königspaar empfangen, vgl. dazu die Tagebucheintragung Hoyningen-Huenes vom 11. Juli 1934 (Tagebuch Hoyningen-Huene, Kladde 21, Privatbesitz).

2 Vgl. Erinnerungen Wedige von der Schulenburgs, BA-MA Freiburg, MSg 1/2781, Bl. 126; siehe auch Dieter von der Schulenburg, *Welt um Hindenburg*, S. 201.

3 Siehe die Mitteilungen von Hindenburgs Hausarzt Adam, der dem Ärzteteam angehörte, das Hindenburg seit Ende Juli 1934 behandelte, bei Hubatsch, *Hindenburg und der Staat*, S. 130.

4 Vgl. die Tagebucheintragung von Goebbels, 2. August 1934, in: Goebbels, *Tagebücher*, Bd. 3/I, S. 87.

5 Richard Dietrich (Bearb.), *Die politischen Testamente der Hohenzollern*, Köln 1986.

6 Weber, »Typen der legitimen Herrschaft«, S. 485; vgl. auch Weber, *Wirtschaft und Gesellschaft*, S. 143.

7 Vgl. eine Mitteilung von Papens Mitarbeiter Tschirschky aus dem Jahre 1954, der bestens mit der Testamentsangelegenheit vertraut war, Archiv des Instituts für Zeitgeschichte, München, ZS 568/I, Tschirschky.

8 *Hindenburgs Testament*, Köln 1934, S. 1–3.

9 Vgl. das Schreiben Levetzows an Bidlingmaier, 7. April 1938, bei Granier, *Levetzow*, S. 354f.; siehe auch die Angaben bei Widenmann, *Marine-Attaché*, S. 301.

10 Vgl. hierzu Hans Blüher, »Der Treuhänder des Volkes«, in: *Der Ring* 4 (1933), S. 60f.; Schreiben des Majors Walter Klüchzner an den Vorsitzenden der Herrengesellschaft Mecklenburg, von Oertzen, 14. November 1932, Landeshauptarchiv Schwerin, Bestand Herrengesellschaft Mecklenburg Nr. 11.

11 Protokoll der Sitzung des bayerischen Hindenburg-Ausschusses, 27. September 1932, in: Hauptstaatsarchiv München, Nachlaß Escherich, Nr. 50.

12 Vgl. die entsprechende Rede des DNVP-Reichstagsabgeordneten von Freytagh-Loringhoven, 7. Dezember 1932, in: *Verhandlungen des Reichstags, VII. Wahlperiode*, Bd. 455, S. 26.

13 Vgl. den Bericht des gut informierten Reiners auf der Redaktionskonferenz des Ullstein-Verlags, 29. September 1932, gemäß dem Tagebuch Schäffers, in: BA Koblenz, Kleine Erwerbungen 614/17a, Bl. 161f.

14 Zu seiner Person vgl. Edgar von Schmidt Pauli, »Karl von Wiegand«, in: *Politik und Gesellschaft*. Heft 15 vom 18. Mai 1931, S. 17–21; Martha Dodd, *Through Embassy Eyes*, New York 1939, S. 98f.

15 Vgl. das Schreiben Wiegands an Papen, 18. Oktober 1932, in: Hoover Institution Archives, Stanford, Nachlaß Karl von Wiegand, Box 18, Folder Papen.

16 Wiegand an Papen, 17. März 1933, ebenda.

17 Vgl. die Eintragung in Dodds Tagebuch vom 29. August 1933: William und Martha Dodd (Hg.), *Ambassador Dodd's Diary 1933–1938*, New York 1941, S. 29f.

18 Vgl. die Eintragung im Tagebuch Dodds vom 12. September 1933, ebenda, S. 35.

19 Dazu Mühleisen, »Testament Hindenburgs«, S. 358.

20 Vgl. die von Cramon übergebenen »Argumente« für die Rückkehr Wilhelms II., BA-MA Freiburg, Nachlaß Cramon, Nr. 46, Bl. 2.

21 Hindenburg, *Aus meinem Leben*, S. 405.

22 Cramon an Mackensen, 30. Januar 1934, BA-MA Freiburg, Nachlaß Mackensen, Nr. 265, Bl. 29.

23 Vgl. Tschirschky, *Erinnerungen*, S. 150, sowie Vogel, *Erlebnisse*, S. 123.

24 Grundlegend hierzu Tschirschky, *Erinnerungen*, S. 150f., der eng mit Papen bei der Erstellung eines kompletten Testamentsentwurfes mitwirkte.

25 Ebenda.

26 *Hindenburgs Testament*, S. 4.

27 Ebenda.

28 Ebenda, S. 6.

29 Ebenda, S. 5.

30 Auf ein solches Eingreifen der Armee hoffte nicht zuletzt Brüning, der damit die Schleicher-Tradition fortsetzte, vgl. ein für die Reichswehrführung gedachtes Memorandum Brünings vom 31. August 1935, in: Claire Nix (Hg.), *Heinrich Brüning. Briefe und Gespräche 1934–1945*, Stuttgart 1974, S. 466–482.

31 Wie sehr das Testament Hindenburgs in höchsten Wehrmachtskreisen in diesem Sinne verstanden wurde, wird deutlich aus Äußerungen des Chefs der Marineleitung, Admiral Raeder, bei Schulenburg, *Welt um Hindenburg*, S. 176.

32 Vgl. Papen, *Wahrheit*, S. 369f.

33 *Hindenburgs Testament*, S. 6f.; vgl. zur Urheberschaft Papens auch Tschirschky, *Erinnerungen*, S. 151f.

34 Vgl. Tschirschky, *Erinnerungen*, S. 151; Papen, *Wahrheit*, S. 371; Mühleisen, »Testament Hindenburgs«, S. 360.

35 Zum Vorbild Italien vgl. Schieder, »Das italienische Experiment«.

36 Dazu Mühleisen, »Testament Hindenburgs«, S. 360–362; Tschirschky, *Erinnerungen*, S. 152; Papen, *Wahrheit*, S. 371.

37 Aufzeichnung Wedige von der Schulenburgs zum Testament Hindenburgs, BA-MA Freiburg, MSg 1/2090, Bl. 5f.

38 Hindenburg beklagte sich über gichtige Finger des öfteren in Privatbriefen an Tochter Irmengard, etwa am 21. Mai 1932 und am 18. Juli 1932 (Privatbesitz).

39 Aufzeichnungen von der Schulenburgs, BA-MA Freiburg, MSg 1/2090, Bl. 5f.; siehe auch Mühleisen, »Testament Hindenburgs«, S. 363f.

40 Vgl. dazu eine Aufzeichnung Lersners vom 6. Februar 1947, BA Koblenz, Kleine Erwerbungen 591, Nr. 9/4, sowie eine Aufzeichnung des deutschen Botschafters in Rom, von

Hassell, in: Hassell, *Römische Tagebücher*, S. 239, und Tschirschky, *Erinnerungen*, S. 174; in der Sache nur halbwahr ist Papen, *Wahrheit*, S. 373.

41 Vgl. die Tagebucheintragung der Gesellschaftsberichterstatterin der *Vossischen Zeitung* Bella Fromm vom 3. August 1934, in: Fromm, *Blood and Banquets*, S. 156; vgl. auch W. d'Ormesson, *Le testament de Hindenburg*, in: *Le Figaro* vom 17. August 1934.

42 Vgl. Tagebucheintragung von Goebbels vom 15. Mai 1934, in: Goebbels, *Tagebücher*, Bd. 3/I, S. 49; Papen, *Wahrheit*, S. 373; Hanfstaengl, *Zwischen Weißem und Braunem Haus*, S. 355; Otto Dietrich, *Zwölf Jahre mit Hitler*, Köln 1955, S. 40f.

43 Vgl. Mühleisen, »Testament Hindenburgs«, S. 366–368; Tschirschky, *Erinnerungen*, S. 154; Papen, *Wahrheit*, S. 373f.

44 Tagebucheintragung von Goebbels, 16. August 1934, in: Goebbels, *Tagebücher*, Bd. 3/I, S. 93.

45 Vgl. u.a. »Hindenburgs politisches Vermächtnis«, in: *Völkischer Beobachter* Nr. 228 vom 16. August 1934.

46 Vgl. auch Mühleisen, »Testament Hindenburgs«, S. 362.

47 *Hindenburgs Testament*, S. 5.

48 Ebenda, S. 6.

49 Ebenda, S. 6f.

50 Vgl. den Brief Hitlers an Reichsinnenminister Frick vom 2. August 1934, abgedruckt bei *Schulthess' Europäischer Geschichtskalender. Neue Folge* 50 (1934), S. 12.

51 *Hindenburgs Testament*, S. 5.

52 Schreiben Hitlers an Wehrminister Blomberg, 20. August 1934, bei *Schulthess' Europäischer Geschichtskalender. Neue Folge* 50 (1934), S. 219.

53 Dazu immer noch einschlägig Bracher, *Stufen der Machtergreifung*, S. 301 und S. 472–475.

54 Vgl. Wehler, *Gesellschaftsgeschichte*, Bd. 4, S. 618f.

55 Vgl. dazu die einzige Wahlrede Hitlers anläßlich dieser Volksabstimmung, die er am 17. August 1934 in Hamburg hielt und der programmatischer Charakter zukommt, auszugsweise wiedergegeben in *Schulthess' Europäischer Geschichtskalender. Neue Folge* 50 (1934), S. 211–218.

56 Vgl. auch Dorpalen, *Hindenburg*, S. 454f.

57 Kompletter Text der Rundfunkansprache in: *Staatsanzeiger für Württemberg* Nr. 191 vom 18. August 1934, S. 2; Auszüge aus der Rede in: Michaelis und Schraepler, *Ursachen und Folgen*, Bd. 10, S. 277.

58 Ebenda.

59 Hindenburgs Rundfunkansprache vom 11. November 1933, bei Endres, *Hindenburg*, S. 184–186. Zur Rede Hindenburgs und Hindenburgs Danksagung an Hitler nach der Reichstagswahl vgl. die Tagebucheintragungen von Goebbels vom 12. und 14. November 1933, in: Goebbels, *Tagebücher*, Bd. 2/III, S. 312–314.

60 Kundgebung der Reichsregierung an das deutsche Volk, 2. August 1934, *Reichsgesetzblatt*. Teil I, 1934, S. 753–755.

61 Rede Hitlers in *Schulthess' Europäischer Geschichtskalender. Neue Folge* 50 (1934), S. 200 bis 202, Zitat S. 202.

Quellen

ARCHIVE

Archiv der Bayer-AG, Leverkusen
  Aktenordner Kunst: Büsten A–H; – Autographensammlung Duisberg; – Ordner 76/9:
  Hindenburg-Wiederwahl

Archiv für Christlich-Demokratische Politik, Sankt Augustin
  Nachlaß Stinnes

Archiv für Christlich-Soziale Politik, München
  Nachlaß Josef Müller

Archiv des Hauses Württemberg, Altshausen
  G 331 Herzog Albrecht

Archiv der Humboldt-Universität Berlin
  Universitätskurator, Personalakte E 54

Archiv des Instituts für Zeitgeschichte, München
  ED 60 Nachlaß Wagener; – ED 93 Nachlaß Hans Schäffer; – ED 163 Nachlaß Thieme; –
  MA 144/5; – Ms 594; – ZS/A-20; – ZS 568 Tschirschky; – ZS 569 Dewitz

Archiv des Künstler-Vereins Malkasten, Düsseldorf
  KVM 402: Vortrag Petersen über Hindenburg

Archiv der Preußischen Akademie der Künste, Berlin
  2.3/083: Ausstellungen der Akademie

Archiv der Sozialen Demokratie, Bonn
  Bestand ADGB; – Nachlaß Otto Meißner

Bayerisches Hauptstaatsarchiv München
  Nachlaß Escherich; – Nachlaß Karl Alexander von Müller

Bayerisches Hauptstaatsarchiv München, Geheimes Hausarchiv der Wittelsbacher
  Nachlaß Kronprinz Rupprecht

Bundesarchiv (BA) Berlin
  R 2; – R 53 Stellvertreter des Reichskanzlers (Vizekanzler von Papen); – R 101 Reichstag des
  Deutschen Reiches; – R 601 Büro des Reichspräsidenten; – R 1506 Reichsarchiv; –N 2190
  Nachlaß Mertz von Quirnheim; – N 2329 Nachlaß Westarp

Bundesarchiv (BA) Koblenz

Kleine Erwerbungen 242, 255, 317, 341, 556, 591, 614, 842, 846, 849, 855, 940; – N 1003 Nach-
laß Wegener; – N 1005 Nachlaß Pünder; – N 1015 Nachlaß Valentini; – N 1016 Nachlaß
Bülow; – N 1017 Nachlaß Delbrück; – N 1045 Nachlaß Loebell; – N 1053 Nachlaß Solf; –
N 1064 Nachlaß Alter (= Franz Sontag); – N 1114 Nachlaß Friedensburg; – N 1135 Nachlaß
Jaenicke; – N 1166 Nachlaß Ritter; – N 1191 Nachlaß Schiffer; – N 1211 Nachlaß Otto
Schmidt-Hannover; – N 1231 Nachlaß Hugenberg; – N 1235 Nachlaß Renzetti; – N 1243
Nachlaß Walter von Keudell; – N 1245 Nachlaß Lindner; – N 1310 Nachlaß Neurath; –
N 1324 Nachlaß Spahn; – N 1353 Nachlaß Stegemann; – N 1474 Nachlaß Sahm

Bundesarchiv-Militärarchiv (BA-MA) Freiburg

MSg 1: Nr. 83, 288, 2090, 2212, 2777, 2778, 2779, 2780, 2781, 3117, 3217, 3251– 3255; – MSg 101/
221; – N 18 Nachlaß Heye; – N 19 Nachlaß Weichs; – N 26 Nachlaß Hammerstein; – N 35
Nachlaß Haeften; – N 36 Nachlaß Hahnke; – N 37 Nachlaß Max Hoffmann; – N 39 Nach-
laß Mackensen; – N 42 Nachlaß Schleicher; – N 46 Nachlaß Groener; – N 52 Nachlaß
Blomberg; – N 77 Nachlaß Ludendorff; – N 78 Nachlaß Moltke; – N 80 Nachlaß Mudra; –
N 87 Nachlaß Otto von Below; – N 98 Nachlaß Goßler; – N 121 Nachlaß Foerster; – N 128
Nachlaß Pentz; – N 159 Nachlaß Georg von Müller; – N 239 Nachlaß Levetzow; – N 242
Nachlaß Mertz von Quirnheim; – N 247 Nachlaß Seeckt; – N 266 Nachlaß Cramon; –
N 274 Nachlaß François; – N 323 Nachlaß Boetticher; – N 324 Nachlaß Einem; – N 334
Nachlaß Mackensen; – N 429 Nachlaß Hindenburg; – N 512 Nachlaß Dommes; – N 774
Nachlaß Vincenz Müller; – W 10: Nr. 50655, 50656, 50661, 50688, 50692, 50709, 50710, 50717,
51441, 52062

Familienarchiv der Freiherrn Hiller von Gaertringen, Gärtringen

Nachlaß Westarp

Forschungsstelle für Zeitgeschichte, Hamburg

11/K 5, Krogmann-Tagebücher 1934–1935

Geheimes Staatsarchiv Preußischer Kulturbesitz Berlin-Dahlem

Rep. 77 Nr. 368; – Rep. 53 Kaiser Wilhelm II.; – Rep. 192 Dommes; – Nachlaß Hergt

Generallandesarchiv Karlsruhe

N 297 Nachlaß Beringer

Harvard University Library

HUG FP 93.10 Brüning-Papers

Hauptstaatsarchiv Düsseldorf

RW 265 Nachlaß Carl Schmitt

Hauptstaatsarchiv Stuttgart

M 77/1 Büschel 496

Historisches Archiv Krupp, Essen

FAH 4 C 24

Historisches Archiv der Stadt Köln

Nachlaß Haehner; – Nachlaß Marx

Hohenlohe-Zentralarchiv Neuenstein

Nachlaß Ernst zu Hohenlohe-Langenburg

Hoover Institution Archives, Stanford
Nachlaß Karl von Wiegand

Internationales Institut für Sozialgeschichte, Amsterdam
Nachlaß Harich

Konzernarchiv Daimler, Stuttgart
Vorstandsakten Kissel

Landeshauptarchiv Koblenz
700,234 Klemens von Schorlemer-Lieser

Landeshauptarchiv Schwerin
Herrengesellschaft Mecklenburg; – Briefnachlaß Johann Albrecht zu Mecklenburg

Niedersächsisches Hauptstaatsarchiv Hannover
Nds. 171 Lüneburg

Politisches Archiv des Auswärtigen Amtes, Berlin
Nachlaß Kriege; – Nachlaß Stresemann

Sächsisches Hauptstaatsarchiv Dresden
Verein Haus Wettin

Sonderarchiv Moskau
Fonds 703 (Papen)

Staatsarchiv Hamburg
Firma Blohm und Voss; – HAPAG-Reederei; – Senat; – Familie Berenberg, Tagebuch Cornelius von Berenberg – Goßler; – Familie Krogmann I

Staatsarchiv Oldenburg
Bestand 262-1A, Nr. 1534

Staatsarchiv Utrecht
Archiv Ex-Kaiser Wilhelm II.

Staatsbibliothek Berlin, Handschriftenabteilung
K 84 Nachlaß Delbrück

Stadtarchiv Hannover
HR 3, 9, 10 und 15; – Nachlaß Tramm

Stadtarchiv Magdeburg
Rep. 30 Nachlaß Faber; – Rep. A III 59

Stadtarchiv Wuppertal
Nachlaß Bloem

Universitätsarchiv Bonn
Nachlaß Hubatsch

Wojewodschaftsarchiv Allenstein
Rep. 387 Nachlaß Friedrich von Berg

PRIVATE NACHLÄSSE

Victor Freiherr von Brandenstein
»Erinnerungen an meinen Großvater Rudolf Freiherr von Brandenstein«

Hans-Hartmut von Brockhusen
Hindenburg-Korrespondenz

Jürgen von Brockhusen
Hindenburg-Korrespondenz

Dr. Guidotto Fürst von Donnersmarck
Privatarchiv des Fürsten Guido Otto von Donnersmarck

Jörn von Fabeck
Tagebücher Karl von Fabeck

Dr. Peter von Feldmann
Nachlaß Otto von Feldmann

Christian Haacke
Restnachlaß Christian von Pentz

Wendelin Graf von Kageneck
Aufzeichnungen Hans Graf von Kageneck

Prof. Dr. Fritz Klein
Privatarchiv

Rüdiger von Manstein
Privatarchiv

Erna Michael
Unterlagen zu Horst Michael

Frau von Oertzen
Tagebuch des Wilhelm von Oertzen

Prof. Dr. John Röhl
Privatarchiv

Florian von Schilcher
Hindenburg-Korrespondenz

Waltraud Schotte
Restnachlaß Walther Schotte

Dr. Theo Schwarzmüller
Briefwechsel Mackensen

Kees van der Sluijs
Unterlagen zur Kronprinzenkandidatur 1932

Marie Gräfin Stolberg
Restnachlaß Friedrich Wilhelm Freiherr von Willisen

Dr. Uta Treu-Neubourg
Tagebücher Oswald von Hoyningen-Huene

Literatur

MONOGRAPHIEN UND SAMMELBÄNDE

Absolon, Rudolf, *Die Wehrmacht im Dritten Reich*, Bd. 1 und 2, Boppard 1969–71.

Afflerbach, Holger, *Falkenhayn. Politisches Denken und Handeln im Kaiserreich*, 2. Aufl., München 1996.

Almond, Gabriel A., Sidney Verba, *The Civic Culture. Political Attitudes and Democracy in Five Nations*, Princeton 1963.

Aretin, Erwein von, *Krone und Ketten*, München 1955.

Artinger, Kai, *Agonie und Aufklärung. Krieg und Kunst in Großbritannien und Deutschland im 1. Weltkrieg*, Weimar 2000.

Asmus, Burkhard, *Republik ohne Chance? Akzeptanz und Legitimation der Weimarer Republik in der deutschen Tagespresse zwischen 1918 und 1923*, Berlin 1994.

Asprey, Robert B., *The German High Command at War*, London 1991.

Barth, Boris, *Dolchstoßlegenden und politische Desintegration. Das Trauma der deutschen Niederlage im Ersten Weltkrieg 1914–1933*, Düsseldorf 2003.

Baumgart, Winfried, *Deutsche Ostpolitik 1918*, Wien 1966.

Beck, Ludwig, *Studien*, Stuttgart 1955.

Becker, Frank, *Bilder von Krieg und Nation. Die Einigungskriege in der bürgerlichen Öffentlichkeit Deutschlands 1864–1913*, München 2001.

Bergemann, Gustav von, *Rückschau*, München 1953.

Berghahn, Volker, *Der Stahlhelm*, Düsseldorf 1966.

Berthold, Lutz, *Carl Schmitt und der Staatsnotstandsplan am Ende der Weimarer Republik*, Berlin 1999.

Bertkau, Friedrich, *Das amtliche Zeitungswesen im Verwaltungsgebiet Ober-Ost*, Phil. Diss., Leipzig 1928.

Bieber, Hans-Joachim, *Bürgertum in der Revolution*, Hamburg 1992.

Biefang, Andreas, *Politisches Bürgertum in Deutschland 1857–1868*, Düsseldorf 1994.

Biesemann, Jörg, *Das Ermächtigungsgesetz als Grundlage der Gesetzgebung im nationalsozialistischen Staat*, Münster 1985.

Birnbaum, Karl E., *Peace Moves and U-Boat Warfare*, Stockholm 1958.

Blasius, Dirk, *Weimars Ende. Bürgerkrieg und Politik 1930–1933*, Göttingen 2005.

Blomeyer, Peter, *Der Notstand in den letzten Jahren von Weimar*, Berlin 1999.

Boetticher, Friedrich von, *Schlieffen. Viel leisten, wenig hervortreten, mehr sein als scheinen*, Göttingen 1957.

Bracher, Karl Dietrich, *Die Auflösung der Weimarer Republik*, Villingen 1955.

Bracher, Karl Dietrich, *Stufen der Machtergreifung*, Frankfurt a.M. 1974.

Brennecke, Detlef, *Sven Hedin*, Reinbek 1986.

Breucker, Wilhelm, *Die Tragik Ludendorffs*, Stollhamm 1953.

Breuer, Stefan, *Bürokratie und Charisma. Zur politischen Soziologie Max Webers*, Darmstadt 1994.

Brodkorb, Clemens, und Christoph Kentrup, *Georg von Sachsen. Kronprinz – Priester – Jesuit*, Heiligenstadt 2004.

Brose, Eric Dorn, *The Kaiser's Army. The Politics of Military Technology in Germany during the Machine Age, 1870–1918*, Oxford 2001.

Bruendel, Steffen, *Volksgemeinschaft oder Volksstaat. Die »Ideen von 1914« und die Neuordnung Deutschlands im Ersten Weltkrieg*, Berlin 2003.

Brühl, Reinhard, *Militärgeschichte und Kriegspolitik*, Berlin 1973.

Buchner, Bernd, *Um nationale und republikanische Identität. Die deutsche Sozialdemokratie und der Kampf um die politischen Symbole in der Weimarer Republik*, Bonn 2001.

Bussche, Raimund von dem, *Konservatismus in der Weimarer Republik. Die Politisierung des Unpolitischen*, Heidelberg 1998.

Cavallie, James, *Ludendorff und Kapp in Schweden*, Frankfurt a.M. 1995.

Clemente, Steven E., *For King and Kaiser! The Making of the Prussian Army Officer, 1860–1914*, New York 1992.

Constant, Stephen, *Foxy Ferdinand*, London 1979.

Conze, Werner, *Polnische Nation und deutsche Politik im Ersten Weltkrieg*, Köln 1958.

Creutz, Martin, *Die Pressepolitik der kaiserlichen Regierung während des Ersten Weltkrieges*, Frankfurt a.M. 1996.

Czichon, Eberhard, *Wer verhalf Hitler zur Macht?*, Köln 1967.

Daners, Holger, *Charisma in Organisationen. Die Perpetuierung charismatischer Führung*, Aachen 1999.

Daum, Andreas, *Wissenschaftspopularisierung im 19. Jahrhundert. Bürgerliche Kultur, naturwissenschaftliche Bildung und die deutsche Öffentlichkeit 1848–1914*, 2. Aufl., München 2002.

Deist, Wilhelm, *Militär, Staat und Gesellschaft. Studien zur preußisch-deutschen Militärgeschichte*, München 1991.

Dörner, Andreas, *Politischer Mythos und symbolische Politik. Der Hermannmythos – zur Entstehung des Nationalbewußtseins der Deutschen*, Reinbek 1996.

Dörr, Manfred, *Die Deutschnationale Volkspartei 1925–1928*, Phil. Diss., Marburg 1964.

Dorpalen, Andreas, *Hindenburg in der Geschichte der Weimarer Republik*, Berlin 1966.

Drechsler, Ingrun, *Die Magdeburger Sozialdemokratie vor dem Ersten Weltkrieg*, Oschersleben 1995.

Duesterberg, Theodor, *Der Stahlhelm und Hitler*, Wolfenbüttel 1949.

Eickhoff, Georg, *Das Charisma der Caudillos: Cárdenas, Franco, Péron*, Frankfurt a.M. 1999.

Elsner, Lothar, *Die Herrengesellschaft. Leben und Wandlungen des Wilhelm von Oertzen*, Rostock 1998.

Epstein, Klaus, *Matthias Erzberger und das Dilemma der deutschen Demokratie*, Berlin 1962.

Eschenburg, Theodor, *Die Republik von Weimar*, München 1984.

Fallois, Immo von, *Kalkül und Illusion. Der Machtkampf zwischen Reichswehr und SA während der Röhm-Krise 1934*, Berlin 1994.

Falter, Jürgen, *Wahlen und Abstimmungen in der Weimarer Republik*, München 1986.

Falter, Jürgen, *Hitlers Wähler*, München 1991.

Fehrenbach, Elisabeth, *Wandlungen des deutschen Kaisergedankens 1871–1918*, München 1969.

Feldman, Gerald D., *Hugo Stinnes*, München 1998.

Foerster, Wolfgang, *Der Feldherr Ludendorff im Unglück*, Wiesbaden 1952.

Folz, Hans-Ernst, *Staatsnotstand und Notstandsrecht*, Köln 1962.

Frehse, Michael, *Ermächtigungsgesetzgebung im Deutschen Reich 1914–1933*, Pfaffenweiler 1985.

Frei, Norbert, *Der Führerstaat*, München 2001.

Frentz, Hans, *Der unbekannte Ludendorff*, Wiesbaden 1972.

Frevert, Ute (Hg.), *Militär und Gesellschaft im 19. und 20. Jahrhundert*, Stuttgart 1997.

Frevert, Ute, *Die kasernierte Nation. Militärdienst und Zivilgesellschaft in Deutschland*, München 2001.

Frey, Marc, *Der Erste Weltkrieg und die Niederlande*, Berlin 1998.

Friesenhahn, Ernst, *Der politische Eid*, Bonn 1928.

Fritzsche, Peter, *A Nation of Fliers*, Cambridge/Mass. 1992.

Fritzsche, Peter, *Rehearsals for Fascism. Populism and Political Mobilization in Weimar Germany*, New York/Oxford 1990.

Fritzsche, Peter, *Wie aus Deutschen Nazis wurden*, Zürich 1999.

Fuchs, Walther Peter, *Studien zu Großherzog Friedrich I. von Baden*, Stuttgart 1995.

Gall, Lothar, *Die Germania als Symbol nationaler Identität im 19. und 20. Jahrhundert*, Göttingen 1983.

Geiss, Imanuel, *Der polnische Grenzstreifen 1914–1918*, Lübeck 1960.

Gessner, Dieter, *Agrarverbände in der Weimarer Republik*, Düsseldorf 1976.

Geyer, Martin H., *Verkehrte Welt. Revolution, Inflation und Moderne, München 1914–1924*, Göttingen 1998.

Giesebrecht, Klaus, *Die politische Entwicklung in Deutschland seit der Kanzlerschaft Papens bis März 1933 am Beispiel der maßgebenden Zentrumsblätter »Germania« und »Kölnische Volkszeitung«*, Phil. Diss., Bochum 1970.

Giesen, Bernhard, *Kollektive Identität*, Frankfurt a.M. 1999.

Gollbach, Michael, *Die Wiederkehr des Weltkriegs in der Literatur*, Kronberg 1978.

Görlitz, Walter, *Hindenburg*, Bonn 1953.

Groener-Geyer, Dorothea, *General Groener*, Frankfurt a.M. 1955.

Groh, Dieter, und Peter Brandt, *»Vaterlandslose Gesellen«. Sozialdemokratie und Nation 1860–1990*, München 1992.

Groh, Ruth, *Arbeit an der Heillosigkeit der Welt. Zur politisch-theologischen Mythologie und Anthropologie Carl Schmitts*, Frankfurt a.M. 1998.

Grübler, Michael, *Die Spitzenverbände der Wirtschaft und das erste Kabinett Brüning*, Düsseldorf 1982.

Grupp, Peter, *Deutsche Außenpolitik im Schatten von Versailles 1918–1920. Zur Politik des Auswärtigen Amts vom Ende des Ersten Weltkriegs und der Novemberrevolution bis zum Inkrafttreten des Versailler Vertrages*, Paderborn 1988.

Guratzsch, Dankwart, *Macht durch Organisation. Die Grundlegung des Hugenbergschen Presseimperiums*, Düsseldorf 1974.

Gusy, Christoph, *Die Weimarer Reichsverfassung*, Tübingen 1997.

Guth, Ekkehart P., *Der Loyalitätskonflikt des deutschen Offizierskorps in der Revolution 1918–20*, Frankfurt a.M. 1983.

Gutsche, Willibald, *Ein Kaiser im Exil*, Marburg 1991.

Hagenlücke, Heinz, *Deutsche Vaterlandspartei*, Düsseldorf 1997.

Hansen, Gesa, *Fritz Klimsch*, Phil. Diss., Kiel 1994.

Hardtwig, Wolfgang (Hg.), *Politische Kulturgeschichte der Zwischenkriegszeit 1918–1939*, Göttingen 2005.

Haungs, Peter, *Reichspräsident und parlamentarische Kabinettsregierung*, Köln 1968.

Hauss, Hanns-Jochen, *Die erste Volkswahl des deutschen Reichspräsidenten*, Kallmünz 1965.

Heinemann, Ulrich, *Die verdrängte Niederlage*, Göttingen 1983.

Hentschel, Volker, *So kam Hitler. Schicksalsjahre 1932–1933*, Düsseldorf 1980.

Herrmann, Matthias, *Das Reichsarchiv (1919–1945). Eine archivische Institution im Spannungsfeld der deutschen Politik*, Bd. 1, Phil. Diss., Berlin 1994.

Hildebrand, Klaus, *Bethmann Hollweg. Der Kanzler ohne Eigenschaften?*, Düsseldorf 1970.

Hiller von Gaertringen, Friedrich Freiherr, *Fürst Bülows Denkwürdigkeiten*, Tübingen 1956

Hirschfeld, Gerhard, u.a. (Hg.), *Enzyklopädie Erster Weltkrieg*, Paderborn u.a. 2003.

Hoegen, Jesko von, *Der Held von Tannenberg*, Köln 2007.

Hoffmann, Arne, *»Wir sind das alte Deutschland, das Deutschland, wie es war …«. Der »Bund der Aufrechten« und der Monarchismus in der Weimarer Republik*, Frankfurt a.M. 1998.

Hölscher, Lucian, *Weltgericht oder Revolution. Protestantische und sozialistische Zukunftsvorstellungen im deutschen Kaiserreich*, Stuttgart 1989.

Holzbach, Heidrun, *Das »System Hugenberg«*, München 1981.

Hömig, Herbert, *Brüning*, Paderborn 2000.

Höner, Sabine, *Der nationalsozialistische Zugriff auf Preußen. Preußischer Staat und national-sozialistische Machteroberungsstrategie, 1928–1934,* Bochum 1984.

Hoppe, Bernd, *Von der parlamentarischen Demokratie zum Präsidialstaat. Verfassungsentwicklung am Beispiel der Kabinettsbildung in der Weimarer Republik,* Berlin 1998.

Hörster-Philipps, Ulrike, *Konservative Politik in der Endphase der Weimarer Republik. Die Regierung Franz von Papen,* Köln 1982.

Hoser, Paul, *Die politischen, wirtschaftlichen und sozialen Hintergründe der Münchner Tagespresse zwischen 1914 und 1934,* Teil 1, Frankfurt a.M. 1990.

Höver, Ulrich, *Joseph Goebbels – ein nationaler Sozialist,* Bonn 1992.

Hubatsch, Walther, *Hindenburg und der Staat,* Göttingen 1966.

Huber, Ernst Rudolf, *Deutsche Verfassungsgeschichte seit 1789, Bd. 5: Weltkrieg, Revolution und Reichserneuerung 1914–1919,* Stuttgart 1978.

Huber, Ernst Rudolf, *Deutsche Verfassungsgeschichte seit 1789, Bd. 7: Ausbau, Schutz und Untergang der Weimarer Republik,* Stuttgart 1984.

Hürter, Johannes, *Wilhelm Groener,* München 1993.

Ingold, Felix Philipp, *Literatur und Aviatik,* Basel 1978.

Jacob, Walter (Hg.), *Charisma. Revolutionäre Macht im individuellen und kollektiven Erleben,* Zürich 1999.

Janßen, Karl-Heinz, *Der Kanzler und der General. Die Führungskrise um Bethmann Hollweg und Falkenhayn (1914–1916),* Berlin 1967.

Jeismann, Michael, *Das Vaterland der Feinde. Studien zum nationalen Feindbegriff und Selbstverständnis in Deutschland und Frankreich, 1792–1918,* Stuttgart 1992.

Jochmann, Werner, *Im Kampf um die Macht. Hitlers Rede vor dem Hamburger Nationalklub von 1919,* Frankfurt a.M. 1960.

Jonas, Erasmus, *Die Volkskonservativen 1928–1933. Entwicklung, Struktur, Standort und staatspolitische Zielsetzung,* Düsseldorf 1965.

Jonas, Klaus W., *Der Kronprinz Wilhelm,* Frankfurt a.M. 1962.

Jones, Larry Eugene, *German Liberalism and the Dissolution of the Weimar Party System, 1918–1933,* Chapel Hill 1988.

Jones, Larry Eugene, und Wolfram Pyta (Hg.), *»Ich bin der letzte Preuße.« Der politische Lebensweg des konservativen Politikers Kuno Graf von Westarp (1864–1945),* Köln 2006.

Junack, Rudolf, *Adolf Friedrich Herzog zu Mecklenburg,* Hamburg 1963.

Jung, Jakob, *Max von Gallwitz (1852–1937),* Osnabrück 1995.

Jünger, Friedrich Georg, *Die Perfektion der Technik,* 4. Aufl., Frankfurt a.M. 1953.

Kalischer, Wolfgang, *Hindenburg und das Reichspräsidentenamt im »nationalen Umbruch« (1932–1934),* Phil. Diss., Berlin 1957.

Katenhusen, Ines, *Kunst und Politik. Hannovers Auseinandersetzungen mit der Moderne in der Weimarer Republik,* Hannover 1998.

Kielmansegg, Peter Graf, *Deutschland und der Erste Weltkrieg,* Frankfurt a.M. 1968.

Kissenkoetter, Udo, *Gregor Straßer und die NSDAP,* Stuttgart 1978.

Kitchen, Martin, *The Silent Dictatorship. The Politics of the German High Command under Hindenburg and Ludendorff, 1916–1918*, London 1976.

Kocka, Jürgen, *Klassengesellschaft im Krieg. Deutsche Sozialgeschichte 1914–1918*, Göttingen 1973.

Kolb, Eberhard, *Die Arbeiterräte in der deutschen Innenpolitik 1918–1919*, Frankfurt a.M. 1978.

Kolb, Eberhard, *Die Weimarer Republik*, 6. Aufl., München 2002.

Kolb, Eberhard, *Gustav Stresemann*, München 2003.

Koshar, Rudy, *From Monuments to Traces. Artifacts of German Memory, 1870–1990*, Berkeley 2000.

Kratzsch, Gerhard, *Engelbert Reichsfreiherr von Kerckerinck zur Borg*, Münster 2004.

Krauss, Marita, *Herrschaftspraxis in Bayern und Preußen im 19. Jahrhundert*, Frankfurt a.M. 1997.

Krüger, Peter, *Die Außenpolitik der Republik von Weimar*, Darmstadt 1985.

Kruse, Wolfgang, *Krieg und nationale Integration. Eine Neuinterpretation des sozialdemokratischen Burgfriedensschlusses 1914/15*, Essen 1993.

Kühne, Thomas, und Benjamin Ziemann (Hg.), *Was ist Militärgeschichte?*, Paderborn 2000.

Küppers, Heinrich, *Joseph Wirth*, Stuttgart 1997.

Lange, Sven, *Hans Delbrück und der »Strategiestreit«. Kriegführung und Kriegsgeschichte in der Kontroverse 1879–1914*, Freiburg 1995.

Langewiesche, Dieter, und Georg Schmidt (Hg.), *Föderative Nation. Deutschlandkonzepte von der Reformation bis zum Ersten Weltkrieg*, München 2000.

Langewiesche, Dieter, *Nation, Nationalismus, Nationalstaat in Deutschland und Europa*, München 2000.

Lehnert, Detlef, *Die Weimarer Republik*, Stuttgart 1999.

Lenze, Malte, *Postmodernes Charisma. Marken und Stars statt Religion und Vernunft*, Wiesbaden 2002.

Linder, Ann P., *Princes of the Trenches. Narrating the German Experience of the First World War*, Columbia 1996.

Lipp, Anne, *Meinungslenkung im Krieg. Kriegserfahrung deutscher Soldaten und ihre Deutung 1914–1918*, Göttingen 2003.

Liulivicius, Vejas Gabriel, *War Land on the Eastern Front*, Cambridge 2000.

Longerich, Peter, *Die braunen Bataillone*, München 1989

Loth, Wilfried, *Katholiken im Kaiserreich*, Düsseldorf 1984.

Machtan, Lothar (Hg.), *Bismarck und der deutsche National-Mythos*, Bremen 1994.

Machtan, Lothar, *Bismarcks Tod und Deutschlands Tränen*, München 1998.

Machtan, Lothar, *Der Kaisersohn bei Hitler*, Hamburg 2006.

Malinowski, Stephan, *Vom König zum Führer. Sozialer Niedergang und politische Radikalisierung im deutschen Adel zwischen Kaiserreich und NS-Staat*, Berlin 2003.

Matthias, Erich, und Rudolf Morsey (Hg.), *Das Ende der Parteien 1933*, Düsseldorf 1960.

Matthiesen, Helge, *Greifswald in Vorpommern. Konservatives Milieu im Kaiserreich, in Demokratie und Diktatur 1900–1990*, Düsseldorf 2000.

Maurer, Ilse, *Reichsfinanzen und Große Koalition*, Frankfurt a.M. 1973.

May, Otto, *Deutsch sein heißt treu sein. Ansichtskarten als Spiegel von Mentalität und Untertanenerziehung in der Wilhelminischen Ära (1888–1918)*, Hildesheim 1998.

Meier-Welcker, Hans, *Seeckt*, Frankfurt a.M. 1967.

Meißner, Hans Otto, und Harry Wilde, *Die Machtergreifung*, Stuttgart 1958.

Militärgeschichtliches Forschungsamt (Hg.), *Deutsche Militärgeschichte in sechs Bänden 1648–1939, Bd 3: Von der Entlassung Bismarcks bis zum Ende des Ersten Weltkrieges*, München 1983.

Miller, Susanne, *Burgfrieden und Klassenkampf. Die deutsche Sozialdemokratie im Ersten Weltkrieg*, Düsseldorf 1974.

Miller, Susanne, *Die Bürde der Macht. Die deutsche Sozialdemokratie 1918–1920*, Düsseldorf 1978.

Mittmann, Ursula, *Fraktion und Partei. Ein Vergleich von Zentrum und Sozialdemokratie im Kaiserreich*, Düsseldorf 1976.

Möller, Frank (Hg.), *Charismatische Führer der deutschen Nation*, München 2004.

Möller, Horst, *Parlamentarismus in Preußen 1919–1932*, Düsseldorf 1985.

Möller, Horst, *Weimar. Die unvollendete Demokratie*, 6. Aufl., München 1997.

Möllers, Heiner, *Reichswehrminister Otto Geßler*, Frankfurt a.M. 1988.

Mommsen, Hans, *Die verspielte Freiheit. Der Weg der Republik von Weimar in den Untergang 1918 bis 1933*, Berlin 1989.

Mörke, Olaf, *»Stadtholder« oder »Staetholder«? Die Funktion des Hauses Oranien und seines Hofes in der politischen Kultur der Republik der Vereinigten Niederlande im 17. Jahrhundert*, Münster 1997.

Morris, Rodler F., *From Weimar Philosemite to Nazi Apologist. The Case of Walter Bloem*, Lewiston 1988.

Morsey, Rudolf, *Die Deutsche Zentrumspartei 1917–1923*, Düsseldorf 1966.

Morsey, Rudolf, *Zur Entstehung, Authentizität und Kritik von Brünings »Memoiren 1918–1934«*, Opladen 1975.

Morsey, Rudolf, *Der Untergang des politischen Katholizismus*, Stuttgart 1977.

Muhlack, Ulrich, *Historisierung und gesellschaftlicher Wandel in Deutschland im 19. Jahrhundert*, Berlin 2003.

Mühleisen, Horst, *Kurt Freiherr v. Lersner. Diplomat im Umbruch der Zeiten 1918–1920*, Göttingen 1988.

Mühlhausen, Walter, *Friedrich Ebert 1871–1925*, Bonn 2006.

Müller, Frank, *Die »Brüning Papers«*, Frankfurt a.M. 1993.

Müller, Hans-Harald, *Der Krieg und die Schriftsteller*, Stuttgart 1986.

Müller, Sven Oliver, *Die Nation als Waffe und Vorstellung. Nationalismus in Deutschland und Großbritannien im Ersten Weltkrieg*, Göttingen 2002.

Müller, Thomas, »*daß die Bilder gut sind, die man von mir sieht.*« *Der Aufstieg Paul von Hindenburgs zum Volkshelden als Resultat medialer Selbstinszenierung im frühen Ersten Weltkrieg 1914–1916*, Magisterarbeit, Stuttgart 2003.

Nippel, Wilfried (Hg.), *Virtuosen der Macht. Herrschaft und Charisma von Perikles bis Mao*, München 2000.

Nipperdey, Thomas, *Deutsche Geschichte 1866–1918*, Bd. 1: *Arbeitswelt und Bürgergeist*, München 1990.

Nipperdey, Thomas, *Deutsche Geschichte 1866–1918*, Bd. 2: *Machtstaat vor der Demokratie*, München 1992.

Nonn, Christoph, *Verbraucherprotest und Parteiensystem im Wilhelminischen Deutschland*, Düsseldorf 1996.

Nowak, Johann Rudolf, *Kurt von Schleicher – Soldat zwischen den Fronten*, Würzburg 1969.

Ostertag, Heiger, *Bildung, Ausbildung und Erziehung des Offizierkorps im deutschen Kaiserreich 1871 bis 1918*, Frankfurt a.M. 1990.

Otto, Helmut, *Schlieffen und der Generalstab*, Berlin 1966.

Papen, Franz von, *Vom Scheitern einer Demokratie 1930–1933*, Mainz 1968.

Papke, Gerhard, *Der liberale Politiker Erich Koch-Weser in der Weimarer Republik*, Baden-Baden 1989.

Patch, William, *Heinrich Brüning and the Dissolution of the Weimar Republic*, Cambridge 1998.

Patemann, Reinhard, *Der Kampf um die preußische Wahlreform im Ersten Weltkrieg*, Düsseldorf 1964.

Paulmann, Johannes, *Pomp und Politik. Monarchenbegegnungen in Europa zwischen Ancien Régime und Erstem Weltkrieg*, Paderborn 2000.

Petzold, Joachim, *Die Dolchstoßlegende*, Berlin 1963.

Petzold, Joachim, *Franz von Papen*, München 1995.

Plehwe, Friedrich-Karl von, *Reichskanzler Kurt von Schleicher*, Esslingen 1983.

Plumpe, Gottfried, *Die I. G. Farbenindustrie AG*, Berlin 1990.

Pöhlmann, Markus, *Kriegsgeschichte und Geschichtspolitik: Der Erste Weltkrieg*, Paderborn 2002.

Preußen, Friedrich Wilhelm Prinz von, *Das Haus Hohenzollern 1918–1945*, München 1985.

Puschner, Uwe, Walter Schmitz und Justus H. Ulbricht (Hg.), *Handbuch zur »Völkischen Bewegung« 1871–1918*, München 1999.

Pyta, Wolfram, *Gegen Hitler und für die Republik. Die Auseinandersetzung der deutschen Sozialdemokratie mit der NSDAP in der Weimarer Republik*, Düsseldorf 1989.

Pyta, Wolfram, *Dorfgemeinschaft und Parteipolitik 1918–1933. Die Verschränkung von Milieu und Parteien in den protestantischen Landgebieten Deutschlands in der Weimarer Republik*, Düsseldorf 1996.

Radkau, Joachim, *Das Zeitalter der Nervosität. Deutschland zwischen Bismarck und Hitler*, München 1998.

Raichle, Christoph, *Der Tag von Potsdam (21. März 1933) – symbolpolitische Etappe der nationalsozialistischen »Machtergreifung« 1933–34*, Magisterarbeit, Stuttgart 2003.

Rakenius, Gerhard W., *Wilhelm Groener als Erster Generalquartiermeister. Die Politik der Obersten Heeresleitung 1918/19*, Boppard 1977.

Raschke, Martin, *Der politisierende Generalstab. Die friderizianischen Kriege in der amtlichen deutschen Militärgeschichtsschreibung 1890–1914*, Freiburg 1993.

Rauscher, Walter, *Hindenburg. Feldmarschall und Reichspräsident*, Wien 1997.

Reckwitz, Andreas, *Die Transformation der Kulturtheorien. Zur Entwicklung eines Theorieprogramms*, Weilerswist 2000.

Reichardt, Sven, *Faschistische Kampfbünde. Gewalt und Gemeinschaft im italienischen Squadrismus und in der deutschen SA*, Köln 2002.

Richter, Ludwig, *Die Deutsche Volkspartei 1918–1933*, Düsseldorf 2002.

Ritter, Gerhard, *Staatskunst und Kriegshandwerk. Das Problem des »Militarismus« in Deutschland*, Bd. 1: *Die altpreußische Tradition (1740–1890)*, München 1954.

Ritter, Gerhard, *Staatskunst und Kriegshandwerk. Das Problem des »Militarismus« in Deutschland*, Bd. 2: *Die Hauptmächte Europas und das wilhelminische Reich (1890–1914)*, München 1960.

Ritter, Gerhard, *Staatskunst und Kriegshandwerk. Das Problem des »Militarismus« in Deutschland*, Bd. 3: *Die Tragödie der Staatskunst. Bethmann Hollweg als Kriegskanzler (1914–1917)*, München 1964.

Ritter, Gerhard, *Staatskunst und Kriegshandwerk. Das Problem des »Militarismus« in Deutschland*, Bd. 4: *Die Herrschaft des deutschen Militarismus und die Katastrophe von 1918*, München 1968.

Rödder, Andreas, *Stresemanns Erbe: Julius Curtius und die deutsche Außenpolitik 1929–1931*, Paderborn 1996.

Rohe, Karl, *Wahlen und Wählertraditionen in Deutschland*, Frankfurt a.M. 1992.

Rohe, Karl, *Politik. Begriffe und Wirklichkeiten*, 2. Aufl., Stuttgart 1994.

Röhl, John C. G., *Kaiser, Hof und Staat. Wilhelm II. und die deutsche Politik*, München 1987.

Röhl, John C. G. (Hg.), *Der Ort Kaiser Wilhelms II. in der deutschen Geschichte*, München 1991.

Röhl, John C. G., *Wilhelm II. Die Jugend des Kaisers 1859–1888*, München 1993.

Röhl, John C. G., *Wilhelm II. Der Aufbau der Persönlichen Monarchie 1888–1900*, München 2001.

Rosenberg, Arthur, *Entstehung und Geschichte der Weimarer Republik*, Frankfurt a.M. 1955.

Ruge, Wolfgang, *Hindenburg. Porträt eines Militaristen*, Berlin 1980.

Rupieper, Josef, *The Cuno Government and Reparations 1922–1923*, Den Haag 1979.

Ruppert, Karsten, *Im Dienst am Staat von Weimar. Das Zentrum als regierende Partei in der Weimarer Demokratie 1923–1930*, Düsseldorf 1992.

Schäfer, Kirstin A., *Werner von Blomberg – Hitlers erster Feldmarschall*, Paderborn 2006.

Schaumburg-Lippe, Friedrich Christian Prinz zu, *Zwischen Krone und Kerker*, Wiesbaden 1952.

Scheck, Raffael, *Alfred von Tirpitz and German Right-Wing Politics, 1914–1930*, New Jersey 1998.

Scheel, Klaus, *Der Tag von Potsdam*, Berlin 1996.

Schiera, Pierangelo, *Laboratorium der bürgerlichen Welt. Deutsche Wissenschaft im 19. Jahrhundert*, Frankfurt a.M. 1992.

Schilling, René, »Kriegshelden«. Deutungsmuster heroischer Männlichkeit in Deutschland 1813–1945, Paderborn 2002.

Schirmer, Dietmar, Mythos – Heilshoffnung – Modernität. Politisch-kulturelle Deutungscodes in der Weimarer Republik, Opladen 1992.

Schivelbusch, Wolfgang, Die Kultur der Niederlage. Der amerikanische Süden 1865 – Frankreich 1871 – Deutschland 1918, Berlin 2001.

Schlögl, Rudolf, Bernhard Giesen und Jürgen Osterhammel (Hg.), Die Wirklichkeit der Symbole. Grundlagen der Kommunikation in historischen und gegenwärtigen Gesellschaften, Konstanz 2004.

Schmiechen-Ackermann, Detlef, Diktaturen im Vergleich, Darmstadt 2002.

Schmölders, Claudia, Hitlers Gesicht, München 2000.

Schneider, Ute, Politische Festkultur im 19. Jahrhundert, Essen 1995.

Scholder, Klaus, Die Kirchen und das Dritte Reich, Bd. 1: Vorgeschichte und Zeit der Illusionen 1918–1934, Frankfurt a.M. 1977.

Scholder, Klaus, Die Kirchen und das Dritte Reich, Bd. 2: Das Jahr der Ernüchterung, Frankfurt a.M. 1985.

Schönhoven, Klaus, Die Bayerische Volkspartei 1924–1932, Düsseldorf 1972.

Schulz, Gerhard, Von Brüning zu Hitler. Der Wandel des politischen Systems in Deutschland 1930–1933, Berlin 1992.

Schulze, Hagen, Freikorps und Republik 1918–1920, Boppard 1969.

Schulze, Hagen, Otto Braun oder Preußens demokratische Sendung, Frankfurt a.M. 1977.

Schumacher, Martin, Mittelstandsfront und Republik 1919–1933, Düsseldorf 1972.

Schumacher, Martin, Land und Politik. Eine Untersuchung über politische Parteien und agrarische Interessen 1914–1923, Düsseldorf 1978.

Schüren, Ulrich, Der Volksentscheid zur Fürstenenteignung 1926, Düsseldorf 1978.

Schwarz, Hans-Peter, Adenauer. Der Aufstieg: 1876–1952, Stuttgart 1986.

Schwarzmüller, Theo, Zwischen Kaiser und »Führer«. Generalfeldmarschall August von Mackensen, Paderborn 1995.

Schwend, Karl, Bayern zwischen Monarchie und Diktatur, München 1954.

Seiberth, Gabriel, Anwalt des Reiches. Carl Schmitt und der Prozeß »Preußen contra Reich« vor dem Staatsgerichtshof, Berlin 2001.

Sendtner, Kurt, Rupprecht von Wittelsbach, München 1954.

Showalter, Dennis E., Tannenberg. Clash of Empires, Hamden 1991.

Smith, Helmut Walser, German Nationalism and Religious Conflict, Princeton 1995.

Soeffner, Hans-Georg, Gesellschaft ohne Baldachin. Kultur und Religion in der pluralistischen Gesellschaft, Frankfurt a.M. 2000.

Soeffner, Hans-Georg, und Dirk Tänzler (Hg.), Figurative Politik. Zur Performanz der Macht in der modernen Gesellschaft, Opladen 2002.

Spenkuch, Hartwin, Das Preußische Herrenhaus, Düsseldorf 1998.

Speth, Rudolf, *Nation und Revolution. Politische Mythen im 19. Jahrhundert*, Opladen 2000.

Sprenger, Heinrich, *Heinrich Sahm. Kommunalpolitiker und Staatsmann*, Köln 1969.

Staudinger, Hans, *Wirtschaftspolitik im Weimarer Staat*, Bonn 1982.

Steglich, Wolfgang, *Bündnissicherung oder Verständigungsfrieden. Untersuchungen zu dem Friedensangebot der Mittelmächte vom 12. Dezember 1916*, Göttingen 1958.

Steglich, Wolfgang, *Die Friedenspolitik der Mittelmächte 1917/18*, Wiesbaden 1964.

Stein, Marcel, *Generalfeldmarschall Erich von Manstein*, Mainz 2000.

Stöber, Rudolf, *Die erfolgverführte Nation. Deutschlands öffentliche Stimmungen 1866 bis 1945*, Stuttgart 1998.

Stollberg-Rilinger, Barbara (Hg.), *Was heißt Kulturgeschichte des Politischen?*, Berlin 2005.

Strachan, Hew, *The First World War*. Bd. 1: *To Arms*, Oxford 2001.

Strenge, Irene, *Machtübernahme 1933 – Alles auf legalem Weg?*, Berlin 2002.

Strenge, Irene, *Kurt von Schleicher. Politik im Reichswehrministerium am Ende der Weimarer Republik*, Berlin 2006.

Stürmer, Michael, *Koalition und Opposition in der Weimarer Republik 1924–1928*, Düsseldorf 1967.

Sweetman, Jack, *The Unforgotten Crowns: The German Monarchist Movements, 1918–1945*, Phil. Diss., Ann Arbor 1973.

Tacke, Charlotte, *Denkmal im sozialen Raum. Nationale Symbole in Deutschland und Frankreich im 19. Jahrhundert*, Göttingen 1995.

Tammen, Helmuth, *Die I.G. Farbenindustrie Aktiengesellschaft (1925–1933)*, Berlin 1978.

Thimme, Annelise, *Flucht in den Mythos*, Göttingen 1969.

Treviranus, Gottfried Reinhold, *Das Ende von Weimar*, Düsseldorf 1968.

Trippe, Christian F., *Konservative Verfassungspolitik 1918–1923. Die DNVP als Opposition in Reich und Ländern*, Düsseldorf 1995.

Trumpp, Thomas, *Franz von Papen, der preußisch-deutsche Dualismus und die NSDAP in Preußen*, Phil. Diss., Tübingen 1963.

Turner, Henry Ashby, *Die Großunternehmer und der Aufstieg Hitlers*, Berlin 1985.

Turner, Henry Ashby, *Hitlers Weg zur Macht. Der Januar 1933*, München 1996.

Ullrich, Volker, *Kriegsalltag. Hamburg im ersten Weltkrieg*, Köln 1982.

Verhey, Jeffrey, *Der »Geist von 1914« und die Erfindung der Volksgemeinschaft*, Hamburg 2000.

Vietsch, Eberhard von, *Wilhelm Solf. Botschafter zwischen den Zeiten*, Tübingen 1961.

Vietsch, Eberhard von (Hg.), *Gegen die Unvernunft*, Bremen 1964.

Vogel, Jakob, *Nationen im Gleichschritt. Der Kult der »Nation in Waffen« in Deutschland und Frankreich, 1871–1914*, Göttingen 1997.

Vogel, Walter, *Der Kampf um das geistige Erbe. Zur Geschichte der Reichsarchivsidee und des Reichsarchivs als »geistiger Tempel deutscher Einheit«*, Bonn 1994.

Vogelsang, Thilo, *Reichswehr, Staat und NSDAP. Beiträge zur deutschen Geschichte 1930–1932*, Stuttgart 1962.

Vogelsang, Thilo, *Kurt von Schleicher*, Göttingen 1965.

Vogt, Adolf, *Oberst Max Bauer*, Osnabrück 1974.

Voigt, Gerd, *Otto Hoetzsch 1876–1946*, Berlin 1978.

Wagner, Monika, *Allegorie und Geschichte. Ausstattungsprogramme öffentlicher Gebäude des 19. Jahrhunderts in Deutschland. Von der Cornelius-Schule zur Malerei der Wilhelminischen Ära*, Tübingen 1989.

Wallach, Jehuda, *Das Dogma von der Vernichtungsschlacht*, Frankfurt a.M. 1967.

Wandel, Eckhard, *Hans Schäffer. Steuermann in wirtschaftlichen und politischen Krisen*, Stuttgart 1974.

Waßner, Rainer, *Institution und Symbol. Ernst Cassirers Philosophie und ihre Bedeutung für eine Theorie sozialer und politischer Institutionen*, Münster 1999.

Weber, Hellmuth, *Ludendorff und die Monopole*, Berlin 1966.

Weber, Klaus-Dieter, *Das Büro des Reichspräsidenten 1919–1934*, Frankfurt a.M. 2001.

Weber, Max, *Wirtschaft und Gesellschaft*, Tübingen 1922.

Wehler, Hans-Ulrich, *Deutsche Gesellschaftsgeschichte*, Bd. 3: *Von der »Deutschen Doppelrevolution« bis zum Beginn des Ersten Weltkrieges, 1849–1914*, München 1995.

Wehler, Hans-Ulrich, *Deutsche Gesellschaftsgeschichte*, Bd. 4: *Vom Beginn des Ersten Weltkriegs bis zur Gründung der beiden deutschen Staaten, 1914–1949*, München 2003.

Wehler, Hans-Ulrich, *Die Herausforderung der Kulturgeschichte*, München 1998.

Wehler, Hans-Ulrich, *Nationalismus. Geschichte – Formen – Folgen*, München 2001.

Weiß, Dieter J., *Kronprinz Rupprecht von Bayern (1869–1955). Eine politische Biographie*, Regensburg 2007.

Weiß, Johannes, *Handeln und handeln lassen. Über Stellvertretung*, Opladen 1998.

Welskopp, Thomas, *Das Banner der Brüderlichkeit. Die deutsche Sozialdemokratie vom Vormärz bis zum Sozialistengesetz*, Bonn 2000.

Wentscher, Erich, *Geschichte des Geschlechts von Winterfeld(t)*, Bd. 5, Görlitz 1937.

Wette, Wolfram, *Gustav Noske. Eine politische Biographie*, Düsseldorf 1987.

Wheeler-Bennett, John W., *Der hölzerne Titan – Paul von Hindenburg*, Tübingen 1969.

Wiedemann, Fritz, *Der Mann, der Feldherr werden wollte*, Dortmund 1964.

Wiesemann, Falk, *Die Vorgeschichte der nationalsozialistischen Machtübernahme in Bayern 1932/1933*, Berlin 1975.

Williamson, John G., *Karl Helfferich 1872–1924*, Princeton 1971.

Wiltfang, Friedrich, *Hakenkreuzfahnen über Gronau/Epe*, Gronau 1998.

Winkler, Heinrich August, *Von der Revolution zur Stabilisierung*, Berlin 1984.

Winkler, Heinrich August, *Der Schein der Normalität*, Berlin 1985.

Winkler, Heinrich August, *Der Weg in die Katastrophe*, Berlin 1987.

Winkler, Heinrich August (Hg.), *Die deutsche Staatskrise 1930–1933. Handlungsspielräume und Alternativen*, München 1992.

Winkler, Heinrich August, *Weimar 1918–1933. Die Geschichte der ersten deutschen Demokratie*, München 1993.

Wirsching, Andreas, *Die Weimarer Republik. Politik und Gesellschaft*, München 2000.

Wolfrum, Edgar, *Geschichtspolitik in der Bundesrepublik Deutschland*, Darmstadt 1999.

Wollstein, Günter, *Theobald von Bethmann Hollweg*, Göttingen 1995.

Wright, Jonathan, *Gustav Stresemann. Weimar's Greatest Statesman*, Oxford 2002.

Wülfing, Wulf, Karin Bruns und Rolf Parr, *Historische Mythologie der Deutschen 1798–1918*, München 1991.

Zaun, Harald, *Paul von Hindenburg und die deutsche Außenpolitik 1925–1934*, Köln 1999.

Ziemann, Benjamin, *Ländliche Kriegserfahrungen im südlichen Bayern 1914–1923*, Essen 1997.

Zimmering, Raina, *Mythen in der Politik der DDR*, Opladen 2000.

AUFSÄTZE

Afflerbach, Holger, »Wilhelm II as Supreme Warlord in the First World War«, in: *War in History* 5 (1998), S. 429–449.

Aretin, Karl Otmar Freiherr von, »Die Bayerische Regierung und die Politik der bayerischen Monarchisten in der Krise der Weimarer Republik 1930–1933«, in: *Festschrift für Hermann Heimpel. Zum 70. Geburtstag am 19. September 1971*, hg. von den Mitarbeitern des Max-Planck-Instituts für Geschichte, Göttingen 1971, S. 205–237.

Asendorf, Manfred, »Hamburger Nationalklub, Keppler-Kreis, Arbeitsstelle Schacht und der Aufstieg Hitlers«, in: *1999. Zeitschrift für Sozialgeschichte des 20. und 21. Jahrhunderts* 2 (1987), S. 106–150.

Becker, Frank, »Begriff und Bedeutung des politischen Mythos«, in: *Was heißt Kulturgeschichte des Politischen?*, hg. von Barbara Stollberg-Rilinger, Berlin 2005, S. 129–148.

Becker, Winfried, »Die nationalsozialistische Machtergreifung in Bayern«, in: *Historisches Jahrbuch* 112 (1992), S. 412–435.

Behrendt, Bernd, »August Julius Langbehn, der ›Rembrandtdeutsche‹«, in: *Handbuch zur »Völkischen Bewegung« 1871–1918*, hg. von Uwe Puschner, Walter Schmitz und Justus H. Ulbricht, München 1999, S. 94–113.

Bender, Helmut, »Anton Fendrich«, in: *Badische Heimat* 60 (1980), S. 299–303.

Berghahn, Volker, »Die Harzburger Front und die Kandidatur Hindenburgs für die Präsidentschaftswahlen 1932«, in: *Vierteljahreshefte für Zeitgeschichte* 13 (1965), S. 64–82.

Bernhard, Henry, »Gustav Stresemann. Tatsachen und Legenden«, in: *Aus Politik und Zeitgeschichte* 41 (1959), S. 529–546.

Biefang, Andreas, »Der Streit um Treitschkes »Deutsche Geschichte« 1882/83«, in: *Historische Zeitschrift* 262 (1996), S. 391–422.

Biefang, Andreas, »Der Reichstag als Symbol der politischen Nation«, in: *Politikstile im Kaiserreich*, hg. von Lothar Gall, Paderborn 2003, S. 23–42.

Bizeul, Yves, »Theorien der politischen Mythen und Rituale«, in: *Politische Mythen und Rituale in Deutschland, Frankreich und Polen*, hg. von Yves Bizeul, Berlin 2000, S. 15–39.

Blaschke, Olaf, und Frank-Michael Kuhlemann, »Religion in Geschichte und Gesellschaft. Sozialhistorische Perspektiven für die vergleichende Erforschung religiöser Mentalitäten und Milieus«, in: *Religion im Kaiserreich*, hg. von Olaf Blaschke und Frank-Michael Kuhlemann, Gütersloh 1996, S. 7–56.

Blessing, Werner K., »Der monarchische Kult, politische Loyalität und die Arbeiterbewegung im deutschen Kaiserreich«, in: *Arbeiterkultur*, hg. von Gerhard A. Ritter, Königstein 1979, S. 185–208.

Boldt, Hans, »Die Stellung von Parlament und Parteien in der Weimarer Reichsverfassung«, in: *Demokratie in der Krise. Parteien im Verfassungssystem der Weimarer Republik*, hg. von Eberhard Kolb und Walter Mühlhausen, München 1997, S. 19–58.

Brodocz, André, »Institution als symbolische Form«, in: *Berliner Jahrbuch für Soziologie* 12 (2002), S. 211–226.

Burkhardt, Johannes, »Kriegsgrund Geschichte?«, in: *Lange und kurze Wege in den Ersten Weltkrieg. Vier Augsburger Beiträge zur Kriegsursachenforschung*, hg. von Johannes Burkhardt, München 1996, S. 9–86.

Busch, Norbert, »Frömmigkeit als Faktor des katholischen Milieus. Der Kult zum Herzen Jesu«, in: *Religion im Kaiserreich*, hg. von Olaf Blaschke und Frank-Michael Kuhlemann, Gütersloh 1996, S. 136–165.

Cary, Noel D., »The Making of the Reich President, 1925: German Conservatism and the Nomination of Paul von Hindenburg«, in: *Central European History* 23 (1990), S. 179–204.

Chickering, Roger, »Hindenburg«, in: *Enzyklopädie Erster Weltkrieg*, hg. von Gerhard Hirschfeld u.a., Paderborn 2003, S. 554–557.

Conze, Werner, »Zum Sturz Brünings«, in: *Vierteljahrshefte für Zeitgeschichte* 1 (1953), S. 261 bis 288.

Deist, Wilhelm, »Kaiser Wilhelm II. als Oberster Kriegsherr«, in: *Der Ort Kaiser Wilhelms II. in der deutschen Geschichte*, hg. von John C. G. Röhl, München 1991, S. 25–42.

Deist, Wilhelm, »Voraussetzungen innenpolitischen Handelns des Militärs im Ersten Weltkrieg«, in: Wilhelm Deist, *Militär, Staat und Gesellschaft*, München 1991, S. 103–152.

Deist, Wilhelm, »Zensur und Propaganda in Deutschland während des Ersten Weltkrieges«, in: Wilhelm Deist, *Militär, Staat und Gesellschaft*, München 1991, S. 153–163.

Dierker, Wolfgang, »›Ich will keine Nullen, sondern Bullen.‹ Hitlers Koalitionsverhandlungen mit der Bayerischen Volkspartei im März 1933«, in: *Vierteljahrshefte für Zeitgeschichte* 50 (2002), S. 111–148.

Diers, Michael, »Nagelmänner. Propaganda mit ephemeren Denkmälern im Ersten Weltkrieg«, in: *Mo(nu)mente. Formen und Funktionen ephemerer Denkmäler*, hg. von Michael Diers, Berlin 1993, S. 113–135.

Dipper, Christof, »Helden überkreuz oder das Kreuz mit den Helden. Wie Deutsche und Italiener die Heroen der nationalen Einigung (der anderen) wahrnahmen«, in: *Jahrbuch des Historischen Kollegs* 1999, S. 91–130.

Dörner, Andreas, »Die Inszenierung politischer Mythen. Ein Beitrag zur Funktion der symbolischen Formen in der Politik am Beispiel des Hermannsmythos in Deutschland«, in: *Politische Vierteljahresschrift* 34 (1993), S. 199–218.

Duchhardt, Heinz, »Die Stein-Jubiläen des 20. Jahrhunderts«, in: *Karl vom und zum Stein: der Akteur, der Autor, seine Wirkungs- und Rezeptionsgeschichte*, hg. von Heinz Duchhardt und Karl Teppe, Mainz 2003, S. 179–191.

Echternkamp, Jörg, und Sven Oliver Müller, »Perspektiven einer politik- und kulturgeschichtlichen Nationalismusforschung«, in: *Die Politik der Nation. Deutscher Nationalismus in Krieg und Krisen 1760–1960*, hg. von Jörg Echternkamp und Sven Oliver Müller, München 2002, S. 1–24.

Fischer-Lichte, Erika, »Verkörperung/Embodiment«, in: *Verkörperung*, hg. von Erika Fischer-Lichte, Tübingen 2001, S. 11–25.

Fischer-Lichte, Erika, »Performance, Inszenierung, Ritual. Zur Klärung kulturwissenschaftlicher Schlüsselbegriffe«, in: *Geschichtswissenschaft und »performative turn«*, hg. von Jürgen Martschukat und Steffen Patzold, Köln 2003, S. 33–54.

Frech, Kurt, »Felix Dahn. Die Verbreitung völkischen Gedankenguts durch den historischen Roman«, in: *Handbuch zur »Völkischen Bewegung« 1871–1918*, hg. von Uwe Puschner, Walter Schmitz und Justus H. Ulbricht, München 1999, S. 685–698.

Fritzsche, Peter, »Presidential Victory and Popular Festivity in Weimar Germany: Hindenburg's 1925 Election«, in: *Central European History* 23 (1990), S. 205–224.

Fröschle, Ulrich, »›Radikal im Denken, aber schlapp im Handeln?‹ Franz Schauwecker: Aufbruch der Nation (1929)«, in: *Von Richthofen bis Remarque. Deutschsprachige Prosa zum I. Weltkrieg*, hg. von Thomas F. Schneider, Amsterdam 2003, S. 261–298.

Fröschle, Ulrich, »Oszillationen zwischen Literatur und Politik. Ernst Jünger und ›das Wort vom politischen Dichter‹«, in: *Ernst Jünger. Politik – Mythos – Kunst*, hg. von Lutz Hagestedt, Berlin 2004, S. 101–143.

Führer, Karl Christian, Knut Hickethier und Axel Schildt, »Öffentlichkeit – Medien – Geschichte«, in: *Archiv für Sozialgeschichte* 41 (2001), S. 1–38.

Führer, Karl, »Der Deutsche Reichskriegerbund Kyffhäuser 1930–1934«, in: *Militärgeschichtliche Mitteilungen* 35 (1984), S. 57–76.

Funck, Marcus, »Militär, Krieg und Gesellschaft. Soldaten und militärische Eliten in der Sozialgeschichte«, in: *Was ist Militärgeschichte?*, hg. von Thomas Kühne und Benjamin Ziemann, Paderborn 2000, S. 157–174.

Gangl, Hans, »Die Verfassungsentwicklung in Frankreich 1814–1830«, in: *Historische Zeitschrift* 202 (1966), S. 265–308.

Geyer, Michael, »German Strategy in the Age of Machine Warfare, 1914–1945«, in: *Makers of Modern Strategy*, hg. von Peter Paret, Princeton 1986, S. 527–597.

Giesen, Bernhard, »Die Aura des Helden. Eine symbolgeschichtliche Skizze«, in: *Diesseitsreligion*, hg. von Anne Honer, Ronald Kurt und Jo Reichertz, Konstanz 1999, S. 437–444.

Giesen, Bernhard, »Voraussetzung und Konstruktion. Überlegungen zum Begriff der kollektiven Identität«, in: *Sinngeneratoren: Fremd- und Selbstthematisierung in soziologisch-historischer Perspektive*, hg. von Cornelia Bohn und Herbert Willems, Konstanz 2001, S. 91–110.

Glenthoj, Jørgen, »Hindenburg, Göring und die evangelischen Kirchenführer«, in: *Zur Geschichte des Kirchenkampfes. Gesammelte Aufsätze*, hg. von Heinz Brunotte, Göttingen 1965, S. 45–69.

Grimm, Dieter, »Die Weimarer Reichsverfassung im Widerstreit«, in: *Weimar im Widerstreit*, hg. von Heinrich August Winkler, München 2002, S. 151–161.

Groener-Geyer, Dorothea, »Die Odyssee der Groener-Papiere«, in: *Die Welt als Geschichte* 19 (1959), S. 75–95.

Groß, Gerhard P., »Im Schatten des Westens. Die deutsche Kriegführung an der Ostfront bis Ende 1915«, in: *Die vergessene Front. Der Osten 1914/15*, hg. von Gerhard P. Meyer, Paderborn 2006, S. 49–64.

Guckel, Sabine, Volker Seitz, »›Vergnügliche Vaterlandspflicht‹. Hindenburg-Kult am Zoo«, in: *Alltag zwischen Hindenburg und Haarmann. Ein anderer Stadtführer durch das Hannover der 20er Jahre*, hg. von der Geschichtswerkstatt Hannover, Hamburg 1987, S. 13–17.

Gusy, Christoph, »Kurt von Schleicher«, in: *Die Weimarer Republik. Portrait einer Epoche in Biographien*, hg. von Michael Fröhlich, Darmstadt 2002, S. 269–281.

Guth, Ekkehart P., »Der Gegensatz zwischen dem Oberbefehlshaber Ost und dem Chef des Generalstabes des Feldheeres 1914/15. Die Rolle des Majors v. Haeften im Spannungsfeld zwischen Hindenburg, Ludendorff und Falkenhayn«, in: *Militärgeschichtliche Mitteilungen* 35 (1984), S. 75–111.

Gutsche, Willibald, und Joachim Petzold, »Das Verhältnis der Hohenzollern zum Faschismus«, in: *Zeitschrift für Geschichtswissenschaft* 29 (1981), S. 917–939.

Hardtwig, Wolfgang, »Bürgertum, Staatssymbolik und Staatsbewußtsein im Deutschen Kaiserreich 1871–1914«, in: *Geschichte und Gesellschaft* 16 (1990), S. 269–295.

Hardtwig, Wolfgang, »Der Bismarck-Mythos«, in: *Politische Kulturgeschichte der Zwischenkriegszeit 1918–1939*, hg. von Wolfgang Hardtwig, Göttingen 2005, S. 61–90.

Haupts, Leo, »Die Reichsleitung und das Projekt der Friedenskonferenz der II. Internationale in Stockholm im Frühjahr und Sommer 1917«, in: *Gestaltungskraft des Politischen*, hg. von Wolfram Pyta und Ludwig Richter, Berlin 1998, S. 29–53.

Heinen, Armin, »Umstrittene Moderne. Die Liberalen und der preußisch-deutsche Kulturkampf«, in: *Geschichte und Gesellschaft* 29 (2003), S. 138–156.

Hein-Kircher, Heidi, »Überlegungen zu einer Typologisierung von politischen Mythen aus historiographischer Sicht – ein Versuch«, in: *Politische Mythen im 19. und 20. Jahrhundert in Mittel- und Osteuropa*, hg. von Heidi Hein-Kirchner und Hans Henning Hahn, Marburg 2006, S. 407–424.

Herbst, Ludolf, »Der Fall Hitler – Inszenierungskunst und Charismapolitik«, in: *Virtuosen der Macht*, hg. von Wilfried Nippel, München 2000, S. 171–191.

Hettling, Manfred, »Erlösung durch Gemeinschaft«, in: *Politische Kollektive*, hg. von Ulrike Jureit, Münster 2001, S. 199–225.

Hildebrand, Klaus, »Das deutsche Ostimperium 1918«, in: *Gestaltungskraft des Politischen*, hg. von Wolfram Pyta und Ludwig Richter, Berlin 1998, S. 109–124.

Hiller von Gaertringen, Friedrich Freiherr, »Die Deutschnationale Volkspartei«, in: *Das Ende der Parteien 1933*, hg. von Erich Matthias und Rudolf Morsey, Düsseldorf 1960, S. 543–652.

Hiller von Gaertringen, Friedrich Freiherr, »›Dolchstoß‹-Diskussion und ›Dolchstoß-Legende‹ im Wandel von vier Jahrzehnten«, in: *Geschichte und Gegenwartsbewußtsein*, hg. von Waldemar Besson, Göttingen 1963, S. 122–160.

Hitzler, Ronald, »Die Produktion von Charisma«, in: *Politisches Raisonnement in der Informationsgesellschaft*, hg. von Kurt Imhof und Peter Schulz, Zürich 1996, S. 265–288.

Hitzler, Ronald, »Inszenierung und Repräsentation. Bemerkungen zur Politikdarstellung in der Gegenwart«, in: *Figurative Politik. Zur Performanz der Macht in der modernen Gesellschaft*, hg. von Hans-Georg Soeffner und Dirk Tänzler, Opladen 2002, S. 35–49.

Holtfrerich, Carl-Ludwig, »Alternativen zu Brünings Wirtschaftspolitik in der Weltwirtschaftskrise?«, in: *Historische Zeitschrift* 235 (1982), S. 605–631.

Hoppe, Bert, »Von Schleicher zu Hitler. Dokumente zum Konflikt zwischen dem Reichslandbund und der Regierung Schleicher in den letzten Wochen der Weimarer Republik«, in: *Vierteljahrshefte für Zeitgeschichte* 45 (1997), S. 629–657.

Hull, Isabell V., »Persönliches Regiment«, in: *Der Ort Kaiser Wilhelms II. in der deutschen Geschichte*, hg. von John C. G. Röhl, München 1991, S. 3–23.

Hüppauf, Bernd, »Das Schlachtfeld als Raum im Kopf«, in: *Schlachtfelder*, hg. von Steffen Martus, Marina Münkler und Werner Röcke, Berlin 2003, S. 207–233.

Iggers, Georg, »Heinrich von Treitschke«, in: *Deutsche Historiker*, Bd. 2, hg. von Hans- Ulrich Wehler, Göttingen 1971, S. 66–80.

Janßen, Karl-Heinz, »Der Wechsel in der Obersten Heeresleitung 1916«, in: *Vierteljahrshefte für Zeitgeschichte* 7 (1959), S. 337–371.

Jones, Larry Eugene, »›The Greatest Stupidity of My Life‹: Alfred Hugenberg and the Formation of the Hitler Cabinet, January 1933«, in: *Journal of Contemporary History* 27 (1992), S. 63–87.

Jones, Larry Eugene, »The Limits of Collaboration. Edgar Jung, Herbert von Bose and the Origins of the Conservative Resistance to Hitler 1933–34«, in: *Between Reform, Reaction, and Resistance,* hg. von Larry Eugene Jones und James Retallack, Providence/Oxford 1993, S. 465–501.

Jones, Larry Eugene, »Hindenburg and the Conservative Dilemma in the 1932 Presidential Elections«, in: *German Studies Review* 20 (1997), S. 235–259.

Jones, Larry Eugene, »Kuno Graf von Westarp und die Krise des deutschen Konservatismus in der Weimarer Republik«, in: *»Ich bin der letzte Preuße«. Der politische Lebensweg des konservativen Politikers Kuno Graf von Westarp (1864–1945)*, hg. von Larry Eugene Jones und Wolfram Pyta, Köln 2006, S. 109–146.

Junker, Detlef, »Die letzte Alternative zu Hitler: Verfassungsbruch und Militärdiktatur«, in: *Das Ende der Weimarer Republik und die nationalsozialistische Machtergreifung*, hg. von Christoph Gradmann und Oliver von Mengersen, Heidelberg 1994, S. 67–86.

Kaehler, Siegfried A., »Vier quellenkritische Untersuchungen zum Kriegsende 1918«, in: Siegfried A. Kaehler, *Studien zur deutschen Geschichte des 19. und 20. Jahrhunderts. Aufsätze und Vorträge*, Göttingen 1961, S. 259–305.

Kamphausen, Georg, »Charisma und Heroismus. Die Generation von 1890 und der Begriff des Politischen«, in: *Charisma. Theorie – Religion – Politik*, hg. von Winfried Gebhardt, Berlin 1993, S. 221–246.

Kaufmann, Günter, »Der Händedruck von Potsdam – die Karriere eines Bildes«, in: *Geschichte in Wissenschaft und Unterricht* 48 (1997), S. 295–315.

Kaufmann, Stefan, »Kriegführung im Zeitalter technischer Systeme – Zur Maschinisierung militärischer Operationen im Ersten Weltkrieg«, in: *Militärgeschichtliche Zeitschrift* 61 (2002), S. 337–367.

Klein, Fritz, »Zur Vorbereitung der faschistischen Diktatur durch die deutsche Großbourgeoisie (1929–1932)«, in: *Zeitschrift für Geschichtswissenschaft* 1 (1953), S. 872–904.

Kluke, Paul, »Der Fall Potempa«, in: *Vierteljahrshefte für Zeitgeschichte* 5 (1957), S. 279–297.

Kohlrausch, Martin, »Die höfische Gesellschaft und ihre Feinde. Monarchie und Öffentlichkeit in Großbritannien und Deutschland um 1900«, in: *Neue Politische Literatur* 47 (2000), S. 450–466.

Kohlrausch, Martin, »Die Flucht des Kaisers – Doppeltes Scheitern adlig bürgerlicher Monarchiekonzepte«, in: *Adel und Bürgertum in Deutschland*, hg. von Heinz Reif, Berlin 2001, S. 65–101.

Kohlrausch, Martin, »Monarchische Repräsentation in der entstehenden Mediengesellschaft: Das deutsche und das englische Beispiel«, in: *Die Sinnlichkeit der Macht. Herrschaft und Repräsentation seit der Frühen Neuzeit*, hg. von Jan Andres, Alexa Geisthövel und Matthias Schwengelbeck, Frankfurt a.M./New York 2005, S. 93–122.

Kolb, Eberhard, »Helmuth von Moltke in seiner Zeit. Aspekte und Probleme«, in: *Generalfeldmarschall von Moltke*, hg. von Roland G. Foerster, München 1991, S. 3–17.

Kolb, Eberhard, und Wolfram Pyta, »Die Staatsnotstandsplanung unter den Regierungen Papen und Schleicher«, in: Eberhard Kolb, *Umbrüche deutscher Geschichte 1866/71 – 1918/19 – 1929/33*, München 1993, S. 331–358.

Kolb, Eberhard, »Friedrich Ebert: Vom ›vorläufigen‹ zum definitiven Reichspräsidenten«, in: Eberhard Kolb (Hg.), *Friedrich Ebert als Reichspräsident*, München 1997, S. 109–156.

Kolb, Eberhard, »Führungskrise in der DVP. Gustav Stresemann im Kampf um die ›Große Koalition‹ 1928/29«, in: *Demokratie in Deutschland*, hg. von Wolther von Kieseritzky und Klaus-Peter Sick, München 2000, S. 202–227.

Könnemann, Erwin, »Der Truppeneinmarsch am 10. Dezember 1918 in Berlin«, in: *Zeitschrift für Geschichtswissenschaft* 16 (1968), S. 1592–1609.

Kraemer, Klaus, »Charismatischer Habitus. Zur sozialen Konstruktion symbolischer Macht«, in: *Berliner Jahrbuch für Soziologie* 12 (2002), S. 173–187.

Krassnitzer, Patrick, »Die Geburt des Nationalsozialismus im Schützengraben«, in: *Der verlorene Frieden. Politik und Kriegskultur nach 1918*, hg. von Jost Dülffer und Gerd Krumeich, Essen 2002, S. 119–148.

Krois, John Michael, »Problematik, Eigenart und Aktualität der Cassirerschen Philosophie der symbolischen Formen«, in: *Über Ernst Cassirers Philosophie der symbolischen Formen*, hg. von Hans-Jürgen Braun u.a., Frankfurt a.M. 1988, S. 15–44.

Krumeich, Gerd, »Bilder vom Krieg vor 1914«, in: *Die letzten Tage der Menschheit. Bilder des Ersten Weltkrieges*, hg. von Rainer Rother, Berlin 1994, S. 37–48.

Krumeich, Gerd, »Die Dolchstoß-Legende«, in: *Deutsche Erinnerungsorte*, Bd. 1, hg. von Etienne François und Hagen Schulze, München 2001, S. 585–599.

Kuebart, Friedrich, »Otto Hoetzsch – Historiker, Publizist, Politiker«, in: *Osteuropa. Zeitschrift für Gegenwartsfragen des Ostens* 25 (1975), S. 603–621.

Kühne, Jörg-Detlef, »Verfassungsanklagen gegen Gubernativspitzen – rechtstatsächliche und vergleichende Brauchbarkeitserwägungen«, in: *Festschrift für Dimitris Th. Tsatsos*, hg. von Peter Häberle u.a., Baden-Baden 2003, S. 279–302.

Kurz, Achim, »Zur Interpretation des Artikels 48 Abs. 2 WRV 1930–33«, in: *Offene Staatlichkeit*, hg. von Rolf Grawert, Berlin 1995, S. 395–413.

Langewiesche, Dieter, »Nation, Nationalismus, Nationalstaat: Forschungsstand und Forschungsperspektiven«, in: *Neue Politische Literatur* 40 (1995), S. 190–236.

Langewiesche, Dieter, »Föderativer Nationalismus als Erbe der deutschen Reichsnation. Über Föderalismus und Zentralismus in der deutschen Nationalgeschichte«, in: Dieter Langewiesche, *Nation, Nationalismus, Nationalstaat in Deutschland und Europa*, München 2000, S. 215–242.

Lehnert, Detlef, »Die geschichtlichen Schattenbilder von ›Tannenberg‹. Vom Hindenburg-Mythos im Ersten Weltkrieg zum ersatzmonarchischen Identifikationssymbol in der Weimarer Republik«, in: *Medien und Krieg – Krieg in den Medien*, hg. von Kurt Imhof und Peter Schulz, Zürich 1995, S. 37–71.

Leonhard, Jörn, »Vom Nationalismus zum Kriegsnationalismus – Projektion und Grenze nationaler Integrationsvorstellungen in Deutschland, Großbritannien und den Vereinigten Staaten im Ersten Weltkrieg«, in: *Nationalismen in Europa*, hg. von Ulrike von Hirschhausen und Jörn Leonhard, Göttingen 2003, S. 204–240.

Lepsius, Oliver, »Staatstheorie und Demokratiebegriff in der Weimarer Republik«, in: *Demokratisches Denken in der Weimarer Republik*, hg. von Christoph Gusy, Baden-Baden 2000, S. 366–414.

Lösche, Peter, und Franz Walter, »Katholiken, Konservative und Liberale: Milieus und Lebenswelten bürgerlicher Parteien in Deutschland während des 20. Jahrhunderts«, in: *Geschichte und Gesellschaft* 26 (2000), S. 471–492.

Luckau, Alma, »Unconditional Acceptance of the Treaty of Versailles by the German Government, June 22–28, 1919«, in: *The Journal of Modern History* 17 (1945), S. 215–220.

Luckmann, Thomas, »Die ›massenkulturelle‹ Sozialform der Religion«, in: *Kultur und Alltag*, hg. von Hans-Georg Soeffner, Göttingen 1988, S. 37–48.

Machtan, Lothar, »Bismarck-Kult und deutscher National-Mythos 1890 bis 1940«, in: *Bismarck und der deutsche National-Mythos*, hg. von Lothar Machtan, Bremen 1994, S. 15–67.

Mai, Gunther, »›Verteidigungskrieg‹ und ›Volksgemeinschaft‹. Staatliche Selbstbehauptung, nationale Solidarität und soziale Befreiung in Deutschland in der Zeit des Ersten Weltkrieges (1900–1925)«, in: *Der Erste Weltkrieg*, hg. von Wolfgang Michalka, München 1994, S. 583–602.

Malinowski, Stephan, »›Wer schenkt uns wieder Kartoffeln?‹ Deutscher Adel nach 1918 – eine Elite?«, in: *Deutscher Adel im 19. und 20. Jahrhundert*, hg. von Günther Schulz und Markus A. Denzel, Sankt Katharinen 2004, S. 503–537.

Matthias, Erich, »Hindenburg zwischen den Fronten. Zur Vorgeschichte der Reichspräsidentenwahlen von 1932«, in: *Vierteljahrshefte für Zeitgeschichte* 8 (1960), S. 75–84.

Mau, Hermann, »Die ›zweite Revolution‹ – der 30. Juni 1934«, in: *Vierteljahrshefte für Zeitgeschichte* 1 (1953), S. 119–137.

Mecking, Sabine, »Demokratie – Diktatur – Demokratie: Beamte schwören Treue«, in: *Geschichte in Wissenschaft und Unterricht* 55 (2004) S. 140–150.

Mergel, Thomas, »Politikbegriffe in der Militärgeschichte«, in: *Was ist Militärgeschichte?*, hg. von Thomas Kühne und Benjamin Ziemann, Paderborn 2000, S. 141–156.

Mergel, Thomas, »Überlegungen zu einer Kulturgeschichte der Politik«, in: *Geschichte und Gesellschaft* 28 (2002), S. 574–606.

Mergel, Thomas, »Führer, Volksgemeinschaft und Maschine. Politische Erwartungsstrukturen in der Weimarer Republik und im Nationalsozialismus 1918–1936«, in: *Politische Kulturgeschichte der Zwischenkriegszeit 1918–1939*, hg. von Wolfgang Hardtwig, Göttingen 2006, S. 91–127.

Meteling, Wencke, »Der deutsche Zusammenbruch 1918 in den Selbstzeugnissen adeliger preußischer Offiziere«, in: *Adel und Moderne*, hg. von Eckart Conze und Monika Wienfort, Köln 2004, S. 289–321.

Mick, Christoph, »Kriegserfahrungen und die Konstruktion von Kontinuität. Schlachten und Kriege im ukrainischen und polnischen kollektiven Gedächtnis 1900–1930«, in: *Gründungszeichen, Genealogien, Memorialzeichen. Beiträge zur institutionellen Konstruktion von Kontinuität*, hg. von Gert Melville und Karl-Siegbert Rehberg, Köln 2004, S. 109–132.

Möller, Frank, »Zur Theorie des charismatischen Führers im modernen Nationalstaat«, in: *Charismatische Führer der deutschen Nation*, hg. von Frank Möller, München 2004, S. 1–18.

Mommsen, Hans, »Carl Friedrich Goerdeler im Widerstand gegen Hitler«, in: *Politische Schriften und Briefe Carl Friedrich Goerdelers*, Bd. 1, hg. von Sabine Gillmann und Hans Mommsen, München 2003, S. XXXVII–LXV.

Mommsen, Wolfgang J., »Politik im Vorfeld der ›Hörigkeit der Zukunft‹. Politische Aspekte der Herrschaftssoziologie Max Webers«, in: *Max Webers Herrschaftssoziologie*, hg. von Edith Hanke und Wolfgang J. Mommsen, Tübingen 2001, S. 303–319.

Morsey, Rudolf, »Hitlers Verhandlungen mit der Zentrumsführung am 31. Januar 1933«, in: *Vierteljahrshefte für Zeitgeschichte* 9 (1961), S. 184–194.

Morsey, Rudolf, »Der Beginn der ›Gleichschaltung‹ in Preußen«, in: *Vierteljahrshefte für Zeitgeschichte* 11 (1963), S. 85–97.

Morsey, Rudolf, »Neue Quellen zur Vorgeschichte der Reichskanzlerschaft Brünings«, in: *Staat, Wirtschaft und Politik in der Weimarer Republik*, hg. von Ferdinand A. Hermens und Theodor Schieder, Berlin 1967, S. 207–231.

Morsey, Rudolf, »Die deutschen Katholiken und der Nationalstaat zwischen Kulturkampf und Erstem Weltkrieg«, in: *Historisches Jahrbuch* 90 (1970), S. 31–64.

Morsey, Rudolf, »Brünings politische Weltanschauung vor 1918«, in: *Gesellschaft, Parlament und Regierung*, hg. von Gerhard A. Ritter, Düsseldorf 1974, S. 317–335.

Mühleisen, Horst, »Annehmen oder Ablehnen? Das Kabinett Scheidemann, die Oberste Heeresleitung und der Vertrag von Versailles im Juni 1919«, in: *Vierteljahrshefte für Zeitgeschichte* 35 (1987), S. 419–481.

Mühleisen, Horst, »Das Testament Hindenburgs vom 11. Mai 1934«, in: *Vierteljahrshefte für Zeitgeschichte* 44 (1996), S. 356–371.

Mühlhausen, Walter, »Das Büro des Reichspräsidenten in der politischen Auseinander-setzung«, in: *Friedrich Ebert als Reichspräsident*, hg. von Eberhard Kolb, München 1997, S. 61–107.

Müller, Klaus-Jürgen, »Reichswehr und ›Röhm-Affäre‹«, in: *Militärgeschichtliche Mitteilungen* 1 (1968), S. 107–144.

Müller, Sven Oliver, »Die umkämpfte Nation. Legitimationsprobleme im kriegführenden Kaiserreich«, in: *Die Politik der Nation, Deutscher Nationalismus in Krieg und Krisen 1760–1960*, hg. von Jörg Echternkamp und Sven Oliver Müller, München 2002, S. 149–171.

Müller-Koppe, Jens, »Die deutsche Sozialdemokratie und der Bismarck-Mythos«, in: *Bismarck und der deutsche National-Mythos*, hg. von Lothar Machtan, Bremen 1994, S. 181–207.

Münsteraner Arbeitskreis für kirchliche Zeitgeschichte, »Katholiken zwischen Tradition und Moderne. Das katholische Milieu als Forschungsaufgabe«, in: *Westfälische Forschungen* 43 (1993), S. 588–654.

Münsteraner Arbeitskreis für kirchliche Zeitgeschichte, »Konfession und cleavages im 19. Jahr-hundert. Ein Erklärungsmodell zur regionalen Entstehung des katholischen Milieus in Deutschland«, in: *Historisches Jahrbuch* 120 (2000), S. 358–395.

Muth, Heinrich, »Das ›Kölner Gespräch‹ am 4. Januar 1933«, in: *Geschichte in Wissenschaft und Unterricht* 37 (1986), S. 463–480 und S. 529–541.

Noll, Thomas, »Sinnbild und Erzählung. Zur Ikonographie des Krieges in den Zeitschriften-illustrationen 1914 bis 1918«, in: *Die letzten Tage der Menschheit. Bilder des Ersten Weltkrie-ges*, hg. von Rainer Rother, Berlin 1994, S. 259–271.

Otten, Henrique Ricardo, »Wie Realpolitik in den Mythos umschlägt. Die ›Sachlichkeit‹ des Politischen bei Carl Schmitt«, in: *Mythos Staat*, hg. von Rüdiger Voigt, Baden-Baden 2001, S. 169–211.

Otto, Helmut, »Das ehemalige Reichsarchiv. Streiflichter seiner Geschichte und der wissen-schaftlichen Aufarbeitung des Ersten Weltkrieges«, in: *Potsdam. Staat, Armee, Residenz in der preußisch-deutschen Militärgeschichte*, hg. von Bernhard R. Kroener, Frankfurt a.M. 1993, S. 421–434.

Pade, Werner, »Zwischen Wissenschaft, Abenteurertum und Kolonialpolitik: Adolf Friedrich Herzog zu Mecklenburg«, in: *Mecklenburger im Ausland*, hg. von Martin Guntau, Bremen 2001, S. 201–212.

Patch, William, »Heinrich Brüning's Recollections of Monarchism: The Birth of a Red Hering«, in: *The Journal of Modern History* 70 (1998), S. 340–370.

Peters, Dorothea, »›… die Theilnahme für Kunst im Publikum zu steigern und den Geschmack zu veredeln‹: Fotografische Kunstreproduktionen nach Werken der Berliner National-galerie in der Ära Jordan (1874–1896)«, in: *Verwandlung durch Licht. Fotografieren in Museen und Archiven und Bibliotheken*, hg. von Wolfgang Hesse, Esslingen 2001, S. 163 bis 195.

Plaggemann, Volker, »Bismarck-Denkmäler«, in: *Denkmäler im 19. Jahrhundert*, hg. von Hans-Erich Mittig und Volker Plaggemann, München 1972, S. 217–252.

Plath, Helmuth, »Hindenburg und Ludendorff. Das Doppelporträt von Hugo Vogel«, in: *Nie-derdeutsche Beiträge zur Kunstgeschichte* 11 (1972), S. 275–283.

Preuß, Ulrich K., »Carl Schmitt – Die Bändigung oder die Entfesselung des Politischen?«, in: *Mythos Staat*, hg. von Rüdiger Voigt, Baden-Baden 2001, S. 141–167.

Pyta, Wolfram, »Vorbereitungen für den militärischen Ausnahmezustand unter Papen/Schleicher«, in: *Militärgeschichtliche Mitteilungen* 51 (1992), S. 386–428.

Pyta, Wolfram, »Politische Kultur und Wahlen in der Weimarer Republik«, in: *Wahlen und Wahlkämpfe in Deutschland*, hg. von Gerhard A. Ritter, Düsseldorf 1997, S. 197–239.

Pyta, Wolfram, »Verfassungsumbau, Staatsnotstand und Querfront: Schleichers Versuche zur Fernhaltung Hitlers von der Reichskanzlerschaft August 1932 bis Januar 1933«, in: *Gestaltungskraft des Politischen, Festschrift für Eberhard Kolb*, hg. von Wolfram Pyta und Ludwig Richter, Berlin 1998, S. 173–197.

Pyta, Wolfram, »Konstitutionelle Demokratie statt monarchischer Restauration. Die verfassungspolitische Konzeption Schleichers in der Weimarer Staatskrise«, in: *Vierteljahrshefte für Zeitgeschichte* 47 (1999), S. 417–441.

Pyta, Wolfram, und Gabriel Seiberth, »Die Staatskrise der Weimarer Republik im Spiegel des Tagebuchs von Carl Schmitt«, in: *Der Staat* 38 (1999), S. 423–448 und S. 594–610.

Pyta, Wolfram, »Schmitts Begriffsbestimmung im politischen Kontext«, in: *Carl Schmitt. Der Begriff des Politischen. Ein kooperativer Kommentar*, hg. von Reinhard Mehring, Berlin 2003, S. 219–235.

Pyta, Wolfram, »Die Präsidialgewalt in der Weimarer Republik«, in: *Parlamentarismus in Europa*, hg. von Marie-Luise Recker, München 2004, S. 65–95.

Pyta, Wolfram, »Paul von Hindenburg als charismatischer Führer der deutschen Nation«, in: *Charismatische Führer der deutschen Nation*, hg. von Frank Möller, München 2004, S. 109 bis 147.

Pyta, Wolfram, »Franz von Papen – Grenzgänger zwischen Unternehmertum und Politik«, in: *Adel als Unternehmer im bürgerlichen Zeitalter*, hg. von Manfred Rasch, Münster 2006, S. 289–307.

Raab, Jürgen, und Dirk Tänzler, »Charisma der Macht und charismatische Herrschaft«, in: *Diesseitsreligion. Zur Deutung der Bedeutung moderner Kultur*, hg. von Anne Honer, Ronald Kurt und Jo Reichertz, Konstanz 1999, S. 59–77.

Radkau, Joachim, »Die wilhelminische Ära als nervöses Zeitalter, oder: Die Nerven als Netz zwischen Tempo- und Körpergeschichte«, in: *Geschichte und Gesellschaft* 20 (1994), S. 211 bis 241.

Radkau, Joachim, »Nationalismus und Nervosität«, in: *Kulturgeschichte heute*, hg. von Wolfgang Hardtwig und Hans-Ulrich Wehler, Göttingen 1996, S. 284–315.

Raithel, Thomas, und Irene Strenge, »Die Reichstagsbrandnotverordnung. Grundlegung der Diktatur mit den Instrumenten des Weimarer Ausnahmezustandes«, in: *Vierteljahrshefte für Zeitgeschichte* 48 (2000), S. 413–460.

Rasche, Uta, »Geschichtsbilder im katholischen Milieu des Kaiserreichs: Konkurrenz und Parallelen zum nationalen Gedenken«, in: *Vom kollektiven Gedächtnis zur Individualisierung der Erinnerung*, hg. von Clemens Wischermann, Stuttgart 2002, S. 25–52.

Reichardt, Sven, »Gewalt, Körper, Politik. Paradoxien in der deutschen Kulturgeschichte der Zwischenkriegszeit«, in: *Politische Kulturgeschichte der Zwischenkriegszeit 1918–1939*, hg. von Wolfgang Hardtwig, Göttingen 2005, S. 205–239.

Repgen, Konrad, »Ein KPD-Verbot im Jahre 1933?«, in: *Historische Zeitschrift* 240 (1985), S. 67 bis 99.

Requate, Jörg, »Öffentlichkeit und Medien als Gegenstand historischer Analyse«, in: *Geschichte und Gesellschaft* 25 (1999), S. 5–32.

Richter, Ludwig, »Das präsidiale Notverordnungsrecht in den ersten Jahren der Weimarer Republik«, in: *Friedrich Ebert als Reichspräsident*, hg. von Eberhard Kolb, München 1997, S. 207–257.

Richter, Ludwig, »Der Reichspräsident bestimmt die Politik und der Reichskanzler deckt sie: Friedrich Ebert und die Bildung der Weimarer Koalition«, in: *Friedrich Ebert als Reichspräsident*, hg. von Eberhard Kolb, München 1997, S. 17–59.

Rödder, Andreas, »Dichtung und Wahrheit. Der Quellenwert von Heinrich Brünings Memoiren und seine Kanzlerschaft«, in: *Historische Zeitschrift* 265 (1997), S. 77–116.

Rohe, Karl, »Zur Typologie politischer Kulturen in westlichen Demokratien«, in: *Weltpolitik – Europagedanke – Regionalismus*, hg. von Heinz Dollinger u.a., Münster 1982, S. 581–596.

Rohe, Karl, »Politische Kultur und der kulturelle Aspekt von politischer Wirklichkeit«, in: *Politische Kultur in Deutschland*, hg. von Dirk Berg-Schlosser und Jakob Schissler, Opladen 1987, S. 39–48.

Rohe, Karl, »Politische Kultur und ihre Analyse«, in: *Historische Zeitschrift* 250 (1990), S. 321 bis 346.

Rohe, Karl, »Politische Kultur: Zum Verständnis eines theoretischen Konzepts«, in: *Politische Kultur in Ost- und Westdeutschland*, hg. von Oskar Niedermayer, Berlin 1994, S. 1–21.

Saldern, Adelheid von, »Cultural Conflicts, Popular Mass Culture and the Question of Nazi Success: The Eilenriede Motorcycle Races, 1924–39«, in: *German Studies Review* 15 (1992), S. 317–338.

Sarcinelli, Ulrich, »›Staatsrepräsentation‹ als Problem politischer Alltagskommunikation: Politische Symbolik und symbolische Politik«, in: *Staatsrepräsentation*, hg. von Jörg-Dieter Gauger und Justin Stagl, Berlin 1992, S. 159–174.

Sauer, Wolfgang, »Das Scheitern der parlamentarischen Monarchie«, in: *Vom Kaiserreich zur Weimarer Republik*, hg. von Eberhard Kolb, Köln 1972, S. 77–99.

Scharenberg, Swantje, »Autorennen in den ›Roaring Twenties‹«, in: *Sozial- und Zeitgeschichte des Sports* 12 (1998), S. 29–47.

Scheck, Raffael, »Höfische Intrige als Machtstrategie in der Weimarer Republik«, in: *Adel und Moderne*, hg. von Eckart Conze und Monika Wienfort, Köln 2004, S. 107–118.

Schieder, Wolfgang, »Das italienische Experiment. Der Faschismus als Vorbild in der Krise der Weimarer Republik«, in: *Historische Zeitschrift* 262 (1996), S. 73–125.

Schlögl, Rudolf, »Symbole in der Kommunikation«, in: *Die Wirklichkeit der Symbole*, hg. von Rudolf Schlögl, Bernhard Giesen und Jürgen Osterhammel, Konstanz 2004, S. 9–38.

Schmidt, Ernst-Heinrich, »Moltke in der bildlichen Darstellung«, in: *Generalfeldmarschall von Moltke*, hg. von Roland G. Foerster, München 1991, S. 177–200.

Schneider, Gerhard, »Über hannoversche Nagelfiguren im Ersten Weltkrieg«, in: *Hannoversche Geschichtsblätter* 49 (1995), S. 207–258.

Schneider, Hans, »Das Ermächtigungsgesetz vom 24. März 1933«, in: *Von Weimar zu Hitler*, hg. von Gotthard Jasper, Köln 1968, S. 405–442.

Schreiner, Klaus, »›Wann kommt der Retter Deutschlands?‹ Formen und Funktionen von politischem Messianismus in der Weimarer Republik«, in: *Saeculum* 48 (1997), S. 107–160.

Schröder, Ernst, »Otto Wiedfeldt als Politiker und Botschafter der Weimarer Republik«, in: *Beiträge zur Geschichte von Stadt und Stift Essen* 86 (1971), S. 157–238.

Schulz, Gerhard, »Der ›Nationale Klub von 1919‹ zu Berlin«, in: Gerhard Schulz, *Das Zeitalter der Gesellschaft*, München 1969, S. 299–322.

Schumacher, Martin, »Zwischen ›Einschaltung‹ und ›Gleichschaltung‹. Zum Untergang der Deutschen Zentrumspartei 1932/33«, in: *Historisches Jahrbuch* 99 (1979), S. 268–303.

Schützle, Kurt, »Der ›Kriegsrat‹ am 19. Juni 1919«, in: *Zeitschrift für Militärgeschichte* 5 (1966), S. 584–594.

Seeber, Gustav, »Bismarcks ›Gedanken und Erinnerungen‹ von 1898 in der Politik. Bemerkungen zur Publizistik«, in: *Otto von Bismarck. Person – Politik – Mythos*, hg. von Jost Dülffer, Berlin 1993, S. 237–246.

Sieg, Ulrich, »Wilhelm II. – ein ›leutseliger Charismatiker‹«, in: *Charismatische Führer der deutschen Nation*, hg. von Frank Möller, München 2004, S. 85–108.

Soeffner, Hans-Georg, »Geborgtes Charisma – Populistische Inszenierungen«, in: *Die Ordnung der Rituale*, hg. von Hans-Georg Soeffner, Frankfurt a.M. 1992, S. 177–203.

Soeffner, Hans-Georg, »Protosoziologische Überlegungen zur Soziologie des Symbols und des Rituals«, in: *Die Wirklichkeit der Symbole*, hg. von Rudolf Schlögl, Bernhard Giesen und Jürgen Osterhammel, Konstanz 2004, S. 41–72.

Soeffner, Hans-Georg, und Dirk Tänzler, »Figurative Politik. Prolegomena zu einer Kultursoziologie politischen Handelns«, in: *Figurative Politik. Zur Performanz der Macht in der modernen Gesellschaft*, hg. von Hans-Georg Soeffner und Dirk Tänzler, Opladen 2002, S. 17–33.

Sösemann, Bernd, »Der Verfall des Kaisergedankens im Ersten Weltkrieg«, in: *Der Ort Kaiser Wilhelms II. in der deutschen Geschichte*, hg. von John C. G. Röhl, München 1991, S. 145–170.

Speth, Rudolf, »Der Mythos des Staates bei Carl Schmitt«, in: *Mythos Staat*, hg. von Rüdiger Voigt, Baden-Baden 2001, S. 119–140.

Stambolis, Barbara, »Nationalisierung trotz Ultramontanisierung oder: ›Alles für Deutschland. Deutschland aber für Christus‹«, in: *Historische Zeitschrift* 269 (1999), S. 57–97.

Stegmann, Dirk, »Zum Verhältnis von Großindustrie und Nationalsozialismus 1930–1933«, in: *Archiv für Sozialgeschichte* 13 (1973), S. 399–482.

Storz, Dieter, »›Aber was hätte anders geschehen sollen?‹ Die deutschen Offensiven an der Westfront 1918«, in: *Kriegsende 1918. Ereignis, Wirkung, Nachwirkung*, hg. von Jörg Duppler und Gerhard P. Groß, München 1999, S. 51–95.

Straub, Jürgen, »Personale und kollektive Identität«, in: *Identitäten. Erinnerung, Geschichte, Identität*, hg. von Aleida Assmann und Heidrun Friese, Frankfurt a.M. 1997, S. 73–104.

Stribrny, Wolfgang, »Der Versuch einer Kandidatur des Kronprinzen Wilhelm bei der Reichspräsidentenwahl 1932«, in: *Geschichte in der Gegenwart. Festschrift für Kurt Kluxen*, hg. von Ernst Heinen und Hans Julius Schoeps, Paderborn 1972, S. 199–210.

Tenfelde, Klaus, »Historische Milieus – Erblichkeit und Konsistenz«, in: *Nation und Gesellschaft in Deutschland*, hg. von Manfred Hettling und Paul Nolte, München 1996, S. 247 bis 268.

Thoß, Bruno, »Nationale Rechte, militärische Führung und Diktaturfrage in Deutschland 1913–1923«, in: *Militärgeschichtliche Mitteilungen* 42 (1987), S. 27–77.

Tietz, Jürgen, »Denkmal zwischen den Zeiten. Das ostpreußische Tannenberg-Nationaldenkmal während der Weimarer Republik und des Nationalsozialismus«, in: *Nordost-Archiv* 6 (1997), S. 41–68.

Tommissen, Piet, »Over en in zake Carl Schmitt«, in: *Eclectica* 5 (1975), S. 89–109.

Urbach, Karina, »Diplomat, Höfling und Verbandsfunktionär: Süddeutsche Standesherren 1880–1945«, in: *Deutscher Adel im 19. und 20. Jahrhundert*, hg. von Günther Schulz und Markus A. Denzel, Sankt Katharinen 2004, S. 353–375.

Voelker, Judith, »›Unerträglich, unerfüllbar und deshalb unannehmbar‹ – Kollektiver Protest gegen Versailles im Rheinland in den Monaten Mai und Juni 1919«, in: *Der verlorene Frieden*, hg. von Jost Dülffer und Gerd Krumeich, Essen 2002, S. 229–241.

Vogelsang, Thilo, »Neue Dokumente zur Geschichte der Reichswehr 1930–1933«, in: *Vierteljahrshefte für Zeitgeschichte* 2 (1954), S. 397–436.

Volk, Friedebert, »Zum 125. Geburtstage Franz Metzners«, in: *Jahrbuch Mies-Pilsen* 4 (1995), S. 77.

Walter, Franz, und Helge Matthiesen, »Milieus in der modernen deutschen Gesellschaftsgeschichte. Ergebnisse und Perspektiven der Forschung«, in: *Anpassung – Verweigerung – Widerstand*, hg. von Detlef Schmiechen-Ackermann, Berlin 1997, S. 46–75.

Weber, Max, »Die drei reinen Typen der legitimen Herrschaft«, in: Max Weber, *Gesammelte Aufsätze zur Wissenschaftslehre*, Tübingen 1968, S. 475–488.

Wehler, Hans-Ulrich, »Kommentar«, in: *Geschichte zwischen Kultur und Gesellschaft*, hg. von Thomas Mergel und Thomas Welskopp, München 1997, S. 351–366.

Wehler, Hans-Ulrich, »Radikalnationalismus und Nationalsozialismus«, in: *Die Politik der Nation*, hg. von Jörg Echternkamp und Sven Oliver Müller, München 2002, S. 203–217.

Weisbrod, Bernd, »Medien als symbolische Form der Massengesellschaft. Die medialen Bedingungen von Öffentlichkeit im 20. Jahrhundert«, in: *Historische Anthropologie* 9 (2001), S. 270–283.

Weßling, Wolfgang, »Hindenburg, Neudeck und die deutsche Wirtschaft«, in: *Vierteljahrschrift für Sozial- und Wirtschaftsgeschichte* 64 (1977), S. 41–73.

Wirsching, Andreas, »›Man kann nur Boden gewinnen‹. Eine neue Quelle zu Hitlers Rede vor den Spitzen der Reichswehr am 3. Februar 1933«, in: *Vierteljahrshefte für Zeitgeschichte* 49 (2001), S. 517–550.

Wisser, Thomas, »Die Diktaturmaßnahmen im Juli 1930 – Autoritäre Umwandlung der Demokratie?«, in: *Offene Staatlichkeit*, hg. von Rolf Grawert u.a., Berlin 1995, S. 415–434.

Worm, Helga, »Legalität und Legitimität – eine fast vergessene ›Vortragsnotiz‹ aus dem Reichswehrministerium«, in: *Der Staat* 27 (1988), S. 75–92.

Zechlin, Egmont, »Friedensbestrebungen und Revolutionierungsversuche im Ersten Weltkrieg«, in: *Aus Politik und Zeitgeschichte* B 22 (1963), S. 3–54.

Zechlin, Egmont, »Das Bismarck-Bild 1915«, in: Egmont Zechlin, *Krieg und Kriegsrisiko. Zur deutschen Politik im Ersten Weltkrieg*, Düsseldorf 1979, S. 227–233.

Zechlin, Egmont, »Ludendorff im Jahre 1915. Unveröffentlichte Briefe«, in: Egmont Zechlin, *Krieg und Kriegsrisiko. Zur deutschen Politik im Ersten Weltkrieg*, Düsseldorf 1979, S. 192 bis 226.

Ziemann, Benjamin, »Die Erinnerung an den Ersten Weltkrieg in den Milieukulturen der Weimarer Republik«, in: *Kriegserlebnis und Legendenbildung*, hg. von Thomas F. Schneider, Osnabrück 1999, S. 249–270.

Ziemann, Benjamin, »Enttäuschte Erwartung und kollektive Erschöpfung. Die deutschen Soldaten an der Westfront 1918 auf dem Weg zur Revolution«, in: *Kriegsende 1918. Ereignis, Wirkung, Nachwirkung*, hg. von Jörg Duppler und Gerhard P. Groß, München 1999, S. 165–182.

Ziemann, Benjamin, »Sozialmilitarismus und militärische Sozialisation im deutschen Kaiserreich 1870–1914«, in: *Geschichte in Wissenschaft und Unterricht* 53 (2002), S. 148–164.

GEDRUCKTE QUELLEN

Afflerbach, Holger (Bearb.), *Kaiser Wilhelm II. als Oberster Kriegsherr im Ersten Weltkrieg. Quellen aus der militärischen Umgebung des Kaisers 1914–1918*, München 2005.

Akten der Reichskanzlei.

– *Das Kabinett Scheidemann*, bearb. von Hagen Schulze, Boppard 1971.

– *Das Kabinett Bauer*, bearb. von Anton Golecki, Boppard 1980.

– *Die Kabinette Wirth I und II*, 2 Bde., bearb. von Ingrid Schulze-Bidlingmaier, Boppard 1973.

– *Die Kabinette Luther I und II*, 2 Bde., bearb. von Karl-Heinz Minuth, Boppard 1977.

– *Die Kabinette Marx III und IV*, 2 Bde., bearb. von Günter Abramowski, Boppard 1988.

– *Das Kabinett Müller II*, bearb. von Martin Vogt, Boppard 1970.

– *Die Kabinette Brüning I und II*, 3 Bde., bearb. von Tilman Koops, Boppard 1982–1990.

– *Das Kabinett von Papen*, 2 Bde., bearb. von Karl-Heinz Minuth, Boppard 1989.

– *Das Kabinett von Schleicher*, bearb. von Anton Golecki, Boppard 1986.

– *Die Regierung Hitler, Teil I: 1933/34*, 2 Bde., bearb. von Karl-Heinz Minuth, Boppard 1983.

Akten zur deutschen auswärtigen Politik 1918–1945. Serie B, Bd. 18: 1. Juli bis 15. Oktober 1931, Göttingen 1982.

Becker, Josef, Ruth Becker (Hg.), *Hitlers Machtergreifung*, München 1983.

Benjamin, Walter, *Gesammelte Schriften. Erster Band. Erster Teil*, Frankfurt a.M. 1980.

Berthold, Lothar, Helmut Neef, *Militarismus und Opportunismus gegen die Novemberrevolution. Eine Dokumentation*, Berlin 1958.

Betker, Frank, und Almut Kriele (Bearb.), »*Pro Fide et Patria!*«. *Die Kriegstagebücher von Ludwig Berg 1914/18*, Köln 1998.

Bradley, Dermot, Karl-Friedrich Hildebrand und Markus Rövekamp, *Die Generale des Heeres 1921–1945. Die militärischen Werdegänge der Generale, sowie der Ärzte, Veterninäre, Intendanten, Richter und Ministerialbeamten im Generalsrang.* Bd. 3, Osnabrück 1994.

Brockhusen-Justin, Hans-Joachim von, *Der Weltkrieg und ein schlichtes Menschenleben*, Greifswald 1928.

Buchner, Eberhard, *Kriegsdokumente. Der Weltkrieg 1914/15 in der Darstellung der zeitgenössischen Presse*, Bd. 7: *Vom 18. Februar bis zur Befreiung Memels*, München 1916.

Bußmann, Walter, und Günther Grünthal (Hg.), *Siegfried A. Kaehler. Briefe 1900–1963*, Boppard 1993.

Dehmel, Richard, *Zwischen Volk und Menschheit. Kriegstagebuch*, Berlin 1919.

Deist, Wilhelm (Bearb.), *Militär und Innenpolitik im Weltkrieg 1914–1918*, 2 Bde., Düsseldorf 1970.

Deuerlein, Ernst (Hg.), *Briefwechsel Hertling – Lerchenfeld 1912–1917*, 2 Bde., Boppard 1973.

Deutscher Geschichtskalender 47 (1931).

Dietrich, Richard (Bearb.), *Die politischen Testamente der Hohenzollern*, Köln 1986.

Dodd, William, und Martha Dodd (Hg.), *Ambassador Dodd's Diary 1933–1938*, New York 1941.

Domarus, Max, *Hitler. Reden und Proklamationen 1932–1945*, Bd. 1, *Erster Halbband 1932–1934*, Wiesbaden 1965.

Einem, Karl von, *Ein Armeeführer erlebt den Weltkrieg. Persönliche Aufzeichnungen des Generalobersten v. Einem*, hg. von Junius Alter, Leipzig 1938.

Endres, Fritz (Hg.), *Hindenburg. Briefe – Reden – Berichte*, Ebenhausen 1934.

Engel, Georg, *1914–1916. Ein Tagebuch*, Braunschweig 1916.

Engel, Georg, *1914–1917. Ein Tagebuch*, Braunschweig 1917.

Epkenhans, Michael (Hg.), *Mein lieber Schatz! Briefe von Admiral Reinhard Scheer an seine Ehefrau August bis November 1918*, Bochum 2006.

Eschenhagen, Wieland (Hg.), *Die »Machtergreifung«*, Darmstadt 1982.

Feder, Ernst, *Heute sprach ich mit ... Tagebücher eines Berliner Publizisten 1926–1932*, hg. von Cécile Lowenthal-Hensel und Arnold Paucker, Stuttgart 1971.

Francke, Joachim (Hg.), *Hindenburg-Schläge und Hindenburg-Anekdoten*, 15. Aufl., Stuttgart 1915.

Fredeweiß-Wenstrup, Stephanie (Bearb.), »*Mutters Kriegstagebuch*«. *Die Aufzeichnungen der Antonia Helming 1914–1922*, Münster 2005.

Friedrich, Julius, *Wer spielte falsch? Ein Tatsachenbericht aus Deutschlands jüngster Vergangenheit nach authentischem Material*, Hamburg 1949.

Friedrichs, Axel (Hg.), *Die nationalsozialistische Revolution 1933*, Berlin 1935.

Fromm, Bella, *Blood and Banquets. A Berlin Social Diary*, London 1944.

Gillmann, Sabine, und Hans Mommsen (Hg.), *Politische Schriften und Briefe Carl Friedrich Goerdelers*, München 2004.

Goebbels, Joseph, *Die Tagebücher von Joseph Goebbels*, Teil I: *Aufzeichnungen 1923–1941*, Bd. 2/II–III, bearb. von Angela Hermann, München 2004–2005.

Goebbels, Joseph, *Die Tagebücher von Joseph Goebbels*, Teil I: *Aufzeichnungen 1923–1941*, Bd. 3/I, bearb. von Angela Hermann, München 2005.

Goethe, Johann Wolfgang von, *Goethes Briefe und Briefe an Goethe*, Bd. 2: *1786–1905*, München 1986.

Görlitz, Walter (Hg.), *Regierte der Kaiser? Kriegstagebücher, Aufzeichnungen und Briefe des Chefs des Marine-Kabinetts Admiral Georg Alexander von Müller 1914–1918*, Göttingen 1959.

Granier, Gerhard, *Magnus von Levetzow. Seeoffizier, Monarchist und Wegbereiter Hitlers*, Boppard 1982.

Granier, Gerhard (Bearb.), *Adolf Wild von Hohenborn. Briefe und Tagebuchaufzeichnungen des preußischen Generals als Kriegsminister und Truppenführer im Ersten Weltkrieg*, Boppard 1986.

Hahlweg, Werner (Bearb.), *Der Friede von Brest-Litowsk*, Düsseldorf 1971.

Hampe, Karl, *Kriegstagebuch 1914–1919*, hg. von Folker Reichert und Eike Wolgast, München 2004.

Hassell, Ulrich von, *Römische Tagebücher und Briefe 1932–1938*, hg. von Ulrich Schlie, München 2004.

Hill, Leonidas E. (Hg.), *Die Weizsäcker-Papiere 1900–1932*, Frankfurt a.M. 1982.

Hindenburgs Testament, Köln 1934.

Hitler, Adolf, *Reden, Schriften, Anordnungen*, 6 Bde., hg. vom Institut für Zeitgeschichte, München 1991–2000.

Hupfeld, Hans (Hg.), *Reichstags-Eröffnungsfeier in Potsdam*, Potsdam 1933.

Hürten, Heinz (Hg.), *Adjutant im preußischen Kriegsministerium Juni 1918 bis Oktober 1919. Aufzeichnungen des Hauptmanns Gustav Böhm*, Stuttgart 1977.

Ilsemann, Sigurd von, *Der Kaiser in Holland, Bd. 1: Amerongen und Doorn 1918–1923*, München 1967.

Ilsemann, Sigurd von, *Der Kaiser in Holland. Bd. 2: Monarchie und Nationalsozialismus 1924–1941*, München 1968.

International Military Tribunal (Hg.), *Der Prozeß gegen die Hauptkriegsverbrecher vor dem Internationalen Militärgerichtshof*, Bd. 13: *Verhandlungsniederschriften: 3. Mai 1946–15. Mai 1946*, Nürnberg 1948.

Janßen, Karl-Heinz (Hg.), *Die graue Exzellenz. Zwischen Staatsräson und Vasallentreue. Aus den Papieren des kaiserlichen Gesandten Karl Georg von Treutler*, Frankfurt a.M. 1971.

Johann, Ernst (Hg.), *Innenansicht eines Krieges*, Frankfurt a.M. 1968.

Johann, Ernst (Hg.), *Reden des Kaisers. Ansprachen, Predigten und Trinksprüche Wilhelms II.*, 2. Aufl., München 1977.

Justi, Ludwig, *Werden – Wirken – Wissen*, Textband, Berlin 2001.

Kalshoven, Hedda, *Ich denk so viel an Euch. Ein deutsch-holländischer Briefwechsel 1920–1949*, München 1995.

Kant, Immanuel, *Kants Werke*, Bd. 5: *Kritik der Urteilskraft*, Berlin 1968.

Kartmann, Ruth, »Beschreibung unserer Reise zur Einweihung des Tannenberg-Denkmals am 18. September 1927«, in: *Nordost-Archiv* 6 (1997), S. 71–73.

Kessler, Harry Graf, *Das Tagebuch 1880–1937*, Bd. 6: *1916–1918*, hg. von Günter Riederer und Roland S. Kamzelak, Stuttgart 2006.

Kolb, Eberhard (Bearb.), *Der Zentralrat der deutschen sozialistischen Republik*, Leiden 1968.

Kolb, Eberhard, und Ludwig Richter (Hg.), *Nationalliberalismus in der Weimarer Republik. Die Führungsgremien der Deutschen Volkspartei 1918–1933*, Düsseldorf 1999.

Königliche Akademie der Künste zu Berlin (Hg.), *Ausstellungen von Werken der Mitglieder und Gäste der Akademie*, Berlin 1915.

Königliche Akademie der Künste zu Berlin (Hg.), *Kriegsbilder-Ausstellung Februar–April 1916*, Berlin 1916.

Königliche Akademie der Künste Berlin, *Ausstellung deutscher, österreichisch-ungarischer und bulgarischer Kriegsbilder Mai–Juni 1917*, Berlin 1917.

Könnemann, Erwin, und Gerhard Schulze (Hg.), *Der Kapp-Lüttwitz-Ludendorff-Putsch*, München 2002.

Kriegstagebuch aus Schwaben, Bd. 1: *1914*, Stuttgart 1914.

Lepper, Herbert, *Volk, Kirche und Vaterland. Wahlaufrufe, Aufrufe, Satzungen und Statuten des Zentrums 1870–1933*, Düsseldorf 1998.

Ludendorff, Erich, *Urkunden der Obersten Heeresleitung über ihre Tätigkeit 1916/18*, Berlin 1920.

Mack, Dietrich (Hg.), *Cosima Wagner. Das zweite Leben. Briefe und Aufzeichnungen 1883–1930*, München 1980.

Malhorta, Ruth (Bearb.), *Politische Plakate 1914–1945*, Hamburg 1988.

Mann, Thomas, *Essays*. Bd. 1: *Frühlingssturm 1893–1918*, Frankfurt a.M. 1993.

Matthias, Erich (Bearb.), *Die Regierung der Volksbeauftragten 1918/19*, Bd. 1, Düsseldorf 1969.

Matthias, Erich, und Rudolf Morsey (Bearb.), *Die Regierung des Prinzen Max von Baden*, Düsseldorf 1962.

Maurer, Ilse (Bearb.), *Politik und Wirtschaft in der Krise*, 2 Teile, Düsseldorf 1980.

Meyer, Thomas (Hg.), *Helmuth von Moltke 1848–1916*, Bd. 1, Basel 1993.

Michaelis, Herbert, und Ernst Schraepler (Hg.), *Ursachen und Folgen, Vom deutschen Zusammenbruch 1918 und 1945 bis zur staatlichen Neuordnung Deutschlands in der Gegenwart*, Bd. 10, Berlin 1965.

Miller, Susanne (Bearb.), *Das Kriegstagebuch des Reichstagsabgeordneten Eduard David 1914 bis 1918*, Düsseldorf 1966.

Moltkes neunzigste Geburtstagsfeier am 26. Oktober 1890. Ein Erinnerungsblatt, Berlin 1891.

Moltke, Helmuth von, *Erinnerungen, Briefe, Dokumente 1877–1916*, Stuttgart 1922.

Morsey, Rudolf (Hg.), *Die Protokolle der Reichstagsfraktion und des Fraktionsvorstands der Deutschen Zentrumspartei 1926–1933*, Mainz 1969.

Morsey, Rudolf (Bearb.), *Das »Ermächtigungsgesetz« vom 24. März 1933*, Düsseldorf 1992.

Moser, Otto von, *Feldzugsaufzeichnungen als Brigade-Divisionskommandeur und als kommandierender General 1914–1918*, Stuttgart 1920.

Nicolaisen, Carsten (Bearb.), *Dokumente zur Kirchenpolitik des Dritten Reiches*, Bd. 2, München 1975.

Niemann, Alfred, *Revolution von oben – Umsturz von unten*, Berlin 1928.

Nix, Claire (Hg.), *Heinrich Brüning. Briefe und Gespräche 1934–1945*, Stuttgart 1974.

Nowak, Karl Friedrich (Hg.), *Die Aufzeichnungen des Generalmajors Max Hoffmann*, Bd. 1, Berlin 1929.

Obkircher, Walther (Bearb.), *General Erich von Gündell. Aus seinen Tagebüchern*, Hamburg 1939.

Picker, Henry, *Hitlers Tischgespräche im Führerhauptquartier 1941–1942*, Stuttgart 1965.

Potthoff, Heinrich (Bearb.), *Friedrich von Berg als Chef des Geheimen Zivilkabinetts 1918. Erinnerungen aus seinem Nachlaß*, Düsseldorf 1971.

Potthoff, Heinrich (Bearb.), *Die SPD-Fraktion in der Nationalversammlung 1919–1920*, Düsseldorf 1986.

Pünder, Hermann, *Politik in der Reichskanzlei*, Stuttgart 1961.

Rabenau, Friedrich von (Hg.), *Hans von Seeckt. Aus meinem Leben 1866–1917*, Leipzig 1938.

Rathenau, Walther, *Tagebuch 1907–1922*, Düsseldorf 1967.

Reichsarchiv (Hg.), *Der Weltkrieg 1914 bis 1918. Die militärischen Operationen zu Lande*, 14 Bde., Berlin 1925–1944.

Reichswehrministerium (Bearb.), *Rangliste des Deutschen Reichsheeres. Nach dem Stande vom 1. Mai 1925*, Berlin 1925.

Reiß, Klaus-Peter (Bearb.), *Von Bassermann zu Stresemann. Die Sitzungen des nationalliberalen Zentralvorstandes 1912–1917*, Düsseldorf 1967.

Ritter, Gerhard A., und Susanne Miller (Hg.), *Die deutsche Revolution 1918–1919. Dokumente*, 2. Aufl., Hamburg 1975.

Scherer, André, und Jacques Grunewald (Hg.), *L'Allemagne et les problèmes de la paix pendant la première guerre mondiale*, Bd. 2: *De la guerre sous-marine à outrance à la Révolution soviétique (1er février 1917–7 novembre 1917)*, Paris 1966.

Schiffers, Reinhard (Bearb.), *Der Hauptausschuß des Deutschen Reichstags 1915–1918*, Bd. 2, Düsseldorf 1981.

Schlieffen, Alfred von, *Graf Alfred Schlieffen. Briefe*, hg. von Eberhard Kessel, Göttingen 1958.

Schulthess' Europäischer Geschichtskalender. Neue Folge: Bd. 34/1918, 35/1919, 67/1926, 43/1927, 47/1931, 48/1932, 49/1933, 50/1934.

Schumacher, Martin (Bearb.), *Erinnerungen und Dokumente von Joh. Victor Bredt 1914 bis 1933*, Düsseldorf 1970.

Schwertfeger, Bernhard, *Kaiser und Kabinettschef. Nach eigenen Aufzeichnungen und dem Briefwechsel des Wirklichen Geheimen Rats Rudolf von Valentini*, Oldenburg 1931.

Seraphim, Hans-Günther (Hg.), *Das politische Tagebuch Alfred Rosenbergs aus den Jahren 1934/35 und 1939/40*, Göttingen 1956.

Sitzungsberichte des Preußischen Landtags. 4. Wahlperiode, Bd. 1–2, Berlin 1932.

Sösemann, Bernd (Bearb.), *Theodor Wolff. Tagebücher 1914–1919*, Boppard 1984.

Stresemann, Gustav, *Vermächtnis*, Bd. 2: *Locarno und Genf*, Berlin 1932.

Struck, Hermann, »Aus dem Tagebuch von Hermann Struck«, in: *Bulletin des Leo Baeck Instituts* 71 (1985), S. 57–59.

Thaer, Albrecht von, *Generalstabsdienst an der Front und in der O.H.L. Aus Briefen und Tagebuchaufzeichnungen 1915–1919*, hg. von Siegfried A. Kaehler, Göttingen 1958.

Thimme, Friedrich (Hg.), *Bethmann Hollwegs Kriegsreden*, Stuttgart 1919.

Tschischwitz, Erich von (Hg.), *General von der Marwitz. Weltkriegsbriefe*, Berlin 1940.

Ulrich, Bernd, und Benjamin Ziemann (Hg.), *Frontalltag im Ersten Weltkrieg. Wahn und Wirklichkeit. Quellen und Dokumente*, Frankfurt a.M. 1994.

Verhandlungen der Verfassunggebenden Deutschen Nationalversammlung. Stenographische Berichte, Bd. 327, Berlin 1919.

Verhandlungen des Deutschen Reichstags, III. Wahlperiode 1924, Bd. 385; *V. Wahlperiode 1930*, Bd. 444, 446; *VI. Wahlperiode 1932*, Bd. 454; *VII. Wahlperiode 1932*, Bd. 455; *VIII. Wahlperiode 1933*, Bd. 457, Berlin 1924–1933.

Verhandlungen des Reichstags, XIII. Legislaturperiode, II. Session, Bd. 306, Berlin 1916.

Vogel, Hugo, *Als ich Hindenburg malte*, Berlin 1927.

Volkmann, Erich Otto, *Die Ursachen des Deutschen Zusammenbruches im Jahre 1918. Zweite Abteilung: Der Innere Zusammenbruch*, Bd. 12, Berlin 1929.

Wagner, Cosima, *Briefwechsel zwischen Cosima Wagner und Fürst Ernst zu Hohenlohe-Langenburg*, Stuttgart 1937.

Wegner, Konstanze (Bearb.), *Linksliberalismus in der Weimarer Republik. Die Führungsgremien der Deutschen Demokratischen Partei und der Deutschen Staatspartei 1918–1933*, Düsseldorf 1980.

Weiß, Hermann, und Paul Hoser (Hg.), *Die Deutschnationalen und die Zerstörung der Weimarer Republik. Aus dem Tagebuch von Reinhold Quaatz 1928–1933*, München 1989.

Wenzel, Georg (Hg.), *Arnold Zweig 1887–1968. Werk und Leben in Dokumenten und Bildern*, Berlin 1978.

Westarp, Kuno Graf von, *Das Ende der Monarchie am 9. November 1918*, Oldenburg 1952.

Westarp, Kuno Graf von, *Konservative Politik im Übergang vom Kaiserreich zur Weimarer Republik*, bearb. von Friedrich Freiherr Hiller von Gaertringen, Düsseldorf 2001.

Wohltmann, Hans, *Hindenburg-Worte. Briefe, Drahtungen, Reden und Gespräche des Generalfeldmarschalls von Hindenburg*, München 1918.

Zilch, Reinhold (Bearb.), *Die Protokolle des Preußischen Staatsministeriums 1817–1934/38*, Bd. 10, Hildesheim 1999.

ERINNERUNGEN UND ZEITGENÖSSISCHES SCHRIFTTUM

Bab, Julius (Hg.), *1914. Der Deutsche Krieg im Deutschen Gedicht*, Berlin 1914.

Baden, Max von, *Erinnerungen und Dokumente*, neu hg. von Golo Mann u. Andreas Burckhardt, Stuttgart 1968.

Bauer, Max, *Der große Krieg in Feld und Heimat. Erinnerungen und Betrachtungen*, Tübingen
1921.

Bei Hindenburg. Von seinem Leben und seinem Wirken, Berlin 1915.

Bernhard, Ludwig, *Die politische Kultur der Deutschen. Festrede gehalten auf dem Bismarck-
Kommers zu Berlin am 29. März 1913*, Berlin 1913.

Bernhardi, Friedrich von, *Eine Weltreise 1911/1912 und der Zusammenbruch Deutschlands*, Leipzig 1920.

Bernhardi, Friedrich von, *Denkwürdigkeiten aus meinem Leben*, Berlin 1927.

Bethmann Hollweg, Theobald von, *Betrachtungen zum Weltkriege*, Berlin 1921.

Beumelburg, Werner, *Sperrfeuer um Deutschland*, Oldenburg 1929.

Beumelburg, Werner, *Die stählernen Jahre*, München 1930.

Beumelburg, Werner, *Deutschland erwacht*, Bielefeld 1933.

Bewer, Max, *Beim Kaiser und Hindenburg im Großen Hauptquartier*, Dresden 1917.

Binding, Rudolf, *Aus dem Kriege*, Potsdam 1937.

Bloem, Walter, *Der Weltbrand. Deutschlands Tragödie 1914–1918*, Bd. 1, Berlin 1922.

Bloem, Walter, »Hindenburg und das deutsche Volk«, in: *Reichspräsident Hindenburg*, hg. von
der Hindenburgspende, Berlin 1927, S. 47–60.

Bloem, Walter, *Das Ganze – halt*, Leipzig 1934.

Blüher, Hans, »Der Treuhänder des Volkes«, in: *Der Ring* 4 (1933), S. 60–61.

Böer, Oskar, *Generalfeldmarschall von Hindenburg*, Leipzig 1915.

Boetticher, Friedrich von, *Graf Alfred Schlieffen. Rede am 28. Februar 1933, dem Tage der hundertsten Wiederkehr des Geburtstages des Generalfeldmarschalls Graf Schlieffen*, Berlin 1933.

Bonn, Moritz J., *So macht man Geschichte*, München 1953.

Bracht, Reinhard, *Unter Hindenburg von Tannenberg bis Warschau*, Berlin 1917.

Brandt, Karsten, *Hindenburg. Leben und Wirken eines deutschen Feldherrn*, Stuttgart 1917.

Brandt, Rolf, *Abschied von Hindenburg*, Berlin 1934.

Braun, Magnus Freiherr von, *Weg durch vier Zeitepochen*, Limburg 1964.

Braun, Otto, *Von Weimar zu Hitler*, New York 1940.

Brüning, Heinrich, *Memoiren 1918–1934*, Stuttgart 1970.

Buchfinck, Ernst, *Feldmarschall Graf von Haeseler*, Berlin 1929.

Buchhorn, Josef, *Hindenburg. Der Führer in unsere Zukunft*, Berlin 1920.

Bülow, Bernhard von, *Denkwürdigkeiten. Bd. 2: Von der Marokko-Krise bis zum Abschied*, Berlin
1930.

Chamberlain, Houston Stewart, *Briefe 1882–1924 und Briefwechsel mit Kaiser Wilhelm II.*, München 1927.

Cremer, Paul, *Mit dem Liebesgabenzug der Frauenhülfe zur Hindenburg-Armee*, Potsdam 1915.

Dahn, Felix, *Moltke. Festspiel zur Feier des neunzigsten Geburtstages des Feldmarschalls Grafen Hellmuth Moltke*, Leipzig 1890.

Dahn, Felix, *Moltke als Erzieher. Allerlei Betrachtungen*, Breslau 1892.

Das Meisterwerk. Klimsch, Berlin 1941.

Dehn, Paul, *Hindenburg als Erzieher in seinen Aussprüchen*, Leipzig 1918.

Delmer, Sefton, *Die Deutschen und ich*, Hamburg 1962.

Dietrich, Otto, *Zwölf Jahre mit Hitler*, Köln 1955.

Dodd, Martha, *Through Embassy Eyes*, New York 1939.

Eggert Windegg, Walther (Hg.), *Briefe von Walter Flex*, München 1927.

Ehrenberg, Hermann, *Der Krieg und die Kunst*, Münster 1915.

Einem, Karl von, *Erinnerungen eines Soldaten 1853–1933*, Leipzig 1933.

Eisenhart Rothe, Ernst von, »Hindenburg und Ludendorff«, in: *Hindenburg-Denkmal für das deutsche Volk*, hg. von Paul Lindenberg, Berlin 1922, S. 239–268.

Eisenhart Rothe, Ernst von, *Der Kaiser am 9. November! Eine Klarstellung nach noch nicht veröffentlichtem Material*, Berlin 1922.

Eisenhart Rothe, Ernst von, *Im Banne der Persönlichkeit*, Berlin 1931.

Eisenhart Rothe, Ernst von, »Hindenburg als Feldherr«, in: *Paul von Hindenburg als Mensch, Staatsmann, Feldherr*, hg. von Oskar Karstedt, Berlin 1932.

Elze, Walter, *Tannenberg*, Breslau 1928.

Erzberger, Matthias, *Erlebnisse im Weltkrieg*, Stuttgart 1920.

Escherich, Georg, *Im Urwald*, Berlin 1927.

Eulenberg, Herbert, *So war mein Leben*, Düsseldorf 1948.

Everth, Erich (Hg.), *Männer der Zeit*, Magdeburg 1915.

Feiler, Arthur, *Neuland. Eine Fahrt durch Ob. Ost*, Frankfurt a.M. 1917.

Fendrich, Anton, »*Wir*«. *Ein Hindenburgbuch*, Stuttgart 1917.

Foerster, Wolfgang, »Hindenburg als Feldherr«, in: *Reichspräsident Hindenburg*, hg. von der Hindenburgspende, Berlin 1927, S. 79–92.

Foertsch, Hermann, *Schuld und Verhängnis*, Stuttgart 1951.

Frädrich, Gustav, *Luther und Hindenburg*, Gotha 1915.

François, Hermann von, »Kommandierender General des IV. Armeekorps«, in: *Hindenburg-Denkmal für das deutsche Volk*, hg. von Paul Lindenberg, Berlin 1922, S. 49–56.

Frank, Hans, *Im Angesicht des Galgens*, München 1953.

Frentz, Hans, *Über den Zeiten. Künstler im Kriege*, Freiburg 1931.

Frentz, Hans, *Hindenburg und Ludendorff und ihr Weg durch das deutsche Schicksal*, Berlin 1937.

Freytag-Loringhoven, Hugo Freiherr von, *Menschen und Dinge wie ich sie in meinem Leben sah*, Berlin 1923.

Gallwitz, Max von, *Erleben im Westen 1916–1918*, Berlin 1932.

Ganghofer, Ludwig, *Bei den Heeresgruppen Hindenburg und Mackensen*, Stuttgart 1916.

Gereke, Günther, *Ich war königlich-preußischer Landrat*, Berlin 1970.

Geßler, Otto, *Reichswehrpolitik in der Weimarer Zeit*, Stuttgart 1958.

Ginschel, Emanuel, *Generalfeldmarschall von Hindenburg. Sein Leben und seine Taten*, Posen 1917.

Goldmann, Paul, *Beim Generalfeldmarschall von Hindenburg. Ein Abend im Hauptquartier*, Berlin 1914.

Goldmann, Paul, *Gespräche mit Hindenburg*, Berlin 1916.

Goltz, Colmar Freiherr von der, *1813. Blücher und Bonaparte*, Stuttgart/Berlin 1913.

Gritzbach, Erich, *Hermann Göring. Werk und Mensch*, München 1939.

Groener, Wilhelm, »Der Soldat und Feldherr«, in: *Hindenburg. Was er uns Deutschen ist*, hg. von Friedrich Wilhelm von Loebell, Berlin 1927, S. 11–68.

Groener, Wilhelm, *Das Testament des Grafen Schlieffen*, Berlin 1929.

Groener, Wilhelm, *Lebenserinnerungen. Jugend – Generalstab – Weltkrieg*, hg. von Friedrich Freiherr Hiller von Gaertringen, Göttingen 1957.

Gronemann, Sammy, *Hawdoloh und Zapfenstreich. Erinnerungen an die ostjüdische Etappe 1916–18*, Berlin 1925.

Günther, Gerhard, *Das werdende Reich*, Hamburg 1932.

Hackmann, Hans, *Der Krieg und die bildende Kunst*, Berlin 1919.

Haeften, Hans von, *Hindenburg und Ludendorff als Feldherren*, Berlin 1937.

Hamann, Richard, *Krieg, Kunst und Gegenwart*, Marburg 1917.

Hammerstein, Kunrat Freiherr von, *Spähtrupp*, Stuttgart 1963.

Hanfstaengl, Ernst, *Zwischen Weißem und Braunem Haus. Memoiren eines politischen Außenseiters*, München 1970.

Hartmann, Fritz, *Ob-Ost. Friedliche Kriegsfahrt eines Zeitungsmannes*, Hannover 1917.

Hartmann, Fritz, »In Hannover«, in: *Hindenburg. Was er uns Deutschen ist*, hg. von Friedrich Wilhelm von Loebell, Berlin 1927, S. 89–100.

Hausendorff, Erhard, »Hindenburg und die Jagd«, in: *Hindenburg. Was er uns Deutschen ist*, hg. von Friedrich Wilhelm von Loebell, Berlin 1927, S. 269–279.

Haußmann, Conrad, *Schlaglichter. Reichstagsbriefe und Aufzeichnungen*, Frankfurt a.M. 1924.

Hedin, Sven, *Nach Osten!*, Leipzig 1916.

Hedin, Sven, *Fünfzig Jahre Deutschland*, Leipzig 1938.

Helfferich, Karl, *Der Weltkrieg*, Berlin 1920.

Helmolt, Hans F., *Hindenburg*, Karlsruhe 1926.

Hergt, Oskar, *Gegenwart und Zukunft der Deutschnationalen Volkspartei*, Berlin 1919.

Herzog, Rudolf, *Mann im Sattel*, Berlin 1935.

Herzogin Viktoria Luise, *Ein Leben als Tochter des Kaisers*, Göttingen 1965.

Hillard, Gustav, *Herrn und Narren der Welt*, München 1955.

Hildebrandt, Hans, *Krieg und Kunst*, München 1916.

Hindenburg, Bernhard von, *Paul von Hindenburg. Ein Lebensbild*, Berlin 1915.

Hindenburg, Bernhard von, *Feldmarschall von Hindenburg. Ein Lebensbild*, Berlin 1915.

Hindenburg, Paul von, *Aus meinem Leben*, Leipzig 1920.

Hindenburg, Bielefeld 1934.

Hoetzsch, Otto, *Deutsche Heerführer im Weltkrieg*, Bielefeld 1915.

Hoppe, Ludwig, *Kleine Bilder aus großer Zeit*, Berlin 1939.

Hoppe-Lichterfelde, Ludwig, *Das Herz des Hauses Hindenburg. Dem Gedächtnis einer edlen deutschen Frau*, Berlin 1926.

Hoßbach, Friedrich, *Zwischen Wehrmacht und Hitler 1934–1938*, Wolfenbüttel 1949.

Hutten-Czapski, Bogdan Graf von, *Sechzig Jahre Politik und Gesellschaft*, Bd. 2, Berlin 1936.

Ins dritte Kriegsjahr. Eine Rundfrage der »Kattowitzer Zeitung«. Beiträge führender Männer Deutschlands und seiner Verbündeten mit einem Motto von Exzellenz von Hindenburg General-Feldmarschall, Kattowitz 1916.

Jagow, Traugott von, *Verrückte Welt. Persönliches aus und nach der Kapperhebung*, Privatdruck für die Corpszeitung der Göttinger Sachsen, 1937.

Kardorff-Oheimb, Katharina von, *Politik und Lebensbeichte*, Tübingen 1965.

Karstedt, Oskar (Hg.), *Paul von Hindenburg als Mensch, Staatsmann, Feldherr*, Berlin 1932.

Klimsch, Fritz, *Erinnerungen und Gedanken eines Bildhauers*, Stollhamm 1952.

Knesebeck, Ludolf Gottschalk von dem, *Die Wahrheit über den Propagandafeldzug und Deutschlands Zusammenbruch*, München 1927.

Krack, Otto, *Generalfeldmarschall von Bülow*, Berlin 1916.

Krebs, Albert, *Tendenzen und Gestalten der NSDAP*, Stuttgart 1959.

Krieger, Bogdan, *Der Kaiser im Felde*, Berlin 1917.

Krogmann, Carl Vincent, *Es ging um Deutschlands Zukunft 1932–1939*, Leoni 1976.

Kühlmann, Richard von, *Erinnerungen*, Heidelberg 1948.

Kuratorium für das Reichsehrenmal Tannenberg (Hg.), *Tannenberg. Deutsches Schicksal – Deutsche Aufgabe*, Berlin 1936.

Lanick, Alfred, *Unser Hindenburg. Biographie und Würdigung seiner Charaktereigenschaften*, Leipzig 1914.

Lessel, Emil von, *Böhmen, Frankreich, China 1866–1901. Erinnerungen eines preußischen Offiziers*, Köln 1981.

Lessing, Theodor, *Hindenburg*, Berlin 1925.

Lindenberg, Paul, *Gegen die Russen mit der Armee Hindenburgs*, Leipzig 1914.

Lindenberg, Paul (Hg.), *Hindenburg-Kalender für Volk und Heer 1917*, Berlin 1917.

Lindenberg, Paul, *Das Buch vom Feldmarschall Hindenburg*, Oldenburg 1920.

Lindenberg, Paul (Hg.), *Hindenburg-Denkmal für das deutsche Volk. Eine Ehrengabe zum 75. Geburtstage des Generalfeldmarschalls*, Berlin 1922.

Lindenberg, Paul, »Der getreue Ekkehardt«, in: *Hindenburg-Denkmal für das deutsche Volk*, hg. von Paul Lindenberg, Berlin 1922, S. 401–410.

Lindenberg, Paul, *Es lohnte sich, gelebt zu haben*, Berlin 1941.

List, Max von, *Durch Preußen und Polen. Eindrücke und Erinnerungen eines Frontoffiziers*, Breslau 1920.

Loebell, Friedrich Wilhelm von (Hg.), *Hindenburg. Was er uns Deutschen ist*, Berlin 1927.

Ludecke, Kurt, *I Knew Hitler*, London 1938.

Ludendorff, Erich, *Meine Kriegserinnerungen 1914–1918*, Berlin 1919.

Ludendorff, Erich, »*Dirne Kriegsgeschichte*« *vor dem Gericht des Weltkrieges*, München 1935.

Ludendorff, Erich, *Vom Feldherrn zum Weltrevolutionär und Wegbereiter Deutscher Volksschöpfung. Meine Lebenserinnerungen von 1919 bis 1925*, München 1940.

Ludendorff, Erich, *Vom Feldherrn zum Weltrevolutionär und Wegbereiter Deutscher Volksschöpfung. Meine Lebenserinnerungen von 1933 bis 1937*, Pähl 1955.

Ludwig, Emil, *Hindenburg und die Sage von der deutschen Republik*, Amsterdam 1935.

Luxburg, Karl von, *Nachdenkliche Erinnerung*, Schloß Aschasch/Saale 1953.

Madol, Hans Roger, *Ferdinand von Bulgarien*, Berlin 1931.

Manstein, Erich von, *Aus einem Soldatenleben 1887–1939*, Bonn 1958.

Marcks, Erich, »Hindenburg als Mensch und Staatsmann«, in: *Paul von Hindenburg als Mensch, Staatsmann, Feldherr*, hg. von Oskar Karstedt, Berlin 1932, S. 39–76.

Mayer, Eugen, *Skizzen aus dem Leben der Weimarer Republik*, Berlin 1962.

Meißner, Hans-Otto, *Junge Jahre im Reichspräsidentenpalais*, Esslingen 1988.

Meißner, Otto, *Staatssekretär unter Ebert, Hindenburg, Hitler*, Hamburg 1950.

Michael, Horst, und Karl Lohmann, *Der Reichspräsident ist Obrigkeit!*, Hamburg 1932.

Michaelis, Paul, *Aus dem Deutschen Osten*, Berlin 1916.

Müller, Karl Alexander von, *Im Wandel einer Welt*, München 1966.

Müller, Vincenz, *Ich fand das wahre Vaterland*, Berlin 1963.

Müller-Eberhart, Waldemar, *Hindenburg. Eine Wertung seines Schaffens*, Berlin 1915.

Müller-Eberhart, Waldemar, *Kopf und Herz des Weltkrieges*, Leipzig 1935.

Münter, Friedrich von, »Vor zwanzig Jahren. Erinnerungen an Hindenburg«, in: *Deutsche medizinische Wochenschrift* 61 (1935), S. 519–522.

Nicolai, Walter, *Nachrichtendienst, Presse und Volksstimmung im Weltkrieg*, Berlin 1920.

Noske, Gustav, *Von Kapp zu Kiel*, Berlin 1920.

Oehme, Walter, *Damals in der Reichskanzlei*, Berlin 1958.

Olden, Rudolf, *Hindenburg oder der Geist der preußischen Armee*, Paris 1935 [ND Hildesheim 1982].

Oldenburg-Januschau, Elard von, *Erinnerungen*, Leipzig 1936.

Ottmann, Victor, *Goldene Worte Hindenburgs*, Berlin 1918.

Papen, Franz von, *Der Wahrheit eine Gasse*, München 1952.

Pauls, Eilhard Erich, *Blücher*, Hamburg 1910.

Payer, Friedrich von, *Von Bethmann Hollweg bis Ebert. Erinnerungen und Bilder*, Frankfurt a.M. 1923.

Petersen, Walter, *Vor großen Zeitgenossen. Erinnerungen eines Malers*, Berlin 1937.

Pochhammer, Paul, *Paul von Hindenburg*, Berlin 1914.

Presber, Rudolf, *Notizen am Rande des Weltkrieges*, Stuttgart/Berlin 1917.

Presseabteilung Ober Ost (Bearb.), *Das Land Ober Ost. Deutsche Arbeit in den Verwaltungsgebieten Kurland, Litauen und Bialystok-Grodno*, Stuttgart 1917.

Preußen, Cecilie von, *Erinnerungen an den Deutschen Kronprinzen*, Biberach 1952.

Preußen, Louis Ferdinand Prinz von, *Im Strom der Geschichte*, München 1983.

Reibnitz, Kurt von, *Gestalten rings um Hindenburg*, Dresden 1929.

Reichspräsident Hindenburg, hg. von der Hindenburgspende, Berlin 1927.

Rheinbaben, Werner Freiherr von, *Kaiser, Kanzler, Präsidenten*, Mainz 1968.

Ribbentrop, Joachim von, *Zwischen London und Moskau*, Leoni 1954.

Rosen, Erwin, *Der große Krieg*, Stuttgart 1914.

Rosner, Karl (Hg.), *Erinnerungen des Kronprinzen Wilhelm. Aus den Aufzeichnungen, Dokumenten, Tagebüchern und Gesprächen*, Stuttgart 1922.

Saager, Adolf (Hg.), *Blücher-Anekdoten*, Stuttgart 1912.

Sachsen, Ernst Heinrich von, *Mein Lebensweg vom Königsschloß zum Bauernhof*, München 1968.

Salzberger, Georg, *Aus meinem Kriegstagebuch*, Frankfurt a.M. 1916.

Sauerbruch, Ferdinand, *Das war mein Leben*, Bad Wörishofen 1951.

Schauwecker, Franz, »Hindenburg und der Frontsoldat«, in: *Hindenburg. Was er uns Deutschen ist*, hg. von Friedrich Wilhelm von Loebell, Berlin 1927, S. 248–268.

Schiffer, Eugen, *Ein Leben für den Liberalismus*, Berlin 1951.

Schlange-Schöningen, Hans, *Am Tage danach*, Hamburg 1946.

Schmidt-Hannover, Otto, *Umdenken oder Anarchie*, Göttingen 1959.

Schmitt, Carl, *Legalität und Legitimität*, München/Leipzig 1932.

Schmökel, Hermann, *Hindenburg. Ein Lebensbild*, Potsdam 1915.

Schneider, Reinhold, *Verhüllter Tag*, Köln 1954.

Schönburg-Waldenburg, Heinrich Prinz zu, *Erinnerungen aus kaiserlicher Zeit*, Leipzig 1929.

Schulenburg, Dieter von der, *Welt um Hindenburg. Hundert Gespräche mit Berufenen*, Berlin 1935.

Schulenburg, Werner von der, *Jesuiten des Königs*, Stuttgart 1928.

Schulenburg, Werner von der, *Zaungast der Weltgeschichte*, Leipzig 1936.

Schultze-Pfaelzer, Gerhard, *Wie Hindenburg Reichspräsident wurde*, Berlin 1925.

Schultze-Pfaelzer, Gerhard, *Hindenburg. Drei Zeitalter deutscher Nation*, Leipzig 1930.

Schultze-Pfaelzer, Gerhard, *Hindenburg. Ein Leben für Deutschland*, Berlin 1934.

Schumann, Harry, *Deutschlands Erhebung 1914. Ein Stück Zeitgeschichte*, Berlin 1914.

Schwerin von Krosigk, Lutz Graf, *Memoiren*, Stuttgart 1977.

Schwertfeger, Bernhard, *Kriegsgeschichte und Wehrpolitik. Vorträge und Aufsätze aus drei Jahrzehnten*, Potsdam 1938.

Sommerfeldt, Martin H., *Ich war dabei*, Darmstadt 1949.

Speer, Albert, *Erinnerungen*, Berlin 1969.

Stiewe, Willy, *So sieht uns die Welt. Deutschland im Bild der Auslandspresse*, Berlin 1933.

Stockhausen, Max von, *Sechs Jahre Reichskanzlei*, Bonn 1954.

Tirpitz, Alfred von, *Erinnerungen*, Leipzig 1919.

Heinrich Tramm. Stadtdirektor von Hannover 1854–1932. Ein Lebensbild, Hannover 1932.

Tschirschky, Fritz Günther von, *Erinnerungen eines Hochverräters*, Stuttgart 1972.

Viereck, George Sylvester, *Schlagschatten*, Berlin 1955.

Vogel, Hugo, *Erlebnisse und Gespräche mit Hindenburg*, Berlin 1935.

Vollbehr, Ernst, *Der Maler im vordersten Kriegsgraben*, Oldenburg 1918.

Vollbehr, Ernst, *Bunte leuchtende Welt. Die Lebensfahrt eines Malers*, Berlin 1935.

Wartensleben, Elisabeth Gräfin (Hg.), *Hermann Graf von Wartensleben-Carow. Königlich-preußischer General der Kavallerie. Ein Lebensbild 1826–9121*, Berlin 1923.

Wenniger, Karl, *Die Schlacht von Tannenberg*, München 1935.

Westarp, Kuno Graf von, *Konservative Politik im letzten Jahrzehnt des Kaiserreiches*, Bd. 2, Berlin 1935.

Widenmann, Wilhelm, *Marine-Attaché an der kaiserlich-deutschen Botschaft in London*, Göttingen 1952.

Wilmowsky, Tilo Freiherr von, *Rückblickend möchte ich sagen …*, Oldenburg 1961.

Wilhelm II., *Ereignisse und Gestalten aus den Jahren 1878–1918*, Berlin 1922.

Wilpert, Friedrich von, *Einer in fünf Zeitaltern*, Bonn 1977.

Winnig, August, »Der Hort in der Zeit des Zusammenbruchs«, in: *Hindenburg, Was er uns Deutschen ist*, hg. von Friedrich Wilhelm von Loebell, Berlin 1927, S. 79–88.

Ybarra, Thomas Russel, *Hindenburg. Seine drei Leben*, Berlin 1931.

Zechlin, Walter, *Pressechef bei Ebert, Hindenburg und Kopf*, Hannover 1956.

Zedlitz-Trützschler, Robert Graf, *Zwölf Jahre am deutschen Kaiserhof*, Berlin 1923.

Personenregister

Kursiv gesetzte Angaben verweisen auf Bildlegenden.

Bildnachweis

AKG-images, Berlin
12, 56, 90, 722, 768 (alle © akg-images)
Bildarchiv Preußischer Kulturbesitz, Berlin
68 (© Hamburger Kunsthalle), 520 (Fotograf unbekannt), 594 (Fotograf unbekannt), 670 (Fotograf unbekannt), 700 (Fotograf unbekannt)
corbis, Düsseldorf
204 (© corbis)
SV-Bilderdienst, Müchen
410 (© Scherl), 478 (© Scherl), 806 (© Scherl)
ullstein bild, Berlin
40 (© ullstein), 114 (© ullstein), 154 (© ullstein/Harry Corner), 176 (© ullstein/KPA), 226 (© ullstein), 244 (© ullstein/KPA), 284 (© ullstein/Archiv Gerstenberg), 324 (© ullstein), 360 (© ullstein), 380 (© ullstein), 440 (© ullstein), 460 (© ullstein), 488 (© ullstein), 540 (© ullstein), 554 (© ullstein/SV-Bilderdienst), 576 (© ullstein), 612 (© ullstein), 628 (© ullstein), 644 (© ullstein), 684 (© ullstein/AKG-Pressebild), 742 (© ullstein), 790 (© ullstein/SV-Bilderdienst), 830 (© ullstein), 854 (© ullstein)
Verlagsarchiv
294